贵溪市志

（1991–2008）

上册

贵溪市地方志编纂委员会 编

方志出版社
Publishing House of Local Records

图书在版编目(CIP)数据

贵溪市志. 1991～2008/贵溪市地方志编纂委员会编. —北京:方志出版社,2018.2
ISBN 978-7-5144-1946-7

Ⅰ.①贵… Ⅱ.①贵… Ⅲ.①贵溪市-地方志-1991～2008 Ⅳ.①K295.63

中国版本图书馆 CIP 数据核字(2016)第 040551 号

贵溪市志(1991—2008)

编　　者:贵溪市地方志编纂委员会
责任编辑:章　瑾

出 版 人:冀祥德
出 版 者:方 志 出 版 社
　　　　地址　北京市朝阳区潘家园东里 9 号(国家方志馆 4 层)
　　　　邮编　100021
　　　　网址　http://www.fzph.org
发　　行:方志出版社发行中心
　　　　电话(010)67110500
经　　销:各地新华书店
印　　刷:江西龙莹印务有限公司

开　　本:889×1194　1/16
印　　张:69.75
字　　数:2078 千字
版　　次:2018 年 2 月第 1 版　2018 年 2 月第 1 次印刷
印　　数:0001—2000 册

ISBN 978-7-5144-1946-7　定价:398.00 元

魅力

贵溪

实力

世界自然遗产地
世界文化遗产地
世界地质公园
中国道教祖庭
中国“心学”发源地
国家级自然保护区
国家级森林公园
中国铜产业基地
中国再生资源循环利用基地
全国商品粮基地
全国林业先进县
全国依法治理先进县
全国“两基”教育先进市
全国文化先进市
全国科技进步市
全国中小城市综合实力百强市
全国双拥模范城
全国金融生态市
国家园林城市
全国百强县

贵溪市城

区全景图

1996 年 10 月 16 日贵溪撤县设市庆祝大会

市徽（张炳贤等设计）

由“贵溪”二字的汉语拼音首字母“GX”、运用艺术手段表现的一只鲲鹏和“CU”铜元素符号组成。红底色象征贵溪老区和红色土地，黄色表明贵溪的铜城特色，蓝色代表信江河流。

基座象征“仙桥”，四大柱子象征铜冶炼、粮食、矿产、龙虎山旅游四大支柱产业。

市标（徐唯龙设计）

贵溪市城区夜景

绕城而过的信江

世界自然遗产、地质公园、国家自然文化双遗产地——龙虎山

国家级自然保护区——阳际峰

国家级水利风景区——白鹤湖

江西铜业集团公司总部大楼

江西铜业集团公司贵溪冶炼厂

中国电力投资公司贵溪发电有限责任公司（二期主厂房）

江西贵溪化肥有限责任公司

市工业园区

市工业园办公楼

红旗集团江西铜业有限公司

江西三花制冷科技有限公司

江西铜材有限公司

美的贵雅照明有限公司

贵溪铜拆解加工园区“无水港”

铜产业循环经济基地

铜产业循环经济基地办公楼

铜产业循环经济基地铜拆解加工企业

大棚蔬菜

南乡笋竹两用林

北乡塔桥早熟梨

江西省省级龙头企业——江西（贵溪）大忙人实业有限公司生产车间

江西省农业产业化经营龙头企业——贵溪市金沙蔬菜加工厂生产车间

水稻施肥量比试验田

中国工商银行贵溪市支行

国泰君安证券有限责任公司贵溪市服务部

中国移动通信集团贵溪市分公司

太平洋购物广场

中国联通贵溪市分公司

冷水瀑布

贵溪大桥

铜都大桥

浙赣、皖赣铁路线贵溪站

沪昆高速公路贵溪段

320 国道贵溪段

206 国道贵溪段

建设大道

沪昆高速贵溪连接线（贵溪大道）

东门路

城北汽车站

城南汽车站

城际公交

市内公交

沿河东路

城北区

雄石西路

中心广场

城市夜景

城南滨水广场

市第一中学

市第一小学

市象山学校

罗河一中

文坊镇明德小学

市中医院

市疾病预防控制中心

市人民医院

周坊镇中心卫生院

雄石街道社区卫生服务中心

市广播电视台机房

市新华书店

市实验中学室内体育馆健身房

端午节观赛龙舟

歌厅

网吧

塘湾镇新街

樟坪畲乡

周坊镇长塘村

雷溪乡文化站

泗沥镇敬老院

村图书室

幸福小区

市领导看望福利院儿童

全国“我最喜爱的十大人民警察”施华山

110 报警台

新兵入伍

龙虎山岩墓景区

象山书院遗址

省级历史文化名镇——塘湾古镇

1933年1月闽浙赣苏区红十军与中央红一方面军第三军团会师地——上清桂洲沙滩

江西省非物质文化遗产——錾铜雕刻

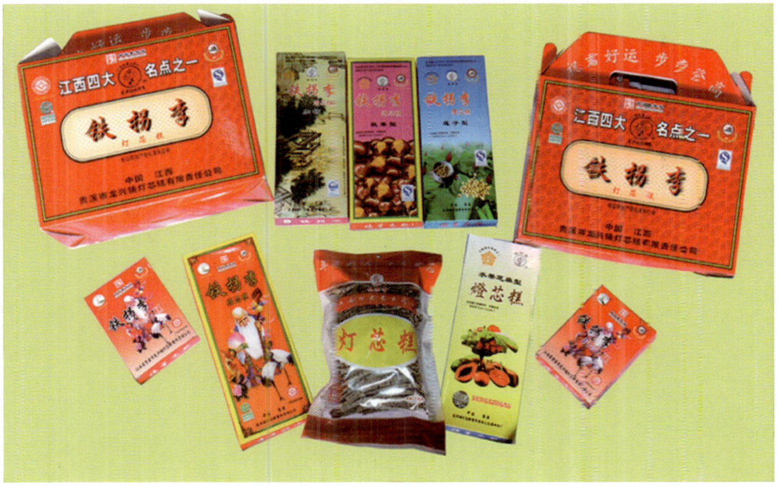

江西省非物质文化遗产——全国驰名、明清时期列入皇宫贡品的贵溪灯芯糕

全市少儿书法活动

油画作品《姗姗》，作者周松（贵溪籍，职业画家）

木刻作品《纪念左联五作家》
作者汪占非（贵溪籍，著名美术教育家）

浮石公园

退耕还林

土壤修复

滨江生态小区

农村垃圾焚烧炉

城市污水处理

《贵溪市志（1991—2008）》编纂动员大会

《贵溪市志（1991—2008）》志稿初审会

《贵溪市志（1991—2008）》志稿复审会

《贵溪市志（1991—2008）》志稿终审（验收）会

治天下者以史為鑒
治郡國者以志為鑒
願故鄉貴溪譜写更絢丽新篇章

己丑冬至鄉人張继禹敬書

（张继禹，贵溪上清人，第十一届全国人大常委会委员，中国道教协会副会长）

传承图强　拼搏圆梦

雄石益雄　贵溪更贵

汪诚信

癸巳年丙辰月于北京

（汪诚信，贵溪雄石人，中国预防医学科学院研究员，媒介生物控制领域领衔人物之一。）

《贵溪市志(1991—2008)》编纂委员会

2008 年 10 月

2009 年 11 月

2011 年 12 月

2016 年 12 月

顾　　问　梅　峰

主　　任　周谷昌

副 主 任　罗卫国　李荣德　冯　玮　张敏胜　江　波　汪金船　姜新文

委　　员　李建平　童衍福　童国栋　陈新祥　李奎三　刘永利　费享琴　易高春　李木兰　张学先

2017 年 12 月

顾　　问　梅　峰

主　　任　周谷昌

副 主 任　罗卫国　李荣德　冯　玮　张敏胜　江　波　陶　然　姜新文

成　　员　李建平　童国栋　童衍福　李锦东　项国华　叶　平　郑　旭　费享琴　李　宁　李木兰　卢秋林　吴　智

《贵溪市志（1991—2008）》编辑部

主　　编　姜新文

副 主 编　张学先

特邀编审　刘柏修

执行主编　傅乃吉

执行副主编　童金生　焦　洋

编　　辑　童金生　焦　洋　陈贵兴　李泽民　曾绍明　裴爱兰　彭金才　严国强　姜新文　傅乃吉　张学先

摄　　影　朱英福　陆传和　刘永华　陈久荣　揭安华

编　　务　吴婝琴　李光华　吴　智　徐超红　王浩涛

总 校 核　吴厚荣

《贵溪市志（1991—2008）》志稿初审人员

梅　宏　周　慧　杨志华　林衍经　刘柏修　况建军　朱仕平　李　云
张棉标　杨沂柳　刘香丽　赵　岩　王新勤　徐金辉　詹东旺　张海燕
黄建军　童国栋　李锦东　徐灵英　费享琴　李卫华　刘永利　杨火龙
张仔强

《贵溪市志（1991—2008）》志稿复审人员

梅　宏　杨志华　况建军　朱仕平　陈志敏　夏永军　杨保平　张棉标
刘香丽　刘佳佳

《贵溪市志（1991—2008）》志稿终审（验收）人员

梅　峰　周谷昌　罗卫国　祝晓勤　李中华　万荣辉　李荣德　冯　玮
佘荔萍　倪建平　张敏胜　江　波　熊　明　唐金辉　詹东旺　汪建强
方东升　陶　然　徐样平　童　力　杨高生　林衍经　杨志华　刘柏修
况建军　朱仕平　李寅生　李建平　童国栋　童衍福　李锦东　项国华
叶　平　郑　旭　费享琴　李　宁　李木兰　吕剑林　李新文　席文和
卢秋林　周　琴

《贵溪市志（1991—2008）》志稿批准印刷出版单位：
贵溪市人民政府

序　一

杨解生

1991—2008年在历史长河中可谓“弹指一挥间”，但这短短的18年，对贵溪来说意义却非常重大。新编《贵溪市志（1991—2008）》紧扣这18年贵溪各行各业的嬗变，翔实地记载贵溪这些年间发生的翻天覆地的变化。捧读这经过10多位编辑人员4年多时间编纂成的志稿，我们对这18年贵溪的发展变化感慨万千。

这风起云涌的18年，60多万贵溪儿女坚持以邓小平理论、“三个代表”重要思想和科学发展观为指导，尊重自然和社会发展规律，解放思想，更新观念，贯彻党的各项路线方针，坚持以人为本，发展为先，人们更加和谐安康，社会更加文明稳定。这是令人感恩的18年。

这风起云涌的18年，是贵溪改革开放攻坚的18年。18年间，贵溪经济体制改革不断向纵深发展，经济形式趋向多元化、经济结构呈现多样化，国营企业的改制、拍卖、股份制及职工身份的置换，都在这18年中相继完成，改革中涌现出的许多人与事至今让人们记忆犹新，历历在目。这是令人难忘的18年。

这风起云涌的18年，是贵溪由一个农业大县转变为工业强市的18年。18年间，全市GDP由1991年的19亿元增至2008年的172亿元，三产比重也由1991年的28:38:34变为2008年的7:75:18，农民人均纯收入由1769元上升为5366元，工业发展使贵溪跻身于全国百强县之一，贵溪于1996年完成由县向县级市的跨越。一个铜及铜产业销售收入逾1000亿元的“新铜都”——贵溪市呈现在世人面前。这是令人振奋的18年。

这风起云涌的18年，是贵溪城市发展变化十分惊人的18年。18年间，贵溪市城区建成区面积由1991年的12平方公里扩展为2008年的18.8平方公里，贵溪城南新城已初现端倪，各项民生工程相继完工。由市区通往全市各个村的道路全部实现水泥硬化，快捷的交通网让广大村民在家门口就可以乘坐公交车快捷到达市区。这是令人目不暇接的18年。

捧读新编的《贵溪市志（1991—2008）》，18年的奋斗历史跃然纸上，编撰者用心记载了许多凡人小事，读来感人至深。历史是人民创造的，人民志书就应该多记载那些创造历史的人们，贵溪的发展变化是60多万贵溪儿女创造的，他们永远是这块土地的主人。

回首过去，展望未来，希望《贵溪市志（1991—2008）》在全市社会发展进程中更好地发挥出存史、资政、兴利、教化的作用。

2014年11月

（作者系中共江西省委党校副校长，中共贵溪市委原书记。）

序 二

程芦山

捧读充满油墨香味的志稿,心中充满对贵溪过去18年历史的尊重。在这200多万字的鸿篇巨著中,珍藏着贵溪18年的成就、经验和奋斗历程,从志书中我了解到贵溪过去18年的许多人与事,也理解贵溪飞速发展的原因所在。感谢参与市志编纂工作的同志,正因为这些参修者的辛苦,才能把这份宝贵的精神食粮奉献给贵溪60多万儿女。

古人云:"以史为镜可以知兴替,以人为镜可以明得失,以铜为镜可以正衣冠"。方志是一方正史,可谓"百科全书",记载一方人民改天换地的历史。

新编《贵溪市志(1991—2008)》忠实地记录贵溪1991至2008年间的方方面面。这是一部全方位了解贵溪改革开放全过程的案头书,也是一部有益当代惠及后世的重要历史文献。一卷在手,全市在胸,其意义和价值是不可估量的。作为地方上的党政干部,要全面了解贵溪的昨天,认真把握贵溪的今天,精心描绘贵溪的明天,那么,志书就是必读的资料工具书。

贵溪是个好地方,这里历史凝重,文化丰厚,1200多年的历史培育出许多可敬可颂的名人,创造出许多可歌可泣的业绩,谱写出许多可载入史册的光辉篇章。

贵溪是个好地方,这里的土地肥沃,山林茂密。南乡资源富足、绿色覆盖、木竹丰产、景色宜人;北乡粮果丰产、人勤地肥。人们安居乐业,万物和谐竞茂。

贵溪是个好地方,这里胸怀宽广,海纳百川,筑五湖四海人们安乐窝,造四面八方来客发财地,贵溪的各行从业者不论隶属何方,都融入贵溪这方水土,与贵溪60多万人民和谐生活在一起,创造着各自的辉煌,共同为贵溪的繁荣发展做贡献。

贵溪是个好地方,这里蕴藏着无限生机和创造力。这里的人们能把各种智慧转化为生产力,能在短短几年中把一个农业县一跃变成为全国百强县之一。一个销售收入1000亿元的铜产业群在这片土地上迅速崛起,成为江西的支柱产业之一。

贵溪短短18年的变化令人惊叹。《贵溪市志(1991—2008)》以31卷118章494节共计230万字,翔实记载这一切,愿这部志书在贵溪今后各项事业发展中能够发挥出更大更好的作用。

2014年11月

(作者系鹰潭市人大常委会副主任,贵溪市人民政府原市长。)

序　三

张福庆

地方志是“一方之全史”。编修地方志，是中华民族有着两千多年历史的优秀文化传统，是中国特有的文化现象。英国著名科技史学家李约瑟博士曾经说过：“古代的希腊乃至近代的英国，都没有留下与中国地方志相似的文献，要了解中国文化，就必须了解中国地方志。”

编修地方志，是社会主义先进文化的重要组成部分。党和国家高度重视地方志编修，将其纳入国家和社会科学规划纲要，并首次以法规的形式将修志工作固定下来，规定二十年左右编修一次地方志。

中共中央总书记习近平在首都博物馆参观北京历史文化展览时强调：要在展览的同时高度重视修史修志，让文物说话，把历史智慧告诉人民，激发我们的民族自豪感和自信心，坚定全体人民振兴中华、实现中国梦的信心和决心。

贵溪市委、市政府高度重视修志工作。继1984年主持开展首轮地方志编修，1996年出版首部社会主义新方志——《贵溪县志》后，2008年底又启动新一轮修志工作。这也是贵溪历史上首次以“市”命名的地方志。

续修的《贵溪市志(1991—2008)》，上限为1991年，下限至2008年。期间，正值我市改革开放和社会主义现代化建设由全面实施到深化扩大，由“三步走”的“第二步”到“新三步走”发展战略的“第一阶段”。在此阶段，贵溪经济以前所未有的速度发展，地区生产总值提前实现翻番目标，社会事业全面进步，人民生活水平极大提高，这是贵溪历史上发展速度最快的时期。也正是在这一阶段，贵溪创造了历史，撤县建市，开创贵溪历史的新纪元。

《贵溪市志(1991—2008)》以洋洋两百余万字的巨制宏篇，详尽的记载这段辉煌历史。系统记述贵溪自然、经济、政治、社会和文化的发展与变化，真实再现在中国共产党领导下贵溪人民改革开放和现代化建设的奋斗历程和取得的巨大成就，记写为后世垂范的先进人物，志书史料丰富，具有很高的“存史”、“资政”和“教化”价值。

“欲知大道，必先为史”。只有对昨天有深刻了解，才能担负起明天的历史重任。相信《贵溪市志(1991—2008)》在建设幸福贵溪的伟大征程中，在以史鉴今、激发贵溪人自豪感和建设富裕、秀美、宜居、和谐新贵溪自信心方面，将发挥独特作用。

续修方志，泽被后世。感谢为后世留下独特文化遗产，数年执着守望，一丝不苟，辛勤笔耕的修志人！

愿贵溪文明薪火相传，代为相继，地方志永不断章；愿世世代代生活在这里的人们在地方志中寻得到根脉，解得乡愁。

2015年10月

(作者系中共鹰潭市委常委、常务副市长，中共贵溪市委原书记、贵溪市人大常委会原主任。)

序 四

梅 峰

和贵溪有缘，又一次奉命任职贵溪。

我熟悉这里的风土人情，热爱这里的一草一木。

贵溪有着悠久的历史，灿烂的文化。贵溪于公元765年建县，是唐代江南西道8州37县之一。贵溪是道教的发源地，陆象山心学研究、传播中心和成就地。

贵溪钟灵毓秀，人才辈出。东汉时期道教天师张道陵入龙虎山炼丹修道；南宋心学大师陆九渊登应天山创建"象山精舍"，获御赐"象山书院"牌匾；唐朝"潜谷先生"吴勔因迷恋贵溪山水，定居城南五面峰下"一线天"潜心苦读；旅行家徐霞客慕名游览城南诸胜，留千字文于后世……。纵观古今，道教正一派天师张盛，翰林学士吴武陵，著名画家方从义，内阁宰辅夏言，进士中榜眼黄初，文学、文论家郑日奎，开国少将刘亨云等，都是世人耳熟能详的杰出英才。

贵溪山川秀丽，物产丰饶。境域龙虎山地层地貌峰林"色如渥丹，烂若明霞"，问鼎世界自然遗产地。境南阳际峰千仞万壑，林海万顷，为国家级自然保护区。百里信江，浩浩荡荡，由东至西，流经境内。有耕地万顷，是国家商品粮基地。林业资源丰富，森林覆盖率达62%。矿藏数十种，其中银矿田为亚洲最大，石膏矿床居华东之首。

贵溪是一片红色土地。在风起云涌、波澜壮阔的土地革命时期，朱德、彭德怀、王稼祥、粟裕等党和国家领导人曾在贵溪信江南北留下战斗足迹；方志敏、邵式平、黄道等老一辈无产阶级革命家曾亲自领导贵溪的革命斗争；汪群、江宗海、邵忠、邵棠、赵梓明、赵礼生、裴月山、刘炳龙等5000余英烈血洒中华大地。

革命先辈艰苦卓绝的斗争和革命烈士的浴血奋战换来新民主主义革命的胜利和贵溪的解放。经过几十年社会主义建设，尤其是改革开放和现代化建设，贵溪沧桑巨变。工业快速崛起，取代一千多年来占据主导地位的传统农业。基础设施建设和城市化突飞猛进，城市人口、面积成倍增加，社会事业长足进步，贵溪终于迎来"撤县建市"这一历史性时刻。

盛世修志，志载盛世。贵溪的发展变迁和辉煌成就连同贵溪人民的团结奋斗历程，悉数载入《贵溪市志》彪炳史册。

《贵溪市志(1991—2008)》全面、真实的记述断限内贵溪自然、政治、经济、社会、文化的历史与现状。内容涵盖建置沿革、环境资源、人口计生、产业发展、城乡建设、交通电力、信息传媒、中国共产党贵溪组织，地方人民代表大会、人民政府、人民政协、民主党派、群众团体、政法军事、教育体育、卫生、科技、档案史志、道德思想与人物先进等方方面面，信息庞大，史料丰富，是一部名副其实的"百科全书"。

《贵溪市志(1991—2008)》升格驻市企业，提升工业，尤其是铜产业，增加物流、信息传媒、社保、医保等新生事物，关注民生和新农村建设，记述环境、资源、人口、民俗、语言、谱牒等变化，弘扬见义勇为等良好道德行为风尚，地方特色突出，时代特征鲜明。

《贵溪市志（1991—2008）》以小篇立志，体例完备，结构严谨。结构上，横不缺要项，篇目设置科学得体，经济人文比重合理，逻辑关系紧密；体裁上，述、记、志、传、图、表、录，诸体并用得当；条目记述上，纵不断主线，体现事物发展的时段性和完整性；章法上直书其事得法，文风朴实，文字流畅。

总之，《贵溪市志（1991—2008）》是集地理、历史于一体，融经济、政治、社会、文化于一炉，内容丰富，合乎体例，值得一读的一部佳志，是一部弥足珍贵的"一方之全史"，可以史鉴今、垂鉴后世。

愿《贵溪市志（1991—2008）》早日付梓问世！

2017 年 10 月

（作者系中共贵溪市委书记。）

序　五

周谷昌

志者，一地之重典；修志，一方之盛举。《贵溪市志（1991－2008）》的编纂及辑成，是贵溪人民政治、文化生活中的一件大事，是贵溪社会主义文化建设的一项重要成果，可喜可贺。

自唐永泰元年（765）贵溪建县以来，历史上曾数次修志。明景泰、万历，清康熙、乾隆、道光、同治年间，都先后修纂《贵溪县志》。因年代久远，或失传、或残缺，现尚存清康熙十一年（1672）刻本八卷、乾隆十六年刻本二十四卷、四十九年（1784）刻本十四卷首一卷、道光四年（1824）三十二卷首一卷、同治十年（1871）刻本十卷首一卷遗存。新中国成立后，贵溪县于1984年开始编修社会主义新方志。1996年，贵溪撤县设市，新编《贵溪县志》印刷出版。

2008年12月，贵溪正式启动二轮修志工作。聚众人之志，积十年之功，数易其稿，终成续志。在此，谨代表市委、市政府向为续志工作付出辛勤劳动的全体编纂人员，以及关心支持修志工作的各级领导和社会各界人士致以诚挚的敬意和谢意！

续修志书上限起于1991年，下限止于2008年，此时贵溪正处于高速发展期。续志全面、系统、客观的记述了18年间贵溪的改革开放和各项事业的发展历程暨取得的辉煌成就，再现了全市人民团结一心、艰苦奋斗、埋头苦干、开拓进取的精神风貌。续志观点正确、资料翔实、特色鲜明、文风朴实，融思想性、科学性、资料性于一体，是一部承上启下、垂范后世之佳作。

《贵溪市志（1991－2008）》的出版发行，为社会各界了解贵溪、宣传贵溪、建设贵溪提供了又一载体和窗口，可谓一卷在手，全市在胸。志中所记述的各项建设历程，以及取得的辉煌成就背后所体现出来的贵溪人民勇争一流、敢为天下先的精神，既是先进文化传承，也为后世留下珍贵馆藏。这部市志可以为各级各部门在制定规划、基本建设、资源开发、招商引资、防震减灾等方面提供历史借鉴，是对青少年进行市情教育和爱国主义、集体主义、社会主义教育的好教材。

中国特色社会主义已进入新时代。当前，贵溪正举全市之力发奋打造"智慧铜城、品质大邑"。我们要继往开来，以志为鉴，承前辈之志，尚拼搏之勇，聚民众之力，共建富裕美丽幸福贵溪，共创贵溪更美好的明天！

2017年10月

（作者系中共贵溪市委副书记、贵溪市人民政府市长。）

凡 例

一、本志是1996年版《贵溪县志》的续志，也是贵溪撤县设市以后的首部志书。

二、本志坚持辩证唯物主义和历史唯物主义观点，坚持以马列主义、毛泽东思想、邓小平理论、“三个代表”重要思想和科学发展观为指导，实事求是地记述断限内贵溪发展历程，力求体现志书的“资政、育人、存史”功能及其交流作用。

三、本志上限为1991年1月1日始，下限至2008年12月31日止。为使志书更具完整性、体现时代特征，有些叙述和图照酌情上溯、下延。

四、为使志书更具准确性、可用性，1991年1月1日至1996年10月撤县设市前仍称贵溪县。

五、本志以志为主，运用述、记、传、图、表、录等体裁，设概述、大事记、附录等。

六、本志一般设卷、章、节、目4个层次，少数目下设子目、细目。按自然环境、居民社会、经济、政治、文化的顺序编排，共设31卷118章494节，约230万字。

七、为体现贵溪的地方特色和时代特色，将部分内容升格处理，如旅游、驻市单位等。

八、本志采用以事系人的手法记述平民百姓、凡人小事，力求体现为民写志、为民立志的本意，以达到激励人、鼓舞人、教育人的目的。

九、人物传坚持生不立传的原则；客籍贵溪者凡符合标准的也予以立传。

十、本志所有称谓、时间、数字、计量单位、标点符号均根据有关规定，规范行文。

十一、1988年8月6日，国务院批准，龙虎山为国家级重点风景名胜区。1993年5月24日，鹰潭市委、市政府决定，将原属贵溪县的上清镇、龙虎山镇和国营上清林场划出，设置鹰潭市龙虎山风景旅游区管理局，隶属鹰潭市，但行政区划以及人大、司法仍归属贵溪市，故行政区划图照等仍将其纳入本志。

十二、本志资料来自各部门的资料长编，部分来自有关档案、报刊、旧志、谱牒和采访座谈记录等，一般不注明出处。数字主要来自统计部门，部门数字由各部门单位提供。

目　　录

第三卷 居 民

第四卷 城乡建设

第五卷 交 通

第六卷 经济综合

第七卷 农 业

第八卷 林 业

第九卷 水利 电力

第十卷 工 业

第十一卷 金融业

第十二卷 粮贸 旅游

第十三卷 财政 税务

第十四卷 经济事务管理与人事管理

第十五卷 中国共产党贵溪地方组织

第十六卷 市(县)人民代表大会

第十七卷 市(县)人民政府

第十八卷 市(县)人民政协

第十九卷 民主党派与人民团体

第二十卷 检察 审判

第二十一卷 公安 司法行政

第二十二卷 武 装

第二十三卷 民政 民生

第二十四卷 精神文明建设

第二十五卷 教 育

第二十六卷 卫 生

第二十七卷 文化 体育

第二十八卷　方　言

第二十九卷　科技　信息　传媒

第三十卷　档案　史志　谱牒

第三十一卷　人物　先进集体

附　录

概　　述

贵溪市位于江西省东北部，信江中游，地处武夷山向鄱阳湖平原过渡的中间地带。地跨北纬27°51′~28°38′，东经116°55′~117°28′。东临弋阳县、铅山县，南毗资溪县，西连余江县、月湖区和金溪县，北接万年县，东南隅与福建省光泽县交界。至2008年底，全市面积2493平方千米。境内设3街道20镇乡（含上清镇、龙虎山镇；其中1个民族乡），人口585350人，有汉、畲、回、蒙古、满等民族。

贵溪地形呈葫芦形，南北长，东西窄。南北最长距87千米，东西最窄处14千米。地势呈马鞍状，南北高，中间低。地貌形态上属中低山丘陵地区，以丘陵、山地为主，其次为小平原。土壤类型丰富多样，分红壤、山地黄壤、水稻土等8个土类，以红壤分布最广。气候属亚热带季风气候，四季分明，阳光充足，雨量充沛，无霜期长。年平均气温18.4℃，极端最高温度2003年8月11日41.1℃，极端最低温度1991年12月29日－9.3℃。年平均降水量1875毫米，无霜期271天，日照1808.8小时，日照百分率41%。

一

贵溪历史悠久。6000年前即有先民在这块土地上生息开发。秦时为番县地，属九江郡。西汉时属豫章郡。东汉时属东吴，为鄱阳郡管辖。隋朝时属饶州（鄱阳郡改称）。唐乾元年间，分属信州弋阳县和饶州余干县。唐永泰元年（765）置县，属信州，为唐代江南西道8州37县之一。关于县名之由来，清康熙十一年（1672）版《贵溪县志》载："何言乎贵溪？或曰旧治须溪萦环如带，县以溪贵也；或曰溪产香草，溪以产贵也。"

贵溪山河秀美。北部怀玉山余脉，青山延绵；南部武夷山蟠结，群山万壑；中部鄱阳湖水系五大河流之一的信江由东入境，横贯中部。河流迂回曲折，水势澹澹。东南隅最高海拔1541米、总面积10945公顷的阳际峰自然生态区，云雾缭绕，气象万千，为国家级自然保护区。西南龙虎山地层、地貌和峰林"色如渥丹，灿若明霞"，为世界自然遗产地。境内水系丰富，河流众多。罗塘河、泗沥河、泸溪河等大小11条河流，莹环如带，水清缥碧。

贵溪物华天宝。境内矿藏富饶，有金、银、铅、锌、铜、铁、石膏、瓷土、稀土、花岗岩、红石等37种矿藏。其中银矿属全国之最，石膏矿居华东之冠，瓷土列全省之首。动、植物资源丰富。珍禽贵兽、奇木异花繁多。有脊椎动物33目94科361种，无脊椎动物1568种；有珍稀树木39种，高等植物244科848属1847种。耕、林地资源丰富。有耕地53556公顷，占总面积的21.5%，盛产稻谷，是全国商品粮基地；有林地153299公顷，占总面积的61.5%，是江西省重点林产基地。水力资源丰富。水能蕴藏量23万千瓦。有中型水库6座，小（一）型、（二）型水库139座。旅游资源丰富。有国家级重点风景名胜区龙虎山，中国道教圣地"嗣汉天师府"、上清宫，国家级水利风景区白鹤湖；有三峰山、仙人桥、一线天等城南诸胜；有应天山、天华山、云台山、香炉峰、冷水峡谷、西坑瀑布、仙女岩等自然景观；有象山书院、明清镇村、自鸣山、鬼谷洞、龙虎山崖墓等人文景观。明崇祯九年（1636），旅行家徐弘祖游历城南后盛赞："仙桥、一线二奇，可以冠生平"。红色资源丰富。土地革命时期，贵北是赣东北苏区的中心区域，贵南为中央苏区区域范围。方志敏、邵式平、黄道等老一辈无产阶级革命家在贵溪留下革命活动足迹。方志敏曾兼任中共贵溪县委书记。黄道担任中共贵溪县临时委员会书记。许多重大历史事件发生在贵溪。第四次反"围剿"时，赣东北红十军在贵溪神前改编为红十一军，南渡贵溪信江后，与中央红军第三军团一部在上清镇会师,并受到朱德、王稼祥、彭德怀等中央领导的检阅。抗日战争时期,在贵溪县城设新四军驻贵溪办事处,辖区包括弋阳、横峰、上饶、贵溪、余江、万年、乐平、玉山等地。直属中共中央东南分局的赣东特委和赣东北特委也先后设在新四军驻贵溪办事处内,辖区包括弋阳、横峰、上饶、玉山、贵溪、余江、万年、景德镇、都昌、湖口、鄱阳、彭泽、德兴、婺源、乐平、浮梁、祁门、休宁等县。1949 年 4 月 18 日,贵溪地委和专署组成,下辖贵溪、资溪、金溪、弋阳、余江、东乡、进贤等县。同年 5 月 4 日,中国人民解放军二野四兵团十三军三十七师解放贵溪,与坚持敌后斗争的闽浙赣纵队会师在县城小南门外浮桥头。

贵溪人杰地灵。唐代翰林学士吴武陵,元代著名画家方从义,明代殿阁大学士首辅夏言,廷试二甲第一名、诗人江汝璧,道门硕儒张宇初,被海瑞称赞为"百世师表"的应天礼经考官江以朝,以"勤、俭、忍"爱民"三字经"治县为人称道的五世臣徐九思,著名水利专家徐贞明,道德文章名重一时的清代文学、文论家郑日奎,辛亥革命元老彭程万,民国名将黄维,土壤学家、农业教育家黄野萝,早年参加左翼美联、中国著名版画家汪占非等皆为贵溪人。新民主主义革命时期,汪群、江宗海、邵棠、赵梓明、裴月山、赵礼生、刘新友等 5000 多名烈士,为新民主主义革命胜利抛头颅,洒热血;邵忠、江天辉、夏润珍、刘亨云、程美兴、刘金才等贵溪英雄儿女为中国革命和建设事业贡献出自己毕生精力。

"山不在高,有仙则名"。自东汉建安二十一年(216)起,张道陵等历代天师偏居贵溪龙虎山炼丹传教。明洪武帝朱元璋称天师为"正一嗣教'大真人'",并令永掌天下道教事。我国四大名著之一的《水浒传》第一回:"张天师祈禳瘟疫,洪太尉误走妖魔",有对张天师及其天师府的生动描写刻画。贵溪山青水秀,风光旖旎,吸引历代名士观光游历,以至流连忘返。唐元和年间(806—820),翰林学士吴武陵之父吴缅,因迷恋贵溪山水,辞官定居城南,讲学于五面峰下一线洞天内。南宋淳熙十四年(1187),著名理学家、教育家陆九渊(号象山,字子静)登应天山,与学子结庐而居,将其居谓之"象山精舍"讲学 5 年。后明武宗诏赐"象山书院"匾额。朱熹称:"浙东学子多为子静门人。"全祖望评:"岳麓、白鹿、丽泽、象山四大书院,并起其名,四家之徒遍天下。"

贵溪区位优越,交通便捷。"东连江浙、南控瓯闽",处长江三角洲、珠江三角洲、闽南三角州的黄金接点和海西经济区腹地。浙赣、皖赣、鹰厦铁路,320、206 国道和沪昆高速纵横境内。千里信江水路直抵鄱阳湖。有里程仅 15 千米的鹰雄快速通道与鹰潭市相连接。

贵溪驻有众多中央、省属大中型企业。世界前三、亚洲第一的江西铜业集团公司,亚洲最大、中国现代化程度最高的铜冶炼厂——贵溪冶炼厂;年产 24 万吨复合肥、全国四大磷胺厂之一的贵溪化肥有限责任公司;国家大型建筑企业——首钢四建、中国有色十五冶,以及装机容量 60 万千瓦、华东电网主力电厂之一的贵溪发电厂均落户在贵溪。

二

新中国成立之初,贵溪百废待兴。随着土地和民主改革,工商业改造的完成,互助合作、增产节约、合作化、公社化运动和劳动竞赛的开展,贵溪社会主义建设大规模展开。投入大量人力,修建鹰潭至上清、县城至塘湾、县城至周坊等县、乡道路。成立县汽车运输站,办理南北两乡客运业务。兴修硬水岭、太平坂、大禾源、白庙、枫林湾、塘湾等中型水库,建设西溪坝、九牛滩水轮泵站、上清民兵电站等蓄引提水工程。引进木炭机、拖拉机和小型柴油机等农机具,推广使用耕地、排灌、植保、脱粒、运输及农副产品加工等各种机械。至 1978 年,排灌、农机化水平达到 50%,植保、脱粒、运输和农产品加工的农机化水平接近 80%。改良水稻品种,推行矮秆品种、淘汰高秆品种,试种杂交水稻,提高水稻单产。逐年增加油料、芝麻、花生、水果等经济作物栽培种植和水面养殖面积,增加生猪和家禽饲养量。生猪饲养量由 1950 年的 65785 头增加到 1978 年的 233266 头。大力发展工业。1950 年,全县仅有 21 家工厂和作坊,219 名职工,工业总产值 160 万元,占工农业总产值的 5.55%。至 1978 年,全县有县工业总产值 3097 万元,占工农业总产值的 27.8%,形成煤炭、电力、农机、化学、建材、纺织等工业门类。随着工农业发展,财政收入由 1950 年的 264.27 万元增长到 1978 年的 521 万元,改变新中国成立前的"一穷二白"面貌。教育、卫生、科技、文化事业蓬勃兴起。扫除文盲,普及小学教育,学校建到家门口。中学学校和学生数由1950年的1所261人分别增加到1978年的40所18779人。陆续兴建卫生医疗机构。相继建起县人民医院住院部大楼、畲族民族医院、埠湾和白田卫生学校、县防疫站和妇幼保健站。干部群众医疗有了保障,在干部和职工中实行公费医疗,在农村中普及合作医疗。建起收音站、广播站、电视转播台和人民剧院。人民生活有基本保障。城镇居民、工矿企业人口实行定量凭证供应粮、油等副食品制度,农村对无劳动能力和收入来源的村民实行“五保”制度。

中共十一届三中全会后,工作重点转移,改革开放启动,现代化建设全面展开,贵溪经济和社会事业振兴。变革农业生产关系,农村推行家庭联产承包责任制;改革农产品统购派购,农村经济向商品化转变;改革人民公社体制,建立乡(镇)政府;成立村民委员会,作为群众性自治组织。企业改革,推行厂长负责制,企业自主经营,自负盈亏,建立承包、租赁经营等多种形式经济责任分配制,改变企业吃国家“大锅饭”,职工吃企业“大锅饭”状况。转变政府职能,政企职责分开,扩大企业自主权,改革激发劳动者的生产积极性和创造性,工农业生产出现多年来未有的迅速发展局面。水稻、油菜、花生等经济作物种植面积,生猪、家禽、水产养殖产量均大幅增加,商品蔬菜生产范围成倍扩大。市属工业加速发展,生产部门不断增加,拥有电力、机械、电子、化工、建材、采掘、纺织、制革、铜材加工等工业门类。生产能力不断扩大,企业自动化程度不断提高,活力和效益增强。工业在国民经济中的比重提高,至1990年,工业经济开始占到整个国民经济的半壁江山。随着农业生产率提高,农村剩余劳力增多,农村劳力从种、养殖业向农产品加工以及工业、商业、建筑业和服务等行业转移,乡镇企业开始发展。至1990年,个别乡镇的乡镇企业产值超过农业产值。红石厂、硫砂厂、瓷土矿、机砖厂等乡镇企业遍布各地,冶金、造纸、活性炭、服装、家电、竹品工艺、花炮、饲料、油料加工等企业竞相兴办。随着国家、省属大型企业的陆续进驻,贵溪道路、桥梁、通信、电力等基础设施建设步伐加快。修通彭湾至上清等县乡公路,乡镇全部实现通车,村委会大部分通车。公交增设县城至樟坪、双圳和周坊客运业务。全县拥有营运客车由1978年的9辆增加到1990年的58辆。1980年7月,贵溪信江大桥建成通车,结束轮渡摆运、浮桥通行的历史。1989年10月,程控电话开通,贵溪告别“摇把子”。改造电网,80%的农户用上电灯,结束煤油灯照明的历史。城市建设步伐加快,城市向东扩展,建成面积由20世纪70年代的3平方千米扩大到90年代的14平方千米。城市人口快速增加,由1949年的6504人增加到1990年的68969人。社会事业继续发展。尊师重教风尚兴起。教学规模继续扩大。教育投入增加,年度教育经费决算由1979年的184.55万元提高到1990年的854万元。教育条件改善,中小学校危房基本消除。卫生事业发展。医疗卫生机构和医务人员大幅增加,乡镇卫生院由1979年的16所增加到1990年的27所,医务人员由1979年的313人增加到1990年的1164人。县城建起中医院,驻市大企业开办职工医院。人民生活改善,物资短缺状况基本改变。棉布、肥皂、煤油等工业日用品以及猪肉、食油和糖等副食品凭证定量供应先后取消。自行车、缝纫机、收音机、手表、电视机、电风扇等耐用消费品开始进入普通居民家庭。

三

1991—2008年的18年,是改革开放的18年,是工业化、城市化加速推进的18年,是贵溪经济社会发展,实现历史性跨越的18年,是贵溪政治、经济发展史上具里程碑意义的18年。18年间,贵溪改革深入,开放扩大,经济结构大幅调整,工业崛起,经济高速增长,城市化、城镇化建设加速推进,交通、电力、通讯等基础设施建设步伐加快,社会事业全面进步。财政总收入连续6年位居全省县(市)第一。实现撤县设市夙愿和当“全省县市‘排头兵’”、创“全国百强县”的目标,结束1231年的县治历史,开创市治新纪元。

改革全面推进。改革由经济向社会事业和政治方面扩展,并向纵深推进。完善农村家庭联产承包责任制,实行农村税费改革,彻底减轻农民负担。土地使用、城镇住房、公费医疗、教育“三制”(校长负责制、教师聘任制、结构工资制)、党政机构、干部人事、企业产权、粮食流通、林业产权都进行改革,其中城镇住房、公费医疗、农村税费和企业产权改革影响广泛深远。

大力实施开放。出台优惠政策,优化环境,搭建平台,组建专门机构队伍,招商引资。建设工业园和铜拆解园,依托铜产业特色,产业招商,推进企业集群发展,带动经济结构调整和产业升级。鼓励和支持有竞争力的企业对外投资,开拓国际市场,出口优势技术和产品。开展对外劳务合作,输出劳务,转移消化剩余劳力。

经济结构大幅调整。在继续巩固农业基础地位同时主攻工业,工业取代农业占据国民经济主导地位。三产结构由1991年的28.21:37.46:34.33调整为2008年的7.15:74.75:18.1,铜产业异军突起。1990年,全市仅有1家铜企业。至2008年,全市有铜加工企业50家,铜产业总产值近1000亿元,铜产业对国民经济的贡献率约60%,成为后来居上的优势主导产业和财政税收的主要支撑。产业内部结构也不断调整:一产方面,纯农业比重下降、牧渔业比重上升;二产方面,形成铜、节能照明和精细化工三大优势产业;三产方面,商贸物流、房地产、金融保险、信息旅游创新发展。

基础设施进一步完善。水、电、路等长期制约经济发展、影响人民生活的"瓶颈"问题基本得到解决。基础设施投入大幅增加。1991年,全县固定资产投资总额为2.09亿元,2008年增加到86.78亿元。建设城市中心区水厂,改造供水管网,提高水质和供水能力。乡镇电力联网。进行农网改造,改变低电压和频繁限电及高电价状况。出租车取代三轮车。改造柏里大道、四中道路、信江路、站前路、交通路、建设大道、冶金大道、302国道贵溪段。建设雄石西路、贵溪大桥、鹰雄大道贵溪段 、贵溪大道,新建城南、城北汽车站,开通城际、城乡公交。新建乡村公路,乡乡、村村通油(水泥)路。开通农村电话本地网,移动电话基站,程控交换机割接开通,投入运行,乡镇村用上程控电话。

城乡面貌发生巨变。城市变大、变高、变美。城市建设坚持规划先行,高标准建设。调整《城市总体规划》,编制《信江两岸控制性详细规划》《市工业园总体规划》《东城区控制性详细规划》。城市重心东移,城市规划区建成区范围和人口规模扩大。至2008年,城市建成区面积16.8平方千米,人口15万。改造老城区、建设新城区,打造中心区,加强城市管理。改造老城区,着力实施道路和管网改造,对城区道路实行"油化"改造,搞好路灯,供、排水、排污等基础设施,改造扬武街、雄石西路;新城区建设按照城市总体布局,以冶金大道与建设大道交汇处为中心,打造"一个中心,三个片区"。打造城南新区,城西工业园区和城北新区。建设滨水休闲广场、象山公园、桥东公园、桥西公园。开发建设金童花园、都市、白果树、王家、擂鼓岭商住小区,和信江花苑、富康家园。经过改造和建设,城市形象大为改观,城市品位大幅提升。城镇化建设加速推进。集镇多了,范围大了,人口增了。志光、冷水、鸿塘、泗沥、河潭、文坊、流口、金屯、罗河、周坊在这一时期相继撤乡建镇,建制镇由1991年的4个(含上清、龙虎山)发展到2008年的11个。改造旧城镇,建设新城镇,塘湾镇和文坊镇重新进行规划建设,编制流口、泗沥、周坊、罗河、金屯、河潭、志光、鸿塘、彭湾、雷溪等乡镇的总体规划。开展小康村示范点和社会主义新农村建设,加快农村基础设施和"三清、三改、四普及"(清垃圾、清污泥、清路障;改水、改厕、改路;普及电话、普及沼气、普及有线电视、普及太阳能)工程建设,对193个行政村,445个自然村进行规划,开展农村卫生清洁工程,镇乡面貌焕然一新。

社会事业全面进步。教育实施"两基"(基本普及九年制义务教育和基本扫除青壮年文盲)目标,教育教学条件全面改善。新建教学楼和学生宿舍楼,完善技术装备。教育电视台开播,发展远程教育。进行教育体制改革,鼓励社会力量办学。学前教育绝大部分 依靠社会力量举办,发展较快,幼儿班和在园幼儿分别由1991年的128个4093人增加到2008年的292个8786人。小学和初中实行九年制义务教育。普通高中教育、中等职业教育继续发展,普通高中在校生人数由1991年的3073人增加到2008年的9484人。职业中学在校生由1991年的952人增加到2008年的1336人。教育资源整合,教学网点调整,撤并部分中小学校。推进素质教育,改革课堂教学,倡导以"启发式"教学取代"填鸭式"教学。加强师资队伍建设,专科以上学历、中高级专业技术职称教师大幅增加,教育教学水平提高。卫生事业改革发展。医疗机构增多,成立市卫生监督所和市健康教育所。新建市疾病预防控制中心、传染病医院、市皮肤病医院和精神病医院(民营)。市人民医院新建住院楼,市中医院进行改、扩建。市妇幼保健站新建业务楼。各乡镇卫生院新建门诊楼。塘湾等中心医院新建住院楼、宿舍楼。硬件建设迈进现代化,购置CT、核磁共振等先进医疗设备," 老三样"(听诊器、体温表、血压计)被心电图机、诊断床等诊疗仪器设备所取代。乡镇卫生院进行股份制、承包制等经营模式和分配制度改革,实行奖金浮动。村卫生所进行规范化改造。卫生医疗机构健全完善,市三级卫生服务网全面建立,城区有人民医院、中医院、疾控中心和妇幼保健院等8个医疗机构,以及江铜贵溪医院和贵冶、贵化等职工医院,有专科门诊部5所,个体、社会办诊所87个。街道设有社区卫生服务中心,社区里有卫生服务站。有社区服务中心3个,社区卫生服务站18个。乡镇有中心卫生院5所和乡镇卫生院13所。各村建有卫生所(室)686个,初级卫生保健全面达标,被评为"全国农村初级卫生保健工作先进县"。农民医疗有保障,实现农村合作医疗。新建新华书店和博物馆,成立艺术团。乡镇建文化广播电视站,村建有农家书屋。市、乡都开通有线电视。至2008年,城区和农村有线电视用户36560户。城乡有网吧、电子游戏机室、歌舞厅、音像店和个体书店等各类文化营业场所168家。文艺团体由1991年3个发展到2008年的12个,有各级各类会员1200多名。小说、散文、诗歌、书法、美术摄影创作活跃。科技事业进一步发展。全市拥有国家和省、区外高新技术企业7家,省级民营科技园、工程技术研究中心、科普示范基地和科技示范村8个,专利授权657件,多次荣获"全国科技先进县(市)"称号,并被列为国家可持续发展"实验区"。

城乡居民生活水平大幅提升。城乡居民收入大幅增加。城镇居民人均年收入由1991年的2051元增加到2008年的19417元,农村居民人均年收入由1991年的696元增加到2008年的5366元。居民住房条件大为改善。人均住房面积增加,商住楼林立,住房质量品位提升,钢筋混凝土结构代替砖木结构,功能趋于完善。现代交通、电子、通信、网络产品普及,摩托车、彩电、冰箱、空调、固定电话、手机、计算机进入寻常百姓家。少数家庭拥有私家车。

民生被摆在重要位置。建立国企下岗职工和城镇个体劳动者失业保险、养老保险和医疗保险、城乡居民最低生活保障以及新型农村合作医疗制度。民生工程建设加快,成批建设经济适用房和廉租房,为城市中低收入家庭解决住房困难。

生态贵溪建设迈出步伐。提出"既要金山、银山,更要绿水青山"。推进节能减排,实施环保工程和"专项整治行动",加强对企业污染防治设施运行的监督检查,推进"上大压小"工程,贵电四台12.5万千瓦机组全面关停,实现二氧化硫和化学需氧量双下降。淘汰落后产能,注重发展循环经济,支持资源消耗低、环境污染小的项目,1万元生产总值能耗下降。建设城北、铜拆解加工区污水处理厂。建设长江防护林,实施退耕还林和造林绿化等生态工程。

总之,18年来,贵溪凝聚智慧,抢抓机遇,团结拼搏,高速发展,取得世人瞩目的辉煌成就。

四

"欲穷千里目,更上一层楼"。18年的辉煌已成为历史,并载入史册,贵溪又站在新的经济社会发展起点上。贵溪人民将在中共贵溪市委、市人民政府领导下,同心同德,与时俱进,创新拼搏,抓项目,调结构,保增长,强力推进世界铜都建设,朝着建设富裕、繁荣、和谐、生态的美丽新贵溪奋进,续写新华章,再创新辉煌。

大　事　记

1991 年

1 月

17 日　全县完成收购粮 5579 万千克，超额 15 万千克。

23 日　贵溪县获 1990 年“全国粮食生产先进单位”称号，受国务院表彰。

2 月

6 日　省政府授予河潭乡、白田乡和塘湾镇“‘七五’农业发展先进乡镇”称号。

3 月

8 日　国务院宗教事务局局长任务之到上清天师府视察工作。

12 日　贵溪县被评为“全国造林绿化先进单位”。江进桥获“全国造林绿化劳动模范”称号。

20 日　省委书记毛致用到贵溪县视察贵溪化肥厂建设工地，并为贵化题词“在改革中前进”。

30 日　总投资 32 万元的县教育电视台建成开播，覆盖面积约为 19 平方千米。

31 日　政协贵溪县七届二次会议在城区召开。

4 月

1—3 日　县十届人大二次会议在城区召开。

20 日　贵溪诗社成立，同时举办贵溪县首届“谷雨诗会”。

27 日　贵溪县残疾人联合会成立，同时召开县残联第一次代表大会。

5 月

8 日　县委、县政府批转县普法工作领导小组《关于在全县公民中开展法制宣传教育的第二个五年规划》。

9 日　县政府召开住房制度改革大会部署全县房改工作。

18 日　省政协副主席、省委统战部部长叶学龄到贵溪县上清天师府和樟坪畲族乡视察工作。

同日　县委、县政府作出《关于切实抓紧计划生育工作，严格控制人口过快增长的决定》。

23 日　上清镇档案室新存档案遭白蚁为害，致使 1961—1985 年 639 卷档案中，被白蚁完全吃毁 350 卷，半损毁 192 卷。

26—30 日　全省幼林抚育工作现场会在贵溪县召开。与会代表参观白田乡和上清林场的造林点。

6 月

15 日　全省城市民兵“三落实”现场经验交流会在贵溪县召开。省军区副司令员冯金茂和中共鹰潭市委书记、鹰潭军分区第一政委叶春参加并讲话。

18—20 日　县委、县政府在贵冶宾馆召开新闻发布会暨经济信息发布会，应邀参加会议的来宾 60 余人。会议期间，共洽谈项目 117 个。

7 月

1 日　县委召开中共建党 70 周年庆祝暨表彰大会。大会表彰 40 个先进党支部、102 名优秀共产党员、17 名优秀党务工作者和 10 个整风学习先进集体。

2 日　北京电影制片厂一级编剧、电影《红楼梦》编剧、著名电影剧作家、书法家谢逢松应邀参加贵溪县首届文化艺术节活动,并为县业余文学爱好者作"红楼梦与曹雪芹"主题讲课。

4日 西窑林场与台湾金陵房屋中介有限公司达成联合经营协议,双方将联合生产经营以竹面地板为主的竹材系列产品,年生产规模10万平方米,年产值180万美元。

15日 县委、县政府作出《关于加快发展乡镇企业的决定》。

21日 省委副书记朱治宏到贵溪县视察县粮油加工厂。

同月 贵溪县被农业部、国家计委列为"八五"第一批商品粮基地,国家共投资4600万元,用于农技推广、良种繁育、低产田改造及田间渠系配套、农机配套等基本建设。

8月

2日 上清镇城门村委会18岁农民李崇旺为抢救落井小孩陈舜而遇难,陈舜父亲陈登尧(乡村医生)为抢救落井的李崇旺不幸遇难。

9月

3日 凌晨2时半,县农药厂一辆槽罐车从上海装载2.4吨剧毒农药原料乙甲胺返回贵溪,途经上饶沙溪镇时,因槽罐阀门被树枝碰裂而致毒气泄漏,造成677人中毒,39人和9头耕牛死亡。经济损失计260万余元。

7日 化工部常务副部长贺国强到贵溪县视察贵溪农药厂和化肥厂,并就农药厂"9·3"事故善后处理作重要指示。

15日 县委制定《关于在全县农村开展社会主义思想教育工作的方案》。

10月

11日 571名市、县社教工作队队员奔赴全县10个乡镇,拉开全县农村社会主义思想教育帷幕。

25日 台湾民心传播公司摄制组一行4人,在贵溪县拍摄大型纪录片《中国文明故事》中的部分镜头——象山书院。该片是反映中国历史文化的电视片。

27日 周坊乡周坊村泉家源山场发生火灾,烧毁山林60公顷。

11月

同月 县四中青年教师张建奋撰写的论文《形成性评价的反馈矫正系统及定量化探讨》,在第三届"全国中等物理教学研究学术研讨会"上被评为研讨会优秀论文,获一等奖,并在大会上宣读交流。

12月

28日 县首家中外合资企业——贵雅电光源有限公司举行开业典礼。

29日 贵溪县出现-9.3℃的极低气温,全县白皮桉及1300多公顷柑橘全部冻死,直接经济损失2000多万元。

1992年

1月

10日 县政府制定《关于贵溪县宗教事务管理的暂行办法》。

13日 县委、县政府召开全县乡镇企业工作会议。会议提出要实现"三上一提高"的奋斗目标,即上速度、上规模、上品种和提高经济效益。

同月 县活性炭厂厂长林积新获"全国乡镇企业家"荣誉称号。

2月

15日 县委、县政府授予江小明、李崇旺"舍己救人好青年"和陈登尧"模范乡村医生"称号。

25—29日 古港、余家、龙虎山、上清、耳口、周坊等地相继发生山林火灾,烧毁山林233公顷。

3月

5日 县巾帼建功十佳奖选出,她们是:印刷厂丁玉瑛、饮食服务公司许抬莲、税务局张筱筱、一中钱炯、人民医院蔡敬华、环保局叶西花、二中邹带香、环卫所范桂娥、工商银行袁美琴、粮油工业公司颜美丽。

13 日　省委社教验收工作检查组到贵溪县检查验收社教工作。检查验收的乡镇全部达标,至此全县首期农村社教工作全面结束。

18—19 日　林业部长江中上游防护林体系建设工程办公室副主任刘孟龙一行 5 人检查上清林场和白田乡的部分造林山场,对贵溪县造林灭荒工作给予高度评价。

25—28 日　政协贵溪县七届三次会议在城区召开。

26—28 日　县十届人大三次会议在城区召开。

4 月

14 日　雷溪乡桂岭村发现一具完整的明代女尸。

21 日　志光乡遭八级大风袭击,6 栋房屋倒塌,2000 多株树拦腰折断。

5 月

8 日　县委、县政府制定《关于行政事业单位兴办经济实体的试行办法》,各部门均签订兴办责任状。20 日,县委、县政府发出通知:党政机关与所办经济实体必须脱钩。

同月　在全县范围内集中开展大规模收缴枪支弹药、爆炸物品和管制刀具的统一行动。

7 月

3—5 日　贵溪县发生新中国成立后第二次大洪水和百年未遇的山洪灾害。全县降雨量达 275 毫米,县城南大门水位达 37.68 米。全县经济损失高达 15200 万元。

4 日　县委、县政府制定《关于进一步加快乡镇企业发展的实施意见》。

7 日　省委常委、省纪委书记马世昌率领工作组到贵溪县慰问干部和受灾群众,对县委、县政府在组织抗洪救灾中所做的工作给予充分肯定,并对下步救灾工作提出意见。

10 日　县土产公司女营业员胡银凤为保护公款与歹徒浴血搏斗。她先后获“全国人民群众见义勇为先进分子”、“全国三八红旗手”等荣誉称号。

25—28 日　全省老区贫困地区挂钩扶贫、横向联合会议在贵溪县召开,省委常委张逢雨到会并讲话。

8 月

11 日　全县第二期农村社教全面铺开。参加这期社教工作的队员 544 人,队长由省、市、县副县级以上领导担任。

17—23 日　贵溪县组团参加省在香港举办的出口商品展销会暨经济合作洽谈会。

9 月

5 日　县委、县政府发出《关于以决战姿态全面完成荒山造林任务的通知》。《通知》要求全县各级党政组织和全县人民必须以决战的姿态投入到荒山造林战役,为全县高效林业建设,全面彻底完成荒山造林任务而努力奋斗。

29 日　县委、县政府授予江海堂、周秋林“舍己救人的好干部”光荣称号,授予黄美来“舍己为公的好党员”光荣称号,授予陈建东“舍己为公的好青年”光荣称号,授予施爱琴“以身殉职的好医生”光荣称号。

10 月

11 日　投资 220 多万元的贵溪水泥厂二期技改工程竣工。生产能力将由原来的年产水泥 2.5 万吨提升到 7 万吨。

17 日　在县人大常委会第十七次会议上,李宗凯辞去县人民政府县长职务,任命刘尧铣为县人民政府副县长、代县长。

22 日　县妇联第十二次代表大会召开。

11 月

24—25 日　县工会第十一次代表大会召开。会议选举产生新一届县工会领导班子。

12 月

10 日　贵溪西排至福建光泽山头关公路破土动工,路段总长 2.5 千米。贵溪境内 1.6 千米。

同年　彭湾乡农民梅金玉获“全国造林模范”荣誉称号。

1993 年

1 月

5—6 日　中共贵溪县第九次代表大会在城区召开。

7—10 日　政协贵溪县八届一次会议在城区召开。

8—10 日　县十一届人大一次会议在城区召开。

12 日　县汽车队一辆大客车在柳源路段发生颠覆，造成一起特大交通事故，死亡 7 人，伤 49 人。

14 日　省委常委、省委秘书长张逢雨率省民政厅领导深入贵溪县走访慰问 1992 年“7·4”洪灾灾民。

31 日　经省八届人大一次会议选举，雷长生（畲族）当选为八届全国人大代表（其之前为七届全国人大代表）。

2 月

同月　县委、县政府确立经济发展八个增长点：一是大力发展私营经济；二是鼓励 1/3 机关干部“下海”办实体；三是提供各种服务，全力支持驻县企业和县属企业开足马力生产；四是全面实行国营商业企业“四开放”；五是搞活物资流通和再生资源的利用；六是推进土地使用制度改革和房地产开放；七是采取硬措施，促使乡镇企业跳跃式超常规发展；八是加速企业经营机制的转换。

同月　夏金生获农业部授予的“全国农村合作经济经营管理工作先进个人”荣誉称号。

3 月

3 日　县委、县政府召开鼓励发展个体私营经济动员暨表彰大会。

12 日　县委、县政府召开全县进一步解放思想、更新观念大讨论动员大会。全县副科级以上干部 600 余人出席会议。

25 日　下午 5 时 50 分左右，一场历史罕见的雷雨、大风、冰雹袭击盛源、雷溪、雄石、滨江等 14 个乡镇，82 个村受灾，16 个村庄受到毁灭性破坏，造成 6.8 万人受灾，18 人死亡，578 人受伤，其中重伤 140 余人，3734 间房屋倒塌；压死牲畜 490 头；毁坏农作物 5300 余公顷。直接经济损失达 5000 万元。事后，中央电视台在新闻节目中播发了这一新闻。

4 月

3 日　16 名解放初期曾担任过贵溪县党政领导的老干部重访贵溪。他们共同回忆当年在贵溪剿匪反霸、开展土改、建设政权和恢复发展经济的难忘岁月。

9 日　省民政厅组织鹰潭市、贵溪县民政局领导赴京汇报“3·25”灾情。

26 日　侨胞沈炳麟捐款 12 万元用以改建周坊小学教学楼。

同月　经省人民政府批准：志光、冷水、鸿塘、泗沥、河潭、文坊撤乡建镇。

5 月

4 日　《贵溪报》复刊。

6 月

23 日　县纪委、县监察局正式合署办公。

8 月

16 日　县委印发《关于在全县开展加快改革开放步伐，为建立社会主义市场经济体制争做贡献活动的意见》。

9 月

6 日　县委、县政府制定《关于切实打好荒山造林决战的决定》。

9—10 日　县十一届人大二次会议在城区召开。

11 月

24日　县委、县政府授予洪年熙、吴发林、林积新、江有旺、张国华、舒安乐6人“贵溪县第一批专业技术拔尖人才”荣誉称号。

12月

月底开始至次年8月　《贵溪城市建设总体规划》进行调整完善,城区总面积扩大为34平方千米。

同年　扬武街(商业街)动工兴建,次年2月建成。

1994年

1月

3日　县中外合资企业江西富贵鳖业有限公司成立。

8日　县委、县政府作出《关于加快农村经济发展的决定》。

10日　县政府作出《关于进一步深化改革,加快贵溪县国有工业、商贸企业发展的决定》。《决定》指出:一、进一步提高对加快发展贵溪县国有工业、商贸企业的认识;二、尽快建立现代企业制度,重新构造企业组织形式;三、强化企业内部管理,推进科技进步,全面提高企业整体素质;四、切实转变政府职能,采取必要的扶助政策,为企业经营机制转换和贵溪经济发展创造宽松的环境;五、严格奖惩制度,加快企业走向市场经济的进程。

18日　县政府发出《关于认真做好党政机关与所办经济实体脱钩工作的紧急通知》。

21日　贵溪有线电视台成立。

3月

14—17日　政协贵溪县八届二次会议在城区召开。

15日　贵溪县林业科技推广中心成立。

15—17日　县十一届人大三次会议在城区召开。

同月　贵溪县入选全国第二批水土保持监督执法试点县。

4月

9日　贵溪县工商业联合会改称为贵溪县商会,工商联合会主任委员、副主任委员改称为会长、副会长。

18日　县政府发布《贵溪县城镇土地管理实行“五统一”的暂行规定》。《规定》要求:本范围内的土地,由县人民政府实行统一规划、统一征用、统一开发、统一出让、统一管理。

28日　县政府发出《关于扩大招商引资奖励范围和提高奖励金比例的补充通知》。

5月

9日　志光镇周塘村委会中原村大礼堂(礼堂戏台下面设两个教室)突然坍塌。坍塌房屋总面积394平方米,坍塌教室面积81平方米;共伤亡22人,其中死亡7人,重伤5人,轻伤10人;伤亡人员中有19位学生,3位未入学小孩。

10日　县委、县政府发出《关于进一步加强校舍安全检查,确保师生安全的通知》。

同日　省军区政委郑仕超到贵溪县视察民兵预备役工作。

11—18日　全县150多名干部,分头对全县700多所中小学校舍进行全面检查。

13日　全县企业劳资用工改革会议召开。

17日　中央电视台和江西电视台联合摄制组到贵溪县拍摄专题片《捺菜》。

18日　全县土地使用制度改革工作会议召开。

21日　县政府发布《建设用地计划管理实施办法》。

同月　县政府发布《贵溪县城镇国有土地使用权管理暂行规定》,对城区商业、工业、住宅用地确定基准价。

6月

9—17日　县境连降暴雨,7天里降雨总量达453毫米,加上玉山县“七一”水库泄洪,使信江水位猛涨，大南门最高水位达37.19米，超过警戒线4.19米，为新中国成立以来的第四次特大洪灾，造成直接经济损失合计为7322万元。

7月

9日　县委批转《关于抓紧中小学危房改造工作若干问题的意见的报告》。

12日　县委、县政府召开全县中小学校舍建设工作会议，会议要求两年内必须彻底完成危房改造。

15日　县委、县政府作出《关于进一步加快发展乡镇企业的决定》。

18日　贵溪县交通战备领导小组成立。

21日　省委副书记卢秀珍到贵溪县考察“三资”企业，视察余家乡专业户郭庆柳种养殖基地。

同月　县社保局会同个体劳动者协会制定《贵溪县城镇个体劳动者养老保险试行办法》。

8月

8日　县人大常委会决定，对其任命的干部进行述职评议，制定《关于对任命干部进行述职评议的方案》。

17日　省军区副政委范军一行到贵溪县视察民兵以劳养武工作。

20日　贵溪县获省“双拥模范县”荣誉称号。

9月

1日　县委、县政府转发《贵溪县农村股份合作制推行方案》，同时成立推行农村股份合作制领导小组，组长吴金荣。

14日　县政府发出《关于鼓励全民招商引资的通知》。

26日　县政府办印发《依法治县实施方案》。

同日　“贵溪县1992年‘七四’洪灾革命烈士命名大会”召开。

10月

25日　贵溪城市重点工程建设领导小组成立、领导小组下设1室3组，即办公室、规划设计组、征地拆迁安置组、强制执行组。为加强重点工程建设的具体组织实施工作，分别成立3个指挥部：雄石西路及叶家塘改造工程建设指挥部，四中道路及曹家湖改造工程建设指挥部，以及建设大道、冶金大道工程建设指挥部。

同日　整治市容大行动在县城区全面展开。

11月

12日　在省第九届全运会的举重比赛中，冯伟获少年乙组总成绩第一名。这是贵溪县运动员首次在省运会上获得金牌。

16日　贵溪县关心下一代工作委员会成立，简称关工委。

20日　全国人大常委会副委员长、民盟中央主席费孝通，全国政协委员王艮仲一行在省委书记毛致用陪同下到贵溪县视察。

25日　县政府发布《贵溪县城镇公有房屋管理暂行规定》。

同月　贵溪县荒山造林工作通过林业部检查验收。

12月

8日　省18名全国人大代表、省人大代表到贵溪进行为期两天的视察工作。

26日　投资380万元的南乡输变电一期工程验收合格，彻底改变南乡7个乡镇频繁停电、缺电的状况。

28日　城北铁路跨公路立交桥建成通车。

同月　贵溪农村电话本地网全线开通。至此，各乡镇全部用上程控电话，告别摇把子。

同年　贵溪县文化馆被文化部授予“标准文化馆”称号。

1995 年

1 月

8 日　县地税局在雄石、周坊、志光、罗河、文坊等 5 个乡镇设税务分局。

20 日　浙江钱江啤酒(集团)公司和贵溪啤酒厂签订为期 10 年的租赁合同,贵溪啤酒厂改名为浙江钱江啤酒(集团)公司贵溪啤酒厂。

22 日　县委、县政府作出《关于继续推进工业和商贸企业高速高效发展的决定》。

2 月

1 日　县委、县政府制定《贵溪城市重点工程建设方案》,提出在 3 年内集中财力、物力、人力,分步实施重点工程建设,使贵溪城市面貌大变样。

8 日　县委、县政府作出《关于进一步加快农村经济发展的决定》。

13 日　国务委员李铁映在省委书记毛致用陪同下到贵溪县视察贵溪冶炼厂、化肥厂。

同月　朱英福摄影作品《送温暖》在全国"健力宝杯"新闻摄影大赛中获银牌。

同月　吴瑞琦国画《渔歌》被选送日本神户展出。

3 月

1 日　320 国道改造 B 段正式破土动工,该段范围从月湖区童家乡到贵溪县盛源乡流口,全长 18.2 千米,总投资 3000 余万元。

6 日　《关于鼓励加快发展个体私营经济的决定》出台。《决定》要求:1995 年全县要力争新增个体工商户 2000 户,实施好"5－60－200 工程",即:力争年产值超 100 万元的个体私营企业 5 户,50 万元～100 万元的 60 户,30 万元～50 万元的 200 户;个体私营企业纳税额增加 280 万元,达到 1200 万元,力争成为贵溪县经济新的增长点和突破口。

9 日　刘尧铣任中共贵溪县委书记。

10 日　县委、县政府召开劳动制度区域综合配套改革动员大会。贵溪县全面开展劳动制度配套改革。

13 日　艾佛胜辞去县人大常委会主任职务;刘尧铣辞去县人民政府县长职务;邓绍聪任县人民政府副县长、代理县长。

14 日　县委、县政府作出《关于进一步加快发展乡镇企业若干问题的补充规定》。《规定》要求:一、更新观念,深化认识;二、明确目标,加快发展;三、稳定政策,创造环境;四、完善机制,严格奖惩。

17 日　县委、县政府举行工业、商贸工程竞赛活动目标责任状签约仪式,县领导、部门领导和企业法人风险共担。

19 日　县委制定《中共贵溪县委关于完善中国共产党领导的多党合作和政治协商制度的若干规定》。

20 日　全县乡镇企业工作会议召开。会议强调:努力实现乡企新突破,大力发展种养大户。

25—27 日　中国残疾人联合会调查组受中国残联主席邓朴方委托到贵溪县调查慰问。

25—28 日　政协贵溪县八届三次会议在城区召开。

25—28 日　县十一届人大四次会议在城区召开。

26 日　化工部部长顾秀莲在常务副省长舒圣佑陪同下视察贵溪冶炼厂、化肥厂。

30 日　全国人大常委会副委员长李锡铭到贵溪县视察江铜公司及冶炼厂。

同月　经省人民政府批准:撤盛源乡,设流口镇,政府驻地由盛源郑洞黄家迁至流口;撤高公乡,设金屯镇,政府驻地由大塘李家迁至金屯;撤罗河乡,设罗河镇,政府驻地由倒堂社迁至青泥岗;撤周坊乡,设周坊镇。

同月　卫生部国外卫生贷款处处长刘颖丽陪同世界银行项目贷款考察团一行 16 人到贵溪县考察。

同月　县政府颁布《建立烟尘控制区的实施办法》,划定县城站前路以西、铁路线以南、信江路以北的城区为烟尘控制区。

4 月

5 日 县爱国主义教育基地挂牌仪式在周坊革命烈士纪念馆举行。该馆和夏润珍革命烈士墓、贵溪冶炼厂、贵溪发电厂等 4 个单位被确立为贵溪县爱国主义教育基地。

8 日 县委下发《贵溪县村党支部建设三年规划》。

30 日 鹰潭市(含贵溪、余江两县)长途电话区号由“7032”改为“0701”。

5 月

15 日 县首家股份制私营联合企业贵溪宏飞实业股份有限公司成立。

18 日 鹰潭市第一个股份合作林场双圳毛竹产业股份合作林场在贵溪双圳成立。

同日 县人大常委会首次组织评议局长。

29 日 全国“双拥”工作办公室副主任周士禹、解放军总政治部研究员郭珍奎一行 7 人,在省“双拥”办主任熊印辉的陪同下到贵溪县检查“双拥”工作。

31 日 鹰潭市民兵应急营一连在贵溪县成立,全连官兵 106 人。

同月 自该月起,贵溪区域内各种经济类型的企业、个体经济组织和与之形成劳动关系的劳动者,以及国家机关、事业组织、社会团体和与之建立劳动合同关系的劳动者,只要提供正常劳动,就必须获得不低于 170 元的月工资。

6 月

1 日 雄石三小五年级学生彭浩代表鹰潭市赴北京出席第三届全国少代会。这是贵溪县第一个出席全国少代会的学生代表。

10 日 县政府制定《贵溪城市规划管理实施办法》。

17 日 全省规模最大的利用煤渣生产新型砖的项目——贵溪特种砖厂粉煤烧砖项目举行协议书签字仪式。

25—27 日 贵溪县连降特大暴雨,信江河水位暴涨,超警戒线 4.95 米。全县 24 个乡镇,32.7 万人受灾,直接经济损失达 12823 万元。全县共动员干部群众 7 万余人投入抢险。

30 日 全县“七一”表彰暨抢险救灾动员大会召开。大会共表彰 43 个先进基层党组织,12 名优秀党务工作者,70 名优秀共产党员,14 名农村“双带”活动标兵,10 名“十佳”村党支部书记;同时进行“6·27”洪灾抢险救灾动员。

7 月

1 日 贵溪县“6·27”洪灾情况通报会召开,中央、省驻县厂矿及驻军领导近 20 人应邀参加。

19 日 林业部副部长祝光耀一行到贵溪县上清林场考察。

20 日 为期 20 天的水毁公路突击抢修完成,全县 15 条县养公路和 75 条乡村公路恢复通车。

28 日 县医药管理局正式挂牌成立。

31 日 鹰潭军分区、驻县单位和驻军领导,县“双拥”领导小组成员及老红军、烈士军属、复转退伍军人、军队离休干部代表 200 余人举行“双拥”联席会,纪念和庆祝中国人民解放军建军 68 周年。

同日 贵溪县 10 名优秀中学生代表启程赴朝鲜参观学习。

同月 县政府作出《关于在全县范围内实行领导干部离任审计的决定》。

同月 贵溪县建立救灾后备基金制度。

8 月

11 日 全省首批 6 家专业消防队代表在上清林场交流经验。

24 日 贵溪图书馆竣工开馆,文化部常务副部长高占祥题写馆名。该馆建筑面积 3389 平方米。藏书 30 万册。

30 日 为纪念中国人民抗日战争胜利 50 周年及世界反法西斯战争胜利 50 周年,县 4 套班子及相关部门负责人共 20 余人在贵溪宾馆举行座谈会。

31 日 县政府作出《关于实施总体规划,加快城市建设的决定》。

同月　周坊镇光荣敬老院被民政部评为全国文明光荣院。

9 月

29 日　县委制定《贵溪县长防林第一期工程建设达标工作实施方案》和《贵溪县长防林第一期工程建设 1995—1996 年度实施意见》。

同月　县对计划外生育费管理实行“乡收县管,财政监管”的管理体制。

同月　县被省政府授予“全省林业先进县”称号。

10 月

4 日　全县林业工作会议提出“十年内在山上再造一个与全县耕地面积同等经济效益的贵溪”。

7 日　投资 2200 万元引进加拿大北方电信公司 DMS－100 型万门程控交换机和投资 220 万元引进美国摩托罗拉公司 900 兆蜂窝移动电话基站设备割接开通并正式投入运行。

9—19 日　县纪委、县财政局组织联合检查组对全县 23 个乡镇公款招待费开支及餐券使用情况进行全面检查。

13 日　李开才任贵溪县检察院副检察长、代理检察长职务。李佳寿辞去县检察院检察长职务。

16 日　县委、县政府发出《关于在全县开展农民负担执法检查的通知》。

23 日　省委书记吴官正到贵溪县樟坪乡、啤酒厂、环球石业、农药厂等单位视察工作,鹰潭市委书记刘祖三、市长倪贤伍陪同。

25 日　贵溪县失业保险基金委员会成立。

11 月

6 日　凌晨 1 时许,文坊镇文坊居委会幸福街发生火灾。烧毁房屋 14 栋,受灾人口 40 余人,直接经济损失近 40 万元。

10—15 日　由全国 50 多位船舶专家、学者参加的第六届全国船舶耐波性学术讨论会在贵溪上清林场召开。

12 日　320 国道东方红大桥边发生一起重大交通事故,1 人死亡,20 余人受伤,其中重伤 3 人。

15 日　全县各级党政机关、审判机关、检察机关、事业单位及其派出机构开始实行领导干部近亲回避制度。

22 日　鹰潭市第一所希望小学——贵溪县希望小学在金沙乡西洋村奠基。

23—24 日　由省人大、省政府及省文化厅组成的检查组对贵溪县创建社会文化先进县工作进行考评验收。

26 日　县一中举行建校 50 周年校庆。

28 日　以新华社副总编朱承修为团长,《广州日报》副总编黄景仁、《科技日报》副总编王直华为副团长的“韬奋故乡行”采访团一行 8 人到贵溪采访。

29 日　县城雄石西路立交桥工程正式开工。

同月　县公安消防大队成立。

12 月

11 日　县委、县政府制定《关于贵溪县农村实现小康目标的实施方案》。《方案》要求:到 2000 年全县基本达到小康生活标准,人均纯收入达到 1200 元;90% 的乡镇 95% 的村达到小康水平,消灭贫困村,基本消灭贫困户。

12 日　柏里大道工程正式动工。

31 日　省委副书记舒惠国到贵溪冶炼厂、化肥厂、发电厂等国有大中型企业看望和慰问元旦期间奋战在生产一线的广大干部职工,并在贵溪宾馆主持召开有鹰潭市国有大中型企业党政负责人参加的企业党建工作座谈会。

同年　文坊镇荒山租赁率先起步。

1996年

1月

1日 省委副书记舒惠国到贵溪县视察国有大中型企业。

3日 贵溪人民广播站更名为贵溪人民广播电台。

同日 投资240万元、年生产500万吨甲基托布津原粉和年产500吨多菌灵原粉的县农药厂两条生产线正式投产,甲基托布津的生产填补省内空白。

8日 县委、县政府召开全县预防"猪口蹄病"工作会议。

9日 雄石西路黄金路段部分国有土地在县委党校礼堂公开拍卖。这是贵溪首次公开拍卖土地,成交额160万元。

10日 省委常委、组织部部长刘德旺到贵溪啤酒厂、江西环球石业有限公司、江西竹辉竹业有限公司、贵溪钢管厂、贵华铜材公司等企业考察。

12日 县委、县政府作出《关于在全县农村实施科教兴农工程的决定》,以全面普及贵溪农民的基本农业科技知识,使之掌握过硬的致富技术,提高全县农村的科技水平,促进全县农业、农村经济的大发展。

19日 县委作出《关于进一步加强农村基层组织建设的决定》。《决定》指出:一、制订村办企业发展优惠政策;二、进一步建立和完善激励机制;三、提高待遇,调动村干部的工作积极性;四、健全制度,促进村建工作规范化;五、强化培训,提高农村党员干部队伍的整体素质。

21日 南昌大学与贵溪县建立科技协作关系,并签订《关于重建象山书院的协议》和《建立广泛科研协作关系协议》。

23日 县人民医院引进的美国产CT机正式投入使用。

28—3月18日 县人武部收归军队建制工作历时50天圆满结束,于3月18日举行交接仪式。

2月

1日 全县教育工作会议召开,会议要求全力打好"两基"攻坚战。

4日 全县经济工作暨村建工作表彰大会召开。会议要求1996年贵溪的经济工作将围绕下列基本思想来展开:坚持以效益为中心,把经济增长方式切实转移到依靠科技进步和提高劳动者素质的轨道上来;把注意力放在优化结构,提高质量,降低消耗,加速资金周转和提高经济效益上来。大会表彰1995年度全县村建工作的先进单位和先进个人。

5日 县委、县政府作出《关于加快农业和农村经济发展的决定》。

12日 县委、县政府批准县法制宣传教育工作领导小组《关于在公民中开展法制宣传教育的第三个五年规划》。

13日 余家乡孟青村通电,结束贵溪行政村无电的历史。

29日—3月3日 政协贵溪县八届四次会议在城区召开。

29日—3月3日 县十一届人大五次会议在城区召开。

3月

12日 县委、县政府作出《关于发展乡镇企业的决定》。

14日 县委、县政府作出《关于开展"翻番工程"、"效益工程"、"扭亏工程"竞赛活动,促进工贸经济快速高效发展的决定》,并决定自是年起在全县工贸系统开展"三项工程"竞赛活动。

15日 贵溪县预算外资金管理局成立。

同日 县图书馆一楼展出邱林鹤一家三代书画作品98幅。

17日 省委常委、省委政法委书记彭宏松到县考察综治工作。

22日 即日起全县预算外资金实行统一征管。

同日 县政府颁布《贵溪县公费医疗管理暂行规定》。

28—29 日　贵溪县“商品粮基地县”通过省验收。

同月　滨江乡入选“首届中国乡镇企业投资环境 300 佳”。

4 月

1 日　县政府颁发《贵溪县预算外资金管理实施意见》,对预算外资金管理体制进行改革。

2 日　贵溪县流动人口管理工作领导小组成立。

6 日　县委、县政府作出《关于鼓励科技人员投身经济建设的决定》。

12 日　出席新华社华东地区外宣工作会的六省一市新华社记者 46 人到贵溪采访,先后参观贵雅电光源有限公司、县啤酒厂、环球石业有限公司等企业。

15 日　县委、县政府召开吨粮田工程,猪、牛、羊工程,笋竹两用林工程,特色水产养殖工程,高效果业工程和反季节蔬菜工程“六大工程”竞赛活动动员大会。

25 日　贵溪组织 14 项科技新成果新产品参加“1996 年江西省科技新产品新成果交易会”,其中 3 项获金奖,分别是竹辉业公司的“高档材侧面地板”,贵溪钢管厂“冷拔无缝钢管”,县粮食局保健品厂的“天然凉粉”。

27 日　耳口乡梅潭村姚家村发生数十人暴力阻挠执行公务,殴打捆绑公安民警、抢夺枪支的特大治安事件,公安机关依法逮捕犯罪嫌疑人 4 人,治安拘留 42 人。

同月　贵溪县被评为 1995 年度全省发展乡镇企业综合考评第二名。

同月　县委、县政府作出决定,从 4 月 1 日起,全县副科以上领导干部实行个人生活重要事项报告制度和县管主要领导干部离任审计考核制度。

5 月

13 日　县委转发《政协贵溪县委员会关于政治协商、民主监督、参政议政的实施细则》。

15 日　县城连接北乡的交通咽喉——柏里大道(南段)改造竣工,该路段全长 745 米、宽 15 米,全程水泥路面。

16 日　县委、县政府批准县统战部、县民族宗教事务办公室《关于在全县集中开展依法取缔非法宗教活动统一行动的实施意见》。

21 日　全省县市报纸新闻奖评选揭晓,《贵溪报》有 6 幅作品获奖。

22 日　全县机构改革动员大会召开。改革后县委设 5 个工作部门,政府设 37 个工作部门,全县党政机构减少 24 个,精简 40%。

27 日　县委作出《关于坚持和完善中国共产党领导的多党合作和政治协商制度的规定》。

28 日　民政部同意贵溪撤县设市。

31 日　自 3 月开始的雄石变电站升压增容工程竣工,3 条 64 伏线路升压为 104 伏,变电容量由 6000 千伏安增至 8350 千伏安。

同月　江西铜业公司生产的“贵冶”牌电解铜在伦敦交易所成功注册。

同月　县政府在全县开展农民负担自查自纠和执法检查工作。

5 月至 7 月　县化工厂、农药厂等首批 21 家企业将推行平等协商集体合同制度。

6 月

6 日　贵溪城市中心建设工程、白果树住宅区建设工程、贵溪第一小学建设工程、贵溪医疗保健中心建设工程、建设大道拓宽工程、沿河公园建设工程同日开工。

21 日　由香港同胞沈炳麟先生捐助 12 万元、总投资 18 万元的周坊小学竣工。

7 月

1 日　省政府批准贵溪撤县设市。

6 日　县政府紧急召开全县抗旱工作会,会议迅速部署有关抗旱工作事宜,成立了人工影响天气工作领导小组,并在白庙水库和硬石岭水库设立人工增雨作业点。

7 日　白庙水库、硬石岭水库人工降雨取得良好效果,这标志着贵溪县首次实施人工降雨获得成功。

9 日　鹰潭市政府下文批准贵溪撤县设市。

10 日　全省《政策广角》通联工作会议在贵溪县召开。

13 日　贵溪程控电话号码由 6 位升为 7 位。这次升位的方法为:原号码首位前加 3(升位时间为 7 月 13 日零时)。

14 日　雄石二小学生周建斌在渡口为救落水同学而牺牲。

15 日　县林业局倪水旺在上清发现连株生男女人体状的何首乌,其中女体形长 18 厘米,男体形长 19 厘米。

23 日　全省消防部队基层建设现场会在贵溪县召开。

31 日　贵溪县完成"追逃"任务,抓捕各类逃犯 108 人,归案率达 80%。

8 月

2 日　县政法委组织县公、检、法、司主管信访工作的领导从当年 8 月份起,每月第一周和第三周的星期五上午在县人民法院联合接待群众来访。该日被称为"政法五长联合信访接待日"。

6 日　省人大常委会副主任周述荣率省"农业两法"执法检查组到贵溪县检查。

同日　贵溪果业学会成立,任江南当选为学会理事长。

9 月

3 日　贵溪县人民检察院反贪污贿赂局成立。

6 日　中共贵溪县代表会议召开。会议审议通过《关于将中国共产党贵溪县第九次代表大会改称为中国共产党贵溪市第一次代表大会的决议》和《关于将贵溪县党的机关组成人员改称为贵溪市党的机关组成人员的决议》。

同日　市一届人大一次会议召开。决定将贵溪县机关改为贵溪市机关,产生贵溪市第一届人民政府及其组成人员,邓绍聪成为第一任市长,市委书记刘尧铣兼任市人大常委会主任。

同日　政协贵溪市一届一次会议召开。审议通过关于将政协贵溪县第八届委员会改为政协贵溪市第一届委员会的决定;宣布原政协贵溪县第八届委员会委员、常务委员、副主席和主席自然过渡为政协贵溪市第一届委员会委员、常务委员、副主席和主席;政协贵溪市第一届委员会的任期与政协贵溪县第八届委员会的任期连续计算,共为 5 年,即到 1998 年届满。

10 日　市政府出台《关于抢抓机遇,超常发展,主攻工业的若干意见》(简称"贵溪工业二十条")。

12 日　法国里昂信贷银行香港分行中国业务副总裁江超凡在贵冶宾馆(后改为铜苑宾馆)228 号房被害。该案经省、市、县三级公安机关数月侦查未破。

10 月

8 日　雄石西路主体工程、柏里大道双双竣工。雄石西路主体工程长 560 米、宽 30 米,柏里大道全长 4192 米。

15 日　贵溪撤县设市新闻发布会召开,市内外 50 多名记者出席。

16 日　贵溪举行撤县设市庆典活动,邓绍聪主持,刘尧铣致辞。民政部原副部长卓雄,省政府副省长孙用和、省政协副主席吴永乐、省人大常委会原副主任王昭荣,鹰潭市委书记刘祖三、市长倪贤伍等领导来贵祝贺。

同日　举办"贵溪产品展销暨经贸洽谈会",共签合同协议项目 18 个,资金总额 9315 万元。

18 日　市委、市政府作出《关于"在山上再造一个贵溪"的决定》。

18—20 日　全省政协提案工作研讨会在贵溪市召开。

25 日　市首届环卫工人节庆祝大会召开。

28 日　国家体委主任伍绍祖到贵溪视察江铜公司及冶炼厂。

同日　全市开展为期一周的精神文明建设"从我做起"万人签名活动。

11 月

18 日　贵溪市人民政府驻南昌办事处成立。

12 月

6 日　贵溪市人民政府法制局成立。

31 日　贵溪市预备役军官授衔仪式在市人武部举行,15 人被授予尉官军衔。此前已授校军衔 19 人。

同日　沿河公园竣工典礼举行,其主体工程是城市建设 6 个重点工程之一,全长 780 米、宽 32.5 米,总投资 210 万元。

同日　四中道路竣工通行。四中道路是城市总体规划的组成部分,长 1300 米、宽 12 米,总投资 137 万元,彻底解决曹家湖的污染、叶家塘的排污以及附近居民出行难问题。

同年　全市财政收入突破 3 亿元大关,3 年上 3 个台阶。

1997 年

1 月

1 日　自即日起,贵溪市范围内的 19 种基金、附加收入统一纳入财政专户管理。

7 日　市地税直属分局获全国“税务系统文明单位”称号。

同日　市委、市政府作出《关于切实加强农业和加快农村经济发展的决定》。

同日　市委、市政府发出通知,开展文化科技卫生“三下乡”活动。

8 日　市委、市政府作出《关于进一步加大企业力度,扎实开展“促销增效”活动的决定》。主要内容是:一、以深化改革为动力,以开拓市场促销扩销为重点,以促进企业增效、财政增收、后劲增强为目的,推动本市工业、商贸经济稳中求快、求进、求活、求好。二、主要经济目标:市属工业企业实现工业产值 72000 万元,比 1996 年增长 26%,产销率为 96% 以上;预算内工业企业实现销售收入 20000 万元,比 1996 年增长 42%;实现利税总额 3600 万元,利润 1600 万元;全市商贸企业实现商品销售总额 50000 万元。

同日　贵溪市 6 名医务人员入选省援助乍得医疗队。入选江西省援助乍得医疗队的市 6 名医务人员赴南昌培训,他们是舒安乐、毛道军、杨样发、黄贵理、李元旦、张余欢。

25 日　“中国农业发展银行贵溪市支行”挂牌成立。

27 日　投资 4.6 万元的全市首家特级有线电视网双圳西排村有线电视开播。

31 日　市人民医院被评为“二级甲等医院”,是鹰潭市首家获此称号的医院。

同月　首部新编《贵溪县志》出版。

2 月

21 日　市 4 套班子领导召开座谈会,缅怀邓小平丰功伟绩。全市各界同时举行悼念邓小平活动。

25—28 日　政协贵溪市一届二次会议在城区召开。

26—28 日　市一届人大二次会议在城区召开。

28 日　市妇女儿童活动中心大楼开业,该工程投资 140 万元,建筑面积 2000 平方米,始建于 1994 年年底。

同月　贵溪冶炼厂青年职工涂文辉被中华见义勇为基金会授予“中华见义勇为先进分子”称号。

同月　贵溪市城市管理委员会办公室成立。

3 月

2—9 日　省军区副司令员季崇武率工作组到贵溪市检查市人武部建设及民兵预备役工作。

7 日　全国公安战线一级英模邱娥国事迹报告团在贵冶影剧院举行报告会,全市政法干警、驻市武警及相关领导、群众 1400 多人到会。

21 日　市委、市政府决定在全市开展特色农业竞赛活动,进一步推进农业产业化进程,发展市场农业。

22 日　农业部外经办主任钱法根到贵溪市考察红壤开发。

同月　贵溪市被列入全国 57 个医疗保障制度改革试点城市之一。

4月

7日　世界银行新任东亚及太平洋地区副行长赛韦里诺先生、世界银行中国与蒙古局局长霍晋先生、世界银行驻中国代表处首席代表鲍泰利先生、世界银行官员朱征璇女士一行在国家财政部、省财政厅、省外事厅、省红壤办及鹰潭市有关部门领导陪同下，前往贵溪市鸿塘镇考察红壤二期工程开发项目执行情况。

10日　市委、市政府决定在全市农村开展“五比五赛争十星”竞赛活动。“五比五赛”内容是：比思想觉悟，赛团结互助；比学习科技，赛劳动致富；比遵纪守法，赛履行义务；比移风易俗，赛计划生育；比尊师重教，赛文明卫生。“争十星”内容是：五爱星、团结星、科技星、致富星、法纪星、义务星、新风星、文教星、卫生星。

25日　全市戒毒工作会议召开。

30日　全市第一次环境保护工作会召开，提出树立国策意识，开创环保新局面。会上，市政府领导与各乡镇及市直有关单位签订1997年度环保目标责任书。

5月

10日　省委常委、省纪委书记马世昌到市视察、指导工作。

12日　14时20分，狂风暴雨突袭，造成周坊、古港、白田等10余乡镇1050余间房屋倒塌，供电和通信中断数日，受灾人口12万余人，因灾受伤120多人，农作物受灾面积693.3公顷，直接经济损失1500余万元。

15日　由贵溪农药厂和湖南海利化工股份有限公司共同组建的“海利集团贵溪化工农药有限公司”成立。这是贵溪第一家跨地区、跨省份合作项目。

16日　省委书记舒惠国到市视察江西铜业公司、贵溪化肥厂、钱啤(集团)贵溪啤酒厂、贵溪发电厂。

22日　全省县市报研究会暨九届全省县、市报新闻奖评选会在市举行。

27日　全国政协性别比失调联合调查组到贵溪市进行调研活动。

28日　省人大常委会副主任胡东太率团14人到贵溪市检查《中华人民共和国环境保护法》和《矿产资源法》的执法情况。

6月

5日　投资20万元的四中管道液化气工程开通供气。这是鹰潭市开通的第一个管道输送液化气工程。

同日　市政府出台《贵溪市市区住房公积金实施细则》等七个配套文件。

16日　吴伏生任中共贵溪市委书记，同时免去刘尧铣中共贵溪市委书记职务。

23日　贵溪市组团赴杭州参加“1997年江西横向经济联合协作项目洽谈会”，开展招商引资活动。会上共签订合同15个，引进资金7070万元。

28日　市举行庆“七一”迎香港回归全民健身万人环城跑活动。

7月

1日　市气象局开通天气预报自动答询业务，拨打121便知当地天气情况。

同日　新职工医疗保障制度在全市实施。

6—11日　全市连降大暴雨，降雨量达330毫米，市区信江河最高水位达36.56米，超警戒线3.56米。洪水造成巨大损失。据统计，全市18个乡镇、460个自然村受灾，受灾人口18万人，被洪水围困村庄20个3700余人。受淹农田0.8万公顷，损坏房屋45间，倒塌房屋9间。一些地区公路、桥梁及水利设施遭受严重破坏。直接经济损失7292万元。

21日　贵溪市招商局成立，同时撤销贵溪市引进外资经济技术合作办公室。

29日　上清镇桂州村委会干部为“解救”一名被拘留的违法人员，组织村民100余人冲击上清林场和林业派出所，砸毁7块党政牌子，打砸机关宿舍，打伤干部、职工10多人，后公安机关拘留6名犯罪嫌疑人。

同月　经省人民政府批准:硬石岭乡撤乡建镇,更名塔桥镇。

8月

3日　市委、市政府出台《关于加快罗河工业区建设的决定》。《决定》涉及工业园的范围、建设、程序、管理、政策等方面的内容。

12日　省委副书记钟起煌到贵溪市先后考察钱江啤酒(集团)贵溪啤酒厂、海利贵溪化工农药有限公司等企业。

12—13日　贵溪余江部分边界划定,长度为8千米。

18日　贵溪市公安局巡警大队成立,110报警服务台正式开通。

26日　中国国民党革命委员会贵溪市支部委员会成立。

28—29日　市一届人大三次会议补选吴伏生为市一届人大常委会主任。

同月　市邮电系统投资近70万元购置40部新型公用电话机——IC卡电话,并陆续在市区各街道和宾馆、车站、影剧院等30个公共场所和10个农村集镇分点安装。

9月

1日　贵溪市艺术团成立。

8日　市组团参加厦门招商经贸洽谈会。

10日　驻市企业四建公司退休工人因对公司发放生活费不满,聚集400多人,打出横幅标语在市区建设路集会,静坐、堵塞交通3个多小时,后经劝导事态平息。

13日　市第一条村级水泥公路在雷溪铺设完成。该路全长1280米、宽3.5米、厚0.2米,总造价24万元。

28日　市职业中学公共专业1997级毕业生、年仅20岁的包艳同学为抢救一名4岁男孩不幸遭车祸身亡,后被追认为烈士。

同日　省白蚁防治科技协会年会暨全省白蚁防治工作会在贵溪召开。

10月

11日　罗河工业区建设正式开工。

11月

18日　贵溪市机关事业单位社会保险局成立。

同日　市国税局征收员曾志强获得首届"中国优秀青年卫士"、首届"江西杰出青年卫士"称号。

18—21日　国家两基检查组到贵溪市考察,认定贵溪各项指标均达省定标准。

28—30日　市委、市政府在文坊、周坊、流口三地分别召开乡镇经济工作形势分析会,研讨全市农村经济工作发展思路和工作盘子。

同月　贵溪市县乡公路建设史上第一条水泥路——鹰潭硬石岭线全线铺通。该线投资276万余元,全长21.64千米,是连接鹰潭、余江、万年等地的一条重要线路。

12月

3日　鹰硬线通车。

9—10日　市第二次妇女代表大会召开。

同日　市20名驻香港新兵启程赴军营。

23日　市委、市政府提出《关于整体推进国有、集体企业转机建制的指导方案》。

26—28日　中国共产党贵溪市第二次代表大会在城区召开。

同年　贵溪市位居"全省十强县(市)"第五名。

同年　撤销贵溪县文物陈列室,成立贵溪市博物馆,与文化馆合署办公。

1998 年

1 月

6—9 日　政协贵溪市二届一次会议在城区召开。

7—10 日　市二届人大一次会议在城区召开。

8 日　全国总工会书记处书记宋明波率送温暖慰问检查团到贵溪市检查慰问。

同日　市人民检察院受到最高人民检察院表彰,荣记集体一等功。

14—19 日　市 4 套班子领导走访慰问驻市子弟兵和军队离退休干部及企业特困职工。

19 日　省总工会副主席文之周一行到市考察工会工作。

2 月

11 日　市委、市政府、市人武部通报表彰 7 个先进基层人武部、18 名民兵预备役工作先进个人。

23 日　市福利院康复大楼竣工,该大楼建筑面积 2399 平方米。

25 日　为救幼童不幸身亡的学生包艳被鹰潭市综治委授予"见义勇为先进分子"称号。

3 月

5 日　贵溪电厂第二灰场启用,该灰场投资 1.58 亿元,占地面积 121 公顷。

6 日　市召开表彰大会,隆重纪念"三八"国际劳动妇女节。施华山被授予"维护妇女儿童好民警"光荣称号。

同日　省政府副省长孙用和到市考察农业工作。

16 日　政协贵溪市二届二次会议在城区召开。

26 日　罗河工业园区、市土管局将区内一块 3720 平方米国有土地使用权转让给市再生资源公司,拉开国有土地有偿转让序幕。

4 月

3 日　市委、市政府提出《关于加快发展个体私营经济的意见》。

8—9 日　全省文物工作座谈会在市召开。

同日　贵溪市组团参加 1998 年厦门商品博览会,共签订合同 16 个,合同引进资金 4475 万元。

10 日　制定《贵溪市人民政府工作规则》。

15 日　全市创建文明城市暨综合整治市容环境动员大会召开。

23 日　市委办、市政府办印发《关于进一步加强农村村务公开、民主管理工作实施意见》。

5 月

同日　首批上海专家医疗队到贵溪开展医疗咨询服务。

9 日　全国"节能灯光衰机理研究"技术成果鉴定会在贵溪市召开,贵雅电光源有限公司这项科研成果被与会专家一致评定为全国领先、达到国际同类产品先进水平。

同日　市组团参加 1998 年江西在沪招商活动。

15 日　耳口发现野生红豆杉群落,共有 46 株,其中柴源一张姓居民屋后山场就有 28 株,最大一株胸径达 65 厘米。

6 月

1 日　市区上市猪肉开始改为定点宰杀、集中检疫。

8 日　省长舒圣佑到贵溪市考察。

9 日　市工会第二次代表大会召开。

10 日　全市粮食流通体制改革动员大会召开。

12 日　市经济大楼正式开工建设。大楼主楼 17 层,高 66.6 米;东西配楼 4 层,高 16.8 米。由省环球建筑设计院设计。

6 月中下旬以来　市境遭受特大洪涝灾害和罕见的地质灾害,给全市工农业生产和人民财产造成巨大损失。全市24个乡镇、7个林垦场全部受灾。受灾村庄1596个,被毁村庄7个;受灾人口45.86万人;损坏房屋74600间,倒塌房屋6670间,受灾农作物38130公顷,损失存粮921吨;毁坏耕地1290公顷(不能复耕399公顷);死亡牲畜7100头。全市16个山区乡镇(场)共发生山体滑坡2.5万处,塌方870万立方米。全市总计直接经济损失达9.54亿元。

18日 省委书记舒惠国到市视察灾情。

21日 民政部副司长孙绍聘率民政部、财政部考察组到市考察灾情,看望慰问灾民。

同日 鹰厦线富庶岭车站山洪暴发。因断电被迫停在站台上的T46次福州至北京特快列车3节车厢冲离轨道,所幸无人伤亡。

26日 民政部、省武警总队向贵溪市发放救灾物资衣、被4250件,鞋500双,铁架帐篷60部。

27日 省委书记舒惠国了解到贵溪大灾无伤亡情况后,批示"贵溪市委政府工作做得好,在如此严重的塌坡面前,未造成人员死亡,是一项了不起的成绩,我要向同志们学习,致敬!"

28—30日 为期3天的全市初升高考试举行。因洪水影响,经省教委批准,中考曾两次延期。

30日 省电视台《情系灾民》派出9人到滨江乡岭上村慰问演出。

7月

3日 市委发出《关于纪念党的十一届三中全会二十周年活动的通知》。

28日 市召开"八一"军、政、企联谊会,共话发展、共商争创"全国双拥模范城"的新举措,进一步密切军政、军民、军企间的鱼水关系。

31日 市委作出《关于坚持和完善中国共产党领导的多党合作和政治协商制度的规定》:一、加强和改善、支持政协开展工作;二、建立和健全与民主党派的政治协商制度;三、进一步加强与民主党派的联系;四、认真做好民主党派和无党派人士的实职安排工作;五、积极支持民主党派搞好自身建设。

8月

4日 市委、市政府、市人武部对31个抗洪抢险先进单位和69名抗洪抢险先进个人进行表彰。

同日 市委、市政府在《关于切实抓好今冬明春农田水利基本建设意见》中指出:大灾大治、大灾大干,集中时间和力量解决治水主要问题,全市上足劳力15万人,奋战100天,完成土石方280万立方米,恢复新增耕地0.67万公顷。

5日 贵溪市稳定和完善农村土地承包关系领导小组成立。

7日 全市建筑行业21个单位、31位个人捐资17.6万元资助受灾倒房户建房到位,此举为全省首创。

11日 全市农村延长土地承包工作会议提出延长土地承包实施意见。土地延包实行"大稳定、小调整"原则,承包期再延长30年不变。

14日 市委、市政府作出《关于深入开展创建计划生育合格村活动的决定》。

同日 全市粮食市场管理工作会议召开。会议要求成立粮食稽查队,管住、管好粮食市场。

16日 市公安局仅用8小时侦破市建行特大金库被盗案,犯罪嫌疑人严某当日便缉拿归案。

19日 香港红十字会代表莫慧珊、唐少芬到灾区察看灾情慰问灾民。

9月

4日 市委、市政府召开大会,要求做好国企下岗职工基本生活保障和再就业工作。

同日 全市救灾防病工作紧急会议召开,要求切实做好救灾防病工作,确保大灾无大疫。

同日 《美国新闻与世界报道》驻京记者方同若、摄影记者梁永光采访"打拐"英雄施华山。

9日 省科技救灾服务团专家组一行共13位专家到市开展科技救灾服务。

11日 全国人大常委会委员、内务司法委员会副主任、中华慈善总会副会长万绍芬与中国医学基金会副会长王户麟,率中华慈善总会和江西慰问组到市慰问灾民,并捐献钱物60万元。

12日 市人民医院开通120急救服务电话。

22—24日 市首次举办科级女干部培训班,共60多名女干部参加。

29日 市台联会第一次代表大会召开,选举产生会长、副会长、秘书长。施展能、潘小平为第一届正、副会长。

10 月

4 日　全市机关干部下基层动员大会召开。会后来自省、鹰潭市和市直机关的 380 名干部下乡帮助灾民重建家园。

8 日　投资 400 万元的叶家塘农贸市场开张营业。

11 月

8 日　江西电视台天气预报节目将贵溪市冠名定时预报。

16 日　塔桥镇土地承包工作接近尾声，开始发放《土地承包经营权证》，成为全市首家进入颁发证件的乡镇。

17 日　第一批国有企业下岗职工《下岗证》发放。

18—20 日　省科学技术进步奖评审会在市召开。

20 日　贵溪市九三学社第一次社员大会召开。

11 月 30 日　省政协副主席江国镇到市考察调研。

12 月

8 日　市召开纪念大会暨政协工作研讨会，庆祝贵溪政协成立 40 周年。

10 日　市委、市政府制定《关于开展跨世纪绿色工程建设的实施意见》。

13 日　省民政厅在贵溪市召开地、市民政局办公室主任、秘书科长会议。

22 日　省政协副主席刘运来到市考察。

27 日　贵溪、余干、万年 3 县市边界协调会在贵溪市举行。

同年　贵溪市被省政府命名为"社会文化先进市"。

1999 年

1 月

5—7 日　省农科院专家到贵溪送科技下乡。

6—9 日　政协贵溪市二届三次会议在城区召开。

7—11 日　市二届人大二次会议在城区召开。

8 日　中央储备粮贵溪直属库动工兴建。

13 日　全市实行行政执法责任制动员大会召开。

同日　全市农技推广工作会议召开。会议提出以良种良法为基本内容，以送科技下乡活动为动力，以粮食产业化示范基地为龙头，全方位、高质量推广农业实用新技术，把全市的农业科技含量提高到中上水平。

同月　雄石镇石泉村、西窑乡西窑村、河潭镇上下滩村整体搬迁项目立项。

2 月

1—3 日　在"全国学法用法依法治县经验交流会"上，贵溪跻身全国百个依法治理先进县（市）。

26 日　全国人大代表、樟坪畲族乡乡长雷纪文，赴京参加全国人大九届二次会议。

同月　国家和省限期治理项目——串山垅水库灌区另辟水源工程竣工。

3 月

2 日　市委、市政府提出《加快乡镇企业新一轮发展意见》。要求：乡镇企业要坚持大发展，突出大提高，重点抓改革，着力抓效益，加速产业化结构调整，突出"一乡一品"的战略布局。依靠科技进步，促进农民增收、财政增长，增强企业发展后劲。

11 日　省军区政治部主任王峰率工作组到市人武部进行军队体制、编制变更后的情况调查。

17 日　市委、市政府召开会议，对 5 个推行村务公开的乡镇，6 个创办示范服务基地的乡镇，14 个包乡扶村单位，6 个帮扶单位，9 名村建先进乡镇党委书记，4 名先进村建工作组长，26 名先进村建工作者,25名先进示范服务基础干部进行表彰和奖励。

19日　市长邓绍聪在贵溪宾馆会见到贵溪市进行啤酒技术指导和咨询的德国退休专家组乌多·基施鲍姆,感谢他对贵溪市经济发展做出的突出贡献,并授予其贵溪市"荣誉市民"证书。

20日　贵溪四中晋级鹰潭市重点中学,并举行挂牌庆典。

4月

8日　肖伍根任中共贵溪市委书记,免去吴伏生中共贵溪市委书记职务。

同日　鹰潭市、贵溪市两级领导在贵冶召开现场办公会,解决该地区治安突出问题。

同日　樟坪畲族乡电力联网正式启动。该工程需架设高压输电线路9.9千米,工程总造价74万元。由省供电局出资30万元,鹰潭、贵溪、樟坪三级政府筹资40万元共同承建。

12日　市举办首届非党知识分子及民主党派骨干培训班。

17日　省委《中国共产党农村基层组织工作条例》实施细则起草小组到贵溪进行为期3天的调研。

29日　全市牲畜防病工作紧急会议召开。至4月26日,泗沥、罗河、滨江等12个乡镇有268头生猪、58头耕牛相继发生牲畜5号病。

5月

4日　市委书记肖伍根、市长邓绍聪,在贵溪宾馆会见菲律宾贸易管理委员会主席、菲律宾共和国副总统住房发展委员会主席雷梅尤斯·达道和海利新建筑与房地产开发公司、亚洲水泥制品厂有限公司、菲中农业建设管理公司总裁臧有恒一行。

10日　市召开会议,强烈谴责以美国为首的北约对中国驻南斯拉夫联盟共和国大使馆进行导弹袭击的暴行。

12日　雄石东路路灯建设工程竣工,共安装高压钠灯24盏。

同日　省食品工作调查组到市调研。

30—31日　市二届人大三次会议在城区召开。

6月

7日　市委作出《关于在全市掀起向施华山同志学习的决定》。

10日　市委、市政府、市人武部制定《关于加强市人武部全面建设的"三年规划、五年构想"》。

21日　贵溪首家农民自我管理的经营合作组织"金沙乡西洋村果业合作社"成立。

7月

6日　省检察院检察长阙贵善到市帮扶单位余家乡进行村建工作调研。

12—16日　市工商联副会长王华荣出席第六次全国归侨侨眷代表大会,被授予"全国归侨侨眷先进个人"荣誉称号。

13日　副省长朱英培到贵溪市大忙人实业有限公司、贵溪化肥厂考察。

同日　贵溪开展集中追捕逃犯、严厉打击涉暴犯罪专项斗争。

19日　贵溪水泥有限公司成立,该公司由贵溪旺达水泥有限公司与浙江金华集团有限公司共同出资,年产水泥20万吨。

8月

4日　市委、市政府制定《关于全面推进乡镇机关人员分流工作的实施办法》。

5日　贵溪实行"一推双考"面向社会公开选拔部分年轻科级干部。将公选的职位、条件、程序、考试、考核内容等事项向社会公告。

14日　副省长胡振鹏到市考察。

16日　市公安局法医部邹公太在建设路四建公司门口用枪将熊某打死后弃枪潜逃,经全力追捕未获归案。

23日　省委常委、组织部部长傅克诚到市考察城市建设和驻市企业发展情况。

9月

1日　施华山出席全国公安英模代表会,受到江泽民等中央领导接见。

8—12 日　贵溪市组团参加厦门“第三届中投资贸易洽谈会。”

13 日　省政协副主席江国镇到市考察。

14 日　市直1000余名干部参加滨江乡岭上圩堤水利冬修义务劳动。

20 日　市举行纪念中共贵溪市(县)委成立70周年大会。1929年3月中共信江特委批准成立中共贵溪临时县委,1929年8月中共贵溪县第一次代表大会在周坊邵家召开,产生中共贵溪县委执委会。

20 日—10 月 2 日　樟坪畲族乡马灯表演队参加第六届全国少数民族传统体育运动会及中华人民共和国成立50周年庆典活动,并获三等奖。

24 日　贵溪举办首届艺术节,隆重庆祝中华人民共和国成立50周年。

28 日　举行“庆国庆、迎澳归”万人环城跑活动。

10 月

8—12 日　第四届村委会换届选举工作开始。村干部“海选”试点在雷溪乡进行。

23—27 日　贵溪组队参加省首届全民健身运动会总决赛,摘取集体项目第八套广播体操和泰山健身球两项桂冠,金牌总数位列第三。

28 日　全市成品油市场监督整顿工作开始。整个清理整顿工作按动员部署、调查摸底、清理整顿、资格审查、检查验收五个阶段进行,历时半年。

10 月—11 月 2 日　贵溪组团参加省政府在温州举办的1999年江西横向经济联合协作项目(温州)洽谈会。

11 月

2 日　副省长王君到市考察。

5 日　贵溪集中拆除城南违章建筑。城南320国道20米红线内的42户违章建筑,共4000多平方米被拆除。

12 日　中科院院士、国家计委资金决策小组首席专家李东英、国务院稀土办处长王彩凤一行到市考察贵雅电光源有限公司。

16 日　市委书记、市人大常委会主任肖伍根聘请律师担任常年法律顾问,并举行签字仪式。

18 日　制定《贵溪市生态环境建设总体规划》,随文呈报鹰潭市人民政府,并请示要求将贵溪列入国家生态环境建设市。

同日　市人民医院成为省人民医院协作医院。

12 月

15 日　贵溪首次“一推双考”产生的8名副科干部走马上任。

17 日　市人民医院首例断肢再植手术成功,填补鹰潭市此类手术空白。

18 日　举办“迎澳归、迈向21世纪”联欢晚会,市十大新闻事件、十大新闻人物表彰大会同时举行。

同年　沿河公园开始拆迁改造。

同年　全市实现国内生产总值29.07亿元,同比增长3.02%,其中:财政收入2.76亿元,同比增长5.03%;其中地方财政收入1.40亿元,同比增长1.37%。

2000 年

1 月

1 日　由省财政厅援建的樟坪畲族乡樟桃公路建成通车。樟桃公路全长10千米,途经该乡4个自然村。

9 日　贵溪首次进行公开预录考试招录事业单位工作人员,53名应届大、中专毕业生应考。

13 日　《贵溪市国有、集体企业产权制度改革若干试行办法》出台。《办法》分总则、改制形式及要求、资产评估及产权界定、产权处置、管理体制及收益分配、职工安置、职工社会保险、土地资产处置、优惠政策、附则共10章,总50条。

15 日　贵溪市便民服务中心成立。

19 日　市委、市政府在北京召开贵溪籍在京人士座谈会。

21 日　市政府制定《贵溪市工业污染源达标工作方案》。

27—29 日　政协贵溪市二届四次会议在城区召开。

29—31 日　市二届人大四次会议在城区召开。

2 月

13 日　全市农村工作会议召开。决定在全市广泛开展“个十百千万”农技推广服务活动。即:开发一个新产品——贵溪白鹅,建立十个科技示范基地,培育百家科技示范户,建立千亩科技良种示范园,建立五个万亩优质稻示范基地。

16 日　贵溪市被文化部确定为“全国文化先进市”。

16—17 日　市政协主席吴金荣、市人大常委会副主任张满发等应邀参加福建光泽县“庆祝光泽解放五十周年”纪念活动,以加强两地的交流、沟通、友谊。

28 日　全市建设工作会议召开。建设工作总的思路是:按照“铜都工贸旅游城”的方向定位,以城市建设和罗河工业区、流口、罗河、周坊、塘湾、志光等集镇建设为重点,以吸纳人口繁荣市场发展经济为依托,以道路、供水、供电、通信、市场建设为突破口,“城”“市”并举,规划先行,滚动发展,突出社会效益,带动城乡经济。以“靓化工程”为主线,突出城乡规划管理、建设工程质量管理、重点工程建设三个重点,抓好住房消费,规范有形建筑市场,编制和执行评规,加快农村集镇建设等主要工作。

3 月

1 日　全市各界人士举行《一个中国的原则与台湾问题》白皮书学习座谈会,表示坚决捍卫一个中国原则。

15 日　市委、市政府就完善乡镇政务公开和民主管理工作提出意见。

18 日　市委、市政府举行“三讲”(讲学习、讲政治、讲正气)教育动员大会。省委副书记、常务副省长黄智权出席。市“三讲”对象、县级退休老干部、全市副科以上领导干部共 600 余人参加会议。

20 日　以施华山英勇事迹为原型创作的 4 集电视连续剧《打拐神探》在贵溪市开拍。

20—26 日　市参加“三讲”教育的领导班子和领导干部集中人员、时间、地点,进行“三讲”教育集中封闭学习。

28 日　新世纪水泥有限公司 20 万吨水泥生产线竣工投产举行庆典仪式。

4 月

1 日　市人民医院医技大楼投入使用。该楼是集医疗、医教、科研于一体的综合性大楼,建筑面积 2400 平方米。

4 日　市政府就首钢四建公司两个确保情况专题报告上呈鹰潭市人民政府。

10 日　原鹰潭塔桥园艺场划归贵溪管辖。

11 日　中央“三讲”督查组到贵溪市督查,省委副书记钟起煌,鹰潭市委书记萧茂普、市长缪兵等陪同。

12 日　国务院副总理吴邦国到贵溪市视察江西铜业公司。省委书记舒惠国、省长舒圣佑以及鹰潭、贵溪主要领导陪同。

5 月

12 日　市委常委举行“三讲”教育民主生活会。黄智权、萧茂普、夏景云等参加会议。市委书记肖佬根汇报市“三讲”集中教育第三阶段工作开展情况。肖佬根、邓绍聪结合班子和个人在党性党风方面存在的突出问题,严肃认真地进行批评与自我批评。常委们各自作批评和自我批评。

22 日　省人大常委会副主任全文甫到市征求《江西省促进科技成果转化条例(草案)》修改意见。

29 日　市委举行“三讲”集中教育总结大会。省委副书记、常务副省长黄智权,鹰潭市委书记萧茂普、副书记施国强,市委常委、组织部长张崇纪,省市“三讲”教育巡视组组长夏景云及巡视组全体成员出席大会。贵溪市所有“三讲”教育对象,全市副科以上领导干部,市直单位部分股级干部共 1000 余人参加大会。省委副书记、常务副省长黄智权讲话，充分肯定贵溪市“三讲”教育取得的成效。

6月

1日　在领导班子和领导干部开展的“三讲”教育中，通过“群众提、自己找、上级点、互相帮”，先后暴露问题共343条，其中涉及经济建设方面内容的74条，占21.6%；涉及思想作风建设内容的87条，占25.4%；涉及干部队伍建设内容的57条，占16.6%；涉及城市建设内容的36条，占10.5%；涉及精神文明建设内容的21条，占6.1%；涉及廉政建设内容的68条，占19.8%。

7月

2日　省军区参谋长朱光泉到贵溪检查指导民兵工作。

3日　省长舒圣佑到市视察，到樟坪检查工作并题词“增强民族团结，加快致富步伐”。

10日　罗河工业区废旧物资交易市场开业。

24日　市党政领导开展军事日活动。组织观看《现代高技术局部战争》《台湾军队武器装备发展趋势》等军事录像片，并进行实地射击训练和比赛。

28日　《贵溪市城市居民最低生活保障办法》出台。

30日　市委、市政府召开“八一”军、政、企联谊会，共叙鱼水情谊，共商创建大计。

8月

10日　在第九届中国专利新技术产品博览会上，贵雅公司系列产品获金奖和特别金奖。

15日　全省司法界代表90余人参观贵溪“148法律服务台”。

同日　市领导及全市各单位1000余人在流口镇320国道举行隆重迎送仪式，迎送2000年“炎黄杯”中华圣火全民健身火炬传递贵溪境内活动。

9月

11日　贵华铜材有限公司与首钢集团中国第四冶金建设公司共同开发铜材项目正式签约。这是贵溪市依托驻市大企业，做大做强铜材产业迈出的重要一步。

13日　罗河镇陈家村发生部分村民暴力妨碍执行公务，非法拘禁、故意伤害公安民警事件。

14日、20日　驻市企业首钢四建公司退休、下岗、待岗职工因生活费不能按时足额发放，退休职工医药费欠账较多，遗属生活补贴不能按时发放等问题，先后发生两起600余人参加的集体上访事件。

同月　贵溪市获科技部授予的“全国科技工作先进市”荣誉称号。

10月

10日　市委、市政府出台政策，鼓励机关干部离岗从事个体私营经济工作。

13日　市委、市政府印发《贵溪市政府采购方案(试行)》。

17—18日　省人大常委会副主任钱梓弘率检查组到市就《中华人民共和国义务教育法》《中华人民共和国统计法》实施情况进行执法检查。

20—22日　江西日报社第十届新闻摄影研讨会在市召开。

23日　济南军区原司令员、中共中央顾问委员会委员饶守坤到市视察。

30日　全国人大代表、省政协副主席、江西农业大学名誉校长罗明，省政协常委、省军区副司令员季崇武率17位省政协委员抵贵，就贵溪市高新技术产业及企业技改等方面进行为期5天的视察，为贵溪经济发展献计献策。

11月

1日　贵溪市化工厂产权出售正式签约，组建起贵溪市规模最大的民营工业企业。

16—18日　贵溪市组团参加2000年江西(南昌)招商引资洽谈会，签约项目5个，合同引资2.3亿元。

10—19日　乡(镇、场)党政主要领导研讨班(分两批)在双圳乡上山修竹山庄举办。目的在于促使乡(镇、场)主要领导更好地理清农村工作发展思路，改进农村工作方法，提高农村工作水平。

22日　省人大检查贵溪市《中华人民共和国残疾人保障法》执行情况。

28日　副省长王君抵贵考察贵溪市罗河工业区部分民营企业，强调民营企业要走质量兴企和品牌扩张之路。

同月 “中国贵溪”网站建成。它是集信息、商务、政务为一体的网站,设有贵溪市人民政府信息网、商务网、办公网、科技信息网4个平台。

12月

5—8日 贵溪市疟疾防治工作顺利通过省政府考核小组验收,已达到卫生部颁发的基本消灭疟疾标准。

8日 中央电视台MTV摄制组到贵溪市拍摄反映畲族民俗风情的歌舞风情片《畲乡之恋》。

9日 市委、市政府召开座谈会,庆贺雄石、滨江财政收入双过1000万。

13日 “九赣上萍”国防通信光缆管道途经贵溪的流口、雄石、滨江、罗河4个乡镇。

14日 省委常委、省农工委书记彭崑生到河潭镇现场指导柑橘防冻工作。

26日 贵雅生产的96瓦大功率H节能灯管在美国市场竞争中一举中标,每月向美国供货10万支。

同年 全市实现国内生产总值31.64亿元,同比增长8.51%;财政收入3.09亿元,同比增长12.20%,其中地方财政收入1.51亿元,同比增长8.13%。

2001年

1月

7日 市委制定《关于在全市农村开展“三个代表”重要思想学习教育活动的实施方案》。此项活动按照中央部署,从2001年1月中旬开始,用2年左右时间有计划、有步骤地进行。先在乡镇和部门开展,从2001年12月起,用1年时间在村一级班子和部门驻乡镇单位开展。

9日 全市农村“三个代表”重要思想学习教育活动动员大会召开。

11日 召开万人法制教育大会。

同月 市获国家环保总局、人事部“全国环境保护系统先进集体”称号。

2月

4—6日 副省长王君到市调研。

13日 由市人民医院姚文、叶晓斌完成的“食指离断移位再植拇指功能重建”技术成果通过鉴定,填补江西空白,达到国内先进水平。

3月

2日 市委发出《关于进一步完善村建工作六项制度的通知》。村建工作六项制度,即:市4套班子领导包乡扶村挂点联系制度,乡镇党委书记村建工作“直接责任人”考核制度,部门包村联组帮户工作制度,村建资金多方扶助制度,村建检查考核通报制度,村建办事机构网络管理制度。

8日 市委、市政府颁发《关于贵溪市教育体制改革的决定》。改革内容包括:在全市各级各类学校实行校长负责制,实行“教师全员聘任、竞争上岗”制度,改革学校分配制度,调整教学网点设置,鼓励和支持社会力量办学等。

16日 “金茂资产经营中心”与“南昌亚洲啤酒有限公司”合资组建“贵溪亚洲啤酒有限公司”。

16—18日 政协贵溪市二届五次会议在城区召开。

17—19日 市二届人大五次会议在城区召开。

19日 《贵溪市国民经济和社会发展第十个五年计划纲要》经市二届人大五次会议通过实施。

26日 市首届梨花节暨塔桥果业集团挂牌庆典在塔桥园艺场举行。

31日 市政府制定《关于进一步推行政务公开的实施意见》。要求各乡镇、各单位以宪法、法律、法规为依据,结合行政执法责任制工作,采取多种形式和方法,进一步推行政务公开,接受人民群众监督。

4月

4日 贵溪市防范和处理邪教问题领导小组办公室成立。

同日　市职业中学加挂贵溪市第三中学牌子。

5日　省政协副主席黄懋衡一行到贵溪市，就厂务公开和建立现代企业制度进行调研。

13日　贵溪市白鹤湖风景旅游区管理局成立，与硬石岭水库工程管理局合署办公。

同日　全国政协副主席白立忱到市塘湾供销社和塘湾镇红芽芋生产基地视察。

20日　全市“严打”整治斗争公捕公判大会召开。

22—23日　副省长王君到市检查指导农村“三个代表”学教活动并参加雷溪乡党委民主生活会。

27日　市委决定：将各公安派出所党组织关系转入各乡镇党委管理，同时各乡镇派出所所长任乡镇党委委员。增设彭湾乡派出所。

28日　下午3时50分左右，特大暴风雨袭击周坊、古港、塔桥园艺场、白田四乡镇，8—9级大风夹着大冰雹肆虐达15分钟，致使1人死亡，10多人受伤，受灾人口4万多人，倒塌房屋40栋，受灾农田0.33万公顷，果园0.33万公顷，损坏房屋2000多间，折断电杆200多根，毁坏线路16000多米，直接经济损失4000万元。

5月

1日　市交通局职工徐晓真为申奥骑自行车进藏，3月6日从江西出发，途经湖北、重庆、四川、陕西、甘肃、青海、西藏等省区，历时36天，行程2600多千米，4月10日到达拉萨。《西藏商报》亦作宣传报道。

同日　贵溪被评为“全国科技先进市”。

8日　市委、市政府印发《关于加强文化市场管理的意见》和《关于进一步提高市民素质和城市文明程度的意见》。

12日　全国政协副主席孙孚凌到市考察果业开发工作，到塔桥园艺场、志光果农合作社视察。

13日　省委书记孟建柱到市视察贵溪冶炼厂和贵雅电光源厂。

22日　中央统战部常务副部长刘延东到贵溪市考察贵溪冶炼厂。

28日　市委、市政府颁发《关于深化教育改革全面推进素质教育的实施意见》。

31日　市委、市政府作出《关于加快项目经济发展速度，推进全市工业化、农业产业化、城市化、信息化进程的决定》。

6月

5日　沟通贵南贵北交通的瓶颈竹山李桥建成通车。这是市政府2000年为民办十件实事之一。

6日　市政府印发《贵溪市行政事业单位公有房屋租赁管理办法(试行)》。

7月

4日　市政府获“全省加快公路建设三年决战先进单位”称号，受省政府表彰。

10日　贵溪(上海)招商项目推介会上签订项目11个，合同引资1.6亿元。

17日　市人民医院为表彰外科主任、主任医师舒安乐为贵溪做出的贡献，每年重奖3万元人民币。他从医30年，手术1.4万余例无一失误。

26日　经过竞争公开竞聘的全市78名教办主任、中小学校长走马上任。

27日　副省长孙用和到市塔桥园艺场考察。

8月

1日　市委办、市政府办印发《贵溪市维护社会稳定处置突发事件工作预案》。

9日　上海杨浦区党政代表团到市考察。

24日　市人民医院首次成功施行两例腹腔镜胆囊切除术。填补贵溪在此类手术上的空白。

25日　贵溪籍老红军廖子英辞世，享年87岁。

9月

4日　市委颁发《关于进一步解放思想加快经济发展的实施意见》。提出：要以工业园区建设为载体，推进工业化进程，全面提升经济发展质量和水平；加快城市建设，加大城市管理，把贵溪建成赣东北人口产业密集区；以招商引资为主抓手，承接沿海产业梯度转移，把资源优势转化为经济优势；发展农业和旅游业,实现农业产业化、农村社会稳定和农民增收;优化发展环境,提高发展水平;加强和改善党的领导,为加快经济发展提供组织保证。

5日　贵溪市城市规划局成立,为市政府直属副科级事业单位,归口建设局管理。

16日　由省人大常委会副主任钱梓弘、周述荣率领的省人大环保执法检查组到市,对新世纪水泥、贵冶等6家企业进行环保检查。

17日　贵溪市获"全省'三五'法制宣传教育工作先进集体"称号,受到省委、省政府表彰。

21日　最高人民检察院副检察长胡长惠到市视察。

27日　市委、市政府颁发《关于人口与计划生育工作综合改革的决定》。

10月

9日　市人武部获全省"先进人武部"称号。

16日　《贵溪报》即日起正式启用国内统一刊号,刊号为CN36-0056。

24—26日　浮梁、乐平、昌江、弋阳、余干、波阳、婺源、铅山、万年、德兴、贵溪等11个县(市、区)政协第二十三次横向联系会议在贵溪市举行。会议就人民政协如何围绕党政中心工作履行职能知情出力的经验和体会进行交流与探讨。

30日　全市成立100个常年招商引资推销地方产品小分队,其中:乡镇24个,林(垦)场7个,市委部门和市直单位69个。

11月

8日　共青团贵溪市第二次代表大会召开。

23日　九届全国人大代表和省九届人大代表20人视察团到贵溪市视察农药厂、电光源厂、竹辉公司和贵溪一中。

30日　市委、市政府决定:撤销雄石镇建制,改设雄石、东门、花园3个街道;撤销金沙乡,成建制划归滨江乡管辖;撤销古港乡,成建制划归周坊镇管辖;撤销双圳乡,成建制(黄思村除外)划归樟坪畲族乡管辖,黄思村划归文坊镇管辖;撤销西窑乡,成建制划归文坊镇管辖;文坊镇太源村划归樟坪畲族乡管辖。

12月

11日　市委作出《关于提拔干部公示的规定》。

同月　贵溪调整撤并乡镇行政区划,24个乡镇缩减为18个乡镇,3个街道,乡镇总数缩减25%。

同月　公安局历时1个月破获"11·14"特大抢劫、活埋司机案,将犯罪嫌疑人涂某、王某、熊某抓捕归案。

19日　国家总督学、国家教委副主任柳斌到贵溪市视察贵溪一中,题词"与时俱进、象山生辉"。

同年　贵溪市《畲乡恋歌》获省委宣传部等6厅委举办的"新世纪之声"一等奖,并被推荐参加全国"五个一工程"评选;市图书馆被文化部评为国家二级(县级)图书馆。

同年　全市实现国内生产总值34.87亿元,同比增长11.6%;财政收入3.62亿元,同比增长17.1%,其中地方财政收入1.65亿元,同比增长9.5%。

2002年

1月

8日　雄石街道办事处挂牌成立。

9日　东门街道办事处挂牌成立。

10日　花园街道办事处挂牌成立。

11日　市政府批转《贵溪市土地交易市场管理办法》。

18日　贵溪市获江西省"2001年计划生育'三为主'先进县(市、区)"和"工业污染源限期达标工作先进县(市、区)"称号。

21—22日　政协贵溪市二届六次会议在城区召开。

21—23 日　市二届人大六次会议在城区召开。

25 日　贵溪市公安局一科更名为贵溪市公安局国内安全保卫大队，该机构更名后升格为副科级。

同月　市城市建设投资开发公司成立，为正科级事业单位，隶属市政府，资产总额 1.5 亿元。

2 月

4 日　市政府发出《关于进一步加强驻市重点企业周边环境协调工作的通知》。

22 日　副省长凌成兴到市调研。

同月　市获科技部授予的“1999—2000 年度全国科技进步县（市、区）”称号。

3 月

1 日　市委、市政府发出《关于批转解决困难群众生产生活问题，开展集中社会捐助活动实施方案的通知》，要求各地各单位广大干部带头参与，做好宣传动员工作，积极开展扶贫济困集中捐助活动。

7 日　副省长孙用和到市视察鸿塘导托渠工程。

12 日　市城市建设专项资金管理办公室成立，为正科级事业单位，与城市建设投资开发公司合署办公。

同日　市森林消防大队成立。

18 日　市药品监督管理局成立，为正科级机构。

20 日　市委、市政府制定《关于加快城市化进程实现城市三年大变样的意见》。《意见》指出：要根据省委、省政府把“上饶、鹰潭、贵溪建成赣东北城市密集区”的战略定位，按照“高起点规划、高标准设计、高质量建设、高水平管理、高效能经营”和城市总体规划的要求，通过实施“规划、项目、管理、样板”四大工程，深化城市公用事业和城市管理执法两项体制改革，初步建成功能比较齐全、道路网络比较完善、管理比较规范、城市主要指标基本达标的新兴工业城市。

22 日　市委、市政府制定《关于做好 2002 年农业和农村工作加快农业产业化步伐的意见》。

27 日　市政府制定《鼓励国内外客商投资的优惠办法》。

29 日　市首家基层交管机构——贵溪雄石交管站挂牌运行。

4 月

9 日　陈爱民任中共贵溪市委书记，免去肖传根中共贵溪市委书记职务。

11 日　国家计生委主任张维庆一行到市余家乡指导计生工作。

12 日　市召开农村税费改革工作动员大会，全市农村税改工作全面启动。这次农村税费改革的主要内容是“三取消，两调整，一改革”，即：取消乡统筹费、农村教育集资等专门向农民征收的行政事业性收费和政府性基金、集资，取消屠宰税，逐步取消统一规定的劳动积累工和义务工；调整农业税政策和农业特产税政策；改革村提留征收使用办法。整个税改工作分三个阶段按七步进行。

22 日　鸿塘镇率先完成乡镇机构改革，机关干部由 128 名精减至 80 名。

20—22 日　曾下放至河潭、上清等地的 17 名上海知识青年重返贵溪市，得到市领导接见。

26 日　市委、市政府制定《贵溪市农村税费改革的实施方案》。

30 日　白鹤湖风景旅游区开业。

5 月

5 日　省委常委、政法委书记舒晓琴到市指导政法工作。

9 日　全国人大常委会副委员长铁木尔·达瓦买提到市视察贵溪冶炼厂。

13 日　国家技监局检查组到贵溪检查技监执法情况。

14 日　市委、市政府制定《关于加快工业化进程，实现三年翻番目标的意见》，提出全市要“扶优驻市企业，做大工业园区，做强支柱企业，搞活改制企业”。

15—16 日　贵溪市二届人大七次会议举行。大会补选陈爱民为贵溪市二届人大常委会主任。

6 月

4 日　市委办、市政府办制定《贵溪市互联网有害信息专项清理整治工作方案》。

5 日　省人大常委会副主任卢秀珍一行到市检查《江西省旅游管理条例》贯彻执行情况。

7 日　纪念江宗海烈士诞辰 100 周年座谈会召开。江宗海是贵溪第一个为革命捐躯的共产党员，牺牲时年仅 25 岁。

8 日　卫生部部长张文康一行到市塘湾中心卫生院考察调研。

13 日　市政府同意市民政局在泗沥镇王湾村委会山郑小组属地建设殡仪馆和公墓。

18 日　市土地储备中心成立,为独立的法人事业单位。

7 月

1 日　副省长朱英培到市罗河工业区调研。

4 日　省长黄智权到市南方照明有限公司视察调研。

22 日　市农业税收征收管理局成立,为二级机构,隶属市财政局管理。

24 日　鹰潭市市长胡宪主持召开江西铜都工业园筹建工作会议。会议确定成立江西铜都工业园协调领导小组,园区选址在贵冶北围墙以外的渣场,总体规划为 10 平方千米。

27 日　由省人大常委会副主任钟起煌、副省长凌成兴率领的省"八一"走访组到市慰问贵冶、四建部分退复转军人。

29 日　简四涛辞去贵溪市人民政府市长职务;黄建平任贵溪市人民政府副市长、代理市长。

8 月

2 日　市委、市政府制定《关于进一步优化投资发展环境的实施意见》,从进一步优化市场环境、优化政务环境、优化政策环境、优化社会环境四个方面提出要求,规范部门职责行为,着力营造"亲商、安商、帮商"的社会氛围。

16 日　市委、市政府制定《关于进一步加强政法综治工作的意见》,要求强化领导责任制,确保综治各项措施落到实处,进一步加强政法综治队伍建设,加强治安管理和重点整治,促进城乡社会稳定。

19—20 日　市二届人大八次会议举行。大会补选黄建平为贵溪市人民政府市长。

29 日　市召开城市建设与管理动员大会。决定从 9 月开始,集中精力、人力、财力,强势展开城市建设与管理工作,加快城市化步伐,打造贵溪市新形象。城市建设重点是实施城南开发区建设工程,320 国道拓宽工程,工业园区规划建设工程,雄石路、站前路和建设路改造工程,中心区水厂建设工程和梨温高速公路挂线工程。城市管理包括环境整治、城市绿化、美化亮化、为民造福、社会文明和长效管理六项重点工程。

30 日　市政府制定《贵溪市 2002 年农村学校布局调整意见》,对农村初中、农村中心完小、村完小及村小进行较大调整、撤并。

9 月

8 日　中国共产党党员、曾参加二万五千里长征、离休时由组织安置定居贵溪的瑞金籍老红军刘辉辞世,享年 91 岁。

18 日　贵溪无人售票公交车投入运营。

20 日　市委、市政府决定成立:老城区建设指挥部、罗河工业园区建设指挥部和城南建设指挥部。

10 月

14 日　市委办、市政府办印发《开展城市社区建设工作的实施方案》,提出要以社会与环境的可持续发展为主题,加强社区党的组织和社区居民自治建设,构建新的社区组织体系,不断提高居民的素质和社区的文明程度,努力建设管理有序、服务完善、环境优美、治安良好、生活便利、关系和谐的新型现代社区。

15 日　市委、市政府制定《贵溪市关于对引进国内外资金中介人的奖励办法》。

19 日　副省长朱英培到贵溪市竹辉、永雄公司考察调研。

21 日　贵溪市罗河工业区更名为贵溪市工业园区。贵溪市工业园区辖南园和北园,南园为原罗河工业区所辖地,北园为柏里工业区。

23 日　市政府制定《贵溪市工业园区鼓励投资优惠办法》。

同月　市获国家环保总局授予的"全国环境监察先进单位"称号。

11 月

1—3 日　市首届中小学运动会在市四中举行，共有 1100 余名学生参加。

4 日　数易其稿的《贵溪市老城区控制性详细规划》通过评审。市老城区改造按照“一带、二轴、三中心、七片区、九节点”的功能结构和总体布局进行。“一带”是依沿江路并延伸形成连续的亲水景观绿化带，全长 3.5 千米；“二轴”是城市南北向交通主干道信江路和东西向综合性主干道雄石路；“三中心”是信江路和雄石路交汇处以广场为中心的市级商业服务中心，雄石路和茨荸弄交汇处建立老城区商业中心，复兴路与四中路交汇处建立老城区文化休闲中心；“七片区”是由老城区各主干道分划开 7 个小区；“九节点”是沿滨水绿化带结合街区道路形成 9 个开敞式景观点。

19 日　《贵溪市机构改革实施方案》实施。

23 日　市会计核算中心成立，2003 年 1 月正式挂牌运行。对全市行政事业单位实行会计集中核算管理。

26 日　余江县党政代表团到市考察城市建设。

同日　市政府同意市人武部营院迁往冶金大道原环球石业公司处。

同月　销声匿迹多年的黑熊在冷水现身被林场护林员发现，黑熊体重大约 200 千克。

12 月

6 日　全国政协常委舒圣佑到市视察。

14 日　国家民族宗教委员会副主任李晋有到市樟坪畲族乡考察调研。

16 日　《信江大桥两岸控制详细规划》获市政府批准。

18—20 日　中共贵溪市第三次代表大会在城区召开。

19 日　市中心区水厂开工建设。

25 日　省委常委、省军区政委陈礼久到市走访慰问困难企业、下岗职工、特困户和光荣敬老院。

同年　雷纪文当选为中共十六大代表，光荣出席中国共产党第十六次代表大会。

同年　全市实现国内生产总值 39.98 亿元，同比增长 12.4%；财政收入 4.03 亿元，同比增长 11.3%，其中地方财政收入 1.83 亿元，同比增长 10.9%。

2003 年

1 月

1 日　贵冶中小学和贵化中小学移交贵溪市人民政府管理，贵冶中小学 119 名教师和贵化中小学 36 名教师及学校资产一同移交。

2 日　贵溪市获“江西省‘两基’（基本普及九年义务教育和基本扫除青壮年文盲）巩固提高工作先进县（市）”称号，受省政府表彰。

8—10 日　政协贵溪市三届一次会议在城区召开。

9—12 日　贵溪市三届人大一次会议在城区召开。

17 日　耳口乡昌甫村大桥通车，结束全村人外出靠渡船的日子。

28 日　梨温高速公路贵溪连接线一期工程——泗沥镇桃源村蒋家组至河潭镇龙石村沈家组路段动工建设。

2 月

17 日　贵溪市获全国“双拥模范城”称号，受到省委、省政府、省军区表彰。

18 日　招聘洽谈会在桥东公园举行，共有 40 多家招聘单位提供 1400 多个岗位，吸引各地 3000 多人到此应聘。

26 日　全市 2002 年预算外收入 1.09 亿元，占全年计划的 114.7%，同比增长 20%，首次过亿元大关。

28 日　第五届村委会选举，全市精减“两委”成员 511 名，46 个村党支部书记和村委会主任“一肩挑”。

3 月

12 日　全市 150 名机关干部,组成 21 个宣讲团分赴各乡镇、街道办,深入乡村宣讲中共十六大和市党代会精神。

13 日　市政府制定《关于加强村级财务管理的意见》。

20 日　鹰潭市住房公积金管理中心贵溪办事处成立。

28 日　江西竹辉竹业公司、贵溪中胜粮油公司、江西大忙人实业公司 3 家企业获“农业产业化经营省级龙头企业”殊荣。

30 日　省委副书记、常务副省长吴新雄到市视察工业园区和江西铜业集团公司。

4 月

3 日　市工业园区继被国家命名为“全国乡镇企业东西合作示范区”后,又获命名“省级民营科技园”。

4 日　省政协副主席殷国光率省政协调研组到市工业园区进行调研。

10 日　副省长胡振鹏到贵溪市,就深化农村医疗卫生体制改革和发挥科技部门在经济建设中的作用两个课题进行考察调研。

12 日　泗沥镇遭受特大冰雹袭击,造成农房倒塌、农作物受损,经济损失达 1000 万元。同时河潭、周坊、鸿塘、白田、志光等乡镇也遭受袭击,全市直接经济损失达 5630 万元以上。

同日　中国国民党革命委员会贵溪市总支委员会成立,民革贵溪市委有党员 20 名,薛美琴当选为主委。

24 日　市政府印发《贵溪市非典型肺炎防治工作相关部门职责》。

28 日　市政府发出《关于改革和完善市乡财政管理体制的通知》,决定自 2003 年 1 月 1 日起,贵溪市对乡镇、街道办实行“核定收支、定额补助(或上解)、超收分成、歉收自补、一定两年”的新一轮财政管理体制。

30 日　贵溪啤酒厂以 700 万元转让给浙江客商李明宝等人。贵溪啤酒厂 1985 年建厂,1986 年投入运营,至 2003 年曾几度停产。

5 月

1 日　省政协主席钟起煌、省人大常委会副主任全文甫、副省长兼省公安厅厅长蔡安季一行到贵溪市督查指导“非典”防治工作。

同日　市委、市政府发出《致全市防治“非典”医务工作者的慰问信》。

同日　以省出入境检验检疫局局长陶武盛为组长的省“非典”防治工作督查组到贵溪市督导检查非典防治工作,贵溪市防治“非典”工作得到充分肯定。

6 日　市委、市政府发出《致全市人民公开信》,号召每一位公民都应该对自己负责,为社会分忧,共同抵御“非典”病魔,夺取预防和抗击非典型肺炎的最后胜利。

11 日　市委办、市政府办转发市预防非典型肺炎工作协调小组《关于加强防治非典型肺炎工作的实施意见》。强调要把防治非典型肺炎工作作为当前的一项重大任务抓紧、抓好、抓实,提高防范意识,加强预防工作,健全应急救治预案和队伍,建立 24 小时疫情报告、值班制度。

18 日　永雄化工有限公司发生爆炸,造成厂房整体坍塌,1 人死亡,8 人受伤。

20 日　市委、市政府印发《贵溪市建设小康示范村工作方案》。

23 日　贵溪市农村小康示范村建设工作领导小组成立后,召开全市小康示范村建设工作会议,决定选派 20 名机关干部下村任特派员,确定 11 个示范村为新村建设,其中 9 个属老村改造。

24 日　凌晨 2 时许,塘湾古街发生火灾,109 间约 2500 平方米的住宅建筑被毁。

26 日　市政府印发《贵溪市加快中小学危房改造步伐实施意见》。

6 月

4 日　省委书记孟建柱到市考察城市建设、工业园区、企业改革与发展工作,慰问基层干部群众,强调加快推进工业化、城市化。

12日　新余市委书记钟利贵率党政代表团一行20余人到贵溪考察市工业园区和贵溪冶炼厂。

17日　下午5时40分许，停泊在桥头公园码头处的“水上乐园”起火，大火持续近1个小时，所幸无人伤亡。起火原因经查是个13岁少年玩火所致。

20日　市政府印发《贵溪市特大洪涝灾害救灾应急预案》和《贵溪市防汛抢险应急预案》。

27日　市长黄建平率代表团参加鹰潭(福州)经济协作恳谈会，签约项目5个，合同资金近2.1亿元。

同日　市支持贵电二期扩建工作协调领导小组成立。组长黄建平，副组长邹海清(电厂厂长)、杨解生。

同月　贵溪市获准为全省新型农村合作医疗7个试点县(市)之一。

7月

1日　举行擂鼓岭旧城改造国有土地出让使用权拍卖会。江西三清房地产开发有限公司以118万元/亩的出让价总计9640.6万元夺标，创下贵溪市单宗地块拍卖新纪录。

9日　经省政府审定，贵溪市塘湾镇、上清镇为省首批省级历史文化名镇。

同日　市委办、市政府办制定《关于在全市组建维护稳定信息督查员队伍的工作意见》，决定由市向每个乡(镇、街道办)各派驻一名稳定信息督查员，7月中旬正式上岗。

13日　擂鼓岭拆迁改造工作拉开序幕。拆迁范围东起信江路，西至叶家塘菜市场，南到沿河路，北抵雄石西路，共需拆除建筑约65000平方米，涉及住户466家计2000余人。

16日　6月以来贵溪出现持续高温，15日最高温度超过39.5℃，是新中国成立后第六个高温纪录。

17日　在全省第二届优质早熟梨鉴评大会上，贵溪选送的“清香”“脆绿”两个品种早熟梨分别获金奖和银奖。

18日　贵溪罗塘石膏矿二期工程竣工投产，该矿系省地矿局912大队所属，储量5000万吨。

同日　市擂鼓岭旧城改造工程指挥部成立。

21日　雄石路、站前路临街建筑立面改造开工，总投资626万元。

同日　市政府印发《贵溪市新型农村合作医疗实施办法(试行)》。

25日　副省长凌成兴率全省水泥工业招商引资、改造改制流动现场会代表250多人到贵溪市新世纪水泥有限公司考察。

同日　市委、市政府制定《关于贵溪市乡(镇、街道)事业单位人员分流实施方案》。

8月

1日　贵冶三期工程的最后一个项目——倾动炉建成并一次点火成功。这标志着江铜集团阳极铜年生产能力由20万吨提高到40万吨，江西铜业集团公司跻身世界铜产业前十强。

2日　省政府授予贵溪市加快工业发展“年度贡献奖”，授予江西铜业集团公司“江西工业十强企业”称号。

3日　市政府制订《贵溪市2003年农村学校布局调整意见》，对部分乡(镇、场)办完小及村小进行调整、撤并。

5日　全市教师聘任和人员分流工作开始，此次全市教师在编4080人，分流545人，约占在编总人数的13.4%。

6日　副省长凌成兴到市考察调研，协调贵溪发电厂二期扩建事宜。

同日　贵溪市进行人工雨，共发射火箭弹、高炮炮弹169发。作业区最大降雨量达50毫米。

10日　贵溪市上空出现有利于人工增雨作业云层，3枚火箭上天，半个贵溪下雨，降雨量10毫米左右，受益面积达1000平方千米。

13日　省政协副主席、省委统战部长王林森到贵溪调研，考察新世纪水泥有限公司和南方照明有限公司。

同日　3位个体医生自筹5000多元，在塘湾高畈村成立农村合作医疗卫生所，这在贵溪市是首家。

17 日　市委、市政府制定《关于加快集镇建设的意见》。

23 日　江西铜材有限公司开工。建成后年产铜制品 1 万吨以上,产值超 1 亿元,总投资 6000 万元。

25 日　在余家乡雷家山发现古城堡,该古城堡占地 67 公顷,城墙长约 400 米,砌墙麻石大多长逾 1 米、宽 0.5 米、厚 0.4 米,每块重达 100 千克以上。

9 月

15—16 日　由省政协主席钟起煌、副主席刘运来率领的省政协常委视察团到贵溪就新型农村合作医疗试点工作进行调研。

19 日　市政府印发《贵溪市深化安全生产专项整治工作实施方案》。

20 日　举行江铜集团贵冶三期工程投产典礼。省委书记孟建柱,省长黄智权,省委常委、省委秘书长陈达恒,副省长凌成兴,中国有色金属协会会长康义出席典礼。三期工程总投资 15.38 亿元,标志江铜生产能力由 20 万吨提高到 40 万吨,跻身于世界铜产业前十强。

26 日　贵溪 122 指挥中心大楼竣工投入使用。

同日　柏里希望小学落成。该小学总投资 86.7 万元,贵溪冶炼厂出资 32.5 万元,市教育局出资 46.7 万元,滨江乡政府出资 7.5 万元。

10 月

17 日　全国粮库库务公开现场会在中央储备粮贵溪直属库举行,来自全国 100 余名代表参加。中央储备粮总公司副总经理文克勤到会,对贵溪直属库的工作给予充分肯定。

29 日　泗沥方家村庄源山村民小组经常发生村民中毒反应,已毒倒数十人,家禽死亡无数只,原有 20 多户人家的村庄,如今只有 3、4 户村民,村民盼望能解谜。

30 日　梨温高速公路贵溪连接线经过 9 个月施工投入使用,全长 3 千米,路基宽 17 米,路面宽 14 米。

28 日—11 月 1 日　黄建平、李云到贵州省慰问当年贵溪西进老干部,贵州省委常委、贵阳市委书记王晓东会见黄建平一行。

同月　贵溪全市 1—10 月实现财政收入 4.42 亿元,排名首次位居全省县(市)第一。

11 月

3 日　市长黄建平,市委常委、市委办公室主任李云率慰问团赴贵州省贵阳市看望慰问姚小泉等贵溪籍西进干部代表。

5 日　流口镇新溪村郭家、杏辽两个自然村 163 户村民经过一事一议形式,自筹资金 6 万元兴建小型水库,解决人畜用水及农田灌溉需要。

同日　贵溪市区成功进行防空警报试鸣。

18—19 日　市工会第三次代表大会召开。

20—21 日　市第三次妇女代表大会召开。

12 月

5 日　贵溪市首次科学技术奖励大会召开。对 2000—2003 年度在科学技术领域取得重大成果的项目、先进集体、先进个人和优秀学科带头人进行表彰奖励。

9 日　贵溪二中庆祝建校 30 周年。

12 日　工程总投资 7000 万元的三星级贵溪宾馆(新馆)开工,省政协副主席雍忠诚等参加奠基典礼。该宾馆选址在城南开发区仙桥附近,占地 7 万平方米,设计客房 160 余间。

16 日　总投资 27.1 亿元的贵溪发电厂二期扩建工程奠基。扩建 2×300 兆瓦机组,贵溪参资 3%,2005 年投产发电。副省长凌成兴,中国电力投资集团公司副总经理张晓鲁参加奠基仪式。

同日　省政协副主席雍忠诚到市考察南方照明有限公司、新世纪水泥有限公司、江西远东药业有限公司和市工业园。

20 日　省委常委、省委政法委书记舒晓琴到贵溪市考察。

同年　全市进行江西省第三次文物普查工作。

同年　全市实现国内生产总值50.59亿元,同比增长23.0% 财政收入5.24亿元,同比增长30.0%,其中地方财政收入2.23亿元,同比增长21.9%。

2004年

1月

5日　中共贵溪市三届一次代表大会在城区召开。

8日　市委、市政府制定《关于全面推进公共卫生建设的意见》。

9日　市人武部原址区域国有土地使用权拍卖,经过228次举牌,0.67公顷土地共拍出1940万元。

12日　省人大常委会副主任彭崑生一行到贵溪市慰问困难群众和下岗职工,并到流口敬老院看望孤寡老人。

19日　市委印发《关于实行中国共产党贵溪市代表大会常任制的意见(试行)》。指出从2004年开始,贵溪市按照省委、鹰潭市委的要求,进行党的代表大会常任制试点,在党的代表大会完成换届选举任务后,在党的委员会任期内每年召开一次代表会议,行使党的代表大会的职权。

同日　贵溪市获“2003年全省招商引资先进单位”和“2003年全省外贸出口和外经工作先进单位”称号,受省政府表彰。

24日　贵溪市志光镇飞龙生态养殖场发生鸡死亡事件,初步诊断为疑似禽流感。26日,市长黄建平赶赴疫点进行现场检查指导。

同日　省专家确诊志光镇飞龙生态养殖场病鸡为疑似禽流感。

同日　市委办、市政府办发出《关于进一步做好当前防治高致病性禽流感工作的紧急通知》,要求各地各单位高度重视,采取切实有效措施,防止疫情的发生和传播。

30—31日　政协贵溪市三届二次会议在城区召开。

31日　市政府印发《贵溪市重大动物疫病防治应急预案》。

31日—2月2日　市三届人大二次会议在城区召开。

同月　贵溪市获国家科技部授予的“2001—2002年度全国科技进步先进县(市、区)”称号。

2月

3日　市政府印发《贵溪市高致病性禽流感应急预案》,明确疫情报告、疫情确认、疫情分级和市应急指挥系统及部门分工职责,落实控制保障措施、防治工作重点、防治人员工作制度和工作责任追究制。成立贵溪市防治高致病性禽流感指挥部,由市长任指挥长,市委、市政府分管农业领导任副指挥长。

6日　全市高致病性禽流感防治工作会议召开。

8日　至当日,贵溪市已对疫点6335羽家禽进行强制性扑杀、深埋、无害化处理,并对密切接触人员进行体检、检测、隔离观察,疫情得到有效控制。

14日　国务院禽流感防治工作督查组到贵溪市检查。评价贵溪禽流感防治工作:措施得当、防范严密、保障有力,打了一场漂亮的防治禽流感阻击战。

同日　塘湾镇金源村何某在田埂点燃杂草引起森林火灾,造成人员伤亡、森林毁损。在灭火中刘文华、刘文正、刘水太、刘树太4人献出宝贵生命。

15日　以国家疾病预防控制中心主任李立明为组长的专家组到贵溪市,就禽流感防治工作进行调研。

21日　国家林业局森林防火工作督查组组长马广仁一行到贵溪市,就森林防火工作进行检查。

22日　省军区司令员郝敬民到贵溪市工业园区视察。

28日　国务院法制办副主任汪永清到家乡贵溪市考察。

3月

2日　市政府发布政府令,宣布解除对志光镇高致病性禽流感疫区的封锁,市内的禽类市场交易和流通全部恢复正常。

同日 市政府印发《贵溪市城镇职工基本医疗保障实施方案》和《贵溪市城镇职工大病补充医疗保险暂行办法》。

15 日 市政府制定《关于加快旅游业发展的意见》。

16 日 省委常委、省委组织部部长董君舒到贵溪市考察。

18 日 市政府印发《贵溪市安全生产监督管理暂行办法》。

27 日 市政府同意成立贵溪市传染病医院。

30 日 省委常委、省委宣传部部长刘上洋到贵溪市考察。

4 月

7 日 贵溪市启动“江西省优质高中建设工程”,贵溪一中被确定为首批 40 个“江西省优质高中工程”建设单位之一。副市长揭晓泗任贵溪市“优质高中建设工程”工作推进领导小组组长。

14 日 省委副书记彭宏松到贵溪市考察。

16 日 耳口、冷水自然风光游开通。

20 日 省人大常委会副主任、省总工会主席张海如到贵溪市考察。

25 日 贵溪市获“2003 年度全省农村税费改革先进县(市、区)”称号,受到省委、省政府表彰。

26 日 市委、市政府制定《关于加快农村公路建设的实施意见》。

27 日 朱英福摄影作品《喜、民女获救,悲、英雄失母》获全国省市自治区党报摄影一等奖。

5 月

9 日 省人大常委会副主任孙用和到贵溪市调研。

18 日 城区至工业园区客运交通专线开通。

同月 位于贵溪市樟坪乡境内的阳际峰被列为省级自然保护区。

6 月

5 日 省委副书记、常务副省长吴新雄到贵溪市考察工业化、城市化建设。

10 日 全市 10.8 万户农民已全部拿到调减后重新核定农业税及附加任务的“农民负担监督手册”,全市共调减农业税任务(含附加)995.7 万元,人均减负 24 元。

27 日 省人大常委会副主任钟家明到贵溪市考察工业化、城市化建设。

7 月

6 日 萍乡市党政代表团到贵溪市考察。

7 日 贵溪市获“‘123’先进县级党政班子”称号,受省委表彰。

19 日 贵溪市维护社会治安见义勇为奖励基金设立。

28 日 市政府印发《贵溪市病险水库除险加固实施意见》,要求各级政府领导重视,明确目标责任,多渠道筹措资金,认真落实保障措施,力争在 2007 年年底前全面完成现有 92 座病险水库的除险加固任务,确保水库度汛安全。

30 日 副省长赵智勇一行到贵溪市考察。

同月 贵溪市获“全国农村青年中心先进创建单位”和“全省工业崛起 2003 年度贡献奖”两项殊荣;贵化“施大壮”商标被国家工商总局商标局认定为“中国驰名商标”。

8 月

10 日 贵溪市“2·14”火灾烈士命名大会隆重举行,扑救火灾、英勇献身的刘文华、刘文正、刘树太、刘水太被省政府授予“革命烈士”称号。

同日 市政府作出《关于表彰优秀文艺工作者和 1998—2003 年度优秀文艺作品(表演者)的决定》。

19 日 周坊镇杨家村委会杨家村小组与黄源村因土地权属纠纷聚众持械斗殴,致 8 人死亡、10 多人受伤,公安机关提请逮捕犯罪嫌疑人 15 人。

19—20 日 共青团贵溪市第三次代表大会召开。

30—31 日　市工商联第二次会员代表大会召开。

31 日　省委常委、省委秘书长陈达恒到贵溪市，就少数民族地区经济发展、工业化和城市化建设进行考察调研。

9 月

3 日　市政府印发《贵溪——西排国防机动道公路改造工程实施方案》。

9 日　第二十个教师节表彰暨文艺晚会举行，贵溪市对“十佳校长”“十佳教师”和尊师重教先进单位、优秀班主任、优秀教育工作者、优秀教师进行表彰。

17 日　市政府印发《贵溪市森林防火工作实施办法》。

23 日　市委、市政府作出《关于加快林业发展的决定》，提出：以生态效益优先为原则，坚持“严格保护，积极发展，科学经营，持续利用”的方针，创新经营体制，实行依法治林，加快森林资源培植，做大林业产业规模，努力构建比较完备的森林生态体系和比较发达的林业产业体系，力争到 2010 年全市森林覆盖率达到 60%。

26 日　白鹤湖风景区旅游线路正式开通。

28 日　施华山当选全国“我最喜爱的十大人民警察”。

同月　沿河路临街建筑立面改造开始进行。

10 月

12 日　市委、市政府制定《贵溪市新型农村合作医疗实施办法》。

13 日　市消防大队二中队营院落成。占地 1.22 公顷，建筑面积 1470 平方米，工程总投资 210 万元。

15 日　贵溪市获“全省再就业工作先进集体”称号，受省政府表彰。

21 日　省人大常委会副主任钟家明率省人大代表团到贵溪市视察贵电二期扩建工程。

25 日　市政府印发《贵溪市出租车辆更新工作实施方案》。贵溪市出租车由面的向轿的过渡，新上车型为桑塔纳、富康、捷达三类，更新时间从 11 月 15 日开始，至 12 月 31 日结束。

同月　贵溪市开展首届“十大杰出青年”评选活动。

11 月

2 日　贵溪市农村信用合作联社成立。

4 日　省政协副主席张华康到贵溪，就城市化与工业化工作进行调研。

10 日　市政府制定《关于切实加强艾滋病防治工作的意见》。

17 日　省委副书记王君到贵溪市考察工业化、城市化建设。

同日　省人大常委会副主任孙用和率全国、省人大代表视察组到贵溪市，视察工业化、城市化建设情况。

25 日　《江西省白鹤湖旅游开发区总体规划》通过专家评审。按照规划设计，该区将建成集生态观光、运动健身、休闲娱乐等功能为一体的风景旅游区，总面积为 48 平方千米。

30 日 市委、市政府作出《关于小城镇建设与发展若干问题的决定》。

同月　白鹤湖风景旅游区被评为“国家水利风景区”。

12 月

1 日　由湖北、湖南、江西、河南、山西多家新闻媒体组成的“聚集中部话崛起”记者团来到贵溪市，就工业化、城市化建设进行采访。

15 日　贵溪市财政收入超 6 亿元，省长黄智权作出重要批示，表示热烈祝贺。省委副书记、常务副省长吴新雄也批示：“衷心祝贺财政收入超六亿，希望再接再厉，创水平、创特色、创效益、增后劲。”

23 日　贵溪市获“全省服务个私经济发展先进单位”称号，受省政府表彰。

同日　副省长危朝安到贵溪市调研。

27 日　贵溪市办公大楼落成暨进驻仪式举行。该大楼高 66.66 米，共 17 层，为当时贵溪市最高楼房，也是城市标志性建筑之一。

30 日　贵溪市举行出租车更新庆典仪式,135 辆崭新的轿车即日起正式运营。

同年　贵溪市再次获“全国科技先进市”荣誉。

2005 年

1 月

5 日　统计数据显示,2004 年贵溪市农民人均年收入突破 3000 元,达 3310 元,人均增加 580 元,比 2003 年增长 21.2%。

同日　全市开展保持共产党员先进性教育活动,此项活动从 2005 年 1 月开始至 2006 年 6 月结束。

7 日　多年的拥军模范洪凤珠日前为印度洋海啸灾难个人捐款 500 元,而她月收入只有 400 元。

10—13 日　政协贵溪市三届三次会议在城区召开。

12—14 日　市三届人大三次会议在城区召开。

18 日　全市首批 70 多名公务员赴军营培训,为期 5 天。

25 日　经过 2 个月的评选,贵溪首届十大杰出青年揭晓,他们是:市法院泗沥法庭副庭长徐亮,滨江乡副乡长黄冬有,樟坪畲族乡副乡长郑占煌,贵溪三小校长姜萍,贵溪供电有限公司副总经理张惠平,公安局雷溪派出所干警吴晓明,交通局运管所所长胡华军,中胜粮油有限公司董事长汪文胜,电信分公司综合办主任周文水,信江中学校长丁忠兵。

2 月

6 日　省委副书记、常务副省长吴新雄到贵溪市樟坪畲族乡走访。

21 日　副省长危朝安为贵溪市党员先进性教育省挂点领导,到贵溪市指导先进性教育活动。

3 月

9—10 日　中共贵溪市三届二次代表大会在城区召开。

12—13 日　政协贵溪市三届四次会议在城区召开。

4 月

2 日　著名作家、《国画》作者王跃文应邀到贵溪市讲学,并为读者签名。

5 日　全市组织 1000 余名干部计 200 个宣讲组下乡进行普法教育,发放近 10 万册《农村实用法律知识问答》。

12 日　省长黄智权、副省长凌成兴到贵溪市视察贵溪电厂二期扩建项目。

27 日　九牛水轮泵站职工徐林生、流口派出所教导员施华山被评为“全国劳动模范”并赴北京参加表彰会。

5 月

2—3 日　副省长危朝安率省国土资源厅、省水利厅、省地矿局等部门领导到贵溪市调研,指出要做强农业,使农民得更多实惠。

13 日　省委宣传部组织江西电视台、江西广播电台、江西日报、信息日报、江南都市报、经济晚报、都市消费报等 7 家省主流媒体到贵溪市采访施华山。

21 日　市委、市政府在北京召开贵溪老乡座谈会,在京的贵溪籍人士汪永清、黄亚平、何建设、叶建国、郑保国、李新海、龚剑英、周文水、余贵诊、廖日东、徐江金、杨美虹、胡平、舒朝霞、韦和花、王玉荣、谭红旭、邹正平等 40 余人参加座谈会。

24 日　贵溪市第一个乡镇文联组织塘湾镇文联成立。

27 日　贵溪(台州)产业指导推介会在浙江台州举行,共签订项目 6 个,合同外资 760 万美元,合同内资 2.4 亿人民币。

31 日　省委常委、政法委书记舒晓琴到贵溪市基层调研政法综治工作。

6 月

1 日　中国人民解放军江西 130 加炮第一营成立大会在市公安局礼堂隆重举行。

10 日　全市林业产权制度改革动员会在信江电影院召开。

15 日　由市卫生局(卫生监督所)、公安局、人口和计划生育局、食品药品监督局等单位组织的联合执法队,进行打击非法行医专项整治行动,查处未经批准擅自变更执业地点进行诊疗活动的诊所10家,无医疗机构执业许可证的诊所7家,擅自扩大诊疗范围的诊所1家,当场罚款4400元,没收3000元。

17 日　市摄影协会挂牌成立。

19 日　市中心区水厂竣工供水,年供水量由400万吨增至1080万吨。

28 日　省政协副主席、统战部部长王林森到贵溪市就非公有制经济和少数民族地区经济社会发展情况进行调研。

7 月

6 日　副省长凌成兴到贵溪市樟坪畲族乡考察调研,指出樟坪发展经济的经验值得推广。

16 日　市实行计划生育家庭奖励扶助政策,第一批60名首发对象在志光镇兑现,每人领取600元的奖扶金。

17 日　余家乡流桥村雷家村小组村民畲族青年雷建华在广州见义勇为牺牲,献出年仅27岁的生命,此举在广州引起强烈反响。

26 日　全市宗教活动场所依法管理专项工作结束,共依法拆除寺庙12座、关闭16座、改作他用21座,合并基督教私设聚会点8个,责令终止活动点3个,对符合条件实行报批手续,处理率达100%。

同日　贵溪廉政网开通。

8 月

16 日　据报道,贵溪市农民在全国各地开办糕点店逾6000家,从业人员3万余人,年纯收入高达3000万元。

同日　人武部新办公大楼落成庆典。办公大楼占地1.7公顷,2004年5月开工。

9 月

2 日　全市离岗创业动员大会召开,鼓励机关事业单位工作人员离岗创业,并制定《关于鼓励机关、事业单位工作人员离岗创业的办法》。

21 日　全国人大常委会委员、人大民族委员会副主任委员连元华率全国人大民委调研组到贵溪樟坪畲族乡调研。

26 日　省委书记孟建柱到贵溪市深入企业、农村建设工地和学校等调研,要求贵溪市实现新发展,当崛起排头兵。

贵溪籍抗战将领黄维次女黄慧南受邀到人民大会堂参加"抗战胜利60周年纪念大会"。

同月　"打拐"英雄施华山被授予"全国公安系统一级英模"称号。

10 月

3 日　在2005年中国汽车越野总决赛中,贵溪市选手傅世康夺亚军。

25 日　贵溪市跆拳道运动员王婷在全国十运会上取得49千克级第四名。

11 月

9 日　由河南省委书记、省人大常委会主任徐光春,省长李成玉率领的河南省党政代表团在省委副书记王君,省委常委、省委宣传部部长刘上洋等陪同下到江铜集团公司考察。

11 日　贵溪投入260万元,对全市17个渡口29只渡船进行改造,全部由木质船改为铜质船,船体颜色统一。

30 日　贵溪(温州)产业指导推介会在温州举行,共签约项目8个,合同资金2.04亿元。

12 月

1 日　省验收组一行4人考核验收白鹤湖农业旅游区创建省级农业旅游示范点工作,他们对此项工作给予高度肯定。

2 日　江铜集团30万吨冶炼项目开工,副省长凌成兴及相关领导出席开工典礼,30万吨铜冶炼项目是省"十一五"规划重点建设项目,总投资34.8亿元。

13日　闽浙赣毗连地区的贵溪、泰宁、邵武、资溪、建宁、南丰、光泽、黎川等8县(市)护林殖场委员会第五区第三十九次会在贵溪召开。该地区共辖6个分区,总人口181万,林地面积118万公顷,活立木蓄积1.07亿立方米,毛竹3.04亿根。

18日　由江铜集团捐资兴建的雷溪乡希望小学竣工。

28日　省委、省政府发来贺信,祝贺贵溪成为全省第一个财政总收入过10亿元的市(县、区)。

29日　2005年全市财政收入超10亿元,较2004年增长48%,地方财政收入3.68亿元,较上年增长37%,连续3年成为全省财政收入第一强县(市区),鹰潭市委、市政府发来贺信。

同日　丰城市党政代表团到贵溪市考察。

2006年

1月

5日　省人大检查组到贵溪市检查2005年国民经济和社会发展计划执行情况和2006年计划草案。

10日　贵溪"三元杯"十大创业青年评选结束,他们分别是车剑英、江先标、刘文红、许建旺、朱益胜、徐劲松、徐辉良、童天生、游兆忠、裴年胜。

13日　滨江乡财政收入突破5000万元,成为贵溪首个财政收入突破5000万元的乡镇。

14日　省长黄智权到贵溪市考察。

18日　市检察院荣立全省检察系统一等功。

3月

13日　全市"三个文明"建设表彰会召开,共表彰先进个人124名、先进单位126个,大会颁发奖金40万元。

28日　省军区司令员郝敬民到贵溪市调研。

4月

18日　省委副书记、纪委书记傅克诚到贵溪市调研。

19日　投资2亿元的贵溪大桥开工建设。

5月

9日　下午15时14分,罕见大风雷暴袭击贵溪,最大风力为9级,因灾死亡1人,受灾人口18万人,倒塌房屋29户58间,损坏房屋2000间,鸿塘、滨江、东门、河潭、雄石、白田等乡镇受灾尤为严重,直接经济损失890万元。

10日　省政协副主席张华康到贵溪市调研。

22日　贵溪2005年被农业部列入测土配方施肥示范县,《人民日报》、新华社、中央电视台、《经济日报》、《科技日报》、《农民日报》、中央人民广播电台等7家媒体齐聚贵溪了解测土配方施肥。

23日　省委副书记彭宏松到贵溪市调研。

6月

8—11日　政协贵溪市三届五次会议在城区召开。

10—13日　市三届人大四次会议在城区召开。

26—28日　中共贵溪市第四次代表大会在城区召开。

7月

11日　市一中学生杨新被香港城市大学录取,这在全省属首次。

同月　贵溪公安首次赴缅甸境内抓获2005年"4·29"杀人案犯罪团伙案犯吴某、琚某、万某。

8月

29日　第八届中日韩友好城市大会在哈尔滨召开。贵溪市与日本有田川町缔结为友好城市。

9月

19日　省人大常委会副主任张海如到贵溪市调研。

10 月

10 日　副省长凌成兴到贵溪市调研。

24 日　以省政协副主席黄懋衡为团长的省政协常委视察团来贵溪视察工业园区建设和工业化进程。

26 日　贵溪隆重庆祝撤县设市 10 周年。

11 月

9 日　全省工业流动现场会 200 多人在副省长凌成兴带领下到贵溪市参观。

20 日　中共贵溪市代表大会在城区召开。

21—22 日　贵溪市三届人大五次会议在城区召开。

30 日　市青少年活动中心暨教体大楼落成，该中心占地 2 公顷，建筑面积 7000 平方米，工程总投资 1600 万元。

同日　省委副书记王宪魁到贵溪市调研。

12 月

3 日　省军区司令员王宁到贵溪市调研。

25 日　滨江乡财政收入突破 1 亿元大关，跻身全省农村经济发展十强乡（镇）。

2007 年

1 月

1 日　2006 年全市财政收入 14.56 亿元，净增 4.53 亿元，连续 4 年居全省县（市、区）第一，8 个乡镇（街道办）财政收入超 4000 万元。

同日　福利企业年终总结会召开，全市有福利企业 18 家，其中旧加工 16 家，水泥生产企业 1 家，蔬菜加工企业 1 家，安置就业人员 1253 人，其中四残人员 546 人。

4 日　中央电视台 CCTV《曲苑杂坛》大型文艺晚会在贵溪电厂俱乐部演出。

12 日　全市整顿规范矿产资源开发秩序工作结束，11 个证照不齐的矿山，9 个已补办手续，2 个不合格石场下整改通知书，1 个矿山补缴矿产资源补偿费，8 个不符合规划要求的矿山关闭。

27 日　在省“两会”期间，市长黄建平应邀出席新闻发布会，贵溪市的发展经历成为中外记者关注焦点。

30 日　贵化投资 1.3 亿元用于环保设施，新增经济效益 1321 万元，顺利通过省环保审核验收。

同日　省委常委、纪委书记董君舒到贵溪市调研。

2 月

2 日　贵化奇人李峰记忆力超强，组建李氏慧能连续记忆法培训中心培养学生。

3 月

13 日　副省长孙刚到贵溪市调研。

同日　贵溪市首家社区综合门诊部——东门街道办事处社区综合门诊挂牌成立，总投资 200 万元，拥有专业医务人员 20 名。

19—20 日　政协贵溪市四届一次会议在城区召开。

21 日　贵溪部分干部群众获悉鹰潭市委、市政府关于“月湖区功能定位及相关体制、机制理顺和创新工作方案”中，将贵溪市城区并入月湖区。因对此有抵触情绪，故于 3 月 21 日上午 9 时开始，自发在市中心广场集结，举行“爱我贵溪，还我家园”万人签名活动。不久从街道涌向 320 国道，堵塞交通。11 时 35 分许，聚集人群开始进入贵溪火车站，堵塞铁路交通，致使列车停运，引来数万名群众围观。省、鹰潭市、贵溪党政领导和政法、公安干警、武警及时赶赴现场，进行宣传和疏散工作，指挥疏通铁路运输。下午 5 时 25 分，聚集群众全部疏散，列车恢复运行。

21—23 日　市四届人大一次会议在城区召开。

4 月

1 日　贵溪首次人工消雹作业成功,塔桥园艺场早熟梨安然无恙。

4 日　副省长洪礼和到贵溪市调研工业发展情况。

15 日　12 年前被美国里尔夫人领养的市福利院孤儿国虹与养母一起到福利院探亲,国虹时年 13 岁。

17 日　市人民医院胜利完成首例腹腔镜管脾切除术,由普外科童建华、方长文、赵宏坚等医生共同完成。

23 日　省政协副主席雍忠诚到贵溪市视察工业园。

26 日　第二届贵溪十大杰出青年揭晓,他们是:耳口乡耳口村民毛俊、金屯法庭庭长叶育林、国税稽查局副局长李港荣、电信分公司综合办主任郑莉、地税稽查干部张彩瑛、市幼儿园园长张晶莹、房产交易所所长饶俊、法医司法鉴定所所长徐武义、三元化工财务总监聂贵强、铜南中学董事长张发林。

27 日　省委常委、南昌市委书记余欣荣率南昌市考察团一行 40 余人考察贵溪市工业园区。

27—28 日　全省农村公路建设工作现场会在贵溪市召开。

5 月

19 日　省长吴新雄、副省长洪礼和到贵溪工业园区调研。

20—25 日　市长艾农率团参加 2007 年江西(香港)招商引资活动周,签订合同项目 3 个,合同内资 4.5 亿,合同外资 800 万美元。

6 月

5 日　副省长赵智勇到贵溪市工业园区调研。

8 日　贵溪城镇居民基本医疗保险启动,未成年人、成年人分别交纳 40 元和 120 元,每年住院补助累计分别为 3 万元和 1.5 万元。

15 日　省委常委、省委组织部部长弘强到贵溪市调研。

18 日　投资 1.2 亿元,年产阳极板、粗铜 6 万余吨的德源铜业有限公司开工建设。

19 日　防空群双 37 炮 1 营 300 多民兵进行集结点验训练,省军区副司令员吴品祥出席开班典礼。

29 日　中国红十字总会副会长郭长江一行到贵溪市调研。

7 月

5 日　常务副省长凌成兴一行到贵溪市考察,要求全力打造世界铜都。

11 日　首届贵溪足球联赛在四中足球场开赛,此赛事非官方性质,吸引建祥足球队、我爱贵溪足球队、冶炼厂足球队等 8 支球队参赛。

14 日　省委常委、省委秘书长陈达恒一行就推进工业化和农业现代化到贵溪市调研。

18 日　投资 5 亿元的铜拆解加工项目在贵溪市签约,副省长洪礼和接见投资商并出席签约仪式。

8 月

31 日　市政府拿出 62.5 万元资助 125 名贫困学生圆大学梦,免除 70626 名学生的杂费,对 13175 名贫困学生提供免费教科书,对 3537 名学生补助寄宿费。

9 月

15 日　鹰潭(贵溪)铜产业循环基地拆解加工区开工建设,副省长凌成兴下达开工令,副省长洪礼和讲话。

21 日　以国家档案局副局长杨继波为组长的检查组到贵溪市检查重点档案的抢救和保护工作,市档案馆有档案 6037 卷,其中清代 74 卷、民国 5963 卷。

22 日　在北京人民大会堂举行的 2007 年中国中小城市科学发展评价体系研究发布会上,贵溪市再次登上全国中小城市综合实力百强,位列第五十三位。

10 月

3 日　国庆节前,全市对不达标公共娱乐场所进行整治,关停 22 家消防不达标的场所。

8 日　全国唯一的江西籍中国象棋大师孙浩宇到贵溪市,与象棋爱好者进行一对十车轮战,最后孙浩宇战果为7胜3和。

16日 在江西省第三届全民健身运动会上,贵溪的邓志强获象棋第一名。

23—24日 与贵溪结为友好城市的日本歌山县有田川町代表团到贵溪市访问,双方就加强人员往来和开展经济、文化、卫生、科技合作达成共识。

同日 樟坪乡至月底财政收入达1.02亿元,同比增长131.3%。

11月

14日 在第八届全国少数民族传统体育运动会上,贵溪市樟坪畲族乡选送的"畲族跳马灯"项目获金奖。

20日 鹰潭市140余名副县以上离退休干部到贵溪工业园参观。

22日 贵溪工业园区荣膺"全国模范劳动关系和谐工业园"称号,此称号由劳动和社会保障部、中华全国总工会、中国企业联合会、中国企业家协会联合评选。

12月

全市财政收入实现20.07亿元,连续5年成为全省第一强县(市区)。

滨江乡财政收入突破2亿元大关。

2008年

1月

2日 市纪委、市监察局公布贵溪机关干部作风建设"八条禁令"。

9—10日 省人大常委会副主任、内司委主任委员孙用和率人大视察团到贵溪市视察。

15日 贵溪发现首例本地感染艾滋病病毒者。贵溪自2002年发现首例曾外出打工者感染艾滋病起,至2007年底已先后报告发现13例。

16日 贵溪大桥顺利合龙,创造国内同类桥梁主跨径最长、主塔最高、人工挖孔桩直径最大三个第一。

2月

27日 《汪群传》出版发行,该书由童金生编著、黄建平作序,中央党史出版社出版,填补贵溪烈士专著的空白。

3月

7日 贵溪籍海军战士张伟丛为救落水群众被记二等功,部队为此举行隆重颁发军功章大会。

11日 贵溪举行民兵应急连集结点验大会,新入队民兵进行宣誓。

28—31日 政协贵溪市四届二次会议在城区召开。

30日—4月1日 市四届人大二次会议在城区召开。

5月

7日 湖北省政府代表团到贵溪市考察。

12日 副省长史文清到贵溪市考察。

14—15日 省"科学发展抓项目"大型采访团到贵溪市采访。

22日 汶川地震,市防疫站邱长宗、罗芳、吴东开、王小虎4人批准赴灾区参加救援。

29日 全省农村公路暨改渡建桥现场会在贵溪市召开,常务副省长凌成兴出席。

7月

1日 省政协副主席朱张才到贵溪市调研工业园区建设。

2日 省军区司令员彭水根到贵溪市视察。

24—25日 省政协副主席郑小燕到贵溪市调研新型农村合作医疗。

27日 贵溪城北污水处理厂开工。该污水处理厂占地5.72公顷,总设计规模处理污水5万吨,项目总投资2862万元。

8月

3日　省长吴新雄到贵溪市铜拆解园区视察。

9月

6—7日　省政协副主席刘晓庄到贵溪市调研。

7日　市人民医院新医院开工兴建,占地面积10公顷,分两期建设,一期建筑总面积为5.06万平方米,总投资1.49亿元,建筑工期15个月。

19日　市老年大学成立并开学,柯嘉任校长,首期学员有160名。

28—29日　市四届人大三次会议在城区召开,补选杨解生为市长。

10月

13日　省人大常委会副主任胡振鹏到贵溪市调研。

20日　商务部副部长傅自应到贵溪市考察。

21日　中国网络媒体江西行采访团到贵溪市采访。

28日　环保部副部长张力军到贵溪市调研。

11月

7日　鹰潭农村卫生清洁工程现场会在贵溪市召开。

14日　贵溪获“中国金融生态奖”称号。

19日　《贵溪市志》编纂工作正式启动。

12月

3日　鹰雄大道竣工通车。

同日　上午11时28分,贵溪电厂4×125兆瓦机组冷却塔成功爆破。这是该厂响应节能减排政策的一项重大举措。

8日　省委副书记王宪魁到贵溪市考察新农村建设。

26日　白田乡财政收入突破1亿元大关。

31日　贵溪电厂冷却塔爆破拆除,副省长洪礼和到现场视察指导。

同日　副省长洪礼和到贵溪市走访慰问企业、五保户、优抚对象和低保户。

同日　贵溪市第三届十大杰出青年候选人公示:王晓帅、王琪、李伟、李美萍、江曙、张华、宋英、吴杰阳、苏杭、何接华、胡占元、黄荣伟、黄新、董永刚、谢峭松。

同年　市全部乡、镇财政收入均过1000万元,其中滨江、樟坪、白田3个乡镇财政收入超1亿元。

专　　记

铜产业崛起

在中国，在亚洲，在全世界，如今提起贵溪，人们首先想到的可能就是铜冶炼了。贵溪的铜冶炼，是闻名世界的，值得大书特书。贵溪的铜产业，正在不断崛起壮大，从民间仅存的古老手工锻錾铜雕技艺，到现代化车间内充满科技力量的铜精深加工，铜产业在贵溪工业经济发展中具有不可替代的主导作用。贵溪的铜产品已经走进城市文化建设和市民的生活，如今走在贵溪的广场、公园、街头，随处可见栩栩如生的铜雕作品。贵溪正以"铜都"美名在中国崛起。

翻开贵溪的铜产业发展史，可以清晰地看到它的崛起路径。

贵溪冶炼厂：贵溪铜产业发展的"领头人"

说到贵溪的铜产业，不能不说说贵溪冶炼厂。是贵溪冶炼厂将贵溪领进一个铜产业发展的时代，从此，贵溪这片红土地上开启了中国铜工业建设史的新篇章。可以说，没有贵溪冶炼厂，就不会有贵溪红红火火的铜产业。

贵溪的铜冶炼史是现在时，是进行时，当以 20 世纪 70 年代为一个起点。贵溪冶炼厂落户贵溪，开启贵溪冶铜的新时代。贵溪冶炼厂是国家"六五"计划的重点工程，是中国第一座采用世界先进的闪速炼铜技术的工厂，是全国最大的现代化炼铜工厂。

30 多年前，贵溪冶炼厂建设拉开序幕，贵溪的发展便与铜产业结下不解之缘。

1979 年 6 月 26 日，冶金部、江西省分别发文，决定建立江西铜基地总指挥部。总指挥部对江西铜基地的生产和建设，统一指挥、统一组织、统一调度。并将德兴铜矿、永平铜矿、武山铜矿、东乡铜矿、贵溪冶炼厂和赣东北供应站等，从江西省冶金工业局划出，从当年 7 月 1 日起，归江西铜基地总指挥部领导。为便于开展工作，用一套机构挂江西铜基地总指挥部和江西铜业公司（后更名江铜集团）两块牌子。

1979 年 8 月 1 日，贵溪冶炼厂一期工程破土动工建设，主要工艺设备从日本、芬兰引进。1985 年 11 月，贵溪冶炼厂一期所有设备完成安装与试车工作，使工厂具备投料试生产的基本条件。1985 年 12 月 30 日，闪速炉投料试生产，总投资 6.5 亿元人民币，建设 6 年的贵溪冶炼厂一次性投产取得成功。生产设备具有 80 年代世界先进水平。1986 年产铜达到 60219 吨，1988 年该工程获得国家银质奖。

贵溪冶炼厂投产使中国的铜冶炼能力增长 36%，铜冶炼废气制酸能力上升 45%。投产头 3 年，企业为国家创造产值为 32.25 亿元（按 1990 年不变价计算）。1992 年生产优质电解铜 8.6 万吨（占全国产量四分之一），硫酸 38 万吨、白银 35.2 吨、黄金 2.1 吨，创产值 12.41 亿元（按 1990 年不变价计算），利润 0.22 亿元。1992 年，贵溪冶炼厂被评为全国环保十佳企业之一。

县铜材厂:贵溪铜产业发展初见端倪

正因为贵溪冶炼厂落户贵溪,贵溪发展铜产业才有得天独厚的优势,县属铜企业开始成长。

1985 年,贵溪县农机厂因势利导,调整发展方向,向铜产业拓展。当年,贵溪县农机厂筹集资金 200 万元,从上海电缆研究所引进先进技术,充分利用贵溪铜冶炼的优势,进行 2000 吨/年无氧光亮铜杆技术改造,开发新产品 TWY-2-3 无氧铜杆线,实现贵溪铜产业零的突破。1986 年 3 月,农机厂另挂贵溪县铜材厂的牌子,这标志着贵溪第一家县属铜企业诞生。贵溪县属铜产业开启从无到有的历史。

随着贵溪县铜材厂不断进行技术革新,铜产值也在不断翻新。1987 年,贵溪县铜材厂的工业总产值 268.24 万元,无氧光亮铜杆产品被评为江西省优秀新产品。1988 年,铜材厂进行 200 吨/年无氧铜管新产品开发,当年实现产值 1064.58 万元,创利税 36.7 万元。1989 年,企业新添一台熔炼牵引设备,无氧铜杆产量由 2000 吨/年,扩大到 4000 吨/年,当年被评为省优质产品,企业也被评为“鹰潭市质量管理先进单位”。

1992 年,铜材厂引进重庆钢铁厂冶金技术,投资 260 万元,筹建电解铜车间。1993 年,铜材厂成为贵溪县国有企业利税首户,当年并开始改制,组建股份制企业——贵华铜材有限公司。1990-1995 年,贵溪县铜材厂(贵华铜材有限公司)进入产销兴旺时期,1994 年,产值达 7796.58 万元,销售收入 1964 万元,实现利税 130.5 万元;1995 年,产值达 8996.6 万元,销售收入 5407 万元,实现利税 200.6 万元,其中利润 131.26 万元。

1996 年以后,贵华铜材有限公司经济效益开始下滑。2001 年,遵照贵溪市委、市政府关于工业企业“退城进郊”的部署,贵华铜材有限公司由城内北大街搬至城郊柏里原首钢四建闲置的机修厂内。2001 年 8 月 30 日,贵溪市人民法院依法宣告贵华铜材有限公司破产。这个贵溪市属首个国有铜企业从此退出历史舞台。

“九五”计划:吹响贵溪铜产业发展的号角

1996 年,贵溪县十一届人大四次会议通过贵溪县国民经济和社会发展“九五”(1996-2000 年)计划和 2010 年远景目标的建议,提出“主攻工业”的口号。

“九五”计划提出:依托铜基地优势,以现有铜材加工企业为基础,抓好铜材系列加工。“九五”期间,新建年产 600 吨铜箔的电解铜箔生产线;扩建贵华铜材有限公司无氧铜杆生产线,达到年产无氧铜杆 1 万吨;支持电子铜带厂的新建;抓好信江铜制品公司的扩建(信江铜制品公司成立于 1997 年);兴办千家万户铜制品加工厂,年加工铜材 5 万吨。力争到本世纪末把贵溪建成铜制品系列加工基地。

1996 年,贵溪出台《贵溪市招商引资优惠办法》,加大吸引外资的力度。继在深圳、上海举办招商引资恳谈会,又借撤县设市庆典之际,成功举办经贸洽谈会,并主动邀请外地客商来贵溪考察,洽谈项目,取得良好的效果。1996 年,吸引外商直接投资 172 万美元,引进内资 8615 万元。

1996 年,为实施“九五”计划开好头、起好步,贵溪认真贯彻中央、省、鹰潭市主攻工业的决策,全面开展“翻番工程、效益工程、扭亏工程”竞赛活动,促进工业整体效益的不断提高,市属乡及乡以上工业总产值完成 5.71 亿元,形成啤酒、农药、水泥、节能灯管、电铅等主导产业。

1997 年,贵溪市提出依托高新技术,通过挖潜改造,使铜材厂产品深加工能力超 5000 吨以上目标,但是国有企业机制不活,设备老化,贵华铜材公司(铜材厂)生产状况日趋不佳,经济效益还是下滑。

1997 年,信江铜制品有限公司成立,加工紫铜等四大类上百个铜棒产品,产值达 4800 万元,销售收入 4535.3 万元。

“九五”期间,贵溪全市铜加工企业主要有 2 家:贵华铜材有限公司、信江铜制品公司。

工业园区：贵溪铜产业发展的“主阵地”

贵溪工业园区是在罗河工业园区的基础上建成的。

1994年开始，贵溪县政府提出“加速工业小区建设”，超常规地发展乡镇企业。1996年9月，贵溪市提出“主攻工业”的口号，市政府出台《关于抢抓机遇，超常发展，主攻工业的若干意见》（简称“贵溪工业二十条”）。1997年8月，贵溪市委、市政府作出《关于加快罗河工业园区建设的决定》。

1997年，贵溪市启动罗河工业区建设，选址在贵溪市城西南320国道两侧，距贵溪市中心3千米，距鹰潭市10千米。当年，贵溪市委、市政府成立贵溪市罗河工业区管委会工作机构，下设管委会办公室，管委会办公室由贵溪市委、市政府授权其行使整个工业区的全封闭管理职能。同时，在工业园区所在地域周边的滨江、罗河两乡镇成立相应的机构，协助管委会办公室做好有关工作。

1998年，罗河工业区完成土地平整，形成工业大道，电力、电讯线路、水塔及管网铺设竣工。2000年，罗河工业区建设初具规模，2000年9月，罗河工业区被批准为全国乡镇企业东西合作示范区。

为做大做强工业园区，贵溪市审时度势，提出以招商引资为主抓手，2000年10月，贵溪市政府制定《贵溪市工业园区鼓励投资优惠办法》。2003年1月，《贵溪市招商引资管理办法》发布施行。成立由市长任组长的高规格的贵溪市招商引资工作领导小组。采取奖励等有力措施，全方位、多渠道、多层次地开展招商引资活动，派出招商小分队，赴浙江、广东、上海、江苏等沿海发达省市招商。2002年，铜材成为贵溪市五大支柱产业之一。2002年9月，罗河工业区被更名为贵溪市工业园区，为贵溪市政府的派出机构。贵溪市工业园区成为贵溪发展工业的主要载体，也是全市经济发展的重要平台。

2002年，贵溪市工业园区进行扩建，总本规划面积10平方千米。2002年10月开工扩建，炸开一片红石荒山，进行拓宽。2003年贵溪市工业园区被授予全省省级民营科技园，2005年、2006年被确认为全省30家重点工业园区之一，2005年被列入全省21家融资服务试点园区之一，2006年被省政府批准设立为省级开发区，名称更改为江西贵溪工业园区。截至2008年12月，江西贵溪工业园区累计完成基础设施建设投资3.8亿元，10平方千米内的六纵六横道路、供水、供电、通讯等“七通一平”基础设施建设基本完成；园区占地1000公顷，其中近900公顷为红石荒山，共消耗炸药2000余吨，移山平地近700公顷。

大招商带来大发展，大手笔绘就大宏图。实施大开放大招商战略，无疑是贵溪一条重要的发展途径，工业园区筑就了贵溪经济发展的新高地，让这片热土充满更猛烈的发展后劲。2006－2008年间，贵溪大量引进铜加工企业落户江西贵溪工业园区，铜加工企业集聚势头十分强大，有江西铜材公司、红旗集团江西铜业公司、江西世茂铜业公司、贵溪华泰铜业有限公司、浩鑫铜材公司、宏鑫铜业公司等50家铜加工企业落户，生产能力达近100万吨，其中投产30家，总投资35亿元。园区有废旧金属回收企业30家，利用废杂铜20多万吨。园区初步形成粗铜、电解铜、铜杆、铜线、铜管、铜棒、铜板带、异型铜材及铜铸件等产品比较配套的铜产业链。

江铜集团：贵溪铜产业腾飞的“靠山”

江西铜业集团公司是集采、选、冶、加、贸易为一体的国内最大、最现代化的铜生产和加工基地，也是黄金、白银、硒、碲等稀贵金属和硫化工的重要生产基地。江铜集团公司成为中国最大的阴极铜生产商，贵溪冶炼厂是亚洲最大的铜冶炼厂。

1997年，江铜集团公司成立江西铜业股份有限公司，并在香港上市，2001年又在上海上市。公司资产总值390多亿元，员工3.4万多人。公司主要产品有阴极铜、硫酸、黄金、白银、铂、钯、硒、碲、铼、钼、硫酸铜、氧化砷、铜精矿、铅锌矿、锌精矿、硫精矿、铜线锭、铜杆、裸铜线、漆包线、高档铜箔、精密铜管等。其中：所有牌号的阴极铜全部在伦敦金属交易所（LME）注册；“贵冶”牌阴极铜为中国名牌产品、国家质量免检产品；硫酸为国优金奖产品；铜杆为江西省名牌产品。公司产品出口美国、日本、欧洲和东南亚等

30多个国家和地区,并建立技术、经济、贸易往来。

为规范公司管理,实现科学发展,2008年江铜完成整体上市,江西铜业集团公司与江西铜业股份有限公司管理机构实现合二为一。江西铜业股份有限公司下属的单位有德兴铜矿等8家矿山,贵溪冶炼厂等3家冶炼厂,江铜耶兹铜箔等4家铜加工企业,稀散金属生产单位,以及财务公司、物流公司等支持服务体系。

江铜集团,无疑已成为贵溪铜产业发展的强大后盾,有江铜这艘世界级巨轮做"靠山",贵溪做大做强铜产业的信心十足。"十五""十一五"计划期间,贵溪市紧紧依托江铜集团公司,大力发展铜加工企业,向铜产业快步挺进。

"十五"(2001-2005年)计划提出:依托江西铜业公司发展铜加工业。实施市企联合化战略,重点围绕铜文化、铜产业,做好铜文章,打响"铜都牌",增加"铜含量"。以贵华公司、信江公司、广信公司3个企业为核心,推动铜材加工业的发展。

"十一五"(2006-2010年)计划提出:全力做好江铜四期30万吨铜冶炼项目的配套服务,使其电解铜冶炼能力达到70万吨,使江铜进入世界铜产业前三强。大力推进江铜集团与地方工业企业的战略合作,走市企联合发展之路,扩大铜加工能力,努力形成初级产品-精密产品-关联产品的铜工业体系。实施铜产业结构调整,使贵溪铜加工向规模化、专业化方向发展,中高档产品比重由20%左右提高到60%。使贵溪市成为全国最大的铜加工基地,铜技术研发中心和铜产品交易中心,努力走出一条具有贵溪特色和竞争优势的铜产业发展之路,使贵溪成为名副其实的"中国新兴铜都"。

贵溪服务江铜集团公司,就是全力做好服务贵溪冶炼厂的二期、三期工程建设。

1997年,贵溪冶炼厂开始二期工程建设,闯出一条以"引进一代技术、开发一代技术、储备一代技术、创新一代技术"的科技兴企之路,一举跻身于世界前列。1999年11月25日,被列为国家"九五"重点改造项目的贵溪冶炼厂二期工程全面竣工,2000年阳极铜产量达到209797吨。

2001年9月,贵溪冶炼厂三期工程由国家批准开工建设。三期工程从设计到实施,坚持吸收国外铜冶炼最新成果,积极采用新技术、新工艺、新设备,成功地使用世界上最新开发的精矿喷嘴,引进当今世界上最先进的艾萨法铜电解技术和处理杂铜的倾动炉技术,不仅填补国内空白,而且使工厂的技术设备和各项技术经济指标再次得到优化,2003年达到年产铜40万吨的能力。2007年9月22日,江铜新30万吨铜冶炼工程建成投产,标志着贵溪冶炼厂已经形成年产70万吨铜以上的生产新规模,实现问鼎世界最大炼铜工厂的"闪速"跨越,江铜阴极铜产能已进入世界铜行业前三强,形成中国最大的铜冶炼生产规模。江铜还建成中国最大的铜加工生产基地。在江西南昌、贵溪、广东深圳等地先后建成包括铜杆、铜线、电缆、光纤、铜箔、铜管等产品在内的铜加工企业,年产铜材50万吨。随着10万吨/年铜板带项目、铜箔二期工程等项目的建设,江西铜业集团公司的铜产品精深加工将达到60万吨的能力。江铜已确立中国铜工业领头羊的地位。2007年,江西铜业集团公司实现销售收入501亿元、利税81亿元。

江铜集团,真正成为贵溪铜产业腾飞的"靠山"。

铜产业基地:贵溪打造"世界铜都"的壮举

铜产业循环经济基地,位于贵溪市城郊东北部,南邻江西铜业集团公司,北靠沪昆高速公路,是江西省重大建设项目,也是鹰潭和贵溪两级市打造"世界铜都"、发展块状经济的重大举措。基地于2007年9月15日开工建设,总体规划面积10平方千米,主要分为拆解加工区(2.38平方千米)、精深加工区(4.18平方千米)、商贸物流及生活服务区(3.44平方千米)。

2003年,贵溪市提出积极筹建江西铜工业园。江西铜工业园是以江铜集团公司为依托的,是江西省政府扶持贵溪发展的一个产业基地,按照总体规划10平方千米的要求建设。此后几年,贵溪市委、市政府抓紧抓好江西铜工业园的征地、拆迁及基础设施建设。

2007年初,通过广泛深入调研和咨询,鹰潭、贵溪两级市领导深刻感受到:当前,我国铜资源紧缺和铜冶炼能力迅速扩张的矛盾日趋尖锐,掌握铜资源,就能抢占新一轮铜产业发展的先机,从而理清鹰潭和贵溪市大铜产业的发展思路,确立"三个基地、一个中心"(即全国最大的铜冶炼基地、铜废旧原料回收利用基地、铜产品加工基地和铜产业物流中心),把鹰潭建成"世界铜都"的战略思路。

2007年8月,贵溪市委、市政府成立贵溪铜产业循环经济园区,由贵溪市委、市政府授权其行使整个园区的全封闭管理职能。同时,在园区所在辖区的滨江、泗沥、河潭三乡镇成立相应的机构,协助园区做好相关工作。

拆解加工区分两期开工建设,一期工程于2007年9月15日正式动工建设。全国最大的废旧铜拆解商——广东南海宇成,兴奇集团陈传成、陈传奇于2007年5月10日来到贵溪考察之后,在鹰潭、贵溪两级市领导的积极努力下,于2007年7月18日在鹰潭正式签订投资协议,并组建鹰潭信达投资有限公司,投资10亿元,开发建设拆解加工区133公顷,其中一期投资5亿元,开发67公顷。

基地规划区内90%以上为寸草不生的荒山、丘陵,最大限度地保护了耕地。截至2008年12月,拆解加工区已平整场地120公顷,完成一期用地的"四纵两横"道路网硬化;拆解区内供水供电、通讯等管线已铺设完毕;污水处理厂土建工程在2008年10月全部完成;监管中心主体工程2008年10月如期封顶;信达公司旗下企业部分钢结构厂房已完成主体;"无水港"进出道路路基及首期8.67公顷用地场地平整完成。与宁波港集团签订的第七类废物进口通关转关协议及海铁运体系建设已进入实质性运作阶段。

截至2008年,落户拆解加工区的企业共有7家:贵溪中澳铜业有限公司、贵溪中钜铜业有限公司、贵溪同顺金属有限公司、贵溪同鹏金属有限公司、贵溪成荣金属有限公司、贵溪大新金属有限公司、贵溪同利金属有限公司。

拆解加工区与江西铜业集团贵溪冶炼厂仅一墙之隔,拆解出的废铜为冶炼厂提供生产原料,冶炼厂生产出的电解铜可为精深加工区提供原料,形成从铜回收、冶炼到精深加工较为完整的产业链……

拆解加工区是中国内陆设立的第一家、也是江西省唯一一家废弃机电产品集中拆解利用加工园区,是对进口废五金电器、废电线电缆和废电机等进口第七类废物开展"圈区管理"的试点区。整个拆解加工区项目完成后,可形成180万吨的年拆解能力,达到年产废铜45万吨、废铝10万吨、废塑料10万吨、废钢铁95万吨的生产规模,最终建成全国最大的铜废旧原料回收利用基地和再生资源集散中心。2008年10月,基地被中国资源综合利用协会授予"中国再生资源循环利用基地"称号。

铜产业:崛起为贵溪市优势主导产业

2007年以来,贵溪市依托江铜集团公司,围绕建设"世界铜都"的战略目标,加快铜产业发展要素集聚,进一步延伸铜产业链条,做大铜精深加工,增强铜产业科技创新能力,铜产业呈现快速发展态势。全市已经形成以江铜集团为龙头,集铜原料、铜冶炼、铜加工、铜贸易、铜研发、铜文化为一体的现代产业体系:本地企业生产废料被卖到园区企业熔炼成阳极铜,这些阳极铜经过江铜集团贵溪冶炼厂电解加工成为阴极铜,成为当地铜加工企业生产材料;铜加工企业利用这些材料进行初级加工或精深加工,所生产的产品一部分流向市场,一部分卖给同在园区的涉铜终端产品生产企业;涉铜终端产品生产企业的边角废料最后又卖回园区熔炼企业,开始新一轮的循环利用。

科技创新给力铜产业发展,印证了创新是激活发展第一"源动力"。随着新技术开发利用,贵溪市九成以上铜产业升级转型步伐加快,铜精深加工产值与粗铜加工产值由2005年前的2:8转变为2008年的6:4。铜工业的比重比"十五"期末提高10%,铜产业对国民经济的贡献率约为60%。贵溪市有进口权铜企业2家。主营业务收入超5亿元的企业12家,超1亿元的23家。2008年,铜产业成为贵溪市五大支柱产业的优势主导产业,以铜加工为主的地方工业成为贵溪财政税收的重要支撑。

2007年,贵溪市完成铜产业总产值92.43亿元,占经济总量的87%,实现主营业务收入116亿元,占经济总量的90%,实现铜税收4.62亿元,占经济总量的91%;2008年,虽然受金融危机的影响,仍完成铜产业总产值104亿元,占经济总量的88%,实现主营业务收入132亿元,占经济总量的90%,实现铜税收4.1亿元,占经济总量的92%。2008年,贵溪市获"全省工业崛起贡献奖"。

毋庸置疑,铜产业的崛起壮大,为贵溪市在2008年顺利"跻身全国最具区域带动力中小城市百强县第七十四位"和"跻身第九届全国县域经济基本竞争力百强县(市)第九十六位",作出了不可磨灭的贡献。

百强县诞生

1996年,贵溪胜利完成撤县设市,带动国民经济快速、持续、稳定发展。随着贵溪确立大招商大发展,工业强市、工业兴市的战略,铜产业迅猛发展。2006年,进入"十一五"计划时期,贵溪适时提出"当好江西排头兵,争创全国百强县"的宏伟目标。2008年,贵溪首次跻身"全国最具区域带动力中小城市百强县"和"全国县域经济基本竞争力百强县(市)"之列。这一骄人的成果,既得益于贵溪市委、市政府的正确决策,也是贵溪全市人民奋勇拼搏的结果,激励着贵溪人民在新的征途中,不忘初心,砥砺前行,共同谱写新的辉煌!

探美名:何谓"百强县"

中国县域经济与县域基本竞争力百强县(市),简称中国百强县(市),是为了客观衡量中国县域社会经济综合发展、协调发展、可持续发展的状况。中国百强县或"中国百强县(市)",是对现行中国县级行政区域以县份、县级市与旗为主,包括部分市辖区的综合评价。

所谓的"百强县"评选始自1991年,由国家统计局组织,当时的名称为"农村经济综合实力百强县"评选。由于评选标准主要侧重于经济实力,上榜的县与实际发展水平时有较大出入,常常引发争议,这样,原本每年一次的百强县评比工作断断续续。到2000年再次启动时,名称已改为"全国县域社会经济综合发展指数"。该"综合发展指数"是国家统计局根据全国2000多个县域的社会经济统计资料,从发展水平、发展活力和发展潜力三个方面共34个指标,对县域的社会经济综合发展进行测评。

这项综合统计评价较之原先相对单一的"经济综合实力",更加全面。但是,由于评选指标中缺乏对资源和环境影响的评价,加上一些入选百强的县(市、区)域环境问题日益突出,特别是在百强县集中的太湖流域爆发严重的蓝藻事件,这样,国家统计局在2007年取消"全国百强县"榜单发布,这意味着已经发布的"全国百强县"排行榜再次停止。

与政府机构"百强县"评选并行的还有民间机构评选:

一是成立于1998年的中郡县域经济研究所,是一家从事县域经济研究咨询服务的民间机构,该机构从2000年开始评选工作,评价结果包括"中国县域经济百强县(市)""中国西部百强县(市)"和"中国中部百强县(市)"。

二是中国城市经济学会下属的中小城市经济发展委员会,2004年开展中国中小城市科学发展评价体系课题研究。评价结果包括"中国科学发展中小城市百强(综合实力)""中国投资潜力中小城市百强""中国区域带动力中小城市百强"。

中国中小城市科学发展评价体系共12类86项数据,包含有能源、环保、社会类指标。中小城市科学发展评价体系研究课题从2005年开始,分别构建节约型城市建设、城市投资潜力、城市综合实力的评价指标体系。2008年开始,课题组尝试对中小城市的区域带动力进行评价。对中小城市的带动能力进行评价,意在引导各级政府摆脱纯粹的"本位主义"意识,不仅要关注城市本身的发展,也要关注城市发展的各种"外溢"效应。

贵溪市2008年"跻身全国最具区域带动力中小城市百强县第七十四位",是由民间机构中国城市经济学会下属的中小城市经济发展委员会评选出来的;2008年"跻身第九届全国县域经济基本竞争力百强县(市)第九十六位",是由民间机构中郡县域经济研究所评选出来的。

寻依据:“百强县”如何评出

不同机构评出的“百强县”,依据不尽相同,那么,他们究竟是以什么作为评选依据的呢?

先来说说2008年中小城市经济发展委员会评选全国最具区域带动力中小城市百强县的依据(本依据来源于2008年中国中小城市科学发展评价指标体系研究报告)。

依据一、研究对象和数据来源。

考虑到统计资料的可得性和可比性,本评价对象界定为县级市、县以及市辖县级区,在这里统称为中小城市。

课题组以国家统计局公布的县市500强以及各省发展态势较好的部分中小城市作为样本,发放基本情况调查问卷;以反馈问卷的中小城市作为评价样本;然后,依据课题组制定的评价体系和计算方法进行综合测评,测评结果由专家评审组审议评定后最终确定。

数据来源包括:2006、2007年度各省统计年鉴;2007年各市、县统计资料;各市、县提供的相关数据。

依据二、城市区域带动力的研究角度。

对中小城市贯彻和落实科学发展观进行评价,不仅要着眼于城市(县域)内部的发展状况,也要着眼于城市对周边地区(城市、区、县)的带动作用大小。然而,县级城市的区域带动力分析是一个相对复杂的问题,很难通过某一模型对全国范围内的中小城市区域带动力进行直观计算,甚至很难通过一个统一的指标体系进行比较。

对中小城市的带动能力进行评价,意在引导各级政府摆脱纯粹的“本位主义”意识,不仅要关注城市本身的发展,也要关注城市发展的各种“外溢”效应。

再来说说2009年中郡县域经济研究所评选百强县(市)的依据(本依据来源于第九届全国县域经济基本竞争力与科学发展评价报告)。

2009年,中郡县域经济研究所评选的第九届全国县域经济基本竞争力百强县(市)评选的依据是从“城乡、区域统筹”“强县富民一致性”和“科学发展环境”等三方面来开展的。

依据一、进行“区域经济强县统筹发展组团”研究。

所谓“区域经济强县统筹发展组团”就是在某一区域内,地理位置相连、经济总量或县域相对富裕程度相当、经济发展方式相近的几个经济强县组成的集合。区域经济强县统筹发展组团的提出是基于以下考虑:一是淡化相邻经济强县的非正常竞争,促进经济强县之间的经济协作;二是促进政府转变职能,促进“强县”与“富民”相统一;三是打破行政区划,推动城乡统筹和区域统筹,推动区域一体化进程;四是有利于推进城市群建设,提高整个区域的竞争力;五是促使县(市)在大区域中正确定位,促进县域经济的科学发展。

依据二、开展“强县富民一致性”评价。

做到“强县”与“富民”的统一,进行“县域经济强县”的“县域相对富裕程度”评价。“县域相对富裕程度”评价是以“居民收入水平”为基础,结合消费、储蓄、公共服务和公共财政等方面来开展反映富裕程度的测评工作。相对富裕程度为全国的区域统筹发展工作提供参照尺度。

依据三、开展科学发展环境评价。

县域经济“科学发展环境”评价是通过评价县域经济科学发展的综合环境因素来进行。县域经济科学发展环境评价初步从考察环境保护、安全生产、社会治安等方面的工作着手。评价采用定性的方法,分A+、A、A-和B等四级,具体规范为:A级为正常级,A+级为正常偏上级,A-级为正常偏下级,B级为非正常级或警示级。科学发展环境等级坚持“一票评价制”,即若一个方面出现“A-级”,即使其他方面在正常的情况下,整个县域为“A-级”。

溯源头:吹响争创“百强县”号角

1996年,是“九五”计划的开局之年,贵溪开局良好。这一年,贵溪市胜利完成撤县设市,国民经济保持快速、持续、稳定发展的好势头,全市国民生产总值完成218267万元,比1995年增长13.5%,人均国民生产总值完成4115元,市属乡及乡以上工业总产值完成57100万元,农业总产值完成49100万元,财政总收入完成30033万元,其中地方财政收入完成14589万元。城乡建设步伐加快,社会各项事业全面进步,人民生活水平进一步提高。

“九五”期间,贵溪经济运行质量提高,综合实力明显增强。2000年,全市国内生产总值(当年价)比1995年增加12.34亿元,年均递增10%;人均国内生产总值5500元,提前4年实现比1980年翻两番的目标。全市农业总产值比1995年增加4.58亿元,年均递增10.1%;工业总产值由1995年40.78亿元增加到68.87亿元,年均递增11%。城市建设大有发展,社会事业全面发展,人民生活继续改善。

2001年,是“十五”计划的开局之年,这一年提出贵溪“十五”计划目标是:经过五年努力,主要经济指标均达全省十强县市之列,把贵溪初步建成中国新铜都、建成江西的经济文化大市。

2002年,贵溪市委、市政府提出“突出招商引资主抓手,强力推进工业化进程,当崛起排头兵,建一流县级市”目标。这一目标一直贯彻到2005年。

2002年以来,贵溪市委、市政府牢固树立和全面落实科学发展观,坚持实施“以‘两放’(思想解放、改革开放)促‘两新’(思想更新、改革创新),以‘两新’促‘三化’(工业化、城市化、农业工业化)”的发展战略,做好强市富民文章。

2005年,贵溪市的发展水平、发展潜力、发展活力三大衡量全国百强指数的33项指标中,有17项接近或超过全国百强县平均值,顺利实现“十五”期间提出的在全省“当崛起排头兵,建一流县级市”的奋斗目标。2005年底,贵溪市财政总收入由2000年的3.09亿元增加到10.03亿元,地方财政收入由2000年的1.51亿元增加到3.76亿元。2005年,贵溪市城市综合竞争力在全国由2002年的482位提升到200–250位。

2006年是实施“十一五”计划的第一年,是站在新的起点谋划未来,建设富裕型小康社会的关键之年。2006年6月召开的贵溪市第三届人民代表大会第四次会议上通过《贵溪市国民经济和社会发展第十一个五年规划纲要(草案)》。《贵溪市国民经济和社会发展第十一个五年规划纲要(草案)》提出“当好江西排头兵,争创全国百强县”的目标,力争到“十一五”期末,综合实力跻身全国百强县(市)之列。

强举措:冲刺全国“百强县”

为实现“十一五”计划目标,创建全国百强县,2006年,贵溪市审时度势,冷静面对国内、省内竞争日益激烈带来的机遇和挑战,提出通过加快改革开放步伐、增强自主创新能力、转变经济增长方式,不断加快全市新型工业化、新型城镇化以及社会主义新农村建设步伐,在全市形成一个更快更好的发展态势。

2006年,贵溪市扎实抓好四个方面的工作:

(一)坚持服务驻市企业与做强地方工作并举,实现经济快速发展。

①全力服务驻市企业。坚持“服务驻市企业就是发展自己”的理念,通过发展驻市企业来发展自己。重点支持贵冶四期30万吨扩建,全力支持贵溪发电厂以大带小,投资45亿元的2台60万千瓦的三期扩建项目,当好驻市国有大中型企业发展的基石。

②加快园区建设。做好贵溪市工业园区二期征地;采取一系列扶优扶强措施,促进地方工业做大做强,完成南方照明、龙虎山啤酒公司搬迁改造工程等。

③优化产业结构。积极实施大开放主战略和人才、专利、技术标准战略。2006年,重点是抓好海利公司、南方照明、麒麟化工、浩鑫铜材等一批重点技改项目,以此来培育贵溪市地方工业新的经济增长点,壮大工业经济总量。

（二）坚持城市发展与新农村建设并举，统筹城乡协调发展。

①以完善城市功能为侧重点，进一步优化人居环境。一是规范城市规划区和农村农民建房行为，启动100个新农村示范点建设；二是开工建设贵溪一中二期、贵溪大桥及其延伸段工程，开发建设住房28万平方米。加快行政中心配套建设和信江路、交通路二期改造，完成城南综合市场工程、城南及城北汽车站建设；三是加强城市管理，创建省级园林城市和省级文明城市。

②以新农村建设为着力点，进一步做好"三农"工作。

（三）坚持深化改革与对外开放并举，实现经济可持续发展。

①积极推进各项改革。全面推行事业单位聘用制，完善教师聘任制；完善新型农村合作医疗制度，降低农民报销门槛；推进财税改革，培育税源，抓好"乡财市管乡用"工作；全面完成国有集体企业改制工作；积极推进林业产权制度改革。

②大力发展开放型经济。进一步规范市行政服务中心管理；增强"专业招商"力度，依托铜加工、光电子等优势产业招商，把招商引资重点放在招大引强上；继续推动全民创业，促使民营企业完成工业产值占地方工业比重达到90%以上。

③加快发展以旅游业为主的第三产业。全面开展全市旅游资源普查，编制《贵溪市旅游发展总体规划》。

（四）坚持以人为本，促进社会和谐发展。

①全面实施科教兴市战略。抓好一批重点高新技术项目的实施；全面推进素质教育；改善农村中小学办学条件，继续对家庭困难学生实行"两免一补"。

②促进就业和再就业。掀起全民创业热潮，促进非公有制经济发展；加大社区公益性岗位开发力度，全面落实税费减免、小额贷款等再就业优惠政策；做好城市低保工作等。

③加强精神文明建设和民主法制化进程。

2007年，贵溪市提出建设实力贵溪、活力贵溪、魅力贵溪、和谐贵溪的"四个贵溪"目标。主要举措是：

（一）注重产业发展，建设实力贵溪。用工业化的理念谋划农业，加快建设现代农业步伐；全面加快新型工业化进程，推进产业集群化，重点发展铜加工产业，培育一批地方重点骨干企业。集中力量抓好铜材加工、机械制造、光电子、化工、建材、医药食品等主导产业，围绕"三个基地一个中心"（即铜冶炼基地、铜原料基地、铜加工基地、铜产品物流中心）的发展战略，促进铜产业集群。加快贵溪工业园区向10平方千米延伸，提高产业层次，打造省级铜产业特色园；全面加快第三产业发展进程，使第三产业成为经济发展的新亮点，努力把贵溪建成优质绿色农产品生产加工基地。

（二）注重改革创新，建设活力贵溪。提升科技创新能力，继续推进政府机制改革、财税、教育、卫生机制改革。坚持把开放型经济与全民创业作为促进贵溪崛起，加快富民兴市的两个战略支点。

（三）注重环境建设，建设魅力贵溪。按照"打造中国铜都和赣东北园林城市"的目标要求，以沿河路延伸及防洪堤工程建设为重点，打造沿河外围循环通道，培育天蓝、水清、地绿、景美的"一江两岸"的生态景观。建成贵溪大桥、城南综合市场、城南汽车站、柏里大道改造工程，启动鹰雄大道、贵溪大桥东西延伸段道路建设。按照"生产发展、生活富裕、乡风文明、村容整洁、管理民主"的要求，深入推进新农村建设。

（四）注重民生，建设和谐贵溪。树立民生为本的发展观，"十一五"期间，实现"四个全覆盖"，即城乡困难群众最低生活保障全覆盖，城乡困难群众大病医疗救助全覆盖，城乡义务教育免学杂费和贫困生资助政策全覆盖，城乡居民合作医疗全覆盖。积极推进经济适用房建设和完善廉租住房制度。

结硕果：喜摘"百强县"桂冠

在全市社会经济快速发展的境况下，2007年，贵溪市向中国城市经济学会下属的中小城市经济发展委员会申报参评"全国最具区域带动力中小城市百强县"。

2008年,这是一个非同寻常的一年,贵溪市上下凝心聚力、奋勇拼搏,努力克服雨雪冰冻灾害、全球金融危机和铜价大幅下跌等不利因素的影响,保持全市经济社会发展的良好势头,全市地区生产总值172亿元,财政总收入23.09亿元,财政总收入连续6年位居全省县(市、区)第一。

2008年,贵溪市获"全国金融生态市""全省工业崛起贡献奖""全省开放型经济综合先进县(市)""全省发展非公有制经济先进县(市)"。

2008年,贵溪市顺利摘取"全国最具区域带动力中小城市百强县"桂冠,首次跻身全国最具区域带动力中小城市百强县第七十四位。

顺便说一下,全国最具区域带动力中小城市百强县"含金量"并不是很高,还不能说明贵溪的综合实力究竟有多大。为跻身"含金量"更高的"全国县域经济基本竞争力百强县(市)"之列,2009年1月,贵溪市由发改局牵头,远赴北京向全国县域经济研究专门机构——中郡县域经济研究所提交《申报第九届全国县域经济基本竞争力百强县(市)报告》。

一份汗水一份回报。2009年7月26日,中郡县域经济研究所在湖南省长沙县举办的"2009全国县域经济科学发展交流年会"上,正式发布备受瞩目的《第九届全国县域经济基本竞争力与科学发展评价报告》,在参评的全国2001个县域经济单位中,第九届全国县域经济基本竞争力百强县(市)名单新鲜出炉。这是评选2008年的"全国县域经济基本竞争力百强县(市)",贵溪市首次跻身全国县域经济基本竞争力百强县(市)之列。江西省有南昌县和贵溪市2个县(市)跻身第九届全国县域经济基本竞争力百强县(市)之列,南昌县排名第八十八位,贵溪市排名第九十六位。

报告公布的数据显示,南昌县第九届全国县域经济百强县(市)中郡指数为R88T2001,竞争力状态相对稳定,竞争力等级A级,县域相对富裕程度等级和类型分别为A-级、Ⅳ类,科学发展环境为A级。贵溪市中郡指数为R96T2001,竞争力状态上升,竞争力等级为A级,县域相对富裕程度等级和类型分别为A-级、Ⅳ类,科学发展环境为A级。

据中郡县域经济研究所介绍,这份报告是在有关单位和专家学者以及全国县(市、旗)的支持下,以2008年的公开资料为基础,经过数据的对比、核实和甄别而最终完成的,它不仅评价县域经济的"竞争力",还评价县域经济的"科学发展",为推动县域经济又好又快发展做出了新的探索。

第一卷　建置区划
环境资源

第一章　建置区划

第一节　镇（乡）村（居）区划调整

镇（乡）调整

1993年3月，经省人民政府批准，撤销志光乡、冷水乡、鸿塘乡、泗沥乡、河潭乡、文坊乡，改设志光镇、冷水镇、鸿塘镇、泗沥镇、河潭镇、文坊镇。

1995年3月，高公乡驻地由大塘李家迁至金屯，盛源乡驻地由盛源洞黄家迁至流口尖山，罗河乡驻地由倒堂社迁至青泥岗。同时，撤销盛源乡、高公乡、罗河乡、周坊乡，改设流口镇、金屯镇、罗河镇、周坊镇。

1997年6月，撤销硬石岭乡，设立镇的建制，并更名为塔桥镇。

2001年11月，撤销雄石镇，改设雄石、东门、花园3个街道。雄石街道辖东街、南街、西街、北街、106队居委会和象山村委会，办事处驻雄石；东门街道辖烧箕山、交通街、贵溪发电厂、贵溪铁路、铁路贵溪桥梁厂、江铜材料设备公司居委会和雄石村委会，办事处驻雄石东路；花园街道辖中国有色四建、贵溪化肥厂、贵溪冶炼厂居委会和花园村委会，办事处驻建设大道。撤销金沙乡，成建制划归滨江乡管辖；撤销塔桥镇，成建制划归鸿塘镇管辖；撤销古港乡，成建制划归周坊镇管辖；撤销双圳乡，原双圳乡和文坊镇的太源村委会成建制划归樟坪畲族乡管辖；撤销西窑乡，成建制划归文坊镇管辖。

2008年底，全市有20个乡镇（含上清镇、龙虎山镇）、3个街道，分别是周坊、泗沥、河潭、鸿塘、志光、罗河、流口、金屯、塘湾、文坊、冷水、上清、龙虎山镇，白田、滨江、雷溪、余家、耳口、彭湾、樟坪畲族乡，以及东门、花园、雄石街道。林、园、垦殖场7个。全市有223个村民委员会、22个居委会和2552个村小组。

2008年贵溪市乡（镇、街道）村（居）委会设置一览

表1－1

乡（镇、街道）	驻地	辖村（居）委会
东门街道	雄石路	贵溪火力发电厂、江边、烧箕山、信江、城北、铁路、雄石
花园街道	建设路	白果、花园、四建、贵溪化肥厂、贵溪冶炼厂
雄石街道	叶家塘路	东街、南街、西街、北街、仙桥、象山
周坊镇	周坊村	周坊、三丫、上黄、裴源、杨家、河上、吕家、古港、库桥、岭脚、高门、神前、胡家、长塘、横岭
泗沥镇	王湾村	王湾、赤石、尹家、珠岭、方家、泗沥、新塘、中村、郑坊、杨山、何家、东洪、桃源
河潭镇	毛家湾村	丰田、横山、花屋、南塘、泗塘、毛炉、龙石、河潭、九夏

续表1-1

乡(镇、街道)	驻地	辖村(居)委会
鸿塘镇	洋塘村	洋塘、陵家、富岗、亳岭、卢宋、茹卜、付家、红山、凉山、郑家、黄柏、塘湾、界牌、基塘、港口、横田
志光镇	古城九甲村	古城、信江、周塘、理源、志光、西江、湖石、皇桥、塔桥、湖塘、柏山、珍田
罗河镇	屠家村	黄墩、童源、潜岭、新田、排上、贵碧、樟槎、龙山、洋塘、太田、陈家、翁源、太阳、屈碧、剑汪、杨桥、罗田、周家
流口镇	新溪村	新溪、横路、官庄、盛源、双岭、细叶、李源、板桥
金屯镇	金屯村	金屯、大塘、周阳、上马、枫岭、焦坑、南畈、高公、石岭、黄梅
塘湾镇	塘湾村	塘湾街、大桥、古塘、山坑、金源、唐甸、塘湾、寨前、港西、江坊、财源、东港、芦甸、上祝、高畈、白果
文坊镇	文坊村	文坊街、西窑、文坊、沙龙、塘头、东际、濠水、岭西、票上、天华山、虹桥、坛石、吊桥、花桥、斗楼、詹源
冷水镇	冷水村	云梦山、冷水、富庶、麻地
上清镇	上清村	府前、上清、汉浦、通桥、渐浦、桂州、城门、沙湾、泥湾、历山、泉源
龙虎山镇	舒家村	店上、鱼塘、龚店、舒家、西源、龙虎
白田乡	中葛里村	行马、姚家、白田、小田、蓝田、甘苏、北山、港黄、裴家
滨江乡	雄石路村	西洋、婆桥、山背、洪塘、江南、江北、流岭、金沙、黄坑、柏里、铜都、浮桥
雷溪乡	罗塘村	雷溪、重文、富港、张桥、南山、鲶桥、罗塘、八甲、端港
余家乡	莲塘岗村	滴水、坝上、畈上、天禄、孟青、球源、庄源、流桥、罗湾、口上、余家
彭湾乡	彭湾村	彭湾、星明、白庙、小岭、溪源
耳口乡	大港下村	耳口、菖莆、圳上、南港、梅潭、横港
樟坪畲族乡	樟坪村	双圳、西排、太源、黄思

村(居)委会调整

1991年1月

雄石镇:铁路贵溪桥梁厂从贵溪火车站铁路居委会划出,设立桥梁厂居委会。

塘湾镇:撤销塘湾小集镇,设立塘湾街居民委员会。

10月

龙虎山镇:设立站上居民委员会。

11月

周坊乡:从长塘村民委员会划出胡家、老底、港背胡家、余家、坂上、占家、邓家、窑场、港背卢家、岭上、熊家、蔡家撩、高泉卢家,设立胡家村民委员会。

1992年4月

鸿塘乡:从横田村民委员会划出渔业户164户,设立水上村民委员会,与横田村实行两块牌子、一套班子。

1993年9月

文坊镇:撤销文坊小集镇,改设文坊街居民委员会。

1995年10月

雄石镇:从东街居民委员会划出部分辖区,设立烧箕山居民委员会。管辖范围:东至江范村,西至知青联合公司（现贵都华城），南至沿河路（信江大桥以东），北至交通局、啤酒厂，共1981户5876人。

文坊镇：从花桥村民委员会划出张家、老八湾、廖家、下湾4个村民小组，设立太源畲族村民委员会。

2000年3月

塘湾镇：从塘湾街居民委员会划出建设、胜利、民主、郑家4个村民小组，并入塘湾村民委员会管辖。

2002年4月

文坊镇：黄思村民委员会成建制划归樟坪畲族乡管辖。

9月

彭湾乡：撤销梅溪村民委员会、苍源村民委员会，合并设立溪源村民委员会；撤销花门村民委员会，成建制并入星明村民委员会管辖。

文坊镇：撤销庙前、荆树村民委员会，成建制并入文坊村民委员会管辖；撤销曲坑村民委员会，成建制并入塘头村民委员会管辖；撤销阳山村民委员会，成建制并入沙龙村民委员会管辖；撤销该镇直属红岗村民小组，将谢家划归文坊村委会管辖，将杨坂、龙寺划归濠水村委会管辖。

滨江乡：撤销滨江、太岩村民委员会，合并设立铜都村民委员会；撤销岭上、庙前、花山村民委员会，合并设立江南村民委员会；撤销赤歧、地理、九甲村民委员会，合并设立江北村民委员会。

10月

泗沥镇：撤销陈坊村民委员会，成建制并入赤石村民委员会管辖；撤销汤湖村民委员会，将翁家村小组划归赤石村民委员会管辖，将汤家、胡家、揭家、周家、张家5个村小组划归珠岭村民委员会管辖。

11月

雄石街道：撤销106地质队居民委员会，增设仙桥社区居委会，管辖范围：信江河中心线以南，东至流口镇交接处，西至滨江乡和罗河镇交接处，南至流口镇和雷溪乡交接处（包括罗河工业园区、铜技校、七一三矿、童家鱼种场等单位）。

东街社区居委会管辖范围：东至信江路西侧，西至茨字弄路东侧，南至信江河中心线，北至叶家塘路南侧和雄石西路南侧（立交桥至市人民医院路段）。

南街社区居委会管辖范围：东至茨字弄路西侧，西至老化工厂西围墙到信江河中心线，南至信江河中心线，北至西大街南侧。

北街社区居委会管辖范围：东至信江路西侧，西至复兴路东侧，南至雄石西路北侧（立交桥至市人民医院路段）和叶家塘路北侧，北至浙赣铁路。

东门街道：撤销江铜设备材料公司居民委员会和桥梁厂居民委员会，改设城北社区居委会和江边社区居委会。

城北社区居委会管辖范围：东至皖赣铁路和贵溪电厂专用铁路以西，西至信江河中心线，南至浙赣铁路、交通路北侧和建设路北侧，北至与滨江乡柏里村委会交接处。居住在十五冶、九七滩、化工厂、农药厂、国家粮食储备库等单位的居民划归城北社区居委会管辖。

江边社区居委会管辖范围：东至贵溪电厂和花园村委会交接处，西至信江路东侧，南至信江河中心线，北至雄石东路南侧至贵溪电厂大门口。

烧箕山社区居委会管辖范围：东至市体育中心西侧大路和公安局宿舍西侧围墙外大路，西至站前路东侧，南至雄石东路北侧，北至建设路、沿贵溪电厂专用铁路线以东。

撤销交通街居委会，改设信江社区居委会管辖范围：东至站前路西侧，西至信江路东侧，南至雄石路北侧，北至交通路、建设路南侧。

铁路居民委员会和电厂居民委员会，其管辖范围不变。

花园街道：增设白果社区居委会，管辖范围：东至信江河中心线，西至市体育中心西侧大路和公安局宿舍西侧围墙外大路，南至信江河中心线，北至与滨江乡交接处，冶金大道两侧原归烧箕山居民委员会管辖的居民一并划入白果社区居委会。

冶炼厂居委会、化肥厂居委会、四建居委会，其管辖范围不变。

2003 年 8 月

冷水镇:设立云梦山居民委员会。

9 月

花园街道:撤销花园村民委员会,改设花园社区居委会。

冷水镇:撤销冷水村民委员会。将原冷水村民委员会管辖的麻蓬、洋泗坂、冷水、碧一、碧二、洋坊、洋建、罗州、创才 9 个村小组划归麻地村民委员会管辖,将东坑、箭楼 2 个村小组划归富庶村民委员会管辖。

樟坪畲族乡:撤销黄思村民委员会,成建制划归双圳村民委员会管辖;撤销太源村民委员会,改设乡直辖村民小组;撤销西排村民委员会,原西排村民委员会行政区域并入樟坪乡西排林场。

东门街道:撤销雄石村民委员会,改设雄石社区居委会。

周坊镇:撤销横岭村民委员会,成建制划归裴源村民委员会管辖。

罗河镇:撤销周家村民委员会,与黄墩村民委员会合并。

余家乡:撤销余家村民委员会和口上村民委员会,两村与天禄村民委员会合并。

耳口乡:撤销昌甫村民委员会,与圳上村民委员会合并。

鸿塘镇:撤销横田村民委员会和港口村民委员会,设立横港村民委员会。

文坊镇:撤销斗楼村民委员会,成建制并入文坊村民委员会;撤销占源村民委员会,成建制并入沙龙村民委员会。

金屯镇:撤销黄梅村民委员会,与南坂村民委员会合并;撤销石岭村民委员会,与上马村民委员会合并。

2005 年 9 月

樟坪乡:撤销西排林场,成建制恢复西排村民委员会;撤销樟坪畲族乡直辖太源村民小组,成建制恢复太源村民委员会;调整双圳村民委员会行政区划,成建制恢复黄思村民委员会。

鸿塘镇:撤销横港村民委员会,恢复横田村民委员会和港口村民委员会。

周坊镇:调整裴源村民委员会行政区划,成建制恢复横岭村民委员会。

文坊镇:调整文坊村民委员会行政区划,恢复斗楼村民委员会;调整沙龙村民委员会行政区划,恢复占源村民委员会。

金屯镇:调整南坂村民委员会行政区划,恢复黄梅村民委员会;调整上马村民委员会行政区划,恢复石岭村民委员会。

耳口乡:调整圳上村民委员会行政区划,恢复昌甫村民委员会。

罗河镇:调整黄墩村民委员会行政区划,恢复周家村民委员会。

余家乡:调整天禄村民委员会行政区划,恢复口上村民委员会和余家村民委员会。

冷水镇:调整富庶、麻地村民委员会行政区划,恢复冷水村民委员会。

第二节 撤县设市

1993 年 4 月,中共贵溪县委、县人民政府为进一步促进贵溪改革开放和经济社会发展,根据国务院国发〔1993〕38 号文件有关撤县设市的要求,认为贵溪县撤县设市的条件基本具备,决定由县委副书记陈厚西和县政府常务副县长彭中华负责撤县设市的领导工作,从县委办公室、县政府办公室、县委政研室和县民政局抽调人员组成贵溪县撤县设市办公室,开始收集整理有关数据,具体处理相关工作。

8 月下旬,经过反复修改的撤县设市请示报告和 10 份单行材料正式报送鹰潭市人民政府审核待批。12 月 29 日,鹰潭市人民政府市长倪贤伍签发《关于贵溪县撤县设市的请示》鹰府字〔1993〕149 号文件。12 月 30 日,县撤县设市办公室突击修改核实相关材料,打印成册。12 月 31 日,将鹰潭市人民政府的请示报告和 10 个单行材料共 60 份,上报省人民政府。

1993 年,贵溪县统计年报口径相关数据是:所辖 10 个镇 16 个乡,总人口 52.48 万人,人口密度为每平方千米211人，总人口中非农业人口为14.31万人，占总人口的27.3%。全县工农业产值24.35亿元，其中乡镇以上工业产值20.32亿元，占全县工农业总产值的83.5%；国内生产总值3.19亿元，其中第三产业1.66亿元，占国内生产总值的20.3%；地方本级预算内财政收入8636.26万元，人均164.57元，上解3946.8万元。

1995年2月，民政部将贵溪县和南康县撤县设市材料一并报国务院，但由于仍受撤县设市指标的限制，贵溪县未获批准。

县委、县政府并未因此气馁，而是进一步加大改革开放力度，加快经济发展步伐，为最终申报撤县设市成功创造更加成熟的条件。与1992年相比，至1995年，国民生产总值由7.15亿元提高到19.2亿元，增长168.5%；地方财政收入由6668万元提高到14728万元，增长120.9%；加大城市基础设施投入，城市建设步伐加快；加大宣传力度，扩大贵溪知名度，摄制电视专题片《新兴的铜城——贵溪》，编印《新贵溪》画册，由江西百花洲文艺出版社出版《贵溪》一书等。通过多种形式反映贵溪政治、经济、社会、文化的巨大变化，从而使上级部门和各界人士加深对贵溪的印象。

3年间，县委、县政府为撤县设市取得成功，先后7次派员去北京，3次上庐山，多次往返南昌、鹰潭开展批复申报工作。

1996年5月28日，经国务院批准，民政部以民行批〔1996〕34号文正式批准撤销贵溪县设立贵溪市（县级），以原贵溪县的行政区域为贵溪市的行政区域。

设市之前，贵溪县人民政府驻地雄石镇，辖12个居民委员会，3个村民委员会，总人口10.5万人，其中从事非农业产业的人口10.08万人。城区总体规划面积34平方千米，已建成14平方千米。城区道路铺设率达90%，自来水普及率达85%，有较好的排水系统，商业、文化、教育、卫生、通信、供电等社会事业较为发达。设市后，2001年11月撤销雄石镇建制，相应成立雄石、东门、花园街道。市委、市政府立足发展，放眼未来，及时调整城市总体规划，拉大城市框架，贵溪市发展蓝图逐渐显现。

第三节　县界勘定

1996年6月，成立贵溪县勘界工作领导小组，下设办公室。10月上旬，正式开展县行政区域勘界工作。在整个工作过程中，凡遇到有争议的问题，均本着实事求是、顾全大局、平等协商、互谅互让和有利于行政管理的原则妥善处理。与贵溪市相毗邻的县（区）有余江县、万年县、月湖区、弋阳县、铅山县、资溪县、金溪县和福建省光泽县，全市界勘工作到2000年全面结束。1999年，贵溪市获"全省勘界工作先进单位"称号。

贵溪市—余江县南线　边界线走向为余家乡天禄村委会马步前村小组，南至龙虎山镇舒家村委会源里林场，全长10千米。边界线贵溪市段涉及2个乡镇（余家乡、龙虎山镇），线上共埋设两面界桩1个。

贵溪市—万年县　边界线走向为周坊镇古港大禾源分场双源林点，至周坊镇三丫村委会禾山源村小组，全长11千米。边界线贵溪市段涉1个镇（周坊镇），线上共埋设两面界桩1个。

贵溪市—余江县北线　边界线走向为周坊镇河上村委会包家村小组，至鸿塘镇港口村委会二园村小组，全长50千米。边界线贵溪市段涉及2个乡镇（周坊镇、鸿塘镇），线上共埋设两面界桩2个。

贵溪市—月湖区　边界线走向为鸿塘镇港口村委会港口村小组，至余家乡余家村委会看田坂张家村小组，全长41千米。边界线贵溪市段涉及3个镇2个乡（鸿塘镇、志光镇、罗河镇、滨江乡、余家乡），线上共埋设两面界桩2个。

贵溪市—铅山县　边界线走向为樟坪乡双圳村委会山头阳村小组，至文坊镇东际村委会上坪山村小组，全长14千米。边界线贵溪市段涉及2个乡镇（樟坪畲族乡、文坊镇），线上共埋设两面界桩1个。

贵溪市—资溪县　边界线走向为耳口乡梅潭村委会姚家岭村小组，至冷水镇桂港工区白果树毛坪，全长40千米。边界线贵溪市段涉及2个乡镇（冷水镇、耳口乡），线上共埋设两面界桩1个。

贵溪市—金溪县　边界线走向为龙虎山镇舒家村委会陈家村小组，全长32千米。边界线贵溪市段涉及3个乡镇(耳口乡、上清镇、龙虎山镇),线上共埋设两面界桩2个。

贵溪市—弋阳县 边界线走向为三县岭林场李家门上,至文坊镇无岭分场桃树坞,全长180千米。边界线贵溪市段涉及7个乡镇和1个办事处(白田乡、滨江乡、周坊镇、河潭镇、金屯镇、流口镇、文坊镇、花园办事处),线上共埋设两面界桩1个。

贵溪市—福建省光泽县 边界线走向为冷水镇桂港工区老关,至樟坪乡双圳村委会祝家庄村小组,全长24千米,线上共埋设两面界桩2个。边界线贵溪市段涉及2个乡镇(樟坪畲族乡、冷水镇)。

第二章 自然环境

第一节 地质地貌

地质

在远古时代,贵溪县经历多次地壳运动。在地质第四代的中生代早期即三迭系时期发生的印支运动,海水渐退,境内大部上升为陆地,结束海漫历史。至侏罗系,即距今0.7亿—1.9亿年间爆发的燕山运动,贵溪南北两端上升为山脉,中部下降为盆地,完成境内地质构造的基本形式。到地质第五代新生代第四系,山脉、河流已逐渐呈现代地貌的轮廓。

贵溪境内除古生代奥陶、志留、泥盆各系和新生代第三系缺失外,其余各地质年代的地层均可见及。分布面积为1911.5平方千米,约占总面积的76.8%。其中以白垩系地层出露最广,出露面积为661.1平方千米。

境内曾有频繁的岩浆活动,故侵入岩分布较广,尤以南部为多,出露面积达5平方千米以上的侵入岩有7处,总面积达539.4平方千米,约占总面积的21.7%。

依据岩土体的岩性,结构构造和物理力学性质,贵溪境内岩土体类型可划分为六大类,即岩浆岩类、变质岩类、碳酸盐岩类、一般碎屑岩类、红色碎屑岩类和松散岩类。

贵溪市处于九岭东西向隆起带南缘与武夷山新华夏系隆起带交汇部位,不同类型的构造形迹纷繁密布、纵横交错。构造形迹主要有褶皱和断裂。依据境内构造形迹的发育方向、展布形式及相互关系,将区内构造划分为东西向构造、北东向构造、北北东向构造、南北向构造。

东西向构造主要有:河潭向斜、塔桥向斜、沙龙向斜、泗沥背斜和泗沥赤石断裂、塘湾上祝断裂。

北东向构造主要有:罗湾断裂、金源断裂、后源断裂、赛前断裂、荆树断裂。

北北东向构造主要有:左坝断裂、细叶断裂。

南北向构造主要有:李源向斜和西源断裂。

地貌

贵溪市在地貌形态上属中低山丘陵地区。地貌类型以山地、丘陵为主,其次为岗地和小平原。另有景观奇特的丹霞地貌类型。

2005年5月25日,信江南岸象山森林公园被省批准为省级地质公园。2007年11月11日,成功申报龙虎山世界地质公园象山园区。

贵溪市境内的地质、地貌,前志(1996年版《贵溪县志》)已有详载,本篇除记述需要外,不再赘述。

贵溪市境内地层结构一览

表1-2

地质年代			地层名称	代号	厚度（米）	面积（平方千米）	分布位置	岩性描述
代	系	统						
新生代	第四系	全新统		Q_4	7~13.50	310.1	分布于河溪沟谷内	上部灰褐色亚粘土、亚砂土;中部灰色中—细粒沙,下部砂卵石
新生代	第四系	更新统 上		Q_3	13.0	7.1	鸿塘镇塘湾一带	上部褐红—灰白色亚黏土,中部粉—中粒砂,下部砂卵石
新生代	第四系	更新统 中		Q_2	25.3	25.3	鸿塘镇毫岭一带	上部棕红色网纹状亚黏土,下部卵石,泥砂质铁质充填胶结
新生代	第三系							
中生代	白垩系	上统	圭峰组	k_2g	3818.11	465.3	中部	上部砖红色厚—巨厚层状含钙细砂岩夹粉砂岩,含砾粗砂岩。下部砂砾岩夹中厚层状砂岩粉砂岩
中生代	白垩系	上统	罗塘组	k_2l	2592	158.3	北东部、中部	上部紫红色含钙粉砂岩夹砂砾岩,下部紫红色砂砾岩夹砂岩
中生代	白垩系	下统	石溪组	k_1s	178	37.5	在北东部、中部有个小面积分布	紫色粉砂岩、泥岩夹流纹质及粗安质熔结凝灰岩,底部砾岩、砂砾岩、砂岩
中生代	侏罗系	上统	兜岭群 鹅湖岭组	J_3e	310	352.4	盛源双岭,泗沥赤厂、上清、龙虎山、塘湾金源,余家新屋	流纹质熔岩凝灰岩、安山岩、流纹岩、角砾凝灰岩夹钙质粉砂岩、泥岩
中生代	侏罗系	上统	兜岭群 打鼓顶组	J_3d	419.97			
中生代	侏罗系	下统	林山组	J_1l	2151	38.1	硬石岭、塔桥、白田	灰白色长石石英砂岩、砂砾岩、浅灰色泥质粉砂岩夹炭质页岩及煤层
中生代	三迭系	上统	安源组	T_3a	50		耳口龚源和喻家垅	砂砾岩、砂岩、粉砂岩、泥岩夹煤层
古生代	二迭系	下统	茅口组	P_1m	75	0.3	仅在西北角塔桥一带有小面积分布	灰色厚层状灰岩夹炭质页岩,泥质灰岩夹粉砂岩
古生代	石炭系	上统	船山组	C_3c	187	1.7	仅在南东部金屯镇石岭村一带有分布	灰白色厚层灰岩,下部灰岩与白云岩互层
古生代	石炭系	中统	黄龙组	C_2h	143	3.2	仅在周坊镇胡家村以南及白田乡北山村有分布	灰白色厚层状白云岩、灰岩
古生代	石炭系	下统	梓山组	C_1z	130	8.1	主要分布在北西角塔桥,在南东部也有零星分布	灰白色厚层石英砾岩,云母石英砂岩,紫红色砂岩夹炭质页岩及煤
古生代	寒武系	下统	荷塘组	ε_1h	12~600	99.5	金屯镇富畈上马石	含磷硅质板岩、炭质页岩,局部含磷及重晶石
元古代	震旦系	上统	洪山群	Z_1h	804	57.1	金屯镇上马石、高公	炭质板岩、片岩、石英岩、底部为冰碛砾岩
元古代	震旦系	中统	周谭群	Z_{1+1}	5782	194.6	上清—塘湾、文坊西南	上部为片岩,下部基性熔岩、片岩、流纹岩、沉凝灰岩
元古代	前震旦系		双桥山群	Ptsh	>13972	162.9	塔桥至白田一线以北	上部灰白色薄层状粉—细屑沉凝灰岩,千枚岩,中部灰绿色薄层状千枚岩,变余细屑沉凝灰质千枚岩,下部灰绿色变余沉凝灰岩,千枚岩

贵溪市境内岩浆岩活动顺序一览

表 1 - 3

岩浆旋回		代号	主要岩性	出露地点	面积(平方千米)	出露特征
旋回	期					
燕山	晚期	Y53	细粒斑状黑云母花岗岩	南部有零星分布	5.9	呈岩株产出
燕山	早期	Y52	中粒黑云母花岗岩	耳口乡、樟坪乡一带	287.7	呈岩基产出
加里东	晚期	Y33	中细粒黑云母花岗岩	文坊镇到塘湾镇一带	245.8	呈岩基或岩株产出

贵溪市境内岩土体类型一览

表 1 - 4

岩土类型	分布位置	面积(平方千米)	地质代号	岩　性	岩土体物理力学性质
岩浆岩类(Y)	文坊镇、樟坪乡、耳口乡及周坊镇一带	539.3	Y_5^3	细粒斑状黑云母花岗岩	岩石结构大都为全晶质,粒状结构,块状构造。新鲜岩石坚硬,饱和抗压强度大于100MPa,软化系统:0.6 - 1.0
			Y_5^2	中粒黑云母花岗岩	
			Y_3^3	中细粒黑云母花岗岩	
变质岩类(B)	北部、文坊镇北部及上清镇一带	504.1	$\in_1h$	含磷硅质板岩,炭质页岩	岩石力学强度具各向异性,垂直和平行层里(或片理,片麻理)方向差异明显,饱和抗压强度3~50MPa,软化系统:021 - 086
			Z	片岩、板岩、流纹岩、沉凝灰岩	
			Ptsh	千枚岩、凝灰质千枚岩、千枚状沉凝灰岩、变余沉凝灰岩、杂砂岩	
碳酸盐岩类(C)	塔桥、周坊镇胡家村、白田乡北山村等地零星出露	5.2	P_1m	灰岩夹炭质页岩,泥质灰岩夹粉砂岩	岩石致密紧硬,抗风化能力强,力学强度大,饱和抗压强度为50MPa左右,软化系数:0.75~1.00。岩溶发育中等,溶洞多为充填—半充填型
			C_2c	灰岩、白去岩	
			C_2h	白云岩、灰岩	
一般碎屑岩类(S)	南部、中部及北部大吉山一带	398.6	J_3^d	流纹质熔结凝灰岩,安山岩、流纹岩	岩性组合比较复杂,岩体不均一性显著,新鲜岩石较坚硬,抗风化能力强,软弱地层如泥岩、煤层与坚硬地层的力学性能差异大,湿水后,抗压强度明显降低。饱和抗压强度:60~100MPa,软化系数:0.5 - 0.95
			J_1l	长石石英砂岩、砂砾岩	
			C_{1z}	砂岩、砂砾岩	
红色碎屑岩类(H)	中部	661.1	K_2g	含钙细砂岩夹粉砂岩、含砾粗砾岩、砂砾岩	岩石抗风化能力和力学强度均较低,结构较松散。饱和抗压强度:3 - 30MPa,软化系统:0.43 - 0.58
			K_1l	含钙粉砂岩夹砂砾岩、砂砾岩夹砂岩	
			K_1s	紫色粉砂岩、砾岩、砂砾岩、砂岩	
松散岩类(Q)	河溪沟谷内	342.5	Q_4^{al} Q_3^{al} Q_2^{al}	亚黏土、亚砂土、砂、砂砾石	层厚5 - 20m。亚黏土、亚砂土的力学性质指标:c:0 - 8.2KPa、Q:2 - 32,a1 - 2:0.5 - 8.0KPa - 1

第二节 气 候

贵溪市地属亚热带温湿气候区,气温偏高,光照充足,雨量充沛,无霜期长。境内地形复杂,地域性气候差异较大。总体划分以3月中下旬日平均气温稳定通过10℃之日至5月下旬为春季,约70天;自5月下旬日平均气温稳定通过22℃之日至9月下旬为夏季,约120天;自9月下旬日平均气温稳定低于22℃之日至11月下旬为秋季,约60天;自11月下旬日平均气温稳定低于10℃之日到第二年的3月中下旬为冬季,约110天。

贵溪市气候特点,可概括为:春季温和,阴雨连绵;夏季炎热,汛旱分明;秋季温凉,降水稀少;冬季较长,初雪偏早。

气温

全市年平均气温14.4℃—18.9℃,观测站年平均气温18.4℃,以2007年的19.7℃最高,以1976年、1984年的17.6℃最低,年际变化2.1℃。一年中最热月为7月,平均气温30.1℃,其中以2003年32.6℃为最高;最冷月1月平均气温为6.2℃,其中以1977年2.2℃为最低。历年极端最高气温出现于2003年8月11日,为41.1℃;历年极端最低气温出现于1991年12月29日,为-9.3℃。

境内气温差异显著,在水平差异上,从信江河谷内分别向南、向北递降。故中部气温高于南、北两端,而北部又高于南部。硬石岭、鸿塘、志光、金沙、泗沥、河潭、余家、罗河、雷溪、金屯、彭湾部分地区年平均气温≥18.0℃;北乡的周坊、白田以北、古港石壁源以南介于17℃—18℃之间,石壁源以北<17℃;南乡在彭湾、塘湾、金屯以南包括耳口、冷水、双圳、西窑、樟坪、文坊年平均气温<18.0℃。在垂直差异上,平原高于山地,海拔高度每增加100米,气温平均降低0.5℃。地势最高的西窑和双圳等地气温最低,其代表为西窑的仙人石和双圳的上山,年平均气温仅为14.4℃。

地温

年平均地面温度20.4℃,其中最热月7月33.8℃、最冷月1月7.2℃。地面极端最高温度出现于1964年7月21日,为71.4℃;地面极端最低温度出现于1991年12月29日,为-11.9℃。

1991~2008年贵溪市各月气温、地温平均值情况一览

表1-5　　单位:℃

项　目	1月	2月	3月	4月	5月	6月	7月	8月	9月	10月	11月	12月	全年
气温	6.2	8.0	12.1	18.1	22.7	26.2	30.1	29.3	25.6	20.1	14.2	8.5	18.4
地面温度	7.2	9.0	13.1	19.0	24.2	27.9	33.8	33.4	28.8	22.6	15.6	9.5	20.4
5厘米地温	7.6	9.0	12.6	18.4	23.5	26.9	31.9	31.7	27.7	22.2	15.7	9.9	19.8
10厘米地温	8.1	9.2	12.7	18.2	23.2	26.7	31.5	31.5	27.8	22.4	16.2	10.5	19.8
15厘米地温	8.5	9.5	12.7	18.0	23.0	26.4	31.2	31.3	27.8	22.7	16.7	11.0	19.9
20厘米地温	8.8	9.6	12.7	17.9	22.8	26.2	30.8	31.1	27.8	22.9	17.0	11.4	19.9

降水

降水量　贵溪市地处赣东北多雨区边缘,全市年平均降水量为1600~2100毫米。测站年平均降水量1861.5毫米。降水年际变化大,最大值出现在1998年,达2761.2毫米,最小值出现在1971年,仅为1056.8毫米。降水季节分布不均,1—3月降水占年总降水的21.6%,4—6月降水占年总降水的47.8%,7—9月降水占年总降水的20.4%,10—12月降水占年总降水的10.2%。全市降水地域也分配不均,呈现出南部多于北部,东边多于西边,山区多于丘陵的一般规律。境内年降雨量最多的为南部冷水乡的桂港,达2114毫米;年降雨量最少的为北乡的硬石岭水库,只有1671毫米。

降水强度　年均降雨强度11.6毫米/日。各次降水实际差异大,24小时最大降水为256.4毫米,出现在1998年6月12日;1小时最大降水68.7毫米,出现在2000年8月16日;10分钟最大降水27.1毫米,出现在2006年5月9日。

降水日数 测站年平均降水日数161天(日降水量≥0.1毫米),其中以1953年和1970年为最多,达193天;以1971年雨日126天为最少。最长连续雨日为20天,分别出现于1981年3月27日至4月15日和1992年3月12日至31日。最长连续无降水日数为46天,出现于1979年9月27日至11月11日。

1991~2008年贵溪市各月降水量及雨日一览

表1-6 单位:毫米

项　目	1月	2月	3月	4月	5月	6月	7月	8月	9月	10月	11月	12月	全年
降水量	85.7	121.5	194.0	255.0	286.3	349.1	160.6	130.3	88.5	59.2	73.5	57.8	1861.5
雨日	13.6	15.1	18.8	18.3	18.1	16.8	10.4	12.1	9.6	9.0	9.0	10.1	160.9

蒸发

1954—1997年(采用小型蒸发)年平均蒸发量1549.4毫米,蒸发量最大的1971年为1935.6毫米,最小的1997年为1216.2毫米。1998—2008年(采用E601型蒸发)年平均蒸发量912.2毫米,蒸发量最大的2003年为1012.2毫米,最小的1999年为818.2毫米。蒸发量季节变化明显,一年中以7、8月份最大,1、2月份最小,第一季度占年总蒸发的12%,第二季度占年总蒸发的25%—27%,第三季度占年总蒸发42%,第四季度占年总蒸发的18%—21%。

相对湿度

贵溪市地处多雨区,相对湿度的年平均值达76%。年际变化幅度不大,最大值为80%,出现在1953年、1970年和1975年;最小值为70%,出现在2004年。一年中最大月与最小月变化差异为9%,最大3月为80%,最小7月为71%。

日照

贵溪市年平均日照时数为1808.8小时,日照百分率为41%。各月之间日照时数变化较大,其中7月最长,为255.3小时;2月最短,为83.7小时。平均年太阳辐射总量为111.777千卡/平方厘米。其中6—8月由于云量少,大气透明度高,日照时数长,因而是全年光能收入最多的时期;尤其是7月,平均日辐射量大于500卡/平方厘米,而1月平均日辐射量则小于200卡/平方厘米,是全年最小的月份。

1991~2008年贵溪市各月日照时数一览

表1-7 单位:小时

项目	1月	2月	3月	4月	5月	6月	7月	8月	9月	10月	11月	12月	全年
日照时数	98.9	83.7	91.2	115.8	138.1	154.8	255.3	236.5	191.1	167.5	143.1	132.9	1808.8

气压

贵溪市历年年平均本站气压为1009.5百帕,冬高夏低,全年最高为12月1019.6百帕,全年最低为7月998.5百帕。气压的月际变化,冬、夏季风控制期间变化小,春、秋过渡期间变化大。单位小时:1—2月气压仅降0.2百帕,7—8月气压仅升1.0百帕;而8—9月和9—10月上升5.9和6.9百帕,3—4月和4—5月则骤降4.8和4.2百帕。1954—2008年间,月平均气压最高值为1955年1月10025.6百帕;月最低值为1972年7月995.7百帕。

气压的昼夜变化曲线呈双峰型,两个高峰分别显现在10时和22—23时左右,2个低谷分别显现在4时和16—17时左右。当有较强的天气系统过境之时,这种日变化规律就被破坏。

风

受地形影响，贵溪市常年风向以东风和东北风为主导风向，占所有风向总和的41%，其次是偏西风，占12%。境内南北环山，对风速产生减缓作用，常年平均风速为1.9米/秒。风速季节变化不大，为1.6~2.1米/秒，以12月份1.6米/秒为最小。近年来城市中年均风速有逐年变小趋势，1991—2008年的平均风速比1955—1990年减小29%。

霜

贵溪市霜期短而无霜期长，平均无霜期271天，最长无霜期以1965年2月16日至1966年12月29日，达317天，最短无霜期出现于1953年3月23日至1953年11月17日，为240天。初霜平均日期为11月30日，终霜平均日期为3月1日。其中，最早初霜日是1978年10月29日，最晚降霜日是2007年1月7日。在霜期内，年平均霜日22.5天，最多的霜日为43天，最少的霜日只有11天。

雪

贵溪市地理位置比较独特，属于赣北高温地区，尤其是冬季气温较同纬度地区偏高，固体降水多以湿雪为主，年平均降雪日7.2天，其中年最多降雪日为1984年21天，最少的是全年不见雪。最早初雪日为1970年11月15日，最晚终雪日为1962年4月4日。历年平均积雪日3.0天，积雪最早为12月6日(1982年)，最晚结束于3月13日(2005年和2006年)。最大积雪深度是1984年1月21日，达18厘米。

雾

贵溪市雾日数年均11.7天。雾的季节变化有两个高峰期，最高出现在冬季的12—2月，约占全年总雾日的45%；次高出现在春季3—5月，约占全年总雾日的31%。雾的年际变化较大，最多雾日高达24天，最少的只有6天。贵溪多辐射雾，一般在5—7时形成，7—9时消散。

雷暴

贵溪市雷暴日数年均62.3天，其中最多的1963年达92天；最少的只有38天，分别出现在2000年和2005年。雷暴全年各月均有可能出现，主要发生在春夏到初秋季节的3—9月，7、8月雷暴最多，累年平均分别为12.2天和13.1天。11月至次年1月，累年平均都不到1天。全年平均雷暴期为238.6天，最长310天，出现在1980年；最短184天，出现在1986年。

温度变化　1991年至2008年，年平均气温持续偏高，以冬春季变暖最为显著。近18年全市年平均气温18.9℃，较1953年至1990年18.2℃偏高0.7℃，其中2007年平均气温为历年最高(19.7℃)。从四季温度年际变化来看，春季(3—5月)、夏季(6—8月)、秋季(9—11月)和冬季(12—2月)温度均有升高趋势，以冬春季变暖趋势最为明显。而夏季升温趋势最不明显。

雨量变化　1991年至2008年平均降雨量为1934.3毫米。较1953—1990年平均降雨量偏多6%。近18年中，年雨量的变化趋势明显，呈现一个时期雨水偏多，一个时期雨水偏少的变化特征。1992—2000年(1996年除外)为雨水为偏多的时期，2001—2008年(2006年除外)雨水偏少，其中1998年降水量为2761.2毫米，达历史最大值。

第三节　气象灾害

暴雨

据贵溪市测站降水资料统计：从1991年到2008年，出现暴雨130次，平均年暴雨日7.2天。其中：大暴雨26次，年平均1.4天；特大暴雨6次，年平均0.3天。年暴雨日≥10天的年份有1994、1995、1997、1998、1999年，共5年。一年中暴雨多出现于4-7月，18年共94次，占年总暴雨日的72%。在历年的强降水过程中，以2000年6月8日，日降水241毫米为最大。一次连续最大降水过程(又称汛集中期)是1998年6月12日至26日，总降水量945.3毫米。

1992年7月4—5日，贵溪县出现大暴雨过程，境内信江河水位猛涨，山洪暴发。全县26个乡镇、1450个村民小组受灾，受灾人口23.2万，死亡18人。被浸村庄472个，紧急转移3.37万人，损坏房屋

7500 间,倒塌 5150 间,农作物受灾面积 17900 余公顷。死亡牲畜 11200 头、家禽 40 万只,停工企业 160 个,铁路中断两条,航运、全县公路中断,冲毁公路 350 千米,桥梁涵洞 78 座,堤坝 21 千米,提防缺口 27 处,损坏护岸 159 处,水闸 67 座,冲毁塘坝 260 座,损坏电站 5 座,此次暴雨过程造成贵溪县直接经济损失 11400 万元。

1993 年 6 月 17—24 日贵溪县普降暴雨,共造成早稻绝收 6467 公顷,死亡 2 人,淹没农舍 1000 余栋。全县交通中断 2 天,直接经济损失 3154 万元。

1995 年 6 月 22—27 日连降暴雨。6 月 27 日 17 时,贵溪县信江水位达到 37.95 米,超警戒水位 4.95 米。全县有 195 个村委会受灾,受灾人口 32.7 万人,损坏房屋 4805 间,倒塌房屋 2430 间,农作物受灾面积 28330 公顷,死亡牲畜 0.65 万头、家禽 8.7 万只,淡水养殖损失 1200 公顷,冲毁公路桥涵 70 座,毁坏公路路基 130 千米,供电中断 12 条/72 小时,损坏通信线路 56 杆,造成直接经济损失 12812 万元。

1997 年 7 月 3—13 日受暴雨影响,贵溪市北部乡镇及部分南部乡镇受灾,共计损坏房屋 45 间,农作物受灾面积 8020 公顷,农作物绝收面积 1031 公顷,粮食减产 35850 吨,停产企业 5 个,公路中断 2 条,损坏水库 25 座,共造成直接经济损失 7292 万元。

1998 年 6 月 12—26 日,贵溪市出现连续 15 天的降水集中期,其中 13—15 日连续三天暴雨,全市江河水位猛涨,出现贵溪自新中国成立以来的特大洪水,信江水位达 38.38 米,超警戒水位 5.38 米。全市 31 个乡镇场共 1596 个村全部受灾,受灾人口 45.86 万人,被洪水围困 7.89 万人,紧急转移人口 4.32 万人,损坏房屋 74600 间,计 181 万平方米,农作物受灾面积 38210 公顷,成灾面积 28130 公顷,绝收面积 11213 公顷,粮食减产 83816 吨,造成停产企业 81 个,铁路中断 12 小时,公路中断 2～15 天,损坏通信线路 121 千米,全市损坏小(二)型以上水库 117 座,损坏堤坝 63 千米,此次洪水共造成直接经济损失 95400 万元。

2000 年 6 月 6—12 日,受高空低槽、中低层切变影响,贵溪市出现连续暴雨过程,其中 8 日降水量达 241 毫米。全市 24 个乡镇、1000 多个自然村受灾,受灾人口 33.9 万。农作物受灾面积 8960 公顷,成灾面积 6600 公顷。洪水造成 66 个工矿企业停产,公路中断 4 条,损坏输电线路 2.6 千米,通信线路 12 千米,此次暴雨过程造成直接经济损失 11200 万元。

2005 年 6 月 18 日,受高空低槽、中层切变影响,贵溪市出现一次大暴雨天气过程。这次暴雨天气共有 27 个乡镇灾受灾,受灾人口 6.7 万人。倒塌房屋 34 间。其中农作物受灾面积 4600 公顷,农作物成灾面积 2300 公顷,农作物绝收面积 160 公顷。损坏护岸 186 处,损坏水闸 18 座,冲毁塘坝 6 座,损坏灌溉设施 46 处。公路中断 1 条,毁坏路基 16 千米,损坏通信线路 2.1 千米。共造成直接经济损失 5580 万元。

2006 年 5 月 25—26 日受高空低槽、中层切变以及地面气旋波影响,贵溪市出现一次大暴雨天气过程。据初步统计,此次大暴雨天气造成 12000 公顷作物受灾,成灾面积 8500 公顷,绝收面积 3400 公顷,造成直接经济损失 6700 万元,其中农业经济损失 2100 万元。6 月 3—7 日,受中低层切变影响,贵溪市普降暴雨,全市 21 个乡镇受灾,受灾人口 9.5 万人,农作物受灾面积 9500 公顷,农作物成灾面积 5300 公顷,绝收面积 3700 公顷,死亡牲畜 26 头,水产养殖损失 0.13 万吨。停工企业 10 个,公路中断 12 条,毁坏路基 7 千米,损坏输电线路 1.6 千米,通信线路 0.9 千米。损坏水库 10 座,损坏堤防 12 处,2.2 千米,损坏护岸 105 处,损坏水闸 23 座,冲毁塘坝 20 座,损坏灌溉设施 56 处,损坏水电站 4 座。共造成直接经济损失 12020 万元,其中农业直接经济损失 5900 万元。6 月 13—14 日,受中低层切变影响,全市普通降暴雨,21 个乡镇受灾,受灾人口 7.95 万人。其中,农作物受灾面积 4100 公顷,农作物成灾面积 3100 公顷,绝收面积 2500 公顷,水产养殖损失 0.08 万吨。停工企业 10 个,公路中断 3 条,毁坏路基 1.2 千米,损坏输电线路 0.3 千米,通信线路 0.2 千米。损坏水库 8 座,损坏堤防 4 处计 9000 米,损坏护岸 34 处,损坏水闸 11 座,冲毁塘坝 19 座,损坏灌溉设施 16 处,损坏水电站 3 座。共造成直接经济损失 4700 万元,其中农业直接经济损失 2300 万元。

洪涝

导致洪涝的主要原因是强降水(暴雨)过程和江河上游的强降水过程,其中又以连续性的强降水过程造成的江河泛滥危害极大。从1991年到2008年间,其中7年贵溪市发生洪涝灾害,1993、1995、1998、2006为特大洪水年;1994、1999、2000为大水年。其中1998年6月12日至26日出现连续15天的降水集中期,总共降水945.3毫米,尤以13—15日连续三天暴雨共降水513毫米为最,全市江河水位猛涨,出现全市自新中国成立以来的特大洪水。

洪涝分春、夏、秋三类,春涝是由于春季长时阴雨加上汛前或初汛暴雨频繁所致。1991以来出现春涝的年份有1992年。春涝是全市农业生产的大敌,沿信江河谷一带深受其害。1991以来较为严重的夏涝有7年。秋涝出现的机率不多,它主要是长江中、上游雨季降水较大,长江水位高于鄱阳湖,出现倒灌现象。

干旱

每年雨季结束后的第一天至10月10日止,持续20天过程降水量<20.0毫米,就算干旱。1991—2008年,贵溪市有14年出现不同程度的干旱,占78%,其中干旱较为严重的年份有1991、1996、1998、2003共4年,以2003年最重。

2003年8月1日,受连续高温干旱影响,农作物受灾面积15680公顷,减收6成以上的5800公顷,因灾不能栽插的3370公顷,粮食减产78143400千克。

2006年8月31日,受长时间晴热高温天气的影响。各乡镇都受到不同程度的旱情,以周坊镇、枫林湾灌区泗沥镇、滨江乡受灾最为严重。农作物受旱面积5.2千公顷,其中干枯1.6千公顷。因旱造成饮水困难3.1万人,牲畜饮水困难4.1万头。

2007年7月中旬以来,全市多晴热高温少雨天气,部分乡镇出现了轻度农业干旱。据统计,全市因干旱无法栽插面积为2533公顷。

大风、冰雹、雷电

贵溪市18年中大风年平均次数为1.4次,常出现于3—5月和7－8月间,最多时一年可达6天(1998年)。大风多伴随雷雨产生,自西北端的万年县、余江县入境,一路沿塔桥河、泗沥河北上;一路沿白塔河、罗塘河南下;一路则沿信江东进入弋阳。在地理分布上北部大风天数多于南部,且北部风力也大于南部。

1991年至2008年,年平均雹日为0.2天,根据贵溪市灾情调查统计,市境内每年均有冰雹出现。冰雹多在春夏之交强对流时产生,经过的路线有3条:其一自上清应天山经会家、鹰潭,沿信江而至弋阳;其二自画桥、万年,经鹰潭、罗河、雷溪、随须溪河向南直抵文坊、双圳;其三自余江、万年,经鸿塘、志光沿泗沥河北上,直抵白田、周坊。冰雹经过的路线每年不同,总趋势为自西向东。

1991年8月14日20时30分至21时,余家乡的坝上、畈上、孟青3村下冰雹,最大直径约5厘米。这次灾害共造成房屋损坏400栋,直接经济损失21304元。

1992年4月21日9时28—39分出现大风,最大风速20米/秒。这次灾害共造成全县倒塌房屋104间,损坏房屋3327间,受伤6人,直接经济损失50余万元。

1993年3月25日17时53分出现20米/秒的大风,其中盛源乡新溪村瞬时风速大于30米/秒,另外盛源乡、雷溪乡下冰雹,大如乒乓球,小如黄豆。全县受灾乡镇14个,82个行政村,15143户,计68144人,受灾特别严重的盛源乡新溪村,6个自然村145户被毁,死亡18人,重伤140余人,轻伤578人,死亡耕牛32头,生猪458头,倒塌房屋1434间,损坏房屋3734间,春熟作物被毁85180亩,损坏高压输变线路20850米,折断水泥电杆417根,造成直接经济损失4437.6万元。

1995年4月16日,文坊镇17时30分出现大风、冰雹,大至鸟蛋,小至黄豆,此次灾害对农作物造成一定的损失。另外,盛源、滨江有2个农民被雷电击毙。

1997年5月12日,周坊、古港、硬石岭、泗沥、志光、河潭等北部乡镇及部分南部乡镇遭受大风袭击。全县受灾人口12万人,成灾人口2万人,伤120余人,损坏房屋1万余间,倒塌房屋300余间,农作物受灾面积133.3公顷,绝收面积100公顷,死亡牲畜250头,断倒电力通信线路电杆160余根,受灾乡镇供电全部中断,部分通信线路中断,造成直接经济损失1200万元,农业直接经济损失900万元。

2001年4月28日16时至16时20分,周坊、古港等地出现一起大风、冰雹天气。此次灾害受灾人口12万人,成灾人口7.2万人,死亡1人,受伤9人,农作物受灾面积670公顷,倒塌房屋760间,直接经济损失6200万元。7月23日17时22—24分出现大风天气。此次灾害共造成倒塌房屋1600间,部分通信中断,造成直接经济损失450万元。

2002年4月5日19时47分和8日23时18分至26分,出现大风天气。两次大风共造成全市20个乡镇受灾,受灾人口12万人,成灾人口5万人,死亡1人,倒塌房屋1200余间,农作物受灾面积300公顷,成灾面积150公顷,造成直接经济损失1200万元,农业直接经济损失600万元。

2003年4月11—12日,11月17时48—49分出现冰雹,最大直径8毫米,12日14时44分出现大风。全市受灾人口9.5万人,成灾人口6.1万人,伤7人,损坏房屋12400间,倒塌房屋450余间,秧苗、水稻等农作物受灾面积4500公顷,成灾面积2950公顷,绝收面积1240公顷,果园经济林受灾面积1200公顷,成灾面积960公顷,造成直接经济损失5630万元,农业直接经济损失4120万元。

2004年7月25日,部分乡镇遭受强降水、冰雹、大风袭击。本次灾害共造成农作物受灾面积370公顷,绝收面积25公顷,损坏房屋875间,路边广告牌多处被毁。据统计,该次灾害性天气共造成直接经济损失约890多万元。

2005年5月1日、5月4日和5月17日,贵溪市境内遭受3次大风、冰雹袭击。全市因灾死亡2人,倒房3栋,计1660平方米,损坏房屋1300间。受灾25000人,直接经济损失达360万元。

2006年4月9—15日,出现一次强对流天气过程。全市受灾人口1563人,因遭雷击死亡1人,全市倒塌房屋15间,损坏房屋71间,共造成直接经济损失77万元。4月11日,受强西南暖湿气流和高空低槽的共同影响,部分地区遭受强风雹、暴雨天气袭击。4月12日测站降水量达115毫米,塔桥园艺场、周坊等地在11日23时遭受冰雹灾害,持续时间约7分钟,有330公顷果树受灾,直接损失约610万元。另外,受暴雨影响,彭湾发生山体滑坡,造成房间倒塌30平方米。5月9日15时12分,受高空低槽、中低层切变和地面气旋波影响,出现一次强对流天气过程,伴有大风、强雷电和短时强降水天气,最大风速22米/秒,1小时降水量达43毫米。此次大风降雨造成部分农房倒塌受损,蔬菜大棚吹倒,一些树木和通信电线杆被风吹断、刮倒。尤以鸿塘、周坊、滨江等乡镇受灾较为严重,贵溪市滨江乡大岩村11万伏华东电网高压线铁塔被大风拦腰折断,使浙赣铁路运行中断4个半小时。据统计,在这次灾害过程中,全市有11个乡镇不同程度地受灾,受灾人口20170人,死亡1人;倒塌房屋83间,损坏房屋1000余间。另外有2处塔吊倒塌,造成2人受伤。共造成直接经济损失420万元,其中农业直接经济损失390万元。

2007年6月24日下午,受高空低槽东移和中层切变影响,鸿塘镇出现强雷电天气。此次灾害造成鸿塘塘湾村委会5名徐姓村民受伤(3男2女)。7月11日10时左右,受高空低槽和中层切变影响,鸿塘镇出现强雷电天气。此次灾害造成一村民因雷击身亡(徐柳英、女、51岁,贵溪市鸿塘镇基塘村委会人)。7月14日14时和16时左右,受高空低槽东移和中层切变影响,河潭镇、罗河镇、鸿塘镇出现强雷电天气。此次灾害造成2死(吴建军、男、24岁,河潭镇河潭村委会;刘福大、男、48岁,贵溪市鸿塘镇郑家村会人)2伤(贵溪市罗河镇)。7月26日15时左右,受局地对流天气影响,塘湾镇出现强雷电天气,此次灾害造成一村民因雷击身亡,8月3日19时左右,受局地对流天气影响,雷溪乡出现强对流天气,并伴有强雷电,此次灾害造成一村民因雷击身亡,1人因雷击受伤。

高温酷暑

1991—2008年,年均高温(日最高气温大于等于35℃)有41.3天。7月有18.8天,8月12.8天,6、9月4.5天和4.1天。高温日数最多为2005年62天。年均酷暑日(日最高气温大于等于37℃)15.4天。最多年为2003年35天。历年极端最高气温出现于2003年8月11日,为41.1℃。

低温严寒

1991—2008年,贵溪市年均低温日(日最高气温小于等于0℃)数有6.7天,其中1月最多有3.7天。低温日数最多是2005年14天。年均严寒日(日最低气温小于等于-5℃)为0.1天,最多是1991年2天。历年极端最低气温出现于1991年12月29日,为-9.3℃。2008年1月12至31日,全市持续低温阴雨天气,造成特别严重的灾害,共造成直接损失233805.58万元,其中农业直接经济损失31980

万元。

冰冻、雨雪

1991年12月27、29日，贵溪县受强冷空气影响，出现雨雪、冰冻天气，最大积雪深度14厘米，电线积冰直径7毫米，最低气温达－9.3度，为新中国成立以来的最低值。此次强冷空气造成油菜10000公顷冻害30～40%，柑桔2000公顷有30—40%冻害严重，红花草20000公顷受影响，大小麦333公顷受中等程度的冻害，大雪压断竹木40万根，杉木苗损失50万株，按树苗150万株，幼林受损1000公顷，自来水表冻坏100余个，交通运输中断一天。

2008年1月12—31日，受冷空气扩散南下和高空小槽东移共同影响，贵溪市持续低温阴雨天气，造成较为严重的灾害。这次持续低温雨雪冰冻天气波及范围广，有28个乡、镇、街办受灾，受灾人口31.8万人，因灾伤病6人，农(林)作物受灾面积50627公顷，其中农作物绝收面积4800公顷，倒塌房间1305间，损坏房间6612间，因灾死亡牲畜838头。

附：

1992年特大洪灾

1992年7月4日，贵溪县信江支流罗塘河、泸溪河连日暴雨倾泻，酿成了百年未遇的山洪暴发，到7月5日晚11时，信江大南门水位高达37.68米，为解放后的第二大洪水。

7月4日上午10时，县委、县政府召开紧急电话会议，下达了各级领导进入抗洪岗位的命令。六套班子成员，当即冒雨奔赴各乡镇第一线指挥和组织抗洪抢险；各乡镇闻风而动，率领乡村干部迅速上库上堤；抢险应急民兵进入临战状况，集结待命；县直各单位领导带队值班，静候命令，做到人、车、船、物，要随叫随到。在洪水威胁群众生命财产之时，各级领导表现了高度的责任感，连续几个昼夜，顶风冒雨，泥里水里始终战斗在第一线。周坊镇党委主要领导在大禾源水库坐阵指挥抗洪抢险，组织群众疏散转移，安排群众生活，充分体现出党组织的战斗堡垒和共产党员的先锋模范作用。

这次特大洪水将双圳铜钱岭电站、梅溪附坝冲毁，罗塘河沿河防洪堤和水坝大部分冲坏，金屯汪邱圩堤决口300多米，雄石石泉圩决口100多米，毁坏农田100多亩。淹没农田8.5万亩，冲倒了民房数千间，并夺去18人的生命，直接经济损失达1.5亿元。

1998年特大洪灾

1998年6月11日至26日，贵溪市境内连降暴雨、特大暴雨，降雨量达1100毫米，几乎降了常年半年多的雨量。6月26日贵溪信江大南门水位高达38.38米，超警戒线水位5.38米，其降雨的特点是降雨强度大，持续时间长，为解放后的最大洪水。

洪灾面前，市委市政府在家所有领导、机关干部、群众都参加抗洪抢险，有条不紊。文坊、双圳等山区发生山体滑坡1万多处，没有死伤1个人，小(二)型以上水库也没有一处垮塌，但损失惨重。特别是水利工程损失大，鸿塘横田圩、潭头圩决口150米，滨江岭上圩决口200余米，冲坑深度达4米多；雄石花园圩决口80米，石泉圩决口50米，全市毁坏水坝100多座，损坏灌溉渡槽30多处，灌溉渠道垮塌2000多米，冲毁抽水机站20多处，淹没农田15万亩。据调查统计，这次特大洪灾全市直接经济损失高达22亿元。

第四节　地质灾害

灾害类型

贵溪市山区广阔，地质灾害隐患广泛分布于南北山区中，易发区面积占全市国土面积的64%。类型以滑坡、崩塌为主，泥石流次之。规模以中小型为主。其中周坊镇地质灾害点14个、白田乡7个、鸿塘镇11个、泗沥镇3个、雄石镇2个、雷溪乡1个、余家乡8个、塘湾镇29个、金屯镇26个、彭湾乡32个、文坊镇113个、冷水镇27个、樟坪乡23个、耳口乡24个,全市共计320个。至2008年底,共发现地质灾害危险点、隐患点320处,威胁着约2500人的生命和财产安全。

1984—1998年,塔桥岩溶盆地的岩溶塌陷,造成皖赣铁路塔桥段路基下沉而运行中断,硬石岭车站的仓库和部分民房开裂,大量农田因无水而无法耕种,造成1150万元的重大经济损失。1998年6月15日,文坊镇荆树村发生泥石流地质灾害,山林、农田被毁。同年6月20日,遇强降雨引发文坊镇西窑村里河山泥石流,10余万立方米泥石将村北夷为平地,人员及时撤离。

防治区

重点防治区　该区主要分布于市境内南部和北部乡镇,总面积1475.44平方千米,占全市总面积的64%。为地质灾害易发区和较易发区,地质灾害危害程度大。区内共有地质灾害隐患点303个,其中重要地质灾害隐患点28个。共分4个块段:①卢家—周坊—白田块段:主要分布于周坊、白田、鸿塘、泗沥等乡镇境内,面积297.43平方千米。该块段地质灾害易发地段主要集中于人工切坡处及沟口发育地段,防范工作重点为控制不合理人工切坡行为及避免沟口建房,并在条件允许的情况下对深山住户进行移民搬迁。在灰岩分布地段要控制地下水开采活动,避免人为造成岩溶塌陷的发生。②塔桥块段:主要分布于鸿塘镇和周坊镇,面积16.63平方千米。该块段岩溶塌陷易发地段主要集中于皖赣铁路、硬石岭车站、塔桥园艺场等地下水迳流活动较为强烈的地段,防范工作重点为严格控制地下水开采活动,避免人为加剧岩溶塌陷的发生。③罗河—雷溪块段:本块段主要分布于罗河镇及雷溪乡的岗丘区,面积8.04平方千米。本块段地质灾害易发地段主要集中在有矿业活动的开采区。防范工作重点为加强监督,严格按相关规程进行采矿活动,严禁在村庄下进行采矿,严禁采完矿后拆除支护设施。④余家—文坊—樟坪块段:主要分布于余家、彭湾、塘湾、文坊、金屯、樟坪、耳口、冷水等乡镇,面积937.79平方千米。本块段地质灾害易发地段主要集中于人工切坡处、工程建设及沟谷发育地段,防范工作重点为控制不合理人工切坡行为及避免沟口建房,并在条件允许的情况下对深山住户进行移民搬迁。在灰岩分布地段要控制地下水开采活动,避免人为造成岩溶塌陷的发生。矿山地下开采严格按照矿山安全生产的各项要求,避免地质灾害的发生。

次重点防治区　该区主要分布于贵溪市境内南部地区,总面积175.58平方千米,占全市总面积的2%。该区为地质灾害较易发区,人口分布相对较集中,地质灾害危害程度较大。区内有地质灾害隐患点4个,威胁着103人的生命和财产安全。分两个块段:①金源—流桥块段:该块段主要分布于余家乡的流桥、塘湾镇的金源等地的丘陵区,面积49.90平方千米。该块段地质灾害易发地段主要集中于人工切坡处、工程建设及沟谷发育地段,防范工作重点为控制不合理人工切坡行为。②高家场—茅坪块段:主要分布于冷水、文坊、樟坪等乡镇境内,面积128.68平方千米。该块段共有地质灾害隐患点3个,点密度为0.02个/平方千米,其中重点防治点2个,一般防治点1个。防治点的危害等级如下:较大级点1个,一般级点2个,主要对民宅、道路、耕地、林地造成威胁。

一般防治区　该区广泛分布于市境中部的丘陵和岗丘地区,面积834.6平方千米。占贵溪市总面积的34%。主要防治灾害种类为崩滑,含1个块段,即泗沥—滨江—雷溪块段,属崩滑流较易发和少发区。分布于市内中部的鸿塘、志光、泗沥、河潭、滨江、雄石、流口、罗河、雷溪、余家等乡镇一带。该块段共有地质灾害隐患点8个,点密度为0.01个/平方千米,其中次重点防治点5个,一般防治点3个,防治点的危害等级均为一般级,主要对民宅、道路、耕地、林地造成威胁;受威胁人口50人,潜在经济损失96.5万元。该块段地质灾害防范重点主要为控制不合理人工切坡行为。

防灾减灾

地质灾害预见性差、突发性强,极易造成人员伤亡和财产损失。提高防灾减灾能力,是保护人民生命财产安全的必然要求,也是人类社会共同面临的重大课题。要坚持监测除害结合、防灾减灾并重、治标治本兼顾、政府社会协同、全面提高对自然灾害的综合防范和抵御能力。

生物防治方案　部署于中低山丘陵植被破坏较严重及水土流失较严重地段。其主要任务是合理规划农、林、牧的发展,实行封山育林、植树种草、绿化环境,防止山地的水土流失,减少地质灾害的发生。

群测群防监测预报和工程治理方案　对存在地质灾害隐患的居民居住地和重要建设工程地带的各隐患点，进行监测预报和一般简易的工程治理，是全民自我防范的一项防灾减灾措施。

避让方案　部署于稳定性差、成灾概率高、危害程度严重且不易治理的地质灾害易发地段。对区域内居住的居民点、村庄按轻重缓急作分期分批避让，免除地质灾害对人民生命安全造成威胁和最大限度地减少经济财产的损失。2004 年，贵溪市政府投入 50 万元，对白田乡行马村冯家坞进行治理，对冷水林场洼港村进行整体搬迁，从而解除 51 户 202 人的生命财产安全的威胁。2007 年市政府又投入 907.4 万元，对文坊镇沙垅村凤形、里河山，塘湾镇高畈村木家源、彭湾乡小岭村微源垄、樟坪畲族乡曹家实施整体搬迁，对耳口乡圳上村杏岭、金屯镇枫岭村坝上进行工程治理，使 160 户 579 人解除地质灾害的威胁。

第五节　气象建设与服务

机构

1952 年 7 月 1 日，由中南军区气象处和上饶军分区在贵溪县城东门外青莲寺建气象站，该站位于北纬 28°17′、东经 117°06′，海拔高度 42.0 米（吴淞）。建站时属军队建制，站名"江西上饶军分区贵溪气象站"。自建站至 1971 年，该测站业务工作测报、预报、农气等均系大轮班，未设任何机构，建站时有 6 人。1957 年 10 月 1 日，因观测场不符合规范要求，迁至贵溪县雄石镇和平街 630 号（即汪张村），位于北纬 28°18′、东经 117°13′，观测场海拔高度 51.2 米（黄海）。1959 年 3 月 3 日，机构体制下放到上饶专区水文气象总站和县政府双重领导。1962 年 7 月 1 日，体制上收到江西省水利电力厅水文气象局领导。1970 年 6 月 8 日，江西省革命委员会决定将全省各专（市）县水文气象台站下放给各专（市）县革委会领导，县站划归县革委抓促部领导。1970 年 12 月 18 日实行军管，由县人武部和县革委会双重领导，以军管为主。1973 年 6 月 22 日撤销军管，由县革委会领导，归口农林办。1980 年 7 月，气象部门体制上收，实行气象部门为主的双重领导。

2008 年，有在编干部职工 12 人，退休 5 人。其中本科学历 3 人、大专学历 3 人、中专学历 4 人，高中及以下学历 2 人。高级工程师 1 人、工程师 8 人，助理工程师 3 人。设有办公室、气象科技服务中心、检测所、综合业务股 4 个股室，挂靠单位有：贵溪市雷电防护管理局、人工影响天气领导小组办公室。

气象现代化建设

大气探测　贵溪县地面气象观测始于 1952 年，2002 年 8 月建成自动气象站，实现对温度、湿度、气压等众多大气物理要素的自动观测。2005 年 10 月，开始建设区域自动站，至 2006 年 10 月，共建成 20 个区域自动站，全市各地的气象要素变化可以随时掌握。

天气预报　20 世纪 90 年代以来，随着计算机打底、数值预报应用和气象现代化建设的快速发展，天气预报方式不断发生变革，逐步取代了传真机。1999 年 4 月，建立 PCVAST（高速卫星信息广播系统）、MICAPS（气象信息综合分析处理系统），它将图形图像处理技术、人机交互技术、多种显示功能和编辑功能有机地结合在一起，为预报员提供一个非常方便的工作平台，使天气预报业务基本由传统的手工为主的定性分析方式向自动化、客观和定量分析方向的重大变革。

气象信息传输　自 20 世纪 50 年代起，贵溪县气象信息传输采用的是邮电无线电报。1996 年开始，气象信息采用计算机拨号上传。1999 年 10 月增加 x.28 分组交换网，2000 年 5 月 1 日，气象信息全部采用分组交换上传。2003 年 5 月 13 日撤销 x.28 分组交换网，改用 ADSL 上传气象信息。2007 年 1 月建成 2 兆 MSTP 专线，气象信息全部采用专线上传，建立以气象通信网络、计算机技术应用为代表的气象信息网络系统。

气象服务

服务领域　20 世纪 80 年代初，气象服务由主要为粮食生产服务扩展为农、林、牧、副、渔综合性的大农业服务。90 年代，服务领域逐步拓展到工业、农业、林业、水利、交通、环保等多个领域。

服务手段　1990 年，建立灾害性警报网络。1994 年 4 月，建立双向气象警报服务系统，用于传递气象信息。1986 年 8 月，同电信局合作开通"121"天气预报自动答询电话。1997 年起，在江西电视台播放贵溪市天气预报。1997 年 10 月,和广播电视局协商在有线电视台每天播放贵溪天气预报,遇有重要天气过程和灾害性天气时随时插播。定期和不定期气象服务 1960 年开始,定期向县委、县政府各领导、各乡镇场以及农林水各部门以书面形式发布旬月天气预报等。现在发展利用电话、传真、手机短信、互联网等发布气象信息。每年定期和不定期制作气象信息 70 篇左右。2001 年 6 月,与市农办合办“贵溪市农经网”,2006 年 9 月 1 日更名为“贵溪市新农网”。

专业和专项气象服务　1992 年开始进行防雷检测服务。2000 年 11 月 17 日,贵溪市人武部拨付 3 门 55 式单 37 高炮给政府。2002 年 11 月,经市编委批准成立贵溪市人工影响天气领导小组办公室,挂靠在气象局。2003 年 7 月 18 日,购买人工增雨火箭发射架一门。2004 年开始防雷装置设计、审核、施工、竣工验收。常规检测用户 110 户。

科技气象服务　1990 年利用气象警报接收机传递气象信息和停限电信息服务,同年开展彩球广告服务。1993 年开始安装电子避雷器,1994 年 4 月建成双向气象警报接收机,每天两次通过气象警报广播系统发布未来 1 ~ 3 天的天气预报,遇有灾害性和突发性天气,随时开机发布各种气象信息。1997 年 10 月开始电视广告服务。现在服务领域发展到气象信息服务、彩球广告、电视广告、防雷安全系列服务等四大类。2001 年 6 月开通农经网,通过网络方式发送天气预报。2003 年 8 月开始通过气象短信方式向有关用户发布气象信息。

服务事例　2008 年 1 月 12 日至 2 月 6 日,贵溪市出现持续低温雨雪冰冻天气,及时向市委市政府及有关部门报送《气象信息》5 期,准确预报出 28 日晚至 29 日、1 月 31 日晚至 2 月 2 日、4 日晚至 5 日的雨雪过程,通过手机短信、电视、网站等手段先后发布道路结冰、大雪、冻雨预警信号 15 次。2 月 1 日,提前 4 天作出“4 日前本市持续低温雨雪冰冻天气”预报,为市领导提前部署雨雪冰冻天气的防御工作提供了重要依据。同年 3 月 27 日 13 时许,彭湾乡发生森林火灾,28 日 11 时作业分队抓住有利天气时机,开展人工增雨作业 2 次,发射火箭弹 5 枚。作业后全市普降中到大雨,成功扑灭此起森林火灾。

第六节　水　文

贵溪市水文站隶属上饶地区水文局。经江西省防汛抗旱总指挥部于 1982 年批准,在贵溪县城信江河畔大南门城门口设站,对信江水位进行监测,并取得资料,为贵溪防汛抗旱和经济建设服务。每年水文资料由上饶水文局存档。

2008 年 12 月,在大南门口新建水文站房。站房分上下两层,钢筋结构。同时建立新的雨量自动测报系统,改变原来人工观测的落后状况。新系统可全国联网,实现自动化。该站设备齐全,有人工和自记雨量器、雨量自动测报器、水位标尺装有 4 根,水位自记器 1 台,水位自动测报器 1 台,工作运转畅通,资料准确、齐全。站在境内分设 24 个雨量自动测报和山洪灾害预警系统及 4 个水位自动测报系统,其中雨量测报点 3 个,灾害测报点 21 个。

贵溪水文站采用黄海高程,起点高程为 33 米。1991—2008 年,只出现过 2 次高水位:1992 年 7 月 4 日水位高 37.68 米,超过 33 米的警戒线 4.68 米;1998 年 6 月 11 日水位高 38.38 米,超警戒线 5.38 米。1999—2008 年水位均未超过警戒线。18 年来,全市境内的 5 条支流未断过流,植被不断增加,地下水资源随之丰富。

第七节　环境保护

管理机构

自 20 世纪 70 年代起,国家就把环境保护工作摆上重要的议事日程。1973 年根据国务院总理周恩来的指示,于 8 月 5 日至 20 日在北京召开第一次全国环境保护会议,通过“全面规划、合理布局、综合利用、化害为利、依靠群众、大家动手、保护环境、造福人民”的环境保护工作方针。1979 年 9 月,第五届全国人大常务委员会第十一次会议又通过《中华人民共和国环境保护法(试行)》。现已有《中华人民共和国环境保护法》等12部环境与资源保护的法律,环境保护已纳入法制轨道。

贵溪是新兴工业城市,大型企业和入园企业多,烟尘及其他污染较为严重。依法进行环境监管尤为重要。因此,于1982年成立贵溪县环境保护办公室,开始国民经济和社会发展中的环境保护工作;1985年成立贵溪县环境保护局。随着环保机构的建立建全,队伍从无到有,从小到大,全市环境保护工作不断得到加强。至2008年,贵溪市具备较强的环境保护监测、监察和管理能力。

贵溪市环境保护局(简称市环保局),是1985年5月28日以贵府字〔1985〕27号文件精神,在原环境保护办公室的基础上成立的,5月30日成立贵溪市环境监测站,局站有干部职工12人。1988年5月,增设排污监理站,全局干部职工增至24人。1997年5月7日,贵溪市机构编制委员会以贵编发〔1997〕第7号文成立贵溪市环境科学研究所,与市环境监测站合署办公。

局设机构:办公室、环境管理股、法规宣教股、污染控制股;下属环境监测站(环科所)、环境监察大队。全局干部职工共47人。2008年办公地点位于雄石东路36号。

管理措施

政府对当地环境质量负责。城市环境综合整治定期考核,由省主持,每年度考评一次。近年来贵溪市城市环境综合整治在省内排列的名次分别由第十名上升为第一名。

市长环境保护目标责任制　各项环境管理制度的龙头制度,是市长环保责任制。至2008年,贵溪市列入市长环境保护目标责任制的部门与单位达20个,政府各部门与单位齐抓共管环境保护工作的局面逐步形成。自2006年起,又增设企业环境保护目标责任制,参加目标责任制考核的企业共有22个。经市政府同意,对驻市及市属企业下达责任书,实行企业环境保护目标责任制。企业环境保护目标分为环境质量目标、污染控制目标、环境管理目标;建立奖惩机制,对不合格企业,项目治理资金不予考虑,对企业的评先、贷款等不出具意见,排污许可证不予年审,新上项目不予审批。

建设项目审批　2003－2008年间,贵溪市建设项目共计审批350个,其主要类别集中在铜加工业、房地产业、水电站、矿业开采四个方面。其中铜加工业53个、房地产开发74个、小水电18个、矿产开采19个。

企业污染治理投资　2006－2008年企业污染治理33个项目,共投资15620.2万元。其中大气治理27个,水治理17个,固体废物治理1个,其他项目13个。

烟尘控制区建设　2007年12月20日建立第四个烟尘控制区。在原有3个烟尘控制区的基础上,结合市区功能布局及大气污染状况,决定再建立第四个烟尘控制区。区域总面积约为19.5平方千米,城市烟尘控制区覆盖率达100%。

饮用水源地保护　根据原国家环保总局印发的《饮用水源地保护区划分技术纲要》和《饮用水源保护区划分技术规范》,结合实际,贵溪城市水源保护区分为一级保护区、二级保护区。2007年3月完成区划与调整,并报市政府批准。

一级保护区。一级保护区水域范围自取水口起(花园村苏江)向下100米,向上100米至太岩阮家;陆域范围为取水点一侧的滩地和信江堤迎水面堤脚向背水面延伸100米,即西侧自取水口起至太岩阮家的近江陆域(面积约10公顷)、东侧自胡家渡口下100米起至陈家的近江陆域(面积约10公顷)。

二级保护区。二级保护区水域范围为自太岩阮家起上溯3000米至河潭九夏(暨三峰乡陈家至周曹)的水域。陆域范围为二级保护区水域范围内取水点一侧的滩地(面积约13公顷)和自信江堤迎水面堤脚起向背水面延伸100米的陆域(两岸面积各约30公顷)。

自然生态保护与饮用水源地保护。市委、市政府高度重视生态环境保护和自然保护区建设,1996年批准建立县级阳际峰自然保护区,1998年批准设立副科级建制的自然保护区管理机构,组建专职管理队伍,确保事业经费。2004年,阳际峰经省人民政府批准为省级自然保护区,保护区总面积10946公顷,核心区面积3355公顷,其主要保护对象是以华南湍蛙组和棘胸蛙组为代表的两栖纲动物及其独特的栖息环境,天然常绿阔叶林生态系统及珍稀濒危野生动植物资源。

2007年8月29日,贵溪市樟枰乡通过鹰潭市环评专家的评审,进入申报环境优美乡镇的程序。2008年5月,国家环境保护部授予该乡“全国环境优美乡镇”称号。

“零点行动”。为贯彻落实胡锦涛2005年在中央人口资源环境工作座谈会上提出的“把切实保护好饮用水源,让群众喝上放心水作为首要任务”的指示,以饮用水安全和重点流域治理为重点,加强水污染防治而采取的突查行动称“零点行动”,即2007年5月31日,对城市生活饮用水源保护区内所有排口突击检查,必要时采取果断措施。

环境执法年。省环境保护局确定2006年为“环境执法年”。贵溪市环境保护局以执法监督为主线,侧重对辖区内重点污染源、涉及违反环境影响评价(尤其是2003年9月1日《中华人民共和国环境影响评价法》颁布实施以来违反环境影响评价情况)以及擅自拆除或者闲置污染治理设施、偷排污染物或超标排污的单位,信江贵溪段及辖区内集中式生活饮用水水源周边对饮用水安全造成危害或可能造成危害的化工、冶炼、造纸、制革、制药、电镀、医院、规模化养殖等污染单位进行督查。仅2006年上半年,即出动执法人员200余人次,查处各类环境违法行为40起,其中对未经审批的罗河镇太田陈家陈某某塑料粒子厂等8家违法企业下达了责令停产的行政处罚决定书。对浙江巍华化工有限公司拟在贵溪信江上游投资兴建6000吨/年三氟甲苯系列产品项目,该局进行详细的调查,对该项目出具应当重新选址的意见书。

2007年,为巩固环境执法年的工作成果,继续开展“清理整顿不法排污企业保障群众身心健康环保专项行动”。为此出动环境执法人员880多人次,查处环境违法案件25起。关停贵冶渣场内13家小选矿厂和童家纸边厂,责令贵冶对串山水库及渣场进行整治,对硬石岭水库限期治理,对部分文化娱乐服务业存在的噪声扰民问题限期整改。同时,开展放射源检查与电磁辐射调查。

污染物减排　2008年,二氧化硫和化学需氧量均完成鹰潭市下达的削减任务,荣获“全省污染物减排先进县(市)”称号。水污染物COD减排352吨,其中贵电1号、4号机组关停减排36吨、龙虎山啤酒厂关停结构减排60吨、贵冶减排152吨、贵化减排26吨;大气污染物SO2减排12545.7吨,其中贵电1号、4号机组关停减排3981.7吨。

污染源普查　第一次全国污染源普查,贵溪市政府于2007年11月成立污染源普查领导小组,市环境保护局也相应成立了普查领导小组和普查工作办公室,制定与执行《贵溪市第一次全国污染普查方案》、《污染源普查经费概算方案》和《污染源普查宣传方案》。严格普查表填报质量控制,实行五级审核,即普查对象填报、普查单位审核、普查员审核、普查指导员审核、普查办审核。历时一年,完成工业污染源普查198家,其中重点污染源111家,一般污染源87家;生活污染源579家,其中住宿业38家,餐饮业361家,居民服务和其他服务业152家,医院13家,独立燃烧设施3家,城镇居民生活(县城、建制镇)14家。全面清查全市各类污染源及其污染物排放情况,掌握工业、生活污染源及其污染处理设施重要技术参数与分布状态,摸清污染物排放底数。市环境保护局此项工作获“全国先进单位”。

环境宣传教育　2003—2008年,依据《全国环境宣传教育行动纲要》和省、市有关文件通知要求,市环境保护局组织市区中小学生参加了《ITT杯全国中学生水科技发明比赛》和《全国中小学生环保网页设计比赛》,贵溪一中万博琴、王玉、吴菡3同学的调研报告《贵溪市饮用水调查报告及下游污水处理意见》获ITT杯全国二等奖,陆岳、郑舒昕、乐微、乐莹合作的《简易净水装置》、梁婷《关于水污染调研及降低方法报告》分获ITT杯江西赛区中学生水科技发明三等奖,贵溪二中周航星同学作品《青苑》获江西中小学生环保网页设计三等奖。“6·5”世界环境日,市环境保护局在市区散发环境保护法规小册子、宣传单数百份,向市民宣传环境保护法规和环保部门办事章程。

市环境保护局联合市实验小学,在该校支持和鼓励学生创办的以环境保护为主要内容的手抄报,并组织全体师生观看环境法律知识宣传片。此外,市环境保护局为配合省“环保赣江行”、鹰潭“环保信江行”活动,组织贵冶、贵电、贵化等4支代表队,参加省、市组织的环保知识竞赛。市环境保护局还与市委宣传部联合在信江桥底建立环境保护宣传专栏,定期出刊;与市妇联联合在全市范围内开展“绿色家庭竞赛”,向妇女们赠书500本;与市电视台联合拍摄反映贵溪环保20年历程的专题片,让广大公民认识环保,了解环保,参与环保,并进一步营造环保氛围。

市环境保护局创作表演题为《创建绿色家园》的环保群口快板,举办大型环保图片展览,组织了“环保杯”乡镇健身秧歌比赛活动。为配合《固体废物污染环境防治法》的实施宣传,市环境保护局还在全市小学开展以防治“白色污染”为主题的有奖征文比赛。

围绕第35个世界环境日主题“莫让旱地变荒漠”及中国主题“生态安全与环境友好型社会”，市环境保护局开展一系列宣传教育活动：一是投资建成贵溪市环保局网站，并与贵溪市政府、省环保局网站连结，构建了与公众信息交流和宣传教育的平台。二是6月2日晚举行环保联谊会，环保战线干部职工密切联系，增进友谊。三是6月5日在桥西公园开展了环保咨询，设置大型彩虹气球门，拉出了宣传横幅，展示环保宣传版块，“嫂子腰鼓队”在主要街道巡回表演，散发宣传单1000多份和法律单行本500多本，接受群众投诉26起。四是自6月1日起，在贵溪有线电视台连续2周播放环保专题片《中国环境保护三十年》。五是6月8日晚举办环保演讲比赛，来自全市各行业的26名选手参加比赛，文坊镇范艳获一等奖，贵溪二小俞月君、银海矿业公司杨蓓获二等奖，河潭镇姜丽艳、市工业园廖静、贵溪二中罗娜获三等奖。六是由环保专家给海利集团贵溪农药厂职工上环保课。

2008年，市环境保护局着重宣传与执行国家“禁塑令”，“6·5”世界环境日发放环保宣传布袋6500个，环境宣传卡3000多张；共投资100余万元，建设一个电子显示屏，为市民及时在显示屏上展示贵溪环境质量状况，并在高速公路连结线处制作一座多面宣传高炮，还油刷墙体标语8个；送法下乡，送法入企，定期邀请法律专家举办法律讲座，赠送法律书籍1000本，重点宣传《中华人民共和国水污染防治法》、《中华人民共和国大气污染防治法》；在市电视台开设节能减排、共创和谐专栏，在街面开展环境法律咨询。

环境监测

大气环境质量监测　始于1991年夏季，2007年5月，根据《环境空气质量自动监测技术规范》（HJ/T193－2005），对大气环境质量监测点位进行增设与调整，调整后的监测点位为：环保指挥中心（1号点）、十五冶二公司（2号点）、时代广场（3号点）、上山渡假村（4号点）。上山渡假村为清洁对照点，其余为评价点。2008年始，在上述点位开展环境空气质量连续自动监测（清洁对照点仍使用手工监测）。监测项目：二氧化硫、氮氧化物、可吸入颗粒物。

降尘监测　始于1991年6月，监测频率每月一次，监测点位如下：1号对照点在贵冶取水口处；2号监测点位于市交通局办公楼上；3号监测点位于铜技校办公楼上；4号监测点位于环保监测楼上。

酸雨监测　始于1999年1月，监测点位与降尘相同；监测项目为PH值、硫酸盐化速率；逢雨必测。

地表水环境质量监测　始于1991年夏季，2007年调整后的7个监测断面如下：信江4个断面，即花园、九牛滩坝、金沙渡口、地理渡口；罗塘河2个断面，即潜岭村、东方红大桥；泗沥河1个断面，即墩上徐家。监测频率为每月一次。监测项目为p^H、溶解氧、CODMn、BOD5、铜、铅、镉、总汞、六价铬、砷、总磷、挥发酚、氨氮、氟化物、石油类。

神前河、硬石岭水库水质监测仍继续进行，监测项目、频率与省控地表水监测断面相同。

区域环境噪声与交通噪声监测　始于1991年，1997年经优化布点，确定噪声监测点位123个。其中，城区区域环境噪声监测点位107个，交通噪声监测点位16个。

重点污染源监测　对重点污染源实行定期与不定期监测。不定期监测为必要时遂行或连续跟踪进行。定期监测又分为对国家重点污染源与市属重点污染源二种。对国家重点污染源贵冶、贵化、贵电等实行每年2次、每次连续48小时采样监测；对市属污染源海利贵溪化工农药、麒麟化工、三元化工、银海矿业、竹辉公司、贵溪啤酒厂，实行每年一次、每次连续24小时监测。

仪器设备　环境监测、监察仪器设备有50条台（件）。近年新添置的仪器设备主要有：原子吸收分光光度计、测汞仪、红外测油仪、自动烟尘测试仪、烟气综合分析仪、噪声分析仪、环境空气质量自动监测系统（空气自动监测站）。

原子吸收分光光度计主要用于重金属污染的分析测试。

空气自动站的运行，克服手工监测的种种局限，保证环境空气质量监测数据连续性、准确性与完整性，为实现空气质量日报与预报，保障广大市民的环境知情权奠定基础。

污染防治措施

治理铜工业耕地污染和改善人居环境　江铜贵溪冶炼厂为贵溪经济发展作出重要贡献，但是其

“三废”排放长期积累给周边环境造成污染。据南京环科所对贵冶周边村区的土壤、水质、农作物监测,结果表明土壤含铜、镉等金属超标,农田污染面积132公顷,菜地约6公顷。为改善贵冶周边的环境质量,创造良好的人居环境,切实解决严重危害群众身体健康的突出环境问题,实施对贵冶周边苏门、棋桥、庞源3个村整体搬迁和1986.3亩农田土壤修复。项目投资3.5亿元,分换土,施用土壤剂,植物提取修复和3个村整体搬迁项目。项目结束后,该区域可以纳入正常的城市土地利用规划用地,使修复后土壤,重金属指标Gd、Hg、As、Cu、Pb达到土壤环境质量标准,(GB15618－1995)三级标准,通过土壤修复和搬迁工程建设,避免因土壤污染引发环境问题和社会不稳定因素发生,确保居住环境安全,实现环境效益,经济效益同步提高、同步发展。

防治信江河水污染　信江是城市居民主要生活、生产水源,保护信江水水质事关贵溪市经济又好又快发展,事关民生环境安全,事关民众身体健康。而化工类企业污染物排放成份复杂、毒性强,环境危害隐患大。根据环保部、江西省环保局关于清理五河1000米以内污染企业的要求,确保环境安全,本市将对位于信江河1000米内的金市贸易化工有限公司、贵溪三元冶炼化工有限公司两家化工企业进行整体搬迁。依据全市城市规划,对两家企业所在地作为商业的居住用地进行开发,使信江水质得到有效保护。该工程的预投资7567.12万元。

第三章　资　源

第一节　土地资源

贵溪地处江西省东北部。南北环山,北部山脉为怀玉山系支脉延伸,南部山脉为武夷山系支脉延伸,南北地势较高,逐步向中部倾斜。信江由东向西横贯。据调查,全市土地总面积为249279.22公顷。其中:耕地53556.29公顷,占总面积的21.48%,主要分布在罗河镇、周坊镇、志光镇、泗沥镇、鸿塘镇、河潭镇、滨江乡等信江沿岸及其支流的河谷开阔地带;园地3868.4公顷,占总面积的1.55%;主要分布在河潭镇、周坊镇、鸿塘镇、罗河镇的低丘和岗地;林地153299.91公顷,占总面积的61.5%,主要分布在樟坪畲族乡、文坊镇、冷水镇、耳口乡、塘湾镇、金屯镇、彭湾乡、余家乡、周坊镇、白田乡等中低山区;草地3378.7公顷,占总面积的1.36%,主要分布在罗河镇、文坊镇、周坊镇、滨江乡、河潭镇;水域及水利设施用地13791.06公顷,占总面积的5.53%,主要分布在滨江乡、河潭镇、泗沥镇、志光镇、罗河镇、鸿塘镇;城镇村及工矿用地13684.62公顷,占总面积的5.49%,主要分布在贵溪市城区及滨江乡、罗河镇、泗沥镇、河潭镇、鸿塘镇;交通运输用地3524.71公顷,占总面积的1.41%,主要分布在滨江乡、河潭镇、志光镇、罗河镇;其他用地4175.53公顷,占总面积的1.67%,主要分布在滨江乡、流口镇、泗沥镇、志光镇。

1993年后,根据国家政策规定,部分山坡地实行退耕还林。按照市委“南林北果中间菜”的农业发展战略,农业产业结构逐步进行调整。进入21世纪,贵溪市城市化、工业化进程加快,重点建设用地、交通运输用地大幅增加,土地利用现状变化明显。与1993年的土地详查数据相比,耕地减少6778公顷,减幅为11.23%;园地增加965.45公顷,增幅为33.26%;林地增加11054.07公顷,增幅为7.77%;镇村及工矿用地增加3766.15公顷,增幅为37.97%;交通运输用地增加1557.45公顷,增幅为79.17%;水域增加2234.52公顷,增幅为19.34%;未利用土地减少15550.13公顷,减幅为78.83%。

2008年贵溪市土地资源现状一览

表1－8

单位：公顷

行政区域	合计	耕地	园地	林地	草地	城镇村及工矿用地	交通运输用地	水域及水利设施用地	其他土地
贵溪市	249279.22	53556.29	3868.40	153299.91	3378.70	13684.62	3524.71	13791.06	4175.53
贵溪市城区	3880.28	476.41	4.61	1055.14	41.04	1579.47	144.39	440.95	138.27
鸿塘镇	10898.61	3974.00	579.44	4162.70	129.06	848.43	190.42	790.48	224.08
罗河镇	10817.29	4585.97	134.63	2981.83	372.24	1315.00	219.55	909.96	298.11
上清镇	12101.45	1869.60	648.28	8390.86	162.89	315.52	137.65	559.76	16.89
冷水镇	5389.82	183.31	8.00	4724.70	76.00	141.06	52.03	203.76	0.96
龙虎山镇	5901.67	980.20	248.60	3757.01	55.94	302.06	109.75	366.36	81.75
河潭镇	11597.27	4153.71	241.54	4347.01	247.54	851.33	303.71	1322.91	129.52
流口镇	7438.38	2295.67	96.16	3269.51	194.71	386.09	132.47	55.21	518.50
金屯镇	9913.27	1887.47	15.52	7198.62	65.33	309.88	104.58	327.54	4.33
泗沥镇	14790.38	4704.25	82.19	7201.39	136.43	1002.75	222.54	934.42	506.41
周坊镇	18463.87	4910.20	319.42	11373.40	328.65	618.61	169.04	738.00	6.55
志光镇	9330.77	3830.46	328.84	2551.40	170.7	761.76	260.18	914.7	512.59
文坊镇	21807.53	2358.66	130.03	17827.27	352.25	410.20	186.61	504.99	37.49
白田乡	8315.60	2037.30	44.64	5580.85	32.10	243.68	86.34	281.63	9.06
塘湾镇	17672.97	3212.49	104.44	12735.95	162.65	497.76	178.99	507.42	273.27
耳口乡	12870.01	854.86	14.19	11202.86	152.14	169.38	73.05	394.48	8.55
雷溪乡	4018.21	1629.59	36.31	1486.01	39.03	286.28	83.21	452.95	4.83
樟坪乡	6070.75	304.23	26.31	5480.99	10.56	69.78	46.63	131.49	0.76
滨江乡	11424.52	3889.41	185.14	2256.26	224.06	1620.37	431.49	1701.64	1107.15

续表1-8

行政区域	合计	耕地	园地	林地	草地	城镇村及工矿用地	交通运输用地	水域及水利设施用地	其他土地
彭湾乡	6133.37	1264.33	49.51	4352.63	47.19	154.20	58.75	206.28	0.58
余家乡	11406.97	2999.97	145.75	6778.67	42.00	550.09	162.09	509.37	219.13
河潭埠垦殖场	762.86	242.48	79.37	152.00	111.62	48.19	26.09	56.53	46.58
西窑林场	1082.09	7.74	0.00	966.55	75.77	9.14	14.50	8.15	0.24
双圳林场	5768.91	3.78	72.41	5538.00	55.73	9.38	31.68	36.61	21.32
耳口林场	5267.15	8.33	0.75	5211.62	10.79	3.72	1.92	29.34	0.68
冷水林场	10150.73	73.82	5.73	9844.79	8.67	40.02	36.20	140.35	1.15
三县岭林场	1129.05	157.90	24.27	890.41	8.63	16.70	11.74	17.62	1.78
上清林场	1336.45	4.56	13.48	1302.81	6.43	0.71	4.14	4.32	0.00
塔桥园艺场	235.37	30.27	122.62	4.79	11.10	45.83	12.84	7.36	0.56
市园艺场	508.28	86.13	27.19	335.49	0.00	20.31	5.55	33.61	0.00
林业技术推广站	66.37	4.06	6.99	38.19	0.00	12.31	4.22	0.60	0.00
贵溪市森林苗圃	65.81	3.62	1.15	11.11	0.00	45.84	2.53	1.56	0.00
贵溪市鱼种场	230.76	7.69	3.42	38.24	15.82	38.27	4.99	48.18	4.15
硬石岭水库工程管理局	1477.23	451.76	55.79	249.00	17.79	36.33	13.77	652.50	0.29
天华山林化厂	32.14	2.26	11.68	1.79	13.7	1.56	0.80	0.28	0.00
南京军区空军房管处	10.13	0.00	0.00	0.00	0.00	9.97	0.16	0.00	0.00
南京军区空军修配厂	12.54	0.00	0.00	0.00	0.00	12.36	0.00	0.18	0.00
鹰潭军分区	70.32	0.00	0.00	0.00	0.00	70.24	0.08	0.00	0.00
三二二七六部队	830.04	0.00	0.00	0.00	0.00	830.04	0.00	0.00	0.00

第二节　森林资源

森林类型

阔叶林　分布于海拔300～800米处。主要分布在北乡三县岭、周坊，南乡双圳、西窑、樟坪、文坊、冷水、耳口、塘湾等地，属多层次林带。上层以壳斗科及枫香、木荷等大乔木为主；中层以柃木、黄瑞木、山仓子等亚乔木及部分大乔木萌条为主；下层以杜鹃、米饭花、乌药、刺楠及椴类等小灌木居多。其中还有大面积毛竹林，主要分布于双圳、西窑、文坊、冷水、樟坪、塘湾及耳口等地。在阔叶林带中，海拔愈高，树种愈少。在文坊、双圳、冷水等地还分布着大量珍稀树种，如国家一级保护树种有银杏、伯乐树、南方红豆杉等。国家二级保护树种有香果树、银钟花、福建柏、花榈木等，且有部分珍稀植物群落，如红豆杉群落、天目紫荆群落等。

针阔混交林　分布于海拔800～1200米的山区和海拔300米以下的半山区及丘陵岗地，此带乔木树种不多，常见的有马尾松、木荷、枫香及壳斗科中少数树种，而灌木及亚乔木居多。过去因森林采伐过量，20世纪90年代大量营造杉木林、湿地松林、马尾松林，植被群落由天然针阔混交林逐渐演变为人工针叶林和部分经济林。

针叶林　主要分布在海拔1200米以上的高山，多为黄山松。海拔百米以下的丘陵岗地，大部分是马尾松纯林，湿地松纯林及杉木纯林，乃当地群众的主要能源林。1985年以后，开发丘陵区地，营造了面积马尾松林、湿地松林、杉木林和桉树林，其中马尾松占大多数，多在南北两乡半山区和丘陵冈地接境处，尚有一部分薪炭林，面积不大。

2008年贵溪市各乡（镇、街道场）森林资源分布一览

表1－9

乡（镇、场）	国土面积（万公顷）	有林地面积（万公顷）	活立木蓄积量（万立方米）	竹林	
				面积（万公顷）	株数（万株）
贵溪市	22.59	13.42	568.64	2.35	4857.05
三县岭林场	0.22	0.16	10.64	0.02	47.66
周坊镇	1.62	0.93	43.7	0.05	105.72
白田乡	0.81	0.52	20.26	0.01	22.48
鸿塘镇	1.21	0.5	10.04	—	0.73
志光镇	1.02	0.36	5.04	—	—
泗沥镇	1.5	0.68	7.22	—	—
河潭镇	1.19	0.54	8.04	—	—
河潭埠垦殖场	0.1	0.01	0.38	—	—
滨江乡	1.19	0.35	9.03	—	—
雄石街道	0.3	0.1	3.36	—	—
罗河镇	1.06	0.31	3.31	—	—
雷溪乡	0.44	0.16	2.13	—	—
流口镇	0.73	0.25	3.91	—	—
余家乡	1.11	0.55	10.87	—	—
彭湾乡	0.52	0.35	6.02	0.01	24.72
塘湾镇	1.77	1.21	16.18	0.29	484.53
金屯镇	0.95	0.62	14.3	0.14	269.15

续表 1 - 9

乡(镇、场)	国土面积（万公顷）	有林地面积（万公顷）	活立木蓄积量（万立方米）	竹林	
				面积（万公顷）	株数（万株）
文坊镇	2.06	1.53	62.02	0.44	749.14
樟坪乡	0.46	0.39	12.71	0.17	385.3
西窑林场	0.33	0.3	18.43	0.15	287.67
耳口乡	1.21	1.02	41.7	0.47	1050
耳口采育林场	0.6	0.59	55.15	0.01	24.3
冷水镇	0.53	0.44	28.97	0.19	452.49
冷水林场	0.95	0.9	124.63	0.17	391.14
双圳林场	0.68	0.65	50.6	0.23	562.02

林地面积

1990 年，贵溪县属林业用地面积 157028 公顷。其中：有林地面积 99012 公顷，占林业用地面积的 63%；疏林地面积 19502 公顷，占林业用地面积的 12.4%；灌木林地面积 1715 公顷，占林业用地面积的 1.2%；未成林造林地 4306 公顷，占林业用地面积的 2.7%；无林地面积 32481 公顷，占林业用地面积的 20.7%。全县活立木总蓄积 4516885 立方米，其中：林分蓄积 3814422 立方米，占总蓄积的 84.4%；疏林蓄积 180453 立方米，占总蓄积的 4%；散生木蓄积 491227 立方米，占总蓄积的 10.9%；四旁树蓄积 30783 立方米，占总蓄积的 0.7%。竹林面积 20451 公顷，立竹 29545942 株，森林覆盖率 40.8%。1995 年，县属林业用地面积为 145226.6 公顷，其中有林面积 122309.9 公顷，占林业用地面积的 84.2%；疏林地面积 11766.4 公顷，占林业用地面积的 8.2%；灌木林地面积 910.3 公顷，占林业用地面积的 0.6%；未成林造林地 9491.2 公顷，占林业用地面积的 6.5%；无林地面积 750.8 公顷，占林业用地面积的 0.5%。全县活立木总蓄积 4482666 立方米，其中：林分蓄积 4121895 立方米，占总蓄积的 92.0%；疏林地蓄积 92544 立方米，占总蓄积的 2.0%；散生木蓄积 268227 立方米，占总蓄积的 6.0%；全县竹林面积 20861.5 公顷，立竹量 32523523 株，森林覆盖率 53.0%。1999 年，全市林业用地面积 144601 公顷，其中：有林面积 138572 公顷，占林业用地面积的 95.8%；疏林地面积 990 公顷，占林业用地面积的 0.7%；灌木林地面积 3204 公顷，占林业用地面积的 2.2%；无立木林地面积 1825 公顷，占林业用地面积的 1.3%。全市活立木总蓄积 5165043 立方米，其中：林分蓄积 4717989 立方米，占总蓄积的 91.3%；疏林地蓄积 144621 立方米，占总蓄积的 2.8%；散生木蓄积 302563 立方米，占总蓄积的 5.9%。全市竹林面积 21470 公顷，立竹量 41745613 根，森林覆盖率 62.6%。2003 年，全市林业用地面积 142142.9 公顷，其中：有林面积 134429 公顷，占林业用地面积 94.6%；灌木林地面积 3496.1 公顷，占林业用地面积的 2.5%；疏林地面积 1341.5 公顷，占林业用地面积的 0.9%；未成林造林地 2332 公顷，占林业用地的 1.6%；无立木林地 523.1 公顷，占林业用地的 0.4%。

林木蓄积

2008 年，贵溪市活立木总蓄积 5686284 立方米，其中：林木蓄积 5133684 立方米，占总蓄积的 90.3%；疏林蓄积 164902 立方米，占总蓄积的 2.9%；散生木蓄积 387276 立方米，占总蓄积的 6.8%。全市竹林面积 23730.5 公顷，立竹量 48642956 株，林木覆盖率 60.67%。1999 年与 1989 年两类调查数据相比，主要变化为：森林覆盖率上升 21.9%；林地面积减少 12427 公顷，因上清镇，鱼塘乡划归龙虎山景区管理。2003 年林业用地面积比 1999 年二调数据所有减少，主要原因：一是上清林场划出贵溪归龙虎山景区管理，二是各类工业园区及县、乡、村、林区公路等征占用林地，三是江铜集团在贵溪的扩建以及梨温高速公路、沪昆高速铁路等工程建设征用一部分林地，四是这些年农村农民建房和集镇扩建也占用大量的林地。2000 年，国家根据森林发挥主导作用的不同，把森林分为两类，分别为生态公益林和商品林。贵溪市区划界定,在142143公顷林业用地中,重点(中央)和省级生态公益林面积58160公顷,占全市林业用地面积的41%。其中:2001年试点中央(重点)公益林面积17627公顷;2006年新增中央(重点)公益林10000公顷,省级公益林10000公顷;2007年新增省级公益林19200公顷;2008年新增省级公益林1333公顷。按性质分,国有22780公顷,集体24888公顷,林农个人10492公顷。这些公益林涵盖全市所有林(垦殖、园艺)场和乡(镇)。

2008年贵溪市重点生态公益林面积一览

表1-10　　单位:公顷

乡(镇、场)	合计	国家级(重点)	省级	国家级(重点)		省级		
		合计	合计	2001年	2006年	2006年	2007年	2008年
全市合计	58160	27627	30533	17627	10000	10000	19200	1333
国有	22780	16452	6328	12999	3461	2333	2662	1333
冷水林场	7318	6612	707	5661	950	—	274	433
耳口林场	5190	4152	1038	3154	998	—	471	567
双圳林场	5599	4442	1157	3740	702	180	744	233
西窑林场	2728	811	2118	336	475	1277	740	100
三县岭林场	1018	132	886	100	31	538	348	—
河潭垦殖场	459	105	354	—	105	269	85	—
示范林场	199	199	—	—	199	—	—	—
塔桥园艺场	69	—	69	4636	—	69	—	—
集体	35380	11175	24205	376	6539	7667	16538	—
冷水镇	443	376	67	1117	—	—	67	—
耳口乡	2264	1517	748	2398	400	467	281	—
文坊镇	7775	2652	5122	745	254	1110	4012	—
樟坪乡	879	745	133	—	—	133	—	—
塘湾镇	1035	102	933	—	102	533	399	—
金屯镇	353	—	353	—	—	800	273	—
彭湾乡	1333	333	1000	—	333	333	667	—
余家乡	2835	708	2128	—	708	733	1394	—
罗河镇	602	126	494	—	126	494	—	—
雷溪乡	407	307	100	—	307	—	100	—
流口镇	673	273	400	—	273	400	—	—
滨江乡	1788	1060	728	—	1060	133	575	—
志光镇	1669	347	1322	—	347	293	1029	—
鸿塘镇	1866	600	1266	—	600	437	829	—
泗沥镇	2896	743	2154	—	742	800	1353	—
河潭镇	3382	741	2642	—	741	467	2175	—
白田乡	512	126	386	—	126	133	386	—
周坊镇	1470	420	1050	—	420	400	650	—

第三节 矿藏资源

贵溪市地处武功山～北武夷成矿带,矿产资源丰富。已发现各类矿产37种,矿床(点)60处。查明有资源储量的矿产20种,保有储量在全国首列的有银,在全省前位的有铅、锌、铀和石膏。潜在经济价值在2000亿元以上。已列入省矿产储量平衡表的矿种有银、铅、锌、金、石膏、高岭土、饰面用花岗岩和硅质原料等12种。保有资源储量为:银6225吨,占全省总资源储量的34.75%;铅162.34万吨,占全省总资源储量的58.59%;锌232.06万吨,占全省总资源储量的62.15%;石膏3665.2万吨,占全省总量的34.95%;水泥灰岩389.3万吨;高岭土2884.2万吨;硅质原料5659.5万吨;镉(伴生)8141吨;硫(伴生)230.6万吨;饰面用花岗岩391.4万立方米;铁矿石51.65万吨。

银铅锌矿

贵溪市冷水坑银铅锌矿是目前中国最大的独立银矿床,经勘测探明有银资源超万吨,铅锌资源600多万吨,黄铁矿2000吨,并伴生铜、金、镝等多种矿产资源,矿体主要呈现脉状、似层状产生,矿石品位银160～280克/吨、铅+锌>3%,个别铅+锌>8%,含硫>3%。

铁矿

主要分布在金屯镇、耳口乡,矿体为沉积变质型,金屯乌石坑矿点见磁铁矿,333级储量约20万吨,平均品位30.7%,矿石由磁铁石英岩和条状磁铁矿组成。

稀土矿

主要分布在文坊镇、塘湾镇、耳口乡、冷水镇一带。矿体呈层状、透镜状,厚1～5米,品位TR2O3(轻稀土)0.11%～0.15%,易采易选。耳口稀土分布面积68平方千米,较好地段15平方千米,稀土总量可达数千吨。其中高坑富有轻稀土资源量达1200吨。文坊稀土分布在濠水一带,矿体厚度2.5～6.15米,品位TR2O30.08%～0.126%,储量数千吨。塘湾稀土分布在天堡飞赛前杨家村东,矿点厚度2～6米,品位TR2O30.05%～0.06%,储量近万吨。

石膏矿

分布于流口镇、雷溪乡、罗河镇一带,是贵溪市的优势矿产之一。罗塘石膏矿区是华东地区最大的石膏矿区,探明资源储量占全省石膏资源总量的34.95%。石膏矿体走向长4000米,延伸大于500米,矿脉20多条,主矿层厚度大于3米,品位SO356%～70%、122b+333级储量约5000万吨。

石灰石

分布在冷水镇、文坊镇、金屯镇及鸿塘镇塔桥场等地。其中冷水洞源石灰石矿经可行性研究具有经济价值,122b+333级储量363万吨。远景储量两千万吨,矿体长数千米,厚度数十米,灰岩质量较好、矿石品位CaO大于50%,可做水泥的辅助原料。

瓷土(石)矿

主要分布在流口镇、文坊镇、塘湾镇等地。111b+122b+333级储量3000多万吨,主要有石英脉和凝灰岩风化而成,脉状瓷石矿长百米至千米不等,凝灰岩风化厚度10～30余米、宽百余米延长数千米,瓷土质量以一、二级为主,原矿品位AL2O35%～24%、SiO268%～75%。塘湾上祝的瓷石矿颇受景德镇瓷器厂青睐。

花岗石

主要分布在文坊镇、樟坪乡、塘湾镇、冷水镇。品种主要有仙人红(文坊、西窑)、杜鹃红(文坊、樟坪)、黑白花(塘湾)、珍珠黑(冷水),其中仙人红储量约100万立方米、杜鹃红储量约4000万立方米,黑白花约1000万立方米,珍珠黑约百万立方米。

硅石

分布在周坊镇、志光镇、鸿塘镇。矿床长3000米左右,厚9～40米,矿石品位一般SiO297%左右,Tfe<1%,局部地段品位SiO2>98%,储量约5000余万吨。

萤石

主要分布在樟坪乡、耳口乡、冷水镇。其中樟坪乡东坑萤石储量10万吨，呈脉状产出。脉长100米左右、脉宽2~5米、平均3米左右。$CaF_2$52%~87%。

透辉石

主要分布在文坊镇，呈东西向延伸长3000余米、深20余米、储量百万吨，透辉石含量大于85%。

矿泉水

主要分布在周坊镇。矿泉水日涌水量250吨，年涌水量达几十万吨，偏硅酸达52%~70%，含多种有益微量元素，无污染、口味纯正、动态稳定。

红石

主要分布在信江沿岸的罗河镇、滨江乡、泗沥镇、志光镇、鸿塘镇及河潭镇。

石英

数量较少。分布在塘湾镇、流口镇及耳口乡。

铀矿

分布在流口镇、彭湾乡及童家等地。

硪沙

主要分布于信江河、罗塘河河床。

粘土矿　制砖原料。主要分布在金屯镇、流口镇、罗河镇、周坊镇、河潭镇和白田乡。

第四节　水资源

水量

贵溪境内流域面积在50平方千米以上的河流有11条，可谓河溪纵横，雨水充沛，水量丰富。其中最大河为信江河，其次是泸溪河、罗塘河、泗沥河。自1991—2000年期间，干旱年这4条河也未断流过。全市有6座中型水库，139座小(一)型和小(二)型水库以及数千座山塘水库，蓄水每年都在2.6亿立方米左右。

水能

贵溪市河流水能理论蕴藏量23万千瓦，可开发利用的11万千瓦，截至2008年，实际开发水电装机29885千瓦，占可开发量的26.57%。

地下水

贵溪境内地质构造较为复杂，地下水的来源主要是大气降水补给，其次是碳酸盐岩类裂隙河水补给。自1991年以来，农业局及水保部门做了大量工作，植被覆盖率提高，径流减少，水渗入地下，过去已干枯的泉眼又冒甘泉，地下水不断增加。

第五节　生物资源

原生植被

贵溪市地带性植被为常绿阔叶林，植物群落类型多样，共有11个植被类型、70个群系、91个群丛。主要植被类型有：山地草甸、山顶矮林、山地灌丛、针叶林、针阔混交林、落叶阔叶林、常绿和落叶混交林、常绿阔叶林、硬叶常绿阔叶林、竹林、山地沼泽等。由于环境比较独特，各种植被分布较常规分布海拔高，常绿阔叶林分布面积比较大，一直可分布到海拔1400米，其群系随海拔升高而发生有规律的替代性变化。

人工改造植被

2008年1月的雪灾致使贵溪市植被遭受严重破坏，加上有些地方山势陡峭，生长在岩石上的树木断枝、倒伏现象极为普遍，市境内植被亟待恢复。因此需要在较长一段时期内让境内植物休养生息，必要时采取人工方法帮助植被恢复和更新。雪灾后全市6个林(垦)场对其所辖区域2万公顷的植被进行人工改造恢复,同时,对辖区内大面积的中亚热带低海拔阔叶林及其生境实行绝对保护。对其它乡(镇)辖区植被也采取相应的恢复措施。累计投资1000余万元。

植物

贵溪市境内植物丰富,2008年已查明的高等植物有244科848属1847种,其中,苔藓植物61科151属266种,蕨类植物27科59属123种,裸子植物5科10属13种,被子植物151科628属1445种。这些植物在贵溪南北中低山林区有集中分布,境内其他地区为散生。贵溪境内分布的比较重要的植物种类有:

乔木　樟树、豹皮樟、玉桂、黑壳楠、大叶楠、刨花楠、桢楠、凤凰阔楠、建楠、绒楠、白楠、檫树、枫香、马尾松、杉木、侧柏、刺柏、三尖杉、河柳、垂柳、杨梅、枫杨、野核桃、苦槠、大叶栲、青刚栎、槲栎、朴树、小叶朴、榔榆、光叶榉、桑树、柘树、构树、青皮木、枇杷、海棠、石楠、桃、梅、李、梨、合欢、黄檀、柚、橙、臭椿、苦木、香椿、乌桕、油桐、黄杨、南酸枣、漆树、冬青、大叶槭、泡花树、枣、杜英、猴欢喜、椴树、木荷、杨桐、柞木、木忽木、光皮树、柿、白腊树、鸡仔木,等等。

灌木　白栎、杜鹃、乌饭、白檀、水腊树、小叶女贞、栀子、狗骨柴、茅栗、豪猪刺、山胡椒、山檀、山苍子、继木、野山楂、短叶石楠、野蔷薇、寒梅、山莓、木莓、锦鸡儿、小槐花、中华胡枝子、铁马鞭、桔子、野花椒、酸味子、算盘子、千年矮、盐肤木、矮冬青、卫茅、扁担木、木芙蓉、木槿、金丝桃、胡秃子、紫薇等。

竹类　毛竹、水竹、桂竹、桃竹、苦竹、紫竹、箬竹等。

珍贵古名木　经2005年调查,贵溪市境内有珍贵树木39种:金荞麦、毛红椿、连香树、香果树、兰果树、红毛树、银鹊树、花榈木、香槐、格木、钟萼木、柏乐树、紫楠、红楠、闽楠、浙江楠、山玉兰、含笑、木莲、厚朴、鹅掌楸、蕈树、半枫荷、阿丁枫、小红栲、光皮桦、青钱柳、南方红豆杉、铁尖杉、粗榧、水杉、水松、黄山松、罗汉松、银杏、竹柏、福建柏、喜树、榉树等。有古树名木共244株,其中一级古树41株、二级古树80株、三级古树123株(含城区范围内古树名木19株)。共涉及20个树种,具体有:银杏12株、红豆杉10株、杞树1株、樟树150株、木荷14株、枫香20株、龙柏4株、苦槠9株、罗汉松10株、檀树3株、长柏3株、油茶树1株、仙人茶树1株、板栗1株、柳杉1株、柿树1株、水杉3株、马尾松1株、皂荚2株、榔榆1株。古树名木生长情况总体较好,生长良好的有213株,占古树名木总数的87.3%;生长一般的有10株,占古树名木总数的4.1%;生长差的有21株,占古树名木总数的8.6%。生长一般和差的主要为枫香、马尾松等树种。为保护好珍贵古名木,制订珍贵树木和古树名木保护管理措施,明确管护职责,建立珍贵树木和古树名木保护管理网络。对每一株珍贵树木和每一株古树名木均落实1名管理人员。一般由乡(镇、街道)护林员或村干部担任,一旦发生异状,立即报告,及时做好相关救护工作,确保珍贵树木和古树名木健康生长。定期开展珍贵树木和古树名木生长情况调查。及时掌握每一棵珍贵树木、古树名木生长现状。落实珍贵树木、古树名木救护措施。对调查中发现有死亡、病虫害、倾倒、断枝等险情的珍贵树木、古树名木,由相关乡(镇、街道)及时采取整枝、支撑、基部砌石培土等救护措施。林业主管部门及时对发生病虫害的珍贵树木、古树名木进行森林病虫害防治检疫,并采取适当的救护措施。对已死亡古树名木,逐级上报经审批同意后采伐,并注销。对故意毁损珍惜树木、古树名木的行为,根据《中华人民共和国森林法》、《中华人民共和国刑法》等有关法律法规由林业执法单位或公安机关严肃查处。珍贵树木、古树名木是国家的宝贵财富,任何单位和个人都有保护它们的义务,不得损害和随意处置它们。对损害珍贵树木、古树名木的行为,任何人均有权制止和检举。实行奖惩同时鼓励单位和个人捐资保护或认养珍贵树木和古树名木。

动物

2008年,贵溪境内已查明的脊椎动物有33目94科364种,其中:鱼类3目9科18种,两栖类2目7科33种,爬行类3目10科56种,鸟类17目49科207种,哺乳动物8目19科50种。陆生脊椎动物有国家一级重点保护野生动物4种,国家2级重点保护野生动物34种。无脊椎动物1568种,其中,陆生贝类13科27属47种,昆虫20目169科952属1281种,蜘蛛30科102属240种。

国家一级重点保护野生动物　豹、黑麂、黄腹角雉、白颈长尾雉

国家二级重点保护野生动物　藏酋猴、大灵猫、斑羚、豹猫、小灵猫、豺、穿山甲、鸳鸯、白鹇、鹰雕、

林雕、蛇雕、凤头蜂鹰、赤腹鹰、凤头鹰、松雀鹰、燕隼、游隼、灰背隼、斑尾鹃鸠、虎纹蛙等。

兽类　狐狸、野猪、豪猪、刺猬、山羊、苏门羚、野兔等。

鸟类　喜鹊、白鹭、红隼、鹧鸪、白尾鹞、三宝鸟、野鸬鹚、斑嘴鸭、绿翅鸭、寿带鸟、苦恶鸟、火斑鸟、山斑鸠、金腰燕、珠颈斑鸠、大山雀、白腰文鸟、斑文鸟、棕背椋鸟、小云雀、红尾伯劳、画鹛、黑背燕尾、斑鱼狗、大嘴乌鸦、黑卷尾、棕扇尾莺、柳莺、鹰头杜鹃、家燕、雉鸡、银鸥、大杜鹃、褐河乌等。

鱼类　鲫鱼、鳜鱼、鲥鱼、青鱼、草鱼、三角鲂、长春鳊、鲢鱼、鲤鱼、麦穗鱼、泥鳅、鲶、胡子鲶、刺鳅、圆尾叶鱼、叉尾计鱼、石板鱼等。

贝介类　甲鱼、蟹、虾、螺、蚌、龟等

蛇类　竹叶青、黄花蛇、乌稍蛇、眼镜蛇、金环蛇、银环蛇、竹节斑蛇、水蛇、五步蛇、蝮蛇等。

蛙类　黑斑蛙、金线蛙、沼蛙、泽蛙、岩蛙、蟾蜍、雨蛙、刺胸蛙等。

第四章　土地资源管理利用

第一节　管理机构与队伍

管理机构

1985年9月，贵溪县土地利用管理办公室成立，为县政府管理土地的职能机构，归口农牧渔业局管理。1987年5月，从县农牧渔业局划出成立贵溪县土地利用管理局。2002年11月，贵溪市土地利用管理局和贵溪市地质矿产局合并，组建贵溪市国土资源局，为贵溪市人民政府工作部门。2008年，市国土资源局内设机构为办公室、法规监察股、规划股、土地利用股、耕地保护股、地籍管理股、矿产资源开发管理股、矿产资源储量股、国土交易中心、国土开发整理中心、监察室、后勤管理办公室、执法大队、直属国土资源所、工业园区国土所、地产所。

2008年1月，位于建设大道中段的国土大厦竣工，局机关从原市委党校大院土地局干部宿舍楼迁入新址办公。

队伍

1985年，贵溪县土地利用管理办公室定行政编5人。1987年，贵溪县土地利用管理局成立，在原行政编基础上，增加事业编7人。2008年，贵溪市国土资源局共有编制108名，实有126人。其中：行政编14名、工勤编3名，共17名。事业编91人，实有人数107人。其中全额拨款编制数为29人，实有人数44人；差额拨款编制数为15人，实有人数7人；自收自支编制数为47人，实有人数56人。具体分布：直属国土所有全额拨款事业编16名，实有人员15人。土地勘测规划队有全额拨款事业编5名，实有人员22人。土地储备中心有全额拨款事业编8名，实有人员8人。执法监察中队有差额拨款编制15名，实有人员7人。地矿稽查大队有自收自支编制5名，实有人员14人。地产管理所有自收自支事业编制38名，实有人员41人。此外，土地评估所有编制4名，实有人员4人，为中介机构。

2008年，全局在职干部、职工中有研究生1人，大学本科文化12人，大学专科文化76人，中专文化2人，高中（技校）文化22人，初中及以下文化13人。

乡镇管理机构

1989年7月，在塘湾乡、上清镇、罗河乡、文坊乡、周坊乡五乡（镇）建立土地管理所，受乡（镇）人民政府的领导，业务上受县土地利用管理局的指导和监督，依法行使管理土地的职权。每年定员2－3人，编制在乡（镇）政府中调剂解决。之后，各乡（镇）土地管理所陆续建立。

1999年1月，土地利用管理局对乡镇土地管理所实行垂直管理。设立18个土地管理所，即雄石、滨江、泗沥、河潭、白田、周坊（含古港）、鸿塘（含塔桥）、金沙、志光、流口、雷溪、罗河、彭湾、余家（含上清林场）、耳口（含冷水）、金屯、塘湾、文坊（含西窑、双圳、樟坪）土地管理所。乡镇土管所为土地利用管理局的派出机构，全民所有制事业单位，定编60人。2002年，机构改革后，将乡（镇）土地管理所更名为乡

(镇)土地规划站,仍由各乡(镇)进行管理。共设立18个土地规划站,即滨江乡、泗沥镇、河潭镇、白田乡、周坊镇、志光镇、鸿塘镇、雷溪乡、流口镇、罗河镇、彭湾乡、余家乡、金屯镇、塘湾镇、文坊镇、樟坪乡、耳口乡、冷水镇,至2008年底,市国土资源局仍未将乡镇土地规划站垂直管理到位。

直属机构

2002年6月18日成立贵溪市土地储备中心,2003年10月12日市土地储备中心由城投划归市国土资源局管理,2005年12月19日市土地储备中心升格为副科级机构。

第二节 土地权属调查

国有土地

2008年,贵溪市国有土地面积为41491.29公顷,占全市土地总面积的16.64%。其中耕地1180.55公顷,园地621.69公顷,林地28721.09公顷,草地333.78公顷,城镇村及工矿用地4368.16公顷,交通运输用地1301.58公顷,水域及水利设施用地4879.10公顷,其他土地85.34公顷。

2008年贵溪市国有土地结构一览

表1-11　　单位:公顷

行政区域	合计	耕地	园地	林地	草地	城镇村及工矿用地	交通运输用地	水域及水利设施用地	其他土地
贵溪市	41491.29	1180.55	621.69	28721.09	333.78	4368.16	1301.58	4879.10	85.34
贵溪市城区	2068.48	58.68	1.34	77.39	14.29	1460.39	120.42	329.06	6.91
鸿塘镇	523.55	30.54	131.77	9.19	2.40	54.54	58.03	237.08	—
罗河镇	477.44	—	—	—	—	386.79	73.71	16.94	—
上清镇	2316.73	12.12	71.72	1757.75	0.22	87.32	62.88	324.00	0.72
冷水镇	154.46	1.75	1.20	16.19	—	43.91	37.84	53.01	0.56
龙虎山镇	413.25	0.58	—	15.40	—	96.93	59.77	240.57	—
河潭镇	881.49	110.08	9.64	52.90	11.69	70.92	95.62	528.77	1.87
流口镇	253.28	16.46	—	0.36	1.92	35.70	9.46	189.38	—
金屯镇	112.81	—	—	70.12	—	16.94	18.11	7.64	—
泗沥镇	299.80	—	—	—	—	105.38	83.29	111.13	—
周坊镇	449.84	17.34	23.52	24.55	5.17	45.12	23.53	310.61	—
志光镇	401.54	—	—	—	—	78.14	102.89	220.51	—
文坊镇	1625.39	7.26	1.27	1542.25	1.65	26.77	39.35	6.84	—
白田乡	60.85	—	—	—	—	0.34	20.81	39.70	—
塘湾镇	201.52	—	—	0.54	—	67.63	30.27	103.08	—
耳口乡	1113.94	—	—	854.89	—	0.38	26.54	232.13	—
雷溪乡	84.46	—	—	—	—	11.64	10.86	61.96	—
樟坪乡	493.37	—	—	465.42	—	5.48	21.11	1.36	—
滨江乡	1666.45	2.72	—	5.11	1.44	566.13	268.50	819.58	2.97

续表 1－11

行政区域	合计	耕地	园地	林地	草地	城镇村及工矿用地	交通运输用地	水域及水利设施用地	其他土地
彭湾乡	115.50	—	—	—	—	1.37	16.24	97.89	—
余家乡	203.31	—	—	—	—	24.97	58.57	119.77	—
河潭埠垦殖场	654.63	204.68	78.72	145.55	104.25	42.89	2.25	29.71	46.53
西窑林场	1059.44	7.74	—	966.55	75.77	9.14	—	—	0.24
双圳林场	5495.48	2.48	72.41	5307.12	45.03	7.63	30.12	9.37	21.32
耳口林场	5239.25	8.33	0.75	5211.62	10.79	3.72	—	3.36	0.68
冷水林场	10071.56	73.82	5.73	9817.01	8.67	40.02	3.55	121.61	1.15
三县岭林场	1035.84	150.01	22.19	827.07	8.01	16.24	5.70	4.84	1.78
上清林场	1327.16	3.30	13.48	1302.81	—	0.71	3.37	3.49	—
塔桥园艺场	212.28	25.69	113.93	4.79	11.10	43.97	6.65	5.59	0.56
市园艺场	0.19	—	—	—	—	—	0.19	—	—
林业技术推广站	33.82	0.28	6.90	12.78	—	10.21	3.65	—	—
贵溪市森林苗圃	63.02	3.27	1.15	11.11	—	45.84	1.54	0.11	—
贵溪市鱼种场	12.65	—	—	—	—	1.41	2.21	9.03	—
硬石岭水库工程管理局	1414.69	441.16	54.29	220.83	17.61	35.42	4.55	640.83	—
天华山林化厂	31.21	2.26	11.68	1.79	13.77	1.56	—	0.15	—
南京军区空军房管处	9.97	—	—	—	—	9.97	—	—	—
南京军区空军修配厂	12.36	—	—	—	—	12.36	—	—	—
鹰潭军分区	70.24	—	—	—	—	70.24	—	—	—
三二二七六部队	830.04	—	—	—	—	830.04	—	—	—

集体土地

2008 年，贵溪市集体所有土地面积为 207787.93 公顷，占全市土地总面积的 83.36%。其中，耕地 52375.74 公顷，园地 3246.71 公顷，林地 124578.82 公顷，草地 3044.92 公顷，城镇村及工矿用地 9316.46 公顷，交通运输用地 2223.13 公顷，水域及水利设施用地 8911.96 公顷，其他土地 4090.19 公顷。

2008 年贵溪市集体土地结构一览

表 1－12　　　　单位:公顷

行政区域	合计	耕地	园地	林地	草地	城镇村及工矿用地	交通运输用地	水域及水利设施用地	其他土地
贵溪市	207787.93	52375.74	3246.71	124578.82	3044.92	9316.46	2223.13	8911.96	4090.19
贵溪市城区	1811.80	417.73	3.27	977.75	26.75	119.08	23.97	111.89	131.33
鸿塘镇	10375.06	3943.45	447.67	4153.51	126.66	793.89	132.39	553.40	224.08
罗河镇	10339.85	4585.97	134.63	2981.83	372.24	928.21	145.84	893.02	298.11
上清镇	9784.72	1857.48	576.56	6633.11	162.67	228.20	74.77	235.76	16.17
冷水镇	5235.36	181.56	6.80	4708.51	76.00	97.15	14.19	150.75	0.40
龙虎山镇	5488.42	979.62	248.60	3741.61	55.94	205.13	49.98	125.79	81.75
河潭镇	10715.78	4043.63	231.90	4294.11	235.85	780.41	208.09	794.14	127.65
流口镇	7185.10	2279.21	96.16	3269.21	192.79	350.39	123.01	355.83	518..50
金屯镇	9800.46	1887.47	15.52	7128.50	65.33	292.94	86.47	319.90	4.33
泗沥镇	14490.58	4704.25	82.19	7201.39	136.43	897.37	139.25	823.29	506.41
周坊镇	18014.03	4892.86	295.90	11348.85	323.48	573.49	145.51	427.39	6.55
志光镇	8929.23	3830.46	328.84	2551.40	170.77	683.62	157.29	694.26	512.59
文坊镇	20182.14	2351.40	128.76	16285.02	350.60	383.43	147.29	498.15	37.49
白田乡	8254.75	2037.30	44.64	5580.85	32.10	243.34	65.53	241.93	9.06
塘湾镇	17471.45	3212.49	104.44	12735.41	162.65	430.13	148.72	404.34	273.27
耳口乡	11756.07	854.86	14.19	10347.97	152.14	169.00	46.51	162.85	8.55
雷溪乡	3933.75	1629.59	36.31	1486.01	39.03	274.64	72.35	390.99	4.83
樟坪乡	5577.38	304.23	26.31	5015.57	10.56	64.30	25.52	130.13	0.76
滨江乡	9758.07	3886.69	185.14	2251.15	222.62	1054.24	162.99	891.06	1104.18

续表 1－12

行政区域	合计	耕地	园地	林地	草地	城镇村及工矿用地	交通运输用地	水域及水利设施用地	其他土地
彭湾乡	6017.87	1264.23	49.51	4352.63	47.19	152.83	42.51	108.39	0.58
余家乡	11203.66	2999.87	145.75	6778.67	42.00	525.12	103.52	389.60	219.13
河潭埠垦殖场	108.23	37.80	0.65	6.45	7.37	5.30	23.84	26.82	—
西窑林场	22.65	—	—	—	—	—	14.50	8.15	—
双圳林场	273.43	1.30	—	230.88	10.70	1.75	1.56	27.24	—
耳口林场	27.90	—	—	—	—	—	1.92	25.98	—
冷水林场	79.17	—	—	27.78	—	—	32.65	18.74	—
三县岭林场	93.21	7.89	2.08	63.34	0.62	0.46	6.04	12.78	—
上清林场	9.29	1.26	—	—	6.43	—	0.77	0.83	—
塔桥园艺场	23.09	4.58	8.69	—	—	1.86	6.19	1.77	—
市园艺场	508.09	86.13	27.19	335.49	—	20.31	5.36	33.61	—
林业技术推广站	32.55	3.78	0.09	25.41	—	2.10	0.57	0.60	—
贵溪市森林苗圃	2.79	0.35	—	—	—	—	0.99	1.45	—
贵溪市渔种场	218.11	77.69	3.42	38.24	15.82	36.86	2.78	39.15	4.15
硬石岭水库工程管理局	62.54	10.60	1.50	28.17	0.18	0.91	9.22	11.67	0.29
天华山林化厂	0.93	—	—	—	—	—	0.80	0.13	—
南京军区空军房管处	0.16	—	—	—	—	—	0.16	—	—
南京军区空军修配厂	0.18	—	—	—	—	—	—	0.18	—
鹰潭军分区	0.18	—	—	—		—	0.18	—	—

第三节　地籍管理

土地调查

1989年11月—1993年9月,贵溪县对土地利用状况进行全面调查。获得1:50000分幅土地利用现状图13幅,1:10000分幅土地利用现状图125幅,1:10000分幅土地权属图125幅,各类土地统计表、耕地、荒草地坡度分级表各一份,编写出《贵溪土地资源》一书。2007年7月开始第二次全市土地调查,取得一批成果,主要包括,全市各行政区域各类土地面积数据,全市各行政区域基本农田面积数据,全市各行政区域不同坡度等级耕地面积数据,全市各行政区域城镇土地利用分类面积数据,全市各行政区域各类土地权属信息数据,全市土地利用现状图件,全市基本农田分布图件,全市城镇土地利用现状图件,全市土地权属界线图件。形成了集土地调查数据、图件和文字成果等内容为一体的各级土地调查数据库及管理系统。形成全市土地利用数据库,全市土地权属数据库,全市多源、多分辨率遥感影像数据库,全市基本农田数据库,城镇地籍信息系统等数据库。

土地使用权登记

1986年9月,贵溪县开展土地清查发证工作,至年底基本结束。共发放集体单位"国家集体建设土地使用证"4496本,个人"宅基地使用证"90356本。2001年5月,决定从2001年6月起开始已购公有住房、商品房土地登记发证工作。自1987年成立土地局以来,全市共发放国有土地使用权证19296本,发证率达99.1%;发放集体土地使用权证130145本,发证率达86.2%。

地籍档案管理

从2006年12月开始,贵溪市投资近30万元,购置包括扫描系统在内的整套档案管理先进设备,组织专业人员对十多万卷地籍档案,按规范要求全部重新立卷,实行档案规范化、信息化管理。

第四节　用地管理

建设用地审核审批

贵溪市执行土地利用总体规划和土地利用年度计划,严把用地审核(批)关。在安排各类建设用地时,坚持做到"六不"原则,即无土地与耕地利用计划、项目用地不符合土地利用总体规划、项目不符合国家产业政策与供地政策、项目投资额度与投资强度达不到规定要求、耕地开垦费征收不到位、耕地占补平衡与耕地占补挂钩不落实的项目不予出具预审意见和安排用地。在每年新增建设用地计划,尤其是农用地转用计划日渐趋紧的情形下,不管什么项目,在用地选址上,都尽量少占耕地。通过一些技术调整和部门配合,上报了大量的未利用土地,有效地缓解了新增建设用地计划中农用地少,未利用地多的矛盾。始终坚持把节约集约用地作为缓解保护资源与保障发展压力的有效途径,着力在"管住总量、严控增量、盘活存量、提高质量"上下功夫,加快实现土地利用由粗放型向集约型的转变。

1991—1995年,经各级审批,全县非农建设用地159.73公顷,其中耕地28.08公顷。2001~2008年,全市共分58批次向省人民政府报批建设用地1226.78公顷,其中农用地812.362公顷,耕地407.2701公顷。

重点建设项目用地

1991-2008年,全市共有重点建设项目19个,征用土地1826.13公顷。

1991—2008 年贵溪市重点建设项目土地征用一览

表 1－13　　单位：亩

年份	征地项目	征地总面积	其中		
			菜地	水田	旱地
1992—1994	界牌枢纽	253	7.4	70.3	–
2000—2003	中心区水厂	109	2.7	3.7	2.3
1996—2005	中心区	1881	142.3	278.8	78.2
1996—2005	电厂	769	158.9	169.4	7.3
2003—2005	江铜扩建	1333	102.1	534.9	25.2
2003—2007	梨温高速公路贵溪连接线	443	8.8	65.4	20.0
2002—2006	梨温高速公路鹰东连接线	505	–	177.6	126.1
2008	龙虎山大道延伸（贵溪段）和 206 国道天禄至龙虎山大道改建（贵溪段）	424	2.4	258.7	66.9
2006	鹰潭市武警反恐基地	57	–	–	–
2006	柏里大道	95	22.6	62.5	1.9
2007	贵溪大桥东西延伸段道路	377	137.8	78.9	24.4
2004—2007	浙赣铁路改造贵溪段	363	34.1	151.2	11.1
2007－2008	铜拆解园	3246	51.1	901.6	27.7
2008	鹰潭防洪堤（贵溪段）	379	4.2	208.0	16.1
2008	污水处理厂	585	77.9	504.2	0.3
2007	雄鹰大道（贵溪段）	83	6.0	15.7	5.5
2000	梨温高速公路（贵溪段）	3177	81.3	1407.8	213.2
1997—2008	贵溪市工业园	10994	528.6	3568.7	421.2
2002—2007	城南开发	2319	1262.5	604.3	34.9
	合计	27392	2630.7	9071.7	1082.3

规划区居民建房用地

1986 年贵溪县政府第 26 号文件规定，城区私人建房每户控制宅基地面积（包括院套和旧房）100 平方米以内，最高不得超过 125 平方米。1987 年，县土地局批准城区居民建房 16 户；1988 年县政府批准城区居民建房 165 户，县土地局批准 25 户；1989—1990 年仅批准周边的象山水产场和滨江倪家 20 户居民建房用地；1993 年批准 8 户城区居民的建房用地；1989—2008 年，违法建房现象严重。对干部及居民在城区的违法建房进行多次清查，共补办建房用地手续、核发土地使用证 1152 户。2002 年，市政府 28 号文件规定，规划区建房审批权统一由市政府行使，其他乡镇政府不得越权审批。2005 年市政府 20 号文件又规定，规划区内村民建房只能结合旧村改造建房、在农民迁建规划小区内建房和在农民公寓规划小区内安排住房。公有住房制度改革后，各单位按规定不再建设福利性公有住房。商品房价格从 2002 年上半年每平方米 500 元左右，涨至 2008 年的最低每平方米 2000 元以上，最高每平方米 2700 元左右。城区个人违法建房禁而不止，不少市民利用春节、国庆等长假突击建房。

商品房建设用地

1993 年以前，商品房开发用地通过政府划拨或和单位联合建房（即单位出土地，开发商出资金）的方式取得。1993—2002 年 7 月 1 日，开发用地通过协议出让或公开出让的方式取得。2002 年 7 月 1 日以后,通过公开拍卖、挂牌、招标的方式取得国有土地使用权。1992年,贵溪县政府将贵溪县商业局仓库15000平方米土地划拨给贵溪县工商局,由贵溪县房地产开发公司进行集小商品市场、商业住宅为一体的综合开发,贵溪商城是全市商品房开发建设的开端。2003年以后,城区商品房建设飞速发展。至2008年,城区从事房地产开发的企业达36家,商品房开发用地超过140万平方米。城区机关事业单位,原市属国有企业所有的存量土地,可供房地产开发的已经很有限。商品房开发逐步向城市行政中心区、城南开发区、罗河工业区扩展,利用政府公开出让的新增土地从事房地产开发。

1992～2008 年贵溪市规划区内商品房开发主要项目用地一览

表 1－14

年份	开发单位	法人代表	项目地点	面积(平方米)	成交价(元)	供地方式
1992	贵溪县房地产开发公司	黄连荣	贵溪商城	15000	－	划拨
1996	贵溪市雄石房地产开发公司	江员兴	站前路东侧	637	－	出让
1997	贵溪市雄石房地产开发有限公司	江员兴	雄石西路 1 号地金峰大厦	1832	4223290.89	拍卖
1997	贵溪市城市建设综合开发总公司	徐天德	交通路南侧	1326.9	265380	转让
1997	贵溪市城市建设综合开发总公司	徐天德	雄石西路 4 号地金三角	2714.12	5666832	招标
1997	贵溪市房地产开发总公司	黄连荣	复兴路	1615.7	－	划拨
1999	贵溪市政兴房地产开发有限公司	汪永富	交通街原橡胶厂	7092	2000000	协议
1999	贵溪骏田房地产开发有限公司	徐火太	北大街东原铜材厂	7853.6	7000000	协议
1999	洪尔桥	洪尔桥	火车站对面	1745.18	－	联建
2000	贵溪市城市建设综合开发总公司	徐天德	纺织器材厂	1246.37	－	划拨
2000	贵溪市城市建设综合开发总公司	徐天德	沿河路老革命招待所	359	－	划拨
2000	贵溪县房地产开发公司	黄连荣	外贸小区	5431.86	1000000	转让
2001	贵溪穗兴房地产开发有限公司	邱继敏	粮食局院内	658	175488.6	协议
2001	浙江上虞振业房地产开发有限公司	李苗荣	东门货场	4066.13	1300000	协议
2001	中房集团鹰潭有限公司	朱瑞华	雄石西路 5 号地	1311.76	2735563	协议
2001	江西华邦安康房地产开发有限公司	朱晓华	原粮食储备库	27023.2	10700000	协议
2001	贵溪恒顺房地产开发有限公司	刘水林	交通街都市小区	3876	1326665.2	协议

说明:1、雄石西路 1 号地金峰大厦已于 2007 年转给贵溪市华明房地产开发有限公司。

2、贵溪市城市建设综合开发总公司 2003 年更名为贵溪市远东房地产开发有限公司。

3、贵溪县房地产开发公司外贸小区地块除支付购地款外,另返建仓库 400 平方米给外贸公司。

续表 1－14

年份	开发单位	法人代表	项目地点	面积(平方米)	成交价(元)	供地方式
2001	贵溪联荣房地产开发有限公司	黄连荣	王家小区安居工程	6096	承债式购买	协议
2001	贵溪骏田房地产开发有限公司	徐火太	叶家塘二期	280.78	8640	协议
2001	贵溪市新世纪房地产开发有限公司	张维乾	西街原化工厂	8880	1600000	协议
2001	贵溪台侨房地产开发有限公司	周叶旺	火车站对面	1508.4	40000	协议
2001	贵溪市房地产开发总公司	黄连荣	乡企局院内	449.4	－	划拨
2002	贵溪金鑫房地产开发有限公司	杨金生	建设路北侧	805.2	360000	协议
2002	贵溪台侨房地产开发有限公司	周叶旺	东门货场	3696.68	1430600	协议
2002	贵溪联荣房地产开发有限公司	黄连荣	王家小区	13404.5	承债式购买 1139382.5	协议
2002	贵溪建祥房地产开发有限公司	徐义才	原粮油加工总厂	12299.25	4636154.8	协议
2003	浙江嵊州新联房地产开发有限公司	李求军	站前北路原工行车办	437.58	1400000	拍卖
2003	贵溪建祥房地产开发有限公司	徐义才	烧箕山	11757	2000000	协议
2003	贵溪市福达房地产开发有限公司	游兆汉	城南新宾馆	68000	2360000	挂牌
2003	江西三清房地产开发有限公司	陈斌	擂古岭	54473	96416700	拍卖
2003	鹰潭远丰房地产开发有限公司	谢光明	城南建材市场	66000	13761000	挂牌
2003	贵溪联荣房地产开发有限公司	黄连荣	中粮车队	6502.47	1380000	协议
2003	浙江上虞振业房地产开发有限公司	李苗荣	东门货场	17146.16	6258000	挂牌
2004	贵溪市政兴房地产开发有限公司	汪永富	乳品厂	26010	7413100	拍卖
2004	贵溪远东房地产开发有限公司	徐建平	老武装部	7260.66	21126600	拍卖
2004	贵溪市浙信房地产开发有限公司	李苗荣	万亩山	50943.57	6877400	挂牌
2004	贵溪市浙信房地产开发有限公司	李苗荣	原粮食局肌醇厂	12000	4608000	拍卖
2004	江西亿鑫房地产开发有限公司	陈卫生	城南众德 02 地块	26097	20475500	拍卖
2004	章剑波	章剑波	老党校原液化气公司	1848	1810000	挂牌

续表 1－14

年份	开发单位	法人代表	项目地点	面积(平方米)	成交价(元)	供地方式
2004	鹰潭宏发房地产开发有限公司	项敏	广场东侧原百货公司	2906	5253900	协议
2004	南昌青云房地产开发有限公司	刘新建	广场原知青地块	5630	13917400	协议
2004	南昌青云房地产开发有限公司	刘新建	广场原知青地块	2637	6518700	协议
2004	浙江嵊州新联房地产开发有限公司	李求军	城北汽车站	79104	8306000	挂牌
2004	贵溪建祥房地产开发有限公司	徐义才	粮食储备库 A 地块	2848	3535600	拍卖
2004	贵溪台侨房地产开发有限公司	周叶旺	东门货场	1523.04	398000	挂牌
2005	福达房地产开发有限公司	游兆汉	新宾馆南侧地块	51492	8186400	挂牌
2005	江西三清房地产开发有限公司	陈斌	擂古岭北侧	1367	2419000	挂牌
2005	王员宝	王员宝	北街原副食品仓库	3023.3	2610000	挂牌
2005	南昌青云房地产开发有限公司	刘新建	农业局种子仓库	1968	3860000	拍卖
2005	江西汇诚置业有限公司	吕颖红	冶金路、建设路交叉处东北侧	7100	2343000	挂牌
2005	江西宏大房地产开发有限公司	李强	电厂门口原检察院地块	3336	7500000	挂牌
2005	贵溪恒泽房地产开发有限公司	沈渭良	市工业园区	59312.3	7000000	挂牌
2005	贵溪市政兴房地产开发有限公司	汪永富	中心区 A 地块	8894.6	5603600	拍卖
2005	贵溪市政兴房地产开发有限公司	汪永富	中心区 C 地块	8318.5	5178000	拍卖
2005	贵溪骏田房地产开发有限公司	徐火太	中心区 D 地块	9322	5782900	拍卖
2005	贵溪骏田房地产开发有限公司	徐火太	粮食储备库	5221	4738400	拍卖
2006	贵溪金鑫房地产开发有限公司	杨金生	建设路国税局地块	3376	1600000	挂牌
2006	贵溪金鑫房地产开发有限公司	杨金生	冶金路地税局地块	7753	5667443	挂牌
2006	贵溪金鑫房地产开发有限公司	杨金生	交通街原油脂厂	7015	9441100	拍卖
2006	贵溪建祥房地产开发有限公司	徐义才	建设路水利所 7 号	22740	11119860	拍卖
2006	贵溪远东房地产开发有限公司	徐建平	城南众德 01 地块	36074	25972800	挂牌
2006	鹰潭思维置业有限公司	施建国	发电厂地块	15424.5	6478300	挂牌

续表 1－14

年份	开发单位	法人代表	项目地点	面积(平方米)	成交价(元)	供地方式
2006	贵溪建丰房地产开发有限公司	周林学	水科所 4 号	13183	6327840	拍卖
2006	贵溪市雄石房地产开发有限公司	江员兴	富康家园	30856.72	–	
2007	贵溪恒泽房地产开发有限公司	沈渭良	城南 K1 地块	48272	82183080	拍卖
2007	鹰潭思维置业有限公司	施建国	电厂铁路专用线北侧	27013	12155850	挂牌
2007	贵溪金城房地产开发有限公司	彭金华	建设路老水泥厂	13906	23049195	拍卖
2007	十五冶金拓房地产开发有限公司	赖守玉	十五冶 1 号、2 号、3 号、4 号	51916	24110000	挂牌
2007	贵溪金鑫房地产开发有限公司	杨金生	西街原南方照明地块	6938	17691900	拍卖
2007	贵溪金鑫房地产开发有限公司	杨金生	冶金路原地税食堂	1808.2	1200000	挂牌
2007	贵溪建祥房地产开发有限公司	徐有才	原烧箕山五七农场	1768	1350000	挂牌
2008	贵溪市亿耀房地产开发有限公司	姚志雄	北街雄石办事处	5705.72	3330000	拍卖
2008	鹰潭思维置业有限公司	施建国	发电厂大门口处	23642	17765460	挂牌
2008	江西玉宇房地产开发有限公司	缪昭亮	水科所 9 号	24500	21682500	拍卖
2008	江西长喜房地产开发有限公司	徐长喜	冶金大道东侧	9172	7292800	拍卖
2008	鹰潭万和房地产开发有限公司	朱晓华	东城区	314453.3	156623100	挂牌
2008	贵溪瑞新房地产开发有限公司	王圣寿	冶金大道西侧	27926.92	25134000	挂牌
	合　计			1427130.57	7848201124.89	

农村村民建房用地

1987年省政府2号文件规定,无房或缺房农业户建房,占用宅基地或空闲地的每户控制在130～180平方米,占用耕地的控制在100～140平方米,占用荒山、荒坡的可适当放宽。1987—1997年,市(县)政府共批准占用耕地建房545户,面积4.84公顷。2004年,市政府批准农用地转建房用地26户,面积0.31公顷。1999—2001年4月,共审批乡(镇)村民非耕地建房2008户,占地28.47公顷。2007年对泗沥等个别乡镇的83户村民批准建房。其余时段乡镇村民建房均由各乡镇负责审批。2003年,市政府(2003)年12号文件规定,农村村民一户只能拥有一处宅基地,建房用地不得超过160平方米,一般不准占用耕地建房,确需占用的,每户不得超过120平方米。改革开放以后,农村经济条件改善,村民建新房比较普遍,新建住宅多向村庄外围发展,空置房屋现象比较严重,空心村问题日趋突出。以志光镇志光村委会廖家为例,该村20世纪60年代有居民60多户,居民依托岭坳低洼处的大水塘东西南三面而建。70年代以后,村民陆续在村外围东西两侧高地和村南通村公路两侧建房,至今已全部迁建新房,居住条件大为改善。空置及任其倒塌的房屋超过50户。新中国成立时土改分配给贫下中农居住的封砖起垛、上下两栋的地主豪宅都已无人居住。雨季路面布满青苔,人迹少至。廖家此种情况并非个例,农村比较普遍。

第五节　土地使用制度改革

土地市场建立

1992年以前,国有土地使用权通过划拨方式取得。1993年,贵溪县政府将冶金大道西侧23520平方米的国有土地,以358218元的价格协议出让给江西环球石业有限公司使用,标志着国有土地使用权由以往的无偿、无期限、无流通使用改为有偿、有期限、有流通的使用,是贵溪土地市场的第一宗交易。1993年以后,除国家机关和军事用地、城市基础设施用地和公益设施用地、国家和省投资建设的能源、交通、水利等重点建设用地及有规定的用地继续使用划拨方式外,经营性国有土地开始进入市场,通过出让方式取得使用权。

土地出让

出让方式　土地出让有协议出让和公开出让两种。商品房用地协议出让2002年7月1日后停止,工业用地协议出让2007年1月1日后停止,经营性国有土地使用权均通过公开出让方式取得。公开出让分招标出让、拍卖出让和挂牌出让三种方式:招标出让由国土资源部门发布招标公告,邀请个人或组织参加投标,根据投标结果确定国有建设用地使用权人。拍卖出让由市国土资源部门发布拍卖公告,由竞买人在指定时间、地点进行公开竞价,根据出价结果确定建设用地使用权人。挂牌出让由市国土资源部门发布挂牌公告,按公告规定的期限将拟出让宗地的交易条件在指定的土地交易所挂牌公布,接受竞买人的报价申请并更新挂牌价格,根据挂牌期限截止时的出价结果或现场竞价结果确定得主。国有建设用地使用权竞得人,和市国土资源局签订出让合同,交纳出让金、契税和土地交易服务费,办理相关手续,发给国有土地使用证。

出让年限　经营性国有土地使用权出让年限根据用地性质而定。商品房住宅开发用地为70年,综合、工业用地为50年,商业、娱乐、旅游等用地为40年。凡以挂牌、协议、拍卖、招标方式取得的国有土地使用权及其地面建筑物、附着物随之转移,使用期限为剩余年份。

地价评估

2000年3月,贵溪市城区土地定级估价由市土地局会同江西省地理学会编制完成并经贵溪市政府批准公布执行。城区土地共分4个级别:信江路、北大街、茨荸弄、南大街东段、沿江路西段所封闭区域,交通路至建设路铁路宿舍、站前路、雄石路中段两侧纵深70米,被列为一级地区域。老城区其他区域(除西门外部分土地)、东门货场、烧箕山及建设路中段两侧纵深70米为二级地区域。西门外一部分,柏里路至桥梁厂段,冶金路两侧,信江桥南为三级地区域。其他为四级地区域。经营性国有土地进入市场后,实行竞价投标。1996年,雄石西路9号地每平方米出让价3809.52元,为历年最高。

征地补偿安置

贵溪市征地补偿安置的基本形式是货币补偿安置。1992 年征用水田补偿 5500 元/亩，菜地 7000 元/亩，旱地 3000 元/亩。1993 年浙赣复线征地综合价 6000 元/亩。1997 年征地补偿最高标准：菜地 19500 元/亩，水田 25000 元/亩，旱地 13500 元/亩，林地 2400 元/亩。2002 年征地补偿最高标准：菜地 38250 元/亩，水田 25500 元/亩，旱地 15300 元/亩，林地 3600 元/亩；2005 年菜地最高补偿标准调整为 29250 元/亩，旱地 20000 元/亩，林地 3000 元/亩；2006 年林地补偿最高标准调整为 4000 元/亩。

土地出让金

协议、挂牌、招标、拍卖方取得国有土地使用权，均应交纳土地出让金。以划拨方式取得的国有土地使用权进入市场，应提出申请，经批准后转让受让双方办理土地转让手续，补交出让金，核发国有土地使用证。土地出让金全部上交市财政，是市财政收入的重要来源。

1999—2008 年贵溪市土地使用权出让一览

表 1 - 15

年份	出让方式	宗地数	出让面积（平方米）	地价（万元）			出让金额（万元）
				平均	最高	最低	
1999	协议	5	30749.28		882.64	30.77	446.60
2000	协议	7	23652.63		891.31	180.18	1049.62
2001	协议	5	38951.13	417.73	2085.41	212.12	1627.09
2002	协议、挂牌、拍卖	3	80736.83	103.99	3199.41	34.71	839.62
2003	挂牌、拍卖	3	137619.16	846.07	1766.99	208.5	11643.57
2004	协议、挂牌、拍卖	14	303831.19	379.66	2909.74	105	11535.32
2005	挂牌、拍卖	13	183128	313.36	2248.2	41.36	5738.51
2006	挂牌、拍卖	10	281993.4	280.98	1345.84	58.95	7923.50
2007	挂牌、拍卖	15	1273319.46	295.8	2550	114.98	37664.73
2008	挂牌、拍卖	16	961470.94	347.39	899.99	167.94	33400.06

说明：1999、2000 年出让面积中含承债式购买或其他原因无出让价而未计平均价。

第六节　基本农田保护

基本农田保护区划定

1995 年，贵溪县在泗沥镇进行划定基本农田保护区试点。1996 年县政府批转县土地局划定基本农田保护区工作方案，该项工作在全县铺开。1997 年，共划定基本农田保护区 1848 块，保护面积 49656.55 公顷。其中一级农田保护区面积 34772.67 公顷，二级农田保护区面积 14790.47 公顷。一级农田保护区实行强制保护，严禁废田建房，严禁种植多年生经济作物，严禁建砖瓦窑，严禁取土制砖与葬坟，严禁建设水泥构件预制场和堆放其它废弃固体物。不得抛荒耕地，不得挖塘养鱼。农田保护区划定后，在保护区醒目要道处设置保护牌 312 块。

2008 年贵溪市耕地与基本农田保护一览

表 1 – 16

乡镇	2005 年耕地基数（公顷）	基本农田面积指标	
		保护率（%）	保护面积（公顷）
滨江乡	3702.35	60.92	2255.65
花园、雄石、东门街道	508.91	0.00	0.00
罗河镇	4580.71	85.90	3934.85
塘湾镇	3358.07	89.66	3010.85
金屯镇	2092.59	87.69	1334.97
文坊镇	2522.83	90.53	2283.87
河潭镇	4004.18	97.08	3887.08
冷水镇	329.85	62.76	207.03
周坊镇	4637.07	97.02	4498.74
志光镇	3707.26	88.78	3291.37
鸿塘镇	4036.51	83.92	3387.51
流口镇	2141.51	94.58	2025.42
泗沥镇	4059.12	93.54	3795.85
耳口乡	1127.69	87.57	987.55
樟坪畲族乡	313.48	86.71	271.83
彭湾乡	1244.46	82.76	1029.92
白田乡	1829.09	97.69	1786.81
雷溪乡	1680.56	85.59	1438.44
余家乡	2855.83	92.34	2651.28
合计	48732	87.37	42530.00

耕地保护责任制

每年年初，贵溪市即刻组织各乡（镇）、场、街办、林垦殖园艺场第一责任人召开全市耕地保护工作会。从 1997 年开始，市与各乡（镇）、各乡（镇）与各村委会、各村委会与各村小组、各村小组与各村民层层签订农田保护责任状，把耕地保护面积进行分解，把耕地保护责任落实到乡、村、组、农户，做到“地块有编号、区域有标牌、乡镇有档案”，明确耕地保护责任，建立耕地保护责任目标考核体系，把它作为乡（镇）领导政绩考核的重要方面。

耕地占补

征用建设用地时尽可能少占耕地。贵溪市政府不惜提高成本，将市工业园兴建在山丘地带，开山炸石平整土地，工程量相当大，中央电视台经济频道对此作专题报道。非农建设占用耕地，占多少补多少，由省国土资源厅组织验收，实现耕地占补平衡。在后备资源较丰富的泗沥、志光、河潭、鸿塘、白田等乡（镇）进行土地开发，既满足本市新增建设用地需求，确保本市的经济发展，又承担国家、省重点建设项目、鹰潭市城市建设和余江等其他兄弟城市建设耕地占补平衡任务。实施“造地增粮富民工程”，实施项目 19 个，建设规模 1059.8 公顷，项目总投产 2868.47 万元，新增耕地 962 公顷。争取国家投资土地整理项目 2 个，建设规模 1532.35 公顷，项目总投资 2531 万元，新增耕地 59.56 公顷；申报实施 3 年期农村土地综合整治示范建设项目 4000 公顷，总投资约 1.68 亿元，新增耕地 332 公顷。

土地开发

按非农建设占用耕地“占一补一”的原则,2003—2008 年,市国土部门先后在罗河镇、河潭镇、志光镇、泗沥镇、周坊镇、鸿塘镇、余家乡及硬石岭水库组织实施土地开发项目共 17 个,总投资 2446.66 万元,新增土地面积 815.55 公顷,全部经江西省国土资源厅验收合格。其中:2003 年开发项目 2 个,投资 583.5 万元,新增耕地 194.5 公顷;2005 年开发项目 6 个,投资 718.77 万元,新增耕地 239.59 公顷;2006 年开发项目 8 个,投资 906.22 万元,新增耕地 302.07 公顷;2008 年土地开发项目 1 个,投资 238.17 万元,新增耕地 79.39 公顷。

2003—2008 年部分年份贵溪市土地开发项目一览

表 1-17

年份	项目	项目地点	施工单位	验收面积（公顷）	总投资（万元）
2003	土地开发项目	罗河镇太阳村	罗河镇人民政府	9.95	29.85
	土地开发项目	罗河镇周家、童源、潜岭和新田村	罗河镇人民政府	184.55	553.65
2005	土地开发项目	罗河镇翁源、剑江、屈碧和杨桥村	贵溪市农业局	54.02	162.07
	土地开发项目	河潭镇毛炉村	河潭镇人民政府	34.06	102.18
	土地开发项目	志光镇湖塘村	志光镇人民政府	74.11	222.33
	土地开发项目	泗沥镇新塘村	泗沥镇人民政府	52.02	156.06
	土地开发项目	河潭镇丰田村	贵溪市东方建筑工程有限公司	9.86	29.58
	土地开发项目	周坊镇长塘村	贵溪市建雄路桥工程有限公司	15.51	46.54
2006	土地开发项目	鸿塘镇洋塘、茹卜和高塘尾	鸿塘镇人民政府	45.29	135.87
	土地开发项目	泗沥镇方家、尹家、郑家和杨梅岭	泗沥镇人民政府	50.43	151.28
	土地开发项目	罗河镇龙山村	罗河镇人民政府	75.58	226.73
	土地开发项目	泗沥镇应家、农中和镇林场	泗沥镇人民政府	44.91	134.73
	土地开发项目	鸿塘镇潭头村	鸿塘镇人民政府	5.51	16.52
	土地开发项目	余家乡坝上、畈山和孟青村	余家乡人民政府	56.63	169.88
	土地开发项目	河潭镇丰田村	河潭镇人民政府	9.40	28.20
	土地开发项目	志光镇塔桥村	志光镇人民政府	14.34	43.02
2008	贵溪市志光、泗沥等乡镇土地开发项目	河潭镇泗塘村	河潭镇人民政府	13.22	39.66
		泗沥镇陈家坊村	泗沥镇人民政府	11.95	35.86
		泗沥镇王湾村	泗沥镇人民政府	4.17	12.51
		志光镇塔桥村	志光镇人民政府	27.40	82.20
		鸿塘镇富岗村	鸿塘镇人民政府	11.80	35.41
		硬石岭水库工程管理局	志光镇人民政府	10.84	32.53

土地整理

2006 年 12 月,由国家投资的贵溪市雷溪乡土地整理项目和塘湾镇土地整理项目同时开工。雷溪乡土地整理项目建设规模为 794.35 公顷,投资总额 972 万元;塘湾镇土地整理项目建设规模为 737.3 公顷,投资总额 1559 万元。

宣传教育

贵溪市始终把保护耕地、节约和合理利用每一寸土地和保护资源、合理开发作为主线，提高全民的惜土意识和珍惜土地资源的认识，营造良好的工作环境和社会氛围，加大耕地保护宣传力度，增强全民耕地保护意识。开展法制宣传日活动，开展法律咨询。每逢法制宣传日，都由局领导带队，组织干部职工上街开展法律咨询活动。深入乡村宣传。其间，共深入农村放映电影196场次，组织文艺专场演出4次。2005年“4·22”世界地球日，出动宣传车深入到乡村地质灾害危险点进行宣传，受教育群众18000余人次。举办多期乡、村干部土地管理知识培训。充分发挥村民理事会制止违法用地作用，会同鹰潭市局、团市委深入农村，在本市鸿塘镇开展乡、村、组干部培训，着重培训各村民理事会成员，通过培训进一步加深乡、村、组干部对国土资源管理新形势的认识和判断，提高对国土资源法律法规的执行力，利用现代媒体进行宣传，充分发挥互联网平台，运用电子媒体与移动、联通合作，发送短信20000多条；利用电视、报刊等新闻媒体，对重大宣传活动进行播报；法制宣传日市政府分管领导作专题电视讲话；对典型的土地及矿产违法案件查处，予以公开曝光，以案说法。根据主题，召开各种会议。仅1990年1月，全省组织的“土地管理法”宣传日活动，召开会议达45次，遍及27个乡、镇（场），271个村委会，参加会议的乡村干部有2100多人，群众达10.15万人次以上。举办培训班。培训机关、乡（镇）、场、村委会及村小组干部1300多人次。发放宣传资料。1990—2008年，据不完全统计，共发放宣传资料12000本以上。其中1990年印发《中华人民共和国土地管理法》文件汇编2450册，《中华人民共和国土地管理法图件》230余份。1996年纪念《中华人民共和国土地管理法》颁布10周年和第六个全国土地日活动，发放宣传资料5000余份。1997年发放《普法宣传手册》1200册，宣传报2000份，宣传袋5000只。2005年，印发《基本农田保护条例》1600份，分发特刊400份。张贴宣传标语。1990年以来，共张贴标语15300余条，张贴宣传单1200余份，书写永久性标语632条，在垅头路口制作永久性基本农田保护牌312块。牌两边上写：“但存方寸土，留予子孙耕”等宣传语。组织大型的国土资源知识竞赛3场，印发答题试卷3600份，组织出专刊168期，黑板报63期。

结合“地球日”、“土地日”和日常执法巡查等契机开展形式多样的土地法律法规的宣传，举办专栏、刷写标语、制作固定标牌、印刷宣传资料、出动宣传车等，加大对《土地管理法》和《基本农田保护条例》的学习和宣传，提高全民保护耕地的法律意识，使各级干部、企业经营者和广大人民群众增强保护耕地，依法用地，节约资源的意识。

建章立制

1986年，国家颁布《中华人民共和国土地管理法》，各级配套性法规相继发布，贵溪市（县）政府也依法依规出台一系列政策性文件。主要有：1994年，为贯彻《土地法》，加强对划拨土地使用权的管理，防止国有土地资产流失，促进城镇建设和经济发展，贵溪县政府发布〔1994〕17号《贵溪县城镇国有土地使用权管理权暂行规定》；为深化土地管理体制和土地使用制度改革，依法强化土地资源及土地资产管理，培育规范地产市场，贵溪县政府发布〔1994〕18号《贵溪县城镇土地管理实行“五统一”的暂行规定》；为加强建设用地管理，坚决制止滥占滥用土地行为，贵溪县政府发布〔1994〕24号《建设用地计划管理实施办法》。1999年，为做好农村村民住宅用地工作，维护土地管理秩序，保护当事人的合法权益，贵溪市政府印发〔1999〕43号《贵溪市农村村民住宅用地管理暂行办法》。2002年，为加强征地管理，提高征地效率及透明度，贵溪市政府印发〔2002〕11号《贵溪市城市规划区公告制征地暂行办法》及〔2002〕18号《补充规定》；为加强政府对土地供应的宏观调控，合理利用土地资源，完善土地供应机制，规范改制企业资产处置行为，市政府下发〔2002〕26号《贵溪市市属改制企业国有土地收购储备管理办法》；为加强对土地市场的宏观调控，盘活土地存量，优化土地资源配置，市政府下发〔2002〕41号《关于进一步规范国有土地使用权处置的通知》。2003年，为规范土地使用权交易行为，深化土地使用制度改革，加强廉政建设，建立公开、公平、公正、诚实守信的土地市场，市政府制发〔2003〕6号《贵溪市土地交易管理办法》；为加强集镇建设用地管理，维护土地市场秩序，促进土地资源优化配置和高效集约利用，推进小城镇建设健康、快速发展，市政府下发〔2003〕5号《关于加强贵溪市集镇建设用地管理工作的通知》；为更好地保护耕地，减少宅基地纠纷，杜绝宅基地审批过程中的不正之风，规范宅基地审批程序和收费行为，市政府下发〔2003〕12号《关于进一步做好农村村民住宅用地管理工作的通知》。2005年，为加强对土地市场的宏观调控,有序实施城市规划,盘活存量土地,合理配置土地资源,提高土地利用率,市政府印发〔2005〕13 号《贵溪市城市规划区内土地储备实施办法》;为进一步加强贵溪市城市规划区土地管理和规划建设管理,合理利用城市土地,切实解决规划区内村民建房的问题,市政府印发〔2005〕20 号《贵溪市城市规划区内村民建房管理暂行办法》;为进一步规范全市农村村民建房管理,市政府下发〔2005〕21 号《贵溪市农村村民建房管理暂行办法》。2008 年,为妥善解决被征地农民就业培训和养老保险等工作,维护其合法权益,市政府制发《贵溪市实施失地农民安置工程试点办法》。

动态巡查

将城区、城乡结合部、公路干线两侧、基本农田保护区作为一级巡查责任区,其他区域作为二级巡查区,实行定人、定岗、定位巡查责任制,通过已形成的市、乡、村三级监察网络的强大威力,真正做到"地动我知,查处迅速",有效遏制国土资源违法案件的发生。贵溪市政府定期召开由国土、法院、检察院、公安局、监察局、法制局等参加的国土资源行政执法联席会,及时沟通情况,形成共识,共同做好追究国土资源违法者行政责任、刑事责任和违纪责任的工作。夯实基础资料。坚持执法监察档案管理规范化、信息化,一是配备专业人员,对入档、验档、存档、查档均由专人负责。二是资料系统完整,按上级来文、部门规章、案件卷宗、下发通知、群众来访等分门别类进行保存。开通"12336"国土资源举报电话。举报电话开通以来,安排专人接听,做到热情接待,做好笔录,并立即组织有关人员到现场进行调查取证,对举报属实的违法案件进行立案查处。开展"百日行动"和矿产资源开发秩序整顿"回头看"活动,建立动态巡查责任制,明确划分巡查区域等级,做到"早发现、早报告、早制止、早查处",同公安、检察院、监察等部门进行联合办案机制。2005—2010 年来,共下发《责令停止土地违法行为通知书》1959 份,制止违法用地 1959 起,面积 19.58 公顷;立案查处违法案件 40 起,面积 55.2 公顷;罚款 500 余万元;拆除违章建筑 104 幢,面积约 16456 平方米。行政警告处分 3 人,党内警告处分 1 人。另外聘请 12 名人大代表、政协委员和社会各界人士为特邀执法监察员,动员社会力量参与国土资源执法,及时将各类违法违规行为遏制在萌芽状态。

执法监察

1996 年组织土地清查,查处 1991 - 1995 年期间违法占用耕地建房案 806 宗,面积 279.59 亩,还耕 2.13 亩,罚没款 38 万元。2000 - 2002 年查处违法占用耕地建房案 204 宗,面积 26616 平方米,强制拆除还耕 1251 平方米,罚款 143200 元。

1992—2003 年,共查处违法用地案件 1220 件,涉及土地面积 33.46 公顷。其中:拆除违法占地建房 102 宗,面积 0.69 公顷;还耕 0.24 公顷;收回土地 28 件,面积 0.79 公顷;没收土地 4 宗,面积 0.08 公顷;处罚 104 宗,面积 1.37 公顷;罚没款 1010151.53 元。申请法院强制执行 44 件,涉案面积 2.9 公顷。

2004—2008 年共发生违法占地建房案件 221 件,涉及土地面积 2.65 公顷,其中耕地占 22%。拆除违法建筑 13519.47 平方米,收回闲置土地 9.32 公顷。在专项土地清查中,共查处非法占地案件 18 件,面积 48.89 公顷。其中:"以租代征"8 件,面积 65.79 公顷;未批先用 10 件,面积 42.31 公顷。查处滨江乡铜都村委会王家村小组非法卖地行为 29 宗,涉案土地面积 0.35 公顷;对塘湾集镇建设用地、光威耐磨材料有限公司和海利仁生物有限公司非法占地案进行严肃查处,分别对相关责任人给予党纪政纪处分。

第五章　矿藏资源利用管理

第一节　管理机构队伍与总体目标

机构队伍

1988 年 11 月,贵溪县矿产资源管理局成立,属政府职能二级局,依法监督、管理、利用全县矿产资源。1997 年 5 月,贵溪县矿产资源管理局更名为贵溪市地质矿产局。2002 年 11 月,贵溪市土地利用管理局和贵溪市地质矿产局合并，组建贵溪市国土资源局。2008 年，贵溪市国土资源局内设矿产资源开发管理股、矿产资源储量股等股室。

1988 年，贵溪县矿产资源管理局定编 7 人，其中行政编 2 人，事业编 5 人。2008 年，市国土资源局地矿稽查大队有自收自支编制 5 名，实有人员 14 人。

总体目标

提高矿产资源对贵溪经济社会可持续发展保障能力为根本目标，围绕“多找矿～用好矿～管好矿”这根主线，加强地质工作，努力实现地质找矿重大突破；科学发展矿业，做大做强以铜为主的有色金属冶炼加工业；合理规模开发以银、铅、锌、石膏为主的贵重金属和建材非金属矿；建设具有贵溪特色和优势的矿业经济体系，促进矿产资源开发利用和管理方式的根本转变，实现资源开发、经济发展和环境保护的协调发展。

第二节　矿山与开发

矿山

2008 年贵溪市矿山企业总数为 78 个，其中中型矿山 2 个，其余为小型矿山企业和小矿，从业人员约为 1870 人。

中型矿山　江西银海矿业有限公司和贵溪市罗塘石膏矿。江西银海矿业有限公司为深圳瀚尔外实业发展有限公司、香港瀚尔外有限公司、江西省地矿局和九一二大队共同组建的股份制企业。2007 年完成工业产值 18676 万元，上缴利税 1504.9 万元，从业人员 300 多人。罗塘石膏矿是经江西省地矿局批准，由九一二大队开发建设的地矿第三产业。1998 年开始兴建，2001 年和 2004 年两次扩建。2008 年产值 1352.28 万元，上缴利税 187.9 万元。矿山生产产品主要用于水泥厂作原材料使用。

小型矿山　有金属矿山 3 个。贵溪市鲍家矿业有限公司和冷水镇铅锌矿属股份制企业，规模较大。鲍家矿业有从业人员 229 人，2007 年完成工业产值 4678.23 万元，利税 1111.82 万元；冷水镇铅锌矿有从业人员 242 人，因尾矿库已满，新尾矿库在建停产。另一个为私营铁矿企业。非金属矿山 73 个，全部为私有企业。其中石膏矿 6 个，瓷土矿 3 个，花岗石矿 3 个，莹石矿 1 个，硅石矿 1 个，石英矿 1 个，石灰矿 1 个，红石厂 20 个，砖厂 24 个，采石厂 12 个，矿泉水厂 1 个。绝大多数规模小，从业人员很不稳定。

开采

贵溪市开发利用矿种有铀、金、银、铅锌、铁、石膏、莹石、瓷土、粘土、矿泉水、花岗岩、红石、硪沙、石灰石、石英、辉长岩、稀土、石墨 18 种，开采矿区 20 处。2007 年开采主要固体矿石总量 174.78 万吨。其中银矿年采选能力 49.5 万吨，实际年矿产量 32.6 万吨；铁矿年采选能力 5 万吨，实际年产矿石量 2.5 万吨；铅锌矿设计生产能力每年 3 万吨；石膏矿采矿设计生产能力 55.75 万吨，实际年产石膏 38.2 万吨；年产饰面用花岗岩荒料 0.17 万立方米；冶金用砂岩 2.5 万吨；建筑用沙岩 31.2 万吨；其他非金属矿 67.61 万吨。

加工

2007 年，全市建有以贵溪冶炼厂为龙头的有色金属冶炼加工和非金属建材企业 32 家。其中黑色金属压延加工企业 2 个，铜冶炼及加工企业 27 个，水泥厂等非金属加工企业 3 个。矿产品冶炼及加工从业人员 4511 人，矿业产值 542.51 亿元。2007 年生产电解铜 55.36 万吨，回收硫酸 117.94 万吨，金属铅 2181.11 吨，黄金 13.19 吨，白银 359.62 吨；铜材加工 19.9 万吨；水泥 104.34 万吨。

第三节　管　理

限制开采

国家产业政策限制开采和保护性开采矿种的矿产地，稀缺矿产资源的矿产地，省级以上（含省级）自然保护区、地质遗址保护区的外围缓冲地带，集中式饮用水源保护区，地质灾害危险区，以及供过于求和造成环境污染且不可恢复治理的矿产,实施限制开采。贵溪东坑莹石矿为限制开采区,控制开采活动,原则上不审批设立新的矿山企业和扩大产能。实行采矿权和开采总量限制,严禁超量开采。

禁止开采

国家现行产业政策禁止开发,市场供过于求的矿种,开发对生态环境具有重大影响或造成严重破坏的,以及各类保护功能区和国家规定的其他不得勘查开采矿产的区域实行禁止开采。贵溪市禁止开采的范围:龙虎山世界地质公园龙虎山园区;龙虎山世界地质公园象山园区;贵溪阳际峰生态保护(核心)区;市工业园区;主要城镇规划区;铁路、高速公路、国道、省道、重要基础设施两侧一定距离或可视范围内;军事禁区等。但不包含地热、矿泉水等水气产品。2010 年以后,全市所有砖瓦黏土矿关停,禁开开采砖瓦黏土。

治理和执法

贵溪市主要矿山废(石)渣排放量 65. 23 万吨,废渣(尾矿)堆 33 座,累计废(石)渣存放量 433. 09 万吨,矿山废(石)渣处理量仅 14. 2 万吨。矿山占地总面积 20. 28 平方千米,采矿破坏土地面积 12. 6 平方千米,地表水污染 5. 9 平方千米。"十五"期间,塔桥硅质原料矿生态环境恢复治理工程投资 20 多万元,处理废(石)渣 20 多万吨,废石场垦复等综合治理土地面积约 20 公顷,矿山及自然生态环境基本恢复,但全市恢复治理仅 1. 2 平方千米,只占破坏面积的 9. 52% 。

2005—2008 年,贵溪市共取缔无证开采红石矿山 11 个,对两个存在安全隐患、破坏环境且采矿许可证已经到期的采石场实行关闭;查处周坊神台山矿泉水厂非法转让案件;市石膏矿集中分布在雷溪和罗河地区,其开采方式为地下开采,矿层上部为良田和居民区,地表不允许塌陷。对 6 个矿山企业越层越界开采进行依法查处,处罚金额 52473 元。对贵溪石膏矿未严格按开发利用方案执行,存在较大安全隐患问题,市国土局会同安监局、雷溪乡政府联合执法,当即下达责令停止开采通知书,并处罚金一万元,避免一起可能引发的透水事故。贵溪市被列为矿产资源储备保护区的是:贵溪文坊濠水稀土矿;贵溪塘湾天堡飞稀土矿;贵溪耳口天元稀土矿。矿产资源储备保护区内原则上不准新建矿山企业,从严办理采矿延续登记。

第二卷　街道、镇(乡)、场及驻市单位

第一章　街　道

第一节　雄石街道

2001 年 11 月,中共贵溪市委贵字〔2001〕164 号文件决定,撤销雄石镇,设立雄石、东门、花园 3 个街道。

行政区域变革前,雄石镇原是中共贵溪市委员会、市人民政府驻地,是贵溪政治、经济、文化中心,周边还驻有许多国家和省级大型企业。1998 年,原雄石镇辖东街、南街、西街、北街、交通街、烧箕山 6 个居民委员会和雄石、象山、花园 3 个村委会,127 个居民小组,城镇非农业人口 9765 户 38010 人;43 个自然村、53 个村民小组,农业户共 1431 户,6025 人。全镇总人口 44035 人(不含驻市单位),加上驻市单位、企业,镇内常住居民超过 7 万人。分设 3 个街道之前的 2001 年,雄石镇辖 12 个居民委员会,3 个村民委员会,总人口 10.5 万人,其中非农业人口 10.08 万人。撤销雄石镇后,雄石街道办事处为市人民政府派出机构,系乡镇平级单位,但不再行使人民代表大会职能。

2002 年 1 月,雄石街道正式挂牌成立,地处贵溪市行政、商业、文化、教育、卫生中心。2004 年,随着城市规模不断扩大,市行政中心迁移至花园街道辖区。雄石街道东临流口镇和东门街道,南连雷溪乡、西接罗河镇和滨江乡,面积 19.8 平方千米。浙赣铁路横贯辖区北端,320 国道沿信江南岸穿城而过,信江大桥将北岸的老城区与南岸的新城区连成一片。地势南北高、中间低,西南的挂榜山最高,海拔 120 米。土壤多属冲积沙壤,较肥沃。2007 年 9 月,原雄石镇(雄石街道办事处)办公大楼拆迁新建,雄石街道办事处迁址至电信公司北端。街道辖东街、南街、西街、北街、仙桥 5 个居民委员会和象山村民委员会,共 9402 户,总人口 31536 人(不含驻市单位)。5 个居民委员会辖 59 个居民小组,8692 户,28436 人。象山村委会辖 13 个自然村,24 个村民小组,710 户,3100 人。耕地面积 167 公顷,山林 500 余公顷,有 23 座用于农田灌溉的山塘水库。近郊一部分村民在城市扩建中失去土地,除就近拆迁安置一些人从事城市环保工作外,不少人在市区打工、弃农经商或开荒种植蔬菜。

辖区内,学校有市一中、市职业中学、市二小、市五小;医院有市人民医院、市传染病医院、市精神病医院、街道卫生服务中心及社区医院 4 所。城市建设规模不断扩大。贵溪首个人性化设计擂鼓岭商住小区建成,远东国际华城、滨江花苑、金邸华府、福达小区,数座商住高楼拔地而起。沿江绿地广场、商贸广场、城南汽车站以及沿 320 国道街区陆续兴建。

雄石镇人民政府管辖期间,乡镇企业崛起,个体私有经济壮大。1981 年,集体企业只有雄石建筑公司和雄石、花园、象山 3 家沙厂。1998 年,全镇有 23 家集体企业,个私企业 1452 户。集体企业大户有永雄饲料有限公司、宏雅灯具有限公司、铜制品有限公司和雄石房地产开发公司。乡镇企业总产值 17200 万元,税收 485 万元。在城西兴建工业小区,有从业人员 3767 人,从事化工、灯具、铜制品、保温及耐火材料、电器开关、建筑、安装等行业。1999 年,城西工业小区基础设施建设不断完善,为招商引资创造良好条件。先后引进投资 600 万元的盛雄鳗鱼业责任有限公司、投资 160 万元的铜制品有限公司和投资 100 万元的鲁鹰电杆厂等企业。

2002 年,雄石街道成立以后,先后引进 9 家企业在办事处辖区落户:以电解锌为主体产品的象山金属公司,以贵溪发电厂煤灰为原料的国辉环保砖厂,以及江西玻璃纤维有限公司、象山环保砖厂、宏丽保温材料公司、龙鑫钢铁公司、长盛钢铁公司、嵊州新联房地产开发公司贵溪分公司、江西凯安铜业有限公司。

自 1981 年实行家庭联产承包责任制后,农民生产有自主权,农业生产大发展。1995 年以后,不断完善农业生产责任制,政府完全放开生产经营权,不再下达任何种植计划,只给农民提供产前、产后服务,农村经济进入以市场为导向的市场经济轨道。2001 年,雄石镇全镇有耕地面积 263 公顷,粮食作物复种面积 404 公顷。2002 年划归雄石街道办事处的象山村委会,从 1991 年至 2008 年农民人均纯收入由 660 元增至 3660 元。

从 2003 年至 2008 年的 6 年中,雄石街道财政收入增长 3.5 倍,由 2003 年的 601.84 万元增长至 2008 年的 2030.6 万元。

2004 年,国家逐步取消农业税及其附加,取消征收屠宰税,取消乡村统筹费,取消农村劳动力义务工。2003 年税改前,每年上邀农业税及附加 9 万元,人均负担 30 元;公路建设每个劳动力的义务工一年收取 50 元。税改后,不但不向农民收取一分钱,国家还向农民发放"种粮补贴",2006 年综合直补标准为每亩 9.2 元,2007 年每亩 19.2 元,2008 年为每亩 46 元。农户种一季粮食直补和综合直补补贴标准为每亩 58 元,种两季为 116 元。2008 年,象山村委会共获粮补 122144 元,人均 40 元。

象山村民委员会石泉村有耕地 41 公顷,农户 167 户 750 人,地处罗塘河下游,因地势低洼,几乎每年都要受到洪水的侵害,常有房屋倒塌、农田被毁,人民生命财产受到严重威胁。1998 年,雄石镇人民政府多方筹集资金,动工搬迁石泉村民至八股山荒山地段,全村 167 户农户有新居,告别了水患的历史,同时原宅基地还田 9.3 公顷。整个新村规划有序,一幢幢楼房,一条条宽敞的水泥路,一行行路灯,一片片绿化带,装点了社会主义新农村。

1998 年,雄石镇投资 86 万元,在信江南岸 320 国道左家大桥边,建设 1700 平方米、可容纳 40 名"五保"老人的敬老院。2008 年,雄石街道办事处又投资 20 万元,续建一栋 1400 平方米的老人住房,改变了原来仅向孤寡老人开放的局面,转而向社会上有条件的老人开放,更名为"雄石老年公寓"。到 2008 年底,共接受了 28 名自费入院的老人和集中供养的老人在这里安度晚年。

在仙桥居民委员会和象山村民委员会所在地,有挂榜山和一线天等"溪南诸胜"。挂榜山和一线天在信江桥头西南方。早在明代崇祯九年(1636),这两处景观在地理学家、旅行家徐弘祖的《徐霞客游记》一书中就有详细记载。因 20 世纪 80 年代建设贵溪火力电厂在挂榜山腹地设煤灰库,积存大量煤灰,大部分自然和人文景观被毁。仙人桥在信江大桥东南端,自然景观完好,有待规划开发。

象山书院是南宋四大书院之一。其前名为象山精舍,由南宋著名理学家、教育家陆九渊开创于贵溪县上清镇东南部的应天山。绍熙三年(1192),陆九渊卒于荆门军任上。绍定四年(1231),陆九渊再传弟子江东提刑袁甫巡视贵溪之后,以应天山交通不便为由,上书朝廷,将象山精舍迁建于城南三峰山下的徐岩(因宋代徐绍曾在此隐居攻读而得名,现为贵溪一中所在地)。在岩前开阔地建有讲学的精舍、学生居住的斋舍,以及文安(陆九渊)、梭山(陆九韶)、复斋(陆九龄)三先生祠一幢。象山书院虽经兵燹,多次修葺,在三峰山下持续 350 年之久,培养和造就大批人才。现今遗址犹存,明代正德五年(1484)武宗皇帝诏刻的"象山书院"4 字,至今尚存于三峰山岩壁上。

第二节　东门街道

东门街道于 2002 年 1 月 9 日挂牌成立。位于市中心城区东部,东邻花园街道,南至信江北岸,西接雄石街道,北与滨江乡毗邻,面积 11.3 平方千米。辖江边、信江、城北、铁路、烧箕山、雄石 6 个居民委员会(2004 年原雄石村民委员会改称为雄石居民委员会),下辖 65 个居民小组。2004 年以前,辖区内有 10833 户 35596 人(其中雄石村民委员会农业户 418 户 1815 人,不含国家大型企业和驻市单位职工)。2008 年末,辖区内有 15483 户,总人口 46972 人。雄石居民委员会下辖 12 个村民小组,有耕地 61 公顷,其中水田47公顷,旱地15公顷,水面23公顷。村民主要从事种植业和养殖业,年出栏生猪500余头,家禽3000只。洲上江家商品蔬菜基地,是贵溪市重要的蔬菜产地。

辖区紧接雄石街道的老城区,是市区商业贸易、医疗卫生、文化教育、金融税务、交通运输中心。主要街道有雄石东路、站前路、建设大道、交通路、信江路、柏里大道、沿河路。其中,雄石东路以摩托、电动车、电脑、服装销售为主,站前路以装璜材料销售为主,建设大道以酒店住宿业为主,建材业集中在交通路,信江路以家电、五金、水果南杂批发为主,沿河路以窗帘、摄影为主,还有太平洋超市、大观园超市、京都宾馆、东方宾馆、烧箕山农贸市场等商业网点鳞次栉比,共6500余家。有人民银行、中国银行、建设银行、工商银行、农业银行、邮政储蓄银行、农村信用合作社等金融机构40余家和市国税局。有贵溪大酒店、家天下大酒店、现代大酒店、铜都美食城、凯旋大酒店、春晖家常菜、农家饭庄等餐饮企业1900余家,以及日用百货、五交化、食品、药品、副食品、生产资料、种子农庄、服务、饮食、IT等各种行业,经营形式多样,商品市场完善,是办事处经济发展的重要支柱。东门街道辖区内还有市二中、市三中、市实验小学、市三小、十五冶子弟学校和公办民办幼儿园等教育机构100余家。有市中医院、社区卫生服务站6所和大小诊所97处。辖区内还有贵溪火力发电厂、铁路贵溪桥梁厂、国家粮食储备库、中国第十五冶金建设公司二公司以及海利农药厂等驻市大型企业。商品房建设如雨后春笋般崛起,先后建成王家小区、富康家园、安康广场、怡景佳苑、金色年华广场、信江花苑、雅得安·贵阁、老党校小区等。辖区内还有污水处理厂、鹰雄大道和贵溪大桥。贵溪火车站和城北汽车客运站是市区的交通枢纽。

随着国民经济的快速发展,老城区改造和扩建任务不断加大,市人民政府交办的事务越来越多。特别是2004年以后,地处东门街道辖区内的贵溪火力发电厂筹备第二期扩建工程,东门街道根据市人民政府的统筹安排,集中精力支援国家重点工程建设。经过艰苦细致的工作,使江家山的30多户村民举家搬迁等一系列问题得到解决。2005年,城北汽车客运站动工建设,街道紧密配合市政规划部门、开发商和施工部门和单位,积极做好相关工作,拆迁户得到妥善安置。2007年,鹰雄大道和贵溪大桥兴建,柏里大道拓宽,以及铁路职工宿舍改造和商品房开发,都面临着大量居民拆迁安置等任务,东门街道全力以赴投入工作,使市政建设工程顺利进行。

东门街道成立以来,一直把经济发展作为一切工作的出发点,不断加大招商引资力度。2008年,引进江西力田维康科技有限公司,总投资3500万元,专门从事高端医药化学品生产的高新技术企业,三期建设完成后,年产值3亿—5亿元,公司发展目标是“打造成国际水准的医药化工基地”。引进的贵溪凌云铜业有限公司,是一家生产高精度锌铂铜板带、紫铜带、黄铜板带、电解带的企业,总投资8000万元,当年开工,当年实现赢利。引进上饶银行贵溪支行,总投资1亿元。2008年,财政收入为1729万元。

随着改革开放深入发展,社区建设得到加强,先后开展信访进社区、卫生进社区、机关党员进社区等一系列活动。各社区建立警务室、社区医院、计划生育服务站。2008年,开展“联建共建、和谐平安、文明卫生社区工程”活动,制定文明楼院、文明小区评比制度。社区居民文娱活动丰富多彩,各社区居民委员相继成立“嫂子腰鼓队”“夕阳红歌舞队”“红歌文艺表演队”等群众文艺组织。烧箕山居民委员会与市消防武警中队联合开展“军民共建精神文明社区”活动,2008年,烧箕山居民委员会被市委、市政府评为“拥军优属”先进单位。

第三节　花园街道

花园街道成立于2002年1月,是从原雄石镇人民政府辖区剥离出来的3个办事处之一。花园地处市区东北部,东接河潭镇,南靠信江,西连东门街道,北毗滨江乡。地形以低山丘陵为主,境内有信江河从南面流过。辖区面积12平方千米,是市行政中心和驻市大型企业密集地区。辖白果、四冶、冶炼厂、化肥厂4个居民委员会和花园村民委员会。有居民8291户46792人。辖区花园村委会有农业户525户,农业人口2548人,劳力1900人,共13个自然村,有水田52公顷,林地93公顷。长期以来,中国第四冶金建设公司生活区由该公司自行管理。2008年,四冶生活区划归花园街道办事处管理,初划4个居民委员会。

2002 年开始,中共贵溪市委、市人民政府、市人大常委会、市政协、市纪委、市人民武装部、市人民检察院、市人民法院,以及市公安局、财政局、教育局、建设局、地税局、审计局、水利局、林业局、国土局等党政机关相继落户花园街道辖区。辖区内有国家大型企业江西铜业公司、贵溪冶炼厂、中国第四冶金建设公司、贵溪化肥厂等。有中小学校 6 所(市四中、五中、实验中学和 3 所小学)。有四冶总医院、市妇幼保健院、疾病控制中心、冶炼厂医院、化肥厂职工医院及 3 所村级卫生所,市人民医院已在辖区内建成。辖区内还有市区通往梨温(沪昆)高速公路挂线出入口。

多年来,花园街道处投入大量精力,办理市人民政府交办的各项市政建设、居民工作,特别是旧城改造和城市扩建征用土地、拆迁安置,成为花园街道办事处的重要工作。贵溪火电厂三期建设,征地 20 公顷,拆迁房屋 23000 平方米;贵溪铜都大桥及贵溪大道南延伸段工程建设,征地 16.1 公顷,拆迁房屋 12000 平方米;冶金大道南延伸段建设项目,征地 18 公顷;沿河东路建设,征地 26.7 公顷。星级宾馆征地 26.7 公顷;陈家安置点建设,征地入户拆迁 17000 平方米;民生工程,完成市廉租房建设征地 6.7 公顷;东城区各项目建设涉及村民祖坟迁移。办事处本着"统一规划、集中管理、节约资源"等原则在雄石办事处象山村塘源村小组征地 17.3 公顷,解决花园村民的后顾之忧。

辖区内有城镇登记下岗职工 4721 人,其中男下岗职工 2789 人、女下岗职工 1932 人。下岗职工中,中国第四冶金建设公司占 98%。按照国家有关政策规定,该公司进行体制改革,大量遗留问题,特别是下岗职工的社会保障和安置再就业问题长期没有得到解决,影响社会稳定。中共鹰潭市委、市人民政府和中共贵溪市委、市人民政府积极配合上级有关部门,正在逐步理顺四冶的管理体制,并由地方职能部门对其下岗生活困难职工实行社会保障。2003 年成立花园街道办事处劳动保障所,到 2008 年年底,城镇居民参加医疗保障人数为 8449 人,低保户 6276 人,参保率 84%。花园办事处 2008 年财政收入为 606.08 万元。

街道居民文化生活丰富多彩。各社区组织居民相继成立嫂子腰鼓队、夕阳红乐队、红歌会文艺表演队,兴建和修缮老年门球场两座,居民健身场所 10 多处。

境内有古老寺庙太岩寺。座落在花园村民委员会苏江村小组以北山岩的洞中,洞宽 150 米,深 50 米,可容纳 500 人左右。洞内供奉着几十尊菩萨。1942 年 6 月 16 日,侵华日军占领贵溪县城后,不少居民逃至洞内太岩寺避难。日本侵略者搜捕至此,用各种可燃物堆放在洞口放火燃烧,活活屠杀和烧死 200 余人,犯下惨绝人寰的滔天罪行。20 世纪 50 年代,人民公社将太岩寺改建为集体养猪场。改革开放后,由信徒投资重建太岩寺。因地处城郊,环境优美,许多佛教信徒顶礼朝拜,也有市民前往旅游休闲。

第二章　镇

第一节　泗沥镇

泗沥镇位于市中北部,北邻周坊镇、东接河潭镇、南与滨江乡相邻、西接志光镇。镇政府驻地王湾,距市区 10 千米。1993 年 3 月撤乡建镇。辖尹家、新塘、中村、泗沥、王湾、桃源、郑坊、珠岭、赤石、东洪、方家、杨山、何家 13 个村民委员会,185 个村民小组,152 个自然村,7800 户,32000 人。

泗沥区位交通优势凸显。皖赣线在镇西穿境而过,并建有两个站台;沪昆高速公路在境南横跨而过,并建有出入口;贵神、鲤神与生杨 3 条公路在境内形成三角网络。

泗沥镇地处丘陵地带,呈长方形,地势东北高,西南低。海拔最高 437.2 米,最低 50 米,箬港和湖凌溪分别从境西和境中穿流而过,耕地沿河港、丘陵分布,以箬港和湖凌溪流分布较多,多为冲积水稻土,岗丘多属红壤。总面积 148 平方千米,耕地面积 2800 公顷,山林面积 6400 公顷,水面 400 公顷。

泗沥水资源丰富。有小(一)型水库 2 座,分别为刘家垅水库和杨梅岭水库;小(二)型 18 座,分别为口路源水库、洋源水库、洪门青水库、乌家源水库、罗塘水库、金家源水库、无水源水库、屋基里水库、淹鱼山水库、交通坝水库、中塘水库、官塘水库、毛家塘水库、枫树窝水库、老虎垅水库、南塘水库、赵家塘水库和周家塘水库。泗沥河上有引水坝10座,分别为赤石坝、翁家坝、胡家坝、蛤蟆坝、港西坝、洪水坝、碓下坝、莫家坝、仙石坝和徐家坝。有水轮泵站8座,分别胡家水轮泵站、港西水轮泵站、洪家水轮泵站、邢源水轮泵站、碓下轮泵站、莫家水轮泵站、仙石水轮泵疲和徐家水轮泵站。全镇装机7.5千瓦以上电灌站8座,分别为下裴电灌站、许家电灌站、邢源电灌站、白溪畈电灌站、里杨电灌站、何家灌站和圳胡电灌站。

镇建有初中2所、中心学校1所、村小11所、幼儿园8所。泗沥桥小学有60年校史,老虎岗的农业中学建于20世纪60年代。1991年,镇设教育办公室,管理全镇中、小学。2002年,撤消教育办公室,设立泗沥中心学校。2所初中即泗沥初中、私立虎岗初中。中心学校下辖泗沥、陈坊、尹家、方家、新塘、中村、何家、东洪、郑坊、桃源、赤石共11村完小。有幼儿园8所,幼儿数1180人,教师35人。2008年小学适龄儿童2628人,全部入学,入学率达100%,初中生1419人,升学率达100%。2006年起,全镇中、小学免除学杂费,对住宿困难学生实行伙食补助。

1991年,泗沥镇制定农村扫盲教育规划,通过开办夜校和中、小学包教包学形式进行扫除壮年文盲教育。通过几年的紧张工作,全镇扫盲工作取得显著成绩,1997年通过省市验收,成为达标乡镇。

镇有卫生院1所,村卫生所13所。泗沥镇卫生院成立于1960年,1992年兴建三层门诊大楼,同时引进一批先进医疗设备。新型农村合作医疗自2003年开展以来,参合率达90%以上。2008年,参合人数31160人,参合率96.35%,全年农民报销医疗费总额467万元。

2008年,全镇行政村通水泥公路,实现一村一亭农村客运网络化。电信网络覆盖全镇自然村,开通宽带互联网。

长期以来,乡镇财政收入主要是农业税、农业特产税和契税、耕地占用税等。2005年以后,国家取消了农业税、农业特产税的征收,税源重心发生变化。镇加大招商引资力度,发展镇村企业,拓展税源。先后引进恒鹏金属有限公司(投资7000万)、顺昌工贸公司(投资4000万)、鸿禧制衣(投资6000万),以及东胜实业、大忙人食品厂、明达食品厂、仙凤嫂茄子干厂、红谷养鸡场、建忠核桃种植合作社、江忠华养牛场、志敏养牛场、泗沥砖厂、山塘机制砖厂、尺度家具厂、江来辉制衣厂等16家企业,促使乡财政收入跨跃式增长。1991年,乡财政收入67.31万元。2008年,镇财政收入1557.19万元。

家庭联产承包责任制完善,农民自主经营,农业先进技术推广,惠农政策、免征农业税,向种粮农民下拨粮食生产补助资金,科技示范,有关部门提供产前、产中、产后服务,使粮食产量逐年提高,经济作物种植、畜禽养殖也有较大发展,农民经济收入增加。土地使用权流转,农村剩余劳动力纷纷离乡外出务工、经商,2008年统计,外出人员占农村劳动力70%以上。2008年,全镇农民人均纯收入4257.6元,居民拥有两层以上楼房的达98%以上。镇干部职工1990年均收入为1200元,2008年达2万元。户户通电,大部分用上自来水,部分建了沼气池,用上洁净能源。有线电话5000户,手机用户11200部。彩电、冰箱、摩托车进入千家万户,先富起来的农民购买小轿车。从2006年开始,分别在墩上徐家、坂郑、青邱、塘南、老砥、雷家、揭家、江家、曹家、吴门山、方家、邓家、灯砥、龙溪、礁下共15个自然村进行社会主义新农村建设试点,基本实现"走平坦路,喝干净水,上卫生厕,住整洁房,用洁净能源,居优美村"目标。雷家、江家、吴门山、方家、邓家5个新农村建设点被评为鹰潭市、贵溪市亮点村。

2004年,镇建老年公寓,人均住房面积12平方米,年人均费用1800元。2008年,全镇五保老人集中供养169人,分散供养102人,做到老有所养,老有所乐。

第二节　罗河镇

罗河镇位于市中部,1995年3月撤乡建镇,东连雷溪乡,南邻塘湾镇、彭湾乡,西接余家乡,北与滨江乡、月湖区童家镇毗邻。镇政府驻地新田村青泥岗,距市区5千米。2003年机构改革后,镇设19个政府职能单位,即:党政办、综治办、计生办、司法所、民政所、土管所、财政所、人武部、社保所、农综站、交管站、文化站、经发办、集镇办、新医合办、新农村办、卫生工程办、项目办、园区办。

全镇总面积111.13平方千米,辖18个村民委员会和1个居民委员会,即黄墩、童源、潜岭、新田、排上、贵碧、樟槎、龙山、洋塘、太田、陈家、翁源、太阳、屈碧、剑汪、杨桥、罗田、周家和新区,163个自然村,256个村民小组,12190户,48911人。耕地3208公顷,林地2752公顷。境内有中型水库1座、小(一)型水库2座、小(二)型水库2座。养殖面积227公顷。

全镇有初级中学2所,即罗河一中、罗河二中;中心学校1所,辖村小15所;幼儿园23所。中心卫生院1所、村级卫生所18所。镇内交通便利,有贵溪至上清、罗河至塘湾、罗河至雷溪3条公路。2008年全镇行政村通水泥公路,40%的村小组路面硬化。电信网和互联网覆盖全镇自然村。

1991年,乡财政收入89万元,税收来源主要为农业四税和乡村企业、个私工商税。20世纪90年代初期虽然掀起过大办乡镇企业的热潮,但由于规模小、效益差,这些企业在90年代中期被市场逐步淘汰。2006－2008年,镇通过招商引资办企业,先后引进入驻市工业园区企业5家、铜拆解园企业1家、驻镇创业基地企业13家,拓展税源,财政增收,当年财政收入达278万元。2007年,引资驻市工业园的弘舟电器有限公司是一家专门生产节能灯螺旋明管的专业厂家,有员工412人,是典型的劳动密集型企业,年生产节能灯管在5000万支以上。产品主要与美的贵雅等国内多家大、中型企业配套生产10多项规格化40多种型号的节能灯螺旋明管,产品供不应求,销往广东、福建、浙江、上海等地。全镇有市级农业龙头企业3家。2008年,镇财政收入1102万元。

家庭联产承包责任制的逐步完善,促进农村经济全面发展。2008年,全镇收获粮食作物34051吨(稻谷32744.6吨、豆类348.7吨、薯类957.7吨),花生362.9吨,油菜籽150.8吨,芝麻95.5吨。生猪出栏35300头,家禽存笼128200只。农业总产值26662.9万元,其中林业产值211万元、牧业产值2232.1万元、副业产值13648.8万元,渔业产值256万元。1991年,全乡农民人均纯收入527元,2008年全镇农民人均纯收入4369元。2006年以来,先后有童家、高家、排上上汪、太垅吴家、贵碧黄家、黄墩车家、潜岭槎塘、排上新溪胡家等20个自然村39个村点进行新农村建设,涉及1952户,7876人受益。所建设试点新农村实现"走平坦路、喝干净水、上卫生厕、住整洁房、用洁净能、居优美村"的目标。2006年以来,罗河镇开展卫生清洁工程工作,坚持"实事求是、因地制宜、政府主导、农民主体"的原则,在全镇153个自然村实施卫生清洁工程,建立垃圾处理场。

镇计划生育工作管理有序。全镇有育龄妇女11591人,镇计生办重点做好5023人服务对象的工作,以新田、黄墩村为计生示范点,做到七个到位(即生育管理到位、优质服务到位、村民自治到位、政策推动到位、履行职责到位、阵地建设到位、数字计生到位)。

民生工作中重在落实。1994年创建镇敬老一院,投资80多万元;2007年又投资170万元,新建敬老二院,共供养全镇百余名"五保"(保吃、保穿、保住、保医、保葬)老人。2005年开始,罗河镇大力加强新农合医保工作,2005—2007年,为全镇农民实行新农合,参保金额为10元/人,2008年参保金额为20元/人。

境内寺庙古迹较多,位于新田村的东华山七星庙,因天上七仙女下凡而得名。每逢农历七月初七日,为求得好姻缘,这一天前往朝拜的人数众多。此外,还有龙山村的仙灵寺、太田村的鸡鸣峰李庙、太阳村的金鸡寺、陈家村的鳌石寺、樟槎村的天龙岩狮子庙、贵碧村的巨子峰庙等。

第三节　河潭镇

河潭镇位于市东北边缘,东与弋阳县交界,西南接滨江乡,西连泗沥镇,北与白田乡毗邻。镇政府驻地河潭,距市区9千米。河潭镇地处丘陵谷地,地势由西北向东南倾斜。境北边的大脚岭最高,海拔133米;境南信江沿岸的九夏地势最低,海拔45米。信江由河潭埠入境向西流经东南边境;搜湖坨水自北向南纵流于东北部。土壤多属红壤及冲渍沙壤。1993年3月撤乡建镇。全镇总面积120平方千米,辖南塘、横山、花屋、泗塘、毛炉、丰田、九夏、龙石、河潭9个村民委员会,141个村民小组,164个自然村,5930户,25220人。耕地2896公顷,林地5557公顷。

河潭镇水利设施星罗棋布,养殖水面394.4公顷。境内有中型水库1座,即花屋村的太平畈水库,

1957年修建,库容1142万/立方米,受益面积733.3公顷;小(一)型水库2座,即丰田村的河潭水库,1965年修建,库容482万立方米,受益5000亩;蛤蟆石水库,在龙石村,1958年修建,库容503万立方米,受益533.3公顷;小(二)型水库11座,即花屋村的贯前水库,建于1962年,库容12万立方米;毛炉村的庙背水库,建于1962年,库容15万立方米;南塘村的打石窟水库,建于1960年,库容14万立方米;长塘水库,位于横山村,建于1958年,库容68万立方米;横山村的太师垅水库,建于1964年,库容16万立方米;泗塘村的虹桥水库,建于1958年,库容25万立方米;铁砂坝水库,建于1963年,库容36万立方米;丰田村的杨东来水库,建于1965年,库容18.5万立方米;鸭嘴垅水库,建于1959年,库容13万立方米;河潭村的汪家垅水库,建于1963年,库容13万立方米。另有枫林湾水库干渠,可灌溉泗塘、毛炉、花屋数千亩良田。

镇有初中1所,中心学校1所,辖村小9所;镇卫生院1所。境内有贵溪至河潭、泗沥至河潭、界山至饶家3条公路。2005年实现行政村全部通水泥公路。浙赣铁路和沪昆高速公路由东向西穿境而过。信江河潭段有3个渡口,即:河潭埠、余家滩、九夏。境内建有移动、联通基站,电信网络覆盖全镇自然村;开通宽带互联网。

1991年乡财政收入70.03万元。2008年镇财政收入2531.25万元。农业总产值3296万元,企业总产值31000万元;收获粮食作物21351吨、花生85吨、油菜籽75吨、芝麻80吨;生猪出栏11350头,家禽存笼122676只。2006年以来,通过招商引资兴办的企业有江西力环弹簧公司、丰茂铜业工贸公司、金鑫铜业有限公司、创丰木业、大通冶炼有限公司等。

在花屋村孙家塘村内,有一对千年兄弟古樟树,枝繁叶茂、树高参天。在毛炉村谢家村小组,有一株苦槠树,枝叶茂密,四季常青,树冠形状酷似蘑菇,赛过人工修剪一般整齐美观,当地人称此树为蘑菇树。位于龙石村石榴组的"石榴寺",原建于宋朝,历来香火旺盛,毁于20世纪60年代,2007年重建。

在毛炉村毛炉组,原来这里有一个小山岭,现已进行土地垦复,在这里发现新石器时代的石器。

第四节　金屯镇

金屯镇位于市东南部,东交文坊镇占源村,南接文坊斗楼村,西连塘湾大桥村,北邻流口镇和弋阳县港口乡,1995年3月撤乡建镇。撤乡建镇前为高公乡。1993年,在金屯村肥田畈新建金屯集镇,建成341间店面,13个驻镇单位。集镇街道长约1.5千米,宽12米。1994年5月,高公乡政府迁至金屯集镇,1995年3月10日经省政府批准,设立金屯镇。镇政府驻地金屯,距市区19千米。全镇总面积103平方千米,辖10个村民委员会,一个农场,112个村民小组,77个自然村,4932户20342人。耕地1445公顷,林地7333公顷。

金屯镇地势由东南向西北倾斜,除小部分属山区外,大多为丘陵谷地。东南边境火烧岗最高,海拔530米。西北边境的富畈地片最低,海拔49米。须溪由东南入境,流经西北于富畈出境。源自境东视垄的须溪支流经北部于西北边境入主流。镇内有丰富的矿产资源,主要有铁、石灰石、磷块岩、重晶石(矿点)、花岗石等。品位高的有上马乌石坑铁矿和石岭石灰石矿。枫岭、焦坑为毛竹、杉林基地,木竹资源丰富。南坂、大塘已建成油茶基地。

境内有小(二)型水库6座,山塘水库58座。初级中学1所,面积4436平方米,学生658人,教师50余人。中心学校1所、辖村小14所,幼儿园4所。镇卫生所1所、村卫生所22所。贵溪至百排通往福建光泽县国防战备公路、金屯至塘湾、金屯至西窑、金屯至樟槎公路纵横境内;全镇行政村通水泥公路。境内架设移动通信基站8座,网络覆盖全镇自然村;开通互联网。

1991年,乡财政收入32.88万元,主要靠农业税收。2005年取消农业税后,镇财政收入主要靠招商引资兴办工业企业,地方经济快速发展。先后引进入驻市工业园区的有永辉铜业、永利废旧金属回收有限公司;入驻镇村的有贵溪鑫源木竹工业品有限公司、金屯宏宇竹制品厂、金屯顺发生铁有限公司、恒鑫矿业开发有限公司、金屯红砖厂、焦坑碱砂厂、瓦塘碱沙厂、桐畈碱沙厂、上屯碱沙厂、下屯碱沙厂、石岭片石厂、南坂吸沙厂、薛溪碱沙厂、富坂碱沙厂等。2008年,镇财政收入1026万元。

农村经济体制的改革深入,家庭联产承包责任制的逐步完善,促进农村经济发展。1995年开放农民自主经营权,1998年实行第二轮土地延包,土地使用权流转,农村剩余劳动力纷纷外出务工、经商,把自家责任田租给在乡村的种田能手,土地适度规模经营,农村社会化综合服务得到加强,实用技术和农机具得到推广。2007年冬,建成金屯邹坊、大塘村印家、汪家农田田园化133公顷。镇粮食产量稳定增长,2008年,粮食产量达1300万千克。落实农户山林执照以来,山区村委会山林归农户个人经营管理,不是山区的村委会山林归村小组集体经营管理。2006年,山林权制度改革试点,其间,全镇退耕还林2020公顷,涉及8个村委会。

农民生活水平提高,外出务工经商的能人和在家乡种养的大户农民成为农村先富起来的带头人。1991年,全乡农民人均纯收入700元。2008年,农民人均纯收入4250元,增长6倍。农民居住条件大大改善,砖瓦木制结构房屋逐步改造成钢筋混凝土结构。2008年,全镇居民楼房拥有率达98%以上,固定电话1000部,手机用户2500部,彩电、冰箱等现代家用电器普及,有的先富起来的农民购置小轿车。

社会主义新农村建设蓬勃发展。2006年,金屯村富坂村小组、上屯村小组、邹坊村小组和枫岭村、占科、白果、六岭场、南畈村、薛溪、观音竹、金屯村苏家、高公村兰家、枫岭坝上11个自然村进行社会主义新农村试点。家家户户的房屋都进行改造和兴建,用上自来水、抽水厕所,有卫星电视和沼气池。村容村貌一派新气象。高公村兰家被评为鹰潭市亮点试点村。

全镇农村低保360户700人,城镇低保76户145人。2007年,新建敬老院,45位五保老人集中供养。2005年,全镇参加新农合医保13700人,2008年为17864人,参保率95%。

第五节 周坊镇

周坊镇位于市北部边陲,是赣东北革命根据地的发祥地,东与白田乡相连,南与泗沥镇、志光镇接壤,北与余江县、万年县交界。1995年3月撤乡建镇,2001年撤销古港乡,划归周坊镇,镇政府驻地周坊,距市区37千米,距鹰潭市区39千米,全镇总面积205平方千米,辖长塘、胡家、神前、岭脚、周坊、高门、河上、吕家、三丫、杨家、库桥、古港、裴源、上黄、横岭15个村民委员会,191个村民小组,115个自然村,38000人。耕地3252公顷,林地11153公顷。境内有中型水库1座,小(一)型水库3座,小(二)型水库5座,山塘水库106座。引水工程86座,提水工程14座,总蓄水量1880.5万立方米,受益面积46.92平方千米,总灌溉面积2227公顷。境内有2条河流,即:泗沥河,长20千米;塔桥河,长17千米。贵神、里鹰公路纵贯全镇。2008年,行政村全部通水泥公路,并实现一村一亭农村客运网络化。建有移动、联通基站,网络覆盖全镇自然村,开通宽带互联网。

镇有中学2所、中心学校1所、辖村小14所。周坊中学创建于1957年,有50多年历史。初设在邵家祠堂内,为建国后北乡第一所农村中学。1960年迁至邵家雷龙山,1982年9月在杨家岗的官桥重新建校,占地33.3公顷,两幢教学楼,可容纳1500人,并建有1000平方米综合楼,2487平方米的教师宿舍,2720平方米 的学生公寓。23个教学班,现有学生1281人,教师57人,2006年又增建600平方米的师生食堂,校园内道路全部硬化。古港中学,位于弋、万、贵3县交界处的701电视台脚下,校舍总面积3398平方米,学生301人,教师25人,有1.3公顷果园。周坊小学建于1952年,面积3200平方米,生产基地0.33公顷。镇中心卫生院1所,村卫生所43所。

1991年,乡财政收入95.79万元。2002年,财政体制改革,将营业税、企业所得税和个人所得税纳入共享范畴,取消农村的统筹和提留,增加农业税收入,镇财政收入大幅度增加,当年财政收入240.96万元。2005年,按照国家政策规定,免征农业税和取消除烟叶外的农业特产税,进而加大招商引资力度,工业企业迅速发展,当年财政收入达767万元。先后入驻镇和市工业园的企业有天成铜加工有限公司(年产值10亿)、益宏铜加工有限公司(年产值10亿)、宏达轴承自润滑有限公司(年产值1亿)、天虹废旧物品回收有限公司。村办企业发展较快,有库桥金顶瓦厂、文明砖厂,杨家忠新米厂、生猪养殖厂、美国青蛙养殖基地,杨脑岭采矿,高门神前雷竹基地等。从此拓展税源税收,2008年镇财政收入2747.77万元。1991—2002年,乡镇财政支出范围主要是乡镇行政机关、计划生育、文化教育等支出。

2002—2008 年,财政支出更加体现取之于民用之于民,除基层政权运转所需的正常经费外,主要用于全镇经济和社会事业发展,包括行政管理、综合服务、村镇土地建设规划、计划生育、基础设施建设、兴修水利、民政优抚、计划生育惠民、居民低保与农村低保、五保户供养救灾、资助贫困学生及三属的优补等支出。其中用于移民资金 130.6 万元。全镇参加合作医疗人数达 32759 人,参加率达 95.37%,大病统筹报销 223 万元。

农村经济体制改革的深入,家庭联产承包责任制的逐步完善,促进农村经济的全面发展。1995 年,政府不再下达指令性的种植计划,种什么、经营什么均由农民根据市场行情自己作主。同时,国家加大扶持农村经济发展力度,提供产前、产中、产后服务,调动农民生产积极性。1998 年,国家出台新的政策,周坊实行第二轮土地延包 30 年不变,农村剩余劳动力纷纷离乡外出打工、经商,占劳动力的 70%,2008 年全镇劳务输出 7877 人。

周坊镇是接受国家大型工程移民的大乡,浙江新安江水库移民 3329 人,分布在 13 个村委会、2 个分场、42 个自然村组。多年来,移民与当地村民融为一体,享受市、镇、村的优惠政策,生活安定、幸福。

农民生活水平提高。1991 年,全乡农民人均纯收入 610 元。2008 年,农民人均纯收入 3100 元。随着经济收入不断增加,男女老少穿着买成衣,农民住房条件改善。1999 年,全镇几乎所有农户的住房都是石木结构。2008 年,全镇居民钢筋混凝土结构的楼房达 90% 以上。电视、电话进入寻常百姓家,农户家庭成员中有手机、摩托车,部分农民还购置小汽车。2006 年起,实施社会主义新农村建设,先在裴源太山、库桥按树蔸、岭脚白沙岗 3 个村试点。2007 年,长塘爱家、神前汪前、周坊新建、高门洪家、三丫宋家、库桥牛垅、古港新村、上黄范川、横岭赖家 9 个村进行新农村建设。2008 年,长塘村长塘、胡家村蔡家、神前郑家、岭脚泉源、库桥梅龙嘴、库桥板卜、库桥卜岗、杨家刘子华、横岭石壁头 9 个村也开展新农村建设。新农村基础设施较为完善,村容村貌大为改观。2008 年,全镇有 12 个试点村获鹰潭市、贵溪市先进试点村称号,2007、2008 年连续两年,周坊镇被评为市新农村建设先进乡镇。

周坊是第二次国内革命战争时期赣东北革命根据地的中心区域。1951 年,在周坊乡周坊村建“贵溪县革命烈士纪念馆”,之后扩建、整修。1995 年,中共贵溪县委、县人民政府将该馆定为贵溪县爱国主义教育基地,中共鹰潭市委、市人民政府将该馆定为学校道德教育基地。2003 年,国家拨款在周坊村旧址重建纪念馆,占地面积 2360 平方米,设 5 个展厅。

始建于东晋,地处神前村委会的鸣山庙,多次重修,庙宇坐北朝南,面对鸣山。建筑为前后四幢两殿,砖木结构、飞檐斗拱。殿内石质大柱,杉木大梁,雕梁画柱,十分精美。旧时每逢农历八月十五日举行祭祀庙会,方圆 7 县信徒和民众前往赶会朝拜,庙前商贾云集,热闹非凡。由于历史缘由,鸣山庙曾多次遭到破坏。1983 年,经第 15 次县长办公会议研究确定鸣山庙为贵溪县重点文物保护单位。1994 年,由私人合伙集资重修,鸣山庙正逐步恢复原貌。

第六节 塘湾镇

塘湾镇位于市南部。东邻金屯镇、文坊镇,南接冷水镇、耳口乡,西连上清镇、彭湾乡,北与罗河镇、雷溪乡毗邻。镇政府驻地塘湾,距市区 25 千米。全镇总面积 192.4 平方千米,辖大桥、白果、古塘、金源、山坑、唐甸、芦甸、塘湾、高畈、港西、赛前、江坊、财源、东港、上祝 15 个村委会,212 个村小组、212 个自然村和 1 个居民委员会,共 33000 人。耕地 2267 公顷,林地 12800 公顷。境内有中型水库 1 座,小(二)型水库 4 座,重点山塘水库 5 座。水面总面积 374 公顷。贵(溪)塘(湾)公路、上(祝)泥(源)公路纵贯境内。2008 年,15 个村民委员会、181 个自然村通了水泥公路,形成一乡一站、一村一亭农村客运网络格局。境内架设移动通信网络站 5 座,联通网络站 2 座,网络覆盖大部分自然村,9 个村民委员会开通了互联网。

1991 年以来,镇政府机构改革,精减人员 19 人,机关干部职工实行竞争上岗。2003 年,再次分流下岗干部 9 人。全镇设五大办公室:党政办、经发办、社会事务办、劳保所、新农合办。

镇有初级中学 1 所,中心学校 1 所,辖村小 15 所、幼儿园 2 所。塘湾中学创建于 1958 年。现有教职工67人,其中高级教师25人,一级教师17人,学生1208人。综合楼、教学楼、学生公寓总面积8104平方米。有中心卫生院1所、村级诊所42所。1999年,塘湾中心卫生院新建住院部大楼,同时购进一批先进医疗设备,并增设2个门诊部,方便农民群众就医。2008年,卫生院业务收入突破200万元。

1991年,镇财政收入53万元,税收来源主要是农业四税和乡镇企业、个体工商税。2005年取消农业税后,镇财政收入主要靠招商引资兴办企业增加税源。2007—2008年,招商引资力度加大,引进一批规模大、效益好的私营企业入驻市工业园和镇村,有贵溪奥生矿业有限公司、贵溪金鑫石材有限公司、江西金林香料香精有限公司、贵溪中材铜业有限公司、贵溪力宇硅材料有限公司、贵溪阳明实业有限公司、贵溪顺通化纤有限公司等。村级经济发展较快,其中有返乡人员和成功人士创办的贵雅竹器厂、上祝十里泉矿泉水厂、塘湾谷酒厂、绿源林特产公司等。2008年,镇财政收入1507万元。

农村经济改革的深入,家庭联产承包责任制的逐步完善,促进农村经济全面发展。农民自主经营,土地使用权流转,农村剩余劳动力离乡外出务工、经商,稻田租赁大户和林业开发大户涌现,他们成为农村致富的带头人。国家惠农政策,农业机械推广和农技服务增强,促使粮食生产稳定增长,1991年粮食总产量15380吨,2008年粮食总产量16556吨。随着市场的变化,农业产业结构调整,其他经济作物种植和畜禽、水产养殖也有较大发展。高畈、天堡飞养猪场,近几年出栏生猪3300头左右。2008年,全镇家禽存笼44626羽。

农民生活水平显著提高。1991年全镇农民人均收入566元,2008年农民人均纯收入3895元,增长达7倍之多。农户砖瓦木制结构的房屋大多改变为钢筋混凝土结构的楼房。2008年,装有程控电话的农民已经突破1000户。全镇手机用户8000部。彩色电视机、冰箱、摩托车已进入千家万户,先富起来的农民购买了农用车和小轿车。社会主义新农村建设蓬勃发展。从2006年开始,在国家和有关部门大力扶持下,进行社会主义新农村建设试点,先后有方家、张家、陈家、万家、桥头、姜家、付家、建设、跃山等自然村建成新村,基本实现"走平坦路、喝干净水、上卫生厕、住整洁房、用洁净能源、居优美村"的目标。

塘湾古街始建于明代,已有500年的历史,是旧时江西通往福建省光泽县的交通要道,古驿道在此设驿站。这里一年四季商贾云集,有14个省籍居民在此经商或居住,饮食、旅店、戏院等服务行业应运而生,经济发达,市场繁荣。古街道沿小溪而建,时而笔直,时而弯曲,长1.5千米,街面宽2~6米不等,均铺着青石,干净古朴。街区大部分是石木结构的瓦屋,建筑布置形式是前店后居住、前店后作坊和居住三种形式。平面建筑一般为二进二开间,内分前厅、后堂、厨房;前后均有浅天井或深天井。梁枋、斗拱、脊吻、檐椽、护净、驼峰、窗棂、门楣等处,采用浮雕、圆雕、透雕手法,雕饰龙凤、麒麟、松鹤、柏鹿等飞禽走兽和人物故事等吉祥图案。现存古建筑119处,其中较有特色和保存完好的建筑10幢。

第七节　鸿塘镇

鸿塘镇位于市西北边陲,东连志光、周坊镇,南接月湖区夏埠乡,西与余江县、锦江镇、画桥镇毗邻,镇政府驻地鸿塘,距市区37千米。距鹰潭市区14千米。1993年3月,撤鸿塘乡,建鸿塘镇。2001年11月,撤塔桥镇,划归鸿塘镇。全镇总面积116平方千米,辖毫岭、陵家、富岗、卢宋、茹卜、付家、洋塘、红山、凉山、黄柏、界牌、基塘、港口、横田、塘湾、郑家16个村民委员会,122个村民小组,110个自然村,9109户,38000人。现有耕地3218公顷,林地5696公顷,森林覆盖率达68%,境内有小(一)型水库1座,小(二)型水库8座。有水面145公顷,水产养殖面积121公顷。全镇辖初中2所,中心学校1所、辖村小14所,镇卫生院1所、村卫生所48所。公路四通八达,鹰硬线、半界线、硬化线、鲤神线纵横境内。2008年,全镇16个行政村全部通水泥公路,并实现一村一亭农村客运网络化并建成五级客运站。皖赣铁路穿境而过,设有硬石岭车站。梨温高速公路横贯东西。鸿塘镇矿产丰富,主要有硅石、煤矿、稀土、红石等。土地肥沃,农业资源丰富,是贵溪农业大镇。旅游资源丰富,白鹤湖旅游区距鹰潭仅26千米。

1999年,镇政府进行机构改革,精减富余人员,镇事业干部按编制归口。2007年,再次进行机构改革,实行竞争上岗。全镇设五大办公室:党政办、经济发展办、社会事务办、劳动保障所、新农合办。2008年,增设清洁办、农电办。

1991年,乡财政收入77万元,主要税收来源是农业四税和乡镇企业工商税。2002年,财政收入401万元。2005年国家免征农业税后,加大招商引资力度,先后引进一批规模效益较好的企业进驻市工业园和镇村,其中有喜信泽机械厂(年产值5000万)、宏欣金属有限公司(年产值7000万)、江西南方水泥有限公司(年产值1.5亿)、江西凯思特贸易公司、江西宏鹰公司、江西海融贸易公司、江西瑞之鑫实业公司、联邦牧业有限公司(年产值3500万)、江西俊楚程安实业公司(年产值8000万)、董家机砖厂、江家机砖厂、盛源硅石矿、鸿宇木业有限公司、鹰翔养殖场、彭年种猪场、丰盛养猪场等。2008年,镇财政收入1001万元。

农村经济体制改革的深入,家庭联产承包责任制的逐步完善,调动农民生产积极性,促进农村经济发展。1998年,鸿塘镇开展第二轮土地延包(承包期延长30年不变),农民再次吃下"定心丸"。各村组本着"大稳定、小调整"原则,土地使用权流转,适度规模经营扩大。许多外出务工经商的农民,本着自愿的原则,把自家的责任田租赁给种植能手,促成种养大户的产生。如红山村村民陈财录种植水稻10公顷,邵园建10.7公顷,基塘村刘元林8公顷。2003年,国家推行退耕返林政策,当年全镇群众造林66.7公顷,退耕还林53.3公顷,主要种植经济林、果树等。村民付家林、付华和承包9.3公顷土地,种植黄栀子,年获利9万多元。2000年以后,随着农业机械化的普及,节省大量劳动力,许多农户从事肉牛和家禽养殖,增加经济收入。2005年7月,村民童天生组建联邦牧业公司。该公司总投资1500余万元,栏舍面积21000平方米,有存栏母猪1200头,年出栏生猪2.5万余头,年销售收入3000余万元,纯利润350余万元,解决劳力70人。另建80千瓦沼气发电站,年发电50万千瓦时。既利于环保,又有经济效益。2008年,全镇农民人均纯收入4257.6元。农民钢筋混凝土结构楼房拥有率98%以上,电视、电话进入寻常百姓家,大部分农户家庭成员中有手机和摩托车,有的购置家用小汽车。

2003年,试行农村合作医疗。2008年,全镇农民参合人数30967人,参合率99.1%。2005年开始,厚山、前山、付家、下港、童家等29个自然村,共58个点进行社会主义新农村建设试点。全镇96%的自然村通了水泥路,650户村民用上沼气,村村通有线电视,15个村委会全开通互联网宽带。

境内建有白鹤湖风景区。白鹤湖建于1957年,原名硬名岭水库。水域面积11100公顷,库容5300万立方,是国家中型水库。2004年7月,被水利部评为"国家级水利风景区"。湖区三面环山,峰峦叠翠,虎岭岩、鸡公山、船头山、仙免窟形态奇特。湖中有5座形态各异的小岛,岛上碧草茵茵,林木葱郁。风景区内建有宾馆,各项服务设施较为完善,可登山揽胜,可乘舟畅游,可休闲垂钓。

第八节　文坊镇

文坊镇位于市东南部,东与樟坪畲族乡相邻,南与冷水镇相连,西与塘湾镇接壤,北与金屯镇毗邻,东北与弋阳县、铅山县交界。1993年3月,撤文坊乡,建文坊镇。镇政府驻地文坊,距市区36千米。距福建省光泽县80千米。2001年,撤西窑乡,划归文坊镇。2002年,文坊镇黄思村、太源村只小组划出归樟坪畲族乡。全镇总面积245平方千米,有耕地3026公顷,林地17067公顷。辖1个居民委员会和文坊、虹桥、吊桥、花桥、坛石、斗楼、濠水、票上、天华山、岭西、塘头、沙垅、东际、西窑、詹源15个村民委员会,257个村民小组,154个自然村,6100户,25600人。文坊镇历史久远,建镇较早,花桥村建于明代,沙垅村凤形建于清朝乾隆十三年。文坊也是贵溪四大古镇之一。贵溪至福建光泽县战备公路、文坊至冷水镇公路、文坊至西窑林场公路纵横境内;2008年,全镇行政村通水泥公路,30%村民小组通水泥公路,实现了农村客运网络化。电信网络覆盖全镇自然村,开通宽带互联网。

镇有中学1所,中心小学1所,下辖13所完小,中心幼儿园1所。小学有教职工136人,专科以上学历77人,占56.6%,本科以上学历18人,占13.2%,在校学生1567人。境内明德小学占地13320平方米,生均占地53.1平方米,是一所高起点、高标准、高质量的示范学校,环境优美。文坊中学创立于1958年,最初设在樟坪,1962年迁至文坊。2002年9月,原双圳中学、西窑中学并入文坊中学。现校园面积13266平方米,校舍面积7901平方米,在校生800余人,教师51人。有3栋教学楼、1栋综合楼、2栋学生公寓,1栋食堂,校园道路硬化,体育场塑胶化。

辖区内有中心卫生院1所,村级卫生所43个。全镇有乡村医生82人,执业医师55人。文坊中心卫生院是一所一级甲等合作定点医疗医院。占地面积约4000平方米,建筑面积2400平方米,业务用房1900平方米。有门诊、住院大楼各1栋,病床20张,设有外科、中西结合、内儿科、妇儿科、检验科、放射科、B超等科室。

1991年乡财政收入50万元。西窑乡并入文坊镇第二年的2002年,镇财政收入81万元。税源主要靠征收农业税。2005年以后国家取消农业税,财政收入主要靠招商引资,发展民营企业增加税源。引入投资2亿元的江西(贵溪)旺通钢材有限公司,投资2000万元的定邦工艺品有限公司。文坊镇是个山区,森林资源较为丰富,乡镇企业多围绕木竹原料为主。以木竹原料为主的乡镇企业有竹席厂、竹筷厂、缝纫机台板厂、竹拉丝厂、笋罐头厂、竹辉公司、石材厂、板材厂。2008年,镇财政收入达1388万元。

境内有两大河流:须溪(又名西溪河,罗塘河)和西窑河,水力资源丰富。镇在原有文坊、虹桥、吊桥电站之后,相继建白水际、四平、凤形、马嘴、广源、东港、土堂电站,总装机容量达7340千瓦。

家庭联产承包责任制逐步完善,1998年开展第二轮土地承包。2004年,全面开放粮食收购和销售市场,粮食稳定增产。2008年全镇粮食总产量30245吨。林业、畜禽养殖也有较大发展。

农民生活水平提高。1991年全乡农民人均纯收入321元,2008年全镇农民人均纯收入3690元。农户普遍盖有新房。2001年,虹桥村进行小康示范村试点。2004年,新增文坊高雅、天华山店前、西窑村、坛石村4个试点村。2007年,建博爱新村、沙垅凤形、塘头竞石、岭西村里、斗楼道山5个新村。2008年,建斗楼、上坂、江湾、来源4个新村。新农村实现"走平坦路、喝干净水、上卫生厕、住整洁房、居优美村"的目标。2006年10月18日,中国红十字会副会长江亦曼、副省长胡振鹏到文坊镇博爱新农村视察。2007年2月10日,常务副省长凌成兴到文坊镇视察新农村。

文坊镇以战备公路为主线,大力推进集镇建设。一期建设竣工后,集镇主干道长300米,宽24米。2005年文坊镇投入100万元,在集镇龙井街道两边人行道铺设彩砖,对街道进行亮化、绿化,安装路灯16盏,种植樟树100株,建设花圃400平方米,安装广告灯厢10个。2008年,二期集镇建设竣工,主干道长400米,宽16米,沿街种植樟树140株,安装路灯26盏。同时,改造古镇老街,环形400米,宽7米。目前,新集镇建成临街店面300多套,常住人口超4000人。城镇化率从7.8%提升到16.8%,从古镇小巷向大镇新城迈进。

文坊镇旅游资源丰富。境内有文坊、岭西烈士纪念塔,天华山龙井花园绿韵、千年龙井坑、天柱峰、仙人下棋、鹰嘴岩、蝙蝠洞、千年银杏树和上坪休闲山庄,集"红色、绿色、古色"于一体。

第九节　志光镇

志光镇位于市西北部,东邻泗沥镇、滨江乡,南接鹰潭市月湖区,西连鸿塘镇,北与塔桥园艺场、周坊镇毗邻,镇政府驻地古城岗,距市区24千米。1993年3月建镇。全镇总面积98平方千米,辖12个村民委员会,96个村民小组,96个自然村,8074户,35600人。耕地2256公顷,林地361公顷。地形呈不规则长方形,属丘陵谷地,北高南低。境内鹰山岭最高,海拔240.2米。境南的信江林(石鼓渡)最低,海拔20米。惠安溪、硬石溪分别纵流于境中、境西,信江横流于境东南。农田多属冲渍沙壤,山丘大部分红石裸露。矿藏有硅石等。境内有小(二)型水库7座。养殖水面307公顷。境内有贵溪至志光、鹰潭至志光、珍田至塔桥公路,实现一村一亭的农村客运网络化。2000年,沪昆高速公路建成,在境内长6.7千米;皖赣铁路横跨志光境内,途径塔桥、罗庄、竹山村民小组。2008年,行政村全部通水泥公路。电信网络覆盖全镇自然村,开通宽带互联网。

1991年,志光镇有中学2所,小学29所,幼儿园13所。2008年,有中学2所,小学8所,幼儿园20所。志学中学现有教职工72人,其中大学本科学历40人,专科28人,高级职称15人,中级职称39人。周塘中学占地11000平方米,现有学生553人。全镇有小学生2357人。志光中心学校2003年组建,下辖理源、希望、西江、湖石、皇桥、逸夫、湖塘和珍田8所完小和上官塘村小。镇有中心卫生院1所,村卫生所21所。中心卫生院有职工35人,其中技术人员33名,中级以上职称4名、医师6名。占地13000

平方米,建筑面积2000平方米,设住院和门诊部,有病床28张。

1984年镇成立计划生育专门机构(简称计生办),配备计生专干。2003年,改设计划生育服务所。镇每年对计划生育家庭实行奖励,为0—6周岁独生子女和二女户家庭办理“爱心保险”,为二女家庭缴纳新型农村合作医疗费。2000年,镇获全国计生协会先进奖。

志光镇在20世纪80年代末至90年代曾大办乡镇企业,后均因各种原因停产关闭。进入21世纪全镇村级企业发展较快,先后创办米厂、养猪厂、铜加工厂、服装厂等。志光镇政府依照,“打造开放型干部,发展开放型经济”思路,采取走出去,请进来,以安商、帮商、扶商、亲商为指导思想,加快招商引资力度,2006年引进恒镒工贸有限公司。1991年,乡财政收入188.7万元,财政收入主要靠农业税。1992年至2005年,乡镇财政收入在200万元左右徘徊。2006年起,加大招商引资力度,兴办工业,发展第三产业,拓展税源,增加税收,财政收入连年上升,2008年达到1028万元。

农村经济体制改革深入,家庭联产承包责任制的逐步完善,农业经济全面发展。2008年,全镇收获粮食作物26575吨(其中稻谷24876吨、玉米16吨、豆类215吨、薯类970吨),花生936吨、油菜籽282吨、芝麻276吨;生猪出栏21836头,家禽存笼145286只。农业总产值7489万元(其中林业产值380万元,牧业产值2450万元,副产业值1100万元,渔业产值260万元)。

农民生活水平显著提高。1991年全乡人均纯收入1300元,2008全镇人均纯收入3915元。农民居住条件改善,如今大部分农户建有钢筋混凝土结构的两层以上的楼房。大部分农户家庭成员中有手机和摩托车,有的购置家用小汽车。有的在北京打工经商、在成都等大城市发展食品、眼镜产业,成为百万元农户,在家盖起小洋房。2005年,信江村民委员会石鼓渡村新建小康示范村,拉开志光镇新农村建设步伐的序幕。2006年新建西江雷家、理源李家、皇桥李家3个试点村。2007年新建西江李家、周塘艾家、皇桥洋源、皇桥道塘、柏山徐家5个试点村。2008年新建信江太上、珍田森塘、周塘鸟山、皇桥上场4个试点村。西江雷家被评为江西省新农村建设先进试点村,周塘艾家获“江西省最优美村庄”称号。省长吴新雄、副省长陈达恒、孙刚先后到志光视察新农村建设和卫生清洁工程。

第十节　冷水镇

冷水镇位于市南部边陲,东邻双圳采育林场,东南与福建光泽县和江西资溪县交界。西连耳口乡,北与塘湾镇、文坊镇毗邻。1993年3月撤乡建镇,镇政府驻地冷水坑,距市区55千米。是江西省9个边际镇之一,南距资溪县城45千米。全镇总面积155平方千米,耕地面积426.7公顷。辖麻地、冷水、富庶3个村民委员会,23个自然村,26个村民小组,788户,3050人,常住人口为788户,3050人。其中,农业人口2741人,麻地村1017人,富庶村744人,冷水村1150人,街道机关137人,流动人口在1000人以上。镇居民以汉族为主,还有畲族、白族、苗族。主要是省外婚迁而入。

冷水镇地处山区,属武夷山脉山系,东高西低。东部边境的阳际坑,海拔1540米,为最高点;境西富潭最低,海拔110米。源自阳际坑西南麓的上清溪支流经境西流入大汪渡,与上清溪另源自资溪县高阜山的支流汇合,北流自傅潭出境。年均气温17.6℃,无霜期255天(3月上旬至11月下旬),年降水量2000毫米。土壤主要有黄棕壤和黄壤,生长着大片的杉、松、杂木及毛竹,是市内主要林区之一。矿藏有银铅锌(为中国已发现最大的银铅锌矿,拥有万吨以上,已开采)、石灰石、萤石、花岗石、煤等。

冷水镇水资源丰富,芦溪河冷水支流流经饶源、桂港、麻地、冷水、大汪渡及2个分场和2个村委会,在支流上建有欣发、泰源、茶山、下张和罗洲水电站,总装机容量13900千瓦。

冷水镇有林地面积4875.5公顷,其中国家、集体联营275.5公顷,活立木蓄积量40万立方,竹林2000公顷,蓄积量600万根,有名贵树种:红豆杉、银杏、罗汉松、竹柏等,还有名贵中草药材上千种。

境内有冷水至贵溪、冷水至鹰潭、冷水至文坊、冷水至资溪公路;鹰厦铁路穿境而过,路长7.8千米。2008年,村民委员会全部通水泥公路,23个村民小组公路硬化,实现一镇一站、一村一亭农村客运网络化。1995年以前镇内大汪渡口至富庶没有通路,只能从芦溪河过渡,1995年大汪渡至富庶西桥一路建成,宣告冷水人民过渡的历史结束。全镇架设移动、联通网络站5座,电信网络覆盖全镇自然村;2006

年开通宽带互联网。2008 年,全镇手机用户 1200 部,有线电话 1000 户,移动服务点 2 个。

1991 年乡财政收入 28.7 万元。1994 年冷水撤乡建镇后的第二年,财政收入增至 68.79 万元。冷水镇村级企业在 20 世纪 80 年代就小有名气,1991 年村办企业 6 个,年收入 71.8 万元,1998 年又增加村办企业 10 个。2005 年,加大了招商引资力度,先后引进和兴办鲍家矿业有限公司、江西银海矿业公司、砩砂厂、麻蓬竹地板厂、大王渡木材加工厂、麻地石灰矿、冷水宾馆、洋坊生猪养殖场等,为财政增收提供新的税源, 2008 年,镇财政收入 1097 万元。

随着农村经济体制改革深入,家庭联产承包责任制逐步完善,农村经济全面发展。1998 年开展第二轮土地承包(承包期延长 30 年不变)。2004 年,全面放开粮食收购和销售市场,传统的计划经济体制向社会主义市场经济转变,经济增长方式从粗放型向集约型转变,农村剩余劳动力纷纷外出务工、经商。本着自愿、有偿的原则,农民将责任田租赁转让给种田能手耕种,粮食种植大户出现。政府的惠农政策,有关部门产前、产中、产后的服务,耕作技术的革新,现代农机具使用,使粮食产量保持稳定增长,农民收入增加。经济作物种植、畜禽养殖、林业也有较大发展。

2004 年,在冷水泥家洲征地 7.7 公顷用于集镇建设。全面启动自来水改造工程,投资 240 万元新建成自来水站,取水点远离矿区 6 千米处,装配两套净化设备,使居民饮上干净卫生水。年投入 50 万元进行污水管网建设,用以处理集镇污水排放。建水冲式公厕 2 所,每家每户也进行改厕工程,全部达到国家卫生镇标准。2006 年,投资 200 万元,拓宽集镇街道,将原 6 米宽建成 12 米宽,延伸 600 米,人行道全部铺设瓷砖。对集镇居民住房外墙统一进行立体面改造。建成休闲广场、娱乐场和 3 个篮球场,安装体育设施、健身器材。实施道路硬化、集镇亮化、街道绿化等一体化工程。以新农村建设为契机,彻底改变农村面貌。2007 年以来投入资金 200 万元,对 13 个村组进行新农村建设,进行道路硬化、房顶改造,修建娱乐活动场所,建休闲广场,安装健身器材。改水、改厕,99% 村小组安装自来水,用上水冲式厕所。建垃圾焚烧炉 20 个,沤肥窖 400 余个,聘用专职保洁员,垃圾实现无害化处理。

镇成立计划生育机构,设计生办和计生服务所。各村配备一名专职女计生人员。为 0—6 周岁独生子女和二女户办理“计划生育家庭子女爱心保险”;为二女结扎户办理了纯女养老保险;发放计生奖励;为农村独女、二女家庭缴纳新型农村合作医疗费,为育龄妇女免费进行生殖保健普查,为不再生育且生活困难户办理了农村低保,为领取独生子女父母光荣证的家庭发放独生子女保健费。

1991 年,全镇农民人均纯收入不足 1000 元,2008 年人均纯收入 7942 元。大部分农户建了新房,家电设备一应俱全。安装程控电话的农户占全乡农户的 70%,全镇居民中拥有手机 1200 部。大多数家庭拥有摩托车,先富起来的农民购买农用汽车或小轿车。编制镇村建设规划。2006 年开始,分别在横坑、丰树嘴、洞源、上麻地、碧溪等自然村进行社会主义新农村建设试点,使家家户户住整洁房,走平坦路,喝干净水。

镇设初级中学 1 所,建有校舍 3260 平方米,有教师 15 人,学生 131 人,学校绿化、亮化、美化,是座花园式学校。镇内有中心学校 1 所,下辖村小学 4 所,即冷水、麻地、富庶、茶山,另有教学点 1 处(洞源)。全镇在校小学生 361 人,小学教师 43 人。2007 年全镇中小学生学杂费实行全免,中小学生入学率达 100%。镇有卫生院 1 所,村卫生所 5 所。自 2003 年开始,为村民解决看病难,看病贵,农民因病返贫现象,由农民交纳 10 元钱,实行合作医疗,当年参保率达 100%。2008 年,全镇村民参合资金 13.9 万,参保率 96.65%,全年农民报销医疗费总额 103 万元。

冷水镇山青水秀,拥有丰富的森林资源和良好的生态环境。旅游资源丰富,冷水阳际峰自然保护区列入国家重点保护区;云梦山鬼谷洞遗址,列入江西省人民政府重点文物保护单位;太平天国古战场、白果树风景区和横坑大峡谷漂流等纳入龙虎山风景区的重要景点。

第十一节 流口镇

流口镇位于市东部,东与弋阳县圭峰镇接壤,西与雄石街道办事处、雷溪乡相连,南邻金屯镇,北与市区隔河江相望。1995 年 3 月撤乡建镇,镇政府驻地新溪村流口村小组,320 国道边。距市区 4 千米。

全镇总面积69平方千米,辖新溪、板桥、细叶、双岭、盛源、官庄、横路、李源8个村民委员会,151个村民小组,79个自然村,19000人。耕地1553公顷,林地3580公顷。有瓷石、石膏、钾长石、珍珠岩、煤等矿产。有初级中学1所、中心学校1所、辖村小8所,镇卫生院1所。320国道穿境而过,行政村全部通水泥公路,村组公路硬化率达75%以上。电信网络和互联网覆盖全镇。

流口镇地处丘陵谷地,地势由南向北倾斜,中间稍高,东西两端稍低。境东南小岭最高,海拔259.4米,境北流口最低,海拔75米。源自弋阳县白洋河的流溪流经东北边境。土壤多属红壤与冲渍沙壤。

流口镇水资源丰富。有小(一)型水库4座,分别是界牌、梁溪、东山垅、石背水库,总库容782.7万立方米;小(二)型水库9座,分别是军塘、新塘、石塘、螺丝塘、杨家垅、红领巾、丰米塘、太树垅、盘石水库,总库容251.6万立方米。2005年以来,流口镇先后投资238.4万元,完成界牌、梁溪2座小(一)型水库和杨家垅、红领巾、军塘、新塘、丰米塘5座小(二)型水库除险加固工程;投资329万元,完成东山垅水库主渠道衬砌6.5千米工程。

1990年乡财政收入19万元,税收来源主要是农业四税。2006年以来,加大招商引资力度,先后引进企业24家,其中入驻市工业园区企业5家。宏源铜业是2007年5月从浙江温州引进,总投资2.8亿元,生产电解铜12万吨,铜带3万吨,是当年市工业园区一次性投产最大的铜产品一体化生产的企业。金泰铜业也是2007年从浙江温州引进,总投资1.8亿元,当年引进,当年建设,当年投产。2008年,流口镇完成工业总产值2亿元,当年财政收入一半以上来自于该企业税收。金雕铜业是2007年12月从浙江宁波引进,总投资1.2亿元,以生产水暖器材和电脑主板为主的科技型企业。闽源铜业是2008年1月从福建引进,总投资1.8亿元,以生产铜板带为主的科技型企业。2008年镇财政收入579万元。

2006—2008年,流口镇连续三年投资1000万元,用于集镇建设与新农村建设。2006年,流口启动集镇建设,征地40公顷,投资6000万元用于基础设施建设,一期90栋别墅已建成。2007年,投资100余万元用于集镇320国道硬化、绿化、亮化工程。按照"政府主导,农民主体"的原则,先后打造14个新农村建设试点村,建成的示范村占全镇自然村总数的18%。细叶村洋梅、老屋、李家、陈家、太樟,双岭村罗家嘴,新溪村顺田被评为鹰潭市先进试点村,流口镇连续三年被评为鹰潭新农村工作先进乡镇。

农村经济体制改革深入,家庭联产承包责任制的逐步完善,促进农村经济全面发展。2008年,投资240万元,完成板桥、横路片造地增粮富民工程,新增耕地46.7公顷;是年12月又投资200万元,完成盛源村古陆板133公顷园田化建设。

农民生活水平提高。1991年农民人均纯收入1326元,2008年纯收入3563元。2004年,全镇农民参加农村合作医疗保险的人数17029人,参合率94.5%。2008年,参合率98.2%,大病统筹报销173.8万元。全镇城镇低保47户,111人,农村低保333户,704人。敬老院集中供养五保老人47人,占地1公顷,拥有粮食基地1.33公顷,蔬菜0.4公顷。全镇残疾人278人,安排就业120人,资助困难户建房8栋,资助残疾人建房3栋。

第三章　乡

第一节　滨江乡

滨江乡位于市中部,乡域处市近郊,交通十分便利。东连河潭镇,南接罗河镇、雄石办事处,西邻志光镇、鹰潭市月湖区,北与泗沥镇毗邻。东南与弋阳县以信江为界。2001年与金沙乡合并为滨江乡。乡政府驻地市区雄石东路。全乡总面积125.4平方千米,辖12个村民委员会,即柏里、洪塘、铜都、黄坑、江南、浮桥、金沙、流岭、婆桥、山背、江北、西洋,211个村民小组,165个自然村,9163户,另辖一个滨江社区,管理庞源、其桥、苏门3个小组。总人口42000人。耕地2679公顷、林地4684公顷。养殖水面386.7公顷。有初级中学3所,中心学校1所、辖村小15所,在校学生3344人。乡卫生院1所,村医疗诊所60所。境内有贵神线、贵鸿线、贵河线、贵白线、贵塘线5条公路干线,320国道、梨温(沪昆)高速公路横贯东西,浙赣、皖赣铁路纵横全乡。2008 年村委会全部通水泥公路,自然村 80% 能通货运车辆,电信网络覆盖全乡自然村,开通宽带互联网。

滨江乡地势东高西低,属丘陵河谷地带。东部的高石岩最高,主峰海拔 80 米,西部的地理最低,海拔 20 米。信江横贯境中及境西边境,湖凌溪纵流西北边境于卢家埠流入信江,境西箬港纵贯境中。耕地大部沿河谷分布,多为冲渍沙壤,山丘大部分红石裸露。滨江乡水资源丰富,有 21 千米圩堤,13 座小(二)型水库,100 多座山塘和小水库。

1991 年乡财政收入 44 万元。2001 年金沙乡并入滨江乡,2002 年乡财政收入 1237 万元。2008 年,乡财政收入大幅度增长,达到 1.8 亿元。居市乡镇财政收入的榜首,全省乡镇财政收入前十名。主要得益于地处市近郊的地域优势和依托大工业,招商引资、大办乡村企业。2002 年,乡政府成立招商引资办公室,确立“建一流郊区工业乡”的经济社会发展思路,引进产业链长、带动力强、科技含量高、示范作用大的企业,初步形成了以铜加工为龙头,化工、食品、机械制造等多项支柱产业齐头并进的工业发展格局。主要企业有金沙蔬菜加工厂、贵溪长生废资源开发有限公司、麒麟化工有限公司、鑫瑞化工有限公司、福成金属厂、贵溪正发钢材加工有限公司、贵溪瑞新铜业加工有限公司、制氧厂、贵溪城北液化气有限公司、贵溪市龙创铜业等。其中投资 1000 万元以上的企业 23 家,年上缴税收占全乡财政收入的 70% 以上。

农村经济体制改革深入,家庭联产承包责任制逐步完善,农村经济全面发展。1998 年开展第二轮土地延包(承包期 30 年不变),土地使用权流转,适度规模经营扩大。青年外出务工、经商,有的全家外出从业。2008 年,全乡有 8226 个外出务工劳动力,占劳动力总数的 41%。全乡转包耕地面积 136 公顷,占耕地面积的 5%,互换面积 33.3 公顷。在土地流转中,土地向种田能手集中,全乡种田大户 39 户,其中 2 公顷以上 30 户,3 公顷以上 8 户,30 公顷以上 1 户。专业队伍不断发展,2008 年,全乡共有专业户 931 户,专业户总收入 7913 万元。专业户中有粮食、蔬菜、瓜果、养猪、养羊、养鸡、养鸭等种养大户,以及从事运输业、商业、建筑大户。为适应市场需求,引导农民进行产业结构调整。1993 年,西洋村开发 66.7 公顷梨;1998 年江北村(原地理村)建 33.3 公顷蔬菜基地;2006 年黄坑村、江南村建立季节蔬菜基地、柏里百亩葡萄园、西洋村千亩杨树林套种反季节西瓜;2007 年,金沙、流岭、婆桥、山背村委会培育万亩绿色大米生产基地,创办示范基地 27.5 公顷。与此同时,农民专业生产联合体产生。有西洋村“贵溪三桩果业开发公司”、“里童生猪养殖合作社”、“九甲水箱种植专业合作社”等,提高农民进入市场的组织化程度。在西洋村委会牛栏石水库边,成立贵溪瑞洪生态养殖有限公司,建起 14 栋养殖厂房。总投资 500 万。建成鹰潭市第一座沼气电池,可发全场照明用电。水库放养鱼苗 20 多万尾,进栏生猪 720 头,大部为美国大约克公猪种和母猪,年出栏生猪 1 万头。属无公害猪场。国家的惠农政策,农业技术和机具推广,社会服务增强,粮食产量稳步增长。1991 年,全乡粮食总产量 6193.9 吨,2008 年,全乡粮食总产量 25776.4 吨。滨江乡先后被评为“全省农村经济发展百强乡镇”“小康路上百名排头乡镇”“首届江西投资环境最佳乡镇”。

滨江乡教育事业历来受到重视。现有中心学校 1 所,下辖 15 所完小。滨江希望小学是江铜集团赞助的一所小学,占地 11000 平方米,有学生 460 人,教师 24 人。有初级中学 3 所。金沙中学创建于 1978 年,学生 446 人,教师 43 人;柏里中学,创建于 1962 年,学生 362 人,教师 53 人;晨阳中学,2002 年 6 月,由乐平房地产商在柏里九牛小组西侧荒山上兴建,占地 90000 平方米,校舍面积 6880 平方米。学生主要是“留守儿童”,学校“既教书,更育人”,实行全封闭教学管理。

农民生活水平显著提高。1991 年全乡农民人均纯收入 653 元,2008 年全乡农民人均纯收入 5961 元。农民普遍盖有新房,先富起来的农民还在市区购买了商品房。2008 年,每 100 户拥有程控电话 40 余部,手机及小灵通用户每 100 户拥有 80 余部。全乡有摩托上千辆,私家小轿车 250 部,大型运输车辆 253 部。社会主义新农村建设蓬勃发展。2006 年,有柏里水泉、西洋新村、流岭岩前;2007 年有柏里王坂、桥头、洪塘新村、西洋上丁、金沙外董、流岭傅家;2008 年有柏里邱垅、洪塘何家、江北九甲、西洋李庄、流岭雷溪、铜都金石、婆桥里童等。这些村庄道路硬化 20 多千米,修排水沟 2000 米,改水 812 户,改厕 813 户,安装太阳能 300 多户,环境绿化 35000 平方米,植树 3000 多株,修建休闲广场 21 处,农民过上“走平坦路、喝干净水、上卫生厕、用清洁能源”的城市生活。

位于滨江乡岩前村的龙岩峰，是座钟形丹岩石岭，内藏有一宽大石洞，长80米，宽34米，高6米，面积2700平方米。传说仙翁在山顶留有脚印，早年洞内后壁两个深深小孔，会流出香油和食盐。峰外碧水山奇，有“三三秀水清如玉，六六奇峰翠插天，人间仙境在龙岩”之说。

第二节　彭湾乡

彭湾乡位于市西南部。东连塘湾镇，南接上清镇，西邻余家乡、龙虎山镇及上清林场，北交罗河镇。乡政府驻地彭湾村，距市区27千米。总面积65平方千米。辖星明、彭湾、白庙、溪源、小岭5个村民委员会，82个自然村，2980户，11508人。耕地913公顷，林地4891公顷。全乡除小部分属半山区外，大多为丘陵谷地，地势由西南向东北倾斜。西南边境的甑盖岭最高，海拔541米；境东北的花门地片最低，海拔58米。源于应天山的望古溪纵流境内于花门出境。土壤多属红壤及水稻土。贵白公路、彭上公路横贯境内。2008年，全乡村民委员会全部通水泥公路，实现一乡一站、一村一亭农村客运网建设。境内建移动通信网络站5座，联通网3座，电信覆盖全乡自然村，开通宽带互联网。境内有中型水库1座，小(二)型水库2座。白庙水库1958年开工建设，1961年完工，库容1840万立方米，可灌溉1466公顷农田。

境内有初级中学1所，占地面积6000平方米，有教师32人，学生608人，1998年建3层教学楼，后建办公楼、学生公寓。中心学校1所，辖星明、逸夫、白庙、溪源、小岭5所村小。学校占地2000平方米，30个教学班，教师60人。有乡卫生院1所，村卫生所13所。2001年，乡卫生院新建住院大楼。

1991年，全乡财政收入23万元，主要来源是农业四税。2005—2006年国家全面取消农业税，乡财政收入主要是靠招商引资发展工业企业税收。2007年引进宏宇铜业、华晋铜业2个铜加工企业，规模大，效益好，年创产值1000万元。乡村企业发展较慢，主要有返乡创业人士兴办的美洋酒厂。由于不断拓展税源，财政收入增加，2008年，全乡财政收入500万元。

农村经济体制改革深入。调整农业生产关系，家庭联产承包责任制逐步完善，给农民生产经营自主权。1998年，开展第二轮土地延包(承包期延长30年不变)，大稳定、小调整。进入21世纪，适度扩大规模经营，外出务工、经商农村剩余劳动力，把自家的责任田租赁给在乡的种田能手。每年免费培训农民工，出台多项惠农政策，推广农业新技术，使用农机具，逐步实现现代化，社会服务增强，粮食产量稳步增长。1991年，全乡粮食总产5894吨；2008年，达到18754吨。2005年，全乡进行林权制度改革，明晰产权，自留山稳定不变，到户的责任山稳定不变，落实谁造谁有、家庭承包经营、分股不分山、分利不分林、有偿转让经营、稳妥处理已流转的集体山林。减税费，让利于民。各村也根据自身特点，灵活掌握政策，做到留足集体。林改工作于2007年结束，林权证发放到户。

随着农村经济不断发展，农民生活水平有很大提高。1991年，全乡农民人均纯收入562元；2008年，全乡农民人均纯收入3528元。沿袭千年的土坯、木石结构的平房，逐步被钢筋水泥砖石结构的楼房所取代，单一功能布局的住房被具综合性功能的住房所代替。现代化的家用电器进入千家万户。全乡有800户装程控电话，拥有手机1500部。先富起来的农户购买了轿车。社会主义新农村建设蓬勃开展。自2006年开始，彭湾乡对微源垅、坂背、白鹅塘、饶家、邓家、杨家、下朱、梁家、新源杨家、英桥、邓家、石家等12个自然村进行新农村建设试点，按照村容整洁等要求，全面推进社会主义新农村建设。家家户户用上自来水、卫星电视，过上像城里人一样的生活。

2000年，乡成立信访工作领导小组，配备专干。2004年，各村也成立信访工作机构，设立领导信访接待日。乡信访办本着“坚持维护改革发展、稳定大局，构建平安和谐社会”的原则，积极处理好越级上访，做好防范工作，做到大事不出乡、小事不出村，信访工作被评为鹰潭市唯一的“三无”乡镇。

彭湾乡注重老龄事业。2008年，成立乡机关老年协会、教育机关老年协会。各村组有老年活动室。1999年新建老年公寓。全乡37名五保老人集中供养，93名分散供养。

著名旅游景点应天山，海拔881米，山形端方廉厉、高峻突出，飞瀑留泉，风景秀丽。高僧马祖曾在此居住过，故也称禅师山。南宋著名理学家陆九渊于淳熙年间在此结庐讲学5年。他观察应天山山形像一头大象,改山名为象山,并创建象山精舍,后改名为象山书院。陆九渊曾有诗《应天山》,描写山的秀美景致。

第三节 余家乡

余家乡位于市西南部,南接鹰潭市龙虎山镇,与余江县毗邻,东北靠鹰潭市区,乡政府驻地天禄村黎家,龙虎山大道与206国道交叉点上,距贵溪市区28千米。全乡总面积126平方千米,辖余家、滴水、罗湾、天禄、口上、球源、坝上、孟青、畈上、流桥、庄源11个村民委员会,117个自然村,202个村民小组,6080户,25890人。主要有滑石矿、铀矿、花岗石、瓷土等矿产。据测算,全乡滑石储量约3亿立方米。全乡水资源丰富,有水域面积138公顷。境内有小(一)型水库4座,即洋石桥、老窑、香炉峰、桂家垅;小(二)型水库17座,即背头垅、梅头源、享岩城、杨家垅、余家、干坑、球源、江井、水古汗、棺材塘白水源、鱼塘、弋家源、横坑、花园、姜思坞。206国道、鹰厦铁路穿境而过。2008年全乡村委会通水泥公路。电信网络覆盖全乡自然村,开通宽带互联网。全乡有山林5800公顷,耕地1913公顷,主要种植水稻、蔬菜。利用地处鹰潭市郊优势,大量种植蔬菜。

全乡有初中1所,学校占地2.34万平方米,教职工63人,在校生700人。1998年曾建一私立中学,2003年停办。有中心小学1所,下辖村完小8所,教师101人,在校生1464人。有幼儿园5所,教师13人,在园幼儿725人。1991年,乡制订扫除文盲教育规划,通过办夜校和中小学包教保学进行扫除青壮年文盲。村建识字牌,农忙少学,农闲多学,学校包村,教师包组,学生包人,1997年10月通过省市验收,成为达标乡镇。全乡有中心卫生院一所,村卫生所25所,医务人员42人。

1991年,乡财政收入52.66万元,主要靠征收农业四税。2002年,取消乡村统筹和提留,增加农业税和营业税、企业所得税和个人所得税、工商税收,当年财政收入255.58万元。2005年取消农业税,财政收入主要靠工商税收。2006年以后,加大招商引资力度,先后引进宝山金属、中星铜材两个销售收入超10亿元的铜加工企业入驻市工业园区。乡村民营企业也有较大发展,主要有婷洁食品厂、木柄加工厂、十一队胶合板厂、球源酒厂等。2008年全乡财政收入1400.38万元。乡财政支出主要用于支持乡村经济和社会事业发展,主要包括:乡村行政管理、农村经济综合服务、土地规划、计划生育、乡村基础设施和道路水利建设、民政优抚等。

1995年,农村经济步入以市场为导向的市场经济轨道。1998年,开展第二轮土地承包(承包期延长30年不变),本着“大稳定、小调整”的原则,进一步完善土地承包责任制。剩余劳力外出打工,有的农民把自己的责任田租赁给在乡的种田能手。国家对粮食种植和购农机具实行财政资金直补,政府推广农业生产新技术,增强社会服务,使粮食产量稳定增长。1991年,全乡粮食产量16800吨;2008年,全乡粮食产量达99561吨。

农民生活水平显著提高。1991年全乡农民人均纯收入368元,2008年提高到3827元,其增长的主要来源是外出务工、经商收入和发展种植业、养殖业。大部分农户盖有新房,家用电器一应俱全,青年农民购摩托车代步。2008年全乡程控电话用户3190,拥有手机3012部。社会主义新农村建设蓬勃发展。2006—2008年,先后在余家龙背嘴、滴水新村、滴水蔡家、口上香炉峰、口上李家、余家余家、罗湾王家、庄源祝家、坝上西安、球源上徐、流桥管家11个自然村进行社会主义新农村建设试点,村容村貌大为改观,村民生产生活条件大为改善,改水、改厕100%。

境内旅游景点颇多。天禄村的香炉峰,如同一座香炉耸立。面积200公顷,水面26.7公顷,包括香炉峰、黄牛岭、一线天、香炉湖。香炉峰碧水丹崖,林茂泉清,被誉为“神仙居所”。明代旅行家徐霞客游览至此,曾发出奇险、峻秀的感叹。台山寺位于罗湾村桥头王家,始建于南宋咸淳年间(1265-1274),有山门、大殿、后殿、厢房等建筑,寺内有“宋敕”大碑一块。座落在余家王家、球源村曾家山上的古城堡,建于清咸丰、同治年间,用于躲避太平军侵扰而由当时官府和村民所建,占地面积100公顷。古城堡所处位置为人迹罕至之地,属丹霞地貌,自然景观众多,并有人文景观。城堡内有黄幡、青剑、紫盖、白云、蟾影、峨眉诸峰、有天池、桃源、刘五庙等景观。位于余家村境内狮子岩,岩石似双狮挺立,栩栩如生。

第四节 白田乡

白田乡位于市东北部，与弋阳县交界，乡政府驻地中葛村，距市区32千米。全乡总面积88.6平方千米，辖姚家、白田、行马、北山、裴家、甘苏、港黄、小田、蓝田9个村民委员会，59个自然村，15300人。耕地1322公顷，林地5467公顷。有中型水库1座、小(二)型水库7座。初级中学1所，中心学校1所，辖村小5所、幼儿园3所。乡卫生院1所，村卫生所9所。

白田乡地形略呈三角形，地势由东北向西南倾斜，怀玉山余脉分南北两支楔入，形成一个椭圆形洼地。境东北的大杨梅尖最高，海拔617.2米，境南的湖凌溪两岸降湖地片最低，海拔45米。发源于周坊百丈岭和三县岭的两条小溪分别由西北、北部入境，在港黄合流入湖凌溪。土壤多属红壤及水稻土。山林主要有松木及一些杂木。矿藏有铁、石灰石、花岗石、煤。境内贵神公路纵贯南北，水圣公路横跨西东，通往弋阳县。2006年9月，全乡9个村民委员会通水泥公路。2008年，全乡55个自然村通了水泥路，实现一乡一站、一村一亭农村客运网络化。境内建有移动通信网络基站5座、联通通信网络基站2座，电信网络覆盖全乡自然村，开通宽带互联网。

1991年乡财政收入37万元，主要来源靠农业四税和少量的乡镇企业和个体工商税收。2005年以后全面取消农业税，国家不仅给农民减负，而且出台惠农政策，给予多项资金补助，扶持农业生产发展。20世纪80年代末和90年代初，兴办的乡镇企业规模小、效益差，逐步被市场淘汰。2006年以后，加大了招商引资力度，举全乡之力，走出去，请进来，先后引进宝山金属年产值20亿元、中星铜材年产值10亿元、兴成工贸年产值5亿元、浩鑫铜材年产值7亿元等4家大型民营企业入驻市工业园区。一批有市场、效益好的民营企业在乡村发展，其中有从外地引进的，有回乡创业的农民和当地能人兴办的企业。朱家胶合板厂、港黄红砖厂、荣喜红砖厂、杨家木衣架厂、北山天然龙虎山茶油厂、标溪牌酱制品厂等民营企业在乡村兴起，从而不断壮大全乡经济总量。2007年，白田乡财政总收入过1000万元，达4525万元。2008年乡财政收入突破1亿元大关，达11977万元。

农村经济体制改革深入，家庭联产承包责任制逐步完善，农村经济全面发展。1998年，开展第二轮土地延包(承包期30年不变)，土地承包"大稳定，小调整"，农民再次吃下"定心丸"。土地使用权流转。2004年，白田乡北山村率先进行土地流转试点，后在全市推广，从而破解耕地抛荒的难题。农村剩余劳动力纷纷外出务工、经商，全乡外出务工人员，占农村劳力的70%。他们把自己的责任田有偿租赁给在乡的种田能手户，规模经营扩大。农业技术推广，农机具现代化，社会服务增强，使粮食生产增长。2008年全乡粮食产量达9956.1吨，经济作物、畜禽养殖、林业也有较大发展。

农民生活水平显著提高。1991年，全乡农民人均纯收入562元，2008年，农民人均纯收入3827元。大部分农民建造了新房，2008年全乡居民楼房拥有率达98%。手机用户1200部，程控电话1000户。彩电、冰箱、摩托车进入千家万户，先富起来的农民购买小轿车。2006年，国家免除农村中小学学生学杂费，对住宿学生实行伙食补贴。从2003年开始，由农民交10元钱，参加农村合作医疗保险，当年参保率90%以上。2008年，参保率96.6%，全年农民报销医药费103万元。2006年开始，乡政府制定村镇建设规划，本着国家补贴、社会资助、农户个人自愿的原则，从2006年开始，分别在水岭、浦沆、东枫林湾、排底、汪家、朱家、棋干嘴等村进行社会主义新农村建设试点。从抓村镇规划和旧村改造入手，以"三清三改"为突破口，各村成立理事会，配备1—3名保洁员，同时还以产业发展带动新农村建设，逐步形成了杨家的木竹工艺加工、朱家的胶合板厂、裴家的制伞、排底的玩具、北山的茶油、港黄的生猪及特色养殖等，形成一村一品格局，解决了上千农民就业。先后7个村点被评为鹰潭、贵溪两市亮点村。实现了"走平坦路、喝干净水、上卫生厕、住整洁房、居优美村"的目标，村进行绿化、亮化，建休闲广场和文化活动室、戏院。在计划生育工作中采取多项惠民措施，为387名0—6周岁独生子女和二女户办理共计11610元的爱心保险；为7户办理纯女养老保险共计21000元；为80户农村独女缴纳新农合医疗费2280元；为独生子女发放保健费26112元。

白田是第二次国内革命战争时期赣东北革命根据地的重要组成部分，方志敏、黄道、邵式平等无产阶级革命家曾在这里进行艰苦卓绝的斗争。境内有四门山保卫战、红军医院、方志敏托子地等革命遗址。

第五节　樟坪畲族乡

樟坪畲族乡位于市东南端,地处武夷山西麓,与福建光泽县、江西铅山县交界。平均海拔700米,最高点阳际坑,海拔1540.9米,为贵溪第一高峰,最低点为西部柴菇,海拔140米。境内青茅境阳际坑为贵溪主要河流须溪(又名罗塘河)的源头,源自该乡狗岩石的西排河则是贵溪另一河流泸溪河的源头。乡境南端的火烧关自古为闽赣要隘。2001年11月,撤销双圳乡,划归樟坪乡;文坊镇太源村民委员会并入樟坪乡。乡政府驻地樟坪,距市区58千米。全乡总面积122平方千米,辖樟坪、黄思、太源、双圳、西排5个村民委员会,55个村民小组,4400人,其中畲民1100多人。耕地面积141公顷,山林面积4480公顷。主要矿产有萤石。有民族中学1所、中心学校1所、村小4所。乡卫生院1所、村卫生所4所。贵溪至光泽战备公路横穿境内,化樟公路直达畲族集居地樟坪。全乡村组全部通水泥公路。电信网络覆盖全乡自然村,并开通宽带互联网。

1991年,乡财政收入3万元,2002年双圳乡并入樟坪乡的第二年,乡财政收入67.33万元;2007年,财政收入1.12亿元;2008年,财政收入1.15亿元。2002年开始,樟坪乡先后引进10多家工业企业入驻市工业园区,有江西铜材有限公司、贵溪市再生资源有限公司、贵溪市星耀铜业有限公司、贵溪市星帆再生资源有限公司、江西华锋铜业有限公司、贵溪鑫达物资再生有限公司、江西鸿利工贸有限公司、贵溪圣达再生物资有限公司、贵溪华丰竹业有限公司、贵溪凡尔顿机械制造有限公司、贵溪市龙虎山食品有限公司、贵溪市贵雅铜业有限公司、贵溪贵雅照明有限公司、江西三琦生物工程有限公司、保定蓝波节能灯具贵溪分公司等。在招商引资中,樟坪乡注重"招得来、安得下",从收费、土地出让、纳税奖励、办证服务、市民待遇方面给予优惠。尽力为客商解决疑难问题,从客商的办公地点安置、饮食起居、起草项目材料、办理工商注册登记、开工庆典、厂房动工、报建、施工等全程协调。在乡村的民营企业主要有:无丰竹业有限公司、畲乡润民贸易有限公司、双圳纸箱厂、荣新矿产品金属有限公司、贵溪市畲乡绿色饮品有限公司、三元冶炼化工有限公司、菁威矿山机械厂、白际水电有限责任公司、贵溪市金家山水电有限责任公司、双圳综合加工厂、双竹制品厂、贵溪市樟坪畲族乡木制品加工厂、双圳林场木制品加工厂、姜山水电站、双圳采育林场水电站、樟坪畲族乡蒋苗土拉丝厂、宏欣有色金属有限公司、金田再生资源有限公司、鑫华矿业有限公司、黄思水电站等。招商引资的成果和农林产业化工程,促进畲乡经济突飞猛进,财政收入跃居贵溪市乡镇的前列,跻身江西百强乡镇,名列前20位,荣获"江西投资环境最佳乡(镇)""首届江西十佳环境优美乡(镇)""全国环境优美乡""全国民族团结进步模范先进集体"称号。

农民生活水平显著提高。1991年樟坪全乡农民人均纯收入230元,2000年1420元,2008年4400元。农民普遍盖了新房,现代化家用电器一应俱全,程控电话、手机、摩托车普及千家万户,先富起来的农民购置了家用小汽车。

立足体现"民族化、特色化、现代化"要求,乡政府驻地樟坪建成为民俗文化村,建畲寨大门、畲族图腾广场、樟坪休闲广场、麒麟大桥、畲族博物馆、文化服务中心、畲乡宾馆、修竹宾馆、山哈客楼等现代建筑。建了21栋有民族风格的居民楼,村民全部住进富有民族特色的两层楼新居。畲寨成为一道美丽的风景线,畲民过上城市人一样的生活。2006年以来,黄思、太源、西排、太源等村进行了社会主义新农村建设试点,村容村貌大为改观,农民生产生活条件大为改善。杨家垅新村规划面积8000平方米,建新房3排20栋,中间一排民俗文化步行街。每户面积240平方米。化山新村建成于2007年,住户32户,每户按300平方米设计施工,建筑面积9600平方米。总投资80万元。配有水泥路、水电、绿化、亮化等附属工程。

境内自然和人文景观颇多,有阳际坑(峰)听松涛观日出、三际头三叠泉瀑布、十里竹海游、青茅境品茗、甑盖山金顶参佛、火烧关古驿道、太平天国古城堡、红军革命遗址等。在江浒山区的樟坪,活跃着一支富有民族风格的《马灯》灯彩队。马灯舞走进北京人民大会堂,并参加上海世博会。

第六节　雷溪乡

雷溪乡位于市中部,东交流口镇,南接金屯、塘湾两镇,西连罗河镇,北邻雄石办事处,乡政府驻地鲶桥村,距市区11.4千米。全乡总面积44平方千米,辖张桥、南山、雷溪、端港、鲶桥、富港、罗塘、重文、八甲9个村民委员会,53个自然村,5070户,19817人。耕地1708公顷,林地1657公顷,石膏矿产储量丰富。境内有小(一)型水库1座、小(二)型水库6座。贵塘公路自北向南纵贯全境。1997年,铺设贵溪市第一条通村水泥公路——雷溪鱼种场至雷溪村通村公路。2006年,修通贵塘公路至八甲村水泥公路。2007年,全乡村民委员会全部通水泥公路,实现农村客运网络化。2007年,启动黄墩大桥渡改桥工程。电信网络覆盖全乡自然村,开通宽带互联网。

境内有初级中学1所,中心学校1所、辖村小5所、幼儿园3所。乡卫生院1所、村医疗诊所29所。雷溪中学有10个教学班,学生482人,职工51人,是贵溪中部的一所农村寄宿制初级中学。

1991年,乡财政收入28万元。2008年,乡财政收入2514万元。2005年,国家取消农业税后,加大招商引资力度,先后引进大金铜业公司、贵溪石膏矿、雷溪石膏矿、天久石膏矿、二水石膏矿、仁达变压器厂、贵峰蚊香厂、富宇现代农业有限公司、金土地现代农业公司、绿野现代农业公司和久润现代农业公司等企业。利用该地资源创办龙云食品厂、风味食品厂、南山食品厂、鸿飞食品厂等食品企业。

农村经济体制改革深入,家庭联产承包责任制的逐步完善。1998年,开展第二轮土地承包。土地使用权流转,农村剩余劳动力外出务工、经商和种养大户增多。2002年起,在贵塘公路沿线的张桥、南山、富港、雷溪、鲶桥、罗塘等村进行农业生态科技示范园建设,至2007年,整个园区基本达到"田成方,树成行,水成泉、路成网,排灌分离"的要求,大大改善园区耕作条件,为现代农业发展和产业结构调整奠定基础。根据地处市郊的地域环境,农业产业结构进行调整,农民扩大蔬菜种植面积,2008年,全乡蔬菜种植面积达400公顷,成为贵溪市主要商品蔬菜基地。2008年,全乡男女劳动力9740人,除外出打工,基本在本乡工农业企业就业。

农民生活水平显著提高。1991年全乡农民人均纯收入666元,2008年农民人均纯收入5098元。1999年6月开始,全乡进行了农电网络改造,所有农户用上大电网的电。2004年,在张桥村张家、胡家,南山村南山、雷溪新村,端港符家进行建设小康示范村试点;2005年,鲶桥村弯上、桂林、赵家等建为小康示范村试点村;2006年,开展建设社会主义新农村试点,富港村周家,张桥村店上,南山村南山、墙圈、马山、岭石、方家为试点村;2007年,张桥村邹家、刘家,南山村宋家,端港村严家,重文村老屋建设新村;2008年,富港黄家,雷溪村邓塘杨家,鲶桥村李池、上杨,重文村上彭,端港村舒家等村建设新村。各新农村点普遍兴建活动场所。雷溪乡总场黄家老年活动中心常年坚持开展活动,2008年被评为全省老年工作先进单位。2004年,全乡有14200人参加新农村合作医疗保险,至2008年,参保16608人,参保率达100%。2008年,有农村低保317户,726人;城镇低保91户,175人。

三阳洞府寺庙和神仙洞,青山碧水,风景秀美,地处南山村委会墙圈村小组。富港天主教堂,雷溪天主教堂,有2300名信徒。

第七节　耳口乡

耳口乡位于市西南部,泸溪河中游,东与塘湾镇一山相隔,南与冷水镇一水相连,西与金溪县、资溪县毗邻,北与上清镇接壤。镇政府驻地耳口太港下,因泸溪河流经此处形成耳朵口形而得名耳口,距市区70.8千米。全乡总面积184平方千米,有耕地753公顷,林地11333公顷。辖耳口、菖莆、圳上、幸港、梅潭、横港6个村民委员会,76个村民小组,57个自然村,2786户12400人。地势自南向北倾斜,武夷山脉分东西两支楔入,形成一个不规则的"T"字形洼地。西境笔架山最高,海拔1375.5米;北境昌青漕源村最低,海拔85米,泸溪河从西南耳口林场三排入境,至西北漕源口出境,全长约10千米。境内有稀土、金、铁、硅石、萤石、石墨、磷块岩、花岗石等矿产资源。境内有初级中学1所、中心学校1所、辖村小5所。镇卫生院1所、村卫生所6所。龚资线、耳南线、耳横线形成十字形公路网,鹰厦铁路自北向南穿境面过。2008年,有5个村民委员会通水泥公路。电信网络覆盖全乡6个村委会,开通宽带互联网。

1999年,乡政府机构改革,精简乡办干部,清退乡办干部23人。2003年,乡镇干部和全乡教师竞争上岗,两名乡干部下岗。2008年,乡共有公务员17人,事业干部27人。乡设党政办、综治办、计生办、农业办、集镇办、民政所、土管所、文广站、劳保所、新农合办、新农办。

1991年,乡财政收入63万元,主要来源是农业四税。2007年,招商引资力度加大,地方经济快速发展,先后引进福源水电站、云台水电站、金沙弯水电站、华伟竹制品厂、卡娜机械传动有限公司、同创铜业有限公司、星宇汽车运输有限公司等企业入驻市工业园区。乡村民营企业有云台山林场、金港林场、耳口生猪养殖场、耳口红砖厂、耳口拉丝厂、耳口锯木厂、南满港蚊香厂等。2008年,乡财政收入1043万元。

耳口乡不断完善基本农田规划和开展耕地保护工作,确定全乡耕地保有量1212.3公顷,列入基本农田1047.43公顷,在各村设立农田保护牌6块,层层签订责任状,落实"五不准"制度,增强村民节约土地、依法用地、保护耕地意识。1998年,开展第二轮土地承包,延长至30年不变。土地家庭承包经营,允许有偿转让经营。农业技术推广,农机具的逐步实现现代化,社会服务的增强,使粮食产量逐步增长。2008年,全乡粮食产量3968吨。林农山权到户,责任山稳定不变,谁造林归谁所有。

2003年3月开始,乡统一征地、规划,围绕"两山、两水、两轴、一核"要求,精心打造集旅游、购物休闲、商住、行政办公、居住为一体的新集镇。集镇街道由原来不足500米增加到2000多米,并进行亮化、绿化,安装路灯30盏,种植广玉兰树120棵。

农民生活水平显著提高。1991年,农民人均纯收入673元,2008年,农民人均纯收入3998元。大部分农户建了新房,全乡居民楼房拥有率60%以上,有程控电话用户600多部,手机用户1843部。2006年开始,先后在圳上村新建、杏岭、圳上,耳口村沙湾、毛家、淦潭、箭上,梅潭村姚家、祝家,昌甫村昌甫、新田,南港村何家、余家、木架岭14个自然村进行社会主义新农村建设试点,新村规划科学合理,村容村貌焕然一新;休闲广场、农民文化活动室、健身器材、村庄绿化、亮化、美化,公共设施配套齐全;环境卫生整洁。基本实现"走平坦路、上卫生厕、住整洁房、喝干净水"的目标要求。

从1993年开始,全乡农村实行社会养老保险,农户参保率达60%,实行男性到60周岁,女性到55周岁领取养老金制度。2003年开始,对全乡48户城镇低保户发放保障金;对农村特困户实行乡、村两级救助。2008年,对农村低保110户302人发放16.15万元;对75名五保老人,集中供养50人,分散供养25人,每人每年发放五保金1000元。在计划生育方面,为279名0—6周岁独生子女和二女户办理计生爱心保险,乡政府出资2709元。为9户办理27000元纯女养老保险。22人享受部分计生家庭奖励扶助,每人每年获奖励扶助720元。为50户农村独生女、二女家庭共192人缴纳新农合医疗费1920元。2001—2008年,耳口乡先后七次获得省级以上荣誉。1997年被评为江西省造林绿化最佳乡镇,2008年被评为江西省抗冰雪救灾和全国第二次农业普查先进集体。

耳口乡境内自然和人文景点颇多。耳口村民委员会的务义港曾家村民居建筑,始建于清代乾隆三十年至五十年间(1765—1785年),距今已有200余年的历史。整个建筑布局呈"品"字形,分为"曾代公祠""鱼塘花园""经条书院""住宅"四大部分,占地面积6.4万平方米,旧时曾有居民84户428人。该建筑群规划缜密,求同存异,布局合理,既有幽雅楼台,也有王府式的递进大厅;厅内梁柱雕刻多种吉祥图案花纹,门楼做工精细,雕凿讲究。由于建筑结构严谨,古宅虽经风雨沧桑,但未出现侵蚀倒塌现象,至今保存较为完好。

耳口村附近的云台山,高耸峻峭,在郁郁葱葱的林木中有一座古庙。该庙始于唐朝,几经修缮扩建。古庙规模壮观,分上下两大栋,上栋是道教堂(仙姑殿),下栋是佛教堂(观音堂),供奉着道教和佛教的神灵菩萨。民国35年(1946)失火,庙宇付之一炬,只剩乾隆皇帝御笔留下的"敕封云台山"石碑。1982年,信徒自筹资金在原址上建4栟小庙,1991年扩建为20余栟,占地面积600多平方米,庙宇香火旺盛。

第四章　场

第一节　塔桥园艺场

塔桥园艺场位于市北端，与余江县、万年县相接，东与周坊镇长塥村接壤，南与志光镇塔桥村，硬石岭水库毗邻，北与鸿塘镇毫山岭村共畈，场部驻毫岭村，距市区 40 千米，距鹰潭市区 29 千米。总面积 593 公顷，其中果园 337 公顷。

塔桥园艺场东、西、北三面环山，南临硬石岭水库。场区地势平坦，属山区小盆地地势，平均海拔 70 米，红壤土质，具有适宜果树生长的地理环境和气候条件。

塔桥园艺场的人口来自全国 13 个省、市、自治区，全场总人口 2543 人。职工总人数 971 人，其中在职职工 606 人，退休职工 365 人。有两江移民 9 户 37 人和大中型水库移民 37 户 147 人。

园艺场对全场农业和非农业户口，凡只生育一胎的，都发放“独生子女费”奖励，并为 0—6 周岁的独生子女办理免费的爱心保险。对农村二女户给予 4000 元的奖励，并对其子女及农村独女户的子女考取高中及大学的给予办理“阳光助学”，高中每年奖 800 元，大学给予 5000 元奖励。对农村独女户和二女户者给予免费办理农村新型合作医疗保险。

塔桥园艺场前身为原国民党贵溪籍兵团司令黄维和民主人士彭程万私人庄园。1949 年 5 月，贵溪解放后，由中国人民解放军接管，并改建为“八一”农场。1951 年划归贵溪县管辖，改称贵溪县农场，同年秋季又改建为贵溪县劳改农场。1953 年，撤销劳改农场，改称为贵溪县示范农场。1955 年 3 月，农场由上饶地区公安处接管，改建为上饶地区劳改农场；同年 10 月，由江西省公安厅接管，更名为江西省第五劳动管教队，对外称江西省塔桥农场。1958 年改称江西省塔桥果树园艺场。1968 年 7 月，农场实行军管，由省军区派出解放军部队全面接管农场的行政、政治、经济等事务。1968 年 8 月至 1974 年底，农场共接受由南昌、上海下放知识青年 1400 余人。当时场内绝大多数职工副业生产任务和大部分果业生产任务都由知青承担。1969 年 6 月，福州军区组建了江西生产建设兵团，农场划归兵团管辖，改建为江西生产建设兵团第十一团第一营。当时场内实行双重领导，劳改部分仍归劳改局主管，其余事务归建设兵团主管。1972 年春，兵团建制撤销，改建为江西省农建师第十一团第一营。1975 年 5 月，撤销农建师，农场划归江西省农业厅主管，改称江西省塔桥园艺场，为正县级事业单位。1984 年元月，农场划归鹰潭市司法局管辖，改建为鹰潭市劳改独立大队，对外称鹰潭市塔桥园艺场。1986 年 2 月，劳改劳教人员撤走，农场恢复为正县级农业事业单位，改称为鹰潭市塔桥园艺场，业务上由鹰潭市农业局主管。2000 年 4 月，塔桥园艺场划归为贵溪市管理，改称为贵溪市塔桥园艺场，为正科级事业单位至今。园艺场下辖 7 个分场及 1 个研究所。

场里有职工子弟学校 1 所，职工医院 1 所。境内有鹰潭至周坊、贵溪至塔桥两条公路干线；皖赣铁路穿过场区中心；场区内有水泥公路直通各分场和居民点。中国移动、中国电信、中国联通、中国铁通均在场内建有信号高塔和服务网站，电信网络覆盖全场，开通宽带互联网。

园艺场是一个以果业为主、多种经营的国有农场，果树栽培有悠久的历史，尤其以梨著称，20 世纪六七十年代，冠名“二宫白”的鲜梨远销香港、澳门和东南亚等地区和国家。随着市场需求变化和农业新技术的推广，梨的品种不断更新，同时新建 66.7 公顷以温州蜜柑为主的柑橘园和 33.3 公顷水蜜桃、奈李、脐橙的杂果园。水果产量逐年上升，产品质量和经济效益提高。1991 年全场工农业生产总值 1253 万元，2008 年增至 3136 万元。2008 年，全场果品产量达 705 万千克，较 1978 年改革开放前增加 405 万千克，增长 135%。2008 年人均纯收入 8200 元，较 1991 年增加 7420 元，增长 95%。

塔桥场先后兴办过梨膏糖厂、制药厂、五加皮酒厂、酒精厂、鲜梨汁饮料厂、柠檬酸厂、农机厂等。随着改革开放深入，产业结构调整，市场竞争的优胜劣汰，这些企业先后破产。职工下岗，自谋职业，其中 50 名职工再就业，安置在全场第一个合作企业——塔桥新型建材有限公司工作。

塔桥园艺场在皖赣铁路硬石岭火车站旁的总场所在地建成小集镇，站前路长870米，园林路长1200米，路面水泥硬化，绿化带5000平方米，路灯40盏，建水塔一座，并建垃圾处理场。集镇有住户296户，1115人，加上流动人口，总数约2000人。长约2千米的商业街商铺林立，金融、住宿、餐饮、娱乐等服务行业齐全。2000年，在市政府支持下，组建贵溪市果业集团公司，并于当年在塔桥举办首届梨花节，吸引包括中央、省市领导和众多媒体的关注，中央电视台连续播放塔桥园艺场果业生产发展专题片，使塔桥园艺场果业生产声誉进一步提升。2003年，塔桥园艺场与硬石岭水库一起被列为生态旅游区。建有总面积1.7万平方米的休闲广场，3000平方米的停车场，4000平方米的塔桥宾馆，5千米的观光区水泥公路和33.3公顷观光果园。

第二节 三县岭营林林场

三县岭营林林场位于市北端，西北与万年县相邻，东北与弋阳县交界，东南邻白田乡，西南连周坊镇，场部驻中元岗，距市区37千米。下辖李家门、大禾源、杨前岗分场，总人口2146人，职工635人，其中在职职工477人，退休工人158人，管理人员30人。总面积2006公顷，其中林地1908公顷，非林用地54.1公顷，耕地43.9公顷。林地面积中，国有杉木林485.5公顷，阔叶林275公顷、松木林45公顷、毛竹林215公顷、油茶林348公顷、果树林82公顷。林场境内有湖凌溪支流。土壤主要是黄壤、红壤、水稻土，土质肥沃，是发展林业和种植业理想之地。有小(二)型水库1座，蓄水量200万立方米。场驻有职工医院1所，初级中学1所，小学3所。场内运输干道3条，计21千米，路面硬化。电信网络覆盖全场，并开通互联网。

1960年上半年，从周坊公社划出李家乡等成立三县岭垦殖场，同年下半年并入周坊垦殖场。1970年12月，周坊垦殖场撤销，原三县岭垦殖场管辖区并入白田公社。1973年重新设立三县岭垦殖场，辖李家门、大禾源、杨前岗、综合加工厂、井坞电站5个分场和横岭、裴源、上黄、古港4个大队。1984年3月，又将横岭、裴源、上黄、古港4个大队划出成立三县岭乡(后称古港乡)，场乡两块牌子，一套人员，合署办公。1987年4月，三县岭垦殖场更名为三县岭营林林场。1992年1月，场、乡建制改革，乡和场的人、财、物正式分开，行政隶属县人民政府，业务归林业局。1998年，综合加工厂、井坞电站改革重组，成立裴源分场。2002年，裴源分场并入李家门分场。杨前岗分场挂靠两个集体村(黄沙村、邱家村)；大禾源分场也挂靠两个集体村(李家村、大禾源村)；李家门分场下辖3个基层单位，实行两级管理，两级核算。林场年初下达生产财务计划，实行宏观调控，年终实行生产财务结算验收制度。自2003年起，全场实行一级管理，一级核算。林场设职能机构3办3科，即党政办、综治办、计生办和计财科、林营科、生产供销科。

三县岭营林林场是一个以林为主，多种经营，自收自支的林业事业单位。油茶是三县岭林场的龙头产品，也是鹰潭地区最大的人工种植基地。1992年，开始对348公顷油茶林进行低产改造，1998年进行高冠嫁接品种更新。2000年油茶林经营方式转变，租赁经营162公顷，林场经营114.67公顷，茶油产量逐年增产，质量提高，成为消费者抢手的纯天然绿色产品。1997年，果树经营管理体制改革，分别采取拍卖、租赁等方式，由职工自主经营，林场进行技术指导和提供市场信息服务，柑桔、水蜜桃、奈李、板栗等水果产量稳产高产，年产量30万千克。2006年，营造80公顷雷竹示范基地。2008年，全场实现社会总产值1200万元，其中农业产值930万元，工业产值270万元。生产木材1060立方米，毛竹3万支，实现销售收入70万元。

林场创办以来，先后接纳来自浙江、江苏、安徽、山东、上海等省市及本省共25个县人员，人口均属汉族。

2007年7月开始，场部为全场职工办理社会企业养老保险。参保时间上溯自1987年，2000年以前的参保费实行挂帐，林场逐年偿还。2001年后，林场通过职代会制定《养老保险实施方案》，退休工人工资为6年过渡。在这6年中，继续享受林场的退休工资，但每年按10%的比例递增。2006年退休工资统一由市社保局发放。

1986年,林场人均年收入510元,2008年4500元。

第三节　耳口采育林场

耳口采育林场位于市西南端,地处武夷山支脉,长江流域信江水系一级支流泸溪河地区,座落在耳口乡行政区划内,与资溪县、金溪县交界,东北与上清镇相依,场部驻耳口曾门洲,距市区70千米。下辖耳口、九龙2个分场。耳口采育林场成立于1959年,行政隶属市政府,业务归市林业局管理,是一个以森林采育为主的正科级全民所有制企业,实行独立核算、自负盈亏。

林场具典型小山区气候,冬暖夏凉,日照差大。境内成土岩石以花岗岩为主,间有页岩。土壤种类有红壤、黄红壤、棕壤和山地草甸土,土层厚度一般为50—100厘米,腐殖质层厚度为7—30厘米,有机质含量为1.5%—3%,土质肥沃,适合发展林业和种植业。

全场土地总面积5933公顷,林业用地5867公顷,其中天然林4867公顷,人工林933公顷,活立木蓄积总量51.3万立方米,竹林106.67公顷。区划内国家公益林面积4147公顷,省级公益林约1033公顷,公益林面积占总面积87.3%。森林覆盖率占全场山地面积98%。每年进行迹地更新造林20公顷,中幼林抚育133公顷,低产林改造200公顷,封山育林面积3733公顷。林场原有农田20公顷,已退耕还林13公顷,现存农田6.67公顷。耳口采育林场人口来自本省及浙江、上海等省(市),均属汉族。全场现有居民274户1025人。职工295人,其中在职职工119人,离退休职工176人。鹰潭至冷水公路、鹰厦铁路从林场边境而过。2008年,分场和主要生产点的林区公路全部硬化,电信网络覆盖全场。

1959年,成立九龙窝综合垦殖场,时由江西省农垦厅直辖。1964年,冷水综合垦殖场成立,九龙窝综合垦殖场划归其管辖,更名为冷水综合垦殖场九龙分场。1968年,九龙分场划归耳口公社(场)管辖。1971年,耳口公社(场)成立"五·七"分场,安置城镇下放知识青年。1984年5月,耳口公社(场)分设,九龙分场和"五·七"分场合并为国营贵溪县耳口林场,为副科级单位。1992年,国营贵溪县耳口林场更名为国营贵溪县耳口采育林场。1996年,贵溪撤县设市,国营贵溪县耳口采育林场随之更名为国营贵溪市耳口采育林场;1997年元月,耳口采育林场与耳口乡彻底分开,升格为正科级单位。

1998年,耳口林场加快企业转机建制步伐,精减管理人员。由原来的4科4办精简为2科2办,工作人员由原来的48人精减为30人,一年节支10万余元。建立木竹制品有限责任公司,由干部、职工自行投资,集股经营,每股1000元,集股92股,实行自主经营、自负盈亏、风险共担。年底财务决算,每股分红利。加强企业内部管理,对产品销售实行先款后贷,生产成本实行以贷定支原则,杜绝资金运行的坏账、呆账,并加快原有往来旧欠的收缴力度,一次性全面收回在职人员的旧欠和部分往来贷款,生产借贷,盘活资金。

林场资源丰富,动植物种类繁多。主要森林植被有人工杉木林、松木林、常绿阔叶林、毛竹和灌木丛等。主要树种为杉木、马尾松、黄山松、木荷、栲木、枫香、檫木、水杉、楠木、南方红豆杉、栎类等。灌木树种为黄瑞木、乌饭、柃木、杜鹃等;草本有芒萁、芭茅、蕨类等;野生动物有野猪、山牛、山羊、鹿、野兔、娃娃鱼、果子狸、蛇类、中华秋沙鸭等。

随着改革开放的深入发展,林场转换经营机制,由以往的木材生产为主,逐渐转向以生态建设为主,加强森林资源保护,积极建设生态公益型林场。大力实施低产林改造、迹地更新,改造高家峰、斑竹坑低产毛竹林,加强林区生态保护,发展旅游业。建立贵溪市森林消防大队第七中队,做好森林防火工作,16年未发生森林火灾,有效保护国家森林资源。

第四节　西窑采育林场

西窑采育林场创建于1971年3月18日,属自主经营、自负盈亏的国有森工企业。林场位于市东南部,距市区5 0千米,东与铅山县毗邻,西接金屯镇,南与文坊镇交界,北与弋阳县相连。场内地貌以低山为主,海拔高度为200—1300米,主峰烟山海拔1271.2米,山地起伏大,河谷众多,山脉多为东北至西南走向,形成东南高逐渐向西北方向倾斜的山势。山体母岩主要为粉砂型砾岩和花岗岩,成土母质多为马砂土、黄砂土和红壤,土壤种类为黄红壤。土层厚度60—150厘米,腐殖质层厚度为3—1 5厘米,有机质含量1.56—6.75%,PH值在4.5—6之间。山地面积3234公顷,其中林业用地3231公顷,天然阔叶林702公顷,人工林1311公顷,毛竹林1463公顷,活立木蓄积总量173000立方米,毛竹蓄积总量279.7万根。生态公益林面积2828公顷,其中:国家公益林810公顷,地方公益林2118公顷。植被分布有人工林、毛竹林、针叶林、常绿落叶阔叶混交林、灌木林五种类型。主要树种有毛竹、杉木、马尾松、木荷、栲楮、青岗栎、甜楮、苦楮、枫香等;主要灌木有杜鹃、继木、乌饭、白栎、山楂等;主要藤本植物有野葡萄、猕猴桃、葛藤等;主要草本植物有芭茅、五节芒、蕨类、芒萁等。

林场驻地西窑,辖一个分场和一个村小组。总场机关设置党政办公室、计划生育办公室、计划财务科、生产供销科、营林基建科、林政保卫科6个职能科室,行使党务、纪检监察、文教卫生、信访、安全生产、营造林、生态林工程建设、森林病虫害防治、基建、交通、计划生育、综合治理、林政管理、森林防火、土地林地管理、水利、环保等工作职责。

林场职工大部分来自贵溪市,极少部分来自浙江、安徽2省。现有在册职工102人,专业技术人员17名,退休人员93名,全场总人口628人。上坪村小组有农户24户,人口97人,水田1.6公顷,山林30公顷。

西窑林场在1984年以前管辖东际、西窑、阳山、占源4个村委会,行使部分政府职能。1984年机构改革设立西窑乡,西窑林场的人事、行政归西窑乡管理,在县林业局的业务指导下开展工作,为副科级单位。1997年1月乡场分设,林场升格为正科级企业单位,业务仍归林业局管理,行政直接归市政府领导,同时成立党总支,隶属市林业局党委领导。林场党总支下设3个党支部,有35名党员,其中女党员4名。

2008年3月,贵溪市森林消防六中队和贵溪市林业有害生物防治六中队在西窑林场同时成立,担负区域内森林消防和林业有害生物防治任务。

场内交通便利,有干线公路、林区公路40.55千米,占(源)——文(坊)公路贯穿林场南北两端,直达市区。另有东际路、阳山路、上坪路3条林区公路直通各分场、生产点。西窑至上坪公路是20世纪70年代初修建的简易泥石路,由于年久失修,路面坑坑洼洼、高低不平,行人过往经常是晴天一身灰,雨天一身泥,生产生活资料和农、林(副)产品的运输主要靠肩挑手提。为彻底改变上坪村经济贫穷落后,环境卫生脏、乱、差的状况,西窑林场多方筹措资金,投资160万元,在2008年7月至11月,历时4个月的时间将石枧——上坪5.3千米泥石路进行水泥硬化,同时投资20万元新建一座长7米、宽4米被当地群众称作"爱民桥"的进村大桥,西窑中岭——石枧4.7千米泥石路的水泥硬化全面竣工,正式通车。村民出门难、行路难的状况彻底改变。

毛竹是西窑林场的优势资源。上坪分场因山场立地条件好、土壤肥力优、环境气候佳,生产的毛竹以囊厚、径直的优点一直成为市场上的抢手货。每年生产15万根仍供不应求。

木竹资源是林场得以生存发展的根基,自建场至今,木竹生产一直是维系林场经济的命脉。林场在多生产优质木竹的同时,不断加大培育力度,确保资源可持续利用。1991—2008年工业总产值、木竹销售收入逐年增长。1991年,木竹销售2.3万根,林业产值30万元,2008年,木竹销售8.97万根,产值380万元。

林场境内雨量充沛,水系发达,多股支流经年不断。为有效合理利用水资源,2006年12月,私营老板徐样雪投资700万元,兴建上坪、石枧、车家水电站,经过近3年的建设,3座电站已投产发电,日发电量9560千瓦时。林场34位职工共投入资金63万元,作为股东之一参与石枧、车家水电站的开发建设,年分红利为投资本金的11%。

1987年,林场在竹林中成功试种高档食用菌——竹荪,并分别通过市级和省级鉴定。为充分利用毛竹资源,在南京林业大学专家指导下,技术人员奋力攻关,成功开发毛竹深加工产品——竹材地面装饰板(简称竹地板)。1992年因生产发展需要,与台商合资在贵溪创建江西竹辉竹业有限公司,台商占55%股份,场方占45%股份。经过10多年的发展和技术改进,竹地板现已成为竹辉公司的主导产品。

该产品1995年获林业部名特优新产品展销会银奖和台湾装潢材料金奖。在同年的全国乡镇企业进出口展销会上受到时任国务院总理李鹏的高度赞扬。

林场文化生活开展较早。在建场初期,林场有电影放映队、广播站,每星期免费公映电影2场。逢年过节,组织文艺演出、篮球比赛。1994年,林场投资2万元安装程控电话,1997年为丰富职工业余文化生活,投资1.5万元装修舞厅、卡拉ok室,购置了娱乐设施。1998年底,投资1.6万元,安装有线电视,职工家家都能看到图像清晰、30多个频道的电视节目。

林场原有职工医院1所,医务人员6人,设病床6张,年门诊量达3000人次,2003年4月,医卫生资源整合,撤销职工医院。

为改善上坪村小组村民的生产生活条件,林场以新农村建设为契机,狠抓基础设施建设,入户道路和房前屋后排水沟都进行水泥硬化,村民过上"喝干净水、上卫生厕、走平坦路"的幸福生活,家家户户都能够收看到20多个频道的电视节目,移动手机信号也覆盖全村。建成一座占地面积达400平方米,集休闲、健身、娱乐为一体的现代化文化广场。

为有效保护森林资源,2008年,将部分山场实行经营权改革:一是经技术人员对雪压竹林现状调查测算后,林场以现有毛竹和林地为股份,不投入资金,由林场在职在岗干部职工下浮工资产集体筹集资金入股经营,林场收取固定利润(利润以实物毛竹计算);二是控股合作经营。林场以现有毛竹和林地占60%的股份,职工以实有资金占40%股份,林场每年收取前种经营方式利润后,与入股职工按6:4比例分成受益。

2007年国有林场税费改革之前,林场每年需支出类似"乡镇五项统筹"费用30余万元,交纳农业税25万元。税费改革后林场不需交以上税费,每年享受转移支付补贴20万元。企业负担减轻,职工收入提高。

1999年10月,浙江客商章本忠投资创办毛竹加工厂,年加工毛竹10万余支,年创产值480万元,上缴税收20万元,解决15人就业,年人均增收5000元。2001年,文坊个体老板徐样雪来场投资创办木材加工厂,年加工木材2500立方米,年创产值150万元,上缴税收6万元。林场现有木竹加工厂4家。

西窑林场为82位职工办理基本养老保险,151名职工参加新型农村合作医疗。因木竹资源日渐贫乏和社会、经济负担重等原因,林场没有足够的财力为职工谋取更多更好的福利待遇,工伤、生育、失业等社会保险均未参加。2008年7月为上坪村小组7户因灾、因病致贫的村民办理农村居民最低生活保障,月人均可领取保障金65元。为13户家庭生活比较困难的职工办理城镇居民最低生活保障,月人均可享受保障金140元。

第五节　冷水采育林场

冷水采育林场位于市南端,与资溪县交界、福建光泽县交界,西邻冷水镇,北毗文坊镇、塘湾镇。场部驻冷水坑,距市区53千米。下辖冷水、茶山、桂港、饶源4个分场。有水力发电站1座,综合加工厂1个,职工医院1所。全场549户,2579人。现有职工850人,其中在职职工369人,离退休职工481人。全场经营土地总面积9973公顷,其中林业用地9513公顷。有林地7067公顷,活立材总蓄积量125万立方米,毛竹总蓄积量391万根。全场已划重点生态公益林7153公顷,绿化率97.1%,森林覆盖率94.31%。场内有冷水至鹰潭、冷水至贵溪、冷水至文坊公路干线,分场和重点生产区道路全部硬化。电信网络覆盖全场,开通宽带互联网。

1957年12月,贵溪县下放大批干部,到文坊区北岸乡票上村天华山下,创建国营贵溪县天华山综合垦殖场。至1964年3月,先后有298名干部下放该场劳动锻炼,随后上海、鹰潭、贵溪等地城市知识青年下放该场劳动或在天华山共产主义劳动大学半工半读。天华山综合垦殖场管辖范围很大,辖现在文坊镇的票上、北岸、岭西村委会,樟坪畲族乡的西排村委会,冷水镇的饶源、桂港、冷水、麻地、富庶村委会,以及耳口乡的官桥、梅潭、横港村委会。1964年4月,撤销天华山综合垦殖场,成立国营贵溪县冷水综合垦殖场,总场迁冷水坑。除票上、北岸、岭西划归文坊公社外,其他管辖范围不变,并设立冷水、茶山、九龙分场。在此期间,垦殖场先后接受安置大批来自上海、上饶、广丰、鹰潭、贵溪等城市的知识青年。1969 年机构调整,冷水综合垦殖场并入耳口公社(场)。1972 年 12 月成立冷水林场(乡建制),1976 年转为全民森工企业。1984 年成立冷水乡,冷水林场与冷水乡合并,林场为副科级单位。1997 年 1 月,国营林场、垦殖场体制改革,恢复冷水林场,为正科级单位,行政隶属贵溪市人民政府,业务归市林业局管理。林场设行政、党群、计生、综治、新农村建设五个办公室和林政、财务、销售、生产、安全等科以及工会、人武、森林防火、劳动鉴定机构。

冷水采育林场是贵溪市重点林区之一,境内群山逶迤,自然资源丰富,动植物品种繁多。计划经济和改革开放初期,林场主要依靠砍伐、出售原木(竹)为经济来源经营体制。随着改革开放的深入发展,林场进一步转换经营模式和用工制度,转变为以营林为基础,造管并举,采育结合,综合经营的国营森工企业。先后投入资金 276 万元,建成万亩笋竹两用林基地。至 2008 年,林场有固定资产 895 万元,无形资产 2 万元,长期投资 81. 9 万元,在建工程 4. 2 万元,流动资产 517. 4 万元,人工林资产 35. 2 万元。境内阳际峰区域通过加强天然林禁伐、次生林改造、采伐迹地更新、中幼林抚育和森林防护等措施,建成为生态公益林基地。林场与科研院校联合,进行大量的科学考察和规划工作,形成比较完整的考察报告,上报林业部和环境保护部,申报为国家级自然保护区。

第六节　双圳采育林场

双圳采育林场位于市南端,地处武夷山脉中西段,南与福建省光泽县接壤,东邻铅山县天柱山场,西连冷水林场,北与文坊镇、樟坪乡相连。场部驻双圳,距市区 57 千米。下辖上山、西排、黄沙 3 个分场。场有职工医院 1 所,小学 3 所。全场人口 724 人,职工 396 人,其中退休 239 人。专业技术人员 39 人,大专以上人员 43 人。全场经营面积 6800 公顷,其中林地面积 6600 公顷,森林覆盖率达 99%。在有林面积中,人工林 1467 公顷,毛竹林 2200 公顷,天然阔叶林 2907 公顷,经济林 27 公顷。整个商品用材林面积达 4200 公顷,占森林面积 63. 6%,活立木蓄积量 52. 4 万立方米,年平均增长 1. 7 万立方米;毛竹蓄积量 570 万支,年增长量 40 万支。林场每年为国家提供商品用材 2200 立方米,商品竹 40 万根。已规划生态公益林 5596 公顷,占有林地面积的 86%。双圳林场是贵溪四大采育林场之一。贵溪至光泽战备公路穿境而过,分场和重点林业生产点路面硬化。电信网络覆盖全场,开通宽带互联网。境内是信江支流罗塘河和泸溪河的主要发源地。

双圳林场在新中国成立前属塘湾区花桥乡,1950 年属文坊区双圳、黄思乡,1952 年合并为墨斗乡,1958 年为樟坪公社黄思大队和天华山垦殖场西排分场,1959 年黄思大队划归文坊公社。1960 年划回樟坪公社。1963 年黄思大队又划回花桥公社,西排分场划归冷水综合垦殖场。1965 年成立黄思采育林场,黄思、西排大队同时划入;1968 年,黄思大队并入文坊人民公社,黄沙采育林场更名为东方红垦殖场,1970 年又改名为东方红采育林场,1972 年恢复黄沙采育林场,为正科级单位。1984 年体制改革后,降格为副科级单位,实行乡、场合一,行政隶属双圳乡。1996 年,场、乡分设,林场升格为正科级单位,行政隶属市政府,业务管理归市林业局。2001 年撤销双圳乡,西排、双圳、黄思 3 个村委会划归樟坪畲族乡,双圳采育林场体制不变。

双圳林场地处武夷山西部中低山区,境内群峰列布,800 米以上山峰 30 多座,平均海拔 700 米,西部边缘阳际峰海拔 1540. 9 米,是鹰潭市、贵溪市的最高峰。武夷山脉耸立在双圳林场东部向西南延伸至福建光泽县境内,西部为朗港山脉,纵向东伸至福建。中南部荷树岭青茅境大山脉东西横陈,桂鱼峰山脉西南向北逶迤即为林场中间山地。南部西排河长十余千米,经冷水、耳口流入上清泸溪河。北部双圳河蜿蜒二十余千米,是境内主要河流,也是信江支流须溪(罗塘)河的源头,南、北两溪分别源于青茅境、桂鱼峰的南、北麓。

双圳冬无严寒,夏无酷暑,地处中亚热带季风区,有特有的山里森林地域性小气候,四季分明、雨量充沛、温和湿润,年均气温 16℃,平均降水量 2200 毫米,一年四季光照充足,无霜期长达 280 天,境内以山地红壤、黄红壤为主,成土岩为花岗石。

双圳采育林场是以营林为基础,采育结合,综合经营的国有林场。在计划经济时期,林场以生产木材为主,造成林木大量砍伐。改革开放后,林业体制改革加快,确立了以生态建设为中心,以森林资源保护和培育为重点,实施森林分类经营,实现生态效益、经济效益和社会效益协调发展的目标。制定了天然林保护、封山育林、长江区域保护林、退耕还林等四项生态工程规划,为林场可持续发展奠定了基础。自1993年开始,针对林场的发展危机和实际情况,双圳林场开始筹划进行相关的体制改革。由于毛竹具生产快、周期短、利用率高等特点,林场将自身的特色定位在发展毛竹培育、开发和利用上。1995年,林场在上山分场划出71公顷连片竹林进行股份开发试点,由林场和干部、职工联合开发,成立上山竹林股份有限公司。公司实行独立经营、单独核算方式。林场以原有毛竹入股,平均1亩折1股,干部职工以资金入股,每股股金200元,规定每人只能入5股(1000元),全场90%的职工参与入股,共筹集股金20余万元。实行股份经营后,职工对毛竹进行科学管理,包括砍杂、垦复、施肥,竹林亩产由原来不足100元提高到400元,每年股利分红均达40%,毛竹立竹株数也由原来亩均立竹90根提高到220根,立竹平均围径由原来的0.95尺提高到1.1尺。尝到甜头后,双圳林场迈开更大步伐。在股份经营成功的基础上,1998年,在稳定所有权前提下,林场重点对800公顷低效毛竹林放开经营权,实行国有民营、分户经营等经营管理措施。2001年,双圳林场又分别与省林业厅和市林业局联合成立2个毛竹林示范培育林场。

按照"职工生活富裕、资源永续利用、经济持续增长、管理科学民主、环境优美和谐"的总体目标,林场建立包括林业科技支撑体系、林业生态防护体系、林业木竹产业、林业生态旅游、职工安居工程等方面的体系工程,推进小康示范林场建设。

1991—2008年,全场共造林225公顷,实行责任到人、责任到山的管理办法,林场加强技术指导,抓好中幼林抚育。在稳定山林所有权的前提下,放开木竹生产经营权,摆脱双圳林场过去林业生产经营的困境。在抓好森林防火、病虫害防治的同时,开发多种经营项目。先后建立笋竹两用林基地,栽种高山茶叶27公顷。林场制作的毛尖、竹野、云雾茶,口感清香,受到消费者青睐,产品远销省内外。引进种植香榧、美国黑核桃、银杏等珍贵树种7公顷。林场境内还零星分布红豆杉、罗汉松等珍贵树种,并得到很好保护。林场引进毛竹加工企业4个,加工产品有竹地板、竹模板、竹拉丝、卫生竹筷等。其他民营企业还有东坑萤石矿、东港水电站、金家山水电站、双圳茶叶加工厂等。

在20世纪90年代初期和中期,双圳林场经济一度陷入低速,财政状况严重恶化,有时几个月发不出工资。直到90年代末期,随着林场的不断改革尝试,林场经济逐渐复苏。2000年以后,林场经济进入快速发展阶段。林场社会总产值由2006年的950万元上升到2010年的1500万元,年增长12%,社会固定资产投资由50万元上升到450万元,年均增长80%,林农年总收入由1万元提高到2万元,同比增长了100%,实现了五年翻一番;职工年纯收入由17000元提高到24000元,同比增长40%。

境内自然和人文景观颇多,有省级生态保护区阳际峰森林公园(正在申报国家级),修竹山庄、十里竹海,三际头叠泉瀑布,青茅境高山品茗,火烧关古驿道,明代古城堡、上山红军革命遗址等。

第七节　河潭垦殖场

河潭埠垦殖场位于市东北部,东与弋阳县相邻,西与泗沥镇接壤,南临信江,北与河潭镇泗塘、花屋、横山、丰田等村委会相互穿插。场部驻河潭埠,距市区12千米。下辖王前庙、天马岗、圳畔、孙家塘、良种加工场等5个分场,总户数654户,2887人,在职职工600人,退休人员256人,管理人员、场办教师等115人。总面积12平方千米。河潭垦殖场属丘陵地貌,红壤土质。有耕地193公顷、林地585公顷、柑橘200公顷、油茶200公顷。小(二)型水库1座,山塘水库2座。镇场驻地中心学校1所、分场小学3所。有贵溪至河潭,河潭至泗塘公路干线2条。贵溪至神前公路,穿王前庙分场而过,可通周坊、白田、三县岭,直至塔桥和鹰潭市。各分场公路全部硬化,与邻近乡村交织成网。沪昆高速公路、浙赣铁路穿境而过。电信网络覆盖全场,开通宽带互联网。

1957年12月,上饶地区机关下放大批干部,创办河潭埠垦殖场,1959年改称太平坂垦殖场。1960

年冬,场址由太平坂水库(孙家塘)迁至河潭埠,又改称河潭埠垦殖场,隶属上饶行政公署,为正县级建制。1968年10月,原省商业厅办的河潭种猪场、原贵溪县办的王前庙垦殖场同时并入河潭埠垦殖场。三场合并后,统称河潭埠垦殖场,隶属贵溪县,改为乡建制。下辖王前庙、圳畔、大马岗、孙家塘、种猪场5个农业分场、2个场办企业、1个农科所,同时辖九夏、河潭、丰田、龙石、毛炉,泗塘、横山、花屋、南塘、小田、兰田11个挂管的集体生产大队。1977年,贵溪县人民政府决定将河潭埠垦殖场划分为丰田人民公社和河潭埠垦殖场2个乡建制单位。九夏、河潭、丰田、龙石、毛炉5个大队及手工业联社归丰田公社管辖;河潭埠垦殖场管辖原5个农业分场,2个场办企业和农科所,以及泗塘、花屋、横山、南塘4个大队,同时,小田、兰田大队划归白田人民公社。1984年,原丰田人民公社改称河潭乡,河潭埠垦殖场降格为副科级单位,行政隶属乡政府,管辖范围仅有原属全民(国营)的王前庙、圳畔、大马岗、孙家塘、加工厂、机耕队6个工农业分场,原辖集体村民委员会(大队)划归河潭乡管辖。1996年3月,贵溪县政府将垦殖场境内的太平坂水库划归县水电局管辖。1997年1月,乡、镇、场体制进行调整,河潭埠垦殖场升格为正科级单位,隶属贵溪市人民政府,辖王前庙、圳畔、大马岗、良种场(原种猪场)4个分场和1个场办企业综合加工厂。1998年成立农业技术服务部。2006年7月,河潭埠垦殖场将下属良种场、综合加工厂合并,实行2个分场一套人员运作的管理方式。

垦殖场以农果业生产为主。2007年,林业产权制度改革,全场林地分到户,明晰林地产权,实行多种形式经营。2005—2006年,国家免征农业税,并实行种粮、购农机补贴,调动了农户种粮积极性。2008年,全场水稻产量2100吨、柑橘498吨、板栗7吨、茶油8吨。

1961年,垦殖场兴办了首座加工厂,生产项目有机米、发电、汽车、拖拉机修理。1964年又扩大了粮食加工、榨油工艺,改厂为综合加工厂。粮食加工主要为国家粮食部门加工大米外销,年加工粮食500万千克。1965年开发河潭酱油,年产180万千克,年利税24万元,纯利15.6万元,“河潭酱油”色香味俱佳,被评为省优产品,远销福建、湖南、湖北、浙江、贵州、安徽等地。1969年开发“河潭清酒”,产品以粮食为原料,有色清,味醇、香浓等特色,远销上饶地区,评价极好。1978年开发“信江陈醋”被评为省农垦系统和商业系统优良产品,畅销省内外,效益好,年利税达10余万元。1999年,由原加工厂职工承包,恢复了酱油和白醋的生产,年销售酱油53吨,白酒24吨,又新办儿童玩具厂,粮食加工厂,场办工业企业的经济效益有所回升,年增利润数十万元。1999年11月,垦殖场恢复粮食加工生产项目,日产大米30吨。

早年河潭垦殖场组建机耕队,有发电、机修、电焊、运输、翻砂、金工车间等项目。后因生产项目增加,于1987年改称为河潭机械厂。机械厂开发铜质工艺制品,为上海市园林局制造铜质宫灯,厂同时生产拉力器、麻将,为此又增挂了工艺厂牌子。进入20世纪90年代,由于严重亏损,企业无法自力生存,总场决定将机械厂撤销,原职工与财产归综合加工厂管理。

2008年,由浙江客商洪宝庆投资560万元,建成拥有46.7公顷的幼苗基地,培育苗木种类主要有樟木、柚子树、桂花树、广玉兰树等;由南昌客商投资5000万元,在王前庙分场创办稀有金属冶炼厂。

第五章　驻市单位

第一节　江西铜业公司

企业规模

江西铜业公司(江铜)是集采矿、选矿、冶炼、加工为一体的国有特大型企业,是中国最大的铜工业生产基地和重要的硫化工原料及金银产地,也是全国重点扶持的512家企业之一。其所属单位有中国最大的现代化露天铜矿山—德兴铜矿(德铜)、中国第二大露天铜矿山—永平铜矿(永铜)、中国第一家采用世界先进闪速熔炼技术和两转两吸制酸技术的现代化炼铜工厂—贵溪冶炼厂(贵冶)以及武山铜矿、城门山铜矿、东乡铜矿、银山铅锌矿、江铜广信工贸总公司、深圳宝安江铜南方总公司、信江铜制品有限公司、材料设备公司、职工中专等20余个二级单位和42家多种经营企业,拥有职工3万余人。除南方公司位于深圳外,其余单位以江铜总部所在地贵溪为中心,环状分布在上饶、抚州、九江、鹰潭4市所属6个县市。

江铜自1979年成立到2008年,经过30年的大规模建设,已形成年产90万吨铜的产能规模,跻身世界铜行业前三强。2006年,集团公司拥有总资产260亿元,净资产149亿元。

江铜主产品有阴极铜、硫酸、黄金、白银、铂、钯、硒、碲、铼、钼、硫酸铜、氧化砷、铜精矿、铅精矿、锌精矿、硫精矿、铜锭、铜杆、裸铜线等。主产品"贵冶牌"阴极铜,1995年4月被上海金属交易所评为"一类铜",经中国消费者协会调查,认定为全国100个用户满意产品之一。1996年4月,"贵冶牌"阴极铜在伦敦金属交易所一次注册成功,产品质量达到国际先进水平,成为中国第一家在LME注册的铜产品;金锭、银锭于1990年获江西省优质产品称号;"贵冶牌"硫酸为国优金奖产品。江铜主产品远销美国、日本、欧洲和东南亚等30多个国家和地区。

贵冶生活区

2000年4月,国务院副总理吴邦国视察江铜时提出要把江铜"做大、做强、做好"。围绕这个大目标,经国家批准,江铜贵冶三期扩建工程于2000年10月28日举行奠基仪式,2001年7月正式动工建设,到2003年底全部建成投产,江铜的年产阴极铜规模由20万吨提升到40万吨,跻身于世界铜行业前五强。

机构人员

1978年9月23日,中共江西省委决定:成立江西铜基地建设指挥部,开始进行筹建工作。1979年6月26日,正式成立江西铜基地总指挥部、江西铜业公司。1979年7月1日,铜基地、江铜正式挂牌,为两块牌子,一套机构,实行江西省委和冶金部双重领导,以冶金部为主。并从即日起,将德铜、永铜、武铜、东铜、银山、贵冶以及赣东北供应站从省冶金工业局划出,归铜基地领导。1981年12月22日,铜基地隶属国家有色金属工业管理总局。

1982年11月24日,国家有色金属工业管理总局改为中国有色金属工业总公司。铜基地、江铜隶属总公司领导。1988年8月11日,根据铜基地生产建设发展情况变化,总公司决定撤消江西铜基地总指挥部,成立江西铜业公司建设指挥部,江铜受总公司委托,对铜基地的生产建设全面负责。至此,铜基地职能由以基建为主向生产经营为主转移。1995年3月7日,总公司决定将上海冶炼厂并入江铜。合并后的江铜是总公司独资的特大型有色金属联合企业,实行人、财、物、产、供、销统一管理。上海冶炼厂原国家资本金转换为江铜的资本金,由江铜作为投资主体注入上海冶炼厂。1995年12月11日,江铜进行股份制改造,组建由江铜绝对控股的中外合资企业——江西铜业股份有限公司。1997年1月24日,国家工商行政管理局核发江西铜业股份有限公司企业法人营业执照。1998年4月,中国有色金属工业总公司解散,国家有色金属工业局成立。江铜隶属国家有色金属工业局领导。2000年7月1日,江铜由中央下放江西省管理。同时,将1995年并入江铜的上海冶炼厂划归上海市管理。

铜基地、江铜本部驻地经过四次迁移:1978年10月27日在德兴县原香屯冶炼厂筹建处办公;1979年1月2日迁到贵溪县委招待所;同年5月1日迁到德兴铜矿现场办公;1985年5月1日正式定址在贵溪市太岩。

1979年江铜成立时,共有职工17203人,至1993年,职工队伍发展到36038人,其中主业职工29474人。1998年以后,江铜围绕总公司下达的三年减员计划任务,进行分解和落实。各主体单位本着"精干高效"原则,在劳动力安排上从紧从严控制。2008年情况:江铜在岗职工34798人,其中主业在岗职工 19867 人,比 1993 年下降 32.6%。

职工年龄结构。45 岁以下的职工占职工总数的 82.4%、50 岁以上的职工占职工总数的 7.8%。职工平均年龄为 35.2 岁。

职工队伍文化程度大专以上文化程度的职工占总人数的 15.6%,高中及中专以上的职工占 62.5%,初中和小学文化程度的职工分别占 32.4%、5.1%。

管理体制

江铜管理体制经历双重领导管理体制、经济联合体的管理体制和经济实体的管理体制三个阶段。

双重领导管理体制　1979 年 6 月 2 日,冶金部、省革委联合发文,决定成立江西铜基地总指挥部。1980 年 3 月冶金部转发国家经委向国务院报批的《关于江西铜基地总指挥部管理体制问题的请示报告》,实行铜基地、江铜两块牌子,一套人员,接受冶金部和省委双重领导,其中生产建设以冶金部为主,党的工作由省委领导。铜基地对建设和生产实行统一指挥、统一组织、统一调度。

经济联合体管理体制　1984 年国务院指明江铜应是总公司的派出机构,不能办成实体,只能行使总公司下放的一部分权力,不能要企业的权力。同年 11 月中旬总公司下文:江铜是"总公司的代表机构,是一经济联合体,其任务是代表总公司搞规划、协调、监督服务,重点是服务。"江铜所属 6 矿 1 厂为企业法人,实行独立经营。1987 年 11 月,江铜制定《深化企业内部改革,实行经营负责制的方案》,指出将江铜办成经济实体。同年 12 月,总公司确定江铜为联合企业,是经济实体,具有法人资格。在经济联合体的体制下,江铜代表总公司统一管理所属 6 矿 1 厂,实行公司与厂矿两级核算,由公司一个户头对总公司结算;对所属单位在生产经营、基建、技改等活动中,执行党和国家的政策、法令、法规和财政纪律状况,行使监督与检查。

经济实体的管理体制　1992 年,江铜根据总公司(91)中色计字第 0952 号文《关于江西铜业公司调整内部管理体制的批复》,成为具有法人地位的经济实体,实行"一级法人,两个层次,三级管理"管理体制。江铜作为法人企业对全公司的人、财、物、供、产、销,实行统一领导、统一管理、自主经营、独立核算、自负盈亏。注销所属德铜、永铜、城铜、武铜、东铜、银山、贵冶的企业法人登记。管理上分三个层次,形成三个中心:总公司代表国家进行宏观管理,是投资决策中心;江铜作为独立法人行使生产经营权,是经营利润中心;厂矿作为江铜的分厂,实施生产成本管理,是生产成本中心。2000 年 7 月 1 日,江铜由中央下放江西省管理后,仍按经济实体管理体制运行。

基本建设

1993—2000 年,江铜基本建设累计完成投资 23 亿元,其中,采选工程投资 101411 万元,建成德铜三期后 3 万吨工程、武铜南矿带 1500 吨/日采选工程、城铜 12000 吨/日采选工程,新增日采选能力 32700 吨;冶炼工程投资 129278 万元,建成贵冶二期工程,形成年产铜 20 万吨的综合能力。德铜三期工程前 3 万吨系统于 1991 年 4 月投入试生产,1994 年投产;后 3 万吨系统于 1994 年建成,1995 年底投产,连同一、二期工程和技术改造新增的生产能力达到日采选 9 万吨,成为全国最大的现代化铜矿山。武铜南矿带续建工程 1993 年达到日采 1000 吨生产能力,1994 年达到 1500 吨能力,完成总投资 13225 万元。贵冶一期工程于 1985 年 12 月建成投产。1994 年形成年产铜 10—10.5 万吨生产能力。1995 年 12 月国家计委批准贵冶二期工程开工,1999 年 11 月主体设施建成,2000 年 6 月 13 日竣工投产,2001 年底正式通过国家正式验收,实现国家规划的第一个战略目标,形成年产 20 万吨铜生产能力。

2000 年,江铜瞄准建成世界一流铜业公司目标,着手贵冶三期工程改造建设,工程投资 15.38 亿元。2001 年 9 月 15 日,经国家经贸委批准,贵冶三期工程按照"高起点、大规模、新机制"建设要求,进行技术攻关。2002 年 5 月 17 日,贵冶"闪速炉"改造项目竣工。11 月 8 日,贵冶三期新增阳极炉浇铸系统点火试车成功,年产 30 万吨粗铜能力形成。2003 年 8 月 1 日,三期工程的最后一个项目"倾动炉"建成并一次点火成功。江铜集团阴极铜年生产能力由 20 万吨提高到 40 万吨,跻身世界铜产业前十强。2007 年 9 月,江铜 30 万吨铜冶炼工程竣工投产,形成 70 万吨综合生产能力。2008 年,江西省有色金属工业重点建设力度加大,投资主要集中在冶炼加工行业,冶炼加工项目占整个投资的 83.5%。江铜年产 10 万吨铜板项目进展顺利。总投资 2.95 亿元的贵溪冶炼厂电解东扩工程竣工投产,江铜形成年产

90万吨铜的产能规模，进一步巩固江铜跻身世界铜行业前三强的地位。

生产

1993年，江铜完成矿产铜8.6万吨，占全国总产量的1/3；矿产金2.66吨，居全国有色行业首位；电解铜9.4万吨，居全国第一，占全国的1/7。1996年，全年累计产铜18.82万吨、硫酸45万吨、黄金4.14吨、白银62.53吨。贵冶高品位冰铜冶炼技术步入世界先进水平，阳极铜、电铜、黄金、白银产量分别为11.26万吨、10.61万吨、3.07吨、32.95吨。2000年，江铜完成矿产铜19.3万吨、阳极铜21万吨、阴极铜19.3万吨、硫酸76万吨、黄金5.47吨、白银65吨。2006年，完成阴极铜44.25万吨、硫酸109万吨。

销售

1993年，江铜销售阴极铜8.62万吨、硫酸41.37万吨、电金2.5吨、电银34.92吨、氧化砷60万吨、硫金矿103.35万吨、铅精矿0.41万吨、锌精矿0.43万吨，销售收入212222万元。2000年，销售阴极铜19.42万吨，硫酸76.09万吨，电金5.29吨、电银65.54吨、氧化砷520吨、硫精矿89.52万吨，铅精矿0.6万吨、锌精矿0.73万吨，销售收入472540万元。2003年，销售收入突破100亿元。2004年达150亿元。2005年突破200亿元，成为江西省同时也是中国铜矿业企业首家销售收入200亿元的企业。2006年，实现销售收入310亿元、利税93亿元，分别占全省规模以上工业企业前100位的1/6和1/3，占全行业的42.6%和66%。2007年，销售收入突破500亿元，继续保持中国铜工业、江西工业、江西资本市场领头羊地位，成为江西第一大行业——有色金属工业的重要支撑。

期货

1993年12月，江铜销售运输处成立期货小组，开始期货自营业务；1998年2月，期货业务从销售运输处分出，成立江西铜业期货部。通过期货运作，促使企业进一步加强经营管理，增强市场意识，提高抗风险能力。江铜进入期货市场初期，由于"贵冶牌"阴极铜产业不稳定被上海金属交易所评定为贴水级，江铜上下引起非常大的震动，立即采取措施，组织专门力量进行产品质量攻关。通过改进工艺，强化管理，不到半年时间，贵冶牌阴极铜的内在和表面质量得到彻底改善，1995年4月被升格为一类升水铜。1996年4月在LME一次注册成功，其品牌在江铜股改上市时被列为无形资产。既带来了经济效益，又为江铜进入国际市场奠定基础。参与期货市场，使江铜的阴极铜从原来单一的现货市场转变为现货、期货两个市场相结合，拓宽销售渠道、确保货款回笼，阴极铜销售年年实现高销售率、货款回收率两个100%。利用期货市场的套期保值功能，对实现江铜的经营目标发挥很大作用，特别是1998年亚洲金融危机铜价大幅度下跌时，利用套期保值使江铜避免跌价9000余万元。进入期货市场后，市场行情受到江铜各部门广泛重视和运用，经营、生产、财务、基建等计划制度都建立在铜价趋势基础上，从而使企业生产经营与市场实际结合得更加紧密。

上市

2006年，完成股权分置改革，发行短期融资债券10亿元。公司H股、A股市价分别创出上市以来最高价9.75港元和17.13元，股票市值最高达到387亿元，在亚洲上市公司50强中名列第22位。

节能

随着江铜生产规模的不断扩大，能源消耗情况也有较大变化。总能耗由1993年的54.04万吨标煤上升到2000年的76.14万吨，但万元产值用电耗则逐年下降，以1990年不变价计，万元产值能耗由1993年的3.3吨标煤/万元下降到2000年的2.08吨标煤/万元。1997年，贵冶对闪速炉反应塔进行技术改造，使重油耗量大幅度降低。1999年，贵冶转炉排风机改变频装置，全年节电50万千瓦时；闪速炉风机改变频调速，年节电量100万千瓦时，节水10万立方米。2007年，江铜万元产值能耗为0.6吨标煤，远低于全国万元产值能耗1.21吨标煤，阴极铜冶炼能耗指标为314千克标煤/吨，铜电解直流电耗299千瓦时/吨。

环保

江铜在生产过程中排放的废物既有废水、废气，同时也有废渣。废水主要有采矿场酸性废水和选矿场碱性废水以及冶炼过程中产生的含多种重金属元素的废水。废气主要为冶炼生产过程中产生的含悬浮颗粒、二氧化硫的冶炼烟以及矿山采矿产生的浮尘。废渣包括废石、尾矿和冶炼渣。按照"以废治渣、变废为宝、综合治理”原则,江铜一方面从加强环保管理入手,推行“清洁生产”工艺,实行生产全过程控制,尽量减少废水产生和排放量,提高工业水复用率。工业水复用率从1993年的48.8%提高到2000年的80%;另一方面,通过完善废水处理和综合利用设施,确保处理后水质达到排放标准,并实现利用,改善周边生态环境。1993—2000年,贵冶完成“三废”治理项目有:串山垄水库综合整治工程、电解区域废水处理系统改造工程、二期干燥系统工程、二期循环水工程、转炉烟气处理系统、环境集烟系统等,污染物综合排放达标率从1993年的86.5%提高到2000年的91.46%。2000年10月,二期工程一次通过国家环保总局组织的“三同时”竣工验收。

第二节 贵溪发电有限责任公司

贵溪发电有限责任公司(简称贵电)是一家大型全民所有制发电企业,位于江西省东北部贵溪市城东,占地1722893平方米(其中厂区占404567平方米,生活区占400666平方米,其他占917660平方米)。该厂一期工程装有4台国产12.5万千瓦燃煤发电机组,总容量为50万千瓦。2000年年底有固定资产85959万元,职工2074人,年发电能力30亿千瓦时以上。为适应江西经济发展对电力的需求,该厂在稳定原有机组发电的同时,积极着手扩建两台30万千瓦机组的准备工作。从1985年起,先后多次踏勘了周围环境,对水源、地质、灰场、运输能力等进行调查,初步论证,认为贵电扩建成百万以上的发电厂是可行的。1997年扩建两台30万机组通过国务院批准。2003年,贵电二期扩建工程兴建。工程安装两台300MW国产亚临界燃煤发电机组,首台机组于2005年运行。2007年,实施“上大压小”工程,建2 ×600兆瓦机组,“以大代小”,分步对4台125兆瓦实施关停。

机构人员

建厂时隶属江西省电力工业局主管。1984年起,党组织关系改属中共鹰潭市委。1978年4月至1984年6月称“贵溪发电厂筹建处”,1984年6月28日易为贵溪火力发电厂。领导体制,初期是党委领导下的厂长负责制,1984年开始执行国务院扩大企业自主权的规定,逐渐向厂长负责制过渡。1987年12月22日,正式实行厂长负责制。后设由厂长、副厂长、总工程师、党委书记、工会主席、团委书记、职工代表组成的管理委员会,建立职工代表大会制度,进行民主管理。行政事项由包括厂长、副厂长、党委书记、副书记、纪委书记、工会主席、总工程师、厂长助理参加的厂长办公会议决策。重大决策和涉及职工切身利益的制度、方案出台之前,提交职工大会审议。贵电二级机构设置,是以科室、生产经营单位(车间、公司)为建制。1991年设生产技术科、档案科、人事科、锅炉检修车间、安全监察科、通信科、基建科、汽机检修车间、环境保科、财务科、保卫科、电气检修车间、设备材料科、燃料科、行政科、热控车间、劳工资科、汽车队、总务科、修配车间、厂长办公室、审计科、运行车间、监察室、企业管理办公室、劳动服务公司、职工子弟学校。2000年设:厂长办公室、监察室、经营工作部、审计室、人事劳动部、企业发展部、企业协会、生产技术部、安全监察科、科技教育部、武装保卫部、发电部、燃料运输部、离退休管理办公室、职工子弟学校,扩建办、职工医院、燃料管理科、省燃料分公司、华重燃料公司、通信公司、物资公司、生活服务公司、美洁公司、汽车运输检修公司、建筑公司、检修公司。(后八公司撤销法人、财务合并,成立江西龙源实业有限公司多经股份有限公司。)

2002年12月,电力体制改革,贵电划归中国电力集团投资公司。为优化资源,统筹管理,中电投江西分公司党组经调查研究、反复酝酿后,决定对贵溪区域实行区域大党委统一领导的管控模式。贵溪发电有限责任公司和江西贵溪火力发电厂合二为一,实行“一套班子、两块牌子。”其后,公司(厂)遵循“有利于安全生产、有利于职工稳定、有利于企业发展、有利于资源配置”原则,对二级机构、人员和薪酬制度三方面进行改革。在整个调整过程中,公司(厂)各项工作井然有序,安全生产和职工队伍始终保持着稳定局面,顺利实现了管控模式调整后的平稳过渡。

2008年,贵溪发电有限责任公司和江西贵溪火力发电厂合二为一。

建厂时,只是从江西省一些老电厂调来50几名职工,后陆续招收几批新工人。鉴于厂子新、人员新、技术素质状况,历届领导班子都把提高职工文化技术素质列为企业发展的战略目标,进行集中系统授课,送同类型电厂代培,回厂后现场练兵,上岗前严格考核。经过几年的培训。职工素质提高较快,基本上能适应大机组生产之需。到2000年年底,2074名职工中,具有大中专学历者674人,中等技校和高中毕业的672人,初中以下的610人。历年来,厂党委注重发展新党员,党员人数由建厂时的46名增至2000年的504名,机关党员较多,生产第一线偏少。

安全生产

贵电从1991年起开展达标竞赛活动,并于1992年、1995年先后达省标、部标。1996年开始创一流火电企业活动,经4年的努力奋斗,1999年实现安全运行820天,供电煤耗仅381克/千瓦时,成为江西省第一家创一流火电企业。

在企业改革发展壮大过程中,贵电发扬"团结、求实、勤奋、进取"的企业精神,坚持"两手抓、两手都要硬"的方针,以企业安全文明生产双达标和创一流企业为契机,坚持"以人为本"思想,强化安全管理,走科技兴厂之路,加大设备改造力度,提高人员素质,不断改善成本管理,全面推行质量管理,各项工作逐年迈上新台阶。

1994年,安全文明生产实现达部标,1997年3月创一流工作通过华中电管局检查验收。1998年,贵溪发电厂新一届领导班子提出了"高严细实抓管理,立足本职创一流"的工作思路,不断夯实管理基础,企业管理水平与人员素质得到进一步提高,创一流工作取得突破性进展。1999年企业各项技术经济指标达到"一流企业"标准。1999年4月,贵溪发电厂被国家电力公司授予"一流火力发电厂"称号,实现了江西电力系统"创一流"工作"零"的突破。该厂发扬"高严细实"工作作风,再接再厉,2000年顺利通过国家ISO 9002年质量体系贯标认证。2001年创下安全运行1443天纪录,2002年构建质量环境、职业卫生安全"三位一体"管理体系,企业的管理水平大幅提高。

企业管理水平逐年提高,安全局面不断巩固,多种经营不断发展,精神文明不断加强,该厂呈现一派蓬勃向上的新气象。先后获江西省优秀企业称号,国家电力公司"中国电力科学技术奖"三等奖、江西省文明单位标兵、全国质量效益型先进企业、全国"五一"劳动奖状、全国绿化先进单位、全国"三五"普法教育先进单位、全国精神文明建设先进单位、国家电力公司文明单位标兵、国家电力公司"九五"期间安全生产先进单位等许多荣誉称号。

在主业蓬勃发展的同时,贵电多经产业成功地实现了滚动式发展,先后建成水电站、激光照排印刷厂、粉煤灰公司、石材厂等多家企业和经济实体。2000年企业进行股份制改造,成立了江西龙源实业有限责任公司,形成集冶金、建筑、设备检修、煤炭经营、粉煤灰综合利用、商贸、运输、余能发电、物业管理为一体的多经发展格局,实现了从安置型到效益型的转变,经济效益逐年上升,年产值连续达亿元以上。

工程建设

二期扩建　贵电原有4×12.5万千瓦燃气轮发电机组,1978年开始筹建,1984—1987年陆续投产发电。1990年,贵电委托江西省电力设计院对扩建2×30万千瓦机组进行可行性研究。1991年,贵电向中共鹰潭市委、市人民政府提交二期扩建书面报告。鹰潭市计委以《关于要求在贵溪电厂扩建2台30万千瓦机组的专题报告》上报江西省计委。1991年,能源部电力规划设计管理局下发关于贵电扩建工程可行性研究工作计划的通知。同年,省电力局下发关于扩建可研准备及配合工作的通知。1993年,贵电向江西省电力设计院正式发出可行性研究委托书。同年,向贵溪县人民政府发《关于二期扩建工程需要当地政府提供有关材料》的函。贵电分别向县土地局、城建局、水利局、环保局等各主管部门获取扩建有关协议资料。1994年,贵溪补充省环保及省水利厅的批复文件,报江西省政府。江西省电力局上报项目制建议书。同年,补充和收集水文资料及冷却塔面积论证等资料,二期扩建取水条件模型试验报告书。1995年,进行厂内铁路二期扩建。1996年,落实煤矿点及供煤量,提取矿点煤质、元素分析报告。1997年3月11日,二期扩建经国务院批准立项。2002年12月,电力体制改革,贵电划归中国电力集团投资公司。该公司将扩建工程列为2003年集团公司在江西唯一的开工项目。2003年12月26日,总投资27.1亿元的贵电二期扩建工程奠基。工程中电力集团出资95%,贵溪城市建设投资开发公司出资3%,鹰潭市经贸国有资产运营公司出资2%共同兴建。工程安装两台300兆瓦国产亚临界燃煤发电机组,首台机组于2005年9月23号试运行,10月9号进入商业化营。

2007 年,公司实施“上大压小”工程,分步对 4 台 125 兆瓦实施关停。“以大代小”,建 2 ×600 兆瓦机组。2 月,江西省发改委将《开展贵溪“以大代小”前提工作的请示报告》上报国家发改委,7 月各有关单位正式签署《关停拆除小火电机组协议书》,8 月,获国家发改委同意开展前期工作的批复,并取得国土部关于贵溪“以大代小”工程建设用地预审意见的复函等 4 份支持性文件。项目环评工程的报告书、水土保持方案等通过专家的审查,并上报至国家相关部委。2 台 600 兆瓦机组超临界的机组设计,主设备投标等工作按程序结束。2008 年,环评报告获环保部门的审批。4 台 125 兆瓦的机组分别于 4 月和 12 月关停,并于 12 月 31 日对冷却塔实施爆破。自投产至关停,共发电 622.57 亿千瓦时。与此于同时,2 台 600 兆瓦机组工程建设的各项准备工作有序推进。

二灰场建设 贵电原灰场为挂榜山灰场,设计贮灰年限为 10 年左右。库容 745 万立方米,初期建设 5 座,后期 9 座,供贵电 4 ×12.5 万千瓦机组,贮存 18 年左右。1994 年根据可研审查意见,贵电二灰场选址雷溪乡雷公岭北灰坝分期建设。1995 年 6 月,贵电与贵溪县政府协商二灰场征租用地协议事宜。征(租)地、拆迁工作得到贵溪县政府的大力支持,整个工程共征地 121 公顷。拆迁 33 户,迁移人口 142 人,拆迁面积 8000 平方米。1996 年 1 月,贵电组建二灰场工程建设指挥部。9 月,灰坝建设正式开工。工程修建施工道路 7003 米,安装管道 8182 米,修建 3000 吨混凝土水池一座,安装水泵 4 台,建设 6 千伏线路 7000 米,安装变压器 5 台,总容量 1380 千伏安。自贵电灰管桥南起至雷公岭北灰场 7 号坝,全长 2555.7 米,除灰管道 3 根。1998 年 2 月,1 号、2 号、9 号 3 座坝筑到 53.5 米高工程,后加高至 73.5 米高工程,同年 3 月开始储灰运行,年底 1 号、2 号、7 号、9 号 4 座坝竣工。1999 年 4 月底,5 号坝竣工。

设备

贵电主要设备为汽机、锅炉、电气、热控、化学等专业设备。汽机主要设备为 4 台上海汽轮机厂生产的 N125 - 135/535/535 型超高压中间再热、双缸、双排气、冲动、冷凝式 12.5 万千瓦汽轮机;锅炉主要设备为 4 台由上海锅炉厂生产的 SG - 420/140 - M414(415)型号锅炉;电气主要设备为 4 台 QFS - 125 - 2 双水内冷汽轮发电机,2 台 SFPS - 150000/220 主变压器,2 台 SFP - 150000/220 主变压器。

生产

1991 年,发电 30.0972 亿千瓦时,供电量 27.4486 亿千瓦时。综合标煤单价 176.31 元/吨,供电煤耗 409 克/千瓦时。总成本 24829 万元,单位成本 90.46 元/千瓦时。总产值 21684 万元,盈利 732.9 万元,税金 3002 万元。2000 年,发电 25.2024 亿千瓦时,供电 22.9434 亿千瓦时,供电煤耗 380 克/千瓦时,综合标煤单价 351.54 元/吨,总成本 45186 万元,单位成本 196.95 元/千瓦时。工业总产值 181285 万元,盈利 829 万元,税金 1451 万元。2007 年,发电 26 亿千瓦时。2008 年,围绕“抓落实、严考核、重实效”方针,公司(厂)认真落实安全生产责任制,较好地完成迎峰度夏、6 号机组 A 修、4 台 125 兆瓦机组关停等工作。全年完成发电量 44.8 亿千瓦时,顺利实现年度安全生产责任目标。特别是年初的“抗冰保电”期间始终为江西电网提供着稳定的电力供应。

贵电 1985 年正式执行电力生产计划,当年,装机容量为 12.5 万千瓦,全员劳动生产率 36434 元/年/人。在机组不断投产过程中,劳动生产率提升。1991 年,全员劳动生产率每人为 123985 元;2000 年每人为 126600 元。

外部市场

为适应企业发展的新形势,2008 年,贵电大力实施打工经济,干部职工解放思想,更新观念,积极开拓外部商务市场。运行人员首次走出家门、跨出国门,126 名职工在外承接了宁德、瑞金、越南三个商务运营项目。外出职工克服诸多困难,快速适应从甲方到乙方的角色转变,练精技术水平,增强服务意识、提高服务质量,在外树立良好的企业形象,得到用工单位的高度赞赏,全年创收 249 万元。

节能

1991 年以来,贵电积极推广应用节能新技术,主要节能技术改造项目有:1993 年 12 月开始应用大量程浓稀相燃烧新技术,解决锅炉低负荷燃烧不稳问题,大大提高机组调峰能力。1995 年 10 月对吹灰器进行改造,取消炉内蒸汽吹灰,在低温再热器中断及低温再热蒸汽出口段安装 4 台瑞典产 IKT23/220

声波清洁器,使锅炉受热面积灰减少,传热增强,节能效果明显;1997 年应用布莱登自调整汽封技术,对 1 号、4 号机通流部分汽封进行改造,机组效率明显提高;1998 年,将 1 号炉回转式空预热器改为螺旋式槽管空预热器。降低排烟温度,提高锅炉效率约 2%。2007 年,关停了 2 台 125 兆瓦机组,实行"上大压小"工程。在煤炭价格居高不下的恶劣经营环境下,认真落实减亏计划,严格预算管理,加强成本控制,加大资金筹措,有效防范经营风险,确保企业经营工作的顺利开展,将亏损控制在正常水平。并积极争取到国家对关停机组的优惠政策,获得国家财政部淘汰落后产能中央财政奖励资金 1.13 亿元。

环境保护

贵电排放污染物主要有废水、废渣、废气和粉尘。废水包括工业废水、生活废水和冲灰水。贵电年用水总量为 77723 万吨(其中汽机直流冷却排水量为 37036 万吨/年),废水总排量为 1132 万吨/年(其中冲灰水总排量为 1120 万吨/年)。由于不断加大技术改造、节能降耗,废水排量逐年下降,2000 年废水总排量为 878 万吨/年。汽机循环、冷却水经热交换吸收一定热量后排入信江,经有关部门进行热污染测试,表明不会对信江造成热污染。1998 年前冲灰渣水经灰浆泵房输送至 6.5 千米外的贮存灰场,澄清后经灰坝溢流口排至罗塘河。1998 年 3 月,二灰场启动,冲灰渣水全部排入 3 千米外的二灰场。建厂初期,除冲灰渣水、化学废水外,其它工业废水如各种直接冷却水、厂区清扫及生活污水等,通过各种渠道排入循环水沟。1998 年生活污水处理站建成后,这些工业废水一并打入灰管,随冲灰渣水排入二灰场。由于锅炉粉煤和灰渣本身具有较好治理废水性能,加上大容量灰场具自净作用,因此经灰水输送和注入灰场后沉淀澄清爆气后,排入信江的灰水基本可达标排放。煤气发生站在生产煤气过程中排放的废水(煤气洗涤水),含有较高浓度的硫化物等物质,未经相应净化处理,相继排入循环水沟,但水量较少,平均每年约 73 万吨。煤灰、灰渣是贵电大宗固体废弃物。除随烟气排出的微粒粉尘,直接污染大气环境外,用水力输送的煤灰、灰渣,也是影响灰水质量的一个重要因素。贵电 4 台 420 吨/小时锅炉年燃煤量约 172.53 万吨,年灰渣产生量 56.52 万吨,除尘方式为灰渣混排水力除灰方式,其中湿排粉煤灰总量为 51.12 万吨/年,占灰渣总产量的 90.45%。渣总产量为 5.4 万吨/年,占灰渣总产量的 9.55%。1999 年建成干灰处理设施,综合利用粉煤灰工作上了台阶,99% 粉煤灰品质提高,磨用后达到国家二级灰品质,应用广泛。贵电 4 台锅炉生产的烟气由一座 180 米高的烟囱排出,烟气中含有一定量的硫化物、氮氧化物、一氧化碳等有害气体及少量烟尘。1997 年贵电曾对除尘器进行多次技改。1997 年和 2001 年 4 号炉和 3 号炉分别改为电除尘,成效明显,年减少烟尘排放 8000 吨。2001 年对 1 号炉水膜除尘器加装脱硫装置,年减少二氧化硫排放 2000 吨,减少烟尘排放 2000 吨以上。贵电全年耗煤 152.53 万吨,烟尘全年总排量为 3.84 万吨。在燃煤运进、灰渣排出和烟尘排放过程中,都不可避免造成不同程度的粉尘污染。贵电每年要进行重点部位粉尘监测,并投入资金在燃煤系统等重点部位进行粉尘治理,确保粉尘浓度在许可范围内。

贵电机组设计于 20 世纪 70 年代后期,当时国民经济处于经济困难、百废待兴时期,单位千瓦造价仅为 733.93 元,远低于后来的同类型机组。环保设施同样落后,只能够满足当时较低的环保要求。主要环保设备大部分设计于 70 年代中后期,包括一灰场、烟囱、文丘里水膜除尘器,化学中和池等。随着国民经济的发展,人民生活水平的提高,环保问题越来越被重视。成立环保机构,厂长为第一负责人,建环境监测站,开展 DH. 99. COD 硬度、氧化物、硫化物、砷化物、水温、排水量等部颁要求的监测项目,同时开展粉尘、烟气监测。为改变环保设计标准低、环保设施简陋状况,贵电多渠道筹措资金进行环保项目投入,1991—2000 年,累计投入资金近 2 亿元,新建一批环保设施,包括生活污水处理设施、粉煤灰砖厂、二灰场、3 号炉和 4 号炉高效静电除尘器,4 号炉干灰设施、1 号炉湿法脱硫设施和煤气站洗涤水处理设施。1995 年,对 1 号炉文丘里除尘器设施加装内筒,提高灰水接触面,显著提高除尘效率。1991—2000 年,先后对 3 台文丘里水膜除尘器进行技术改造,提高除尘效率,减少烟尘排放。1997 年,将 4 号炉文丘里水膜除尘器改为高效静电除尘器,年减排烟尘 8000 吨。除加大环保设施投入,贵电还因地制宜,探索环保设施运行模式,炉运在低负荷状态下采用单引风机工作方式,大幅提高文丘里膜类除尘器的除尘效率。同时建立健全环保设施运行、检修管理制度,制定环境保护监督考核细则,责任落实到人。1996—1998 年,实施一灰场扩容工程,避免了向江河排灰。4 号炉静电除尘器加装干灰收取装置。

1999—2000 年,投资 13.2 万元,开展排污口规范化整治工作;对排污口进行立标(烟尘 8 处、废水 2 处、噪声 2 处、灰场 2 处)建档,全部标牌按国家标准规定设置,并在 4 号炉电除尘安装环保监控系统。2001 年,1 号炉实施简易湿法脱硫工程竣工,年减排 SO2 约 2000 吨,脱硫率 70% 达以上。1991 年以来,贵电环保设施的稳定运行,保障各主要排放物均达标排放。经鹰潭市监测站测试,工业废水考核指标、大气污染物主要指标二氧化硫、烟气均符合国家有关要求。

第三节　江西贵溪化肥有限责任公司

江西贵溪化肥有限责任公司系由原江西贵溪化肥厂改制而来(简称贵化),隶属江西省石化厅。

原贵溪化肥厂属国家"七五"重点建设项目。1988 年 11 月动工兴建,历时 35 个月,顺利完成建安、单体试车、联动试车。1991 年 10 月开始化工试车并获成功。根据国家计委计建字〔1215 号〕文件精神,江西省计委于 1993 年 12 月对贵溪化肥厂建设工程组织验收。1994 年 6 月,国家经贸局、化工部、机械部和江西省联合组织对贵溪化肥厂年产 24 万吨磷铵国产化装置验收。

贵化生活区

公司总占地面积 246.25 公顷,分生产区、生活区、渣场及几个连接带。其中生产区占地 133.33 公顷、生活区占地 30.56 公顷、渣场占地 63.31 公顷,铁路、渣场、排水占地 19.05 公顷。公司总占地超初步设计 38.90 公顷,其中,渣场按山脊分水岭征地增 10 公顷,生产区与贵冶共同补征了 2 厂之间的高压输电走廊空地等。

贵化是在原江西贵溪化肥厂实施债转股基础上,由中国信达资产管理公司、江西省投资公司、中国昊华化工(集团)公司、江西省石化集团公司于 2000 年 8 月共同发起组建的现代化磷复肥企业,是国家为调整化肥结构、加速发展高效磷复肥,引进国外先进技术和关键设备建设的大一型企业,是为消化江西铜业集团公司副产品硫酸进行"酸肥结合"而配套的国家"七五"重点建设项目。是中国化工行业、江西省第一家债转股企业。贵化年生产能力为磷酸 13 万吨,磷酸二铵、氯基复合肥、硫基复合肥、BB 肥共 100 万吨,氟化铝 6000 吨、磷石膏制水泥缓凝剂 20 万吨,另有副产品盐酸、氟硅酸、磷酸氢钙、氟硅酸钠等化工产品;公司总资产 15.69 亿元,注册资金 9.1175 亿元。

贵化生产的"施大壮""贵化""群星""田园丰"4 个品牌近 100 种规格的产品,质量指标达到甚至超过进口同类化肥,产品畅销全国,出口东南亚,远销欧美。先后荣获江西省优秀企业、江西省文明单位、国家"八五"化工建设先进单位、全国部门造林绿化 400 佳单位、全国模范职工之家、全国厂务公开民主管理先进单位 、全国五一劳动奖状等荣誉称号。2004 年 6 月,"施大壮"商标被国家工商总局认定为"中国驰名商标",是中国磷酸二铵产品中第一件驰名商标。2005 年,贵化顺利通过 ISO 9001—2000 质量体系和 ISO 14001—2004 环境体系论证。

贵化主营生产、销售化肥,生产、销售化工产品,提供水、电、汽、压缩空气、劳务等服务及相关产品;兼营无机化学品生产、销售,进出口业务,建筑材料,非金属制品制造,汽车修理、运输,机电加工,有色金属材料,化工原料以及技术培训。

机构与队伍

1983 年 11 月,成立江西贵溪化肥厂筹建处,内设行政办公室、政工科、保卫科、生产设备处、工程处、计划财务处,隶属江西省石油化学工业厅。1992 年 8 月正式命名为江西贵溪化肥厂,内设厂长办公室、企业管理办公室、劳动人事科、审计科、生产技术科、安全环保科、机械动力科、质量管理科、基建科、供应科、销售科、原料科和原料车间、磷酸车间、磷铵车间、热电车间、氟化铝车间、机修车间、电气车间、仪表车间、水气车间、汽车队、公安分局、职工子弟学校、职工医院、生活服务公司、劳动服务公司。2000年9月8日,江西贵溪化肥厂债转股后实施整体改制,更名为江西贵溪化肥有限责任公司,内设总经理办公室、企业管理部、财务部、资本运营部、审计室、法律事务部、质量管理部、技术中心、生产管理部、机械动力部、安全环保部、基建管理部、采购公司、营销公司、储运公司、进出口公司、工贸公司、市场部和专用肥公司、维修中心、磷铵车间、磷酸车间、热电车间、电气车间、仪表车间、水气车间、氟化铝车间。此后又成立江西贵溪化肥有限责任公司实业发展公司,包括物业管理公司、化工厂、公安分局、职工医院、子弟学校、就业服务公司、汽车运输公司、贵化宾馆等。后经机构改革撤并和装置扩建,到2008年年底,江西贵溪化肥有限责任公司内设总经理办公室、企业管理部、财务部、法律事务部、质检中心、技术中心、生产管理部、机械动力部、安全环保部、基建管理部、采购总公司、营销总公司、物流总公司、进出口公司、施大壮农资连锁公司、市场部、物业管理公司、保卫部、职工医院、贵化宾馆和专用肥车间、维修中心、磷铵车间、磷酸车间、热电车间、电气车间、仪表车间、水气车间、硫基肥车间、磷矿粉肥车间。

1989年11月,经中共鹰潭市委批准成立中共江西贵溪化肥厂筹建处总支委员会,同时组建党总支办公室、宣传科、组织科,成立19个党支部,有党员119名。1992年8月经鹰潭市委批准,正式成立中共江西贵溪化肥厂委员会。1992年8月召开第一次党代会,1996年10月召开第二次党代会,分别选举第一、第二届党委,有9名党委委员,正副书记各1名,内设党委办公室、组织部、宣传部、纪检监察室,下设23个党支部,共有党员410名。2002年6月,经鹰潭市委批准,正式成立中共江西贵溪化肥有限责任公司委员会。2002年6月召开第一次党代会,2006年12月召开第二次党代会,分别选举第一、第二届党委,有9名党委委员,正副书记各1名,下设党群工作部。至2008年年底,贵化党委下设21个党支部,共有党员480名。

1990年,召开江西贵溪化肥厂第一次工会会员代表大会,成立江西贵溪化肥厂第一届工会委员会,下设办公室、生产部、文体部。1993年4月召开江西贵溪化肥厂第二次职工暨工会会员代表大会,1997年召开江西贵溪化肥厂第三次职工暨工会会员代表大会,分别成立第二、第三届工会委员会,下设办公室、生产部、文体部、生活女工部和21个分工会。2002年8月召开第一次江西贵溪化肥有限责任公司第一次职工暨工会会员代表大会,2006年12月召开江西贵溪化肥有限责任公司第二次职工暨工会会员代表大会,分别成立第一、第二届工会委员会,下设工会工作部及25个分工会。

1991年11月,江西贵溪化肥厂第一次团员代表大会召开。1996年12月,江西贵溪化肥厂第二次团员代表大会召开。

至2008年年底,贵化共有干部、职工2000余人,其中专业技术人员500余人,正式职工总数占24.7%。建厂以来,致力中层以上管理人员整体素质提高,进行量化考核,择优提拔,任人唯贤,并实行末位淘汰制。注意一线职工技术提高,凡经选录进厂的员工一律进行两年专业技能培训,合格方能上岗。

完善劳动合同制

根据《中华人民共和国劳动法》和《江西省人民政府关于全面实行劳动合同制度的实施方案》,遵循平等自愿、协商一致的原则,自1995年9月30日起,厂(公司)与全体职工签订劳动合同,全面实行全员劳动合同管理,以法律形式确立劳动关系,明确双方的权利和义务。根据合同规定,厂(公司)依法建立完善规章制度,保障劳动者享有劳动权利和履行劳动义务。2006年1月,贵化被授予"江西省和谐劳动关系模范企业"称号。

竞争上岗和下岗分流

1998年,贵化开始实施下岗分流、减员增效和下岗职工再就业工作。在两年内下岗分流在册职工33%,其中1998年下岗分流476人(职能科室和后勤部门下岗分流在岗职工的30%,车间、生产、经营系统下岗分流在岗职工的5~10%)。

为保证下岗分流、减员增效和再就业工作的顺利实施,贵化建立考核竞争上岗制度。先后制定《江西贵溪化肥厂减员增效、下岗分流和再就业工程实施方案》《江西贵溪化肥厂关于职工下岗分流的暂行规定》《江西贵溪化肥厂职工竞争上岗实施办法》《江西贵溪化肥厂下岗职工管理规定》《江西贵溪化肥厂职工退养暂行规定》《江西贵溪化肥厂职工停薪留职暂行规定》及《江西贵溪化肥厂职工考核办法》等七个配套管理文件，并经厂三届三次职工代表大会审议通过。改制后，又陆续出台了一系列企业用工管理文件，新建10万吨复混肥装置、20万吨磷石膏制水泥缓凝剂装置、20万吨硫基肥装置、15万吨复合肥装置、10万吨粉状MAP装置，未向社会招收一名劳动力，全部岗位均由其他岗位分流人员、竞争上岗。至2008年，循环用水率达到83%，万元工业产值能耗降至0.5235吨标煤/万元。

教育培训

贵化职工子弟学校创办于1990年，校园占地面积10000平方米，建有教学办公楼一栋，33个教室、16间办公室，建筑面积2700平方米。于1990年秋季开始招生，共设置小学一年级至初中三年级9个教学班，学生人数270余人，教职工45人。

根据省府厅发〔2002〕55号文件精神，2003年9月2日，公司与贵溪市政府签订协议，正式将子弟学校整体资产、36名教师移交地方管理，后更名为贵溪市第五中学。

贵化重视职工教育培训，面向企业、面向生产、面向未来。建有职工培训校舍536平方米，配有高标准微机培训室，可借助高速内部闭路电视系统开展电化教学。1990—2008年底，共举办各类培训班620期，3490人次参加培训，厂外培训2120人次，国外培训46人次。1998年被中国企业管理协会、中国企业家协会授予“全国企业管理培训工作先进单位”称号，1998年3月被化工部授予“职工教育先进集体”称号。

注重厂内培训和外派培训相结合，至2008年年底，先后派送5名高级管理人员参加省部级组织的培训，送培中级管理人员56名。企业内部举办中级以上管理人员学习班27期，865人次参加培训。聘请知名学者来公司举办各类专题讲座25场，听课人数达530人（次）。2005年，贵化与南昌大学企校合作，开办集中脱产面授的工商管理培训班，聘请高校教师来公司授课，共有43名管理人员参加学习并取得结业证。选派青年干部参加南昌大学工商管理MBA学位的攻读。选送管理、技术人员46人次赴法国、西班牙、新加坡等国家考察学习，为科技兴厂注入新的活力。

从1991年开始，分期分批对班组长进行三轮系统培训，共办班18期，培训班组长620人（次），100余名班组长提升为中级管理人员。

同时开展继续教育，共有1500人（次）专业技术人员接受教育。针对中、高级技术人员专业评聘的需要，先后两次进行计算机合格证考试，400余人参加培训并通过资格考试。

鼓励青年员工参加各类成人学历教育，并给予优惠政策。至2008年年底，共有956名员工参加成人学历教育，336人次通过考试取得毕业证书。做好特种工人员取、换证的外送培训工作，共有730人次参加培训，并顺利取证。针对在办公、管理、自动化控制中广泛应用计算机，及时加大计算机应用培训力度，分别举办高级管理人员、生产骨干等各层次的计算机培训班14期，423人参加学习。

生产装置设备

年产12万吨P2O5的湿法磷酸装置　中国当时建成投产最大的单系列磷酸生产线。装置引进法国R—P生产技术，主要设备均从国外进口，工艺技术达到20世纪90年代国际先进水平，各项物料消耗指标处于国内外领先水平。

年产24万吨的磷铵装置　在消化吸收国外先进技术的基础上，由中国自行设计和制造的第一套国产化大型磷铵装置，曾获得国家科技进步二等奖。1997年年末，从西班牙TR公司引进当时国际上最先进的管式反应器技术，对该装置进行挖潜扩能改造，使装置的年综合生产能力（DAP + NPK）达到30万吨，生产物耗和能耗在全国同行业中处于先进水平。

年产20万吨硫基复合肥装置　2005年7月，贵化在全国率先采用喷浆造粒装置生产养分含量为15—15—15的硫基氮磷钾复合肥获得成功，填补国内同类装置化肥生产的一项空白。

原料产品

贵化所需的主要原料有：磷矿、硫酸、液氨、氯化钾等。磷矿主要从云南、贵州采购，硫酸从邻厂贵溪冶炼厂用管道输送进厂,液氨因自身无配套生产装置,主要从江西、浙江、上海、福建等地购买,用自备火车槽车运输进厂,氯化钾部分来自进口配额,部分从港口和青海购买。

贵化生产的"施大壮"牌磷酸二铵、氮磷钾畅销20多个省、市、自治区,磷酸二铵还远销尼泊尔、越南、古巴、朝鲜等国,受到国内外用户青睐。贵化磷酸二铵、氮磷钾复合肥先后获江西省"优质新产品奖""用户满意产品""江西省重点保护产品""江西名牌产品"等称号,并在全国商品质量跟踪调查中获化肥产品前十名,被评为中国农村热销品牌。在东北进行的大田试验,使用贵化磷酸二铵的农作物增产效果优于美国二铵;在由江西省农科院、贵溪市科委组织的试验中,使用贵化氮磷钾复合肥的农作物比使用其他化肥的作物增产5%—8%;在越南市场上,贵化磷酸二铵的售价比美国等地的二铵高100元左右。

产品销售

根据国发〔1998〕39号《国务院关于深化化肥流通体制改革的通知》文件精神,贵化抓住机遇,及时调整经营策略,改变以往单一、完全依赖农资经营单位销售化肥的销售途径,在全国范围内设立18个销售中心办事处、100个化肥直销处,在利用经营状况好的农资经营单位的同时,做好化肥直联销工作。至2008年年底,建立一套更加完备的营销网络体系,并在全国设立10个营销分公司。营销总公司实行工资、奖金等各项销售费用在内的脱钩总承包,按化肥销售吨产品额计提各项费用。

1997年,贵化正式获得自主进出口经营权。

2006年1月,成立江西施大壮农资连锁有限责任公司,充分利用贵化品牌、网络等优势,以特许加盟形式,在省内及全国建立加盟连锁网络,既让农民得到更多实惠,又实现贵化由单一生产型企业向工贸并举型企业跨越。2006年6月,江西施大壮农资连锁有限责任公司被商务部确立为"万村千乡市场工程"试点企业。

2005年,农业部提出在全国开展测土配方工作,贵化积极与江西省土肥站联系,申请承担配方肥生产任务,被江西省土肥站确定为省配方肥重点生产企业。2006年5月,中央电视台、中央人民广播电台、《农民日报》等主流媒体重点宣传贵化测土配方成果。

磷铵装置

原设计产品　为单一品种磷酸二铵,考虑南方市场需求特点,在磷铵装置上自行开发生产45%的氮磷钾复合肥获得成功,使这套装置可根据南北方不同季节市场的需求,切换生产磷酸二铵和氮磷钾复合肥等系列产品。

在抓好生产、经营的基础上,重视科技创新,成立专门技术改造办公室,负责全厂技术改造。成立新产品开发科,负责新产品开发。1998年底成立技术中心,负责企业技术改造、新产品研究和开发、工程设计,与高等院校和科研机构进行合作,促进企业科技进步。

用稀磷酸开发市场新品种

高浓度NPK复合肥　起初,贵化根据当时的工艺条件用浓磷酸生产NPK复合肥,后来自行开发利用稀磷酸生产NPK复合肥新工艺,磷酸不需要浓缩直接用于生产,从而节约蒸汽。

技术改造磷铵装置　1997年引进西班牙TR管式反应器技改扩能后,产品质量得到很大提高。产品总水溶磷含量从90%—91%提高到93%—94%,肥料增产效果提高5%—8%;产品粒度合格率从91%提高到97.4%;生产DAP时,每吨产品氨耗下降5千克,烟囱氨损失每小时下降213千克;生产NPK时,每吨产品氨耗下降2.25千克,烟囱氨损失每小时下降100千克。该装置用结构福特管式反应器,直接利用磷酸与氨中和反应热来蒸发大部分水,从而减少干燥能耗,燃油耗量减少一半。以年产28.8万吨MAP计,节约磷铵干燥用油1440余吨,折合人民币158.4万元(重油价格按1100元/吨计)。回收利用冷却尾气的部分热量,将冷却尾气用高效率的冷却尾气旋风除尘器除尘后,送燃烧炉作二次风,节省部分油耗,又保护环境。对干燥机内件进行大改造,改善气固相接触状况,提高换热效率,增加产量。干燥机转速可调,当产品切换时,减少动力消耗。

热电装置技改　热电装置经过历年多次技术改造,其工艺技术水平处于同类装置国内领先地位,每年可节约用油100吨;蒸汽冷凝液回收技术改造,每年可节约用煤1.5万吨左右,每年可降低成本折合

人民币约340万元。

专利技术

稀磷酸法生产45%NPK复合肥技术、硫酸—稀磷酸法生产40% ~45%NPK复合肥技术;TR单管反应器技术、R-P二水湿法磷酸生产及其扩能技术、利用磷石膏生产硫酸钾小试成果、利用造纸黑液生产有机NPK复合肥技术。

安全生产

贵化连续6年获得"全国安康杯竞赛优胜企业"称号,2006年获"江西省十五期间安全生产综合先进单位"称号。成立安全生产委员会,设有专职安全生产管理机构——安全环保部,各生产单位成立"安全生产领导小组",配有专职安全管理人员17人,各班组设有兼职班组安全员。公司有5人取得注册安全工程师执业资格。

按《危险化学品从业单位安全标准化规范》要求,制定《安全生产管理制度》,编制各生产岗位安全操作技术规程。建立安全检查和隐患治理管理制度,做到日检查、周检查、月检查、综合性和专业性安全检查并举。发现隐患及时排除或下达整改通知书,督促按期整改。2008年,共排查出各类安全隐患92项,各项隐患均按要求落实整改。公司连续7年实现"零死亡事故"安全生产工作目标。

2008年,组织编写《江西贵化安全教育读本》,对299名特种作业人员进行资格证复审和取证,对476名临时用工、72名外来作业人员、52名公司内部人员分别进行公司级安全教育。"安全生产月"期间组织开展系列活动,推举选手参加全省"安全伴我行"安全演讲比赛并获个人奖第3名。同年4月通过江西省安监局组织的危险化学品从业单位安全标准化二级企业考核验收。

是年,对新建年产15万吨复合肥技术改造项目严格实施安全"同时设计、同时施工、同时投产使用"制度,进行项目安全预评价,顺利通过江西省安监局组织的设立安全审查。

在危险化学品生产、使用、储存场所新增洗眼器等冲洗设施,安排接触有毒有害因素、放射岗位人员累计243人次进行健康体检。每年暑季高温、冬季寒冷期间,对防暑和防寒安全工作均有专项部署。至2008年底,贵化未出现一例职业病,创造18年"零职业病"记录。

环境保护

2005年,贵化通过ISO 14001—2004环境管理体系认证;2006年,被江西省人民政府授予"全省环境保护先进集体";2007年,通过清洁生产审核评估验收,并被江西省环保局评为"全省环境保护先进企业",被江西省经贸委授予"全省清洁生产工作先进单位"称号。

贵化先后投入5000余万元,实施"综合利用磷石膏制纸面石膏板项目""综合利用磷石膏生产水泥缓凝剂项目""各生产装置区清污分流及磷铵装置、硫基肥装置污水循环回用""硫基肥车间复肥尾气治理改造"" 热电车间3#锅炉烟气脱硫除尘改造"等多项重点环保工程。

2006年,公司依托南昌大学技术,在公司范围内开展清洁生产审核工作,并于2007年初通过江西省环保局、经贸委组织的清洁生产审核评估验收。对硫基肥车间复肥洗涤系统改造,并将尾气洗涤液回收利用,进一步增加氨的回收;利用磷酸酸泥生产MAP和硫基复合肥,大大提高生产过程中磷的回收率;对泵房、风机等设施增设变频,节约大量的电能。2008年,公司循环用水率由70%提高到83%。目前公司正在抓紧实施35吨煤粉炉改为循环流化床锅炉的节能项目,该项目已通过国家发改委节能奖励资金的能源审核。项目完成后,每年可节约标煤21298吨。

贵化设有占地50公顷的专用渣场,各装置产生的废渣通过管道送到渣场堆放,供开发利用。利用含氟废气回收生产氟硅酸、利用含氯化氢尾气回收生产盐酸,利用高压蒸汽降压发电、粉煤灰(渣)。为加大磷石膏综合利用力度,贵化将磷石膏综合利用项目列为重点发展项目。2002年12月,投资1700万元建成综合利用磷石膏年产20万吨水泥缓凝剂项目。2008年,贵化与安徽铜陵法拉第石膏建材有限公司合作建成综合利用磷石膏生产2000万平方米/年纸面石膏板项目。贵化每年磷石膏废渣综合利用量可达37万吨,综合利用率达67%,高于全国同行业平均综合利用率10%。

各生产装置产生的生产污水通过地下槽收集,送入磷酸车间开浆槽后和磷石膏一起送至渣场,沉清污水通过回水泵送至再浆槽,循环利用。多余污水通过污水处理达到后排放。污水处理采用石灰二级中和絮凝沉淀,达到国家标准。至2008年,循环用水率达到率达到83%,1万元工业产值能耗至0.5235吨标煤/万元。

第四节　贵溪桥梁厂有限公司

中铁二十四局集团贵溪桥梁厂有限公司(简称贵溪桥梁厂)是生产铁路混凝土桥梁、轨枕和公路混凝土桥梁的专业化工厂,同时也生产工业与民用建筑混凝土构件。公司地址设在贵溪市柏里大道7号。南邻贵溪市火车站,铁路专用线直通厂内,西靠贵溪市柏里大道,铁路、公路交通均十分便利。公司占地面积13万平方米,建筑面积8348平方米。

公司成立于1988年6月1日,原称南昌铁路工程总公司贵溪硅酸盐制品厂。1990年更名为南昌铁路工程总公司贵溪桥梁厂;2002年,公司更名为南昌铁路工程(集团)公司贵溪桥梁厂;2006年,改制更名为中铁二十四局集团贵溪桥梁厂有限公司。

公司经过20年的发展,从最初负债几十万元,逐步扭亏为盈,到2008年产值突破3亿元大关,上缴税金885万元,从原来仅限于厂内生产发展到现场生产,并成功开拓海外市场。公司在制梁、制枕工艺和装备上实现质的飞跃,总工装水平达到4个箱梁场同时开工,年施工生产能力桥梁、箱梁1000榀,T梁1500孔,轨枕100万根。

机构

1988年工厂成立,下设桥梁和轨枕2个生产车间,共12个班组,其中包括一个直属综合运输班。机关设行政股室10个,党群口设党总支(下设办公室)、工会、团总支,有3个党支部,党员50名,团员45名。在册职工281人(其中女职工51人),其中行政管理干部42名,政工管理干部5名。有各类专业技术职称人员21人,其中高级工程师1人,工程师5人,政工师2人。工人234名,其中技师1名。

1990年,工厂第一次更名,机关内设机构无变化,共有职工290人。

1992年,党群口设党委(下设办公室),在维持过去内设机构不变的情况下,增设纪委。

1993年,机关设行政股室9个,党群口设党委(下设办公室)、纪委、工会、团委。

1994年,机关设行政股室10个,党群口团总支改为团委。

1996年,党群口增设党委公安警组。

1998年,机关设行政管理部门8个,党群口不变。

2000年,行政管理部门7个,党群口不变。下属单位有桥梁车间、轨枕车间、鹰潭电杆厂(5月划入)、工程开发部(9月成立)。共有职工382人。

2002年,根据集团公司改制后建立现代化企业制度的需要,结合工厂实际,对厂行政管理机构重新调整为六科一室,工程开发部改为路桥分公司。

2003年,因鹰潭市城市改造,鹰潭电杆车间所处地理位置属拆迁范围,电杆车间撤销。

2006年,企业改制为中铁二十四局集团贵溪桥梁厂有限公司,划归二十四局集团直接管理。下属单位有桥梁分公司、轨枕分公司、路桥分公司。

至2008年年末,公司在册职工382人,其中行政管理干部100名,政工管理干部9名。有各类专业技术职称人员82人,高级工程师7人,工程师13人,政工师7人。工人273名,其中技师8名。公司机关设行政办公室、党委办公室、人力资源科(党委干部科)、财务科、经济核算科、经营销售科、安全质量科、生产技术科、物资科、设备科、总务科、保卫科和项目管理中心。生产单位有桥梁分公司、轨枕分公司、路桥分公司以及各现场制梁项目部。

生产经营

1969年,为方便给刚刚开始建设的宁赣线提供铁路桥梁和预制构件,南昌铁路局工程处组建了宁赣线指挥部预制厂,选址贵溪。1982年宁赣线建成通车,宁赣线指挥部预制厂划归南昌工程处第四工程段管理,称四〇四队,仍然生产铁路桥梁和预制构件。由于桥梁生产任务严重不足,四〇四队后期以至于发不出工人工资。为提高经济效益,增加职工收入,南昌工程处与第四工程段经过调研,决定将四

○四队独立出来,并在原来产品的基础上,开发新的预制项目——生产铁路轨枕。1988 年 6 月 1 日,四○四队从第四工程段剥离出来并撤销名称,以四○四队人员为基础成立南昌铁路工程总公司贵溪硅酸盐制品厂,直接归南昌铁路工程总公司管理,并开始建设轨枕生产线。由于技术能力不足,轨枕生产采取和株洲桥梁厂联营形式。1989 年 9 月轨枕生产线建成投产。至此,工厂拥有低高度先张部分预应力钢筋混凝土桥梁生产台座 4 个,S－2 型钢筋混凝土轨枕自动化生产线 1 条,但仍处于亏损状态。

1990 年,工厂更名为南昌铁路工程总公司贵溪桥梁厂,仍隶属南昌铁路工程总公司。因为产品类型增加,为工厂争取到了更多的生产任务,工厂当年完成工业产值 550 万元,实现利润 65.1 万元,自建厂以来,首次实现扭亏为盈。

1991 年 3 月,工厂接受 32 米超低高度部分预应力钢筋混凝土桥梁(简称 PPC 梁)试制任务,增加超低高度部分预应力钢筋混凝土桥梁生产台座 1 个。试制 PPC 梁在全国铁路还是第一次,这不仅是一项科研项目,也是生产任务,要求在 1991 年 9 月份交付使用,只允许一次性试制成功,不许失败。该梁由铁道部专业设计院设计,它具有以下主要特性:1. 在最大使用荷载下允许开裂,但又要限制开裂程度。2. 建筑高度低。3. 延性和抗震性强。4. 对疲劳荷载承受力高。5. 避免出现脆性断裂。而且,该梁制造技术要求高,预应力钢绞线锚具设计采用 XM 锚,管道成型采用 Φ72 厘米抽拔橡胶管,这在路内均属于第一次采用。在工艺新、时间紧、难度大、任务重情况下,工厂成立 PPC 梁试制 QC 小组,运用全面质量管理方法,严格工序质量控制,把工作重点从事后检验转变为事前预防把关,从管结果转变为管因素,从分散管理转变为综合系统管理。通过二次 PDCA 循环,于 8 月 13 日顺利完成 PPC 梁试制任务。1991 年 9 月 20 日,铁道部工务局、铁道部专业设计院、上海局基建委、浙赣复线指挥部、南昌设计院等单位对该梁进行静载弯曲试验,一致认为该梁制造质量优良,各项技术性能均达到设计要求。1991 年 9 月 23 日,该梁架设在浙赣复线向塘总干渠上,使向塘站东端复线工程按期开通。当年,32 米超低高度 PPC 梁试制 QC 小组获铁道部优秀质量管理小组称号。同年,工厂积极推广和运用全面质量管理方法,开展群众性的 QC 小组活动,对产品质量带普遍性问题的,建立课题攻关小组解决。因为把关严格,控制有力,改善及时,当年,轨枕合格率达 99.7%,桥梁合格率达 100%。该厂生产的 S－2 型钢筋混凝土轨枕,经铁道部产品质量检验中心检验,达到国家标准,属国内同类型产品生产厂家中首家达标厂家。同时,为保证产品质量,切实加强计量工作,工厂建立健全厂、车间、班组三级计量管理网络,调整厂计量管理小组,由 12 人组成。配专职计量员 1 人,车间、班组聘用兼职计量员 17 人,全厂共有专兼职计量人员 29 人。重新公布修改计量管理制度和实施细则,投资 12660 元,添置计量器具共 33 台(件),工艺质量管理、生产经营管理、能源材料消耗管理的计量器具配备率达 98%,检测率达 100%,满足生产经营需要。轨枕车间搅拌系统电子秤做到每月校验 2—3 次,控制进料,降低水泥消耗,全年节约水泥 50 吨,价值 1 万元。对钢材、水泥及大堆料进厂,坚持计量检测,严把质量、数量关。如同年 8 月调进的 100 吨钢材,通过检测,发现直径偏大,向厂家追赔损失 1 万元。还有一批 120 吨钢材,在通过压力试验机性能检测时,发现钢材不符合设计要求,给予退货处理,减少不必要损失。1991 年 10 月,江西省计量局考核被评定为国家二级计量合格单位。

1992 年初,经过磋商,贵溪桥梁厂轨枕生产与株洲桥梁厂解除联营形式独立经营。当年,工厂生产桥梁 163 孔,轨枕 15.4 万根,其他混凝土构件价值 30 多万元,完成工业总产值 1650 万元,比 1991 年增长 56%。产品质量稳步提高,桥梁合格率达 100%,轨枕合格率达 99.8%,轨枕质量达到国内领先水平。工厂在桥梁、轨枕 2 个主要生产车间全面实行"单一产品计件工资制",使效率分配和效益分配有机结合起来,把经济责任落实到班组、工序和个人,有效地调动职工劳动生产积极性,职工年人均收入达 4620 元,比 1991 年增长 21%。最高年收入达 7000 多元,最低不到 1500 元,充分体现按劳分配原则。是年,工厂生产的 32 米、24 米超低高度 PPC 梁通过部级审查。1992 年 5 月 10 日至 13 日,铁道部专业设计院受铁道部建设司委托,在南昌主持召开"铁路部分预应力混凝土梁设计及验收规定(TBJ106 —91)宣贯会"和"浙赣复线铁路部分预应力混凝土梁(32 米、24 米)试验审查会"。会议期间,贵溪桥梁厂向大会作超低高度部分预应力混凝土梁(即 PPC 梁)制梁情况报告,上海局工务处桥梁检定队作 32 米 PPC 梁静载弯曲试验报告,与会代表赴向塘西总干渠参观采用 32 米超低高度 PPC 梁的运行情况,并赴贵溪桥梁厂参观用于古江中桥的24米超低高度PPC梁的静载开裂试验。会议组织专家、教授及有关方面代表对该梁试验进行审查,一致认为:“该梁设计是成功的,制造质量优良,符合设计及有关规定要求,可以推广使用。”是年,工厂中标国际招标项目——重载、高速新型混凝土轨枕。1992年10月12日,由中国科学技术进出口总公司主持召开的国际招标会上,厂以其先进的生产工艺和可靠的质量保证体系击败日本、美国、香港等国家和地区以及丰台、株洲等国内诸多强劲对手,一举中标。该标是由世界银行贷款的高速重载型铁路混凝土轨枕项目,新型轨枕定名为:TK-Ⅲ型混凝土轨枕。

1993年,工厂把握“强攻京九、再取华东”铁路建设的有利时机,深化改革,强化管理,全厂职工团结奋战,顽强拼搏,生产效益取得突破性进展,创造班产轨枕突破1000根,月产桥梁18孔新纪录,完成工业总产值4500万元。推行“内部预算费用承包”经济责任制。工厂在实行“单一计件工资”取得经验基础上,对各车间(含直属运输班)实行“内部预算费用承包”经济责任制,这是深化改革、转换机制、放权基层、搞活分配的一大举措。“内部预算费用承包”经济责任制的推行,把职工个人经济收入与完成各项经济技术指标挂起钩来,调动职工的积极性和创造性。同时,使企业的经营管理机制也有大的变革,初步形成“工厂是车间产品销售市场、车间是机关部门的服务市场”的内部市场经济格局,促使企业由计划经济管理模式向市场经济管理模式转变。桥梁厂为提高产品质量,投资500多万元,更新、改造、完善生产设施和产品质量检测技术水平。新建一座超低高度部分预应力后张梁生产台座;新购一台四吨锅炉和电控张拉测力器、电子吊钩秤等机具设备32台(件);安装ZEK-M型微机控制热动力循环系统,对混凝土蒸汽养护进行控制。为了推广使用散装水泥,在资金紧缺情况下,发动职工集资140多万元,新建了两个60吨的散装水泥罐,为提高企业经济效益奠定基础。当年,国内首批TK-Ⅲ型轨枕试制成功。在参加铁道部工务局组织的由世界银行贷款,实行国际招标,试制生产高速、重载TK-Ⅲ型混凝土轨枕项目中标后,经试制的全体工程技术人员和干部职工共同努力,攻克难关,反复试验,用了短短半年时间,就完成生产工艺设计、工艺改造、机械设备制造、购置安装、试制成功等全部工作,并在年内完成3.8万根生产任务,产品质量经铁道部工务局组织铁道部专业设计院和科学研究院铁建所有关人员检查认为:试制及批量生产的轨枕能较好地满足设计各项要求。TK-Ⅲ型轨枕中间断面强度高于英国RMC工厂生产的同类型轨枕强度,也达到了标书规定的各项技术要求。在试制生产过程中,结合国内和该厂现行生产工艺水平,本着节约投资,提高效益的原则,大胆地进行生产工艺设计,改国外短线生产为长线生产,合理利用S-2型轨枕流水机组工艺,加以局部改造,获得成功,生产TK-Ⅲ新型轨枕闯出一条新路,填补中国铁路新型轨枕生产的一项空白,为国家铁路向高速、重载方向发展作出贡献。

1994年,工厂实行“生产目标责任状”制,从上到下层层签订“生产目标责任状”,把年度各项指标分解落实到车间、班组和个人,加大奖罚力度,把完成各项指标的好坏直接与单位个人经济利益挂钩。同时,机关技术、材料、设备、安检、经营等部门负责人还同厂长签订“保生产目标完成责任状”,有效地调动全体职工的劳动生产积极性,创造月产桥梁21孔、轨枕3.2万根,季度突破产值2000万元的新纪录,年产值达6500万元。2月,为发展生产、扩大经营,充分发挥技术优势,在江苏省无锡县以技术投资为主,与当地东北塘水泥制品厂联合兴建“贵溪桥梁厂无锡轨枕厂”,8月建成投产,设计年产S-2型钢筋混凝土轨枕20万根。3月,该厂以桥梁生产技术和机械设备投资,与南京铁路分局芜湖昌华工程公司、芜湖县土地综合开发总公司联合兴建股份制企业“芜湖铁路桥梁制造有限公司”,于当年10月建成投产。同年,工厂生产的TK-Ⅲ型轨枕获得国家专利。

1995年6月,根据铁道部关于发放“S-Ⅱ型混凝土轨枕生产许可证”的统一部署,部科技司委托铁道部产品质量检验中心对该厂进行S-Ⅱ型轨枕发放生产许可证的检验。经考核检验结果:企业质量体系考核通过,产品质量检验合格,通过发证检验。同月,铁道部科技司在北京召开“C一Ⅲ型预应力混凝土枕科技成果鉴定会”,由铁道部科学研究院和该厂共同研制的C-Ⅲ型(原称TK-Ⅲ型)高速、重载铁路混凝土枕通过鉴定,铁道部科学技术司颁发“C一Ⅲ型预应力混凝土枕”科技成果鉴定证书,并希望积极推广使用。在这次鉴定会上,通报该厂首批生产约6.6万根C一Ⅲ型预应力混凝土枕和英国生产的同类型轨枕铺设在京广线同一试验段上经过一年半的运载试验对比结果,该厂生产的C一Ⅲ型枕抗裂、抗疲劳性均优于英国轨枕。同年,工厂投资600多万元,建起一座智能型混凝土搅拌楼和散装水泥库,于7月10日正式投人使用。该搅拌楼自动化程度高,性能稳定,控制系统采用CMC-80型微型计算机为主体,与电脑数字秤相配,能根据理论配合比,快速测定现场砂石料含水率,自动调整施工配合比,确保混凝土质量。搅拌系统采用JW1000S型搅拌机2台,同时开机,每小时生产混凝土可达60立方米,同搅拌楼配套的散装水泥库,建有2个600吨储存罐。为提高产品检测水平,保证桥梁、轨枕产品质量,工厂投资100万元,新建一栋建筑面积400平方米中心试验楼,并投资30万元添置检测设备,10月19日试验楼正式启用。

1996年,工厂从厂内走向市场,发挥混凝土生产优势,参加宁波高架公路桥梁生产,克服工期紧、任务重、质量要求高等困难,在短短四个月时间里生产桥梁900片,赢得用户好评。同年,为确保生产混凝土砂、石料质量及充分利用当地信江河丰富的砂、石资源,节约成本开支,该厂与贵溪市滨江乡实业开发公司联合开办股份合作制企业——贵溪滨桥砂石有限公司,共投资300多万元,建立一条自动化砂、石生产线,于年内顺利投产。设计年生产砂、石料单班制为15万立方米,鹅卵石通过破碎分级,其质量达到国际要求。

1998年,全国首批高速、重载铁路桥梁试制成功。专桥9707图16米梁是铁道部专业设计院为适应铁路运输高速、重载的需要而设计的。该梁设计轴重列车荷载为25吨,列车时速为160千米/小时,桥面宽度札2米,并增加横向预应力联结,两片梁之间连接采用预应力筋锚固,提高整孔梁的整体受力能力。根据上海局沪杭线提速改造需要,于8月中旬签订首批生产8孔梁的合同,供货时间为1998年11月。厂成立以总工程师为组长的高速、重载铁路桥梁试制领导小组,全面负责试制生产工艺设计和生产全过程的组织、控制,从生产工艺设计、设备购置、安装,仅用1个多月时间就投入试制生产,并一次性试制成功,经检测,达到设计要求。首批8孔9707图16米高速、重载铁路梁铺架在沪杭线134号桥上,用户反映良好。该梁的试制成功,填补中国桥梁生产史上一项空白。同年,YⅡ-F型轨枕改型、TKG-2型轨枕研制及开发IZQ—C型桥枕。根据铁道部建设司建技(1997)78号文件要求,S-2型预应力混凝土枕停止生产,改为生产YⅡ-F型预应力混凝土枕。为做好改型工作,有关技术人员深入生产一线,调查研究,制定合理的工艺改造方案。改型工作量最大的是钢模改造,车间将任务落实到人,分批进行,既不影响正常生产,又使钢模改造有条不紊地进行,于5月从S-2型顺利过渡到YⅡ-F型轨枕生产。根据铁道部科学研究院的布置,联合研制的TKG-2型预应力混凝土枕获得成功,并通过铁道部运输局组织的技术审查,其静载强度全部达标,完全有条件替代S-2型混凝土枕,并优于YⅡ-F型轨枕。因此,该厂已将TKG-2型混凝土枕投入批量生产,年生产能力可达40万根。为适应市场竞争需要,增强企业竞争能力,该厂居安思危,组织力量、加大投人,开发IZQ-C型桥枕生产,满足用户需求,使该厂产品进一步配套齐全。1998年,已生产销售IZQ-C型桥枕16000根。

1999年,取得ISO 9002国际质量体系论证书。7月21日至23日中建协质量体系认证中心专家组对该厂质量体系建立和运行情况进行认证审核,一致认为该厂的质量保证体系符合GB/Tl9 002-1994idtISO9002-1994标准的要求,同意通过质量体系认证并予以注册。8月13日北京中建协质量体系认证中心向该厂颁发注册号为:1899B030·ISO9002质量体系认证书。同年,工厂中标石黄(石家庄—黄石)高速公路河北沧州段Al合同段澄阳新河特大桥、澄东排河中桥以及桥面施工工程,总计30米T型梁408片,总造价2120万元,成立武强项目部组织施工,于11月底按期完成预制任务,受到业主好评。5月17日,南昌铁路局科学技术委员会在贵溪桥梁厂召开C-Ⅲ型、TKG-2型预应力混凝土轨枕工艺审查会。路局科委、基建处、工务处、鹰潭线路大修段、工程总公司等单位领导和专家对轨枕生产工艺进行审查,并参观流水机组法生产C-Ⅲ型、TKG-2型轨枕工艺流程,一致认为:贵溪桥梁厂生产轨枕工艺流程设计合理、生产设备齐全,并建立产品生产质量保证体系和工艺管理细则,轨枕检验、试验方法齐全,质量符合部颁标准;采用流水机组法生产的C-Ⅲ型轨枕较短工模、横移生产工艺具有投资少、产量高、效益好优点。12月2日,路局科委组织有关专家对该厂生产YⅡ-F型预应力混凝土枕进行工艺审查,一致同意通过工艺审查,并以南铁科发〔1999〕19号“关于颁发TKG-2型及C-Ⅲ型混凝土枕工艺检验证书的通知”向该厂颁发工艺检验证书。5月18日,由路局科委主持召开的适应铁路高速、重载发展需要的9707新16米低高度后张法预应力混凝土梁产品鉴定会在贵溪桥梁厂召开。参加会议的有铁道部科学研究院、铁道部专业设计院、上海局工务、基建处、南昌局科委、基建处、工程总公司等单位的领导和专家。专家们认真听取桥梁厂试制该梁的试制报告和上海局对该梁的使用情况报告以及铁道部对该梁的试验报告,现场参观 9707 新 16 米梁的生产工艺和生产产品,一致认为该产品各项技术指标符合设计要求,产品质量合格,同意通过新产品鉴定。

2000 年,鹰潭电杆厂成建制划归贵溪桥梁厂管理,对外保留南昌铁路局鹰潭电杆厂名称。当年,工厂承揽秦沈铁路客运专线 A－16 标段为东幺一号、东幺二号、东幺排干及砂坨子等四座中桥的桥梁预制和架设工程桥梁工程,共计 16 米 T 型梁 52 片,总造价 357 万元。同时,承揽合杭高速公路芜宣段高架桥工程共计 25 米箱型梁 256 片,总造价 1920 万元,该厂成立六郎大桥项目经理部组织施工。同年,新Ⅱ型轨枕试制成功,首批 1840 根新Ⅱ型枕铺设在南昌局浙赣线下行 713 千米—714 千米试验段上,经运行检测质量良好,各项技术指标全部达标。

2001 年,工厂通过江西省企业计量检测保证确认(优于原国家二级计量合格水平)和试验室计量认证。当年,工厂承揽衢窑高速公路芳溪村大桥的桥梁预制和架设、贵溪市境内的贵神公路施工、东乡县横山水库大桥施工,均保质保量如期完成任务,树立企业良好形象。同年,工厂仅用不到一个月时间成功试制提速岔枕并通过铁道部鉴定,为京九铁路提速提供 150 组岔枕。

2002 年,南昌铁路工程总公司改制为南昌铁路工程(集团)公司,公司更名为南昌铁路工程(集团)公司贵溪桥梁厂。是年,工厂顺利通过中建协质量体系认证中心第三次监督审核和 ISO 9002—1994 标准质量管理体系换证审核,取得 ISO 9001—2000 标准质量体系认证证书。同年,工厂充分发挥专业优势,从厂内制梁走向现场制梁,新建南康制梁场,承揽赣龙 160 多孔铁路桥梁预制任务。承揽赣定高速公路 C2－1 标段大陂 1 号、2 号高架桥和 C2－2 标段竹迳高架桥工程施工。积极推广应用新工艺、新技术、新材料、新设备,投资 50 多万元开发 SC330－500 型改进型岔枕,开发专桥 9688 图 22.86 米桥梁的试制,一次获得成功。

2004 年 3 月 16 日,由上海铁路建设(集团)有限公司、福建铁路建设(集团)有限公司和南昌铁路工程(集团)有限公司等三家企业重组的中铁二十四局集团有限公司成立,总部设在上海。2006 年 1 月,为调整经营布局,提高公司竞争力,中铁二十四局集团公司将贵溪桥梁厂从南昌铁路工程(集团)公司划拨出来,直接成为其子公司。因为贵溪桥梁厂走市场起步早,"贵溪桥梁厂"的品牌已经享誉铁路建设市场,为延续"贵溪桥梁厂"品牌效应,贵溪桥梁厂划归中铁二十四局集团公司直接管理后,名称定为"中铁二十四局集团贵溪桥梁厂有限公司"。与此同时,工厂"二次创业"进程取得突破性进展,全年共生产各种桥梁 210 孔,轨枕 33.77 万根(其中岔枕 229 组),完成总产值 10396 万元,这是建厂以来生产产值首次突破亿元大关,也是建厂以来持续时间最长的生产高潮。轨枕生产从 5 月份开始两班作业,并一次次刷新生产纪录,11 月产量达 5 万根,12 月产量达 5.5 万根;桥梁生产也创造历史最好纪录,全年生产 210 孔。此外,工厂还开发 9753 系列后张梁,该梁型是浙赣线技术改造使用的主要梁型。9753 系列后张梁的开发为该厂制造高速重载桥梁积累经验。

2005 年,工厂中标浙赣线电气化改造工程桥梁项目,共计桥梁 449.5 孔,是工厂实施"走出去"战略以来承揽桥梁任务最多一次,占当年工厂桥梁生产绝大部分份额。该厂及时调整施工生产方案,抽调精兵强将在浙江省衢州市组成直埠项目部。直埠项目部在工作中进行科学组织和周密安排,大家齐心协力,克服重重困难,9 月桥梁单月产量达 78 孔,10 月的半个月里创下生产桥梁 45 孔纪录,次年完成任务。浙赣线电气化改造工程也给工厂轨枕生产带来新机遇。工厂新建的轨枕生产二线于 3 月试运行,5 月正式投产,新生产线和老生产线一起形成 70 万根年生产能力,当年生产轨枕 59.6 万根,产值达 10090 多万元,创下轨枕生产历史最好纪录。

2006 年,中国高速铁路建设拉开序幕,工厂中标设计时速 250 千米/小时的合武铁路客运专线 32 米有碴整孔箱梁预制工程,在安徽省六安市成立淠河梁厂项目部组织施工该工程。32 米有碴整孔箱梁的预制不仅是该厂制梁史上的新课题,也关系着企业持续发展的空间,更是中铁二十四局集团整体实力的一个体现。2006 年 4 月 26 日成功预制首孔时速 250 千米/小时 32 米有碴整孔箱梁,掀开贵溪桥梁厂制梁史上新一页,工厂从此成功跻身于建设高速铁路市场。2006 年 12 月 18—21 日,32 米有碴整孔箱梁通过铁道部质检验中心的发证检测。2006年,湃河梁厂项目部还在业主组织的质量、安全、施工进度和文明施工等各类检查中名列前茅,受到业主高度评价。项目部、项目经理分别被业主授予"客运专线建设先进指挥部""客运专线建设优秀项目经理"。是年,工厂还开发Ⅳ、Ⅴ型扣件Ⅲ型枕,该轨枕是合宁线使用的主要轨枕,该轨枕开发为工厂制造客运专线高速重载轨枕奠定良好基础。

2007年,公司中标合同总价达1.08亿美元的尼日利亚铁路现代化工程桥梁和轨枕加工项目,该项目是中铁二十四局集团和该厂走向海外市场的第一块跳板,是工厂有史以来签订的单笔金额最大合同。同年10月,尼铁项目部开工。是年,公司还成立温州制枕项目部,承担新建甬台温铁路总计约46.5万根的轨枕生产任务,此属首次在现场生产轨枕。

2008年,公司全年新签合同额30094万元(不含尼铁项目),其中桥梁1177孔、轨枕8.2万根,新签工程合同额是局下达全年任务指标的150%,完成产值36002万元,产值规模创历史新高,克服在建项目多、管理幅度及难度大、重点工程问题较多等因素,圆满完成年度生产经营目标。公司拥有机械设备170台(套),固定资产原值2660.77万元,净值1977.51万元,总功率5751.9千瓦,人均装备11.6万元、15.1千瓦,大大提升企业整体实力和专项施工能力。同年,公司还承揽昌九城际铁路时速250千瓦/小时32米、24米整孔箱梁预制任务,成立乐化制梁场组成生产;承揽沪宁城际高速铁路时速350千瓦/小时32米、24米整孔箱梁预制任务,成立沪宁项目部组成生产。公司科技创新,抓住客运专线、城际铁路等新兴项目建设的机遇,在桥梁预制技术上开发大跨度、大吨位、有碴和无碴的整体箱梁,沪宁城际单箱双室整孔箱梁由有碴改为无碴后,制梁技术得到提升,掌握无碴箱梁核心技术。在轨枕产品上,开发专线3448新Ⅲ型桥枕和宽枕。公司《32米、24米整孔箱梁预制施工综合技术》获得局集团公司和鹰潭市科技进步一等奖。《克服桥梁泄水管渗水质量通病》获得2008年江西省QC成果一等奖。《整孔箱梁横移》等技术攻关项目获得中铁二十四局集团公司合理化建议和技术改进二、三、四等奖。公司昌九城际乐化梁场《32米、24米单箱双室整孔箱梁》项目列入中铁二十四局2008年科技发展计划,并签订科技合同。

第五节 中国第四冶金建设公司

中国第四冶金建设公司(简称四冶),成立于1965年,是国家具有九个一级资质的大型施工企业。能承担各类工业与民用建筑工程项目的施工及设备、线路、管道、电器、仪表与其整体生产装置的安装和调试;非标钢构件的制作与安装;烟囱、水塔及工业窑炉的施工,高速公路、铁路及桥梁、隧道工程施工;各类地基基础工程施工;市政工程和高层建筑、高级装潢工程的施工;大型土石方工程及堤坝的施工等。

四冶基地位于贵溪市建设大道436号,从成立、发展到改制重组,历经44年。

四冶下设8个房屋建筑公司,4个机电安装公司,12个特种专业公司,35个地区分公司,并具有建研、设计、勘察、测绘等科研单位,有完善的质量管理保证体系和职工教育培训体系;具有性能先进的大中型施工机械及非标制作金属加工设备。

1991年,四冶有各类专业技术人员1653人,其中高级工程师180人;中级专业技术人员800人,一级项目经理115人。

1992年7月1日,根据《企业名称登记管理规定》,经中国有色总公司决定,并报请国家工商管理总局核准,中国有色金属工业总公司第四建设公司更名为"中国有色金属工业第四冶金建设公司"。是年公司确定转换机制,走向市场。原有9省50个施工点中的大部分得到巩固发展,信誉提高,同时新开12个新的施工点,全年新承揽工程39项,1.7亿元,在手任务达2.335亿元。其中施工产值1.5618亿元。是年10月,四冶得悉跟踪多年的首钢齐鲁钢厂工程要上马,并且首钢(即首都钢铁总公司)要以成建制划入的形式引进施工队伍,10月10日同首钢领导进行正式商谈,初步达成关于有色四冶改变隶属关系,成建制划入首钢,承担齐鲁钢厂建设任务的协议。经公司领导班子认真讨论和职代会主席团扩大会议形成决议,10月31日首钢总公司和四冶正式签订《关于有色四冶划入首钢总公司的协议》。11月,有色四冶即更名为首钢第四建设总公司(简称四建)。四冶划入首钢后,企业职能发生变化,不再具有法人资格的自主经营，自负盈亏的企业，而是首钢下属的分支机构。

为适应这一重大变化，建设公司决定辞退一部分在手工程，队伍向齐鲁钢厂工程集结。1992年年底，正式退掉正在洽谈的任务3.4亿元，并已陆续退掉在手工程上亿元，对收尾工程和不能退的工程抓紧组织施工。1993年年初，正当公司全力以赴备战齐鲁钢厂工程之际，4月6日，齐鲁工程缓建。4月13日，首钢决定四建(即四冶)承担首钢二炼钢大修工程施工，从山东兖州撤出施工队伍。6月7日，首钢柳州工程指挥部决定四建派一部分队伍承担柳钢改建工程任务。公司集中4000多人队伍，一年内基本完成首钢二炼钢工程任务，但柳钢工程落空。1993年12月初，公司领导分析面临的严峻形势，提出“在积极准备和干好首钢工程的前提下，大力承揽社会工程任务”，“两个市场，两手准备”。经过努力，取得一定成效，但形势依然非常严峻。1994年9月5日，首钢栖云山会议提出“增产节约，艰苦奋斗上齐鲁”，但国家未能批准立项，而且随后对首钢总公司政策作出重大调整，取消承包制，深化改革新形势使首钢也开始发生深刻变化。

1994年11月4日，四建撤出北京，大批职工处于窝工状态。11月29日，该公司提出：坚持承包转换机制，面向市场，增强活力的实施意见。为重新开拓市场，1995年2月四建开始重新办理企业资质和营业执照。在各方面支持下，8月17日国家工商行政管理局企业注册局通知江西省工商行政管理局，同意中国有色金属工业第四冶金建设公司变更名称为中国第四冶金建设公司，纳入冶金部行业管理。5月2日，首钢总公司将首钢第四建设总公司改为首钢第四建设公司。1996年1月29日，首钢总公司为适应集团化改革需要，经研究决定，并根据国家工商管理部门核准，将首钢第四建设公司更名为“中国第四冶金建设公司(首钢集团第四建设公司)，实行一套机构两块牌子。11月8日，首钢集团正式成立，四冶属首钢集团全资子公司。

至2000年，四冶一直保持着完整配套，相对稳定的施工力量，下辖的工程公司和实体单位有：第一、四、五建筑安装工程公司，西北建筑安装工程公司，兰州建业公司，第一、二机电安装公司，机械化施工公司，路桥工程公司，实业公司，以及设备公司、物资公司、大型设备租赁公司、房地产开发公司、宏源工业气体股份有限公司等专业性公司。同时，在厦门、西安、青岛、宁波、马鞍山、九江、南昌等地设立多个分公司。有职工9684人、管理人员1834人、持证上岗人员158人；有本科以上学历98人、大专学历424人、中专学历556人；有职称人员1653人、其中高级专业技术人员126人、中级专业技术人员479人、初级专业技术人员1048人；项目经理227人(其中一级42人、二级155人、三级30人)。

2001年，是四冶发展史上最不平凡的一年。由于首钢集团化改革，所有外埠企业(包括四冶、九冶、十冶等单位)重新走上市场，实行“自主经营、自负盈亏、自我发展、自我约束”的经营管理体制。在激烈的市场竞争中，四冶拖着沉重的包袱，生产经营出现极大困难，亏损严重，只能靠联营合作承揽工程任务，进行施工生产，维持企业运转。9月11日，1000多名待岗职工和退休职工大规模堵塞320国道近48个小时，造成不良的社会影响，四冶生存和发展形势极为严峻。为从根本上解决企业体制陈旧、机制不活、社会负担重的问题，四冶领导班子经过认真分析，反复研究，认为只有充分运用国家政策，走破产重组这条路。2002年2月，四冶开始向首钢总公司、鹰潭市政府、江西省政府反映四冶破产重组问题。面对企业存在的问题和困难，四冶领导班子一方面向上级和地方政府反映，积极寻求破产改革政策，一方面加大自身改革力度，推进生产经营发展，想方设法通过自身的努力解决企业稳定和发展问题。2001年公司提出“一个再突破、两个依托、两个重点”的经营战略，并按照首钢总公司的安排，组织全公司开展学习邯钢“降低成本、增收节支”先进经验，推进内部改革，加强管理，提高效益。召开经营工作会议，在全公司掀起经营工作新高潮。当年承揽工程任务56项4.4亿元，完成产值5.1亿元，超额171.3%完成首钢总公司下达的计划指标。2002年，在不断完善投票硬件的同时，又在安徽、青海等地增设经营机构，对工程公司坚持内部体制改革和剥离实体相结合，先后成立炉窑公司、华鑫建安公司等实体单位，其内部实行股份经营，建设公司直管，初步形成遍布大江南北的经营网络，为进一步开拓市场奠定基础。2002年签约工程项目60多项，合同量突破6亿元。2003年签约工程项目90余项，突破10亿元大关，达到11.4亿元，全年完成施工产值6.1亿元，两项指标再创历史新高，有效缓解企业资金短缺困难。2004年公司提出“保8争10”的奋斗目标，全年签约工程项目91项，合同金额达10.4亿元，完成施工产值8.1亿元,比2003年增长32%,创历史最高纪录。

2003年,首钢建工集团把推进外埠企业属地化管理列为重要工作目标,要求外埠企业理顺与地方的关系,迅速融入地方经济,加快划归属地管理工作,四、九、十冶要积极争取中央关于关闭破产企业的政策扶持,完成重组和改革。2003年2月13日,首钢建工集团与北京市政府工业调整,会同四冶找江西省领导,商谈两省一市(江西省、甘肃省、北京市)关于四冶破产改制问题给国务院的报告。2003—2004年在全国人大会议上,江西代表团也把解决四冶的问题,作为提案递交到会议上。直至2005年,在江西省委、省政府,鹰潭市委、市政府的大力支持下,四冶的问题引起中央领导高度重视。2005年12月28日,经国务院国资委、财政部等部委协调,与江西省政府与北京市政府正式签订四冶成建制划转江西省管理,并实施政策性破产改制协议。

四冶划转江西省以后,2006年3月23日,由江西省副省长凌成兴主持,在南昌召开有省国资委、财政厅、建设厅、劳动保障厅、工商局、鹰潭市政府、贵溪市政府和四冶党政领导参加的四冶破产改制协调会议。会议决定:考虑到建筑企业资质的特殊性,在实际操作中,采取"保留四冶资质,破产独立法人"的办法进行,即:中国第四冶金建设公司所属12户独立法人企业全部实施政策性破产。12户企业是:江西省10户(四冶一公司、四公司、五公司、一安装、二安装、华昌公司、物资公司、路桥公司、设备公司、大型机械设备处),甘肃省2户(西北公司、建业公司)。同时,省政府要求四冶在破产改制中"妥善安置职工、依法处理债务、平稳发展经济"。根据江西省政府协调会议精神,2006年7月31日,四冶向省政府递交《关于请求批复〈中国第四冶建设公司下属十二家独立法人企业政策性破产工作方案〉的报告》。8月18日,经省政府研究,下发赣府厅字〔2006〕111号批复:"原则同意中国第四冶金建设公司下属十二家独立法人企业破产工作方案"。采取"保留四冶资质,破产独立法人"操作办法,妥善安置职工,确保破产工作顺利进行;这有利于四冶在建施工项目的衔接和管理;有利于充分利用四冶建筑资质,顺利进行重组改制,安置职工再就业。四冶下属12户独立法人企业,于2006年9月11日列入全国关闭破产工作总体规划。至此,四冶政策性破产改制工作拉开帷幕,并开始向国务院有关部委,江西省、甘肃省有关厅局申报、审批政策性破产相关事宜。2007年3月30日,全国关闭工作领导小组下达四冶12户企业破产项目通知。在完成各项申报审批程序后,2007年12月6日,四冶召开六届七次职工代表大会,讨论、审议通过《职工安置方案》。12月19日,江西省企业兼并破产和再就业工作协调小组办公室批复,同意中国第四冶金建设公司所属12户独立法人企业进入破产启动程序。同月,鹰潭市中级人民法院、兰州市中级人民法院公告四冶所属12户企业关闭破产。2007年12月27日,财政部下达拨付破产补助资金通知;2008年1月8日,鹰潭市中级人民法院在贵溪召开"四冶所属十二家企业破产启动工作动员大会",公告12户企业破产,公布破产企业清算小组、安置小组成员名单。

经过3年的紧张工作,四冶所属12户独立法人企业关闭破产于2008年12月基本结束。是年4月正式将学校、医院移交地方,执行提前5年退休政策,与职工解除劳动关系,以及移交1—6级工伤残、病退、退职人员,共安置职工6993名,使用国家、北京市和首钢总公司划拨的破产补助资金6.5亿元(中央财政承担30%、北京市和首钢各承担35%)。学校成建制移交贵溪市管理,支付学校移交费用2703万元;医院移交费用658万元。在12户企业破产清算工作中,四冶领导班子与法院紧密配合,及时组织清算小组和安置小组成员进行培训,使小组成员充分掌握破产有关政策和规定,为妥善安置职工打下良好基础。根据破产工作进程,编印详尽宣传材料,发到每个职工和家庭住户,使广大职工家属充分了解破产政策和相关法律知识与操作办法。同时,本着"以政策为依据,以安置为核心,以稳定为前提"的原则,采取"先易后难、有情操作、有序推进"的工作方式,坚持公正、公平、公开、阳光操作,把涉及职工利益的每项政策都公开,把涉及职工利益的每个事项都公示,并公布举报电话,设立举报箱,接受全体职工和公众的监督,使破产清算工作有条不紊进行,没有出现大的波动和偏差。

2005年,四冶划归江西省后,领导班子按照省政府协调会议关于"平衡发展经济"的指示精神,在协助法院抓好下属12家独立法人单位关闭破产工作的同时,大力加强生产经营工作。要求各层次围绕"一个中心,区域发展,专业做强"的经营战略,积极开拓市场,搞好联营工作,加大自行承揽任务力度,加强项目管理。同时,在北京、上海、广州、武汉等15个城市设立分公司,使区域性分公司增至40多个,形成比较合理的经营格局。2006年,承揽工程任务16.39亿元,完成施工产值12.67亿元;2007年承揽工程任务37.7亿元,完成施工产值15.72亿元;2008年承揽工程任务25.4亿元,完成施工产值16.6亿元。三年迈进三大步,较好地落实省协调会议精神,达到破产、经营工作"两不误、两促进"的目的。

2008年年底企业资产总值5.48亿元,所有权益2.62亿元,负债总额2.85亿元,资产负债率52%,资本保值增值率-3.3%。企业资本金3500万元(国家资本金)。固定资产原值1.37亿元,净值1.2亿元。

机构

四冶党委、行政领导,历年来均为地方党委或上级党委任命。党委曾在1972年、1986年、1989年召开过三次党代会。四冶党委委员共7人,设党委书记1人、副书记2人。行政领导共8人,设总经理1人、副总经理6人、总工程师1人。基层单位党组织根据行政建制,设9个党委、7个党总支。

四冶纪委于1978年7月12日经甘肃省委组织部批准成立,纪委书记由党委副书记兼任。1986年和1989年四冶第二、三次党代会上选举产生纪委委员。纪委书记有时单设,多时间由党委副书记兼任。

四冶工会主席1966年由甘肃省工交政治部任命,1968年曾召开一次工代会。1973年6月,经报甘肃省委审查和四冶常委同意,四冶工会第一届委员由19人组成。1987年、1990年又分别召开过第二、三次会员代表大会。1982年4月,四冶召开第一次职代会,到2008年已是六届七次职代会(进入首钢曾于1993、1994年中断)。

四冶团委于1966年1月11日正式成立。于1973年3月、1982年5月、1986年5月、1992年2月分别召开团代会,选举产生团委委员和书记。从1988年4月到1998年4月,有三任团委书记分别出席共青团全国第十二、十三、十四次代表大会。

生产经营

1991—1993年,鹰潭市滨江区建设工程是鹰潭新市区开发项目,四冶承建的项目有市政办公楼、工商大楼、住宅、日供水10万吨水厂、市政道路生活福利设施等工程,全部建安工作量4870万元,建筑面积4.5万平方米,其中水厂完成建安量511万元,包括机修车间,一、二级泵房,沉淀池,加药间等。该工程1991年5月开工,水厂1992年11月竣工,14层工商楼1993年年底竣工,工程质量优良。

2001—2008年,公司上下紧紧围绕"立足江西、站稳首钢、区域辐射、走出国门"经营战略,发挥四冶技术优势,积极开拓市场,并明确经营重点以承揽高速公路为突破口,以此带动高层建筑和工业、市政工程领域。八年共完成施工产值79.09亿元。承揽高速公路和路桥工程有:周沈高速公路、京福高速公路、新郑高速公路、内蒙赤峰一级公路、武平公路、昌金高速公路、江西宁都梅江大桥、南昌生米大桥、广东佛山三水二桥、赣南工业大道及昆厦连接线A2合同段、陕西靖安高速公路、阿荣旗至深圳高速公路、陕西西汉高速三期06标段、武荆高速公路等项目。其次承揽的工业与民用建筑有:兰州国际大厦、福建漳州电厂、福建厦门群鑫机械厂、青海平安铝业工程、厦门化工管廊工程;2001年金华盛纸业有限公司安装工程、青海省通信综合楼工程、西安邮电学院、福建泉州师院综合楼工程、厦门集美福南堂工程、厦门翔路石化管道工程、厦门卷烟厂钢结构工程;2002年景德镇珠山区法院综合楼工程、厦门新家园工程、北京华龙苑工程、青海生物产业园新乐住宅小区工程。2003年首钢迁安工程、江西移动红谷滩通信楼工程、海南金海纸业工程、南昌水专学术交流中心工程、上海中隆纸业有限公司安装工程、江苏镇江金东纸业有限公司安装工程、青海维稳指挥中心综合楼工程、厦门出口加工厂钢结构厂房工程、厦门EC-CO项目工程、青海西宁钢厂、厦门勤贤厂房工程、四川龙蟒矿业公司工程;2004年江西师大体育馆工程、苏州金华盛纸业有限公司安装工程、青海华电厂管网、青海伊佳民族服饰钢结构厂房、唐钢中厚板1号热风炉工程、广西衡大苹果园东方诗韵11号~13号楼工程、厦门云景花园工程、青海省公安消防指挥大楼工程、山西原平铝厂、青海宁北发电厂工程、湖南钢厂、南昌新光明厂房、宁夏青铜峡工程;2005年广东韶关花拉寨生活垃圾卫生填埋场(首期)工程、四川玻纤厂、广东韶关污水处理厂、南昌新药检大楼、江苏八菱海螺水泥粉磨站A标区建筑工程、江西萍乡财政局工程、广西钦州燃电厂、长春名都城二期工程、厦门国贸春天工程、青海军区公寓楼工程、长春警官公寓楼工程、兰州百祥公司住宅工程、广东东莞渡假村工程、马鞍山三鹰造纸厂、浙江湖州园林工程、南京阿尔卡迪亚商住楼工程、南昌市国家税务局综合业务用房工程、厦门体育馆工程、江西抚州新时代建材家居市场有限公司建材市场工程、首钢京唐钢铁联合有限责任公司一期项目炼铁1号高炉喷煤、燃气工程;2006年厦门龙池山庄三期住宅工程、广东韶关盈翠皇庭工程、首钢曹妃甸工程、福建省石狮市花园A区AB组团工程、中扩赠品玩具(洛宁)有限公司新建工厂项目、江西弋阳海螺一期5000吨/天+160万吨/天水泥生产线、长春华能九台电厂、青岛污水处理厂、云南腾冲驼峰机场工程、南京翠湖花园工程、南京鸣松花园酒店工程、新疆哈德布特电站引水隧洞工程、厦门蔡坑安置房一期工程;2008年承揽主要工程有:首钢迁安钢厂、攀枝花市曼哈顿国际社区工程、南京奥体新城住宅楼工程、浙江成泰公司厂房以及长春市华翰四季花园项目B2、B3、B5号楼及地下车库标段,上海耀华有限公司工程等项目。

科技应用与成果

地基处理　对于西北高原自重温室陷性黄土,试验研究成功大面积浸水地基处理法,在消除地基湿陷方面获得可喜成果,并于1970年首次在连城铝厂30米高氧化铝槽、电解主厂房以及阳极泥车间等建筑应用,效果良好,土方量减少70%,造价显著降低。该项目成果获1978年全国科学大奖。强夯法处理高填土、软土地基,效果良好,1983在浙赣铁路横峰至永平支线,永平站场地基工程上,对1.3万M2回填土区实施强夯作业,以15吨吊车提升自制重量达11.6吨重锤对地基强夯三遍,使土层有效加式深度达到5米,地基承载力达到每平方米15吨。1986年,景德镇焦化煤气厂酚氰污水处理系统,由于地质原因,原拟采用填砂地基,填砂最深达7米,改用强夯法处理高填土地基后,施工方便,缩短工期,降低工程造价。1984年4月,有色总公司肯定四冶采用强夯工艺处理软基获得成功,并获有色建设三级工法。1990年4月作为江西省工程建设适用技术推荐使用项目。德兴铜矿开发应用的大直径灌注桩(Φ600毫米—1500毫米)同样被江西省作为工程建设适用技术推广使用项目。正循环混浆护壁钻孔灌注桩工法获有色建设三级工法。地基处理中,防渗堵漏工法亦获得有色建设三级工法。

砼添加剂应用技术在实践中不断完善、成熟、在混凝土各砂浆制备中,掺用以微沫剂和木钙为主体的外加剂(双掺技术),通过大量试验和实验找到合理参数,既保证质量,又节约材料。1983年37%的砼工程量中又成功地掺入减水剂,而且积累对比数据,1984年有色总公司充分肯定该项技术。在外加剂使用上又一成果是:开展混凝土高塑化施工,并首次在贵溪电厂汽轮机基础施工时使用,以后普遍推广,缩短工期40%以上。公司建研所对粉煤灰应用研究,开辟节约水泥新途径,被有色总公司列为节约水泥重点技术项目。1990年4月,江西省工程建设适用技术推荐项目中,把外加剂(减水剂、微沫剂、塑化剂)在砼、砂浆中的应用列为必保项目;把粉煤灰在土建工程中的应用作为推荐使用项目。国家计委要求1990年重点掺用砼外加剂的砼达到70%,而四冶于1986—1987年就已经超过70%,提前达到要求。

在大量的钢筋砼工程施工中,各种预应力、非预应力砼构件施工技术不断得到发展。预应力砼构件首先在306厂、120厂得到应用,结构由重向轻的方面发展,并预制成V型折板、拱板、大型双T板等,使18米、24米跨大型车间优质高速完成。1986年在贵冶铜电解工程中,车间主跨为预制钢筋砼结构,采用33米预应力屋架。1982年11月,在江西铜基地召开的第三次质量工作会议上,四冶四公司介绍狭窄施工现场,重叠预制贵溪电厂多层框架133根梁柱,且大量牛腿、插筋、预埋件没有差错经验做法,受到高度评价。

大面积工业厂房高层民用建筑现浇钢筋砼施工技术普遍应用。1990年8月开工建设青岛第二棉纺织厂工程,其特点是:原丝、捻丝、浸胶3个车间连为一体,建筑面积37876平方米,占总工程面积的78.1%。车间主体结构为2—8层,现浇钢筋砼框架,最大高度38.3米)。例如在原建筑轴线53×43.5米,柱网8.2×7.5米,局部八层现浇砼钢筋框架结构;捻织建筑轴线94.82×103.07米,一层柱网为7.5×6米,二层柱网为15×6米,每层楼板下设吊挂钢龙骨夹层;浸胶建筑轴线68.31×39.03米,六层现浇钢筋砼框架结构,主体层面采用预应力18米钢筋砼屋架和预应力大型屋面板。高层民用建筑现浇钢筋砼结构工程主要有:青岛崂山花边厂,总建筑面积为13200平方米,高64米、13层框架结构的生产车间。还有兰州五金交化大楼、比科新商厦等工程项目。

道路桥梁施工　在宁都梅江大桥施工中,遇到水中桥墩施工和大型箱梁吊装难题。采用围堰筑岛法形成钻孔基台,循环钻机成孔方式,泵送砼浇筑桥墩基础,水中桥施工还是首次。第二个难题就是桥上部构造共有40米长预应力箱梁40片,20米长预应力空心板梁135片,吊装就位难度很大,采用双导梁移位安装法,双导梁采用贝雷片安装,总长 90 米,先在路基上拼装 51 米,然后导梁前端架至 1#桥墩上,再拼装 21 米,然后拼装 18 米,再推进完成。

三福高速公路 SLA1 合同段在淘金山隧道施工中,采用 18 台凿岩机钻孔,一次成洞爆破法,日进尺达 5 米。1800 多米隧道成洞未发生一起人身事故。采用国内先进的湿喷钢纤混凝土初期支撑技术,施工进度快,质量好,安全可靠,获福建省技术进步三等奖。又被评为冶金行业部级工法。

陇西靖安高速公路试验段全长 8.17 千米,主要工程量有路基土石方 861647 立方米,防护工程:浆砌片石 34269 立方米,片石混凝土 34387 立方米;排水工程:浆砌片石 7873 立方米;土工格栅 13392 平方米;大桥 3 座,总长 1078.24 米,中桥 3 座,总长 194.16 米,涵洞 13 座,通道 5 座,互通式立交 1 处。每个分项工程开工后,首先做试验段,如土方路堤填筑前先开 200 米试验路,得出最佳机械组合方式,碾压遍数,碾压速度。石方开炸做 50 米的试验段,得出预裂爆破试验成果,以保证全线工程的顺利开展。空心板,箱梁砼施工中放入水泥用量 0.01 的 HJ－3 早强减水剂,可以提高砼早期强度,常温下 3～4 天即可达到强度的 100%(不加外掺剂,一般 7 天才达到设计强度的 100%)加快放张周期,提高生产效率。例如每个台座一个月一般情况只生产 16 片空心板,如果加快砼的放张周期,每个台座每月可生产 28 片空心板,而加入早强剂的费用才是空心板造价的 1/10,现采用新的技术对加快速度多么重要。如果一座中桥有 96 片空心板,提前 45 天完成任务,经过计算,就加快砼放张技术所产生效益的占中桥总额的 9.1%。采用优质的长效脱模剂,可以增强砼外观亮度,模板内侧贴底板格,可以提高砼外观质量。

新工艺使用　厦门福南堂工程是最突出的。该工程由于要保留陈嘉庚先生 1953 年建造原福南堂风格,需采用嘉庚瓦和仿古面砖。嘉庚瓦是陈嘉庚先生于清宣统二年(1910)在漳州选中的优质黏土地点建起的瓦厂,专供集美村、厦门大学使用,现早已不生产。为保留嘉庚瓦的原貌,厦门公司千方百计收集原建筑物拆除的旧材料,进行整理修复,由于规格差异,色彩不同,进行屋面施工又无标准资料可查,经走访早年代施工过嘉庚瓦的老工人,考察集美村内有类似建筑构造做法,根据闽南地区的基本风俗及瞬时风力,结合国标的 00SJ202《坡屋面建筑构造(一)》进行施工,经台风暴雨考验,无变型和渗漏现象,达到预期效果。第二个难题是仿古面砖。该面砖无实物资料,只有拆除前拍摄的照片,原材料要求特殊,烧制工艺繁琐,无定型厂家生产,只有个别狭小小土窑用土法烧制,极易变型翘曲,成功率只有 48%,经精挑细选,终于将 680 平方米外墙饰面砖施工完,共 73593 块面砖,只有一处(2 块)空鼓,质量优良。厦门集美区质量监督部部长王志端称赞:"该工程总体质量比集美区政府办公楼优质工程有过之而无不及"。

北京华龙苑工程施工中考虑到地下水位高,地下室施工时间长,土质条件差,采用环型轻型井点降水,边坡采用喷锚护坡,内浇外防水结构确保地下室施工质量,主体结构采用定制大型组合式钢模板,整面墙均为由一块定制大型钢模板与角模组成,养活小钢模拼装的刚度、强度、稳定性、防漏浆不好等弊病,保证砼的质量与美观,同时采用集中搅拌站,泵送砼技术,运用电子计量技术保证砼配合比准确性,减少人为不确定性,保证砼工程连续进行和砼质量。

液压滑模技术工艺不断发展。滑模工艺由纵向扩展到横向滑行,由单体的截面筒壁结构发展到多截面结构,由单筒施工发展到多筒联滑。烟囱由有井架施工发展到无井架施工,由单滑筒壁发展到筒壁与内衬双滑的新工艺。大型烟囱液压"双滑"工法获有色总公司(部级)二级工法。四冶三公司在电厂烟囱施工中对工作平台和滑动机构进行改装,实现工作平台随模板自动滑行和垂直运输自动控制,为无井架双滑创造便利条件。外壁、内衬和隔热层三部分同时施工,仅用 4 个月的有效工期,优质、安全地完成烟囱主体滑升,比计划单滑工期提前两个月。同时采用激光准直技术,测量精度高,重复性好,不受任何气候影响。在江西南昌贤士湖中转粮库工程上,对 8 座 Φ8.4×45 米的小筒仓实施四筒联滑新工艺,效果良好。

大型钢结构制作与安装技术,是四冶在几十年参加工业建设中应用比较广泛的技术。开发成功一、二类压力容器制作工艺,并取得制造许可证。有超大型的钢结构件,有首钢二炼钢厂房重型钢排架结构。比较特殊钢结构件,有德兴铜矿三期磨浮厂房钢结构件,其特点细长、易变形,结构杆件联接和安装采用扭剪型高强螺栓,为德铜二期 H 型钢制作专门制造一条生产线。还有特大跨度的钢结构拱桥,该桥为德兴铜矿三期精矿输送桥,全长 224 米,主跨 144 米,施工面与山底高差接近 90 米,采用钢结构地面组装并19榀,313吨,然后整体利用钢索道滑车吊装两面“悬臂”后合拢施工工艺,主跨仅用42天优质架设完成,全桥实际工期7个月。

各种焊接技术,如钛管焊接技术,铜、铝等有色金属焊接技术,不锈钢焊接技术等处于领先水平,其中,大直径薄壁容器发酵罐群现场组焊工法和大直径薄壁容器二人内外同步钨极氩弧焊工法获有色总公司(部级)二级工法。这两项成果均在青岛二啤工程和海南金海浆纸业有限公司工程实践中产生和应用。青岛第二啤酒厂具有大量的不锈钢设备,如糖化罐、冷却罐及发酵罐等共有78件,其制作安装的焊接是安排工程的重点。如不锈钢发酵罐有54台(24台Φ5.5×17米,30台Φ7.2×20.3米),设置在5.6米高的钢筋砼平台上,施工时在平台上安装一台自制行走式门式吊(同时可以吊装4罐),采用现场分片组焊倒装法安装,比传统的大型塔吊正装法中心柱倒装或多的扒杆倒装法等具有安全简便、质量好、速度快、费用低等优点。发酵罐的焊接,采用两人内外同步钨极氩弧焊施工法。24名焊工聘请法国焊接学院(协会)撒切夫教授办国际压力容器氩弧焊技术培训组进行培训,通过国际标准考试,全部获取国际国内焊工技术操作合格证,适应施工需要。所焊接的各种不锈钢罐体4个和各种不锈钢管道,经X射线拍片检验,质量达到优良,耐压试验均达到一次试压合格,受到法方和甲方高度评价。1990年4月江西省将钛管焊接等技术列为工程建设适用技术推荐项目。海南金海浆纸业有限公司化工区工程,位于海南省海口市洋浦开发区。该工程化工区生产线包括CLO2厂、NAOH厂、O2厂、HZSO4&SO2厂,以及属于化工区域内所有设备安装和钢构架,耐火泥、耐酸砖、保温砖、罐体(内衬)FRP涂料、PU涂装,乙烯基玻璃鳞片涂装、管线,保漫护罩、油气压管路、仪表、水电等。其中钛钢管焊接工艺水平要求非常高,难度非常大。施工中应用钛管焊接技术,一次成功,受到业主行赞誉和高度评价。在海南金海浆纸业钛管焊接中,再次证实焊接质量过硬。

安装工程　安装工程中无垫铁安装机械设备工法获有色四建三级工法。SS无垫铁设备安装是经研磨法、座浆法之后又一设备安装新工艺。该工艺必须有高性能的灌浆料与之匹配。SS无垫铁灌浆料的研制填补有色系统该项目空白。1993年12月26日该项成果通过江西省科委组织的科技成果鉴定。1993年10月灌浆料企业标准Q/STO.409—93发布施行。1995年无垫铁灌浆料获鹰潭市科技进步二等奖。

安装工程另一个三级工法是Φ5×6.4米球磨机安装工法。在铜基地建设中,几十台引进的或中外合作制造的大型球磨机安装是工程的关键之一。1983年在永平铜矿安装引进的两台Φ5.03×6.4米大型进口球磨机过程中,在总结以往安装球磨机经验基础上,对球磨机主要部件的安装程序、吊装方式、安装技术、精度测量以及机具设备,质量标准、劳动组织等更加完善、科学。如采用大筒体凌空翻转、热装螺栓、油溶装配、精密水准仪测量标高水平度、聚氨脂发泡填充等项新技术。该工程被评为有色总公司全优样板工程,据此编写的工法对指导大型磨机安装发挥重要作用。

有两项技术成果于1978年获甘肃省科学大会成果奖。一是自行设计和制作的铜铝母带加工作业线,包括15种机具和模具,形成矫直、下米剪切、煨弯、挂钩、组对、钻孔、焊接等工序流水线作业,提高工效6~10倍。在兰州连城铝厂两个电解系列设备安装中,铜铝母带2525吨,铝焊口4万余条,铜焊口6万余条,铜铝封闭焊1.4万多条,母带锯口1.5万余个。运用流水线加工,1个月完成10个月的任务,使铜铝母带全部加工制作的任务分别提前工期一年和半年。在贵溪冶炼厂铜电解安装工程中用流水线作业,加工制作200×10毫米铜母线228吨、6毫米厚的铜导电板、汇流板36吨,效果明显。同时还采用大电流碳弧焊接、直接钨极氩弧焊焊接、汽油喷灯加热挂锡法、汇流板转胎模焊接法等、都对母线加工有所创新,更完善流水作业线。

另一项获奖成果是静压机安装调试。宁夏有色金属冶炼厂二期扩建工程的核心设备静压机、热压机,是从瑞典引进的。超高压粉末成型静压机(3000千克/平方厘米)是当时世界上生产粉末冶金唯一精密设备,瑞典也只生产53台。所有订货国均请瑞典专家安装调试,况且中国引进的这台静压机力、温度和轴向力技术要求高,其难度居53台中的第三位。但是,四冶没有请瑞典专家。参加安装调试的工程技术人员和工人发挥聪明才智,精心施工,一次安装调试成功,而且查出潜在资料和设备中的隐患,修改设计中存在的五个问题。各种参数都达到设计与生产的要求,安装调试达到国际标准,瑞典专家十分赞赏。几十年安装较大型设备有8820千伏安石墨化炉,5000千伏安石墨化炉,压型焙烧24立方米罐式锻烧炉,2500吨、5000吨水压机,Φ3.6×70米回转窑,Φ3.8×85米,重400吨大型回转窑,2万立方米气柜制作安装,大型鼓风机(450—2—1型、气量450立方米/台、气压3000毫米水柱)。总之,大型高精度、高转速、高压、高自动化水平的机械、设备、管道、电气安装、高压、高自动化、微机控制、程序控制的大型电气调整技术及仪表安装调整技术,已在工程中普遍应用,保证每一个安装工程优质、高效完成。

第六节　中国十五冶金建设有限公司第二工程公司

中国十五冶金建设有限公司是国有大型企业,1993年被国务院发展研究中心、建设部、国家统计局核定为"全国五百家最大经营规模建筑业企业",是国家建筑业ISO 9002质量管理体系率先取证单位。第二工程公司(简称十五冶二公司)是中国十五冶金建设有限公司直属内部核算单位。1978年9月,为建设贵溪江铜冶炼厂,二公司全体及十五冶其他单位部分人员从湖北大冶、黄石搬迁到江西贵溪。公司有半个多世纪发展史,主要优势集中在冶炼、建材、公路、电厂领域,是一个以建筑、安装、公路施工为主体综合性工程公司。公司共有六个生活区域,分别位于贵溪北郊(距市区约2千米)和建设大道左侧,占地总面积556095.2平方米,其中生产建筑面积255005.13平方米,含预制构件厂、变电站、设备修理车间、二〇三工程处桥架厂、加工车间、二〇五工程处金工车间、铆焊车间等;办公面积2780平方米;生活设施面积219764.51平方米;绿化面积78545.56平方米。1991年后,公司投资2640万元新建、改造家属楼13栋,2000年成本价出售公房18栋,居住共842户,并建有72栋单身职工宿舍和青年公寓、职工食堂、招待所、幼儿园、俱乐部、老年活动中心等配套设施,住房建筑总面积54886平方米。2008年,十五冶对现有土地按照"整体规划、分期实施"的思路,以房地产形式,在"雅利安·贵阁"小区,开发13栋住宅楼,解决长期困扰职工的住房问题。

十五冶二公司从成立之初,共经历九次大的更名:

1953年3月5日,为适应冶金工业发展,在湖南省长沙市南长北路成立中央人民政府重工业部有色金属工业管理局中南有色工程公司。同年1月,成立机电安装工程公司。此是十五冶总公司最早的前身。

1955年,中央人民政府重工业部建筑局成立后,将原中南有色工程公司和机电安装公司合并,更名为中南有色冶金建设公司。建设公司以施工队为基础,分别成立中南有色冶金建设公司直属第一工地等几个二级单位,此是十五冶二公司最早的前身。

1956年,中南有色冶金建设公司又改名为第九冶金(化学)建筑总公司。中南有色冶金建设公司直属第一工地更名为九冶第二工程公司。

1957年,第九冶金(化学)建筑总公司又改名为第九冶金建筑总公司。年末,九冶撤销。原九冶所属第二、第四工程公司以及第一机电安装公司下放给江西省;原九冶所属第一、第三工程公司以及第二机电安装公司下放给湖南省,九冶第二工程公司更名为湖南冶金第二建设工程公司。

1959年6月,原湖南冶金三个建设公司合并,成立湖南省冶金工业局建筑工程公司,湖南冶金第二建设工程公司更名为"湖南冶建第二工程处"。

1960年6月,因国民经济进行调整,湖南省冶金工业局建筑工程公司与湖南省冶金厅基建处合并,成立湖南省冶金厅基本建设局。1961年11月基本建设局撤销,施工单位改为湖南省冶金建筑安装总公司,与湖南省冶金厅基建处分开。1964年4月1日,冶金部指示,将原湖南省冶金建筑安装总公司改名为湖南冶金建设公司。湖南冶建第二工程处更名为"湖南冶建总公司第二工程公司"。

1965年1月29日,湖南冶建总公司又更名为第十五冶金建设公司,湖南冶建总公司第二工程公司更名为十五冶第二工程公司。

1984年1月1日,十五冶改名为中国有色金属工业总公司第五建设公司,十五冶第二工程公司更名为中国有色金属工业总公司第五建设公司第二工程公司。

1986年7月,十五冶总部为便于管理,将在贵溪地区的十五冶贵溪指挥部、物资公司以及十五冶

一、三、四公司的部分人员和设备划归第二工程公司管理。

1992年6月17日又改名为中国有色金属工业总公司第十五冶金建设公司第二工程公司。

1999年,国务院进行机构改革,撤销中国有色金属工业总公司,十五冶也进行改制,隶属中国有色建设集团有限公司。1999年5月,十五冶二公司再次更名为中国十五冶金建设有限公司第二工程公司至今。

内设机构

“八五”期间,公司下设二○一、二○二、二○三、二○四、二○五5个工程处,安徽铜陵、金隆、白马山、宁国、福建龙岩、江西景德镇、德兴、贵溪电厂等8个项目经理部,1个汽车运输队,1个综合加工厂以及东南、技术开发、物资供销、兴盛、劳动服务等5个分公司,职工医院、子弟学校2个服务单位;党的机构为党委,有党员152人;群众组织有工会、团委,截至1995年年底,二公司有职工1337人(女职工254人)。管理人员213人,其中正副处级干部19人,正副科级干部54人,各类高、中、初级专业技术人员152人。

“九五”期间,撤销二○一、二○二、二○四3个工程处,陆续成立宁夏公司、古王、石中、盐兴、通梅、连云港、巢湖、朱家桥、南通、贵冶、鹰潭等11个项目经理部和物资供应科、设备租赁站、消防器材厂、玻璃钢厂等4个经营单位。截至2000年年底,公司有职工1541人(女职工356人),管理人员394人,其中正副处级干部8人,正副科级干部86人,各类高、中、初级专业人员300人。

“十五”期间,是公司步伐迈得最快最大的一个历史阶段。共完成企业总产值20.77亿元,固定资产原值由“八五”时期的2784万元飚升至13366万元;新增加贵冶二部、景德镇华意、鹰潭城志、江西万年青、分宜、玉山、九江、齐峰、瑞金、南昌铜箔、安徽滁州、淮北、淮南、宁夏中郝、同沿、银古一标、银古四标、新疆奎赛、陕西子靖、福建建阳、甘肃金川、平定、四川西昌、浙江建德、三狮、裕廊、山鹰、锦龙、江苏溧阳、淮阴、海螺池州、南京、华能太仓、上海鑫冶、山东安厦、祥光一部、祥光二部、祥光六部等近40个项目经理部。至2008年年底,二公司在册职工998人,其中各类专业技术管理人员519人,正副处级干部8人,中层领导干部89人,大专及以上文化376人,高级职称12人,中级职称91人。

队伍建设

建立能力和业绩为导向的纵横工作绩效评价体系,采取日常考核和年度考核相结合形式,由工会监督,职代会测评,分别对中层以上领导干部及全体员工进行综合评价,奖优罚劣。不断吐故纳新,自2001—2008年,共招聘400多名大学生充实员工队伍。坚持知人胜任,任人唯贤原则,不断调整领导班子。

根据国家经贸委《关于国有大中型企业主辅分离辅业改制分流安置富余人员的实施办法》及国务院办公厅《关于第二批中央企业分离办社会职能工作有关问题的通知》文件要求和中国有色集团实施主辅分离、精干主业的发展思路和目标,公司成功完成消防器材厂、子弟学校从企业分离改制工作。消防器材厂于2003年9月改制成为经营者控股、职工入股的有限责任公司,分离13名职工,共支付经济补偿金35.17万元。公司子弟学校按属地管理原则移交给地方人民政府,在2005—2007年过渡期内,学校经费企业负担10%,中央财政负担90%,从2008年开始全部由中央财政负担。经与地方政府签订移交协议,子弟学校在职教师25名、离退休人员16名由地方政府接管。

生产设备

“八五”期间,公司拥有固定资产原值2784万元,净值1240万元,主要施工机具共56种360台,其中有60立方米/时砼输送泵3台,砼搅拌车3台,0.75立方米主罐容量搅拌机12台,0.3—1立方米挖掘机4台,80—100吨米塔吊4台,215马力装载机2台,各种生产车辆38台。技术装备率:全员6336人,工人:8203人,动力装备率:全员为5.7千瓦/人,工人为7.4千瓦/人。到“九五”末,公司主要施工设备在原有基础上又增加MKCS225-E250沥青拌合楼等配套设备(意大利)、串联式双钢轮振动压路机、沥青砼路面摊铺机等大型公路施工设备,配备2000KN、600KN压力试验机和600KN万能试验机以及砼抗渗仪器和水泥物理检验等设备,固定资产总额达5940万元。到2008年,新购置300吨/米、40吨/米、20吨/米塔吊5台、2套60立方米/小时的砼搅拌设备,大型项目的砼施工从后台到前台均实现机械化,并添置数千万元的公路施工设备。截至2008年年底,公司拥有全套公路、土建、安装、钢结构制作、混凝土预制构件等大型先进施工设备896台(套),固定资产原值9059.18万元,净值4134.08万元,总功率13724千瓦,年施工能力在10个亿以上。

项目

公司实现主营业务收入从1993年不足4000万元到2008年突破9个亿。公司进赣30年间,共建成冶炼、建材、矿山、电力、公路、市政工程等项目300余项,创造主营业务收入近60亿元。用五年时间建成江西铜业公司贵溪冶炼厂年产10万吨粗铜的一期工程,之后又陆续建成江铜集团贵冶二、三期和四期新30万吨铜冶炼项目、20万吨/年铜电解、ISA电解精炼工程、年产15万吨铜杆项目、江铜·耶兹年产6000吨高档电解铜箔项目和号称亚洲第一的德兴铜矿一期一步扩改和三期工程等一批重大项目,并作为江铜贵冶新30万吨的施工方代表在江西省三大重点工程竣工表彰大会上受到表彰。贵冶一期工程整体获得国家银质奖,贵冶二期"两炉一机"(两台350吨精练炉和一台35吨/小时自动圆盘浇铸机)工程荣获建设工程的最高奖项——鲁班奖,江铜贵冶电解30万吨铜电解工序工程荣获江西省建设厅颁发的"2006年度江西省建筑文明工地"证书,其他数十项工程获得省、部级优质工程。公司承建的山东祥光40万吨铜冶炼(一期)项目是世界第二座采用闪速熔炼炉和闪速吹炼炉即"双闪速炉"工艺的铜冶炼企业,荣获国家建设项目环境保护的最高奖——"国家环境友好工程"称号;上海鑫冶铜冶炼项目、安徽铜陵金隆冶炼厂亦获得多项部优工程奖。同时承接安徽铜陵水泥厂4000吨/天水泥熟料生产线的土建工程,并创"中国企业新纪录"。在安徽铜陵、宁国、芜湖、巢湖、池州、淮南、山东枣庄、江苏南京、溧阳、浙江长兴、桐庐、建德、江西万年、玉山、建阳、分宜、瑞金、九江、赣州、福建龙岩、漳平、广西平南等地高速优质地建成50余条水泥熟料生产线和水泥粉磨生产线,其中,安徽海螺集团铜陵二期、安徽巢湖东亚水泥生产线、浙江长兴三狮5000吨/天水泥熟料技改工程、浙江桐庐三狮2500吨/天水泥熟料技改(二期)工程、安徽淮南矿业集团2＊2500吨/天水泥熟料生产线工程、江苏溧阳金峰2500吨/天新型干法水泥熟料生产线工程等项目获国家建材工程建设优质工程奖(部级),江西万年水泥二期生料库和联合储库荣获江西省优质工程奖。1998年,依托中国有色矿业集团承接宁夏古(窑子)王(圈梁)高速公路,该路全长94千米,总投资约11亿元,是连接东西部大动脉——"青岛—太原—银川"国道主干线的重要一段,是交通部和宁夏回族自治区"九五"跨"十五"的重点工程项目。通过努力,工程提前3个月竣工,在竣工验收综合评比中,被评为"全线优质样板工程"。宁夏石中高速9合同段大桥被石中高速公路建设指挥部评为"精品工程",荣获宁夏回族自治区政府授予的"交通工程建设先进单位"光荣称号。与此同时,又中标宁夏盐兴公路、石中高速、银古一标、银古四标、中郝C标、陕西子靖高速十三标、甘肃平定高速十三标、黑龙江鸡讷公路等公路工程。公司在进入公路工程施工领域的一年间,共建成高等级公路总里程近200千米。在市场开拓上,重点跟踪具有潜力大项目,树立大营销观念,有针对性地在有关媒体上宣传企业业绩,藉此提高企业知名度。

管理

在工程管理上,以"今天的质量和服务就是明天的市场"的质量宗旨,对在建项目建立信息档案,实施动态管理和监控,保证重点项目节点和进度;在安全生产管理中,建立以预防为主的安全生产长效机制,完善各项安全生产管理制度,开展建筑施工安全专项整治、"安全生产月"等活动,降低安全事故发生频率;在质量管理上,顺利通过北京中建协质量体系认证中心GB/T 19001质量管理体系、GB/T 24001环境管理体系、GB/T 28001职业健康安全管理体系"三位一体"转换认证,着力创建质量品牌,至2008年年底,公司共荣获地市级以上优质工程奖103项;在财务管理上,制订企业内部资金平衡调剂办法、内部"账销案存"应收款管理办法和规范财务核算的有关规定,资金收支两条线由公司集中管理,对农民工工资实行职工化管理;在经营管理上,强化投标评审工作,对业主的资质、资金来源、付款比例等情况进行审查,对中标项目进行合同评审,从源头上控制风险;在物资管理上,制订物资管理、施工机械设备管理办法,全面推行招标采购制度。同时,公司加强内部审计和效能监察,对造成经济损失的责任人进行责任追究,有效地规范从业行为,强化从业责任。

至2008年,公司在建材行业广泛运用滑模施工工艺,发展到二联体、三联体、四联体、六联体、八联体的整体滑模和筒中筒联动滑模,采用无井架液压滑模施工技术组织施工的筒库近100个,仅2008年,

《热拌密级配沥青混凝土面层施工工法》《风积沙路基干填筑施工工法》双双被中国有色金属建设协会评定为"中国有色金属行业(部级)工法"。

公司还注重开展QC小组活动,QC成果成效显著。1998年,公司获建设部颁发的"全国工程建设优秀QC成果奖";钛管氩弧焊、基础预埋螺栓、大跨度钢门架制作、江铜耶兹铜箔CPVC管安装、钢结构防腐涂装和二〇五工程处QC小组等QC成果分别获国家工程建设质量奖审定委员会颁发的国家工程建设质量管理小组(QC)成果奖。

第七节　中央储备粮贵溪直属库

2000年9月28日,国家发展计划委员会、财政部、国家粮食局、中国农业发展银行、中国储备粮管理总公司联合下发《关于明确部分新建粮库为中国储备粮管理总公司直属库的通知》计综合〔2000〕1564号文件,明确贵溪直属库正式上收为中国储备粮管理总公司直属库。10月31日,归属中储粮南昌分公司直接管理。

建库伊始,内设机构有办公室、财务科、业务科、保卫科、基建科。2001年11月,根据上级要求改设综合科、仓储科、财务科、业务科。2002年1月,由于代储中央储备粮监管工作需要,内设机构调整为综合科、仓储科、财务科、业务科、代储管理科。2008年1月,根据工作需要,内设机构又调整为综合信息科、财务资产科、仓储质监部、轮换业务部和经营开发部。

为使企业尽快运转,2000年,启动员工公开招录工作,面向贵溪市粮食系统干部职工择优考核录用工作人员。同年8月8日,贵溪市粮食局下发《关于同意选聘陈勇德等28名同志为贵溪中央直属粮库工作人员的通知》(贵粮人字〔2002〕第45号)文件,确定30名进入贵溪中央直属粮食储备库工作。后根据情况变化,先后又有23人进入该库工作,由此共有53人为该库工作人员。由于国家发改委等五部委下文明确规定一亿吨仓容规模的中储粮直属库只能定编30人,进行员工考录裁减。同年12月27日,经公开考录,根据中国储备粮管理总公司南昌分公司《关于批准陈勇德等30人录用为贵溪柏里国家粮食储备库职工的通知》(中储粮南综〔2000〕3号)文件,贵溪直属库正式录用30名工作人员。23名淘汰人员由贵溪市粮食局安置。其间,发生首批考录员工拒考上访事件,经过有效思想政治工作,是年底成功化解矛盾。建库8年,领导班子注重队伍建设,狠抓各项管理,全库各项工作呈现良好发展势头。2002年7月,全库首次实行中层干部竞争上岗。2003年1月10日,被中央企业厂务公开协调小组表彰为"中央企业厂务公开先进单位"。同年,又被江西分公司直属机关党委评为"党建红旗单位";被中储粮江西分公司评为"目标管理先进单位";库团支部被共青团江西省委授予"全省五四红旗团支部称号"。2004年,被中国储备粮管理总公司授予2002—2003年"先进直属库",并获江西省档案局"档案目标管理工作省一级"标牌。2005年5月,经北京中大华运论证中心论证,贵溪直属库取得ISO 9000质量体系正式资格。2006年,库员冯学文被评为"中国储备粮管理优秀保管员"。2008年4月8日,被授予"江西省第一届文明单位"称号。2008年,库仓储科分别被命名为"江西省2007年度省级青年文明号"和"2008年中央企业青年文明号"。至2008年年底,贵溪直属库定编32人,现有干部职工31人,为正县级企业单位。

生产经营

贵溪直属库是1998年国家粮库250亿千克建设项目之一,2000年8月正式投入使用。2000年10月1日首批被上收为中国储备粮管理总公司直属库。占地面积8.47公顷,总投资3600多万元,建有高大平房仓7栋及办公生活设施。2002年9月根据上级部署,参与总公司系统内部网络,形成局域网、业务信息管理系统、办公自动化系统以及视频监控系统等立体式综合信息网络,实现与全国体系单位信息直通。2008年1月,经总公司批准,启动800万公斤高大平房仓建设项目,由此缓解仓容压力,扩大仓容资源。

贵溪直属库主要经营中央储备粮收购、储存、运输、加工、销售及相关涉农业务。至目前1.4亿千克库存中央储备粮安全储备。建库至今已完成中央储备粮轮换计划近1.1亿千克,实现经济效益900余万元。2005年、2006年、2008年按最低收购价收购稻谷，贵溪直属库累计收购最低收购价稻谷32万吨，为鹰潭地区种粮农民增收5000万元，达到政府满意，地方国有粮食企业受益，种粮农民高兴三重效果。与此同时，受分公司委托，承担鹰潭国家粮食储备库及贵溪国家粮食储备库2个库代储中央储备粮的监管任务。科学保粮率达90%以上；"一符四无"（账实相符；无害虫、无变质、无鼠雀、无事故）率达100%。抓好中央储备粮轮换和辅储贸易两大业务，实行动态管理，三年轮换一次常储常新。建库以来辖管区累计完成中央储备粮轮换7.5亿千克，占整个片区储粮规模400%。闯出一条科学保粮新路，先后利用聚胺酯、聚苯乙烯泡沫板、PEF聚乙烯板、棉胎进行隔热试验，组织开展荧光灯杀虫和储粮通风调湿调质等自有项目实践，摸索出一套科学保粮先进做法。为推广经验，先后发表《高大平房仓顶喷盖聚胺酯发泡材料的应用》《四种隔热材料隔热效果研究》《粮堆四角增设辅助通风笼及其应用效果试验》论文。其中《四种隔热材料隔热效果研究》一文在四川成都粮油科学研究所《粮食储藏》杂志上发表。

第八节　贵溪银矿

贵溪银矿位于贵溪市南部冷水镇境内，北距鹰厦铁路线富庶岭车站5.7千米，距贵溪市81千米，南距资溪县城30千米，距福建邵武市101千米，均有公路相连，交通方便。

该矿是原有色金属工业总公司直属中型企业，是一座采选配套的大型银矿山。一期工程由原中国有色金属工业南昌公司与鹰潭市人民政府合资开发，出资比例、人员构成、利益分配为8∶2，开采对象是银露岭矿区。1989年6月开始筹建，1990年9月27日正式开工，1991年12月31日投料试车，1995年5月18日通过竣工验收，正式投产。1998年4月国务院宣布原有色金属工业总公司解散，组建国家有色金属工业局，1999年8月成立铜铅锌、稀有稀土金属、铝业三大集团公司，贵溪银矿被划入中国铜铅锌集团公司管理。2000年7月有色金属行业管理体制再次变化，国务院撤销三大集团公司，所属企业下放地方，贵溪银矿被列入江西省稀有稀土金属钨业集团公司管理。2003年8月6日由全国企业兼并破产和职工再就业工作领导小组办公室《关于同意中国有色金属工业第二十一冶金建设公司等15户有色金属企业进入破产程序的通知》〔2003〕13号文件下发后，贵溪银矿进入政策性关闭破产程序。2004年3月16日由鹰潭市中级人民法院宣告政策性关闭破产。是年7月31日政策性关闭破产终结。贵溪银矿改制破产后成立股份制的银海矿业。

贵溪银矿定员500人，截至2004年3月16日宣告政策性关闭破产时在册职工人数为487人，退休职工人数为79人。全矿有高级职称人数18人，初中级职称专业技术人员134人，工人技师10人（以上均含退休职工）。贵溪银矿职工80%来自有50年历史老矿工，经验比较丰富。20%来自社会招工和土地带劳，还有部分农民临时合同工。

银矿矿田储量丰富，据地质部门介绍，整个矿田有银金属量上万吨，是全国储量最大的银矿田。继银露岭之后，还有上鲍、鲍家和银珠山矿区，成为第二、第三期工程，仅鲍家矿区服务年限就达40年左右，前景十分可观。

贵溪银矿一期设计建设规模为日采选矿石500吨，年采选矿石16.5万吨。产品主要是银铅锌混合精矿（含银3000克/吨），副产品有含银硫精矿（含银500克/吨），伴有丰富贵重金属。

开发方案为平硐—溜井电机车运输，分320米、280米、240米、200米、150米五个中段开采。采矿方法：主矿体采用连续分段空场法，小矿体及主矿体厚度小于6米的采用房柱法、全面法和溜矿法。选矿方法：采用三段一闭路碎矿、一段磨矿、-200目70%以上一次粗选、一次扫选、三次精选的中矿再选工艺，选出主产品银铅锌混合精矿和副产品含银硫精矿。企业由采矿、选矿、机汽修、总降压变电所、尾矿库、废石场、水源地、炸药库、生产辅助设施、生活区以及富庶岭中转货场和鹰潭办事处等组成。

建矿期间，取得全国同类型矿山中"建设期最短、投资最省"的显著成绩，获原有色金属工业总公司一部奥迪车重奖。1999年和2000年两度被江西省总工会和鹰潭市总工会授予"九五双争立功竞赛先进单位"称号。

内设机构

党组织　1993 年 1 月 13 日中国共产党贵溪银矿委员会成立。设有党委工作部,下辖采掘坑口、选厂、机电、机关、生活劳动服务公司、鹰潭有色工贸公司等六个党支部。

行政组织　1992 年 8 月鹰潭市政府和原有色南昌公司以鹰府字〔1992〕051 号撤销贵溪银矿建设指挥部,成立贵溪银矿,下辖采掘坑口、选厂和机电车间等 3 个基层单位,机关设办公室、财务科、生产计划科、供销科、安全环保科、技术监督科、福利科、保卫科等 8 个科室,另有生活劳动服务公司、鹰潭有色工贸公司两个经济实体。随后经原有色南昌公司与鹰潭市政府商定,组成行政领导班子,对企业生产经营进行管理决策,进行经济活动分析和市场预测,加强社会治安综合治理工作,提出企业发展规划、年度计划、生产布局的重大调整方案,重大技术改造方案和重要技术引进项目方案,资产重组、资本运作、对外投资和企业上市中的重要设想,研究重要新产品开发和重大转产项目,部署经济责任制考核等。

工会组织　1993 年 3 月 4 日贵溪银矿第一届职工代表大会召开,选举产生贵溪银矿第一届工会委员会。此后,按工会章程定期召开职工代表大会,听取和审议关于企业经营发展、职工培训、资金使用等方案的报告,并提出意见和建议,审查同意或否决工资调整、资金分配、住房分配等重大事项,评议领导干部,开展社会主义劳动竞赛,维护职工权益。

地质找矿

银矿生产技术人员针对矿区地质条件复杂,原矿品位偏低现状,反复研究地勘资料,深入现场取样分析,根据矿化规律,合理而充分利用可采矿量,经勘采结合,总结找矿经验,先后找出十几条高品位富矿脉,对调整和提高出窿原矿品位做出贡献。

采矿

采用挤压爆破,实施有底柱分段崩落法,解决因地表陷落无补偿空间的矛盾,收回全部矿体,避免了资源浪费,保证井下生产正常进行;利用新工艺,改进 280 中段至 320 中段运输系统,使 280 中段回采作业趋于合理,提高出矿能力;改造主溜井条格筛角度,增加出矿量;改进并设计 240 中段试验采场和 280 中段 3—2 号矿体系场底柱回采。

选矿

增加洗矿脱泥工艺,解决因原矿含泥量大而造成的给排矿点堵塞,矿石处理能力仅为设计的 37%;优化浮选条件,优化操作工艺,规范药剂配比,实施选矿实收率攻关,使实收率和选矿质量达到设计要求,并趋于稳定。

监测和化验

采用石英钟代替人工计时,节省劳力,减少检测误差;对矿物粒级金属分布进行研究;进行高品位硫吸收气体容量法的分析;自行设计并完善有毒气体的自然通风系统,提高元素分析的可靠性。

环保

对工业废水进行科学综合治理,通过采取加药剂,提高尾砂沉降速度,封堵尾矿库 2 号坝涵洞及溢流归队等措施,有效地控制废水超标排级,同时延长尾矿库的服务年限。

机械动力

对现有设备进行工艺技术改造,提高设备利用率和性能,大幅度节省劳力,延长设备使用寿命。

2004 年 7 月 31 日,贵溪银矿关闭破产终结后,成立贵溪银矿矿区管理委员会(隶属江西稀有金属钨业控股集团有限公司管理),由贵溪银矿矿区管理委员会负责管理原贵溪银矿除入股贵溪鲍家矿业有限公司(私有控股企业)资产以外的所有国有资产,还负责管理原贵溪银矿退休职工和工残、抚恤人员等管理工作。

第九节　省地矿局赣东北大队 106 地质队

106 地质队系江西省地矿局赣东北大队下属的正科级单位,主要从事地质找矿工作。106 队下辖贵溪南门基地、西门基地、弋阳基地三个基地大院,占地总面积 10.13 公顷。队部位于贵溪南门基地大院内,大院占地面积 4.27 公顷,建有住宅楼四栋,教学楼一栋,生活、经营、办公用平房 23 栋,有住户 170

余户 460 余人。西门基地大院、弋阳基地大院均为赣东北大队的职工、家属生活基地,有住户 80 余户 220 余人。

106 队建队 50 年来,在赣东北这块红色土地上,积极开展地质找矿工作,发现了特大型、大型、中型和小型矿产地三十余处,完成 9 个矿床勘查评价工作,参与由赣东北大队组织的 30 余处特大型、大型、中型矿床勘探工作,取得丰硕成果。1977 年被国家地质总局授予"学大庆先进集体"荣誉称号,被江西省革委会授予"先进集体"荣誉称号;2008 年,曾在 106 队工作过的八位职工被江西省地矿局授予"建局五十周年地质工作突出贡献者"荣誉称号。

机构队伍

1958 年 7 月,106 地质队正式成立,首任队长缪凯、技术负责人张莲宝。队部机关设在弋阳县城。

1960 年 10 月,江西省原子能委员会 999 队从九江庐山迁至贵溪市城南,当时有 400 多人,为县团级编制。1961 年 7 月,999 队与上饶专区地质勘探大队合并组成江西省地质局赣东北大队。同年,106 队由弋阳县城迁至贵溪城南,与 999 队留于贵溪的队伍合编为赣东北大队 106 队。至此,106 队正式驻扎贵溪。1961 年下半年至 1962 年期间,为克服国家经济暂时困难,贯彻党中央"精减职工,压缩城镇人口"的指示精神,106 队精减下放职工,职工队伍缩减近半。1962 年,上饶专区地质勘探大队中心实验室由上饶迁至 106 队院内,又与江西省原子能委员会 999 队的实验室合并,更名为赣东北队 106 队实验室。1963 年 7 月,由于居住地周边数里没有学校,为了解决职工子女就学困难,经省局批准,成立了赣东北大队 106 子弟学校。1964 年,遵照局党委政治部指示,建立政治工作机构,106 队配备教导员和指导员。1965 年 1 月,省地质局决定,以原 106 队谢钦尧为主要技术负责人的地质小组为基础,从江西局机关和赣东北大队等单位抽调人员组建 911 地质大队,以原 101 队为基础组建 912 地质大队,原 106 队技术负责张莲宝调往 912 地质大队担任技术负责人,原 106 队留下来的工作人员改称贵溪地质队。1968 年 6 月,经上饶专区革命委员会批准,成立江西省地质局赣东北大队革命委员会,逐步建立新的生产秩序和管理体制,各野外队也恢复正常工作管理。是年,贵溪地质队改回 106 队称谓,时任队长汤志明、技术负责平起洪。至此,106 队名称一直沿用至今。1977 年 1 月,106 队实验室从 106 队分离出来,升格为科级单位,搬迁至上饶县沙溪镇。1977 年初,赣东北大队物化探队(80 余人)由上饶罗桥迁至贵溪 106 大院内,归属 106 队管辖,继续从事赣东北地区物化探找矿、评价工作。

1992 年 5 月,根据赣东北大队体改方案,撤销原 108 队建制,原 108 队参与万年县虎家尖银金矿勘查工作的主要地质、测量技术人员并入 106 队。同年,105 队地质人员也并入 106 队,106 队成为一个汇聚赣东北大队六成以上地质技术人员的综合地质队伍。1999 年 1 月 12 日,赣东北大队队伍结构调整,经省地矿局批准,将 106 队地质、水文、环境、测绘、探矿等专业技术人员,与 101、105 队测绘、地质人员组建赣东北大队勘察公司,将 106 队部分行政人员组建贵溪物业管理中心;106 子弟学校从 106 队划出,与勘察测绘公司、物业管理中心两部门同属赣东北大队驻贵溪的二级单位。2003 年 3 月 20 日,将原勘察测绘公司拆分成江西江汇地质工程勘察院一分院、四分院和赣东北大队测绘院。一分院迁至上饶;四分院与测绘院实行两块牌子一套人员,留驻贵溪。2007 年 9 月,根据国家有关政策,106 子弟学校停办,赣东北大队对学校教师进行妥善安置,学生转到地方就近学校就读。

至 2008 年年底,106 队实有在职职工 182 人,退休、退养职工 86 人。

测绘

2003 年年初,新成立的赣东北大队测绘院和江西江汇地质工程勘察四分院共有职工 95 人,其中各类专业技术人员 49 人(高级职称 11 人、中级职称 19 人、初级职称 19 人),各类专业仪器设备 87 台套(其中全站仪 12 台、水准仪 8 台、手持测距仪 10 台、静态 GPS 定位仪 7 台、台式及手提电脑 43 台、各式出图仪 2 台、钻机 5 台套)。拥有测绘甲级资质、工程勘察乙级资质、地质灾害防治工程施工甲级资质、地质灾害危险性评估甲级资质。主要从事各种测绘、水文地质勘察、岩土工程勘察、环境地质勘察评价等业务。

2000 年以来,先后承接广东惠东、深圳、浙江义乌、宁波、衢州、湖州、江西等地的行政区域勘界测绘,数字化地形测绘(1:500、1:1000、1:2000)地籍测绘,市政工程测绘、沉降观测、公路测绘、第二次全国土地调查(农村调查、城镇调查)、矿业权实地核查等项目。

地质勘察

水文地质勘察　106队1999年成立地质工程勘察公司,主要从事供水水文地质勘察。

自20世纪70年代中期就开展对外供水成井工作,尤其进入80年代,随着贵溪冶炼厂等一大批厂矿企业入住贵溪,解决厂矿企业工业用水和居民生活用水问题迫在眉睫,106队供水成井业务量较大,先后为贵溪各乡镇和厂矿企业等单位供水成井几十眼(口),其中大部分为管井,少数为大口井(民井),单井涌水量小者100吨/天,大者达到2000吨/天以上,解决很多厂矿企业等单位一度用水困难问题。在贵溪市完成的主要项目有:1. 贵溪市塔桥园艺场:1987年在该场成管井3眼,单井涌水量均在1000吨/天以上,解决了塔桥园艺场生活和果园灌溉的用水问题。2. 贵溪市塘湾镇:1997年为该镇成辐射井一口,单井涌水量550吨/天,解决了塘湾镇多年来的缺水问题。3. 贵溪罗河工业区:1998年罗河工业区成辐射井一口,单井涌水量在2000吨/天以上,基本解决了罗河工业区各生产厂家的用水问题。

此外,在贵溪找水成井的还有:贵溪四中找水成井(机井,800吨/天以上);贵溪旺达水泥厂找水成井;贵溪科华水泥厂找水成井(大井,1000吨/天以上);贵溪农药厂找水成井(大井,1000吨/天以上);贵溪新华书店找水成井(机井);贵溪市公路段找水成井(大井,300吨/天以上)等。

工程地质勘探　1994—2008年中,由原106队工勘队伍和江西江汇地质工程勘察四分院完成的工程地质勘察项目共有60多项,如贵溪市中航安置小区、贵溪市新宾馆、贵溪市福达家苑商住区、贵溪市江滨花苑高层商住区、上饶东方帝景高层商住区、余干县中洲大桥、贵溪市人民医院新院区、江西鹰潭进口第七类废物拆解区建设工程污水处理工程、贵溪市经济适用房廉租房、贵溪市滨江生态小区、贵溪市沿河路、贵溪市三桥南延段、贵溪市城市生活垃圾综合处理厂、贵溪市桃源商住区等。

环境地质勘察　2002年年始,106开设地质灾害评估专门机构。

是年,江西江汇地质工程勘察四分院进行各类地质灾害评估项目多项,涉及集镇、工业园区、厂矿、水利、公路、铁路等行业,先后担任贵溪市西窑乡、文坊镇、耳口镇、金屯镇、塘湾镇、冷水镇、樟坪乡的地质灾害防治技术咨询支持单位。2004年以来,单位积极服务于地方社会经济建设,在地质灾害危险性评估方面和环境地质勘查方面做了大量工作,共完成地质灾害危险性评估报告37份,环境地质勘查报告3份。其中较大的工程报告有:贵溪市泗沥集镇新区建设工程地质灾害危险性评估报告,贵溪市余家乡集镇新区建设工程地质灾害危险性评估报告,贵溪市罗河集镇新区建设工程地质灾害危险性评估报告,贵溪市白田童家岭铁矿区矿产资源开发地质灾害危险性评估报告,江西鹰潭进口第七类废物拆解区建设工程地质灾害危险性评估报告,贵溪市金屯镇枫林村坝上滑坡勘查报告;贵溪市耳口乡圳上村杏岭滑坡勘查报告;江西省贵溪银矿矿山地质环境恢复治理工程区勘查报告,为治理地方环境地质灾害提供科学依据。

第三卷　居　　民

第一章　人　口

1991年，贵溪县户籍总人口516313人，2008年为585350人，18年年均净增4061人。在人口总量中，18年中非农业人口的增幅比农业人口的增幅高30.03个百分点，城镇建设步伐加快，农业人口逐步向非农业人口转移。

1991—2008年，贵溪市认真贯彻落实中央关于“控制人口数量，提高人口素质”和“提倡一对夫妇只生育一个孩子，严格控制二胎，杜绝多胎生育”的计划生育政策，狠抓计划生育措施，有效遏制全市人口过快增长的势头，平抑生育高峰。人口出生率平均为13.99‰，2008年全市人口出生率12.97‰。计划生育率平均为86.13%，2008年全市人口计划生育率为77.91%。

由于生活水平的提高和医疗条件的改善，全市60岁以上人口逐年增多。2008年，全市60岁以上老年人69874人，占全市总人口的11.93%，是早进入老龄化社会。

第一节　人口变动

2000年，第五次全国人口普查，全市汉族人口占总人口的99.52%，比1990年减少0.04个百分点。据2008年统计，全市有16个少数民族。分别为：畲族、壮族、瑶族、东乡族、回族、土家族、蒙古族、毛难族、傈僳族、黎族、白族、侗族、朝鲜族、苗族、布依族、满族。

总量变动

2000年，第五次全国人口普查，全市（含龙虎山风景区）常住人口为535517人。其中，男性282662人，女性252855人，男女性别比118，与1990年第四次人口普查相比，十年零四个月增加34665人，增长6.92%，自然增长率为6.52%。在全市总人口535517人中，城市人口115344人，占总人口的21.54%；城镇人口46779人，占总人口的8.74%；乡村人口373394人，占总人口比重69.72%。

根据市公安局统计，2008年，全市共登记常住人口154851户585350人。其中：城镇人口117906人，农业人口467444人；男性314744人，女性270606人，男女性别比例为116。18岁以下128283人，19—35岁177630人，36—60岁212434人，61岁及以上67003人。在常住人口中，畲族人口2043人。张姓32819人，李姓31461人，徐姓28413人，为贵溪“三大”姓氏。

2008年，全市总人口585350人，比1991年净增69037人，年均净增4061人。年末总户数154851户，比1991年净增36780户。全市人口密度236人/平方千米。在人口总量中，农业人口467444人，净增36291人，比1991年增长8.42%；非农业人口117906人，净增32746人，比1991年增长38.45%。非农业人口增幅比农业人口的增幅高30.03个百分点，反映随着城镇建设的加快，农业人口逐步向非农业人口转移。

1991—2008 年贵溪市户籍人口状况一览

表 3 – 1

年份	总户数(户)	总人口(人)	女性(人)	非农业人口(人)	人口密度(人/平方千米)
1991	118071	516313	245846	85160	208.19
1992	120600	521425	246132	86800	210.25
1993	121245	524877	247761	108431	211.64
1994	124717	527328	249675	110353	212.63
1995	126985	529283	250313	112546	213.42
1996	127997	531643	250865	114112	214.37
1997	129519	534022	251561	116907	215.33
1998	132504	536416	251821	102536	216.3
1999	135039	539221	252992	130100	217.43
2000	141897	546660	255767	105089	220.43
2001	145232	554103	259444	108199	223.43
2002	147300	556751	259707	110037	224.5
2003	154475	566558	258856	114041	228.45
2004	153144	575300	264689	116145	231.98
2005	155851	563601	264189	118138	227.26
2006	156712	574710	266171	121167	231.74
2007	158878	583469	270484	122867	235.27
2008	154851	585350	270606	117906	236.03

自然变动

根据市计生部门统计,1998 年前,全市人口出生率在 14.5‰以上,最高为 1994 年 18.19‰。1999 年后,人口出生得到有效控制,最低 2003 年的 10.08‰,与最高的 1994 年为 18.19‰比较,下降 8.11 个千分点,人口自然增长速度呈下降趋势。2008 年,全市人口自然增长率为 7.07‰,比最高年份 1991 年的 13.48‰下降 6.41 个千分点。

2000 年,第五次全国人口普查,全市出生人口 8795 人,其中男性 4718 人,女性 4077 人,出生婴儿性别比为 116,总生育率为 17.57‰,其中城市 14.94‰,城镇 15.19‰,乡村 18.93‰。

1991—2008 年贵溪市户籍人口自然变动一览

表 3 – 2　　单位:‰

年份	人口出生率	人口死亡率	人口自然增长率	年份	人口出生率	人口死亡率	人口自然增长率
1991	13.99	4.72	9.27	2000	16.64	4.95	11.69
1992	11.95	4.7	7.25	2001	6.45	2.96	3.49
1993	11.89	4.59	7.3	2002	10.48	2.79	7.69
1994	9.87	5.21	4.66	2003	10.79	1.33	9.46
1995	8.85	4.23	4.62	2004	13.36	2.28	11.08
1996	9.24	3.94	5.3	2005	17.2	12.3	4.9
1997	10.4	4.01	6.39	2006	15.39	1.74	13.65
1998	9.32	3.53	5.79	2007	17.44	1.34	16.1
1999	9.77	2.9	6.87	2008	16.76	1.89	14.87

机械变动

1991—2008 年,机械增长最快的年份是 2001 年,人口机械增长率为 10.13‰,增长最慢的年份是

2005 年，机械增长率为 -25.25‰。2008 年，全市人口机械变动率为 -11.65‰。1991—2008 年，全市青壮年外出求学务工逐年增多，经商人员迁出户口的逐年增多，人口机械变动负增长达 10 年之多。

1991—2008 年贵溪市户籍人口机械变动一览

表 3-3 单位：‰

年份	人口总数变动率	人口自然变动率	人口机械变动率	年份	人口总数变动率	人口自然变动率	人口机械变动率
1991	14.3	9.27	5.03	2000	13.8	11.69	2.11
1992	9.9	7.25	2.65	2001	13.62	3.49	10.13
1993	6.62	7.3	-0.68	2002	4.78	7.69	-2.91
1994	4.67	4.66	0.01	2003	17.61	9.46	8.15
1995	3.71	4.62	-0.91	2004	15.43	11.08	4.35
1996	4.46	5.3	-0.84	2005	-20.43	4.9	-25.24
1997	4.47	6.39	-1.92	2006	19.71	13.65	6.06
1998	4.48	5.79	-1.31	2007	15.24	16.1	-0.86
1999	5.23	6.87	-1.64	2008	3.22	14.87	-11.65

第二节 人口结构

性别结构

1991 年全市男性人口 270467 人，占总人口的 52.38%，女性人口 245846 人，占总人口比例为 47.62%，男女性别比例为 110.01。此后，全市人口男女性别比呈上升趋势，至 2008 年达 116.31。

1991—2008 年贵溪市户籍人口性别变动一览

表 3-4

年 份	男性（人）	占总人口比例（%）	女性（人）	占总人口比例（%）	性别比（女性=100）
1991	270467	52.38	245846	47.62	110.01
1992	275293	52.80	246132	47.20	111.85
1993	277116	52.80	247761	47.20	111.85
1994	277653	52.65	249675	47.35	111.21
1995	278970	52.71	250313	47.29	111.45
1996	280778	52.81	250865	47.19	111.92
1997	282461	52.89	251561	47.11	112.28
1998	284595	53.05	251821	46.95	113.01
1999	286229	53.08	252992	46.92	113.14
2000	290893	53.21	255767	46.79	113.73
2001	294659	53.18	259444	46.82	113.57
2002	297044	53.35	259707	46.65	114.38
2003	307702	54.31	258856	45.69	113.87

续表 3－4

年　份	男性(人)	占总人口比例(%)	女性(人)	占总人口比例(%)	性别比(女性＝100)
2004	310611	53.99	264689	46.01	117.35
2005	299412	53.12	264189	46.88	113.33
2006	308539	53.69	266171	46.31	115.92
2007	312985	53.64	270484	46.36	115.71
2008	314744	53.77	270606	46.23	116.31

年龄结构

2000 年,第五次全国人口普查,全市 0—14 岁人口 129760 人,占全市人口的 24.23%;15—64 岁人口 374931 人,占全市人口的 70.01%;65 岁及以上人口 30826 人,占总人口的 5.76%。最高年龄为 99 岁,共 2 人,男女各 1 人。

2008 年,贵溪市 18 岁以下人口 128283 人,占全市人口的 21.92%,18—35 岁人口 177630 人,占全市人口的 30.35%,30—60 岁的人口 212434 人,占全市人口的 36.39%;60 岁以上的人口 67003 人,占全市人口的 11.45%。

第四次和第五次人口普查贵溪市人口年龄结构一览

表 3－5

年龄段	1990 年		2000 年	
	人口数(人)	占总人口的比例(%)	人口数(人)	占总人口的比例(%)
0—9 岁	101306	20.23	73331	13.70
10—19 岁	119265	23.81	99983	18.67
20—29 岁	100814	20.13	104012	19.42
30—39 岁	70253	14.03	100717	18.81
40—49 岁	41291	8.24	69625	13.00
50—59 岁	32979	6.58	40349	7.53
60—69 岁	23137	4.62	28761	5.37
70—79 岁	10162	2.03	15151	2.83
80—89 岁	1608	0.32	3446	0.64
90 岁以上	35	0.01	142	0.03
合计	500851	100	535517	100

职业结构

随着改革开放的深入,产业结构调整,全市从业人员职业结构发生较大变化。从事第一产业人员减少 9.44 个百分点,从事第二产业人员增加 3.94 个百分点,从事第三产业人员增加 5.5 个百分点。

第四次和第五次人口普查贵溪市行业结构一览

表 3－6　　　　单位：%

行业	1990 年	2000 年	2000 年比 1990 年增减的百分点
农林牧渔业	81.09	71.65	－9.44
工业	6.33	10.27	3.94
建筑业	2.60	2.60	0
地质勘查、水利管理业	0.39	0.24	－0.15
交通运输、仓储及邮电通信业	1.45	2.13	0.68
金融保险业	0.27	0.51	0.24
房地产业、社会服务业	0.59	1.51	0.92
批发零售贸易和餐饮业	2.92	5.01	2.09
卫生体育和社会福利业	0.68	1.08	0.4
教育、文化艺术及广播电视业	2.15	2.43	0.28
科学研究和综合技术服务业	0.06	0.09	0.03
国家、党政机关和社会团体	1.41	2.43	1.02
其他行业	0.06	0.05	－0.01

文化结构

1991 年起，随着教育事业的发展和九年制义务教育的全面实施，居民文化素质不断提高，文化结构发生变化。2000 年，第五次全国人口普查，全市 6 岁及以上人口为 495313 人。其中：大专以上 9966 人，比 1990 年 3098 人增长 2.2 倍；高中（中专）10083 人，比 1990 年 29850 人减少 66.2%；初中 180073 人，比 1990 年 83020 增长 1.2 倍；小学 224942 人，比 1990 年 215506 人增长 4.4%；全市文盲、半文盲人口 37249 人，占全市 6 岁以上人口的 16.54%，比 1990 年下降 16.54 个百分点。人口中 15 岁及以上人口 405757 人，其中，文盲人口 24719 人，粗文盲率 6.09%，与 1990 年“四普”相比（粗文盲率 15.14%），下降 9.05%。

第四次和第五次人口普查贵溪市文化结构一览

表 3－7

文化程度	1990 年		2000 年		2000 年比 1990 年增减的百分点（%）
	人数（人）	占比（%）	人数（人）	占比（%）	
文盲、半文盲	104996	24.06	37249	7.52	－16.54
小学	215506	49.37	224942	45.41	－3.96
初中	83020	19.02	180073	36.36	17.34
高中	25514	5.85	3334	6.73	0.88
中专	4336	0.99	9749	1.97	0.98
大专	2014	0.46	7655	1.54	1.08
本科及以上	1084	0.25	2311	0.47	0.22

第三节 姓氏分布

至1990年,贵溪市境内共有544种姓氏。

1991—2008年,贵溪市流动人口多,姓氏变化大,经与市公安局户政科及各乡镇村组调查核对,全市人口姓氏有427种(按人口从多到少排):张、李、徐、黄、吴、江、周、刘、陈、汪、杨、王、彭、何、朱、胡、郑、曾、夏、邓、叶、邱、程、熊、祝、龚、余、童、姚、罗、方、傅、丁、乐、裴、项、姜、邹、饶、毛、谢、邵、董、许、林、潘、肖、冯、孙、桂、赵、苏、蒋、宋、薛、舒、毕、洪、艾、孔、琚、詹、翁、严、吕、蔡、应、金、高、陆、黎、倪、卢、侯、韦、涂、万、雷、廖、汤、鲁、曹、兰、聂、葛、钱、郭、施、谭、魏、揭、席、唐、樊、费、车、闵、章、崔、范、马、游、官、华、屠、宁、俞、伍、喻、袁、阮、尹、沈、梁、杜、闻、左、石、韩、戴、虞、陶、甄、钟、符、炉、凌、易、包、庄、于、任、赖、古、白、平、管、欧阳、盛、顾、梅、景、敖、段、柴、齐、颜、甘、田、龙、连、娄、奉、孟、鄢、殷、危、鲍、武、丰、柯、纪、芦、缪、康、谌、季、池、贺、温、柳、上官、关、皮、封、邬、成、营、练、晏、邢、文、翟、裘、史、欧、常、麻、胥、单、骆、岳、贾、花、楼、闫、查、全、修、安、仲、晁、滕、冷、牛、路、诸、卞、吉、代、辛、瞿、郝、宫、求、屈、简、阳、元、尚、茹、耿、商、阎、过、莫、帅、漆、仇、刁、苗、秧、乔、祁、郎、国、向、谷、尤、衷、宣、时、申、焦、邝、庞、谈、佘、戚、房、卜、宗、寿、隋、吁、卫、曲、班、巫、伊、岑、霍、卓、宠、藏、西、臧、祖、解、褚、支、初、奚、荣、穆、窦、鲜、巢、稽、丛、笠、边、伏、战、栾、迟、来、幸、斯、明、蒲、米、郁、司马、门、贝、柏、司、逢、未、鞠、芮、苟、储、佟、宿、杭、牟、邵、苑、鹿、厉、和、远、佐、甫、粟、沙、居、匡、靳、富、强、权、汲、茅、井、衣、辜、晋、巩、况、旷、吾、皋、荆、狄、贡、藩、相、芳、但、吝、閤、隆、岩、刁、荀、博、回、乾、楚、单徒、保、云、区、浦、葵、淳、崖、咀、校、扶、亚、典、满、姬、桑、斗、朴、寇、郦、刚、宾、言、腾、农、敬、海、巴、禹、静、须、励、蓝、蒙、伦、冀、昌、恽、铁、南、黑、荷、风、鹃、瓦、硕、泰、不、薄、慈、畲、慕、都、戈、荫、阚、负、拱、息、律、井、后、经、滑、月、静、刚、阜、部、位、邸、尧、矢、树、操、羊、申屠、伦、励、须、索、岩、笪。

雄石街道

雄石街道辖象山村委会。

象山村委会下辖众德村、上航渡、中航渡、熊家、仙桥、曾家碓、挂榜、鸭母墩、狮源、唐源、金家、岭脚里等自然村,主要有周、张、苏、童、熊、樊、朱、许等姓氏。

东门街道

东门街道辖雄石村委会。

雄石村委会下辖方家岭、毕家、姜家、岭上、洲上李家、大洲上江家、下李、李家岗、白果树、小洲上江家、新屋胡家、沙井头、胡家、范家、江家山等自然村,主要有张、彭、方、毕、姜、李、江、王、郑等姓氏。

花园街道

花园街道辖花园村委会。

花园村委会下辖上陈家、刘家、早和塘、垄背、沙古桥、钓鱼滩、粮坊里、姚家山、花园里、紫金堂等自然村,主要有陈、郑、刘、张、吴等姓氏。

白田乡

白田乡辖行马、姚家、白田、小田、蓝田、甘苏、北山、港黄、裴家9个村委会,72个自然村。

主要有吴、毕、郑、邵、苏、曾、张、赵、黄、陈、许、林、汪、裴、冯、曾、徐、刘、项、丁、陈、江、周、杨、姚、朱、夏、蒋、马、金、方、毛、葛、翁、乐、武、曹、陆、梅、甘、鲁等姓氏。

周坊镇

周坊镇下辖周坊、三丫、上黄、裴源、杨家、河上、吕家、古港、库桥、岭脚、高门、神前、胡家、长塘、横岭等15个村委会,139个自然村。

主要有邵、周、徐、邱、乐、应、杨、曾、卢、罗、周、李、王、董、张、吴、彭、熊、马、黄、茹、吴、缪、裴、宋、范、方、廖、陈、汤、程、谢、包、葛、龚、呈、石、叶、吕、华、祝、姜、成、洪、郭、甄、爱、饶、胡、鄢、詹等姓氏。

泗沥镇

泗沥镇下辖王湾、赤石、严家、珠岭、方家、泗沥、新塘、中村、郑坊、杨山、何家、东洪、桃源等13个村委会,142 个自然村。

主要有江、张、毕、周、郑、裴、陈、揭、雷、陶、杨、吕、翁、吴、彭、汪、尹、胡、闻、武、宋、叶、余、朱、许、骞、何、董、邢、贺、蒋等姓氏。

鸿塘镇

鸿塘镇下辖洋塘、陵家、富岗、亳岭、卢宋、基塘、薯铺、红山、凉山、郑家、黄柏、塘湾、畀牌、港口、横田等 16 个村委会,141 个自然村。

主要要有徐、傅、刘、宋、江、卢、黄、陵、严、邓、艾、万、翁、董、车、季、许、龚、饶、夏、聂、罗、丁、华、谭、詹、何等姓氏。

志光镇

志光镇下辖古城、信江、周塘、理源、志光、西江、湖石、皇桥、塔桥、湖塘、柏山、珍田等 12 个村委会,98 个自然村。

主要有徐、汤、饶、李、汪、新、翁、吴、陈、邓、化、艾、雷、戴、傅、叶、夏、姜、廖、彭、项、韦、胡、孙、邹、周、雷、鄢、万等姓氏。

河潭镇

河潭镇下辖丰田、横山、花屋、南塘、泗塘、毛炉、龙石、河潭、九夏等 9 个村委会,163 个自然村。

主要有李、汪、胡、毛、倪、鲁、许、江、邓、陈、邝、叶、蔡、赵、邹、严、楼、夏、孙、方、王、毕、姚、丰、庄、倪、应、乐、罗、张、祝、葛、卢、余、金、郑、徐、刘、熊、吴、虞等姓氏。

滨江乡

滨江乡下辖西洋、婆桥、山背、洪塘、江南、江北、流岭、金沙、黄坑、柏里、铜都、浮桥等 12 个村委会,206 个自然村。

主要有丁、徐、杨、黄、汪、李、项、饶、彭、王、童、周、夏、何、罗、潘、邱、琚、邹、毛、郑、傅、桂、江、张、叶、邓、卢、左、樊、林、吴、倪等姓氏。

罗河镇

罗河镇下辖黄墩、童源、潜岭、新田、排上、贵碧、樟槎、龙山、洋塘、太田、陈家、翁源、太阳、屈碧、剑汪、杨桥、罗田、周家等 18 个村委会,165 个自然村。

主要有乐、黄、张、屠、刘、姚、杨、费、高、汤、李、饶、孔、龚、许、应、叶、邓、吴、胡、施、汪、严、卢、徐、曾、席、廖、应、陈、任、樊、景、朱、祝、彭、万、谢、蔡、魏、鲁、周等姓氏。

流口镇

流口镇下辖新溪、横路、官庄、盛源、双岭、细叶、李源、板桥等 8 个村委会,96 个自然村。

主要有黄、樊、钱、夏、何、郭、汪、苏、林、傅、桂、曾、谢、范、艾、刘、孔、潘、乐、李、徐、俞、邓、熊、张、龚、柴、池、凌、涂、朱、姚等姓氏。

金屯镇

金屯镇下辖金屯、大塘、周阳、上马、枫岭、焦坑、南畈、高公、石岭、贲梅等 10 个村委会,197 个自然村。

主要有黄、刘、苏、邓、徐、何、林、潘、肖、岳、元、孙、熊、余、傅、董、包、周、韩、张、严、冯、席、黎、彭、杨、汪、伍、盛、鄢、涂、晁、章、艾、叶、许、朱、蓝、闻、辜、邱、胡等姓氏。

文坊镇

文坊镇下辖西窑、文坊、沙龙、塘头、东际、濠水、岭西、票上、天华山、虹桥、坛石、吊桥、花桥、斗楼、詹源等 15 个村委会,372 个自然村。

主要有李、陈、汪、许、曾、黄、张、车、曾、谢、吴、郭、伍、祝、席、陈、高、马、邓、琚、项、潘、吕、余、周、杨、邱、彭、周、程、熊、肖、黎、蓝、童、詹、朱、孔、严、桂、林、毛、颜、谭、喻、华、傅、罗、宋、冯、赵、方等姓氏。

冷水镇

冷水镇下辖冷水、富庶、麻地等 3 个村委会,123 个自然村。

主要有李、范、鲍、邓、熊、洪、罗、吴、陈、鲁、汪、余、曾、张、冯、蒋、傅、饶、龚、刘等姓氏。

雷溪乡

雷溪乡下辖雷溪、重文、富港、张桥、南山、鲶桥、罗塘、八甲、端港等9个村委会,76个自然村。

主要有黄、乐、蒋、林、金、张、陈、汪、刘、宋、杨、邓、吴、赵、程、胡、曾、舒、符等姓氏。

余家乡

余家乡下辖滴水、坝上、坂上、天禄、孟青、球源、庄源、流桥、罗湾、口上、余家等11个村委会,154个自然村。

主要有陈、蔡、林、乐、詹、吴、卢、李、孙、冯、游、胡、徐、蔡、王、艾、叶、章、汪、陆、郑、周、杨、褚、张、许、谌、聂、黎、桂、金、毛、雷、卯、邱、管、应、项、蓝、侯等姓氏。

彭湾乡

彭湾乡下辖彭湾、星明、白庙、小岭、溪源等5个村委会,81个自然村。

主要有周、龚、黄、吴、潘、饶、程、熊、邓、雷、席、张、倪、李、石、肖、孔、梅、易、宋、汪、罗、杨、琚、鲁、梁、朱、欧、胥、戴、夏、乐、毛等姓氏。

耳口乡

耳口乡下辖耳口、菖莆、圳上、南港、梅潭、横港等6个村委会,91个自然村。

主要有毛、周、张、王、宦、祝、熊、肖、曾、荣、陆、吴、鲍、许、涂、危、揭、何、傅、鲁、项等姓氏。

樟枰乡

樟坪乡下辖樟坪、双圳、西排、太源、黄思等5个村委会,66个自然村。

主要有雷、蓝、钟、江、汤、童、余、邹、苏、林、祝、兰、张、何、陈、王、廖、朱、艾、黄、邵、熊、楼、郭、姜等姓氏。

塘湾镇

塘湾镇下辖大桥、古塘、金源、山坑、唐甸、塘湾、芦甸、寨前、港西、江坊、高畈、财源、白果、东港、上祝等15个村委会,188个自然村。

主要有姜、方、刘、黄、张、项、琚、曾、余、庄、邱、杨、何、黎、吴、崔、孔、严、冯、郑、龚、许、席、古、万、葛、邓、夏、傅、韩、彭、周、陈、马、叶、蔡、赖、连、邹、江、车、宇、聂、祝、范、揭、李、谢、饶、宋、熊、桂、詹等姓氏。

第二章　居民生活

第一节　居民收入

随着经济的快速发展,居民收入大幅增加,2008年,贵溪市城镇在岗职工年平均工资19149元,是1991年的9.5倍,年均递增14%,农民人均纯收入5366.21元,比1991年增长6.7倍,年均增长12.76%。收入的快速增长,为改善居民生活质量提供了重要保障。

1991—2008年贵溪市城乡居民收入一览

表3-8　　单位:元

年份	农民人均纯收入	在岗职工平均工资	年　份	农民人均纯收入	在岗职工平均工资
1991	696.87	2051	1994	1209.54	3976
1992	734.02	2328	1995	1580.48	4327
1993	842	2886	1996	1920.48	4980

续表3－8

年份	农民人均纯收入	在岗职工平均工资	年 份	农民人均纯收入	在岗职工平均工资
1997	2185.96	4564	2004	3336.58	12493
1998	2188	7383	2005	3730.63	14352
1999	2349.56	8626	2006	4069.91	15771
2000	2367.30	7300	2007	4646.22	17569
2001	2467.47	8170	2008	5366.21	19149
2002	2566.26	9082	年均递增	12.76%	14.04%
2003	2731.22	10550			

第二节 居民消费

城镇居民消费结构

改革开放特别是21世纪以来，贵溪市城镇居民的消费观念随着收入的不断增加在不断的调整和转变中，消费方式发生质的变化，消费取向日趋多样化。居民的吃、穿、用、住消费，由吃饱、穿暖、实用、舒适向优质化、高档化推进，花钱买健康、买知识、买时尚、买新鲜成为居民新的消费观念和追求，生活质量更加受到关注，从追求数量型向讲求质量型转变，使消费结构快速升级，恩格尔系数逐年下降。

膳食结构更加合理，食品消费由吃饱向吃好和追求营养化、科学化、保健化与方便化方向发展。

衣着消费讲究舒适、时尚、品牌和个性化。城镇居民衣着消费的变化过程，从一个侧面比较直观地反映居民生活水平的变化过程。

耐用家电商品呈现明显时代特征，更新换代步伐加快。城镇居民生活变化尤为显著的是家庭耐用消费品更新换代。改革开放前人们追求是“三转一响”的“老四件”，即自行车、缝纫机、手表和收音机。改革初期又转向以电视机、洗衣机、电冰箱、录音机等为主要代表的“新四件”。90年代以后，城镇居民家庭耐用消费品又有新的变化，消费层次继续升级，彩电、冰箱、洗衣机、录音机陆续进入更新换代时期，空调、录像机、摩托车、组合音响等新型耐用消费品相继进入居民家庭。90年代后期以来，又出现以数码照相机、摄像机和家用电脑为代表的消费热。

居民更加注重身体健康、医疗保健支出快速增长。

交通通信消费趋向现代化，生活节奏明显加快。随着收入快速增加，家用汽车作为现代交通工具已成为中青年家庭追逐的热点，汽车消费开始走入一些百姓家庭，伴随着高科技电子信息产生的发展，信息技术商品化为电子产品注入新的商机，信息家电、通信设备、计算机、数字彩电等电子信息类商品销售增长速度不断加快。以电子商务为核心的网上商场、网上购物、网上服务、网上教育等也开始为部分新兴消费阶层所了解和接受。伴随着手机价格及移动通信资费的降低，手机如雨后春笋般涌入寻常百姓家庭。

教育投入力度加大，精神文化生活丰富多彩。随着现代社会对文化程度要求的不断提高，居民学习文化知识的欲望越来越强烈，教育投入力度明显加大。同时，随着物质生活水平的不断提高，提升精神文化生活质量成为越来越多城镇居民的消费选择。

居住条件和居住环境不断改善。“小康不小康，关键看住房”，各级政府对改善居民的居住条件十分重视，通过建设经济适用房和廉租房等多种方式千方百计解决居民住房难的问题。同时，随着居民收入增加，居民购房意愿增强，购房支出稳步增长。城镇居民居住条件的改善，还表现在居住环境的改善和配套设施的完善上。贵溪市建成区绿化覆盖率，城市道路建设等城市建设指标大幅增长。

农村居民消费结构

2008年,农民生活消费支出人均3123.02元,比1991年增长4.5倍,年均增长10.6%。恩格尔系数(即食品支出总额占个人消费支出总额的比重)由1991年的66.23%下降到2008年的45.03%,下降21.2个百分点。

1980—1990年,农民消费序列为食品、居住、衣着、家庭设备、文教娱乐、医疗保健、交通通信。农民消费最大的是食品支出,其次为居住支出,两项支出占消费支出70%以上,文教娱乐、医疗保健、交通通信支出所占比重合计低于10%。

1991—2000年,农民消费支出依次为食品、居住、文教娱乐、衣着、家庭设备、医疗保健、交通通信。农民消费最大的部分依然是食品与居住支出。与20世纪90年代前相比,食品和居住支出所占比重有所下降,文教娱乐支出增长较快,超过衣着和家庭设备支出上升到第三位,占消费总支出的为7.5%,提高5.5个百分点。农民消费由追求数量向追求质量转变。

农民生活消费加速向发展型转变。2000年前,贵溪市农民消费支出依次为食品、居住、文教娱乐、交通通信、医疗保健、衣着、家庭设备。进入21世纪,食品支出所占比重快速下降,居住支出所占比重保持稳定,支出额增长较大,反映农村购建和装饰住房的热潮方兴未艾。交通通信支出快速增长,超过衣着和家庭设备支出,上升到第四位。农民消费正转向发展型转变。至2008年,农民的发展型消费特征进一步显现。在食品、居住、衣着支出所占比重保持稳定的情况下,交通通信消费强劲增长,跃居第三位,成为生活消费支出的新热点。

消费层次全面升级。食品消费结构不断优化。饮食由"量"的满足转向"质"的追求,吃饱转向吃好。衣着消费追求时尚新潮。农民对成衣的购买量大幅增长,对原布的购买量逐步下降,并越来越讲究穿着的质量、款式和品味。住房更加宽敞舒适。农村各地新楼拔地而起,村庄旧貌换新颜。住房宽敞舒适。居住条件改善、耐用消费品走进千家万户。随着经济的快速发展、商品的更新换代,农民享受到社会经济发展的成果,家庭耐用消费品不断汰旧换新,对耐用品的消费从自行车、手表、缝纫机、收音机"老四件",到电视机、洗衣机、收录机、电冰箱、电风扇、影碟机"新六件",再到抽油烟机、热水器、空调、照相机、录像机、电脑等新型商品,消费档次越来越提高。

第三章 民族与宗教

第一节 民族工作

贵溪是个拥有多民族居住的地方,特别是畲族在贵溪居住历史长,人口较多,工作出众,既是江西省少数民族工作的重点,又是亮点。

1991—1996年5月,设县民族宗教事务办公室,为政府办公室内设机构,属二级局。

1996年撤县设市,改称贵溪市民族宗教事务办公室。

2005年4月8日,市民族宗教事务办公室升格为一级局,改称贵溪市民族宗教事务局,正科级单位,编制4人。

贵溪畲民主要居住于南部山区。部分畲民居住地,有的易发地质灾害,有的极其偏僻交通不便。2006年,争取到省下达贵溪市民族地区移民搬迁计划331人。移民搬迁建房补助标准为每人3500元,其中,省补助每人2000元,鹰潭市补助每人500元,贵溪市补助每人1000元。

2007年,全市实际移民搬迁79户331人。共获得移民搬迁补助115.85万元,新建樟坪杨家珑、金屯高公兰家、文坊邓家山雷家等少数民族移民新村。

第二节　民族结构

1990年第四次全国人口普查,全市汉族人口498633人占总人口的99.56%。少数民族13个,人口2215人,其中畲族1825人、回族66人、苗族37人、满族184人、朝鲜族27人、侗族23人、壮族21人、蒙古族8人、布依族2人、土家族15人、瑶族5人、傣族1人、傈僳族1人。2000年11月1日全国第五次人口普查,全市汉族人口532940人。少数民族25个,人口2406人,其中畲族1792人、蒙古族18人、满族179人、回族95人、苗族78人、彝族52人、维吾尔族34人、朝鲜族40人、布依族30人、壮族22人、侗族15人、土家族12人、瑶族2人、白族1人、哈尼族2人、黎族1人、土族2人、水族1人、东乡族1人、纳西族1人、达斡尔族1人、仡佬族1人、怒族1人、乌孜别克族1人。全市汉族人口占总人口的99.52%,比1990年减少0.04年百分点。少数民族人口25574人,比1990年增加359人。

据2008年统计,全市有16个少数民族。分别为:畲族、壮族、瑶族、东乡族、回族、土家族、蒙古族、毛难族、傈僳族、黎族、白族、侗族、朝鲜族、苗族、布依族、满族。

少数民族分布

贵溪市城市少数民族,主要分布于花园办事处的四冶、贵冶等居委会,大部分是随贵溪电厂、贵溪冶炼厂、四冶、十五冶等驻市企业落户贵溪,流动到贵溪,少部分是因商业活动,流动到贵溪。

据2008年统计,全市城市少数民族共有16个,其中,人口较多的少数民族为满族、回族、畲族。具体为:满族214人、回族68人、畲族66人、苗族14人、朝鲜族28人,侗族5人,白族3人,土家族18人、黎族4人、傈僳族1人、瑶族5人、毛难族2人、蒙古族11人、壮族16人、布依族1人、东乡族5人,总计461人,328户。其中,城市穆斯林人口68人,主要为回族、东乡族。

农村少数民族主要是畲族。有1个畲族民族乡——樟坪畲族乡,6个畲族村小组:泗沥镇王湾雷家畲族村小组、志光镇西江雷家畲族村小组、余家乡流桥雷家畲族村小组、彭湾乡星明雷家畲族村小组、文坊镇邓家山雷家畲族村小组、金屯镇高公兰家畲族村小组。

2008年,全市畲族总人口2361人,总户数572户。

少数民族姓氏

据2008年统计,全市16个少数民族姓氏构成分别为:

畲族:雷、兰、盘、钟、蓝、李

壮族:余、肖、陆、梁、刘、谢、闫、黄

瑶族:王、欧阳、黄、翟

东乡族:马

回族:张、马、丁、哈、撒、童、谢、曹、韩、唐、铁、闻、安、王、杨、严、肖、刘、费、许、黄、胡、白、吴、姚、郑、江

土家族:杨、田、丁、冉、张、陈、龚、周、秦

蒙古族:陈、严、祁、蔡、李、秦、阜、柯、汪

毛难族:邵、张

傈僳族:号

黎族:罗、黎、陈、石

白族:李、邓、艾、金、王、洪、单

侗族:刘、苏、王、田

朝鲜族:李、肖、郑、禹、河、独孤、崔、朴

苗族:石、吴、兰、杨、刘、唐

布依族:郭

满族:刘、傅、陶、许、左、杨、沈、李、肇、温、胡、何、张、吴、王、关、程、魏、苍、徐、康、佟、赵、孙、曲、陈、韩、于、葛、潘、富、计、郭、汪、卢、方、申、金、宋、那、静、郎、孟、洪、熊、邓、高、周、陆

第三节　宗教活动

道教

全市登记道教活动场所 15 处,纳入管理未登记道教活动场所 3 处。其中,比较有名的有冷水鬼谷洞、罗河东华山七星庙、周坊神前庙。道教活动场所主要分布于罗河、金屯、塘湾等南部乡镇,场所规模普遍较小。

据 2008 年统计,全市有道士 2 人,道姑 5 人。其中,冷水鬼谷洞道士 1 人、道姑 5 人,东华山七星庙道士 1 人。全市道教信徒人数难以准确统计。

佛教

据 2008 年统计,全市登记佛教活动场所 24 处。其中,寺庙 5 处,活动点 19 处。纳入管理未登记场所 1 处。其中比较有名的有滨江太岩寺、金屯太平寺、雷溪三阳洞府、耳口云台山庙、流口天缘寺、雄石广觉寺。

滨江太岩寺　位于贵溪市城东森林公园南侧,信江河之滨。始建年代无考。抗日战争期间,在寺中避难的 200 余名善众惨遭日军杀害,太岩寺亦同时被毁。

1992 年 3 月,周梅祥、李桂玉、刘秋金、张桂香、彭爱华、薛赛金等三宝弟子和信士,自筹资金,在太岩寺废墟上按原建筑格局重建斋堂、寮房,接电,挖水井,种植花果蔬菜,绿化周边环境,复兴佛事活动,引来香客和游人。

1985 年,毕业于厦门佛学院的青年和尚大轮法师到太岩寺工作。

1996 年 6 月,经贵溪市宗教部门审批,组建以周梅祥居士为负责人的太岩寺管理委员会领导小组。是年 12 月,大轮法师接替周梅祥工作,并于 1997 年 1 月担任太岩寺住持,重组太岩寺管理委员会领导小组,大轮法师为组长,华跃美居士为副组长,委员计 9 人,负责太岩寺的全面工作。

1997 年,太岩寺集十方善缘 30 万元,拓岩新建斋堂、寮房 250 平方米,建筑两层楼,钢筋水泥结构。

1998 年 6 月,拓岩扩建 200 平方米的大雄宝殿,购 1 米高的琉璃灯 3 盏,添置描金彩雕供桌和殿堂全套拜祭佛龛。1997—1999 年,先后三次从浙江温州请进 1. 4 米高的三宝等佛像 40 余尊。

1999 年 11 月,太岩寺举行佛像开光庆典,鹰潭市民宗局和中共贵溪市委统战部的领导莅临指导,厦门南普陀的弘法、至诚法师,金鸡亭的安景法师,九华山的慧琳法师,上饶的有顶、净明法师,应邀前往传法。南昌佑民寺等地的大法高僧和三宝弟子数十人前往祝贺。当地的三宝弟子和信士计有千人参加庆典法会。

太岩寺现有持戒弘法的住僧 4 人,虔诚服法的居士多人。慕名前往拜师皈依的三宝弟子达 400 人。住僧、居士以庙养庙,所种果菜自给有余。寺内电视、电话及水电等生活设施一应俱全。流通处佛像经书、弘法音乐、诵经磁带,尽供善众敬请。

天主教

新中国成立以来,贵溪市天主教发展相对缓慢。据 2008 年统计,全市登记天主教活动场所 2 处,其中,天主教教堂 1 处,天主教活动点 1 处。纳入管理未登记天主教活动点,主要分布于余家乡球源张家、耳口乡横港黄家、雷溪乡观田张家、鸿塘镇后山等地。

贵溪市天主教爱国会。20 世纪 80 年代初,贵溪市天主教恢复活动。第一届贵溪市天主教爱国会,于 2004 年 4 月成立,任期 5 年。第一届贵溪市天主教爱国会主任委员空缺,韩清秀当选副主任委员,主持贵溪市天主教爱国会全面工作。2005 年 4 月,鹰潭市天主教爱国会主任委员、月湖区本堂神父刘明剑兼任第一届贵溪市天主教爱国会主任委员。刘明剑后辞去月湖区本堂神父,任贵溪市天主教堂本堂神父。

天主教堂。贵溪市天主教堂原址为雄石街道办事处东街擂鼓岭。民国 31 年(1942),贵溪市原天主教堂被日军烧毁,只剩下神父楼。新中国成立后,神父楼作中共贵溪县委办公用房。

2006 年,贵溪市天主教堂异地重建。贵溪市委、市政府高度重视,落实国家有关宗教房产政策,为天主教堂异地重建提供土地3000平方米，拨款100万元人民币，作为补偿。

新天主教堂位于柏里大道东面，贵溪桥梁厂北侧。2008年6月竣工投入使用。主要建筑为教堂、神父楼。教堂面积500多平方米，神父楼面积400多平方米，总建筑面积近1000平方米。天主教堂宽敞明亮，设施完备，管理制度健全，宗教活动有序。

基督教

据2008年统计，全市登记基督教堂1个，基督教活动点67个，纳入管理未登记基督教活动点128个。全市基督教信徒23200人。

基督教堂点主要分布：罗河镇（21个）、滨江乡（26个）、河潭镇（21个）、周坊镇（17个）、泗沥镇（19个）、鸿塘镇（15个）。

全市基督教堂点80%以上为家庭聚会点，在居民家中从事宗教活动。租用、购买房屋和自建教堂从事宗教活动的较少，但呈逐年增加趋势。

贵溪市基督教“两会”。80年代初，基督教在贵溪恢复活动。1994年，成立第一届贵溪市基督教“三自”爱国运动委员会、第一届贵溪市基督教爱国会（以下简称“两会”）。

1998年3月，选举产生第二届贵溪市基督教“两会”。王育美当选主任委员、副会长，邓庆忠当选副主任委员、会长。

贵溪市基督教堂（旧称贵溪耶稣堂）。1984年8月1日，贵溪基督教堂建于雄石街道办事处西街大操场50号，占地670平方米，建筑面积532平方米。教堂1栋两层，厨房1栋一层，为钢筋混凝土结构。教堂总耗资16万元人民币，除台胞信徒赞助1万美元外，其余约8万余元人民币为教会信徒奉献。教堂可容纳400余人同时做礼拜。

第四节　宗教管理

1983年以来，贵溪各级党政领导机关及其有关部门，贯彻落实宗教房产政策，先后修复太岩寺、雄石基督教堂等历史悠久影响较大的知名宗教场所，并归还各宗教团体。

1991年，对擅自滥建的庙宇进行清理，摧毁迷信人在葛仙峰塑的菩萨，拆除上饶一佛教徒在雄石镇象山村观音岩非法修建的庙宇。

1995—1996年，贵溪市对宗教活动场所依法进行登记发证和年度检查工作。

2004年，根据省委、省政府统一部署，在全市开展对佛道教“两乱”、基督教私设聚会点进行专项整治活动，全市共治理乱建寺庙76处、私设置会点36处，依法拆除非法寺庙3座。

2008年5月，市人民政府制定下发《贵溪市乡（镇）人民政府、街道办事处宗教事务管理办法》，强化宗教工作“三级网络、两级责任制”的实施。

第四章　民　俗

第一节　外出打工潮

1991—2008年18年间贵溪民俗的变化，可以反映社会阶层生活状况、行为方式和思想观念所发生的巨变。这18年间，贵溪社会急剧转型：改革开放不断深化，计划经济转向社会主义市场经济，农业生产实行包产到户后，人民公社解体；大批农民涌向东南沿海乃至国外务工，约20万农民工每年挣回巨款现金，同时带回外部世界的各种新信息、新观念以及在现代企业打工所养成的文明礼貌、举止、习尚；城镇化规模逐步扩展，第三产业大发展，创业致富舞台和渠道拓宽，城乡居民收入增加、生活改善的同时，闲暇时间增多；义务教育普及，市民文化素质提高；手机、电视、互联网普遍化，信息传播敏捷，所有这些因素，从物质条件和思想观念上推动社会风尚、生活习俗在前所未有的广度和深度上发生时代性演变。

老年人认为:这 18 年间民俗民风变化之快之大,可与辛亥革命后民国初年、新中国成立之初那两次历史性风俗大变相比拟,但更加令人瞠目结舌、眼花缭乱而精彩、欢欣。这期间,历来被外界视为“守旧、闭塞”的贵溪人一反故态,显得特别开通、敏感,接受外来新风很快,追求时髦的人多,只要沿海大都市出现的新发型、男女衣饰新款式、餐饮新品目、娱乐新方式、生活新享受,不消几天,就会如阵风似地卷进贵溪城镇。其原因,一是贵溪出外打工者众多,平均每户有两人;二是国有大企业贵冶、贵电、贵化驻市,产业工人多。

贵溪民俗“安土重迁”,安于“早见爷娘晚见妻,半年辛苦半年嬉”,贵溪农民祖祖辈辈都愿守家务农。自 1990 年代初开始,大批农民到浙江(义乌、温州)、福建(厦门、福州)、广东(广州、东莞)一带打工,足迹逐渐遍及全国,后来有些人甚至远赴欧洲、非洲等地淘金。志光镇周塘一带农民,创出“贵溪(鹰潭)桃酥王”特色名牌,已形成遍布全国大中小城市的一大糕点产业,贵溪、鹰潭籍从业者达 10000 余人,许多人因此发财致富。北乡泗沥、周坊一带农民,先是到浙江义乌为物流公司做搬运工,在针织厂做合同工,逐渐掌握一些技术和经营门路,就回到本地开设与义乌联营、承接来料加工的成衣、玩具、雨伞等厂。这些从事加工的男女农民,已经从小农生产方式中蜕变出来,而成为制造业工人或厂主。此外,贵溪在外农民工,在闯荡过程中逐渐形成“抱团创业”的群体,同乡同村数十人一起到某地打工经商,如在江苏、广东、上海郊县就出现家具、餐饮等业的“贵溪一条街”。

农业机械化,电力、机械动力大幅度取代人力、畜力。至 2010 年,全市 70% 以上农田用拖拉机耕耙,使用电动收割机收获稻谷;普遍使用稻田除草剂和化肥,不再以人力耘禾和积肥。

人民公社时“以猪为纲”,大力改单季稻为双季稻;要求多养猪,贵溪曾是全省养猪大县。如今,南北乡丘陵山区,大面积农田由双季稻退回单季稻;80% 的农家不复养猪,耕牛也显著减少。不再有“猪是农家聚宝盆,牛是农户半头家”的观念。

农业科技推广,杂交优质水稻全面栽种,薄膜育秧、大棚蔬菜,测土配方施肥等新技术普遍推开;现代农业管理模式示范,农业公司化管理、大面积生态示范区和家庭农场出现;反映出农业生产习俗和思维方式的变化。

第二节　衣食住行

衣着

20 年来,穿衣经历从求保暖、到求齐整、求考究、求靓丽直到求舒适的几个阶段。男子从当初的一式中山装(制服),到牛仔衣,西装、夹克,直到各式休闲装。昔日一套衣服,补了又补;到 2000 年前后,中山装、补丁衣在贵溪已基本不见;衣服一褪色就抛弃。近几年职业男士时兴舒适、考究的休闲装,獭毛领,全绵羊皮、丝绸缎面,价格 4000 ~ 5000 元一件。一般人都信奉“穷里不穷外”准则,穿好衣,显得有精神,旁人看得起。至于贵溪女子,穿着大都喜欢红色,姑娘夏天穿开领低的紧身连衣裙,透明长袜;冬天穿大翻毛领皮衣、戴皮帽、蹬高统靴。旗袍曾一度作为酒店女服务员的工作服,但不久就因不便行走、不便干活而被淘汰。女性尤其是妙龄女郎赶时髦的多,时装色彩缤纷,但不会过分花俏,不浓妆艳抹,不裸露乳、脐。中老年妇女选购衣服主要着眼于显得年轻态、光鲜,仍持端庄。儿童服装则品种繁多,色彩花样不断翻新,无论城乡,大人都舍得在购买童装上花钱。

首饰:城市不论老中青,多配有一到数件金项链、金戒指、手链、玉镯、足链饰物;有钱男士时兴戴高价名表作为身份、地位、财富的标志。

穿鞋:从草鞋、布鞋到解放鞋,塑料凉鞋到各式皮鞋、长统马靴、旅游鞋、户外登山鞋、夏鞋、冬鞋、春鞋、秋鞋。

饮食

“民以食为天。”“人是铁,饭是钢。”1959—1979 年,尤其是 1960 年前后,人们谈话时常说的一句话是:“什么时候能够吃饱饭,那就是人生最大的幸福了!”后来则是期望:“什么时候口粮敞开供应,那就好了!”所以,当 1990 年代取消粮食供应证、饱腹无忧后,人们就转而追求“享口福”,要吃“好”,多年中,

快餐店

无论公宴家宴都求丰盛，鸡肉鱼蛋加喝酒"吃喝个痛快"。不少人得"富贵病"：高血脂、高血糖、高血压。大家醒悟过来，开始讲究科学饮食，为保健养生改变吃喝习惯。21 世纪以来，居民一般早餐吃些杂粮（红薯、燕麦等），中、晚餐荤素适当搭配、清淡低盐，每顿控制进食量只吃七八分饱；不吃猪油吃色拉油；多吃瓜果、青菜，有些人还设法寻野菜吃。不少人为肥胖而发愁，为减肥而奋斗。宴席上常见的情形是：青菜端上顷刻扫光，鸡肉鱼则总剩大半。

住宅

20 世纪 90 年代，各机关、学校集资建房。与此同时，小区商品房建设兴起，到 2008 年，市区及近郊已建成住宅小区 80 多个，其设计皆为厅室厨卫齐备的套房，分别有二室一厅、三室一厅、四室一厅。城区市民住房条件大有改善。

贵溪农户住宅历来属江南瓦舍小宅院型，多数系石木、砖木、土砖木结构，中为厅堂，两旁为卧室、厢房、厨房、猪牛栏及谷仓，形成四榀一舍，五榀一舍，六榀一舍的对称方整式建筑。一般相当简陋，低矮，采光通风差。

18 年来，95% 以上农家都新建住宅，资金来源主要是外出打工挣的钱。建筑式样，开始时都是红石或红砖墙、钢筋混凝土平顶两层结构；后来农村新建的房屋越来越上档次；式样由框架结构、屋顶红瓦、瓷砖贴墙到中西合璧，仿欧式建筑；楼层加到三、四、五层，房屋的功能则由以前的遮风避雨到求坚固宽敞，求舒适卫生（厅、室、厨、卫配套，采光通风，自来水，太阳能热水器），直到追求富丽堂皇。

2000 年以后贵溪乡村新建的农房住宅，许多都比城市住宅漂亮；南北乡众多村庄（南乡从张桥、鲶桥、斗楼到文坊、花桥，北乡从泗沥到丁坊、周坊、志光、鸿塘），都耸立着一幢幢欧美别墅风格的楼房（一般三、四层）。其特征是：一是造型美。不是如火柴盒、豆腐块似的方整形，而是多角型，曲尺型或圆弧型，尖顶，阳台凸出。二是装饰美。彩瓦，玻璃屏幕，罗马柱，不锈钢回廊栏干，彩色瓷砖拼图贴面墙，铝合金玻璃窗。

志光镇周塘及其周围村庄（位于沪昆高速鹰潭出口处右侧）建成的数百幢农户高档住宅，则是统一规划的，一律红瓦粉墙，格调一致，层次三至五层不等，如市住宅小区，一排排一行行，整齐如方格稿纸。

行路

1973 年前，贵溪全县没有 1 辆公共汽车，干部们下乡戏称"乘 11 号汽车（双腿）"，农民运物也只有推独轮车。1991－2008 年间交通大发展，贵溪市区发展到有 9 条公交线路，运行公交车有 40 多辆，还有不少出租车；农村实现村村通公路，僻远山村也可到就近车站乘城乡公交车。从家庭来看，人们出行经历从步行、骑自行车到骑摩托车、电动车、直到私家小轿车等 5 个阶段。2008 年，市区繁华街道两侧已出现私家车停靠拥挤状态。贵溪一中教师私家车为 8 辆。市内一户小商店店主，全家 4 个成年人就拥有小汽车 1 辆、电动车 3 辆、摩托车 1 辆。外出打工者，有些人回家过年不再挤火车，而是开着轿车，从京、沪、广或浙闽等地长驱返乡。有些人则开车载着一家子出外旅游（自驾游）。一些手头宽裕的市民跟随旅游团或自行结伴，乘火车或飞机，游北京、香港、台湾等地，乃至新加坡、马来西亚、泰国和印尼等国。

第三节　婚　姻

定亲

男女结婚，民间习俗是须经议亲、相亲（"察主家"）、定亲三个环节，以往男方须摆规模由小到大的三次酒宴。世纪之交以来,这项程序已简化为定亲一次宴会(“成事饭”),宴会前举行定亲仪式,订婚男女各向对方的父母及一众亲戚逐个作揖并响亮称呼,对方亦都回礼并发给红包,从此两大家族就算互相认可了这门亲事,结为姻亲。

聘金(彩礼)

定亲时的一项至要内容是男方给女方送聘金。聘金额在一定地域有个约定数,至2008年,聘金数额不断增大。以南乡为例,20世纪90年代1.8万元,2005—2008年升至8.8万元。北乡较低,2008年后为6.8万元(数字中都带8,谐音“发”寓吉祥意)此外,定亲时的宴席开支加上男方发给女方带来的所有孩子的红包钱(俗称“打发”),还有结婚之日女方家摆喜酒请客的费用也由男方承担,此三项约需6万元,所以,农家娶一个媳妇,总开支约需10万到15万元。少数家庭无力承受,故尚有三四十岁未娶妻的单身汉。但也有一些男青年在外打工结识贵州、云南、四川、安徽等省的姑娘,相爱而结婚,就一般无需给女方家送聘金。而这些外来媳妇大都安心乐意。也有另类事例:文坊镇荆树村有两位大学生,在外工作,各带恋人回家见父母拟谈婚论嫁,不料女方对走山路、住矮屋、“穷乡僻壤”大为失望,就一去不回头了。

嫁奁

90年代,通常以“四大家电”为嫁妆(彩电、冰箱、空调、洗衣机),也有嫁摩托车、新式沙发和高档床上用品的。后来,因家电普及,男家这类器物早已具有,嫁女时就只在皮卡上载几个家电空箱子以装样子,而以另外方式作嫁:有返还部分聘金的,有赠“创业本钱”的(送银行卡),有送一辆小轿车或一套新房、一间店面的。独生子女结婚,富裕的家长都愿在儿女的终身大事之际慷慨馈赠,他们对彩礼、嫁妆的看法是:送彩礼多少,是男方情意的表示;嫁妆的厚薄,是女方对情意的回报。

婚庆

进入21世纪,随着社会上追求婚礼的隆重、热烈多彩和新潮气氛,市区首家婚庆礼仪公司“花嫁之约”于2007年9月在擂鼓岭钻石街开业。到2012年,市区已有7家婚庆公司,形成以“甜蜜经济”相称的婚庆市场,婚庆公司串联典礼策划师、婚纱店、花店、酒家,实行系列服务,包括:吉庆场面气氛布置(鲜花彩球、充气拱门、剪彩道具、花篮陈列、鞭炮烟火),会场、司仪、音响、摄像设备,新娘婚纱、婚戒、婚车装饰,喜宴摆设等。婚庆仪式多样化:有欧洲西式婚礼,经典中国红堂传统婚礼,还有各种主题婚礼(由新人对浪漫爱情向往或现实感人的情景自行设置主题,婚礼即以此为主线来设定表达方式),如韩式婚礼、烛光婚礼、海洋婚礼,蝴蝶婚礼、草坪婚礼,卡通婚礼、教堂婚礼等,都为追求时尚的贵溪青年人所欣然接受。至2011年,“花嫁之约”已代办婚礼庆典350多户,收费标准按不同情况面议。婚庆公司还应约下乡到塘湾、文坊、周坊、罗河、志光、河潭、泗沥等地代办婚礼,带去设备立拱门搭彩台,把城市现代婚礼仪式传到农村。

上门承办喜宴

昔时红白喜事,皆由家庭操办。20世纪90年代初,城里人办喜事,开始作兴到酒店、饭馆预订宴席招待来宾;随后,农村人家也多在集镇酒家办喜宴。2005年左右,各乡镇陆续有人组建上户代办筵席的公司或团队,只要一个电话预约,承办者就会开车载着厨师、刀具、锅灶、液化气罐、桌椅碗筷乃至露天设席架棚用的蓬布到主家来,主人只需自拟菜单、采购食品即可,不论多少桌酒菜都能准时开宴,主家连碗筷都不用洗涤,只要出一笔代办费(双方面议),就办成一桩热热闹闹的喜事。

第四节　岁时节日

春节

仍是一年中民间最隆重的节日,外出者不论远近都要赶回家团聚。2000年前后,一些家庭到酒店预约包办年夜饭,手头宽裕起来的儿女们为免除年老双亲忙做团圆饭的劳累,愿出钱让一家子在酒店里过个轻松欢快的除夕。旧时年前年后活跃于街头、村落的龙灯、狮子灯、蚌壳灯,都罕见了。一些小区居民相约,将除夕初一辞旧迎新之际要三次燃放鞭炮(封门、开门、出行)的惯例革除,仅在年夜饭开席时燃放一次。除夕夜给儿童发“压岁钱”的习俗仍盛行且钱数增多,有些孩子能获压岁钱数千元。幼辈给长辈拜年多数已由送烟酒补品改递红包了。亲友之间则以“电话拜年”“短信祝福”。

清明

每逢清明扫墓祭祖,子孙辈都很虔敬。2000年前后,祭品供应商迎合大众心情,制作出越来越多的“现代祭品”:冥币中不仅有仿制的人民币纸,还有多种外币,面额最大的达亿元。还有各种“银行卡”,各类“营养品”,更有塑料或纸制作的手机、轿车、飞机、别墅乃至麻将、扑克。

端午

吃粽子,划龙船,仍在沿袭;门上插菖蒲、艾叶,少部分人家还在持续;喝雄黄酒,已罕见。

中秋

吃月饼的习俗保持着。但旧时一家人饮茶吃月饼赏月的情趣,少有了;往昔孩童们最高兴干的“摸青”(中秋夜结伙摘人家瓜果、扳甘蔗、挖红薯不算偷),“烧瓦子灯”(捡破瓦层层叠成如炉灶状,内烧炭火,或泼以煤油,熊熊燃烧)等游戏,也已兴趣低落。

“洋节”

外来的节日开始流行。圣诞节,父母给孩子送礼物。情人节,送玫瑰。贵溪传统是“逢十”庆生日(如10岁、60岁等),现在青少年则每年生日都要庆贺一番:买蛋糕,邀几个小伙伴,吹蜡烛、许愿,合唱“祝你生日快乐”,人们称之为“过洋生日”。

第五节 其 他

美容

城镇中,青年女子普遍烫发、焗油、画眉、纹眉、描眼线、割双眼皮、贴面膜、纹唇、拉皮、E光去斑、光子嫩肤、美甲、微整容等等,这些美容业务都设有专店、专师,顾客办理月卡、年卡、会员卡,可享受优惠服务,有些女士每年美容消费超万元。至于50岁以上女性,大多数都染黑发;中青年女子则染金发、红发,也有个别染绿发蓝发。

美体

男青年纹身,图案为花卉、虎、蛇、蝎等。女青年则是减肥瘦身。

文体活动

从1991至2008年,城乡民众自发的文娱体育活动不断增温。在城区信江畔,公园里,住宅区大院中,太极拳、柔力球、剑舞、扇舞、街头舞、腰鼓队、乐队、门球等,不仅老年人热心参加,中青年也在早晚积极参与。雄石镇退休人员自组多支乐队和越剧班,每日相聚于公园或老年活动室,练习乐器演奏和排练剧目,经常应邀到城乡各处喜庆场合演出助兴。在农村,2006年全面铺开的国家规划的新农村建设项目,至2012年已完成665处(村),每村皆建有休闲广场,包括小公园、花圃花带、池塘水面、休闲亭健身设施和老年活动中心(一般在祠堂中),为文体活动的广泛开展提供理想场所。每天早晚,村中男女老少在其中做健身活动。

租房陪读

90年代末,开始出现前所未有的一种“新风尚”:陪读。不论城乡,当有子女升入重点高中后,部分家长就会设法在校园内老师宿舍区或学校周围住宅区租一间房子供孩子住宿,父母或祖父母中1～2人陪住,照料孩子饮食起居。陪读者或辞去工作,或仍坚持工作而早午晚到校料理,穿梭于校、家、单位之间,非常辛苦。直到3年后孩子毕业升入大学为止。陪读者越来越多,长年有数百人。

从小就培养孩子有一门艺术爱好的特长,是一种时尚。不少家长让子女从7岁开始就利用假期日进各类培训班或个别拜师,学习书法、绘画、音乐(器乐、声学)、舞蹈、跆拳道等技艺。

续修家谱

贵溪民间历来有续修家谱的传统。世纪之交,贵溪受外地续谱风的影响,涌起一阵续修中断已过60年之久的家谱的潮流,至2008年,全市90%以上的村族就都续修了新谱。主持续谱的多是退休的各级干部,教师和农村中的长者,修谱得到广大族众的支持。

第六节 颓风败俗

社会上出现的黄赌毒等不良风气,都是旧社会早已有的,在新的历史条件下重现,只是程度、花样不同。

赌博

旧社会贵溪赌风历来盛行,赌徒多是城乡流氓,不务正业者,女性极少。新中国成立后严禁赌博,1950—1980 年间几乎禁绝。自 20 世纪 80 年代中期起,城乡赌风开始复活,不断弥漫、升级,无论男女、老中青,无论职业,一些人就不分昼夜泡在麻将桌上。尤其是 21 世纪初自动麻将机问世以来,麻将馆在市区、集镇以至各村普设,多数麻将馆提供中、晚餐和烟茶点心,吸引赌徒昼夜不离。上班族中一些姑娘,午间吃饭休息,也要到麻将馆边扒盒饭边摸牌。菜市场上摊贩们清早一见,第一句话总是:“昨夜手气好不好? 进出多少?”麻将风笼罩下,许多人浪掷青春、荒废事业,有因一方赌性不改而闹离婚的,更令人惊心的是因赌出了多起命案。雄石镇一理发美容店店主,因手艺好并带多名学徒生意红火,迅速致富,后沉迷于赌,输光房屋家财,妻子离婚,本人投信江自尽。上清镇一屠户赌博成瘾,将夫妻俩每日早起杀猪卖肉辛苦钱输光且背负赌债,妻子规劝反遭打骂,投水电站引水渠自尽。罗河镇还发生了赌场争执拔刀杀人的血案。

卖淫

民国时期,贵溪县城有公开妓院。新中国成立后,人民政府禁娼,妓女绝迹。20 世纪末,卖淫嫖娼死灰复燃。暗娼散布于火车站、商城、桥西公园附近及“破料街”(废品收购集中区)一带,不分白天黑夜,以暗语勾引嫖客。市区及近郊各村 50 岁以上的单身汉(鳏夫),其中一部分是暗娼的常客。有的农民进城办事,被诱嫖宿,致夫妻皆染性病;城乡发现个别艾滋病患者也因卖淫嫖娼所致。2012 年,在火车站附近曾发生嫖客为争执嫖资而怒杀妓女的案件。

吸毒

清代民国期间,贵溪城乡皆有吸鸦片烟者。新中国成立后,一时彻底禁绝。2000 年前后,贵溪开始有摇头丸、K 粉等毒品渗入,吸食者逐渐扩散,但人数少。

第五章 计划生育

第一节 机 构

县(市)机构

1988 年,贵溪县计划生育委员会设办公室、财统股、宣传指导股。1990 年,又增设政策法规股、技术服务站,成立贵溪县计划生育协会(挂靠县计生委)。1991 年,增设宣教股、科技股。1996 年,增设基层工作股。撤县设市,贵溪县计划生育委员会,改名为贵溪市计划生育委员会。

2003 年,机构改革,贵溪市计划生育委员会,改名为贵溪市人口和计划生育局(属正科级政府职能部门)。

2008 年,局机关共有干部职工 17 人,内设计划生育协会、办公室、政策法规股、规划统计股、宣传教育股、财务股、纪检组。

下属机构:计划生育技术服务站,1992 年成立(属正股级,前身为 1984 年 4 月成立的贵溪市计划生育宣传技术指导站),共有干部职工 16 人。有副主任医师 1 人,主治医师 6 人,主管护师 2 人,技师 2 人,护士 2 人,管理人员 3 人,大学本科学历占总人数的 50%,专科学历占 44%,中专学历占 6%,办公场所共 3 层,约 1000 平方米,办公室、心电图室、B 超室、手术室、康复室、门诊室、医师值班室、药具室。负责全市计划生育手术、计划生育技术指导、咨询服务和管理。

市人口和计划生育局办公地点在市交通路12号。

乡(镇)管理机构

1984年全县各乡(镇)场都成立计划生育办公室,由分管副乡(镇)长、副场长任办公室主任,全县共配备38名计划生育助理员,并根据乡(镇)人口多少,分别配置若干名专职人员组成各乡(镇)场计划生育办公室开展工作。

村(居)委会由主任兼计划生育助理员,妇女主任为计划生育宣传员,村(居)民小组由组长负责计划生育工作。

2003年机构改革,乡(镇、场、街办)计划生育办公室更名为乡(镇、场、街办)计划生育服务站,人员编制属乡(镇、场、街办)管理,编制数根据乡(镇、场、街办)人口多少配制4—7名不等,专门从事人口和计划生育工作。

第二节　管　理

政策法规

20世纪70年代初至1983年,实行“晚、稀、少、好”的生育政策,提倡“一个很好、两个正好、三个多了”,一对夫妇生两个孩子,两胎间隔4—5年。开始制定人口发展计划和生育政策。

1983—1990年实行“晚婚、晚育、少生、优生”的生育政策。1983年1月18日江西省人民政府颁布《江西省计划生育若干问题的暂行规定》,第一次以地方性法规制定生育政策。

1990年9月1日起实施《江西省计划生育条例》。结合《条例》规定,贵溪对生育政策的基本要求是:提倡晚婚晚育、优生优育,禁止早婚早育和非婚生育,严禁计划外生育。提倡一对夫妇只生育一个子女,严格控制生育第二个子女,禁止生育第三个子女(一胎多子女的除外)凡欲生育子女的夫妇,应按《条例》规定的条件和手续领取“一胎准生证”或“再生一胎准生证”方可怀孕、生育。凡违反规定未领取“准生证”的怀孕、生育,属计划外怀孕、生育。新生育政策同时规定,禁止任何医疗单位或个人对胎儿进行性别鉴定,禁止选择性的人流引产,防止性别比失调。

奖惩措施

1990年9月1日贵溪结合《江西省计划生育条例》实际制定具体奖惩措施,下发《关于进一步加强计划生育工作责任制和跟踪考核的决定》(贵计生领字〔2004〕3号文件),《关于印发贵溪市建立完善利益导向机制的若干规定的通知》(贵府发〔2008〕5号)。

计划生育光荣证

1995年6月30日,《江西省计划生育条例》作出修改,并于1995年9月1日施行,同时施行《江西省计划生育行政处罚程序规定》《江西省计划生育行政复议办法》《江西省征收计划外生育费、计划生育证工本费标准》以及《江西省对违反计划生育的罚款处罚规定》,对计划生育行政处罚、行政复议、计划生育费征收标准、违反计划生育的各项罚款标准及程序作统一规定,根据这些规定,结合当地实际制定具体的处罚标准和程序。

宣传教育

1990年《江西省计划生育条例》出台,全县上下便大张旗鼓地宣传《条例》。1999年全市开展以“婚育新风进万家”为主题宣传活动。2000年全市开展以优生优育生殖健康及避孕节育优质服务、人口出生缺陷干预、生殖道感染干预为内容的宣传活动,全市建立村级人口学校196处,乡(镇)村人口学校均配备电教设备实现计划生育影视教育。

全市共流出人口8万余人,占全市总人口的15%,已婚育龄妇女占总流出人数的55%,绝大部分为外出务工经商,为人口和计划生育工作提出一个新课题——流动人口计划生育管理。对流动人口计划生育管理,实行双向管理与服务的工作机制,同资溪县,云南剑川县、大理州,安徽省阜阳市颍东区,河南省新乡市签订双向管理与服务协议书。流动人口计划生育管理工作原则:两地共同负责,以现居住地为主,户籍所在地配合。

2006 年贵溪市人口计划生育网站开通,网址为 www. gxjsw. gov. cn,开办的栏目有贵溪概况、组织机构、法律法规、计生新闻、生殖健康、办事指南、网上办公,方便广大群众对计生政策、生殖健康、办事程序了解的需求。

节育措施及服务

1960 年开始由县妇幼保健站进行计划生育避孕节育宣传教育和试点工作,当时只在一些城镇居民和干部职工中推行避孕套、阴道栓、避孕环等工具和药物避孕,少数人员还服用中草药避孕,所需避孕药具及手术费用,除享受公费医疗外,均需自费。

1983 年 1 月 18 日,江西省人民政府颁发并实行《江西省计划生育若干问题的暂行规定》。对育龄夫妇的节育措施作了统一的原则性规定:夫妻双方都有实行计划生育的义务,已有一个孩子的夫妇必须落实有效的节育措施。如避孕失败,造成计划外怀孕,应尽早采取补救措施,终止妊娠。施行节育手术后按《手术常规》给予休息假日。在休假期间,干部、职工(包括临时工)的工资照发,不影响考勤评奖。对已婚育龄免费发送避孕药具、施行节育手术。手术费用和手术后并发症、后遗症治疗费用,国家和集体单位的干部、职工及享受劳保医疗的配偶,分别在公费医疗、劳保医疗费内开支,农村社员、城镇居民由计划生育经费开支。

1984 年 4 月,贵溪市成立计划生育宣传技术指导站,负责全市避孕节育、优生优育技术宣传、咨询工作,为全市育龄妇女提供上环、结扎、人流、引产、查环、查孕、妇科病的普查与防治以及生殖保健技术服务。为方便育龄妇女有效地实施避孕节育措施,从 1987 年开始避孕药具实行免费计划发放和市场销售相结合的"双轨"制。1989 年 7 月,成立计划生育药具管理站,专门负责全市避孕药具的计划、采购、保管和发放等管理工作。

1991 年,贵溪县计划生育委员会设立计划生育科学技术科,负责协同有关部门组织,对计划生育科研成果和避孕节育生殖保健新技术的转化及推广应用,指导和督查各级计划生育服务站的业务开展工作,组织计划生育技术鉴定小组,协助做好计划生育手术后并发症、后遗症及病残儿鉴定管理工作。

1992 年,成立计划生育技术服务站,专门负责对计划生育科研成果和避孕节育生殖保健新技术的转化及推广应用,指导和督查各级计划生育服务站的业务开展工作,协助做好计划生育手术的并发症、后遗症及病残儿鉴定管理工作。

从 1996 年开始,计划生育手术、挂号、药品住院等一律免费,其中享受公费医疗的或企业劳保的,分别在公费医疗和劳保基金中开支,农民和城镇居民则在计划生育经费中支出。

第四卷　城乡建设

第一章　城乡规划

第一节　机　构

2001年以前，城乡规划行政管理职能由市建设局承担。2001年9月22日，贵溪市城市规划局成立，为市政府直属副科级事业单位，归口市建设局管理，定编10人，财政全额拨款。2002年1月14日，市政府办下发通知，正式启用贵溪市城市规划局印章。

2003年3月7日，市政府办公室印发《贵溪市城乡规划局职能配置、内设机构和人员编制规定》，组建贵溪市城乡规划局，为市人民政府部门管理机构（正科级）。将城乡规划行政管理职能从建设局划出，主要职责是贯彻执行《中华人民共和国城市规划法》和《村庄和集镇建设规划管理条例》以及国家有关城市规划的法律、法规和各项方针、政策等。内设机构4个，机关行政编制为4名，专项事业编制7名，后勤服务人员编制1名。领导职数3名，局长1名，副局长2名。

2006年5月7日，市机构编制委员会批复同意设立贵溪市城乡规划测绘信息中心，为下属全额拨款事业单位，定编4名。

第二节　规划管理

城市总体规划与调整

1980年，委托江西省城市规划研究所编制《贵溪城市总体规划》。1993年，委托南昌大学城市规划研究所调整《贵溪城市总体规划》的编制工作。至2003年，城市建设基本遵循1993版总体规划构想。

2003年6月，市政府再次委托南昌大学城市规划研究所编制新的《贵溪市城市总体规划》。

城市规划区范围为市城区所在镇、乡的行政区划范围。其范围包括原滨江乡，罗河、河潭、泗沥三个镇部分自然村以及流口镇区。具体范围界定为：东起信江上游西岸，西至贵溪工业园及沿信江下游西岸平行2千米左右控制线以内；北起梨温高速公路和铜都工业园，南至320国道和象山公园城市休闲娱乐区。

城市定位：铜冶炼及相关产业发展为主的中国重要的铜冶炼基地，赣东北重要的工业、交通、商贸园林城市。

城区人口规模：2010年城区人口20万人，2020年城区人口30万人。

城区用地规模：近期2010年城市建设用地25.60平方千米，人均128平方米；远期2020年城市建设用地36.00平方千米，人均120.0平方米。

城市总体规划结构为“一中心、三片区”。“一中心”指旧城中心区（包括老城区及中心区），“三片区”指三个辐射片区，即城西新区（信江下游西岸）、城南新区（信江以南）、城北新区（旧城中心区以北）。各片区之间由江、山丘、生态绿化带、铁路和城市道路自然分隔，既相对独立和完善，又各有侧重，相辅相成。

专项规划

市工业园总体规划 2002年6月,委托南昌大学城规院编制罗河工业园总体规划。后罗河工业园更名为贵溪市工业园,规划更名为市工业园总体规划。市工业园沿320国道,东起江西铜业公司技校,西至江西科华水泥有限公司,南起320国道以南1.2千米,北至浙赣铁路线,总面积10.65平方千米。规划的限期为2002—2020年,近期2002—2005年,中期2006—2010年,远期2011—2020年。功能定位为贵溪市高技术工业产业发展的基地,以高新技术产业为主导,是城市科技研发中心、人才培养中心、经营基地和城市发展新区。

规划区人口规模为5万人,规划布局以城市总体结构为导向,符合近期开发与建设的功能结构,其中,沿320国道的东侧区域与贵溪城市发展相衔接,主要是居住社区、商贸服务、文、教、娱乐用地。沿320国道的西侧主要是工业开发为主,设立行政管理、科技研发、工业仓储区。

江西鹰潭(贵溪)铜产业循环经济基地规划 2007年,委托南昌有色冶金设计院编制江西鹰潭(贵溪)铜产业循环经济基地规划。基地位于城区北部,南起贵溪冶炼厂北围墙,北至沪瑞高速公路梨温段,西靠贵溪至泗沥镇县级公路,东邻河潭镇庙山村东侧高压线路,规划用地面积10.10平方千米。

基地功能。根据贵溪市城市总体规划,结合江西铜业公司"十一五"计划,江西鹰潭(贵溪)铜产业循环经济基地的功能定位是:以铜加工工业为主导,相关产业互动发展,集铜材加工、产品研发,人才培训为一体的铜制造业基地和城市发展的新区。

人口规模。铜产业循环经济基地土地使用以工业用地为主,工业用地总面积408.92公顷。其中,一类工业用地86.25公顷;二类工业用地255.04公顷,包括进口第七类废物拆解用地137.07公顷和铜加工用地117.97公顷;三类工业用地67.63公顷,为铜冶炼用地。依据基地工业用地的性质,综合确定,基地就业人口规模为5.0万人。根据《城市规划编制办法》,基地总体规划期限为2007—2020年。近期:2007—2010年,远期:2011—2020年。

信江两岸控制性详细规划 2002年6月,委托上海同济大学规划设计研究院编制信江两岸控制性详细规划。

该规划范围包括老城区和城南区。其中,老城区规划面积2.1平方千米,东起站前路,西至信江西岸,北临浙赣铁路线,南至信江南岸,其形状呈不规则矩形,东西长约2千米,南北为1千米;城南区规划面积3.4平方千米,西起罗塘河,沿信江和三峰山呈带状,东西长5.28千米。

老城区的功能,定位生活居住区,商业服务中心区和部分行政办公区。生活居住区:以街区为单元,配套各项生活设施,改善居住环境,沿江边布置高档次的住宅区。商业服务中心:配套各项公共设施形成高档次的商业服务中心。老城区西南沿岸形成景观带,给市民提供滨水休闲活动场所。

城南区功能,定位充分利用320国道的交通条件以及未来改线后成为城市干道的潜能,发展对外交通、商贸、物流等第三产业;利用山水景观与人文资源,建设生活居住区、文教区和风景旅游地带。按对外交通服务要求布置停车、加油、维修、旅社、餐饮、仓储转运、集散市场、零售商贸等,形成地区物流中心。生活居住区:沿滨江布置较高档次景观,利用山地丘陵建造有特色的山地住宅。利用文物古迹,自然山水,沿江绿地,山林景观,建设观光游憩区,旅游度假区。

东城区控制性详细规划 2006年,委托上海同济城市设计有限公司编制东城区控制性详细规划。

东城区是《贵溪市城市总体规划(2003—2020)》确定的"一核(旧城区即核心区)、二园(城北工业园区和城西工业园区)、四区(城西新区、城南新区、城东新区和城北新区)"中的新区之一。根据贵溪市城市总体规划,赋予贵溪市东城区的城市功能为:集办公、商务、信息、商业、文化和居住等多功能为一体的新城区。

东城区作为办公、商务、信息、商业、文化和居住中心,人均城市建设用地为110平方米,用地规模为949.65公顷,到规划期末东城区人口规模约为9万人。

规划结构。两轴:南北向的行政绿轴;东西向沿建设大道将滨江景观引入核心区的中央绿轴。两带:沿铁路的生态防护林带和沿江滨水绿化带。滨水绿化带沿信江布置,将老城区与新区紧密联系起来。结合周围环境,布置各具特色的滨水景观。五中心:一个"行政中心"、两个"商业中心"和两个"文体中心”。行政中心：核心区内，建设大道以北的行政办公中心。商业中心：位于旧城片区与综合片区交汇处的商业服务中心；位于南部片区与东南片区交汇处南侧的商业服务中心。文体中心：位于建设大道南侧，沿冶金大道两侧布置的文体中心；位于建设大道北侧，东北片区内的文体中心。

象山森林公园规划　象山森林公园城市休闲娱乐活动区，选址于城南建设开发区，距省辖鹰潭市18千米，与国家级风景名胜区——龙虎山相连接，与弋阳县圭峰省级风景名胜区毗邻，区位优势明显。

规划目标与定性。将象山森林公园城市休闲娱乐活动区建设成以森林景观和奇特的丹霞地貌为主体，以象山书院为核心，具森林旅游，寻幽探奇，休闲娱乐、生态教育、文化传播、科普教育、自然保护等功能，成为面向区内外、市内外、省内外的休闲、旅游环境。通过规划，以提高贵溪城市对外形象，美化城市环境，适应贵溪市发展需要，使公园生态环境不仅满足自身的生态平衡，而且辐射更大范围，服务更多民众，使象山公园城市休闲娱乐活动区成为城南区的亮点，从而带动城南区乃至贵溪市的开发建设。满足象山森林公园城市休闲娱乐活动区总体规划设计对其的定位要求，保证其与当地的文脉相契合，与城南规划相协调发展，与景区其他部分有机联系。创造一种富有特色的森林生态环境下的商业娱乐与市民游乐环境。

绿地系统规划　2007年，委托江西省城乡规划设计院编制《贵溪市绿地系统规划》，规划期限与《贵溪市城市总体规划》及《贵溪市十一五规划》相协调，此次规划的规划期限为：近期2007—2010年，远期2011—2020年。

本规划范围、规模。东起信江上游西岸，西至贵溪工业区及沿信江下游西岸平行2千米左右控制线以内，北起梨温高速公路和铜都工业组团，南至320国道和象山公园城市休闲娱乐区。考虑城市远期发展，规划控制区范围包括滨江，罗河、河潭、泗沥、流口镇的全部自然村以及志光镇、雷溪乡、余家乡的部分自然村。规划控制区范围面积为200平方千米。

区域目标。通过区域的环境综合绿化，有效涵养水源，改善空气质量，削弱城市热岛效应，通过地域小气候调节，保持全市整体环境的原生态。

城市目标。2007年，完善现有绿地布局，将贵溪市建设成为省级园林城市。2010年，达到国家级园林城市标准。规划期末将贵溪市建设成为具有完整绿化体系，富蕴文化内涵，生态环境良好的花园式生态城。

排水专项规划　2007年，委托江西省城乡规划设计院编制《贵溪市排水专项规划》，规划期限与城市总体规划同步，近期为2008—2010年，远期为2011—2020年。

规划目标：规划逐步建立完善的排水系统，以保护环境和满足城市可持续发展要求。建立城市污水处理厂，污水集中收集经处理后达标排放，污泥做到同步有效处理，满足处置要求。雨水采用分散导排和集中电排相结合的方式，满足一年一遇的城市暴雨排水标准，解决城区暴雨成涝的局面。规划近期城区排水系统的覆盖率达到85%以上，污水处理率达到50%。规划远期城区排水系统的覆盖率达到100%，污水处理率达到90%。

城市排水范围：依据《贵溪市城市总体规划（2003—2020年）》，并综合考虑自然地形地貌，确定将城市总体规划的建设范围作为城市排水范围，共36平方千米，包括老城区、城东行政中心区、城南新区、城北工业组团、城北生活区和城西工业园区6个区。

排水体制：规划老城区采用截流式合流制；城东行政中心区、城南新区、城北工业组团、城北生活区和城西工业园区均采用雨污分流制。

环卫专项规划　2007年，委托江西省城乡规划设计院编制《贵溪市环卫专项规划》，以《贵溪市城市总体规划》为依据，规划近期为2008—2010年，远期为2011—2020年。

规划范围。根据《贵溪市城市总体规划（2003—2020年）》，确定规划的范围为东起信江上游西岸，西括贵溪工业区；北含铜都工业园，南至象山公园。包括老城区、城北新区、城南新区和城西新区。总建设用地为36平方千米。

规划目标。规划到2020年，建成科学合理的垃圾运输处理体系，配备先进的工程设施和技术装备，逐步实现环卫工业现代化，垃圾收集逐步分类化，基本实现垃圾运输密闭化、垃圾处理无害化、环卫作业机械化、环卫管理科学化。

环境卫生服务范围和服务人口。规划至2010年,环卫服务范围25.60平方千米,服务人口20万人;至2020年,环卫服务范围36平方千米,服务人口为30万人。

白鹤湖规划 规划范围勘定。综合考虑开发区发展方向的同类性、自然界线的完整性、行政区划的完整性和功能用地的协调性,对开发区规划范围进行勘定,确定开发区规划总面积为48.41平方千米,其中陆地面积约36.54平方千米,水域面积11.87平方千米(以黄海高程50米水位高为基准)。

具体界定如下:东以塔桥园艺场分界线为界,与周坊镇长塘村委会接壤;南以水库区域南端分界线及两侧山体制高点为界;西、北均以贵溪市与余江县的行政区划分界线为界。

规划期限。规划期限为2004—2020年,划分成近期、中期、远期三个阶段:近期(2004—2006年),启动阶段。中期(2007—2010年),突破阶段。远期(2011—2020年),持续阶段。

集镇规划与建设

1992年10月,江西工业大学(现南昌大学)对塘湾镇进行规划,规划面积为1.1平方千米。1993年7月,由鹰潭市建设局规划设计室对文坊镇进行规划,规划面积为0.72平方千米。1994年4月,由南昌大学城市规划设计所对冷水镇进行规划,规划面积为0.7平方千米。1995年,贵溪出台《贵溪县城市总体规划实施办法》《严格实施城市规划,加快城市建设步伐的决定》,同年,编制流口、泗沥、周坊、罗河、金屯、河潭、志光、鸿塘、彭湾9个乡镇的总体规划,并于1996年3月完成。其中河潭和志光镇规划面积为1平方千米。塘湾、金屯被列为省集镇建设百强镇,流口灾民新村被列为全省百强村。1996年6月,贵溪市城乡设计规划研究所编制流口总体规划,规划面积为42.54公顷。1996年11月,完成市中心区详细规划调整修编工作。2000年,贵溪市城乡规划设计研究所编制雷溪和双圳乡镇规划,规划面积为0.476平方千米、1平方千米。2003年以来,对城镇总体规划进行修编,城镇总体规划修编12个,修编率达66.7%。完成193个行政村村庄规划;编制445个自然村庄规划,村庄规划率达31.7%;编制《农村村民建房图集》40套,并发放到乡镇、街道办、林(垦)场;积极申报历史文化名镇名村,编制了塘湾历史文化名镇保护规划和耳口乡曾家村历史文化名村保护规划;2005年,编制以乡为单位的村庄并点规划,整合村庄率达13.6%,节约农村用地1000余亩。通过内部挖潜,改造旧城镇,促进小城镇建设集约用地并实施小城镇建设用地和土地开发整理挂钩政策;在农村开展农村卫生清洁工程,加快农村基础设施建设和"三清、六改、四普及"(清垃圾、污泥、路障;改水、改厕、改房、改栏、改路、改环境;普及电话、沼气、有线电视和太阳能)工程建设。城镇化发展迈上快车道,城镇化率达45%。

第二章 基础设施建设

第一节 市区道路

主干道

1991年始,县城有主干道10条,为冶金大道、建设大道、化工大道、柏里大道、雄石大道、沿江路、信江路、站前路、交通路,象山路(320国道),合计长27.4千米,面积55.76万平方米。

冶金大道 南北走向,路南西接建设大道东端,东连有色四建公司住宅区,路北段为冶炼厂,中途西连化工大道。路两旁为铜业公司、化肥厂、贵冶宾馆等。

建设大道 东西走向,路西头接交通路,西南横连站前路,路东端连有色四建住宅区,北接冶金大道。

化工大道 东西走向,东连冶金大道,西接柏里大道。

柏里大道 南北走向,原为北乡公路,路北东接化工大道,路南端接交通路,与交通路、建设大道、冶金大道、化工大道连成环状。

雄石大道 呈东西走向,东至电厂大门口,西接信江路,北通站前路口南端。

沿江路 是新老城区相连的一条主干道,处城区南边,沿信江河东西走向,从邮电局起至电厂沿河大门止,西朝北拐至原县委大院前与南大街交接,东端朝北与站前路连接。

信江路 南北走向,南通信江大桥连320国道,北接交通路,北桥头不远处与雄石大道西头交接,顺桥两侧斜坡下连沿江路。

站前路 南北走向,南连沿河路,北接建设大道,中端西连雄石大道。

交通路 从县铜材厂门口起东接建设大道,西接老城区北大街,北通柏里大道,南接信江路。

象山路(320国道) 为贵溪市与外县、外地连接的一条主干道,东通弋阳可达杭州、上海等地,西通鹰潭可达南昌、广州等地,北接信江路。

1993年,调整贵溪城市总体规划后,除冶金大道和建设大道为贵溪城市主干道外,其余均为城市次干道。

次干道

进入20世纪80年代,随着信江大桥建成,原老城区的所有街道逐降为次干道,共有复兴路、荻荸弄、北大街、县后街、解元坊、南大街、西大街、西后街、穿心路、东大街、菜场路、叶家塘路等14条。

1991年贵溪城市街巷道路一览

表4-1

名称	走向	长度(米)	宽度(米)	路面结构	修建时间
沙井头路	南北	380	2.5	混凝土	1987年12月
胡家弄	南北	134.4	2.5	混凝土	1983年6月
高家弄	南北	37	2	混凝土	1981年4月
杨家弄	南北	120	2	混凝土	1985年4月
范家花园巷	南北	230	3	混凝土	1985年4月
太平街	南北	130	3	混凝土	1983年10月
饶家弄	东西	114	2.5	混凝土	1986年9月
仓西弄	南北	98	2.5	混凝土	1990年8月
儒学头	南北	184	2.5	混凝土	1983年
小南门巷	南北	75	2.5	混凝土	1983年
叶家塘路	南北	59	2.5	混凝土	1985年11月
四方井弄	东西	50	2.5	混凝土	1986年10月
东门货场路	南北	300	6	混凝土	1983年7月
烧箕山东路	南北	67	4	混凝土	1989年11月
烧箕山西路	南北	921	6	混凝土	1989年11月
信江大桥下坡路	南北	400	4	混凝土	1979年8月
擂鼓岭路	南北	311.6	4	混凝土	1981年10月
橡胶厂路	东西	285	5	混凝土	1990年11月
城安桥巷	南北	360	3	混凝土	1981年10月
西门外路	东西	280	6	混凝土	1989年10月
水科所路	东西	301	6	混凝土	1990年5月
西中街	东西	118.6	4	混凝土	1981年6月

续表表 4－1

名称	走向	长度(米)	宽度(米)	路面结构	修建时间
南庙巷	南北	60	2	混凝土	1983 年
一胡弄	南北	50.4	2	混凝土	1980 年 6 月
二胡弄	南北	62.4	2	混凝土	1980 年 6 月
沿城西巷	东西	160	2.5	混凝土	1989 年
沿城南巷	东西	365	2.5	混凝土	1989 年
桂家弄	东西	290	2.5	土路	新中国成立前
曹家井巷	东西	140	3	土路	新中国成立前
杨家弄	东西	134.4	2.5	沥青	1985 年 4 月
西中街弄	南北	70	2.5	土路	1985 年 4 月
仓岭巷	南北	362	6	土路	1972 年 9 月
沙井路	南北	110	6	土路	1972 年
石油仓库路	东西	150	5.8	土路	1981 年 3 月
煤仓库路	东西	350	7.5	土路	1982 年 10 月
瓷厂路	南北	500	7.5	土路	1987 年 8 月
四建公司路	南北	900	6.5	土路	1980 年
陈家村路	南北	2500	6.5	土路	1981 年 6 月
看守所路	南北	400	6.5	土路	1974 年 4 月
发电厂路	东西	500	7.5	土路	1978 年 10 月
义井路	南北	144	4	土路	新中国成立前
西门外路	南北	355	5	土路	新中国成立前
东门货场路	南北	100	6	土路	新中国成立前
铁路新区路	东西	300	4.5	土路	1984 年 10 月
水塔路	南北	400	3.5	土路	1979 年 11 月
烧箕山横路	东西	2842	4	土路	1979 年 11 月
李家村路	南北	300	6	土路	1975 年 8 月
万亩山路	东西	1800	6.5	土路	1970 年 12 月
粮局农场路	南北	174	4	土路	1982 年 10 月
沙井路	东西	300	3	土路	1981 年 3 月
茨荸弄	东西	110	2	混凝土	1985 年 6 月

改、新建城市道路

随着贵溪城市化进程的不断加快,城市道路改、扩建及新建工程项目日益增多,期间改、扩建的市区道路有:信江路、交通路、建设路、雄石路、站前路、柏里大道、冶金大道等;新修建道路有:贵溪大道、鹰雄大道、府(东、西、北)路、江铜快速通道、高速连接线、陈家路、信江北路、工业园区各道路以及铜拆解园区各道路等。至 2008 年年底,全市城市道路总长为 63 千米,总面积达 193 万平方米,其中沥青道路面积 81 万平方米、混凝土道路面积 82 万平方米、人行道面积 30 万平方米。

2008 年贵溪市城区道路一览

表 4－2

道路名称	道路长度（米）	车行道			人行道面积	
		宽（米）	面积（平方米）	路面类型	混凝土预板（平方米）	彩预板（平方米）
雄石东路	886	23	20378	沥青	—	11342.5
雄石西路	460	18	8280	水泥混凝土	—	4600
建设大道	3441	25	86025	沥青	—	45000
站前路	906.2	14	12686.8	沥青	—	9402.2
信江路	540	14	7549.6	水泥混凝土	—	4763.2
沿江路	1113	12	13606.7	水泥混凝土	—	10743.9
交通路	540	8.8	4729.2	水泥混凝土	1863	560
北大街	850	7.2	6079.3	水泥混凝土	2303	450
西大街	287	6.6	1901.5	水泥混凝土	729.5	
西后街	549	6	3294	水泥混凝土	—	—
西门外路	256	5	1280	水泥混凝土	—	—
菜场路	320	5	1600	水泥混凝土	—	—
四方井路	274	2.9	796	水泥混凝土	—	—
复兴路	300	7	2100	水泥混凝土	—	—
茨荸弄	260	6.4	1651	水泥混凝土	911	—
解元坊	221	7.9	1752.6	水泥混凝土	780	—
穿心弄	136.6	5.3	724	水泥混凝土	—	—
四中路	975.7	11.5	11221	水泥混凝土	—	—
南大街	878	7	6146	水泥混凝土	1386	—
叶家塘路	395	8.2	3255.7	水泥混凝土	2176	—
立交桥路	490	12	5880	水泥混凝土	900	1017
橡胶厂路	288	5.3	1526.4	水泥混凝土	—	—
汪张路	296.6	4	1186.4	水泥混凝土	—	—
三小路	186	3.6	669	水泥混凝土	—	—
水科所路	250	6.3	1573	水泥混凝土	—	—
烧箕山西路	525	6	3150	水泥混凝土	—	—
烧箕山东路	250	5.5	1375	水泥混凝土	—	—
水塔路	421	3.5	1473.5	水泥混凝土	—	—
擂鼓岭路	285	3	855.6	水泥混凝土	—	—
冶金大道	3840	24	92029	沥青	—	28000
江铜快速通道	756	18	13608	沥青	—	9072
高速挂线二期	850	18	15300	沥青	—	—
三二 O 国道城南至工业园	5610	18	100980	沥青	—	—

续表4-2

道路名称	道路长度(米)	车行道			人行道面积	
		宽(米)	面积(平方米)	路面类型	混凝土预板(平方米)	彩预板(平方米)
工业大道(含南延伸)	1412	25	35300	混凝土	12708	—
兴四路	1200	25	30000	混凝土	—	—
兴五路	900	20	18000	混凝土	—	—
兴六路	700	20	14000	混凝土	—	—
贵八路	1361	25	34025	混凝土	—	—
贵四路	710	20	14200	混凝土	—	—
东环	1300	34	44200	混凝土	—	—
新贵大道	1200	18	21600	混凝土	—	—
四建信江路	819.21	12.1	9951	混凝土	8192.1	—
四建映山红路	270.19	15.8	4282	混凝土	4162	—
四建行政区路	1253.9	7.1	8917.37	混凝土	4137.9	—
四建硫酸铝路	630.38	8.1	5123	混凝土	—	—
西中街	118.6	4	475.2	混凝土	237.6	—
老北门	120	4	480	混凝土	240	—
东门货场路	300	6.1	1840	混凝土	—	—
信江大桥下坡	400	4	1600	混凝土	200	—
仓岭巷	362	6	2172	砂石	—	—
沙井路	1110	6	6660	混凝土	—	—
陈家路	240	18	4320	沥青	—	—
高速挂线	4600	15	69000	沥青	—	—
胡家弄		4	420	混凝土	—	—
姚家弄		4	374	混凝土	—	—
高家弄		4	80	混凝土	—	—
立交桥		4	7105	混凝土	735	—
西中街	118	3.8	447.2	混凝土	—	—
烧箕山东生活区	67	6	1888	混凝土	—	—
烧箕山西生活区		6	375	混凝土	—	—
老当铺	264	6	1584	混凝土	—	—
汪张	204	3	612	混凝土	—	—
电厂生活区	5000	6	40000	混凝土	—	—
红卫坝路	2500	5	12500	混凝土	2500	—
瓷厂路	500	6	3000	混凝土	500	—
看守所路	400	5	2000	混凝土	—	—
通发电厂路	500	5.5	2750	混凝土	—	—

续表 4－2

道路名称	道路长度（米）	车行道			人行道面积	
		宽（米）	面积（平方米）	路面类型	混凝土预板（平方米）	彩预板（平方米）
义井弄	144	4	576	混凝土	—	—
铁路新区路	300	4.5	1350	混凝土	—	—
烧箕山生活区路	2842	4	11368	混凝土	—	—
李家村路	300	4	1200	混凝土	—	—
万亩山路	1800	5	9000	混凝土	—	—
粮食局农场路	174	4	696	混凝土	—	—
四冶主干道	380	6	22746	混凝土	—	3000
四冶生活区道路	6000	5.9	35552	混凝土	—	1000
贵冶生活区七条路	6041	4.3	25976.3	混凝土	—	—
贵冶生活区路	651.27	9	5861.43	混凝土	1744.5	—
环绕生活区路	1004.28	6	6025.68	混凝土	—	—
1#2#3#路	3634.83	4	14539.32	混凝土	7210	—
贵冶渣场路	1353.81	6	8122.86	沥青	2030.72	—
贵冶编组站路	1175	6	7050	混凝土	—	—
贵冶水源地路	1000	3.5	3500	混凝土	—	—
江铜 3 号路	180	3.5	630	混凝土	—	—
江铜 8 号路	120	3.8	460	混凝土	—	—
江铜 10 号路	180	3.5	630	混凝土	—	—
江铜 14 号路	175	3.6	625	混凝土	—	—
柏里大道	7000	6.8	47600	混凝土	—	—
杨家弄	120	2	240	混凝土	—	—
范家花园	230	3	690	混凝土	—	—
太平街	130	3	390	混凝土	—	—
饶家弄	114	2.5	285	混凝土	—	—
仓西弄	98	2.5	245	混凝土	—	—
儒学头	184.8	2.6	472	混凝土	—	—
小南门巷	75	2.5	187.5	混凝土	—	—
叶家塘支路	59	2.5	147.5	混凝土	—	—
四方井路	360	3	1080	混凝土	—	—
老土地祠	392	2	784	混凝土	—	—
擂鼓岭路	311.6	2.5	779	混凝土	—	—
豆豉弄	100	3	300	混凝土	—	—
胡家弄	134.4	2.5	336	混凝土	—	—
高家弄	37	2	74	混凝土	—	—

续表 4－2

道路名称	道路长度（米）	车行道			人行道面积	
		宽（米）	面积（平方米）	路面类型	混凝土预板（平方米）	彩预板（平方米）
曹家井巷	140	3	420	混凝土	—	—
一胡弄	50.4	2.2	110.8	混凝土	—	—
二胡弄	62.4	2	124.8	混凝土	—	—
沿城西巷	160	2.5	400	混凝土	—	—
南庙巷	30	4	120	混凝土	—	—
西中街	70	2.5	175	混凝土	—	—
杨家路	134.4	2.5	336	混凝土	—	—
沙井头	300	3	900	混凝土	—	—
桂家弄	290	2.5	725	混凝土	—	—
石油仓库路	150	6	900	混凝土	—	—
煤库路	350	6	2100	混凝土	350	—
贵塘入口	360	23	8280	沥青	—	—
周家园弄	415	2.5	1037.5	混凝土	—	4320
金童小区	247	6	1482	混凝土	—	—
都市小区	146	4	1168	混凝土	—	—
汪家小区	400	4	5600	混凝土	—	—
下李路	1100	4	19800	混凝土	—	—
瓷厂路	598	6	3587.4	混凝土	—	—
老北门	132	4	530.4	混凝土	—	—
商城	570	3	4788	混凝土	—	—
万亩山路	180	3	9000	混凝土	—	—
化肥大道	800	10	8040	混凝土	1600	—
化肥厂生活区	3804	6	30434	混凝土	—	—
贵溪大道	2029	27	54780	沥青	12170	—
鹰雄大道	5836	27	157570	沥青	35020	—
铜拆解园主干道	2500	29.6	74000	混凝土	—	—
铜拆解园五号路	780	21	16400	混凝土	—	—
铜拆解园中心路	350	34	12000	混凝土	—	—
铜拆解园内环路	2100	24	50400	混凝土	—	—
铜拆解园一支路	330	15	4950	混凝土	—	—
铜拆解园二支路	320	15	4800	混凝土	—	—
铜拆解园三支路	630	15	9450	混凝土	—	—
铜拆解园五支路	600	15	9000	混凝土	—	—
铜拆解园六支路	300	15	4500	混凝土	—	—

续表 4－2

道路名称	道路长度（米）	车行道			人行道面积	
		宽（米）	面积（平方米）	路面类型	混凝土预板（平方米）	彩预板（平方米）
铜拆解园七支路	330	15	4950	混凝土	—	—
罗河安置点主路	361		2520	混凝土	—	—
城西安置点主路	746		6460	混凝土	—	—
贵溪大道西头至兴贵大道北口	1500		30000	混凝土	—	—
贵溪大道以西至兴贵大道北口	1500		30000	混凝土	—	—
工业园南环路	1730		43250	混凝土	—	—
工业园北环路	1720		43000	混凝土	—	—
行政区路	721		5040	混凝土	—	—

第二节　市区桥梁涵洞建设

位于老城区的古石桥有上坊桥、永升桥、城安桥等。1996—2008 年，新建（或改建）跨度 40 米以上桥梁 8 座，涵洞 4 座。贵溪市提升城市桥梁建设，交通运输跨越一个新的台阶。

2008 年城贵溪市区涵洞一览

表 4－3

名称	坐落地点	长度（米）	跨径	结构	修建时间
贵溪大道涵洞	贵溪大道 K1＋870 段	68	5	钢混	2008 年
鹰雄大道涵洞	鹰雄大道 K3＋125 段	80	4	钢筋砼双孔	2008 年
鹰雄大道涵洞	鹰雄大道 F1＋735 段	61	Φ1.5	钢筋砼圆管涵	2008 年
鹰雄大道涵洞	鹰雄大道 K3＋342 段	68	4	钢筋砼单孔	2008 年

第三节　城市排水与防洪

城区排水

1990 年年初，全县建成主排水道 21 条，总长度 17363 米：其中孔径 50 和小于 50 厘米的排水道 5968 米；孔径 100 厘米和小于 100 厘米的排水道 4848 米；孔径 150 厘米和小于 150 厘米排水道 2438 米；孔径大于 150 厘米的排水道 4108 米。明沟明渠 5310 米，小街小巷支下水道 13 条，长 4098 米。有色四建、贵溪冶炼厂、化肥厂等单位修建的排水道 14199 米。全县排水道总长 43096.5 米，排水井 1308 座，其中进水井 851 座，检查井 457 座。至 2008 年年底，城市下水道总长达 213000 米，排水井 8950 座，其中检查井 3168 个，进水井 5782 个。2008 年 8 月，动工兴建城北污水处理厂，投资 1.48 亿元建设污水处理管网等设施。工业园区和铜拆解园污水处理厂建设也正在计划进行。

城区防洪

市城区处于信江河谷低丘陵地区，信江河自城区东北太岩苏家入境，南流于花园里折向西流，至洲上李家出境。城区三面环水，地形位置犹如一突出尖角，汛期城区常为泽国，抗洪防涝极为重要。1985

年10月,为了建沿河路桥西公园,将信江桥西至上方桥地段的古城墙拆去,往外移东20米西30米宽的地方。建成长150米,高7米,顶厚204米的台阶式沿河防洪大堤。2004年修建城南滨水绿地时,从320国道至沿河岸线,高程在250—150米不等,建有长达700多米的防洪大堤,为50年一遇,其中沿河岸建有7000多平方米的亲水平台。

第四节 市区环卫管理与设施

管理机构

1986年8月4日,贵溪县政府下发贵府字〔1986〕205号文件,将环境卫生管理所从雄石镇人民政府划出归于县城乡建设局管理,定名县环境卫生管理所,为事业单位。1996年,贵溪撤县设市,改称贵溪市环境卫生管理所。2006年,更名为贵溪市环境卫生管理处,为股级事业单位。至2008年年底,市环境卫生管理处共有职工427人,其中正式工168人、聘用工259人。

道路清扫保洁

市环卫所根据《江西省城市市容环境卫生管理实施办法》,制订环境卫生管理改革方案,实行全方位改革,转机建制,加大改革力度,实行企业化管理。将清扫、保洁、垃圾清运、公厕管理、垃圾处理、余土调剂、收费等项目向内发包,签订责任合同书;其他科室实行目标管理,签订目标管理责任书。各承包单位实行职工优化组合,工资与工作任务质量挂钩,生产费用包干。同时还建立健全财务、劳动管理、安全生产、检查督查、奖罚等各项规章制度;设立环境卫生督察队,不定期检查,按环卫标准进行考核。

1991年,县环卫所道路清扫面积为241322平方米。1997年,包含城区小街小巷清扫面积为409428平方米。2000年,清扫面积为352783.4平方米(不含小街小巷)。至2008年,环卫处清扫道路面积增至716857平方米(不含小街小巷)。

1991年贵溪县城道路清扫保洁一览

表4-4

道路名称	等级	起止地点	面积(平方米)
雄石路	一级	信江路—电厂	36570
复兴路	一级	北大街—印刷厂	3030
西后街	一级	北大街—西门外路	6630
西大街	一级	解放路—老厂街道	7532
解元坊	一级	南大街—西后街	3233
茨荸弄	一级	南大街—北大街	3283
南大街	一级	县委门口—西大街	8800
信江路	二级	信江桥头—交通路	13175
沿江路	二级	南大街—电厂小门	33000
北大街	二级	西后街—交通路	11100
站前路	二级	建设路—沿江路	22256
烧箕山路	二级	雄石路—站前路	5230
叶家塘路	二级	信江路—菜场路	5550
交通路	二级	北大街—建设路	37190
西门外	二级	西后街—渡口	6910
穿心路	二级		1220

续表 4－4

道路名称	等级	起止地点	面积(平方米)
东门货场路	二级		1840
柏里大道	二级		34773
合计			241322

2008 年贵溪市城区道路清扫保洁及垃圾清运一览

表 4－5

道路名称	等级	起止点	面积(平方米)	日产垃圾(平车)
雄石西路	一级	一部饭店—广场斑马线	16500	10
广场	一级		10050	4
沿河西路	一级	桥西滴水处—老市委门口	6838	5
南大街	三级	电信局门口—渔业社	11390	19
茨孝弄、商业街、城安桥	三级		6340	9
西后街	三级	一部饭店—老皮革社	10420	7
复兴路、四中路、环城西路	三级		17765	6
菜市路	三级		10600	17
信江大桥	一级		14500	2
320 国道	一级	东方红大桥头—福达家园	75600	13
雄石中段	一级	广场花圃—信江电影院花圃	21100	10
雄石东段	一级	信江电影院花圃—电厂 7 号门	10500	6
沿河东路	一级		16250	12
站前南路	一级		9860	11
站前北路	一级		16835	13
烧箕山东路	三级		2775.3	8
烧箕山西路	三级		4595	15
烧箕山北路	三级		1367.7	5
信江北路	一级		12460	5
冶金大道	一级	立交桥以南(政府四路)	81250	未定
冶金大道	一级	立交桥以北	108333	35
高速挂线	二级		65357	未定
柏里大道	二级		25420	22
交通路	二级	金三角—老水泥厂立交桥	70400	32
建设路	一级	老水泥厂—四冶红绿灯	90300	14
合计			716857	280

说明:不含小街小巷

垃圾处理场

1991—2008 年贵溪市城区垃圾处理场(中转站)

表 4－6

名称	位置	堆放或中转量吨/日	建设或改造时间
乐家窝垃圾处理场	贵塘公路乐家窝	29.20	1985 年建设
柴家坡垃圾处理场	柴家坡	15.33	1999 年建设
泗沥垃圾处理场	泗沥镇山塘村	13.14	2003 年建设
电厂灰坝垃圾处理	电厂 2 号灰坝	18.98	2005 年建设
鹰潭垃圾处理场	马塘窝		2005 年建设
站前南路垃圾中转站(航吊式)	站前南路	42	1995 年建设,2009 年 6 月已改建为压缩式
菜市路垃圾中转站	菜市路	54	1999 年建设,2009 年 7 月已改建为压缩式
北门垃圾中转站(简易露天式)	柏里大道	6	
西门外垃圾中转站(简易露天式)	四中路	8	
四冶垃圾中转站(简易露天式)	四冶生活区	5	
财政局旁垃圾中转站(简易露天式)	建设路	4	
竹辉公司旁垃圾中转站(简易露天式)	冶金路	2	
冶炼厂垃圾中转站(简易露天式)	冶金路	6	
一中垃圾中转站(简易露天式)	一中	3	
二中垃圾中转站(简易露天式)	二中	2	
城南垃圾中转站(简易露天式)	城南 320 国道	3	

公共厕所

1992 年 12 月,江西省城乡建设环境保护厅拨款 3 万元给县环卫所,改建桥东厕所,这是贵溪县第一座水冲式厕所。2008 年,贵溪市环卫所管理的公共厕所共计 18 座,其中水冲式 7 座,旱厕 11 座。

1991—2008 年贵溪市城区公共厕所一览

表 4－7

公厕名称	公厕位置	面积(平方米)	类型	建设改造时间	说　明
南大街公厕	老农行对面	36	旱式(石木结构)	20 世纪 60～70 年代建设	年史已久,大部分石木已腐化,需及时改造
南大街公厕	南街居委会对面	27	旱式(石木结构)	20 世纪 60～70 年代建设	年史已久,大部分石木已风化,需及时改造
老东方红照相馆公厕	老东方红照相馆后面	18	旱式(石木结构)	20 世纪 60～70 年代建设	年史已久,大部分石木已风化,需及时改造(未使用)
解元坊公厕	解元坊(花圃弄)	24	旱式(石木结构)	20 世纪 60～70 年代建设	年史已久,大部分石木已风化,需及时改造
老新华书店公厕	老新华书店后面	27	旱式(石木结构)	20 世纪 60～70 年代建设	年史已久,大部分石木已风化,需及时改造

续表 4－7

公厕名称	公厕位置	面积（平方米）	类型	建设改造时间	说　明
茨孳弄公厕	茨孳弄（老菜场）	31.5	旱式（石木结构）	20 世纪 60～70 年代建设	年史已久，大部分石木已风化，需及时改造
儒学头公厕	儒学头	36	旱式（石木结构）	20 世纪 60～70 年代建设	年史已久，大部分石木已风化，需及时改造
老当铺公厕	老当铺	112	旱式（石木结构）	20 世纪 60～70 年代建设	年史已久，大部分石木已风化，需及时改造
东门货场公厕	东门货场	40.5	旱式（石木结构）	20 世纪 60～70 年代建设	因城市建设已拆除
官山弄公厕	官山弄	16	旱式（石木结构）	20 世纪 60～70 年代建设	年史已久，大部分石木已风化，需及时改造（未使用）
老公安局公厕	老公安局对面（小南门）	28	旱式（石木结构）	20 世纪 60～70 年代建设	年史已久，大部分石木已风化，需及时改造
西后街公厕	三中前方	53.7	水冲式（钢筋混凝土）	1999 年建设	
东粮车队公厕	东粮车队	39.18	水冲式（钢筋混凝土）	1995 年建设	
复兴路公厕	复兴路	36.4	水冲式（钢筋混凝土）	1995 年建设	未使用
老电影院公厕	老电影院对面	48.42	水冲式（钢筋混凝土）	1998 年建设	
烧箕山西路公厕	烧箕山西路	105	水冲式（钢筋混凝土）	2000 年建设	未使用
烧箕山东侧公厕	烧箕山东侧	60.4	水冲式（钢筋混凝土）	1999 年建设	未使用
人民医院公厕	人民医院出口西侧	36.8	水冲式（钢筋混凝土）	1999 年建设	

环卫车辆

从 1991—2008 年贵溪市城区共增添环卫车 17 辆。

1991—2008 年贵溪市城区环卫车辆一览

表 4－8

名称	类别	数量（台、辆）	购买时间
20 装载机	装载车	1	1993 年 6 月
东风自卸车	垃圾车	2	1994 年 7 月
解放牌翻斗车（二手）	垃圾车	1	2005 年 1 月
福田金刚农用车	垃圾车	1	2001 年 12 月
福田金刚农用车	垃圾车	1	2002 年 7 月
东风洒水车	洒水车	1	1994 年 5 月
双富农用车	垃圾车	1	2005 年 3 月
东风汽车	垃圾车	1	2005 年 1 月
东风自卸车	垃圾车	1	2006 年 1 月
东风自卸车（二手）	垃圾车	1	2007 年 1 月
东风洒水车	洒水车	1	2005 年 4 月
压缩车	垃圾车	2	2008 年 5 月
东风自卸车	垃圾车	1	2008 年 5 月

续表 4-8

名称	类别	数量(台、辆)	购买时间
江铃汽车	公务车	1	2003 年 1 月
五菱汽车	公务车	1	2004 年 2 月
	合计	17	

第五节　城市供水

1984 年 7 月 16 日,县人民政府以贵府字〔1984〕第 092 号文批复,贵溪县自来水厂改名为贵溪县自来水公司。1996 年贵溪撤县改市,更名为贵溪市自来水公司,有职工 118 人。

1991 年,贵溪县自来水公司扩建日供水 1 万吨水厂。1994 年又进行水厂内部改造,至 1995 年 6 月水厂日供水能力提高到 1.5 万吨。1996 年开始改漂白粉消毒为液氯消毒,年供水总量达到 400 万吨。2002 年 2 月接管罗河工业区水厂,该水厂供水规模为每日 5000 吨。为缓解城市供水矛盾,2003 年中心区水厂一期工程动工建设,2005 年 6 月中心区水厂一期竣工投产,供水规模达到每日 3 万吨,原老城区水厂暂停生产。

2006 年,十五冶二公司、铁路小区、九牛滩周边 9 个村小组纳入供水体系,2007 年 11 月,四冶生活区也纳入市区供水。至 2008 年年底,贵溪市自来水公司有职工 183 人,全市供水普及率达 98%,用水户 2.5 万户,年供水总量 700 万吨。

由于城市建设发展迅速,城市供水仍处于紧张状态,为缓解贵溪市供水压力,2008 年 7 月,自来水公司申请中心区水厂二期扩建工程,计划竣工后,市供水规模将达 6 万吨/日。

第六节　城市供气

1990 年 8 月,贵溪市液化气石油公司成立,隶属市商业局管理,国营性质,有干部职工 24 人,同年 9 月储气站正式开业,储气量为 40 吨。1996 年 5 月,贵溪市经贸委工业液化石油气供应站成立,国营性质,有干部职工 11 人,1997 年 1 月供应站储气站建成,储气量为 20 吨。至 2008 年底,全市共有 8 家供气储气企业(机构),分别是:冶炼厂煤气站及生活小北区管道液化气站、化肥厂管道液化气站、贵雅液化气有限公司、城市燃气有限责任公司、罗河仙凤液化气站、宏源气体有限责任公司、城北液化气站以及华润燃气有限公司。其中华润燃气有限公司注册成立于 2008 年 4 月,注册资金为 2000 万元,系中国内地最大燃气运营商之一的香港华润燃气(集团)有限公司收购江西铜城天然气有限公司 51% 股权而来,同年市建设局同华润燃气有限公司签定贵溪市管道天然气特许经营协议,负责贵溪市区行政区域 24 平方千米内管道天然气的独家经营,经营权限有效期为 30 年(2005 年 6 月 16 日至 2035 年 6 月 15 日)。

城市供气主要以液化石油气供气为主,供气方式分为管道输送和瓶装输送,其中冶炼厂、化肥厂、发电厂等大企业生活小区采用管道液化气输送方式,城区居民及部分乡镇(村)居民使用瓶装液化气。

华润燃气有限公司气化站建在贵溪工业园区,占地 10.27 公顷,日供气能力为 30 万标准立方米。华润公司在市区及工业园区内建设管道燃气输配管网,计划总投资 1.89 亿元,5 年内完成总投资项目。2007—2008 年,华润公司投资 4500 万元,完成冶金大道、建设大道、320 国道主管线 22 千米以及城区交通路、信江路、水厂路等支管线 22 千米的铺设,在贵溪发电厂内已建液化气小撬装站一座,完成贵溪发电厂、都市佳苑及时尚广场等小区 2500 余户用户的通气使用工作,LNG 大气化站平基工作已完成,主要设备及配件已选定。

第七节　市区路灯与城市亮化

城市路灯

1991 年，市政公司安装管理的路灯共 498 盏。1994 年，县城城区设立 4 组高杆灯，分设在雄石大道与信江路交叉处、县城火车站、交通路与雄石西路交叉处、信江电影院门口处，每组高杆灯装有 24 盏灯，功率达 19.2 千瓦。2000 年，市政工程管理处安装管理的路灯 686 盏。冶炼厂、有色四建、江铜铜业公司等驻市企业分别在冶金大道、化工大道、冶炼厂生活区、有色四建生活办公区、铜业公司驻地安装管理路灯 535 盏，全市城区共安装路灯 1221 盏。路灯种类有汞灯、钠灯和白炽灯 3 种，架设电线为地埋线和架空线。至 2008 年年底，市政工程管理处共安装管理路灯及景观灯 7508 盏，架设电杆 2088 根，线路总长 120760 米，总功率达 1046 千瓦，路灯种类主要为节能灯、钠灯和金卤灯等。

城市亮化

2003 年，城区沿河路、站前路、雄石路等主要街道临街建筑全部实行立面改造，大量采用 LED 灯、霓虹灯、洗墙灯、泛光灯等亮化灯具；城区沿河路、站前路、雄石路、建设路、冶金大道以及城南 320 国道等主要道路设置宣传广告灯箱；城南滨水绿地广场、市内桥东、桥西公园、市政广场等主要节点设置各种景观灯、草坪灯、地埋灯、LED 灯、霓虹灯、射灯、音乐灯光喷泉等；市教育电视塔、象山公园山北坡、信江大桥、发电厂灰管桥装设轮廓彩灯；市区中心广场金峰大厦楼顶安装两盏大功率空中探照灯。

2008 年贵溪市城区路灯一览

表 4－9

路名	灯型	杆数	盏数
左家大桥景观灯	节能灯	55	110
左家大桥至工业园双塔	双臂灯	180	360
320 国道	高低双挑灯	118	236
贵塘公路	高低双挑灯	15	30
城南接点	景观灯	6	192
信江大桥	数码灯	—	704 节
	主拱射灯	—	198
	桥头堡亮化	—	12
大桥桥面	单臂灯	—	46
桥东、桥西公园	射灯（立杆）	—	86
	地埋灯	—	112
	椰树灯	1	1
	奥运之光	4	4
	世纪之星	1	1
	树灯	—	70
	数码灯柱	—	30
建设路	高低双挑灯	200	400
城区 9 条道路	单臂弯灯	114	114
站前路	风帆灯	36	108

续表4-9

路名	灯型	杆数	盏数
雄石路	行道灯	60	120
	双臂灯	30	90
铁路立交	双臂灯	15	30
西门外	单臂灯	—	8
城区部分私房亮化	射灯	—	322
象山公园景观灯	射灯	—	32
	射灯	—	56
柏里大道	双臂灯	97	194
北门立交桥	双臂灯	37	74
交通路	双臂灯	35	70
府前路	双臂灯	160	320
冶金路	双臂灯	75	150
水厂联络道	双臂灯	54	108
贵溪大道	双臂灯	51	102
高速连接线	单臂灯	108	108
江铜快车道	双臂灯	42	84
鹰雄快车道	双臂灯	83	166
贵溪大桥	单臂灯	30	30
鹰雄大道西	双臂灯	204	408
政府广场	景观灯	—	876
贵溪大桥	彩虹灯	—	1600
城南绿地广场	景观灯	—	2438
中心广场	景观灯	—	836

说明:全市市政设施(路灯)共计11036盏。

第八节 市区园林绿化

机构设置

贵溪县园林绿化管理所成立于1993年3月(其前身为贵溪县市政工程公司绿化股),为股级事业单位,隶属于贵溪县城乡建设局,有干部职工18人。1996年10月贵溪撤县设市,改称贵溪市园林绿化管理所,同年12月划归贵溪市城市管理委员会办公室管辖。2002年年底,重又划回贵溪市建设局管辖。2005年6月贵溪市园林绿化管理所更名为贵溪市园林绿化管理处,至2008年年底,在职干部职工22人。

公共绿地

市区公共绿地面积为95公顷,主要分布在象山森林公园、城南滨广场、沿河公园(也称桥东、桥西公园)、市政广场等处。

2008 年贵溪市城区公园绿地一览

表 4－10

公园名称	占地面积（公顷）	绿地面积（公顷）	绿地率（%）
象山公园	67.5	65	96.3
城南滨水绿地广场	12	8	66.67
沿河公园	3.4	3.3	97.06
市办公楼前后广场	11.96	8.8	73.58
水上公园	11.22	7.8	69.52
合计	106.08	92.9	—

道路绿化

2000 年年底，市区 18 条大小街道共栽种行道树 3993 株（其中樟树 1441 株，悬铃木 2552 株），种植灌木 6800 株。至 2008 年底，市区沿河路、站前路、雄石东路、建设路、冶金大道、城南 320 国道、高速挂线、江铜快速通道等 19 条主要道路共栽种行道树 5800 株，道路绿篱种植各类花草、灌木 110 万株，行道树种以樟树为主。雄石西路尚未绿化。

2008 年贵溪市城区各路段行道树种植情况一览

表 4－11

路段	名称	数量（棵）
沿河路农业局—电信局	樟树	201
站前路妇联—铜都美食城	樟树广玉兰	2594
雄石东路电厂大门口—太平洋超市	樟树	218
信江路新华书店—医药公司	樟树	90
建设路财政局—三小路口	樟树	630
冶金路四冶红绿灯—交警队立交桥	樟树	314
320 国道城南绿化带—工业园双塔	樟树	713
中心转盘	桂花	7
贵塘公路段	杜英	61

2008 年贵溪市城区主要道路绿化一览

表 4－12

道路名称	总长度（米）	已绿化（米）	道路总面积（%）
雄石东路	886	886	31721
站前路	906.2	906.2	22088
建设大道	3441	3441	131025
冶金大道	3840	3840	120029
高速挂线一期	4500	4600	114000
320 国道城南至工业园	5610	5610	162690
四中路	975.7	975.7	11221

续表 4－12

道路名称	总长度(米)	已绿化(米)	道路总面积(%)
信江路	540	540	12312
沿河路	1113	1113	24349
江铜快速通道	756	756	22680
兴四路	1700	1700	26225
兴五路	1470	1470	17640
工业大道	1880	1880	37124
兴六路	1170	1170	14040
东环路	1670	1670	43420
新贵大道	1260	1260	35910
贵四路	740	740	8880
贵八路	1360	1360	23518
南环路	750	750	20850

2008 年贵溪市城区主要居住区绿地一览

表 4－13

居住区名称	占地面积(平方米)	绿地面积(平方米)	绿地率(%)
贵电生活区	363491	120000	33
贵化生活区	250000	126000	50.4
江铜生活区	366346	100000	27.3
四冶生活区	750000	385000	51.33
富康家园	36000	11720	32.56
信江花苑	9000	2753	30.59
铜苑小区	27318.3	9856	36.08
擂鼓岭小区	55840	16000	28.65
安康小区	27000	7800	28.89

生产绿地单位(企业)

2008 年,贵溪市共有 11 个较大型生产绿地单位(企业),共育苗木 380.12 公顷。

2008 年贵溪市生产绿地一览

表 4－14

企业名称	育苗面积(公顷)	主要树种
市中心苗圃	33.5	雪松、樟树、广玉兰、桂花、枫香、木荷
市林业技术推广站	2.3	雪松、桂花、盆栽枫香、木荷
万亩山苗圃	3	樟树、柚子树、紫薇

续表 4-14

企业名称	育苗面积（公顷）	主要树种
泗沥苗圃	2.1	樟树、广玉兰、桂花、茶花
三县岭苗圃	3.31	樟树、茶花、油茶
双圳苗圃	3.42	樟树、罗汉松、桂花、杜英、枸骨
冷水苗圃	4.21	茶花、罗汉松、桂花、杜英、枸骨
耳口苗圃	2.38	茶花、小叶女贞、樟树、柳树、栾树
市林木采种基地	318.7	枫香、含笑、杜曲、木荷、细叶栲、苦槠、猴欢喜、酸枣、樟树、栎类
市林环公司	6.7	茶花、樟树、杜英、乐昌、含笑、桂花

第九节　休闲广场与公园

城南滨水绿地广场

2004 年建成。由上海同济大学组织规划设计，江西绿苑等单位承建。占地面积 12 万平方米，已绿化面积 8 万平方米，是贵溪市城市化的剪影和精华。它以信江大桥为界点，分为桥东和桥西两大块。桥东以旱式喷泉、风水球、健身场、张拉膜、亲水平台为主，充满现代气息。桥西以广场雕塑群、文化墙、草坪、亲水平台为主，历史、文化色彩厚重。桥东、桥西特色分明，交相辉映，相映成趣。与此同时，滨水绿地十分注重灯光照应，整个绿地共设置迎宾灯、庭院灯、变色灯柱、草坪灯、地埋灯等 21 种 2000 多盏，达到了一般照明和灯光艺术的和谐统一，给人以美的享受和激情。

主题雕塑　滨水绿地“8”字形主题雕塑，主题鲜明、设计新颖、造型独特，富有现代气息，它的主题由向上飘扬的巨大不锈钢纽带构成，类似贵溪地域图形“8”的造型，又是变形的汉语拼音“GX”，“8”与“发”谐音，喻为吉祥与发达，纽带顶部的交叉造型似大鹏展开的双翼。围绕主题向上的三组飞鸽，远看如象征和平的橄榄枝，近看是 21 只向上腾飞的和平鸽，寓意贵溪 21 个乡镇（街办）在 21 世纪的腾飞和发展。飘动的银色纽带又像川流不息的信江，中间镶嵌的闪光圆球，象征着贵溪是信江河畔一颗璀璨明珠。主雕四周是以妇女、儿童为题材的附属雕塑，象征未来与和平，衬托出主题雕塑的高大雄伟。

音乐喷泉　旱式音乐喷泉突出现代气息。半径 50 米，是当时省大建成的最大旱喷，成为城南滨水绿地的又一个标志性人文环保景观。该喷泉通过红绿黄不同灯光及喷头，交织变幻出一柱擎天、中流砥柱、蒸蒸日上、鲜花怒放、云蒸霞蔚、梦幻跑泉、孔雀开屏、八方来宾等 15 种独特造型。造型惟妙惟肖、气势磅礴，既可独立成景，也可相互组合，形成各种壮观的景象。加之彩灯及音乐的搭配，喷泉成为流动的画，水型的诗，成为时代气息和高科技相融合的高雅艺术品。

文化墙　浮雕文化墙高 3.7 米，长 45 米，以主要的工业产品“铜”和地矿资源花岗石为雕塑材料，是滨水绿地最主要的人文景观之一，也是贵溪文明发展史的浓缩和精华。文化墙通过“史前”“战国崖墓”“东汉、张道陵”“唐、吴武陵”“宋、陆象山”“元、方从义”“明、夏言”“农民起义”“红军会师”“奔小康、向辉煌”等 10 部分，以时空跨度和历史片断，勾勒出悠久的历史、灿烂的文化、秀美的山川和丰富的资源，以及全市政治、经济、文化等各个方面取得的辉煌成果。

沿河公园

沿河公园座落在信江河以北。以信江大桥为界，分为桥东公园和桥西公园。整个公园规划布局合理，错落有致，是市民休闲娱乐、锻炼的好场所。

桥西公园建于 1984 年。公园全长 180 米，绿化带长 140 米。有儿童游乐场 1 个。桥西公园种植樟树、垂柳、单杆女贞、海枣、桂花、柚子树、广玉兰、雪松、塔柏、海桐球、铁树、多头铁树、霸王棕、杜鹃、罗汉松、月季、葱兰、小叶女贞、红花继木、金叶女贞、侧柏等。

桥东公园建于1995年,1996年拆挡土墙和桥西公园连接。经过1997年、2003年和2008年改建,现在标准门球场2个,健身器材2处,儿童娱乐场1处。是市民锻炼身体、休闲的最佳场所。桥东公园种植了樟树、杨柳、银杏、倒槐、柚子树、红叶杏、桂花、雪松、球型含笑、小叶女贞球、单杆女贞、海桐球、侧柏球、法国冬青、盘槐、含笑塔柏、罗汉松、寿星桃、五针松、龙柏、大银杏、紫薇、红叶石楠、红花继木球、铁树、老虎刺、茶花、龟甲冬青、大叶黄杨、女贞、深山含笑、榕树、广玉兰、华盛顿棕、水杉、柳树、栀子球等。

象山森林公园

始建于2002年,公园东西长约6千米,南北宽约2.6千米,总面积约885公顷,已绿化面积809公顷,2003年6月由厦门市园林规划设计研究院和厦门园创景观设计有限公司共同设计。规划分三期建设,现已建成面积达122.5公顷。公园座落于320国道边,是一处以丹霞地貌景观、森林景观、人文景观为主,融合丰厚儒教文化的风景名胜区,公园南靠巍峨连绵的武夷山,北临逶迤曲折的信江,西毗著名的龙虎山国家地质公园,东连圭峰风景名胜区,有着突出的区位优势。

万亩山森林公园

位于贵溪市火车站东3000米处,建于1943年,原为贵溪中心苗圃山林地。1964年,林科所征用五里亭村的一部分山林地,连同先中心苗圃山林地一起开辟为县林所试验地,面积120公顷。基地树木种类为科研、推广实用性树种,共49科72种类,多为杉树、马尾松、桉树、毛竹、油茶树、樟树、板栗树等,除自然生长外,人工栽培各类树木12000棵,1990年调查统计,该地树木总数为1431880棵。1989年10月,经贵溪县人民政府〔1989〕102号文件批准,将该处开辟为万亩山森林公园。

第十节　城区改造、建设与管理

老城区改造

改造提升老城区,着力实施以道路改造、管网改造、街景改造、“两房一改”四位一体的改造工程。围绕提升城区道路的通畅性,每年对部分城区道路实施“油化”改造,不断改善市民出行条件。城区管网改造,结合城市路网建设,组织编制城镇管网建设改造计划,按照“先地下、后地上”的原则,搞好路灯、供水、排水、供气等基础设施配套,同步铺设各类管线,强电弱电下地,雨水污水实行分流。抓好街景立面改造。每年对一批城市次街道进行立面整治。抓好“两房一改”(廉租房、经济适用房、棚户区改造)建设。坚持改造城区与改善民生相结合,加大棚户区改造力度,按照“全面规划、合理布局、因地制宜、综合开发、配套建设”的思路和原则进行经济适用房和廉租房建设,不断改善市民居住环境。

新城区建设

按照“一个中心城区、三个片区、四个重点区域”城市总体布局规划,加快打造“一个中心、三个片区”的全方位、多层次的空间开发布局。一个中心,即以冶金大道与建设大道交汇处为中心,串联老城区形成核心区域。依托城市核心区的功能,集中力量重点建设,发挥其聚集效应,将中心区打造成集商务、办公、信息、商业、文化、居住等多功能为一体的现代化行政中心;将老城区改建成为及商务服务、金融贸易、文化娱乐、科技信息等功能为一体的商业中心。三个片区,即城南新区:沿信江沿线,培育沿河公园、城南滨水休闲绿地,象山公园等生态景观,发展生态社区;城西工业园区:在320国道、贵溪大桥等交通走廊的重要节点,发展以综合外向型工业为主高科技现代化工业园区:城北新区:充分利用浙赣线、沪昆高速公路等重要交通轴线的人流、物流、信息流的聚集与扩散效应,以江铜集团为核心将其发展成为铜冶炼、铜加工、化肥生产等工业基地为主的城北工业新区。对鹰东连接线(贵溪段)、龙虎山大道(贵溪段)、贵溪大道等重点区域实行重点控制纳入统一管理,为拓展新城区留住空间。此外在抓好市政基础建设同时,加快优质教育、卫生资源向新城区转移步伐,完善新区功能,做旺新区人气。

城市管理

2008年1月,经市政府常务会研究决定,重新启用贵溪市城市管理委员会办公室,为市政府直属正科级事业单位,市建设局市城市建设管理监察大队,成建制划归市城市管理委员会办公室管理。市城市管理委员会办公室有干部职工42人,城市管理协管员30名。

2008年1月,市城市管理委员会办公室综合整治城区6条主要街道,拆除乱搭乱挂遮阳篷1578处,取缔临时摊点396个,清理乱堆放1582处,制止人行道上各类乱停乱放车辆3390起,拆除破旧广告标牌442处。6月,成立机动中队,清理牛皮癣广告近13000条,粉刷覆盖墙体面积近1300平方米,抓获制癣者47人,其中,被城市管理警察大队行政拘留10名,刑事拘留1名。市容市貌分类管理,将城区道路划分为严控区、控制区和规范区。下发"责令停止违法(章)行为通知书"和"限期整改通知书",强制拆除违章建筑多处,有效遏制违法(章)建设行为。

第三章　房地产业

第一节　房地产管理

管理机构

1992年县政府组建贵溪县房产管理局,贵溪撤县设市后,更名为贵溪市房产管理局。

贵溪市房产管理局是贵溪市政府设置的主管全市城市房产管理工作的行政职能部门,共有干部职工95人,担负着全市房地产开发管理、城市房屋拆迁行政审批、商品房销(预)售审批、房屋产权发证交易市场管理、房屋面积测绘与白蚁防治、住宅小区物业和直管公房管理、房屋租赁以及住房制度改革等工作。

贵溪市房产管理局内设6个职能股室。下设4个自收自支事业单位:房地产交易市场管理所、房产管理所、房屋拆迁站和白蚁防治所。

城市房屋拆迁

1992年县房产管理局成立时,城市房屋拆迁管理业务划入其下属贵溪县房地产开发公司办理。为贯彻国务院《城市房屋拆迁条例》和企业改制要求,1996年底经贵溪市政府同意,组建"贵溪市房屋拆迁公司",属自收自支事业单位,人员由原从事此项工作的原班人员和转业退伍军人构成,现有职工14人,归口市房产局管理,承接城市房屋拆迁委托业务。随着贵溪城市的建设和发展,贵溪市的城市房屋拆迁业务不断扩大,城市房屋拆迁管理逐步走向规范化。

房产交易与管理

为适应住房制度改革需要,推动房地产市场向专业化、规范化发展,1998年10月,根据上级相关政策规定,并报请市政府批准,贵溪市房地产交易市场管理所成立,为自收自支事业单位,定编10人,现有职工24人,行使全市房地产市场交易管理。自2006年开始,房地产市场交易量逐年增多,2006年完成房地产交易788宗,2007年完成房地产交易880宗,2008年完成房地产交易961宗。

产权产籍管理

房屋产权产籍管理股,是市房产管理局于1993年成立的内设股室,职责是具体实施国家有关房地产管理方针、政策、法律、法规;具体办理本辖区范围内初始登记、转移登记、变更登记、注销登记、他项权利登记、地役权登记、预告登记、更正登记、异议登记、并委托核发房屋所有权证和相关证明,负责收集、整理、保管房地产档案资料,并提供利用服务;负责本辖区范围内房产平面图的测绘监督;依法受委托查处产权登记中的违法行为。

初始登记4912件,面积617710.83平方米;转移登记3368年,面积358948.76平方米;变更登记301个,面积110786.68平方米;他项权登记4275件,面积743100平方米。

产权档案设"房地产产权产籍登记目录""查找档案总目录""房地产产权案卷总目录"。至2008年12月,共搜集整理立卷入档房屋产籍档案30524份,其中,全民单位自管公房4390份、私人房屋4643份、新建商品房6021份、各种房改房15570份。

1995—2008 年贵溪市城市房屋拆迁一览

表 4－15

年份	栋数(户)	建筑面积(平方米)	拆迁补偿(万元)	年份	栋数(户)	建筑面积(平方米)	拆迁补偿(万元)
1995	159	1.75 万	542.20	2002	36	0.50 万	156.24
1996	89	1.42 万	384.48	2003	96	1.54 万	476.16
1997	36	0.34 万	112.86	2004	607	6.07 万	5159.5
1998	30	0.30 万	99.00	2005	321	4.49 万	1483.02
1999	47	0.49 万	177.66	2006	18	0.20 万	237.6
2000	37	0.59 万	195.36	2007	89	0.98 万	1468.5
2001	325	4.55 万	1410.50	2008	751	18.02 万	6488.64

第二节　房地产开发

1984 年 8 月，贵溪县房地产开发公司成立，半年后改制。随着房地产开发市场的变化和发展，贵溪市房地产开发向市场化、专业化快速推进，1996 年全市共有房地产开发企业 7 家。到 2008 年全市共有房地产开发企业 33 家，既有恒泽、新联、金拓这样的外来企业，又有华邦、远东这样的本土企业。尤为难得的是商品房空置率仅为 6.3%。房地产业的发展壮大改变以往城市建设和住宅建设单一依靠政府投资的状况。

贵溪重点抓精品小区的建设，摒弃以往开发小区小打小闹的形式，以集约型开发占主导地位，在建造风格上突出地方文化特色和自然风格相结合，强调人与环境，人与自然的有机和谐。一条条精品街道，一批批休闲广场、商住小区，远东国际城、金色年华广场、城南商贸广场、新都花苑、都市佳苑、阳光·时尚广场、时代广场、擂鼓岭商住小区、安康广场、中胜小区、贵都华城等商业小区陆续建成。其中本地开发企业 22 家，外来企业 11 家，外来在本地注册企业有 7 家。其资质为：二级 1 家，三级 13 家，四级 8 家，暂定 11 家。

1991—2008 年贵溪市房地产开发情况一览

表 4－16

企业名称	资质等级	开发项目名称	建筑面积(平方米)
远东公司	三级	时代广场	13100
		远东国际	50541
华邦公司	三级	安康广场	66234
建祥公司	三级	中胜花园	40000
		御水苑一期	16600
		茗芗花苑	38180
台侨公司	四级	世纪富贵花园	14502
		金桥小区	9000
		范家花园	12000
恒顺公司	待定	都市小区	21478
		鸿塘镇祥金街	120000

续表 4－16

企业名称	资质等级	开发项目名称	建筑面积(平方米)
政兴公司	三级	铜苑小区	41000
		阳光·时尚广场	61000
建丰公司	四级	嘉裕花苑	34321
金鑫公司	四级	金桥四号楼	4359
		怡景佳苑	12125
金诚公司	四级	中胜花园小区	8643
		金色年华广场	56058
联荣公司	三级	沙窝岭开发区	3989
		商城	46766
		糖酒副食公司综合楼	5000
		菜市路仓库改建	3000
		外贸安居	22000
		农机大楼	5000
		外贸商品房房 1～6 栋	16827
		安居佳苑	62000
城投公司	待定		
辉鹰公司	待定	龙腾山庄	24320
亿耀公司	待定	雄鹰商厦	1657
雄石公司	三级	富康家园	42830
骏田公司	三级	龙兴铺	5000
		王家商住	4000
		白果树商住	3000
		叶家塘商住	27400
		交通路商住小区	22204
		骏达小区	12577
		都市佳苑	25255
宏大公司	二级	东门公寓	10732
十五冶	四级	雅利安·贵阁	59329
上虞振业	三级	信江花苑	42815
上饶三清	三级	擂鼓岭	109841
远丰公司	四级	商贸广场	7400
嵊州新联	三级	站前北路商住楼	3962
		新都花苑	88953
鹰潭宏发	四级	泰昌大厦	22450
思维置业	待定	阳光电力花城·花苑	89618
江西汇成	待定		

续表 4－16

企业名称	资质等级	开发项目名称	建筑面积(平方米)
玉宇公司	待定	金水湾	52000
天集公司	待定	信江明珠	35993
福达公司	三级	福达家园	57077
新世纪	待定	世纪花园	35000
四冶兴业	四级	没有商品房开发	
浙信公司	三级	桂花苑	21391
亿鑫公司	待定	江滨花苑	46557
青云公司	三级	贵都华城	31999
		贵都安置房	5316
恒泽公司	待定	金邸华府	48272
		恒泽园	18864

第三节 建筑施工

建筑队伍

至2008年,全市建筑队伍持证上岗人员情况:项目经理229人,五大员持证上岗人员为600人,工程技术人员910人,其中,高级工程师47人,工程师332人,助理工程师446人,经济师19人,会计师19人,统计师9人,档案师1人,助理经济师37人。建筑施工企业共计17家,其中,施工总承包(三级企业8家,二级企业3家)共计11家,专业承包(三级企业5家,二级企业1家)共计6家。

建筑设计

70年代贵溪县基本建设委员会内设规划设计室,有技术人员5名。1981年成立“贵溪县建设设计室”归口基本建设委员会领导。1982年4月,建筑设计室经省建委审查批准,颁发勘探设计证书。1987年5月,经江西省计划委员会资格审查,颁发设计资质证,贵溪县建筑设计室定为丁级,承担贵溪县的工业与民用建筑设计。1997年,更名为贵溪市建筑设计院。2000年12月,有干部职工22人,其中高级工程师2人、工程师5人、助理工程师4人。

工程招投标

招投标依据 主要依据为《房屋建筑和市政基础设施工程施工招投标管理办法》(建设部令第89号)、《工程建设项目招投标办法》(七部委令第30号)、《江西省建筑管理条例》(省人大第99号)等条例以及关于《印发江西省房屋建筑和市政基础设施工程施工招投标监督管理办法》(赣建招〔2004〕7号)、《江西省房屋建筑和市政基础设施工程监理招投标管理实施办法》(赣建字〔2006〕8号)、《江西省房屋建筑工程设计招标评标办法》(赣建招标〔2007〕5号)。

招投标办法 依据《江西省实施〈中华人民共和国招投标办法〉办法》(省人大常委令18号)。

评标专家库 设区市建设行政主管部门依法组建,由项目业主单位在有关部门的监管下依法随机抽取,专家库专家分技术类、经济类别。

评标会 有依法组建的专家评委会对投标人的商务标和技术标依照招投标文件的标准和方式进行评审,并依法推荐中标排行人。

节省资金 按照现代的评标办法,在市场控制价的基础下,节省资金率在5%～8%左右。

建筑材料

红石 为贵溪的主要建筑材料之一。贵溪境内分布大面积的红砂岩。沉积厚度达上千米,其中以

北乡和信江两岸分布较为集中。据雄石、滨江、泗沥、志光、金沙、流口、盛源、鸿塘等乡镇统计，有大小红石岭300多座，贵溪红石组织结构纹理细密、均匀、无硬砂、节疤。易开采、易加工。但是红石的抗压强度较低，自重大，难于用于高层建筑，一般作用于基础工程、围墙、水沟、护坡以及六层以下的楼房建筑。如果系框架结构，则可以砌墙10～20层楼房。以红石砌墙建筑，物美价廉，工期迅捷，比砖料减少造价15%～20%。

花岗石　贵溪花岗石矿藏资原十分丰富，具有矿体大、品种多、储量大、易开采的特点。主要分布在贵溪西窑、樟坪、塘湾、白田等乡镇，此外，冷水，耳口、上清、双圳等乡镇也有一定的矿藏。贵溪花岗石矿大部分裸露地表，宜露天开采，共有50多个品种，主要有仙人红、杜鹃红、炼丹红、芝麻桃色、黑白花、青花石，此外还有名贵品种墨玉花岗石等。

砖瓦碱沙　砖的生产所占比重不大，以前主要在山区无红石的地区有小规模的砖窑生产青砖，供建筑需要。随着高层建筑的大量兴建，砖的产量逐年增高。

碱沙产区主要在县城西门外信江河畔，其次为上清溪畔、信江九牛滩等地。沙子主要类型有中沙、粗沙、细沙、洗石子粒沙（又名绿豆沙），可满足建筑业各种不同的需求。

工程质量监督

监督机构　贵溪市建筑工程质量监督站成立于1987年9月，为建筑业主管部门领导下对工程质量履行政府监督的事业单位，其专职质监人员编制按所辖地区年度施工面积3万平方米左右配备1人，其中专业人员不少于80%。成立之初有专业质检人员2人。1996年贵溪撤县设市，相继成立贵溪市建设检测中心和贵溪市建设与安全监督管理站，与工程质量监督站实行“三块牌子，一套人员”。2000年，划归建设局统一领导。2008年，有质监人员9人。

工程质量监督　建设单位在申请工程监督时必须向质检站提交下列资料：质监申请书，全套施工图纸，工程地质勘探报告及与施工单位签订的合同副本。

质监站在接受质监委托后要做好以下工作：一是指定承担该工程的质量监督员；二是审查设计、施工单位的资格和质量保证体系；三是按委托书内容收取质监费。

质监人员对受监工程要把好施工过程中各重要环节和各阶段的质量关，把住工程质量的关键部位，做好基础与主体结构的核验工作。验槽、主体结构验收首先必须由建设、设计、施工单位进行，履行签证手续，然后由质检站进行核验，确定工程质量等级。中间阶段的验收前，施工单位应向质监员提供有关技术资料，技术资料不完备的工程，不能核验等级。

在监督过程中，对受委托工程做到对甲、乙双方三交底：技术交底、措施交底、质量交底，做好隐蔽工程验收记录与签证。隐蔽工程验收时质监员必须到场，监督验收和核定等级。凡不符合国家规程、规范和设计要求的工程，质检站可以根据实际情况，分别发出限期改正通知、停工通知、工程事故核定单、工程质量查处通知等；对于工程质量低劣，情节严重的施工单位，应按照《江西省建筑工程质量监督暂行规定》第十五条规定进行处理。对质量管理的单位和优质工程，建议由当地政府给予通报表扬，颁发奖状，发放奖金、奖品等。对忽视质量的单位或个人，根据其情节严重，分别处以责令其立即改正或停止施工、警告、罚款、停产整顿，建议由关部门吊销其施工营业执照、设计证书和技术资质证书，对造成重大伤亡和经济损失的质量、安全事故者，质监站有权建议相关部门追究责任者和领导者的经济和法律责任。

工程竣工验收首先必须由设计和施工单位单方面进行质量验评，评定等级，再由建设单位向质检站要求对所定质量等级进行核验，质监站对于受监工程质量等级核验，应在各专业质监员对本专业分部工程检验的基础上，由质检站站长和技术负责人组织评定并签字，发给质量等级证书。

工程质量监督的依据：《中华人民共和国建筑法》《建设工程质量管理条例》。

创优工程

创省优质工程：县公安局技侦楼、贵溪冶炼厂大全市场、县检察院技侦楼、市检察院技侦楼、市国土资源业务用房、市交警大队业务用房。

第四章　新农村建设

2006年起开展社会主义新农村建设工作,至2008年贵溪市共建设新农村试点村319个(其中2006年60个、2007年129个、2008年130个)。新农村建设涉及26个乡镇场,其中含18个乡镇、1个街道办事处、7个场局;涉及农户29678户,农民115634人。

2006—2008年贵溪市连续三年被省委、省政府评为新农村建设试点工作先进县(市、区)。

2006年,贵溪市塔桥园艺场新村、滨江乡流岭岩前村、志光镇西江雷家村被评为江西省先进试点自然村,5个乡镇和15个试点村被评为鹰潭市先进乡镇、先进试点自然村,占鹰潭市表彰总数的50%。

2007年,贵溪市志光镇周塘艾家村、白田乡姚家杨家村、滨江乡柏里王畈村被评为江西省先进试点自然村,7个乡镇和31个试点村被评为鹰潭市先进乡镇、先进试点自然村,分别占鹰潭市表彰总数的50%和56.4%。

2008年,全市共有6个乡镇和29个试点村被评为鹰潭市先进乡镇、先进试点自然村,分别占鹰潭市表彰总数的46.2%和52.7%。

第一节　机　构

市级机构

2006年3月13日,经中共贵溪市委、贵溪市人民政府批准,成立贵溪市社会主义新农村建设领导小组,领导小组下设办公室(简称市新村办),为临时机构,负责新农村建设具体业务指导,内设督查指导一组、督查指导二组;2007年内设科室更名为综合协调组、督促指导组、技术指导组;2008年设综合协调科、宣传调研科、督查指导科、资金管理科等4个科室,市新村办与市委村建办合署办公。

市委、市政府从市委组织部、市委统战部、市农业局、市交通局、市水利局、市卫生局、市自来水公司、塘湾镇、志光镇、滨江乡、鸿塘镇等市直部门和乡镇抽调12名干部在市新村办集中办公,其中有市新村办主任一名,副主任两名。

乡镇机构

各乡(镇、街道)成立以党(工)委书记为组长的新农村建设领导小组,领导小组下设新村办,由一位副科级干部具体负责新农村建设工作。

第二节　规　划

新农村改造规划

2005年开始,贵溪市新农村建设办公室与贵溪市规划设计研究院、江西建设职业学院合作,以自然村为单位,每年对下一年度即将开展新农村建设的村庄进行规划,通过对村庄建设环境与场地分析和村庄建筑质量评价,从公共服务设施、道路交通、给水排水、电力电信工程、景观环境、住宅及主要公共建筑标准实际情况,对村庄进行合理布局,规划期限为10年,通过规划并扎实推进以"六改四普及"(改水、改厕、改房、改栏、改路、改环境;普及电话、沼气、有线电视和太阳能)为主要内容的新农村建设,各试点村有效构筑经济、社会和生态环境可持续发展的合理空间,成为经济繁荣、交通便捷、设施齐全、环境优美,提前实现现代化小康水平的社会主义新农村。

村民建房主要技术标准:利用非耕地及空闲地建房,每户宅基地面积≤160平方米,占用耕地的,每户≤110平方米;住宅主楼基地面积≤宅基地面积的70%;日照间距方面,旧房改造≥南侧建房高度的0.9倍;新村建房≥南侧建房高度的1.1倍。

产业结构调整规划

贵溪市依据“南林、北果、中间菜”的发展思路，319 个新农村建设试点村结合实际制订农业产业发展规划，因地制宜发展“一村一品、一乡一业”，带动农民增收致富。

雷溪乡南山马山试点村 2007—2009 年产业发展规划

该村小组地处市郊 6 千米处，全村 65 户，305 人，男女劳力 200 余人；村有耕地 20.3 公顷，其中种蔬菜 6.7 公顷；有山林面积 12.5 公顷，种有杉木、松木、毛竹。2006 年人均收入 3800 元；该村地处平原，土质肥沃，雨量充沛，光照充足，无霜期长，又地处近郊，是发展商品粮和商品蔬菜的好地方。

粮食生产：良种推广率要达到 90%，新技术普及率要达到 70%，农民从粮食产业人均年新增收入 70 元。

蔬菜种植：利用原有大棚，种植早季节蔬菜，同时扶持以蔬菜为原料的农业产业化企业，扩大南山食品厂捺菜生产规模，创出“南山”品牌。实现农民从蔬菜种植、加工中年增加收入 40 元。

畜牧业：鼓励农民做大养猪，家禽业，培植大户，提高畜牧综合生产能力，发展生态能源建设，推广“一栏猪、一片果、一口池、一户小康家”的“猪—沼—果”生态农业模式，促进循环经济和畜牧业持续发展。

果业、水产及旅游业：该村由于耕地少，经济收入主要以商品粮、商品蔬菜生产为主，采取房前屋后种果树，村后水塘养鱼，村集体山地多种杉树，扩大毛竹栽种面积，开发“神仙洞”旅游，以此壮大村集体经济。

白田乡北山浦源试点村 2006—2008 年产业发展规划

该自然村共 68 户、268 人，农村劳动力 158 人，其中外出务工 95 人，约占总人数的 35%。拥有耕地面积 28.3 公顷，山林面积 74.7 公顷，小型山塘水库 1 座，主导产业以传统种植业为主，2005 年农民人均纯收入 3400 元。

传统农业：推广良种，推广测土配方施肥技术，普及绿肥增加土壤有机质，推进农业小型机械化。

绿色蔬菜、西瓜等经济作物及食用菌的栽培：在未来的 3—5 年内，规划种植绿色蔬菜 1.7 公顷，西瓜 4 公顷，竹荪菇 0.3 ~ 1 公顷。

商品猪养殖：在现有 36 头存栏量的基础上，实现 3 年翻两翻的目标，达到 144 头，产值 10.4 万元。

劳务输出：实现未来 3 年内，从现有的劳务输出占劳动力总人数的 51%，提高到 70%，实现劳务报酬 154 万元。

一村一品建设规划

贵溪市每年从本级财政安排的新农村建设资金拿出 100 万元专项资金，重点扶持农业产业化程度高、有特色、辐射带动作用强的专业合作组织和专业户，对“一村一品”试点村和成立专业合作社进行扶持奖励，促使试点村农民增收走在全市农村前列。如塔桥的早熟梨、雷溪的蔬菜、周坊的雷竹、白田的油茶、罗河的荸荠、流口的旱田藕、樟坪的笋竹两用林等农业特色产业已形成一定的规模。

2008 年评选 6 个优秀专业合作社。一等奖，贵溪花屋水稻专业合作社；二等奖，雷溪长塘雷竹专业合作社，贵溪百兴食用菌专业合作社；三等奖，贵溪联谊油茶专业合作社，贵溪塘湾大桥仁义水稻种植专业合作社。

贵溪市花屋水稻专业合作社　贵溪市花屋水稻专业合作社成立于 2008 年 3 月，现有水稻良田 273 公顷，社员 148 户，注册资金 15 万余元，是贵溪市粮食局绿色水稻基地、浙江兰溪市优质稻基地。该合作社以成本价为社员提供农药、种子；以低于市场价 100 元/吨的优惠价为社员提供化肥，并配送到各农户家中，累计共有 400 多吨，仅此一项就为社员降低生产成本 4 万多元；2008 年至今以高于当地市场价 80 元/吨的价格从社员处收购稻谷，累计有 6000 余吨，销往浙江省兰溪市粮食购销公司，此项为社员增加收入 48 万余元。社员平均每户增收 3513.5 元，此外合作社创收也达 10 万余元，且都以股份分红的形式发放给社员。

贵溪市塘湾镇大桥村仁义水稻专业种植合作社　大桥村仁义水稻专业种植合作社成立于 2008 年 1 月，初期拥有会员 505 户，绿色水稻种植面积 333 公顷。合作社主要从事水稻的专业种植，为社员提供产前、产中、产后服务，特别是在种子和肥料上由合作社统一购买，节省种植成本。与富饶米业在销售方面签订合约,大大提高农民的种植效益。合作社按照“围绕市场抓服务,围绕科技抓普及,围绕规范抓管理”的工作思路,促进了合作社的不断发展。特别是“大桥绿色水稻”品牌大大提升合作社的品牌,为提高经济效益发挥重要作用。

白田乡姚家杨家村产业发展试点　贵溪市白田乡2007年试点村姚家杨家村以产业发展为支撑,不断夯实新农村建设资金投入基础,助推新农村建设工作的顺利开展。该村因地制宜,充分发挥本地木竹资源丰富的优势,大力发展木竹加工企业,现已拥有贵溪市实木工艺厂、贵溪市天工工艺品厂和贵溪市木竹制品厂等3家企业,年产值达260多万元。该村主要通过立足“股、高、扩、带”四个字,助推产业发展。该村被评为“2007年度全省新农村建设试点‘五新一好’村庄”。一是企业发展上立足于“股”。杨家村本着“农民自愿、按股分红”的原则,积极引导农户投资入股,该村三家木竹加工企业分别由10户村民入股经营,2007年人均纯收入达到1万余元,较往年人均增收2100余元。二是产业质量立足于“高”。在产业发展上坚持“高质量、高标准、高要求”三高原则,强化员工培训,严格生产程序,更新机器设备,不断提升产品质量,该村木竹制品厂添置了两台最新机器设备,可将原先废弃的竹篾下脚料进一步加工制作成胶木板半成品,变废为宝,产品畅销浙江、江苏等省。三是生产发展立足于“扩”。勤劳的杨家村人并不满足于现有的3家木竹加工企业,理事会正与本村一村民洽谈,建议其在温州的服装厂迁回本地,扩大规模经营,带动全村村民共同致富。同时,结合帮扶单位市人事劳动局向江西省外专局争取5万元蔬菜扶持项目,腾出土地,建立大忙人蔬菜种植加工基地。四是产业发展立足于“带”。坚持村组干部带头、党员带头,注重树立致富标兵形象,通过示范带动,大量吸收本村剩余劳动力进厂务工,解决就业61人,实现村内劳力“零剩余”,村民足不出村每月就可拿到1200余元的工资。有产业的支撑,该村村民在2007年的新农村建设中筹资17万多元,户均出资达5000多元,确保所需建设资金,圆满完成各项建设任务,打造成贵溪市的精品试点村。

新社区建设

为丰富农村群众精神文化生活,贵溪市各地积极组织开展农民体育运动会、秧歌比赛,以及“五好家庭”“文明信用农户”、“卫生家庭”创评等活动。全市3年来319个试点村共修建文化活动室289个图书室和815个议事室,组建了腰鼓队215支、秧歌队186支、龙灯队102支、舞狮队97支,成立禁赌协会261个、红白理事会203个、老年协会87个,极大地丰富村民的精神文化生活。

流口镇盛源村文化活动中心　贵溪市流口镇盛源村是贵溪市南乡最大的自然村之一,住房密集,人口集中,有农户700余户,人口3000余人。该村在推进社会主义新农村过程中,非常注重村落社区建设,成立以村支部书记为组长的文化活动管理工作领导小组,让老年人“老有所养、老有所乐”。2005年3月成立盛源村老年协会和社区活动中心。中心建有龙灯队20人、狮灯队20人、秧歌队60人,腰鼓队20人,有会唱曲子、采花调、民间山歌老艺人,有热衷于传统文化活动的农民群众,中心长期从事农村文化活动的人数达到420人,其中男性231人,女性199名;占全村成年人的三分之一。为使村级文化活动开展更加规范,该村对开放以后的活动室,都建立和健全规章制度,做到制度上墙,使村民活动有章可循,照章办事。该村还选拔2名专职文化管理员,负责活动室的每天开放、接待、服务和日常管理工作,使村民有一个舒适、健康、优美的活动环境,每天活动人次达四五十人左右,受到村民、特别是老年人的欢迎。

雷溪乡雷溪村黄家村落社区活动中心　贵溪市雷溪乡雷溪村黄家自然村地处市区以南,包括3个村小组267户,总人口1100人,耕地面积62公顷,大部分村民以粮食生活和城区务工为主,2006年人均纯收入3850元。为更好地发挥老年人的余热,使他们老有所为,老有所乐,净化村里风气。2001年3月,该乡在黄家村里先后召开5个会,即:村小组长会、村民代表会、户主会、村民大会、老年协会成立动员会,讲清为什么要在农村村落开展社区建设。通过广泛宣传发动,黄家村以“五老”为主,组织成立黄家“老年协会”,成立村落社区活动中心,建筑面积940平方米,总投资26万多元。设“一会五站”,即:社区志愿者协会,村落社区互助救助站、卫生环境监督站、民间纠纷调解站、文体活动联络站、公益事业服务站,并成立村落社区党支部。6年来,在各有关部门的指导和帮扶下,该村从村民求知、求乐、求富的愿望出发,紧紧围绕“农村稳定、村民安居乐业、改善村民的生活环境、提高村民的生活质量”为目标,以黄家村德高望重的“五老”为骨干，村落社区建设取得喜人成效。黄家村落社区志愿者协会开设一校六室，即：村民学校、图书室、电视室、棋牌室、文艺室、文体室、办公室。添置电视机、VCD、图书桌椅、扑克、麻将、乐器等办公娱乐设备，装设有线电视，组建腰鼓队、锣鼓队、秧歌队，社区活动走向制度化，管理规范化。黄家村落社区先后被评为省、市“农村先进村落社区”，省、市“先进老年人协会组织”。

第三节　组织实施

方法步骤

2006年1月20日，贵溪市委、市政府出台《关于推进社会主义新农村建设的实施方案》，方案要求：2006年，全市计划建100个社会主义新农村建设示范村；2007年新增130个社会主义新农村建设示范村；“十一五”期间，全市计划使630个自然村达到社会主义新农村建设的基本要求。力争用10—15年的时间，把广大农村建设成为“生产发展、生活宽裕、乡风文明、村容整洁、管理民主”的社会主义新农村。

资金来源与使用

资金来源　分为直接统筹资金和衔接统筹资金两大块。直接统筹资金由省、市、县三级配套。江西省文件规定，2006年，每个试点村的直接统筹建设资金为10万元（其中省6万元、市1万元、县3万元）；2007年同样为10万元；2008年每个试点自然村为14万元（其中省8万元，市、县5万元，土地出让1万元）。2006年贵溪市委、市政府安排300万元，2007年安排1000万元，2008年安排1000万元用于新农村建设。衔接统筹资金，由市直主管部门和乡（镇、街道、场）积极争取使用。

使用　改路：进村及村内主、次道路的硬化补助水泥320千克/立方米，支路硬化补助水泥300千克/立方米。改水：提供建水井的预制材料、抽水及配电设备、主管道及主干管道、不锈钢水箱等材料。改厕：每建一个符合要求的水冲式厕所，补助150元/户。改栏：集中建设补助100元/户，自家改栏补助50元/户。改房：粉刷墙体漆补助4元/平方米，一般粉刷补助2元/平方米。建垃圾池补助100元/个。2007年和2008年，贵溪市新村办都将直接统筹资金足额分配到试点村，坚持资金按进度拨付原则，即根据试点村建设进度，经市新村办验收合格后，适时拨付相应项目的补助资金。

典型村介绍

滨江乡流岭岩前村　贵溪市滨江乡流岭村委会岩前村小组距贵溪城区14千米，全村37户、157人，党员3名，人均纯收入2980元，耕地11公顷，山林地12公顷。村庄交通便捷，与江南第一大风化岩洞——龙岩峰毗邻，村四周树林荫翳，良田环绕，风景秀丽。自实行家庭联产承包责任制以来，该村紧紧依靠村民民主自治理事会，对村中事务实行“六统一”（宅基地统一管理、统一农田灌溉、统一饲养耕牛、统一碾米、统一巡防、统一供养五保户）管理。岩前村民通过村民自治理事会实现民主管理，增强了最基本、最质朴的民主意识。特别是在新农村建设中，充分发挥理事会的作用，村容村貌及村中各项事业发展顺利，基本实现“走平坦路、喝干净水、上卫生厕、住整洁房、用洁净能、居优美村”的目标，该试点村也被评为2006年度全省新农村建设试点整治建设先进自然村。

塔桥园艺场新村　塔桥园艺场新村坐落在贵溪市塔桥生态园，邻近皖赣铁路硬石岭车站，南距白鹤湖风景旅游区2千米，地理位置优越，有农户80户，人口243人，果园面积44公顷，所产早熟梨远近闻名，年人均纯收入6800元。园艺场新村共投资550万元，群众自筹资金496万元，公共设施投资54万元，群众投工投劳816个。该村新建房屋62套，每套房屋占地面积90平方米，建筑面积228平方米，造价9.5万元，室内功能布局合理，每套配有1个车库、2个卫生间、1个厨房、1个餐厅、4个卧室、2个客厅、1个露天阳台，均为两层半砖混结构，通体砖外墙面，琉璃瓦屋面。房屋排距为15米，栋距为6米。新村村内路面硬化纵向道路宽3.5米，横向道路宽2米，水泥路户户相连。排水、排污采用砼管地下排放。自来水、供电、有线电视、宽带网安装到户，户户装上太阳能。在新农村建设过程中，该村采取“九个一”（进行一次详细的调查摸底、召开一次全体村民动员大会、选举一个理事会、统一规划设计、统一房屋建设标准、统一房屋造价、统一施工、统一签订协议、统一后续管理）的操作办法，推进新建村新农村建设,“六改四普及”率达100%。

志光镇周塘艾家村　贵溪市志光镇周塘艾家村是2007年省定试点村,全村共74户,人口279人。该村在新农村建设过程中,按照省委提出“五新一好”的工作思路,以民心民力为基础创建好班子,以村民自治为依据形成新机制,以去陋存新为抓手树立新风尚,以村庄规划为龙头建设新村镇,以村民富裕为目的发展新产业,以提高综合素质为目标培育新农民。在理事会组织下,村民齐心协力、主动参与,通过一年的努力,该村改栏、改厕、改水、改路、改房的比率均为100%,电话、有线电视普及率为100%,太阳能、沼气正在逐步推广使用,让曾经脏乱无序的艾家旧村变成如今干净整洁、环境优美、和谐发展的新农村。

2006~2008年贵溪市新农村建设村点一览

表4-17

乡镇名称	行政村名称	自然村名称	村点个数、建设年份		
			2006年	2007年	2008年
雄石办	象山	桥头	1	—	—
	雄石	石泉	1	—	—
滨江乡	柏里	水泉	1	—	—
		桥头	—	1	—
		王畈	—	1	—
		邱垅	—	—	1
	洪塘	新村	—	2	—
		何家	—	—	1
	江北	九甲	—	—	2
	江南	徐家	—	2	—
		庙前新村	—	1	—
	金沙	外董	—	2	—
	流岭	岩前	1	—	—
		傅家	—	2	—
		雷溪	—	—	1
	婆桥	里童	—	—	1
	铜都	金石	—	—	1
	西洋	西洋新建	1	—	—
		上丁	—	1	—
		李庄	—	—	1
泗沥镇	陈坊	曹家	—	2	—
		吴门山	—	—	1
	东洪	墩上徐家	1	—	—
		墩上徐家二组	—	1	—

续表 4－17

乡镇名称	行政村名称	自然村名称	村点个数、建设年份		
			2006 年	2007 年	2008 年
泗沥镇	桃源	塘南	—	1	—
	王湾	畈郑	1	—	—
		雷家	—	1	—
	杨山	背邱	1	—	—
		方家	—	—	1
	尹家	江家	—	—	1
	郑坊	灯底	—	—	1
	中村	老底叶家	—	2	—
	珠岭	揭家	—	1	—
河潭镇	丰田	毛塘	—	1	—
		周家塘	—	—	1
	河潭	程家	—	1	—
		河潭	—	1	—
	横山	应家	—	1	—
	九夏	年六新村	—	—	1
		年六一组	—	—	1
	龙石	万家	1	—	—
		桥背村	—	—	1
	毛炉	巴岭	—	1	—
		六家仓	—	—	1
	南塘	祝家	1	—	—
	泗塘	店上	1	—	—
		虞家	—	1	—
白田乡	白田	东枫林湾	—	2	—
	北山	浦源	1	—	—
		汪家	—	—	1
	港黄	水岭	1	—	—
	裴家	排底	—	2	—
		棋杆嘴	—	—	1
	姚家	杨家	—	1	—
		朱家	—	—	1
周坊镇		爱家	—	1	—
	长塘	长塘	—	—	3
	高门	洪塘	—	1	—

续表 4－17

乡镇名称	行政村名称	自然村名称	村点个数、建设年份		
			2006 年	2007 年	2008 年
周坊镇	古港	古港	—	—	1
	横岭	赖家	—	1	—
		石壁头	—	—	1
	胡家	蔡家	—	—	1
	库桥	桉树蔸	1	—	—
		牛垅	—	1	—
		畈埠	—	—	1
		畈埠岗	—	—	1
		梅龙嘴	—	—	3
	岭脚	白沙岗	1	—	—
		泉源	—	—	1
	裴源	太山	1	—	—
	三丫	朱家	—	1	—
	上黄	范川	—	1	—
	神前	汪家	—	2	—
		郑家	—	—	1
	童家山	徐家岗	—	1	—
	杨家	刘子华	—	—	2
	周坊	新建	—	1	—
鸿塘镇	傅家	前山	1	—	—
		新村	1	—	—
		山背	—	1	—
	亳岭	占家	—	—	1
	黄柏	泉源	—	—	1
	基塘	厚山	1	—	—
		厚山二组	—	1	—
	界牌	童家	—	5	—
	炉宋	宋家	—	—	1
	薯铺	上许	—	1	—
		下许	—	1	—
		龚家	—	—	2
		礅石	—	—	2
	洋塘	下港	—	2	—
志光镇	柏山	徐家	—	2	—
		徐家四组	—	—	1

续表 4－17

乡镇名称	行政村名称	自然村名称	村点个数、建设年份		
			2006 年	2007 年	2008 年
志光镇	皇桥	李家	1	—	—
		洋源	—	1	—
		赵塘	—	1	—
		上场	—	—	1
	塔桥	清堪	—	1	
	西江	雷家	1	—	—
		李家	—	1	—
	珍田	森家塘	—	—	1
	理源	李家	1	—	—
	信江	太上	—	—	4
	周塘	艾家	—	2	—
		乌上彭家	—	—	3
流口镇	板桥	陈何	—	1	—
		丈塘	—	1	—
		池家	—	—	1
		傅家	—	—	2
	横路	上汉塥	1	—	—
		汪家	1	—	—
	盛源	青龙山	1	—	—
	双岭	罗家嘴	—	1	—
	细叶	杨梅	1	—	—
		江家	—	2	—
		老屋	—	1	—
		李家	—	—	2
	新溪	苏樊	1	—	—
		顺田	—	—	1
雷溪乡	端港	夸家	1	—	—
		严家	—	1	—
		山里舒家	—	—	1
	富港	周家	1	—	—
		黄家	—	—	1
	雷溪	方家	1	—	—
		黄家	1	—	—
		新村	1	—	—
		邓堂杨家	—	1	—

续表 4-17

乡镇名称	行政村名称	自然村名称	村点个数、建设年份		
			2006 年	2007 年	2008 年
雷溪乡	罗塘	楼梯	1	—	—
	南山	岭石	1	—	—
		南山	1	—	—
		宋家	—	1	—
		马山	1	—	—
		马山二组	—	1	—
		墙圈	1	—	—
		墙圈二组	—	1	—
	鲶桥	鲶桥	1	—	—
		李池	—	—	2
		上杨	—	—	3
	张桥	店上	1	—	—
		胡家	1	—	—
		刘家	—	1	—
		邹家	—	2	—
		张桥	—	2	—
	重文	乐家	—	1	—
		上彭	—	—	1
罗河镇	贵碧	黄家	—	—	2
	黄墩	乐家	—	—	1
		培源上黄	—	—	1
		培源下黄	—	—	2
	龙山	付家	—	—	1
	排上	上汪	—	2	—
		太垅	—	1	—
	潜岭	洋塘	—	2	—
	太阳	阳山	—	—	1
	童源	高家	1	—	—
		闵家	1	—	—
	新田	姚家、黄家	—	7	—
	杨桥	桂家	1	—	—
		蒋家	—	1	—
	洋塘	上应	—	—	2

续表 4－17

乡镇名称	行政村名称	自然村名称	村点个数、建设年份		
			2006 年	2007 年	2008 年
彭湾乡	彭湾	臼汪白吴	—	—	1
		饶家	—	1	—
	溪源	邓家	—	—	2
		杨家	—	—	1
	小岭	微源垅	1	—	—
		梁家	—	1	
		下朱	—	—	1
	星明	畈背	—	1	—
金屯镇	枫岭	白果	—	2	—
		占科	—	2	—
	高公	蓝家	—	—	1
	金屯	畗畈潘家	1	—	—
		下屯	1	—	—
		苏家	—	—	2
		邹坊黄家	1	—	—
	南坂	观音竹	—	—	2
		雪溪	—	—	1
	六岭场	六岭场	—	1	—
塘湾镇	大桥	坂塘	—	1	—
		方家	1	—	—
		姜家	—	—	4
	港西	万家	—	—	1
	江坊	邹家	—	1	—
	芦甸	畈上张家	1	—	—
		冻家	—	1	—
		桥头	—	—	1
	赛前	新建	—	1	—
		叶家	—	1	—
	上祝	下祝	—	1	—
	唐甸	六岭傅家	—	1	—
	塘湾	跃山	—	—	1
文坊镇	文坊	博爱新村	—	1	—
		高雅	1	—	—
	斗楼	道山	—	—	1

续表 4－17

乡镇名称	行政村名称	自然村名称	村点个数、建设年份		
			2006 年	2007 年	2008 年
文坊镇	虹桥	新村	1	—	—
	岭西	三口	—	1	—
	坛石	土库	—	1	—
	沙垅	凤形	—	1	1
	塘头	竟石	—	—	1
		上屋	—	—	1
	天华山	上湾	—	1	—
	西窑中心村	西窑中心村	1	—	
樟坪乡	黄思	黄思村里	—	—	1
	西排	西排	—	—	1
	樟坪	中心村	1	—	—
		樟坪	—	1	—
		化山	—	—	1
冷水镇	富庶	横坑	1	—	—
	冷水	碧溪	—	—	2
	麻地	丰嘴	—	1	—
		洞源	—	—	2
		上麻地	—	—	1
耳口乡	菖莆	菖莆	—	—	2
	耳口	沙湾	—	1	—
	梅潭	姚家	—	2	—
	南港	何家	—	—	1
		余家	—	—	1
	圳上	新建	1	—	—
		杏岭	—	1	—
天禄镇	坝上	西安	—	—	1
		蔡家	—	1	—
	罗湾	新村陈家	—	1	—
	球源	桥头王家	—	—	2
	余家	上徐	—	—	1
		龙背嘴	1	—	—
	庄源	余家	—	1	—
		祝家	—	—	1
	口上	李家	1	—	—
		李家	—	1	—

续表 4－17

乡镇名称	行政村名称	自然村名称	村点个数、建设年份		
			2006 年	2007 年	2008 年
		香炉峰	—	1	—
塔桥园艺场	中心村	—	1	—	—
	五分场	—	—	1	—
	二分场	—	—	1	—
	三分场	—	—	—	1
	四分场	—	—	—	1
冷水林场	茶山分场	茶山	—	—	1
		桂港	—	2	—
	饶源分场	新建村	—	—	1
耳口林杨	九龙分场	—	—	—	1
农业局	农科所	家科村	—	1	—
	园艺场	邓家	1	—	—
		新村	—	2	—
合计		—	60	128	120

第五卷 交　通

第一章 公　路

第一节 公路线路

高速公路

沪昆高速在贵溪境内由上饶弋阳经河潭入境,途经河潭镇河埠、柯余村、黄金岭万家、坞里治陈家、石窝、滨江乡里奖村、湖边徐家、婆桥小学、下叶江家、车家桥、田西、李家庄、志光镇珍田姜家、邹家、上汪、下汪、塘背汪家、东汪、求雨石徐家、石背石李家、店背姜家、郑家村、鸿塘镇小庙、泉源李家、黄柏村、上塘李家、竹前刘家、丁家源叶家、洲上艾家、庵山徐家,跨信江进入余江县境内入东乡县,贵溪市境内全长51.647千米,2000年12月开工,2002年12月通车,该线的建成,强化贵溪市交通枢纽的地位。

国　道

贵溪市有过境国道2条,即320国道和206国道,境内总长36.82千米。在境内构成东西走向和南北走向的十字走廊。

320国道　320国道在贵溪市境内称鹰江线,呈东西走向,起于鹰潭嘴上村,止于贵溪流口,国道桩号自流口K672+263起西至嘴上K690+263出境,全长17.6千米,境内沿线有赵流线、贵白线、嘴上713矿线相互沟通。1980—1986年,对该线路基改建加高,完成改造加高路段5320米,1985年开始,该线按二级路型,高级路面改建新线。1993年,320国道鹰潭至流口K672+262~K689+863计17.6千米由三级水泥路改为二级水泥路,当年完成征地、拆迁,部分路基土方工程,1994年完成路基拓宽工程,1995年完成水泥路面并竣工通车。

2002年,该线路拓宽总投资6934万元,分两期拓宽,一期起点K667+540(贵溪原交警队门口),终点K675+147.55(新世纪水泥厂门口),全长1.2千米;二期拓宽,起点K668+740,终点K675+147.455,全长6.407千米。路基宽度由原12米加宽到43米。至此,320国道改造工程完成,是贵溪市境内第一条高等级公路干线。

320国道挂线公路,位于城南雄石办事处境内,公路改造工程起点320国道K667+780(新宾馆)处,终于K0+358处,路线全长358米,途经宾馆,张家,是新宾馆通往张家的一条重要通道,也是新宾馆境内的一条交通要道。

206国道　在鹰潭市境内,起点为锦江桥头周家,桩号K1532+700,终点为龙虎山镇圩上,桩号K1586+900,境内长54.29千米,呈南北走向,该线由原黄鹰线(黄金埠至鹰潭)和鹰城线(鹰潭至南城)组成。1954—1955年由上饶地区进行一次全面整修,后统一编号,纳入206国道。

2000年7月,206国道贵溪市境内石港至天禄段改造铺开,共计21.75千米,2002年12月竣工。

县　道

贵溪市县道11条。

画桥—余家　在市西北,起于鹰潭市林荫西路,经县境西北鸿塘,硬石岭等乡,境内29.988千米。该线原为硬石岭水库的临时运输道,后经历年整修。全线线形较好,路面平整,路基宽度6.6~8.0米,最小平曲线半径18米,最大纵坡9%,沿线有牛亭桥、邓家桥2座,108延米,永久式涵洞90道,56.52延米,排水良好,挡土墙4处,132米,公路平交1条。1997年7月至1998年3月进行三级水泥路改建。今路面平整,宽3.5~4米。该线现由交通局管养。

贵溪—资溪　起于鱼塘龚店,经上清、耳口、冷水至资溪县,境内25.333千米。2000年4月至2001年1月进行了公路硬化,路基宽3.5~6.5米。

水车岭—圣旨山　在市东北,起于白田乡贵神线K25+750处水车岭,向东北出境至弋阳圣旨山,境内11.572千米。1982年冶炼厂兴建,对该线线型进行改造,今为冶炼厂通往德兴铜矿的主要运输线,该线沿山坡行走,属平原微丘区。2005—2006年,进行三级水泥路硬化,宽3—3.6米。晴雨通车。

贵溪—塘湾　从县城往南,始于鹰江线K17+485,即320国道K678+870起,经罗塘、虚源、高公至塘湾,全长24.938千米,其中四级路面9千米,等外路15.8千米,是贵溪市通往南乡的交通要道,沿途经张家桥、罗塘、横路店、端港、金屯至塘湾,全线可与鹰潭至江村、金屯至文坊、赵家岗至流口、塘湾至上祝等公路相连。1995年1月至1996年11月进行三级水泥路硬化改建,宽3—4米,有永久性桥梁7座。晴雨通车。

贵溪—神前　起于县城向北经泗沥、里神、白田至周坊神前,全长39.965千米。与里神、沤河、水圣、梅李等公路相连,是通往北乡地区的交通要道,属老区重点公路之一,对开发建设老区有重大作用。1999年4月到2000年12月进行三级水泥路硬化改建,现路面平整,面宽3.5—4.5米。有永久性桥梁9座。晴雨通车,该线交通流量大,运输繁忙。

金屯—山头关　起于高公乡金屯,止于文坊镇,全长56.24千米。与贵塘、上文、文西、文岭等公路相连,是贵溪市通往南乡山区的重要公路,对支援开发山区经济有重要作用。2003年9月到2009年11月进行三级水泥路硬化改建。

贵溪—龙虎山　彭上线与贵白线接通后改为贵上线,起于县城经罗河、彭湾至上清,全长27.846千米。1983年全面铺筑,可通车至上清。属跨山越岭重丘区,线型尚好,路面碎石土地,路宽3—3.2米,路基宽5—5.5米,有永久性桥梁6座,公铁立交桥1处。左家至姚家段地势低洼,汛期时为水淹没。2004年3月到2004年11月进行三级水泥路硬化改建。

贵溪—泗塘　起于县城神前线泗塘,止于河潭埠火车站,长19.560千米。2005年10月至2006年5月进行了水泥路硬化,路面水泥路路,宽3—3.2米,晴雨通车,沿线公路平交两处。

里塘—神前　在市西北,起于滨江乡里塘村,贵神线K6+200,沿线公路平交两处,经金沙、志光、硬石岭至周坊神前,全长40.161千米。接贵神线形成公路网,与贵神、枫树岗界牌、志光、鹰潭、柏山塔桥、上杨泗沥等线相连,沟通志光、硬石、塔桥、周坊等乡镇,对促进城乡物资交流,支援老区建设起重大作用。有永久性桥梁5座,240延米,永久性涵洞78处,129.9米,挡土墙10处467.4米,护坡4处,293米,2003年7月至2004年10月,进行三级水泥路硬化,全线大部分绿化,晴雨通车。

贵溪—杨家　1996年新建线,投资240万,里程计4.38千米。起于贵溪、经滨江左家、店上、柴家、浮桥村委会、周家、高家至杨家,路面宽7米,三级公路,路面沥青碎石。

志光—夏埠　1999年7月动工改建,1999年12月竣工,里程计10.48千米。起于志光石背,经店背姜家、志光村委会、姜家、项家、李家、艾家、周塘村委会至夏埠,三级公路,路面宽6米,路面为水泥混凝土。

2008年贵溪市县道一览

表5-1　　单位:千米

路线名称	起点地名	终点地名	里程总计	技术等级	开工日期	竣工日期
贵溪—神前	贵溪	神前	39.97	三级	1999.4	2000.12
贵溪—泗塘	贵溪	泗塘	19.56	三级	2005.10	2006.5
贵溪—塘湾	贵溪	塘湾	24.94	三级	1995.3	1996.11

续表5-1

路线名称	起点地名	终点地名	里程总计	技术等级	开工日期	竣工日期
贵溪—资溪	贵溪	塘湾	25.33	四级	2000.4	2001.1
贵溪—杨家	贵溪	杨家	4.38	三级	1996.3	1996.10
贵溪—山头关	贵溪	山头关	56.24	三级	2003.9	2009.11
贵溪—龙虎山	贵溪	龙虎山	27.85	三级	2004.3	2004.11
神前—里塘	神前	画桥	40.16	三级	2003.7	2004.10
志光—夏埠	志光	夏埠	10.48	三级	1999.7	1999.12
画桥—余家	画桥	余家	29.99	三级	1997.7	1998.3
圣旨山—水车岭	画桥	水车岭	11.57	三级	2005.10	2006.1

乡　道

贵溪市乡道44条,分布在各乡镇及街办,计长495.886千米。

1. 梅龙嘴—大禾源(线路编号T501360681),计长10.107千米,2007年改建四级公路,水泥混凝土结构,路面宽5米,路基宽7米,单车道,由周坊库桥入口,经杨家、徐前、三叉口、水电站至大禾源。

2. 梅龙嘴—李家门(线路编号502360681),周坊镇河边入口,途径山口、路口、裴源、村口、横岭、红山坞、李家门,计长15.212千米,2001年改建四级公路,水泥混凝土结构,路面宽4.5~5米,路基宽6米,单车道。

3. 行马—四门山(线路编号Y502360681),白田乡行马入口,途经岔口,计长12.622千米,2007年改建四级公路,路面宽4.5米,路基5米,单车道。

4. 孙家塘—曹家(线路编号504360681),河潭镇孙家塘入口,途径该镇花屋,罐前、泗沥镇火焰山出口,计长6.288千米,2008年改建四级公路,水泥混凝土结构,路面宽4.5米,路基宽6.5米,单车道。

5. 三叉口—小田(线路编号505360681)河潭镇三叉口入口,途经饶家至白田乡横山中学再到小田,计长12.620千米,2007年改建四级公路,水泥结构,路面宽4.5米,路基宽6—7米,单车道。

6. 河潭—蔡仓(线路编号506360681),计长7.467千米,2008年改建四级水泥路,路面宽4.5米,路基宽6米,单车道。

7. 河潭—谢家(线路编号507360681),河潭谢家入口,经中学、毛炉,计长10.509千米,2006年改建水泥四级路,路宽4.5米,路基宽5.5米,单车道。

8. 明湾—九夏(线路编号508360681)河潭镇达石岭入口,途经该黄金岭、李家、路口再到九夏,计长9.554千米,2005年改建四级水泥路,路面宽4.5米,路基宽5.5米,单车道。

9. 徐家—元竹(线路编号509360681)流口镇徐家入口,经双岭至熊家出口,计长3.940千米,2005年改建四级水泥路,路面宽5米,路基宽6米,单车道。

10. 流口—赵家岗(线路编号510360681)流口镇盛源村口入口,经流口、细叶,计长13.899千米,2006年改建四级水泥路,路面宽5米,路基宽7米,单车道。

11. 下张—李源(线路编号511360681)流口镇下张入口,经钢铁公司李源出口,计长7.927千米,2007年改建四级水泥路,路面宽4.5米,路基宽6米,单车道。

12. 上黄—文坊(线路编号512360681)金屯镇上黄入口,经周阳、上马、枫岭、文坊镇占源、詹源、沙垅、西窑。计长32.623千米,2005年新建四级水泥路,路面宽4.5米,路基宽6.5米,单车道。

13. 西窑—土堂(线路编号513360681)文坊镇西窑入口,经东际至土堂,计长12.366千米,2008年改建四级水泥路,路面宽4.5米,路基宽6米,单车道。

14. 化山口—桃田(线路编号514360681)樟坪畲族乡化山口入口,桃田出口,计15.114千米,2001年改建四级水泥路,路面宽4.5米,路基宽6.5米,单车道。

15. 显西—观音竹（线路编号 515360681），金屯镇显西入口，观音竹出口，计长 8.785 千米，2007 年改建四级水泥路，路面宽 4.5 米，路基宽 5—5.5 米，单车道。

16. 文坊—冷水（线路编号 516360681），文坊镇入口，经濠水、票上、天华山、谭家湾、岭西、冷水镇格港、林场、冷水出口，计长 38.503 千米，四级公路，其中谭家湾至岭西为等外公路，砂石路面，路面宽为 3.5～4.5 米，路基宽 4.5～6 米，单车道。

17. 塘湾—坂上（线路编号 517360681），塘湾镇入口，经高坂、白果、果树、许家、太岭，计长 10.424 千米，2006 年改建四级水泥路，路面宽 4.5 米，路基宽 6 米，单车道。

18. 塘湾—上祝（线路编号 Y518360681），塘湾入口经天堡飞、赛前至上祝出口，计长 15.725 千米，1982 年改建四级水泥路，2005 年再次改建，路面宽 5 米，路基宽 6.5 米，单车道。

19. 金屯—山坑（线路编号 519360681），金屯镇入口，入口桩号 X32536068，经早家坝、金源、山坑出口，计长 12.772 千米，其中 7.3 千米四级水泥路面，其余均为砂石路面，路面宽 4.5 米，路基宽 6.5 米，单车道。

20. 冷水—化家湾（线路编号 Y520360681），冷水镇 Y51636068 入口，经麻地至化家湾，计长 14.265 千米，2005 年改建四级水泥路，路面宽 5 米，路基宽 7 米，单车道。

21. 农科所—魏家（线路编号 Y521360681），雷溪乡 Y32536068 入口，经雷溪、尤店桥、排上出口，计长 5.574 千米，2005 年改建四级水泥路，砂石路面，路面宽 4.5 米，路基宽 6 米，单车道。

22. 象山—罗塘（线路编号 Y522360681），雷溪乡象山入口，经石泉至罗塘，终点桩号 Y521360681，计长 7.61 千米，砂石路面，其中有 800 米水泥路面，路面宽 4.5 米，路基宽 6 米，单车道。

23. 横路—赵家桥（线路编号 Y523360681），雷溪乡横路入口，赵家桥出口，计长 6.488 千米，2008 年改建四级水泥路，路面宽 4.5 米，路基宽 6—6.5 米，单车道。

24. 耳口—乐坑（线路编号 524360681）耳口乡入口，经龙石坑、黄会坑、洪家湾、横港、村部、乐坑出口，计长 17.036 千米，2007 年—2008 年改建四级公路，部分水泥路面，部分砂石路面，路面宽 4.5 米，路基宽 6.5 米，单车道。

25. 罗河—金源（线路编号 525360681），罗河镇 X32936068 入口，经排上、胡家、贵碧、小学、塘湾镇黄家、古塘，金源出口，计长 16.518 千米，2008 年改建四级水泥路，路面宽 4.5～5 米，路基宽 6.5～7 米，单车道。

26. 敬老院—槁桥店上（线路编号 Y526360681），彭湾乡 X32936068 入口，经小岭到槁桥店上，计长 7.519 千米，2008 年改建四级水泥路，路面宽 4.5—5 米，路基宽 6.5—7 米，单车道。

27. 彭湾—张家岭（线路编号 Y52730681），彭湾乡 X32936068 入口，经白庙到张家岭，计长 10.935 千米，白庙至张家岭为等外砂石公路，其余为 2006 年改建四级水泥路，路面宽 5 米，路基宽 7 米，单车道。

28. 向阳—杨家（线路编号 Y528360681），罗河镇向阳入口，经路口、电信所、坂上至杨家出口，计长 8.205 千米，电信所到杨家为三级公路，其余路段为四级水泥路，路面宽 5～7 米，路基宽 7～8.5 米，单车道，坂上至杨家为双车道。

29. 罗河—童家（线路编号 529360681）计长 10.147 千米，2007 年改建四级水泥路，路面宽 4.5 米，路基宽 6 米，单车道。

30. 余家—罗湾（线路编号 530360681），余家乡余家入口，经曾家到罗湾出口，计长 11.735 千米，2004 年改建四级水泥路，路面宽 4.5 米，路基宽 6—6.5 米，单车道。

31. 余家—太田（线路编号 531360681），余家入口经岔口至太田，计长 12.750 千米，2007 年改建四级水泥路，路面宽 4.5 米，路基宽 6～6.5 米，单车道。

32. 嘴上—赛岭（线路编号 Y532360681），余家乡嘴上入口，经汪陆、孟青、流家源、庄源至赛岭出口，计长 13.984 千米，2007 年改建四级水泥路，路面宽 4.5～5 米，路基宽 7 米，单车道。

33. 浮桥—金沙（线路编号 533360681），滨江乡浮桥入口，经铁路涵洞、江南、渡口至金沙，计长 4.906 千米，2007 年改建四级水泥路，路面宽 4.5～5 米，路基宽 7 米，单车道。

34. 柏里—合盘(线路编号534360681),滨江乡X32336068入口,经洪塘至合盘,计长5.138千米,2007年改建四级水泥路,路面宽4.5～5米,路基宽6.5～7米,单车道。

35. 黄家—化肥厂(线路编号535360681),滨江乡黄家入口,经铜都至化肥厂,计长3.769千米,2002年改建四级水泥路,路面宽4.5米,路基宽6～6.5米,单车道。

36. 枫树岗—中童(线路编号536360681),鸿塘镇乡X33036068入口,经镇政府、徐坊、岔口至中童,计长10.665千米,2007年改建四级水泥路,路面宽5米,路基宽7米,单车道。

37. 洋塘—石港(线路编号537360681),计长2.326千米,四级砂石路面,路面宽4米,路基宽6米,单车道。

38. 万家坡—卢家(线路编号538360681),计长4.541千米,2006年改建四级水泥路,路面宽4.5米,路基宽6米,单车道。

39. 柏山—塔桥(线路编号539360681),志光镇县道入口,经湖塘至塔桥出口,计长10.382千米,2007年改建四级水泥路,路面宽4.5米,路基宽7米,单车道。

40. 西洋—地理(线路编号540360681),雄石街道办事处X33036068入口,经江北至地理,计长8.098千米,2006年改建四级水泥路,路面宽4.5米,路基宽6.5米,单车道。

41. 硬石岭—陵家(线路编号541360681),鸿塘镇X33036068入口,经毫岭至陵家出口,计长7.198千米,2000年改建四级水泥路,路面宽4.5米,路基宽6米,单车道。

42. 泗沥—下杨(线路编号542360681),泗沥镇X32336068入口,经路口、泗沥村、岔口、万家、桥头、何家至下杨出口,计长16.986千米,2007年改建四级水泥路,路面宽4.5米,路基宽6米,单车道。

43. 里蒋—泗沥(线路编号543360681),泗沥镇里蒋入口,经东洪、郑坊、周家石、泗沥,计长10.558千米,四级水泥路,路面宽4—4.5米,路基宽4.5—7米,单车道。

44. 高门—河上(线路编号544360681),计长12.96千米,2008年改建四级水泥路,其中十字亭前后为三级公路,周坊镇高门入口,经十字亭、岔路口、路口至河上砂石路面。路面宽4.5～7米,路基宽6～8.5米,单车道,其中十字亭前后为双车道。

村　道

1991年年末,境内村道量少不均,等级较低,近10多年,贵溪市兴起公路建设热潮,至2008年年末,668条计长1096.16千米的村道伸向每个乡镇村落,2007年实现全市行政村通车率达100%。

2008年贵溪市村道一览

表5-2

乡镇名称	村道数(条)	里程总计(千米)	技术等级
金屯镇	13	15.31	4
花园、雄石、东门办事处	9	13.16	4
彭湾乡	18	21.17	4
余家乡	23	49.50	4
雷溪乡	21	28.60	4
冷水镇	13	38.20	4
樟坪乡	18	24.70	4
白田乡	29	44.60	4
滨江乡	30	61.30	4
耳口乡	24	41.50	4
流口镇	30	55.00	4

续表 5－2

乡镇名称	村道数(条)	里程总计(千米)	技术等级
塘湾镇	44	88.10	4
周坊镇	55	78.80	4
泗沥镇	53	88.60	4
鸿塘镇	72	77.02	4
罗河镇	65	94.10	4
河潭镇	49	117.20	4
文坊镇	48	89.30	4
志光镇	54	70.00	4

第二节　交通管理及基础设施建设

市管理机构

1979 年 8 月,贵溪县交通局革命委员会撤销,改名贵溪县交通局,正式恢复为县政府工作职能机构。1996 年 10 月,贵溪县交通局改名为贵溪市交通局,

1991 年县交通局局属机构有:汽车运输公司、运输公司,桥管所、渡口管理站、运输管理站、公路管理站、局机关各股室。

2008 年市交通局局属机构有:局机关各股室、客车运输公司、汽车运输公司、运输公司、桥渡管理所(渡管站、港航管理所)、公路管理站、公路运输管理所。

下属单位

汽车运输公司　原名贵溪汽车队,1984 年 10 月,县政府 133 号文批准,贵溪县汽车队改名为贵溪县汽车运输公司,属交通局管辖。

桥渡管理所(渡口管理站、港航管理所)　1987 年 8 月,经 6 9 次县长办公会研究同意,成立贵溪县民间渡口管理站(简称渡管站),属全民事业单位,定编 3—4 人,编制、经费由交通局内部调整解决。同年 11 月,经县编制委员会批准,贵溪桥渡管理所为股级单位,核定全民事业编制 2 4 人,原桥渡管理所分成两个单位。后经市政府批准成立港航管理所,桥渡管理所实行三块牌子一套人员。

公路运输管理所　1984 年 10 月,县政府 133 号文批复同意,贵溪县短途运输管理站(即民间运输管理站)改名为贵溪县运输管理站。1987 年 11 月,县编制委员会批准,贵溪县运输管理站定为股级单位,定编 1 5 人。2003 年 3 月,经市政府机构委员会批准,更名为贵溪市公路运输管理所,定编 16 人。

公路管理站　1984 年 4 月,县政府 3 0 号文,同意设立公路管理站。1987 年 11 月,县编制委员会批准,贵溪县公路管理站定为股级单位,核定事业编制 17 人。

运输公司　1984 年 8 月,县政府同意将贵溪县搬运公司改为贵溪县运输公司,1988 年增设贵溪县公共汽车公司,与贵溪县运输公司并存,实行两块牌子,一套人员,仍属交通局领导,所有制不变。

客运公司　1973 年 12 月,经上饶地区交通局批准,成立"贵溪汽车站和文坊、周坊、上清、塘湾四个区乡站",定编 2 4 人,属全民运输企业单位,由上饶地区汽运公司管辖。1988 年改属鹰潭市汽车运输公司管辖,改称鹰潭市汽运公司贵溪三队,对外通称客运站。1996 年起划归市交通局管理,称贵溪市客运公司。

1991—2008 年贵溪市公路建设项目及投资一览

表5－3

年份	项目（个）	总投资（万元）	重点项目
1991—1993	11	621	新建城北立交桥、牛亭桥、徐家桥、富庶岭两桥一路、西排至山海关公路、浙赣铁路复线、信江渠化整治工程界牌枢纽等项目,改造贵塘公路、320 国道等项目
1994	4	350	新建雄石西路建设等项目,改造县信江大桥引桥
1995	3	3962	新建县雄石西路二、三期等项目
1996	3	400	市建设大道拓宽等项目
1997	3	500	贵溪大桥立项
1998	4	1400	改建贵溪至志光公路等项目
2000	4	4775	改建贵神线公路、贵白线公路、县乡公路等项目,市二号大桥已完成了各项前期工作
2001	5	3956	新建雄石东路、沿河路北侧人行道硬化等项目,续建贵神线公路、贵白线公路三级水泥路面
2002	4	8620	新建 320 国道拓宽城南区开发、老城区一期公路改造等项目
2003	3	6502	老城区建设路、站前路及雄石路改造等项目
2004	7	59411	新建市工业园一期道路及排水、320 国道拓宽、建设大道裁弯取直、梨温高速公路贵溪连接线二期、西排入闽战备公路等 项目。同年,完成 320 国道拓宽、信江大桥编修、建设大道裁弯取直、贵溪至上清公路改造等项目
2005	3	21732	新建贵溪至西排公路,续建梨温连接线二期等项目。同年,完成市冶金大道拓宽、贵溪至志光、金屯至西窑公路改造等项目
2006	5	31902	新建樟坪至太源至篁碧公路贵溪段、市通村公路等项目,改造贵溪至冷水公路,续建贵溪至西排公路、梨温连接线二期等项目,同年,完成贵塘公路入口段项目建设
2007	6	40631	新建市柏里大道、志光集道路等项目,续建贵溪至西排公路、梨温连接线二期、改造农村公路,同年,市中心转盘渠化、信江路、交通路改造工程、老城区建设路、站前路、雄石路等项目竣工
2008	7	18371	续建鹰雄大道(贵溪段)、沪昆高速贵溪挂线二期建设、柏里大道二期等项目
合计	72	203133	

公路桥梁建设

1991 年,全县共有公路桥梁 113 座,长 4113.5 米。其中干线桥 11 座,长 603.7 米;县道桥 31 座,长 834.1 米;乡道桥 38 座,长 703.3 米;专用公路桥 32 座,长 790 米;信江大桥 1 座,1182.4 米。88.17% 的桥梁为永久式桥。

2008 年,贵溪市交通局公路桥梁普查,贵溪市有公路桥梁 389 座。其中,1991—2008 年建成的桥梁有 100 座。

1991—2008 年贵溪市建成的重要公路桥梁一览

表 5－4

桥梁名称	桩号	跨河流名称	桥梁长度（米）	跨径总长（米）	桥面结构	桥面宽（米）	建成时间	评定等级
唐家二桥	2.492	无名河	8	8	水泥混凝土路面	4.5	1998	三类
牛亭桥	26.653	牛亭河	69	48	水泥混凝土路面	8	1994	五类
黄柏立交桥	24.261	黄柏河	50	48	水泥混凝土路面	6	2002	三类
志光立交桥	1.109	无名河	45	42	水泥混凝土路面	5	2002	三类
李家桥	2.496	李家河	10	10	水泥混凝土路面	4.5	1999	五类
圳上桥	30.882	圳上河	13	8	水泥混凝土路面	6.5	1991	三类
高桥	2.787	无名河	8	8	水泥混凝土路面	4.5	2002	五类
双圳桥	33.822	双圳河	28	19	水泥混凝土路面	7.5	1999	三类
九二厂桥	34.692	九二厂河	17	8	水泥混凝土路面	4.6	1998	三类
财源桥	0.765	无名河	15	13	水泥混凝土路面	5.5	1999	三类
揭家桥	2.379	揭家河	28	24	水泥混凝土路面	7.9	1998	五类
彭家桥	7.208	彭家河	10	10	水泥混凝土路面	5	1999	三类
建设桥	21.65	建设河	42	33	水泥混凝土路面	5.5	2003	五类
塘湾桥	0.082	塘湾河	30	28	水泥混凝土路面	5.5	1999	五类
梨温立交桥	1.791	立交河	120	110	水泥混凝土路面	5.5	2002	一类
麻地桥	3.541	麻地河	10	10	水泥混凝土路面	4.5	1999	三类
麻地二桥	3.951	麻地河	30	20	水泥混凝土路面	5.7	1999	三类
银矿桥	1.623	冷水河	50	18	水泥混凝土路面	5.9	1999	三类
汪家桥	4.716	汪家河	30	28	水泥混凝土路面	4.5	2003	三类
邓家桥	1.293	邓家河	15	13	水泥混凝土路面	4.5	1999	三类
新材桥	0.507	新材河	120	120	水泥混凝土路面	5.5	2003	一类
张家二桥	1.339	张家河	20	18	水泥混凝土路面	5	2005	三类
徐家桥	8.461	沟壑	30	24	水泥混凝土路面	6	2008	一类
界牌桥	10.601	界牌河	600	600	水泥混凝土路面	5.5	1992	一类
黄家桥	0.58	黄家河	31	28	水泥混凝土路面	5	2005	三类
张家一桥	1.144	无名河	10	10	水泥混凝土路面	4.5	2005	三类
中汪桥	3.838	中汪河	10	10	水泥混凝土路面	4.5	2004	三类
上马桥	8.345	上马河	15	13	水泥混凝土路面	4.5	1995	三类
横港桥	11.997	无名河	25	24	水泥混凝土路面	5	1997	三类
云梦桥	10.598	云梦河	25	12	水泥混凝土路面	5	2002	三类
立交桥	3.505	无名河	50	48	水泥混凝土路面	4.5	2003	三类
高门桥	3.701	高门河	15	15	水泥混凝土路面	5	1999	三类
神前桥	0.3	神前河	40	36	水泥混凝土路面	9	1995	三类
新港二号桥	1.308	新港河	10	10	水泥混凝土路面	5	2005	三类

续表 5-4

桥梁名称	桩号	跨河流名称	桥梁长度(米)	跨径总长(米)	桥面结构	桥面宽(米)	建成时间	评定等级
小港背桥	0.038	水渠	30	30	水泥混凝土路面	5.5	2008	一类
港口桥	0.292	港口河	9	9	水泥混凝土路面	4.5	1992	三类
龙回二桥	1.292	龙回河	8	8	水泥混凝土路面	4.5	2000	三类
麻蓬桥	0.042	麻莲河	12	12	水泥混凝土路面	4.5	2004	三类
刘家桥	1.281	刘家河	11	11	水泥混凝土路面	4.5	2001	三类
邱家桥	0.177	邱家河	10	10	水泥混凝土路面	5	2000	三类
席家桥	0.373	无名河	8	8	水泥混凝土路面	4.5	2004	三类
桂家桥	2.176	桂家河	10	10	水泥混凝土路面	4.5	1999	三类
吴家桥	1.759	吴家河	12	12	水泥混凝土路面	4.5	2004	三类
谢家桥	1.429	谢家河	10	10	水泥混凝土路面	5	1996	三类
里童桥	0.557	里童河	18	16	水泥混凝土路面	6.5	2004	三类
官庄桥	1.776	官庄河	10	10	水泥混凝土路面	4.5	1999	三类
黄思桥	0.143	黄思河	60	57	水泥混凝土路面	5	2002	五类
富港桥	1.763	富港河	45	42	水泥混凝土路面	5.5	2002	三类
双龙口桥	0.013	双龙河	10	10	水泥混凝土路面	4.5	1999	三类
田源桥	1.056	田源河	10	10	水泥混凝土路面	4.5	1999	三类
香炉峰桥	1.575	无名河	5	5	水泥混凝土路面	4.5	1998	三类
何家桥	1.897	无名河	15	13	水泥混凝土路面	6	1998	三类
昌浦桥	0.206	无名河	120	115	水泥混凝土路面	5.5	2003	一类
长塘桥	2.995	长塘河	35	32	水泥混凝土路面	6	2005	二类
桃源桥	3.494	桃源河	100	95	水泥混凝土路面	12	1999	三类
港边桥	3.307	港边河	20	18	水泥混凝土路面	5.5	2002	三类
石窝桥	1.52	石窝河	100	90	水泥混凝土路面	10	1999	三类
大汪渡桥	0.038	大汪河	110	100	水泥混凝土路面	5.5	1992	一类
塘背桥	0.237	塘背河	25	20	水泥混凝土路面	5	2003	三类
竹山	0.607	无名河	16	14	水泥混凝土路面	4.5	2002	三类
谢家桥	0.437	无名河	30	28	水泥混凝土路面	4.5	2002	三类
塘背桥	0.941	无名河	9	9	水泥混凝土路面	4.5	2002	三类
立交桥	2.789	无名河	60	57	水泥混凝土路面	9	2003	三类
邹家桥	2.579	邹家河	50	48	水泥混凝土路面	8	2003	三类
邓家桥	0.816	邓家河	40	38	水泥混凝土路面	8	1992	三类
土桥	2.376	无名河	10	10	水泥混凝土路面	4.5	2004	三类
夏家桥	0.776	夏家河	150	140	水泥混凝土路面	9	1992	一类
立交桥	1.513	无名河	90	85	水泥混凝土路面	8	2003	三类
周家桥	3.978	周家河	15	14	水泥混凝土路面	5	1994	三类

续表 5－4

桥梁名称	桩号	跨河流名称	桥梁长度（米）	跨径总长（米）	桥面结构	桥面宽（米）	建成时间	评定等级
黄家桥	2.665	黄家河	7	7	水泥混凝土路面	4.5	1970	五类
创才桥	0.065	无名河	10	10	水泥混凝土路面	4.5	1970	五类
柴菇桥	2.414	无名河	10	10	水泥混凝土路面	4.5	2002	三类
万家桥	0.284	万家河	60	56	水泥混凝土路面	8	1992	三类
龙景坑桥	4.603	龙景河	10	10	水泥混凝土路面	4.5	2002	三类
符家桥	1.291	符家河	10	10	水泥混凝土路面	4.5	2002	三类
童家山桥	0.128	无名河	12	12	水泥混凝土路面	4.5	1999	三类
横港桥	0.022	无名河	20	18	水泥混凝土路面	4.5	2003	三类
竹前桥	1.326	无名河	60	57	水泥混凝土路面	5	2002	三类
下汪桥	0.54	下汪河	100	90	水泥混凝土路面	5	2002	三类
新建桥	0.073	新建河	22	20	水泥混凝土路面	4.5	1995	三类
蒋家桥	0.795	无名河	5	5	水泥混凝土路面	4.5	2003	三类
立交桥	4.124	无名河	80	75	水泥混凝土路面	6.5	2003	三类
九牛桥	0.425	九牛河	12	12	水泥混凝土路面	5.5	1998	三类
水泉桥	1.756	无名河	20	18	水泥混凝土路面	7.5	1998	三类
麻石桥	1.151	麻石河	20	18	水泥混凝土路面	5	1999	五类
汪家桥	0.756	汪家河	15	13	水泥混凝土路面	4.5	2005	三类
何家桥	0.09	何家河	8	8	水泥混凝土路面	4.5	1998	三类
富士林桥	1.128	无名河	180	175	水泥混凝土路面	5.5	1993	一类
彭家桥	0.463	彭家河	15	15	水泥混凝土路面	4.5	2004	三类
二虎桥	1.667	无名河	12	12	水泥混凝土路面	6	1998	三类
斗楼桥	0.174	罗塘河	85	78	水泥混凝土路面	5.5	2008.11	三类
薛溪桥	0.672	罗塘河	83	78	水泥混凝土路面	5.5	2008.04	三类
白洋河大桥	0.046	白洋河	44	39	水泥混凝土路面	5.5	2007.05	三类
合盘石桥	0.157	河流	80	80	水泥混凝土路面	5.5	2006	一类
蔡坊桥	0.59	泸溪河	56	50	水泥混凝土路面	3	2005	一类
孙溪大桥	0.543	罗塘河	105.08	100	水泥混凝土路面	5.5	2008.09	一类
白庙大桥	0.145	白庙水库	105	96	水泥混凝土路面	6	2008.08	三类
贵溪大桥	1.143	信江河	457	445	沥青混凝土路面	26.5	2008.12	一类
黄墩大桥	0.22	罗塘河	190	180	水泥混凝土路面	7	2008.12	一类
高坝大桥	0.039	罗塘河	85	78	水泥混凝土路面	5.5	2008.04	一类

第三节 公路养护

省养公路

1991 年,贵溪公路段养护里程 202.76 千米。其中:国道两条计 36.92 千米,县道 6 条计 165.84 千米。下设信江、杨家、余家、李家、鱼塘、圩上、张家、上清、张家桥、横路、斗楼、柏里、陈家坊、梅龙嘴、志光、塔桥等 25 个养路队和 1 个机修站,有职工 184 人。

2008 年年底,贵溪公路分局养护里程 171.206 千米,其中 320 国道(上海 - 瑞丽)17.436 千米,县道 153.77 千米,下设杨家、张家桥、柏里、陈家坊、塔桥、志光、新田 7 个养路队和 1 个机修站,有职工 158 人。

1991—2008 年贵溪市省养公路职工人数和养护里程一览

表 5 - 5

年份	职工数(人)	养护里程(千米)	年份	职工数(人)	养护里程(千米)
1991	181	202.76	2000	167	168.51
1992	183	202.76	2001	168	168.51
1993	179	202.76	2002	166	168.51
1994	164	197.40	2003	163	171.21
1995	170	197.40	2004	162	171.21
1996	182	197.40	2005	162	171.21
1997	181	171.41	2006	159	171.21
1998	169	171.41	2007	159	171.21
1999	167	170.00	2008	200	171.21

1991 年以来,全市公路养护推行养护生产责任制,采取“定人员、定任务、定经费、定时间、定奖罚”的五定管理办法,开展比、学、赶、超、帮竞赛活动,定期评比、检查,进行月评、季评、年评,经常不断地开展以“四抓一保”(即一抓路面、二抓消灭干线差等路、三抓路基整治、四抓备料,确保好路率上升)为中心内容的活动,使全段各项任务完成良好。

2008 年鹰潭公路分局组织年终大检查,全市公路养护各项指标总分达 92.931 分,获全市第一。

养路机械化:1990 年,机械设备已趋于机械化,2008 年养护设备机械化程度进一步提高。

市养公路

市养公路是指在“省养公路”范畴之外,国家给予部分补贴,由市交通局管理,市公路管理站或乡、镇政府负责养护的公路。也包括群众自修自养,国家未给补贴的公路。这些公路是“省养公路”的补充,是整个公路网中不可缺少的重要部分。

养护里程:1990 年全县分设养路班 15 个,定员 86 人,养护 15 条公路线上的 181.56 千米。到 2008 年,养路班 38 个,定员 91 人,养护里程达 389.32 千米。其中,县道 4 条,46.37 千米,乡道 33 条,342.95 千米。

养护管理:市养公路管理,实行统一领导,分级管理,多层次的经济承包责任制。市公路站根据上级下达任务,具体落实到每个养路班,与各班签订全年“养护生产承包责任书”。各班根据实际情况,将任务分解落实到小组或个人承包。市公路站根据各班好路率指标及小修保养任务,定期检查、指导、验收、核发工资。

养护经费:市养公路经费主要来自三条渠道:一是上级批准县养公路里程下拨养护补贴经费;二是经过批准的重点工程相应下拨的专项经费;三是超过补贴标准的大部分是在本市收取拖拉机养路费中

提留一定比例予以补贴。上级补贴一般规定每千米250元,而实际开支年年超支,故此县养公路承受压力很大。

2004—2008年贵溪市市养公路年末好路率拥有情况一览

表5-6

年份	年度计划(千米)	实际完成(千米)	占年度百分比(%)	与上年同比递增(%)	年份	年度计划(千米)	实际完成(千米)	占年度计百分比(%)	与上年同递增(%)
2004	155	204.94	53.28	1.07	2007	218	293	76.18	1.26
2005	174	228	59.28	1.11	2008	291	343	88.10	1.17
2006	174	232	60.32	1.02					

第四节 公路运输

公路运输队伍与车辆

1991年,非机动车的类型为平板车,其数量约为30辆。1992年,少量人力三轮车出现市场,逐步取代平板车。1993年,人力三轮车取代平板车,由交通、交警、工商、环卫等部门共同管理,每车每年缴纳公路运输管理费180元,由最初的50余辆发展到2000年约300辆。2001年,市场上出现电瓶三轮车,由交警办证发牌,交通、工商、环卫等部门共同管理,到2008年约为700辆,每车全年缴纳公路运输管理费费280元。

1991年,参加营运的机动车辆有1696辆,其中客车58辆2118座(含贵溪客运站),货车650辆,特种车121辆,其他机动车239辆,方向盘拖拉机拖185台,手扶拖拉机443台。

1991年,从事公路客货运输的企业户1115个,其中国营52户,集体35户,个体1028户。上述企业中,从事公路客货运输的大型专业车队22个,属于交通运输专业公司3个,非交通部门的专业车队19个。各公司、车队组织、车辆情况如下:

县运输公司和县公共汽车公司 两块牌子,一套人员,属交通系统专业集体汽车营运组织,拥有客货车21台,载重量77吨。其中东风大客车2台,扬州大客车8台,小客车1台,东风大货车3台,南京跃进货车3台,北京吉普1台。

县汽车运输公司 原名贵溪汽车队,全民汽车营运企业,拥有客货车12台,载重量为52吨,其中,东风大客车7台,解放大客车4台,东风大货车1台。

汽车三队 又称贵溪客运站,鹰潭市汽运公司管辖,拥有客车24辆1014座位。

县粮食局汽车队 拥有载货汽车15台,载重量93吨位。其中,进口日野大货车2台、东风挂车4台、东风大货车9台。

县林业局汽车队 拥有载货汽车7台,载重量33.5吨。其中,东风大货车5台、东风翻斗1台、解放大货车1台。

发电厂汽车队 拥有客货汽车46台,载重量122吨。其中,东风大客、解放大客车各1台,东风大货车9台,解放大货车1台,跃进货车1台,黄河大吊车3台,特种吊车(20吨)1台,东风油车1台,北京130车1台,客货两用13台,小面包3台,小轿车7台,消防车、救护车、环保车、警车各1台。

铜业公司车队 拥有客货汽车38台,载重量365吨。其中,东风大客车1台,东风大货车1台,客货车3台,面包车6台,北京吉普4台,小轿车23台。

冶炼厂汽车队 拥有客货汽车34台,载重量156吨。其中,东风大客车2台,东风、解放大货车19台,江淮液化汽槽车3台,东风翻斗车5台,客货两用车1台,油车2台,其他车辆2台。

化肥厂汽车队 拥有客货汽车24台,载重量86.5吨。其中,东风大客车1台,东风大货车7台,吊车1台,油车1台,槽 车3台,客货两用车5台,其他小车8台。

中色四建一公司汽车队　拥有客货汽车26台,载重量为111.5吨。其中,东风大货车14台、东风吊车1台,罗曼大货车3台,解放大货车6台,客货两用车2台。

中色四建四公司汽车队　拥有客货汽车20台,载重量162.5吨。其中,解放大客车1台,东风大货车6台,东风翻斗9台,东风挂车1台,东风吊车1台,日产吊车2台(45吨、25吨)。

中色四建机械公司一队　拥有客货汽车16台,载重量283吨。其中,解放大客车1台,东风大货车1台,东风油车1台,东风洒水车1台,吊车(68吨)1台,拖车(60吨)1台,进口大脱拉自卸车9台,客货两用车1台。

四建机械化公司三队　拥有载货汽车10台,载重量110吨。

四建物资供应处车队　拥有载货汽车7台,载重量39.5吨。其中,东风大货车2台,东风挂车1台,东风吊车2台,解放油车、厢式货车各1台。

五建物资供应处车队　拥有载货汽车13台,载重量63吨。其中:东风大货车7台,解放大货车1台,解放油车1台,东风吊车1台,罗曼1台,北京130车1台,吉普车1台。

五建二公司车队　拥有客货汽车52台,载重量231吨。其中:解放大客车3台,黄河大客车2台,东风大货车7台,东风翻斗5台,解放大货10台,解放翻斗3台,罗曼大货5台,黄河大货2台,吊车2台,北京吉普4台,成都122车2台,客货两用车4台,昌河面包1台,吉普车2台。

五建三公司车队　拥有客货汽车15台,载重量70吨。其中:东风大货车4台,跃进货车3台,解放大客车1台,吊车2台,客货两用车4台,吉普车1台。

五建四公司车队　拥有客货汽车30台,载重量430吨。其中:东风大客车1台,面包车1台,吉普车2台,进口克拉斯7台,东风大货车5台,解放大货车6台,北京130车2台,油车1台,大拖拉机(15吨)1台、(60吨)1台,吊车4台(16吨、45吨、35吨、127吨各1台)。

华东地质勘探局265队汽车队　拥有客货汽车26台,载重量88吨。其中:东风大客车1台,东风大货车10台,解放大货车2台,跃进货车5台,客货两用车2台,面包车1台,吉普车3台,小轿车1台,地勘专用车1台。

核工业部713矿汽车队　拥有客货汽车17台,载重量89吨。其中:解放大客车1台,日本五十铃货车5台,东风大货车2台,解放大货车2台,解放翻斗5,吉普车2台。

塔桥园艺场农机厂　拥有各种机动车18台,载重量54吨。其中:东风大货车1台,解放大货车4台,跃进货车3台,客货两用车2台,吉普车2台,救护车1台,方拖6台。

江西铜业公司设备处车队　拥有客货汽车16台,载重量80吨。其中:面包车3台,客货两用车4台,东风大货车1台,特种大货车3台,各种小轿车4台,吊车(20吨)1台。

个体联户运输业　1985年,全县城乡个体联户拥有各种机车501台,其中:载重汽车140台,载重量497吨;方向盘拖拉机120台,载重量342吨;手扶拖拉机和简易机动车209台,载重量127.4吨。

2008年贵溪参加营运的机动车辆达2310辆,其中客车285辆,3555座,货车1109辆,特种车 辆,其他机动车916辆。2008年,从事公路客货运输的企业户达1327个,其中国企15户,有限责任公司39户,个体1273户。上述企业户中,从事公路客货运输的大型专业车队6个,各公司、车队组织、车辆情况如下:

江西铜业集团(贵溪)物流有限公司　车辆124辆,吨位1419.6吨。

贵溪市星宇汽车运输有限公司　车辆135辆,吨位1556.1吨。

贵溪市泗丰物流有限公司　车辆51辆,吨位799吨。

鹰潭鸿盛物流有限公司　车辆115辆,吨位1464.47吨。

贵溪市一路发运输有限责任公司　车辆136辆,吨位1586.7吨。

中国十五冶第二工程公司　车辆28辆,吨位127.6吨。

汽车维修行业管理

2003年,一类汽车维修企业1家 ,二类汽车维修企业11家,三类汽车维修企业38家;2004—2008

年，一类汽车维修企业1家，二类汽车维修企业8家，三类汽车维修企业56家。

贵溪维修企业的发展比较缓慢，有些维修企业由于企业改制、转型而退出维修市场。运管部门对维修企业的管理，首先是引导企业加入汽车维修行业协会，平时有专职运管员上门检查，严防企业越级维修和使用假冒伪劣配件。2006年以前，每年要对各维修企业的资质进行年审，2007年开始对企业进行维修质量信誉考核，对各企业的经营场地、设备、从业人员、各项规章制度进行考核，督促维修企业诚信经营。

客运队伍

1991年以来，贵溪公路通车里程增多，汽车运输业务随之上升。承担客运业务的先后有3个单位。

县汽车运输公司　1984年汽车队改名为贵溪汽车运输公司。1990年拥有客车11辆，502座。开辟贵溪—双圳、贵溪—彭湾、贵溪—上清、贵溪—李家门、贵溪—周坊、贵溪—圳上—茶山、贵溪—圳上—新房等7条客运线，日开16班次，行车1170千米，并在双圳、彭湾、李家门、周坊、茶山、新房等6个乡村，派有客班车夜宿驻点。1991年汽运公司完成客运量527万人次，周转量1092.1561人千米。

汽车客运站　今鹰潭市汽运公司第三车队。1978年汽车站新站房建成，客车增至8部，为上饶派驻。1988年3月划归鹰潭市汽车运输公司，改称第三车队与贵溪汽车站队站合一。当年拥有客车24部，年客运量完成201.94万次，周转量为3259.85万人/千米。1991年贵溪客运站有客车24部，1014座，增开贵溪—上饶、贵溪—弋阳、贵溪—铅山—永平、贵溪—德兴—铜矿、贵溪—南昌、贵溪—浙江义乌等8条县外长途客运线，计程770多千米。县内辟有贵溪—周坊、贵溪—上清、贵溪—塘湾、贵溪—双圳—西排、贵溪—文坊、贵溪—三县岭、贵溪—塔桥、贵溪—西窑、贵溪—樟坪、贵溪—盛源、贵溪—江坊、贵溪—西文、贵溪—鹰潭、贵溪—河潭、贵溪—双圳等15条客运线，县内县外日开35个班次，总行程4926千米，并在河潭、塔桥、西排、周坊、西窑、江坊、三县岭、上清、文坊、塘湾等10个乡村，派有客班车夜宿驻点，1991年贵溪客运站完成客运量156.11万人次，周转量3804.3万人/千米。

贵溪运输公司　1988年开始增设客运任务，当年拥有客车6辆，完成客运量72680人次，周转量145360人吨千米。1991年客车增至11辆345座。在贵溪辟有贵溪—鹰潭、贵溪—三叉、贵溪—孙家塘、贵溪—姚家、贵溪—志光等5条客运线，日开16个班次，并在姚家、志光、三叉、孙家塘等乡村派有客车夜宿驻点。1991年完成客运量172800人次，周转量380.60人吨千米。

1993年贵溪开始发展黄包车行业，由最初的8辆发展到1998年的360余辆。其管理是由交警办证、发牌，交通、工商、环卫、卫生检疫等部门参与管理，每辆黄包车全年缴费600余元。1998年，为适应城市管理，政府取消黄包车，改“面的”为城市客运车辆。

第五节　客货运

客运汽车站（停车场）

贵溪客运站　1996年被撤销，南乡片发往鹰潭班线车在龙兴铺停车场发车。

北门停车场　2001年至今由交通局汽运公司下岗职工联合承包经营和管理，北乡片班线车在北门停车场发车。

老交通局停车场　从1986年至今，由交通局汽运公司职工承包经营和管理，贵溪发往冷水、板桥的班线车在老交通局停车场发车。

长途汽车站　1998年4月开始至2010年12月，设在贵溪市火车站对面，贵溪发往南昌、义乌的长途客车在长途车站发车。

自2004起，贵溪境内开始规划建设农村客运站以来，到目前全市已建好验收7个客运站（彭湾、冷水、耳口、岭西、流口、樟坪、雷溪），已建好未验收3个（塘湾、泗沥、河潭）。建站资金来源：2005年以前建设的省运管局拨款20万元，2006年以后建设的省运管局拨款30万元，不足部门由乡镇补足。

2009年10月31日，城南汽车站启用，贵溪发往鹰潭及南乡片的班线车全部进入城南汽车站经营管理，龙兴铺停车场、老交通局停车场取消。

2010 年 12 月 30 日,城北汽车站启用,贵溪发往北乡片班线及长途客车全部进入城北汽车站经营管理,北门停车场、长途车站取消。

另外,贵溪境内各条公路沿线设有招呼站,基本上每 5 千米设招呼站 1 个,至 1991 年,贵溪 3 个专业客运企业在 28 条客运线上设立招呼站 217 个,其中客运站 104 个,汽运公司 65 个,运输公司 48 个(含一站共停重复站)。

农村候车亭

2007 年,开始建农村候车亭,2007 年建设 30 个(周坊、冷水、耳口),2008 年建 102 个(泗沥、白田、河潭、志光、鸿塘、雷溪、金屯、文坊),至 2008 年共建农村候车亭 132 个。每个候车亭省局拨款 1 万元,其中雷溪、金屯、文坊市政府加拨 54 万元(共计 18 个)。

1991 年贵溪县交通运输企业客运路线日开班次一览

表 5 - 7

起—讫	汽运公司班次	驻点	起—讫	运输公司班次	驻点
贵溪—上清	2		贵溪—三县岭	1	三县岭
贵溪—塘湾	2		三县岭—贵溪	1	
贵溪—河潭	1	河潭	文西—贵溪	2	
河潭—贵溪	1		贵溪—上清	1	上清
贵溪—三县岭	2		上清—贵溪	1	
贵溪—塔桥	1	塔桥	塘湾—贵溪	2	
塔桥—贵溪	1		贵溪—文坊	1	文坊
贵溪—西排	1	西排	文坊—贵溪	1	
西排—贵溪	1		贵溪—文坊	2	
贵溪—周坊	2	周坊	贵溪—塘湾	1	塘湾
周坊—贵溪	2		塘湾—贵溪	1	
贵溪—西窑	1	西窑	贵溪—鹰潭	2	
西窑—贵溪	1		鹰潭—贵溪	2	
贵溪—樟坪、双圳	2		贵溪—弋阳	2	
贵溪—盛源	2		贵溪—铅山、永平	2	长途
盛源—贵溪	2		贵溪—上饶	2	长途
贵溪—西文	2		贵溪—德兴	1	长途
贵溪—江坊	1	江坊	贵溪—南昌	1	长途
江坊—贵溪	1		贵溪—义乌	1	长途
贵溪—双圳	1	双圳	贵溪—鹰潭	6	
双圳—贵溪	1		贵溪—三叉	1	三叉
贵溪—双圳	2		三叉—贵溪	1	
贵溪—彭湾	1	彭湾	贵溪—孙家塘	1	孙家塘
彭湾—贵溪	1		鸿塘—贵溪	1	
贵溪—李家门	1	李家门	贵溪—姚家	1	姚家
李家门—贵溪	1		姚家—贵溪	1	
贵溪—周坊	1	周坊	贵溪—塘湾	1	塘湾
周坊—贵溪	2		塘湾—贵溪	1	
贵溪—圳上、茶山	1	茶山	贵溪—志光	1	志光

续表 5－7

起—讫	汽运公司班次	驻点	起—讫	运输公司班次	驻点
茶山—贵溪	1		志光—贵溪	1	
贵溪—圳上、新房	1	新房			
新房—贵溪	1				
贵溪—上清	2				

2008 年，贵溪市共有农村客运班车 100 辆，座位数 1765 个，农村客运班线 48 条。乡镇通车率 100%，行政村通车率 88%。车型结构：车辆分别是中型中级、中型普通、小型中级、小型普通。客运公司 2 家，公司共计车辆 25 台，占农客比例的 25%。个体经营户 10 家，个体车辆 75 台，占农客比例 75%。

2008 年贵溪市农村乡镇公路及客运班线通达情况一览

表 5－8

指标	数量（个）	所占比例（%）	指标	数量（个）	所占比例（%）
乡镇总数	18	100	行政村总数	194	100
其中 已通公路乡镇数	18	100	其中已通公路行政村数	194	100
未通公路乡镇数	0	0	未通公路行政村数	0	0
已通客运班乡镇数	18	100	已通客运班线行政村数	171	88
未通客运班线乡镇数	0	0	未通客运班线行政村数	23	12

2008 年贵溪市农村乡镇公路客车通达情况一览

表 5－9

班线名称	线路状况		运力投放状况				沿线站点布置状况		运营模式
	途经地（乡镇、行政村名）	里程（千米）	道路状况	车型	数量（台）	日发班次	候车亭（个）	汽车站（个）	
贵溪—彭湾	罗河镇（潜岭、童源、新田、周家、杨桥、陈家、大田）彭湾乡（星明、彭湾、小岭、白庙、溪源）	30	二、三级	小型普通级	10	30	23	2	定线
贵溪—樟槎	罗河镇（潜岭、童源、黄墩、新田、周家、贵碧、樟槎）雷溪（八甲、重文）	30	二、三、四级	小型普通级	2	6	17	1	定线
贵溪—古塘	罗河镇（潜岭、童源、黄墩、新田、周家、陈家、洋塘、龙山）塘湾镇（古塘、大桥）	30	二、三、四级	小型普通级	2	5	16	1	定线
贵溪—双岭板桥	流口镇（新溪、板桥、李源、细叶、双岭）	17	二、四级	小型普通级	2	10		1	定线
贵溪—塘湾	雷溪乡（张桥、罗塘、南山、鲶桥、端港）流口镇（横路、官庄）金屯镇（金屯）塘湾镇（唐田、芦甸、塘湾）	28	三、四级	小型普通级	5	15	9	2	定线

续表 5 - 9

班线名称	线路状况		运力投放状况				沿线站点布置状况		运营模式
	途经地(乡镇、行政村名)	里程(千米)	道路状况	车型	数量(台)	日发班次	候车亭(个)	汽车站(个)	
贵溪—江坊	雷溪乡(张桥、罗塘、南山、鲶桥、端港)流口镇(横路、官庄)金屯镇(金屯)塘湾镇(唐田、塘村、芦甸、港西、赛前、江坊)	33	三、四级	小型普通级	1	3	13	2	定线
贵溪—财源	雷溪乡(张桥、罗塘、南山、鲶桥、端港)流口镇(横路、官庄)金屯镇(金屯)塘湾镇(唐甸、塘湾、芦甸、港西、赛前、江坊、财源)	37	三、四级	小型普通级	1	2	14	2	定线
贵溪—白果	雷溪乡(张桥、罗塘、南山、鲶桥、端港)流口镇(横路、官庄)金屯镇(金屯)塘湾镇(唐甸、塘湾、芦甸、港西、赛前、白果)	37	三、四级	小型普a通级	1	2	10	2	定线
贵溪—上祝	雷溪乡(张桥、罗塘、南山、鲶桥、端港)流口镇(横路、官庄)金屯镇(金屯)塘湾镇(唐甸、塘湾、芦甸、港西、赛前、江坊、财源、东港、上祝)	43	三、四级	小型普通级	1	2	2	21	定线
贵溪—文坊	雷溪乡(张桥、罗塘、南山、鲶桥、端港)流口镇(横路、官庄)金屯镇(金屯、高公、大塘、黄梅、焦坑)文坊镇(斗楼、文坊)	42	三、四级	小型普通级	1	2	2	12	定线
贵溪—花桥	雷溪乡(张桥、罗塘、南山、鲶桥、端港)流口镇(横路、官庄)金屯镇(金屯、高公、大塘、黄梅、焦坑)文坊镇(斗楼、文坊、虹桥、坛石、吊桥、花桥)	50	三、四级	小型普通级	1	2	2	14	定线
贵溪—天华山	雷溪乡(张桥、罗塘、南山、鲶桥、端港)流口镇(横路、官庄)金屯镇(金屯、高公、大塘、黄梅、焦坑)文坊镇(斗楼、文坊、濠水、票上、天华山)	48	三、四级	小型普通级	2	4		15	定线
贵溪—西窑	雷溪乡(张桥、罗塘、南山、鲶桥、端港)流口镇(横路、官庄)金屯镇(金屯、高公、大塘、黄梅、焦坑)文坊镇(斗楼、文坊、塘头、西窑)	49	三、四级	小型普通级	2	4		12	定线
贵溪—岭西	雷溪乡(张桥、罗塘、南山、鲶桥、端港)流口镇(横路、官庄)金屯镇(金屯、高公、大塘、黄梅、焦坑)文坊镇(斗楼、文坊、濠水、票上、天华山、岭西)	59	三、四级	小型普通级	1	2		13	定线
贵溪—冷水	雷溪乡(张桥、罗塘、南山、鲶桥、端港)流口镇(横路、官庄)金屯镇(金屯、高公、大塘、黄梅、焦坑)文坊镇(斗楼、文坊、虹桥、濠水、票上、天华山、岭西)冷水镇(冷水、麻地)	85	三、四级	小型普通级	1	1		15	定线
贵溪—樟坪	雷溪乡(张桥、罗塘、南山、鲶桥、端港)流口镇(横路、官庄)金屯镇(金屯、高公、大塘、黄梅、焦坑)文坊镇(斗楼、文坊、虹桥、坛石、吊桥、花桥)樟坪乡(黄思、樟坪畲族)	60	三、四级	小型普通级	1	1		14	定线

续表5-9

班线名称	线路状况		运力投放状况				沿线站点布置状况		运营模式
	途经地(乡镇、行政村名)	里程(千米)	道路状况	车型	数量(台)	日发班次	候车亭(个)	汽车站(个)	
贵溪—双圳	雷溪乡(张桥、罗塘、南山、鲶桥、端港)流口镇(横路、官庄)金屯镇(金屯、高公、大塘、黄梅、焦坑)文坊镇(斗楼、文坊、虹桥、坛石、吊桥、花桥)樟坪乡(黄思、双圳)	60	三级	小型普通级	2	2		14	定线
贵溪—西排	雷溪乡(张桥、罗塘、南山、鲶桥、端港)流口镇(横路、官庄)金屯镇(金屯、高公、大塘、黄梅、焦坑)文坊镇(斗楼、文坊、虹桥、坛石、吊桥、花桥)樟坪乡(黄思、双圳、西排)	96	三级	小型普通级	1	1		14	定线
贵溪—耳口	耳口镇(圳上、耳口)	80	二、三四级	小型普通级	1	1		11	定线
贵溪—横港	耳口镇(圳上、耳口、梅潭、横港)	98	二、三四级	小型普通级	1	1		12	定线
贵溪—冷水	耳口镇(圳上、耳口)冷水镇(富庶、冷水、麻地)	90	二、三四级	小型普通级	1	1		16	定线
贵溪—茶山	耳口镇(圳上、耳口)冷水镇(富庶、冷水、麻地)	95	二、三四级	小型普通级	2	2		13	定线
贵溪—西窑	雷溪乡(张桥、罗塘、南山、鲶桥、端港)流口镇(横路、官庄)金屯镇(金屯、周阳、上马、石岭、枫岭)文坊镇(沙垅、詹源、西窑、阳山、东际)	47	三、四级	小型普通级	3	6		12	定线
贵溪—盛源	雷溪乡(张桥、罗塘、南山、鲶桥)流口镇(盛源)	18	三、四级	小型普通级	4	20		5	定线
贵溪—端港	雷溪乡(张桥、罗塘、南山、、鲶桥、端港)流口镇(横路、官庄)	17	三、四级	小型普通级	2	10		5	定线
贵溪—周坊	滨江乡(柏里、洪塘)泗沥镇(泗沥、杨山、桃源、王湾)河潭镇(泗塘)白田乡(港黄、甘苏、北山)周坊镇(周坊、高门)	40	二级	小型普通级	5	10		26	定线
贵溪—塔桥	滨江乡(柏里、洪塘)泗沥镇(泗沥、杨山、桃源、王湾)河潭镇(泗塘)白田乡(港黄、甘苏、北山)周坊镇(周坊、高门、神前、胡家)志光镇(塔桥)	48	二、三级	中型中级	2	4		22	定线
贵溪—三丫	滨江乡(柏里、洪塘)泗沥镇(泗沥、杨山、桃源)白田乡(港黄、甘苏、北山)周坊镇(吕家、裴源、三丫)	43	二、四级	小型普通级	2	4		18	定线
贵溪—河上	滨江乡(柏里、洪塘)泗沥镇(泗沥、杉源、王弯、泗塘)白田乡(港黄、甘苏、裴家、北山)周坊镇(吕家、库桥、河上)	44	二、四级	小型普通级	1	2		18	定线

续表 5－9

班线名称	线路状况		运力投放状况				沿线站点布置状况		运营模式
	途经地(乡镇、行政村名)	里程(千米)	道路状况	车型	数量(台)	日发班次	候车亭(个)	汽车站(个)	
贵溪—三县岭	滨江乡(柏里、洪塘)泗沥镇(泗沥、桃源、王弯、泗塘)白田乡(港黄、甘苏、裴家、北山)周坊镇(吕家、库桥、杨家)	40	二、四级	小型普通级	4	8		19	定线
贵溪—白田	滨江乡(柏里、洪塘)泗沥镇(泗沥、桃源、王弯、泗塘)白田乡(港黄、甘苏、行马、裴家、北山)	36	二、四级	中型中级	1	2		20	定线
贵溪—姚家	滨江乡(柏里、洪塘)泗沥镇(泗沥、桃源、王弯、泗塘)白田乡(港黄、甘苏、北山、裴家、白田、姚家)	39	二、四级	小型普通级	2	4		24	定线
贵溪—李家门	滨江乡(柏里、洪塘)泗沥镇(泗沥、桃源、王弯、泗塘)白田乡(港黄、甘苏、北山、裴家)周塘镇(横岭、上黄、古港、杨家、库桥)	53	二、四级	小型普通级	1	1		28	定线
贵溪—赵家	滨江乡(柏里、洪塘)泗沥镇(泗沥、桃源、王弯、泗塘)白田乡(港黄、甘苏、、裴家、行马、白田、小田、兰田)	41	二、四级	小型普通级	1	2		25	定线
贵溪—老虎岗	滨江乡(柏里、洪塘)泗沥镇(泗沥、桃源、王弯、尹家、万家)	22	二、四级	小型普通级	1	2		4	定线
贵溪—泗沥	滨江乡(柏里、洪塘)泗沥镇(杨山、桃源、泗沥)	15	二、四级	小型普通级	5	25		6	定线
贵溪—志光	滨江乡(柏里、洪塘、山背、婆桥)志光镇(志光、柏山)	24	二、三级	小型普通级	2	8		18	定线
贵溪—鸿塘	滨江乡(柏里、山背、西洋)志光镇(志光、杨山、西江、湖石)鸿塘镇(红山、凉山、鸿塘)	33	二、三四级	小型普通级	4	8		20	定线
贵溪—塔桥	滨江乡(柏里、金沙)志光镇(志光、湖塘、柏山、塔桥)	52	二、三四级	小型普通级	2	4		24	定线
贵溪—塔店	滨江乡(柏里、金沙)志光镇(志光、湖塘、柏山、塔桥)	29	二、三四级	小型普通级	1	3		20	定线
贵溪—中村	滨江乡(柏里、山背、婆桥、洪塘)泗沥镇(何家、中村)	30	二、三四级	小型普通级	1	2		6	定线
贵溪—河潭	滨江乡(铜都)河潭镇(龙石、河潭)	17	一、四级	小型普通级	6	30		12	定线

续表 5－9

班线名称	线路状况		运力投放状况				沿线站点布置状况		运营模式
	途经地(乡镇、行政村名)	里程(千米)	道路状况	车型	数量(台)	日发班次	候车亭(个)	汽车站(个)	
贵溪—赵家	滨江乡(铜都)河潭镇(河潭、龙石、丰田、毛炉、南塘、横山、花屋)白田乡(小田、兰田)	38	一、四级	小型普通级	2	4		16	定线
贵溪—孙家塘	滨江乡(铜都)河潭镇(河潭、龙石、丰田、毛炉、南塘)	35	一、四级	小型普通级	2	4		15	定线
周坊—塔桥	周坊镇(周坊、岭脚、神前、胡家、长塘、塔桥)	15	二、三级	小型普通级	2	10		8	定线
三县岭—	周坊镇(古港、杨家、库桥、岭脚、神前、胡家)志光镇(塔桥)	35	二、三四级	中型中级	1	2		17	定线
贵溪—金沙渡口	滨江乡(金沙、江南、浮桥)	10	一、四级	小型普通级	1	5		0	定线

货运

1991—2001 年的货运企业 11 家,多为非交通部门内部组成的专业运输车队,主要从事运输、储存等粗放式、单一的经营活动,多数为“车队＋货场”,处于电话联系、手工操作、人工装卸的运作阶段,流动独立、单向,不能做到信息共享,设施规模都比较小,基本处于零散、量小、无序状态。业务以整车配送和零担快运相结合,布局比较分散,资源相对不集中,形不成合力,车辆利用率较低。

2002—2005 年货运企业为 13 家,多数是以进行货运代办、货物联托运、信息配载,业务以整车配送和零担快运相结合。从事大型运输、储存、装卸搬运、流通加工等物流企业为主,发展相对比较滞后,尤其是现代物流企业尚处于起步阶段。

2006—2008 年货运物流企业 25 家,有规模以上物流企业 6 家,营运车辆数 589 辆,吨位达 6953.47 吨,改变传统运输、仓储、装卸、配送各个环节分割运作的观念,从整体上改造提升传统物流企业,引入现代物流理念,应用现代信息技术与管理手段,推动传统物流企业转型,尤其是推动有条件的运输、仓储和代理等企业向第三方物流企业发展。

第二章　水　路

第一节　通航河道

水路航线

贵溪通航河道共有 3 条,即信江河、罗塘河、芦溪河。各河道航线是:

信江航线　贵溪境内水路干线为信江。东起贵溪市之流口,西至余江县之邓埠,境内全长 50 千米,是贵溪县主要通航河道。

境内航程自贵溪上溯经河潭埠至河口为 70 千米,自贵溪沿信江下行经鹰潭至锦江(余江)为 50 千米,全长 120 千米,水深河宽,四季通航。

新中国成立后,公路兴建,铁路畅通,航线经济价值下降,加之沿河作坝,河床淤塞,信河通航日见因难。1987 年 8 月,上饶地区航运规划报告现状中提到,贵溪县境内仅有弋阳至贵溪 35 千米,常年通航 4—6 吨木帆船。

耳鱼航线　贵溪境内芦溪河支流的旧时航线。1971 年白塔渠建成,仅有耳口至上清 20 千米区间通航,上清至鱼塘 20 千米可通旅游排筏。

贵溪有旅游码头 3 个:余家乡的香炉峰,鸿塘镇的白鹤湖,冷水镇的大汪渡,年客运量达 20 万人次;碗沙码头 8 个:红卫坝、金沙、地理、河潭埠、余家滩、花园、流口羊角渡,年碗沙产量超 100 万吨。

2008 年贵溪市水运码头一览

表 5－10

码头名称	所属乡镇	所在流域	码头性质	年客(货)运量
香炉峰	余家乡	库区	旅游码头	6 万人次
白鹤湖	鸿塘镇	库区	旅游码头	6 万人次
大汪渡	冷水镇	泸溪河	旅游码头	8 万人次
红卫坝	滨江乡	信江	碗砂码头	14 万吨
金沙	滨江乡	信江	碗砂码头	12 万吨
地理	滨江乡	信江	碗砂码头	12 万吨
河潭埠	河潭镇	信江	碗砂码头	14 万吨
余家滩	河潭镇	信江	碗砂码头	12 万吨
花园	花园街办	信江	碗砂码头	16 万吨
流口	流口镇	信江	碗砂码头	16 万吨
羊角渡	滨江乡	信江	碗砂码头	14 万吨

第二节　渡口及改渡建桥

渡口

1985 年县政府发布《县渡口管理办法》,落实"三统""六定",即统一安排经费、统一分配维修材料、统一修建和筹建渡船码头;定渡口、定渡船、定渡工、定载员载量、定安全检查、定奖惩。1987 年 3 月,成立县民间渡口管理站,全县渡口管理更趋完善。

1989 年根据《江西省渡口管理条例》,对全县渡口进行全面整顿,整顿后县管渡口保留 21 处。其中信江 11 处:河潭渡、九厦渡、潭湾渡、黄坑渡、九牛滩渡、卢家埠渡、金沙渡、羊角渡、石鼓渡、横田渡、界牌渡、原流口渡废;上清溪 7 处:沙湾渡、桂州渡、泗甲渡、港仂渡、肖家渡、大汪渡、新田渡。原昌浦渡、曹源渡、蔡家桥渡、水南渡、汉浦渡、兰车渡、许家渡、旅游渡等乡村自行管理;罗塘河 3 处:樟槎渡、八甲渡、姚家渡。原斗楼渡、焦坑渡建桥、高坝渡、薛溪渡、梅溪渡、出山渡、双溪渡、下双渡、周家渡由乡村自行管理。泗沥河的童家渡以及各水库渡由乡村自管。

交通局工作人员督查水上运输安全

为改善民间渡口渡运条件,2003 年省交通厅下发文件,用三年时间实施渡船更新,至 2007 年共投资 224 万元,更新渡船 36 艘,实现全市渡船钢质化,极大改善农村渡运条件,提高渡口安全系数。2007 年全市共有渡口 39 个、渡船 36 艘渡工 52 名。

2003 年省交通厅开始实施“改渡建桥”这一民心工程,到 2008 年,贵溪市完成“改渡建桥”10 处,由于桥梁建成后渡口已无存在的必要,到 2008 年年底,贵溪市将已建好桥梁的渡口撤销。到 2008 年全市共有渡口 29 处,渡船 33 艘,渡工 49 名。

2008 年贵溪市渡船一览

表 5－11

渡口名称	渡船					更新年限
	所属乡镇	性质	艘数(艘)	载客量	渡工	
九牛滩	滨江乡	钢质	1	30	1	2004
卢家埠	滨江乡	钢质	1	20	1	2004
金沙	滨江乡	钢质	1	50	3	2004
羊角渡	滨江乡	钢质	2	20	2	2004
地理	滨江乡	钢质	2	30	4	2004
石鼓渡	志光镇	钢质	1	20	1	2004
横田	鸿塘镇	钢质	1	20	1	2004
河潭埠	河潭镇	钢质	1	20	2	2005
余家滩	河潭镇	钢质	1	20	1	2005
潭湾	交通局	钢质	2	50	4	2005
黄坑	金沙	钢质	1	50	3	2005
姚家	罗河镇	钢质	1	10	1	2006
樟槎	罗河镇	钢质	1	10	1	2006
八甲	罗河镇	钢质	1	10	1	2006
黄墩	罗河镇	钢质	1	10	2	2006
周家	罗河镇	钢质	1	10	2	2006
白庙	彭湾乡	钢质	4	20、50	4	2006、2007
梅溪	金屯镇	钢质	1	10	1	2006
下孙	金屯镇	钢质	1	10	1	2007
出山	金屯镇	钢质	1	10	1	2007
枫林湾	白田乡	钢质	2	30	2	2007
香炉峰	余家乡	钢质	1	50	4	2007
大禾源	周坊镇	钢质	1	50	2	2007
白鹤湖	鸿塘镇	钢质	2	50	2	2007
大南门	雄石街道办	钢质	1	100	2	2007

改渡建桥

为促进城乡经济文化交流,彻底消除渡口安全隐患,根据《鹰潭市撤渡建桥改造方案》,贵溪市从 2003 年开始对有条件实施改渡建桥的渡口进行改渡建桥。至 2008 年,已开工建设的改渡建桥项目 18

处:金屯镇的薛溪大桥、孙溪大桥、梅溪大桥,滨江乡的合盘石桥,耳口乡的新田桥、七洲大桥、漕源大桥,流口镇的白洋河桥,周坊镇的新港桥,罗河镇的黄墩大桥、姚家大桥,文坊镇的高坝桥、斗楼桥,彭湾乡的白庙大桥,雷溪乡的八甲大桥、樟槎大桥,贵溪大桥,贵溪三桥。已建成的项目10处:金屯镇的薛溪大桥、孙溪大桥,滨江乡的合盘石桥、耳口乡的新田桥、流口镇的白洋河桥,周坊镇的新港桥,罗河镇的黄墩大桥,文坊镇的高坝桥、斗楼桥以及贵溪大桥。桥梁的建成方便当地人民的出行,促进城乡经济繁荣,彻底消除渡口安全隐患,获得较高的社会评价。

2006—2008 年贵溪市改渡建桥基本情况

表5-12

项目名称	桥长	桥宽	流域	总投资
金屯镇薛溪大桥	83	5.5	罗塘河	100.44
文坊镇斗楼桥	85	5.5	罗塘河	102.86
滨江乡合盘石桥	70	5.5	泗沥河	84.7
耳口乡新田大桥	138	5.5	泸溪河	161.46
流口镇白洋河桥	44	5.5	白洋河	53.24
周坊镇新港桥	35	5.5	新港河	42.36
金屯镇孙溪大桥	109	5.5	罗塘河	155.88
文坊镇高坝桥	85	5.5	罗塘河	102.86
贵溪大桥	457	26.5	信江	8890
罗河镇黄墩大桥	190	7	罗塘河	345.8
彭湾乡白庙大桥	105	6	白庙水库	150.16
耳口镇七洲大桥	216	9	泸溪河	505.44
金屯镇梅溪大桥	110	6	罗塘河	171.6
雷溪乡樟槎大桥	229	7	罗塘河	416.78
雷溪乡八甲大桥	181	7	罗塘河	329.42
罗河镇姚家大桥	213	7	罗塘河	387.66
耳口乡漕源大桥	265	8	泸溪河	551.2
贵溪三桥	2457	26.5	信江	

第三章　铁　路

第一节　境内铁路

贵溪境内主要铁路干线有3条,即浙赣铁路线、皖赣铁路线、鹰厦铁路线,境内主要铁路线包括各种专用线路总长156.3千米。

浙赣线

浙赣铁路线贵溪段,东西全长42千米,横贯贵溪中部地区,东起贵溪河潭地界,西至贵溪滨江乡地界,途经贵溪河潭镇、市区、贵溪车站、雄石镇、滨江乡。

浙赣路线原本为单线,复线改造于1975年开始,至1995年12月25日全线改造完成。

浙赣路线电气化工程于2003年年底开始,至2006年9月15日完成工程并开通。

皖赣线

皖赣线贵溪段,全长30.5千米,由贵溪车站向北穿境内北部地区,南起贵溪车站,北至贵溪硬石岭地界。

鹰厦线

鹰厦铁路线贵溪段,全长51千米,穿境内西南部地区,由贵溪余家乡地界起,至贵溪冷水镇地界止。

鹰厦铁路线1986年8月26日正式动工进行电气化建设,1993年12月26日,全线电气化开通,前后历时7年4个月。

第二节 境内车站

1991年,境内有13个车站,在江西省,属县内车站最多的1个。

贵溪车站

在市雄石镇交通路边,现为二等站。客运办理旅客乘降,行李、包裹托运。货运办理整车、零担货物发到。

至1990年,贵溪车站占地约30万平方米,有工作人员500余人。贵溪车站、贵北有32股道,昼夜发送通过各类列车80余辆,其中客车24趟次。年发送达货运量331万吨,旅客发送量41万人次,中转50万人次。

贵溪北站

在金沙乡境内,离贵溪站9千米,为二等站。客运办理旅客乘降,不办理行李、包裹托运。货运仅办理专用线、专用铁道整车货物发到。

河潭埠车站

在河潭镇境内,为四等站。站场建筑面积3000平方米,年客运量4万人次,货运量千吨左右。

九夏车站

在河潭镇境内,为四等站。站场建筑面积2000平方米,年客运量1.5万人次,货运量百吨左右。

童家车站

在县西8千米处,为四等站。

余家车站

在余家乡境内,为四等站。

肖家车站

在龙虎山镇境内,为四等站。

上清车站

在上清镇境内,为四等站。

圳上车站

在耳口乡境内,为四等站。

富庶岭车站

在冷水乡境内,为四等站。

中村车站

在泗沥镇境内,为四等站。

硬石岭车站

在硬石岭境内,为四等站。

河上车站

为五等站,以会让客货列车为主。

第六卷　经济综合

第一章　企业经济体制改革

全市企业经济体制改革大致经历3个阶段:第一阶段,1987—1997年,将“企业经营权”与“企业资产所有权”分离,大力推行企业厂长(经理)负责制和企业经济责任制,在大多数企业中试行和推广租赁经营、承包经营。第二阶段,1998—2000年,通过盘活土地资产、出售土地资产所得资金来清偿债务、安置职工;对部分企业采取企业资产由社保局整体托管代为缴纳职工养老保险费,安置职工。第三阶段,2001—2008年,企业通过产权转换,实行民营化为主的股份制改造。企业职工通过身份转换,由“企业人”转换成“社会人”。

第一节　机　构

1986年4月,成立贵溪县经济体制改革委员会,其主要工作任务是在国有和集体所有制企业中推行租赁、承包经营责任制,不断进行配套、完善、深化改革工作。

1997年,成立贵溪市企业转机建制指导委员会,由市长邓绍聪任主任委员,刘国富、简四涛、刘滇鸣、程锦官任副主任委员,办公室设在贵溪市经济体制改革委员会(简称转制办)。主要职能:推进市属国有、集体企业产权制度改革进程,调整优化结构,逐步建立和完善现代企业制度,对国有、集体企业实行民营化为主的股份制改造,企业实施产权转换和职工身份置换。

2003年,贵溪市经济体制改革委员会更名为贵溪市经济体制改革委员会办公室(简称体改办),人员和编制并入贵溪市政府办公室,为市政府办公室内设机构,其工作职责不变。

2005年,市经济体制改革委员会办公室从市政府办公室划出,其行政工作人员6人随人带编并入市发展和改革局,不再保留市经济体制改革委员会办公室机构。

第二节　扩权让利与租赁承包经营

企业自主权扩大

1984年,县委下发《关于给县办国营工业企业放权的规定》。

1989年,落实企业自主权,实行厂长(经理)负责制,调动企业领导干部的积极性。

施行租赁、承包经营责任制

1985年,县二轻局系统工业企业实行“一包四改”经营责任制,即由二轻局委托厂长1人承包经营,在企业内部进行劳动、人事、分配和核算4项制度改革。

1986年,乡镇企业全面推行厂长负责制,对承包合同进行完善。承包指标由1个增加到5个(包括产值、销售、利税资产保值、职工收入),承包期限由1年改为3年。在企业内部则实行计件工资、单项作业承包、租赁承包、产品推销承包、原材料采购承包。

1987年11月,贵溪县企业租赁承包经营招标评审委员会成立。下发《关于深化企业改革,全面推行租赁承包经营责任制的实施办法》及《关于全面推行企业租赁承包经营责任制实施细则》，推行承包经营责任制：经营合同的期限一般为3—5年，合同期满，由主管部门提请审计部门对经营者进行离任审计，并由企业主管部门组织有关人员，对经营者任期的经营情况进行考评。年底，食品公司、副食品公司、饮食服务公司和杂品食品公司的2个门市部实行租赁制经营试点。

1988年，在全县工业、交通、二轻、商业、农林水等各部门直属的85家企业（不含乡镇企业）中，全面推行租赁、承包目标管理。县属副食品公司、印刷厂、汽车修配厂、建联公司、建筑工程公司、丝绸厂、农垦农工商联合公司、汽车运输公司、有机化工厂、童家鱼种场、奶牛乳制品厂、食品公司等企业成立承包租赁经营考评委员会。县二轻局下属企业全面推行租赁、承包、目标管理经营责任制。企业的第一轮为期3年的租赁承包，因大多数企业未按合同履行，远未达到当初签订的承包经营的目标值，1989年主要经济指标出现全局性大幅度下降。

1988年，县清理整顿政企不分公司领导小组成立。自1988年10月29日开始，由体改委牵头，对县属范围的各行政事业（包括乡、镇）群众团体等机关兴办的各类公司（中心）进行调查、摸底、核实工作。查出从1986年下半年以后成立的公司（中心）共计39家，其中政企不分的公司有9家，官商不分的公司有12家，主管机关与下属企业在资金、人员、场地三方面都未脱钩的有3家，人、财、物与下属企业未彻底分开的有12家。

1990年，县政府制定《贵溪县第二轮企业承包实施意见》，并按照鹰潭市政府颁发的承包文件，会同有关部门，尤其是经济主管部门，开展第二轮企业承包工作。县二轻工业企业下属15家企业实行第二轮承包经营，主要经济指标包括产值、销售、利润等。

1991年，县经委、商业、物资、粮食、二轻等系统所属50家工商企业，实行承包（租赁）责任制的有21家，占总数的42%，实行目标管理的有29家，占企业总数的58%。

1992年，经济体制改革全面深入地开展。（一）深化企业改革，转换企业经营机制。在县铜材厂、粮油加工总厂、化工厂3个企业开展试点工作，在企业内部制订实行合同化管理和人事与分配制度改革措施的具体方案。在国合商业部门实行经营、价格、用工、分配"四放开"的改革。首先，县副食品公司从机关做起，原公司机关有16人，现仅留5人在机关，其他的人都充实到各批发部门。其次，引进外省企业承包经营，搞活企业。（二）机构改革。①大胆放开，鼓励单位兴办经济实体。到1992年年底，经体改委审批成立的公司有24家。②加速转变机关职能。对粮食、商业、供销、外贸、物资、经委、二轻、农牧、林业、乡企、科委等11个单位进行转换行政事业职能试点工作。县二轻系统下属工业企业继续完善企业内部分配、人事、劳动制度的改革。

1993年，根据企业实际采取国有资产经营承包、经营责任制承包、扭亏目标管理三种承包经营形式。

1994年，国合商业推行"国有民营"。国有商业门店总数为143个，实行"国有民营"门店为131个，占91.6%。其中，属公司内部职工的"国有民营"门店79个，占60.8%；公司以外人员的"国有民营"门店52个，占39.7%。

1995年，继续深化改革，对县啤酒厂实行租赁经营试点。县政府决定将啤酒厂租赁给浙江钱江啤酒（集团）公司。

1997年，贵溪市印刷厂由优势企业进行托管经营试点，并完善对贵溪市建材公司的租赁经营。

企业配套制度改革

劳动人事制度改革 1986年，县属企业开始废止企业招工、子女顶替制度。1992年，继续深化改革。（一）人事制度改革。企业自主行使人事管理权，打破干部、工人的界限，实行管理人员能上能下、工人能工能干；按照公开、平等、竞争、择优的原则，主要部门和岗位实行择优招聘；中层行政干部人选，由厂长（经理）提名或党组织推荐，经党政领导集体讨论后，厂长（经理）决定聘任或解聘。（二）劳动制度改革。①优化劳动组合。采取"责任到岗、竞争到人"的办法，通过严格的考试考核，公开、平等、择优上岗，并实行"动态优化组合"制度。②开展全员劳动合同化管理试点。全员劳动合同化管理，即企业与企业的全体职工（包括干部、固定工、合同制工、临时工）根据平等自愿原则，在优化劳动组合的基础

上,签订劳动岗位合同,明确双方的责权利,用合同的方式建立和调整劳动关系。企业按照合同对企业职工实施管理,职工依据合同履行职责,保障自己的合法权益,由过去国家直接管理职工过渡到企业直接管理,变国家职工为"企业职工"。③实行厂内待业和厂内退养制度。对企业优化下岗和未签订岗位劳动合同的富余职工,除努力开辟新的生产、经营门路妥善安置外,实行厂内待业和厂内退养。

分配制度改革　1982年,国营工业企业内部对职工实行按件计酬、浮动工资、联产奖赔和效益工资等多种形式的分配制度改革。1988年,县各企业普遍在工资分配上进行不断的探索,在分配中打破平均主义,废除等级工资制,实行计件工资、系数工资、单位产量含量工资,岗位结构工资等多种分配方式。如县化工厂取消八级工资制,全厂分别实行承包工资、计件工资、责任岗位系数工资、岗位工资等。有机化工总厂在分配制度上则是按照责任大小,复杂劳动和简单劳动,重要岗位和附属岗位,实行经济效益同工资挂钩。县粮油加工总厂把工资总额同实现利税挂钩,实行效益工资制。县供销社对下属各公司和基层供销社,采用"利润包干、租赁制、联销计酬、联利联税计酬、五定一费的承包形式。

1990年,对县煤炭公司开展优化劳动组合试点,打破原该公司存在的岗位终身制的弊端。推行效益工资制,实行企业工资总额同经济效益挂钩。

1992年,县政府转发鹰潭市府办《批转市劳动局、市财政局〈关于加快在全市国营企业全面推行工资总额同经济效益挂钩办法的报告〉的通知》,进一步改进和完善"工效"挂钩办法,允许企业自行选择挂钩形式,有条件的企业尽量实行复合指标挂钩。对实行工资总额同上缴税利挂钩的企业,归还贷款部分可继续按50%的比例视同上缴税利;对亏损企业实行减亏提奖。微利企业,实行同实际工作量(实物量)和利润双挂钩;对经劳动部门审核批准计划内临时工,适当提高单列工资水平。

核算制度改革　1988年,县水泥厂和县粮油加工总厂引进银行机制加强资金管理,试办"厂内银行",把信贷、结算、利率等杠杆作用移植到企业内部。县化工厂也在内部承包中推行"满负荷"工作法,改变内部核算制度,变"供领"关系为"买卖关系"。

第三节　股份制改组改造

1992年6月,国务院发布施行《全民所有制工业企业转换经营机制条例》,规定其目标是使企业适应市场的要求,成为依法自主经营、自负盈亏、自我发展、自我约束的商品生产和经营单位。由此进入国家对国有经济进行战略性改组,从战略上调整国有经济布局,对公有制实现形式进行多样化改革,对经济结构进行大力度调整的时期。

《中共中央关于建立社会主义市场经济体制若干问题的决定》(简称决定)明确提出"建立现代企业制度"的任务。部分企业推行改组为有限责任公司;部分企业推行改组为股份合作制。

贵溪县一些重点企业分门别类,实行一厂一策。县铜材厂、县水泥厂进行有限责任公司的改造试点;产品销路好,市场前景广阔,扭亏有望的亏损企业实行全员风险抵押承包。县化工厂、农药厂分别进行不同形式的全员风险抵押承包;微利或亏损的小型工业、商贸企业推行以国有民营、社有为主要形式的租赁经营。县经委系统的印刷厂、汽修厂实行国有民营和国有分散经营;对长期亏损、扭亏无望的亏损企业,实行依法破产。1993年,县法院对罐头厂、饮食服务公司的车站门市部等企业宣告破产。

1994年,二轻系统选择县制革厂为试点企业推行股份合作制改革。为进一步深化二轻集体企业的改革,加速经营机制的转换,贵溪县二轻局下发《关于在二轻集体企业实行股份合作制的实施办法》。1994年,在乡镇企业中,推行农村股份合作制改革,并取得突破性进展。至10月底,全县乡办、村办集体企业推行股份合作制已达289家,其中乡办92家,总股金额5844万元。在乡办股份合作制实体中,新建企业30家,老企业改制62家,乡镇企业股份合作制推广面85%,老企业改制面达60%。

1995年,在全县企业中继续深化股份制改组和改造。县体改委与县林业局、县乡企局、县中行联合对台湾合资企业江西竹辉竹业有限公司进行股份制改造,县林业系统的西窑林场、双圳林场、冷水林场3家入股,413.8万股的股份有限公司雏形基本形成。

1997年,成立贵溪市企业转机建制指导委员会。这一年坚持"抓大放小"方针,着力推进国有和集体企业改革。市体改委协调企业主管部门参与对市农药厂进行股份制改造,组建海利贵溪化工农药有限公司。

1998 年,贵溪市因企施策,分类指导,按照"分批滚动,先易后难,重点突破,整体推进"的工作部署,推进企业转机建制工作的开展。一是探索走产权多元组建有限责任公司的路子,对市印刷厂通过职工出资入股、债权人债权转股等形式,募集资金组建有限责任公司;二是探索走职工全员持股、开展股份合作的路子。对食品公司动员 100 多名职工筹资进行股份合作,新建一条机械化生猪屠宰流水生产线;三是探索走拍卖与租赁并举、实施森工企业"两权分离"的路子,对耳口林场实施拍卖果木所有权发包果园经营的改革,将林场 6.7 公顷甜柿、板栗等果木公开拍卖;双圳林场将竹林分类租包给全场职工,林场不仅节约抚育费成本,且提高资源利用率;四是探索走先股后租、脱壳经营启动生产的路子,对肌醇厂、油脂厂分别动员部分职工筹资 40 万元、11 万元组成新的企业,租赁原企业有效资产启动生产开展经营;五是探索走盘活存量资产,实施兼并、托管经营的路子,对家俱厂采取由房地产开发公司兼并,对纺织器材厂、塑料厂等采取整体托管的办法使职工相应得到妥善安置,企业存量资产也得以盘活;六是探索走完善租赁承包经营的路子,让能者经营龙兴铺灯芯糕厂,在租赁承包经营中引进日本保鲜技术,实施改进包装工艺的技术改造,使产品保鲜期延长 15 天。

第四节　企业产权制度改革

依照贵溪市委《关于加快贵溪市国有企业改革和发展的步伐的意见》,2000 年贵溪市企业转机建制指委员会办公室结合实际,确定实施以产权制度改革为目标的市属国有、集体企业名单。经贸委(后改为经贸局)所属企业有瓷土矿、农机公司、建材公司、工业供销公司、特种砖厂、工业液化气供应站、贵华铜材有限公司、旺达水泥有限公司、汽车修配厂、贵雅照明有限公司、印刷包装有限公司、建筑安装公司、砂石公司、啤酒厂、化工厂;粮食局所属企业有肌醇厂、油脂厂、麻纺厂、中胜公司、草酸厂、招待所、粮贸公司、酿造厂、建安公司、中粮车队、第二粮食加工厂、饮料厂、养殖场;供销合作社所属企业:建材瓷厂、土产公司、再生资源公司、杂品公司、石油燃料公司、生资公司、工业品公司、食用菌公司、鸭类公司;商业局所属企业:百货公司、副食品公司、饮食服务公司、五交化公司、龙兴铺灯芯糕厂、煤炭公司、食品公司、蔬菜公司、商业仓库、盐业批发站;二轻局所属企业有 汽车配件厂、皮革厂、金属制品厂、金属铸造厂;乡镇企业局所属企业:供销公司、建联公司、胶合板厂;农业局所属企业有 菌肥厂、农工商联合公司、乳品厂、南乡六场、物资供应站、麻袋厂;物资局(物资总公司)所属企业有再生资源利用公司、化工建材公司、物资贸易部、物资贸易公司、金属材料公司、机电设备公司;林业局所属企业有 林业车队、木材公司、农垦公司、纸箱厂、雄石木竹经销站、塘湾木竹经销站、文坊木竹经销站、圳上木竹经销站、天华山林场;交通局所属企业有搬运公司、汽运公司、客运公司;建设局所属企业有城建开发总公司、红石厂、白蚁防治所、综合开发公司、一建公司;水电(水利)局所属企业有物资供应站。

企业产权改制

改制形式　本着国有、集体资本逐步退出的原则,从企业实际情况出发,分别采取股份制、股份合作制、拍卖、出让、租赁、依法破产等不同形式,推进企业改革。

资产评估及产权界定:由改制企业写出书面申请,由市企业"转制办"指定国资部门委托具有法定评估资格的资产评估机构进行评估;评估结果由财政、国资等有关部门予以确认;集体企业资产评估结果由主管部门或乡镇人民政府同国资部门予以确认;改制企业土地资产评估结果应报市土管局确认。改制企业经资产评估后的所有者权益,遵照"谁投资、谁拥有产权"的原则进行产权界定。

安置标准　对改制企业的职工全部实行一次性安置,由企业发放生活补助费后,改制企业职工身份全部实行置换,解除原有劳动或劳动合同关系,由"企业人"转换成"社会人"。生活补助费原则上按职工工龄每满一年,发放 1 个月的基本工资(不含各种补贴及资金,基本工资超过 500 元的按 500 元计),最高不超过 30 个月基本工资,总额不足 4000 元的按 4000 元发放;如企业资产不足以支付或无法变现的,上述安置标准可相应降低,或视企业具体情况确定。

职工社会保险　企业原欠缴的各项社会保险基金(属破产清偿的债务),在受让方或收购方接收财产时,由企业一次性补缴,并划转至社会保险机构。

资产处置　坚持“公开、公平、公正”的原则出售资产。凡出售的企业资产,未经评估的,在全面、彻底清查的基础上,由企业或主管部门出具资产清查报告,已评估的提交资产评估报告和企业改制方案(草案),呈报市企业“转制办”初审。市企业“转制办”会同相关部门共同核定出售资产的数量、底价,由“转制办”自行或委托有关机构向社会发布出售信息,通过竞价出售方式确定购买者。

企业产权改制成果　市属国有、集体企业产权制度改革工作自2000年启动。至2008年12月,全市参加改制的企业有133家,已改制的企业有122家,其中国有企业79家,集体企业40家,自收自支的事业单位3家。置换身份的职工10689人,其中:国有职工6960人,集体职工3729人。离休人员52人,退休职工1786人,在职职工8263人,其他人员588人。改制企业改制费用共计15649.13万元,其中职工安置费9453.29万元,养老金2992.33万元,其他费用3203.51万元。共处置土地423876.18平方米,房产71105.78平方米。

全市有25家改制企业在改制过程中,采取承债式竞价购买企业净资产和整体出让等形式重新组建新的企业。改制后“进而有为”的典型企业共有8家。

附:改制案例

贵溪市化工厂　自2000年5月下旬起,市政府主要领导多次带领市政府办等10个单位及主管部门的人员进驻化工厂开展企业产权制度改革。7月13日,化工厂召开关于企业产权制度改革的党政联席会议,研究企业资产处置、职工身份置换、职工养老保险费缴交等议题,形成企业产权制度改革初步意见。经过数月努力,贵溪化工厂改制方案获职工代表大会通过。11月1日下午,市化工厂产权出售正式签约。2002年12月改制后的化工厂组建起当时贵溪市规模最大民营工业企业市三元化工冶炼有限公司。共安置职工727人,原企业职工受让企业净资产700万元。

贵溪市电光源厂　2001年6月14日,电光源厂部分固定及流动资产报废、核销工作展开。10月30日上午,贵溪电光源厂资产(产权)出让协议签字仪式在贵溪宾馆举行。张社喜和潘小平受让净资产约1362.81万元,组建新的江西南方照明(集团)有限公司,安置职工241人。

贵溪市外贸公司　2000年12月,市外贸公司作为贵溪市商贸第一家改制企业,平稳实施“双置换”。安置职工46人,盘活企业资产约61.7万元。

贵溪市饮食服务公司和糖烟酒副食品公司　2001年,贵溪市饮食服务公司和糖烟酒副食品公司产权制度改革实施方案分别经本企业职工大会通过后,决定采取变现企业资产,一次性安置职工,注销企业,由身份置换后的人员组建新的民营企业的改制形式。2002年1月18日,经市企业转机建制指导委员会批复改制方案实施。饮食服务公司安置职工292人,盘活资产323万元。糖酒副食品公司安置职工167人,盘活资产约224万元。

贵溪市盐业批发供应站　2001年,贵溪盐业批发供应站产权制度改革实施方案经职工代表会通过,根据盐业供应站具有政策性经营的特性,决定由身份置换后的人员组建股份制企业。2002年1月18日,贵溪市企业转机建制指导委员会批复改制方案实施。安置职工48人,盘活资产约40万元。

贵溪市食品公司　2001年,贵溪市食品公司产权制度改革实施方案经职工代表会通过,根据食品公司具有政策性经营的特性,决定由身份置换后的人员组建股份制企业。2002年1月18日,贵溪市企业转机建制指导委员会批复改制方案实施。安置职工302人,盘活资产约1012万元。

贵溪市龙兴铺灯芯糕厂　2001年4月,龙兴铺灯芯糕厂召开职工代表会议表决通过《贵溪市龙兴铺灯芯糕厂产权制度改革方案》,同意由该厂法定代表人领头依法组建新公司,新公司受让该厂的总资产404.01万元,承担该厂债务245.53万元,出资购买国有净资产158.48万元。2003年7月8日,贵溪市企业转机建制委员会对《贵溪市龙兴铺灯芯糕厂改组为贵溪市龙兴铺灯芯糕有限责任公司的方案》批复实施。安置职工107人。

贵溪市中胜粮油有限责任公司　公司于1999年7月进行股份制改组。2001年,中胜公司开始产权制度改革,经多次公司职工代表会议讨论,《贵溪市中胜粮油有限责任公司产权制度改革实施方案》

经职工代表会议表决通过，同意公司除房地产以外的资产由原企业经营者承债式受让，领头改组建成民营企业。新企业受让原企业总资产约2138.94万元，承担总债务约1216.63万元，净资产为约922.31万元。安置职工270人。

另有粮食局系统所属的罗塘粮管所、金屯粮管所、塘湾粮管所、新田粮管所、余家粮管所、河潭粮管所、泗沥粮管所、塔桥粮管所、周坊粮管所、鸿塘粮管所、粮食购销总公司、国家粮食储备库、供销社所属的周坊供销社、志光供销社、塘湾供销社、罗河供销社共16家企业采取保留原有的企业职能，置换职工身份的改制形式。

2000—2008年，二轻系统工业企业走处置企业资产，安置企业职工的路子。市金属制品厂、金属铸造厂、皮革厂、工艺美术厂、工业供销公司、竹篾厂等企业处置资产筹集资金，安置职工520人。

2000—2008年贵溪市部分国有企业改制一览

表6－1

企 业	改制形式	产权处置收入（万元）	安置人数（含退休）（人）	安置费用（万元）
合计		4541.5	2378	3632.8
经贸系统				
1. 建材公司（含硫沙厂）		220	105	222
2. 建安公司		0	30	49.6
3. 贵华铜材有限公司		600	229	459
4. 印刷包装有限公司		暂未处置	166	429.7
5. 旺达水泥有限公司		1536	313	500.8
6. 工业供销公司	承债式	2.5	50	60
7. 瓷土矿	破产	30	46	139
8. 化工厂	承债式	744	734	337.7
9. 贵雅电光源公司	承债式	351	240	167
10. 钱江啤酒有限公司	破产	700	399	513
11. 贵溪市工业液化气化气站	破产	0	14	12
12. 农机公司	承债式	358	52	240
农业系统		3790	413	2710
1. 知青联合公司		1400	177	1100
2. 贵溪市乳品厂		760	76	280
3. 水产实验场		1600	153	1300
4. 棉麻制品厂		30	7	30
商业系统		3082	1800	2842
粮食系统		3742	2470	4122
1. 购销企业改制领导小组		1742	1366	4122
2. 工贸企业改制领导小组		2000	1104	1800
林业		1710	722	1490.8
林业车队		331	94	260
2. 农垦联合公司		280	63	201

续表6-1

企　业	改制形式	产权处置收入（万元）	安置人数（含退休）（人）	安置费用（万元）
3. 木材公司		472	74	143.2
4. 纸管厂		130	72	128
5. 加工厂		143	96	153
6. 雄石木竹经销站		274	99	186
7. 塘湾木竹经销站	承债式	80	26	74
8. 圳上木竹经销站			102	199
9. 文坊木竹经销站			44	83.7
10. 林化厂			52	62.9

2000—2008 年贵溪市部分国有、集体产权交易一览

表6-2

项目名称	交易时间	成交金额（万元）	是（否）进行交易	备注
贵溪市新世纪水泥有限公司的40%股权转让	2006.4.26	600.00	是	协议
贵溪市国土局店面	2006.12.22	253.63	是	拍卖
贵溪市捕鼠器械厂房地产	2006.12.29	400.00	是	拍卖
贵溪市粮食局店面	2006.4.24	211.98	是	拍卖
贵溪市单采血浆站	2007.7.12	806.00	是	协议
贵溪市冷水林场营业楼	2007.8.29	896.00	是	协议
贵溪市木材总公司大楼	2007.10.8	471.11	是	拍卖
教育局门楼中学房地产	2008.11	498.00	是	拍卖
贵溪振兴房地产开发公司国有股权(51%)		4136.61		

至2008年年底，未改制或改制已启动尚未完成的国有、集体企业共有11家，其中：农业系统有麻袋厂、象山水产实验场、园艺场、种猪场、农科所、良种场、童家鱼种场、物资供应站；经贸系统有建联公司、供销公司、汽车配件厂。共需安置企业职工1020人，其他人员444人。

第二章　经济结构调整

1991年，贵溪县生产总值87387万元。其中第一产业增加值24649万元，第二产业增加值32734万元，第三产业增加值30004万元，人均生产总值1696元。2008年，贵溪市生产总值达172.19亿元，按可比价计算比1991年增长5.68倍，年均递增11.8%。其中：第一产业增加值12.3046亿元，增长1.27倍，年均递增4.9%；第二产业增加值128.7075亿元，增长9.2倍，年均递增14.6%；第三产业增加值31.1751亿元，增长3.61倍，年均递增9.4%。人均生产总值30097元，比1991年增长5.4倍，年均递增10.4%。

第一节 农业产业结构调整

调整特点

从2004年开始，贵溪市农业产业结构调整有5个明显特点：①种植业结构逐步向"粮—经—饲"三元结构转变。在稳定吨粮田的基础上，基本形成以雄石、滨江、雷溪为主的商品蔬菜生产基地；以流口、塘湾为主的旱田藕、黄栀子、西瓜基地；以罗河为主的荸荠基地；以周坊为主的雷竹及黄花菜生产基地。②畜禽养殖走向规模化、集约化经营。基本形成了以河潭、流口、罗河、周坊、滨江、东门为主的生猪牧业区；以文坊、彭湾、塘湾为主的山羊、肉牛生产区；以泗沥红谷10万羽养鸡场为核心，滨江、河潭、白田、花园、雄石等地为主的禽业生产区。③特色水产养殖比重逐步扩大。全市在调优四大家鱼品种的基础上，重点发展以欧洲丁为代表的特色水产品，包括鳗鱼、甲鱼等特色水产养殖已达到134公顷产量0.36万吨。④毛竹、早熟梨、油茶等优势产业已成为贵溪市农业亮点。在文坊、耳口、双圳等地建立了11333公顷丰产毛竹林基地；在塔桥、鸿塘、罗河、滨江、志光等地形成了5333公顷早熟梨基地；在河潭、周坊建立了2000公顷柑桔基地；在三县岭杨前岗建立万亩生态油茶基地。四是产业基地规模大、产业优势明显，成为全市农业产业结构调整的亮点。⑤农业龙头企业不断发展壮大。江西竹辉竹业公司生产能力由原来的10万平方米，上升到25万平方米；大忙人公司产品远销全国80多个城市及地区；中胜粮油公司生产能力翻一番；出口创汇龙头企业金沙蔬菜加工厂产品供不应求。龙头企业通过扶持和自身发展，有力促进产业结构的调整。

比重变化

纯农业比重下降，牧业和渔业比重上升。农业产值比重由1991年的52.95%下降到2008年的50.29%，牧业产值比重由1991年的28.93%增加到2008年的29.27%，渔业比重由1991年的2.16%增加到2008年的13.13%。

第二节 工业产业结构调整

1991年，贵溪县工业企业所有制类型比较单一，只有全民和集体两种类型。随着改革开放的深入发展，港澳台和外商资金的引进，逐渐形成多种所有制类型并存局面。2000年后，对所有制结构进行较大调整，县域经济以民营为主，国有资本逐渐退出一般性竞争企业，全民所有制逐渐减少，私营经济、股份制等经济成份大幅上升。

1991年工业总产值中，轻工业占4.34%，2008年下降为1.26%，减少3.08个百分点；2008年，重工业比重由95.66%上升到98.74%，增加3.08个百分点。

至2008年，贵溪市工业企业达489户，其中内资企业244户占49.90%，注册资本412435.12万元占83.20%；私营工业企业245户占50.10%，注册资本83310.67万元占16.80%，总注册资本495745.79万元。

第三节 三次产业结构

1991年，三次产业结构比为28.21:37.46:34.33。到2008年，三次产业结构调整为7.15:74.75:18.1。第一产业比重减少21.06个百分点，第三产业比重减少16.23个百分点，第二产业比重增加37.29个百分点。

1991—2008 年贵溪市三次产业增加值一览

表 6 - 3

年份	地区生产总值（万元）	第一产业（万元）	第二产业（万元）	第三产业（万元）	人均生产总值（元）
1991	87387	24649	32734	30004	1696
1992	95644	27039	34687	33918	1838
1993	114684	30285	44349	40050	2189
1994	151108	39886	62547	48675	2871
1995	196607	47312	83955	65340	3640
1996	229765	56503	97047	76215	4226
1997	298468	61867	156940	79661	4588
1998	287054	61836	148028	77190	4874
1999	297196	63685	148230	85281	5594
2000	322404	64322	166715	91357	6044
2001	355462	66647	185713	103102	6610
2002	407653	69013	214684	123956	7518
2003	516017	73488	299852	142677	9444
2004	639021	84943	369857	184221	11602
2005	823706	94627	524863	204216	14836
2006	1103616	99406	779608	224602	19648
2007	1485816	103873	1126449	255543	26054
2008	1721872	123046	1287075	311751	30097

第三章　经济总量

第一节　总量指标

地区生产总值

改革开放以来，全市经济实现持续快速健康的发展。全市地区生产总值由 1978 年的 6892 万元增加到 2008 年的 172.19 亿元，按可比价计算，年均递增 14.6%。人均生产总值由 1978 年的 169 元增加到 2008 年的 30097 元，年均递增 13.3%。

财政收入

从 2003 年开始，全市财政总收入连续 6 年位居全省县（市、区）第一。2008 年全市财政总收入达到 23.09 亿元，全市地方财政收入由 1978 年的 479 万元增加到 2008 年的 93380 万元，年均递增 19.2%。

固定资产投资

改革开放以来，全市不断加大固定资产投资，基础设施建设突飞猛进。2008 年，全市固定资产投资总额达 86.78 亿元，比 1991 年增加 84.69 亿元，年均增长 24.3%。

第二节　产业发展指标

第一产业

改革开放以来，全市农村经济发生深刻变化，进入到一个全新的发展阶段。2008 年，全市农业总产值 201237 万元，按可比价计算，比 1991 年增长 1.77 倍，年均增长 6.2%。2008 年，粮食总产量 335482 吨，比 1991 年增长 50.4%；油料产量 7310 吨，比 1991 年增长 5.5%；肉类总产量 32393 吨，比 1991 年增长 99.1%；水产品产量 25669 吨，比 1991 年增长 9.5 倍；农产品商品率为 69%（其中牧业商品率为 78.8%）；水稻播面单产（土地生产率）每公顷为 5.54 吨；复种指数为 260%。

1991—2008 年贵溪市农业主要经济指标一览

表 6－4

年份	农业总产值（万元）	粮食总产量（吨）	油量总产量（吨）	肉类总产量（吨）	水产品总产量（吨）	农产品商品率（%）	水稻播面单产（吨/公顷）	复种指数（%）
1991	32251	222995	6923	16269.5	2224	51	3.76	270
1992	34933	225294	8786	19700	2799	53	3.83	275
1993	40814	216924	7028.4	23642	3332	62	3.59	275
1994	51108	237074	7345	30045	4654	64	3.85	281
1995	61616	248657	11158	34919	5855	66	3.97	288
1996	80681	262350	10241	34493	6575	65	4.33	290
1997	87598	266564	8069	33469	8145	65	4.62	277
1998	86457	240000	6988	38263	8573	58	4.12	282
1999	93400	267700	6854	31458	10117	56	4.60	272
2000	94900	266119	6479	32356	17828.2	55	4.73	271
2001	98776	279575	5878	17828.2	11110	59	5.12	247
2002	101765	269518	7421	18905	11945	60	5.08	261
2003	118588	267341	7601	22988.5	12249	65	5.15	258
2004	138572	267341	8168	25790.5	13607	66	5.40	278
2005	149498	307635	7339	29964.3	16809	68	5.28	276
2006	159841	311928	7561	33324	19636		5.2	263
2007	167973	311536	7548	31530	22036	68.4	5.31	258
2008	201237	335482	7310	32393	25669	69	5.54	260

说明：农业总产值、农产品商品率 1991—1996 年含上清、龙虎山数据，土地生产率、复种指数 1991—1995 年含上清、龙虎山数据。

第二产业

全市规模以上工业总产值已由 2000 年的 502893.1 万元增加到 2008 年的 7286727.5 万元（现行价），增长 13.5 倍，年均增长 39.7%。规模以上工业增加值由 2000 年的 138566.7 万元（现行价）增加到 2008 年的 1176800 万元，增长 7.5 倍，年均增长 30.7%（未剔除价格变动因素）。全市规模以上工业企业实现利税总额由 2000 年的 32856.7 万元增加到 2008 年的 671138.2 万元，增长 19.4 倍，年均增长 45.8%。

1991—1999 年贵溪市工业主要经济指标一览(一)

表6-5

计算指标名称	单位	1991 年	1992 年	1993 年	1994 年	1995 年	1996 年	1997 年	1998 年	1999 年
乡及乡以上工业企业单位数	个	207	201	204	218	311	246	330	311	104
全部工业总产值(当年价格)	万元	160767	183914.2	256786.6	335472	413010	463423	515818	418036	416080.7
全部工业总产值指数(上年=100)	%	106.2	110.4	139.6	120.6	104.7	108	113.9	99	108.59
规模以上工业企业单位数	个	-	-	-	-	-	-	-	-	-
工业总产值(当年价格)	万元	-	-	-	-	-	-	-	-	-
工业增加值(当年价格)	万元	-	-	-	-	-	-	-	-	-
工业增加值指数(上年=100)	%	-	-	-	-	-	-	-	-	-
资产总计	万元	-	-	-	-	-	-	-	-	-
主营业务收入	万元	-	-	-	-	-	-	-	-	-
利税总额	万元	-	-	-	-	-	-	-	-	-

2000—2008 年贵溪市工业主要经济指标一览(二)

续表6-5

计算指标名称	单位	2000 年	2001 年	2002 年	2003 年	2004 年	2005 年	2006 年	2007 年	2008 年
乡及乡以上工业企业单位数	个	101	-	-	-	-	-	-	-	-
全部工业总产值(当年价格)	万元	562958.2	-	-	-	-	-	-	-	-
全部工业总产值指数(上年=100)	%	129.15	-	-	-	-	-	-	-	-
规模以上工业企业单位数	个	26	27	25	22	33	31	44	52	73
工业总产值(当年价格)	万元	502893.1	531556	562975.1	975146.4	1921156.2	2411354.9	4369830	5826266.7	7286727.5
工业增加值(当年价格)	万元	138566.7	155686.4	159216.9	222861.1	343794.7	493835.5	980302.3	1149884.3	1176800
工业增加值指数(上年=100)	%	130.2	112.4	102.3	139.97	123	143.6	198.5	117.3	102.3
资产总计	万元	-	1431158.3	1499139	1686903	2107852.4	2416110	3374034.1	4754009.3	4945540.4
主营业务收入	万元	-	631558.5	758304.8	1284034.1	1905578.1	2441912.5	4014887.6	6674353.6	8108036.6
利税总额	万元	-	32856.7	45085	82095	237677.3	327223.6	865302.1	773218.9	671138.2

第三产业

全市国民经济发生突飞猛进的变化,第三产业快速发展。1990 年全市第三产业增加值为 27655 万元,2008 年增加到 311751 万元,增长 10.3 倍,年均递增 14.4%,按可比价计算,年均递增 9.3%。

自 2000 年以后,贵溪市第三产业得到长足发展,个体工商户就从 2001 年的 986 户发展到 2008 年的 5053 户,每年新开业从事第三产业的个体户从几十户到几百户。截至 2008 年,全市第三产业从业人员逾 3 万人。一些空白行业得到填补,传统行业得到巩固,新兴服务业在不断兴起。

2001—2008 年,发展较快的主要在零售、交通餐饮、运输等方面(除金融、邮政等个别国家改制的行业外),大多数行业从数量和规模上都超过公有制。

2001—2008 年贵溪市第三产业发展一览

表 6－6

单位：户、万元

类别	行业	2001 年		2002 年		2003 年		2004 年		2005 年		2006 年		2007 年		2008 年	
		数量	注册资金	数量	注册资金	数量	注册资金	数量	注册资金	数量	注册资金	数量	注册资金	数量	注册资金	数量	注册资金
国有集体企业	A 农林牧渔服务业	7	479.8							2	46.5	2	100	1			
	F 交通运输、仓储和邮政业	45	1598.85	2	4010	4	18	5	2	1	10	4	1	1		3	1250
	G 信息传输、计算机服务和软件业	4				3	200	6	100			1	200	1		1	10
	H 批发和零售业	319	19186.71	18	121.2	15	1030	4	29.5	19	624.5	8	2131.2	21	1568	17	334.3
	I 住宿和餐饮业	20	831.4			1	5			1	460	2	90				
	J 金融业	68	7716.2	7	75	4	200	9	103	1	100			3	9610	10	2575
	K 房地产业	19	3229.2	1	50	1	100							2	55	1	1.8
	L 租赁和商务服务业	19	431.8			3	103	2	55			2	60	2	46	3	270
	M 科学研究、技术服务和地质勘查业	21	259.1	1	180												
	N 水利、环境和公共设施管理业	4	9153													2	190
	O 居民服务和其他服务业	14	206.2	1	198	2	33			2	150			3		1	2
	P 教育	1	350														
	Q 卫生、社会保障和社会福利业	2	25														
	R 文化、体育和娱乐业	10	277.5														
	S 公共管理和社会组织					1	10									1	3
私营企业	A 农林牧渔服务业	1	50							3	13	1	20	3	230		
	F 交通运输、仓储和邮政业	3	150	2	62	2	150	1	50			3	150	5	260	8	586
	G 信息传输、计算机服务和软件业	3	610					2	80	1	10	1	50	1	50		
	H 批发和零售业	31	3703	16	760	21	1544.89	35	3421.2	41	2712	53	5018	44	8617.5	47	4062
	I 住宿和餐饮业					3	300	4	154	2	120	2	60	2	1020	1	1000
	J 金融业													1	500		
	K 房地产业	5	3001	6	5121	2	830	5	2343	2	3470	4	7168	3	2203		
	L 租赁和商务服务业	4	110	5	150	2	510.5	4	696.88	6	76	8	206	6	55	5	56.6
	M 科学研究、技术服务和地质勘查业			2	60	1	30	2	150			2	103	2	13	1	50
	N 水利、环境和公共设施管理业									2	110	1	50				
	O 居民服务和其他服务业	7	284.8	3	251	8	617	7	1150	13	897	11	679.2	32	3012	24	1596
	P 教育																
	Q 卫生、社会保障和社会福利业																
	R 文化、体育和娱乐业											1	30				
	S 公共管理和社会组织																
每年小计		607	51653.56	64	11038.2	73	5681.39	86	8334.58	96	9099	106	16116.4	133	27239.5	125	14986.7

2008 年贵溪市第三产业中个体私营企业从业人员分布情况一览

表 6－7　　单位:人

行业分类	私营企业中从业人员						个体工商户从业人员			各行业从业人员合计
	期末实有		其中:城镇		其中:本期开业		期末实有	其中:城镇	本期新增	
	投资者人数	雇工人数	投资者人数	雇工人数	投资者人数	雇工人数	从业人员	从业人员	从业人员	
农、林、牧、渔服务业	27	43	9	16						70
交通运输、仓储和邮政业	102	316	95	186	2	10	90	62		508
信息传输、计算机服务和软件业	14	51	14	51	2	10	367	213	8	432
批发和零售业	724	2229	592	2069	22	70	18380	13335	316	21333
住宿和餐饮业	28	157	20	132			3635	1851	70	3820
金融业	2	5	2	5						7
房地产业	89	209	89	209						298
租赁和商务服务业	85	244	83	237	2	8	246	144	8	575
科学研究、技术服务和地质勘查业	32	45	30	41						77
水利、环境和公共设施管理业							5	5		5
居民服务和其他服务业	104	345	104	345	7	30	1710	1202	42	2159
教育							3	3	3	3
卫生、社会保障和社会福利业	4	12	4	12			8	8		24
文化、体育和娱乐业	6	13	6	13			431	413	2	450
其他	12	78	7	63			168	131		258
合计	1229	3747	1055	3379	35	128	25043	17367	449	30019

第三节　民生指数

改革开放后,民生指数也发生较大变化。职工平均工资从 1991 年的 2051 元增至 2008 年的 19419 元;农村居民人均年纯收入从 1991 年的 696.87 元增至 2008 年的 5366.21 元;农村人均住房面积从 1991 年的 31.18 平方米增至 2008 年的 45.01 平方米;人均储蓄存款从 1991 年的 403.02 元增至 2008 年的 8131 元;各地电话用户从 1991 年的 3252 户增至 2008 年的 86537 户。

1991～2008年贵溪市相关指标一览

表6－8

指标	1991年	1992年	1993年	1994年	1995年	1996年	1997年	1998年	1999年	2000年	2001年	2002年	2003年	2004年	2005年	2006年	2007年	2008年
社会就业人员(万人)	23.08	23.85	24.43	27.11	28	26.08	25.71	26.93	25.15	22.95	22.36	22.53	22.68	23	24.17	23.99	24.06	25.27
金融机构存款余额(万元)	36681	42052	59034	75027	106851	117231	143964	153222	180754	208889	267153	259469	329585	388148	439387	540870	810005	1078240
金融机构贷款余额(万元)	239200	274901	323324	340305	369651	413681	365596	365891	384796	414904	457521	476244	574589	664133	649583	709178	962706	636818
职工工资总额(万元)	9130.23	10672.3	13557.3	18515	19704.8	20765.1	20366.8	39037.6	43946.9	21240.7	24947.7	26263.3	30724.9	37052	43634.6	48976	54841.8	65476.6
职工平均工资(元)	2051	2328	2886	3976	4327	4980	4564	7383	8626	7300	8170	9082	10500	12493	14352	15711	17569	19419
农村居民人均年纯收入(元)	696.87	734.02	842.05	1209.54	1580.48	1920.48	2185.96	2188	2349.6	2367.3	2467.47	2566.26	2731.22	3336.58	3730.63	4069.91	4646.22	5366.21
农村居民人均生活消费支出(元)	562.95	552.26	707.99	987.58	1264.77	1670.42	1679.64	1694	1374.81	1288.85	1309.92	1215.68	1655.59	2134.29	329.96	2711.85	2715.32	3123.02
农村人均住房面积(平方米)	31.18	32.31	32.38	38.75	40.82	41.73	45.2	46.19	30.37	46.57	45.64	45.79	45.11	46.51	46.61	46.61	45.01	45.01
居民储蓄存款年末余额(万元)	20808	26593	36271	53123	67799	86399	103869	119715	130345	138662	157845	185015	213795	269517	311064	359198	389281	475984
人均储蓄存款(元)	403.02	510.03	699.58	988.49	1280.9	1625.3	1945.1	2236.8	2384	2536	2849	3323	3773	4685	5519	6250	6671	8131
邮电业务总量(2000年不变价格)(万元)	500.53	619.1	790.15		1548.94	2252.2	2879.6	4665	5536	7861	14920	12952	13138	15490.7	18483.5	28533.7	28460.4	28444.4
本地电话用户(户)	3252	3975	4777	6492	10024	14946	20403		29000	33040	45000	51600	48790	75400	87899	90968	92605	86537
移动电话用户(户)									6683	12600	31100	74000	60813	62620	63822	106721	118033	136210
社会消费品零售总额(万元)	13249	16413	20591	28037	38055	48406	51524	53992	56753	64902	69738	76493	85129	113735	131932	152679	178566	220596
普通中学在校学生数(人)	23247	23055	22136	20794	23392	30109	32955	36833	39195	39407	37858	39780	37855	39371	39191	38939	38988	38946
小学在校学生数(人)	68051	66930	95096	57270	59905	59095	59246	56378	51990	48427	45734	45261	43357	42035	41190	42715	43607	42982
学龄儿童入学率(%)	96	98.2	98.51	98.83	99.2	99.68	99.67	99.65	99.57	98.46	98.32	97.26	99.9	99.6	99.75	99.56	99.57	99.78
医院、卫生院数(个)	34	34	37	38	38	39	38	39	39	39	39	35	35	36	31	31	29	29
医院、卫生院病床数(张)	882	837	912	935	962	719	681	836	884	839	815	836	918	923	856	985	990	934

第四章　经济开放与协作

第一节　管理机构与政策

管理机构

1986年,贵溪县对外经济技术合作办公室成立。1992年,对外经济技术合作办公室和引进外资办公室合并为贵溪县引进外资经济技术合作办公室。1997年7月,撤销贵溪市引进外资经济技术合作办公室,成立贵溪市招商局,为直属市政府职能工作部门,内设办公室、业务股、网络信息中心。

工作职能

拟订全市招商引资工作方案和编制年度招商引资工作计划,会同有关部门做好协调和落实工作;指导、督查全市招商引资工作,参与全市重大经济活动。组织跨国、跨地区、跨行业、跨部门经济联合和各项招商活动;搞好吸引资金、技术、人才等方面的工作,以及区域联合、友好城市合作,搞好与中央、省、驻市单位经济技术合作与联络工作,并协调解决在利用外资和横向经济联合中遇到的困难和问题;负责外来投资者的咨询、联络和接待,以及外来客商在市兴办企业的服务、协调等工作;负责全市引进国内、外资金,技术、人才统计,并做好信息收集和传递工作。

招商引资政策

鼓励和欢迎国外、市外投资者以独资、合资、合作、联营、联合等形式到贵溪投资创办企业;以资金、技术、专利、设备、名牌、商标等实物资产和无形资产在贵溪市投资入股;以租赁、承包、委托经营等方式取得贵溪市现有企业的经营权;以购买、兼并、参股、控股及其他商定的方式,取得贵溪市企业全部或部分产权。外国公司、企业、其他经济组织、个人,包括港、澳、台同胞,海外侨胞和市外的企事业单位及个人(以下称“外商”)到贵溪投资创办企业,并在财政税收和其他方面享有优惠政策。

扶持企业优惠政策　①外来客商投资兴办国家鼓励和允许发展项目,经营期在10年以上的,从企业获利年度起,由市财政给予5年奖励,前两年奖励额为其交纳所得税(地方实得部分)的100%,后3年奖励额为其缴纳所得税(地方实得部分)的50%。②外商投资举办的产品出口企业,凡当年企业出口产品产值达到当年企业产品产值70%以上的,按省政府规定免征当年地方所得税。出口创汇企业当年出口额在上年基数上每增加50万美元,由受益的财政部门奖励给企业法人代表0.2万元人民币。③新办的高新技术企业(经省级以上认定)从开始获利年度起,奖励企业上缴所得税地方留成部分6年,前3年由受益方全额奖励给企业,后3年按50%奖励给企业。

收费优惠政策　①行政事业性收费。对入园企业,除应上缴上级部门相关费用外,地方性收费予以全免。②经营服务性收费。对入园企业一律按国家规定最低标准收取。对供电、供水等服务项目,在使用材料上允许企业按服务部门技术要求自行选购,安装劳务费按最低标准收取。

第二节　招商引资

引进与利用外资

改革开放后,贵溪市利用邻近长三角、珠三角沿海城市的地理优势,大力引进境外资金、技术、设备和管理方法,加快经济发展。结合产业结构的调整,发展外向型经济,形成一定规模的生产力,促进经济大发展。1991年,审批第一家香港与内地合资企业——贵雅电光源有限公司,合资注册资本为60万美元,港商投资占40%,贵溪电光源厂投资占60%。截至2008年,贵溪市拥有竹辉竹业有限公司、亿新铜业有限公司、同创铜业有限公司等数十家外商投资企业。

1991—2008 年贵溪市引进境外资金情况一览

表 6－9　　　　单位：万美元

年份	合同签约资金	实际引进境外资金	合同签约资金	实际引进资金
1991	60	60	1100	240
1992	485	418	7749	1376
1993	61	60	8673	1932
1994	225.77	218.77	12730	3645
1995	90.1	94.5	9728	2443
1996	—	—	12382.85	10042.6
1997	3508	242.7	11270	11345
1998	242	242	13580	13580
1999	236.9	236.9	27427	12706.3
2000	624	414.3	29200	17600
2001	605	302	59000	24000
2002	175.2	175.2	90000	33578
2003	8800	820	241200	33600
2004	2800	0	120000	42900
2005	1470	1470	102900	102900
2006	5500	4276	97000	126600
2007	6000	5133.46	253000	156000
2008	6530	5512	388900	376900

境内招商引资

1997 年后，贵溪市委、市政府不断创新机制，大力开展境内外招商引资活动，加大对招商有功人员的奖励力度。2002—2008 年全市兑现中介人奖励资金 80 多万元，充分调动全市各单位和个人招商引资的积极性。同时，对引进招商引资项目落户贵溪工业园区的乡镇（街道），实行“原地办厂、异地纳税”，即：工业园区土地“三通一平”由市本级财政负担，企业产生的税收归乡镇（街道）。贵溪樟坪乡是一个离市区 50 多千米、人口只有 4000 多人的偏远民族乡镇，2002 年，财政收入不到 100 万元，通过大力招商引资，先后引进江西铜材、星耀铜材、江西华锋铜业、三琦生物、鸿利工贸、凡尔顿机械制造等 10 多家企业入园，2006—2008 年财政收入达 27665 万元。贵溪市招商引资投资项目也由最初的农业开发、竹木加工等中小项目，向高质量、高水平、大项目方向发展，从低层次的小作坊为主，向建材、铜材加工、精细化工等高附加值高新技术提升。截至 2008 年，全市累计引进投资 50 万元以上项目 382 个，外来客商直接投资覆盖农业、工业、饮食、娱乐、建筑、物流等主要行业和部门，由于宏观政策的合理导向，外来客商投资尤以铜材生产加工、光电子、医药食品、精细化工、建材为相对集中，从而形成和支撑起贵溪的“五个支柱”行业。在五个行业中的外商来客直接投资逐年增加，至 2008 年，已有三分之二投资 1000 万元以上的项目集中在五大支柱行业，对加速贵溪工业化，促进产业升级和行业发展起到推动作用。

第三节 横向联系

对外经济活动

1990—1996年，贵溪县对外经济技术合作办公室(简称合作办)开始有计划地协调组织县内有关部门和企业出访各地。1997年后，通过采取充实加强对外经济工作机构，制订、完善和落实投资优惠政策、改善投资环境等措施，贵溪的对外经济开放活动呈现不断发展的局面。

与港澳台地区经济往来

1990年7月28日，成立贵溪县引进台资外资领导小组，企望首先在引进台湾、香港资金上有所突破。县政府就此多次召开专题会议研究，并由专人进行收集贵溪的名、特、优产品，编辑印刷介绍贵溪县情的文字和画册等资料进行对外招商宣传。8月20日，召开贵溪县台侨属座谈会，出席会议的台侨属30人，县主要领导到会并讲话，会上宣读省、县《关于鼓励台湾同胞投资的规定》，公布贵溪对外可供投资的项目，介绍投资环境。

1993年1月16日，香港威竣(集团)有限公司董事长总经理冯焕文到贵溪考察。双方签订合资开采花岗石的初步协议书，并就进一步联合开发经营贵溪各种矿产资源进行洽谈。

1993年1月28日，马来西亚客商徐添福一行6人到县考察，副县长刘滇鸣就贵溪的投资环境、合作项目、交通条件以及水、电设施向外商作介绍，并专程陪同其到塘湾对赛前花岗石进行实地察看，双方就花岗石开采、加工等事宜进行商谈，并达成初步意向。3月6日，徐添福再次到县洽谈合资开采花岗石。当日上午在政府常务会议室观看样品和地质资料，3月11日即签订初步协议，李均祥代表贵溪乡企总公司签字。项目总投资400万美元，注册资金350万美元。

1994年6月21日，贵溪县参加省政府在深圳市举办的招商新闻发布会，共签约意向项目8个，意向外商投资近800万美元。

1995年6月，贵溪县组织人员并精心选送项目参加省在深圳举办的"1995年江西招商引资(深圳)新闻发布会"，不少外商对贵溪的花岗石深度开发、水煮笋加工、钢管、肌醇、管道液化气等项目表示极大兴趣，其中有4个项目在会上签订意向，意向投资总额505万元。

1996年11月20日，江西省政府在南昌举办招商引资经贸洽谈会。贵溪市组织人员参加此次会议，会上签约石膏开采、鳗鱼养殖、农药生产共3个项目，合同投资3900万元。

1997年7月上旬，市长邓绍聪等领导赴上海招商，就利用外资开发兴建贵溪宾馆、贵溪新客运站、鲁水坑水电站、罗河工业园区等项目与上海华怡旅游开放有限公司董事长沈富根等进行初步洽谈。7月29日，沈富根一行6人专程到贵溪对以上项目进行投资考察。7月31日，市长邓绍聪、副市长刘滇鸣及有关部门负责人在贵溪宾馆二楼会议室与上海华怡旅游开发有限公司达成建设三星级宾馆酒店、汽车客运站、休闲度假村、罗河工业园区开发4个项目的初步合作协议。

1998年4月8日，贵溪市组团参加由厦门市政府承办的1998年厦门友城商品博览会、第二届对台出口商品交易会，以及由台湾各商会联合举办的台湾地区产品展示会3个会议。此次博览会在厦门富山国际展览城举行，鹰潭市共设3个展位，其中贵溪市展位一个，有36家重点企业主动积极参展，共展出节能灯、竹地板、石板材、无氧铜杆、无氧铜管、老鼠笼等43种产品。

1999年5月，市长邓绍聪率市经贸委、贵溪旺达水泥有限公司等单位负责人赴浙江兰溪考察，并与浙江省兰溪市新世纪水泥厂(后为科华集团)达成投资3000万元、年产20万吨水泥生产项目投资协议。1999年8月28日，项目正式落户贵溪工业园区，公司注册名称为贵溪新世纪水泥有限公司，9月动工建设，2000年3月28日正式投产，年产水泥30万吨。

2000年7月下旬至2000年12月底，为进一步加快招商引资步伐，加大贵溪与周边省市及沿海发达地区的经济技术联系与协作工作力度，组织各乡(镇)、林(垦殖)场、市直有关经济部门等有招商项目或在谈项目的单位组成招商引资小分队，赴江苏、浙江、上海、福建、北京等省市及沿海地区进行招商及考察活动。9月8—12日，市政府办、市经贸委、市乡企局等单位组团参加在厦门举办的第四届中国投资贸易洽谈会。

2001年5月25日，省政府在广东省珠海市国际会议中心举办2001年江西省横向经济联合协作（珠海）项目洽谈会。贵溪市成立以常务副市长刘滇鸣为团长，市招商局局长、计委主任为副团长，市直有关部门、有关乡镇领导与有关企业项目负责人为成员的代表团参会。会上签约2个房地产开发项目合同，总投资为14800万元。

2002年10月19—20日，在第八届中国鹰潭龙虎山文化旅游节期间举办“2002年鹰潭市招商引资项目洽谈会”，贵溪市成立以市委副书记、常务副市长李忠仁为组长，市政府办副主任、市招商局局长为副组长，市直14个主引单位领导参会领导小组。邀请45名客商参会（其中13名为境外客商）。

2003年4月17—18日，省政府在上海市举办“江西省与驻沪外国公司合作恳谈会”，市政府常务副市长李忠仁率队一行5人组成代表团参加此次会议，邀请客商10人，并新编印《贵溪市招商引资项目册》《招商引资工作手册》。8月，贵溪市派代表团参加在香港举行的江西（香港）经贸活动周，并到广东东莞开展招商推介、恳谈活动。

2004年7月13日在广州召开“江西省与珠江地区经济合作洽谈会”。鹰潭市、贵溪市两级政府均组团参会。贵溪市邀请客商5名，签约项目5个，其中境内客商投资项目3个，境外客商投资项目2个。

2005年5月27日，贵溪市在浙江省台州市开元大酒店召开产业招商推介会。鹰潭市委常委、贵溪市委书记陈爱民，市委常委雷纪文，副市长乐文红及浙江椒光集团董事长朱介民、中国飞跃缝纫机集团总经理施优寿、浙江开开电缆有限公司董事长余纪炎等参加推介会。共签订项目6个，合同外资760万美元，合同内资2.4亿元。10月22日，鹰潭市招商引资项目推介会在鹰潭市华侨宾馆举行。贵溪市成立以市长黄建平任组长，副市长乐文红任副组长，3个单位主要领导为成员的参会代表团。会上，共邀请境内外客商15人，意向签约项目资金内资1.5亿元，外资800万美元。11月30日，贵溪市人民政府在温州金瓯宾馆举办产业招商专项推介会，会议邀请客商近70人，共签约招商项目8个，引进合同资金2.4亿元。其中1000万元以上的项目有5个，涉及工业产品生产、加工和农业开发项目等。

2006年3月5日，贵溪市在浙江台州玉环宾馆举办阀门产业专项招商推介会。市长黄建平率市招商局等单位参会，会后还到浙江宁波、绍兴等地招商，引进浙江宁波世茂铜业投资1.6亿元兴办铜加工项目，该项目占地15.27公顷，公司注册名称为江西世茂铜业有限公司。企业于2006年6月开工建设，2006年9月底建成投产。6月6日，贵溪市派代表团一行5人参加在云南举办的第三届“泛珠三角”区域经贸合作洽谈会，会上签约项目1个，合同资金8000万元。7月5日，贵溪市委常委、常务副市长杨解生率团赴浙江考察，此行重点学习考察宁波拆解园区的建设和运作事项，并对几个正在洽谈的项目投资企业进行访问推动。杨解生一行首先走访浙江宁波、余姚等地的客商投资企业，考察的企业主要有宁波世茂铜业有限公司、余姚市南翔电线电缆有限公司、宁波凯布利亚电线电缆有限公司、宁波今山进出口有限公司、浙江球冠电缆制造有限公司等9家企业。重点考察宁波金属工业园区，就宁波拆解园区的立项审批、固体废弃物进口许可审批、环境保护、园区建设及有关优惠政策等事项进行重点学习考察。此行对几个正在洽谈的项目进行重点推动，并对客商提出的问题进行详细解答，就贵溪市拟建设废杂铜拆解项目进行深入交流和磋商。

2007年4月18日，省委、省政府主要领导率学习考察团赴浙江省学习考察，并在浙江省杭州市举办赣浙经济技术合作项目签约仪式，贵溪市成立以市长艾农为团长，市招商局等单位负责人为成员的代表团。会上邀请浙江客商2名，签约项目1个，合同资金6000万元。6月8—12日，由湖南省政府牵头，“泛珠三角”地区各省（区）及香港、澳门特别行政区组织的第四届泛珠三角区域合作经贸洽谈会在长沙市举办。会议的主题为“合作发展，共创未来”。根据省、鹰潭市部署，贵溪市组团参会。成立市政府副市长黄如象为团长，市招商局、冷水镇等单位主要领导为成员的参会代表团。一行共7人，其中邀请客商2人。

2008年3月18—21日，市委书记黄建平、常务副市长揭晓泗带领市招商局、行政服务中心等单位主要负责人前往浙江走访企业。此行4天辗转浙江5个地区，行程6000多千米，走访企业10余家。还特地拜访乐清与红旗集团董事长王星余，就该公司投资2亿元兴办电线电缆项目的具体问题进行洽谈，双方初步达成红旗集团在贵溪市投资2亿元,占地10公顷,兴办铜杆、铜拉丝、电线电缆项目的意向。2008年3月25日,红旗董事会全体成员到贵溪就投资具体事项进行洽谈并签定正式合同。2009年,该公司建成正式投产。4月30日,贵溪市委、市政府在温州新南亚酒店举办江西贵溪(温州)铜产业专项招商推介会,常务副市长揭晓泗率市招商局10多个单位主要负责人参会,会上邀请客商近百名,签约项目4个,合同资金2.2亿元。

缔结友好城市

2003年11月18日,日本和歌山县议员井出益弘一行8人到贵溪市进行为期2天的考察访问,并就和歌山县清水町与贵溪市建立友好城市关系举行商谈。当晚,鹰潭市领导黄建盛等在鹰潭宾馆会见客人一行,并向客人简要介绍鹰潭的市情和近年来改革开放所取得的变化。19日上午,日本客人先后游览上清宫、天师府、仙水岩、象鼻山等龙虎山景区景点。下午,鹰潭市和贵溪市负责人,在鹰潭宾馆同客人就日本和歌山县清水町与贵溪市建立友好城市关系进行热烈友好的座谈,并签订建立友好城市关系意向书。双方表示,在平等互利的基础上,共同促进两城市人民之间的友好交往和经济、贸易往来,积极开展科技、文化、体育、卫生、教育等各个领域的交流与合作。

2006年8月30日,第八届中日韩友好城市大会在哈尔滨国际会议中心隆重开幕。来自中日韩三国74个城市的近300名代表参加此次大会。贵溪市人民政府市长艾农率团参加会议,在大会上,贵溪市与日本和歌山县有田川町(清水町的改称)签订友好协议,正式缔结为友好城市。

城市横向经济联合

1993年12月27日,福建省光泽县举办首届边贸会,贵溪县由粮食、二轻、乡企、供销、经委、商业部门以及部分厂矿企业组团前往光泽县访问并参加为期两天的边贸会。在边贸会上,贵溪校办企业的“育人”牌灯芯糕、“龙虎山”牌铜制品、具有地方特色的贵溪风味捺菜、龙虎山啤酒、粮油深加工系列产品、捕鼠器等产品参加展览,引起有关人士的高度赞誉,校办工厂的灯芯糕在2天内销售额达1万元,倍受青睐。

1997年6月24—25日,省在杭州举办“1997年江西省横向经济联合协作项目洽谈会”,贵溪成立以叶鎏清为组长,汪华为副组长的代表团一行共15人参会,签约项目3个,合同金额1000万元,其中签约江苏宝应县客商兴办娱乐、桑拿项目,总投资210万元,为贵溪第一家三产行业项目。会上还发放招商画册和项目册100余本,广泛接触客商,宣传贵溪。

1997—2008年,贵溪市领导先后组团率队到全国发达省市和中、西部有关省市(区)考察访问,寻求建立区域合作与协作关系。其间,市委书记刘尧铣等领导率领代表团访问浙江、广东、江苏等地;市长邓绍聪等领导率领代表团访问湖北、湖南、安徽、四川等地区;副市长刘滇鸣等有关领导率领代表团访问沈阳、哈尔滨、大连等地;市招商局和有关部门也先后组团访问北京、上海等地。从2002年起,贵溪参加江西在香港举办的大型经贸活动,先后接待大批远近客人,陪同参观访问,建立关系,洽谈项目,促成合作。与全国各大经济协作区,各主要城区都建立多种形式的经济协作关系。

第四节 经济会展洽谈

中国国际投资贸易洽谈会

1990年9月6日,贵溪县领导前往厦门市富山国际展览城参加“闽南三角区外商投资贸易会”。9月13日返县,带回各地关于利用外资方面的参考资料共144本,其中外省投资指南、优惠政策共56本,各地参考资料16本,各类产品、广告,介绍风光风貌画册72本,对贵溪县开展引进和利用外资工作提供参考和推动作用。

1997年9月6日,由常务副市长叶鎏清、副市长刘滇鸣率市政府办、招商局、粮食局、乡企局,以及雄石镇、志光镇、钢管厂负责人共14人组团参加贸易洽谈会。会议期间共签订合同项目14个,合同引进资金5505万人民币。

1998—2008年,贵溪每年都派人参加“中国国际投资贸易洽谈会”,签约项目共计17个,合同资金

4.1亿元。

2005年、2007年，贵溪市分别参加中国“国际”（南昌）经贸恳谈会，会上共签约项目2个，合同资金8000万元。

赣台经贸合作研讨会

2003年9月23—25日，由省政府主办，国务院台办协办，省台办和南昌市政府具体承办的赣台经贸合作研讨会在南昌市举行。贵溪市在会上发放宣传资料100余份，名片100余张，收到台商名片70多张。

2004年9月18—19日，赣台经贸合作研讨会在江西庐山举行。贵溪市代表团在开幕式会场展示厅宣传推介贵溪市情和招商引资项目，吸引众多的台商咨询洽谈。会上，发放200多份贵溪投资指南。签约项目1个，合同资金200万美元。

2005年9月12日，赣台经贸合作研讨会在江西庐山举行，鹰潭市政府并藉此在庐山匡域宾馆举办台商经贸合作研讨会。鹰潭市委常委、贵溪市委书记陈爱民介绍贵溪市情，会议举行签约仪式，贵溪市签约项目2个，投资总额为800万美元。

2006年，赣台经贸合作研讨会在江西庐山举行，贵溪市委书记黄建平率招商团参会，在会前精心挑选一批市场前景十分看好的优质招商项目供台商选择。会议期间，邀请近40名台商到贵溪参观考察，与台商朋友举行形式多样、生动活泼的联谊、推介活动。

2007年8月29日，赣台经贸合作研讨会开幕式在南昌国际会展中心举行。贵溪市市长艾农率代表团一行9人参会。会上发放贵溪宣传资料200余份，名片300余张，签约项目1个，总投资3000万元。

2008年9月21日，赣台经贸合作研讨会在南昌召开，1000余位台湾客商和知名人士出席会议。贵溪市政府市长杨解生率代表团一行5人参加会议，会上，发放贵溪宣传资料100余份，交换名片120余张。

中国中部投资贸易博览会

2006年9月26—28日，第一届中部博览会在湖南长沙举行。贵溪市委书记黄建平率团参会，市委常委、常务副市长杨解生及市招商、经贸部门负责人及客商一行6人出席会议。会议期间，黄建平一行还走访湖南海利化工股份有限公司、湖南海利高新技术产业集团。

2007年4月26—28日，第二届中部投资贸易博览会在河南郑州国际会展中心举行，副市长黄如象率队一行5人参会，会上接触重要客商30余名，发放宣传资料200余份，名片200余张。签约项目1个，合同金额5000万元。

2008年4月26—28日，第三届中部博览会在湖北武汉举办。贵溪市委常委、副市长揭晓泗率市招商局、市行政服务中心管委会等单位领导参会，会上发放招商宣传资料200余份，交换名片100余张。

第五节 联络办事机构

贵溪市政府驻上海办事处1992年组建设立，位于上海市中山西路内侧，挂靠招商局管理的二级事业机构，1998年8月撤销，撤销前有干部职工3人，房屋2套，总建筑面积149.5平方米，1998年评估价值87.51万元。

贵溪市政府驻厦门办事处1992年组建设立，位于厦门市莲花新村凌香里31号，挂靠招商局管理的二级事业机构，1998年8月撤销，撤销前有干部职工3人，房屋1套，总建筑面积约130平方米。

贵溪市政府驻南昌办事处2000年5月设立，位于南昌市八一大道122号，以市林业局名义租赁省林业厅房屋办公。1998年8月撤销。

附：

2008年贵溪市国民经济和社会发展统计公报

2008年，是极不平凡的一年。在市委、市政府的正确领导下，全市人民高举中国特色社会主义伟大旗帜，以党的十七大和十七届三中全会精神为指导，深入贯彻落实科学发展观，沉着应对国际经济危机及各方面的严峻挑战，牢牢把握发展主动权，努力奋斗、扎实工作，全市经济保持了平稳较快发展的良好态势，各项社会事业取得了新的成就。

一、综合

国民经济保持平稳较快发展。据初步核算，全市生产总值172.19亿元，比上年增长15.8%。其中，第一产业增加值12.3亿元，增长7.7%；第二产业增加值128.71亿元，增长16.8%；第三产业增加值31.18亿元，增长15%。三次产业结构调整为7.2:74.7:18.1，二、三、一结构进一步强化和巩固。非公有制经济较快发展，实现增加值56.14亿元，比上年增长19.7%，占GDP的比重达32.6%。

财政收入快速增长。全市财政总收入23.09亿元，比上年增长15%，连续六年位居全省县(市、区)第一。其中，地方财政收入93380万元，比上年增长22.9%。财政收入快速增长为进一步加强和改善宏观调控，大力实施“民生工程”提供了强大的财力支持。全年地方财政支出132598万元，增长33.8%。

二、农业

农业形势良好。粮食实现增产，全年总产量达335482吨，比上年增长7.7%。农作物种植结构有所调整。全年粮食种植面积60572公顷，比上年增长3.2%；油料种植面积4917公顷，比上年减少1.5%；蔬菜种植面积6362公顷，增长1.2%。

林牧渔业稳定发展。全年完成造林面积2867公顷，比上年增长43.3%。全年肉类总产量32393吨，增长2.7%。全年水产品产量25669吨，增长16.5%。

全年农林牧渔业总产值201237万元(现价)，比上年增长19.8%，按可比价计算增长15.1%。全年农林牧渔业增加值123046万元(现价)，比上年增长26.6%，按可比价计算比上年增长7.7%。

农业基础设施建设进一步加强。全年农田有效灌溉面积达31428公顷，比上年增加0.4%。年末农业机械总动力23.8万千瓦特，比上年增长5.8%。

社会主义新农村建设扎实推进。完成了130个新农村试点村建设，开展了400个自然村庄规划，广泛深入开展了农村“卫生清洁”工程，对自然村的垃圾进行了无害化处理，对公路沿线和集镇环境进行了整治。

三、工业和建筑业

工业生产实现快速增长。全年工业增加值124.38亿元，比上年增长16.5%，占生产总值的比重达72.23%，减少1.77个百分点。其中，规模以上工业增加值117.68亿元，比上年增长32.8%。

工业经济效益有所下滑。规模以上工业企业实现产品销售收入810.8亿元，比上年增长21.5%；实现利润35.3亿元，减少36.1%；实现利税67.11亿元，减少13.2%。

建筑业较快增长。全年具有建筑业资质等级总承包和专业承包建筑企业完成建筑业总产值22亿元，比上年增长8.6%；按建筑业总产值计算，全员劳动生产率23.53万元，增长25.2%。

四、固定资产投资

固定资产投资快速增长。全年全社会固定资产投资86.78亿元，比上年增长60.1%。全年固定资产投资项目107个，比上年增加40个。3000万元以上项目54个，比上年增加24个。加快了城市建设步伐。新人民医院、城北污水处理厂等新项目顺利开工。完成了信江路、交通路改造、桥西公园改造。鹰雄大道贵溪段、贵溪大桥及其东西延伸段通路，贵溪大道、柏里大道、水厂路等重点路段顺利通车。

五、国内贸易

国内消费品市场持续活跃。全年社会消费品零售总额220596万元，比上年增长23.6%。其中，城区社会消费品零售总额162725万元，比上年增长23.1%，农村社会消费品零售总额57871万元，比上年增长24.7%，按行业分，全市批发零售贸易业实现社会消费品零售额195100万元，比上年增长23.1%；住宿和餐饮业实现社会消费品零售额24938万元，比上年增长26.9%。

六、对外经济

对外贸易有所减缓。全年外贸出口总额19808万美元，比上年减少9.3%。招商引资工作取得较好成绩。全年合同外资金额6700万美元，比上年增长3.7倍。当年实际使用外资金额5512万美元，比上年增长2.2%。

七、交通、邮政和电信

交通运输业稳步发展。全年公路客运量405万人，比上年增长9.5%；铁路客运量85.89万人，比上年增长8.4%；公路货运量660万吨，比上年增长6.5%；铁路货运量302.35万吨，比上年增长6%。

邮电通信能力平稳增长。全年完成邮政业务总量2224.4万元，比上年减少3%；电信业务总量4670万元，比上年增长11.2%。年末固定电话用户8.65万户，比上年减少6.6%；移动电话用户13.52万户，比上年增长15.4%，宽带网用户达14250户，比上年增加3.3%。

八、金融和保险业

金融运行平稳。年末金融机构各项贷款余额636818万元，比上年末减少33.9%；年末金融机构各项存款余额1078240万元，比上年末增长33.1%。年末城乡居民储蓄存款余额475984万元，比上年末增长22.3%。

保险事业发展步伐加快。全年保险公司保费收入15633万元，比上年增长80.1%。其中，财产险收入1557万元，增长7.7%；人身险收入14076万元，增长94.6%。

九、教育和科学技术

教育事业稳步发展。全年普通中学在校学生38946人，比上年减少42人；小学在校学生42982人，比上年减少625人。小学学龄儿童入学率99.78%，比上年增加0.21个百分点；初中升学率98.46%，比上年增加0.13个百分点；高中升学率71%，比上年增加1个百分点。

科技事业稳步发展。全年从事科技活动人员数10218人。专利申请受理量134项，专利申请授权量225项，比上年增长92.3%，其中发明1项，比年减少1项。

十、文化、卫生和体育

文化建设步伐加快。年末有艺术表演团体1个，剧场、影剧院4个、市公共图书馆1座，图书总藏量94千册，比上年增加8千册。

卫生事业进一步加强。年末共有医院、卫生院29所，医院、卫生院床位数934床，医院、卫生院卫生技术人员1627人。其中，医生545人，比上年增加142人。年末拥有卫生防疫人员70人，比上年减少5人。全年5岁以下儿童死亡率5.4‰，婴儿死亡率4.1‰，均比上年下降。

体育事业蓬勃发展。全市各乡镇均设有全民健身活动场所，晨、晚练健身活动点，市区成立了太极拳协会，自行车运动协会等全民健身活动团体，全民健身活动蓬勃发展。竞技体育不断取得新成绩。

十一、人口、计划生育和人民生活

人口总量小量增长。年末全市有户籍人口585350人，比上年末增长0.3%。其中，非农业人口117906人，比上年末下降3.9%，城区户籍人口100335人，比上年下降5.2%。

据市人口和计生局调查，全市人口出生率12.97‰，比上年回升0.95个千分点；人口自然增长率7.07‰，回升0.66个千分点。全市人口计划生育率77.91%，比上年减少9.86个百分点。

人民生活水平不断提高。全年农民人均纯收入5366.21元，比上年增长15.5%。城镇在岗职工年均工资19419元，比上年增长10.5%。农村居民人均住房面积45.01平方米，与上年持平。农民文化娱乐消费比重5.22%，农村彩电普及率80%。

第七卷　农　　业

第一章　管理机构与生产条件

第一节　管理机构

贵溪市农业局原称农牧渔业局,1996 年 5 月 20 日更名为农业局。2002 年 11 月 29 日,市农业利用外资办公室(携下属企业物资供应站)并入农业局。2003 年 3 月,市蔬菜办公室并入农业局,当年,外资办与蔬菜办合并为果蔬办公室,隶属市农业局管理。1996 年,开展乡镇农技推广机构定性、定编、定员“三定”工作。乡镇农业 5 站实行“条块结合,双重领导”的管理体制。县农业局负责乡镇农业 5 站(农技站、畜牧兽医站、农机站、农经站和水产站,以下简称农业 5 站)工作计划的制定,人员编制、考核、奖惩、职称评定、站长的任免、财产的管理,乡镇负责协调和监督。1996 年乡镇“农业 5 站”有聘用农民技术干部 121 人,农业院校大中专毕业国家干部 16 人,待聘的农民技术人员 59 人。其中农技站聘干 55 人,国家干部 10 人,待聘 1 人;兽医站聘干 33 人;农机站聘干 19 人,待聘 26 人。1996—2002 年国家分配大批大、中专毕业生到乡镇农业 5 站,截至 2001 年,全市乡镇农业 5 站有招聘干部 140 人,国家干部 315 人,合同制工人 4 人。2003 年机构改革后,乡镇农业 5 站划回乡镇管理,全市 21 个乡(镇、街办)设立农业综合服务站。2003 年,乡镇农业技术推广机构划回乡镇管理。

1991 年,农牧渔业局下属机构有农业机械化管理站、动物检疫站、农业技术推广服务中心(二级局)。

2002 年以来,农业局下属机构有农业机械化管理站、动物检疫站、农业技术推广服务中心。

原农牧渔业局下辖:园艺场、良种场、种猪场、童家渔种场、水产实验场、象山水产场、农科所、知青联合公司、乳品厂、奶牛场(更名果业示范厂)、微生物实验厂、棉麻制品厂。微生物实验厂、乳品厂、水产实验场、知青联合公司先后进行产权制度改革,财产拍卖,用于安置工人。

第二节　耕　　地

1991 年贵溪县(含上清、龙虎山)耕地面积 35711 公顷,其中水田 33332 公顷,旱地 2379 公顷,人均占有耕地 0.069 公顷。1996 年上清、龙虎山 2 镇划归龙虎山风景区,贵溪市耕地面积减为 33050 公顷。1998 年以后,由于特大洪水毁损农田和经济建设占地,耕地面积有较大减少,2005 年全市耕地面积 29338 公顷。2006 年以后,加强耕地保护,开荒造田,耕地面积逐年增加,2008 年全市耕地面积 31428 公顷,其中水田 28280 公顷,旱地 3148 公顷,人均占有耕地 0.054 公顷。

第三节 劳力 畜力

劳力

1991 年,贵溪县(含上清、龙虎山)农村劳力 185210 人,其中男劳力 101047 人,女劳力 84163 人。从事农业劳力 159587 人,占 86.2%;从事二业、建筑业、交通运输业、服务业等劳力 25623 人,占 13.8%,其中外出打工 1849 人,占 1%。随着产业结构的调整和城镇化水平不断提高,农村富余劳力不断向第二、三产业转移,离乡创业。2008 年,全市农村劳力 217926 人,其中男劳力 121389 人,女劳力 96537 人。外出(离乡)从业人员 98237 人,其中出省从业人员 70120 人。转移就业的农民多数是青壮年劳力。

1991—2008 年贵溪市劳动力情况一览

表 7-1　　　　单位:人

年份	劳动力总数	男	女	劳动力使用情况						其中外出务工
				农业	工业	建筑业	交通运输	服务业	其他	
1991	185210	101047	84163	159587	6554	4001	1450	8893	4725	1849
1992	187020	102140	84870	158260						
1993	184746	99471	85275	147047	5655	3651	1476	8824	18093	12296
1994	206735	109193	97542	162748	5479	4713	1720	9710	22347	14386
1995	207706	111024	96682	157808	6659	4328	2667	8090	28154	29139
1996	188564	101100	87464	144366	4110	3858	1710	7527	26993	19042
1997	184115	96636	85479	142158	3645	4805	1844	6955	24708	22280
1998	183000	95725	87275	140631	4615	4478	1850	6849	24577	26525
1999	189820	101217	88603	142210	5048	4480	1963	7326	28793	29712
2000	200891	108180	92711	141629	4926	5132	1710	7265	40229	51476
2001	192593	102961	89632	131531	14498	5868	1797	7674	41225	47471
2002	200891	108180	92711	141629	4926	5132	1710	7265	40229	51476
2003	196989	107287	89702	123089	21631	11177	3273	5625	32194	
2004	199617	108049	91568	123663	22340	11416	3320	8140	30738	71868
2005	209918	112365	97553	131550	23527	11506	3410	8746	31179	75996
2006	207093	110853	96240	129780	23586	11476	3504	8687	30060	76756
2007	208347	113985	94362	125774	27356	13436	4851	13209	23721	82023
2008	217926	121389	96537	124579	35813	17210	5534	14371	20419	98237

说明:资料来源于市统计局。1991—1995 年含上清、龙虎山镇数据

畜力

役用牛原是贵溪市农业生产的主要动力。20 世纪 80 年代初,全市有役用牛 2 万头,每头牛负担耕地 1.8 公顷,役力稍有不足。1982 年全面实行家庭联产承包责任制,多家农户共用 1 头牛。此后养牛户增多,1991 年全市有役用牛 34838 头,每头耕牛负担耕地 1 公顷。1998 年,全市有役用牛 47066 头,每头耕牛负担耕地 0.7 公顷。21 世纪以来,农业机械化快速发展,役力依赖程度降低,役用牛逐渐减少,2008 年全市有役用牛 35065 头。

第四节　机　械

农用动力机械

1991年贵溪县农机总动力为6.67万千瓦,拥有各类动力机械4007台,其中大中型轮式拖拉机252台,手扶拖拉机584台。农产品加工及排灌以柴油机为主,但人力水车、手摇风车、人力脱粒机、人力喷雾器等人力机具和半机械化机械仍在普遍使用。1992—2001年农业机械增长平缓。2001年年底农机总动力近10万千瓦,手扶拖拉机和其他动力机械小有增长,大中型轮式拖拉机减少为7台。2002—2003年,各类农用动力机械均有增长。2003年农机总动力11.52万千瓦,各类农用动力机械5255台,其中大中型轮式拖拉机15台,手扶拖拉机654台。2004年以来,农用动力机械迅速发展,2008年底,全市农业机械总动力达到36.29万千瓦,各类农用动力机械31075台,其中大中型轮式拖拉机28台,手扶拖拉机1706台,柴油机8954台,汽油机13871台,电动机6516台。

耕整机

1991年贵溪县仅有耕整机9台,1996年年底增加到60台,1997年发展到177台。1998年农民开始使用机耕船,2000年农机管理站引进绳牵式机耕船及乘坐式机耕船在泗沥镇王湾村、罗河镇姚家村、雄石镇象山村进行示范,此后,全市使用10马力以下的单、双人耕整机、微耕机、机耕船等小型耕整机械蓬勃发展。2001年有耕整机533台,其中机耕船137艘。2004年有耕整机1134台,其中机耕船510艘,2008年年底有耕整机1311台,其中机耕船604艘。

插秧机

1997年首次引进抛秧机在鸿塘镇傅家村进行示范,2002年引进一台东洋牌PF455S型四行步进手扶式机动插秧机在白田乡港黄村、志光镇“五七”农场进行示范。2006年全市有插秧机6台,是年,在雷溪乡张桥村示范机插早稻5.3公顷,次年在鸿塘镇红山村机插示范20公顷。2008年,全市有插秧机13台,其中久保田牌SPW-48C型1台,福田2Z-6型2台。

灌溉机械

1991年,贵溪县拥有排灌机械(水轮泵、抽水机等)1146台套,其中水轮泵175台,配套设备柴油机777台和电动机242台,机灌面积13300公顷。后因机械排灌成本较高和机具老化等原因,大部分排灌站及水轮泵站逐步拆除而兴建小型电力排灌站。1999年年底,原有农用排灌动力机组仅剩16台,2000年,灌溉机械减少到千台左右,其中配套设备柴油机762台、电动机517台。2001年起,农民用脱粒机上的汽油机作动力配套小型水泵抽水灌溉。2008年,全市灌溉机具拥有4314台套,机电灌溉面积15100公顷。

收获机械

20世纪90年代初,收获水稻沿用镰刀手工割禾,人力脱粒机脱粒。1991年贵溪县人力脱粒机普及,拥有人力脱粒机51663台,偶见用禾斛脱粒。1997年贵溪市农机站引进一台台州-130全喂入联合收割机和农友90割晒机在鸿塘镇傅家村示范。2001年,全市有联合收割机10台,机收面积247公顷。市农机站推广人力打谷机改装机动脱粒机技术,1999年开始演示,次年,机动脱粒机发展到218台,2006年拥有机动脱粒机14192台。2004起,联合收割机快速增加,人力脱粒机和机动脱粒机相应减少,至2008年年底,全市拥有联合收割机436台,机动脱粒机13506台。

农运机械

20世纪90年代主要农用运输机械有农用汽车和大中型拖拉机及农用三轮运输车、农用四轮运输车、机动运输船、“变型拖拉机”。1991年底,有农用汽车208台,大中型拖拉机157台,机动运输船56艘。之后,农用三轮运输车及“变型拖拉机”加快发展,农用汽车及大中型拖拉机逐步淘汰。2000年全市有农用三轮运输车和农用四轮运输车611台,“变型拖拉机”364台。2008年拥有“变型拖拉机”(时称大中型拖拉机)1865台,农用三轮运输车359台,农用四轮运输车(时称低速载货汽车)951台。农用物资运输已基本实现机械化。

农产品加工机械

民间主要有碾米、磨面、榨油、榨粉等农产品机械粗加工。20 世纪 90 年代初,仍有少数水碓、石磨、木榨等传统加工设施在使用。民间农产品小型加工机械 1991 年为 2006 台,1998 年 2797 台,2004 年 2138 台,2008 年 3614 台(其中榨油机 290 台)。

饲料加工机械

民间饲料加工机械主要有饲料粉碎机,1991 年有饲料粉碎机 211 台,1999 年达到 552 台,后因“配合饲料”大量进入境内,民间饲料加工机械相应减少,2008 年仅有饲料粉碎机 393 台。

1991—2008 年贵溪市耕耙、收割机械拥有量与机耕、机收面积一览

表 7-2

年份	大中型拖拉机(台)	小型拖拉机(台)	农机具(台)	收割机(台)	机耕面积(公顷)	机收面积(公顷)
1991	271	626	875	—	6300	—
1992	222	578	583	—	6900	—
1993	207	590	629	—	8300	—
1994	220	727	1139	—	8670	—
1995	269	680	1092	—	8930	—
1996	372	720	900	—	8670	—
1997	424	584	668	2	8670	30
1998	310	730	828	6	10540	80
1999	272	866	990	7	4040	190
2000	581	847	1396	8	7480	230
2001	812	871	644	10	9670	250
2002	933	850	744	15	13450	310
2003	1239	797	1086	31	13590	630
2004	1392	1016	1129	96	16190	5160
2005	1354	1109	1448	178	18610	10700
2006	1508	1230	1452	270	20430	14400
2007	1548	1339	2031	365	21300	20100
2008	1865	1570	2801	436	26200	25800

说明:大中型拖拉机含“变型拖拉机”,小型拖拉机含手扶拖拉机

农业机械化水平

贵溪市农业机械总动力由 1991 年的 6.67 万千瓦增长到 2008 年的 36.29 万千瓦。1991 年水稻机耕作业水平 19%,1997 年实现水稻机械化收割零的突破;2002 年水稻机耕、机收作业水平分别为 41% 和 1%,机插示范面积 13 公顷;2004 年水稻机耕、机收、机插作业机械化水平分别为 50.1%、16%、0.1%;2008 年水稻机耕、机收、机插作业化水平分别达到 81%、47.4%、0.3%。

1991—2008 年部分年份贵溪市水稻生产农业机械化作业水平一览

表 7 - 3　　单位:%

项目	1991 年	1995 年	2000 年	2002 年	2004 年	2008 年
机耕	19	26.7	22.4	41.0	50.1	81
机收	—	—	0.7	1	16.0	47.4
机插	—	—	—	0.1	0.1	0.3

农业机械安全管理

1991 年 12 月,贵溪县设农机安全监理站,挂靠农机管理站。农机安全监理工作主要是拖拉机注册登记、核发牌证、安全技术检验和拖拉机驾驶(操作)员考试考核、核发驾驶(操作)证及年度审验等。1992 年拖拉机驾驶员 32 人参加考试,拖拉机挂牌 53 台,手扶拖拉机年检 100 台。1997 年将"变型拖拉机"列入注册登记。2001 年年底,累计注册登记各类上路行驶的拖拉机 2300 余台,考核拖拉机驾驶(操作)员 3000 人,是年,被省农业厅授予"文明管理,优质服务"示范单位。2005 年 8 月,换发"九二"式拖拉机号牌 1400 副。2005 年起,拖拉机实行检测仪安全技术检测,2006 年已全部使用检测仪检测,并对农田作业及上道路行驶的农业机械实行经常性的田检路查,进行安全宣传、教育。

农业机械技术培训

1991 年由贵溪县农业机械化管理站主持的县农业机械化学校(位于滨江乡浮桥村柴家坡)被农业部评为"四有农机校"(即有培训基地、有教师队伍、有教学设备、有办学经费),有专职教师 5 人,后勤人员 2 人。1991—1996 年县农机化学校培训大中型拖拉机手、小型拖拉机手、机动板车手、柴油机手、农民技术员;当时,全县运输拖拉机快速发展,县农机化学校与交警部门联合考核农用运输型拖拉机(含大中型拖拉机、手扶拖拉机、机动板车)和机动三轮车驾驶员。1997 年农机化学校继续培训拖拉机、联合收割机驾驶员,当年培训量减少,1998 年农机化学校停办,设备闲置,派员留守。此后,农机培训采取送教下乡,现场教学。2008 年 11 月因市体育中心建设用地需要,农机化学校被拆除。

1991—2008 年贵溪市农机培训一览

表 7 - 4

类　别	1991—1996 年		1997—2004 年		2005—2008 年	
	期数	人数	期数	人数	期数	人数
大中型拖拉机手	10	765	8	628	不定期	418
小型拖拉机手	5	134	2	85	—	—
机动板车机手	2	74	—	—	—	—
柴油机手	3	43	1	57	—	—
联合收割机手	—	—	8	256	4	312
耕整机手	—	—	40	320	38	4115
插秧机手	—	—	2	10	4	35
农民技术员	3	42	2	35	3	415

说明:小型拖拉机含手扶拖拉机

农业机械营销与服务

农机营销 1991 年以县农机公司为主,城区有个体户 3 家。2004 年市农机公司改制后成为个体户。2008 年全市有农机营销户 16 家。农机维修服务由 1991 年 17 家逐渐增加到 2008 年 145 家。农用柴油原由县农机管理站分配指标,县石油公司供油。自 1991 年第三季度起,农机用油取消计划分配指标,实行市场调节。1989 年开始有个体户供油点,1991 年有 19 家,2008 年有 56 家。2008 年农业机械作业、营销、维修等服务纯收入8212万元,是1991年990万元的8.3倍。

农机购置补贴

2004年,贵溪市列入全省实施农机购置补贴项目10个县(市)之一。当年,省财政补贴10万元,2005年开始实施中央财政农机购置补贴。农机购置补贴额度逐年加大,由2004年的10%增加到2008年的30%以上,对重点推广的机动水稻插秧机实行中央、省级财政累加补贴,补贴比例达50%以上,单机补贴最高限额5万元。补贴机具范围逐步放宽,由水稻生产机具扩大到牧业、渔业生产机具。5年共补贴427万元,补贴机具1223台。

第五节 化肥农药

化肥

20世纪90年代初,贵溪县内化肥品种有尿素、钙镁磷肥、氯化钾、复合肥,化肥用量较小。复合肥首先在果园施用,逐步应用于水田。20世纪90年代后期以来,化肥供应充足,购买力增强。化肥品种从单质化肥为主向复合肥为主转变,施肥技术从氮、磷二元结构向氮、磷、钾三元结构转变。农家肥和绿肥逐渐减少,农业生产依赖化肥的趋势明显。

1991—2008年,化肥用量大幅增长,其中复合肥增长771%;钾肥增长204%;磷肥增长27.8%;氮肥减少25.6%。1991年化肥施用实物量31411吨,其中氮肥14193吨、磷肥13204吨、钾肥2543吨、复合肥1471吨。1996年化肥施用实物量47565吨,其中氮肥14647吨、磷肥18910吨、钾肥5947吨、复合肥8061吨。2000年化肥施用实物量59073吨,其中氮肥13852吨、磷肥33523吨、钾肥4698吨、复合肥7000吨。2008年化肥施用实物量47990吨,其中氮肥10553吨、磷肥16880吨、钾肥7740吨、复合肥12817吨。

农药

20世纪90年代初期农药品种比较单一,农药使用量相对较小。90年代后期以来,贵溪市内农药供应充足,杀虫剂、杀菌剂、除草剂、植物生长调节剂等各类农药商品名达300多种;农田化学除草迅速普及,并随着果树面积增长和农作物用药次数增加,农药使用量逐年加大;1991年为158.1吨,1996年为223吨,2000年为286吨,2008年为452吨。1991—2008年逐步推广高效低毒农药,禁止销售和使用剧毒、高毒、高残留的农药。

第六节 农业开发

农业综合开发

贵溪市农办根据国家农业综合开发政策,以及贵溪市区内水资源分布不均,洪涝旱灾常发生,农田水利设施老化,地下水位升高,地势低洼的农田常遭内涝灾害、农民增收缓慢的实际,多方筹措,积极申报,在2002年年底成功地被列入江西省"农业综合开发市",2003年开始实施。农业综合开发以改善贵溪市粮食主产区农业生产条件为重点,着重建设优质、高产、稳产、高效农田,提高贵溪市粮食综合生产能力,促进粮食生产。随着农业综合开发的逐步深入,中低产面积逐渐减少,为农业生产发展、农民增收作出巨大贡献。2003年度农业综合开发项目总投资1244万元。其中,用于农业综合开发土地治理项目总投资431万元。建设范围为塔桥、鸿塘两镇。其中:中央财政资金196万元(有偿18万元),地方财政配套资金137万元(县级14万元),自筹资金98万元。开发农业生态工程项目1个,开发面积309公顷。项目区新增灌溉面积133公顷,改善灌溉面积200公顷,扩大良种种植面积200公顷,新增种植业总产值298万元,项目区农民人均增收175元;用于综合开发多种经营项目:项目总投资813万元,其中:中央财政资金254万元(无偿51万元、有偿203万元),地方财政配套资金178万元(省级124万元、市级36万元、县级18万元),银行贷款254万元,企业自筹资金127万元。建设加工项目2个,其中:扩建果蔬加工项目1个,建厂房1300平方米;改扩建竹装饰板项目1个,建厂房2440平方米。项目完成后,年新增果蔬加工500吨,竹材装饰板15万平方米,新增总产值2580元,新增利税756.9万元。

2004年度农业综合开发项目总投资1539万元,其中,用于农业综合开发土地治理项目总投资419万元,项目涉及雷溪、彭湾两镇。其中:中央财政资金189万元,省财政配套资金46万元,土地出让金31万元,市财政配套资金18万元,农民自筹资金135万元(其中投工投劳88万元)。中低产田改造项目1个,开发面积374公顷;用于农业综合开发重点产业化经营项目总投资1120万元,其中:中央财政资金320万元(无偿64万元、有偿256万元),地方财政配套资金160万元(省级128万元、市级20万元、县级12万元),银行贷款320万元,企业自筹资金320万元。建设加工项目1个,新建葛系列产业化项目1个。年新增葛系列加工产品3600吨。年新增总产值3995万元,新增利税1052万元,净利润489万元,新增固定资产630万元,安排农村剩余劳动力200人。

贵溪市气候温和,雨量充沛,农业资源丰富,是传统粮、猪主产区。1991年以来完善家庭联产承包责任制,调整农业产业结构,农业从单一经营向多元化发展,大力发展粮、油、猪、鸡、鸭、渔、果、瓜、菜、食用菌等产业,农业经济出现前所未有的繁荣。2008年全市农业总产值20.12亿元;农民人均纯收入5366元;粮食总产335482吨,生猪出栏31.11万头,家禽存笼175.53万羽,分别比1991年(不包括上清、龙虎山镇)增长61.1%、46.9%、138.7%;水果总产量24335吨、水产品产量25669吨,分别是1991年(包括上清、龙虎山镇,下同)的7.1倍、10.54倍;农民外出谋业98237人,是1991年的53.1倍,外出劳务收入达到68056万元。

2008年贵溪市农业综合开发土地治理项目单项工程

表7-5　　　　单位:万元

项目名称	建设规模	建设地点	建设单位	建设性质	合计	中央财政	投资(万元)地方配套资金			自筹资金(投工投劳折资)	主要建设内容
							小计	省级	市级		
流口中低产田改造项目区		流口镇			688	344	172	137.6	34.4	172	中低产田改造560公顷(丘陵地区)
开挖疏浚	10千米	古楼畈、杨家畈	流口镇	新建	15	15					土方开挖3万立方米
渠道衬砌	17千米	古楼畈、杨家畈	流口镇	新建	123	93	30	30			红石浆砌3000立方米,D30U型槽铺设8000米,黄坑10万元,耳口15万元,沙龙3万元、新田2万元
渠系建筑物		古楼畈、杨家畈	流口镇	新建	60.6	51	9.6	9.6			下田口1000个,放水口1000个,埋设涵管2000节,完善排灌工程等
改良土壤	266.7公顷	古楼畈、杨家畈	流口镇	新建	278	80	26	26		172	机械平田153公顷、流口油茶基地造地100亩10万元、龙山白茶基地8万元
改良土壤	66.7公顷	雷溪	雷溪	新建	45	20	25	25			平田66.7公顷
机耕路	15千米	古楼畈、杨家畈	流口镇	新建	85	85					土方开挖及填方5万方。丰岭25万元、闵坑5万元、志光15万元、十田岗基地10万元
防护林		雷溪	雷溪	新建	20		20	20			栽植绿化树木2万株
技术培训	1000人次		农技站	新建	8		8		8		水稻栽培及病虫害防治技术培训
示范推广	33.3公顷	流口镇	农技站	新建	6		6		6		晚稻岳优9113等良种示范推广
示范推广	33.3公顷	雷溪	农技站	新建	30		30	20	10		蔬菜种植新技术新品种示范推广
项目管理费			开发办		17.4		17.4	7	10.4		用于项目可研及设计等前期费用

农村能源

1985 年贵溪县农牧渔业局设立农村能源办公室,定编 4 人。农村能源建设工作重点是节能技术的开发和利用,普及节能灶具,农业废弃物能源化和资源化利用,农作物秸秆综合利用和农村沼气技术。1990 年起开展探索农业生态循环,发展庭院经济,以沼气为纽带的农业生态模式实验。1991—1993 年全市建设户用沼气池 94 户,推广省柴灶 1416 户,推广节煤炉 1394 个,建设 24 立方米的城市生活污水净化实验池一座,开展沼液养鱼、沼液浸种、沼气加温养蚕等试验示范。1994—1998 年,因无工作经费,此项工作停滞。

1999 年在鸿塘镇、志光镇新建沼气池 20 座,开展沼气综合利用,推广"猪—沼—果"模式 7 公顷,"猪—沼—菜"模式 8 公顷;在园艺场、良种场开展沼液种菜肥效试验,取得很好的效果。2000—2004 年缺乏工作经费,在果园开展小规模沼气池建设。2005—2008 年实施国家农村沼气国债项目。沼气池建设规模分别为:2005 年 1200 户、2006 年 2430 户、2007 年 3000 户、2008 年 5127 户(其中追加 2627 户),国家补贴资金每户 800 元,其中 2008 年追加的 2627 户每户补贴资金提高到每户 1200 元。

项目办公室印制《贵溪市农村沼气建设项目明白告示》发到各项目村农户家中,做到家喻户晓,人人皆知。先后在流口镇横路村、塘湾镇大桥村举办沼气技工培训班,培训技工 54 人,建设一支强大的沼气池建设技工队伍。沼气池建设成为社会主义新农村建设的重要组成部分。

第二章　种植业

第一节　农技推广及成果

1991—2008 年,贵溪市大力推广应用农业科技成果,全市先后实施水稻旱床育秧、"全省抛秧重点县"、国家丰收计划"水稻良种及综合配套高产栽培技术"、"优质稻基地建设及产业化"、病虫害统防统治技术、"农业科技入户""测土配方施肥""绿色大米基地"等重大推广项目。开展吨粮田高产竞赛、水稻薄露灌溉、杂交水稻制种高产攻关、大麦免耕栽培、油菜免耕直播、"双低"油菜栽培、玉米高产栽培、稻鸭共栖绿色大米基地、新品种试验、新农药试验、农田灭鼠、品种展示、"种粮增收 100 元"、"多用一斤种,增收百斤粮"、"粮食高产创建活动"等试验、示范、推广项目 80 多项,引进农作物新品种 150 多个。

果业上推广秸秆覆盖、疏果、保花保果、叶面施肥、梨果套袋、高位嫁接、引进名优品种等技术。蔬菜上推广地膜、大棚、营养钵育苗、病虫害综合防治、反季节栽培等技术,引进蔬菜新品种 50 多个。

1997 年农技推广中心实施《水稻良种及高产高效综合配套技术》项目获得全国农牧渔业丰收奖二等奖,2000 年省农业厅授予贵溪市全省粮油生产先进单位,2002 年农技推广中心被评为全省农技推广"十佳中心",1991—2008 年农技推广中心及植保、农技、种子、土肥专业站获得省农业厅先进单位 48 次,农技干部获得全国农牧渔业丰收奖 7 人次;市、乡镇农技人员获省农业厅技术改进奖和鹰潭市科技进步奖 55 人次。1999 年志光镇农技站评为全国农业技术推广先进单位。农技中心邵先龙被评为全国农业技术推广先进工作者。2008 年雷溪乡农技干部汪田有获得"全国五一劳动奖章"。

2001 年,贵溪选送的金水 2 号早熟梨在全国优质早熟梨鉴评会上评为优质早熟梨,同年,选送的脐橙在江西省首届柑橘类鉴评会上获铜奖,2002 年选送的"雪青"梨获江西省"富维杯"早熟梨鉴评优秀奖。

第二节　种植结构

贵溪市大田作物分为 3 类:粮食作物、经济作物、绿肥饲料作物。粮食作物一直占绝大部分比重,在粮食作物中以水稻为主,杂粮为辅。1991 年(含上清、龙虎山)农作物播种面积 96243 公顷,粮食播种面积占 61.6%,经济作物面积占 11.8%,绿肥、饲料作物占 26.6%。20 世纪 90 年代中期以来,多次出现卖粮难,进行农业产业结构调整,经济作物比重增加,绿肥面积减少。2008 年农作物播种面积 81604 公顷,粮食作物占 74.2%,经济作物占 15%,绿肥、饲料作物占 10.8%。1991—2008 年实施果业工程,继续实施利用外资红壤开发项目,掀起果业开发热潮,拥有以柑橘、南方早熟梨为主导的多种水果 4245 公顷,果业成为农村经济支柱产业。

1991—1999 年贵溪市农作物结构情况一览

表7-6 单位:公顷

年份	总播种面积	粮食作物		经济作物		绿肥、饲料		年度	总播种面积	粮食作物		经济作物		绿肥、饲料	
		播种面积	占总播面积(%)	播种面积	占总播面积(%)	播种面积	占总播面积(%)			播种面积	占总播面积(%)	播种面积	占总播面积(%)	播种面积	占总播面积(%)
1991	96243	59238	61.6	11364	11.8	25641	26.6	2000	85789	56251	65.6	9855	11.5	19683	22.9
1992	97674	58775	60.2	16599	17.0	22300	22.8	2001	78105	54588	69.9	8854	11.3	14663	18.8
1993	97496	60395	61.9	14326	14.7	22775	23.4	2002	79334	53025	66.8	12575	15.9	13734	17.3
1994	99144	61560	62.1	13979	14.1	23605	23.8	2003	75955	51953	68.4	12237	16.1	11765	15.5
1995	101546	62603	61.6	17152	16.9	21791	21.5	2004	81616	57726	70.7	12486	15.3	11404	14.0
1996	95958	60584	63.1	14873	15.5	20501	21.4	2005	80866	58286	72.1	12268	15.2	10312	12.8
1997	91364	57740	63.2	12511	13.7	21113	23.1	2006	81995	59428	72.5	12512	15.3	10055	12.2
1998	91897	58223	63.4	13344	14.5	20330	22.1	2007	80657	58702	72.8	12437	15.4	9518	11.8
1999	87723	56676	64.6	9966	11.4	21081	24.0	2008	81604	60572	74.2	12196	15.0	8836	10.8

说明:资料来源于市统计局。1991—1995 年含上清、龙虎山镇数据

第三节 水稻种植

良种推广

1991 年贵溪县杂交晚稻面积达到 80%,主栽品种(组合)有汕优 64、协优 10 号、汕优 10 号、协优 64、汕优 63 等。是年,杂交早稻推广受到重视,县领导抓示范点,早杂面积 1807 公项,主栽品种(组合)有威优 48、威优 49、华联 2 号、华联 8 号。因临时紧急调进的华联 8 号结实率低,亩产仅 200 千克左右,致使 1992 年早稻杂优面积急剧缩小,影响早稻杂优推广进展。1991—1992 年早稻常规品种有浙辐 802、73—07 等。

1993—1998 年杂交晚稻主栽品种(组合)有汕优 63、汕优 10 号、汕优 64,冈优 22、冈优 12,常规晚稻主栽品种有 R4015、鹰优晚 1 号。杂交早稻推广重新起步,1997 年全市下达早稻面积 50% 的杂交稻种植计划,层层落实责任制,乡镇、村干部送种子上门,是年,杂交早稻面积达到 12330 公项,主栽品种为协优华联 2 号、优 I 华联 2 号、早优 49 辐、协优 49;早稻常规稻主栽品种为 73—07、浙 733、浙辐 802、中 86—44、中优早 81、中优早 3 号、中丝 2 号。

1999—2004 年大力推广高产优质品种。杂交早稻主栽品种为金优 402、优 I 402、金优 974、中优 974、金优 71、优 I 66。早稻常规品种引进推广嘉早 935、嘉早 948、舟 963 等。杂交晚稻主栽品种为两优培九、汕优 63、特优 63、金优桂 99、岗优 527、中优桂 99、红莲优 6 号等。晚稻常规稻主栽赣晚籼 30 号(923)、赣晚籼 29(鹰优晚 1 号)、中香 1 号等优质品种。

2005—2008 年,多家大公司水稻种子进入贵溪,两系稻、三系稻、常规稻水稻品种达 100 多个,这一时期主栽品种不明显,农业部门推荐的杂交早稻品种为:株两优 02、金优 463、金优 213、先农 3 号、德农 89、陆两优 996、德农 88、T 优 898、神农 101、陆两优 28、金优 402;杂交中稻、晚稻品种为:两优培九、扬两

优6号、Ⅱ优838、先农16号、国稻3号、先农20号、丰优191、金优207、准两优527、岳优9113、壬优6135、中优218、天优998、Ⅱ优明86、Ⅱ优辐819等。晚稻常规品种以赣晚籼30号(923)、鹰优晚1号、鹰优晚2号为主。

面积产量

面积　1991年贵溪县(含上清、龙虎山)水稻种植面积55539公顷,其中早稻种植面积28039公顷,占水稻种植面积的50.5%,一季稻面积1928公顷,占3.5%,二季稻面积25572公顷,占46%,基本为一年两熟。1992年起,粮食连年丰收,库存充足,粮价低廉,出现卖粮难,进行农业产业结构调整,水稻种植面积呈逐年下降趋势。尤其是21世纪初,受粮价低廉和劳务输出的双重影响,早稻种植面积急剧下降,大量双季稻面积改种一季稻。2003年全市水稻种植面积调减为47104公顷,其中早稻种植面积仅16943公顷,一季稻面积扩大到11069公顷,二季稻面积减为19092公顷。2004—2008年粮价稳定,水稻种植面积逐年回升,2008年全市水稻种植面积54336公顷,其中早稻23670公顷,一季稻5840公顷,二季稻23826公顷。

产量　1991—2008年虽然粮食面积有所调减,但由于粮食单产大幅度提高,粮食总产稳步增长。1991年贵溪县(含上清、龙虎山)稻谷总产量216443吨,公顷产3897千克,其中早稻公顷产3640千克,一季稻公顷产4035千克,二季晚稻公顷产4168千克。2008年稻谷总产318711吨,早稻公顷产5457千克,一季晚稻公顷产6568千克,二季晚稻公顷产6070千克,分别比1991年(不含上清、龙虎山)增产43.5%、49.9%、62.8%、45.6%。

1991—2008年贵溪市水稻面积和单产一览

表7-7

年份	早稻		一季晚稻		二季晚稻		年份	早稻		一季晚稻		二季晚稻	
	播种面积(公顷)	单产(千克/公顷)	播种面积(公顷)	单产(千克/公顷)	播种面积(公顷)	单产(千克/公顷)		播种面积(公顷)	单产(千克/公顷)	播种面积(公顷)	单产(千克/公顷)	播种面积(公顷)	单产(千克/公顷)
1991	28039	3640	1928	4035	25572	4168	2000	22420	3908	4878	5184	23683	6011
1992	27387	3285	1922	4080	25692	4650	2001	19604	4341	6743	5598	23663	6185
1993	26173	2664	2044	4379	2702	4739	2002	17810	4620	9271	5811	21507	5725
1994	26921	3550	2153	4451	27187	4487	2003	16943	4800	11069	6000	19092	5700
1995	26888	3015	2307	5271	27743	5228	2004	20750	5025	12059	6746	19312	5851
1996	25187	—	3194	—	25965	—	2005	21743	5092	8385	6664	22376	5625
1997	24800	4470	2525	5025	25614	5025	2006	22299	5109	8203	6385	22913	5550
1998	24504	2848	3854	4381	25140	5625	2007	22361	5295	7633	6378	22794	5652
1999	23806	3929	3522	4738.5	24939	5571	2008	23670	5457	6840	6568	23826	6070

说明:资料来源于市统计局。1991—1995年含上清、龙虎山镇数据

耕作技术

旱床育秧技术　1993年以前,贵溪县早稻主要推广小拱棚塑料薄膜覆盖湿润育秧。1994年起推广应用早稻旱床育秧技术。农技推广中心在高公、白田、塘湾、周坊4个乡镇抓旱床育秧示范点,全市各乡镇开展旱床育秧试验。旱床育秧比湿润育秧具有秧苗素质好,抗寒力强,成秧率高,可早播、早栽、早成熟,栽后返青快,分蘖力强等优势。是年,旱床育秧栽培面积267公顷,对比试验旱床育秧比湿润育秧增产12%。1995年早稻旱床育秧推广面积增加到1400公顷。1996—1997年市政府把推广杂交早稻和旱床育秧技术列为重要增产措施,下达任务,加强领导,督促检查,全市掀起旱床育秧热潮,1997年旱床育

秧栽培面积达到9260公顷。

抛秧技术 水稻抛秧技术是采用塑料秧盘培育出带营养土块的水稻中、小秧苗,通过抛秧,使秧苗根部朝下,自由落入田间定植的水稻移栽新技术。水稻抛秧具有减轻劳动强度、省工、省力、省种、省秧田、增产等优点,改变"脸朝黄土背朝天,弯腰曲背几千年"的传统移栽水稻方式,一个劳力一天能抛秧0.4公顷以上,提高工效10倍以上,适应水稻生产规模化、集约化经营。1995年农技推广中心首次在罗河镇潜岭村进行抛秧试验,1996年在金屯、志光镇开展早稻抛秧示范取得成功。1997年市政府大抓早稻杂优、旱床育秧、抛秧技术推广,抛秧示范点分布在24个乡镇100多个村委会,在鸿塘镇傅家村建立27公顷早稻抛秧示范点,配套机械化收割,农业局与村小组签订保产协议书。当年,傅家村示范区抛秧稻比手栽稻增产14%,鹰潭市在傅家村召开现场会。1998年贵溪承担"省级抛秧重点示范县"任务,早稻抛秧在全市展开,在塘湾、金屯、志光、鸿塘、白田等乡镇建立早稻抛秧重点示范片,在河潭镇龙石村、塘湾镇大桥村进行二季晚稻抛秧示范,至此,水稻抛秧技术在全市大面积推广。2008年全市抛秧面积达到10300公顷。

直播技术 随着农村劳动力转移,土地流转,水稻田向种田能手集中,农业机械化、化学除草的发展,使水稻直播技术得以应用。1996年贵溪市农技站在金沙乡、志光镇开展早稻直播试验,水稻直播技术逐步推广。2006年以来,水稻直播发展较快,农技推广中心在塘湾、鸿塘、滨江等乡镇开展集中连片水稻直播示范,水稻直播技术已经成熟。水稻直播具有省工、省力、提高生产效益的优点,对稳定水稻面积起到积极的作用。2008年全市水稻直播面积5930公顷。

薄露灌溉技术 20世纪90年代中期以来,全市大力推广水稻薄露灌溉技术,改变传统长期深水灌稻习惯。通过宣传、培训、示范等措施,薄露灌溉技术逐步推广应用。2008年薄露灌溉面积达到80%,水源好的地方都实行薄水灌溉,经常露田,适时晒田,禾苗稳健生长,减轻纹枯病的发生,水稻单产提高。据试验田测产,薄露灌溉比常规灌溉每亩增产稻谷29千克。

测土配方施肥技术 2005—2008年贵溪市实施农业部测土配方施肥试点补贴资金项目。2005—2007年完成化验室建设,仪器设备投资41万元,配备仪器32台套,取样分析化验土壤样品8020个,植物样品384个。开展田间肥效试验28个,测土配方校正试验36个,设计养分含量50%和45%2个水稻肥料基本配方,开出测土配方施肥建议卡21.1万份。2005—2007年累计施用配方肥22778吨;施用面积4.4万公顷。2008年继续实施农业部测土配方施肥项目,在粮食作物全面推广应用测土配方施肥技术的基础上,逐步应用于主要经济作物。

第四节 杂 粮

贵溪市产有红薯、大豆、玉米、荞麦、黄粟等杂粮,主要分布在丘陵地带旱地。随着荒山果业开发,幼树果园套种作物,杂粮面积扩大,单产提高。1991年贵溪县(含上清、龙虎山)杂粮种植面积3699公顷,总产6552吨,公顷产1771千克。1996年全市杂粮面积6238公顷,总产13438吨,公顷产2154千克。2008年全市杂粮种植面积6236公顷,总产16771吨,公顷产2689千克。

红薯

红薯是贵溪主要杂粮作物,曾作为农家口粮。农村实行生产责任制后,粮食丰收,稻谷充足,红薯主要用于饲料和食品加工。1991年全市(含上清、龙虎山)种植红薯1290公顷,总产3096吨(5千克红薯折1千克稻谷,下同),公顷产2400千克。1992—1995年(含上清、龙虎山)种植面积1349~1948公顷。1996—2003年(不含上清、龙虎山,下同)种植面积稳定在1790~2072公顷。2004—2008红薯加工需求量增大,价格上扬,种植面积增加到2582~3100公顷,总产增加到7844~10815吨,2008年公顷产3488千克。

其他杂粮

大麦、小麦、荞麦、玉米、粟等农作物在粮食中的比重甚微。小麦几乎绝迹。大麦作为做米糖不可缺少的原料,有零星种植,主要分布在鸿塘、志光、泗沥等乡镇。玉米作果用生产,出售鲜棒,效益较好,各乡镇有零星种植，集中分布在河潭镇河潭村、九夏村；志光镇西江村李家村小组，流口镇细叶村、横路村等。荞麦有零星种植，主要产地鸿塘镇毫岭、陵家、富岗等村。

第五节　经济作物

蔬菜

20世纪90年代中期以来，随着蔬菜设施的快速发展，蔬菜新品种新技术的广泛运用，蔬菜流通的快捷便利，贵溪市城镇蔬菜供应充足，品种丰富，蔬菜周年平衡上市，往日因气候变化形成的“春淡”和“秋淡”已不明显。城区菜市场增设网点，改建扩建，设施改善。21世纪以来，随着农村集镇建设步伐加快，农村商品蔬菜迅速发展，几乎所有较大的自然村都有蔬菜销售店，所有乡镇政府所在地都有菜市场。全市蔬菜播种面积1991年（含上清、龙虎山镇）为3130公顷，2008年为6360公顷。

蔬菜基地　滨江黄坑村商品蔬菜基地。该村是传统蔬菜区，土质疏松，易耕作，适宜蔬菜生产，但易涝易旱，制约蔬菜发展。计划经济时期列入国家计划内的一线蔬菜基地，2008年有常年菜地40公顷。近年来因地制宜，以生产周期短的叶菜类蔬菜为特色，以生产空心菜、小白菜、香葱、小萝卜、香菜、旱芹菜、四季葱为主导，一年三种三收。尤以早春应用塑料小棚保温种植空心菜亩产量高，适销对路，效益好，一般亩产量2500千克，亩产值6000元。种菜收入显著高于种粮收入，一般亩年纯收入9000元左右。

滨江江南村商品菜基地。该村是传统蔬菜区，土壤肥沃，质地疏松，水利条件好，具有发展蔬菜的良好条件。2008年有常年菜地160公顷，该村由原庙前、岭上、花山村委会合并，原庙前村曾是计划内一线蔬菜基地，岭上村是二线蔬菜基地。江南村蔬菜品种较多，属茄果类、叶菜类、葱蒜类混作区，主要蔬菜品种有辣椒、茄子、黄瓜、苦瓜、丝瓜、豆角、空心菜、苋菜、生菜、小白菜、甘蓝包、莴苣、萝卜、大蒜、川芎、香菜、葱、韭菜等。蔬菜种植设施采用塑料小棚和中棚。21世纪以来，灌溉条件大有改进，由过去手提肩挑改用家家户户配置小型水泵抽水灌溉。蔬菜面积稳中有增，种菜效益好，一般亩年纯收入9000元～10000元。

雷溪商品蔬菜基地。1982年开发张家桥、南山村商品蔬菜基地。2003年雷溪乡开展园田化建设后，引进企业投资蔬菜产业，至2008年已落户三家蔬菜产业化公司，蔬菜基地扩大到张家桥、南山、鯰桥、雷溪、罗塘、八甲村，商品菜面积180公顷。该地地势平坦、土壤肥沃，水利条件好，交通便利，发展蔬菜前景广阔。经政府多年支持和蔬菜产业化公司的进入，蔬菜生产科技水平较高，设施比较先进。2008年拥有大棚蔬菜120公顷，对实现“春提早”“秋延后”，蔬菜周年平衡上市发挥重要作用。雷溪乡蔬菜品种以茄果类、豆类品种为主，主要蔬菜品种有黄瓜、西葫芦、辣椒、茄子、菜豆、豇豆、西红柿、丝瓜等，八甲村以芋头为特色。雷溪菜区多数农户采取菜、稻轮作模式。

流口商品蔬菜基地。20世纪90年代开始，以横路村为中心，形成较为集中的旱田藕生产基地，2008年发展到60公顷，品种为“鄂莲新一号”，公顷产22.5吨。

河潭商品蔬菜基地。河潭、九夏村地处信江北岸，冲积性土壤，土质深厚、疏松、肥沃，适宜蔬菜生长。20世纪80年代开始小规模种植商品菜，2008年商品菜面积发展到53公顷，其中大棚蔬菜面积8公顷。主栽蔬菜为辣椒、茄子、黄瓜、花菜、甘蓝、大白菜、萝卜等。

蔬菜品种　全市栽培蔬菜有12大类50多种，几乎南方所有蔬菜种类都有栽培，主要有芋、白菜、萝卜、空心菜、芥菜、辣椒、茄子、豆角、黄瓜、大蒜、笋用竹、四季豆、南瓜、甘蓝、毛豆、花菜、大白菜、番茄、莴苣、丝瓜、苦瓜、芹菜、冬瓜、菠菜、马铃薯、韭菜、苋菜、莲藕、荸荠、豌豆、蚕豆、扁豆、葫芦、西葫芦、葱、生姜、胡萝卜、山药（脚板薯）、凉薯、香菜、佛手瓜、吊瓜等。野生菜主要有马齿苋、小竹笋、红菇、蕨菜、苦槠、栀子花、雷响菇、草菇等。

1991—2008年，全市引进蔬菜新品种50多个，典型的品种有：

白玉春萝卜。1998年引进，60天采收，4—6月“春淡”期上市，单个重0.7～1.2千克，每公顷产60吨。已全面推广。

四季小政。2000年引进的日本育成的杂交萝卜,60—70天采收,可四季栽培,肉质致密脆嫩,汁多味甜,单个重0.5～1.2千克,每公顷产37.5吨。

夏阳大白菜。1997年引进,台湾育成的耐热抗病夏播大白菜良种,可5—7月播种,50—60天采收,“秋淡”上市,单球重0.7～1千克,每公顷产45吨。

中豌四号。1998年从中国农科院引进,株高40—50厘米,矮生紧凑,可秋、冬、春三季栽培,公顷产鲜荚4.5～7.5吨。

东农303。1998年从东北农学院引进的特早熟马铃薯良种,株形小,结薯早,品质好,抗病性强,一般每公顷产22.5吨。

藜蒿。2007年从鄱阳引进的野生多年生春淡菜,产品为嫩茎,公顷产30吨,处在试验阶段。

蔬菜加工 贵溪民间传统手工加工的蔬菜产品有捺菜、茄子干、梅干菜、萝卜条、南瓜干、豆角干、芋头干等。20世纪90年代起,先后创办了金沙蔬菜加工厂、贵溪市风味食品厂、贵溪市南山食品厂等8家蔬菜加工企业,实行标准化、工厂化生产,产品销往国内外市场。

金沙蔬菜加工厂于1991年由徐辉良创办,1997年入驻贵溪市工业园区。2004年以来,企业相继与上海绿色地带食品有限公司等企业合作,向朝鲜平壤温室农场、龙城食品厂投入资金合作,在希腊日撒尼诺卡创办的食用菌栽培农场及食品加工厂是中国农业企业向欧洲农业投资项目中较具代表性的项目。产品发展到藠头、食用菌、魔芋等5大系列20多个品种,产品销往日本、德国、美国等25个国家和地区。企业被评为“全国农产品加工示范企业”“江西省农业产业化经营龙头企业”“全国食品行业优秀龙头企业”“江西省科技进步示范单位”。徐辉良获“全国农村青年创业致富带头人”“全国优秀青年乡镇企业家”“江西省劳动模范”等多项荣誉。

油菜

油菜是贵溪市传统作物。20世纪80年代末至90年代中期大抓油菜生产,油菜播种面积达到一个高峰。尤其是1994年,县委、县政府把发展油菜生产视为增加农民收入的一条重要途径,作为增加市场有效供给,保障市场稳定,人民生活稳定,社会秩序稳定,抑制通货膨胀的一项重要任务,要求各级领导把油菜生产当作一项政治任务来完成。组织县、乡镇、村各级干部抓点示范,设立“金花奖”。在栽培技术上全面推广稻田板田(不翻耕)种油菜,以扩大油菜面积,按照“一根绳、一把锄、一个穴、一根苗、一把火土灰、一勺定根水”要求操作;淘汰白菜型老品种,主栽中油821、79601甘蓝型品种,推广湘油13、中双4号优质新品种。是年,油菜种植面积达到8846公顷,次年,油菜总产达到7243吨。由于种油菜效益不是很好,水田种油菜未能巩固,1999—2008年油菜面积回落到2500公顷左右,油菜总产量为2600吨左右。

大豆

大豆多为农民自种自用。贵溪市各乡镇都有种植,主要产地有鸿塘、志光、滨江、泗沥、河潭、罗河、流口等乡镇。大豆用地多为荒山荒地,单产难以提高。20世纪80年代利用水稻田埂大种“田塍豆”,90年代后期以来已不多见。1991—1992年全市(含上清、龙虎山)大豆种植面积505～650公顷,总产1274—1462吨,公顷产2523～2249千克。1993—2008年大豆种植面积年际间有增有减,多数年份为1000—1200公顷,1996、1997、2008年面积较大,分别达到1829公顷、1367公顷、1507公顷。2004—2007年大豆总产稳定在2300多吨。2008年大豆总产3016吨。1991—2008年大豆公顷产为2000千克左右。

花生

花生主要分布在鸿塘、志光、泗沥、河潭、滨江、罗河、流口、余家等乡镇的丘陵旱地。20世纪90年代以来,花生需求量增加,效益较好,实行果园套种花生,推行水田花生,花生面积快速增加,由1991年771公顷(含上清、龙虎山镇)发展到1996年(不含上清、龙虎山)1738公顷。此后,花生面积有增有减,但常年种植面积保持1600公顷左右。花生生产水平逐步提高,2003年以后,每公顷产达到2300千克左右。2008年花生播种面积1745公顷,总产4049吨。

芝麻

芝麻主要分布在鸿塘、志光、泗沥、河潭、滨江、罗河、流口等乡镇旱地和沿河滩地,零星种植。芝麻主要用于做糕点。1991—2008 年芝麻种植面积平稳,每年(不含上清、龙虎山)保持在 500~600 公顷之间,生产水平逐步提高,2008 年全市芝麻种植面积 569 公顷,每公顷产 1028 千克,总产 585 吨。

果用瓜

果用瓜主要有西瓜和甜瓜。1991 年贵溪县果用瓜种植面积 270 公顷(含上清、龙虎山);2001—2003 年全市种植西瓜 190 公顷左右,甜瓜 90 公顷左右;2004—2008 年种植西瓜 400 多公顷,甜瓜 150 公顷左右。贵溪从 20 世纪 60 年代初开始试种西瓜,80 年代中期以来,流口镇(原盛源乡)板桥村是西瓜主产区。西瓜栽培模式原来是"瓜—稻"两熟制,露地栽培,收获期为 6 月下旬到 7 月下旬,西瓜上市期只有 30—35 天,每公顷产西瓜 22.5~30 吨。21 世纪以来,推广西瓜春、秋双季栽培技术,两季都用地膜覆盖,每公顷产西瓜 45~60 吨,始有秋西瓜上市。2006 年浙江瓜农 4 人租赁雷溪乡鲶桥村水田,采用地膜和大棚双覆盖、滴灌设施供水供肥、药泵施药等先进技术种植西瓜 8 公顷,贵溪首次实现西瓜越夏生长并提高西瓜品质,西瓜收获期从 5 月中旬延续到 11 月上旬,长达 170 多天,每公顷产西瓜 90~110 吨。该项种瓜技术在当地得到推广应用,2008 年雷溪乡大棚西瓜越夏栽培发展到 40 公顷,雷溪乡西瓜品质优良,全市闻名。

荸荠

罗河镇杨桥村种植荸荠历史悠久,产品以其皮薄、肉嫩、脆甜、个大而闻名。21 世纪以来,罗河镇荸荠生产迅速发展,以杨桥为中心向罗田、洋塘、龙山、贵碧等村辐射,2001 年全镇荸荠种植面积 140 公顷,2002 年达到 160 公顷,形成罗河镇特色产业。

甘蔗

甘蔗为传统作物。原生产甘蔗主要用于制土榨糖,后因白糖供应充足,转为生产果用蔗。1992—1997 年甘蔗效益较好,种植面积较大。1993 年甘蔗种植面积 394 公顷为历史最大年。1998 年以来,由于多种水果周年上市,供应充足,甘蔗种植面积回落到 100 公顷左右,2007 年种植面积为 61 公顷为最小。甘蔗生产水平逐步提高,一般每公顷产 40 吨。

食用菌

食用菌原生产量很小。20 世纪 90 年代起,人们对食物结构的需求发生变化,食用菌生产快速发展。1995 年市供销社成立食用菌开发公司。1997 年市政府把食用菌生产列为农业 10 大产业之一,成立贵溪市食用菌生产领导小组,办公室设在供销社,办公室定编 6 名,财政全额拨款,并从浙江引进 3 名技术人员。是年,全市生产食用菌 800 万袋。2004 年成立贵溪市食用菌专业合作社。

2008 年,全市有食用菌生产农民 3226 户,生产食用菌 1200 万袋,有平菇、金针菇、香菇、杏鲍菇、鸡腿菇、灰树花、草菇、黑木耳等 10 多个品种,总产 6750 吨,总产值 3375 万元。基本形成城区周边以生产金针菇、平菇、双孢蘑菇为主,南北山区以生产反季节香菇、黑木耳为主的生产格局。

第六节 果 茶

果业开发

贵溪市栽培水果主要有柑橘、柚、橙、梨、板栗、桃、枣、李、奈李、葡萄、梅、杨梅、柿、草莓、银杏等。20 世纪 70 年代,除梨有塔桥园艺场,板栗有上清镇集中连片栽培和柑橘少量试种外,柚、橙、梨、桃、李、枣、梅、柿等均为农家庭院零星种植。1985 年全市仅有水果面积 486 公顷,水果产量 957 吨。1986 年开始利用世界银行贷款实施一期红壤开发项目,种植以柑橘为主的果树。1990 年全市果园面积发展到 1481 公顷(含上清、龙虎山镇),其中柑橘 1231 公顷,梨 78 公顷,桃 25 公顷,其他水果 147 公顷,水果总产量 2392 吨。是年,柑橘类面积占水果总面积的 83%。柑橘类品种主要有宫川、尾张、兴津和脐橙等。1991 年冬,发生百年未遇特大冻害,柑橘生产遭受重创,1992 年柑橘产量几乎为零。塔桥园艺场的梨栽培历史悠久,享誉海内外,畅销港澳及东南亚市场。柑橘受冻后,塔桥梨良好的效益吸引了农户自发开垦荒山种梨。市政府因势利导,并依据全省"南橘北梨"规划,调整果树品种结构,果业生产走重点发展落叶果树早熟梨和多种水果之路。1994 年贵溪开始利用世界银行贷款实施二期红壤开发项目,项目总投资

2020.5万元,其中利用世界银行贷款150万美元,折合人民币1010.25万元,国内配套资金1010.25万元(其中农行贷款323.25万元,省拨改贷101万元,地市配套36.4万元,县配套109万元,乡镇及农民自筹440.6万元)。至1996年9月,项目完成开发治理红壤674公顷,其中种植以梨为主的果树131公顷,低改以柑橘为主的果园120公顷,营造防护林158公顷,兴建苗圃1公顷。市政府在全市实施果业工程,出台果业开发奖励措施,并对乡镇实行目标管理考核,全市掀起建园种果新高潮。1996年市政府提出果业大发展,走果业兴乡富民的道路,使果业成为贵溪特色农业和农村经济的主导产业。是年,新增果园面积1656公顷,水果总产量达到6924吨,有梨、柑橘、桃、捺李、板栗、葡萄等7个类型20多个品种,形成以鸿塘、金沙为中心的梨区,以河潭、周坊为中心的柑橘区,以文坊、塘湾为中心的板粟、桃区和城郊多种水果区的果业生产布局框架。2000年成立贵溪市蜜梨产业化工程领导小组。提出着力抓好以蜜梨为主导的果业连片规模开发,全面推动蜜梨产业化进程,把贵溪建设成名符其实的江南蜜梨之乡。市政府规划设计了以320国道、206国道,市、乡公路为骨架的罗河—流口果业带;余家果业带;鸿塘—志光—金沙果业带;塔桥—周坊果业带;泗沥—河潭—白田果业带。当年,全市下达新增1000公顷蜜梨开发任务。组织和动员全市机关、行政事业单位干部、职工参与沿320国道南侧罗河镇荒山坡地连片330公顷的果业开发,人平不少于0.13公顷。市政府对经营开发者"以奖代补"每亩20元。2002年全市果园面积达到4135公顷,其中柑橘2191公顷,梨1225公顷,桃187公顷,其他水果532公顷。2003年提出果业开发"巩固、发展、调整、提高"的战略措施,巩固现有果园,强化对幼龄果园的抚育和低产低效果园的改造;择优择重发展;调整品种结构,柑橘减少中熟品种,增加早熟和晚熟品种,适度发展橙、柚等果树,梨树减少黄花、金水二号品种,推广翠冠、清香、雪青优质品种;通过果品套袋和生态园建设提高水果品质。此后,柑橘、梨进入巩固提高阶段,水果生产向多样化发展,一批富裕农民和返乡农民工集中连片开发核桃、杨梅、蜜桃、葡萄、猕猴桃等。2007年,贵溪市智奇生态农庄在鸿塘镇傅家村开始种植美国薄壳山核桃67公顷。2008年全市果园面积4245公顷,其中柑橘(含橙、柚)2200公项,梨1447顷,桃200公顷,核桃、杨梅、李、枣、葡萄、板栗、柿、猕猴桃、草莓等水果398公顷。水果总产24335吨,其中柑橘类产量14733吨(含橙143吨,柚811吨),梨6426吨,桃717吨,其他水果2459吨。

野生山果

贵溪市南北山区野生山果资源丰富,盛产野生猕猴桃、杨梅、山梨、山楂、毛栗等,农户采摘多为自用,也有上市销售。

茶叶

茶叶栽培主要分布在南部山区文坊镇、金屯镇、樟坪乡,其他各地也有零星分布。1991年贵溪县茶园面积151公顷,采摘面积132公顷,茶叶总产143吨,公顷产1083千克。市政府把茶叶生产列入果业工程一并实施,茶园开发和低产茶园改造给予奖励。1993—1996年是茶叶开发高峰期,其中1995年茶园面积达420公顷。其后,茶叶价格下跌,茶园面积回落到200公顷左右。2004—2006年茶园面积280公顷左右,年采摘面积261公顷左右,年茶叶总产分别为226吨、234吨、240吨。茶叶品种有福丁、福安大白、上梅洲、福云6号、福云4号、上饶大白、苦丁茶、安吉白茶等。制茶工艺有手工制茶和机械制茶,主要生产红茶、绿茶。

贵溪市天华山有机食品开发有限公司(法人代表周爱东),2003年注册成立,该公司将原陶少华承包的林业局农垦公司的茶厂进行改造、提高,发展成一家集茶叶基地、生产加工、贸易为一体的农业企业。公司拥有茶园144公顷,开发"龙井43号""安吉1号"新品种面积41公顷,建筑面积4670平方米,建设两条绿茶生产流水线。公司生产的"天华山"系列绿茶产品经国家商标总局注册,2007年"天华山银针"获中国"江西首届茶叶博览会银奖"称号。同年,被评为江西名牌农产品。2008年经农业部农产品质量安全中心认定为"有机茶叶",同年,该公司评为农业产业化省级龙头企业。

2007年起,贵溪市罗河镇龙山有机白茶专业合作社(法人代表石坤荣)引进浙江安吉白茶优良品种,栽种白茶67公顷。

2004年起,江西省三荣银杏开发有限责任公司分别在樟坪乡、泗沥镇栽种银杏树54公顷、33公顷,在贵溪市工业园区建银杏茶加工全套设备流水生产线。

第七节　农业病虫

水稻病虫害

贵溪市水稻虫害有二化螟、三化螟、大螟、稻纵卷叶螟、稻飞虱、浮尘子、稻蓟马、稻蝗、稻苞虫、粘虫、稻象甲、负泥虫等。水稻病害有稻瘟病、纹枯病、细菌性条斑病、恶苗病、稻曲病、白叶枯病、胡麻叶斑病、矮缩病等。

水稻螟虫二化螟、三化螟是境内主要害虫。二化螟一年发生4代，一般以一、三代为害重，1991—2008年偏重发生的年份有1999—2005年，年发生面积2万公顷次~2.6万公顷次，一般未防治的枯心率1%—10%，防治的枯心率0.1%~1%。其中2004年一代二化螟全市大爆发，冬后幼虫基数高的每亩25450条，平均每亩11460条，早稻没有防治的田块枯心率一般10%—20%，部分田块高达70%。三化螟一年发生4代，第四代危害二季晚稻造成白穗。20世纪90年代初、中期三化螟发生轻。1991—2008年以1998、2002年三化螟发生严重，2002年4代三化螟全市暴发，发生面积1.9万公顷，测报灯下蛾量最高日达到4346只，田间调查卵块普遍达到防治标准，多的每亩有卵块3000多块。由于防治及时，挽回稻谷损失约5000万千克，但还损失稻谷900万千克，绝收面积35公顷。2004—2008年三化螟下降为零星发生。

稻纵卷叶螟一年发生4—5代，一般为4代，以2、4代危害重，第二代大约发生在6月下旬到7月上旬，危害早稻，第四代发生在8月下旬到9月上旬，危害晚稻。一般年份危害较轻，2003年、2007年、2008年大发生，未防治田块卷叶率高的达50%~60%。

稻飞虱属迁飞性害虫，一年发生6—7代，世代重叠。早稻以白背飞虱为主，中、晚稻以褐飞虱为主。6月中下旬危害早稻，尤以9—10月上旬危害中、晚稻为烈。2007年稻飞虱大暴发，中、晚稻90%的面积达到防治标准，一般田块每亩虫量达到50—300只，未防治田块发生量大的每亩虫量达1000只左右，个别田块绝收。

水稻细菌性条斑病属检疫对象。1985年在上清镇首次发现，1991年在上清、余家、鱼塘、鸿塘等7个乡镇发生，面积440公顷。1992—1995年为局部发生。1996年发生面积2300公顷，1997—1998年扩大到4670公顷左右。细菌性条斑病发病高峰期为8月下旬至9月，主要危害二季晚稻，远看似火烧，未防治的田块病叶率达60%左右。2000—2008年，细菌性条斑病逐年减少，仅有零星发生。1997年进行细菌性条斑病药效试验，药剂防治效果不佳。

稻瘟病每年发生轻重不一，早稻重于晚稻。偏重发生的年份有1993年、1997年、2006年、2007年、2008年，其中1997年在余家乡口上村发生穗颈稻瘟病集中连片面积16公顷，品种为优Ⅰ华联2号。2006—2008年在鸿塘镇和志光镇每年发生稻瘟病530公顷左右，其他乡镇也有发生。稻瘟病发生程度与水稻品种有关，老品种重于新品种，常规稻重于杂交稻。

纹枯病早稻普遍发生，早稻重于晚稻。20世纪90年代中期以前，每年发生面积1.5万公顷左右，损失稻谷200万千克左右。此病多在深脚田和长期深灌或氮肥施用过多的田块发生严重，自20世纪90年代末以来，推广薄露灌溉、配方施肥技术和加强化学防治，纹枯病发生逐渐减轻。

稻曲病境内原很少发生，21世纪以来，逐渐成为晚稻主要病害。发生严重的年份有2004年、2007年、2008年，发病程度轻的田块产量损失率5%左右，严重的达20%~30%，稻曲病重发年稻谷损失超出100万千克。

矮缩病一般年份晚稻零星发生。2007年中、晚稻发生面积达400公顷，大多数品种都有发生，病丛率轻的5%~10%，一般的20%~30%，严重的达60%以上。病株矮缩不抽穗，绝收面积15公顷。

水稻其他病虫害：1991—2008年稻蓟马只危害二季晚稻秧苗和局部一季晚稻，及时防治，一般不会成灾。浮尘子、粘虫、稻苞虫、大螟、稻蝗、负泥虫、稻象甲、白叶枯病、胡麻叶斑病、恶苗病仅局部发生。

旱地农作物病虫害

油菜病虫害主要有霜霉病、菌核病、病毒病、潜叶蝇、菜青虫等；花生病虫害主要有黑斑病、褐斑病、青枯病、锈病、病毒病、蚜虫、斜纹夜蛾等;甘薯病虫害主要有卷叶蛾、黑斑病等;玉米病虫害主要有:玉米螟、叶斑病等;柑橘病虫害主要有疮痂病、炭疽病、树脂病、蒂腐病、锈壁虱、潜叶蛾、红蜘蛛、天牛、介壳虫、凤蝶等;梨树病虫害主要有锈病、轮纹病、黑星病、黑斑病、梨木虱、刺蛾等;桃树病虫害主要有缩叶病、流胶病、桃蛀螟;蔬菜病虫害主要有青枯病、炭疽病、疫病、软腐病、霜霉病、病毒病、菌核病、根肿病、菜蛾、菜螟、黄守瓜、蚜虫、红蜘蛛、小地老虎等。

草、鼠害

草害　水田主要杂草有:稗草、千金子、节节菜、牛毛毡、鸭舌草、矮慈姑等。旱地主要杂草有:反枝苋、龙葵、马唐、藜、播娘蒿、野燕麦、看麦娘、猪殃殃等。1991 年农田化学除草刚起步,旱地除草剂有草甘磷、乙草胺,水田除草剂有精克草星、灭草王。化学除草技术发展很快,1996 年全市农田化学除草达到 12000 公顷,2001 年水田化学除草面积已达 100%,旱地也大量采用化学除草。水田和旱地除草剂品种多,品种达 40 多个。

鼠害　农田鼠种主要有黑线姬鼠、褐家鼠、小家鼠。每年农田发生鼠害约 4670 公顷,其中危害较重的约 670 公顷。2003—2008 年开展毒饵站(竹筒内放置毒饵)灭鼠技术示范推广。

有害生物入侵

豚草　1987 年贵溪县境内浙赣铁路两侧首次发现豚草。1993 年自火车站至官马地豚草密度每平方米 200~2000 株。当年,开展灭除豚草,经过 3 年施药和拔除,境内豚草基本灭除,后又滋生并扩散,2008 年在城区通往各乡镇的公路两旁都有发现,面积约 20~30 平方千米。

加拿大一枝黄花　2000 年在城郊万亩山首次发现,2008 年在城郊、铁路沿线、320 国道两旁都有发现。

柑橘溃疡病　1991 年在塔桥园艺场、县园艺场、三县岭园艺场发生面积 1.7 公顷,此后零星发生,2008 年在塔桥园艺场、周坊镇、河潭镇发生面积 0.7 公顷。

美洲斑潜蝇　1994 年贵溪县首次发现美洲斑潜蝇,1995—2008 年在蔬菜、瓜类作物上为害较重。

防治措施

1991—2008 年贵溪市植保站配技术人员 4~6 名,每个乡镇配植保员 1~2 名。市植保站每年在乡镇建立 4—5 个中心测报点,发出《病虫情报》14~18 期,病虫情报进村率 100%,入户率 90% 以上,准确率 98% 以上。1999—2008 年,每年防病灭虫关键时期,印发《病虫警报》30 万份~40 万份。1991—1998 年在村、组建设"病虫信息栏"2000 多个。2007 年在塘湾镇大桥村配置太阳能诱虫灯 4 台,2008 年在志光镇西江畈架设频振式杀虫灯 100 盏。

全市贯彻"预防为主,综合防治"的植保方针,积极推广选用抗病品种、种子消毒、打送嫁药、科学用药、薄露灌溉等综合防治技术。1991 年综合防治面积 18900 公顷,2008 年综合防治覆盖率达到 90%。1995—1996 年市植保站开展植保技术承包,在河潭镇龙石村承包水稻防病灭虫面积 200 公顷,取得增产节资的效果。1997 年起,在水稻上推广以高剂量送嫁药技术,混合用药保穗技术和机动喷雾器防治技术为主要内容的统防统治模式,1999 年全市实施水稻病虫害统防统治面积 5200 公顷,其中技术承包 1013 公顷,全程承包 120 公顷,2008 年统防统治面积达到 5 万公顷次。

为解决家庭联产承包经营的一家一户病虫防治不及时,用药方法不对,防治效果相对较差等问题,在每年防病灭虫的关键时期,贵溪市政府及时下发文件,召开会议,督促检查。全市农技人员,乡(镇)、村干部全力以赴投入防病灭虫工作,分片包干,送病虫情报上门。病虫害暴发时,出动宣传车,通过吹哨子、打铜锣等形式,发动群众投入病虫害防治。2003 年成立贵溪市农作物病虫害防灾减灾指挥部。

第三章 养殖业

第一节 家畜繁养

猪

养猪原来是贵溪市农家主要副业。20 世纪 90 年代以来,贵溪生猪养殖由家家户户散养逐步向规模化、专业化转变。猪价频繁波动,生猪养殖起伏震荡,可大致分为4个阶段:

20 世纪 80 年代至 90 年代中期,粮食充足,饲料价廉,猪价稳定,农村家家户户养猪,是农家重要的经济来源。生猪饲养量稳步增长。至 1995 年,生猪出栏 405898 头,生猪存栏 395459 头,达到历史最高峰。1996 年下半年猪价急剧下跌,1997 年末又回升,但生猪饲养开始滑坡,存栏减少。

1998 年生猪价格再次下跌,养猪成本居高不下。是年,养猪业严重亏损,养猪户大量出售、屠宰母猪,仅市定点屠宰场 8 月份宰杀母猪 400 多头。市农业局向市政府提出《关于限制宰杀种用母猪的请示报告》,迅速采取措施限制生猪定点屠宰场宰杀母猪;在农贸市场销售母猪肉实行专摊位并挂牌注明“母猪肉”,违者没收猪肉并罚款。1999 年引进二元纯杂交母猪 170 头,杜洛克公猪 14 头。2001 年,市委、市政府出台《贵溪市建设优质农产品供应基地规划》,规划以市种猪场为中心,以流口、滨江、塘湾、河潭等乡镇的养殖业大户为主,要求年增出栏生猪 10 万头。2002 年更新良种公猪 93 头,引进二元纯杂交母猪 178 头。各种措施仍未能阻止生猪业的持续下滑,2001 年生猪出栏 188513 头,年底生猪存栏仅 135017 头,很多农户放弃养猪,2002 年,生猪空栏户达到 55%。

历经约 5 年的生猪滑坡,猪肉供求趋于平衡,猪价逐渐回升,但养猪利润仍然较低,农户散养收益较少,养猪户继续减少。然而,规模化、集约化养猪优势效益显现,中、小型规模养殖场崛起。2005 年,生猪出栏达到 295116 头,生猪养殖有了恢复性增长。

2006 年 6—9 月,由于种种原因,生猪价格一度跌至每千克 6 元,生产条件较差的散养户受到重创,养殖户纷纷抛售肥猪,宰杀母猪,又有一批生猪散养户放弃养猪。2007 年,全市生猪空栏户达到 74%,城郊一些村、组空栏户高达 95% 以上,有些近百户人的村庄仅有 3 ~ 5 头猪。之后,肉价猛涨至每千克 24 元。是年,国家出台繁母猪补贴每头 50 元和生猪标准化养殖项目扶持政策。2008 年继续实施该政策,能繁母猪补贴增加至每头 100 元,2007 年补贴 7339 头,2008 年补贴 13070 头。先后获得生猪标准化养殖项目扶持的有 5 户,其中补贴 20 万元的 1 户,40 万元的 2 户,60 万元的 2 户。2007 年 6116 头能繁母猪办理保险,2008 年能繁母猪保险 12100 头。2008 年启动大、中型养殖场沼气建设工程。

20 世纪 80 年代起,全市有数户年出栏生猪几十至百头的专业户。几经起伏,21 世纪以来,一批中、小型规模养殖户迅速崛起,实现生猪养殖模式由散养逐渐向规模养殖的历史性转变。2008 年规模养殖达到历史最高峰,仅年出栏 100 头以上的 127 户,年出栏生猪 184584 头,存栏能繁母猪 10292 头;其中年出栏 500 头至万头的专业户有 39 户;年出栏万头以上的有 2 户。规模较大的有:

贵溪市联邦牧业有限公司　位于鸿塘镇界牌村,成立于 2005 年 7 月,法人代表童天生。2006 年 9 月一期工程投产,2007 年 10 月二期工程扩建,2008 年生猪存栏 7740 头(其中能繁母猪 832 头),出栏生猪 16660 头。

道家塘猪场(称万头猪场)　位于志光镇道家塘,1992 年年初由贵溪县粮油加工总公司兴建,按年出栏万头规模设计,是贵溪首家大型猪场,当年年底生猪存栏 2100 头,其中母猪 200 头。1993 年生猪存栏约 6000 头。后几经变更承包、停产。2004 年承包给个体经营,2008 年年底,生猪存栏 2000 余头,其中能繁母猪 246 头。

江西圣农牧业有限公司　成立于 2008 年 8 月,位于志光镇塔桥村,是一个现代农业生态基地,计划总投资约 800 万元,分 3 期完成。圣农公司集种鸡、蛋鸡、种猪、商品猪、饲料开发、副食品加工、肉类加工等多个项目为一体。

江西天种贵溪畜牧养殖有限公司　是以湖北天种畜牧股份有限公司为投资主体的现代化工厂化养殖企业。位于志光镇,占地15.3公顷,鱼塘水面13.3公顷,猪舍建筑面积11000平方米。建有猪疾病诊断室、猪人工授精中心、种猪性能测定舍。母猪存栏1200头,年可提供良种猪10000头。

1991—2008年贵溪市生猪饲养情况一览

表7-8　　单位:头

年份	饲养量	出栏	存栏	其中母猪	年份	饲养量	出栏	存栏	其中母猪
1991	502016	227786	274230	43499	2000	371138	211799	159339	15642
1992	589496	262759	326737	23711	2001	323530	188513	135017	11250
1993	633513	296703	336810	28049	2002	343252	201179	142073	11310
1994	719600	365544	354056	29348	2003	405424	240314	165110	11889
1995	801357	405898	395459	22651	2004	475216	273956	201260	14210
1996	737470	386893	350577	16033	2005	509906	295116	214790	14387
1997	685581	399316	286265	29827	2006	519965	303675	216290	12500
1998	653429	371363	282066	25109	2007	510190	299120	211070	12350
1999	539038	330036	209002	12850	2008	502084	311084	191000	13375

说明:资料来源于市统计局。1991—1995年含上清、龙虎山数据

牛

耕牛原来是贵溪市农业生产的主要动力,农户对耕牛繁养十分重视。实行生产责任制之初,缺少耕牛,几家农户合养共用一头耕牛,20世纪90年代以来,耕牛单户饲养。原饲养牛是用于耕田,20世纪90年代后,人民生活水平提高,对牛肉的需求量加大,农户将黄牛牛犊育肥上市。贵溪原来很少饲养专用肉牛,90年代以来,市、乡镇政府支持鼓励发展肉牛生产。1995年,在金屯、泗沥、耳口等5个乡镇10个点开展稻草氨化养牛试验71头,初见成效,但未能持续。1996年,金屯镇、周坊镇引进秦川牛开展稻草氨化饲养,效益欠佳,未能推广。2004年,彭湾乡支持3人合资40万元创办肉牛场,从高安市买进西门塔尔杂交二代和夏洛莱杂交二代肉牛300头,次年从山东鲁东地区买进良种肉牛40头,2007年停办。贵溪规模化养牛几经尝试,未能巩固推广,而一些农户利用河滩、水库草地小规模饲养肉牛数头至数十头效益较好。1991—2008年,全市耕牛(含肉牛)饲养量年际间有起有落,耕牛(含肉牛)年末存栏由1991年42622头持续增长到2000年的58313头。2001—2003年发生牛巴氏杆菌等疫情,牛饲养量下降。2004年回升。2005—2008年持续下降到43285头,但仍高于1992年及以前年份。21世纪以来农业机械化快速发展,耕牛饲养量呈逐渐减少趋势,肉牛饲养小有增长。

奶牛　1983年建设志光万亩围栏种草示范牧场,1986年从澳大利亚引进89头奶牛,1990年起经营日渐困难,生产规模缩小。1993年初由浙江人承包经营,年末中止合同,奶牛存栏减至20头,1994年后奶牛相继淘汰,后实施世界银行贷款红壤开发项目,更名为贵溪市果业示范场。

2008年下半年,2家个体户引进黑白花奶牛5头,2009年初合并为一家经营,存栏6头,当年,因饲料不足停养。

羊

贵溪市原来很少养羊,20世纪90年代中期开始,养羊户增多。1991年只有93头,1999年发展到2700头,2001—2002年羊饲养量下降,2004—2008年保持5000头以上。山羊饲养以散养和小规模养殖为主。余家、彭湾等乡镇有农户从江苏购买山羊养殖。全市养羊多分布在文坊、耳口、冷水、鸿塘、余家、河潭、花园等乡镇。2003年,6名退伍军人合伙在雷溪乡建立海龙羊业繁育基地,引进波尔山羊200套,徐淮羊100套,繁育的羊羔曾推广到文坊等乡镇,因饲草不足,管理不善,2005年年末停办。

1991—2008 年贵溪市养羊饲养一览

表 7－9　　单位:头

年份	年末存栏	绵羊	年份	年末存栏	绵羊
1991	93	-	2000	2508	-
1992	105	—	2001	500	—
1993	104	—	2002	980	15
1994	240	—	2003	2810	15
1995	894	140	2004	5220	—
1996	2286	—	2005	5470	—
1997	1228	—	2006	5110	—
1998	2100	—	2007	5300	—
1999	2700	—	2008	5502	

说明:1991—1995 年含上清、龙虎山数据

兔

境内零星饲养肉兔。20 世纪 80 年代试养长毛兔失败。1991 年饲养肉兔 100 只,仅有长毛兔 19 只。2006 年兔存笼 1400 只,2008 年兔存笼 1060 只。20 世纪 90 年代中期,有 3 人合资在周坊镇高门村童家山水库边养肉兔,引进比利石兔、日本大耳兔、獭兔共 480 只,其中种兔 100 只,后因饲草不足等原因停养。

狗

农家养狗历来是看家护院。20 世纪 90 年代以来,狗肉需求量增大,农家养狗增多,出现养肉狗专业户,滨江乡、雄石镇曾各有一家养肉狗达数百头。

畜牧兽医管理

畜牧兽医工作由市、乡两级畜牧兽医工作站负责管理。其职能是指导境内畜牧品种改良、饲养技术改进、推广科学养殖技术,掌握全市畜牧业生产的发展动态,促进生产;负责境内动物防疫、防疫监督、兽药经营管理、种畜种禽管理、饲料管理以及办理“动物防疫合格证”、“兽药经营许可证”、“种畜种禽生产许可证”。加强违禁药品及违反动物食品安全规定的产品监管。每年组织兽药、饲料经营者进行培训;定期验审核换发经营许可证;对出售不合格兽药、饲料予以没收和罚款。生猪定点屠宰每批次进行生猪尿液抽样检测生猪“瘦肉精”。2006 年起,生猪养殖大户签订质量安全承诺书,每批次生猪出栏进行尿液抽样检测生猪“瘦肉精”。

第二节　家禽繁养

1991 年,全市(含上清、龙虎山)家禽年末存笼 78 万羽。其中:鸡 50.5 万羽,占 64.8%;鸭 19.7 万羽,占 25.2%;其他家禽 7.8 万羽,占 10%;禽蛋 2557 吨。2008 年,全市家禽年末存笼 175.5 万羽。其中:鸡 79.3 万羽占 45.2%,鸭 96 万羽,占 54.7%,其他家禽 0.2 万羽占 0.1%;禽蛋 7596 吨。受禽价波动、重大疫情的影响,年际间家禽饲养量有起有落,2000 年家禽存笼 310 万羽为最大,1991 年 78 万羽为最小。鸡、鸭比重由鸡为主向以鸭为主发生重大改变。

贵溪市家禽饲养一览

表 7－10

年份	年末存笼(羽)	产蛋量(吨)	年份	年末存笼(羽)	产蛋量(吨)
1991	780338	2557	2000	3100600	6881
1992	1141470	2651	2001	2330000	6902
1993	1294406	3200	2002	2493640	6212
1994	1730255	3434	2003	2602900	6288
1995	2002985	4484	2004	3010000	7050
1996	2069193	3448	2005	1705000	7269
1997	1985100	5903	2006	1715200	7472
1998	2020800	5980	2007	1750000	7499
1999	2960000	6100	2008	1755250	7596

说明:资料来源于市统计局。1991—1995 年含上清、龙虎山数据。产蛋量主要包括鸡蛋和鸭蛋,鹅、鸽、鹌鹑蛋微量

鸡

20 世纪 90 年代养鸡总体稳步增长,以农家养鸡为主,专业户养鸡为辅。21 世纪初开始,农家养鸡持续减少。2004 年禽流感重大疫情之后,农家养鸡锐减,贵溪市规模养鸡户迅速崛起。1994—1995 年塘湾镇一批养鸡专业户饲养土鸡迅速发展到存笼 40 万羽,但销路不畅,鸡价大跌,规模养鸡受挫。20 世纪 90 年代末期,规模化养鸡再度兴起,大量购进广东麻鸡、潇山雏鸡饲养。21 世纪初,有人将雏鸡养成架子鸡出售,使后续养鸡成活率大大提高。

肉鸡专业户　1997 年,年出笼 100 羽以上的肉鸡专业户 36 户,其中,年出笼 1000 羽以上的有 7 户,最大的专业户是雷溪乡的韩新球,养土鸡年出笼 5000 羽,存笼 1000 羽。2008 年,出笼肉鸡 500 羽以上的专业户 61 户,共出笼肉鸡 236240 羽;其中出笼肉鸡 1000 羽以上的 29 户,最大的肉鸡专业户是雄石挂榜山余火生,出笼肉鸡 3 万羽,存笼肉鸡 1 万羽。

蛋鸡专业户　20 世纪 90 年代中期,蛋鸡生产逐渐形成规模。1997 年,周坊镇库桥丁家坊丁德良蛋鸡存笼 2500 羽,泗沥镇东洪村洪雨寿蛋鸡存笼 100 羽。2008 年,蛋鸡存笼 1000 羽以上的 4 户,其中江西穗昌禽业科技有限公司蛋鸡存笼 30 万羽,罗河镇童源村丰雄蛋鸡存笼 6 万羽。

1995 年创办的江西穗昌禽业科技有限公司位于泗沥镇,创办人余开红,1995 年起养蛋鸡 1000 羽,2001 年达到 4 万羽。2003 年筹建存笼 30 万羽蛋鸡养殖场,2005 年养蛋鸡 5 万羽,2006 年 15 万羽。2008 年年底,蛋鸡存笼 30 万羽,鸡蛋年产量 300 多万千克,产品畅销广东、福建等市场。鸡场全部采用机械化生产工艺,成为江西省工艺流程最合理、规模最大、机械化程度最高的专业性商品蛋鸡养殖基地。1999 年被团省委、省农业厅授予江西青年“十大养鸡示范基地”,2003 年评为鹰潭市“十强优质农产品基地”,2005 年吸收为江西省家禽协会“理事单位”,2006 年评为省级农业产业化龙头企业。

鸭

除农家零星养鸭外,历来有放牧养鸭为业的。20 世纪 90 年代以来,贵溪市规模养鸭逐渐增多,快速发展,1991 年年末存笼 18.4 万羽,2008 年 96 万羽,以 2000 年 126.06 万羽为最高峰。规模养鸭多利用水库、池塘、沟渠水体。在河潭镇南塘村、滨江乡黄坑李家、余家乡孟青村和畈上村、雷溪乡八甲村等呈现村落集群饲养。规模养鸭以往多为圈养或农田休闲期放牧,农田生长作物期间禁止鸭下田。2004 年农业局在河潭镇南塘村实施稻鸭共栖示范,取得以鸭治虫,稻、鸭双增收的效果。

肉鸭专业户　1997 年,全市年出笼 100 羽以上的有 37 户。肉鸭专业户出笼肉鸭 51682 羽,其中年出笼 1000 羽以上的有 10 户。滨江乡太岩村刘正彩养殖场年出笼 8000 羽。2008 年,全市年出笼 500 羽以上的 241 户,肉鸭专业户出笼肉鸭 366018 羽。其中年出笼 1000 羽以上的有 151 户,年出笼 10000 羽

以上的有泗沥镇桃源村江三水、江四水，河潭镇何家何样才。

蛋鸭专业户　1997 年贵溪市存笼蛋鸭 100 羽以上的有 50 户，专业户共存笼蛋鸭 18170 羽，其中存笼蛋鸭 500 羽以上的有 11 户，白田乡甘苏村吴海福存笼 5500 羽。2008 年全市存笼蛋鸭 200 羽以上的有 107 户（其中余家乡 36 户，鸿塘镇 34 户，河潭镇 8 户），共存笼蛋鸭 121170 羽，其中存笼蛋鸭 1000 羽以上的有 18 户，河潭镇南塘村姚贵旺存笼蛋鸭 4000 羽。

鹅

农家零星自孵自养，也有人购买外地雏鹅群养，规模较小。

鸽

零星饲养，少数人群养数十、数百至千只不等，品种多为美国落地三。

鹌鹑

2000 年以前，罗河镇、雄石镇有数家鹌鹑养殖户，后停养。市场销售的鹌鹑和鹌鹑蛋来自周边县、市。

其他家禽

2003 年，滨江乡太岩村刘正彩饲养野鸭 300 羽，未续养。2006 年，雷溪乡端港村金云良从铜鼓县购进种用野鸡 680 羽，孵化雏鸡供周边农家饲养并回收成鸡，2008 年存笼种鸡 200 羽。

家禽孵化

农家养鸡原来自孵自养，以春、秋两季居多，少量冬孵。20 世纪 90 年代起有采用电灯、电热毯、秕谷保温的小规模民间鸡鸭孵化房。2008 年，规模较大的有东门街道办事处上李村曾华琴年孵化雏鸡雏鸭近 10 万羽；塘湾镇新街陈自荣和陈自仁年孵化雏鸡雏鸭 2—3 万羽。

第三节　家畜、家禽品种改良与饲料

品种改良

猪　“金沙猪”是贵溪地方良种。20 世纪 90 年代以来，“金沙猪”锐减，选 12 头母猪和一头公猪在市种猪场保种，并安排金沙乡金沙村农户保种，未能坚持，1998 年全部淘汰。

1992 年从省良种场引进瘦肉型种公猪（大约克）108 头，1993 年继续从省良种场引进瘦肉型公猪，并在贵溪种猪场开展二级种猪繁殖，年末存栏瘦肉型良种母猪贵溪（大约克）8 头，良种公猪 2 头，当年提供种公猪 50 头。1994—1996 年更新、淘汰种公猪 305 头。1997 年贵溪市政府出台政策，规定出售种猪须经鉴定合格，取得良种卡，违者罚款；农户购买良种公猪每头补贴 200 元，是年，全市更新良种公猪 156 头。泗沥镇 1995 年率先普及良种公猪达到 100%，全市推介泗沥镇种公猪管理经验。1999 年市政府出台文件，对更新良种猪给予补贴，杜洛克公猪每头 300 元；大约克公猪每头 200 元；二元纯杂母猪每头 300 元。经逐年持续进行生猪品种改良，2008 年实现生猪良种全面更新。全市持证生产种猪场 3 家，其中一级良种场 1 家（天种畜牧），二级良种场 2 家（许东标猪场、彭年猪场）。良种公、母猪有规模化生产，良种猪自给并有外销。

牛　主要有水牛和黄牛，水牛体大力强，但不易管理；黄牛体小耕作效率低，但易管理，繁殖快，肉价高。原来水牛多于黄牛，20 世纪 90 年代以来，役用牛减少，肉用牛增多，黄牛多于水牛。1991 年，黄牛占 51.4%，水牛占 48.6%；2008 年黄牛占 62.8%，水牛占 37.2%。

20 世纪 90 年代后期以来，引进秦川牛、西门塔尔杂交牛、夏洛莱杂交牛等肉牛饲养，量小，未繁殖推广。

鸡　本地品种（俗称土鸡）为农家自繁自养，生长慢，饲养期长，肉味鲜美，土鸡价是引进鸡种（俗称洋鸡）的 2—3 倍。

20 世纪 90 年代以来，境内主要引进广东麻鸡、萧山鸡、仙居鸡、三黄鸡、广西王鸡、崇仁麻鸡、AA 鸡等肉鸡；引进海兰鸡、农大三号鸡、罗曼粉鸡等蛋鸡。泰和乌骨鸡、余干五黑鸡有零星饲养。广东麻鸡最为普及，规模养殖户到产地批发雏鸡；雏鸡商贩走村串户推销，因其生长快，易养，大量取代土鸡。

鸭　主养品种为传统蛋用草鸭和肉用板鸭。草鸭个小,产蛋多。板鸭个大育肥快。北京鸭、樱桃谷鸭也有少量饲养。

饲料

传统饲料主要有稻谷、大米、米糠、红薯、芋头、红花草、稻草、蔬菜、野菜、野草等。牛以野外放牧食草为主。

20 世纪 90 年代初,推广江西饲料厂宝丰"871"浓缩饲料,1994 年"871"饲料普及到各自然村。境内曾建饲料厂,1995 年后停办。21 世纪以来,规模养殖比重增大,规模养殖场(户)主要依靠商品饲料,农家散养户也以商品饲料为主,农家传统饲料为辅。

第四节　水　产

1991—2008 年,贵溪市水产养殖经历天然渔业—草饲渔业—施肥养鱼—配合饲料养鱼的发展阶段。渔业水域利用率不断提高,养殖面积不断扩大,养殖单产高速增长,渔业特色正在形成;养殖水面逐步向能人集中,养殖户从 1990 年的 12738 户缩减到 2008 年的 7629 户,但渔业专业户发展到 1764 户,是 1985 年 251 户的 7 倍,渔业专业户养殖水面总面积 2584 公顷,占全市养殖水面总面积的 67.2%;水产品品质明显提高,2008 年全市 24372 吨水产品养殖产量中,吃食性水产品(草鱼、鲤鱼、鲫鱼、团头鲂等)达 18705 吨(其中特种品种达 4522 吨),占养殖总量的 76.7%(其中特种水产品占养殖水产品总产量的 18.55%);滤食性水产品(鲢鱼、鳙鱼)5667 吨,占养殖总量的 23.3%。2008 年渔业总产值 32483 万元,占农业总产值的 16%。乡镇水产技术推广体系从无到有,又从有到无,水产协会和水产专业合作社陆续建立,市水产技术推广机构职能得到完善和加强,2008 年增设贵溪市水生动物疫病防治站。

养殖水域的开发利用

传统的养殖水面有池塘、水库与河沟三种类型。1990 年可养殖总面积为 2936 公顷,养殖面积 2479 公顷,水面利用率 84.4%。1991—2008 年,发展挖塘养鱼、渔农两用田和集约化流水养鱼,2008 年可养水面达 4087 公顷(其中池塘 1381 公顷,水库 2178 公顷,河沟 36.5 公顷,渔农两用田 483 公顷,其它养殖面积 7.7 公顷),已养水面 3845.6 公顷(其中池塘 1336 公顷,水库 1993 公顷,河沟 34 公顷,渔农两用田 475.7 公顷,其它养殖水面 7.7 公顷)。水面利用率 94.1%。

池塘养殖　池塘养鱼以往基本上人放天养。1990 年亩产 52 千克,后逐渐推广应用配合饲料养鱼技术,2008 年亩产达到 477 千克。

水库养鱼　水库养鱼原来多为人放天养或简单的青草养鱼。1990 年贵溪县水库养殖亩产仅 27.35 千克。1993 年引进浙江人在硬石岭水库实行施肥养鱼,投施肥料包括碳酸氢铵、尿素、氨水、过磷酸钙和畜禽粪肥,主养鱼仅限于花白鲢,当年,鲜鱼产量由 1992 年的 2.9 万千克提高到 53.5 万千克。此后,施肥养鱼模式在全市水库推广,普及率达到 70%。硬石岭、枫林湾、太平畈、蚣螟石、杨梅岭等水库一直沿用施肥养鱼。推广施肥养鱼大大提高鱼产量,2008 年全市水库养殖亩产达到 364 千克。但一些养殖户盲目使用化肥,影响水体的正常养殖性能,也降低水产品的质量。贵溪市人民政府于 2005 年在《2005—2015 年水域养殖规划》中规定,对水源性水域进行保护,限制任何水源性水域过度使用肥料养鱼。提倡应用配合饲料和种草养鱼,发展无公害高产养殖。养鱼专业户陈家生、徐忠诚、姜辉强、黎树开、何开发、杨冬发等人主养吃食性鱼类,改肥料为饲料,达到高产、高效、优质。

渔、农两用田养鱼　2008 年底贵溪市渔、农两用田达 475.7 公顷,亩均产鱼 390 千克。2007 年在金屯镇孙溪村组织冬闲田种草养鱼示范,方法是选水源好的低洼田,晚稻收获后加高田埂至 1.5 米以上,每亩投放以草鱼为主的大规格鱼苗 600 尾,并配套种植黑麦草作饲料,次年 3—5 月投喂青草为主,精饲料为辅,5—7 月投喂精饲料为主,青草为辅,7 月底前成鱼上市,转入种植水稻。2008 年,渔、农两用田示范扩大到白田乡。

河沟养殖　2008 年全市河沟养殖面积 34 公顷。1993 年市水产站引进浙江人在泗沥河的泗沥至白田段和泸溪河的上清至冷水段养殖河蟹，泗沥河养蟹效益好于泸溪河。但由于管理困难，未持续。

养殖品种

贵溪市水产养殖品种有草鱼、青鱼、鲢鱼、鳙鱼、鲤鱼、鲫鱼、团头鲂、鳜鱼、丁鱼岁、黄鳝、泥鳅、黄颡鱼、鳗鱼、克氏原螯虾、美国青蛙、棘胸蛙、加州鲈鱼、革胡子鲶、斑点叉尾、鱼回、南方大口鲶、黄尾密鱼、回甲鱼等。

常规品种　2008年贵溪市水产品总产量为25669吨，其中常规品种总产量21147吨；草鱼6326吨、鲢鳙鱼5667吨、鲤鲫鱼3726吨、团头鲂2519吨、其他鱼2909吨。

特种水产品种　2008年特种水产品种产量4522吨，占水产品总产量的17.61%。

鳗鱼。鳗鱼养殖始于1994年，福建客商在雄石西门、麻纺厂、童家鱼种场、太平畈水库、白庙水库同时兴建五个养鳗场，童家鳗场因购鱼苗纠纷未建成，4个鳗场建成投产，从2005年7月至2007年初，四个鳗场先后停产。2004年福建客商在硬石岭水库下创办贵溪市融侨水产养殖有限公司养鳗成功；2006年有2人合资在蛤蟆石水库下开发土池养鳗成功。2008年全市鳗鱼产量284吨。

欧洲丁鱼岁。原产于欧洲大陆的古老经济鱼类，具有肉味鲜美、无肌间刺、营养价值高、生长速度较快、容易繁殖、饲养简单、抗病力强等优点。贵溪市水产站于2003年引进欧洲丁鱼岁亲鱼和鱼种，经示范养殖成功并开展人工繁殖，摸索出高产高效养殖技术。高级工程师徐保明主持的“欧洲丁鱼岁引种繁育及养殖技术”项目获2007年度江西省科技进步二等奖。欧洲丁鱼岁良种场正在建设中。

鳜鱼。是推广面最大的特种品种之一。2008年贵溪市套养鳜鱼1314.9公顷，每亩投放鱼种5—15尾，境内无鳜鱼主养面积。2008年全市鳜鱼产量491吨。

甲鱼。1993年贵溪县水产实验场与香港商人叶耀东合股投资600万元创建贵溪市富县鳖业有限公司，1995年总投资扩大到1600万元，建有近3000平方米的钢混结构的多功能温室和恒温孵化室，甲鱼远销杭州等地，1999—2001年逐步停产。2008年贵溪市甲鱼产量92吨。

蛙。1991年以来，贵溪市养蛙形成特色，全市有规模养蛙130家，仅周坊镇就组建3个养蛙专业合作社。养殖品种有牛蛙、美国青蛙、黑斑蛙、棘胸蛙和林蛙。2008年成蛙产量785吨。张少敏在金屯镇柳原创办贵溪市柳原特种水产养殖有限公司，主养棘胸蛙（石蛙）。兰珍群在冷水林场饶原分场组建石蛙养殖专业合作社。

泥鳅与黄鳝　2008年贵溪市泥鳅产量559吨，黄鳝产量516吨，产量主要来自源于稻田和河沟的野生资源。2007年，志光镇张桂平大学毕业回乡创业，开始利用池塘设置网箱兰养黄鳝和泥鳅。

1991—2008 年贵溪市渔业生产情况一览

表 7-11　　　　单位:吨、亩、万尾

项目	1991 年	1992 年	1993 年	1994 年	1995 年	1996 年	1997 年	1998 年	1999 年	2000 年	2001 年	2002 年	2003 年	2004 年	2005 年	2006 年	2007 年	2008 年
一、渔业户(户)	307	329	469	589	588	593	1080	1190	1058	567	560	932	1346	1977	2666	3236	3552	2613
二、渔业人口(人)	2412	2239	2683	2693	2468	2385	3763	4248	5045	2609	2590	4761	8429	13571	18643	19623	27466	21028
三、渔业劳动力(个)	1728	1206	1897	2042	1443	1505	2505	2623	2638	1401	1390	3102	5122	7163	9623	10738	13017	16881
四、养殖面积(亩)	—	36658	41089	41522	43694	44768	45692	46549	47520	48000	48150	48527	49484	50250	52668	53055	53208	57684
1、池塘	—	11930	13717	14052	15249	14506	17428	18250	18060	18900	18910	18364	18427	18540	18230	18450	18486	20043
2、水库	—	24400	27148	27150	28205	28364	27865	27723	28700	28583	28570	28130	27560	26950	27200	27195	27315	29878
3、河沟	—	328	218	320	240	918	360	224	400	355	570	510	455	493	480	480	507	511
4、渔农两用田	—	—	—	—	—	—	—	—	—	—	—	1378	2897	4122	6613	6813	6784	7136
5、其它	—	—	6	—	—	—	97	335	360	162	100	145	145	145	145	115	116	116
五、水产品产量(吨)	2224	2799	3332	4654	5855	6575	8145	8593	10117	11050	11110	11947	12249	13607	16809	19636	22037	25669
其中 特种水产品产量	—	—	13.25	110	167.4	330	1097	1444	1702	2000	2303	2776	3216	3886	3825	4368	4052	4522
1、鱼类	—	2453	3077	4600	5571	6351	7456	8087	9541	10120	10130	10763	10801	12038	15115	17621	19678	22622
2、虾蟹类	—	48	64	5	70	21	96	57	84	60	62	111	137	179	229	308	564	996
3、贝类	—	297	190	46	242	174	490	272	201	600	610	596	782	754	780	1130	1157	1141
4、其它类	—	—	—	3	22	29	103	177	290	270	308	477	529	636	685	577	638	910
(一)养殖产量	1653	2030	2617	3648	4388	5240	6465	6846	8380	9250	9320	10274	10650	12608	15402	18324	20671	24372
(二)捕捞产量	571	769	715	1006	1466	1335	1681	1747	1737	1800	1790	1673	1599	1539	1407	1312	1366	1297
六、鱼苗产量(万尾)	—	7525	8499	8465	8820	7419	9342	7409	5754	5000	3714	3600	4300	5600	3600	5100	7200	15100
七、鱼种产量(万尾)	—	857	1201	1300	1286	1158	1681	1774	1912	2000	1972	1844	1993	2273	2536	2678	2759	2956
八、鱼种投放(万尾)	—	739	885	1200	1209	1130	1708	1750	1786	1900	1925	1964	2013	2246	2496	2603	2803	3074
九、养殖单产(kg/亩)	—	55.4	63.7	87.9	100.4	117.0	141.5	147.1	176.3	192.7	193.6	211.7	215.2	250.9	292.4	345.4	388.5	42215
1、池塘	—	104.0	118.5	155	150	180	230	233	261.4	283.8	270.2	312.1	337.4	356.9	378.3	451	519	477
2、水库	—	30.9	67.4	50	66	85	71	72	113.7	127	123	138.7	127.9	176.4	236.9	273	279	364
3、河沟	—	54.9	58.8	100	100	149.2	182	200	224.8	225	140.4	165	172	196	295.8	333	298	417
4、渔农两用田	—	—	—	—	—	—	—	—	—	—	—	183	182	201	212.0	316	393	390
5、其它	—	—	100.0	—	—	—	7000	1054	1176	1097	1400	2100	2080	2150	2165.5	1939	2267	2595

渔业现代化

21世纪以来,随着水产业规模化的发展,渔业现代化水平逐步提高,2006年获农业部立项建设贵溪市水生动物疫病防治站,加快渔业现代化进程。

鱼苗运输基本淘汰响水箩和人工击水增氧方法,全面采取充氧运输。成鱼捕捞推广应用抬网捕鱼技术,大中型水面主要品种(草鱼)可在汛期起捕,利用饲料将鱼诱入集鱼网箱中,设置合适网目,使达不到起捕规格的鱼返回水体。基本实现了投饵机投喂饲料,部分精养水面配置了增氧机和抽水机,集约化养殖水面设置恒温供暖系统。2008年年底,本市有投饵机568台,增氧机231台。

鱼病防治

贵溪市境内常见鱼病有烂鳃病、肠炎病、水霉病、锚头鳋病等,20世纪90年代以来鱼病增加细菌性败血症(暴发性出血病)和肝胆综合症。

细菌性败血症主要危害鲢鳙鱼和鳊鱼等。1995年养殖专业户刘正彩承包的倪家水库在端午节后的7天左右就死鱼7000千克,1996年白庙水库因细菌性败血症连续死鱼近一个月,每天死鱼300—500千克。可用生石灰、漂白粉、强氯精或二氧化氯等药物泼洒治疗。

肝胆综合症是在推广配合饲料养鱼之后发生的"富贵病",病因是营养过剩或营养不平衡。发生肝胆综合症的鱼免疫力、抗病力下降,应调整饲料配方和用法,提倡辅助投喂青饲料。

第五节 防 疫

畜病

猪 有猪瘟、猪丹毒、猪肺疫、喘气病、仔猪副伤寒、仔猪水肿病、李氏杆菌、传染性胃肠炎、仔猪白痢病、链球菌病、弓形体病、破伤风、猪乙型脑炎、伪狂犬病、细小病毒病、附红细胞体病、传染性胸膜肺炎等。

牛 有牛出败、牛狂犬病、锥虫病、血尿病、牛肝片吸虫病、日本血吸虫病、血痢病、流感等。

羊 肝片吸虫病、传染性胸膜肺炎、羊口疮等。

狗 狂犬病等。

兔 兔瘟、球虫病等。

禽病

有鸡瘟、鸭瘟、禽出败、禽白痢、鸭传染性肝炎、法氏囊病、马立克氏病、球虫病、高致病性禽流感、雏鸭传染性肝炎、大肠杆菌病、鸭传染性浆膜炎、支原体病、传染性支气管炎、鸡痘、鸭绦虫病等。

防疫注射

贵溪市政府高度重视动物防疫,实行"预防为主"的方针,年年都制定防疫规划,开展防疫技术培训,广泛宣传防疫知识,组织防疫注射。重点控制猪瘟、口蹄疫、鸡瘟、高致病性禽流感和高致病性猪蓝耳病等重大动物疫病,对猪肺疫、猪丹毒、仔猪副伤寒、法氏囊、鸭瘟、雏鸭病毒性肝炎、狂犬病等根据疫情预防注射并保证密度。重大动物疫病实行强制免疫,要求免疫密度达100%,规模养殖按程序免疫,散养的畜禽实行春秋两季集中防疫和平时补针相结合。历年猪瘟防疫密度达97%~99%;鸡瘟防疫密度由20世纪90年代70%增加到21世纪以来95%左右。1998年下半年起开展口蹄疫疫苗注射;2004年起高致病性禽流感防疫注射达99%以上。2005年和2007年贵溪被评为全省重大动物疫病防控先进单位。

1995年8月在文坊镇、塘湾镇爆发了巴氏杆菌病(牛出败、猪肺疫),对12000头耕牛、50000头生猪紧急注射疫苗,疫情得到控制。2003年9月,金屯、文坊、彭湾、余家、塘湾5个乡镇18个村55头耕牛和2头生猪发生巴氏杆菌病,死牛33头,死猪1头,经全市紧急预防接种和消毒,疫情全面控制。1999—2001年贵溪市实施全省30个县(市)"无规定动物疫病区建设项目",通过省项目验收。2002年开始实行动物首免标识管理,对国家实施强制免疫的疫病建立免疫档案管理制度,猪、牛、羊佩戴免疫耳标;2007年起,启用带有编码信息的免疫耳标;2008年起给各乡镇配备免疫耳标识读器,疫病可追溯体系初步建立。2004年境内发生高致病性禽流感,市政府出台《高致病性禽流感应急预案》。2005年市政府出台《贵溪市突发重大动物疫情应急预案》。2006年起加大猪链球菌病的监测与防控。2008年国家强制免疫的有猪瘟、口蹄疫、高致病性禽流感、高致病性猪蓝耳病。

畜禽检疫

贵溪市动物检疫站成立于1985年7月。1991年贵溪生猪货源充足,生猪远销广东、福建等城市,当年完成生猪产地检疫9.6万头,市场交易检疫2.7万头,屠宰检疫2.8万头,外调运输检疫8.1万头。1996年生猪检疫量达到高峰。2000年起,仔猪、耕牛交易市场相继关闭;生猪养殖量减少,生猪外调锐减,有的年份生猪外调运输检疫几乎为零。1994年6月20日,贵溪县在城区正式按照"定点屠宰、集中检疫、统一纳税、分散经营"的方针实施生猪定点屠宰。至2008年,相继在周坊、泗沥、鸿塘、志光、流口、雷溪、金屯、河潭、白田、滨江、罗河、塘湾、文坊等乡镇实行生猪定点屠宰。2008年,全市屠宰检疫生猪2.37万头、牛0.22万头、禽10.8万只;产地检疫生猪3228头、牛3277头、仔猪1094头。

附:

禽流感疫情纪实

2004年1月24日,贵溪市农业局畜牧兽医站接到志光镇道家塘飞龙生态养殖场报告,200多只鸡突然死亡,经现场诊断怀疑为禽流感。

1月25日,经鹰潭市和贵溪市技术人员会诊,怀疑为禽流感。鹰潭市委、市政府紧急部署,当天,贵溪市副市长揭晓泗签发疫区封锁令,从即日起对疫区10千米内的活禽市场关闭。

1月26日,贵溪市党、政主要领导率农业、卫生等部门人员赶赴疫点,指导现场处置,部署全市面上防疫工作。

1月27日,省防检站鉴定为疑似禽流感,上报农业部。当天下午在志光镇再次召开会议,组织200多名干部于当晚8时至次日中午12时,对疫点周边3千米内的8个自然村452户的3150羽家禽进行强制扑杀、深埋;对禽舍、庭院、道路进行消毒;在交通要道设立警示牌。

1月28日,鹰潭市委副书记、常务副市长阎钢军,市长助理彭中华现场办公,布置疫点处置和补偿工作;贵溪市政府召开禽流感防疫紧急会议。

1月29日上午,贵溪市政府召开常务会,研究禽流感防疫工作,当天下午召开市委常委会,听取了禽流感防疫工作汇报并部署防疫工作。即日,鹰潭和贵溪兽医部门对飞龙生态养殖场发生禽流感疫源开展调查,初步分析认为该场场主1月15日—1月17日去过南昌鸡、鸭批发市场,1月19日南昌贩鸡人连人带车到过该场,有可能是外来疫源。

1月30日,农业部专家到贵溪采样;成立由市长任指挥长,相关职能单位领导为成员的指挥部;市委办、市政府办联合下发《关于进一步加强当前防治禽流感工作的紧急通知》;召开市直各单位负责人会议,组织500余名机关干部下乡开展禽流感防疫工作;召开各乡镇党、政主要领导会议再次部署防疫工作。

2月3日,市政府出台《贵溪市高致病性禽流感应急预案》。

2月5日,农业部确诊贵溪市志光镇皇桥村道家塘飞龙生态养殖场发生高致病性禽流感。

2月6日,召开全市领导干部会议,进一步部署禽流感防疫工作。

2月14日国务院督查组来贵溪督查,对防疫工作给予充分肯定。

3月1日,通过省专家组对疫区解除封锁的验收。

3月2日,副市长揭晓泗签发疫区解除封锁令。

此次处置高致病性禽流感疫情,全市共组织2000多名干部投入防疫工作,其中200名医务人员参与疫苗注射;全市家禽全部注射了疫苗。2004年以后,高致病性禽流感列为重大疫病防控,实行强制免疫,至2008年再未发生高致病性禽流感疫情。

第四章 农村经济体制改革

第一节 完善家庭联产承包责任制

农村实行家庭联产承包责任制,给农民生产经营自主权,促进农业生产发展,农村发生深刻变化。1998年根据中共中央、国务院办公厅《关于进一步稳定和完善农村土地承包关系的通知》精神,贵溪市开展第二轮土地延包(承包期延长30年不变)。本着“大稳定、小调整”原则,土地承包期再延长30年,是在第一轮土地承包的基础上进行的,要使绝大多数农户原有承包土地继续保持不变;“小调整”只限于人地矛盾突出的个别农户。1999年年底,基本完成第二轮土地延包工作,给农户颁发农村土地承包经营权证书。

2008年,开展《农村土地承包经营权证》换发证工作,本次换发证是在第二轮承包工作的基础上,进一步完善农村土地承包关系,保障农民的土地承包经营权。以第二轮承包合同为依据,换发新的《农村土地承包经营权证》。同时,对若干问题作出明确规定:一是举家迁到城镇落户的,本人不愿放弃承包地的,保留其承包地;二是对无协议、无合同委托代耕、转包土地的原承包户想要回承包地的,恢复原承包户的经营权;三是对农村婚嫁妇女、入赘男子的原承包地保持不变;对在校或待业的大中专生、现役军人、民办教师、“两劳人员”、“五保户”和无承包经营能力户,保留其承包地;四是对因人口变化很大,农户间人均耕地差异悬殊,应在“增人不增地,减人不减地”的原则下,对个别人多地少特殊户经村民会议协商,用村组的机动地适当调剂;五是种养大户、“外来户”的种养面积涉及到其他承包户的,除符合法律规定的书面转让合同外,其他流转形式的地块,《农村土地承包经营权证》发放到原承包户,但依法、自愿、有偿的土地流转,其流转关系维持不变;六是已挖塘养鱼或种果树苗木的原耕地如已流转给他人经营,既确认原承包农户的承包权,又保护已经形成的较好的生产力。2008年8月,全市10.28万农户签订农村土地承包合同,填写、发放《农村土地承包经营权证》工作基本结束。

第二节 劳动力转移

随着农村产业结构调整和城镇化水平不断提高,农村剩余劳动力纷纷离乡外出谋业,向城市转移。有的在贵溪或周边县市城区务工或经商,有的到省城、省外“打工”、做生意,也有在本乡创业。1991年,贵溪县共有男女劳动力185210人,其中从事农业劳动力159587人,占总劳力86.2%,常年外出劳动力1849人,占总劳力1%。2000年,贵溪市共有男女劳动力200891人,其中从事农业劳动力141529人,占总劳力70.5%,常年外出劳动力的51476人,占总劳力25.6%;其中出省的31867人,占总劳力的15.9%。2008年,全市共有男女劳动力217926人,其中常年外出劳动力98237人,占总劳力的45%;在外出劳力中出省的70120人,占总劳动力的32.2%。留守家园的劳动力有的人租赁他人责任田,扩大生产,发展种植、养殖业;有的人仅种植口粮田,平时从事非农产业,农忙时务农。非农产业收入成为农村的主要经济来源。

第三节 土地流转机制改革

20世纪90年代以来,伴随农村劳动力转移,农村进行土地流转。2004年,白田乡北山村有74%的劳动力外出从业,全村320户的171公顷耕地全部转包给25户种粮大户耕种,种粮大户与转包方及村委会分别签订转包合同,转包合同期限为一年。贵溪市政府在北山村召开现场会。全市依照农业部《农村土地经营权流转管理办法》和《江西省农村土地承包经营权流转操作指南》,引导农民在自愿、有偿的前提下采取转让、转包、出租、入股、互换等形式进行土地使用权有序合法流转。

2008 年,全市土地流转面积 3540 公顷(其中转包 1498 公顷,出租 1439 公顷,互换 209 公顷,转让 394 公顷),流转出土地的农户 13124 户。农户间流出、流入土地面积 3329 公顷,占总流转面积的 94%;乡、村有组织的流入企业土地面积 212 公顷,占总流转面积的 6%。

第四节　税费改革与扶农政策

税费改革

1991 年,贵溪县集体提留和各项收费 373 万元,各种集资摊派 99 万元,农民负担总额 590 万元,人均负担占 1990 年人均纯收入的 3.65%,控制在国务院规定的 5%以内。

1997 年开始,实行农民承担费用和劳务一定三年不变。1997—1999 年,每年农民承担的村提留、乡统筹费用预算总额 2139 万元,其中,村提留 1040 万元,乡统筹 1099 万元,人均负担 53 元,未突破条例规定的限额。1998 年遭受特大洪涝灾害,对重灾区、重灾户农民负担实行“减、免、缓”。2000—2001 年,继续执行农民负担一定三年不变政策。

2002 年,进行农村税费改革。从 2002 年 1 月 1 日起,取消乡统筹费、农村教育集资等专门面向农民征收的行政事业性收费和政府性基金、集资;取消屠宰税;用 3 年时间取消劳动积累工和义务工;调整农业税政策,新的计税面积以第二轮承包土地面积为依据,新的农业税常年产量以 1994—1998 年农作物的实际平均产量据实核定,新的农业税税率实行地区比例税率,最高不超过 7%,新的计税价格按 50 千克稻谷 54 元计价;改革村提留征收使用办法,村提留采取新的农业税附加和农业特产税附加方式收取,农业税附加和农业特产税附加均按其正税的 20% 征收,收取的村提留款实行乡管村用、专户储存、专款专用。

2003 年实行“村账乡代理”。各乡镇成立村级会计服务中心。

2004 年深化农村税费改革。核减农业税,从 2004 年 1 月 1 日起,按 2002 年《农民负担监督手册》确定的农业税调减 43%;降低农业税率后减少的实际收入,由省财政安排转移支付资金给予补助。落实中央粮食直补和良种补贴。

2005—2008 年全面取消农业税和农业税附加。国家继续对农民种粮实行粮食直补和良种补贴。

扶农政策

2004—2008 年贵溪市执行国家向农民发放粮食直接补贴、良种补贴、农资综合补贴、农机具购置补贴、种粮大户补贴政策,各年度发放资金分别为:2004 年 1444.3 万元;2005 年 1540.73 万元;2006 年 2408.8 万元;2007 年 3259.6 万元;2008 年 5892.5 万元。

2004—2008 年贵溪市发放粮食生产补贴资金情况一览

表 7-12　　单位:万元

年份	粮食直补	良种补贴	农资综合补贴	农机购置补贴	种粮大户补贴	合计
2004	716.4	717.9	—	10	—	1444.3
2005	772.6	728.1	—	40	—	1540.7
2006	917.1	731.7	715	45	—	2408.8
2007	927.4	743.1	1509.1	80	—	3259.6
2008	931.1	1045	3645.5	252	18.9	5892.5

第五节　农产品监测与农业执法

农产品质量监测

2002年以来，贵溪市开展农产品质量安全检验检测工作。为加强农产品质量安全检验检测体系建设，市农业局经市政府批准，通过土地置换，筹集资金140万元，经鹰潭市发展和改革委员会批复，于2007年12月开工建设贵溪市农产品质量安全检验检测中心大楼，共四层，1600平方米，于2008年9月基本竣工。贵溪市水生动物防疫站、贵溪市土壤肥料检测中心进驻一、三层，用大楼二、四层550平方米改建贵溪市农产品质量安全检验检测站。2008年完成“贵溪市农产品质量安全检验检测站建设项目”初步设计评审，2009年1月经江西省发展和改革委员会批复，项目建设内容为：改建贵溪市农产品质量安全检验检测站现有的检验检测楼500平方米，配置检验检测仪器设备61台（套），项目总投资290.95万元，其中中央投资200万元。2009年12月，检验检测站建设项目竣工，检验检测设备到位。

农业综合执法

2004年7月，成立贵溪市农业综合执法大队，为农业局下属股级事业单位，定编12名。执法大队工作职能：依法查处违反农业法律、法规和规章的违法行为；开展集中行政执法，依法实施行政强制和行政处罚；开展农业法律、法规和规章的宣传、教育。将种子、农药、肥料、兽药、饲料、种畜禽、农机管理、渔政、渔船检验监督、水产种苗管理列入综合执法范围，依据有关法律、法规进行执法。

农业综合执法大队成立以来，以农业生产资料为重点，开展对各类农资经营主体检查、集中整顿市场、立案查处各类农资违法案件，维护农民和农资经营者的合法权益。2005—2008年抽样检查许可进入境内的种子质量均为合格，4年共查处种子违法案件23起，没收伪劣种子270千克；农药2年抽样检查合格率分别为65%、72.7%，4年共查处农药违法案件56起；复合肥4年抽样检查合格率分别为100%、100%、50%、50%，共查处肥料违法案件11起；饲料4年抽样检查合格率分别为50%、100%、56.7%、80%，共查处饲料违法案件9起；查处渔业案件4起、贩卖野生青蛙案件72起。

第六节　农民专业合作社与农业产业化龙头企业

农民专业合作社

随着农业产业化的快速发展，一家一户的小生产与大市场的矛盾日渐突出，农民迫切需要中介组织引导，实现小生产与大市场对接，规避市场风险，实现效益收入最大化，农民专业合作组织应运而生。

2004年，在贵溪市民政局登记的农民专业合作社有8家：贵溪市水产合作社、贵溪市果业合作社、文坊镇无公害山羊合作社、流口镇无公害田藕生产合作社、贵溪市供销社食用菌专业社、罗河荸荠专业合作社、贵溪市特种养殖专业合作社、塘湾中药材专业合作社。当年，为鼓励农民发展专业合作社，市政府给每户农民专业合作社奖励资金1万元。财政、银行、税务、农业、工商等有关部门大力支持农民专业合作社的发展。2007年7月1日，《农民专业合作社法》正式施行，进一步促进农民专业合作社的发展。当年，全市农民专业合作社发展到18家，吸收社员764人，带动农户10945户。2008年全市农民专业合作社36家在工商局登记注册，吸收社员946人，带动农户15982户，联结基地1573公顷，合作社社员从事水稻、畜禽、水果、蔬菜、水产、油茶、茶叶、食用菌、竹笋等农业产业。

省级龙头企业

2003—2008年，贵溪市有9家企业评为省级农业产业化龙头企业：江西大忙人实业有限公司、贵溪市中胜粮油有限公司、江西竹辉竹业有限公司、贵溪市龙兴铺灯芯糕有限责任公司、江西省贵溪市金沙蔬菜加工厂、江西省贵溪市龙虎山有限公司、贵溪市天华山有机食品开发有限公司、江西穗昌禽业科技有限公司（前身为贵溪市红谷养鸡场）、贵溪市宏友农工贸综合开发有限公司。

市级龙头企业

2003年起，开展农业产业化市级龙头企业申报工作，至2008年，贵溪市评为鹰潭市级农业产业化龙头企业(除已升为省级或淘汰的)有19家:江西天种贵溪畜牧养殖有限公司、江西施大壮农资连锁有限责任公司、贵溪塔桥园艺场、江西省富饶米业有限公司、贵溪市云波食品厂、贵溪市华建畜牧有限公司、贵溪市穗峰水产专业合作社、贵溪市联邦牧业有限公司、贵溪市三绿有机食品开发有限公司、贵溪市塘湾五谷丰酒厂、贵溪市利康牲畜定点屠宰有限公司、贵溪市志光大发米业有限责任公司、贵溪市风味食品厂、贵溪市南山食品厂、贵溪市绿源林特产有限公司、贵溪市华丰竹业有限公司、贵溪市绿野生态农业开发有限公司、贵溪市龙虎山天然油茶有限公司、鹰潭市贵溪华康天然色素厂。

县级龙头企业

2003年,成立贵溪市农业产业化经营领导小组(贵办字〔2003〕35号),办公室设在农业局。2004年印发《关于印发贵溪市农业产业化县级龙头企业认定和运行监督管理暂行办法的通知》和《关于开展农业产业化县级龙头企业申报工作的通知》文件,开展农业产业化县级龙头企业申报认定工作。2006—2008年,贵溪市认定的县级农业产业化龙头企业(除升为省级、市级龙头企业的)有8家:贵溪市食用菌生产专业社、贵溪市迎新雷竹开发有限公司、贵溪市园田食品厂、贵溪市满意农业有限公司、贵溪市美洋酒厂、贵溪市畲乡绿色饮品有限公司、贵溪市福贵鳗鱼淡水养殖有限公司、贵溪市农业综合开发有限公司。

各级政府大力扶持农业产业化企业,省财政设立扶持农业产业化专项资金,鹰潭市出台《鹰潭市本级农业产业化资金扶持方案》鹰农产字〔2007〕06号,贵溪市财政每年安排100万元农业产业化龙头企业项资金。

第八卷 林 业

第一章 机 构

第一节 管理机构与下属单位

管理机构

贵溪市林业局先后在西后街、信江桥头办公,2009 年 1 月 19 日迁至市行政中心(冶金大道 4 号)。新办公大楼共 5 层,面积为 4283 平方米,配有计算机 60 余台,实现办公自动化,并设有全省一流的森林防火指挥中心。

1991 年贵溪县编委核定林业局机关人员编制为 27 人,其中机关行政编制 18 人,机关事业编制 9 人。1991 年林业局机关大专以上学历的有 4 人,2008 年机关编制未变,大专以上学历 25 人。

直属单位

局直属单位分两大块:直属事业和直属企业,直属事业单位有森林资源监测中心(2008 年编制 7 人)、森林病虫害防治检疫站(2008 年编制 5 人)、林业工作站(2008 年编制 56 人)、木材检查站(2008 年编制 44 人)、中心苗圃(2008 年职工 122 人)、林业技术推广站(2008 年职工 101 人)。中心苗圃、林业技术推广站为自收自支事业单位,其他单位均承担着林业执法具体工作,全部为财政全额拨款事业单位,共有执法人员 134 人。直属企业中农垦公司、纸管厂、林产品加工厂、雄石木竹经销站、塘湾木竹经销站、林业车队等 6 个单位已全部改制,449 名职工已置换身份。木材公司、文坊木竹经销站、圳上木竹经销站、天华山林化厂等 4 个单位改制工作接近尾声。

下属林场

全林业系统共有林业局、冷水林场、耳口林场、双圳林场、西窑林场、三县岭林场和河潭埠垦殖场 7 个正科级机构。下属冷水林场、双圳林场、耳口林场、西窑林场、三县岭林场、河潭埠垦殖场。2008 年,全市林业系统总人口 9445 人,职工总人数为 3850 人,其中在职职工 2256 人,退休职工 1476 人。

第二节 森林公安

机构

1988 年 3 月 5 日,贵溪县公安局林业分局成立,为事业单位、副科级建制,下设秘书股、治安刑侦股。业务上由县公安局及上级公安机关管理为主,行政上由县林业局领导双重管理体制。

林业分局成立之初,挂牌设址于原贵溪县农垦公司二楼(现市中心广场太平洋超市南端);1990 年搬至原贵溪县林业局老办公楼(现贵溪市第三中学);1997 年因贵溪三中扩建,林业局迁址,分局又搬至贵溪市老干部局;1999 年搬至贵溪市供销社大楼;2001 年搬至中国有色冶金公司四建招待所办公至今。1995 年,分局增设法制股。1996 年 6 月,贵溪撤县设市,10 月贵溪县公安局林业分局改称贵溪市公安局林业分局。2000 年,因上清林场划归龙虎山风景旅游管理局管辖,上清林业派出所搬至贵溪市彭湾乡办公。2002年4月17日,根据鹰潭市森林公安局〔2002〕4号批文,将市林业分局上清派出所迁址贵溪古港乡,更名为贵溪市森林分局古港派出所。2006年,古港派出所迁址鸿塘镇塔桥办公。2003年7月23日,贵溪市政府办发〔2003〕41号文明确森林公安列入市公安局序列,受主管部门和市公安局双重领导,为市公安局负责、指导、查处森林刑事和治安案件的职能部门,业务工作以市公安局管理为主。2005年,贵溪市编委贵编字〔2005〕30号文件明确贵溪市公安局下设21个派出所及3个森林派出所(文坊、冷水、古港)为副科级单位。2006年林业分局治安刑侦股撤销,分别设立刑侦股和治安股。2006年,根据省编委〔2006〕35号文件、省森林公安局〔2006〕101号文件,贵溪市公安局林业分局更名为贵溪市森林公安局(以下简称市森林公安局),同时挂贵溪市公安局森林警察大队牌子,内设机构改股为科。2008年,市森林公安局属行政单位,副科级建制,基层派出所属副科级。设局长1人,教导员1人,副局长1人,内设机构有办公室、法制科、刑侦科、治安科;冷水、文坊、古港3个派出所。

队伍

1988年,林业公安局成立时定编28人,其中干部编制26人,职工编制2人,有干警15人,其中5人为原上清林业派出所民警。1990年原上清林业派出所民警潘某在耳口九龙地区持枪杀害两人的恶性案件发生后,林业公安机关以此为戒,在全局开展纪律作风教育整顿。1992年《人民警察警衔条例》施行后,组织分局干警到贵溪公安局、鹰潭市森林公安局、鹰潭市公安局培训,强化正规化、专业化训练,1993年,分局首次授衔民警达12人。1995年开展提高干警政治、业务素质,提高队伍凝聚力和战斗力活动。1996年,开展"学济南交警,树良好形象"活动。1997年4月,开展学习贯彻禁令、条规,加强廉政建设,严格执法守纪教育活动。1998—1999年,开展向"打拐英雄施华山"学习宣传教育活动。2000年开展讲学习、讲政治、讲正气"三讲"教育活动。2001年按公安部统一部署,开展以全心全意为人民服务宗旨教育,实事求是思想路线教育和严格、公正、文明执法为主要内容的"三项"教育活动。2002年开展执行公安部"五条禁令"和省公安厅"三项禁止"宣传教育活动。2003年组织开展"贯彻十六大、全面建小康,公安怎么办"大讨论和"社会主义法治理念教育"活动。2004年开展大练兵活动提高队伍执法水平和实战能力。2005年,按照上级部署,开展"保持共产党员先进性教育活动"。2006年,开展学习贯彻胡锦涛总书记"八荣八耻"主题教育活动。2007年,开展"机关作风建设年"活动,整治警风警纪。2008年,开展"抓基层、打基础、苦练基本功"三基建设活动。1988—2008年,森林公安获上级表彰和记三等功以上共23人,其中省部级12人;记一等功1人;二等功2人;三等功7人;因违法违纪被开除1人,被清调辞职3人。2008年森林公安局在职在编民警27人,其中授衔民警21人,未授衔民警6人。

森林治安管理

1988—2008年,共办理各类森林案件5223件,其中办理刑事案件181件,提请逮捕189人,办理治安行政案件93件,治安拘留107人,办理林业行政案件4948件,处罚5423人,没收林木5040立方米,收缴林木款及林业行政款759.8万元,为国家挽回损失2000余万元。

治安管理

2001年,利用刑事特情和治安耳目侦办刑事案件6起,林政案件4起。2004年查封非法加工木材加工厂82个,查扣木材401立方米,没收无证运输木材182立方米;查封野生动物非法经营窝点11个。

专项治理

1994年4月6日,针对耳口祝家村从1993年年底起,以耳口林场有山林纠纷为名,部分村民聚众到耳口林场山上大肆盗伐、哄抢林木,殴打林场保卫人员。分局组织精干力量,集中30余名警力,抓获祝某等首要分子5人,追缴盗伐林木30立方米,没收长短铳5支以及大量砍刀、斧子、锯等作案工具。

1995年林业公安机关采取"点线面结合,打防建并举"对所辖冷水、耳口、西窑、周坊等林业治安较乱地区进行专项治理,4月份,由县委、县政府牵头,组织林业、公安、检察院、法院、政法委以及森林公安干警40余人,分东线、西线、北线、市场清理四个组,开展"严打"斗争,共查处各类林业刑事案件23件,抓获案犯23人,查处林业行政案件50件,处罚52人。8月份,针对冷水、耳口两地乱砍滥伐猖獗、无证运输现象严重,林业公安对冷水、耳口两乡镇境内水路、公路、铁路场所无证运输、无证经营林木清查整顿,共查处非法经营案件20件25人次,追缴非法所得5万元。

1998 年,针对西窑乡占源村、金屯镇丰岭村盗伐滥伐林木歪风,森林公安组织精干力量,进行专项治理,将首要分子张某抓获,收缴木材 150 立方米。

2003 年,开展“春雷行动”“飓风行动”,先后破获重大刑事案件 14 件 ,刑事拘留 3 人,提请逮捕 13 人,查处行政案件 81 件,收缴木材 150 立方米。收缴国家重点保护动物 32 只,省重点保护野生动物 80 只,缴获野生动物皮 10 张,为国家挽回经济损失 70 万元。当年,民警陈光明被评为全国“严打”先进个人。

2006 年 4 月,按照江西省林业厅统一部署,开展 “绿剑行动”。11 月起,市森林公安局又按国家林业局统一部署,开展“绿盾行动”,成立以分管副市长为组长贵溪市“绿盾行动”领导小组,从法院、检察院、公安局抽调人员,集中办公,共破获刑事案件 14 件,提请逮捕 15 人,没收木材 300 立方米,为国家挽回损失 100 多万元。

2007 年,市森林公安局按照国家林业局、省林业厅统一部署,开展“绿剑二号行动”和“绿盾二号行动”,侦破刑事案件 19 件,刑事拘留 16 人,其中 13 名犯罪嫌疑人被判实刑。

森林案件侦查

陈某伪造木材运输证件案 1993—1994 年 4 月,双圳林场发现本场有木材外运却未到林场办理木材运输证情况,遂向市森林公安局报案。市森林公安局即组织精干力量对此案进行侦破,先后三赴上海、江苏,行程 2000 多千米,经过 2 个多月艰苦工作,抓获陈某、车某等 5 人,查缴伪造贵溪县、福建省光泽县监制的假木材运输证件、文书 17 种计 1760 套。同时,查缴贵溪 6 个林场以及江西省税务监制发票数本,印章 10 余枚。依法制裁 5 名犯罪嫌疑人。

龚某盗窃木材案 1999 年 3 月下旬,上清林场苍沅分场被盗棺木蔸一案,市森林公安局接报案后当即组织力量侦查。查明:1998 年 4 月,上清林场职工龚某承包该场综合加工厂并经营上清林场生产木材后剩下杉木剩余物(树蔸、树梢、杉条木及腐烂杉木),于 1998 年 11 月至 1999 年 2 月,龚某利用调用剩余物机会,组织、指使民工盗窃上清林场各临时货场杉原木 161 立方米,棺木蔸 11.5 立方米,价值 13 万余元。

黄某滥伐林木案 2003 年,周坊镇周坊村邵家小组有一片山与余江县画桥镇王芳村委会黄家小组毗邻。黄某与邵家小组签订买山协议,尔后雇请余江、万年等地砍伐工,未办理采伐证,滥伐森林 6.67 公顷,数量达 300 立方米。市森林公安局接到报案后,迅速调查取证,黄某闻风而逃,民警跟踪追击。当年 7 月,将黄某抓获。办案民警陈光明被公安部评为全国优秀人民警察。

塘湾“2·14”森林大火案 2004 年 2 月 14 日下午 5 时 30 分,塘湾镇芦甸村发生特大森林火灾,造成扑火群众 4 人死亡严重后果。市森林公安局接报后,迅速出击,连夜勘查现场,分析案情,确定起火点,锁定犯罪嫌疑人。次日上午,抓获作案人何某。何某供述:14 日下午,他到金源村前山村小组刘子山垅自家责任田砍田埂杂草,然后点火焚烧,导致这起罕见森林大火。

朱某非法收购盗伐滥伐林木案 2006 年,一名浙江义乌商人朱某在贵溪市金屯镇兴办一个恒兴大竹工艺品厂,大肆收购盗砍滥伐林木。7 月,市森林公安局接报后,立即展开调查。查实:朱某非法收购盗伐、滥伐林木 140 立方米,案发后,朱某闻风逃回浙江,市森林公安上网追逃,并派民警千里追击,在当地公安配合下将朱某抓获归案。

1988—2008 年贵溪市森林公安局各类案件侦查一览

表 8－1

年份	刑事案件		治安案件		林政案件		没收木材(立方米)	行政处罚(含追缴赃款)(万元)
	数量(件)	逮捕人数(人)	数量(件)	拘留人数(人)	数量(件)	处罚人数(人)		
1988—1998	32	36	49	56	3129	3417	2180	62
1999	6	7	3	5	79	81	130	7.8
2000	8	9	4	6	126	139	200	20
2001	14	16	4	5	138	164	140	30
2002	12	13	2	3	171	196	120	45
2003	17	17	2	2	240	263	200	60
2004	23	18	7	8	207	221	1000	83
2005	8	6	6	6	164	187	210	92
2006	28	29	5	5	293	309	260	100
2007	19	6	6	6	201	212	300	120
2008	14	4	5	5	221	234	300	140
合计	181	161	93	107	4969	5423	5040	759.8

法治工作

法制宣传调研　1995 年，法制股成立。1995—2008 年，组织实施全局“三五”“四五”“五五”普法教育工作，组织业务科、所法制培训 38 次，撰写与森林公安执法工作相关调研专题论文 27 篇。

案件审核把关　1995—2006 年共审核林业行政案件 2526 件，处罚 2689 人(次)，收缴一金一费和林政罚款 428 万元，2006 年 11 月 10 日，江西省高级人民法院、江西省人民检察院、江西省公安厅、江西省林业厅四家联合发布赣林公字(2006)361 号文件，明确全省森林公安独立行使刑事案件立案侦查，采取刑事强制措施、起诉审核把关权；治安案件立案、调查、处罚权。森林公安经与相关单位协调后决定：贵溪市森林公安法制科从 2007 年元月 1 日起开始独立行使“361”号文件规定的案件审核把关权。为此，森林公安严把质量关，对基层业务单位所报案件坚持事实不清不批、证据不足不批、定性不准不批、程序不合法不批、处罚不适当不批。经统计：2007 年，共计立刑事案件 19 件，查处 19 件，刑事拘留 16 人，提请逮捕 6 人，取保候审 14 人，监视居住 1 人，移送起诉 18 件，撤案 1 起；立治安案件 6 件，治安拘留 6 人；立林业行政案件 201 件，查处 201 件，处罚 212 人(次)，林政罚没款 120 万元。2008 年刑事案件立 14 件，查处 14 件，刑事拘留 18 人，提请逮捕 4 人，取保候审 13 人，移送起诉 14 起 18 人；治安案件 5 件，治安拘留 5 人，罚款 4000 元；立林业行政案件 221 件，查处 221 件，林政罚没款 140 万元。

执法监督检查　从 1996 年起，每年进行法制监督检查工作，1997—2006 年对全局业务科、所进行法制检查 20 次，接受江西省森林公安局、鹰潭市森林公安局法治检查 28 次，2002—2006 年，全省森林公安组织执法质量考评时均被评为优秀。

派出机构

森林公安局成立之初，设冷水、上清、文坊 3 个派出所，后因行政区划调整，上清派出所撤销，设立古港派出所。3 个派出所共有干警 12 人。

冷水森林派出所辖区为冷水镇、冷水林场、耳口乡、耳口林场，辖区面积 320 平方千米，林地面积 35333 公顷。文坊森林派出所辖区为樟坪乡、文坊镇、金屯镇、双圳林场、西窑林场，辖区面积 425 平方千米，林地面积55333公顷。上清森林派出所辖区为上清镇、上清林场，后因上清镇划归龙虎山旅游管理局管辖，上清所迁至彭湾乡办公，主要辖区为彭湾乡、罗河镇、余家乡。2002年4月17日，鹰潭市森林公安局下达批文，上清派出所撤销，设立古港派出所。古港派出所座落在塔桥园艺厂境内，负责周坊镇、白田乡、泗沥镇、鸿塘镇、志光镇、三县岭林场，辖区面积603.5平方千米，林地面积32667公顷。

第二章 经营与管理

第一节 绿化造林

采种育苗

1999—2008年，贵溪市实施林木采种基地建设工程。建成一个省林木采种基地、一个省高产油茶采穗圃、21个林木种子生产经营绿化苗木基地，林木采种基地面积310.3公顷，总投资202万元，年生产阔叶树种子2.97万千克，年产值38.38万元。年生产种子可育苗1500万株，供造林6000公顷，采种基地主要分布在双圳、西窑、冷水、耳口、三县岭5个国有林场，高产油茶采穗圃面积53.3公顷，占全省高产采穗圃的30%。种子苗木生产基地年产造林绿化苗木2000万株，主要有杨树、油茶、湿地松、樟木、杜英、广玉兰、枫香、木荷等几十个品种。

国土绿化

1991—2008年贵溪市国土绿化经历“灭荒”“跨世纪绿色工程”“退耕还林”“百万苗木进庭院”等阶段，国土绿化工作得到发展。共完成国土绿化70万公顷、四旁植树9500万株、庭院绿化1500万株、公路绿化600千米。工程实施进一步改善贵溪市生态环境，提升绿化水平、优化人居环境、促进持续发展，具有显著的生态、经济和社会效益。完成城南绿地广场绿化、沿河公园绿化、铜拆解园绿化、城市街道绿化、冶金大道绿化、鹰雄大道绿化，并对国、省道，市县乡道全面绿化，完成国省道绿化200千米，乡道绿化400千米，投资累计7000多万元，提升森林覆盖率和城市绿化覆盖率。

植树造林

1991—2008年贵溪市完成植树造林54467公顷。1990年县委、县政府实施“灭荒”造林；1991年完成荒山造林6667公顷，获“全国造林绿化先进县（市）”称号；1992年在鸿塘、志光镇、金沙乡、河潭、泗沥镇等地荒山秃岭，采取飞机播种造林方式，播撒马尾松、木荷、枫香等乡土树种种籽万千克，面积约26667公顷。2008年市委、市政府实施造林绿化“一大四小”工程，当年完成造林绿化6.73万亩。造林绿化“一大四小”工程坚持以通道绿化为重点，加快城市、乡镇、农村自然村以及其他基础设施、工业园区、矿山绿化步伐，鼓励和引导各地大力发展以杨树、泡桐、桉树、光皮树等为主的速生丰产林和工业原料林基地，全面落实经营主体，坚持栽大苗，不栽无主树，切实提高造林成活率。

1991—2008年贵溪市植树造林面积及投资一览

表8－2

年份	人工造林面积（公顷）	投资（万元）	年份	人工造林面积（万亩）	投资（万元）
1991	6667	430	2000	2133	320
1992	6867	530	2001	1867	280
1993	1533	230	2002	2333	350
1994	1467	220	2003	2333	350
1995	1667	250	2004	800	120
1996	2000	300	2005	4067	610

续表 8-2

年份	人工造林面积(万亩)	投资(万元)	年份	人工造林面积(万亩)	投资(万元)
1997	5200	829	2006	1733	260
1998	1733	220	2007	2000	300
1999	2067	250	2008	8000	1200

第二节　低产林改造与长防林建设

低产林改造

1991—2008 年,对全市范围内的低产低效林进行改造,大力发展毛竹丰产林、杉木速生丰产林、经济林,完成低产林改造 24667 公顷,其中毛竹低改 13333 公顷。大力发展林业特色产业。根据贵溪市资源优势和产业基础,重点做强做优油茶、毛竹两大特色产业。

长防林工程

2000—2008 年,实施长防林工程,该工程建设涉及到所有乡镇场,利用国债资金 460 万元,共完成人工造林 4533 公顷,封山育林 5200 公顷。起到涵养水源、美化环境、保持水土、调节气候、保障农业丰收、维护生态平衡等的作用。

退耕还林

退耕还林工程,是 2001 年国务院批准实施的全国林业六大重点工程中覆盖面最大、投资最多、农民参与度最高、政策性最强、农民得实惠最多的一项浩大生态建设工程。而退耕区广大群众将退耕还林看作是党中央、国务院对他们的最大关心和爱护,是前所未有的“德政工程”、“民心工程”。2002 年,贵溪市被列为江西省退耕还林工程实施县(市),共完成退耕地还林 1867 公顷,退耕还林荒山造林 2933 公顷,退耕还林封山育林 1667 公顷。2005 年度退耕还林荒山造林 533 公顷,封山育林 1000 公顷,2008 年度退耕还林荒山造林 333 公顷,封山育林 666.7 公顷,至 2008 年累计投资 4723 万元。

2002—2008 年部分年份贵溪市退耕还林工程一览

表 8-3

单位:公顷、万元

单位	2002 年 退耕地		2002 年 荒山造林		2003 年 退耕地		2003 年 荒山造林		2004 年 荒山造林		2005 年 荒山造林		2005 年 封山育林		2008 年 荒山造林		2008 年 封山育林		投资合计
	面积	投资	面积	投资	面积	投资	面积	投资	面积	投资	面积	投资	面积	投资	面积	投资	面积	投资	
贵溪市	13000	2158	13000	65.00	15000	2145.00	15000	75.00	3000	15.00	8000	40.00	15000	105.00	5000	50.00	10000	70.00	4723.00
金屯镇	1200	199.20	—	—	1830	261.69	4000	20.00	—	—	—	—	—	—	—	—	—	—	480.89
文坊镇	1878	311.75	1500	7.50	1000	143.00	2000	10.00	—	—	805	4.03	1500	10.50	140	1.40	—	—	488.17
志光镇	800	132.80	—	—	1559	222.94	—	—	720	3.60	—	—	—	—	757	7.57	—	—	366.91
塔桥园艺场	285.7	47.43	—	—	1329.6	190.13	—	—	420	2.10	—	—	—	—	—	—	—	—	239.64
周坊镇	1235.4	205.08	381	1.91	1150	164.45	146	0.73	—	—	363	1.82	—	—	607	6.07	—	—	380.05
塘湾镇	952.3	158.08	420	2.10	820	117.26	—	—	322	1.61	2914	14.57	—	—	—	—	—	—	293.62
耳口乡	940	156.04	—	—	1000	143.00	—	—	—	—	—	—	1200	8.40	—	—	—	—	307.44
流口镇	600	99.60	99	0.50	281	400.18	—	—	—	—	1000	5.00	—	—	120	1.20	—	—	146.48
冷水镇	800	132.80	—	—	150	21.45	—	—	—	—	—	—	—	—	—	—	—	—	154.25
河潭垦殖场	1000	166.00	120	0.60	104	14.87	—	—	—	—	—	—	—	—	—	—	—	—	181.47
樟坪乡	1488.7	247.12	—	—	—	—	—	—	—	—	—	—	—	—	—	—	—	—	247.12
冷水林场	893	148.24	—	—	—	—	—	—	—	—	205	1.03	2000	14.00	—	—	2000	14.00	177.26
余家乡	485.9	80.66	1450	7.25	—	—	—	—	—	—	—	—	—	—	—	—	—	—	87.91
三县岭林场	248	41.17	—	—	—	—	—	—	450	2.25	870	4.35	1500	10.50	200	2.00	1500	10.50	70.77
双圳林场	193	32.04	—	—	—	—	—	—	563	2.82	215	1.08	5300	37.10	—	—	3000	21.00	94.03
河潭镇	—	—	2788	13.94	1189	170.03	2974	14.87	—	—	—	—	—	—	750	7.50	—	—	206.34
滨江乡	—	—	1202	6.01	1258.4	179.95	2380	11.90	—	—	—			—	120	1.20	—	—	199.06
泗沥镇	—	—	4500	22.50	242	34.61	2500	12.50	—	—	—	—	—	—	264	2.64	—	—	72.25
鸿塘镇	—	—	—	—	935	133.71	1000	5.00	—	—	1056	5.28	—	—	460	4.60	—	—	148.59
彭湾乡			—	—	800	114.40	—	—	—	—	—	—	—	—			—	—	114.40
罗河镇	—	—	540	2.70	420	60.06	—	—	—	—	—	—	—	—	1400	14.00	—	—	76.76
雷溪乡	—	—	—	—	398	56.91	—	—	—	—	—	—	—	—	—	—	—	—	56.91
硬石岭水库	—	—	—	—	334	47.76	—	—	—	—	—	—	—	—	—	—	—	—	47.76
耳口林场	—	—			200	28.60	—	—	283	1.42	200	1.00	1500	10.50	—	—	2000	14.00	55.52
西窑林场	—	—	—	—	—	—	—	—	242	1.21	270	1.35	2000	14.00	—	—	1500	10.50	27.06
白田乡	—	—	—	—	—	—	—	—	—	—	102	0.15	—	—	182	1.82	—	—	2.33

第三节 林业经营

木竹采伐

贵溪市为林木重点产区,主要经营产品有原木和锯材,销往浙江、江苏、上海等地。1991—2008 年,每年木材产量均超过 7.2 万立方米。1992 年,达历史最高峰为 13.7 万立方米。2000 年后,采伐数量逐渐递减,主要原因是林业发生历史性转变,从以木材生产为主到以生态建设为主的转变,从以采伐天然林为主到以采伐人工林为主的转变,从毁林开荒到退耕还林的转变,从森林生态效益的无偿使用到有偿使用的转变,以及从部门办林业到全社会办林业的转变。其中,最核心的转变是从木材生产到生态建设的转变。

1991—2008 年贵溪市木竹采伐一览

表 8-4 单位:立方米、万根

年份	木材计划	完成数	毛竹计划	完成数	年份	木材计划	完成数	毛竹计划	完成数
1991	62553	50042	81	80	2000	37248	33523	96	95
1992	136653	109322	96	95	2001	29320	24922	116	112
1993	135446	108357	85	85	2002	30450	27405	108	101
1994	132572	106058	106	96	2003	30400	27103	98	98
1995	129007	103206	65	65	2004	33300	29970	158	158
1996	133219	107907	175	175	2005	66530	57216	169	168
1997	114045	92376	145	144	2006	56417	49083	210	206
1998	112325	92107	121	120	2007	50502	42927	190	188
1999	61912	53244	122	121	2008	79410	63528	401	342

木竹流通

贵溪毛竹资源丰富,2003 年森林资源"二类"调查数据表明,全市毛竹林面积 2.37 万公顷,立竹量 4864 万株,亩均立竹量 137 株。2000 年,竹材经营权放开,木竹流通顺畅。

1991—2008 年贵溪市木竹销售及收入一览

表 8-5

年份	木材内销(立方米)	收入(万元)	木材外销(立方米)	收入(万元)	毛竹内销(万根)	收入(万元)	毛竹外销(万根)	收入(万元)
1991	10008	183	40034	801	8	48	72	576
1992	22958	780	86364	3454	9	54	86	688
1993	20588	559	87769	2633	8	64	77	770
1994	19090	441	86968	3479	20	160	76	760
1995	17545	423	85661	3426	6	48	59	590
1996	18344	678	89563	3609	17	136	158	1580
1997	16628	437	75748	2751	14	112	130	1300
1998	19096	556	93229	3645	12	96	108	1080
1999	17719	636	44193	2028	12	96	109	1090

续表 8－5

年份	木材内销（立方米）	收入（万元）	木材外销（立方米）	收入（万元）	毛竹内销（万根）	收入（万元）	毛竹外销（万根）	收入（万元）
2000	5699	178	27824	1143	10	80	86	850
2001	3489	226	21433	1499	8	64	104	1040
2002	5207	481	22198	2222	10	80	91	910
2003	4608	302	22495	1696	10	80	88	880
2004	5095	357	24875	1878	16	144	142	1562
2005	10871	713	46345	3499	17	153	150	1650
2006	9817	648	39266	3008	21	189	185	2035
2007	8585	572	34342	2613	19	171	168	1859
2008	12706	835	50822	3811	34	306	308	3338

林业投资

2001 年 2 月，国务院批准实施 6 个林业重点工程，即：天然林资源保护工程、三北和长江中下游地区等重点防护林建设工程、退耕还林（草）工程、京津风沙源治理工程、野生动植物保护及自然保护区建设工程和重点地区速生丰产用材林基地建设工程。贵溪市积极推进上述 6 个林业工程中除京津风沙源治理工程之外的其他 5 项林业重点工程建设，江西省财政配套资金，18 年林业投资巨大，贵溪林业大发展，为建设绿色生态贵溪提供可靠的资金保障。

1991—2008 年贵溪市林业投资一览

表 8－6　　单位：万元

年份	金额	年份	金额
1991	433	2000	337
1992	542	2001	454
1993	380	2002	571
1994	545	2003	558
1995	4150	2004	1038
1996	2440	2005	1113
1997	2829	2006	1446
1998	226	2007	729
1999	254	2008	2476

木竹加工与林副产品

1991 年起，贵溪县林业主管部门加强对境内的木材经营和加工单位的清理整顿和管理，原有或新设立的木材经营和加工单位须经县级或县级以上林业主管部门审核同意后，向工商行政管理机关登记换照。1995 年，境内有木（竹）材经营加工企业 250 家。2000 年，对一些资源浪费和乱收乱购严重的木材经营企业坚决予以关闭。至 2008 年，全市木材经营加工企业 118 家。

2000 年开始，毛竹产业化建设加快，建立毛竹丰产林基地 1.4 万公顷，政府将竹业定为重点产业，出台很多优惠政策，竹林质量不断提高，竹材产量明显增加。1989 年，国营贵溪县西窑林场与台商合资成立江西竹辉竹业有限公司，引进竹材加工一条龙生产线，加工断面板，直条板和拼花板。竹辉公司成为毛竹加工龙头企业。年消耗原竹50万余根,生产各种竹地板10万平方米,产值1080万元。其中,2003年创产值1800万元,销售收入1600万元,实现利润350万元,公司生产的“竹辉”牌竹地板,获“江西省科技新成果产品交易会”金奖、“湖南国际文化节”获竹产品展览会金奖。此外,竹凉席、竹制工艺品、竹胶板等产品畅销广东、上海等省市,出口于日本和马来西亚、新加坡等东南亚国家。

2008年贵溪市木竹加工产品一览

表8-7

产品名称	年产量	年产值(万元)
竹地板	20万(平方米)	2800
竹集成板	6000(立方米)	600
竹胶板	40万(张)	2000
胶合板	60万(张)	3000
细木工板	30万(张)	1500
木家俱	2万(套)	2400
竹筷	600(标箱)	60
水煮笋	300(吨)	2600
活性炭	200(吨)	4400
无烟蚊香	200万(合)	300
竹凉席	2万(床)	240
竹荪	200(千克)	16

第四节 林政管理

林权制度改革

贵溪林权制度改革试点从2004年下半年开始,改革前后历时两年多,以“明晰产权、减轻税费、放活经营、规范流转、综合配套”为主要内容的林权制度改革深受林农欢迎,被广大群众誉为“第三次土改”。实施林权制度改革后,改变过去“吃大锅饭”的弊端,造林靠搞“群众运动”的方法,林好林坏与个人不挂钩,使得年年造林不见林。现在林权落实到个人户上,又实行税费减免,卖材没有中间环节,林农收入大增,扩大生产规模,促成良性循环,成千古未有的好事。

2005年,全面启动林业产权制度改革。坚持“多予、少取、放活”的改革方针,进一步明晰林地使用权和林木所有权,放活经营权,落实处置权,保障收益权,主要内容为“明晰产权、减轻税费、放活经营、规范流转”。

全市林业用地面积142000公顷,其中国有林地28000公顷,集体所有林地114000公顷,全市共分自留山23425公顷,责任山72657公顷,集体经营山林183048公顷,产权制度改革及全市分山到户率82.83%,分户发证率100%,山林纠纷面积调处率97.9%,真正实现“山定权、树定根、人定心”。截至2007年9月,全市基本完成林权改革工作。

截至2008年,全市已发放林权证交15万户,落实承包荒山荒坡13333公顷。刘敏为贵溪市第一个领到林权证的林农,他于2002年在志光镇湖塘村委会湖塘村小组鹊塘承包54公顷山场荒山,用于栽植杨树。

采伐管理

1991年,贵溪县严格执行经国务院发布的《森林采伐更新管理办法》,制定“伐前办证,伐中检查,伐后验收”的采伐管理制度及限额采伐制。根据森林资源状况和社会实际，坚持用材林的消耗量低于生长量的原则，每5年测算1次境内森林采伐消耗的最大限额。经测算，境内“八五”和“九五”期间的采伐限额分别为59.6万立方米和45.4万立方米，“十五”期间减至19.2万立方米，“十一五”期间为20.1万立方米。根据采伐限额下达年度森林采伐计划，“八五”“九五”“十五”和“十一五”期间年平均采伐分别为11.9万立方米、9.0万立方米、3.8万立方米和4.0万立方米。

同时，加大森林资源保护力度，增强管理机制的灵活性。森林资源管理克服过去那种“一管就死、一放就乱”的状况，建立完善灵活的管理机制。林木采伐管理更加灵活，适应新的非林业用地林木管理、森林采伐限额分类、年度采伐指标结转以及其他管理制度。具体包括非林业用地上营造林的林木不纳入采伐限额管理，采伐限额不分起源和消耗结构，采伐类型由五类简化为三类，节余的采伐指标可结转以后各年度使用，取消集体林主伐年龄限制，将原来由林业工作站承担的伐前、伐中、伐后全过程管理改为由森林经营者自主管理，林业部门提供服务和监督等。不允许任何地方因改革而出现乱砍滥伐。经营方式更加灵活。区分不同地区，根据不同情况，引导林农采取不同的林业经营方式。引导林农组建林业专业合作社、民营林场等林业专业合作组织，提高林业生产组织化程度。鼓励和引导林业龙头企业采取“公司＋合作组织＋农户”等模式，与林农建立新型合作关系，发展灵活适度的规模经营和集约经营，实现企业与林农互利双赢。

木材运输管理

1991—2008年，贵溪市境内木材运输根据《中华人民共和国森林法》和林业部、省政府制定的木材运输管理规章制度进行管理。凡木材及其加工产品属于省内运输的要凭江西省政府制定的《江西省木材内运输证》，属于跨省的要凭林业部统一制定的《出省木材运输证》。林业部门专门设立运输证办证室，并在国、省道和进出林区的金屯、圳上、彭湾、三县岭设立检查站，加强木材运输管理。

第三章 森林保护

第一节 封山育林与森林防火

封山育林

封山育林目的是利用林木天然更新能力，通过人为的保护达到成林效果。封山育林的主要对象为：有成林希望的疏林地，具备有一定数量下种母树和幼树的宜林荒山荒地，人工造林难以成活的林地，分布有珍稀树种的林地，对生态环境起重要作用的林地。封山育林的方式主要有全封、半封和轮封3种，一个封期一般为5年。

1991—2008年，贵溪市按照“适地适树、宜封则封”的原则，加大封山育林力度，促进森林恢复。成立各级护林组织，建立健全护林村规民约，聘请护林员。共完成封山育林28667公顷。2004年荣获“全国封山育林先进县”称号。

森林防火

贵溪市为江西省重点森林火险区。为做好森林防火工作，成立以市长为指挥长，市委分管领导、市政府分管领导、市人武部长、市林业局长为副指挥长，相关单位负责人为成员的“贵溪市人民政府森林防火指挥部”，指挥部下设办公室，配备专职工作人员。各乡(镇、街道、场)也相应成立森林防火领导小组，落实人员具体负责森林防火工作。同时市委明确规定乡(镇)党委书记对辖区内的森林防火工作负总责，乡(镇)长为第一责任人。全面落实森林防火工作行政领导负责制，县、乡、村3级层层签订年度森林防火工作责任状，规定年度森林火灾过火面积和森林受害面积“双控指标”。

2000年，成立贵溪市森林消防大队，并先后成立7支专业森林消防中队，队员总人数153名，市森林消防大队与市防火办合署办公。各乡镇都建立一支20～30人的半专业扑火队，村、分场都建立村级护林防火联防队。

贵溪市自1960年起就加入森林防火联防组织,属于闽赣第五护林联防区。第五联防区辖闽赣两省的贵溪、资溪、南丰、黎川、邵武、光泽、建宁、泰宁8县。下辖6个护林联防分会,贵溪的双圳林场、冷水林场为护林联防第一分会单位。联防县每年轮流当班,每届为期一年,至2008年贵溪已轮流当班5届。

2008年贵溪市林业局新建贵溪市森林防火指挥中心大楼,指挥中心安装森林防火地理信息系统,部分林火远程监控探头,为科学预防与扑救森林火灾打下良好的基础。全市已建成防火瞭望台5座,转讯台3个,设立无线基地台6个,购置手持对讲机60部,防火指挥车5部,运兵车6部,风力灭火机110台,新开防火路1509千米,营造防火林带1810千米。

附:

"2·14"塘湾森林火灾

2004年1月下旬至2月中旬,贵溪市连续24天久晴无雨,日最高气温28℃,火险等级居高不下。2月14日,塘湾镇、周坊镇同时发生森林火灾,给国家和人民生命财产造成了重大损失。

2月14日下午2时左右,塘湾镇金源村何家村小组村民何玉其铲田畔时铲下的杂草堆放在田中烧灰积肥,引燃了山边杂草。火势迅速往南向隔壁的芦甸村蔓延。何玉其看到大火无法扑灭,便逃离现场。

当日下午2时30分,芦甸村委会党支部书记刘文华首先发现火警后,一边组织本村应急分队和在家劳力赶往火场扑救,一边迅速向塘湾镇政府报告。镇立即组织机关干部和应急分队赶赴火场增援。3点30分左右大火越过刚开劈的第一条隔离带,继续向南面山岗烧去。书记刘文华当即带领部分村民往西绕过火场,下到狐狸岩,决定利用岩下水沟开劈第二条隔离带。

"狐狸岩"位于两山之间,沟谷狭长,与山顶相对高差较大,灌木和茅草茂密。此时,刘文华等人组成的独立小分队下到岩下水沟后,与前线指挥部失去联系。他们为开劈第二条隔离带而奋力拼搏。4点30分左右,大火已烧至西北面山顶,正向岩下烧来。火星吹落在山沟,点燃了刘文华等人砍倒的杂草灌木,迅速向旁边燃烧。山上火,沟里火,迅速从东、西、北三面将他们围住,山沟顿时成为一片火海。这时,刘文华、刘水太、刘树太一边打火,一边设法向南爬上石壁逃生。由于石壁陡峭光滑,无法攀越,均被大火烧伤滚落沟底窒息而死。刘文正向东跑出,被烧成重伤后送往四冶医院抢救无效,于15日凌晨6时牺牲。火灾发生后,鹰潭市委、市政府、军分区,贵溪市委市政府等主要领导赶赴现场指挥,大火于当晚11时基本得到控制,15日凌晨1时被全部扑灭。据核查过火面积160公顷,受害面积90.5公顷,直接经济损失23.4万元。灾后,市森林公安分局成立专案组,仅一天半时间,于16日将肇事村民何玉其实行刑事拘留。

在扑火中英勇牺牲的人员是:刘文华、刘水太、刘文正、刘树太。

"2·14"周坊森林火灾

2月14日中午12时左右,周坊镇河源村委会源头村小组村民葛文良在雷垅山脚自家责任田烧田埂杂草,引发森林火灾。该案当日下午告破,肇事者葛文良,时年75岁,被刑事拘留。

大火发生后,镇政府首先组织人员上山扑救。随后,市委、市政府、市林业局等领导,以最快速度赶到现场靠前指挥,并调动第一、第二两个扑火专业队参战。由于气温高,风力大,地形复杂,植被覆盖密度大,火势一时难以控制。晚上鹰潭市市长胡宪、副书记董岙生、副市长朱浔、政府副秘书长秦以群,贵溪市市委书记陈爱民、市长黄建平等领导亲临火场指挥,省防火办副主任杨小春专程从南昌赶来指导扑救。为避免出现人员伤亡,采取了围而不打的办法,从15日早上开始以专业扑火队为骨干组织人员扑打。由于面积较大,火线过长,现有队伍难以奏效。下午调来了余干、德兴、分宜等县市专业扑火队增援。5支专业消防队统一指挥,协同作战,在当地干部群众密切配合下,大火于16日上午得到控制,下午4时全部扑灭。

据核查,火灾过火面积612公顷,受害面积362.5公顷,直接经济损失142.1万元,无人员伤亡。

第二节 病虫害防治

1991—2008年,贵溪市连续封山育林3万余公顷,阔叶林覆盖度由35%提高到75%,控制松毛虫蔓延,经过生产性综合防治,避免偏重于化防、防治方法单一,消灭大发生年,实现有虫不成灾。期间,1998年曾暴发过一次松毛虫危害,被虫害过的马尾松像火烧过一般,山成光秃的荒山。毛虫爬进村庄,遍地都是,光脚不敢出屋。村民用扫把扫成堆,然后泼煤油焚烧。

松毛虫是贵溪市马尾松最广泛最大的危害,虫害过处,山成荒山。2007年越冬后马尾松毛虫发生迅猛,并形成蔓延扩散势头。经调查资料分析显示,全市松林面积47367公顷,20个松毛虫易发区,有12区域发生松毛虫的危害,有虫面积为6967公顷,二级以上发生面积为3607公顷,涉及松林面积达20000公顷之多。为对付这种松林最大危害,主要采取生物防治和化学防治。于针叶松林中补种枫香、木荷等阔叶林树种,吸引灰喜鹊等以松毛虫为食的鸟类,是科学的环保防治方法。化学防治是在万不得已情况下进行。如1991年鸿塘、志光镇大面积发生松毛虫,用人工喷洒无济于事,后采用飞机喷洒农药方式消灭松毛虫。

马尾松毛虫在1998年暴发过一次,时隔9年后的2007年又是一个虫害大暴发的年份。暴发原因有四:一、松毛虫的发生已从块状、零星分布状态形成遍状;二、发生虫情的山场有虫率较高,平均达40%;三、暖冬气候和未出现长时间的倒春寒;四、有虫情发生山场地块松针保存完好,平均松针保存率在80%以上,松毛虫有充足的食料。

1991—2008年时段贵溪市主要树种常见病虫害一览

表8-8

树种	虫害	病害
松类	马尾松毛虫、松墨天牛、中华松梢蚧、松大蚜、马尾松梢小蠹	松赤落叶病、松赤枯病、松落针病、松针褐斑病、松针锈病
竹类	黄脊竹蝗、竹毒蛾、青脊竹蝗、竹笋禾夜蛾、大竹笋象	竹丛枝病、竹煤污病、毛竹叶斑枯病
杉类	杉梢螟、杉天牛、杉白蚁	杉木细菌性叶枯病、杉木炭疽病、杉木叶枯病、杉木缩顶病、杉木黄化病
经济林类	油茶象甲、油茶毒蛾、油茶枯叶蛾、油桐尺蠖、油桐衰蛾、云斑天牛、地老虎、泡桐金龟子、桃蛀螟、栗链蚧、栗实象	油茶炭疽病、油茶软腐病、油茶煤污病、油桐枯萎病、油桐褐斑病、泡桐炭疽病、板栗疫病、板栗白粉病、泡桐丛枝病
阔叶树类	杨白潜叶蛾、杨扇舟蛾、杨小舟蛾、瘿螨、钻蛀类害虫、樟蚕、乌桕毒蛾、法梧袋蛾、桉袋蛾、乌桕大蚕蛾、桑天牛、星天牛、去斑天牛、光皮树红蜘蛛	杨树溃汤病、叶锈病、黑斑病、腐烂病、烟煤病(光皮树)、桉树褐斑病、桉树叶斑病、树木膏药病
苗圃类	小地老虎、大蟋蟀、种绳、铜绿丽金龟	幼苗立枯病、苗木茎腐病、杉菌赤枯病、松苗叶枯病、苗核性根腐病

第三节 自然保护区

贵溪市阳际峰自然保护区始建于1996年,2004年5月晋升为省级自然保护区,属野生生物类别中的野生动物类型自然保护区。保护区位于贵溪市南端、武夷山西北麓,北与文坊镇相连,西与江西马头山国家级自然保护区毗邻,东与樟坪乡和铅山县接壤,南与福建省山头关交界,总面积10946公顷。其主峰阳际峰位于保护区东南面,海拔1540.9米,为鹰潭市最高峰。

阳际峰保护区内保存有完整的常绿阔叶林森林生态系统和较多的珍稀野生动植物物种和珍稀植物群落,是中国武夷山脉北段南缘一个典型的中亚热带常绿阔叶林生态系统。阳际峰保护区还保存许多重要的陆生脊椎动物类群。华南湍蛙、武夷湍蛙和戴云湍蛙均分布于阳际峰,且均有相当数量。此外,阳际峰保护区还是中国武夷山脉生物多样性保护的一个重要组成部分,栖息着种类繁多的野生生物,其中有豹、黑麂、黄腹角雉和白颈长尾雉等4种国家一级重点保护野生动物,藏酋猴、猕猴、鬣羚、斑羚、豹猫、豺、大灵猫、小灵猫、穿山甲、鸳鸯、白鹇、鹰雕、林雕、蛇雕、凤头蜂鹰、赤腹鹰、黑翅鸢、凤头鹰、松雀鹰、苍鹰、普通鵟、灰背隼、燕隼、游隼、斑尾鹃鸠、草鸮、东方角鸮、领角鸮、领鸺鹠、斑头鸺鹠、鹰鸮以及虎纹蛙等30余种国家二级重点保护野生动物,以及种群极度濒危的崇安地蜥,是迄今为止已经发现的栖地面积最大、种群数量最多的地区。而发源于保护区的泸溪河中游区域,则更是国家重点保护动物中华秋沙鸭的重要越冬地。因此,阳际峰保护区对研究武夷山脉中亚热带常绿阔叶林和生物多样性、两栖爬行类物种起源和进化、遗传规律、动植物分类和生物地理学具有很高的保护价值和科研价值,也是开展科普宣传和教学实习的良好场所。

第九卷　水利　电力

第一章　水　利

第一节　水利设施加固与新建

贵溪市在新中国成立前农田水利十分落后，只有山塘3198口，小水库3座，总蓄水量1072万立方米，灌田853公顷左右。新中国成立后，尤其是20世纪50年代中期后，贵溪水利事业起了翻天覆地的大变化：新建中型水库6座、中型提水和引水工程各1座、小（一）型和小（二）型水库共计139座，新挖小山塘7038口。至2008年，全市已有蓄水工程10381座，总库容26245万立方米，有效库容21837万立方米，可灌田2.9万公顷。

市领导检查指导水库防汛工作

1991—2008年贵溪市水利全面转入除险加固时期。在这一时期，对106座小（二）型、小（一）型、中型水库进行加固，共安排资金4100万元。

中型水库概况及除险加固

硬石岭水库　位于贵溪市西北硬石河上游，距城区33千米。1956年12月1日开始灌溉发挥效益。

枢纽工程及干渠，后经多次扩建或改建。1971年，最大坝高20.5米，坝顶长度由120米增至285米；溢洪道底高程由原来的59米增至60米，底宽7.8米，下泄最大流量80立方米/秒。总库容相应由3700万立方米增至5120万立方米，有效库容为4900万立方米。可灌溉贵溪市鸿塘、志光、滨江等乡镇及鹰潭北郊部分农田共计0.33万公顷。

硬石岭水库是贵溪市最大的中型灌溉工程。自建成后即成立工程管理局，为自收自支水利部门管理的国有水利事业单位二级局。2008年有职工152人，其中管理人员20人；下设水管站3个，有管水员14人；子弟学校1所，教师10人，职工104人。

1988—1991年国家安排资金65万元用于渠系配套工程。2001年7月，中央安排特大防汛经费100万元用于硬石岭水库防汛应急，其工程项目是溢洪道尾水渠拓宽衬砌，该工程实行公开招投标，中标单位是江西省龙源实业有限公司，监理单位是上饶市水利水电工程建筑监理中心。2002年1月，中央安排600万元资金用于硬石岭水库除险加固。主要实施项目是溢洪道扩改建、大坝整治、管理房建设。该工程实行公开招投标，分两个标段，溢洪道扩改建为A标，中标单位（施二单位）是江西省水电工程总公司；大坝整治和管理房建设为B标，中标单位是南昌县水利电力建筑安装公司。整个除险加固工程施工监理是上饶市水利水电工程建设监理中心。

太平畈水库　位于市境内东北部河潭镇孙家塘村,距城区25千米。属信江河水系太平畈支流。总库容1086万立方米,设计可灌溉河潭、泗沥及弋阳县南塘张家村农田1000公顷。

该工程1957年11月8日开工,1958年3月15日竣工。水库有5座大坝,其中3号坝为主坝,最大坝高15.6米,坝顶宽5米,坝长164米。输水涵管设于2号副坝右侧,为钢筋砼圆管结构,内径1米,长90米,溢洪道设在4号副坝左侧,底宽3米。

太平畈水库是早期仓促建成的一座中型水库,施工质量差,运行中发生诸多问题,曾先后作大坝堵漏、洪道改建、涵管补修、启闭设备更新处理。1991年对2号坝进行柔毡防渗处理。2003年对太平畈水库进行安全鉴定,经省水利厅、长江水利工程委员会论证为病险水库。2004年委托上饶水利水电勘测设计院对太平畈水库进行除险加固设计。

2006年中央安排太平畈水库除险加固资金661万元,同年成立太平畈水库除险加固工程项目部,实行公开招投标。中标单位是江西省水利水电基础工程有限公司,监理单位是上饶市水利水电工程建设监理中心鹰潭监理站。主要施工项目有新开一条输水隧洞;溢洪道边墙、底板重建;主坝加固;1、2号副坝防渗处理;3、4号副坝整治。2007年12月完成。

太平畈水库原来归河潭垦殖场孙家塘分场管理,无专管机构。1996年经贵溪县人民政府批准归口贵溪水电局管理,属股级国有自收自支水利事业单位。至2008年年底,有在职职工43人。

白庙水库　坝址位于境西南,距城区约25千米的彭湾乡樊家桥村。属信江河系望谷河(又称曼谷河)上游。1958年8月动工兴建,1960年6月竣工。主要建筑物有大坝、溢洪道、输水涵管、坝后电站。

大坝原设计为塑性心墙土坝。坝顶高程206.5米,最大坝高32.5米,坝顶长156米,坝顶宽8米。输水涵管位于大坝左端,直径1.2米,长160米,1991年冬对涵管用PCC材料修补,对涵管外壁用水泥灌浆处理。溢洪道位于大坝左端山肩上,底宽30米,最大下泄流量600立方米/秒。总库容1580万立方米,防洪库容330万立方米,兴利库容1190万立方米,设计可灌溉罗河镇0.2万公顷水田,实际曾达到灌溉面积1467公顷。

白庙水库由于建库时间长,运行40多年,2007年对大坝进行安全鉴定,并经省水利厅、长江委员会评审鉴定为病险水库。其主要加固工程项目是:大坝、涵管、溢洪道除险加固和管理用房新建。2008年经上饶水利水电勘测设计院对除险加固初步设计,总概算为2380万元。

2008年年底,有在职职工28人。属水电局下属股级国有自收自支水利事业单位。

枫林湾水库　位于信江支流泗沥河上游白田乡枫林湾村附近,距城区33千米。设计总库容2600万立方米,兴利库容2090万立方米,设计可灌溉白田乡、泗沥镇、河潭镇、周坊镇3000公顷农田,实际达到0.21万公顷。枢纽建筑物有:大坝、溢洪道、输水涵管、坝后电站。大坝为粘土心墙坝,坝顶高程104米,长276米,宽6米,最大坝高35.8米。溢洪道为开敞式,堰顶原净宽25米,最大泄量170立方米/秒,1991年建成洪道拦鱼栅。灌溉涵管为钢筋砼圆形结构,长146米,后用钢板衬砌直径为1.36米。

枫林湾水库原名裴源水库,1967年改称为红卫水库,1985年改为枫林湾水库。2008年年底,有职工46人。属水电局管理的股级国有自收自支水利事业单位。

枫林湾水库2003年列入病险水库。2007年中央安排除险加固资金1500万元,当年枫林湾水库成立除险加固工程项目部,实行公开招投标。设计是上饶市水利电力勘测设计院,施工单位(中标单位)为江西省水利水电开发总公司,监理单位是上饶市水利水电建设监理中心。除险加固主要项目有大坝防渗处理、溢洪道改建、新建输水隧洞及原输水涵管封堵、防汛公路硬化、总干渠出口整治、大坝观测系统、白蚁防治、管理房新建,主体工程于2008年12月基本完成。

大禾源水库　位于贵溪北乡三县岭垦殖场大禾源分场,处信江支流泗沥河上游,距城区40千米。1958年7月动工兴建,至1960年完成。坝高23.5米。1980年6月续建,至1982年完成。续建后大坝高35.45米。1992年省水利厅以赣水工管字(92)号文批准升格为中型水库。设计可灌溉周坊镇0.15万公顷农田,实际曾达到733公顷。枢纽建筑物有:大坝、溢洪道、输水涵管、坝后电站。

大禾源水库建成后即成立工程管委会,1969—1972年归属周坊垦殖场,后又归县管,1978年5月划归周坊公社管辖,1997 年归贵溪水电局管,局股级国有自收自支水利事业单位,现有职工 31 人。

大禾源水库 2007 年 5 月被国家列入病险水库。坝区 2008 年由上饶水利电力勘测设计院搞初步设计,除险加固加固项目是:大坝防渗、洪道改建、涵管改建。

塘湾水库 属信江支流罗塘河溪南上游,距贵溪 30 千米,从塘湾镇有硬化公路直达。座落在塘湾镇江坊村肖山桥。

该工程为三边工程(边测量、边设计、边施工)。1970 年 12 月动工兴建,1972 年 4 月枢纽工程基本完成,当年开始受益,1981 年主体工程完成。大坝为塑性心墙坝,最大坝高 36.2 米,坝长 168 米。输水涵管为钢筋砼圆形压力管,最大过流量 7 立方米/秒。溢洪道设在大坝右侧,最大泄量 800 立方米/秒,设计可灌溉塘湾等乡镇农田 0.15 万公顷,实际曾达到 733 公顷。建有装机 340 千瓦坝后电站。

水库兴建时称民兵水库,至 1976 年改名为塘湾水库。原归塘湾公社管辖,1976 年始建塘湾水库管理委员会。1996 年归水电局管辖,属市水利局下属股级国有自收自支水利事业单位。2000 年建两层新办公楼。1991 年水库人员为 44 人,其中管理人员 7 人(正、副主任 3 人),电工 30 人,其他(含管水)7 人。2008 年在职职工 19 人,其中管理 5 人,电工 4 人,其他人员 10 人(有 7 人停薪留职)。塘湾水库主要收入是渔业收入和发电收入,从建库至今从未收过水费,全省罕见(2008 年渔业收入 4.2 万元,电费收入 14.8 万元,其他收入 2 万元,年总收入 19 万元)。

1998 年 6 月 25 日,塘湾水库大坝溢洪道东侧山体滑坡,倒塌碎石 3 万立方,将洪道阻塞三分之一,经鹰潭、贵溪市两级水利部门研究,采取限制蓄水。经鉴定为病险水库,1999 年委托抚州市水利水电勘测设计院搞除险加固设计,2000 年国家安排除险加固资金 600 万元。除险加固主要项目:大坝冲抓套井回填粘土,内坡干砌块石护坡,外坡重建棱体反滤层;溢洪道右边山刲坡,高喷砼,右边墙重建。采取公开招标,大坝加固中标单位是江西江河水利水电供水公司。溢洪道整治中标单位是江西临川水电安装总公司。质量检测单位是上饶水利科学研究所。工程于 2000 年 11 月动工,2003 年 3 月竣工。

小水库除险加固

2008 年年底,全市有小(一)型水库 18 座。除五七、石背、白岩、洋石桥等建于 20 世纪 70 年代后,其余建于 50—60 年代,担负着 3400 公顷农田灌溉任务。因当年缺资金、材料和技术,又经过 50 多年的运行,从 2005 年起,对香炉峰、五七、洪家湾、忠心、杨梅岭、河潭、界牌、梁溪、白岩、新溪、洋石桥等 11 座水库进行一次除险加固,由省、市安排资金,共投入 1225 万元。

至 2008 年年底,全市有小(二)型水库 121 座。除梅峰、百源垅、长石岭、东际、新塘、屋基里、周家塘、麻垅、官塘、佛梅岭、塘士源、亭子岭、东源坞、何树岭、八栏坞、口井等 16 座小(二)型水库是 70 年代后修建,其余都是建于 50—60 年代,担负着 2733 公顷农田灌溉任务。2004—2008 年,对其中 92 座进行除险加固,本级财政投入资金 1819.7 万元。

引水工程

新中国成立前,全县有水坝 200 座,引水总量为 2352 万立方米,灌田 2600 公顷,其中:灌溉千亩以上的水坝 11 座,以罗河乡的石垅坝为最大,灌田 200 公顷;另有灌溉面积 33 ~ 67 公顷的水坝 12 座,5.7 ~33 公顷的石坝 52 座;其余是临时性的乱石坝、柴坝,这些水坝在每年汛期常被洪水冲毁,旱期须重新修筑。

新中国成立后,对老坝先后作修建加固,1990 年以前又兴建一批新坝,全市引水工程已增至 445 座,引水总量 6558 万立方米,有效灌溉面积 5620 公顷,其中万亩以上引水工程 1 座(西溪坝),千亩以上引水工程 22 座,千亩以下引水工程 422 座。1991 年以后只对高公坝、石垅坝、白洋坝等 3 座大坝进行过加固处理,共投资 119 万元,其余仍在正常运行。

附:西溪坝概况及除险加固

西溪坝建于1952年10月,竣工于1954年4月,是贵溪历史上也是新中国成立后第一座中型引水工程,属水利局下属股级国有自收自支水利事业单位。距县城16千米,乘贵塘公路可直达。东西干渠引水流量5立方米/秒,可灌塘湾、雷溪、罗河等乡镇农田1333公顷。

2000年、2006年、2007年分别对石垅坝、高公坝、白洋坝进行了加固改造,大坝维修和坝体加固共投资119万元。

2008年中央安排西溪渠改造工程资金220万元,用于18千米渠道砼衬砌。该工程实行公开招投标,分两个标段,A标中标单位是江西中泽工程建设有限公司,B标中标单位是东乡水建工程公司。工程监理单位是广东华禹工程咨询公司。

提水工程

贵溪农村传统提水抗旱工具,平原是人力手摇脚踩的龙骨车和牛力木、铁盘绞车,山区是圆筒撩车。而今农村这些提水工具由于抽水机、电动抽水机、潜水泵的出现,在改革开放中逐渐自然消失。灌田13公顷以上的电灌站有24座,其中黄坑于2004年新建。全市1990年前原有水轮泵站24座,至2008年年底,有14座。至2008年底全市提水工程发展到360座,设备475台套。其中:机灌站265座,柴油机318台,总动力5649马力;电灌站70座,电动机83台,总装机2497.5千瓦;水轮泵站25座,水轮泵56台,有效灌溉面积达6.41万亩,万亩以上提水工程一座(九牛滩水轮泵站)。

附:九牛滩水轮泵站除险加固

九牛滩水轮泵站是江西省最大的水轮泵站。该站为贵溪市水利局下属股级国有自收自支事业单位,于1966年11月开工兴建,1969年6月基本竣工,并开始泵水灌田;1970年8月1日开始发电。该站原设计灌溉面积3333公顷,实际灌溉面积1467公顷。

2000年由于下游界牌枢纽工程竣工蓄水发电,致使九牛滩坝址下游水位抬高,从而减少九牛滩水轮泵站扬程,造成九牛滩水轮泵站不能泵水、发电能力减少30%~40%。2001年省计委、省交通厅补给九牛滩水轮泵站淹没损失750万元。2005年经鹰潭市批准,对南北两岸机组进行改造。北岸8台水轮泵更新于2005年12月,2006年3月完工,投资341.44万元;南岸3台水轮泵更新于2007年3月,是年6月完工,投资80万元。2006年将原拦河坝报废,重新在老坝下游新建一座混凝土重力坝。将旧的水轮泵、水轮机更新改造,2007年完工。2008年4月13日九牛滩水轮泵站拦河大坝南岸干砌坝被洪水冲毁,决口宽126余米,造成河道改道,泵水、发电功能失效。坝水毁事故发生后,为防止南岸附坝继续倒塌,危及靠近附坝村庄的生命财产安全,以防造成更大损失,市委、市政府立即组成抢险领导小组,市长艾农坐镇指挥,并请求驻市大企业支援,调集大型运输车,日夜拉石回填。同时采用大铁笼装石垫底。经过10多天的抢险,排除险情。贵溪市政府投资400余万元的抢险经费。当年8月下旬,贵溪市政府又自筹资金修复、加固九牛滩拦河大坝,采取南端延长砼坝26米,总修复加固资金1605万元。

2008年,全市有电灌站24座。其中,流口苏汪、滨江黄坑电灌站分别于1992年和2004年新建。

防洪工程

贵溪人工堤防建于1969—1971年间,以防信江及其支流罗塘河下游两岸洪水泛滥,共建圩堤20座,其中保护万亩以上农田的2座(地理、港口),保护5000至万亩农田的圩堤3座(岭上、新田、雷溪),圩堤总长54.21千米,圩堤保护农田4913公顷,涉及20个乡镇、办事处276个村庄、12万人口。1998—2002年期间,贵溪市对石泉、港口等13座圩堤进行不定期加固,共投入资金760.6万元。

信江圩堤　信江圩堤顶高程28.9~37米(黄海高程),罗塘河圩堤顶高程38.7~51米(黄海高程);堤顶宽2~5米,堤身高度3~8米,内坡边坡1:1.5~1:2.0,抗洪能力10—15年一遇。

由于1998年6月遭遇特大洪水,花园圩、岭上圩、石鼓圩、横田圩相继决口,损失巨大。1998年冬至2008年年底贵溪市逐年对港口、地理、岭上、石鼓、横田、花园等圩堤进行修复加固,港口、地理2座万亩圩堤防洪能力有所提高。

1998年—2002年贵溪市防洪工程加固情况一览

表9-1

工程名称	起讫地点	所在乡镇	提顶高程（米）	提顶宽度（米）	圩堤长度（米）	历史洪水位（黄海高程）（米）	出现时间	保护人口（人）	保护面积（公顷）	加固时间	工程投资（万元）
港口	港口—横田	鸿塘镇	30.6	4~5.0	1770	30.1~30.03	1998.6.26	36680	1179	2002.1~2002.6	309.3
地理	罗家闸—鱼港闸	滨江乡	33.8	2~4.0	5130	33.2~32.93	1998.6.26	23700	1190	2002.1~2002.6	90.0
岭上	庙前—山田寺	滨江乡	35.8~34.8	3.0	5280	35.10~34.40	1998.6.26	2800	421	1998.10~2007.12	65.0
金沙	雷打石—箬港	滨江乡	35.1	3.0	3880	34.1	1998.6.26	7900	160	2002.1~2002.10	27.0
横田	横田—庵山	鸿塘镇	30.8	3.0~4.0	2148	30.3	1998.6.26	6570	237	2002.1~2002.10	120.0
信江	石鼓—夏埠	志光镇	32.4	2.5~3.0	1770	32.1	1998.6.26	2200	77	1998.11~2002.10	80.0
潭头	夏埠—潭头	鸿塘镇	31.1	3.0~3.5	450	29.8	1998.6.26	137	27	2002.1~2002.6	30.0
黄坑	潬湾—罗家	滨江乡	36.1~35.1	3.0~4.0	4530	35.4	1998.6.26	1687	291	2002.1~2002.6	13.0
合盘	合盘	滨江乡	35.0	1.2	173	34.17	1998.6.26	120	77	—	—
仰潭	仰潭—童家圩	志光	0.4	1.8~2.2	845	33.27	1998.6.26	565	66	—	—
太岩	太岩	滨江乡	37.6	2.5	1660	37.07	1998.6.26	400	75	1999.12	10.5
花园	花园	雄石办事处	37.6~36.6	2.5	2540	36.6~36.48	1998.6.26	700	47	1998.1	8.0
沙古桥	沙古桥	—	37.0	2.5	140	36.5	1998.6.26	700	30	1998.1	1.5
塔底	塔底	鸿塘镇	29.6	2~2.5	750	29.1	1998.6.26	1700	59	—	—
视溪	视溪	鸿塘镇	28.9	2.0	325	28.3	1998.6.26	1200	49	2002.12	1.3
韦家	韦家	志光镇	32.0	2.5	568	31.4	1998.6.26	3500	24	—	—
雷打石	雷打石	滨江乡	34.6	2.5	400	33.9	1998.6.26	1850	23	—	—
雷溪	端港—富港	雷溪乡	40.2~38.6	2~2.5	8501	39.4~37.8	1992.7.4	8020	567	—	—
石泉	石泉金家	雄石办事处	38.0	2.0~2.5	1820	37.2	1992.7.4	785	40	1998.12	5.0
新田	樟槎—潜岭	罗河镇	49~38.7	2.0	11600	38~37.7	1992.7.4	5200	459	—	—
合计		—	—	—	54280	—	—	106414	5098	—	760.60

港口圩堤　港口圩堤位于贵溪市鸿塘镇基塘、港口村委会境内,信江河右岸,是贵溪2座万亩圩堤之一。圩堤全长1.73千米,保护耕地面积1180公顷,保护人口3.668万人,工程等级为5级,设计洪水标准为二十年一遇,江西省水利规划设计院于1998—2000年4月完成该工程初步设计。2000年9月省计委以赣设字〔2000〕68号文予以批复。工程加固的项目:河岸迎水坡混合料填筑,堤脚抛石固基,23.0米~26.8米高程之间用C15砼预制块衬砌。施工段为基塘村至港口村,总加固长度927米。港口圩加固工程实行公开招标,开工日期2002年1月16日,完工日期2002年8月13日。加固完成主要工程量:抛石2.1万立方米,土方回填0.88万立方米,砂卵石混合料回填3.93万立方米,砼预制块护坡0.1万立方米,土方整坡0.71万立方米。完成工程总投资309.30万元。港口圩堤于2002年12月由鹰潭市计划委员会组织验收。

鸿塘导托渠　鸿塘导托渠的兴建,是由于界牌枢纽工程的兴建而兴建的。该枢纽工程是省重点工程,于1992年开工,1998年竣工,蓄水发电就会淹没贵溪市志光镇等地农田近140公顷。该渠位于贵溪市信江右岸,鸿塘镇境内,自硬石河下游港边祝家开始,向西鸿塘老排洪渠至界牌枢纽下游引航道末端入信江,全长4614米。

该导托渠实际导托面积为18.1平方千米,设计流量为50.5立方千米,为防止汛期江水倒灌及方便河道维修,在渠道进、出口各设置节制闸一座。工程投标项目有:导托开挖及附属工程,信江圩堤水泥灌浆加固,电灌站改建等工程。

鸿塘导托渠于2001年9月28日开工,2002年8月18日完工。工程总投资1141.69万元。

第二节　水土保持

20世纪90年代后,贵溪市水土流失一边治理,一边因人为因素进一步加剧。轻度水土流失区是古港、樟坪、双圳、冷水、耳口等乡镇;中度流失区是周坊、流口、金屯、余家、塘湾、彭湾、文坊等乡镇;强度流失区是泗沥、河潭、鸿塘、志光、滨江、雷溪、雄石、西窑(花岗石开采部分)等乡镇。

据统计贵溪水土流失面积有46467公顷,至2008年全市治理水土流失面积达33267公顷。

贵溪市是江西省水土保持重点治理县(市),水土保持存在的主要问题是:一是顺坡垦荒,全垦造林。1995—1997年,在消灭荒山造林和红壤果业开发实施阶段,不少地方全垦造林,多数地方顺坡开发,既不能涵养水土,还导致大量的水土流失。二是基本建设如公路建设、铁路复线建设等造成水土流失。三是开采矿石弃土弃石和剥离表土形成水土流失。四、90年代初期乱砍滥伐、烧窑,也直接影响植被覆盖,引发水土流失。

南部罗塘河20世纪50年代可以通航,现已基本淤塞,主河道多处地段已与两岸齐平;北部塔桥河上游河段淹满泥沙,与农田齐平,稍一下雨河水便淹没两岸庄稼。

水土流失治理

1991年以后,贵溪县对水土流失治理加大力度。县水土保持委员会由副县长兼任,县水电局成立水保专门机构,各乡镇配备水保员和监督执法人员。1994年11月16日,贵溪县人民政府制定贵溪县《实施〈中华人民共和国水土保持法〉暂行办法》。在此期间,采取三大措施:一、加大宣传力度。为提高全民水土保持法律意识,每年安排一定的宣传经费,并确立每年《中华人民共和国水土保持法》宣传月、宣传周、宣传日。每年出动宣传车30余次,张贴宣传画1500余份,刷写固定宣传牌、宣传橱窗和宣传标语500余条,进行广泛宣传,建立水土保持法律法规培训制度,每年举办1~2期培训班,并选派人员参加上级业务部门组织的培训学习。同时,在水土流失较重的泗沥、河潭、金沙、鸿塘、志光、金屯等乡镇主要路口和山岗,用砖石砌水保宣传碑牌,刷写水土保持有关法规和封山禁令及相关山规民约。二、实施水土保持项目:先后对鸿塘镇、志光镇、滨江乡治理小流域面积533公顷;硬石岭水库库区小流域治理200公顷;泗沥镇、河潭镇、周坊镇小流域治理1333公顷;1998年、1999年、2003年利用国债资金实施鄱阳湖流域水土保持重点治理项目,完成高标准综合治理面积2667公顷,其中造水平梯田269公顷,造水保林220公顷,经济林195公顷,修筑水平竹节沟75.8万米、谷坊124座、塘坝22座、沉沙池1个、蓄水池43个。三、植林种草。即种植经济林、果木林和草等,使流失面积减小。河潭小流域治理2000年入选国家"十百千"示范小流域。2007年9月,贵溪市水利局被江西省水利厅、林业厅、环保局等8单位授予"全省保护母亲河先进集体"称号。四、加大水土保持执法力度。(1)新建或扩建工程项目必须申报水土保持方案报告书,且要有相关资质的设计单位编制,经水行政主管部门批准后工程方可实施。1991—2008年贵溪国家储备库、贵溪市桥东公园、罗河工业园区生产建设、白果树水电站等50多个工程项目都先后申报水土保持方案,并经贵溪水利局批复、验收。(2)加大对水土流失案件查处,如对泗沥镇李家村小组受冶炼厂渣场雨水排放侵蚀,造成水土流失;贵溪冶炼厂改造厂区大门和生活区大门将大量的固体废土废渣遗弃冶金大道两侧,总弃量4.5万立方米;江西铜业公司贵溪冶炼厂苏门渣场造成滨江乡苏门村小组水土流失;河潭镇江家村小组受贵溪冶炼厂渣场雨水排放造成该村水土流失达3年之久;滨江乡柏里村鸿塘村小组约20亩农田与河潭镇桃源村石窝江家荒山及开采红石岭相邻,由于多年无序开采红石,造成该地水土流失等一批水土流失案件,都得到相应的处理。

水土保持治理成果

至2008年年底,贵溪市已治理水土流失面积33252公顷,水土流失土地得到治理,生态环境得到改善,农民收入提高。

生态效益　通过水土保持综合治理,贵溪市境内植被覆盖率得到提高。毛草不长的荒岗,变成青翠林地,如河潭红桥小流域原寸草不生,封禁治理并栽上湿地松,山绿了,地下水有了,兔子、野鸡甚至山麂也来了。山青水秀,生机盎然,生态环境得到提高。

经济效益　新造以及封山恢复的用材林6933公顷,从1991年起,以每亩生长0.4立方米计,活立木蓄积量达24.96万立方米,年增产值1.248亿元;薪炭林(含水保林)面积39333公顷,年增产值3.02亿元,果林年产值3300万元。

水利工程效益　新建谷坊、山塘1300座,蓄水130万立方米,解决145公顷干旱问题,年增产值6659元。水土保持经济效益显著。

社会效益　保持土壤,减少泥沙对江河、塘、库、田的淤塞,保肥,每年减少流失土壤126.5万吨,基本农田不再被泥沙淹没。

重点水土保持点

河潭红桥水土保持点　该点建于1986年,治理面积为430公顷,其中果林18公顷。通过种树植草方法,使往日光秃的黄土和风化红石山岗起了巨大变化。2008年,马尾松已成材,最粗直径10公分,茅草半人高。原植被覆盖10%,现植被覆盖达95%以上。过去已枯山泉又汩汩外冒,逃走的野兔、山鸡及山麂、鹤又都回来了,农田连年丰收,受到上级的表彰,附近农民的赞扬,曾三次被评为省、市先进单位。

金沙牛栏石水土保持点　该站建于1986年,治理面积363公顷,其中果林6.7公顷。采取封山育林,坡地开水平沟,营造马尾松、国外松(湿地松),油菜、柑桔等植物措施。同时,制订乡规民约,实行严格封禁,做到"善管良田恶管山";同时,专业户上山,签订合同、责任承包,责权利三挂钩,统一规划,分户治理,收效显著。如今水土保持点内不再光山秃岭,而是草木葱茏,花果飘香。

2008年贵溪市小流域治理点一览

表9-2

乡镇	流域名	流域总面积（公顷）	水土流失面积（公顷）	标准治理面积（公顷）	一般治理面积（公顷）	果林面积（公顷）	省地市经费累计（万元）
志光	流沙	700	627	293	240	9.3	12.85
河潭	红桥	1200	867	430	307	18	14.6
金沙	牛栏石	633	533	360	90	6.7	4.42

续表 9-2

乡镇	流域名	流域总面积（公顷）	水土流失面积（公顷）	标准治理面积（公顷）	一般治理面积（公顷）	果林面积（公顷）	省地市经费累计（万元）
鸿塘	程米厂	687	433	290	47	3.1	7.67
流口	东山垅	340	260	260	—	3.3	3.95
硬石	道仁岭	800	667	70	497	7.3	5.5
合计		4360	3387	1703	1181	47.7	48.99

第三节　管　理

管理机构

1991—2008 年,贵溪市水利局仍设在老县衙院内,办公楼两层,属政府行政事业单位,财政全额拨款。1991 年编制人员 32 人,其中:行政 10 人,事业 22 人(其中大学文化 3 人、副高工 2 人、工程师 10 人),32 人中有大学学历 6 人,大专学历 9 人,中专学历 7 人,高中学历 1 人,初中学历 9 人。2002 年 12 月,水利电力局更名为水利局。有编制 36 人,其中行政 12 人,事业 24 人(其中大学学历 2 人,大专学历 21 人,中专学历 6 人,高中学历 6 人,初中学历 1 人;工程师 11 人)。

1995 年购计算机 1 台,到 2008 年已有 14 台,工程设计及制图办公实现了现代化。

下属单位

水利局下属 9 个单位,有六座中型水库,即硬石岭水库工程管理局、大禾源水库、枫林湾水库、太平畈水库、白庙水库、塘湾水库,一座引水工程西溪坝管委会,一座提水工程九牛滩水轮泵站,一个执法单位:水政监察大队。

1991 年水电系统直属 13 个单位,其中蓄水工管单位 6 个,引水工管单位 1 个,提水工管单位 1 个,水电站 2 个,变电站 1 个,农电所 1 个,物资供应站 1 个(大集体)。属自收自支事业单位,实行企业化管理 8 个,企业单位 5 个。1992 年设立水政监察大队,属自收自支事业单位。1995 年农电所成立农电局(一级局),划出水电系统。1995 年梅溪水电站划归农电局管辖。1996 年上清水电站、上清供电所划归龙虎山旅游局管辖。2005 年物资供应站基本停业,等待改制,人员重新安置。至 2008 年 12 月底,水利下属有国营蓄水工管单位 6 个,引水工管单位 1 个,提水工管单位 1 个,水政监察大队 1 个等 9 个单位运行。2008 年系统职工总数 649 人。水利局对下属单位管理主要是宏观管理,每年年初对下属单位下达目标管理责任书,根据各个单位的实际情况制订年收入及年支出计划,超收实行奖励,欠收实行处罚;并与下属单位签订安全生产、综合治理、计划生育目标管理责任状,实行依照有关法规管理。

工程管理

工程管理由三部分组成:即中型水利工程管理、小(一)型水利工程管理和小(二)型水利工程管理。

中型工程涉及工程维修、除险加固的资金大部分是靠国家投资、地方财政配套一部分资金。中型工程防汛管理每年由贵溪市水利局制订度汛方案,落实防汛责任人。每座中型水库都有一名副县级领导挂点,配备一定的防汛抢险物资,汛期加强检查、观测。

小(一)型水利工程管理由乡镇负责,只有度汛方案由市水利局制定。涉及除险加固资金由地市级以上财政安排,具体责任由乡镇负责。

小(二)型水利工程管理由村或乡镇管理,水利局下达渡汛方案,每座工程落实一名报汛员。涉及除险加固资金由市财政安排 50%,乡镇、村配套 50%。

2002—2008 年,贵溪加大小(二)型水库除险、加固的步伐,每年安排 15—20 座水库除险加固,市财政每年安排资金 150 万元左右用于小(二)型水库除险加固,在全省小(二)型水库除险加固是搞得最好的,许多县(市)都先后到贵溪参观学习。

为加强农村小水利管理，自1977年起启用水利水保员，计有8名。对这批人的管理，先录用，后定编，工资在县小农水费经费开支。至2008年底，2002年由市水利局管理，2003年交由乡镇管理任用，工资仍由财政划拨。

水政管理

1991年贵溪水利局设有水政股，编制4人，负责全市的水政管理，这期间人员少、执法力度也不大。1994年水政股去制止一起乱采乱挖采砂事件，不但没有制止住，反而执法人员被打。1998年10月，贵溪成立水政执法大队，定员8人，为自收自支事业单位，归口水利局管理。2008年水政执法大队壮大到19人，每年收取水资源费、河道采砂费70余万元，水政执法更加程序化、合法化。

河道管理

贵溪境内有流域面积在50平方千米以上的河流11条。信江河归口省水行政管理部门管理，罗塘河、白塔河、白洋河由鹰潭水行政部门管理，其他河道由贵溪水利局管理。对河道的管理依据《中华人民共和国河道管理条例》进行。主要管理原则是：(1)河道开发利用防治水害，全面规划、统筹兼顾、综合利用，讲求效益，服从防洪的总体安排，促进各项事业的发展。(2)修建桥梁、码头和其他设施必须按照国家规定的防洪标准确定的河宽进行，不得缩窄行洪通道。(3)每年对堤防上已建的涵闸、泵站和埋设的穿坝管道定期检查，如有不安全因素及时维修。(4)在河道滩地采砂、取土、存放物料，弃置砂石淤泥堆放必须经河道主管机关批准。(5)逐年对圩堤进行加固，清理障碍，增加抗洪能力。

防汛抗旱管理

随着经济的不断发展，各级人民政府对防汛抗旱越来越重视。贵溪自1991年至2008年这18年来，每年汛期前都对市防汛指挥部机构进行调整(因人事变动)，总指挥由市长兼任，副指挥由分管水利的副书记、副市长、市人武部门、水利局局长、国土资源局局长兼任，防汛指挥部成员由发改、财政、农业、林业、交通等相关单位的主要领导担任。防汛指挥部下设办公室(设在水利局)，水利局局长任办公室主任。每年汛期前制订各类水利工程度汛方案，召开全市防汛工作会议，下达防汛抗旱工作责任书或签订责任状，每年汛期具体分管水利工程的市领导名单都要在《贵溪报》上公布；市防汛指挥部组织有关部门对各类水利工程进行3—4次检查。

汛期，防汛指挥部每天安排2人24小时防汛值班，及时传达汇报水情、雨情、灾情。凡气象部门发布有暴雨或大暴雨时，市直挂库与圩堤的工作人员必须下到所挂工程，日夜巡逻检查，一遇险情及时汇报，及时处理。1998年白田水牛山水库、河潭红桥水库，2006年6月4日泗沥口路源水库，2007年6月流口红领巾水库都先后出险，由于检查发现得早，及时抢险，都化险为夷。贵溪市财政每年安排防汛经费100余万元。

防汛物资：抢险预备的碱砂、片石由水利局责成各水管单位筹备；草袋、木材等物资由供销社和林业部门按市防总下达的数目筹足。

防汛抢险队伍由市武装部牵头组成数百人的防汛抢险应急大队，以基干民兵为主，各乡镇也相应组织抢险小分队。

汛末加强蓄水工程的调度，既要考虑工程度汛安全，又要考虑水库蓄水，提前做好抗旱准备工作。汛后及时总结表彰，搞好水毁工程维修、灾后重修工作。

抗旱方面：贵溪市政府从1991年至2008年对抗旱工作有一套行之有效的管理办法，对蓄水工程，先用活水再用死水，先保下游，再灌上游，确保生活用水和农业用水，工业用水放后，发电服从灌溉。抗旱期间乡镇干部下到田间、渠道，为下游灌区送水，确保渠道畅通，及时调解水事纠纷。如遇特别干旱年份，贵溪市还及时实施人工增雨，增加抗旱设备。

水库移民

贵溪有6座中型水库，共有移民4380人，其中：硬石岭水库81人，大禾源水库359人，太平畈水库26人，白庙水库1478人，枫林湾水库1495人，塘湾水库491人。

每座水库的移民原来建库时都是就地搬迁，国家适当补一点拆迁费。因为这些水库都是"大跃进"、人民公社时期建的，不需要分配土地。从2006年7月1日起，每个移民每年补助600元，以助他们发展生产,增加后劲,不断改善生活条件。

人工增雨

1978 年秋贵溪县在彭湾乡用三七高炮作业两次,取得了较明显的试验效果。1979 年贵溪县政府成立人工增雨领导小组,办公室设在气象站。2000 年 11 月 17 日,贵溪市人武部拨付 3 门 55 式三七高炮给政府。2002 年 11 月,经市编委批准成立贵溪市人工影响天气领导小组办公室,挂靠在气象局。2003 年 7 月 18 日购买人工增雨火箭弹发射架一门,开始使用火箭进行人工增加雨量作业。到 2008 年年底,每年作业 15 次左右,发射人工增雨火箭弹 30 余发,为缓解贵溪及周边县市的旱情取得了一定作用。

农村饮水

贵溪市 2008 年农村总人口 45 万余人,解决人畜饮水是市水利管理方面的一项重要工作。农村人畜饮水解困项目共实施三期:第一期于 2001 年实施,为 4000 人饮水解困,共安排资金 123. 15 万元,其中国家补助 41. 94 万元,地方配套 81. 21 万元;第二期于 2002 年实施,解决 13400 人饮水困难,共安排资金 351. 8 万元,其中国家补助 134 万元,地方配套 217. 8 万元;第三期于 2004 年实施,解决 4600 人饮水困难,共安排资金 162 万元,其中国家补助 74 万元,地方配套 88 万元。

安全项目

第一次于 2005 年解决 8600 人饮水安全,共安排资金 305. 4 万元。其中国家补助 137. 6 万元,地方配套 167. 8 万元;2006 年解决 21206 人,共安排资金 847 万元,其中国家补助 341 万元,地方配套 506 万元。第二次于 2007 年解决 19145 人,共安排资金 726. 62 万元,其中国家补助 344. 4 万元,地方配套 382. 22 万元。第三次于 2008 年解决 7646 人,共安排资金 305. 8 万元,其中国家补助 137. 5 万元,地方配套 168. 3 万元。

第四节　水利经济

贵溪市水利局属财政全额拨款的行政事业合一的单位,预算外收入全额上交,由财政按市政府规定再部分返回。贵溪水利系统是自收自支企业化管理单位,经济主要来源是水费、水库养鱼、电费收入以及其他收入,其他小(一)型、小(二)型水库都是归乡镇管理,实行承包或租赁形式,水费除流口等少数乡镇基本没有收,主要靠收一些养鱼的租金来补贴守库人员支出。

国营工程水费收取标准按每亩 12 千克稻谷收取,有些单位收稻谷,有些单位收现金,一般每 50 千克稻谷按 70 ~ 80 元折价收取(稻谷按市场价)。

1991—2008 年贵溪市中型水库经营收入一览

表 9 - 3　　单位:万元

水库	硬石岭水库					太平畈水库					枫林湾水库					大禾源水库			
年份	小计	水费收入	渔业收入	多种经营收入	其他	小计	水费收入	渔业收入	电费收入	其他	小计	水费收入	渔业收入	电费收入	其他	小计	水费收入	渔业收入	其他
1991	37.6	11.7	12.9	12.2	0.8	15.96	8.47	7.01	—	0.48	11.0	2.6	8.4	—	—	9.4	4.2	4	1.2
1992	38.8	12.3	13.6	12.1	0.8	12.92	8.34	4.29	—	0.29	12.98	2.18	6.59	4.21	—	3.3	5.2		-1.9
1993	40.1	13.7	13.1	12.4	0.9	16.89	14.01	2.75	—	0.13	12	2.3	4.9	4.8	—	5.7	4.5	0.6	0.6
1994	54.75	31.85	13.8	8.3	0.8	30.21	24.89	8.32	—	—	20.5	13.9	—	6.6	—	13.5	8.2	3.3	2
1995	85.5	40.2	17.37	27.83	0.1	38.26	31.51	6.14	—	0.61	29.7	15.1	4.7	9.3	0.6	22.2	7.7	6.8	7.7
1996	96.24	33.2	27.67	31.27	1.1	35.72	29.99	5.91	—	0.82	30.5	17.9	5.4	4.4	2.8	6.3	0.8	0.9	4.6
1997	92.18	29.3	28.97	32.71	1.2	34.34	23.38	10.71	—	0.25	23.5	10.6	6.1	6.3	0.5	9.3	3.2	4.3	1.8

续表 9－3

水库	硬石岭水库					太平畈水库					枫林湾水库					大禾源水库			
年份	小计	水费收入	渔业收入	多种经营收入	其他	小计	水费收入	渔业收入	电费收入	其他	小计	水费收入	渔业收入	电费收入	其他	小计	水费收入	渔业收入	其他
1998	8153	27.2	32.3	21.53	0.5	33.97	22.14	11.78	—	0.05	28.6	16.7	4.5	6.4	0.9	10.2	6.9	0.3	3.0
1999	67.78	26.02	31.27	10.19	0.3	15.68	15.59	0.03	—	0.06	28.9	13.0	6.1	9.6	0.2	9.6	5.3	2.6	1.7
2000	66.5	20.14	34.43	11.15	0.78	39.92	14.95	7.92	17.1	—	14.9	7.75	4.0	2.86	0.29	13.6	9.3	2.0	2.3
2001	71.84	18.03	41.4	11.69	0.72	26.55	15.94	6.04	4.47	0.1	24.4	11.1	—	13.0	0.3	16.9	10	4.3	2.6
2002	85.15	21.62	4.88	12.15	10.5	40.09	20.5	6.02	12.4	1.17	25.97	13.78	4.5	7.69	—	11.0	6.7	3.3	1.0
2003	70.79	22.06	38.67	9.22	.84	35.68	19.35	3.04	13.3	0.01	24.57	11.37	4.0	9.2	—	11.	5.2	3.3	2.5
2004	66.4	19.0	37.9	8.85	3.65	29.8	16.82	6.06	6.8	0.12	26.1	15.21	8.0	2.89	—	13.5	8.2	3.3	2.0
2005	75.04	18.94	47.13	5.76	3.21	58.95	46.46	3.0	9.0	0.49	27.0	15.41	4.5	7.09	—	11.8	5.3	3.3	3.2
2006	87.84	25.8	44.52	8.22	9.3	47.6	15.15	16	16.5	—	26.16	10.12	4.5	11.54	—	12.7	6.6	3.3	2.8
2007	87.11	18.04	44.18	8.49	16.4	41.21	31.31	9.5	0.4	—	20.98	11.67	6.5	2.11	0.7	11.7	6.7	3.0	2.0
2008	82.25	18.2	44.2	7.8	12.05	34.22	30.84	1.1	—	2.28	25.19	8.51	5.0	7.49	4.19	12.0	7.0	3.0	2.0
合计	1284	407.3	564.3	248.86	63.95	587.97	388.64	112.62	79.9	6.86	413.0	199.2	81.69	115.5	10.48	203.7	111	51.6	41.1

续表 9－3

水库	白庙水库				塘湾水库				九牛滩水轮泵站				西溪坝			
年份	小计	水费收入	渔业收入	电费收入	小计	渔业收入	电费收入	其他	小计	水费收入	电费收入	其他	小计	水费收入	电费收入	其他
1991	8.5	7.0	1.5	—	6.33	0.9	5.26	0.17	38.0	4.7	32.8	0.5	6.94	6.32	0.54	0.08
1992	8.5	7.0	1.5	—	9.83	2.67	6.8	0.36	40.4	5	35	0.4	9.78	5.19	1.55	0.04
1993	9.5	8.0	1.5	—	11.0	4.0	6.37	0.63	54.5	5.5	48.3	0.7	12.05	9.33	2.7	0.02
1994	9.5	8.0	1.5	—	7.6	—	5.9	1.7	87.4	5.3	76.7	5.4	25.22	22.38	2.78	0.06
1995	10.5	9.0	1.5	—	20.76	—	20.6	0.16	114.4	4.9	88.6	20.9	30.56	26.06	7.39	0.11
1996	10.5	9.0	1.5	—	19.19	—	18.7	0.49	112.4	8.1	90.5	13.8	30.81	25.5	5.06	0.25
1997	18.5	9.0	1.5	8.0	25.7	—	24.1	1.6	121.5	5.0	112.9	3.6	44.04	37.38	6.62	0.04
1998	20.5	9.0	1.5	10.0	43.84	4.64	38.8	0.4	140.4	9.0	124.6	6.8	17.86	11.54	6.32	—
1999	21.7	8.2	1.5	11.0	32.78	6.76	24.2	1.82	158.8	12.2	143.8	2.8	25.95	21.0	4.95	—
2000	21.9	9.4	1.5	11.0	30.36	7.09	20.6	0.67	172.5	2.9	168.1	1.5	24.23	19.66	4.5	0.07
2001	20.0	9.5	1.5	9.0	13.47	—	12.6	0.87	183.8	9.6	172.9	1.3	21.18	12.85	8.33	—
2002	21.1	9.6	1.5	10.0	15.47	—	15.4	0.07	186.5	6.6	177.2	2.7	28.4	15.15	13.12	0.113
2003	19.8	9.8	1.5	8.5	7.0	4.2	1.2	1.6	190.1	6.8	182.7	0.6	28.86	17.44	11.12	0.3
2004	20.5	10	1.5	9.0	20.6	12.7	6.9	1.0	249.3	5	241.6	2.7	28.5	17.97	10.53	—
2005	21.5	12.0	1.5	8.0	17.3	3.2	13.7	0.4	212.7	5.7	205.5	1.5	36.53	24.13	12.32	0.08
2006	21.5	12.5	1.5	7.5	18.16	1.26	13.0	3.8	242.5	5.9	2235.3	0.8	35.68	22.68	12.7	0.3
2007	21.1	12.8	1.5	6.8	15.68	6.18	8.0	1.5	258.7	5.2	252.0	1.5	33.36	22.19	10.83	0.34
2008	26.2	13.2	6.0	7.0	21.0	4.2	17.8	2.0	214.6	4.3	209.0	1.3	32.72	20.37	11.55	0.3
合计	311.3	174.0	31.5	105.8	335.97	59.8	256.9	19.24	2778.5	111.7	2598	68.8	469.67	337.64	129.91	2.12

渔业收入

水库渔业自 1991 年以后,先后都实行个人承包,承包者有本水库职工,有库外群众。合同履行时间一般 3—5 年不等,水库管理单位根据常年产业平均收入,议定收取水费。

水利企业收入

国营水利工程管理单位除太平畈水库是企业单位,其他单位都是自收自支的事业单位。各单位都根据自身的优势,自办或引入外资,创办一些小企业。

硬石岭水库旅游开发

旅游开发请杭州远见旅游研究有限公司在 2004 年编制了规划。该库 1992 年改名白鹤湖,2006 年经中央水利部行文批准,定为全国水利旅游区之一,并请有知名度的专家评审论证。基础设施建设主要有:水库周围道路硬化,旅游区进出口的大门、库区内水上游购置游艇、皮划艇供游客观览水上风光,建成了钓鱼台供游客垂钓。2008 年游客达 2 万人次,旅游区已承包给月湖区的曾老板,每年收取租金 1 万元,安排了 4 位职工就业。此外,还有农业、果业、生态观光等收入。

太平畈水库

早期开展网箱养鱼,但效益不佳。1996 年与福建客商开始养鳗鱼,1998 年停养。

西溪坝

利用空闲地办起锯板厂,每年获取纯利润不到 1 万元,2008 年停办。

九牛滩水轮泵站

充分利用离城区近、水和电优势,引进外商来站创办小型企业,先后办过钢铁冶炼厂,塑料厂、玻璃拉丝厂等,到 2008 年仍有厂家 2 个,即制氧厂、钢锭厂。

塘湾水库

办了一个竹篾加工厂,每年收取利润 1 万元左右,2008 年前停办。

第二章　水电建设

第一节　小水电建设

贵溪市境内由于雨量充沛,水力资源丰富,流域落差大,水电资源理论蕴藏量 23 万千瓦,其中可开发水电资源 11 万千瓦,至 2008 年底已开发小水电装机 3 万千瓦。

1991—2008 年,特别是 2000 年以后,掀起一股个人或股份制投资建站的热潮,人数多,规模大,如 2005 年建成的白果树水电站装机 4000 千瓦,2006 年建成的浪港一级、二级水电站装机 4100 千瓦,2006 年新建的云台电站装机 2500 千瓦、广源水电站 1500 千瓦、金沙湾水电站装机 1000 千瓦、福源水电站装机 1260 千瓦、白水际水电站装机 800 千瓦(2005 年 5 月竣工),这一大批水电都是福建、浙江等外商投资兴建的。至 2008 年年底,全市已建成水电站 130 多座,总装机 29885 千瓦。

2000—2008 年,贵溪市小电站建设发展快,建站条件好,公路或简易公路可直达站址。

1991—2008 年贵溪市建成装机 100 千瓦以上小水电站一览

表 9 - 4　　单位:千瓦

所属单位	站名	坐落地点	所属河流	装机	建成时间
贵溪市泰源水电开发有限责任公司	浪港一级	冷水林场	白塔河浪港溪	2500	2006.3
贵溪市泰源水电开发有限责任公司	浪港二级	冷水林场	白塔河浪港溪	1600	2006.11
贵溪市兴发水电有限责任公司	白果树	冷水林场	白塔河陈家墩水	4000	2005.12
贵溪市泰源水电开发有限责任公司	下张	冷水林场	白塔河下张溪	640	2005.12

续表9-4

所属单位	站名	坐落地点	所属河流	装机	建成时间
鹰潭市供电有限公司	福源	耳口乡	白塔河界头溪	1260	2007.3
贵溪市九龙水电站	九龙	耳口乡	白塔河九龙溪	880	2009.3
浙江遂昌水电开发有限责任公司	金沙湾	耳口乡	白塔河金沙水	1000	2008.4
贵溪市云台水电开发有限责任公司	云台	耳口乡	白塔河	2500	2006.12
金家山水电发展有限公司	金家山	双圳林场	罗塘水	640	2005.12
文坊镇	虹桥	文坊镇	罗塘水	100	1996.4
贵溪市供电有限公司	梅溪坝后电站	金屯镇	罗塘水	200	1996.11
东港水电发展有限公司	东港	文坊镇	罗塘水	800	2006.11
姜山水电站	姜山	樟坪乡	黄思水	100	1991.7
白水际水电站	白水际	文坊镇	大源水	800	2005.5
凤形水电有限责任公司	凤形	文坊镇	大源水	400	2006.7
四平水电站	四平	文坊镇	大源水	400	2006.12
马迹水电站	马迹	文坊镇	大源水	330	2007.2
贵溪市文坊三龙水利发电有限公司	土地堂	文坊镇	大源水莉港溪	480	2008.4
贵溪市文坊三龙水利发电有限公司	沙垅	文坊镇	西窖水	480	在建
广源	广源	文坊镇	西窖水	1500	2006.12
小际水电站	小际	西窑林场	西窖水	250	2003.3
先明水电站	先明	西窑林场	西窖水	320	1993.2
上坪水电站	上坪一级	西窑林场	西窑水上坪溪	450	2008.3
上坪水电站	上坪二级	西窑林场	西窑水上坪溪	350	2009.3
枫林湾水库管委会	枫林湾	白田乡	泗沥河	570	2000.3
大禾源水库管委会	大禾源	周坊镇	泗沥河	200	1996.3
双圳林场	双圳电站	铜钱岭	罗塘河	450	1993年改建
合计				23200	

第二节　水库坝后电站建设

贵溪市有6座中型水库，除太平畈水库无坝后电站，其他都建有坝后电站。1990年建成的坝后电站是硬石岭、白庙水库电站，1991—2008年新建或改建的坝后电站有大禾源水库坝后电站、枫林湾水库坝后电站、塘湾水库坝后电站。

大禾源水库坝后电站工程于1994年冬开始施工，装机容量2×200千瓦，1996年3月投产。由于资金缺乏，另1台机组没有安装。

枫林湾水库坝后电站工程于1998年冬开始兴建，2000年3月竣工，装机容量570千瓦。工程总投资200余万元。

塘湾水库坝后电站工程于1976年冬开始动工，1977年2月竣工发电。装机250千瓦，2003年对坝后电站更新，水轮机、发电机机组，由原来的装机250千瓦扩大到340千瓦，改造资金12万元。

第三节 引水工程坝后电站建设

九牛滩水轮站坝后电站 1990 年前总装机 27 台,容量 1350 千瓦,年发电量最高达 625.5 万千瓦时。2005—2008 年机组进行改造,装机仍为 27 台,容量为 1450 千瓦,年总发电量 800 万千瓦时左右。

西溪渠坝后电站 1990 年前装机 2 台,容量 46 千瓦,年发电量为 18 万千瓦时。1991 年改造后仍装机 2 台,容量为 130 千瓦(其中 75 千瓦和 55 千瓦各 1 台),年发电量 60 万千瓦时左右。

第三章 城区供电

第一节 机构与队伍

贵溪市城区供电企业,历经四次变革,六易隶属关系。企业内部机构亦变化 5 次之多,直到 1993 年 2 月鹰潭供电局成立。

1984 年成立鹰潭电力公司,下属贵溪用电管理所,1986 年更名为贵溪供电所。1993 年成立鹰潭供电局,组建贵溪供电所。1999 年 3 月 7 日,为适应供电企业经营体制转变,加强供用电管理,将贵溪供电所更名为鹰潭供电局贵溪分局。2003 年 3 月 21 日,江西鹰潭供电局更名为江西鹰潭供电公司,贵溪分局更名为贵溪分公司。进一步推进政企分开,强化企业化运作。

贵溪供电分公司位于贵溪市雄石中路 47 号,占地面积 10080 平方米,房屋建筑面积 8225 平方米。贵溪供电分公司直属鹰潭供电公司管辖,系报账单位,负责贵溪城区电网的供电管理、运行抢修、营销业务等。设经理 1 人、副经理 3 人,下设台线班 5 人、台区一班 8 人、台区二班 7 人、配电抢修班 7 人、配电运行班 2 人、营业班 4 人、收费班 6 人、办公室专职 10 人,2008 年年底共有 53 人。

第二节 输电线路

1973—1987 年,鹰潭电网架设与改造 6 千伏线路,其中贵溪 78 千米。

1987 年 10 月,鹰潭电力公司完成泉塘变电站至雄石变电站 35 千伏输电线路第一期工程 7.4 千米。1993 年以后,35 千伏变电网发展比较缓慢,只改造雄石变电站,一些 35 千伏电站、线路因特殊原因而淘汰。

1993 年贵溪电网 35 千伏线路一览

表 9-5　　单位:千米

线路名称	起止地点		线路长度	导线型号	投运时间
	地点	终点			
泉雄线	泉塘变电站	雄石变电站	11.3	LGJ-95	1987 年
雄东线	雄石变电站	鹰东变电站	16.9	LGJ-70	1973 年

110 千伏输电线路从 1993 年 5 月 1 日,由鹰潭供电局实现上网直调。当时从赣东北局接管 100 千伏泉余线和贵泉线(现为 110 千伏贵泉 II 线),从抚州供电局接管了 110 千伏贵鹰线。

1996—1999 年,贵泉 I 线、贵鹰线先后建成投产运行。110 千伏送电线路结构得到进一步加强,基本满足贵溪城区的工农业生产和城乡居民生活用电。

2008 年贵溪电网 110 千伏线路一览

表 9－6　　　　单位：千米

线路名称	起止地点		线路长度	导线型号	投运时间
	地点	终点			
贵泉 I 线	贵溪电厂	泉塘变电站	15.525	LGJ－240	1996 年
贵泉 II 线	贵溪电厂	泉塘变电站	15.525	LGJ－240	1984 年
贵鹰线	贵溪电厂	鹰潭变电站	26.730	LGJ－240	1999 年
泉余线	泉塘变电站	余江变电站	28.906	LGJ－135	1980 年

220 千伏输电线路 1996 年 1 月 1 日起，原由赣东北供电局负责运行维护的 220 千伏贵梅线 1 号塔至 157 号段正式移交给鹰潭供电局运行维护（158 号～295 号段由抚州供电局负责运行维护），从而结束鹰潭供电局无 220 千伏线路的历史。

高压输电线路现状

贵溪市现有 220 千伏铜城变电站 1 座，220 千伏主变 1 台，总容量达 450 兆伏安，220 千伏出线呈辐射状，与 220 千伏月湖变电站、220 千伏梅岭变、220 千伏龟峰变、220 千伏电铁变、贵电 II 期相连接。

贵溪市现有 110 千伏变电站中城网变电站 2 座，为 110 千伏泉塘变和 110 千伏雄石变。110 千伏网络以 220 千伏铜城变为电源；向 110 千伏泉塘变、110 千伏雄石变供电，110 千伏贵冶 I、II 总降和 110 千伏贵化 3 个 110 千伏专变供电，110 千伏罗河变为 210 千伏月湖变供电。

2008 年贵溪市城网输电线路一览

表 9－7　　　　单位：千伏、千米

线路名称	起点变电站名称	终点变电站名称	电压等级	导线型号	线路长度	投运时间
贵铜 I 线	贵溪电厂	铜城变	220	2＊LGJ－240	13.528	1－35 号 1984－11 36－38 号 2005－12
贵铜 II 线	贵溪电厂	铜城变	220	2×2×LGJ	26.575	2006－10
贵雄线	贵溪电厂	雄石变	110	2×LGJ	1.048	2001－09
铜雄线	铜城变	雄石变	110	2×LGJ	17.86	2006－12
贵铜线	贵溪电厂	铜城变	110	2×LGJ	13.356	1 号－39 号 1996－08 40 号－51 号 2006－12
雄泉线	雄石变	泉塘变	110	2×LGJ	15.474	1984－09
铜塘线	铜城变	泉塘变	110	2×LGJ	4.63	1 号－12 号 2005－09 13 号－23 号 1996－08

中、低压配电网

10 千伏线路　直供区内 10 千伏线路 12 条，其中 110 千伏雄石变 10 千伏出线 9 条（雄石线、建设线、城区线、安康线、沿江线、擂鼓岭线、雄东线、王家线、铜都线）。110 千伏泉塘变 10 千伏出线 3 条（城北线、联络线、四建线）。线路共总长约 86.64 千米，其中架空线全长 60.57 千米，电缆线长 26.07 千米。

10KV 开关设备　贵溪直供区内未建10千伏开闭所及环网柜;10千伏电缆分支箱27台,其中用户产权4台;10千伏柱上负荷开关4台;柱上真空断路器45台,其中用户产权3台。

配电变压器台区　配电变压器229台,总容量91.793兆伏安。其中公变161台,容量65.415兆伏安;专变68台,容量26.378兆伏安。共计安装JB柜86台,400伏及以下低压线共计约290千米。

2008年贵溪市直供区各条10千伏中压线路和基本现状一览

表9-8

变电站名称	线路名称	电压等级	类型架空	主干线长度(千米)	线路总长度(千米)	出口导线型号	公变台数(台)	公变容量(千伏安)	专变台数(台)	专变容量(千伏安)	配变总容量(千伏安)	最大负荷(千瓦)
泉塘变	城北线	10	架空	7.24	9.65	YJLV22-3*185	13	5390	7	2795	8185	3500
泉塘变	联络线	10	架空	6.53	13.64	YJLV22-3×号185	14	7230	4	700	7930	2000
泉塘变	四建线	10	架空	1.85	1.85	YJLV22-3×号300	0	0	4	4200	4200	2200
雄石变	城区线	10	架空	6.21	14.63	YJLV22-185	25	8715	15	3268	11983	4300
雄石变	安康线	10	架空	3.94	4.1	YJLV22-185	12	5175	1	250	5425	4100
雄石变	雄石线	10	架空	5.04	7.03	YJLV22-185	18	7385	3	1900	9285	3200
雄石变	建设线	10	架空	8.8	9.54	YJLV22-185	20	7570	2	365	7935	2400
雄石变	擂鼓岭线	10	架空	5.99	6.35	YJLV22-3×号300	13	6325	4	2145	8470	3000
雄石变	沿江线	10	架空	6.43	9.93	YJLV22-3×号240	35	12215	13	3300	15515	4500
雄石变	雄东线	10	电缆	2.52	4.52	YJLV22-3×号240	11	5410	15	7455	12865	2100
雄石变	王家线	10	电缆	2.7	2.7	YJLV22-3×号300	0	0	0	0	0	0
雄石变	铜都线	10	电缆	2.7	2.7	YJLV22-3×300	0	0	0	0	0	0

第三节　变电站

220千伏铜城变电站

220千伏铜城变电站位于贵溪市北郊约8千米处的高新开发区内,投运于2005年12月30日,占地面积40余亩,是一座综合自动化变电站。目前该站共有主变3台,容量均为150000千伏安;该站220千伏、110千伏均采用双母线接线,10千伏采用单母线三分段接线。220千伏线路8条,110千伏线路7条,10千伏线路8条,本站设备运行管理实现微机化,高压断路器实现无油化,220千伏系统保护配置实现双重化,是鹰潭地区一座重要的220千伏枢纽变电站。

110千伏泉塘变电站

地处滨江乡境内,投运于1983年9月,现投产型号为SSZ9和SFS9—20000/110三卷有载调压变压器2台;110千伏为单母分段接线,线路5条,分别与贵溪化肥厂、余江变、雄石变、铜城变连接;35千伏为单母接线,线路3条,供贵溪市周边乡镇用电,是鹰潭电网的重要枢纽变电站之一,2007年改造为综合自动化变电站。

110千伏罗河变电站

地处罗河工业园区,投运于2004年1月15日,投产容量为40兆伏安有载调压三卷变两台。110千伏为单母分段接线,线路3条,分别与贵溪电厂、月湖变、鹰潭变连接;35千伏为单母接线,是象山变电站和新世纪水泥厂的主供电源;10千伏为单母分段接线,设计出线16回,现投运9回,主供贵溪工业园区及部分农村用电。该站选用先进国产设备,高压开头实现无油化,继电保护实现微机化,是一座按无人值班模式设计的综合自动化变电站。

110 千伏雄石变电站

地处东郊,投运于 2001 年 9 月 24 日,投产型号分别为 SZ9－20000/110 和 SZ10－31500/110 的双卷变压器两台。110 千伏为单母接线,线路 2 条,分别与泉塘变、铜城变连接;10 千伏为单母分段接线,线路 10 条,供市区居民、工业园区及部分厂矿用电。该站选用国产先进的国产设备,高压开关实现无油化,继电保护实现微机化,是一座按无人值守运行模式设计的综合自动化变电站。

原 35 千伏雄石变电站

坐落在贵溪县雄石镇雄石路南侧,西距信江东与雄石路交叉点 200 米处,占地面积 4032 平方米,1979 年建成投运。安装 560 千伏安、750 千伏安主变各 1 台,经 35 千伏线路从信江东南岸引进方团电站、鹰东变电站电力;九牛滩水轮泵站电力经 6 千伏送电线路,进 6 千伏系统 5 号柜。有 7 面 6 千伏出线柜向贵溪城乡供电。1981 年用 800 千伏安主变,替换 560 千伏安主变。1982 年用 2000 千伏安主变替换 800 千伏安主变,6 千伏出线柜增到 11 面。1987 年 10 月,雄石变电站主变总容量为 4000 千伏安。1996 年 5 月起,该站进行升压增容改造。1998 年再次进行升压增容改造,取消 2 号、3 号主变,新设 2 号主变,型号为 SL7—35/0 千伏,容量 6300 千伏安,从而结束贵溪市城区 6 千伏供电的历史。2002 年 7 月,35 千伏雄石变电站正式退出运行。

第四节 市区供电与管理

供电

贵溪分公司供电辖区主要是以信江以北、沪昆高速公路以南地区,面积约 30 平方千米。10 千伏及以下公用线路 12 条,区域内有配变 229 台,其中公用配变 161 台,专用配变 68 台,10 千伏各类线路共计 86.64 千米。

至 2008 年,贵溪分公司供电辖区用电户数总计为 28954 户,居民用电户数为 23785 户,直供区人口约为 11 万人。2008 年城区总用量 133900 万千瓦时,其中第一产业用电量 1.44 万千瓦时,占总用电量的 0.001%;第二产业用电量 126300 万千瓦时,占总用电量的 94.32%;第三产业用电量 3900 万千瓦时,占总用电量的 2.9%;居民生活用电量为 3700 万千瓦时,占总用电量的 2.76%。

2000—2008 部分年份贵溪城市电网技术经济指标一览

表 9－9

年份	GDP(万元)	供电量(万千瓦时)	供电量增长率(%)	售电量(万千瓦时)	售电增长率(%)	供电最高负荷(兆瓦)	负荷增长率(%)	平均售电价(元/千千瓦时)	供电可靠率(%)	综合线损率(%)	10KV 电压合格率(%)
2000	348700	49300	1.25	48100	1.36	82	1.02	352.56	99.85	9.12	93.01
2005	823700	81800	1.71	80800	2	138	1.47	406.84	99.98	8.93	98.54
2006	1103600	87800	7.35	86400	6.92	150	8.7	426.85	99.98	8.89	98.65
2007	1564000	108900	24.13	107500	24.42	187	24.67	457.59	99.98	8.85	98.76
2008	1721900	133900	22.93	131800	22.56	218	16.58	470.94	99.99	8.68	98.98

2000—2008 年部分年份贵溪分公司负荷历史数据一览

表 9-10

年份	第一产业用电量(万千瓦时)	第二产业用电量(万千瓦时)	第三产业用电量(万千瓦时)	居民生活用电(万千瓦时)	人均全社会用电量(千瓦时)	人均居民生活用电量(千瓦时)
2000	18	45420	2626	1238	4482	113
2005	151	73918	1948	5793	7436	527
2006	183	75284	6014	6287	7982	571
2007	215	95502	6077	7152	9900	650
2008	236	112520	9869	11225	12173	1020

电价

贵溪市电力行业先后执行过国家定价,地方定价和浮动定价。按供电对象划分为照明电价,非工业电价,普通工业电价、大宗工业电价、农业生产电价、综合电价、零售电价、互供电价等 10 多种,从购销角度,可分为销售电价和购入电价两大类。

居民生活照明电价:1983 年,居民生活照明电价调整为每千瓦 0.2 元,2008 年 7 月居民照明用电为每千瓦时 0.6 元。

工业用电价格:1987 年,经省物价局批准,除农业、福利厂、小农药、小化肥及居民生活用电外,工业用电每千瓦时加价 0.024 元,用以抵销转供省网自筹燃料电量加价部分。在照明用电与动力用电未分开计量单位,实行混合电价,平均每千瓦时 0.18 元。

联网互供电价:1988 年,每千瓦时调整为 0.065 元。旱季水电停发倒供给水电站(转供给用户部分)的电价每千瓦时 0.105 元。1983 年,鹰潭电网与抚州供电局联网,鹰潭电网购入抚州供电局电量,每千瓦时 0.0093 元。

1993 年 3 月 1 日,省物价局将千瓦时新电价的标准上再提高 2 分,每度电价为 0.14 元,1993 年 4 月,省物价局下发《关于实行峰谷分时电价的通知》对一二班制生产企业农业和转供趸售单位小水电联网单位,上年度加权平均负荷率在 95% 以下的三班连续性生产企业等,均实行峰谷分时电价,对峰谷电量电价上浮 60%,对低谷电量电价下浮 50%。

1994 年 1 日起,执行新的《江西电网售电价格价目表》,在 1993 年 10 月 1 日颁发的目录电价基础上,平均每千瓦时提高 1.5 分。三峡工程建设基金由现行每千瓦 3 厘提高到 4 厘;江西电网多种电价:自 1994 年 1 月 1 日起,带料加工电价在 1993 年基础上,每千瓦时提高 1.5 分,新电新价在 1993 年基础上,每千瓦时提高 1 分。1994 年,鹰潭供电局完成售电价为 211.26 元/千千瓦时(除税)。

1995 年 7 月起,每千瓦时提高 4 分,“多种电价”不变。

1996 年 1 月每瓦时电量提高 4 分(其中居民生活用电价格自 1996 年 8 月 1 日起执行。按照国家规定,在“目录电价”中增加”110 千伏及以上“电压等级电价,并将原《江西电网售电价格价目表》中“多种电价”里的“中央还本付息金”电价并回国家“目录电价”项目内。

1997 年 3 月起,按赣价工字〔1997〕72 号文执行新《江西电网售电价格价目表》,调整后江西电网国家“目录电价“在现行标准基础上,自 1997 年 3 月 25 日起每瓦时电量提高 3 分(其中居民生活用电价格在现行标准每千瓦时电量提高 5 分,并自 1996 年 6 月 1 日按千瓦/月,按变压器容量计价提高 2 元/千瓦/月;“三峡基金”1997 年 3 月 25 日起由每千瓦时 7 厘提高到 1 分。

1998 年 10 月起,“地方还本付息金”按原有结构并入国家目录电价。当年鹰潭供电售电均价完成 337.53 元/千千瓦时(除税)

1999 年,鹰潭供电局按照上年电价情况执行。当年电均价完成 357.49 元/千千瓦时。

2008年7月1日根据《国家发展改革委员会关于提高华中电网电价的通知》(发改价格〔2008〕1681号)精神,江西省发展和改革委员会关于调整江西电网电价的通知(赣发改商价字〔2008〕849号,规定执行新的电价表。

城网改造

原贵溪城网属于农网管辖范围,早期电网构架都是按照农网标准进行设计,1998年前城区供电主要由110千伏泉塘变电站和35千伏雄石变电站负责,城区配电线路均为6千伏电压等级。

1997年新建的泉塘变投运10千伏城北线,接带部分城区负荷。1998年8月,35千伏雄石变配电电压由6千伏升压为10千伏,供电线路均升压为10千伏,贵溪城网取消6千伏电压等级。城网改造虽然解决大部分问题,但城区内部分中压线路为裸导线,且离居民楼的距离较近,存在安全隐患,因配套资金所限仍有部分死角地区尚未改造到位。

供电服务

贵溪供电分公司严格按照国家电网公司的服务标准及十项服务承诺要求,做到24小时有人值班,接到报修电话后,城区要求45分钟之内赶到现场,最快一次是到贵溪交警大队宿舍进行抢修工作,从接到报修电话赶到现场,处理故障恢复供电全过程不到20分钟。在提高优质服务的同时,不断的提高业务素质,分公司在客房大厅,一直是采取半军事化管理模式,坚持首问负责制,做到微笑服务,来有迎声、去有送声。胜利完成2008年奥运会、每年高、中招保电、每年迎峰度夏保电和重大节假日保电等任务。

分公司聘请4名行风评议监督员,成立便民服务小队,设立95598服务热线,24小时随时为客户服务。走访大中企业、重点项目工程客户,多方听取客户的建议和需求。深入社区与客户代表进行座谈,面对面交流意见,听取他们的用电建议,为他们解疑答惑,获取他们的理解和支持。开展优质服务进社区活动。在贵溪11个社区每个社区都完成电力宣传栏内容的制作与安装。把一些客户想了解需要了解的用电新装等业务须知、电价等供电信息都编入其中。宣传栏每月更换内容,让居民不出社区就能了解最新的供电信息。公司工作人员主动走进辖区,免费为居民提供用电知识咨询,发放用电知识宣传册,并开展现场业务办理,深得市民好评。

第四章 农村供电

第一节 机 构

贵溪市供电有限责任公司前身是贵溪县农电管理所,于1991年成立,时为贵溪县水利电力局的二级机构,为副科级事业单位,实行企业化管理。

1995年3月15日,梅溪电站划归农电所管理,结束贵溪南北分江而治的局面。1995年8月31日,县政府正式发文,将县农电管理所更名为县农电局。

1999年2月26日,贵府发〔1999〕9号文件,将贵溪市农电局从水利系统划出,更名为贵溪市供电局,为市人民政府管理电力的实体。

同年3月3日,贵溪市政府在江西省率先与省电力公司签订《关于贵溪市供电局股份制改造协议书》,列入全省首批股份制改造试点县(市)。4月8日,总资金为1000万元,由江西省电力公司控股60%的贵溪市供电有限责任公司成立,与贵溪市供电局实行"两块牌子,一套人员"的方式运作。自1999年1月起,贵溪市撤销乡镇电管站,取消近500名乡村包电工,经考核,在原电管理队伍中择优重新聘用了一批员工到供电队伍。

2001年,江西省电力公司与江西省经贸委联合发文,撤销各县级供电局。贵溪市供电局依据该文撤销,更名为贵溪市供电有限责任公司运行至今。

1991年农电管理所有供电人员16人,1998年农电局有正式职工67人。

至2008年底,公司下设17个部室;并设工业园、耳口、塘湾、金屯、罗河、雷溪、余家、文坊、志鸿、周坊、泗沥、河潭、滨江等13个供电所（志鸿供电所下设志光、鸿塘、塔桥3个工作站，罗河供电所下设彭湾工作站、滨江供电所下设柏里工作站，周坊供电所下设白田工作站，工业园供电所下设流口工作站等7个工作站）；6座35千伏变电站分别为文坊、金屯、周坊、象山、志光、冷水。公司有职工598人。其中正式职工140人，聘用工、临时工358人）。

2008年贵溪市供电所、站基本情况

表9－11

名称		成立时间	职工数（人）	供电户数（户）	变压器情况		2008年售电量（万千瓦时）
					数量（台）	容量（千伏安）	
工业园		2003.12	17	3446	138	48285	10493.07
	流口站	2008.11	12	3253	100	12115	371.28
耳口供电所		1999.11	23	3559	101	4900	276.41
塘湾供电所		2000.10	20	6526	101	2901	343.57
金屯供电所		1999.04	18	5816	92	1903	570.36
罗河供电所	罗河	1999.03	20	9013	115	4623	521.89
	彭湾站	2000.10	10	2535	39	840	88.99
雷溪供电所		1999.02	22	7672	126	5038	558.02
余家供电所		1999.11	16	5440	99	4030	344.15
文坊供电所		1999.10	23	7329	106	3908	417.15
志鸿供电所	志光站	1999.04	22	7867	126	5085	577.73
	鸿塘站	1999.04	20	7436	149	4300	421.84
	塔桥站	2001.06	11	2328	39	11420	174.28
周坊供电所	周坊	1999.01	20	7029	117	4560	328.69
	白田站	1999.01	17	5520	86	2400	206.29
泗沥供电所		1999.01	21	7564	158	5083	406.10
河潭供电所		1999.01	21	6688	159	6653	483.65
滨江供电所	滨江	2000.11	17	4638	116	6620	373.55
	柏里站	2006.04	10	2020	34	13475	496.46

第二节　农村电网建设

1991年前，贵溪农电管理仅有一座1988年建成的35千伏周坊变电站，一条35千伏线路。93年11月31日，35千伏象山变电站投运，35千伏象余线运行。1995年随梅溪电站划入的供电区域有盛源、金屯、塘湾、雷溪。当时贵溪供电状况错综复杂，彭湾由上清供电；余家，塔桥、金沙及志光部分由月湖供电；鸿塘由余江供电；金屯、流口部分由弋阳供电；耳口、冷水自发自供，不足部分由冷水银矿供电；文坊、西窑、双圳、樟坪由小水电自发自供。

1997年12月3日开始建立象山至文坊总长为31.6千米的35千伏线路。

自1998年农电实行“两改一同价”即“改革农电管理体制、改造农村电网、实现城乡用电同网同价”，贵溪电网得到长足的发展，自1998年至2007年，由供电部门贷款的农网改造一、二、三期工程先后竣工。

第一期农网改造批复资金 5374 万元,1998 年开工, 2002 年年底竣工,1998 年 6 月,贵溪农网改造编制计划 1.2 亿元。1999 年 9 月 28 日,35 千伏文坊变电站作为全省第一座农网改造建设 35 千伏变电站投运,时任江西省人大副主任全文甫、江西省电力公司总经理胡德成出席投运仪式,结束象山至文坊 35 千伏作 10 千伏线路运行的历史,作为国庆 50 周年给文坊镇和樟坪畲族乡的献礼。第一期农网改造共完成新建 10 千伏线路 356.27 千米;改造 10 千伏线路 198.88 千米,新建配电台区 7365 千伏安/349 台,改造配电台区 20360 千伏安/671 台,整改低压户数 70316 户,完成志光、金屯、文坊 3 座 35 千伏变电站的新建和象山 35 千伏中心变电站的扩建工程。

自 2002 年起,贵溪第二期农网改造批复资金 2032 万元陆续到位,2003 年,周坊 35 千伏变电站进行改造、象山 35 千伏中心变电站进行扩建,9 月冷水 35 千伏变电站建成投运,对充分开发、利用山区丰富的水力资源起到重要作用。到 2004 年底,一、二期农网改造工程全面竣工,两期农网改造到位资金 7309 万元,实际完成投资 7340 万元,其间,新建 10 千伏线路 401 千米,改造 10 千伏线路 237 千米,新建配电台区 9908 千伏安/428 台,改造配电台区 23125 千伏安/786 台,整改低压户数 82620 户。完成县调自动化投资 422.4 万元和营销自动化投资 44 万元。

2006 年,三期农网改造资金到位 400 万元,第一批、第二批农网改造工程全面动工,公司自筹资金 460 万元进行电网技术改造,完成 35 千伏文坊变综合自动化改造工程;启动 35 千伏周坊变、志光变综合自动化改造;并完成 0.4 千伏低压线路隐患整改工程 160 余台区,提高电网自动化水平和供电可靠率。同时,开展“新农村、新电力、新服务”户户通电工程,至 2006 年年底,投资 960 万元,架设 10 千伏线路 134 千米,配电变压器 41 台,低压线路 74 千米,解决无电户 1174 户。

2007 年,投入 2000 万元,完成工业区 10 千伏 912 东环线、918 贵八线、911 西环线新建工程,10 千伏城郊技校线延伸工程,罗河工业园电缆沟工程,公司所属 10 千伏分支线路加装真空断路器 87 台;对 35 千伏周坊、志光变电站进行综自改造,完成安全整改项目 376 项,完成年度大修技改工程 17 项,户户通、三期农网批复剩余工程全部竣工。经过农网改造,全市农村供电网络加强,供电状况得到很大改善,供电质量进一步提高,为工农业生产提供可靠电源。

2008 年贵溪电网建设步伐加快,新建 10 千伏库桥、河潭、雷溪等线路共计 18 千米,结束周坊、古港,泗沥、河潭 20 年共线的历史。10 千伏雷溪线的改造提高电压质量,满足农村电力负荷的不断增长。对 35 千伏文坊变电站、金屯变电站等进行更换、增容 10300 千伏安。完成象山、金屯变电站微机五防项目建设。策应市政府“努力打造世界铜都”发展战略,主动承担恒鹏金属电力负荷供应的 10 千伏泗沥开闭所的建设。贵溪电网建设得到长足发展。

贵溪市 2008 年 10 千伏主干线路一览

表 9-12 单位:千米

变电站名称	线路名称	10 千伏主干线路长度
110 千伏泉塘变电站	金沙线	50.1
	滨江线	7.8
	五建线	5.3
	贵啤线	6.79
	泗沥线	115
	麒麟线	2
	河潭线	108.4

续表 9－12

变电站名称	线路名称	10 千伏主干线路长度
110 千伏罗河变电站	贵八线	2.08
	东环线	4.34
	正发线	4.41
	开闭所线	4.13
	西环线	5.62
	星耀线	3.81
35 千伏象山变电站	工业园线	3.5
	技校线	4.956
	城郊线	53.19
	岭上线	15
	罗河线	104
	雷溪线	90
	象余线	81
35 千伏周坊变电站	周坊线	18
	硬石线	22
	库桥线	43
	古港线	88.7
35 千伏志光变电站	塔桥线	46
	志光线	62
	古城线	34
	鸿塘线	123
35 千伏金屯变电站	塘湾线	78
	金屯线	33
	梅溪线	38
35 千伏文坊变电站	岭西线	12
	文坊线	19
	西窑线	67
	樟坪线	52
35 千伏冷水变电站	耳口线	110
鹰供南站开闭所	鹰余线	52

说明:1. 贵啤线,麒麟线产权属用电户;2. 河潭线通过泉塘变至铜城变 10 千伏联络线连接

第三节 农村供电规模与管理

贵溪市从 1998—2007 年来先后经过三期农网改造、西部完善工程、户户通电工程建设,2006 年 11 月,贵溪实现农村用电户户通,至 2008 年年底,供电用户达 105692 户。

供电量

1998年，贵溪农村用电量总和仅有1402万千瓦时，2008年供电量达7277.76万千瓦时，其中：农村居民用电5597.15万千瓦时，农业用电1680.61万千瓦时。这段时期农村小企业与农村用电尚未分开。

户户通电工程

贵溪市面积广、山区多，无电户主要集中在文坊、塘湾、耳口等偏远山区，一直依靠煤油灯照明。没有电给生产生活造成极大不便。在2006年5月启动"户户通电"工程，至2006年11月底，贵溪市"户户通电"工程全面竣工，计投入资金960万元。新架设10千伏线路134千米，新增低压线路74千米，配电变压器41台，解决无电户1174户。2006年11月17日，塘湾镇上祝村委会闵坑村小组在欢快的鞭炮声中点亮第一支电灯，世世代代煤油灯照明成为历史。村民的一幅"祖辈期盼父辈设想儿孙受益三代人终于梦想成真；政府领导基层协作公司落实小山村无电已成历史"的长联，仍不足以表达村民的喜悦与感激。塘湾镇上祝村委会闵坑村小组为"户户通电"工程中最后通电的村小组。2006年12月文坊边远山区麻蓬最后一户亮灯，贵溪农村实现100%户户通。

电力支援地方建设

2001年4月25日，贵溪市北部部分乡镇遭受狂风侵袭，造成周坊、古港、河潭等乡镇供电全部中断，泗沥镇部分地区中断，供电公司及时组织技术人员和施工人员奔赴各受灾乡镇，日夜奋战在灾区抢修恢复线路并无偿供应大量物资，高效、迅速地恢复供电，受到好评。

由于供电公司采取架设专线，扩大变电站变压器容量，提供专业技术指导，为贵溪境内的小水电上网提供便利，增加小水电经济效益，促进贵溪水电资源的开发和利用，掀起南部山区冷水和文坊小水电开发的热潮。白庙水库坝后电站于2001年6月线路正式送电上网，福源等小水电先后建成，也质优价廉地帮其上电网。

贵溪在农村电网建设改造中，投入大量的资金，为贵溪的冷水鬼谷洞、雷溪的三阳硐府、樟坪畲族乡、文坊的上山等旅游景点的开发利用提供大力的电力支持。

农村及工业用电

贵溪市工业园区建设在市郊区，随着2005年7月科华水泥厂从鹰潭供电公司划入，标志着工业园区供电由贵溪市供电有限责任公司统一管理。工业园区月供电量由2004年的215万千瓦时升至2005年的360万千瓦时、2007年上升至917万千瓦时，至2008年上升至1655万千瓦时，增长80%。

贵溪市供电有限责任公司工业园分公司于2004年1月成立，其时管辖低压用户502户、专变21台，后工业园分公司更名为工业园供电所。至2008年年底，工业园供电所管理低压户3610户，公变51台。园区企业从2004年21家发展到103家。月用电量近20万千瓦时以上的企业10家，分别是科华水泥、贵雅照明、正发铜业、华泰铜业、大金铜业、华锋铜业、世茂铜业、江西铜材、亿新铜业、浩鑫铜材，其中科华水泥厂月供电量达500万千瓦时、贵雅照明月供电量达150万千瓦时。

公司深入开展供电服务进园区活动、实行客户经理和限时跟踪服务。电力员工冒大雨、晒烈日、顶严寒，深夜用摩托车灯照明进行抢修，热心充当企业义务电工，被企业单位誉为"电力110"。江西宏源铜业有限公司一台315千伏安变压器在上午突然烧毁，希望更换一台400千伏安的变压器，按照正常办理变压器更换增容流程和规定，需一周时间才能完成。为企业及时恢复生产，供电公司立即派人赶现场测试鉴定，当晚7时许便安装好新变压器恢复供电。

2008年全省性缺电，先遭冰灾再遇高温，迎峰度夏和奥运保电同时开展的任务特别艰巨。6月初投运上坪专线接引文坊小水电上网，7月15日召开会议统筹协调全市电力迎峰度夏工作，服务热线"95598"24小时畅通，抢修队24小时轮流值班，24支供电服务队上门服务，设备的特巡次、夜巡数翻倍，变电站设备的红外测温实时监控，分线路分台区优化负荷，严格执行有序供应预案，在用电负荷达历史新高50兆瓦的情况下，保证了工业园企业的正常供电。

1999—2008 年贵溪市农村供售电量及行业分类一览

表 9 – 13　　单位:万千瓦时

年份	供电量	售电量	工业用电	农业用电	农村居民用电	其他用电
1999	1246.7	943.47	250.8		557.17	135.5
2000	2163.81	1400.48	309.67	49.59	1041.22	
2001	2996.7	2096.97	428.85	72.6	1595.52	
2002	3569.6	2586.52	795.16	65.91	1725.45	
2003	4445.14	3190.3	967.2	89.7	2055.9	77.5
2004	7728.08	6331.72	4146.13	265.8	1658.3	261.49
2005	14539.6	13142.7	6501	958	3415	2268.7
2006	20440	18786.8	11718.93	2274.08	4435.06	358.73
2007	26279.49	24161.14	15263.19	2977.09	5489.55	431.31
2008	28725.56	26809.89	18979.9	1680.61	5597.15	552.23

说明:1991—1998 年用电未分类统计

电价

1991 年,农电抄表到台区,按大网电价交电费。因体制问题,到户电价居高不下,有的地方高达每千瓦时 7 元。1998 年,农村到户电价平均为每千瓦时 1.5 ~2 元。1999 年,电价实行省物价局赣价工字〔1999〕22 号文件,实行到户照明电价每千瓦时 0.98 元,当年因电价下降减轻农民负担 350 万元。至 1999 年底,直管到户 5.2 万户,占总用户数的 95%,全部实行“电量公开、电费公开、电价公开”三公开;做到“销售到户、管理到户、抄表到户、收费到户”四到户服务;“统一电价、统一抄表、统一收费、统一核算、统一考核”五统一管理,农户电表集装率达 70%。2002 年,按省委、省政府《至全省农民朋友的第二封公开信》及省发展计划委员会、省电力公司赣计商价字〔2002〕858 号文件《关于农村到户电价有关问题的通知》精神,贵溪市完成农网改造农村居民生活用电电价按 0.80 元/千瓦时执行。自 2003 年 7 月 1 日,全市实现城乡用电同网同价,将农村到户照明电价由每千瓦时 0.8 元下调到 0.56 元,自 2003 年 7 月以来,仅照明电价下调就减轻农民负担近 900 万元,创造巨大的社会效益。1999 年至 2008 年,因电价下调减轻农民负担 8000 万元。

供电管理

自 2007 年起,贵溪公司大力开展法治化、标准化线路建设,投入资金近 800 万元,按照线路走廊 10 千伏线路两边各 6 米、35 千伏两边各 10 米的标准,砍伐 35 千伏线路通道 73 千米;砍伐 10 千伏线路通道 748 千米,有 35 条 10 千伏线路 312 千米、35 千伏线路 60 千米实现标准化。整改变压器台区 106 台。同时,投资近 1000 万元装设真空断路器 87 台、JP 柜 727 台,导线对地距离、拉线、同杆架设的非电力线路进行全面整改;加装及更换 110 组线路避雷器、151 组隔离开关、安装电压监测仪 40 台;安装设备标识牌、警告牌、宣传教育牌、防撞护套 5.6 万处。2008 年贵溪公司法标化线路建设成效显著,全年剔除冰灾影响与 2007 年同期相比线路跳闸率下降 56%,电力抢修次数明显减少,春节保电期间创造了供电可靠率最好的成绩。至 2008 年 12 月 31 日,公司安全运行 872 天。

贵溪市供电公司自 2003 年起,不断加大科技投入,利用现代信息平台强化企业管理。2003 年建立营销核算班,统一核算各供电所收费台账。2004 年健全营销电费核算系统功能,7 月完成了 9 万多客户基础资料的录入和复核,同时加强计量管理,全部张贴条形码,作为该电能表的唯一“身份证号”,电表更换必须把原表拿回供电公司校验、审核。2005 年利用移动光纤,实现与 15 个供电营业所及计量中心校表室的营销系统联网,电费实收系统、计量系统、业扩系统基本到位,业扩实行手工“一条龙”传递。2005 年 7 月全面实现电量、电费计算机集中统一结算开票。2006 年,业扩全部实行计算机“电子化”传递。经过2007年、2008年的完善,各供电所业务均与供电公司联网,营销网络内有抄表机系统、核算电费系统、业扩报装系统、计量校表系统、座收电费系统、磁卡缴费系统、供用电合同系统、客户服务系统、业务协同欠费处理系统、业务集成线损系统、即时通系统、电表拍摄图像系统、网控大师内网行为监控系统、蓝盾防火墙系统、杀毒软件网络系统等15个应用系统在运行。抄核收、业扩、计量、线损、优质服务、内网管理等营销业务全过程系统均上微机,实现数据共享和动态管理。保证电力营销工作的"一口对外、闭环流转、分级审批、限时办结"的科学管理。2008年全面普及抄表机抄表,贵溪市供电公司在柏里、志光、鸿塘、塔桥、流口、周坊等所、站开通坐收电费,累计开通用户达1.5万户,同时在开通坐收电费的供电所、站实行磁卡缴费,单次缴费时间由原来的3分钟缩短为不到30秒,有效提高缴费工作效率。2005年建设"95598"供电服务系统,成为集业务受理、信息咨询、故障报修、服务投诉为一体的多功能现代服务平台,提供24小时服务。2008年,贵溪市供电公司内部办公局域网建成并投入使用,网络OA开通,公司机关、各供电所、变电站实现了即时通信,办公逐步进入无纸化。公司不断改善办公环境,2008年,完成塘湾、鸿塘、泗沥、耳口办公大楼建设征地工作。同时公司投资20多万元,完成周坊变、文坊变、象山变的水泥硬化路面建设。设立的19个供电所、工作站均按照国家电网公司统一标识进行了规范,12个供电营业窗口规范化服务达省电力公司标准,罗河供电所被国家电网公司评为"农村优质服务十佳窗口"。

线路设备维护

贵溪市供电公司加大变电站的综合自动化改造,变电站实现计算机监控、计算机保护和"遥信、遥测、遥控、遥调"等"四遥",提高供电可靠性,为科学调度、节能降耗奠定坚实基础。

至2008年贵溪市变电站基本情况及综合自动化改造一览

表9－14

变电站名称	35千伏线路情况		主变情况		投运时间	综合自动化改造时间
	名称	长度	台数	容量		
象山变电站	泉象线	8.9				
			2	11300	1994年8月	2003年5月
	罗象线	3.2				
金屯变电站	象文线T接	0.6	1	4000	2001年8月	未改造
文坊变电站	象文线	32	2	9450	1999年9月	2005年5月
志光变电站	泉志线	13.8	2	4000	2001年1月	2006年10月
周坊变电站	泉周线	21	2	3000	1988年12月	2007年
冷水变电站	龙冷线	38	2	7150	2003年9月	建成时
	文冷线	19.4				

打击电力违法行为　贵溪市供电公司在不断开拓并做大做强外部用电市场的同时,始终坚持向管理要效益的思路,高度重视管理降耗及反窃电工作,坚持"打防结合、预防为主"的方针,争取公安部门的大力支持与配合。2003年成立公安部门驻供电公司警务区,加大对涉电违法犯罪行为的打击力度,以公安部等八部委联合开展的"打击盗窃破坏电力电信广播电视设施违法犯罪专项斗争"为契机,制定《打击盗窃电力设施违法犯罪专项斗争工作方案》,采取了蹲点守候,聘请义务巡防员等方式方法加强电力设施的保护,加大电力设施保护的宣传并积极鼓励群众共同参与、群防群治,建立举报及破案奖励机制。结合台线管理,以反窃电专项整治行动为契机,加强反窃电宣传、检查、违章窃电处理力度。

建立普查长效机制,进行重点普查与随机普查相结合,在各供电所进行循环普查。强化准时抄表,加强抄表监督,提高抄表工作质量,采取抄表监督卡、跟踪抄表等方法加强抄表监督,加强临时用电的管理力度,就临时用电安全管理、用电计量安装、检查考核事项进行规范。

创建文明电力行业　贵溪市供电有限责任公司把文明行业创建活动与优质服务、党风廉政建设、企业文化建设、职工道德建设有机结合起来,做好“责任到位、认识到位、宣传到位、措施到位”四个到位工作,推行精细化、专业化、标准化管理。通过“党员先锋岗”、导师带徒、青工技能比武、变电站站际竞赛、供电所所际竞赛等系列活动,营造“敢当第一、勇于争先”的企业氛围,以《贵溪供电》内刊、宣传栏、电视电话会议、专题知识讲座等内容丰富、灵活多样的宣传、教育、培训,在公司上下形成“学知识、练技能、树新风、比奉献”的良好企业之风。公司历任领导高度重视宣传工作,每年在各级报刊上稿100余篇,让社会了解电力,树立电力企业的良好形象。始终坚持与员工共同发展,不断改善员工办公和居住环境,加强员工继续教育和培训,关心爱护员工。公司组织职工先后捐款20余万元帮患病、困难职工度过难关,仅2007年为困难职工送温暖一项就达3.3万元。公司发展不忘回报社会,倡导感恩回报社会。2008年5月汶川特大地震,公司上下捐款5.2万元支援灾区;“八一”前夕捐款6万元重建的塘湾闵坑革命烈士纪念亭焕然一新。

附:

2008年抗冰雪灾害

2008年新年伊始,五十年一遇的持续冰雪给贵溪市带来严重的灾情。1月27日,35千伏文冷线告急;1月28日凌晨1时,35千伏龙冷线跳闸;耳口、冷水两镇供电中断;1月30日,受贝加尔湖寒流的影响,市平均气温降至零摄氏度左右,电力设备覆冰受损严重。

2月2日,贵溪又出现暴雪天气,城区积雪深度都达十厘米。41条10千伏线路出现问题,公司损失达到顶峰。35千伏龙冷线、文冷线处于停运状态,35千伏冷水变电站停运,发生35KV线路倒塔2处,断线16处,横担扭曲3处,杆位偏移4基,10千伏线路断杆533基,0.4kv线路断杆249基;停运配电变压器台区1766个,涉及用户7.6万户,直接经济损失1611.5万元。

灾情就是命令!为尽快恢复供电,2月8日贵溪市人民政府成立了“贵溪市电网灾后修复指挥部”,市委常委、副市长揭晓泗任组长,董事长汪金先、总经理吴静茂任副组长,副总经理石冬任办公室主任。

2月11日,贵溪市人民政府又成立了“贵溪市电力抢修指挥部”,市长艾农亲自任总指挥,市委常委、副市长揭晓泗任常务副总指挥,副市长黄如象任副总指挥,市政府办副主任姚新鉴任办公室主任。领导班子成立后,按照明确分工,负责材料调集的赴外地及有关厂家,负责施工的带领200多名抢修人员上工地。他们通力合作,运线、撤线、放线、拉线、栽杆、送附件,不顾个人安危。手、脚麻木了,衣服湿透了,也没有一个人喊一声累,叫一声苦。

2月10日(正月初四),江西省电力公司派出的灾后修复督导组潘世发主任一行人来到贵溪供电公司指导电网灾后修复工作。

2月11日,兄弟县市的电力抢修力量来到贵溪支援。余江由总工程师带领11名技术人员、月湖由施工队长王平同7名技术人员赶往耳口、塘湾等重灾区现场。

2月17日早上7点,文坊镇党委政府按照市电力抢修指挥部领导的部署,由镇长张更明带队组织120余劳力,20名乡村干部赶至指定地点,有序进行电塔材料的搬运。

公司工会、总经理工作部做好了后勤保障工作,为抢修人员送去遮风挡雪的雨靴、雨衣;御寒防冻的棉袄,姜汤、面包、饼干等充饥的食品、饮用水和保健药品。

在灾区,群众自发抬电杆、运设备,清除倒塌在电力线路上的木竹,砍伐抢修通道,为濒危的电力设备加强护持,齐心协力拉倒造成线路受损的大树,为抢修人员提供热水、热饭、干粮、住宿。供电群众一条心,拧成了一条绳,众志成城,构筑了一座座抢修堡垒,战胜了冰灾,为恢复供电争取了时间,做出了贡献。

党员、团员积极参加“党员突击队”“青年突击队”,在完成急难险重任务中勇当尖兵,敢打头阵。

塘湾、文坊、樟坪、冷水、耳口等乡镇、村委会党员干部带头帮助供电部门,组织群众砍伐通道、抬杆放线、运送材料,供电群众团结一致,凝结成一股难以被摧毁的力量。

由于各级领导频频上工地，群众纷纷参加抗灾。同时，投入232人的专业施工队伍，经过10余天的群策群力，团结紧张的战斗，于2月20日前全面恢复通电。公司荣获了江西省电力公司“抗灾救灾”先进、鹰潭市人民政府“抗灾救灾”先进集体、贵溪市“抗灾救灾”工作功勋单位等光荣称号，14名同志分别受到省人民政府、江西省电力公司、鹰潭市人民政府、贵溪市人民政府和鹰潭供电公司的表彰。

第十卷　工　业

第一章　工业生产与改革

第一节　管理机构

1980年7月成立贵溪县经济委员会,主管县工业局、二轻局等。1982年撤销县工业局,由县经委行使工业局的管理职能。1985年以后,县经委主管县属国有工业企业。

1990年3月,县经委所属的上清陶器厂并入上清林场。年底,县经委下属企业有13个,职工约4500名。县计量局、县企业管理办公室及县职工教育办公室(二级局)归经委管辖,县烟草专卖局(烟草公司)挂靠县经委。

1992年3月,贵溪县墙体材料改革办公室成立,隶属县经委。4月,县烟草专卖局(烟草公司)从经委口划出。7月,县政府决定撤销县职工教育委员会办公室,其编制成建制地划归县劳动人事局。

1996年10月,贵溪市经济贸易委员会成立。计量局更名为技术监督局,成为市政府直属事业单位,从经贸委划出。

2002年11月,经济贸易委员会更名为经济贸易局:原人事劳动局承担的安全生产综合管理、职业和矿山安全监察职能划入经贸局,增挂安全生产监督管理局牌子;原经济体制改革委员会承担的国有企业改革职能划入经贸局;原商业局、外贸局、二轻局、乡企局、物资总公司的行政管理职能划入经贸局,对外保留贵溪市对外贸易经济合作局牌子。

2004年4月,安全生产监督管理局升格为市政府直属行政管理部门,从经贸局划出。

2006年1月,贵溪市中小企业局、贵溪市经贸局执法大队成立,隶属市经贸局。

至2008年,经贸局机关内设10个职能股室。事业单位有:中小企业局、执法大队(均为股级财拨事业单位)。自收自支事业单位有:新型墙体材料改革办公室、砂石市场管理站、生猪定点屠宰管理办公室。

市属二轻局主管大集体企业。下属企业有13家,有大集体职工2700余人。1991年,产值477.95万元,销售收入445.76万元,利润-169.93万元。1992年年底,二轻局转轨为行业总公司。2006年,根据贵发(2002)19号文件精神,二轻局建制撤销,划归市经贸局。

1984年,社队企业局改称乡镇企业局,是全县乡镇企业的主管部门。1991年乡企局管理的工业企业有2382个,其中乡办工业企业131个,村办企业185个,有固定资产837万元,流动资金233万元,总产值7273万元,职工13490多人。2006年,根据贵发(2002)19号文件精神,乡镇企业局建制撤消划归市经贸局。

第二节　工业所有制类型

经贸系统所有制类型

经贸系统工业企业包括原经贸局所辖国有企业、二轻局所辖大集体企业,商业局所辖国有商办工业和乡镇企业局直属和归口的集体企业。2000年产权制度改革后，对所有制结构进行较大幅度的调整，经贸局系统所属的国有企业、集体所有制企业，部分转民营股份制企业、少数企业资不抵债，宣告破产。

1991年以前，原经委所属国有工业企业（不含经营性国有企业）有：化工厂、农药厂、铜材厂、水泥厂、汽修厂、丝绸厂、印刷厂、瓷土矿9家；大集体工业企业二家，即啤酒厂与电光源厂。1991年5月，电光源厂与香港雅邦实业有限公司合资，组建贵雅电光源有限公司，成为首家与港商合资企业。1994年4月，铜材厂和水泥厂实行股份制改造试点，组建国有资产控股、职工参股的贵华铜材有限公司和旺达水泥有限公司，成为国资控股职工参股的股份制公司。1997年2月，农药厂与湖南海利化工股份有限公司合资，组建海利贵溪化工农药有限公司，成为2个国有企业合资的股份制企业。2000年产权制度改革后，所有制结构作较大的调整，农药厂、贵华铜材有限公司、啤酒厂、瓷土矿先后宣告破产。化工厂由吴仕军承债式购买全部资产，组建民营企业贵溪三元冶炼化工有限公司；电光源厂由原经营者承债式受让全部净资产，组建民营企业。其他国有企业资产变现，还清债务，一次性安置职工，企业解体。

1991年，原二轻局所属大集体企业（不含经营性大集体企业）有：橡胶厂、塑料厂、家俱厂、服装厂、制革厂、花炮厂、竹篾厂、汽车配件厂、纺织器材厂、工艺美术厂、金属制品厂、钟表修理厂等13家。2000年产权制度改革后，竹篾厂、钟表修理厂组建民营股份合作制企业，家俱厂被市房地产开发总公司兼并，制革厂破产，其他各厂资产变现，还清债务，一次性安置职工，企业解体。

龙兴铺灯芯糕厂是商业局所属唯一一家国有食品加工企业，2004年产权制度改革，组建民营股份制公司。

乡镇企业局直属大集体企业有胶合板厂和钢管厂，2000年产权制度改革后解体。乡企局归口管理的乡镇企业，少部分为集体所有制企业，大部分为联户办或个体办的私有制企业。2000年产权制度改革后，集体企业全部转为民营企业。

全市工业企业所有制类型

1991年以前，全市工业企业所有制单一，只有全民和集体两种类型。随着改革开放的深入发展，港澳台和外商资金的引进，逐渐形成多种所有制类型并存局面。2000年后，对所有制结构进行较大调整，县域经济以民营为主，国有资本逐渐退出一般性竞争企业，全民所有制逐渐减少，私营经济、股份制等经济成分大幅上升。

2001—2008年贵溪市规模以上工业企业所有制类型一览

表10-1　　单位：家

年份	合计	国有企业		集体	股份合作	联营	有限责任公司	私营	港澳台投资	外商投资	股份有限
		中央	地方								
2001	27	2	12	3	1	1	4	1	2	1	—
2002	25	1	9	4	1	1	6	1	2	—	—
2003	—	—	—	—	—	—	—	—	—	—	—
2004	33	—	—	—	—	—	—	—	—	—	—
2005	31	2	4	1	1	—	8	13	1	—	1
2006	44	2	4	1	1	—	12	21	1	1	1
2007	—	—	—	—	—	—	—	—	—	—	—
2008	—	—	—	—	—	—	—	—	—	—	—

第三节　工业门类

化学工业

主要产品　硫化碱、醋酸钠、20%叶蝉散乳剂、20%速灭威乳剂(原粉)、25%仲丁威乳剂、敌敌畏乳剂、柠檬酸、甲基托布津、皮革、玻璃纤维、苯里酸、氧化特威、间羟酸。

主要生产企业　贵溪化工厂、海利贵溪化工农药有限公司(贵溪农药厂)、江西麒麟化工有限公司、贵溪皮革厂、江西华邦复合材料有限公司、贵溪顺通化纤有限公司、贵溪市千盛化工有限公司、贵溪永雄饲料有限公司。

海利贵溪化工农药有限公司

企业选介

海利贵溪化工农药有限公司　1997年2月,原贵溪市农药厂为摆脱连年亏损局面由湖南海利化工股份有限公司控股成立。1999年7月,海利化工股份有限公司将属农药厂的柠檬酸车间全部资产和土地使用权一次性买断。公司坐落柏里大道西侧,占地面积22万平方米。现有职工400余名。2004年公司获江西省五一劳动奖状单位称号。

公司为国家定点农药生产与江西省高新技术企业,已通过质量、环境和职业健康安全管理体系认证,建有年产万吨 氯气及甲基异氰酸脂生产装置。主要生产高效、安全的氨基甲酸米虫剂及杀菌剂,除草剂和其他化工中间体等30多种产品。具有年产8000吨农药原药,10000吨制剂的生产能力,其中甲萘威等两个产品出口到美国、土耳其等国家和香港地区。

江西麒麟化工有限公司　公司创建于2003年8月,是一家股份制民营企业,注册资金1000万人民币,总资产2500万元,坐落在贵溪市柏里大道西侧。该公司是一家专业从事精细化工产品生产的有机化工企业,有职工180人,中高级以上职称26人,其主要产品间羟基苯甲酸生产能力6000吨/年,氯代特戊酰氯生产能力1000吨/年。磷氯氯苄生产能力1000吨/年,该产品均为农药、医药及液晶体产品的中间体,2008年完成工业品产值1300万元,完现利润240余万元。

粮油、食品工业

主要产品　大米、食油、啤酒、白酒、蔬菜加工、乳制品、肌醇、油脂、糕点。

主要生产企业　江西中胜粮油有限公司(贵溪市粮油加工总厂)、粮油加工二厂、鹰潭富饶米业有限公司、鹰潭珍贵食品有限公司、贵溪肌醇厂、贵溪油脂厂、贵溪市龙虎山啤酒有限公司(贵溪啤酒厂)、贵溪市龙兴铺灯芯糕有限公司、江西裕食升品有限公司(金沙蔬菜加工厂)、贵溪市酿酒厂、贵溪市乳制品厂。

企业选介

江西中胜粮油有限公司　公司(前身为贵溪市粮油加工总厂)于1999年7月成立,是鹰潭市最大的一家以粮油加工、粮油储备、竹地板生产为主的综合性民营企业,是江西省首批农业产业化龙头企业、省出口大米定点企业。资产总计11098万元,有职工198人,其中中高级技术人员42人。拥有日产240吨大米、日处理150吨细糠的毛糠油、年产15万平方米竹地板生产线各一条;并拥有2.5万吨稻谷仓容、1.2万吨油罐仓容;年加工量3.2万吨、年收购粮食总量5万吨;生产设备、能力和生产工艺在国内处于领先水平。

公司后在贵溪市金屯、河潭、雷溪、塘湾等乡镇建立4万亩绿色大米基地,基地年产量1.8万吨。直接、间接带动1.2万农民增收。

公司生产的“中胜”牌大米以优良的品质，先后被评为“江西省名牌”“江西省著名商标”“江西省名牌农产品”“中国绿色食品A级产品”“全国放心米”等一系列荣誉称号。产品远销北京、上海、广东、浙江、福建、澳门等省市，并出口到加拿大、非洲、新加坡等国家和地区，产品深受国内外客户好评。

贵溪市龙兴铺灯芯糕有限公司　公司（贵溪市龙兴铺灯芯糕厂）坐落在信江路东侧，占地面积15000平方米。1982年，贵溪灯芯糕被列为江西省四大名特糕点之一，连续三年，被评为省、地（市）优质、优等产品。1984年，省食品工业协会拨款25万元，对灯芯糕生产进行技术改造，生产能力由过去人均班产75千克提高到150千克。1986年，“铁拐李”商标进行注册。

1998年8月，日本食品保鲜专家来厂进行保鲜试验；灯芯糕保鲜取得一定成果，打破了以往季节性生产的局限。11月，贵溪灯芯糕获省食品博览会产品质量优胜奖。1999年1月，获上海食品博览会产品质量优胜奖。

2004年1月，企业进行产权制度改革，由原厂长王志文领头组建民营企业贵溪市龙兴铺灯芯糕有限公司。公司注册资金1199万元，王志文占60.3%，其他28位股东占39.7%。公司科研室经多次试验，创造出“保健型”和“水果型”灯芯糕系列产品10余种。设计出“简易型”和“豪华型”包装模式。

2005年，“铁拐李”注册商标被江西省工商行政管理局和江西省著名商标认定委员会评为“江西著名商标”。同年7月，被省农业产业化经营工作领导小组评为农业产业化“省级龙头企业”。同年9月，“铁拐李”牌灯芯糕被省名牌推进委员会授予“江西名牌”。

2007年，“铁拐李”灯芯糕系列产品获全国工业产品生产许可证。2008年3月，“铁拐李”灯芯糕系列产品通过中国绿色食品发展中心论定为绿色A级产品，并填补贵溪市无“非遗”保护项目的空白。

江西裕升食品有限公司　公司（贵溪市金沙蔬菜加工厂）创建于1990年，1997年迁入园区，占地面积21亩，总投资1416万元，是一家以当地盛产的孟宗笋、早熟梨、食用菌、藠头等新鲜优质果蔬为原料进行深度加工的科技型出口创汇企业，年生产能力5000吨。

公司产品有竹笋、藠头和食用菌罐头3个系列，4类共11种型号产品，全部销往日本、韩国、美国、英国、法国、德国、西班牙、印度等22个国家，享有极高的美誉度和信誉度。

2008年8月，投资10万元，与朝鲜平壤的一家公司合作经营，利用国际援建的自动控制温室，进行反季节生产食用菌、藠头蔬菜罐头。2008年完成销售收入2200万元。

电子、冶金工业

主要产品　节能灯、灯具、电铅、精铋、冰铜、氧化铋、精碲、铅锡合金。

主要生产企业　江西贵雅照明有限公司、保定蓝波灯具有限公司贵溪分公司、贵溪市弘舟照明有限公司、江西信意新材料有限公司、贵溪市三元冶炼化工有限公司。

企业选介

江西贵雅照明有限公司　1985年，为解决台侨属子女就业，筹资26万元，创办贵溪电光源厂。当时安置台侨属雄石镇待业人员53人。厂址位于雄石二小外西北角。

1987年，该厂产品填补江西省电光源行业空白，并被评为江西省科学技术进步三等奖，企业被定为省内定点生产电光源厂家。厂地搬至雄石西后街，扩大生产规模。公司现坐落在工业园区，占地总资产1.2亿元，职工2800余名。

1991年5月，鹰潭市计委与经委批准该厂与香港雅邦实业有限公司合资，组建贵雅电光源有限公司，由电光源厂控股，合资期15年。1996年，其稀土节能灯生产规模达1100万支（套），跃居全省第一，全国第三。省经委确定以“贵雅”为龙头，组建南方照明电器集团公司。

2001年10月，企业进行产权制度改革，该厂由原经营者张社喜、潘小平领头承债式受让企业全部资产，组建民营企业，职工身份全部置换。

2002年，公司正式成为“飞利浦”公司和日本“东芝”公司高品质节能灯光源唯一指定的供应商及合作伙伴。

公司主要生产三基色节能灯、电子镇流器、电子灯具、稀土三基色荧光粉。主导产品稀土节能灯管拥有28个系列,1000多个品种。产品远销国内24个省(市)和日本、印度、美国、斯里兰卡等10余个国家和地区。公司获专利20余项,获国家省(市)级、市科学技术进步奖、名牌产品、质量管理等奖30余项,已成为江西省区外高新技术企业,全国最大的节能灯生产基地之一,国家高新技术产业化示范工程。

2008年,销售收入达2.8亿元,上缴利税1200万元,年生产各类紧凑型节能灯管1.4亿支,T5三基色双端荧光灯管1000万支,一体化电子节能灯5000万支,直管型节能荧光灯及配套灯具800万套、各类家居、商业照明类节能灯具120万套。

贵溪市三元冶炼化工有限公司　公司是在原贵溪市化工厂产权制度改革后,于2000年11月组建的民营企业。公司坐落在贵溪市柏里大道西侧,占地面积53000平方米,注册资金为3500万元,现有总资产5000多万元。2003年8月开始自营进出口,有职工200余人。公司的主要产品有:精铋、电铅、硫化碱、氧化铋、精碲、铅锡合金、冰铜、黄金、白银等有色金属。现产值达12000万元/年、利税达1000万元/年。新开发的金属碲产品约占世界精碲总产量的三分之二。精铋、电铅、氧化铋、精碲产品远销比利时、英国、美国、法国、德国、日本等发达国家。2002年获省先进私营企业、省企业规模奖等,是年11月,通过ISO 9001质量认证体系。

建材工业

主要产品　水泥、竹地板、人造地板、石材加工、红石碱沙、特种砖。

主要生产企业贵溪市新世纪水泥有限公司(旺达水泥有限公司)、江西竹辉竹业有限公司、贵溪市人造板厂、贵溪石材加工厂、贵溪胶合板厂、贵溪特种砖厂、贵溪碱砂场、贵溪同辉建材有限公司、贵溪华丰竹业有限公司、江西东横建材有限公司、海光木塑制品厂。

企业选介

贵溪市新世纪水泥有限公司　1999年年初,旺达水泥有限公司与浙江科华集团有限公司签订联营合同,组建贵溪新世纪水泥有限公司,由科华集团控股。年底,由于旺达水泥有限公司无力出资,将40%的股权全部转让给科华集团。12月,贵溪新世纪水泥有限公司整体搬迁至工业园区。公司占地面积25万平方米,职工600余名。主要生产“科华”牌P.042.5、P.C32.5等级水泥。几经技术改造,生产规模达150万吨/年。2008年,产值达2.6亿元,利税达900余万元。“科华”牌水泥,自2004年以来,被评为“江西名牌产品”“江西省著名商标”“国家免检产品”和“中国驰名商标”。

江西竹辉竹业有限公司　公司于1992年7月组建,是贵溪西窑乡引进的台商合资企业,有职工120余人,引进人才6人。1995年,竹地板产品获省级新产品奖。1995年5月,竹辉竹业有限公司的合作伙伴台湾金陵房屋中介有限公司王正华先生,无力对竹辉公司注入新的资金,自愿退股,公司生产经营一度陷入困境。经贵溪县政府多方协调,于1996年,由西窑林场、双圳林场、冷水林场和贵溪林业开发公司四家重新组成了“竹辉股份有限公司”。1997年,公司总产值752万元,上缴利税71万元。1998年,公司进行股份制改造,成为股份制民营企业。2008年,完成销售收入300万元,利润30万元,上交税金25万元。

机械工业

主要产品　打谷机、干粉灭火器、消防栓箱、异型链条、弹簧、钢管、工字梁、捕鼠器械、合金钢套筒滚子链。

主要生产企业　贵溪市铜材厂、贵溪市钢管厂、贵溪市汽车配件厂、江西卡娜链机械传动有限公司、江西信江潮消防机械有限公司、贵溪市凡尔顿机械制造有限公司、贵溪市星晨电动车工业有限公司、贵溪市捕鼠器械厂、江西力环弹簧有限公司、贵溪市喜信泽机械厂、贵溪新型铸造材料有限公司、贵溪市汽车修理厂。

企业选介

江西信江潮消防机械有限公司　公司为国内规模较大的消防设备生产企业之一,固定资产5000万元,是集研发、生产、制造、销售、维修为一体的综合性公司,是国内消防行业首家通过国际汽车行业ISO/TS 16949—2009质量体系认证的企业,并获得中国人民解放军总后勤部司令部颁发的“军械仓库安全设备认证证书”,同时也是江西省消防知识科普教育基地,国内最大的车用灭火器生产基地。公司还拥有八项国家专利,并获得科技进步奖,企业贡献奖、先进企业等称号。

公司拥有“永耐”牌手提式干粉灭火器、推车式干粉灭火器、消防栓箱、灭火器箱的生产资质,还开发生产汽车零部件等。公司产品畅销全国各地,并出口到东南亚、西亚、非洲、欧洲、俄罗斯等地。其中1千克灭火器已被全国15个汽车厂家之中的江铃汽车股份有限公司、北京奔驰－戴姆勒·克莱斯勒汽车有限公司和江苏东阳收割机制造有限公司等7个大汽车公司配套使用。2千克、4千克灭火器也分别被三一重工和北方奔驰公司配套使用。公司还为辽宁曙光汽车集团提供20多个品种的汽车配件,并为中国人民解放军第二代勇士军车配套减振器及弹簧支架总成。1千克灭火器总参被选为国庆60周年大典检阅品。

江西卡娜链机械传动有限公司 公司成立于2006年。设备180台套,企业员工88名(85%是本地的农民工和下岗再就业人员)。主要生产合金钢套筒滚子链及异型链条,年生产能力6000万元。公司拥有“KANA”品牌。2008年产值1300万元。

公司技术力量雄厚,冲压设备、装配机、切削机、卷管机均为进口的设备,提高材料利用率,降低成本。公司通过ISO 9000国际质量保证体系认证,产品销往国内外。

采矿工业

主要产品 瓷土、石膏、银矿、莹石、铁矿

主要生产企业 贵溪市瓷土矿、江西贵溪石膏矿、贵溪市承信石膏矿、贵溪市罗河石膏矿、江西贵溪二水石膏矿有限公司、贵溪鲍家矿业有限公司、贵溪市乌石坑铁矿、贵溪市鑫华矿业有限公司。

企业选介

贵溪市罗河石膏矿 矿山位于贵溪市城南约8千米处的罗河镇,属私营企业,于1999年5月成立,法人代表吴和平。主要从事地下开采,销售石膏矿,该矿有二井,1 #井位于矿区的北部,2#井位于矿区的南部。设计能力为5万吨/年,矿山采用“房柱采矿法”进行采矿,有从业人员30人。

贵溪鲍家矿业有限公司 矿山位于贵溪市冷水镇境内,于1989年11月成立。原贵溪银矿企业改转制后,由蓝翔矿业有限公司控股。1995年5月投产,法人代表黄政。设计采选综合生产能力为15 5吨/年,现实际生产能力为2万吨,以银矿为主,有从业人员42人。

贵溪市乌石坑铁矿 矿山位于贵溪市城南东约20千米处金屯镇上马石村,属私营企业,于2005年4月成立,法人代表黄荣清。主要从事地下开采、销售铁矿。设计能力为原矿石3万吨/年。矿山采用“浅孔富矿法”进行开矿,有从业人员20人。

贵溪市鑫华矿业有限公司 矿山位于贵溪城南约42千米处的双圳林坊,属私营企业,于2001年1月成立,法人代表陈少华。主要从事地下开采,销售萤石矿。设计能力为原矿石1万吨/年。有从业人员15人。

医药工业

主要产品 血康口服液、强力枇杷露、复方鲜竹沥液、肠炎宁糖浆。

主要生产企业 贵溪制药厂、江西天施康中药股份公司贵溪分公司、江西远东药业有限公司、贵溪市三琦生物有限公司。

企业选介

江西天施康中药股份有限公司贵溪分公司 公司(前身为贵溪制药厂)成立于2003年年初,隶属江西天施康中药股份有限公司,系一家以生产口服液、糖浆剂、合剂和口服溶液剂等剂型产品的中成药企业。

2002年11月,天施康贵溪分公司在市工业园征地60余亩,投资1500万元开始筹建口服液体制剂车间GMP技改工程,2003年11月主体工程基本竣工,2004年1月贵溪分公司的“口服液体制剂车间及配套工程”顺利通过了国家食品药品监督管理局的GMP认证验收,同年7月正式迁入新厂进行生产。

公司座落于贵溪市工业园工业南大道,占地面积4公顷,厂区厂房建筑总面积4800平方米,绿化面积29000平方米,厂区规划严格按照GMP规范要求进行设计。厂区基础设施完善,工艺布局合理,环境优美。下设行政人力资源部、生产部、质量技术部、计划财务部、车间等职能部门,有职工70余人,其

中大专以上学历18人,各类专业技术人员20余人。

公司现拥有2条联动生产设备,分别为小容量、大容量生产线,全套设备选型先进可靠,经济实用,可年产口服液6000万支,糖浆1200万瓶。主要产品有血康口服液、复方鲜竹沥液、强力枇杷露、小儿止咳糖浆、肠炎宁糖浆等血液病用药、内科咳嗽类用药、肠胃病用药。

印刷工业

主要生产企业　贵溪市印刷厂、江西民浪彩印有限公司、江西金邦教育印务有限公司。

企业选介

江西金邦教育印务有限公司　公司于2006年3月成立,属工业园区招商引资企业,占地13000多平方米,注册资金200万元,总投资1100万元,是集创意、设计、制版、印刷等加工和纸张销售于一体的综合型技术先进、经营范围广的印刷企业。每年都将利润的60%,用于技术提升和设备的改造。2008年,产值达300万元,利税10余万元,职工60余名。公司先后被江西新闻出版局列入江西省重点新闻单位数据库,江西省出版物印刷企业。

其他工业

主要产品　包装袋、纺织器材、金属制品、家具、竹篾品、塑料制品、橡胶制品、饲料、陶瓷器、活性炭、PVC热收缩膜。

主要生产企业　贵溪化肥包装袋有限公司、贵溪纺织器材厂、贵溪金属制品厂、贵溪竹蔑厂、贵溪塑料厂、贵溪家俱厂、贵溪橡胶厂、贵溪活性炭厂、江西永雄饲料有限公司、贵溪铜城瓷厂、贵溪陶器厂、贵溪三鑫家俱厂。

企业选介

贵溪化肥包装袋有限公司　公司前身为贵溪县化肥包装袋厂,始建于1988年,位于贵溪冶金大道中为西侧,占地面积3000余平方米。建厂初期总投资360万元,其中固定资产310万元。由贵溪县滨江乡政府与贵溪化肥厂合资。1997年4月,企业进行股份制改造,更名为"贵溪市化肥包装袋有限公司",主要为贵溪化肥厂生产化肥编织袋与吹膜袋。1998年4月,公司投资25万元引进技术改造。1998年产值达1000万元,销售收入950万元,毛利润50万元。2005年,公司产权制度改革,转为民营企业。

第四节　工业规模效益与名特优新产品

规模效益

1991年,全县工业通过调整提高攻坚战,县属各企业进入第二轮承包租赁经营,工业生产稳步发展,经济效益逐步好转。全县工业总产值160767万元(现行价,下同),比1990年增长6.17%,其中县属工业总产值25344万元,比1990年增长13.59%。

预算内国有工业企业产值7048.6万元,比1990年增长5.67%;销售收入2726.2万元,增长15.55%;可比产品成本下降9.04%;产成品资金占用下降4.13%。经济效益虽有好转,但总的情况仍未摆脱减亏的局面,上缴利税比1990年下降6.63%。

1992年,全县贯彻落实《全民所有制工业企业转换经营机制条例》,工业企业改革进一步深化,企业技术改造和结构调整步伐加快,市场机制作用增强,投资大幅度增加,推动工业生产的快速发展。全县工业总产值183914.2万元,比1991年增长10.4%,县属工业总产值完成26448.1万元,同比增长25.2%。全县乡及乡以上工业企业完成工业总产值177471.2万元,同比增长13.7%,其中全民所有制工业增长11.2%,集体所有制工业增长54.4%,其他工业增长1.4倍。全县工业增加值31256万元。

1993年,工业企业内部推行劳动、分配、人事三项制度改革,调动职工积极性。1994年,全县工业有较快发展,完成工业总产值335472万元,同比增长20.6%,其中县属工业完成工业总产值58643.4万元,同比增长52.3%,经济效益继续改善。全县工业产品销售率由98.82%提高到99.52%。预算内工业企业产品销售收入5638万元，同比增长20.4%。产品销售税金及附加(含应交增值税)332万元，比1992年减少7.5%；利润总额377万元，同比增长5.6倍，产成本资金年末占用额674万元，同比增长9.1%。

1996年10月，贵溪撤县设市，工业生产保持稳定增长。全市完成工业总产值463423万元，同比增长12.2%。全市乡及乡以上工业企业完成总产值44.29亿元，增长12.2%，其中国有工业总产值41.33亿元，增长12.7%。市属工业企业完成工业总产值78128万元，同比增长16%。市属乡及乡以上工业企业完成工业总产值57560万元，增长17%。工业增加值72721.8万元，比1995年37514.7万元增长93.8%。销售收入400716.2万元，比1995年395873.7万元增长1.2%。利润总额7219.7万元，比1995年11498.9万元下降59.3%。年末资产434333.7万元，比上年410102.7万元增长5.9%。年末职工人数17633人，比1995年减少3885人。

1998年，受亚洲金融危机及国际铜价下跌的影响，产值下降。全市乡及乡以上工业企业全年完成工业总产值394187万元(现价)，比1997年下降20.6%；完成工业增加值137388万元(现价)，比1997年下降7.5%。

2000年，全市工业企业全面推行产权制度改革，调整所有制结构。市属工业企业先后改制，大部分企业资产变现，还清债务，一次性安置职工，企业解体。少部分企业生产经营状况较好，改为民营股分制或股份合作制企业。还有少数企业资不抵债宣告破产。同时，全市加大了招商引资力度，罗河工业区得到较快发展，外资民营工业企业纷纷落户贵溪，全市工业生产持续增长，工业运行质量有所提高。全市乡及乡以上工业独立核算工业企业完成工业增加值138566.7万元(当年价格)，比1999年增长30.2%，经济效益得到改善，全市乡及乡以上工业企业实现销售收入631353.6万元，比1999年增长28.3%，实现利税总额31614万元，与1999年亏损相比，增加53611.5万元。

2001年，全市规模以上工业企业27家。国有工业企业及年销售收入500万元以上的非国有工业企业，实现工业总产值531556.0万元，按可比价计算，比2000年增长12.1%。全市规模以上工业企业实现工业增加值155686.4万元，比2000年增长12.4%。工业产品销售率达99.8%。经济效益不断改善，规模以上工业企业全年实现利税总额32856.7万元，比2000年略有增加，其中，实现利润9247.2万元，比2000年增长32.2%。

2005—2006年，全市工业生产快速增长，规模以上工业企业分别达到31和44个，工业总产值分别为241.13亿元和436.98亿元。2005年，全市全部工业增加值503337万元，比2004年增长43.6%，工业对经济增长的贡献率达82.8%。规模以上工业增加值达到493835.5万元，比2004年增长43.6%；市属规模以上工业增加值37700.8万元，比2004年增长3.5%。工业经济效益明显改善，规模以上工业实现利税总额327223.6万元，比2004年增长37.7%，其中实现利润总额214209.9万元，增长28.1%。

2006年，全市规模以上工业增加值98.03亿元(现价)，比2005年增长98.5%。市属规模以上工业实现工业增加值10.7亿元(现价)，增长1.8倍。工业经济效益大幅度提高。全市规模以上工业企业实现主营业务收入401.49亿元，比2005年增长64.4%。实现利润65.5亿元，比2005年增长2倍多。实现利税86.53亿元，增长1.6倍多。

截至2008年，全市规模以上企业从2000年的26家发展成73家，增长2.8倍；工业总产值7286727.5万元，是2000年的1.45倍；工业增加值1176800万元，是2000年的8.5倍；总资产达4945540.4万元，是2001年的3.45倍；利税总额达671138.2万元，是2001年的20.42倍。

1989—2008 部分年份贵溪市工业企业一览

表 10 - 2　　单位:户

年份		1989 年	1994 年	1999 年	2004 年	2008 年
总数(户)		34	116	182	343	489
其中	内资	34	116	169	203	244
	私营	0	0	13	140	245
年份		1984—1989 年	1989—1994 年	1995—1999 年	2000—2004 年	2005—2008 年
新增(户)		34	82	66	161	146
其中	内资	34	82	53	34	41
	私营	0	0	13	127	105

名特优产品

“中国驰名商标”产品

新世纪水泥有限公司的“科华”商标产品

江西贵溪化肥厂的“施大壮”商标产品

江西贵雅电光源有限公司的“贵雅”商标产品

省“著名商标”产品

贵溪市大忙人实业有限公司的“大忙人”商标产品

贵溪市中胜粮油有限公司的“中胜”商标产品

江西铜业集团公司生产的阴极铜的“贵冶”商标产品

江西铜业集团公司生产的工业硫酸的“贵冶”商标产品

江西铜业铜材有限公司的“电工圆铜线”商标产品

江西竹辉竹业有限公司的“竹辉”商标产品

贵溪市塔桥园艺场的“塔桥”商标产品

贵溪市龙兴铺灯芯糕厂的“铁拐李”商标产品

新世纪水泥有限公司的“科华”商标产品

其他名特优新产品

1995 年,海利贵溪化工农药有限公司的氨基甲酸脂类农药生产新工艺开发项目获国家经贸委“九五”国家技术创新优秀项目奖;

1995 年,竹辉竹业有限公司生产的竹地板获省级新产品奖;

2000 年,海利贵溪化工农药高纯度甲萘威获国家五部委国家重点新产品称号;

2002 年,贵雅电光源有限公司 JUST 高光效长寿命节能灯项目研究成果获国家科技部二等奖;

2003 年,瑞新铜业有限公司黄铜板获江西省最畅销产品称号。

第五节　企业改革

承包租赁经营责任制

1985 年,二轻系统工业企业实行“一包四改”经营责任制,即由二轻局委托厂长一人承包经营,在企业内部进行劳动、人事、分配和核算四项制度改革。

1986 年,乡镇企业全面推行厂长负责制,承包期由 1 年改为 3 年,在企业内部实行计件工资、单项作业承包、租赁承包、产品推销承包、原材料采购承包等。

1987 年初,贵溪化工厂由职工代表大会民主选举产生承包人,并报县经委同意,原副厂长周夏生当选厂长。实行承包经营责任制初见成效,实现利税29.7万元,销售收入250万元,全厂人均创利1521元。

同年11月,贵溪县企业租赁承包经营招标审委会成立,并下发《关于深化企业改革全面推行租赁承包责任制实施意见》及实施细则。合同期进行为3年(1988—1990年)的第一轮承包。

1988—1990年,经委系统实行为期3年的承包经营的工业企业有:1988年2月原农药厂厂长赵运玖(当时分管经济城建的副县长,留职停薪),主动请缨,承包经营农药厂,3年均完成承包指标;化工厂承包人周夏生,圆满完成承包任务,后厂址迁至柏里,开发新产品精铋、电铅,并从铋渣中提炼出小量黄金;铜材厂承包人张国华,3年承包指标、产值、销售收入、利税总额均猛增。新开发的铜管生产,因质量不过关,未能成批生产;水泥厂承包人江有旺,通过技术改造,水泥产量由原年产3万吨增至年产8万吨,质量稳定,供不应求,利税总额居县属工业企业首位;汽车修配厂承包人吴有祥,因管理不善,业务萧条,内部矛盾重重,不到2年就中止承包合同;瓷土矿承包人席妙章,承包期间,因瓷土滞销,资金又无法周转,虽购置一些新设备,但因市场原因,未能挽回企业停产、倒闭局面;印刷厂与丝绸厂当时登报向社会公开招标,一个月后无人接标后,印刷厂由许某、王某合伙承包,因无管理经验,加之改革开放后,私人印刷厂应运而生,不到2年,以失败告终;丝绸厂通过多方联系,由浙江诸暨市蒋某等两人租赁经营,不到1年也以失败告终。

1990年10月,县政府制定《贵溪县第二轮企业承包实施意见》,承包期为两年(1991—1992年)。第二轮承包,在原承包的基础上,推行目标管理工效挂钩。化工厂、铜材厂、水泥厂、瓷土厂承包人没有变动。农药厂由徐志刚接任后,1991年9月13日,因农药厂槽车经上饶沙溪发生重大毒气泄漏事故,企业又一次陷入严重困境。1992年由江苏张家港一家镇办化工企业租赁,因资金缺位,不到一年终止合同。丝绸厂继续关闭,陶器厂并入上清木材场,汽车修配厂由江六成负责,借鉴外地同类企业的经验,将厂改为“国有民营”,制定五项管理制度,调动职工积极性,职工的收入大幅增加。

1988—1990年,二轻系统的第一轮承包的16多个企业经营效果不理想,有10家企业处于停产半停产状态。第二轮承包有15家工业企业,主要经济指标均有所增加。1992年年底,生产经营状况有所好转。

1988—1992年,乡企系统主要对直属工业企业进行承包经营责任制。各乡(镇)管理的企业还是委任制。直属工业企业仅有两家,一为建筑联合公司,二为贵溪胶合板厂。胶合板厂在5年内换3位厂长,均因技术不过关,胶合板质量低下,经济效益很不理想。

1993年,根据企业实际情况,3个系统采取国有资产经营承包、经营责任制承包、扭亏目标管理3种承包形式。

1995年,对县啤酒厂实行租赁经营试点,县政府决定将啤酒厂租赁给浙江钱江啤酒(集团)公司,经营合同期为10年,实际到1998年终止。

企业配套制度改革

1992年8月,县政府下发《关于进一步深化企业内部分配、人事、劳动制度改革的实施意见》。比较有明显效果的属经委系统管辖的国有企业。化工厂取消八级工资制,全厂分别实行承包工资、计件工资、责任岗位系数工资,优化劳动组合及“满负荷”工作法等;有机化工总厂(农药厂)按照责任大小、复杂劳动和简单劳动,重要岗位、实行经济效益同工资挂钩;水泥厂引进银行机制,加强资产管理,试办“厂内银行”,变“供领”关系为“买卖关系”,并实行厂内待业和厂内退养制度。

股份制改组改造

1994年,县政府下发《关于积极推行股份制试点的意见》。是年,经委系统的县铜材加工厂和县水泥厂分别改组为贵华铜材有限公司和旺达水泥有限公司。实行由国家控大股,职工参股的方式。二轻系统的皮革厂为股份合作制改革试点,并下发《关于二轻局集体企业实行股份制的实施办法》。乡企系统的乡(镇)办、村办集体企业全面推行股份合作制的企业达289家,推广面达85%。

1997年,贵溪市成立企业转机建制指导委员会,经委系统的印刷厂和汽配厂实行国有民营和国有分散经营。二轻系统的钟表修理厂和竹篾厂实行股份合作制。是年8月,市体改办和经委对农药厂进行股份制改造,组建了海利贵溪化工农药有限公司。1998年,市印刷厂通过职工出资入股,债权人债权转股,募集资金组建了贵溪市印刷有限公司。二轻系统的纺织器材厂与塑料厂采取整体托管的方式。

产权制度改革

7 月,印刷厂由工业供销公司托管,组建市印刷包装材料有限公司。1998—2000 年,丝绸厂、花炮厂由市社保局托管,制革厂依法破产,橡胶厂、金属制品厂、工艺美术厂、纺织器材厂资产变现,一次性解决职工养老保险金、企业解体,共有 800 余名职工身份置换。

2000 年,根据市委市政府《贵溪市国有集体企业产权制度改革若干试行办法通知》及《关于加快乡镇企业产权制度改革实施意见》文件精神,全面启动工业企业产权制度改革工作。至 2008 年 12 月,全市参加改制的工业企业有 131 家,已改制的有 121 家,其中国有企业 76 家,集体企业 45 家,置换身份的职工约有 1.1 万人。

贵溪市三元冶炼化工有限公司

2002 年,市农药厂、贵华铜材有限公司、市啤酒厂和市瓷土矿依法破产。2001 年 10 月,原贵溪市电光源厂长张社喜和潘小平受让净资产约 1362 万元,承债式购买全部资产,组建新的江西南方照明(集团)有限公司,安置职工 241 人。2002 年 12 月,由市化工厂技术员吴仕军领头,承债式购买全部资产,组建股份制民营企业市三元化工冶炼有限公司,共安置职工 727 人。2003 年 9 月贵材铜材有限公司破产,被整体收购全部资产后,组建贵溪市瑞新铜业有限公司。旺达水泥有限公司、印刷包装材料厂、汽车配件厂等 8 家企业,资产拍卖变现,还清债务,一次性安置职工,共有 237 名职工身份置换。其中旺达水泥有限公司的在岗职工由浙江科华集团的新世纪水泥有限公司全部予以安置。1997 年,市二轻局所属家俱厂由市房产开发总公司兼并。2000 年,乡企局对供销公司、建联公司、胶合板厂,进行产权制度改革试点,截至 2005 年,市乡企局归口管理的 300 余家乡镇企业以股份制、股份合作制、拍卖、兼并、破产关闭等形式完成了产权制度改革。其中竹辉有限公司于 1998 年转为民营企业,贵溪玻璃钢厂于 2002 年由原厂长朱小华购买,组建江西华邦复合材料有限公司。2003 年,江西永雄饲料有限公司因锅炉爆炸损失严重停产解体。2005 年,贵溪化肥包装袋厂有限公司转为民营企业。

至 2008 年,全市工业企业经过改革、改制、转产的企业有纺织器材厂、金属制品厂、竹篾厂、家具厂、塑料厂、橡胶厂、汽车修理厂、化工厂、酿酒厂、肌醇厂、油脂厂、胶合板厂、制药厂、特种砖厂、钢管厂、瓷土矿、铜材厂、粮油加工总厂、水泥厂、电光源厂、汽车修配厂、陶器厂、麻纺厂、铜城瓷厂、江西永雄饲料有限公司、活性炭厂、胶合板厂、皮革厂、红石厂、农药厂等。

第二章　园区建设

第一节　市工业园区建设

园区管理

1997 年,贵溪市罗河工业区开始建设,选址于贵溪市城西南 320 国道两侧,距贵溪市中心 3 千米,距鹰潭市 10 千米。当年,贵溪市委、市政府成立贵溪市罗河工业区管委会工作机构,管委会下设 4 组 1 室,即征地组、企业项目组、规划建设组、拆迁组 4 个工作协调机构,及其办公室的常设行政管理机构,管委会办公室由贵溪市委、市政府授权其行使整个工业区的全封闭管理职能。同时，在工业园区所在地域周边的滨江、罗河2乡镇成立相应的机构，协助管委会办公室做好相关工作。

2002年，罗河工业区更名为贵溪工业园区。园区管委会为贵溪市政府的派出机构，内设党政办、招商部、经济运行发展部、规划建设工程部、社会事务部、财务部。2006年，经省政府批准，贵溪市工业园更名为江西贵溪工业园区。2007年，贵溪市财政局工业园区分局成立，归口市财政局领导和管理。

园区自1997年建立以来，制定和完善各种政策和措施，其中财税优惠及扶持企业优惠政策各5条，行政性优惠政策2条，为入园企业服务措施5条。

2008年，贵溪市工业园被省政府授予“先进工业园区”称号

园区建设

2002年，园区进行扩建，总体规划面积10平方千米，东至江西铜业公司技校、西至贵溪新世纪水泥有限公司、南至320国道以南1.2千米处、北至浙赣铁路线。至2008年12月，工业园区累计完成基础设施建设投资3.8亿元，10平方千米内的六纵六横道路、供水、供电、通信等“七通一平”基础设施建设基本完成。园区建有日供水5000吨的水厂、110千伏变电站，客商服务中心大楼建成使用。园区占地1000公顷，其中870余公顷为红石荒山，共消耗炸药2000余吨，移山平地670余公顷，完成土石300万立方米，园区95%通过环保评审验收，环保运行率达到100%。

园区企业

至2008年，入园企业和项目达93个(其中铜加工企业和项目50个，投产35家)，投资超1亿元的项目45个，投产企业73家，在建项目13个，签约项目7个。2008年，园区引进25个项目，签约资金96亿元，实际到位资金32亿元，完成主营业务收入180亿元，创税收6.3亿元，安置就业1.5万余人，初步形成以铜加工、节能灯为主导产业的发展格局。

2003—2008年贵溪市工业园区经济数据一览

表10-3　　　　单位：万元

年份	工业总产值	主营业务收入	工业固定资产投资	利润总额	税金总额	资产总计	固定资产合计
2003	61583	53407	42240	2416	3219	—	—
2004	172159	156669	5814	4000	5298	—	—
2005	259721	230422	5900	5000	1024	—	—
2006	563787	549249	7885	12191	2405	—	—
2007	1187175	115030	8132	10164	4666	486203	245797
2008	1906833	179787	9520	5487	6298	610061	293004

第二节 铜拆解加工园区建设

功能布局

铜拆解加工园区全称为铜产业循环经济基地拆解加工园区，该园区位于贵溪市城郊东北部，北靠沪昆高速公路，南邻江西铜业集团公司，东临沪昆高速连接线，西接贵神公路。距沪昆高速公路直线距离

1.2 千米,距皖赣铁路贵溪北站3千米。

2007年委托南昌有色冶金设计研究院进行高起点规划,总体规划面积为10平方千米,其中:拆解区规划面积2.38平方千米,精深加工区规划面积4.18平方千米,拆解加工区二期及其他项目预留用地规划面积3.44平方千米。制定详细的环境监测计划和管理制度,并设立20个环境监测点。

园区建设

铜拆解加工园区分两期开工建设,一期工程于2007年9月15日正式动工建设。全国最大的废旧铜拆解商——广东南海宇成、兴奇集团陈传成、陈传奇于2007年5月10日到贵溪考察之后,经过鹰潭、贵溪两级市政府努力,于2007年7月18日在鹰潭正式签订投资协议,并组建鹰潭信达投资有限公司,投资10亿元开发建设拆解区133公顷,其中一期投资5亿元开发66.7公顷。一期工程建成后可完成年拆解量30~50万吨,实现销售收入100亿元~150亿元。至2008年12月底,园区已平整场地120公顷,完成一期用地的"四纵两横"道路网硬化;拆解区内供电供水、通信等管线铺设完毕;污水处理厂土建工程在2008年10月底全部完成;监管中心主体工程2008年10月底如期封顶;信达公司旗下企业部分钢结构厂房已完成主体吊装;一期用地道路绿化、亮化工程于2008年10月底顺利完成;"无水港"进出道路路基及首期8.7公顷用地场地平整业已完成。与宁波港集团签订的第七类废物进口通关转关协议及海铁运体系建设已进入实质性运作阶段。至2008年,进入园区的企业共7家。

管理机构

2007年8月,贵溪市委、市政府成立贵溪铜产业循环经济园区,园区下设5股1室,即:规划建设股、社会事务股、综合服务股、招商引资股、财务管理股、办公室。由贵溪市委、市政府授权其行使整个园区的全封闭管理职能。同时,在园区所在辖区的滨江、泗沥、河潭3乡镇成立相应的机构,协助园区做好相关工作。

服务措施及优惠政策

园区制定若干服务措施及优惠政策。①为投资者提供优质高效的服务保障措施4条。②在环保验收前按国家规定的工业用地最低价11.2万元/亩出让,环保验收后,土地出让一事一议,由5人小组协商决定。③经营10年以上的企业,从投产年度起,由财政给予5年的奖励。④税收优惠政策4条。⑤市属范围内的经营性收费,按国家规定的最低标准收取。⑥其他行政性收费优惠政策3条。

园区企业选介

贵溪中澳铜业有限公司　该公司由广东客商投资兴办,于2008年3月落户,占地面积6.1公顷,总投资1.17亿元,主要从事废旧机电产品拆解、加工及销售,拆解规模10万吨/年。预计2010年3月正式生产运行,年销售收入达26亿元,创造税收2210万元。

贵溪中钜铜业有限公司　该公司由广东客商投资兴办,于2008年3月落户,占地面积5.9公顷,总投资1.17亿元,主要从事废旧机电产品拆解、加工及销售,拆解规模10万吨/年。

贵溪同顺金属有限公司　该公司由贵溪企业家朱晓华投资兴办,于2008年9月落户,占地面积2.2公顷,总投资6850万元,主要从事废旧机电产品的拆解、加工及销售,拆解规模6万吨/年。

贵溪同鹏金属有限公司　该公司由广东客商投资兴办,于2008年9月落户,占地面积3.5公顷,总投资1.03亿元,主要从事废旧机电产品的拆解、加工及销售,拆解规模7.5万吨/年。

贵溪成荣金属有限公司　该公司由广东客商投资兴办,于2008年9月落户,占地面积2.3公顷,总投资6850万元,主要从事废旧机电产品的拆解、加工及销售,拆解规模5万吨/年。

贵溪大新金属有限公司　该公司由广东客商投资兴办,于2008年9月落户,占地面积2.2公顷,总投资6850万元,主要从事废旧机电产品的拆解、加工及销售,拆解规模5万吨/年。

贵溪同利金属有限公司　该公司由贵溪企业家朱晓华投资兴办,于2008年10月落户,占地面积2.2公顷,总投资6850万元,主要从事废旧机电产品的拆解、加工及销售,拆解规模5万吨/年。

第十一卷　金融业

第一章　机　构

第一节　监管机构

中国人民银行贵溪支行

人行贵溪市支行坐落于雄石东路和站前南路交叉口。人民银行贵溪县支行于1984年底与中国工商银行贵溪县支行分设，当时人员仅有8人。1996年贵溪撤县建市后改为人行贵溪市支行。2003年底分设银监办事处。至2008年底支行在职员工27人，平均年龄44.5岁，本科学历10人，大专学历7人，党员干部16人，中级职称9人。

人行贵溪市支行主要承担执行货币政策、提供金融服务、维护金融稳定三大职能。贯彻国家行货币信贷政策，引导金融机构增加有效投入，为金融机构、财税部门提供清算、国库、反假币指导服务。

中国银监鹰潭银监分局贵溪办事处

中国银行业监督管理委员会鹰潭监管分局贵溪办事处座落在贵溪雄石东路21号，与人民银行同处办公楼。

2003年12月从人民银行分设，设立中国银行业监督管理委员会鹰潭监管分局派驻贵溪监管组，2004年4月更名为中国银行业监督管理委员会鹰潭监管分局贵溪办事处（简称鹰潭银监分局贵溪办事处），2004年5月19日挂牌，人员编制5人。

作为银行监督机构的基层组织，其主要职责是：负责对辖内银行业金融机构业务活动的监督管理；负责鹰潭银监分局授权的核查辖内银行业金融机构市场准入（退出）事项；负责鹰潭银监分局授权的核查辖内银行业金融机构高级管理人员任职资格；负责提出辖内银行业金融机构现场检查立项建议，建议经上级批准的组织现场检查；对辖内银行业金融机构实施非现场监管，并统计、分析、上报有关数据和信息；对辖区内银行业金融机构违法违规行为提出行政处罚建议；负责对辖区内金融风险进行分析、研究，并会同有关部门及时提出紧急风险处置意见和建议等。

第二节　银行金融机构

中国工商银行贵溪支行

中国工商银行股份有限公司贵溪支行（简称工行贵溪支行），是中国工商银行股份有限公司辖属的一级支行，也是贵溪境内最大的商业银行。1986年4月，县工行由南街迁至雄石路38号办公楼，原址设浮桥头办事处（开设全国联行业务）。截止2008年底，全行员工91人，本外币总资产达10.37亿元。

1984年1月，根据国务院《关于中国人民银行专门行使中央银行职能的决定》，设立中国工商银行贵溪县支行（承接原人行信贷、储蓄、结算等业务，工行从人行析出），下设火车站分理处、冶金分理处、西汪分理处（地处罗河乡太阳村西汪365队713矿生活区）和雄石、滨江储蓄所。地址设雄石镇南街大南门，隶属鹰潭工商银行，有职工94人。

1985年1月,设大桥储蓄所。1987年1月设桥东储蓄所,3月设叶家塘储蓄所、莱市路储蓄所,5月设解元坊储蓄所,11月设九九尖储蓄所。1988年2月设柏树里储蓄所,3月析出工行贵冶办事处(一级支行,直属鹰潭工商银行),冶金分理处、滨江储蓄所析归工行贵冶办事处辖属。7月成立贵溪县工行工贸实业公司,10月设房产信贷部。

1991年,工行贵溪县支行辖3处3所:洋桥头办事处、火年站办理处、西汪分理处、雄石储蓄所、大桥储蓄所、银行专柜;辖8个联办所:九九尖所、柏里所、解元坊所、叶家塘所、桥东所、莱市路所、交通路所、利民所。1993年9月贵溪县工行工贸实业公司更名为贵溪县银杏劳动服务公司。1996年设利民储蓄所。1996年10月贵溪撤县设市,工行贵溪县支行更名为工行贵溪市支行。贵溪支行银杏劳动服务公司更名为贵溪支行实业有限公司。1998年设复兴路储蓄所,5月,浮桥头办事处与复兴路储蓄所、工行金店合署办公;9月解元坊储蓄所搬迁至南街中段,柏里储蓄所搬迁到桥梁厂。1999年,增设监督管理部;5月撤销莱市路储蓄所并入雄石储蓄所;10月雄石储蓄所搬迁至中心广场,复兴路储蓄所迁址城南并更名为富民储蓄所。2000年2月撤销西汪分理处(账务移交鹰潭梅园分理处),解元坊储蓄所并入叶家塘储蓄所。2001年1月九九尖储蓄所并入交通路储蓄所;交通路储蓄所升格为分理处(撤销桥梁厂分理处,合并到交通路分理处);4月撤销利民储蓄所合并到火车站办理处。2002年3月撤富民储蓄所、大桥储蓄所。2003年撤销实业公司。2005年5月撤浮桥头办事处、叶家塘储蓄所;8月撤销交通路分理处合并到雄石分理处;9月桥东储蓄所更名为电厂分理处。2006年10月中国工商银行成功上市,中国工商银行贵溪市支行更名为中国工商银行股份有限公司贵溪支行(简称中国工商银行贵溪支行)。2008年8月雄石分理处升格为雄石支行(二级)。

中国建设银行贵溪支行

中国建设银行股份有限公司贵溪支行是一家股份制商业银行,主要经营公司银行业务、个人银行业务、资金业务、中间业务,以及中国银行业监督管理委员会批准的其他业务。下设1个营业大厅,2个储蓄所、2个分理处,有员工60人。

中国银行贵溪支行

贵溪中行员工礼仪训练

中国银行股份有限公司贵溪支行(以下简称中行贵溪支行),是中国银行股份有限公司辖属的县城管辖性支行,也是贵溪境内具有外汇业务优势的一家商业银行,地址在贵溪市雄石路78号。至2008年末,全行员工47人,本外币总资产达7.26亿元。

1991年,中行贵溪支行设有人事秘书股、保卫股、计划信贷股、存款股、财务会计股,辖1柜2所:储蓄专柜、信江南路储蓄所、官山储蓄所。1992年12月设立中国银行贵溪支行冶金路分理处。1994年5月设立中国银行贵溪支行沿江储蓄所。1995年3月设立中国银行贵溪支行北大街储蓄所,7月设立中国银行贵溪县江铜分理处。

1998年8月,冶金路分理处由冷水林业大厦迁址到贵溪市消防大队两间店面。2001年6月撤销中国银行贵溪支行信江南路储蓄所,其全部业务并到中行贵溪支行储蓄专柜。2002年6月,冶金路分理处由贵溪市消防大队两间店面迁址到贵溪市农业发展银行新办公楼一楼。2003年5月,官山储蓄所、沿江储蓄所、北大街储蓄所升格为分理处,名称分别为:中国银行贵溪市官山分理处、中国银行贵溪市沿江分理处、中国银行贵溪市北大街分理处;12月沿江分理处撤销,并将全部业务并入北大街分理处。2004年8月,中国银行贵溪市江铜分理处升格为中国银行贵溪市江铜支行,直接辖属中国银行鹰潭市分行。2005年7月，随着中国银行股份有限公司的成立和成功上市，中国银行贵溪支行更名为中国银行股份有限公司贵溪支行（简称中国银行贵溪支行）。10月，中国银行贵溪市江铜支行各项财务数据从中行贵溪支行分撤。2006年2月，中国银行贵溪市北大街分理处由贵溪市北大街48号迁址到贵溪市交通路时代广场临街A104、A105号店面。2008年7月，中国银行贵溪市冶金路分理处由贵溪市农业发展银行新办公楼一楼迁址到贵溪市建设路新华书店一楼店面；8月，中国银行贵溪市官山分理处由贵溪市雄石大道35号迁址到隔壁一楼六间店面。到2008年底，中国银行贵溪支行内设综合管理部、业务发展部、营业部，下设冶金路分理处、官山分理处、北大街分理处。

中国银行贵溪支行，主要业务为外汇业务，身份置换成商业银行后，业务范围扩大，主要经营业务是吸收存款、发放贷款、办理结算、票据贴现、开立承兑汇票和银行汇票、发行、代理兑付、承销政府债券、买卖政府债券、同业拆借、外币存取款、外币汇款、外汇买卖、外汇兑换和监管部门批准的其它金融业务。

中国农业银行贵溪支行

中国农业银行股份有限公司贵溪支行（以下简称农行贵溪支行）是农行江西省分行重点县域支行之一，也是贵溪辖区内最大的商业银行之一。办公地址：贵溪市雄石东路2号。至2008年末全行员工87人，内设4部室，下辖8个网点，其中农村网点4个，南北两乡各设两个，分别位于新田、塘湾、志光和周坊，平均为7人。城区网点4个，平均为8人（不含营业部）。

中国农业银行贵溪市支行

1993年2月，成立中国农业银行贵溪县支行信息咨询部。1995年1月增设大岩分理处，于1月16日正式对外营业；4月，上清营业所划归农行龙虎山支行管理。1996年3月，按照营业所登记管理和以业务为中心、以效益为兴行目标的工作指导思想，县支行基层营业机构确定为19个，基层营业机构（不含代办所）大体分为四类型（其中城区6个、农村13个）；7月，撤销冷水营业所，其业务由冷水信用社代理；10月，贵溪撤县设市，中国农业银行贵溪县支行改称为中国农业银行贵溪市支行；10月10日农行贵溪市支行与贵溪农村信用合作联社脱钩。

1999～2005年期间，根据上级行减员增效、精简机构的精神，农行贵溪市支行先后撤销10个基层营业机构，即：罗塘营业所、城郊储蓄所、塔桥营业所、滨江营业所、雄石营业所、河潭营业所、撬箕山储蓄所、泗沥营业所、文坊营业所和余家营业所。到2005年底，全行共有8个基层营业机构，即支行营业部、铜都支行、园区支行、大楼支行、周坊分理处、志光分理处、新田分理处和塘湾分理处。

2006年1月，农行贵溪支行实行扁平化管理，除铜都分理处（即支行营业部）隶属贵溪支行管理外，其余7个网点划归鹰潭市分行直管。2007年9月，市分行恢复贵溪支行为管辖型支行，基层设1个营业部，3个二级支行，4个分理处，即：支行营业部、铜都支行、园区支行、大楼支行、周坊分理处、志光分理处、新田分理处和塘湾分理处。

至2008年底，农行贵溪支行下设3个二级支行、4个分理处，1个营业部，即：铜都支行、园区支行、大楼支行、周坊分理处、志光分理处、新田分理处、塘湾分理处和支行营业部。

中国农业发展银行贵溪支行

中国农业发展银行贵溪市支行（简称农发行贵溪支行）于1997年12月成立，是一家农业政策性银行，属国家金融支农体系的重要组成部分，直属于鹰潭分行。办公地址在贵溪市建设路76号，有干部职工24人。

农发行贵溪市支行以国家信用为依托，发挥资金来源稳定、贷款利率相对较低、帐户管理规范、结算方便快捷等优势，着力构建“以诚信为基础、以合作为纽带、以双赢为目标”的新型银企关系，致力于支持发展地方经济建设，履行保护国家粮食安全的光荣使命。信贷支持涉及粮食购销储存加工、畜牧养殖、化肥储备、农村基础设施建设、农业综合开发等领域。

中国农业发展银行贵溪市支行

中国工商银行鹰潭江铜支行

工商银行江铜支行1988年成立后，主要服务对象为江西铜业公司及其下属单位贵溪冶炼厂、中国第四冶金建设公司和附近有关地方单位和附近城乡居民。主要经营业务范围是吸收存款、发放贷款、办理结算、办理票据贴现、代理发行、代理兑付、承销政府债券、买卖政府债券、同业拆借、提供信用服务和担保，以及经营经监管部门批准的其它金融业务。

中国工商银行鹰潭市江铜支行(以下简称工行江铜支行)，办公地址位于贵溪市冶金路19号(贵溪冶炼厂生活区内)。工行江铜支行的前身是1988年5月成立的中国工商银行鹰潭市支行江西铜基地办事处(以下简称工行江铜办)，2001年更名为中国工商银行鹰潭市江铜支行。下辖两个网点：南区储蓄所、滨江分理处。全行正式员工43人。

在工商银行实行股份制改革之前，工行江铜支行在1997年人员规模、机构数量达到最大，全行员工84人，内设信贷、计划、储蓄、保卫、事后监督、政工、办公室共7个科室，下辖6个网点，即：斗角岭储蓄所、南区储蓄所、铜城储蓄所、冶金分理处和支行储蓄支柜。斗角岭储蓄所、冶金分理处分别于2000年、2001年撤销，业务分别并入南区储蓄所、滨江储蓄所，和滨江储蓄所同时升格于滨江分理处，铜城储蓄所和支行储蓄专柜于2001年并入支行营业部。

工行江铜支行在为驻地企业和居民提供金融服务的发展过程中，自身的经营效益也得到逐年提升。1991年，利润344.9万元，税金147.4万元，人均利税8.6万元；1995年利润1174万元，税金509万元，人均利税50.52万元；2005年利润2809万元，税金349.8万元，人均利税55.42万元；2008年利润6768万元，税金608万元，人均利税171.53万元。

中国农业银行贵溪铜城支行

中国农业银行贵溪市铜城支行(以下简称农行贵溪市铜城支行)的前身是1995年1月成立的中国农业银行贵溪市支行大岩分理处。2002年3月大岩分理处升格为中国农业银行贵溪市铜城支行，办公地址位于贵溪市冶金大路中段。全行员工18人。

农行贵溪市铜城支行主要服务对象为江西铜业集团公司及其子公司、江西六国化工有限责任公司和附近有关单位及城乡居民。经营业务主要是存款、贷款、结算以及经中国银行业监督管理机构等监管部门批准的其他业务。

中国建设银行鹰潭江铜支行

中国建设银行股份有限公司鹰潭江铜支行，其前身是中国人民建设银行江西铜基地办事处和中国建设银行江西铜基地专业支行。

建行鹰潭江铜支行设于1985年5月，行址在贵溪市冶金路15号。主要职能是办理江西铜业公司的基本建设拨款和贷款业务，管理基本建设支出预算和财务监督。主要业务范围为吸收存款、发放贷款、办理结算、票据贴现、代理发行、兑付、承销政府债券、买卖政府债券、同业拆借、提供信用证服务及担保和经监管部门批准的其他金融业务。建行鹰潭江铜支行1985年设立时，主要服务对象为江西铜业公司及其下属单位贵溪冶炼厂、中国第四冶金建设公司和附近有关地方单位和周边城乡居民。

1991年支行下辖大崖、建联、万亩山、王畈、柏里储蓄所、建设路分理处专柜和建设路分理处。随着金融体制改革，建设银行率先精简机构，实行集约化经营。1997年8月，支行储蓄所全部划归中国建设银行贵溪市支行集中经营管理，同时撤销建设路分理处。当年10月，建行贵溪支行大崖储蓄所划归支行接管，支行重新开办个人银行业务。2004年，建设银行进行股份制改革，实现整体上市；10月，支行更名为中国建设银行股份有限公司鹰潭江铜支行。至2008年底，支行有员工24人。

建行江铜支行在为驻地企业和居民提供金融服务的发展过程中，自身的经营效益也得到逐年提升。1990年实现利润2762.7万元，缴纳税收460.3万元，人均创造利税125.7万元；2000年实现利润1680万元，缴纳税收671万元，人均创造利税102万元；2008年实现利润4611万元，缴纳税收751万元，人均创造利税200.47万元。

中国银行鹰潭市江铜支行

中国银行江铜支行的前身为贵溪支行江铜分理处。2004年升格为贵溪市江铜支行，隶属贵溪支行管理。2005年8月升格为鹰潭市分行直属城区经营性支行，等同于县支行管理。2006年初正式与贵溪支行分开核算。支行机关办公地址：贵溪市冶金大道15号。支行有员工19名，半数具有大学本科学历。

贵溪市农村信用合作联社

贵溪市农村信用合作联社（以下简称信用联社）是江西省农村信用合作联社辖属的集体企业。机关办公地址设在贵溪市雄石东路27号。1991年，全社有员工191人，至2008年底，全社有员工259人，其中中级职称11人、初级职称63人。当年经省信用联社统一面向社会公开招录，引进各类人才11人。截止2008年末，信用联社总资产达14.82亿元。

1991年，信用联社共设立26个农村基层信用社，分布在雄石、滨江、河潭、泗沥、周坊、白田、三县岭、志光、鸿塘、冷水、文坊、西窑、塘湾、高公、盛源、新田、雷溪、彭湾、硬石、双圳、樟坪等乡（镇、场）。根据地域和人口分布情况，较大的乡（镇、场）基层信用社还设立分社（站），当年共有38个分社（站）。

1994年，信用联社增设营业部。1996年10月正式与农行脱离行政隶属关系。至2008年底，设有基层信用社17个，即雄石、滨江、雷溪、文坊、流口、罗河、冷水、彭湾、金屯、塘湾、泗沥、河潭、周坊、志光、鸿塘、城郊、白田。基层信用社下设18个分社：柏里、陈家坊、大马岗、耳口、古港、北门、花园、孟青、倪家、盛源、双桥、双圳、太田、王畈、信江、硬石、站前、周塘。

中国邮政储蓄银行贵溪支行

2008年3月13日，中国邮政储蓄银行贵溪市支行挂牌成立，这是根据中国邮政集团公司整体部署，按照金融体制改革方向和现代企业制度要求而组建的。邮政储蓄银行成立后，完全继承邮政储蓄及各项邮政金融业务的资产和负债，实行自主经营、自负盈亏、自担风险、独立核算；此后，邮政原有的金融业务划归邮储银行统一管理，邮政企业受其委托，在金融监管部门的规定和合同约束范围内代理经办各类金融业务。

第三节　非银行金融机构

中国人寿保险股份有限公司贵溪市支公司

中国人寿保险股份有限公司贵溪市支公司隶属于中国人寿保险股份有限公司旗下的县支公司。

1996年按保险法的规定分业经营，5月，中保人寿保险公司贵溪支公司正式挂牌成立，开始分业经营，员工11人。1996年底开始引进寿险营销业务，招聘第一批营销业务员共计76人。

1997年，将业务股分设为团险科、个险科，同时在贵溪市雄石大道设立雄石分理处。

2003年6月30日，设立4个农村营销服务部，分别为：中国人寿保险股份有限公司贵溪市支公司罗河营销服务部、志光营销服务部、周坊营销服务部和江铜营销服务部。2006年3月27日，经中国保险监督管理委员会批准，设立中国人寿保险股份有限公司贵溪市支公司塘湾营销服务部。

中国人民财产保险股份有限公司贵溪支公司

1980年7月1日，成立中国人民保险公司贵溪支公司，先后开办财产保险、农业保险、人身保险3类共36个险种。根据《中华人民共和国保险法》分业经营的原则，中国人民保险公司贵溪支公司于1996年7月1日撤销，同时成立中保财产保险有限公司贵溪支公司。2002年，从业人员28人。2003年7月股改后，更名为中国人民财产保险股份有限公司贵溪支公司。2008年从业人员23人。

中国平安人寿保险股份有限公司贵溪营销服务部

1997年2月,成立中国平安人寿保险股份有限公司贵溪营销服务部,公司隶属于中国平安保险(集团)股份有限公司。

贵溪营销服务部成立之初人员发展迅猛,当年年底在职员工达到近200人。是年年底因平安在江西的调整,贵溪营销服务部停止新业务,公司面临停业,造成大量的人才和客户流失。2002年,贵溪营销服务部重新开业,公司获得新的发展契机。2005年底由于公司经营结构的调整,贵溪营销服务部归并到平安人寿上饶中支统管。随着市场的不断做大做强,2008年在职寿险外勤员工126人,内勤员工3人。

中国大地财产保险股份有限公司贵溪营销服务部

2004年10月,成立中国大地财产保险公司贵溪营销服务部。该公司由中国再保险公司作为投资人和主发起人,联合九家境内外机构投资者共同发起设立并具有"国字品牌"的股份保险企业。

中国平安财产保险股份有限公司江西分公司贵溪营销服务部

2008年1月1日,成立中国平安财产保险股份有限公司江西分公司贵溪营销服务部。有从业人员7人。

中国人寿财产保险股份有限公司贵溪支公司

中国人寿财产保险股份有限公司贵溪支公司,系中国人寿集团旗下的国有独资财产保险公司,公司成立于2008年6月,主营机动车辆保险(当年保费300万)、企业财产保险、责任保险、人身意外伤害保险等。

国泰君安贵溪营业部

贵溪市证券经营机构成立于1994年,前身为中国工商银行江西信托投资股份有限公司鹰潭办事处证券交易营业部的延伸机构。10月,经中国人民银行江西省分行批准,设立中国工商银行江西省信托投资股份有限公司鹰潭办事处证券交易营业部江铜支行证券交易服务部,1995年1月18日正式开业,率先在贵溪开办沪、深证券异地委托买卖业务。1996年12月28日,根据国务院关于金融行业实行分业经营、分业管理文件规定,经中国证券监督管理委员会江西省证券监督特派员办事处批准由君安证券有限责任公司收购,更名为君安证券有限责任公司鹰潭证券营业部贵溪市服务部和君安证券有限责任公司鹰潭证券营业部江铜服务部。

1999年8月,国泰证券有限责任公司和君安证券有限责任公司采取合并方式成立国泰君安证券股份有限公司。同期经江西省证券监督管理特派员办事处批准更名为国泰君安证券股份有限公司鹰潭环城西路营业部贵溪服务部和国泰君安证券股份有限公司鹰潭环城西路贵溪滨江服务部。2008年底开始筹备服务部升格为营业部事宜。

从1995年1月18日开业到2001年,证券部在贵溪饮食服务公司广场店三楼办公,经营面积不足100平方米,2001年经营地址迁到贵溪市交通路28号浙赣大厦三楼,经营面积超过500平方米;2001年以前使用微波作为信号传输工具,状态极不稳定,经常出现信号中断,2001年以后使用2兆光纤电缆作信号传输,数据传输非常稳定、快捷。电脑终端由当时的10台,发展到2008年的超过100台,近150个站点。下单方式也由当初的单一手工下单柜台委托,发展到集网上交易、电话委托、手机炒股、驻留委托等一系列全方位的交易通道,既方便快捷,也简单好用。

工行江铜支行证券交易服务部,1995~2001年在工行江铜支行宿舍楼地下室办公。2001年后,在中国建设银行江铜支行宿舍楼一楼办公。

第二章　业　务

第一节　存贷款

1995 年，贵溪市各金融机构存款余额 106851 万元，2000 年为 208889 万元，2003 年为 329585 万元，2006 年为 540870 万元，2008 年为 1078240 万元；1995 年，全市金融机构贷款余额 369651 万元，2000 年为 414904 万元，2003 年为 574859 万元，2006 年为 709178 万元，2008 年为 636818 万元。

1995—2008 年贵溪市存贷一览

表 11 - 1　　单位：万元

年份	各类贷款	各项存款	年份	各类贷款	各项存款
1995	55110	106851	2002	476244	259471
1996	66653	111994	2003	574589	329585
1997	104325	168717	2004	664133	388148
1998	119715	1880334	2005	649583	439387
1999	384796	180754	2006	709178	540870
2000	414904	208889	2007	962706	810005
2001	457521	267153	2008	636818	1078240

存款

工行 存款主要是工商企业存款、储蓄存款、其他存款和新开发的外币存款及信用卡业务。

1991 年，工行贵溪支行各项存款总额为 9822 万元，2008 年为 77402 万元。1991 年，对公存款总额为 3548 万元，储蓄存款总额为 6274 万元。2008 年，对公存款为 27678 万元，储蓄存款为 49724 万元。

对公存款。20 世纪 90 年代，全市工商企业流动资金都比较充裕，生产经营形势向好，有大量间歇资金沉淀在银行帐，对公存款上升较快。1991 年末，工行贵溪支行对公存款月平均余额 3879 万元。对公存款主要是发挥整体功能，坚持抓大户。2000 年以来完善对公存款考核机制，强化服务意识，实施攻关策略。

储蓄存款。多年来，工行贵溪支行坚持以客户为中心、以市场为导向，加快业务创新，改进客户服务，着力打造同业“第一零售银行”。工作中注重储蓄存款对个人金融业务发展的基础性作用，增加代发工资客户，加强理财产品与储蓄存款协同发展。为掌握储蓄存款工作的主动权，每年年初支行就对全年工作进行谋划，提出抓信息、抓储源的工作思路，各部门加强联系，为存款工作布好局。一是在一季度黄金旺季期间加大优质客户的走访、维护活动，实现首季“开门红”，为下一步工作的开展奠定良好基础；二是通过加强与证券公司的合作、联系，确保股市分流资金沉淀；三是加强与企事业单位联系，增加代发工资；四是加强网点改造，员工业务培训，提高软硬件环境；五是规范服务行为，提高整体服务水平，树立工行良好社会形象。1991—2001 年，储蓄存款存款增长方式通过增设储蓄网点，扩充业务人员队伍，组织外勤人员上门揽储，代理单位代发工资等方式拓宽储源。2001 年开始，银行实行扁平化管理。2001—2005 年实行减员，撤并网点，存款以网上代发工资、打工储蓄为主。加之居民收入日渐增多，至 2008 年，储蓄存款达 49724 万元，增长 792.54%，个人账户 88087 户。无论从绝对额还是增长速度看，储蓄存款增速均高于对公存款（主要业务集中于城区）。

农行　1991年以后,存款呈现逐月稳步上升趋势,公存、私存呈现并增特点,公款存款余额3316.61万元,农村储蓄存款余额7419.26万元。1994年,行社各项存款余额为25406万元。1997年,经过一分一脱以后,农业银行各项存款余额为23527万元。2008年,农行全行各项存款余额93892万元。其中:对公存款余额为28498万元,储蓄存款余额为65394万元。在四大国有商业银行排名中,存量以及增量市场份额占比分别为第一和第二。

建行　1991年,建行贵溪支行全口径存款4109万元。1994年建设银行结束兼负财政、银行双重职能的国家专业银行的历史,开始全方位开办商业银行业务,加强了网点建设,当年6月在站前路新开办1个网点,使贵溪支行网点达到4个。全口径存款达8416万元。1996年突破亿元达12060万元。1999年全口径存款31354万元。2007~2008年,是建设银行贵溪支行加速发展的2年。2007年全口径存款达73000万元,2008年,全口径存款余额达9.48亿元,在全省县支行排名第五。

中行　1991年,中国银行贵溪支行各项存款总额为1322万元,2008年为56072万元,增长4141.45%。存款主要是工商企业存款、储蓄存款、外币存款和信用卡业务。2项存款超常发展,1991年对公存款423万元,2008年为34470万元,增长8408.94%;1991年储蓄存款总额为899万元,2008年为21602万元,增长2302.89%,发展速度在当地4家银行中位居榜首。2008年末,个人账户达20562户。

农发行　1998年各项存款余额679万元,2001年为1711万元,2004年为2626万元,2005年为7732万元,2007年和2008年突破亿元大关,分别达到10835万元和11204万元。

工行鹰潭江铜支行　1990年,中国工商银行江铜支行各项存款余额4657万元,其中对公存款2836万元,储蓄存款1821万元。2008年,工行江铜支行各项存款余额达到220872万元,其中对公存款114416万元,同业存款64644万元,个人储蓄存款41812万元。

农行贵溪铜城支行　2002年,中国农业银行贵溪铜城支行各项存款余额为23599万元,其中对公存款为4854万元,个人储蓄存款为3598万元,同业存款15147万元。2008年,支行各项存款余额为34578万元,其中对公存款为27866万元,个人储蓄存款为4022万元,同业存款2690万元。

建行鹰潭江铜支行　中国建设银行鹰潭江铜支行于1987年1月开办储蓄业务,年底一般性存款余额为6447.6万元,其中对公存款为6354.7万元,个人储蓄存款92.9万元。2000年,全口径存款余额9226万元,其中对公存款8497万元,储蓄存款729万元。2008年,支行各项存款余额达到3.9亿元,其中对公存款2.2亿元,同业存款6768万元,个人储蓄存款1.2亿元。

邮政储蓄银行贵溪支行　1991年,中国邮政储蓄银行贵溪支行储蓄余额981.2万元。1994年初,邮储余额1724.4万元。1995年,储户达11705户,储蓄余额3944.3万元,全县有储蓄网点14处,营业员30余人。

2000年4月,省邮政局与省通信管理局签订《代收电信服务费协议书》,启动代收电话费业务。开通"绿卡"网点安全监理系统,第三、四期"绿卡"市县联网工程分别于6月、11月竣工,贵溪局所有邮储网点均实现全国联网。年末邮储余额1.158亿元。

2003年,储蓄联网网点第一次运用HPSUPERDOME主机处理结息,实现第一次不停业结息,顺利开通代理国债业务系统,告别手工销售国债历史。年末,邮储余额达35462万元,其中活期4510万元。

2005年,邮政储蓄统一版本应用软件升级改造,增加"绿卡"在新加坡、泰国、韩国及中国香港、澳门的ATM机取款、POS机消费业务的开办,意味"绿卡"走出国门。5月,启动邮政储蓄、汇兑两网互通工程,6月切换上线,实现储汇互联互通。11月推出"网汇通"业务,系汇兑延伸业务,分10元,50元、100元三种面额,可凭卡和密码至特约网站进行网上支付。年底,邮储余额达6.91亿元,其中活期1.68亿元,2006年,进一步优化邮储业务结构,扩大活期比例。当年邮储余额达到82031万元,其中活期24088万元。

2008年3月,中国邮政储蓄银行贵溪市支行成立。当年末,贵溪邮政储蓄异地存取联网网点13个,储蓄余额86723万元,其中活期24209万元。全年异地存取交易44352笔,17396.4万元

信用联社　贵溪市农村信用合作联社立足"存款立社,资金是生存之本,效益之源"经营理念,广开财源,以贷引储;挖掘储源、积极揽储;采取绩效挂钩、与各部门分解任务,层层签订责任书等做法,不断

激发全体员工工作积极性。1991 年,办理各项存款 5229 万元。2008 年办理各项存款 135570 万元,其中定期 79634 万元,活期 55936 万元,比 1991 年增长 24 倍,增长率达 24.8%。

贷款

工行　1985 年,贵溪发电厂、贵溪冶炼厂正式投产,由基建领域逐步转入生产领域,省铜业公司亦由德兴迁入贵溪,带来贷款户增多。1991 年,中国工商银行贵溪支行主要是拓宽渠道、盘活贷款存量、优化信贷结构,当年向贵溪县政府提交《关于工业企业现场办公会涉及工行工作的处理意见》,得到政府高度评价。各项贷款投放总额达 34509 万元,其中:工业贷款投放 4820 万元,商业贷款投放 5744 万元,技术改造贷款投放 160 万元,基建贷款投放 760 万元。2008 年,全行各项贷款余额 102759 万元,比 1991 年增加 68205 万元,增长 297.77%。1991—2000 年,重点支持贵溪农药厂、水泥厂、铜材厂和贵溪电厂、贵溪化肥厂等企业的扩大再生产,协助地方企业成功改制。1991 年,工行贵溪支行在协助地方政府大力发展经济的同时,抓"逾期风险、呆滞贷款"活血化淤。1992 年,对当地市属重点企业进行扶持,并对江铜公司实行三行联合贷款。1994 年对驻市 265 队色素厂技改贷款 1100 万元,713 矿开发贷款 30 万元,三元化工厂贷款 291 万元,农药厂贷款 350 万元,石油公司贷款 294 万元。1995—1998 年(尤其是 1998 亚洲金融危机),银行注重资产质量,全面实行抵押贷款以防范风险,新增贷款向效益好、还款付息强的企业倾斜,加大清收不良力度。1999 年累发贷款 15183 万元,90% 以上投向信用 AA 级以上企业。2002—2003 年,重点投向南方照明、新世纪水泥、海利化工、贵电、贵化等企业。加大处置不良贷款,2002 年,全年收回不良贷款 425 万元,2003 年清收不良贷款 173 万元,完成计划的 101.8%,处置不良贷款 344 万元,完成计划内 264.6%。2005—2008 年,全行信贷工作紧紧围绕以"电厂"为营销重点、"两个园区"为营销基础、"房地产市场"为新增长点的总体工作思路,通过项目贷款、房地产贷款、流动资金贷款、贸易融资、票据融资、个人按揭、个人消费贷款等多产品、多渠道的方式保证业务的快速增长,信贷资产业务创历史记录,突破 10 亿元大关。为支持贵溪"两个园区"建设,积极参与贵溪政府的多项招商引资活动,与企业全面沟通、交流,选择实力强、效益好的地方适时投入贷款。重点支持贵雅照明、三元化工、贵溪海利等中小民营企业,同时以"两个房地产市场"为新增长点,即以房地产开发贷款市场开拓为切入点,积极发展个人按揭贷款市场,带动个人金融业务发展。同时积极发展个人公积金贷款业务,2008 年,与贵溪公积金中心的个人公积金委托贷款合作成功,填补该项业务空白。

农行　1991 年,农村信用社还未从农行脱离,行社合力全方位支持农业,累计发放农业贷款 3785.72 万元,占行社信贷总投量的 23%。在贷款上,做到需求早摸底,资金早安排,贷款早发放,农民早受益,同时还不误农时发放农业产前、产中服务的农资和种子贷款,有效地支持农资部门购进化肥 29700 吨,农膜 223 吨,农药 105 吨,中小农具 92500 件,以满足农业生产需要。围绕县委、县政府调整农村产业结构的工作部署,发放国营农业、林业、老区专项、扶贫贴息等项目贷款 1307 万元,重点支持板栗林基地开发 0.12 万亩,营造速生丰产林上万亩以及蚕桑养殖果业工程等。

2008 年,全行各项贷款额为 32662 万元。其中:法人客户贷款余额为 31300 万元,个人客户贷款余额为 1263 万元。按五级分类统计,正常类与关注类贷款共计 29799 万元,占比 91.23%。不良贷款余额为 2863 万元,不良贷款占 8.77%。全年累计实现业务收入 4790 万元,业务支出 2982 万元,收支相抵,实现账面利润 1808 万元。

农户小额贷款。农村金融服务不足,农民贷款难,一直是影响农民增收进而影响整个农村发展的一个现实难题。农行贵溪支行立足于当地县域经济,把发展涉农贷款业务作为全行的一项重点工作,加大营销投放力度。农户办理"惠农卡"后,根据需要申请贷款额度,农行"三农"客户经理上门调查农户家庭经济状况、信用情况、资金用途等基本信息后确定授信额度,农户可通过 3 人或多人联保(相互做担保)的方式申请贷款。持卡人可以办理可循环小额农户贷款,即在核定的最高额度和期限内,农户可根据自己的需要,随借随还和自主放款还款,可最大限度节约利息支出。截至 2008 年,全行农户小额贷款余额 4009 万元。

企业贷款。1991 年,行社通过共同努力,成立扶持乡镇企业领导小组,发放乡镇企业贷款 1084 万元,其中:投入 54 万元贷款支持塘湾瓷土矿形成年产 1 万吨瓷土生产线,投入 175 万元支持县镀锌管厂年产2500吨次品改正品无缝钢管项目等。2005—2008年全行信贷工作紧紧围绕以“电厂”营销为重点、“工业园区”为基地、“房地产市场”为新增长点的思路,取得良好成效。2008年确立以贵溪发电有限公司、贵雅照明、三元化工、华泰铜业、瑞新铜材、麒磷化工、力环弹簧等存量优良客户为基础,以正发铜业、大金铜业、亿新铜业、世茂铜业、星耀铜业等一批园区重点铜加工企业为新拓展客户的16户优良客户群体为业务发展的着力点,积极评级投信,加大有效信贷投放,努力改善客户结构。特别是2008上半年,成功营销贵溪发电有限责任公司的贷款,极大改善资产结构。

建行　1991年,建行贵溪支行按照上级要求,工作重心由控制基建规模、压缩信贷投放转移到调整信贷结构,提高投资效益的经营方向,贷款15989万元。1997—1999年把追求经济效益最大化摆上重要位子,实行建设银行第三次信贷体制改革。1998年面对东南亚金融风波,采取有效措施,保证建设银行资金安全。1999年剥离不良资产,将原有的各种委托贷款、政策性贷款剥离给信达资产公司管理。2000~2003年,紧紧围绕经济效益最大化这个中心,进行财务管理制度改革、资产风险分类改革,为实现股份制改革打下良好基础。2003年,全口径贷款16114万元。2007年,全口径贷款余额达61239万元,全年累计新增贷款35746万元。2008年,建行贵溪支行按照省分行提出的“五好支行”要求,加快业务发展步伐,进一步凸显在同业竞争中的优势,以创建“平安建行”活动为契机,大力拓展业务。是年,贷款余额达6.48亿元,全省排名第四,其中:个人住房贷款余额达5363万元,贷款不良额为36万元。

中行贵溪支行　1991年,各项贷款总投放量为3876万元,2008年全行各项贷款余额72535万元,比1991年增加68659万元,增长1771.39%。

农发行　主要信贷产品:农业小企业贷款:主要用于解决农、林、牧、副、渔领域的小企业从事种植、养殖、加工和流通方面的资金需要。农业产业化龙头企业贷款:主要用于解决经地、市级以上人民政府和政府有关部门认可的农、林、牧、副、渔业范围内具有农业产业化龙头企业资格的企业,从事农、林、牧、副、渔业产品的种植(养殖)、流通或加工转化方面的资金需要。农村基础设施建设贷款:主要用于解决企、事业法人和其他经济组织从事农村路网、电网、水网(包括饮水工程)、信息网(邮政、电信)建设、农村能源和环境设施建设等方面的资金需要。农业综合开发贷款:主要用于解决企、事业法人和其他经济组织从事农田水利基本建设和改造、农业生产基地开发与建设、农业生态环境建设、农业技术服务体系建设和农村流通体系建设等方面的资金需要。农村流通服务体系建设贷款:主要用于解决批发企业、零售企业、贸易企业、批发市场、再生物资回收企业、物流企业、合作组织等企事业法人和其他经济组织从事农村商业流通方面的资金需要。农业生产资料贷款:主要用于解决企事业法人和其他经济组织从事化肥、农药、农膜、农机具、农用燃料等农业生产资料流通和销售方面的资金需要。农业科技贷款:为支持农业、林业、畜牧、渔业、水利等领域的新品种、新技术、新设备、新产品等科技成果的转化和产业化而发放的贷款。中央储备粮贷款:用于解决从事中央储备粮经营管理的粮食企业执行中央储备粮储存计划的资金的需要。中央储备粮轮换贷款用于解决借款人轮换中央储备粮的资金需要;地方储备粮贷款:用于解决从事地方储备粮经营管理的粮食企业执行地方储备粮计划的资金需要。粮食调控贷款:为支持受政府委托的企业开展粮食调控业务而发放的贷款;粮食收购贷款:向企业发放的用于自主收购粮食所需资金的贷款,属于准政策性贷款;粮食流转贷款:是为了解决企业调入粮食(含原粮、成品粮以及粮食副产品)的调销资金需要,以及企业从粮食收购市场收购除准政策性粮食品种(即稻谷、小麦、玉米、大豆)之外的粮食品种和粮食种子的经营资金需要;粮食加工企业贷款:为粮食加工企业自主购进粮食所需资金,以及生产经营过程中所需其他流动资金所提供的短期贷款;粮食合同收购贷款:专门用于粮食企业为履行收购合同,预付给种粮农户部分生产性资金所需的贷款;粮食仓储设施贷款:为解决企业在仓储设施建设过程中自有资金不足而发放的中长期贷款;商业储备贷款:主要用于解决国家(地方)政府有关部门确定的承储企业从事国家和地方化肥储备、地方糖储备、国家和地方肉储备、国家羊毛储备业务方面的资金需求。

1998年支行成立后第一年,投放各项贷款34884万元,主要是粮食政策性贷款业务,1999—2004年,在业务范围相对固定的情况,一直保持较平稳的发展态势。2005年随着业务的拓展,贷款投放额达74294万元,比成立年份增长113%,实现第一次大发展。再后期随着支持粮食加工企业、农业小企业、政策融资平台和化肥储备企业的发展，信贷投放量越来越大，2007 年和 2008 年分别实现贷款额 84469 万元和 112868 万元，年增长速度在 30% 以上。

工行鹰潭江铜支行　1988 年成立时，工行江铜办贷款余额为 9887 万元，主要为江西铜业公司、贵溪冶炼厂、中国第四冶金建设公司、贵溪啤酒厂等工商企业贷款。1990 年底各项贷款余额为 25893 万元，其中工业贷款 24801 万元，商业贷款 32 万元，技术改造贷款 770 万元，特种贷软 180 万元，其他贷款 35 万元。成立之后的工行江铜办事处，对当时的中央企业江西铜业公司在信贷需求上给予极大的支持，对企业的发展壮大提供有力的帮助；同时对贵溪啤酒厂等地方企业提供信贷支持，为促进地方经济的发展作出积极贡献。至 2005 年，各项贷款较建行之初增长 7.5 倍，且不良贷款占比为零。由于江铜股份公司的成立，资金较为充裕，信贷需求下降。但工行江铜支行在其他贷款方面得到拓展，2008 年，各项贷款余额达到 235215 万元。

农行贵溪铜城支行　2002 年，支行各项贷款余额为 41564 万元，其中粮棉大县专项短期贷款为 975 万元，工业贷款 34600 万元，商业贷款 200 万元，乡镇企业贷款 5450 万元，其他贷款为 339 万元。截至 2008 年，支行共发放短期流动资金贷款 92250 万元，贴现 4895 万元。是年底，江铜各行贷款业务急剧缩减，但贵溪市铜城支行仍保持 1000 万人民币和 2000 万美元的贷款余额。

建行鹰潭江铜支行　1985 年设立时，建行江铜支行贷款余额 1.65 亿元，主要为江西铜业公司、贵溪冶炼厂、中国第四冶金建设公司、贵溪啤酒厂等工商企业贷款。1990 年，各项贷款余额为 42694 万元，其中固定资产贷款 32954 万元，流动资金贷款 9740 万元，技术改造贷款 1173 万元。成立之后的建行江铜支行，对当时的中央企业江西铜业公司在信贷需求上给予极大支持，对企业的发展壮大提供有力帮助；同时对贵溪啤酒厂等地方企业提供信贷支持，为促进地方经济的发展作出积极贡献；对符合国家产业政策、行业发展政策、结构调整政策、有利于经济发展的客户，广泛筹措资金，充分利用贷款、票据贴现、国际国内结算、外汇等融资便利，为支柱产业、特色经济、基础设施、项目建设提供全方位的金融产品服务。2008 年，各项贷款余额 3.74 亿元，不良贷款占比为零。

农村信用合作联社　信用联社一贯坚持服务“三农”（即农业、农村、农民），在严格控制贷款规模、全力扶持中小企业、确保资金回收率、遏制不良贷款前提下，不断增加农业投放。1991 年，累计发放各项贷款 2765 万元，农业贷款 2665 万元。2008 年，继续坚持服务“三农”为主，兼顾其他为辅贷款原则，慎重而又稳妥推进放贷工作，全年累计发放各项贷款 50822 万元，比 1991 年增长 19 倍，增长率达 17.4%。

第二节　其他金融业务

结算业务

工行　1984 年工行贵溪县支行析出时，结算全靠手工、算盘，承担全县 80% 结算任务，每到年终，全行加班加点。1985 年分设时（人行、工行分设）存贷业务量 612794 笔，办理现金收付 110319 笔。1991 年以小型计算器取代算盘，全年业务量 1106543 笔。1992 年开始设立微机站，逐步向全行展开。2008 年全行实现会计电算化，办理业务 1906665 笔。2008 年业务量比 1991 年增长 172.31%。

随着理财产品市场加速发展，工行贵溪支行在保有投资于票据、债券、个人按揭贷款等低风险、收益稳定型理财产品的同时，加大产品创新力度，适时推出“灵通快线”超短期理财产品，为中高端客户提供“理财金账户”专属理财产品。理财金账户是工商银行定位中高端客户的个人金融品牌。自 2002 年推出以来，深受客户好评。在工作中不断推进理财金账户的客户服务升级，推出 15 款预期收益率较高的理财金账户专属理财产品，推出贵宾版个人网上银行，11 人拥有国家承认的“基金销售从业资格”，结算业务已由传统的柜台纸质向无纸化、离柜化发展。

2008 年个人银行类理财产品销售额首次突破 1000 万元大关，达 3424 万元。基金代销额、基金存量、客户数量等多项指标，以及国债销售额均居同业第一。

中行　1988 年中行贵溪支行成立时，结算业务全靠手工，由于当时以外汇业务为主，业务量很少。到 1991 年，中行员工已开始使用专用计算器，为客户计算存贷款利息可以在专用计算器中完成，业务范围等同于工行、农行、建行,业务量也不断增加,全年业务量55682笔。随着业务不断扩展,科学不断进步,员工操作业务逐步过渡到电子化、微机化。2008年全行已实现会计电算化,办理各项业务达983256笔,比1991年增长1665.84%。

中间业务

工行　1984年工行贵溪县支行从人行析出时,中间业务收入为零,1991年不到1%。2008年中间业务收入465万元,占收入7.3%,中间业务实现快速发展,累计代理销售保险452万元,发行"灵通快线""稳得利"等理财产品9430万元,非货币型基金销售967万元;发行灵通卡7759张,信用卡1726张,开立个人网上银行2553户,个人网上银行证书版547户,个人电话银行680户,个人手机银行664户,开立24个中间业务收入会计科目。中间业务收入改变过去靠贷款利息收入占主导地位的局面。一是积极营销投资银行业务,选优客户开展财务顾问、投融资顾问业务,共与7户企业签定《财务顾问协议》;二是营销银行承兑汇票,累计办理票据贴现6093万元,改变了中间业务收入渠遣狭窄之势;三是大力发展灵通卡、网上银行、客户证书业务;四是积极发展代理业务,针对金融市场变化,抓好保险、基金代埋业务;五是做大、做精黄金仓储业务,努力开辟增收新渠道,开展代保管高纯金业务,有效拓展中间业务的收入渠道。

农行　农行贵溪支行中间业务于2000年后正式启动。2000年为客户办理票据贴现额2107万元,办理再贴现业务15笔,金额1425万元,有效缓解支行资金供求矛盾,增加中间业务收入。2003年,中间业务取得突破,代理保险业务打开市场,将代理保险业务作为中间业务收入的一项支柱,截止2003年末销售"红利来"寿险192.8万元,收益3.344万元,代理财险收益近万元。从总体上看,2008年上半年的基金市场和股票市场都非常活跃,成为大部分人投资和投机的首选。在利益的驱动下,部分资金也开始向股票、基金等资本市场转移。2008年1至12月,共代理销售基金450万元,代理赎回基金333万元,年末基金余额为51.2万元,存量户2600户,累计交易金额为783万元。截止2007年末,固定资产确权工作全面完成,土地、房产确权率100%;全面完成:不良资产清查摸底,可疑类和损失类贷款客户尽职调查,档案补充完善,法律尽职调查,不良贷款责任认定及追究和外部审计工作等。全年累计收回不良贷款本息3258.1万元,其中:本金3119.7万元,利息138.4万元,超额完成上级行下达的清收任务。2008年清收不良贷款本息841.5万元,其中本金799.9万元、利息41.6万元,信贷资金质量得到大幅度提升,信贷结构得到优化。

中行　中行贵溪支行成立时,中间业务收入为零。1991年也不到100元。2008年中间业务收入212万元,占总收入的3.97%。中间业务收入在中行贵溪支行一直是个短腿,各层领导正在学习经验,挖掘中间业务收入的潜力,积极有效地拓展中间业务收入渠道。

银行卡

工行　工商银行贵溪支行于1993年发行牡丹信用卡,办理牡丹卡存取业务,便利储户异地存取款。发挥牡丹灵通卡"综合交易账户"作用,与代发工资、结算汇款、理财产品、网上银行等金融产品联合销售,推出多款联名灵通卡,开展形式多样的刷卡消费促销活动。

随着业务发展,信用卡、灵通卡、电子银行业务不断做大做强。至2008年底,支行发行灵通卡7759张,信用卡1726张,开立个人网上银行2553户,个人网上银行证书版547户,电话银行680户,在同业中遥遥领先;积极代理基金发行业务,全行共代销非货币型基金967万元,代售保险1452万元;把握"二八"法则,积极发展优质客户,优质客户建档数为2508户,其中新增理财金帐户62户。工行贵溪支行以建设支付便利、服务优质、安全高效的服务环境为目标,完善银行卡受理环境和支付体系建设,银行卡发卡量及业务收入保持较快增长。

惠农卡

为让更多的农民享受惠农政策,农行贵溪市支行在加大惠农政策宣传力度的同时,创新贷款机制,提供优质服务,根据农户的申请发放"惠农卡"。"惠农卡"是农行面向全体农户发放的综合性借记卡,除具有存取现金、转账结算、消费理财等理财金融功能外,农户还可通过"惠农卡"办理财政补贴领取、社保医保资金缴领、水费电费缴纳等事项。到2008年末,全行累计发行惠农卡7745户,激活7414

万元。

百福卡

2007年始，为方便客户存款取款，推出百福卡业务。根据省联社统一部署，迅速组织员工深入乡村、农户、集贸市场、社区居民和校园推介百福卡，至当年12月底，发行百福卡21000张。2008年，继续开展发行百福卡活动，当年共发行13000张。

票据和国际业务

工行贵溪支行　在做好公司信贷和个人信贷的基础上，积极拓展票据和国际业务市场，票据业务和国际业务得到长足发展，2008年累计办理银票5300万元，累计办理票据贴现6093万元，当年国际业务结算量1560万美元

建行鹰潭江铜支行　为更好地服务企业，特别是为配套和适应江西铜业公司业务发展和资金需求，建行江铜支行在银行承兑汇票的签发、贴现等票据业务的开办方面起步较早，于2007年开始办理，且发展较快，为适应江西铜业公司不同时期经营特征和资金需求提供方便、优质的金融服务。支行利用该公司打包银行承兑汇票贴现思路，在总行的大力支持下，充分利用"自由贴现"和正常贴现进行捆绑，银行承兑汇票贴现业务做大做强，从2007年4.6亿元到2008年的10亿元，当地市场占比第一。票据业务的快速发展，一方面满足客户对金融产品的需求，另一方面也为建行江铜支行的发展壮大、经营利润的增加提供新的增长点 为满足江西铜业公司员工出国和子女出国需要，建行江铜支行于1997年开始办理对私国际业务。至2008年底，办理个人国际汇款6个币种，分别是美元7.4万元，英镑4.5万元，澳元3.1万元，瑞典克朗2万元，港币35.8万元，加拿大币1万，共计23笔。个人结算汇487笔，共计80.4万元。2008年10月，支行正式开办对公国际业务，截止2008年底，国际结算量8.32亿元。

农行贵溪铜城支行　2008，支行累计开立进口信用证39551万美元，累计办理国际结算35208万美元，累计办理结售汇29291万美元，国际业务收益达593万元。

承兑承销

中行鹰潭江铜支行　在全省率先开办商业承兑业务，走在全国中行前列；独家成为江铜公司国开行、进出口银行代理行；独家承销江铜股份20亿元短期融资业务。在营销方面作出突出贡献并代表总行负责申报材料的起草；独家代理江铜H股分红，独家归集H股增发资金；积极营销并代表中银保险投标成功介入江铜集团的财险业务，成为中总行首家实现三业并举 。

票据贴现

工行鹰潭江铜支行　为更好地服务企业，特别是为配套和适应江西铜业公司业务发展和资金需求，工行江铜支行在银行承兑汇票的签发、贴现等票据业务的开办方面起步较早，于1997年开始办理，而且发展较快，为适应江西铜业公司不同时期经营特征和资金需求提供方便、优质的金融服务。至2008年底，工行江铜支行票据贴现业务余额46820万元，全年累计办理贴现业务达2220笔，金额343908万元。一方面满足客户对金融产品的需求，另一方面也为工行江铜支行的发展壮大、经营利润的增加提供一个新的增长点。

汇兑

邮政储蓄　1991年3月，贵溪县邮政局专设储蓄汇兑股管理该项业务。此时，邮政汇兑仍沿用汇款单寄递形式开发汇票和兑付汇票，开发汇票分普通汇款、快件汇款、电报汇款3种。资费为：普通汇款每笔1元或其零数0.01元，每笔汇款最低汇费0.30元；快件汇款在普通汇款基础上每笔加收0.5元；电报汇款电报费每笔1元，附言每字0.07元。全年共开发汇票68263张，其中计费65646张，收汇额105.47万元，汇费收入7.6万元，兑付汇票30020张、兑付额74.49万元。1993年，由于外出打工的农村劳动力越来越多，所得收入大多通过邮汇寄回家中，贵溪局收汇87390张，收汇额1623.04万元；兑付32366张，兑付额2055.83万元，首次由收汇额大于兑付额的汇超局变成兑超局。为解决邮政汇款兑付难问题，7月，贵溪邮政局与贵溪人民银行、各专业银行联席开会，确定开立邮政汇兑资金往来账户，并就收支计划、现金存取、资金清算等一一做出具体规定，彻底解决汇款不能及时兑付的"绿条子"问题。1994年，收汇99352张，收汇额2359.69万元，汇费收入16.85万元。1995年，开发汇票94565张（其中

快汇40457张),汇费收入2.14万元(其中快汇费4.05万元。)1999年11月,沿河路ATM自动柜员机开通。邮政入账汇款、礼仪汇款业务亦先后开办。

2001年,江西省"绿卡"中心与全国"绿卡"中心成功割接,全国"绿卡"中心系统"银联卡"改造完成后与全国"银联卡"总中心完成联网,从技术上奠定跨行交易;同年,国家邮政局实施电子汇兑系统建设工程,在电子汇兑系统"一台清"改造基础上,全国2468个县市、5000余网点联网;次年起,市县以上停止传统的实物汇票传递,从传统汇兑向电子汇兑过渡,实现新旧体制平稳传输、处理转换,也标志邮政汇兑全面提速。正式开办2小时电子汇款业务,全国1万多汇兑联网网点办理5万元以下电子汇款,均可在2小时内把款汇到指定地点。

2003年,邮政电子汇兑联网网点试办实时电子汇款业务,营业网点受理完客户汇款后约3—5分钟可达兑付局。新开办以"邮政礼仪汇款传递亲情"为主题的邮政礼仪汇款业务。

第三节 保 险

中国人寿保险

1996年,年保费总量达到375.62万元。2003年,保费3767.25万元,同比增长38.4%。2006年,贵溪公司全年保费5482万元,同比增长19%。2007年,贵溪公司全年总保费为7310万元,同比增长32.82%。2008年贵溪市支公司保费总量首次突破1亿元大关,达13947万元,同比增长92.17%。

中国人民财产保险

2002年,实收保费1200万元,开办险种有企业财产保险、家庭财产保险、机动车辆保险、货物运输保险、农业保险、林业保险、责任保险、意外伤害保险、保证保险等。2008年实收保费1557.6万元。

中国大地财产保险

经营范围:企业财产损失保险、家庭财产损失保险、建筑工程保险、安装工程保险、货物运输保险、机动车辆保险、船舶保险、飞机保险、航天保险、核电站保险、能源保险、法定责任保险、一般责任保险、保证保险、信用保险、种养植业保险、短期健康保险、意外伤害保险等以及经国家有关部门批准的其它业务。

2005年,保费收入300万元。2008年,全公司保费收入157万元。

中国平安人寿保险

中国平安人寿保险股份有限公司贵溪营销服务部主要经营人身险,包括:人寿保险、养老保险、健康保险、住院医疗保险、人身意外伤害险、意外伤害医疗责任保险等。公司以"专注为明天"为公益理念,致力于承担社会责任。在依法经营、纳税的过程中创造企业商业价值;在社会中尽到道德责任与慈善责任,将企业的核心价值观贯彻在环境、教育、红十字、社群等公益事业中。中国平安致力"一个客户、一个帐户、多个产品、一站式服务"的综合金融理念,为社会千家万户送去保障。

中国平安财产保险

经营范围包括企业财产损失保险、家庭财产损失保险、短期健康保险、意外伤害保险、建筑工程保险、安装工程保险、货物运输保险、机动车辆保险、船舶保险、能源保险、法定责任保险、一般责任保险、保证保险、信用保险、种植保险、养殖保险,代理国内外保险机构检验、理赔、追偿及其委托的其他有关业务。

2008年,保费收入达131万元,车险保费121万元,财产险保费4万元,意外险保费6万元。

邮政储蓄

2004年,邮储完成代理保险1400.4万元,发放银联卡8922张。2005年,代理保险1831.6万元。2008年,完成代理保险费2220.8万元。

第四节 证 券

随着中国证券市场的蓬勃发展,贵溪证券部的各项业务得到长足发展,业务经营范围由当初单一的A股股票交易,发展到集A股、B股、基金、国债、期货、股份转让及代理沪港股开户等全面业务。随着本部升格为营业部后,业务范围将得到进一步拓宽。

在客户服务方面同样与时俱进,除在本部设有现场咨询服务,还创建一系列的特色服务,具体有:建设功能强大的综合网上交易平台、开通95521全国客户服务热线、建立个性短信服务发送平台、开发推广手机证券业务、开通预约开户及夜市委托,并积极与《上海证券报》合办股民学校,与客户同学习,与证券市场同成长。

第三章　管理与改革

第一节　管　理

人行

人民银行贵溪支行为维护货币的基本稳定和金融业的稳步发展,认真落实国家金融宏观调控措施,合理调节货币流通,基本上达到发展经济,稳定货币的目的。1991年以来,全市工业贷款、商业贷款、农业贷款虽时有盈缩,但均以确保全市工农业生产正常运转为前提,呆账、死账逐季换减取消。

银监

鹰潭银监分局贵溪办事处成立以来,充分发挥窗口指导职能,协调辖内金融机构认真贯彻落实经济金融政策,积极推动金融创新,加大对地方经济的支持力度,收到较好的效果。一是注重政策引领,督促银行业金融机构支持地方经济持续发展。二是加强窗口指导,鼓励银行业金融机构加大信贷投放力度。三是做好沟通协调,营造和谐互惠的发展环境。四是鼓励金融创新,指导银行业金融机构提升金融服务水平。

工行

财务管理　1985年营业收入576万元。1991—2008年经营效益稳步提升,1991年上缴税款223万元,实现利润1482万元,2008年实现利润2947万元,比1991年增长98.92%。作为全省唯一黄金业务点,2008年,贵金属代理,共实现仓储费收入31.8万元,入库费3.3万元。

电子化、网络化建设　1991年,开始使用微机,初期只用于打字,并装传真机与鹰潭市进行业务、报文往来。1992年,购置286微机、紫金机各2台,用于支行营业厅柜面会计业务核算和储蓄二线监督。同年9月在雄石储蓄所使用微机对外处理储蓄业务。1993年,成立微机室,配有专业人员3人。年底县城各储蓄所、分理处开始采用微机办理业务,处理计划和工商信贷业务。1994年,支行会计出纳科开通电子联行业务,汇款在全国范围内24小时可到达。1995年浮桥头分理处开通微机办理会计核算业务。1998年,火车站、浮桥头两办事处,西江、柏里二分理处相继开始使用微机办理储蓄和会计核算业务。同年,支行安装电子监控设备,各基层处所安装报警装置。2002年,全行实现无纸化办公,除营销人员外均一台电脑。截至2008年,支行共有一线微机31台、二线20台。支行设有主机房,已全部实现业务电子化,办公自动化。电子银行业务保持同城同业领先地位。2008年电子银行交易额147.29万元,比上年增长41.2%。电子银行业务笔数43.1%,提高5.9个百分点。推出二代U盾、电话银行口令卡等产品,提高电子银行客户安全保障系数;推出手机银行(WAP)、贵宾版个人网上银行等新产品,优化多项原有产品功能,满足差异化个性服务需求。2008年末,个人网上银行客户2553户,个人网上银行证书版547户,电话银行680户,在同域同业遥遥领先。

自动柜员机　推出通过WAP方式接入手机银行业务,降低手机银行客户门槛,提高手机银行(WAP)安全性。手机银行(WAP)市场知名度不断提高,客户数量快速增加至55万户。持续加大自助设备投入,优化自动柜员机功能,简化操作流程,提高交易效率和便捷度,分流柜面业务。2008年末,拥有自动柜员机7台。

内控管理　强化内控管理,按风险可控的工作要求,深化"防案件、抓管理、促发展"攻坚战,有效化解、防范经营风险。1991—2008年实现安全无事故。

中行

财务管理　1991 年实现利润 40 万元,上交税款 12 万元。2008 年实现利润 2141 万元,比 1991 年增长 5252.50%,上交税款 282 万元(不含由上级行统一交纳的企业所得税),比 1991 年增长 2250%。主要措施:一是强化预算管理,优化财务资源配置,提高财务管理水平。二是加强计划、资金调度、统计工作。

电子化、网络化建设　1991 年开始陆续使用微机,初期少,只限几台,后来慢慢发展到领导每人一台,各科室一台。2008 年全行员工人手一台微机,各网点安装电子监控设备、报警装置、附行式 ATM 取款机和存取款一体机,自助体验终端供客户查询相关银行信息,还备置打印机、复印机等。支行设有主机房,已全部实现业务电子化,办公自动化。电子银行业务与同城同业可以一比,并在逐年走向更先进。2008 年中行贵溪支行电子银行交易、网上银行客户较以前都有一个跨越式的发展。

内部管理　加强内控一直以来是中行贵溪支行的一把手工程,多年来,中行贵溪支行抓管理,促发展,有效化解经营风险。1991 ~ 2008 年实现安全无事故。

信用联社

财务管理　信用联社 1991—2008 年经营效益逐年稳步上升。1991 年营业收入 547 万元,上缴利税 27 万元,实现利润 －14 万元。2008 年营业收入 6891 万元,上缴利税 215 万元,实现利润 340 万元,比 1991 年增长 11.6 倍,增长率 116%。

稽核审计　1991—2008 年,信用联社把稽核审计作为考核干部职工和反腐倡廉重要工作来抓,配齐配强稽核审计队伍,抓好常规稽审,采取专项稽审和季度全面稽审相结合,及时发现问题,纠正错误,堵塞漏洞,防止资金流失,对稽审出来的问题依照规定严肃查处。

清收旧欠　1991—2008 年,信用联社把及时收回旧欠贷款作为立社和盘活资金的根本,在坚决遏制新增不良贷款和清收盘活沉淀不良贷款基础上,每年组织精悍力量,运用重点清收、分类清收、责任清收、依法清收、行政清收等手段,确保贷款放出去收得回。如 2003 年,信用联社就联合中共贵溪市纪检委、监察局,运用行政监察手段,一举清理党政机关干部、职工不良贷款本金 87 万元,利息 13 万余元,占当年清收率 23.9%。

内保管理　1997 年成立保卫科后,全社严格执行"三防一保"(即防盗、防抢、防诈骗、保人身和资金安全)制度。各营业网点全部设立监控探头,金库 24 小时有专人值班,且分工细密,责任明确,各司其职。1991 ~ 2008 年,确保人身和资金安全无事故。

电子化建设　1995 年始,信用联社启用电脑微机办理储蓄业务,至 1999 年底共设 12 个微机网点。2000 年,为加快电子化建设,新增微机储蓄网点 9 个,至此,全社共 21 个微机网点。2005 年,省联社统一上线,全省联网,实行电子化办理各项金融业务,由此信用联社结算业务由传统柜台纸质向无纸化、离柜化迈进。

第二节　行业体制改革

工行

以构建现代化银行为目标,按照江西省、鹰潭市分行的总体指导思想,并结合当时的业务规模、经济效益及发展前景,1991—1996 年工行贵溪支行人事以任命制为主。1997—2004 年工行上市前人事以"聘用制"为主,实行四轮"双聘"。2005—2008 年,工行贵溪支行以贵宾理财中心、理财网点和金融便利店为主体的分层分类网点功能服务体系基本形成,网点经营转型不断深入,实施网点布局优化和战略转型,不断优化机构网络布局,加速网点升级改造,增强网点客户服务能力、市场竞争力和盈利能力。2008 年顺利完成人事改革、守押社会化、网点升级改造等各项重大改革工作:一是圆满完成工行上市后的第一次双聘,实现全行人员与机构的优化;二是与鹰潭市保安服务公司贵溪分公司签订押运合作协议,实现守押社会化;三是支行营业部贵宾理财中心改造顺利获批并施工改造,雄石分理处成功升级为二级支行,电厂分理处搬迁改造成功获批,该行网点战略布局有条不紊实施。

中行

以构建现代化银行为目标,按照省、鹰潭市分行总体指导思想,结合支行实际业务规模、经济发展前景,1988—2001 年人事以任命制为主;2002 年起中行贵溪支行层干部实行竞聘上岗,中层干部选用一般员工的人事制度,到 2008 年支行中层干部已实现两轮“双聘”。2005 年股改上市后,支行领导级别的干部也实行聘任制。2008 年中行贵溪支行顺利完成人事改革、守押社会化、网点升级改造等重大改革工作。一是圆满完成中行上市后的第一次双聘,实现全行人员与机构优化;二是完成押运社会化;三是各分理处即将升格为二级支行,成立大堂、理财、个贷三支客户经理队伍。

建行

1992 年,加快改革发展步伐,加强资本金管理,建立贷款呆帐准备金,推出审贷分离的项目决策制度,以及规范内部稽核审计、规定现代商业银行的经营理念和操作规程,为建设银行的商业化经营打下良好基础。当年全口径存款达 4406 万元,办理拨改贷款为 9358 万元,利润 1992 万元。

1993 年,按照上级行要求,为使建设银行由国家专业银行转变为国有商业银行做了大量准备工作,把兼负的财政职能等政策性业务分离,转变为从事中长期信贷业务为主的国有商业银行,按现代商业银行机制运行。当年全口径存款达 6024 万元。首次实现房地产信贷经营业务收入 1 万元。由于受政策性影响,利润 -2468 万元。1994 年,建设银行结束兼负财政、银行双重职能的国家专业银行的历史,开始全方位开办商业银行业务,加强了网点建设。6 月,在站前路新开办一个网点,使支行网点达到 4 个。全口径存款达 8416 万元,比年初新增 2392 万元,其中存款达 3590 万元,利润 -2300 万元,比计划减亏 168 万元。

1995—1996 年围绕着向商业银行转变这个主题,进行信贷体制改革、资金清算系统运行、经营机制转变、机构网络建设。1995 年经市外管局批准,行部专柜开办外汇业务。1995 年 12 月经办的贵溪化肥厂项目正式通过国家竣工验收合格。1996 年 3 月 26 日,中国人民建设银行贵溪支行更名为中国建设银行贵溪支行。1996 年 6 月,新建成的办公大楼开业,同年 7 月 10 日,在全县金融系统率先开通全县计算机网络运行,实现电子清算。1995 年全口径存款达 9800 万元,利润 -3094 万元。

2004—2006 年,是建设银行跨越新里程时期,进行股份制改革试点工作。2004 年 9 月 15 日中国建设银行股份有限公司创立大会在北京召开,同年 9 月 21 日宣布中国建设银行股份有限公司成立。中国建设银行贵溪支行更名为中国建设银行股份有限公司贵溪支行。2006 年全口径存款达 59300 万元,贷款达 25493 万元,利润 1388 万元。

第十二卷　粮贸　旅游

第一章　粮　食

第一节　机构与队伍

机构

贵溪市粮食局前身为贵溪县粮食局。1996 年 10 月，贵溪撤县设市，即更名为贵溪市粮食局，一直属政府组成部门，正科级单位。

局机关

市粮食局领导职数共 7 人。即党委书记、局长 1 人、党委副书记（1989—2008 年设纪委、其书记由党委副书记兼任）1 人、副局长 2 人、人武部部长 1 人、副科级干部 1 人、党委委员 1 人（党办主任兼人事股长）。

市粮食局机关有公务员 15 人。

基层粮管所（站、库）（1998 年 8 月以前由粮食局直管）

河潭粮管所　河潭粮管所地处河潭镇（老火车站），辖河潭粮站、大马岗粮站。有仓容 890 万千克。河潭 8 仓、大马岗 4 仓、5 仓为 20 世纪 90 年代所建，其余仓库均为 20 世纪 60—80 年代所建。该所年收购量均在 400 万—600 万千克。

泗沥粮管所　泗沥粮管所地处城北泗沥镇王湾村，辖王湾粮站、陈家坊粮站、中村粮站。有仓容 800 万千克。王湾 9 仓、10 仓、11 仓为 1990 年所建，其余仓库均为 20 世纪 60—80 年代所建。该所年收购量均在 400—600 万千克。

白田粮管所　白田粮管所地处白田乡，辖白田粮站、港黄粮站。有仓容 390 万千克，其全部仓库均为 20 世纪 80 年代前所建。

周坊粮管所　周坊粮管所位于贵溪最北侧周坊镇，辖周坊粮站、梅龙嘴粮站、三县岭粮站、文明粮站、邓家粮站、河上粮站。有仓容 1300 万千克，其全部仓库均为 20 世纪 80 年代前所建。

该所三县岭粮站、文明粮站原属三县岭粮管所，1998 年 8 月三县岭粮管所撤销并入周坊粮管所。

硬石岭直属粮站　硬石岭直属粮站地处贵溪市西北塔桥园艺场，辖塔桥粮站、硬石岭粮站，有仓容 1010 万千克，其大部分仓库均为 20 世纪 80 年代前所建，2000 年建仓容 100 万千克。

黄柏粮管所　黄柏粮管所地处贵溪西北鸿塘镇，辖黄柏粮站，有仓容 250 万千克，其全部仓库均为 20 世纪 80 年代前所建。是贵溪市目前最小的粮管所。该所曾于 2007 年 10 月并入江西贵溪国家粮食储备库，设立黄柏粮站，2008 年 2 月重新成立黄柏粮管所。

志光粮管所　志光粮管所地处贵溪市志光镇古城，辖古城粮站、周塘粮站。有仓库 400 万千克，其全部仓库均为 20 世纪 80 年代前所建。

1998 年至 2004 年 5 月，原金沙粮管所撤销并入该所，期间该所管辖原金沙粮管所西洋粮站、山背粮站。2003 年 6 月，金沙粮管所重新成立，西洋粮站、山背粮站划出。

余家粮管所　余家粮管所地处贵溪市西南余家乡，辖余家粮站、孟清粮站、车站粮站，仓容量 375 万

千克,其全部仓库均为20世纪80年代前所建。该所原前山粮站有仓容25万千克,因仓容量小、地处偏僻、无粮源,于2008年撤销。

新田粮管所　新田粮管所地处贵溪市罗河镇,辖屠家(新田)粮站、彭湾粮站、大田粮站、童家粮站,有仓容1374万千克,其全部仓库均为20世纪80年代前所建。

该所彭湾粮站曾于1998年并入,2004年6月划出,2006年7月又再次并入;2007年10月,雄石粮管所撤销,再并入童家粮站。

罗塘粮管所　罗塘粮管所地处雷溪乡鲶桥湾上村,辖湾上(罗塘)粮站、盛源粮站、横路粮站、板桥粮站。有仓容1595万千克,其全部仓库均为20世纪80年代以前所建。

大塘粮管所　大塘粮管所地处贵溪南部金屯镇,辖瓦塘粮站、周阳粮站、文坊粮站、天华山粮站、吊桥粮站、双圳粮站,有仓容800万千克,其瓦塘3仓仓容260万千克的新仓库于2009年兴建,其余仓库均为20世纪80年代以前所建。

该所原辖瓦塘粮站、周阳粮站、大塘粮站。1988年至1994年10月,该所设在大塘高公李家村,1992年洪灾,原大塘乡决定迁往现金屯镇所在地金屯村。1994年10月,该所新办公楼在金屯村落成,该所从此迁到现金屯镇。2009年上半年,市粮食局根据大塘粮站地处低洼、不宜收储粮食和金屯集镇建设需要,决定撤销大塘粮站,同时变卖金屯集镇上的粮管所办公楼,在瓦塘粮站重新建设该所办公楼,同时在瓦塘粮站建设一座260万千克仓容的新仓库。至此,该所又再次迁到瓦塘粮站。1997年10月,市粮食局决定撤销文坊粮管所,将原文坊粮管所的文坊粮站、天华山粮站、吊桥粮站、双圳粮站全部并入该所。2010年10月,双圳粮站因无粮源而整体变卖给双圳林场。

塘湾粮管所　塘湾粮管所地处贵溪南部塘湾镇,辖塘湾粮站、江坊粮站、耳口粮站、圳上粮站、九龙粮站,有仓容750万千克,塘湾6仓仓容100万千克,建于1996年,江坊2仓于1993年改造,塘湾2仓、5仓于1994年改造。九龙粮站25万千克容量的仓库权属为九龙林场。其余仓库均为20世纪80年代前所建。

该所耳口粮站、圳上粮站、九龙粮站、冷水粮站于2008年2月,由原耳口粮管所并入。冷水粮站于2009年上半年因仓容小(25万千克)无粮收而变卖。

双圳粮管所　双圳粮管所地处贵溪南部山区原双圳乡,辖双圳粮站,该所计划经济时期属专供(销)粮管所,无粮收购,于1993年撤销,并入文坊粮管所。

童家直属粮站　童家直属粮站地处贵溪市西南童家火车站(320国道边),辖童家粮站。该站在计划经济时期因就近火车站,便于粮食调拨运输,设为直属粮站。随着市场经济的不断发展,童家火车站失去调拨功能,该站尚有收储功能,故在1998年撤销直属粮站,设立普通粮站,并入雄石粮管所。

贵溪市粮食直属一库　贵溪市粮食直属一库地处贵溪城区,原名先后为贵溪县粮油贸易公司、贵溪市粮油贸易公司,2002年更名为贵溪市粮食直属一库,其存续期间主要业务为粮油议购议销、贸易出口,主要生产仙桥牌水磨糯米粉、仙桥牌大米。2006年7月并入雄石粮管所,后随雄石粮管所一并并入新田粮管所。

雄石粮管所　雄石粮管所地处贵溪城区,辖童家粮站、雄石粮站、东门粮站、车站粮站、机关粮站等粮站,另辖冶炼厂、化肥厂、四冶、电厂、铜技校、106等经营分店。

随着粮食流通体制的不断改革,粮油经营逐步走向市场化,其粮食经营业务也逐步消失,只有童家粮站继续坚持粮食购销业务,终在2007年10月并入新田粮管所。

江西贵溪国家粮食储备库

江西贵溪国家粮食储备库地处贵溪城北柏里开发区,紧靠皖赣、浙赣铁路,毗邻320国道沪昆高速公路,区位优势明显,交通方便快捷,是中央储备粮、省级储备粮、市(县)级储备粮、地方周转粮及进出口原粮调配的粮食储备单位。

该库原名“贵溪市粮食局直属粮库”。1988—2003年地处城区(安晨广场地块),原拥有仓容近4万吨(20多幢平房仓库)。1994年4月,国家粮食储备局对全国1300多个国家粮食储备库挂牌,将贵溪市粮食局直属粮库命名为江西贵溪国家粮食储备库。1996年3月,该库办公地址迁至粮库大厦(现贵溪市粮油购销总公司)。2003年,为适应现代化储粮和企业改革改制需要,实施“退城进郊”,于2004年8月,该库整体迁往至城北柏里开发区。现该库占地面积约100余亩,现代化储粮仓库4座,容量4万吨。2006年7月,市粮食局将金沙粮管所撤销后并入该库;2007年8月,市粮食局将黄柏粮管所撤销后并入该库,2008年3月,市粮食局决定恢复黄柏粮管所,又从该库划出。至此,该库管辖本库区、城区仓库、山背粮站、西洋粮站,总仓容4.51万吨。

军供代网点

成立于1995年12月,前身为贵溪县(市)粮食局军粮供应站。主要负责驻市部队和临时过往部队的军用粮油等物资的调拨、供应工作。2001年9月前由雄石粮管所管理,2008年更名为贵溪市军供代网点。

粮油批发市场

成立于1996年6月,隶属粮食局管理,自收自支事业单位,企业管理股级机构,独立核算自负盈亏,定编15人。主要负责粮油市场管理工作。

队伍

1988年年末,全县粮食系统有干部职工1294人,行政人员52人。其中:局长1人,副局长3人,调研员2人,干部83人,职工1203人(不包括离退休人员)。1992年全系统职工首次突破2000人,到2000年,人员达到2156人,为历史最高。

其中,全民职工1500人,大集体职工648人,编内临时工8人。临时工60人(不在总数中),干部、职工有大中专文化程度的180人,占职工总数的8.3%;高中文化程度的700人,占职工总数32.5%;初中文化程度863人,占职工总数40%;高小文化程度413人,占职工总数的19.2%。

2008年,粮食部门有干部职工294人。其中,行政人员25人,事业编人员18人。企业人员251人。

1991—2008年贵溪市粮油系统人数变化情况一览

表12-1 单位:人、个

年份	在职职工人员合计	行政人员数	事业人员数	企业人员数			企业机构数		
				合计	商业企业	工业企业	合计	商业企业	工业企业
1991	1802	42	—	1760	806	954	31	24	7
1992	2005	41	—	1964	850	1114	31	24	7
1993	2060	40	—	2020	855	1165	31	24	7
1994	2093	34	—	2059	860	1199	34	24	10
1995	2115	35	—	2080	875	1205	37	24	13
1996	2117	36	—	2081	833	1248	32	19	13
1997	2129	36	9	2084	1016	1068	34	20	14
1998	2114	36	10	2068	1038	1030	34	20	14
1999	2132	33	17	2082	1065	1017	31	17	14
2000	2156	34	16	2106	1091	1015	32	18	14
2001	2103	32	16	2055	1120	935	32	18	14
2002	2107	31	16	2060	1125	935	32	18	14
2003	342	28	16	298	277	21	21	20	1
2004	331	24	15	292	271	21	21	20	1
2005	330	23	14	293	272	21	21	20	1
2006	336	24	14	298	277	21	18	17	1
2007	380	24	14	342	323	19	18	17	1
2008	294	25	18	251	233	18	15	14	1

第二节　改革改制

改革

随着改革开放的推进，体制机制等深层次问题逐步浮出水面，长期受计划经济体制的影响，粮食部门政企不分的问题十分突出，国有粮食企业摊子大、冗员多、机制不活、亏损严重，不能适应市场经济发展的要求。为了顺应全国经济体制改革的潮流，按照建立社会主义市场经济体制要求，加快粮食流通体制改革步伐。

1988—1992 年，按照 1985 年中央 1 号文件，逐步、全面取消粮食统购政策，将粮食统购改为合同定购。粮食流通实行定购统销和议购议销“双轨制”。在“双轨制”政策推动下，粮食局组建粮油议价（购销）公司，主营粮食议价收购和销售。

1993 年 2 月 15 日，国务院发出《关于加快粮食流通体制改革的通知》，其粮改目标是：“在国家宏观调控下放开价格，放开经营，增强粮食企业活力，减轻国家财政负担，进一步向粮食商品化，经营市场化方向推进”。“两放”“两化”原则的提出表明当时中央下决心将粮食流通的“双轨制”合并到市场机制这一轨，同时强调国家将进行宏观调控，从而使市场机制的运行、粮食安全与经济政治稳定等目标相协调。

1998 年 4 月 27 日，全国粮食流通体制改革工作会议在北京召开，会议出台粮食流通体制改革方案。

改革背景：1996 年全国粮食产量跃上 5000 亿千克的历史性台阶。当开始执行保护价敞开收购粮食政策，使当年增产的 370 亿千克粮食以及农户方面约 320 亿千克增加出售的存粮大都转化为国有粮食部门的过量库存。1995 年创纪录的近 200 亿千克净进口粮食形成结转库存。这三方因素使 1996 年国有粮食过量库存增加近 900 亿千克。据国家粮食储备局透露，1997 年年末国家粮食库存量为 2000 亿千克，合理需要量约为 750 亿千克，过量库存超过 1000 亿千克，其中大部分在 1996 年形成，从而形成空前规模的仓容危机。

无限制敞开收购，并向农民承诺价格不会变，致使增产成效变亏损，1997 年末粮食企业在农发行的财务挂账累计达 1210 亿元。因此，控制粮食亏损是 1998 年粮改的背景和主要目标。

8 月 10 日，市政府 17 号文件批转《贵溪市粮食流通体制改革试行办法》。《办法》贯彻落实“三项政策、一项改革”（按保护价敞开收购农民余粮、国有粮食购销企业实行顺价销售、粮食收购资金实行封闭运行和加快国有粮食购销企业自身改革），围绕“四分开、一完善”（即政企分开、中央与地方责任分开、储备与经营分开、新老财务帐目分开，完善粮食价格机制。）总体要求，稳定收储企业、搞活粮办工业及附营业务，积极稳妥地推进贵溪市粮食流通体制改革。其目标是：确保 1988 年年底前政企彻底分开、粮食储备与经营分开；确保 6 月 1 日后收储企业不再发生新的亏损挂账；力争一年适应市场、三年走出困境。

改革具体措施：一是机构分设。下属各粮管所（站、库）改为粮油收储公司，粮贸公司、麻纺厂、草酸厂、中粮车队、建安公司、粮油食品连锁经营公司、综合开发公司、食用菌开发公司归粮油收储总公司管理；粮油加工总厂、粮油加工二厂、肌醇厂、油脂厂、饲料厂、酿造厂、良种示范场、粮食局招待所归粮油工贸总公司管理。二是职责划分。粮油收储公司负责从事定购粮、议购粮、中央和地方储备粮的收购、储存、调拨业务以及国家指定企业经营的粮食进出口业务；工贸总公司应充分发挥企业现有人员技术、设备和场地的作用，搞好深加工、精加工和综合利用，发展粮办实业，积极开展政策性调控以外的粮油经营和附营业务，平等参与市场竞争；三是进行人员分流。四是财务分账。《办法》于 1998 年 9 月 1 日起执行。

8 月 26 日，市政府印发《贵溪市粮食市场管理暂行办法》，规范粮食收购市场管理、粮食批发交易市场管理等办法。

1998—2003 年，实行以“政企分开、中央与地方责任分开、储备与经营分开、新老财务挂帐分开，完善粮食价格机制”的“四分开一完善”，“敞开收购、顺价销售、收购资金封闭运行、加快粮食企业自身改革”的“三项政策、一项改革”和“取消粮食定购、放开粮食收购、放开粮食市场、放开粮食价格”的“一取消、三放开”为主要内容的改革。各种深化粮改的政策出台,深刻触及粮食企业和整个粮食行业。

2004年5月26日,《粮食流通管理条例》施行。实行以“放开购销市场,直接补贴粮农,转换企业机制,维护市场秩序,加强宏观调控”为主要内容的改革,粮食工作走上市场化、法治化轨道。全市粮食工作从计划经济体制下的统购统销到“双轨制”,再到“两线运行”,最后是粮食购销市场价格全面放开,粮食购销市场化,加快依法管粮进程,实现历史性跨越。

改制

2000年1月13日,市委、市政府印发《贵溪市国有、集体企业产权制度改革若干试行办法》(贵发〔2000〕1号)。该《办法》详细制定改革目标、改革原则、改制形式及要求、资产评估与产权界定、产权处置、管理体制与收益分配、职工安置、社会保险、土地资产处置以及相关优惠政策。粮食局依据本《办法》,于2000至2009年长达10年中,在全市粮食系统进行改制。

购销企业改制　购销企业改制由粮食局统一制定《贵溪市粮食购销企业改制实施方案》和《贵溪市粮食购销企业返聘职工实施方案》,各粮管所(站、库)遵(参)照执行。

第一次改制后,几经轮回,人员更迭,国有粮食购销企业返聘职工已达340余人。按照全市购销企业业务需要和企业运作能力概算,仍显得人员富余,人浮于事。对此,粮食局新一届党委班子经过深入调查研究后,决定不遗余力,抓好继续深化改革工作。当年春节刚过,即精心制订方案,做到准备充分、宣传到位、步骤严密、决策科学、上下联动、密切配合、以人为本、有情操作,按照公正、公平、公开原则,进一步精减裁员,在全市粮食购销企业分流富余人员101人,从而使企业再次轻装前行,有力地调动了职工工作积极性和创造性。

粮油工贸企业改制　在国有粮食购销企业深化改革的同时,粮油工贸企业改制扫尾工作也在马不停蹄地进行,原酒厂职工改制工作已全面结束。2009年,粮食系统改制工作进入最后阶段,即对工贸企业法人及公司(厂、场)20名留守人员进行身份置换。9月,粮食局召开座谈会4次,认真听取(征求)意见建议,谋划最佳工作方案。10月,20名工贸企业法人等愉快接受身份置换,并走上新的工作岗位。至此,全市粮食系统改制工作全面结束。

第三节　粮油管理

粮油购销

贵溪是个农业大市,是全国商品粮基地之一,为国家粮食安全做出重大贡献。中共十一届三中全会以后粮食产量逐年递增。粮食收购量从1985年的4000千克,2008年增加到1.3亿千克。随着粮食的逐年递增,国家粮油收购政策也在不断调整。粮食从国家征购、国家合同定购,到保护价收购、最低收购(托市收购);从农民承担国家任务一斤一两不能少,必须保证完成,到粮食可以自由上市交易。油脂收购在放开前一直维持在30万千克左右,1992年全部放开。

1985年国家取消粮食油脂统购制,改为合同定购。此是粮油政策的一项重大改革。合同定购政策的基本内容是:国家不再下达指令性的粮油收购计划,由粮食部门在播种前与农民协商签订定购合同。粮油定购,既是经济合同,又是国家任务,是农民应尽的义务,必须保证完成。

合同定购的粮食,价格按“倒三七”比例计价,即30%按统购价,70%按超购价进行结算付款给农民。如市场粮价过低,粮食部门仍按统购价敞开收购,保护农民利益。

合同定购的粮食品种,省规定为稻谷、小麦、玉米3个品种,其他品种实行市场调节,自由购销。

油脂合同定购,棉子按“顺四六”比例计价,油菜籽、油茶子仍按“倒四六”比例计价。定购以外的由农民自行处理,自由购销。花生等小宗油料全部放开,不搞合同定购,实行市场调节。合同定购粮油收购政策执行到1992年。

保护价收购

从1993年开始实行中央制定的保护价收购制度。保护价收购政策的基本内容是:粮食部门仍然是粮食收购的主体，按照粮食收购政策规定：早稻、晚稻由粮食部门收购，其他品种改为市场收购，价格放开。当粮食价格低于市场收购价格，粮食部门则按保护价收购；当粮食收购价格高于市场价格，粮食部门按市场价格收购。保护价格由省统一规定指导价，以保护农民利益。

油菜籽、芝麻等小品种油料价格全面放开，实行市场自由调节。

农民公粮任务仍由粮食部门收购，价格按保护价与当地政府财政部门每年结算。

1999年，江西省开始实行粮食定购收购与粮食保护价收购并轨。保护价收购政策全省执行到2000年。

2001年，全省取消早稻定购任务，退出早稻收购范围政策。购粮价格开始实行由市场形成。

托市收购

政策的基本内容是：粮食收购价格全面放开，实行市场价收购。当粮食收购价格高于市场价，粮食部门仍按市场价收购；当粮食收购价格低于市场价时，粮食部门则按托市价收购。

托市粮收购主体是中央国家粮食储备库。当粮食收购价低于市场价时，国家储备库启动托市收购，本省实行托市收购。办法是由国家储备库委托当地粮食收储企业代收代储，托市收购价格的制定由国务院统一定价。托市粮的销售由国家储备库决定，当地收储企业只收取收购和保管费用。

粮食收购任务及计划

贵溪粮食收购任务是根据不同时期的粮食收购政策及需求而下达的。1985—1987年，贵溪任务是6785.5万千克（其中公粮1200万千克），以后下达的任务都包括公粮任务。1988—1992年，粮食定购任务一定五年不变，贵溪定购任务是5949.6万千克；1993年、1994年实行任务包干，贵溪任务是5143万千克，这个任务是基数，一定两年不变，农民实际完成任务后有多余部分按多出数量进行议价结算，在结算粮款时一并付清。

1995—1997年，国家对粮食实行保护价收购，同时对因征地等原因进行任务减免，1995年调减33.4万千克原粮。1997年4月4日，根据省计划委员会、省粮食局赣计财字〔1997〕5号文件精神，为稳定粮食产量，保护农民种粮积极性，促进农业产业结构调整；经鹰潭市政府批准，从1997年起，调减贵溪国家粮食定购任务373.6万千克原粮，贵溪调减后的定购任务为4736万千克原粮，贵溪市政府决定一次性调减到乡镇。

1998、1999年省、鹰潭市又调减任务，并按定购收购计划下达，贵溪市全年收购计划3196.5万千克原粮，早晚收购比例按4:6执行。2000年以后省、市不再下达收购任务及计划。在以后保护价收购过程中市粮食局分别下达过收购任务，由于粮食丰收年、歉收年产量不均，收购计划往往差距较大，最多收购年份达8000多万千克，最少年份只有4000多万千克。

1998年以来，随着市场经济逐步建立和完善，粮食 流通体制也在不断改革、深化。由此，贵溪市粮食入库网点发生根本性变化。一是粮管所的撤并。二是个别粮站撤销。三是道路、运输工具改善。农民坐车卖粮多，推车卖粮越来越少。四是经纪人上门收粮。粮食市场放开后，经纪人上门收粮。他们收粮愿意卖哪里就卖哪里，不受限制，粮食入库网点没有硬性规定和限制。

粮油供应

定量人口供应　1985年贵溪商品粮供应人口7100人，1992—1995年增加到8600人，包括返销、补销回供人口，月供应大米80万千克，食油4.5万千克。1985—1992年7月实行粮油有计划供应，商品粮人口凭粮油供应证到指定粮站购买平价粮油，粮站建立粮油供应底册便于登记，年终还要进行核对，有无多供、错供、乱供粮油现象，发现问题，及时纠正，严肃处理。1992年3月，根据省物价、粮食、财政《关于深化粮食流通体制改革，放开平价粮食销售价格的通知》规定，贵溪和全省一样停止了粮油供应证制度，只保留军粮供应至今。

农村粮食供应　粮食市场放开前，农村粮食供应主要有定销、补销、返销三种形式：

定销：定销的范围是指没有种植粮食作物的蔬菜、林业、水产等单位。定销标准，根据定销单位的各类人口的劳动强度，年龄大小参照市镇定量标准予以确定。实行依人分等定量，发证到户，凭证分月供应制度。通常称这种定销为“长年定销”。1974年至80年代初，为鼓励菜农发展蔬菜生产，采取粮菜挂

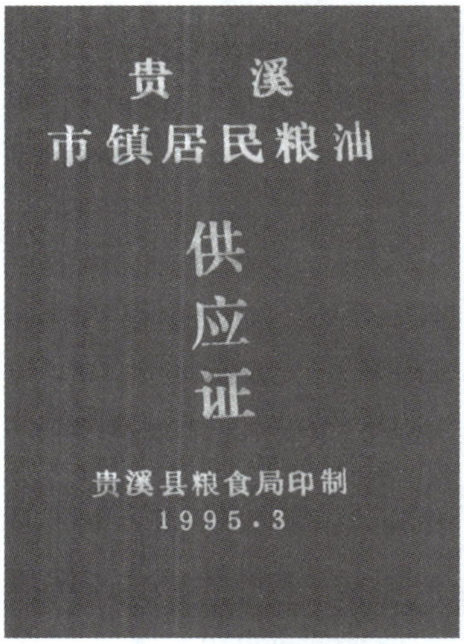

贵溪市镇居民粮油供应证

钩,实行定面积、定品种、定交售任务“三定”办法,对完成“三定”任务的,口粮按年人平不低于稻谷600斤的标准进行安排供应;未完成“三定”任务的,口粮略低安排。贵溪吃定销粮的单位是:象山水产厂、冷水林场、耳口林场、上清林场、林技站、双圳林场等,人口在5000左右。

补销:补销范围是指人均田少,或山区条件差、气候恶劣,尽了努力产量偏低的种粮缺粮地区和种部分粮食作物,但自产粮不足口粮的国营农林水单位及劳改农场(园艺场),其补销标准本着低于邻近产粮区的口粮水平予以安排。补销方法:在调查、核实定销单位自产粮产量的基础上,每年由县粮食局分单位计算汇总,报县政府批准,采用一年一定的方法进行补销。供应方法:本着“先吃自产粮,后吃国家粮,何时缺,何时供”的原则,分期分批安排,凭证供应。贵溪吃补销粮的单位是:塔桥园艺场、枫林湾水库移民、梅丰水库移民、童家鱼种场、孙家塘水库、横田罗家等,人口在3000人左右。

返销:又叫回供,指有余粮交售任务的队(户)的缺粮。出现缺粮主要原因有:一是产量核定较高,任务负担较重,完成任务后口粮偏低。二是全年因灾减产,导致缺粮。三是夏丰(早稻)秋歉(秋粮),夏粮入库过头,丰歉调整后仍然口粮不足。四是计划用粮,节约用粮不周,挥霍浪费造成前吃后空。对返销粮的供应,在调查核实情况的基础上,由县级粮食部门根据上级下达的指标,提出安排意见,报县政府批准,逐级下达指标,再由基层粮食部门分期分批发证供应,返销粮供应数量每年不确定,常年在200万千克左右。

借销粮和议销粮。借销粮是从1963年3月开始实行。当时是对给了返销指标后,生活安排仍存在缺粮的队(户),采用借销办法,后又对抗灾不力或不搞好生产的队(户)的缺粮,给予借销。借销粮的特点是,借了要还,谁借谁还。借粮时,按统购价收款付粮;还粮时,仍按统购价收粮付款。对确属困难较大,无力偿还借销粮的队(户),报经县政府批准后,可酌情给予减免。议销粮的特点是,价格比统购价要高,但付款购粮后,粮食不要归还。

军粮供应

2001年9月,国家为确保粮食购销市场放开后,军队、消防、武警粮油供应的稳定,贵溪粮食局专门设立军粮供应站,定编2人,业务上由鹰潭市粮食局计划科指导,并逐月按实际供应数量结算差价。贵溪粮食局每年要对当地武装部、消防、武警进行专门走访,征求意见,搞好服务。军供站除正常的粮油供应外,还专门设立“缝衣补裤”、紧缺品种送货上门服务项目,深受当地武警、消防干部、战士好评。贵溪军供站月供应粮食在5000千克左右。如有特殊情况,部队在贵溪短留,必须确保粮食供应。

退耕还林粮食供应

2002年12月5日,贵溪市退耕还林工作全面展开,按照国家有关政策和省粮食局赣粮调〔2002〕6号文件要求,做好退耕还林补助粮食供应工作:

补助粮食供应范围　退耕还林工程包括坡耕地造林和荒山造林,国家只对坡耕地退耕还林实行粮食补助,荒山造林不享受粮食补助。

粮源安排和统计处理　退耕还林补助粮食使用国有粮食购销企业2年内收购的符合国家质量标准的保护价粮食。

粮食供应标准与期限　退耕还林补助粮食的供应,按国家统一规定,每亩退耕地每年补助粮食(原粮)150千克,期限暂拟经济林补助5年,生态林补助8年计算。

补助粮食供应办法　退耕还林粮食供应程序必须凭市政府发放的粮食供应证和兑粮券,退耕农户必须凭供应证和兑粮券到当地所、站购粮,当地所、站认真登记粮食供应明细表。

粮食供应纪律　“以粮代赈”退耕还林工作,政策性强,涉及面广,各地供粮单位要严肃纪律,精心组织,周密安排,指定专人负责,把粮食供应作为兑现政策、取信于民的政治任务来抓。

供应的粮食必须保质保量,不准以次充好,错兑品种,市局明确退耕还林粮食供应工作,所长是第一责任人，负全部工作责任。

各地必须向退耕户供应实物，严禁向退耕户折价兑付现金，严禁将兑付的粮食返库收购，防止超计划供应。贵溪1000多农户享受这项优惠政策。年供应粮食500万千克左右。2005年后改由财政部门直接发现金补助到退耕户。

救灾粮食供应

贵溪各乡镇地理位置不一，每年受各种灾害农户不少，计划经济时期每年都要拿出不少粮食进行农村生活安排，进行口粮余缺调剂，确保灾民有饭吃。

1993年3月25日，贵溪遇到历史上罕见特大龙卷风、冰雹灾害，全县14个乡（镇）、80个村委、15143户68144人受灾，造成18人死亡，578人受伤，其中重伤140余人，3734间房屋倒塌，其中全部倒塌1186间；压死牲畜490多头；毁坏春季农作物8万多亩；尤其是盛源、雷溪、雄石、滨江乡（镇）和流口农场、象山水产场损失惨重，16个村庄遭到毁灭性破坏，贵溪人民生命财产蒙受重大损失。

为了妥善安置灾民灾后生活，县粮食局在3月26日及时运往灾区大米1万千克，缓解重灾区灾民的缺粮，同时还组织人员对灾区缺粮进行详细调查了解，因灾缺粮8500户，缺粮人口38250人，其中粮食全部损失1800户，人口8275人，为帮助灾区人民顺利度过生活难关，县粮食局拿出灾供粮200万千克稻谷发放到受灾户中。

粮食出口

粮食出口是粮食部门特定时期制定的特定政策。1995年前后，贵溪按照中央、省制定的粮食收购政策，根据上级精神，为保护农民利益，敞开收购农民余粮。全市1.2亿千克仓容暴满，大部分粮管所还租借当地乡镇仓库储粮，导致全市陈粮过多，收购仓容紧缺。针对这一问题，省粮食局向中央专题申报出口计划下达到县、市。自1998年起，集中时间、精力，抓粮食出口这项工作。通过部门协调，全局上下努力，动员各粮食加工厂日以继夜加班加点进行粮食加工，2000年终于缓解仓容压力。

建立省内外购销业务网络

与广东省广州市、东莞市、深圳市，云南省宣威市、贵州省六盘水市，福建省厦门、漳州市，广西南宁市，建立驻点销售业务。

与浙江省江山、兰溪、温州建立直购直销往来业务。

与省内大部分县市开展不同品种的粮食互补购销业务。

仓库建设

1991年8月6日，江西省粮食局接商业部、财政部、人民银行总行（1991）商财（价）联字13、125、163号联合通知，为进一步缓解粮油仓储能力不足的矛盾，经国务院批准决定，确定安排贵溪新建简易粮食仓库容量450万千克、简易油罐容量5000千克，总金额为63万元，这批简易仓库一律要建成砖木结构的房式仓，为永久性仓库。经局党委研究，罗塘100万千克，周坊50万千克，直属库200万千克，鱼塘100万千克。

1996年新建塘湾6仓，容量为100万千克；周坊粮管所9仓，容量为50万千克。

1997年9月10日，颁发（1997）贵粮储字第86号《关于抢建简易粮库的通知》。由于粮食连年丰收，加之销调不畅，造成库存量积压，仓库爆满，仓容严重不足。为解决仓库问题，经省政府批准，同意在贵溪抢建950万千克容量的简易粮仓：大马岗175万千克，罗塘75万千克，周坊150万千克，河山100万千克，山背50万千克，新田100万千克，文明50万千克，白田50万千克，塘湾100万千克，硬石100万千克。

1998年河潭粮管所新建仓库200万千克。2003年国家粮食储备库新建大型高大平房仓4座，容量为4000万千克，2009年大塘粮管所新建一座现代化仓，容量为260万千克。

2006年，根据鹰财建〔2006〕34号文件精神，核定贵溪仓库维修补助资金62万元，为使这笔资金专款专用，贵溪粮食局安排38栋仓库倒壁、地面及窗进行维修。

1991—2008年贵溪市粮食库点仓容一览

表12-2

单位名称	下设库点(个)	仓库栋数(栋)	仓容量(万千克)
新田粮所	4	18	1357
塘湾粮所	4	12	640
大塘粮所	6	13	725
河潭粮所	2	12	875
余家粮所	3	6	375
罗塘粮所	4	16	1615
泗沥粮所	3	16	800
白田粮所	2	7	390
志光粮所	2	8	400
周坊粮所	6	22	1075
塔桥粮站	2	7	820
黄柏粮所		5	250
国 储 库	3	13	4350
合 计	42	155	13672

粮食保管

1991年5月10日,粮油储运公司掀起以"保好粮、管好库"为主要内容的百日安全储粮社会主义劳动竞赛热潮,以进一步推动安全保粮工作,通过竞赛,评选150名竞赛保粮标兵。

1992年5月14日,根据〔1992〕贵粮省储字第30号文件,开展"宁流千滴汗,不坏一粒粮"的安全储粮活动。

安全储粮活动对改善粮库储粮条件,促进储粮技术的发展,提高储粮质量,减少各种事故的发生,确保储粮安全起到很大的推动作用。为在粮价和经营放开的新形势下进一步做好粮食仓储工作,切实保管好国家库存粮油,确保国家宏观调控的顺利进行,决定在活动中增加检查粮油库存账实相符的内容。

1997年10月9日,根据《关于进一步加强新体制专储粮管理的通知》(赣粮字〔1997〕183号),要求按照"一符三专四落实"的要求,做到仓外有牌,仓内有卡,储粮有账,测检有簿,保管专人,加强粮食保管,确保储粮安全。

第二章 商 业

第一节 管理体制和机构沿革

20世纪50年代中期,国家对资本主义工商业进行社会主义改造,公有制商业快速发展,形成了以公有制商业为主体的商业经济体制。1991年,商业局属下的国有商业有百货公司、食品公司、副食品公司、饮食服务公司、五交化公司、蔬菜公司(含食品罐头厂)、石油公司、龙兴铺灯芯糕厂和商业仓库。

1993年5月,县政府批准成立贵溪县商业总公司,与商业局两块牌子一套人员。

1994年年底,石油公司从商业局划出,直属鹰潭市石油公司。

1996年10月,贵溪撤县设市,贵溪县商业局更名为贵溪市商业局。

1998 年 6 月,贵溪市生猪定点屠宰办公室成立,属商业局股级机构。月底,盐政办公室和盐业批发部从副食品公司划出,直属商业局。同时撤销副食品公司,成立糖酒副食品公司。7 月 1 日,市政府直属事业单位贵溪市液化气公司划归商业局管理。7 月下旬,商业局行政执法队成立,属商业局股级机构。10 月,隶属商业局的股份合作制企业贵溪市五金交电采购供应有限责任公司成立。

1999 年 8 月,隶属商业局的股份合作制企业"旅游发展有限公司"成立。

2000 年 7 月,商业局下属企业有百货公司、糖酒副食品公司、食品公司、饮食服务公司、五交化公司、蔬菜公司、煤炭公司、灯芯糕厂、商业仓库、盐政办、液化石油气公司(事业单位),两个股份合作制企业是五金交电采购供应有限责任公司和旅游发展有限公司。

2002 年 11 月,市委市政府印发《贵溪市机构改革方案》(贵发〔2002〕19 号),方案规定:原商业局、外贸局、二轻局、乡镇企业局、物资总公司的行政管理职能划入经贸局。商业局进入合并的过渡期。

2002 年年底,商业系统产权制度改革基本结束,原百货公司、食品公司、饮食服务公司、盐业批发供应站分别组建股份制或股份合作制的民营企业。2004 年,龙兴铺灯芯糕厂组建股份制民营企业。以上 5 个企业与商业局解除隶属关系,只保留中共党组织关系。原糖酒副食品公司、煤炭公司、蔬菜公司、五交化公司、五金交电采购供应有限责任公司、旅游发展有限公司和 2004 年结束改制的液化石油气公司在改制中解体。

2006 年上半年,根据市政府办字〔2006〕73 号文件精神,在市委组织部、市政府办、监察局、财政局、审计局、人事劳动和社会保障局六部门监督指导下,商业局与经贸局完成人事、资产、职能的交接工作,正式并入经贸局。

到 2006 年,存在半个世纪的商业局,完成历史使命。

第二节 所有制结构

1991—2008 年,国有商业经历一次大变革,商业所有制结构经历一次大调整。为适应社会主义市场经济体制的建立和社会主义市场经济的发展,商业所有制结构从公有制为主体向多种所有制转变,2000 年产权制度改革后逐渐形成以民营(个体、私营)商业为主体的多种所有制成份并存的格局。

1991 年,商业所有制分四大类:全民所有制商业、供销合作社、其他集体所有制商业和个体有证商业。前三类(全民所有制和集体所有制)都属公有制商业。当年,公有制商业包括商业系统各公司、粮食系统、医药公司、烟草公司、石油公司、农机公司、新华书店和供销社,以及各系统、公司的归口大集体商业企业。全县有商业机构 2692 个,其中:全民所有制商业 167 个,占 6.2%;供销社 320 个,占 11.82%;其他集体所有制商业 29 个,占 1%。整个公有制商业机构 516 个,占 19.2%。个体有证商业 2176 个,占全部商业机构的 80.8%。全县商业从业人员 8242 人,其中全民所有制商业 2158 人,占 26.18%;供销社 1282 人,占 15.53%;其他集体所有制商业 170 人,占 2.1%。公有制商业从业人员 3610 人,占全部商业从业人员的 43.81%。个体有证商业从业人员 4632 人,占全部商业从业人员的 56.19%。个体商业已占有相当的份量。

1996 年,贵溪撤县设市。当年,全市商业所有制分为国有经济、集体经济、私营经济和个体经济四大类。全市有批发贸易机构 61 个,网点 163 个,从业人员 1441 人。其中国有经济批发机构 23 个,网点 57 个,从业人员 804 人;集体经济有批发机构 37 个,网点 48 个,从业人员 459 人;私营经济批发机构 1 个,网点 1 个,从业人员 3 人;个体经济有网点 57 个,从业人员 175 人。是年,全市有零售机构 54 个,网点 4607 个,从业员 12021 人。其中:国有经济零售机构 37 个,网点 68 个,从业人员 1216 人;集体经济有零售机构 16 个,网点 27 个,从业人员 331 人;私营经济有零售机构 1 个,网点 1 个,从业人员 5 人;个体经济有网点 4511 个,从业人员 10469 人。是年,全市有餐饮业(含住宿业)机构 5 个,网点 825 个,从业人员 2623 人。其中:国有经济机构 4 个,网点 5 个,从业人员 57 人;集体经济有机构 1 个,网点 4 个,从业人员 59 人;个体经济有网点 816 个,从业人员 2507 人。

2000 年,市委、市政府印发《贵溪市国有集体企业产权制度改革若干试行办法》(贵发〔2000〕1 号文件),国有、集体商业全面推行产权制度改革。改革的目标是实现产权转换、职工身份置换。通过产权制度改革,基本上达到没有国有、集体资本在一般性竞争行业中运行,在改革后的企业中没有国有、集体职工身份。大多数国有集体商业企业资产拍卖变现、还清债务,一次性安置职工。少数企业组建股份制民营企业。到2004年,全市限额以上商业批发企业只有4个,其中股份合作企业1个,私营企业3个。限额以上零售企业2个,其中国有企业1个(新华书店),私营企业1个。限额以下批发企业56个,其中国有企业25个,从业人员416人;集体企业9个,从业人员26人;股份合作企业1个,从业人员15人;有限责任公司7个,从业人员47人;私营企业(私营独资企业和私营有限责任公司)14个,从业人员166人。限额以下零售企业19个,从业人员314人。其中集体企业3个,从业人员16人;国有联营企业1个,从业人员9人;有限责任公司2个,从业人员23人;私营企业(私营独资企业、私营有限责任公司、私营股份有限公司)13个,从业人员241人。是年,住宿业6个,从业人员201人。其中国有企业2个,从业人员136人;集体企业1个,从业人员4人;有限责任公司1个,从业人员44人;私营企业2个,从业人员17人。餐饮业5个,从业人员325人。其中集体企业1个,从业人员48人;国有联营企业1个,从业人员68人;股份有限公司1个,从业人员94人;私营企业2个,从业人员115人。

2008年,限额以上批发企业的所有制形式有:有限责任公司(含国有独资公司、其他有限责任公司)、股份有限公司、私营企业(含私营有限责任公司)等。限额以上零售企业所有制形式有:国有企业、有限责任公司(含国有独资公司、其他有限责任公司)、股份有限公司、私营企业(含私营独资企业、私营合伙企业、私营有限责任公司、私营股份有限公司)等。住宿业和餐饮业的所有制形式有:国有企业、私营企业(含私营有限责任公司)等。

2008年,全市限额以上商业批发法人单位5个,从业人员52人。其中有限责任公司3个,从业人员34人;私营企业2个,从业人员18人。5个批发法人单位都属私人控股企业。限额以上商业零售法人单位4个,从业人员233人。其中国有企业1个,从业人员37人;有限责任公司1个,从业人员15人;私营企业2个,从业人员181人。4个零售法人单位有3个是私人控股企业,1个国有控股企业。

2008年,全市住宿业法人企业2个,从业人员219人。其中国有企业1个,从业人员154人;私营企业1个,从业人员65人。餐饮业法人企业3个,从业人员261人。3个餐饮业法人企业都是私营企业。

个体零售业、住宿业、餐饮业网点遍布城乡,不计其数。

第三节 社会消费品零售

1988年9月,中共十三届三中全会提出治理经济环境、整顿经济秩序,全面深化改革的指导方针。经过2年的治理整顿,1991年贵溪市场随着经济的全面回升,流通秩序进一步好转。政府和有关部门采取多种措施,努力开拓市场,促进商品销售。对关系国计民生的主要商品实行专营;对质次价高、超储积压的一般性消费品和物资,进行清仓压库,削价处理。是年,社会商品零售总额达到15774万元,比1990年增长16.4%。消费品零售额13249万元,比1990年增长20.1%。其中,对居民的消费品零售额12446万元,比1990年增长22.8%;对社会集团的消费品零售额803万元,比1990年896万元下降10.4%,对社会集团购买力的控制取得明显效果。是年,市场零售物价涨幅平稳,虽然年内出台一些调价措施,如粮油价格放开,但没有引起零售价格的大波动。

1994年,贵溪消费品市场繁荣活跃,全年社会消费品零售总额28037万元,比1993年增长36.2%,比1991年翻了一番。由于前2年社会需求增长过快,货币超经济发行的滞后影响,部分农产品因灾减产,加上国家政策性调价和一些物价的宏观改革措施出台,使市场价格大幅度上升,成为经济生活的突出问题。

1995年国内消费品市场稳中趋旺,贵溪社会消费品零售总额达到38055万元,比1994年增长35.7%,扣除物价上涨因素,实际增长16.9%。物价涨幅得到控制,但涨幅仍然偏高。到1996年年底,物价涨幅明显回落,消费品市场繁荣,商品供应丰富,全市社会消费品零售总额达到48405万元,比1995年增长27.4%,扣除物价因素,实际增长19%。

云梦超市金峰店

1999年，在国家增加城镇中低收入居民收入，扩大销售信贷，连续下调利率等多种政策作用下，国内市场商品销售稳中趋活。到2000年，假日消费日趋活跃。是年，全市社会消费品零售总额63902万元，比1999年增长12.6%。这一年农村消费品市场增幅较大。社会消费品零售总额首次超过2亿元，达到20686万元，增长19%，比1999年8.96%增幅翻了一番。而城区社会消费品零售额只比1999年增加3943万元，达到43216万元，仅增长9.8%。农村比城区的增幅也翻了一番。

从2002年起，消费热点开始向通信、住房和汽车等领域发展，与假日消费一起，成为新世纪消费品市场的新亮点。全市消费品市场繁荣、旺盛、活跃，表明人民生活水平有较大的提高。2003年，全市社会消费品零售总额达到85129万元，比2002年增长11.3%。到2005年，社会消费品零售总额突破10亿元大关，达到131932万元，比2004年增长16%。但农村消费品零售额从2002年起增幅缓慢，一直在个位数上徘徊。直到2006年，才有较大幅度的增长，达到28.8%，社会消费品零售总额达到40659万元。这与国家取消农业税和义务教育阶段的学杂费等惠农政策不无关系。

2008年，全市社会消费品零售总额突破20亿元，达到220596万元，比2007年增长23.6%。城区社会消费品零售额162725万元，增长23.1%；农村社会消费品零售额57871万元，比2007年增长24.7%。城区和农村增幅齐头并进，出现城乡市场共同繁荣、共同发展的局面。

全市社会消费品零售总额从1991年的1.3亿元，到2004年的9.8亿元，用13年时间，而从2004年的9.8亿元到2008年的22亿元，只用4年的时间，而且连破10亿元、20亿元大关。

1993—2008年贵溪市社会消费品零售总额一览

表12-3　　单位：万元

年份	社会消费品零售总额	按销售地区分		按经济类型分				按行业分				
		市（城区）	市以下农村	国有经济	集体经济	个体	其他经济	批发零售贸易业	餐饮业	制造业	其他	（其中：农民对居民）
1993	20591	12456	8135	5113	2287	13187	4	14219	2006	1415	2951	2237
1994	28037	16708	11329	6645	3523	17869	—	19657	1640	2342	4398	3107
1995	38055	23440	14615	12806	2876	18428	3945	26466	2168	3452	5969	3945
1996	48405	33779	14626	14187	3735	24234	6249	30362	3686	5791	8566	6249
1997	51523	36063	15460	18565	3909	24283	4766	35027	1809	6027	8660	4766
1998	53992	38041	15951	16684	4951	27009	5348	38505	2554	4683	2902	5348（以下为“农业生产者”）
1999	56753	39373	17380	—	—	26057	—	40886	2739	4732	3130	5626
2000	63902	43216	20686	—	—	29145	—	47305	2868	4074	3790	5865

续表 12-3

年份	社会消费品零售总额	按销售地区分		按经济类型分				按行业分				
		市(城区)	市以下农村	国有经济	集体经济	个体	其他经济	批发零售贸易业	餐饮业	制造业	其他	(其中:农民对居民)
2001	69738	46940	22798	—	—	—	—	52622	3207	4126	3999	5784
2002	76493	52862	23631	—	—	—	—	68159	3771	—	4563	5840
2003	85129	60953	24176	—	—	—	—	76526	4147	—	4456	—
2004	98022	72733	25289	—	—	—	—	89216	4324	—	4482	—
2005	131932	100355	31577	—	—	—	—	120026	11428	—	478	—
2006	152679	112020	40659	—	—	—	—	135523	16738	—	418	—
2007	178566	132158	46408	—	—	—	—	158480	19646	—	440	—
2008	220596	162725	57871	—	—	—	—	195100	24938	—	558	—

第四节　归口大集体商业

中共十一届三中全会以后,为落实下放知识青年政策,解决城镇待业青年就业问题,从1979年起,商业局陆续接受劳动人事部门安排下放知青和待业青年到商业系统就业。此部分职工属县以上大集体编制,称大集体职工。其工资级别、人事管理与全民职工享受同等待遇。到1986年,全商业系统有归口大集体职工584人,占全部职工1425人的40.98%。

此批大集体职工分配到各公司后,其就业形式大致有三种情况:一是与全民职工分开,单独成立管理机构,由公司派人协助管理,指导业务开展;公司提供起动资金或商品,待盈利后归还公司。如百货公司大集体,1986年有职工104人,租用私人临街店面,组建8个小商店,经营百货四大类商品和烟、酒、盐等副食品。会计、出纳、业务人员由大集体职工担任,独立核算,自负盈亏。二是混岗使用。即与全民职工一起,同一商店(或同一工作场所)、同等待遇。三是一部分职工混岗使用,一部分职工独立核算、自负盈亏。

归口大集体商业的鼎盛时期是1979—1986年。这个时期个体商业和私营商业正起步,人员不多,网点有限,经营一些小商品或从事饮食服务业,大集体商业还有发展空间。到80年代后期,个体、私营商业异军突起,发展迅猛。一些私人临街店面或收回自己经营;或年年增加租金,大集体企业不堪重负被挤掉。大集体商业发展空间越来越小,纷纷歇业关闭。到20世纪90年代初,独立核算的大集体企业全部退出市场,职工下岗另谋出路。极少数混岗职工与全民职工一起,逐渐失去经营能力,陆续下岗。到2000年产权制度改革后,与全民职工一样,身份置换,作一次性安置,成为“社会人”。

归口大集体商业,对解决下放知青和待业青年就业、稳定社会、满足人民生活需求和贵溪商业的发展,作出过积极贡献。但存在时间不长。1996年,贵溪商业系统有职工1645人,其中归口大集体职工621人,占职工总数的37.75%;到产权制度改革的2000年底,商业系统有职工1784人,其中归口大集体职工588人,占职工总数的32.95%。三分天下有其一。

第五节　商业经济体制改革

1987年2月下旬至3月底,为贯彻落实江西省政府(86)64号文件精神,贵溪县商业局组成三个工作组,分别到饮食、食品和副食品3个公司进行承包租赁经营试点工作。

同年11月,贵溪县委、县政府印发《关于深化企业改革,全面推行租赁承包经营责任制的实施办法

（试行）》（贵发〔87〕34 号文件），商业系统开始全面推行租赁承包责任制的准备工作。1988 年 1 月，商业局与所属公司、厂（不含石油公司）签订为期 3 年（1988—1990 年）的承包合同。各公司、厂与下属门店、批发部、车间、食品站签订承包或承租合同，国有商业企业开始第一轮承包租赁经营。1991 年，又进行为期两年的第二轮承包。

1992 年 3 月，根据江西省政府〔1991〕4 号和省商业厅等 3 个部门〔1991〕114 号文件精神，贵溪县政府印发《贵溪县国合商业零售企业深化改革试行办法的通知》（贵府发〔1992〕6 号），商业局组成 3 个工作组，分赴百货、五交化、副食品 3 个公司 6 个门市部进行"四放开"（即经营、价格、用工、分配四放开）的试点工作，为期 1 个月，继尔在全系统推行。

1993 年，根据江西省体改委等 6 个部门《关于在全省国有小型企业实行"国有民营"改革试点的意见》精神，在全商业系统推行"国有民营"改革。"国有民营"改革是在"四放开"的基础上，一种更加灵活的租赁经营。这种经营方式不触及产权，只是把公司的店面和设施租给职工集体或个人经营，公司收取房租和统筹费，流动资金由职工自筹。也有一些公司给少量的起动资金铺底，每个职工 1000—4000 元不等，多数用商品作铺底资金，公司分期收回。到 1993 年，全系统 143 个门店（含门店、班组、车间、食品站）有 131 个实行"国有民营"，占 143 个门店的 91.6%。其中本系统职工"国有民营"门店 79 个，占 131 个门店的 60.3%，其余 52 个门店租给系统外人员经营。到后期，一些公司的铺底资金，基本上收不回。

1998 年，贵溪市政府转发《鹰潭市国有企业股份制或股份合作制改造试行办法》等 11 个配套文件，贵溪市商业局组成 3 个工作组分片协助公司进行转机建制改革工作。各公司、厂根据实际情况，按照"宜股则股、宜售则售、宜租则租"的原则，分别采取租赁、出售、股份合作等形式，进行转机建制改革。

1998 年、1999 年，有些公司采取"母体裂变"形式，把公司划分为几个子公司，自筹资金经营；有些公司采取资产置换，人员带资分流形式；有的组建新的股份合作制企业。

从 1996 年起，为筹资续建铜城商业大厦，筹资还贷、经营、安置职工、给离退休职工发退休金和报销医疗费、给下岗职工发生活费，纷纷变卖资产。如五交化大楼（一、二、三、五层约 1200 平方米）、百货公司桥头批发部和南大街两处危房、百货公司站前北路的四层大楼、副食品公司大南门商店、食品罐头厂（约 8000 平方米）、煤炭公司烧箕山办公楼（一楼门店、二楼办公、三楼宿舍）、液化气公司在雄石东路的临街店面（约 167 平方米）都整体出售。有的以与房地产开发商联合开发的方式变现资产。如商业仓库的三块土地（约 2300 余平方米）、百货公司火车站仓库、南大街第一商店和公司食堂、饮食服务公司贵溪饭店食堂和向农菜馆厨房等。流口商业农场（也称商校）则长期（50 年）租给开发商办"流口钓鱼休闲山庄"。

1998—1999 年，根据市政府〔1998〕6 号文件精神，相继成立大众食品有限公司、五金交电采购供应有限公司、广告装潢装饰有限公司、旅游发展有限公司和机械化生猪屠宰场等股份合作制企业。除生猪屠宰场现仍在经营外，其他几个股份合作制企业存在时间都很短。

灯芯糕厂把厂房、设备租给职工自筹资金生产经营后，集中力量抓灯芯糕系列产品的研发。他们在科委和有关部门的支持下，开发出"铁拐李"牌灯芯糕水果型和保健型系列产品，深受顾客欢迎。续后又聘日本食品保鲜专家到厂进行灯芯糕保鲜试验，取得一定成果，打破以往季节性生产的局限，可全年进行生产。

随着社会主义市场经济体制的建立、发展和完善，个体、私营商业异军突起，迅猛发展。1991 年 7 月，贵溪县城国有商业网点约 60 个左右，而私营和个体商业网点已达到 949 个，相当于国有商业网点的 16 倍。到 2003 年，仅限额以下批发零售贸易业的私营商业企业 32 个，从业人员 1396 人，销售总额 2552 万元，而个体商业企业却有 4040 个，从业人员 9113 人，销售总额 71161 万元。

国有商业由于旧体制旧机制的束缚，竞争力迅速下降，发展空间越来越小。加之人员多、开支大、负担重、底子簿、资金缺，经营状况每况愈下。1990 年以后，商业系统一直处于亏损状态。到 1995 年年底，固定资产总额 2066 万元，负债总额 1964 万元，负债率高达 95.5%。而且在职的 1337 名职工中，下岗发生活费的有 447 人（当时每人只有 30～50 元不等），停薪留职、没有生活费的 372 人。厂口大集体企业几乎退出市场。全系统还要担负337名离退休人员的退休金和医疗费、99名遗属生活费。国有商业举步维艰,发展后劲乏力。此时,省委、省政府提出“县域经济以民营经济为主体”的改革思路,进行产权制度改革,调整所有制结构已势在必行。

2000年1月,贵溪市委、市政府《关于印发贵溪市国有集体企业产权制度改革若干试行办法的通知》(贵发〔2000〕1号)下发,商业系统开始全面推行产权制度改革,实行资产和职工身份“双置换”,资产变现用于还债,一次性安置职工,职工由“国家职工”“大集体职工”成为“社会人”。经过清产核资和资产评估、制订方案和上级审批、资产拍卖变现和安置职工等程序,到2002年年底,商业系统11个公司、厂、库产权制度改革基本结束。百货公司、食品公司、饮食服务公司、盐业公司和灯芯糕厂分别组建民营股份制企业;蔬菜、煤炭、糖酒副食品、五交化、商业仓库、液化气等公司在改制中解体。

2000—2001年贵溪市商业系统改制收支一览

表12-4　　单位:万元

序号	企业	收入	支出	序号	其他项目	收入	支出
1	灯芯糕厂	151.98	144.98	14	拨购档案柜	2.00	1.94
2	盐业公司	77.14	79.14	15	改制经费	6.00	—
3	五金交电公司	16.45	16.45	16	归还工行贷款	50.00	50.00
4	副食品公司	250.31	226.62	17	大楼评估	0.50	0.50
5	商业仓库	88.11	77.53	18	何小春工资	0.72	0.72
6	食品公司	525.14	507.02	19	老干部电话费	6.36	3.10
7	蔬菜公司	214.03	189.31	20	下岗职工生活费	20.00	20.00
8	罐头厂	12.00	2.00	21	办理他权证	0.60	0.60
9	饮食公司	423.52	406.38	22	利息收入	1.94	—
10	煤炭公司	337.38	313.38	23	其他收入	6.04	—
11	百货公司	364.46	351.69	24	公费办离休药费	—	62.06
12	五交化公司	59.99	65.09	25	改制费用支出	—	154.39
13	液化气公司	181.40	168.80	合计		2796.08	2841.70

第三章　对外贸易

第一节　管理体制和机构

贵溪市对外贸易经济合作局从1976年成立以来,一直行使着全市对外经济贸易的职能。

1976年3月4日,经贵溪县革命委员会批准,成立贵溪县外贸局和贵溪县外贸公司,隶属贵溪县商业局革命委员会。当时从商业局下属各公司调入10人,组建外贸局和外贸公司。

1978年,供销合作社从商业局划出,外贸局、外贸公司划归供销社管理。

1980年4月,贵溪县外贸局从供销社划出,为县直属局。

1991年,贵溪县对外经济贸易公司由省外贸厅、鹰潭市外贸局条管。外贸局与外贸公司合署办公。

1992年2月24日,贵溪县政府印发《关于恢复贵溪县对外经济贸易局的通知》(贵府字〔1992〕18号),通知规定贵溪县对外经济贸易局为县政府下属管理对外经济贸易的职能部门,与对外经济贸易公司合署办公,一套人员,两块牌子。

1993 年,贵溪县机构编制委员会印发《关于核定对外经济贸易事业编制的通知》(贵编字〔93〕2号),对外经济贸易局定为正科级事业单位,核定事业编制 3 名,经费由县财政拨付。

1996 年 10 月,贵溪撤县设市,县外贸局、外贸公司更名为贵溪市对外经济贸易局和贵溪市对外经济贸易公司。

2000 年 4 月 15 日,鹰潭市政府决定:从 2000 年 5 月 1 日起,县(市)对外经济贸易公司的人、财、物划归县(市)管理。

2000 年 12 月 14 日,贵溪市企业转机建制指导委员会批准贵溪市对外经济贸易公司改制方案。2001 年 5 月改制结束,公司资产变现,39 名职工和 9 名离退休人员一次性安置,外贸公司解体。

从 2000 年起,外贸进出口管理体制相应进行改革,原来由外贸局和外贸公司组织供货出口,改由市对外贸易经济合作局组织协调、指导,企业自主经营进出口业务,报对外贸易经济合作局备案。

2002 年 11 月,市委、市政府《贵溪市机构改革方案》规定:原商业局、外贸局、二轻局、乡企局、物资总公司的行政管理职能划入经贸局,对外保留贵溪市对外贸易经济合作局的牌子。保留一名领导职位,外贸局长担任经贸局党委委员,取消 5 名行政事业编制。

第二节　出口贸易

出口贸易企业

2008 年,贵溪市共有进出口经营权的出口企业 30 多家,其中省级重点出口企业 5 家。分别有:江铜股份有限公司、江西贵雅照明有限公司、贵溪市三元冶炼化工有限公司、江西麒麟化工有限公司、江铜集团(贵溪)新型材料有限公司、江铜集团进出口有限公司、江西省贵溪市对外经济贸易公司、江西省贵溪化肥有限公司、海利贵溪化工农药有限公司等。委托代理出口的企业有:贵溪市大忙人实业有限公司、贵溪市金沙蔬菜加工厂等。

出口贸易商品

1991—2000 年,主要由外贸公司组织出口货源,供应江西省外贸厅有关进出口公司。这期间出口的产品有四大类:粮油食品类、五金矿产类、土畜产类、化工医药类。主要出口商品有:大米、柑橘、早梨、金针菇、香菇、蜂蜜、生猪、牛、鸭、鸡、田螺、蛇,各种畜产品及皮张、肿节风、有水醋酸钠、无水醋酸钠、山茶籽油、薄荷油等。

2001—2008 年,市对外贸易经济合作局担负着全市对外贸易的协调服务、宏观管理和指导工作。该时期的出口产品有:

江铜集团股份有限公司(省属大型企业、省重点出口企业)生产的阴极铜、三氧化二砷、白银等产品。主要销往日本和东南亚。

江西贵溪化肥有限公司(省重点出口企业)生产的磷酸氢二铵、复合肥等产品。主要出口到越南、尼泊尔、日本、韩国、泰国、印度尼西亚等国。

江西贵雅照明有限公司(省重点出口企业)生产的节能灯、节能灯管等产品。主要出口到韩国、斯里兰卡、美国等国家。

海利贵溪化工农药有限公司(省重点出口企业)生产的甲萘威、残杀威、甲萘威 85% 等产品。主要销往泰国、土耳其、美国。

贵溪三元冶炼化工有限公司(省重点出口企业)生产的精铋、铅锡、碲、锭、氧化铋等产品。主要出口到欧洲、美国、日本、韩国、澳大利亚等国家。

江西麒麟化工有限公司生产间羟酸、苯甲酸、酰氯、氧化特威等产品。主要出口到日本、印度、加拿大、波兰等国家。

贵溪市大忙人实业有限公司生产的产品葛粉丝。主要出口到日本、韩国、东南亚。委托上海市帝满国际贸易有限公司代理出口 600 万美元。

贵溪市金沙蔬菜加工厂生产的竹笋、食用菌、藠头等蔬菜罐头产品。主要出口到日本、美国、英国、法国等国家。截至2008年,共委托代理出口3800万美元。

出口贸易额

出口贸易额分为两个阶段。第一阶段从1991—1999年,市外贸局与市外贸公司(两块牌子一套人员)完成的出口供货额4351万元人民币。第二个阶段从2001—2008年,由市对外贸易经济合作局组织协调,指导出口贸易,共完成出口额98487万美元。

第三节 进口贸易

进口贸易企业和产品

进口贸易企业主要有江西铜业股份有限公司、江铜集团进出口贸易有限公司、贵溪三元冶炼化工有限公司、江西贵雅照明有限公司、江西麒麟化工有限公司等。主要进口产品有:铜矿石、粗铜、阴极铜、废碴铜、机械设备、配件等。

进口的国家和进口额

主要进口智利、秘鲁、哈萨克斯坦、美国、南非、日本和韩国等国家。

从2001年开始实现了自营出口零的突破,外贸进出口贸易有较大发展。2001年进出口总额14014万美元。其中出口金额534万美元,进口金额13480万美元。到2008年进出口总额达到211475万美元,其中出口金额19962万美元,是2001年的39倍多,进口额191513万美元,是2001年的9倍多。进出口企业由2001年的2个,发展到2008年的25个。贵溪市对外贸易跨上新的台阶,有更多的出口产品打入国际市场。在国际市场上争得一席之地,有更广阔的发展空间,提高贵溪的知名度。2003年、2004年连续2年被省政府评为出口先进县(市)。2005—2008年连续4年被省政府评为全省开放型经济发展综合先进县(市)。

第四节 对外合作与劳务输出

对外投资合作

贵溪市金沙蔬菜加工厂对外投资合作项目 金沙蔬菜加工厂于2005年7月与上海绿色地带食品有限公司合作,并借上海国际大都市的窗口,于2005年年底与希腊某公司合作,投资750万欧元,新建了希中绿色食品有限公司。该公司占地面积7.3公顷,主要进口中国的香菇等食用菌菌棒,然后在菇场出菇,投放欧盟市场(美国、英国、法国)进行鲜销。日供鲜菇约2000千克,占有希腊鲜菇市场27%左右的份额,年销售额约330万欧元。

2008年8月,由金沙蔬菜加工厂投资120万美元,与朝鲜平壤一家公司合作经营,利用国际援建的自动控制温室进行反季节生产食用菌。除部分鲜销外,进行深加工,然后转口到欧洲等发达国家,从而避开发达国家设置的绿色壁垒,达到效益最大化。目前年产鲜菇约100万千克,年产值200万美元。

江西南方贵雅照明有限公司投资合作项目 2003—2007年,贵雅照明有限公司在斯里兰卡办厂,组建"斯里兰卡南方照明有限公司",投资60万美元,属中转加工贸易,主要生产节能灯。

合作收购北方秘鲁铜业公司股权项目 该项目由江铜股份有限公司与中国五矿公司共同运作,双方于2007年8月共同签订合作收购北方秘鲁铜业公司(NPC)股权项目。2008年3月,通过投资收购加拿大北方秘鲁铜业公司的股权,获得所拥有在秘鲁北方的四个矿权,其中主矿体资源量为:铜金属量330万吨、金70吨、钼8.6万吨。矿山建成后,预计年产铜可达14.4万吨,服务年限20年,建设投资9.76亿美元。

技术和劳务输出

巴基斯坦山达克铜金项目 该项目由中国冶金建设集团公司总承包,20世纪90年代初就承包该项目选矿厂的投产、达产和运行指导。迄今为止,江西铜业股份公司已派出785人的管理、技术专家和操作人员到巴基斯坦山达克铜金矿工作,累计创汇973万美元。至2009年9月,该矿山冶炼厂生产的

年2万多吨粗铜原料已经大部分销售给江铜。

*赞比亚谦比西铜项目*该项目由中国有色金属建设集团公司总承包，江铜股份有限公司从1995年就开始陆续派员参加建设。到2000年，派出1488人的管理和技术、专家到赞比亚谦比西工作，江铜股份有限公司人员有26人。

伊朗哈通阿巴德铜冶炼项目　2002年为伊朗哈通阿巴德冶炼厂编制操作规程已创汇50万美元。2003年完成伊朗哈通阿巴德铜冶炼厂每3个月60人的现场培训任务，完成营业额74万美元，合同额122万美元。2003—2005年，江铜集团股份有限公司共派出指导专家25人。

泰国大众铜业有限公司罗阳铜冶炼厂项目　2003年12月，江铜集团股份有限公司与泰国大众有限公司、天恒国际有限公司签订了罗阳铜冶炼厂投产和生产稳定服务合同。江铜集团股份有限公司派出约500人的管理专家到泰国罗阳铜冶炼厂提供有关冶炼投产和生产稳定期间转炉、阳极精炼和浇铸、硫酸和烟气处理车间以及电解车间的管理服务。至2005年5月，江铜股份有限公司已派出311人的管理专家和技术专家到罗阳铜冶炼厂指导投产和达产，累计创汇63.7万美元。

1991—2008年，江铜集团股份有限公司劳务输出到伊朗25人，到泰国46人，到巴基斯坦296人，赞比亚84人，秘鲁1人。

1991—2008年，中国第四冶金建设公司累计对外承包营业额494万美元，劳务输出人员674人。

第四章　供销合作社

第一节　机　构

1996年，贵溪撤县设市，贵溪县供销合作社联合社更名为贵溪市供销合作社联合社，市供销社办公地点设在贵溪市建设大道28号供销大楼。

1991年，县供销社下设农业生产资料公司、土产棉麻公司、杂品茶果公司、贸易中心等专业公司4个，铜城瓷厂1个，下辖雄石、河潭、泗沥、白田、周坊、鸿塘、志光、罗河、雷溪、彭湾、盛源、塘湾、高公、文坊、西窑、双圳、冷水、耳口、上清、余家、鱼塘等21个基层供销社，按行政区划乡(镇)设立基层供销社，村级设立供销分店。

1992年县供销社联合社组建贵溪县供销社总公司(县社实行两块牌子一套人员)，当年，社属公司增设鸭类产品开发总公司。1993年，社属公司进行调整，县土产公司划为3个专业公司(土产公司、石油燃料公司、再生资源公司)，贸易中心6个专业公司(贸易中心、五交化公司、物资建材公司、综合贸易公司、机电设备化工公司、工业品贸易公司)。1995年增设食用菌开发公司，县以上公司设置增加到13个。1997年，原贸易中心母体裂变的6个专业公司，因亏损严重或无法运转，统一由工业品公司进行托管。社属公司保留8个公司，基层供销社调整为10个。

2008年，市供销社保留市供销社总公司，下设农业生产资料、再生资源、日用杂品3个公司，下辖塘湾、罗河、志光、周坊4个基层中心社和文坊、雷溪、耳口、泗沥、雄石、河潭等6个基层供销社。

人员队伍

1991年，县供销机关在编人员31人，事业单位，1995年，组建的贵溪市食用菌办公室，政府在外引进技术人员，6名财政拨款事业编制挂靠市供销社。2000年，市社机关在编28人，14人费用由市财政全额拨款。2003年市社机关定编28人，参照执行公务员制度。2007年机关在编24人，费用全额由市财政负担，工资进入财政统发。

1991年，全系统有干部职工1332人，1997年干部职工数为1402人，2000年全系统1264名干部职工、333名离退休人员、147名(企业负担的)遗属，共计1744人参加企业改制。

第二节 经 营

1978年,供销社与商业局分家后,通过10多年的发展和建设,到1991年全系统已拥有固定资产3650万元,26个独立核算单位,265个零售网点遍布全市各乡(镇)村,农村经营服务设施得到了较大的改善,为活跃农村经济,搞活农村商品流通,满足农民生产、生活需求,起到了重要作用。在完善农村经营服务网络的同时,城区供销社各公司的基础设施建设和服务功能也得了较大改善和提升。位于贵溪火车站对面,供销综合大楼(主楼高八层,占地面积1500平方米),于1991年5月正式开张营业;新建的化肥、农药仓库均修通铁路专线,于1994年年底竣工运营,属全省供销社拥有铁路专线的四家县级社之一。投资1000万元,占地21650平方米的柏里铜城瓷厂,也于1991年4月正式投产,生产的生活日用瓷、碗、盘、杯、碟质量过关,一代道教天师大尊瓷塑像也在此厂烧塑成功,结束贵溪产瓷土不产瓷器的历史,填补了贵溪瓷业生产的空白。2001年年底,通过招商引资在贵溪火车站对面兴建的占地面积600平方米11层的浙赣大厦全面竣工;2002年塘湾社通过改制盘活资产,投入120万元兴建占地面积800平方米5层的农贸市场综合大楼交付使用(该农贸市场底层拥有经营摊位60余个);在全系统改制结束后,市供销社加大了公司、基层中心社的基础设施投入,2006年投入90万元,在罗河集镇兴建占地600平方米三层的罗河中心社综合大楼;2007年投入80余万元,兴建占地7700平方米,建筑面积800平方米,符合安全要求、高标准的烟花爆竹仓库;2008年投入90万元,在塘湾新集镇兴建占地260平方米四层的塘湾中心社综合大楼;目前,供销社系统固定资产已超过3500万元。随着基础设施的不断投入,供销社的服务网络进一步得到加强和快速发展,特别是在改制以后,以"万村千乡市场"工程建设为契机,全面推进"农产品流通服务网络、农资连锁经营网络、再生资源回收利用网络、日用消费品流通网络"等四大服务网络建设。到2008年年底,已发展各种类型的专业合作社14个,农村综合服务社42个,专业交易批发市场2个,行业(农贸、再生、农产品经纪人)协会3个;农资连锁配送中心5个(其中:乡镇级4个),农资直销店、加盟店196个;再生资源回收经营站点56个;借助国家实施"万村千乡市场工程"建设,发展县级日用品超市1个、乡(镇)超市10个、村级农家店114个。烟花爆竹龙头批发企业1家,经营网点235个。

第三节 改革改制

体制改革

进入20世纪90年代,随着市场经济的逐步建立和完善,供销社原有的体制、机制已经滞后,实行多年的"联销计酬""五定一奖"(即定人员、定销售、定费用、定库存、定利润,按年度完成实绩核批奖金)目标管理责任制已不相适应。1992年为转换经营机制,供销社下属各公司、基层社全面推行"四放开"(即经营放工、价格放开、用工放开、分配放开)改革。总店门市部及重点分销店实行投标承包经营,人员自由组合,竞争上岗,富余人员留职停薪,鼓励职工自谋职业。1994年在"四放开"的基础上全面推行"社有民营,租壳卖瓤"的改革。全系统除农资继续实行统一经营、统一管理以外,所有经营网点将原承包经营的商品一次性拍卖给经营者,企业抽回铺底资金,让职工自筹资金、自主经营、自负盈亏、自我发展,企业收取门店租金。同时,对各单位仓库多年沉积的老商品进行彻底清仓,按质定价,进行一次性处理,全系统削价处理损失达350余万元。1997年,停产两年的铜城瓷厂进入破产程序,市供销社筹资50余万元,兑现农民工以资带劳集资款,并与138名农民合同工解除劳动关系。1998年,全社进行转机建制,社属八个公司、一个厂,采取一企一策,一企多制,因企制宜,宜股则股等多种形式进行改制,除市农资公司继续实行目标管理外,再生资源、石油燃料两个公司分别进行股份制改造,其他公司、厂则采取"先散后股",全员下岗分流,职工保留公职,企业发给生活费。各基层供销社除经营农资人员外,全部下岗分流,全系统下岗自谋职业人员802个。

两个置换

2000 年,按照市委、市政府《贵溪市国有、集体企业产权制度改革若干试行办法》〔2000〕1 号文件,市供销社在全系统内全面展开产权制度改革,以公司、基层社为改制单位进行清产核资,各单位参照市委、市政府〔2000〕1 号文件有关规定,结合社情制定改制方案,并经职工大会通过统一实施。市属公司改制时间统一定为 2001 年 6 月 30 日,职工安置标准为:每年工龄发给 500 元安置费。基层供销社改制时间统一定为 2001 年 12 月 30 日,职工安置标准为:每年工龄发给 300—400 元安置费。各单位通过拍卖资产,安置职工,实现企业产权,职工身份"两置换"。经过全社干职近四年的努力,到 2004 年年底全系统 1744 名改制对象(其中在职职工 1264 人、离退休人员 333 的、遗属 147 人),除雄石、河潭两基层社因改制资金未到位,在 2008 年完成改制外,全部进行一次性安置,职工安置率达 100%。改制后职工与企业解除劳动关系,办理脱钩手续,其党组、计生、综治等关系移交户籍所在地,统一归属地管理。

在改制中,全系统共处置社有资产 1492 万元,同时,市供销社通过多次协商和努力,以 238 万元买断了全系统历年在银行贷款 7930 万元的债务,企业减债率为 90%,供销社系统通过产权制度改革,安置职工,甩掉(人员、债务)包袱,盘活资产,创新体制,激活企业,发展框架已基本形成。

基层社调整

基层供销社的建制,从 1994 年开始,打破行政区划按经济区域进行了调整,首先上清、龙虎山两基层社从贵溪划出,归鹰潭龙虎山旅游局管辖,先后将彭湾社并入罗河社、西窑社并入文坊社。1996 年经市政府批准,又将白田社并入泗沥社、盛源社并入雷溪社、高公社并入塘湾社、冷水社并入耳口社、双圳社并入文坊社、鸿塘社并入志光社、余家社并入罗河社,全系统保留 10 个基层社的建制。基层供销社的调整,增强为农服务实力。2001 年 4 月 13 日全国政协副主席、全国供销合作社总社主任白立忱来江西调研工作时,专程到塘湾供销社考察,对塘湾供销社领办专业合作社,发展为农服务项目,积极参与农业产业化经营的做法,给予充分肯定和高度评价。2002 年塘湾供销社被评为全国供销社系统先进集体,该社主任刘分考由于业绩优异,贡献突出,多次被评为省、市供销社系统先进个人,2007 年被全国供销合作总社、人事部授予全国供销社系统劳动模范。

全国政协副主席白立忱到塘湾供销社考察

2004 年,供销社对基层供销社的建制再次进行调整,按经济区域组建塘湾、罗河、志光、周坊等 4 个基层中心社,保留文坊、雷溪、耳口、泗沥、雄石、河潭等 6 个基层社建制。

经营

随着改革开放的逐步深入,农村个私商业的迅速发展,到 1991 年供销社在农村独家经营模式已被彻底打破,全社经营的生活资料(生活日用品)销售额逐年递减,生产资料(化肥、农药)一块由于实行农资专营,销售市场占有率一直保持在 80% 以上。

1995 年,供销社按照中共中央国务院《关于深化供销合作社改革的决定》(中发〔1995〕5 号文件)精神,紧紧围绕把供销合作社真正办成农民合作经济组织这个目标,真正实现为农业、农村和农民提供综合服务的宗旨,真正成为加强党和政府与农民密切联系的桥梁和纽带。采取"公司 + 农户"的形式大力发展为农服务项目,当年创办了养鸭、土鸡,种植食用菌等生产基地。2007 年食用菌种植已在全市发展到 800 万袋规模,当年被列为全市十大支柱产业之一。随后创办的养猪、养兔、饲养美蛙、菜牛,种植荸荠、中药材、雷竹笋等生产示范基地,为农业产业结构调整,带动农民增收,帮助农民致富起到积极推动作用,得到较好的社会效益。

1999年,按照国发〔1998〕39号文件精神,深化化肥流通体制改革,通过适度竞争,促进内部管理,强化服务功能,农技推广站、土肥站、植保站(简称农业“三站”参与化肥经营,农资市场一度混乱,品种不全,价格不稳,质量无法保证,农资经营受到很大冲击,为适应市场变化,为农民提供优质服务,充分发挥市农资公司、基层社在化肥流通中的主渠道作用。经市政府同意在全市推行农资“物技结合”的经营方式,供销社发挥网点、经营优势,农业“三站”发挥农业科技、信息优势,相互合作,优势互补,共同建立和完善农营服务体系,取缔非法经营,制止哄抬化肥价格、牟取暴利和低价倾销、冲击市场的不正当竞争行为,规范农资市场,维护正常流通秩序。

2006年,为确保全市农业用肥和救灾用肥应急所需,市政府建立化肥储备制度,市财政每年安排10万元储肥贴息资金,由供销社负责化肥储备和经营。

供销社系统在改制后,由于体制、机制的创新,公司、基层社人员一律实行聘用制,调动了员工的工作积极性,促进经营业务的全面展开,全社销售利润在3年内翻了一番,取得较好的经济效益和社会效益,各项工作年年上台阶。贵溪市供销社(从2005—2008年)连续4年被评为全省供销社系统“十佳县级供销社”。

1991—2008年部分年份贵溪市供销社主要经济指标一览

表12-5　　单位:万元

年 份	商品购进总额	商品销售总额	上缴税费总额	实现利润总额
1991	4958.09	5644.4	32	-31
1993	4010.51	5234.38	51	-90
1996	8907.55	10100.51	19	1.5
2000	10779.38	12002.09	21	2
2002	5240.53	6001.03	11	26
2004	4815.92	5149.26	8	33
2005	5827.26	6230.60	22	49
2006	7866.80	8411.31	30	60
2007	11170.85	11944.06	37	78
2008	16197.74	17199.45	42	121

第五章　旅　游

第一节　机构与设施

机构

贵溪县旅游局1990年8月成立,为二级局。

2003年3月,根据《贵溪市旅游局职能设置、内设机构和人员编制规定》,贵溪市旅游局升格为市政府直属正科级事业单位,核定事业编制4名(其中局长1名、副局长1名、股级职数1名),参照执行公务员制度。

2006年,贵溪市首次成立由市长任组长,市政府分管副市长任副组长,发改、规划、旅游等22个部门为成员的贵溪市旅游发展工作领导小组。9月,成立由旅游局长任主任委员,旅游局、卫生局、消防大队、食品药品监督管理局、工商局为成员的贵溪市农家旅馆星级评定委员会。加大旅游发展工作组织领导力度。

设施

旅游酒店　2008 年，贵溪境内有两家二星级旅游饭店，一家是鹰潭铜苑宾馆，一家是贵溪市浙赣大酒店。在建星级酒店 3 家：一家是五星级的贵溪市龙虎山国际大酒店，一家是四星级的贵溪市汉江国际大酒店，一家是三星级的贵溪市格林豪泰酒店。

农家旅馆　2007 年，经省、鹰潭市两级星级评委评定通过，贵溪首批被评出 6 家二星级农家旅馆。分别是：樟坪上山度假村、樟坪畲家乐旅馆、樟坪家家乐旅馆、樟坪山哈旅馆、畲寨土菜馆、象山紫云农庄。

旅行社　至 2008 年年底，贵溪市共有 4 家国内旅行社。分别是：贵溪市星星旅行社、贵溪市最景峰旅行社、鹰潭市飞翔旅行社、鹰潭市环宇旅行社。

旅游商品 贵溪有较为丰富的旅游商品：灯芯糕、捺菜、茄子干、芋头干、高山茶叶、香菇、蜜梨、谷酒等系列产品，都是馈赠亲友的供选食品。

工艺品有：塘湾元宝篮、竹麻将席、贵雅节能灯等。

第二节　旅游资源

资源调查

2005 年 6—9 月，市旅游局组织对区域内的旅游资源进行普查。

普查以乡镇为基本单位展开，到实地进行调查，对资源单体进行定位，简易测量并拍照，确定旅游资源单体。填写《旅游资源单体调查表》。在野外实地调查结束后，将《旅游资源单体调查表》进行汇总，填写《旅游资源普查区实际资料表》，最后完成贵溪市旅游资源普查的调查报告。

2005 年贵溪市旅游资源分类及实体类别调查统计一览

表 12－6

主类	基本类型	景点景物实体
A	AAA 山丘型旅游地	青茅镜、阳际峰、香台山、云台山、甑盖山、挂榜山、香炉峰、三峰山、云梦山、卡子岗、天华山
	ABF 矿点矿脉与矿石积聚地	冷水鲍家银矿、冷水银海矿业、冷水天圆矿业
	ACA 凸峰	金顶峰
	ACE 奇特与象形山石	仙人桥、三阳铜府虎山、卧象山
	ACF 岩壁与岩缝	白鹤湖景区攀岩、一线天（即潜谷洞）
	ACI 丹霞	象山公园丹霞地貌
	ACL 岩石洞与岩穴	鬼谷小洞、龙虎金银仓
	AEA 岛区	船头山、油盐墩
B	BAA 观光游憩河段	信江、泸溪河、罗塘河、冷水河、白果树溪流
	BCB 跌水	漕源瀑布群、樟坪三际头瀑布、三叠泉瀑布、赣闽瀑布
	BDA 冷泉	张仪井
C	CAA 林地	塔桥果园、樟坪生态茶树基地、耳口林场、西窑林场、冷水林场、双圳林场、三县岭林场、河潭垦殖场
	CAB 丛树	千年姊妹枫
	CAC 独树	白果树、鬼谷洞千年古藤

续表 12-6

主类	基本类型	景点景物实体
E	EBA 历史事件发生地	太岩江家日本大屠杀遗址、盛源洞黄家日本大屠杀遗址、罗河镇日本大屠杀遗址、孙膑寨、苏秦台、鬼谷大洞
	EBB 军事遗址与古战场	鲁水坑古城墙、东坑古寨墙、熊家屋革命遗迹、上山太平天国古寨墙
	EBC 废弃寺庙	鬼谷凝真道观遗址
	EBD 废弃生产地	冷水林场废弃伐木场、塔桥废弃酒精生产厂
	EBE 交通遗迹	火烧关古驿道
F	FA 康体娱乐度假地	上山修竹山庄、畲乡风情园、白鹤湖景区
	FA 宗教祭祀活动场所	三阳硐、金峰寺、云台寺
	FAD 园林游憩区域	象山公园、塔桥梨街、知青庄园、西街公园
	FAF 建设工程与生产地	江铜工业旅游、雷溪农业示范园、双圳绿色加工厂、贵溪市火力发电厂
F	FAG 社会商贸活动场所	西排—山石村农贸街
	FBB 祭拜场馆	曾家祠堂
	FCG 摩崖字画	徐岩
	FCH 碑碣(林)	三丫革命烈士纪念塔、横岭烈士纪念塔、梅龙嘴革命烈士纪念塔
	FCI 广场	贵溪滨水景观广场、畲族文化广场
	FCK 建筑小岛	滨水广场雕塑、塔桥—白鹤湖景区入口雕塑、樟坪畲乡门楼、陆象山雕塑、鬼谷子雕塑
	FDA 传统与乡土建筑	畲族古建筑、塘湾古镇、耳口曾家古村落
	FDB 特色街巷	贵溪旧城南大街、塘湾中街
	FEA 陵区陵园	降家坪中共贵溪临时委员会旧址、周坊镇烈士纪念馆
	FFA 桥	贵溪大桥、信江大桥
	FGA 水库观光游憩区段	白鹤湖、太平畈水库、河潭水库、虾蟆石水库、白庙水库、枫林湾水库、塘湾水库、大禾源水库、白果树水库
G	GAA 菜品饮食	畲家饭、捺菜、腌菜浆蒸蛋、水菊果、上清豆腐
	GAB 农林畜产品与制品	灯芯糕、烤鲜牛肉、百子糕、螃蟹果、樟坪七姑茶、天师养生茶、山哈贡酒、香菇、笋干、竹地板、竹席、天师板栗、天师养生酒、潭花酒、泸溪鱼
H	HAA 人物	陆象山、鬼谷子、孙膑、庞涓、徐霞客、赵孟頫、徐绍、吴武陵
	HCB 民间节庆	畲族乌饭节、走亲节
	HCC 民间演艺	马灯舞、竹杠舞、烧篝火、吉么列
	HC 庙会与民间集会	青泥岗庙会、泗沥庙会、三阳硐庙会、甑盖山庙会
	HDC 商贸农事节	西排—山石村农贸市场、塔桥水果交易节、梨花节
	HCG 特色服饰	畲族服饰、畲族彩带
	旅游资源实体数量统计:148	

调查分类结果显示,贵溪市主要旅游资源单体有148个,分7个主类,21个亚类,48种基本类型。

贵溪旅游资源的主类、亚类、基本类型和国际的比率分别为87.5%、67.8%、27.1%,表明贵溪市旅游资源的主类和亚类占全国标准类型的一半以上,丰富程度高。基本类型种类数目少,仅占全国标准基本类型总数的1/4左右,表明作为旅游资源主要形式的基本类型种类较单一,不占优势。

贵溪旅游资源中,地文景观单体26个,水域风光单体10个,生物景观单体11个,遗地遗迹单体14个,建筑设施单体44个,旅游商品单体20个,人文活动单体23个。

资源分布

按贵溪市行政区划，对旅游资源进行区域分布分类，各乡镇所拥有旅游资源如下表：

贵溪市各乡镇旅游资源分布一览

表12－7

地区	单体名称	单位数量
市区	象山公园、象山书院、江铜工业游览、大岩江家日本大屠杀遗址、贵溪大桥、信江大桥、贵溪旧城门、挂榜山、青泥岗庙会（前在青泥岗，后迁至市区）、一线天（即潜谷洞）、仙人桥、三峰山、信江、贵溪滨水绿地广场、火力发电厂、滨水广场雕塑、陆象山雕塑	17
冷水镇	冷水河峡谷漂流、鬼谷小洞、大洞、凝真道观遗址、金银仓、金顶峰、白果树、白果树水电站拦水大坝、香台山、赣闽瀑布、鲁水坑古城墙、鲍家银矿、白果树溪流、冷水林场、龙潭、冷水鲍家银矿、冷水银矿、冷水天圆矿业、云梦山（鬼谷山）、冷水林场废弃伐木场、鬼谷子雕塑	20
樟坪乡	阳际峰、青茅镜、修竹山庄、甑盖山、火烧关古驿道、三际头瀑布、三叠泉瀑布、生态茶树基地、双圳林场、畲族文化广场、畲族古建筑、千年姊妹枫、卡子岗、东坑古寨墙、熊家屋革命遗迹、上山太平天国古寨墙、樟坪畲乡门楼、西排—山石村农贸街	17
耳口乡	漕源瀑布群、务义港曾家清代建筑群、天台山、云台山、耳口林场、云台山寺庙、曾家祠堂	9
志光镇	塔桥果园、梨街、知青庄园、塔桥废弃酒精厂、塔桥—白鹤湖景区入口雕塑、塔桥水果交易节、梨花节	8
周坊镇	三丫革命烈士纪念塔、横岭烈士纪念塔、梅龙嘴革命烈士纪念塔、降家坪中共贵溪临时委员会旧址、周坊镇烈士纪念馆、大禾源水库、三县岭营林林场（白田乡亦有分场）	7
雷溪乡	三阳硐、虎山、卧象山、蔬菜生产示范基地、三庙水库、罗塘河	5
鸿塘镇	白鹤湖景区、船头山、油盐墩、白鹤湖	4
塘湾镇	塘湾水库、古村落、罗塘河	3
罗河镇	日本大屠杀遗址、罗塘河	2
文坊镇	西窑林场、天华山	2
流口镇	金峰寺、盛源洞黄家日本大屠杀遗址	2
彭湾乡	白庙水库	1
白田乡	枫林弯水库	1
泗沥镇	泗沥庙会	1
余家乡	香炉峰	1
金屯镇	罗塘河	1

贵溪市旅游资源重点分布在市区、冷水、樟坪、耳口、周坊、志光等乡镇。反映在地图上，恰形成“以贵溪市区为龙头，以樟坪—冷水—耳口和鸿塘—志光—周坊为两翼”的资源分布格局。市区龙头资源多为建筑设施及其他人文资源，“樟坪—冷水—耳口”以生态资源及民族风情为主，“鸿塘—志光—周坊”以红色旅游资源和农业观光类型为主。

第三节　旅游开发

贵溪旅游开发按照“以龙虎山景区为龙头，贵溪、余江为两翼，道教文化为特色”的鹰潭大旅游格局，市委、市政府提出“以生态为本，文化为核，自然为景，以山、水、文、铜、民俗为主题”的旅游发展宗旨，把贵溪建成“显山、露水、绿色”的生态旅游城市。

白鹤湖景区

白鹤湖原称硬石岭水库，位于贵溪市西北部，东南距贵溪市区33千米，南距鹰潭市区20千米，属盆地型水库,建于1957年,1971年大坝加高3米,现有水面1067公顷,灌溉面积3667公顷,可养殖水面333公顷,库容总量4900万立方米,最高水位50.5米,是鹰潭市最大的水库。

水库东岸有虎岭岩、鸡公山等10余座山峰,山体为红色砂叶岩,具有丹霞地貌特征,拔地而起,形态各异,连绵成岭,与水库周围良好植被相得益彰,景色十分宜人。水库中还有5座形态各异的小岛。

水库辖区有农田17.6公顷,旱地15公顷,果园35.5公顷,鱼池7.3公顷,农产品、水产品丰富,果树葱绿,房舍掩映,鱼池阡陌纵横,炊烟袅袅,鸡犬相闻,一派田园风光。

继省委、省政府提出建设"三个基地、一个后花园"的发展方针,鹰潭市委、市政府倡议把鹰潭市建设成为"优秀的旅游城市"。1998年6月,硬石岭水库工程管理局邀请南昌大学旅游系的邵鸿等4位专家对库区实地考察,4位专家经过大量地调查研究、认真编写《贵溪市硬石岭水库旅游资源开发可行性分析报告》。报告提出库区独有的湖光、山色、田园风光3种特色,具体分析硬石岭水库旅游开发的市场前景。对开发工作做近期和远期规划,充分认证硬石岭水库旅游开发的巨大潜力。

1998年9月,投入2000余劳力完成土石方近8000余方,节约资金5万元,不仅将原先道路改直,而且还在进风景区的路口修建一座直径80米的环岛。经过各种努力,在1997年年底,基本上完成"四通一平"工作。

1999年,开发虎岭岩景点,开凿1.5千米的上山徒步旅游步道,并在4座主要山峰上建4座观景休息亭,并用无缝废弃钢管修建险要路段的护栏。经此初步建设已有游客陆继来水库游玩。2000年12月4日,贵溪市人民政府正式下发批文批准硬石岭水库风景区的旅游开发。2001年下半年到2002上半年,又经过多方筹资,建造340平方米的游艇售票房和休闲房。

2001年4月13日,贵溪市政府发文成立贵溪市白鹤湖风景旅游区管理局,将硬石岭水库正式更名为白鹤湖,同硬石岭水库工程管理局合署办公。成立以市长为组长的贵溪市白鹤湖旅游开发建设领导小组,经多方筹集资金100万元,相继兴建旅游开发前期基础项目工程。一是硬化景区水泥路面,接通鹰硬线,由鹰潭可直通景区;二是修建停船码头,购置3艘游艇,充分利用水上资源,开发水上娱乐观景项目;三是兴建白鹤湖风景区大门、售票房、检票房、小卖部;四是改造装修白鹤湖宾馆,提高接待游客的服务质量。

2002年4月1日,贵溪市旅游局正式批准将白鹤湖景区纳入市旅游总体规划之内。白鹤湖景区并于4月26日开张营运。2002—2003年以来,采取一边营运一边开发的办法,先后修建钓鱼台、九曲桥,景区大道靓化,整治修建了湖东岸竹林小道,绿化1千米东岸湖畔。

2003年9月,贵溪市人民政府委托杭州远见旅游开发有限公司,编制《贵溪市白鹤湖景区开发总体规划》和《贵溪市白鹤湖旅游开发区现代农艺组团详细规划》。

2003年9月,经鹰潭市人民政府同意,制定出台《白鹤湖景区生态旅游前期开发建设工作方案》。

2003年9月,为配合白鹤湖景区旅游整体开发,经贵溪市政府研究,成立白鹤湖生态农业观光旅游开发领导小组,分管副市长任组长,市政府办、农办、水利、林业、塔桥园艺场、硬石岭水库管理局等19个单位为成员。

2004年通过多方筹资,投资800万元,在贵溪市塔桥园艺场内划出果园33.4公顷建设生态观光果园。2004年年底生态园一期工程已竣工,主要建设项目有:

白鹤湖至塔桥生态旅游通道的硬化和绿化,路长4.5千米;旅游通道入口处花岗岩雕塑及绿化;梨街:街长188米、街宽15~50米,两边展示梨的各类品种;梨园广场呈椭圆形,面积1680平方米;入口广场呈半圆形,面积2530平方米;停车场呈半弧形,面积6200平方米;水果交易服务中心建筑面积1500平方米,主要提供交易洽谈、餐饮、住宿、购物等服务;承露台呈圆形,面积1200平方米,可作为露天餐饮点,同时作表演舞台;商业街街长500米,宽21米;生态园区道路硬化长3.5千米,在整个生态园区循环;生态园区小道架设果棚架2千米,栽种奇花异果供游人观赏;2004年7月6日,白鹤湖风景旅游区正式被水利部批准为"国家水利风景区";2004年9月26日,鹰潭市旅游局批准开通龙虎山至白鹤湖旅游线路。

大峡谷漂流风景区

冷水大峡谷漂流位于冷水镇富庶村横坑至大汪渡。2003 年 3 月,冷水镇政府与鹰潭市鼎先旅游实业有限公司合作开发冷水大峡谷漂流项目。10 月,由鹰潭市鼎先旅游实业有限公司投资开发漂流流程 4 千米。有皮艇 12 个,木筏工人 26 人,管理人员 4 人。主要景点有:卓玛滩、寨上滩、喜米滩、玉枕滩、鹰嘴岩及壮观的鹰厦铁路等。

2004 年 4 月,经鹰潭市旅游局批准,对外开放耳口、冷水绿色生态旅游线路。

江铜工业旅游区

江西铜业集团公司(以下简称江铜)是亚洲最大、现代化水平最高的铜生产基地,也是我国重要的硫化工原料及黄金、白银等稀贵金属产地,2008 年在世界铜行业中位列前三强。

江铜工业旅游,以生产场景、高科技生产设施、厂区环境和企业文化为资源的旅游。

江铜集团公司现代化的生产设备、领先工艺、壮观场景、稀贵产品和优雅环境,构成了令人向往的工业景区,为贵溪市开辟工业旅游线路提供得天独厚的条件。

江铜工业游将江铜的"概况前景""铜是怎样炼成的""铜产品贴近百姓生活""抱金砖、好运来"以及金、银、铜质纪念品等,培育成独特的旅游产品,紧密围绕铜文化,做足铜文章,形成具有当地特色的工业游品种。

2004 年 6 月,经鹰潭市旅游局批准,以"感受江铜 感受亲铜时代"为主题的江铜工业旅游线路对外开放。这是江西省开通的第一条工业旅游线路。

象山地质公园

象山地质公园位于贵溪中部,信江南岸畔,因象山书院而得名。公园地属武夷山余脉的西北麓,属典型的丹霞地貌,占地面积 884.8297 万平方米,为贵溪古时溪南诸胜主景区。

象山地质公园境内丹崖碧水,林茂泉清,岩穴冥冥,壁题隐约,自然人文景观众多,历史文化积淀深厚。有宋代理学巨擘陆九渊创立的象山书院遗址;有被明代著名旅行家徐霞客誉为"驾虹驭鹊之巧,恐不逾此也"的仙人桥;有明代宰相夏言聚友抒怀,修身养性的象麓草堂;有唐代名宦吴勔、文学家吴武陵父子对坐苦读的挂榜山。此外,有小隐岩、文峰塔、仰止亭、老人峰、龙口岩、三羊探母、金龟石、望鼓楼、观音岩、狮子岩、飞雪瀑布等众多自然人文景观 100 多处。古时众多名宦显达、墨客贤士在此讲经办学,饮酒赋诗,探幽揽胜。留下柳公权、赵孟頫、夏言、王安石、徐霞客、汪俅等人的仙踪、题刻和诗文。三峰山西峰上的"象山书院"4 字,乃明正德五年(1510)诏刻;中峰上"徐岩"2 字,为江西省已故社科院副院长、著名学者姚公骞所书。贵溪民间流传的"十不得"景观,此处就有 6 处,可见象山地质公园景点之紧凑。景区共有山峰 108 座,岩穴 72 眼,瀑布 36 处,水面 18 处,八山二分水。

象山地质公园地处中亚热带湿润季风性气候区,园内物种繁多,植物达 101 科,546 种,森林覆盖率达 73.3%;野生动物 50 余属、230 种。

2002 年年底,贵溪市政府提出在本区建立森林公园。

2003 年 6 月,由厦门市园林规划设计研究院编制《江西省贵溪市象山公园规划设计》,范围包括了规划地质公园的绝大部分地方,面积 700 公顷。

2004 年 11 月,贵溪市政府根据江西省国土资源厅《关于开展省级地质公园申报工作的通知》精神和当地的实际情况,决定申请建立象山省级地质公园。市政府委托江西省地质矿产局 912 队,对象山地质公园的地质遗迹等旅游资源进行综合考察,编写地质公园的综合考察报告和总体规划,为申报省级地质公园提供基础资料。

2005 年 6 月,象山公园被评为省级地质公园。

樟坪畲族民俗风情旅游区

畲族是一个古老而又具有浪漫色彩的少数民族,畲族有自己的语言,俗称山哈,近似客家话,畲族人民日常生活中都用自己的民族语言交流。畲族语言、歌谣(长曲、交恋、锁歌)是畲族的传家宝。畲族有自己的民俗节日,最具鲜明独特的节日为"乌饭节""会亲节""过年"等,每逢这些重大节日里,畲族人民会身着民族服装,聚在一起举办歌会,对山歌,跳马灯舞,竹竿舞、烧篝火等民俗活动来庆祝自己的节日。同时,畲族人民在婚礼、丧葬、祭祖等方面都颇具自己的民族特色。

2002 年,樟坪畲族乡旅游开发公司成立,推动樟坪旅游业的发展,先后兴建起上山修竹宾馆、畲寨山哈客楼、民俗文化村、图腾广场、景点简易山路等旅游基础设施项目。

景区内的生态旅游景点有:阳际坑峰、修竹山庄、十里竹海、甑盖山金顶、三际头三叠泉瀑布、千年姊妹枫、青茅境、火烧关、古驿道、古寨垒城墙、红军遗迹。

周坊红色景区

1929 年,方志敏、邵式平、黄道等老一辈无产阶级革命家到周坊,在周坊降家坪成立中共贵溪临时委员会,并以周坊为中心,建立赣东北革命根据地。1958 年以来,先后在周坊建造贵溪革命烈士纪念馆及三丫、横岭、梅龙嘴烈士纪念碑。近几年,市政府将通往这些纪念馆、纪念碑的道路进行水泥硬化,基础设施得到改善,周坊成为革命教育基地。

2003 年,市旅游局制作全市景区(点)旅游风光片,在市有线电视台每日流动播放。

2004 年以来,各乡镇、市旅游局先后委托旅游规划专家,编制《贵溪市鬼谷洞天旅游总体规划》《象山公园规划设计方案》《樟坪畲族乡旅游发展总体规划》《耳口曾家历史文化名村保护规划》。

2004 年,市旅游局在“贵溪政务网”开辟“贵溪旅游专栏”,这是贵溪第一个全面介绍贵溪旅游风光、民俗风情、旅游线路、土特产品等内容的综合性旅游网。

2006 年,利用新编纂出版发行《江西省地图集》之际,市旅游局对全市旅游资源在地图集上作了详尽的旅游资源标示。

2008 年 7 月,市旅游局委托北京中科景元城乡规划设计研究院编制《江西省贵溪市旅游发展总体规划》。

第十三卷 财政 税务

第一章 财 政

第一节 机构与队伍

机构设置

1991 年至 2003 年 3 月,贵溪财政局机关内设机构 8 个,办公地点设在擂古岭叶家塘菜场路口,1998 年搬迁至信江路粮贸总公司大楼,2001 年迁至建设路 452 号财政办公大楼。财政局直属事业单位 4 个,分别是农业税征收管理站,定事业编 3 名;中华会计函授学校贵溪市函授站,定事业编 2 名;财政驻厂工作组,定事业编 3 名;贵溪市国债工作办公室,定事业编 2 名,人员由财政局机关干部兼职。下属财政所 23 个,由市财政局与乡(镇)政府双重管理。2001 年 12 月随着乡镇机构改革,撤销西窑、双圳、古港、塔桥、雄石等 5 个财政所,增设雄石、东门、花园 3 个直属财政所。全市有 18 个乡镇财政所、3 个直属财政所。

市财政局办公大楼

2003 年 4 月财政局内设机构 11 个,下属副科级事业单位一个,即市农业税征收管理局(2002 年 7 月成立),办公地点设在建设路 452 号财政大楼。

下属股级事业单位 23 个,其中 21 个财政所、1 个中心(会计核算中心)、1 个站(中华会计函授站)。2003 年 1 月,会计核算中心下设五个核算柜组,办公地点设在建设大道建行二楼。中华会计函授站,2002 年撤销。

市乡镇财政管理局(2006 年 7 月由农税局更名为乡财局),为市财政局二级副科级单位,事业编制 15 个,下设乡财结算中心、契税窗口。

下属股级事业单位 24 个,即财政所 21 个、财政分局 2 个(工业园财政分局、铜产业循环经济园财政分局)、会计核算中心 1 个。

乡镇财政机构

从 1985 年开始,各乡(镇)设立财政所,全市共有财政所 21 个,自成立至 1996 年,财政所所长均由各乡(镇)长兼任。自 1996 年下半年开始,全市各乡(镇)长不再兼任财政所长一职,所长在财政干部中产生。2001 年 12 月机构改革,撤销西窑、双圳、古港、塔桥、雄石等 5 个乡(镇)财政所,新设雄石、东门、花园 3 个直属财政所。撤建后全市共有 18 个乡(镇)财政所,3 个直属财政所。

至 2008 年年底,全市共有乡财政所 18 个,分别是:文坊镇财政所、樟坪乡财政所、金屯镇财政所、塘湾镇财政所、雷溪乡财政所、罗河镇财政所、彭湾乡财政所、余家乡财政所、耳口乡财政所、泠水镇财政所、流口镇财政所、滨江乡财政所、泗沥镇财政所、白田乡财政所、河潭镇财政所、志光镇财政所、周坊镇财政所、鸿塘镇财政所;直属财政所 3 个,分别是:雄石财政所、东门财政所、花园财政所。

队伍建设

2008年下半年,会计科及财政培训中心遵照省、市有关文件对全市会计人员基本情况进行大规模普查。同时,建立健全全市会计人员业务档案,并按档案号码进行统一分类和保管。

会计培训　历年来,会计科及财政培训中心开展一系列会计培训活动,使会计人员继续教育培训工作逐步走上规范化道路。通过培训,会计队伍整体素质得到明显改善。

1991—2008年贵溪市会计人员培训情况一览

表13-1

年份	培训内容	培训地点	培训人数
1991	会计专业知识培训	函授站	38
1992	会计职称考试培训	函授站	93
1993	新会计法	函授站	144
1994	新旧会计制度衔接	函授站	189
1995	会计知识培训	函授站	265
1996	会计知识培训	函授站	362
1997	会计基础工作规范	函授站	473
1998	现金流量表	函授站	583
1999	企业会计准则	函授站	690
2000	新《中华人民共和国会计法》条文讲解	函授站	801
2001	企业会计制度	函授站	1077
2002	新会计准则—会计制度讲解	函授站	1129
2003	会计职业道德	财政培训中心	1209
2004	小企业会计制度	财政培训中心	1287
2005	民间非营利组织会计制度	财政培训中心	1319
2006	企业会计准则	财政培训中心	1371
2007	会计法规制度选编和企业内部控制规范	财政培训中心	1402
2008	金融证券投资知识培训和新企业所得税法	财政培训中心	1617

学历教育　中华会计函授学校是财政部主办的以培养在职会计为主的一所远距离、大规模、正规化的学校,自1987年创办以来为国家培养大批优秀会计人才。通过学历教育,全市财会人员队伍整体素质和学历、学识水平有明显提高。

会计电算化

市财政局制定《贵溪市会计电算化管理实施办法》,就全市会计电算化培训、软硬件的管理、验收审批等有关方面作出明确规定。1996年函授站与进修学校联合举办会计电算化培训班,当年培训20期共400人;从1997年至2000年年底,函授站每年举办18期会计电算化初级培训班,共有2000余名来自全市各基层的财务会计业务骨干参加培训学习,并获得上机合格证和江西省颁发的电算化笔试合格证书。

会计证管理　会计证是会计人员从事会计工作的资格证明。自1996年起,实行会计证年检制度。会计证年检采取"三结合"方法,即与会计基础工作规范化相结合,达不到规范要求者不予年检;与财检办相结合,在财务大检查中发现重大问题者不予年检;与在职后继教育相结合,不按规定参加继续教育者不予年检。由于制度约束,措施得力,近年来从未有会计人员因违纪被吊销会计从业资格证书,从而保证会计队伍的质量和信誉。

会计专业技术资格管理　1992 年 3 月 21 日,财政部、人事部联合下发《会计专业技术资格考试暂行规定》。自 1992 年起全国会计专业技术资格不再实行评审而改为考试。自实行考试制度以来,会计科及财政培训中心每年都组织会计人员参加全国会计专业技术资格考试。至 2009 年 3 月底,在全市持有会计从业资格证书的人员中,有 375 人通过评审和考试取得会计专业技术资格,其中具有高级资格的 17 人,中级资格的 149 人,初级资格的 209 人。

第二节　财政管理体制

鹰潭市对贵溪市财政管理体制

1991 年继续实行包干财政体制,即"核定基数、递增上解",确定的基数以 1987 年财政收入扣除不参与分成的城建税、排污费为基础,每年按 4% 比例递增包干上解。1991 年核定贵溪递增包干上解 466 万元。对贵溪电厂、贵溪冶炼厂税收实行单独结算上缴,即以 1987 年为基数,新增产品税、增值税、营业税 70% 为省级收入,30% 参与鹰潭市财政收入分成(其中贵溪得 9%,鹰潭得 91%)。

1994 年以来实行分税制财政管理体制。按照国务院和江西省政府关于实行"分税制"财政管理体制的决定和办法,县级收入来源有:划给地方的固定收入,中央与地方共享收入中地方分享部分,省与县共享部分。支出主要承担地方行政管理和公检法司所需经费,地方调整国民经济结构,协调地区发展,实施宏观调控所必需的支出以及事业发展所需支出。分税制的主要内容:

①县级固定收入:营业税、增值税 25% 部分,所属企业所得税、固定资产投资方向调节税、城市维护建设税、车船税、契税及所属企事业单位缴纳的其他收入。

②省与县共享收入:其他资源税、土地使用税、印花税、土地增值税、个人所得税、房产税等税种,省分享 50%,县分享 50%(其中上缴市财政 10%)。

③中央实行对地方税收返还制度。中央为保持地方既得利益格局,分税制体制制定税收返还办法,即以 1993 年为基数年,按分税后地方净上划中央的收入数额,作为中央对地方的税收返还基数,基数部分全额返还地方。从 1994 年开始,税收返还与消费税和增值税 75% 部分的增值率挂钩,每年递增返还,递增率按各地缴入中央金库"两税"增长率的 1:0.2 系数确定。

④分税制后,鹰潭市继续对贵溪电厂、贵溪冶炼厂及新增的贵溪化肥厂、贵溪银矿上缴的税收(基数外新增部分)实行单独上缴。对"四企业"上缴的增值税地方分享 25% 部分,其中 70% 为省级财政收入,30% 参与市财政收入分成,参与市财政收入分成的 30% 部分,贵溪得 9%,鹰潭得 91%。

⑤实行"分税制"后,原体制分配格局鹰潭市比照中央和省的办法暂不变,贵溪仍按 1993 年实际上解和递增率上解,1994 年核定贵溪定额递增上解 524 万元,从 2001 年起,递增上解改为固定上解,每年固定上解 663 万元。

乡镇财政管理体制

1991 年继续对乡镇实行"核定收支,增收分成,短收自补,两年一定"的财政体制。县财政视乡镇具体情况,对经济条件优越,财源较稳定,收大于支的乡镇实行总额分成。对经济条件差、收不抵支的老区乡镇,实行定额补助办法。乡镇建立乡金库,收支在乡镇金库核算,年终与县财政统一结算。

1994 年对乡镇实行"分税制"财政体制。对乡镇财政分配体制格局和原则不变,即财政收入按税种划分中央税、地方税、中央与地方共享税。凡在乡镇范围内增值税的 25% 部分,营业税、个人所得税、土地使用税、印花税、房产税的 40%,所属企业上缴所得税及利润,农业税及附加,农业特产税、屠宰税、契税、固定资产投资方向调节税、教育附加等固定收入全额列入乡镇财政收入,超收部分按原定财政体制实行比例分成。各项支出,除教育经费收回县管理外,其他各项财政开支按原定体制不变。

2003 年,对乡镇实行"核定收支、定额补助(或上解)、超收分成、欠收自补,一定两年"的财政体制。重新划分乡镇收支范围,在基本保持现行国家与省分税制财政体制格局及征收范围不变的情况下,对增收潜力大,易混淆级次的税种和用于确保乡镇教师工资发放的主体税种作为市、乡分成收入,划分级次,逐笔划解。市与乡镇分成税种为营业税和农业税,市分成 50%,乡镇分成 50%。乡镇财政支出主要承担乡镇基层政权运转所需的正常经费和乡镇经济及社会事业发展所必需支出。为进一步建立和完善农村义务教育经费保障机制,将农村中小学教师工资管理上收到市,按国家规定的标准及时足额发放,年终转作乡镇财政预算支出。为了调动乡镇抓经济及招商引资的积极性,市财政建立激励机制,对乡镇在市工业园区兴办的企业所交税收作为乡镇收入纳入乡镇征收范围,乡镇年终决算收入超过基数部分,市、乡按 3:7 比例分成。全年完不成收入基数,体制是上解的乡镇要确保解缴基数,体制是补助的乡镇,农业税和营业税欠收部分 50% 抵减补助基数。

2005 年对乡镇实行"核定收支、定额补助(或上解)、奖励发展"的财政体制。在上一轮体制的基础上,进行适当调整:农业税不再作为市、乡分成收入,全额作为乡镇的固定收入;经省批准为乡镇福利企业的税收,不计入乡镇的财政收入;人员经费的核定标准,按国家统一规定的现行工资标准测算出全市工资平均水平作为定额乘上实际人数核定出个人部分;公用经费按乡镇行政事业单位人员定编数 1000 元每编每年标准核定。乡镇通过招商引资、合资或自己投资等方式在市其他区域兴办企业所缴纳的税收(剔除上划和福利企业税收部分),按收入级次计入乡镇财政收入。年终乡镇财政收入超出收入基数部分,属于乡镇新增企业产生的税收部分,80% 由市政府奖励乡镇,作为乡镇新增财力年终决算补助给乡镇,主要用于弥补人员经费不足,重点投入农业基础设施、教育、科技、人口和计划生育、社会保障等方面。

第三节 财政收入

1991—2008 年,全市财政收入以工商税收为主。

1991 年,全县财政收入完成 6003.2 万元,包括纳入预算收入反映的社会保险基金收入共完成 7065.3 万元。

1994 年,对工商税收制度作结构性的全面改革,实施新的财税体制,充分发挥增值税优势,当年全县财政收入 9723 万元。1995 年财政收入开始跨入亿元县行列。后几年,财政收入保持较高的增长幅度,2005 年全市财政收入完成 10.03 亿元,成为江西省财政收入超过 10 亿元的第一个县(市),2006 年全市完成财政收入 14.56 亿元,2007 年完成 20.07 亿元,2008 年完成 23.09 亿元。

1994—2008 年贵溪市财政收入一览

表 13－2

单位:万元

项 目	1994 年	1995 年	1996 年	1997 年	1998 年	1999 年	2000 年	2001 年	2002 年	2003 年	2004 年	2005 年	2006 年	2007 年	2008 年
财政收入	9723	11956	14589	14801	13764	13952	15086	16520	18314	22330	26874	37575	51105	75978	93380
一、工商税收	7105	9341	10667	11412	10168	10016	10673	12346	13484	17042	21508	31313	43341	57277	66163
1. 增值税	3291	4459	4971	5020	3802	4255	5016	6210	6759	8821	11846	19587	29833	39201	42534
2. 营业税	2471	2884	3334	3483	3889	3344	3709	3769	4413	5310	5480	6914	7569	10201	13018
3. 个人所得税	67	99	104	187	276	338	415	595	657	753	1218	1235	1105	1503	2398
4. 外商投资企业和外国企业所得税	—	66	124	66	22	—	—	—	—	—	—	—	—	—	—
5. 城市维护建设税	769	985	1142	1037	563	550	626	680	683	766	1127	1486	2385	3059	2725
6. 车船税	42	27	26	26	29	26	20	18	23	31	41	54	51	67	109
7. 房产税	126	179	214	308	312	312	261	399	314	403	386	491	465	602	678
8. 屠宰税	71	174	201	178	175	127	114	28	3	—	—	—	—	—	—
9. 资源税	2	4	4	8	15	15	22	36	63	67	94	96	100	192	297
10. 城镇土地使用税	49	150	188	357	419	448	419	426	428	684	808	804	755	822	1871
11. 土地增值税	—	—	—	—	—	1	4	2	10	26	29	49	172	400	342
12. 印花税	14	28	51	136	80	73	83	153	131	181	479	597	906	1230	2191
13. 固定资产投资方向调节税	202	280	305	594	586	527	16	30	—	—	—	—	—	—	—
14. 工商税收税款滞纳金、罚款收入	1	6	3	12	—	—	—	—	—	—	—	—	—	—	—
二、农牧业税和耕地占用税	1030	1067	1589	1634	1501	1462	1387	1129	2298	2221	1946	1661	1107	4037	7868
1. 农业税	787	702	1164	1097	1032	996	924	752	1882	1776	1132	—	—	—	—
2. 农林特产税	202	325	367	369	339	339	225	159	130	119	—	—	—	—	—
3. 耕地占用税	31	30	49	156	1	—	—	3	1	20	1	425	101	1295	5678
4. 契税	10	10	9	12	129	127	238	215	285	306	813	1236	1006	2742	2190
三、企业所得税	208	176	172	320	460	788	1079	789	457	1045	356	468	1152	1798	1815

续表 13-2

项　目	1994 年	1995 年	1996 年	1997 年	1998 年	1999 年	2000 年	2001 年	2002 年	2003 年	2004 年	2005 年	2006 年	2007 年	2008 年
四、国有企业上缴利润	—	127	166	97	—	—	—	—	—	—	—	—	—	—	—
五、国有资产经营收益	—	—	—	—	—	80	20	—	—	54	—	—	—	—	—
六、国家企业计划亏损补贴	-4	-4	-4	-4	—	-4	-4	—	-4	—	—	—	—	—	—
七、国家能源交通重点建设基金收入	—	—	8	—	—	—	—	—	—	—	—	—	—	—	—
八、专款收入	643	731	781	0	326	261	342	354	374	589	1300	1659	2426	4124	3938
1. 排污费收入	150	75	108	—	45	50	60	65	70	251	776	887	932	1218	1400
2. 教育费附加	493	656	673	—	281	211	282	289	304	338	524	772	1494	2548	2267
3. 水资源费收入	—	—	—	—	—	—	—	—	—	—	—	—	—	46	—
4. 公路运输管理费收入	—	—	—	—	—	—	—	—	—	—	—	—	—	309	262
5. 探矿权、采矿权使用费及价款收入	—	—	—	—	—	—	—	—	—	—	—	—	—	3	9
九、其他收入	718	140	516	455	390	266	278	40	650	23	17	75	192	257	36
十、国家预算调节基金	23	23	10	—	—	—	—	—	—	—	—	—	—	—	—
十一、罚没收入、行政性收费收入	—	355	684	887	919	1083	1311	1862	1055	1356	1747	2399	2887	5078	5688
十二、国有资本经营收入	—	—	—	—	—	—	—	—	—	—	—	—	—	3407	7806

1995—2008 年贵溪市财政收入分级情况及基金收入一览

表 13－3 单位:万元

项目	1995 年	1996 年	1997 年	1998 年	1999 年	2000 年	2001 年	2002 年	2003 年	2004 年	2005 年	2006 年	2007 年	2008 年
财政总收入	25700	30033	30709	26253	27574	30940	36232	40339	52415	67671	100304	145537	200738	230901
中央分享收入	13437	15071	15244	11754	12832	15052	18639	21395	29178	39600	51371	92934	122596	133935
省级分享收入	307	373	664	735	790	802	1073	630	907	1197	1358	1598	2164	3586
一般预算收入	11956	14589	14801	13764	13952	15086	16520	18314	22330	26874	37575	51105	75978	93380
基金预算收入	—	—	478	—	—	—	—	—	—	—	837	2224	27580	19566
其中:土地出让金	—	—	—	—	—	—	—	—	—	—	—	—	24117	17657
其他各项基金收入	—	—	478	—	—	—	—	—	—	—	837	2224	3463	1909

农业税收入

历史上的农业税收是财政收入的一项重要来源。农业税由各级政府组织,乡镇干部护税协税,当地财政部门征收。随着工业等其他产业的兴起,农业税成为全额的地方独享税种。2005 年取消农业税。

1991—2008 年贵溪市农业税、农业特产税、耕地占用税、契税征收一览

表 13－4 单位:万元

年份	农业税	农业特产税	耕地占用税	契税	年份	农业税	农业特产税	耕地占用税	契税
1991	448.8	69.3	13.1	1.5	2000	924	225		238
1992	390.2	70.5	29.3	1.5	2001	752	159	3	215
1993	427.8	79.8	12	5.3	2001	1882	130	1	285
1994	787	202	31	10	2003	1776	119	20	306
1995	702	325	30	10	2004	1132	—	1	813
1996	1164	367	49	9	2005	—	—	425	1236
1997	1097	369	156	12	2006	—	—	101	1006
1998	1032	339	1	129	2007	—	—	1295	2742
1999	996	339	—	127	2008	—	—	5678	2190

行政事业收费收入

行政事业性收费中的管理性收费、资源性收费、全国性的证照收费和公共事业收费,以及涉及中央和其他地区的地方性收费,实行中央一级审批。国家法律、法规中已明确的收费,具体征收管理办法的制定和修改由财政部、国家计委会同有关部门负责。地方性法规中已明确的收费,具体征收管理办法的制定和修改由省级财政、计划(物价)部门会同有关部门负责。

1991—2008 年贵溪市行政事业性收费收入一览

表 13－5 单位:万元

年份	行政事业性收费	同比增长	年份	行政事业性收费	同比增长
1991	1887	12	1993	2437	14
1992	2144	13	1994	2769	12

续表 13－5

年份	行政事业性收费	同比增长	年份	行政事业性收费	同比增长
1995	3147	14	2002	6725	－1
1996	3576	13	2003	7685	14
1997	4064	13	2004	8588	12
1998	4618	14	2005	9497	10
1999	5248	15	2006	10586	11
2000	5964	12	2007	12233	16
2001	6743	13	2008	13253	8

罚没收入

罚没收入是指执法、司法机关依照法律、法规、规章的规定，对违法违章者实施经济罚款的款项、没收的赃款和赃物变价款。

1991—2008 年贵溪市罚没收入一览

表 13－6　　单位：万元

年份	罚没收入	占年初预算	年份	罚没收入	占年初预算
1991	114.2	300.53	2000	1191	119.10
1992	98.8	141.14	2001	1657	143.46
1993	106.9	147.45	2002	870	73.60
1994	295	123.16	2003	1022	102.2
1995	355	118.33	2004	1306	130.6
1996	684	256.18	2005	1521	117
1997	713	84.88	2006	1722	107.63
1998	834	173.75	2007	2502	125.10
1999	998	199.60	2008	2484	95.54

专项收入

主要包括排污费收入、水资源费收入、教育费附加收入、矿产资源补偿费收入、探矿权采矿权使用费及价款收入、公路运输管理费收入等。

1991—2008 年贵溪市专项收入一览

表 13－7　　单位：万元

年份	专项收入	排污费收入	教育费附加收入	水资源费收入	探矿权采矿权使用费及价款收入	公路运输管理费收入	占年初预算
1991	269	100.2	168.8	—	—	—	109.8
1992	317.6	102	215.6	—	—	—	122.15
1993	400.1	110	290.1	—	—	—	133.33
1994	643	150	493	—	—	—	128.6

续表 13－7

年份	专项收入	排污费收入	教育费附加收入	水资源费收入	探矿权采矿权使用费及价款收入	公路运输管理费收入	占年初预算
1995	731	75	656	—	—	—	117.9
1996	781	108	673	—	—	—	100
1997	478	44	434	—	—	—	113.81
1998	326	45	281	—	—	—	107.24
1999	261	50	211	—	—	—	66.58
2000	342	60	273	—	—	—	121.21
2001	354	65	289	—	—	—	98.33
2002	374	70	304	—	—	—	95.39
2003	589	251	338	—	—	—	133.86
2004	1300	776	524	—	—	—	110.17
2005	1659	887	772	—	—	—	121.09
2006	2426	932	1494	—	—	—	151.63
2007	4124	1218	2543	46	3	309	146.24
2008	3938	1400	2267	—	9	262	92.01

国有资源有偿使用收入

2001—2008 年贵溪市国有资源有偿使用收入一览

表 13－8　　单位：万元

年份	国有资源有偿使用收入	同比增长	年份	国有资源有偿使用收入	同比增长
2002	410		2001	87	—
2003	11898	2801	2002	74	－15
2004	12373	4	2003	76	3
2005	7800	－63	2004	95	25
2006	19194	146	2005	100	5
2007	14230	－26	2006	100	持平
2008	6561	－54	2007	130	30
			2008	126	－5

其他收入

包括投资收益、利息收入、捐赠收入、固定资产租赁收入、收取的违约金等各种杂项收入。

2001—2008 年贵溪市其他收入一览

表 13 - 9　　单位:万元

年份	其他收入	同比增长	年份	其他收入	同比增长
2001	1566	—	2005	2815	-46
2002	3455	120	2006	2507	-11
2003	2742	-21	2007	2306	-8
2004	5197	89	2008	2164	-7

政府性基金收入

政府性基金收入是指依照法律、法规并经有关部门批准设立、凭借行政权力或政府信誉,向单位和个人征收的具有专项用途的资金。政府性基金也是政府财政收入的重要形式。设立政府性基金的目的,主要是支持某项特定产业或事业发展。其主要形式包括各种基金、资金、附加和专项收费等。政府性基金按筹集方式划分,可分为附加在税收上征收的基金,附加在价格上征收的基金(如电力建设基金、三峡工程建设基金、邮电附加等),以销售(营业)收入为对象征收的基金(如文化事业建设费,碘盐基金等)。

1991—2008 年贵溪市政府性基金收入一览

表 13 - 10　　单位:万元

年份	政府性基金收入	同比增长	年份	政府性基金收入	同比增长
1991	30	20	2000	200	11
1992	37	23	2001	300	50
1993	47	27	2002	306	2
1994	58	23	2003	398	30
1995	73	25	2004	436	9
1996	92	26	2005	401	8
1997	115	25	2006	371	7
1998	144	25.2	2007	338	8
1999	180	25	2008	448	33

第四节　财政支出

1991—2008 年,全市财政支出范围主要是:干部职工和离退休人员工资、抚恤、救济,改善党、政、群机关团体和学校办公条件,支援农林水和基础设施建设等方面。

1996 年全市财政支出超过 1 亿元,完成 11233 万元,主要是加大了城市建设改造力度,城市维护费及其他支出,用于城建的资金较多。之后几年,财政支出保持较高的增长幅度,2007 年完成 9.91 亿元,2008 年完成 13.03 亿元。

1991—2006年贵溪市财政支出一览

表13－11 单位：万元

年份	财政支出总计	基本建设支出	企业挖潜改造支出	简易建筑费	科技三项费	支援农村生产支出	农林水利气象等部门事业费	工业交通等部门事业费	商业部门事业费	流通部门事业费	城市维护费	城市青年就业经费	文教卫生事业费	科学事业费	其他部门事业费	抚恤和社会救济事业费	行政事业单位离退休经费	社会保障支出	行政管理费	公检法支出	价格补贴支出	政策性补贴支出	支援不发达地区支出	其他支出	专项支出	社会保险基金支出	农业综合开发支出	车辆税费支出	土地和海域开发建设支出
1991	6097		55.5		15.5	412.7	147.4	8.4	16.5		427	4.3	1268.9	5.6	160.5	209.8			579.1	180.5	1085.7		44.8	335.1	273.6	866.1			
1992	6072		55.6		15	545	206.8	19.4	12.4		299.6	4.9	1469.7	5.9	299.1	335.3			828.2	235.8	898.8		61.4	463.3	315.8				
1993	6144.4		224.7		20	476.3	202.4	18.9	13.6		328.9	5.3	1655.1	7.2	343.8	370.8			885.1	316.4	385.7		47.5	435.9	406.8				
1994	8104		209		24	795	269	18	23		254		2233	8	450	323			1428	316	369		15	731	639				
1995	8867	46	123		30	529	331	20	23		745		2542	10	620	419			1339	330	94		46	741	686		193		
1996	11233	28	170	11	40	707	326	20	28		982		3169	12	694	470			1546	460	298		52	1195	863		162		
1997	11520	39	152	8	47	766	556	24	28		991		3473	13	694	465			1721	690		211	38	1406			198		
1998	12933	71	99	15	55	742	882	33		34	997		3773	12	495	753		156	1683	489		84	25	1938	390		205		2
1999	14144	138	271		101	648	622	36		31	908		3973	13	749	723	672	731	1668	936		23	144	1223	339		194		1
2000	16865	115	119		186	441	567	10		45	527		5188	9	916	550	1300	1621	1974	1292		26	59	1526	258		134		2
2001	20788	434	192		229	366	612	14		23	537		6288	9	1103	763	1611	2090	2760	1846		1	199	1178	409		124		
2002	26859	891	159		164	327	731	34		25	557		6545	9	1255	1439	2213	4554	3223	1394			361	2379	366		233		
2003	31009	1009	160		174		1870	56		27	1954		8364	24	1505	2130	2428	2815	3392	1916			302	2365	518				
2004	37445	2207	139		248		3000	28		29	3207		8584	13	2398	2155	3163	2966	3317	2229		256	322	2072	1112				
2005	50341	3955	10		241		4181	50		29	4655		11399	37	2274	2650	3713	2989	3493	2778		256	485	4950	1621			575	
2006	63750	3569	45		502		5106	43		31	9194		13901	16	2450	3747	3877	4334	3790	3393		388	275	6455	1849			785	

2007—2008 年财政支出一览

表 13－12 单位:万元

年份	财政支出总计	一般公共服务	公共安全	教育	科学技术	文化体育与传媒	社会保障和就业	医疗卫生	环境保护	城乡社区事务	农林水事务	交通运输	工业商业金融等事务	其他支出
2007	99134	7515	4568	17335	1198	687	16200	6800	1683	14643	12803	3295	2418	9989
2008	130319	8986	5474	21245	1662	1004	21628	9106	3474	22079	14947	910	6706	13098

行政管理费支出

行政管理费是国家财政用于国家权力机关和行政管理机构的费用,是财政支出的重要组成部分。这些权力机关和行政管理机构不是直接从事生产的单位,无独立收入来源,所需经费全部由财政拨款,属于非生产性开支。

行政管理费包括行政支出、公安支出、司法检察支出等。从 1988 年开始行政管理费不再包括公、检、法支出。主要含人大经费、政府机关经费、民主党派补助费、政协经费和人民团体补助费。行政管理费分个人经费和公用经费,个人经费包括工资、补助工资、职工福利费、离休退休人员费用,公用经费包括公务费、设备购置费、修缮费、业务费和其他费用。2007 年实施政府收支分类改革以来,政府支出类科目作出相应调整,其中包括一般公共服务支出,2007 年为 6726 万元,2008 年为 6408 万元。

1991—2006 年贵溪市行政管理费支出一览

表 13－13 单位:万元

年份	支出性质		支出项目				
	人员经费	公用经费	人大经费	政府机关经费	政协经费	共产党机关经费	社会团体经费
1991	327.9	251.3	28.5	405	31	111.1	3.6
1992	396	437.1	39	620.2	32.3	138.4	3.2
1993	495.8	442.8	64.2	684.6	23.5	163.5	2.8
1994	743.9	694.8	56.3	1023.5	66.6	292.3	—
1995	731	608	58	1005	39	237	—
1996	868.2	677.2	86.9	1140.1	58.3	260.1	—
1997	999	1005	78	1588	46	292	—
1998	1084	583	60	1314	36	257	—
1999	1065	727	56	1426	33	268	9
2000	1499	599	66	1691	38	303	—
2001	1938	1575	77	3020	48	368	—
2002	2367	1622	93	2950	51	895	—
2003	3260	2818	82	5309	55	721	—
2004	2529	2407	116	4261	103	638	—
2005	2257	1926	128	3242	81	789	—
2006	2400	2086	148	3572	112	738	—

公检法支出

从1988年1月起，国家预算科目将公安、法院、检察院、司法行政部门的机关经费从行政管理费中划出，统一建立公检法支出。2008年公安支出3769万元，比1991年增长近30倍。

司、法、检支出

司、法、检支出是司法机关、人民法院、检察院及其所属单位的经费。从1991年起，司、法、检支出在行政管理费类单列，并单设公安、安全、检察、法院、司法办案补贴。从1995年起，对公安、检察、法院、司法部门和政法委在编的干警，实行特殊岗位津贴。

1991年支出为67.9万元，到2008年支出为1704万元，增长近24倍。

1991—2008年贵溪市公检法司支出一览

表13-14 单位：万元

年份	支出性质		支出项目			
	人员经费	公用经费	公安	检察院	法院	司法
1991	82.3	106.1	120.5	27.3	40.6	—
1992	96	146.7	158.3	39.1	45.3	—
1993	120.2	175.3	198.6	42.1	54.8	—
1994	219.6	136	237.8	60.5	56.6	0.7
1995	227	172	288	53	56	2
1996	319.7	141.6	335.1	65.8	60.4	—
1997	310	556	618	130	118	—
1998	400	731	506	76	148	1
1999	409	705	816	81	217	—
2000	584	779	1017	121	179	46
2001	719	1229	1428	174	253	93
2002	887	884	1293	144	263	71
2003	906	1501	1877	207	263	82
2004	1015	1141	1583	244	296	70
2005	1186	1603	2222	272	356	97
2006	1337	2345	2619	376	638	93
2007	1036	3531	3015	558	929	294
2008	1688	3786	3769	655	842	207

文教、科学、计划生育事业支出

文教、科学、计划生育事业支出是指财政预算拨款中用于文教科学、计划生育等相关部门发展文化、文物、教育、干部训练、体育、计划生育、科学、档案、广播电影电视等事业的支出。1991年为1011.8万元，1992年为1238.6万元；1993年为1408.5万元，1994年为1918.5万元，1995年为2159万元。1996年贵溪撤县设市以来，随着经济的快速发展，加大了对文教、科学、计划生育等各项社会事业的投入力度。2006年投入达12300万元。2007年全面实施政府收支分类改革，政府支出类科目作出调整，其中包括教育类、科学技术类、文化体育与传媒类。

1991—2008 年贵溪市文教、科学、计划生育事业费支出一览

表 13-15　　　　单位:万元

年份	支出合计	文化	文物	体育	档案	广播电视	计划生育	党校	教育	科学
1991	1003	15.1	0.7	3.6	1.2	7.2	50	9.7	910.1	21.1
1992	1231	16.3	0.7	4.2	0.8	6	53.2	10.2	1134	20.9
1993	1407	20.4	1.3	2.8	0.8	7.5	69.7	10.6	1286.3	27.2
1994	1924	32	0.8	4.3	1.3	12.1	90	22	1753	32.4
1995	2159	44	1	14	1	13	98	18	1960	40
1996	2647	39.1	1	8.9	10.2	18.9	114	26.6	2416.5	52
1997	5972	75	5	9	4	22	200	25	5619	60
1998	3820	66	4	7	2	23	152	21	3533	67
1999	6312	83	3	10	2	33	286	43	5839	114
2000	4507	62	3	8	1	36	211	21	4156	195
2001	5401	89	1	14	2	2	276	36	4972	238
2002	8120	90	1	11	2	17	292	39	7659	173
2003	8823	75	1	10	1	6	544	31	8131	198
2004	10203	103	3	23	1	17	524	54	9465	261
2005	12570	201	2	27	2	122	1121	43	11015	278
2006	12193	270	3	11	—	201	915	36	10741	518
2007	22241	471	3	58	69	260	1174	32	19011	1163
2008	25557	591	1	232	44	180	1560	42	21245	1662

环境保护支出包括环境保护管理事务支出、环境监测与监察支出、污染治理支出、自然生态保护支出、天然林保护工程支出、退耕还林支出、风沙荒漠治理支出、退牧还草支出、已垦草原退耕还草、能源节约利用、污染减排、可再生资源和资源综合利用等支出。

城乡社区事务支出

包括城乡社区管理事务支出、城乡社区规划与管理支出、城乡社区公共设施支出、城乡社区住宅支出、城乡社区环境卫生支出、建设市场管理与监督支出等。1991—2006 年科目名称为城市维护费。

农林水事务支出

包括:农业、林业、水利、其他农林水、农业综合开发、扶贫等几大块。

1991—2008 年累计完成 68902 万元,主要用于农业、林业、水利、气象等部门的人员经费支出及专项支出。农业综合开发支出 1991—2008 年累计完成 4562 万元,一是中央立项开发的项目投资 3352 万元,二是地方立项开发的项目投资 1210 万元,主要用于土地资源开发治理、多种经营及龙头项目系列开发投资、贷款贴息和其他支出。扶贫支出(支援不发达地区支出)1991—2008 年累计完成 4430 万元,主要用于农村基础设施建设,扶持少数民族地区移民搬迁以及支持新农村建设等方面。

1991—2008 年贵溪市农林水事务支出一览

表 13－16 单位:万元

年份	支出合计	农业	畜牧	农机	土地	气象	林业	水利	乡镇企业	其他农林水	扶贫	农业综合开发
1991	6049	3694	68	70	34	15	506	1141	—	73	448	—
1992	8132	4864	88	80	44	5	385	1917	—	135	614	—
1993	7262	4626	119	98	96	10	391	1272	—	175	475	—
1994	1080	781	16	12	13	2	47	171	—	23	15	—
1995	1099	513	19	15	12	4	69	191	—	37	46	193
1996	1247	712	29	18	15	4	73	160		22	52	162
1997	1558	835	33	33	20	4	132	220	—	45	38	193
1998	1854	851	37	50	15	5	57	571	—	38	25	205
1999	1608	731	42	48	37	5	88	238	34	47	144	194
2000	1201	572	47	56	58	3	68	143	35	26	59	134
2001	1301	513	51	67	43	3	23	184	31	63	199	124
2002	1652	503	52	76	46	3	126	162	30	60	351	233
2003	2172	1042	—	—	17	11	261	177	—	—	302	362
2004	3322	2196	—	—	19	9	186	241	—	—	322	349
2005	4666	2728	—	—	107	11	456	342	—	—	435	537
2006	5381	3396	—	—	102	29	764	327	—	—	275	488
2007	12803	7763	—	—	—	—	1328	2645	—	—	251	816
2008	15507	10917	—	—	—	—	1983	1721	—	—	319	557

经济建设支出

1991 年以来,由于经济建设的投资逐年增多,建设规模迅速扩大。

1991—2008 年贵溪市经济建设支出一览

表 13－17 单位:万元

年份	支出金额合计	基本建设支出	工业、交通部门事业费支出	商业、流通部门支出(工业、商业金融事务支出)	科技三项费用	城市维护建设费	简易建筑费
1991	467.4	—	8.4	16.5	15.5	427	
1992	346.4	—	19.4	12.4	15	299.6	—
1993	381.4	—	18.9	13.6	20	328.9	—
1994	319	—	18	23	24	254	—
1995	864	46	20	23	30	745	—
1996	1098	28	20	28	40	982	—
1997	1120	30	24	28	47	991	8
1998	1190	71	33	34	55	997	15

续表 13-17

年份	支出金额合计	基本建设支出	工业、交通部门事业费支出	商业、流通部门支出(工业、商业金融事务支出)	科技三项费用	城市维护建设费	简易建筑费
1999	1214	138	36	31	101	908	—
2000	883	115	10	45	186	527	—
2001	1237	434	14	23	229	537	—
2002	1671	891	34	25	164	557	—
2003	3220	1009	56	27	174	1954	—
2004	5719	2207	28	29	248	3207	—
2005	8930	3955	50	29	241	4655	—
2006	13339	3569	43	31	502	9194	—
2007	5713	—	3295	2418	—	—	—
2008	7616	—	910	6706	—	—	—
合 计	55328.2	12493	4637.7	9542.5	2091.5	26563.5	23

其他支出

指不能划分到具体功能科目的其他政府支出。2007 年,仅住房改革支出就达 464 万元,当年此类无法划归单项支出的就达 9989 万。

第五节 乡镇财政

乡镇财政建设与管理

1991—2001 年,成立雄石、滨江、金沙、盛源、雷溪、高公、西窑、文坊、塘湾、白田、双圳、樟坪、罗河、彭湾、余家、耳口、冷水、泗沥、河潭、志光、古港、周坊、鸿塘、塔桥等 24 个乡(镇)财政所。1995 年随着乡政府搬迁与更名,原盛源乡财政所更名为流口镇财政所,高公乡财政所更名为金屯镇财政所。2001 年 12 月乡镇机构改革。2002 年 1 月,原金沙乡并入滨江乡,原金沙乡财政所撤消,合并为滨江乡财政所;原西窑乡并入文坊镇,原西窑乡财政所撤消,合并为文坊镇财政所;原双圳乡并入樟坪乡,原双圳乡财政所撤消,合并为樟坪畲族乡财政所;原古港乡并入周坊镇,原古港乡财政所撤消,合并为周坊镇财政所;原塔桥镇并入鸿塘镇,原塔桥镇财政所撤消,合并为鸿塘镇财政所;原雄石镇撤消,成立 3 个办事处即:雄石、东门、花园,原雄石镇财政所也随之撤消,成立第一直属财政所、第二直属财政所、第三直属财政所。至 2008 年,全市共设立 18 个乡镇财政所、3 个直属财政所。

2002 年之前,乡(镇)财政所各配备财政干部 2—5 名;2002 年 1 月乡镇机构改革后,乡(镇)财政所各配备财政干部 3—9 名不等,受乡(镇)政府和市财政局双重领导。自 2003 年开始,乡(镇)财政所由市财政局垂直管理。

乡镇财政收支

改革开放以前,乡(镇)财政收入主要是农业税和社办企业工商税收,1985 年以前,县乡实行统收统支的财政体制。2005 年按照中央一号文件和省市工作布置要求全面取消农业税后,乡镇财政主要收入是工业企业工商税收入。

随着乡(镇)财政体制的不断完善,对乡(镇)财政体制作较大改进,实行"核定收支,超收分成,短少自补,两年一定"的财政体制,对收大于支的乡(镇)实行总额分成,收不抵支的实行定额补助。

1991 年,全县 24 个乡镇财政收入完成 1061.53 万元,占全县财政收入的 18%。在 24 个乡镇中,周坊镇完成 85.79 万元,占乡镇财政收入的 8%,名列第一,原古港乡完成 12.39 万元,占乡镇财政收入的

1%，名列第24位。

1994年实行"分税制"财政管理体制，全面开征生猪屠宰税（包括上市、外销环节）。农业四税和生猪屠宰税是乡镇财政的主要收入。是年，全县乡镇财政收入完成2445.09万元，比1993年增收1384.56万元，增长130%，占全县财政总收入的25%。当年财政支出完成2370万元。

1996年，乡镇财政收入完成3311.34万元，比1995年增收648.28万元，增长24%，占全市财政总收入的11%。当年乡镇财政支出完成2381万元。

1998年，由于受东南亚金融危机的影响，在一定程度上制约和影响财政收入。对此，在强化乡镇税收征管责任制的同时，继续开展税收清理活动，当年，乡镇财政收入完成3815.96万元，比1997年增收69.19万元，增长2%，占全市财政总收入的15%。当年乡镇财政支出完成2866万元。

2000年，乡镇财政收入完成4536.02万元，比1999年增收829.05万元，增长22%，占全市财政总收入的15%。当年乡镇财政支出完成3592万元。

2001年，国家出台调资政策，要求地方财政配套，收支矛盾异常尖锐。全市有的放矢地采取一系列改进措施，一是加大对税务部门的考核力度；二是重新核定分行业征收定额，对定额偏低的进行调整；三是对规模较大业户强力推行定率征收；四是积极推行上站纳税；五是加大税收稽查力度，维护税收秩序。当年乡镇财政收入完成5295.99万元，比2000年增收759.97万元，增长17%，占全市财政总收入的15%。当年乡镇财政支出完成4254万元。

2002年，国家进一步深化分税制财政体制改革，将营业税、企业所得税和个人所得税纳入共享范畴，另一方面，国家对农业税进行改革，取消乡村的统筹和提留，增加农业税收入。同时，地方经济的发展，尤其是个体私营企业发展较快，为财政增收提供了税源，乡镇财政收入大幅度增加。由于乡镇机构改革，合并后的5个乡镇当年财政纳入市本级预算。当年18个乡镇财政收入完成4637.64万元，占全市财政总收入的11%。乡镇财政支出数额逐年增大。当年乡镇财政支出完成3799万元。为配合农村税费改革政策，确保村级正常运转，补助村级支出267.8万元。为推动乡镇经济发展，乡镇修路支出331.67万元。

2003年，随着全市经济恢复发展，实现乡镇财政收入的有效增长。乡镇机构改革后的18个乡镇及3个街道办事处当年完成财政收入7062.8万元，比2002年增收2425.16万元，增长52%，占全市财政总收入的13%。当年，各乡镇完成财政支出4502万元，比2002年增加703万元，增长19%。

2004年，全市经济继续保持健康稳定协调发展，各乡镇及办事处财政收入完成8309.81万元，比2003年增收1247.01万元，增长18%，占全市财政总收入的12%。按调整后的市、乡（镇）财政体制计算，乡（镇）级可用财力为8029万元，各乡镇及办事处完成财政支出5517万元，比2003年增加1015万元，增长23%。

2005年，乡镇及办事处财政收入完成14035.66万元，比2004年增收5725.85万元，增长69%，占全市财政总收入的14%。当年财政支出完成7511万元，比上年增加1994万元，增长26%。

2006年，全市21个乡镇及办事处财政收入完成26854.58万元，比2005年增收12818.92万元，增长91%，占全市财政总收入的18%。2006年8月，乡镇财政管理方式进行改革，在鸿塘、泗沥、志光、金屯、塘湾、文坊、耳口、白田、彭湾等9个乡镇进行"乡财市管乡用"试点，其他乡镇及街道办事处均实行"零户统管"改革，为来年实行"乡财市管乡用"改革作过渡准备。乡镇财政管理方式改革旨在规范乡镇财政财务收支行为，促进乡镇依法组织收入并按照先重点后一般的顺序安排支出，防范和化解乡镇政府债务风险，促进乡镇经济和社会事业健康发展。2006年各乡镇及街道办事处完成财政支出9614万元，比2005年增加2103万元，增长28%。

2007年，全市21个乡镇、街道办事处顺利实现乡乡（镇）超100万元的目标，乡镇财政总收入完成62267.707万元，比2006年翻一翻，并涌现滨江、樟坪2个超亿元乡，其中滨江乡突破2亿元。

为贯彻落实省市关于进一步改革财政管理体制的意见，财政改革继续深化。首先，全面实施乡镇财务"零户统管"改革。为规范乡镇、街道办事处财务管理，提高资金效益，健全财务监督约束机制，确保乡镇正常运转和各项资金的专款专用，市政府出台《贵溪市乡镇财务"零户统管"实施办法》和《贵溪市乡镇财务“零户统管”业务操作规程》。为规范操作,成立市乡镇财政结算中心,全市18个乡镇3个街道办事处的财务资金通过该中心乡镇财政专户进行结算。其次,积极稳妥地推进“乡财市管乡用”改革。为加快农村税费改革的配套改革,缓解乡镇财政困难,贵溪市积极稳妥地推行“乡财市管乡用”改革,全市18个乡镇3个街道办事处的财政按照“乡镇预算管理权、资金所有权、资金使用权及财务审批权不变”的要求,进入“统一编制预算、统一设置账户、统一办理采购、统一管理票据、统一管理村级资金”的管理模式,在全省率先完成“乡财市管”的改革任务。是年,各乡镇、街道办事处完成财政支出20045万元。

2008年,是全市财政改革发展中极不平凡的一年,年初雨雪冰冻严重的自然灾害,全球金融危机,铜价下跌,但国民经济仍保持平稳快速健康发展。各乡镇对招商引资力度进一步加大,特别是引进市工业园区的工业企业,为乡镇财政增收提供可靠保障。当年,乡镇财政收入完成67107.97万元,全市乡镇全部实现财政收入过1000万元的目标。财政支出完成27831万元。

1997—2008年贵溪市乡镇财政收入支出一览

表13-18 单位:万元

乡镇	财政收入							财政支出						
	1997年	1998年	1999年	2000年	2001年	2002年	合计	1997年	1998年	1999年	2000年	2001年	2002年	合计
滨　江	421	509	566	827	941	1237	4501	208	329	355	672	958	900	3422
其中:原金沙	85	79	105	116	144		529	43	66	112	125	153		499
第一直属	—	—	—	—	—	—	0	—	—	—	—	—	—	0
其中:原雄石	554	616	660	1066	1369	—	4265	354	416	471	697	763	—	2701
第二直属	—	—	—	—	—	—	0	—	—	—	—	—	—	0
第三直属	—	—	—	—	—	—	0	—	—	—	—	—	—	0
流　口	89	96	124	104	116	141	670	79	88	133	104	116	141	661
雷　溪	138	177	103	108	125	213	864	163	203	116	163	150	185	980
金　屯	101	100	100	94	75	108	578	66	72	91	92	104	87	512
文　坊	180	149	121	149	141	81	821	180	149	121	149	141	173	913
其中:原西窑	63	45	38	54	63		263	63	45	38	54	63		263
塘　湾	176	182	153	139	142	153	945	88	185	151	141	142	110	817
白　田	80	85	65	65	119	210	624	80	85	65	65	119	210	624
樟　坪	123	106	124	154	211	200	918	123	106	124	154	211	200	918
其中:原双圳	97	73	92	105	108		475	97	73	92	105	108	—	475
罗　河	239	220	199	198	237	407	1500	239	220	199	198	237	407	1500
彭　湾	64	60	65	62	66	92	409	48	42	97	74	100	75	436
余　家	122	110	89	88	78	130	617	122	110	89	88	78	130	617
耳　口	82	74	80	84	84	95	499	40	38	53	59	88	89	367
冷　水	220	213	173	169	269	324	1368	68	51	51	55	50	51	326
泗　沥	130	132	127	123	126	243	881	171	161	172	167	197	135	1003
河　潭	151	176	177	262	282	228	1276	151	132	169	252	276	136	1116
志　光	123	121	111	124	107	183	769	78	75	114	107	130	128	632
鸿　塘	197	177	169	178	219	401	1341	197	177	169	178	219	401	1341
其中:原塔桥	56	52	51	52	59		270	56	52	51	52	59	—	270
周　坊	210	227	177	177	175	241	1207	210	227	177	177	175	241	1207

续表 13－18

乡镇	财政收入							财政支出						
	2003年	2004年	2005年	2006年	2007年	2008年	合计	2003年	2004年	2005年	2006年	2007年	2008年	合计
其中:原古港	39	43	40	46	55		223	39	43	40	46	55	—	223
滨　江	1712	2880	5120	10300	20400	18000	58412	539	525	528	731	628	599	3650
其中:原金沙	—	—	—	—	—	—	0	—	—	—	—	—	—	0
第一直属	602	682	1020	1351	1877	2031	7563	369	375	552	724	949	1033	4002
其中:原雄石	—	—	—	—	—	—	0	—	—	—	—	—	—	0
第二直属	756	786	1035	1330	1946	1930	7783	128	140	153	113	150	220	904
第三直属	159	186	216	262	444	606	1873	159	186	216	262	444	606	1873
流　口	194	167	210	160	314	599	1644	194	167	210	160	314	599	1644
雷　溪	269	320	500	1227	2171	2514	7001	170	268	320	474	238	331	1801
金　屯	133	80	44	27	115	328	727	150	185	239	240	266	336	1416
文　坊	150	66	44	73	698	1388	2419	173	173	193	180	288	322	1329
其中:原西窑	—	—	—	—	—	—	0	—	—	—	—	—	—	0
塘　湾	172	94	23	100	209	1507	2105	284	285	343	290	339	483	2024
白　田	121	190	209	707	4525	11977	17729	121	190	209	707	4525	11977	17729
樟　坪	230	421	1037	1912	3362	2956	9918	230	411	1027	1812	3305	2931	9716
其中:原双圳	—	—	—	—	—	—	0	—	—	—	—	—	—	0
罗　河	302	404	411	469	577	751	2914	302	404	411	469	577	751	2914
彭　湾	91	60	24	37	154	1026	1392	94	121	175	167	226	267	1050
余　家	147	248	284	314	442	1400	2835	147	248	284	314	442	1400	2835
耳　口	98	54	23	103	189	1043	1510	96	119	145	139	163	267	929
冷　水	405	202	308	1006	3860	3176	8957	124	172	188	253	414	450	1601
泗　沥	267	157	75	276	3579	1557	5911	223	326	383	384	388	480	2184
河　潭	348	217	447	1003	3572	2531	8118	272	257	447	314	363	476	2129
志　光	221	142	84	109	207	299	1062	180	292	322	291	366	454	1905
鸿　塘	269	370	399	336	486	1001	2861	269	370	399	336	486	1001	2861
其中:原塔桥	—	—	—	—	—	—	0	—	—	—	—	—	—	0
周　坊	278	303	767	1254	5174	2748	10524	278	303	767	1254	5174	2748	10524
其中:原古港	—	—	—	—	—	—	0	—	—	—	—	—	—	0

1991—2008 年贵溪市乡镇财政供养人员情况

表 13－19　　单位:人

乡镇	1991 年	1992 年	1993 年	1994 年	1995 年	1996 年	1997 年	1998 年	1999 年	2000 年	2001 年	2002 年	2003 年	2004 年	2005 年	2006 年	2007 年	2008 年
滨　江	396	417	431	442	98	106	120	295	245	480	725	223	226	140	139	139	139	139
其中:原金沙	202	203	206	210	51	49	53	199	144	154	151	—	—	—	—	—	—	—
第一直属	54	56	60	63	63	63	87	87	87	87	87	67	63	62	64	65	65	65
其中:原雄石	54	56	60	63	63	63	87	87	87	87	87	—	—	—	—	—	—	—
第二直属	—	—	—	—	—	—	—	—	—	—	—	36	36	38	38	40	40	40
第三直属	—	—	—	—	—	—	—	—	—	—	—	34	51	37	38	42	37	37
流　口	101	120	137	135	52	41	61	70	71	78	78	96	78	78	75	73	73	73
雷　溪	55	55	56	60	62	68	70	70	72	71	70	70	69	68	73	70	69	70
金　屯	74	72	72	72	75	74	74	73	74	74	76	73	76	78	79	76	74	72
文　坊	103	103	102	102	102	90	115	116	123	133	133	83	107	95	90	86	87	87
其中:原西窑	38	38	39	38	38	38	38	40	39	44	44	—	—	—	—	—	—	—
塘　湾	99	99	81	95	99	99	105	105	100	100	100	116	96	97	97	96	93	91
白　田	58	61	61	59	59	59	58	59	59	58	58	58	59	59	60	60	59	59
樟　坪	111	117	117	118	110	69	63	84	81	84	64	80	80	57	62	62	62	62
其中:原双圳	67	69	69	69	79	39	39	59	52	52	33	—	—	—	—	—	—	—
罗　河	78	80	80	81	81	88	88	88	117	127	127	136	136	106	106	106	106	106
彭　湾	35	37	39	45	47	56	60	60	61	59	58	56	56	62	61	63	63	64
余　家	55	44	44	45	56	56	77	82	73	80	85	85	78	66	65	64	63	63
耳　口	57	57	57	57	57	57	57	45	46	46	46	46	46	47	47	47	47	47
冷　水	59	59	59	59	59	59	60	60	60	60	60	60	60	56	54	53	53	53
泗　沥	182	182	184	185	184	234	132	132	235	240	235	98	92	95	96	94	94	93
河　潭	66	67	70	68	72	77	84	91	89	94	83	89	86	92	90	86	84	86
志　光	80	81	83	225	82	81	83	487	486	455	465	119	126	95	92	96	97	94
鸿　塘	103	97	99	105	112	128	131	113	156	147	148	132	140	117	116	117	115	117
其中:原塔桥	52	50	51	50	49	50	38	47	50	50	48	—	—	—	—	—	—	—
周　坊	99	100	101	101	103	107	115	121	126	126	128	113	114	117	113	110	110	109
其中:原古港	32	34	33	34	34	35	38	39	41	41	41	—	—	—	—	—	—	—

第六节　财政管理

预算管理

1991年是国民经济“八五”计划的第一年，工业生产持续增长，农业生产战胜自然灾害，财政收入继续保持增长，全市完成财政收入6003万元，完成年度财政收入任务；财政支出完成3770万元，控制在预算之内，实现财政预算收支平衡、略有结余的目标。

1992年，遭受历史罕见的洪涝灾害，在大灾之年，财政部门充分发挥职能作用，大力支持企业转换经营机制，促进企业走向市场，努力提高经济效益；进一步加强收入征收管理，大力组织财政收入，当年通过加强征管和财税大检查共增加税691万元。财政支出方面，一是积极筹措资金，支持抗洪救灾，财政共拨付561万元用于农业、水利、交通、邮电等水毁工程修复；二是合理安排资金，保证重点支出需要。当年全县完成财政收入6705万元，占年初预算的107%；财政支出完成4629万元，较1991年增长22%。

1994年，全市完成财政收入9723万元，完成预算的106%，财政支出完成8104万元，完成预算的100%。

1995年，由于江铜铜价上涨以及电厂税负的增加，财政收入大幅增长，地方财政收入首次突破1亿元大关达11956万元，较1994年增长23%。财政支出完成8867万元，剔除上级专补支出，本级支出完成8145万元，占调整预算数的108%。

1996年，撤县设市，当年全市完成财政总收入30033万元，突破3亿元大关，地方财政收入完成14589万元。财政支出11233万元，剔除上级专补完成10156万元，较1995年增长25%，增支部分主要用于城市建设改造和行政事业单位人员工资普调。

1997年，江西铜业公司股改重组、铜价低位徘徊以及贵溪发电厂限量发电等不利因素的影响，全市财政收入增幅下降，财政收入完成31187万元，只增长4%，其中地方财政收入完成15279万元，增长5%。完成财政支出12148万元，剔除上级专补，市级财政安排支出10944万元，增长8%，增支部分主要用于三项法定支出以及乡镇农业五员、水利员等人员经费由差额安排改为全额拨款等。

1998年，江铜股改和铜价继续下跌以及百年未遇的特大洪涝灾害，当年财政收入出现较大幅度的下降，全年财政收入只完成26253万元，同比下降16%，地方财政收入完成13764万元，同比下降10%。1998年财政支出供需矛盾突出，当年市级财政支出完成10507万元，较1997年下降4%。

1999年，全市地方财政收入完成13592万元，仅完成年初预算任务的96%。

2000年，全市财政收入完成3.09亿元，比1999年增长12.2%，地方财政收入完成1.51亿元，比1999年增长8.13%。

2001年，地方财政收入完成1.65亿元，较2000年增长9.5%。

2002年，由于农村税费改革，农业税政策的调整以及江铜公司出口货物实行“免、抵、退”政策等增收因素，财政收入继续保持两位数的增长，并首次突破4亿元大关达40339万元，增长11%。

2003年，财政收入首次在全省县（市、区）突破5亿元大关，达到5.24亿元，年净增1.21亿元，增长30%；地方财政收入首次突破2亿元达2.23亿元，增长22%。财政支出在收入大幅增长的前提下也较2002年大有增长，全年完成财政支出3.1亿元，增长15%。

2004年，全年财政收入超6亿元达6.77亿元，财政收入的突飞猛进主要得益于江铜贵溪冶炼厂生产能力的提升。

2005年，成为全省第一个超10亿元的县（市），连续三年蝉联全省县（市）财政收入第一。同时全市乡镇财政收入首次突破亿元大关。超1000万元财政收入的乡镇（街道）已达5个，其中滨江乡突破5000万元大关。

2006年，全市财政总收入以14.56亿元的完成数连续第四次位居全省县（市）第一，地方财政收入以5.1亿元的完成数位居全省县（市）第三。

2007 年,国民经济的快速发展促进财政收入稳定、高幅增长,全市财政总收入以 20.07 亿元的完成数连续第五次位居全省县(市)第一,地方财政收入以 7.6 亿元的完成数位居全省县(市)第二。

2008 年,全市财政收入完成 23.09 亿元,同比增长 15%,其中地方财政收入完成 9.34 亿元,同比增长 23%。

社会基金管理

1991—2008 年,全市共支出社会保障和医疗资金 84953.7 万元。全市每年有 12125 名农村困难群众得到了农村低保救助,11894 名城市困难群众得到城市低保救助,2645 名农村孤寡老人得到农村五保救助;10755 名企业离退休人员领取养老保险金,3762 名军烈属、伤残军人和农村复员退伍军人领取抚恤补助;43 万农民参加农村合作医疗,6 万城市居民参加城市医保,3.8 万名公务员和企事业职工参加城镇职工医保,累计 16 万人次受益;同时,由财政出资免费为 2.9 万名国企破产改制下岗退休职工、城乡低保五保户、参战退役士兵办理医疗保险,并在医疗保险的基础上对困难群众额外实行医疗救助。

2002 年,财政局成立社会保障科,为股级单位,同综合科合署办公,实施对社会保障资金收支的财政监督,为社会保障计划提供补助资金,汇总编制全市社保基金决算等。

在资金管理方面,财政局严格按照财政部、省财政厅的规定执行。在财政局设立社保资金财政专户,在社保局设立养老保险基金、医疗保险基金、工伤和生育保险金收入专户和支出专户;在就业局设立失业保险基金收入专户和支出专户、就业资金支出专户;在民政局设立低保资金支出专户,所有社保资金封闭运行、同步记账、分户核算。资金全部实行银行社会化和农村"一卡通"发放。

农业开发资金管理

贵溪市 2002 年被国家农业综合开发办确定为农业综合开发县。至 2008 年,累计完成农业综合开发支出 4562 万元,其中中央立项开发的项目投资 3352 万元,地方立项开发的项目投资 1210 万元。在农业综合开发项目中,土地治理项目主要用于雷溪、志光、泗沥、流口等乡镇中低产田改造,累计完成中低产田改造 3333.4 公顷;产业化项目主要用于扶持大忙人等龙头企业发展壮大及财政贴息。2002 年前农业综合开发资金主要由地方政府立项投资,资金主要用于农村基础设施改造,资金管理主要由财政直接拨付到有关项目乡镇,当时未实行县级财政报账。从 2002 年贵溪市被列入农业综合开发县后,依据财政部《农业综合开发资金报账实施办法》严格实行县级报账制,首先根据上级财政部门下达农业综合开发指标,由预算国库科将资金拨入财政报账专户,然后由财政专户将资金拨入农发办报账专户,由国库收付核算中心具体报账。2009 年直接由财政部门实行报账,项目竣工后,由农发办牵头,财政等部门参加,进行检查验收,严把工程质量关。

财政扶贫资金管理

在 2001 年之前,财政将财政扶贫资金拨入老建办专户,再由老建办拨付到项目乡镇或项目单位,财政进行检查验收。2001 年财政部出台《财政扶贫资金报账制管理办法》财农〔2001〕93 号,资金直接由上级财政部门拨入财政专户,实行专户管理,封闭运行,并建立财政扶贫资金管理监测信息系统,实行动态管理。1991—2008 年累计完成扶贫资金支出 4430 万元(预算科目改革之前扶贫资金支出科目为支援不发达地区支出,之后支出科目为扶贫支出)。

行政事业单位财务管理

行政单位财务,主要是指行政单位在开展工作过程中有关经费的领拨、运用、管理、监督等事项。全市行政单位包括各级权力机关、行政、审判机关和法律监督机关,这些单位的经费全部由地方财政拨给。行政单位的经费支出属于非生产性支出,它是巩固人民民主专政,组织和领导人民开展各项政治、经济和文化活动,保护社会主义建设顺利进行的必不可少的支出。

政府采购

2000 年 10 月 13 日贵溪市委、市人民政府下发《关于成立贵溪市政府采购工作领导小组的通知》(贵府〔2000〕137 号),11 月 8 日成立"贵溪市政府采购中心",定编 5 人,为全额拨款副科级事业单位,归口市财政管理。

2001—2002 年,先后对车辆保险、加油、维修等服务项目进行公开招标,确定全市行政事业单位公务用车定点保险（中国人民保险公司贵溪市支公司）、加油（中国石化贵溪石油公司）、维修（鹰潭大众桑塔纳维修中心、中共贵溪市委汽车修理厂、贵冶永信汽修公司）的企业。

2001年9月，对市政府办公大楼电梯实行招标，此是成立市政府采购中心以来首次采购资金超过百万元的货物项目，中标价为222.8万元。紧接着对广电局的光缆及配套设备采取公开招标的方式采购，采购金额57.2万元，节约资金达到20%以上。当年采购总额362.4万元。

2002年，采购公务用车5辆，资金70.6万元，采购救灾大米61.2万斤，资金45万元，比市场价节约5万元。当年采购总额175万元。

2003年，是《中华人民共和国政府采购法》颁布实施的第一年。3月18日贵溪市人民政府相继印发《贵溪市政府采购办法的通知》（贵府字〔2003〕21号）和《贵溪市政府采购2003年市本级采购目录的通知》（贵府字〔2003〕22号），全市各行政事业单位对政府采购逐渐有了新认识。3月，市教委采购电教器材，中标价216万元，节约25万元，节约率达10%以上。4月，市自来水厂管网采购，采购金额254.3万元，节约资金49万元，节约率达16%。7月，对贵溪市东方供水有限责任公司管网等设备进行招标采购，采购资金609万元，节约资金168万元，节约率21.6%。当年采购总额1501.5万元。

2004年2—3月，对贵溪市东方供水有限责任公司自动化系统、供配电系统等设备进行招标采购；7月，对贵溪一中的课桌椅和新教学楼网络设备进行公开招标，采购金额300余万元；对市人民医院医疗设备CR爱克发计算机成像进行系统招标，中标价127万元；10月，对贵溪市老城区改造建设指挥部供水材料进行招标，采购金额706万元；11月，对贵溪一中背投彩电实行集中招标；对贵溪市经济大楼办公家俱进行邀请招标，中标价140.7万元。当年采购总额3087万元。

2005年，省政府采购办要求各地公开招标信息并在江西政府采购网上发布，定点加油及定点保险由地方招投标改为省政府采购统一招标，确定各地定点加油及保险。1月，对交通局客管办出租用车137辆进行招标，中标价1158万元；4月，对全市公务用车定点维修及装潢厂家进行公开招标；8月，对市政法委城区视频监控设备公开招标；10月，对市直部分单位电脑集中招标；11—12月，全年采购公务用车17辆。当年采购总额3415万元。

2006年3月，对市水电局九牛滩水轮泵和水轮发电机组进行公开招标；4月，对全市公务用车定点维修及装潢公开招标；5月，对贵溪一中笔记本电脑进行招标；8月至10月，对市直部分单位电脑、办公用具进行集中招标；11月，对市建设指挥部管网设备进行招标；全年采购公务用车27辆。当年采购总额3563万元。

2007年3月，对全市公务用车定点维修及装潢进行公开招标，由原来的一年一次招投标改为两年一次招投标；4月，对市检察院、市教育局、市土地局的办公大楼电梯进行招标；7月，对市区至城南工业园自来水管网进行公开招标；8月，对市卫生局医疗器械招标；10月，对市教育局中小学生课桌椅进行公开招标；11月，对市审计局办公用俱实行邀请招标。12月，对市人民医院医疗设备核磁共振公开招标，全年采购公务用车26辆。当年采购总额4438万元。

2008年，鹰潭市政府采购办要求所有采购招标信息都必须在江西政府采购网上发布。3月，对贵溪三号大桥、高速连接线、贵溪（鹰潭）铜循环经济园区供水管网进行招标，采购金额达1600余万元；4月，对贵溪市发改局信息中心电子政务和政府信息公开平台项目建设进行公开招标；5月，对贵溪市工业园区办公大楼电梯进行招标；6月，对市政法委部分乡镇视频监控系统进行公开招标；8月，对市卫生局医疗器械、空调、电脑进行招标；9月，对贵溪市人民医院螺旋CT进行招标；10月，对鹰雄大道、三号大桥、柏里大道项目进行招标；12月对市人民医院医疗设备CR进行招标。当年采购总额6177万元。

基本建设财务管理

1991年至1994年9月，基本建设财务由财政部委托建设银行进行管理和监督。1994年9月以后，随着国家经济体制改革的不断深化，以及建设银行体制的商业化转轨，财政部不再委托银行对基本建设财务进行监督和管理，改由各级财政部门归口管理。

2006年3月，贵溪市财政部门成立基本建设财务管理机构，统一管理中央、省和鹰潭市财政直接分配的基本建设拨款，统一管理全市的基本建设与施工、房地产开发企业的财务以及工程预决算审查并参与工程招投标和标底审查。

1991—2008 年中央和省补贵溪市基本建设资金 20423. 29 万元,市本级预算内安排用于城市建设资金 43913 万元,向国家开发银行和农发银行贷款融资 6. 9 亿元,全部用于政府投资性基本建设项目。

1996—2008 年中央、省补助和市本级预算内基本建设资金规模一览

表 13 – 20

年份	中央、省补助		市本级预算内安排		市本级预算内实际支出金额(万元)	融资金额(万元)
	项目(个)	金额(万元)	项目(个)	金额(万元)		
1996	2	28	6	982	982	—
1997	2	30	6	991	991	—
1998	7	71	5	997	967	—
1999	3	138	9	908	887	—
2000	6	115	4	527	523	—
2001	25	434	5	537	558	—
2002	31	891	6	557	506	—
2003	34	1009	14	1954	1850	—
2004	4	2207	4	3207	3106	—
2005	19	3955	8	4655	4650	—
2006	67	3569	34	9194	9394	8000
2007	171	3945. 47	85	7378	6578	27000
2008	188	4030. 82	94	12026	11726	34000
合计	559	20423. 29	280	43913	42718	69000

非税收入管理(预算外资金管理)

1996 年 4 月 1 日,成立贵溪县预算外资金管理局,10 月更名为贵溪市预算外资金管理局,对预算外资金进行管理。

1991 年,全市非税收入 1989 万元,到 2008 年增至 22318 万元,17 年增长 11. 22 倍。1991—2008 年,全市非税收入累计 214668 万元,其中:行政事业性收费收入 111164 万元,占 51. 78%;政府性基金收入 22657 万元,占 10. 56%;一次性收费收入 3974 万元,占 1. 85%;其他收入 76873 万元,占 35. 81%。

第二章 国家税务

第一节 机构与队伍

机构

贵溪市国家税务局于 1994 年 9 月 24 日正式挂牌成立。实行机构、编制、人事、经费"四垂直"管理。组建之初,有 1 个直属机构(稽查分局)和 2 个直属事业单位(信息中心、发票管理所)。下设直属分局、滨江分局、雄石分局、周坊分局、塘湾分局、耳口分局等。至 2008 年年底,市国家税务局内设科室为办公室、人事教育股、监察室、税政法规股、征收管理股、计划财务股、机关党办;直属机构与下属机构为信息中心、办税服务厅、纳税评估科、稽查分局、税源管理一科、税源管理二科、税源管理三科、耳口分局、周坊分局、罗河分局。

贵溪市国家税务局大楼

队伍建设

组织中层干部岗位交流和一般干部岗位轮换，交流面达80%以上，让干部到更适合自己的工作岗位上，做到人尽其才，激发干部的干劲。建立激励机制，建立健全各项规章制度，通过严格的考核，约束和引导干部的行为，规范各项工作的开展。设立“局长奖励基金”，对在工作上有突出贡献，特别是在服务地方经济、组织收入、争先创优等方面取得显著成绩的单位和个人进行重奖，充分调动广大干部的工作积极性，提高队伍的执行力。完善各项管理制度，加强对管理制度的检查落实，严格兑现奖惩，有效保障各项工作部署按照要求落实。防范风险，加强干部廉政教育，对全体干部经常提醒，警钟长鸣。加强对权力的监督制约，防止执法风险发生。加强对重点岗位人员的管理，对有苗头的干部及时提醒，防止出大问题。

第二节　国税收入

1994—2008年，贵溪国税累计组织税收收入105.23亿元，实现组织税收收入超100亿元的好成绩。2006年税收收入首破10亿元大关，2007年超过20亿元，2008年达到27.3亿元，总量是1994年的20.4倍，是2003年的7.2倍，连续6年雄居全省国税系统县（市）区局第一，为贵溪市跻身全国百强县和财政收入连续6年在全省县（市）区中列第一做出积极的贡献。

1994—2008年贵溪市国税收入情况一览

表13－21　　单位：亿元

项目	1994年	1995年	1996年	1997年	1998年	1999年	2000年	2001年	2002年	2003年	2004年	2005年	2006年	2007年	2008年
税收收入	1.34	2.01	2.07	2.06	1.69	1.86	2.22	2.69	2.82	3.79	5.64	9.33	16.3	24.11	27.3
同比增长		50.00	2.99	－0.48	－17.96	10.06	19.35	21.17	4.83	34.40	48.81	65.43	74.71	47.91	13.23

第三节　税收管理

税务登记

1999年，是全国范围内换发税务登记证工作的一年，国税局对全市个体医疗诊所，集贸市场、商业网点等漏征漏管个体户办理税务登记。

2006年，对2312户纳税人实施换证。以换证工作为契机，开展漏征漏管户清查工作，通过与工商、地税等部门信息比对和“拉网式”清查，共清理漏征漏管企业21户、个体工商户439户。

2008年，解决城区主要街道及农村主要乡镇所在地个体工商户漏征漏管现象，新增个体工商户141户，注销50户，个体集贸税收共入库536.35万元。

发票管理

1994年,共发放增值税发票510本,收回存根372本。

2006年,全年共为190户一般增值税纳税人发售增值税专用发票920户次,累计发售发票61000份(其中110次为发售电脑版普通发票1000份);发售普通发票2300户(次),共发售10000本,代开增值税专用发票1030份,代开补税190万元。代开普通发票7000多份,补税140万元。在搞好代开发票补税的同时,还重点搞好发票审核和以票补税工作,共审核发票1130户次,补税额达到115万元,平均每户次补税1018元。上传四小票总金额为47.7亿元,其中上传抵扣税额为9.7亿元(运费3194万元、海关完税凭证5.59亿元、废旧物资抵扣3.8亿元),上传废旧物资开具发票金额38亿元;为990户次企业接受和上传84400份四小票。

2007年,为270户一般增值税纳税人发售增值税专用发票1142户次,累计发售发票105464份,为180户次一般纳税人发售电脑版普通发票10900份;发售普通发票2290户(次),共发售14430本;代开增值税专用发票950份,代开补税194万元,代开普通发票11100多份,补税201万元;审核发票1030户次,补税额达到105万元,平均每户次补税980元。上传四小票总金额为93.4亿元,其中上传抵扣税额为32.72亿元(运费2883万元、海关完税凭证26.33亿元、废旧物资抵扣6.09亿元),上传废旧物资开具发票金额60.66亿元;为601户次企业接受和上传126021份四小票。

2008年,认证专用发票10万份,抄报税3500户,受理纳税人申报企业6500户次,个体户8000户次。

税源管理

1994年11月,派出8个小组,历时1个月,对全县县城、农村共2188户纳税户进行登记并逐一核实,为1995年的税收计划提供宝贵的第一手资料。

2006年,省属重点监控企业由2005年的5户增加到2006年的6户,市属重点监控企业由2005年的31户增加到2006年的41户,2006年监控范围扩大到县本级11户,首次将个体户纳入监控范围。

2008年,做好重点税源企业税收收入分析管理。一是深入企业调查了解生产经营情况、产品原料结构变化,掌握第一手资料,牢牢把握组织收入的主动权,有针对性地进行重点税源调查分析。二是通过加强对重点企业税源税负调查,确定各产品税负率,并分析价格、产量、原料对税负的影响,建立重点税源企业税收分析模型。通过加强对重点企业的税源监控,确保应收尽收,重点税源企业稳定增长,全年共组织各项税收收入27.2亿元,同比增收4.13亿元,增长18.04%。

纳税服务

1994年,国税局开展机关主动服务年活动。抓机关制度建设,制定活动方案,抓政策服务、征管服务、促产服务三个重点。抓办事效率的提高,执行税收征管规定,切实改进工作方法,在办理税务登记、购买发票、税务咨询等,做到随来随办,简便易行,方便税户。

2006年,纳税服务体系初步建立。建立一窗式办税直通车制度、银税一体化制度、以纳税评估为基础的涉税预警制度、税收执法责任制度。实现纳税人"一卡在手,轻松缴税",切实方便纳税人办理申报纳税手续,进一步规范税收征收和缴纳行为,实现税务、银行、纳税人的"三赢"。

2008年,换位思考,积极为纳税人提供优质服务。国庆节后国内外铜价巨幅下跌,局领导带领5个组到所有铜加工企业了解铜价大跌对生产经营的影响,并及时就如何帮助铜加工企业渡过难关提出3点税收应急措施。为促进本市铜产业健康可持续发展,在全省国税部门率先出台《铜行业税收管理办法》和《铜拆解园税收管理办法》。2008年,累计为本市铜加工企业落实各项税收优惠20121万元。2008年共减免退税69014.6万元,减免税务登记证工本费66户,减免金额1320元;未达起征点纳税人1053户,减免增值税18.6万元。

第四节　税收宣传与稽查

税收宣传

1994年起开展新税制的宣传工作，积极在各级刊物上发表文章，全年发表各类稿件87篇，其中省级17篇，市级38篇，县级32篇。

1995年，在抓好新税制宣传辅导的同时，开展税法宣传月活动。9月份，与地税联手举办税法咨询、有奖竞赛活动。

2007年，开展全国第16个税收宣传月活动，同时，大力宣传贵溪市纳税总额排名前30名企业。在贵溪市中心广场，与地税局联合开展第16个税收宣传月咨询日活动。邀请园区企业代表召开座谈会，就投资环境与经济发展、税收秩序等内容交流意见。开展百名税官送税法到千户纳税人手中活动。根据各纳税人的财务、税收特点，有针对性地将最新的税收法规、政策送到纳税人手中，满足个性化的税务服务需求。制作税收宣传单2000份，赠送给纳税人。

2007年，开展“政协委员国税行”活动：组织安排政协的领导及委员到国税局提意见及建议。开展“迎奥运，庆五四，建设世界铜都青年在行动”游园活动；召开铜产业发展座谈会：针对贵溪铜产业密集、废旧物资回收企业及福利型企业较多这一情形，邀请监察局、招商局、工业园管委会、铜产业代表企业、拆解园区代表企业以及江西铜业公司召开铜产业发展座谈会。

2008年，贵溪市国税局为更好地贯彻第17个税收宣传月“税收·发展·民生”这一主题，做好第17个税收宣传月的宣传报道工作。根据2006—2007年度A级纳税信用等级企业联合评定的有关规定，上报年纳税额100万元以上，符合评定条件的纳税人28户，经过自评、互评、公示等程序，评出江西省贵溪火力发电厂等12户纳税人为“2006—2007年度A级纳税信用企业”。

税务稽查

贵溪国税局成立之初，抽调业务能力强的50人，成立16个检查组对全县已自查的2188户纳税户进行核查，对被认定的一般纳税人230户企业进行逐户检查，共查补税款149万元，入库率达93.85%。

1995年，对全县121户有库存的企业进行全面审核，对251户一般增值税纳税人进行复查，取消18户企业的一般增值税纳税人资格。选调政治素质高的人员进入稽查队伍，检查人员占县城征收人员总数的34%。制定税务稽查各项制度考核办法，规范稽查工作。全年稽查入库税款290万元，占年度稽查计划的317.8%。

2006年，整合资源，加大税务稽查力度。对纳税评估环节移交的涉嫌偷骗税案，列入重点稽查工作内容优先安排。继续保持对利用增值税专用发票、“四小票”偷骗税，以及两套账、账外经营的打击力度。加强与公安、地税部门协调，落实联席会议制度，强化情报交流，形成合力办案机制，提高打击涉税犯罪的力度，共查处案件48件（包括上级部门共同查处），有问题户13户，查补总额554.8万元，查补税款400万元，滞纳金102.4万元，罚款52.2万元。

2008年，加大税务稽查力度。推行《贵溪国税稽查局规范行政处罚裁量权试行办法》，按《税务稽查工作规程》查办案件，严格按法定权限和程序履行稽查工作职能，逐步提高选案的准确性、检查的规范性、审理的合法性和执行的及时性，做到每结案一户，必须有查补税款50%以上的处罚，每月执法系统考核率达100%。强化稽查工作的统一性和规范性，以分级分类稽查为主要方法进行税收专项检查，全年共查处案件43户（包括参与结算10户、协查案件18户、移送公安部门1户），其中有问题户28户，查补总额1150万元，查补税款总额1115万元，罚款25.3万元，加收滞纳金10.4万元。

部分征管措施调整

1995年，确定征管改革的总体思路，“充分准备，稳妥起动，整体推进”。制定“三位一体”征管改革的实施方案，要求税务干部必须转变“管户”的旧观念，树立“管事”的新观念，让企业主动来申报纳税。制定纳税大厅办税程序和考核办法，强化资料管理，逐户建档，设立专门的征管档案橱和档案室，使征管资料规范、档案化。

2006 年 7 月,省局纳税评估小组对贵溪市 3 户铜加工民政福利企业(废旧物资回收公司)实施纳税评估。经过近 3 个月的纳税评估,根据评估结论,贵溪市涉及评估企业未出现重大违法事项,得到省局纳税评估小组领导的充分肯定。

2007 年,加强福利企业的税收管理,对废旧物资企业收购的废铜按验货要求做好台账登记工作。共有 24 户享受安置残疾人员优惠政策企业,2007 年上半年办理 2006 年结转退增值税 3996 万元,办理当年增值税退税 14023 万元,办理先征后退企业所得税 80 万元。为采取各项措施积极做好民政福利企业优惠政策调整后的政策衔接工作,税政股组织管理部门对 6 月底的企业库存进行盘点。

2008 年,加强福利企业以及废旧物资企业税收管理。按照上级局要求对民政福利企业、废旧物资企业加强验货管理,对废旧物资企业收购的废铜按验货要求做好台账登记工作。目前全市共有 26 户享受安置残疾人员优惠政策企业,2008 年共办理本年增值税退税 6655 万元。

第三章　地方税务

第一节　机构与队伍

贵溪市地方税务局于 1994 年 9 月 24 日正式挂牌成立。

贵溪市地方税务部门的管理体制,经历三个阶段的演变:从 1994 年起,实行同级人民政府和上级地方税务局双重领导,以同级人民政府领导为主;从 2000 年起,实行以上级地方税务局领导为主,机构、编制、人事"三垂直"管理;从 2005 年起,实行机构、编制、人事、经费"四垂直"管理。

1994 年 10 月,局下设:雄石、滨江、河潭、泗沥、白田、古港、周坊、志光、金沙、鸿塘、余家、雷溪、塘湾、罗河、彭湾、冷水、耳口、高公、文坊、双圳、樟坪、西窑、硬石岭、盛源等 24 个农村乡镇税务所(股级建制)。

1994 年 10 月,贵溪县财政局和地方税务局联合发文(贵财字(1994)第 100 号、贵地税字(1994)第 1 号文件)决定:河潭、泗沥、白田、古港、周坊、志光、金沙、鸿塘、余家、雷溪、塘湾、罗河、彭湾、冷水、耳口、高公、文坊、双圳、樟坪、西窑、硬石岭、盛源等 22 个乡(镇)地税所一律委托乡镇财政所代征,乡(镇)税务所与乡(镇)财政所合署公办,实行两块牌子一套人员。雄石、滨江两税务所派人驻乡镇办公。

1994 年 10 月,设立直属分局和稽查分局(均为二级局建制)。

1995 年 12 月,设立雄石分局、周坊分局、志光分局、罗河分局、文坊分局。上述分局均为副科级。各乡镇税务所自行撤销。

2000 年 1 月,为方便纳税人,更好地提供方便快捷的纳税服务,文坊分局由文坊镇迁至交通便利的贵南交通枢纽金屯镇,文坊分局更名为金屯分局。

2002 年 9 月,雄石分局更名为城郊分局。9 月 12 日至 26 日,进行为期近半个月的机构改革,全局 7 个分局(直属分局、稽查分局、城郊分局、周坊分局、志光分局、罗河分局、金屯分局)撤并为 6 个分局(直属分局、稽查分局、城郊分局、志光分局、罗河分局、金屯分局),增设信息中心(股级建制)。在机构改革到位、岗责体系明确的基础上,又通过税务人员竞争上岗、双向选择等方式推动人事改革。原有的 12 名中层领导干部(股长、副分局长)进行述职,能绩考核,末位淘汰 1 人。空缺的中层领导岗位实行竞争上岗,26 名干部报名参加演说答辩及民主测评,其中 7 人胜出,走向新的岗位。一般干部职工实行双向选择,第一轮双向选择后,有 80% 的人员确定了岗位。第二轮双向选择后,有 1 人落聘待岗学习。有 2 人因年龄原因提前离岗。

2003 年 7 月,局直属分局更名为征管局。

2004 年 6 月,增设局直属单位办税服务厅,负责税务登记、认定,发票发售、代开、缴销,纳税申报,税收征收以及办税服务。

2003—2004 年,进一步深化人事机构改革,将征收与管理职能分开,强化专业管理,取消城乡各分局征收职能，变全职能局为专业管理分局，只行使日常管理的单一职能，着力解决税源监控工作中“疏于管理、淡化责任”的问题。实行集中征收，城区内只设立一个办税服务厅，并依托一体化信息平台，在农村分局设立若干个办税服务点，便于偏远地纳税人申报缴税。同时，实行一级稽查，专对偷、逃、抗、骗税等违法犯罪进行重点打击，真正实现“征、管、查”三分离。

对征管业务进行规范设置，对管理权限进行重新调整，按照精简、规范、效能的原则规范岗责体系，将各项专业职能分解到相应的征、管、查机构，明晰了各机构的专业职责。

2005 年 8 月，局直属单位征管局更名为雄石分局。

至 2008 年，贵溪市地方税务局内设 7 个职能股室：办公室、人事股、税政股、征管股、会计股、监察室、信息中心。局直属单位 2 个：办税服务厅、稽查局。局下设雄石、城郊、罗河、金屯、志光 5 个基层分局。

全局干部职工共计 77 名，平均年龄 38 岁。其中，中共党员 46 人，大专以上学历 72 人。获得“全国计算机等级考试”一级以上证书的专业人才 68 人，约占全系统总人数的 88%，注册税务师、会计师 35 人。

1994—2008 年，荣获省厅级、地市级、县级等集体荣誉达 70 多项，荣获省厅级、地市级、县级等个人荣誉达 60 多项。

第二节 税款征收

全市地税每年税收收入（如无特殊说明，税收收入即指地方税务局组织入库的纯税款收入，不含各项基金、费等其他收入，下同），从 1994 年的 3450 万元，增长到 2008 年的 3.3998 亿元，是 1994 年税收收入的 9.85 倍，比 1994 年增长 885.45%。1994—2008 年，15 年来，贵溪市地方税务局累计组织入库地税税收收入 17.76 亿元，年均递增 18%。

1995—1997 年，每年全市地税税收收入以千万元幅度递增。1995 年全市地税税收收入 4581 万元，比 1994 年增加 1401 万元；1996 年 6035.8 万元，比 1995 年增加 1184.8 万元；1997 年全市地税税收收入 7297.2 万，比 1996 年增加 1261.4 万元。

全市地税税收收入在 1998—2001 年，均稳定保持在每年 7000 万元以上；2002 年突破 8000 万元；2003 年首次突破亿元大关；2004—2006 年均保持在每年亿元以上；2007 年突破 2 亿元大关，达 2.4557 亿元；2008 年突破 3 亿大关，达到 3.3998 亿元。

1994—2008 年贵溪市地税收入一览

表 13－22　　单位：万元、%

年份	税收收入	增幅	年份	税收收入	增幅
1994	3450		2002	8763.5	11.69
1995	4851	40.61	2003	10811.8	23.38
1996	6035.8.	24.42	2004	13402	23.96
1997	7297.2	20.90	2005	16100	20.13
1998	7398.8	1.39	2006	18807	16.81
1999	7061.8	－4.55	2007	24550	30.54
2000	7178.7	1.66	2008	33998	38.48
2001	7846.3	9.30	—	—	—
合计	177551.9				

1994—2008 年贵溪市地税分税种税收收入一览

表 13－23　　单位:万元

年份	营业税	企业所得税	个人所得税	资源税	城市维护建设税	房产税	印花税	城镇土地使用税	车船使用税	土地增值税	固定资产投资方向调节税	屠宰税	合计
1994	—	—	—	—	—	—	—	—	—	—	—	—	3450
1995	2837.8	112.5	90.6	5.7	796.4	298.5	0	249.2	27.2	—	279.5	153.6	4851
1996	3290	196.3	186	8.8	914.5	430	184	320	24.2	—	312	170	6035.8
1997	3482.5	320.1	311.5	12.8	1037.2	514.2	226	594.9	25.6	—	594.4	178	7297.2
1998	3889	320.1	459.4	24.7	563.2	520.8	133.2	698.9	29.3	—	585.7	174.5	7398.8
1999	3344	510	562.5	24.6	550.2	519.8	121.9	747.4	25.4	2	526.9	127.1	7061.8
2000	3709.2	719.6	691.9	36.4	625.8	434.5	137.9	698.1	19.8	6.6	—15.7	114.6	7178.7
2001	3768.7	638.5	990.8	59	679.8	665.3	254.1	710.4	18.1	3.7	29.5	28.4	7846.3
2002	4412.9	750.8	1314.8	105.6	683.4	523	217.4	712.5	22.6	17.4	—	2.8	8763.2
2003	5310.1	554.2	1883.1	112.3	765.8	671.4	302.1	1139.7	30.4	42.7	—	—	10811.8
2004	5480	715	3045	156	1127	644	799	1346	41	49	—	—	13402
2005	6915	1161	3087	160	1487	818	996	1339	54	83	—	—	16100
2006	7569	2043	2763	167	2385	776	1510	1257	51	286	-	—	18807
2007	10201	2054	3759	320	3059	1004	2050	1370	67	666	—	—	24550
2008	13019	3186	5994	495	2724	1130	3651	3120	110	569	—	—	33998

说明:1994 年税收收入,只反映该年 1—12 月的地税税收收入合计,不含各税的税收入

在税收总和中，营业税占比38.29%，其他依次是个人所得税占17.63%，印花税占10.74%，企业所得税占9.37%，城镇土地使用税占9.18%，城市维护建设税占8.01%，房产税占3.32%，土地增值税1.64%，资源税占1.46%，车船使用税0.33%。

2008年贵溪市企业缴纳地税20强排行榜一览

表13－24　　单位：万元

排名	纳税人名称	行业	法人代表	主管税务机关	2008年税款
1	江西铜业集团公司(省属)	工业	李贻煌	贵溪市地税局雄石分局	3716.59
2	江西铜业股份有限公司	工业	李贻煌	贵溪市地税局雄石分局	2663.32
3	江西铜业集团公司贵冶分公司	其他	吴吉孟	贵溪市地税局雄石分局	1922.34
4	江西省贵溪火力发电厂	工业	张运耀	贵溪市地税局雄石分局	889.75
5	贵溪发电有限责任公司	工业	彭小峰	贵溪市地税局雄石分局	792.00
6	中国工商银行股份有限公司鹰潭江铜支行	其他	李忠华	贵溪市地税局雄石分局	713.67
7	江西铜业股份有限公司贵溪冶炼厂	工业	黄明金	贵溪市地税局雄石分局	614.06
8	江西贵溪化肥有限责任公司(省属)	工业	姚迪明	贵溪市地税局雄石分局	594.04
9	中国农业银行贵溪市支行	其他	赵卫民	贵溪市地税局雄石分局	540.70
10	中国建设银行股份有限公司鹰潭江铜支行	其他	张革华	贵溪市地税局雄石分局	528.08
11	江西铜业集团(贵溪)物流有限公司(省属)	其他	胡庆文	贵溪市地税局雄石分局	524.78
12	江西贵雅照明有限公司	工业	张社喜	贵溪市地税局雄石分局	513.87
13	贵溪市政兴房地产开发有限责任公司	房地产业	马文洲	贵溪市地税局雄石分局	476.76
14	中国十五冶金建设有限公司第二工程公司	建筑安装业	彭彰彬	贵溪市地税局雄石分局	473.10
15	海利贵溪化工农药有限公司	工业	李贻煌	贵溪市地税局雄石分局	430.99
16	江西铜业集团财务有限公司	其他	曾桂明	贵溪市地税局雄石分局	395.46
17	湖北十五冶金拓房地产开发有限公司贵溪分公司	房地产业	董有志	贵溪市地税局雄石分局	389.88
18	贵溪市建筑工程总公司	建筑安装业	葛笔春	贵溪市地税局雄石分局	374.80
19	中国工商银行股份有限公司贵溪支行	其他	张国健	贵溪市地税局雄石分局	361.94
20	江西天汇电力建筑工程公司	建筑安装业	谢光明	贵溪市地税局雄石分局	332.95

说明："2008年税款"为剔除省属企业所得税及各项基金、费的纯税款

第三节　税收征收管理

税务登记

贵溪地税局成立之初，就建立税务登记制度，制定税务登记管理办法，对纳税人开业、变更、停业、注销进行依法登记。每年对纳税户进行税务登记年检验证。

1999年，是全国范围内的换发税务登记证工作的一年，地税局以此为契机，摸清税源，清理漏征漏管户。通过换证，地税局管户大大增加，换证后管户达3826户，比1998年增加33户。

2006年，地税局组织开展全面换发税务登记证工作，全面换发税务登记证3185户，完成换证任务数的105%，换证期间共清理出漏征漏管户228户，下岗再就业、高校毕业税务登记优惠240个。

发票管理

长期以来，纳税人使用的都是普通填开式发票，很容易造成税款的流失。地税局1997年进行发票换版，对旧版发票进行检查和清理。对合格的单位发给"发票领购、保管、使用合格证"以证明其取得使用新版发票的资格。对发票换版过渡时期未使用完的旧版发票，进行清理登记造册，全部收回。其间共收回未使用的旧版发票4648份。推行以票控税，首先在饮食行业实施这一制度。从1月1日起，对全

市范围内的饮食行业实行以定额发票、以票控税的征管办法,在领购定额发票的同时缴清所购发票的应纳税款。此举使得饮食行业税收大幅度增长,共征收入库98万元,比1996年同期增收36万元。这一做法得到鹰潭市地税局的充分肯定,并迅速推广。

1999年,发票管理由原来的分散管理,转为归口直属分局发票 窗口统一管理,做到税务管理员、发票管理员、税款征收员相互制约,层层把关,有力促进发票管理的规范化。

2000年,对饮食业发票实行全额征税按期清算退库,对裁剪、住宿、打字复印等服务业发票实行100%全额征税,并降低了双定额。

2001年11月份,在全市开展发票专项检查工作,重点检查定点印制企业发票、建筑安装业发票、运输业发票、服务饮食业发票,行政、事业单位涉税发票。共查出违规发票127份,金额180万元,查补税款8.9万元,罚款2.1万元。

2003年,对饮食、娱乐等服务行业的税收推行刮奖销售发票。

2004年8月份开始推行服务业、娱乐业有奖发票,提高消费者索票的积极性,扩大以票控税成果。

2005年,为适应征管信息化的需要,改变服务业个体户定税和供应发票办法,对服务行业个体户实行全额定税。建立和落实建筑、房地产行业发票管理考核办法,按规定发放代开和使用《建筑安装业发票》《房地产销售发票》《建筑安装业预收帐款收据》《房地产销售预收帐款收据》。

2008年,对41户发票需求量大的纳税户进行税负调整,同时积极开展打击假发票专项检查,在被查的30户企业和行政事业单位中,对9户处以发票违规罚款6400元。

税源管理

1994年11月,派出6个小组,历时3周,对全县县城、农村共558户管户进行登记并逐一核实,为1995年的税收计划提供第一手资料。

1995年初,开展为期3周的税源调查摸底工作,对全县城、乡近600多个纳税企业进行税源调查。

1997年年初,开展为期25天的税源调查摸底工作,对全市600多户的纳税企业进行税源调查。12月,结合1997年度税务登记证验证工作,进一步摸清税源,为1998年工作决策理清思路。

1999年,对全市18家上缴营业税较大的企业进行专门调查,登记造册;对建筑、装璜行业所涉及的税收实行“双向监控”,使建筑、装璜业出现良性税收秩序;对贵冶、贵化、贵电等税源大户实行跟踪管理,建立监督比照机制,逐月逐户掌握收入进度,纳入目标管理。

2000年,对21户重点营业税单位进行调查,核定税收底数。

2001年,基本摸清全市营运车辆税收的基本情况。对市区个体工商户计2106户进行一次全面清理,其中补办证241户,并全部重新核定应纳税款,输入计算机,张榜公布。

2003年,建立税源“一总四细”控管台账,建立税务登记制度,对50户高收入行业重点纳税人实行动态跟踪管理,对街道个体工商户地方税实行片管员制度,对每个店面订立带编号的税牌,实行真正意义上的“户籍式”管理。掌握全市固定税源9100万元。

2004年,加强重点企业管理,对江铜系统、贵电、贵化等重点企业安排业务骨干管理,当年三家重点企业共入库地方税收4364万元,同比增长1241万元;加强重点工程的管理,对贵电二期扩建、擂鼓岭房地产开发等重点工程实行专业化管理,当年共征收房地产建筑税收2409万元;规范个人所得税的征管,全年共征收个人所得税3044万元,同比增长61.7%,增收1161万元。

2005年,通过对江铜系统12家重点企业税源的有效监控,确保税款及时、足额入库,江铜系统入库地方税收4547.9万元,比2004年同期的3945万元,增收602.9万元。

2006年,对年纳税20万元企业初步建立监控体系,建立市级以上监控企业户籍清册49户,工业园区企业户籍清册77户,外来企业户籍清册76户。共有71户重点纳税户纳入重点税源监控范围,监控税收金额达13649万元,占全年税收收入的72.57%。开展2006年度税源普查工作。

2007年,建立市局、分局、税收管理员三级税源数据库。对当地税源影响较大的重点企业、重点工程(项目)、重点税种进行专题调查分析;城区分局对重点工程项目、房地产项目地方税源重点普查;农村分局对小型户加强监控。

2008年,组织开展对江西铜业公司整体上市、贵溪火力发电厂关停小机组对地方税源影响调查、重点工程地方税源调查;组织开展土地使用税、车船税专项调查;组织开展对市工业园区铜加工企业的地方税收整体税负进行测算;组织人员开展门临税收专项调研。

纳税服务

1999年,为纳税人提供文明、舒适、方便、快捷、热情、高效的纳税环境,全市纳税户登记率、申报率、入库率分别达到95%、90%、98%。

2001年,局直属纳税大厅增设纳税窗口2个,雄石分局增设企业纳税窗口1个,市区范围内从10月1日开始实现"银税一体化",农村分局农忙季节实行12小时工作制。

2003年,以评税、评估为纽带,优化征管服务。开展民主评税工作,按照业主自报、典型调查、民主评议、税负公告、税收核定、资料归档等程序进行,实施"阳光税收"。推进规范管理,所有地税干部统一着装上岗、挂牌服务,倡导文明用语,按照半军事化管理的要求,统一物品摆放,组织一次半军事管理应知应会知识竞赛。

2004年,高起点、高标准改造办税服务厅的硬件设施,改造后的办税服务厅在全省县一级大厅建设方面堪称一流。积极推行"一窗式"服务。实现办税服务厅"一窗多能"办税。"一窗式"服务涉及到的服务内容共8类66项,其中属于即时受理、即时办结的22项;即时受理,限时办结的44项。

2005年,强化纳税评估。全年共对纳税人进行约请谈话102人次,对重点企业采取"行业评估"、"专项评估"方式。8月对全市11家金融系统扣缴个人所得税问题进行"专项评估",共评估个人所得税22万元。对全市房地产行业采取"行业评估",确保房地产行业税收入库进度。完善纳税服务体系,实行"七个统一":统一规范服务标识、统一设计制作"为纳税人服务"标志、统一窗口设置、统一机构名称、统一区域划分、统一服务设施、统一公告内容。从主动关注弱势群体的创业及再就业进程的高度出发,对农村个体户落实起征点政策,惠及农村1198户个体工商户。到12月底,全市共办理下岗再就业税收优惠137户,减免税款40.09万元。为3户吸纳下岗职工企业办理税收优惠,全年共减免地方税收468.32万元。为创建"和谐地税""和谐社会"提供政策支持。

2007年,办税服务厅开展"3456"服务制:即推进"三时服务"、落实"四办要求"、坚持"五零标准"、实行"六项制度",不断优化服务结构,创新服务形式,先后获得全省地税系统"四星级办税服务厅"、鹰潭市第二届"文明窗口"等荣誉称号。

2008年,优化服务环境。全年共计受理79户下岗职工的减免税申请,提供假日服务110天、午间服务300余次、预约服务16次、纳税提醒服务300余次,为1500余户纳税人提供限时服务,为1360余户纳税人提供延时服务,接听纳税服务热线电话300余个,为纳税人解决各类问题300多个。

税收宣传

1996年,利用征管范围调整之机,地税局邀请县有线电视台进行系列采访报道,举办周末话题栏目,为地方各税的顺利征收打下坚实的基础。

1999年4月,地税局与国税局、市委宣传部联合举办以"依法治税、强国富民"为主题的演讲比赛,共有来自机关、学校、银行、企业、厂矿等21个单位的选手参加。与国税联合主办并由鹰潭市拍卖公司承办"贵溪市首届充抵税款罚没物品拍卖会"。

2002年,利用全市科级干部培训班机会,组织开展2场以"新征管法知识和税收与WTO"等为主要内容的税法知识讲座。在贵溪电视台和《贵溪报》连续播放、刊登一个月以"诚信纳税,利国利民"为主要内容的税收宣传广告。

2004年4月,税收宣传月期间,举行"全市诚信纳税单位、纳税大户表彰暨税法知识讲座"、税法宣传进"疫区"、"清明税法行","手拉手"税收文艺演出等多形式多层次的税收宣传活动12场。

2005年,举办税法宣传"常春藤"校刊征文赛、税法宣传工农商学兵、人大代表政协委员地税行、税收宣传短信竞赛。

2007年,税收宣传月期间,开展"关注民生,送税收政策进社区"活动、送"税法与农资"两下乡活动、地方税收新政专项宣传、情景漫画比赛等各种形式的活动。

依法治税

1999年,举办全局人员行政复议法培训,出台《贵溪市地税局关于对税务人员违反税收征管制度及有关规定的处罚办法》,建立行政执法责任制。开展执法检查,规范执法行为。7~8月20日先由各分局对1998年以来执法情况进行自查,对税收票证10万余份进行审核,自查面达100%。同时,重点检查直属、稽查和雄石分局,检查面达40%。对检查中查出的违规行为和违规个人在全局通报,对违规行为及时纠正,对违规人员作出严厉处罚。

2000年,实行执法责任追究制。监审部门调票检查497份,走访纳税户46户次;票证管理人员每月核查所有上解票证,对填开、计算、级次等方面出现的问题按季通报并及时处罚;7—8月,组织4个执法检查组,对全局一年来的税收执法情况进行集中检查,共查出违规149人次,对有关责任人经济罚款2725元。狠抓涉税大案的查处,严肃税收法纪。一年来,全局依法查纳税人账号10个,查封金额20余万元,直接扣缴税款40余万元,扣押查封商品、财产10余例。在公安经侦组撤消后,继续加强与公安经侦人员的联系,强力打击涉税违法行为。并坚持杜绝以补代罚,以罚代刑的现象,严厉查处诸如傅志红等暴力抗税案2起,刑事拘留2人,案件移送司法机关4起,维护税法的严肃性。

2001年,为促进税收执法水平的提高,从10月开始,进行税收执法和税收执行检查。自查阶段,全面对一年来所有涉税文件、执法文书、会议纪要进行认真合成自查,自查面达100%;重点检查阶段,市局三个执法检查组对七个分局一年来具体执法行为进行全面检查。

2003年,推行税收执法责任制,成立税收执法责任制工作领导小组,下设两个攻关小组,确定具体的责任人员。写出10余万字的《贵溪市地税局税收执法责任制》和《岗位责任》、《工作规程》、《评议考核》、《过错追究》等4本小册子。将每一个环节的工作规程等制作成幻灯片,并专门拍摄一部专题片。税收执法责任制实施以来,下达整改通知书83份,查出问题300人次,处罚金额4000余元。

2005年,共进行3次执法责任制检查,对92人次进行处罚,并及时发出限改通知书。

2008年,从5个管理局以及纳税大厅、稽查局挑选7名思想觉悟高、税收政策精、责任心强的同志担任税收法制宣传员。

税收检查

1994年11月,在全县范围内,结合财政、物价、税务3项检查,开展税收专项检查工作。至1994年12月18日,全县共计检查管户318户,查补税款187.7万元,其中入库179.4万元,入库率达95.6%。

1995年,县局成立8个检查组,分别对行政、事业单位的收费及各乡镇企业的纳税情况进行检查,共查补税款60余万元,并全部清缴入库。

1997年,地税局组织开展一次全面的征管法律法规执法检查工作。成立10个检查组,对1996年、1997年发生的各种违反地方税法规的行为进行检查,其中将饮食行业发票、车船使用税作为大检查的工作重点。此次大检查共检查2967户,查补税款145.17万元,入库143.79万元,入库率达到99%。

1999年,重点开展建筑业、娱乐业、私房出租业及农用车辆地方税、固投税专项检查,对全市121个单位1996年以来140个基建项目结算情况进行检查,查补建筑业税款408.08万元;对市区8家歌舞厅和3家溜冰场进行全面检查,查补地方税款1 120元,罚款560元;对私房出租业进行税收专项检查,查补税款4.6万元;对农用车辆地方税进行专项检查,查补税款1.5万元,罚款3.5万元;组织开展固投税专项检查,截至12月底,共清理出固投税74万元。

2000年,开展农村税收专项检查,行政事业单位专项检查,重点税源户专项检查,房地产业、娱乐业税收专项检查。

2002年,对集贸市场进行为期2个月的集中整治,共清理出集贸市场个体户400余户,办证率达到100%,并全部双定税负。集贸市场税收管理走向规范有序。在整治工作中,地税局首次采用公证人员对税收执法程序到位情况进行公证。

2004年,开展货物运输业发票、医药生产购销、个人所得税、建安房地产和房屋租赁业共5个税收专项检查。

2006年,通过推行房地产一体化管理与专项整治,共查补房地产税收税款100万元;通过对市区范围内的学校、医院高收入行业等5户纳税人进行个人所得税专项检查，共查补税款11万元。

2007年，按照省局和鹰潭市局关于开展年度税收专项检查的文件精神，开展企业所得税汇算清缴重点检查、房地产建筑行业和高收入行业个人所得税等税收专项检查。

税务稽查

贵溪地税局成立之初，1994年11月，稽查分局对重点户进行分析排队，派出业务骨干进行重点检查。两个月，查出偷漏税款87.45万元，追缴入库57.69万元。

1995年，地税局针对稽查工作下发《地税局稽查工作方案》《地税局地方税收检查规程》，分阶段对隐形房地产交易、建筑业营业税、个人所得税、房产税、土地使用税、固定资产投资方向调节税等进行专项检查。共查补入库地方税收480万元，占1995年地方工商税收计划的10%。

1997年，加大压缩旧欠力度，一方面市局成立清欠领导小组，对欠税大户逐户分析其现状，分别下达书面催缴或扣缴文书，另一方面加强与司法、银行等部门的联系和配合，于12月共压缩旧欠600万元，同时对本年度的税款，严格办理税款缓缴的审批手续，有效防止新欠的发生。

1999年年初，稽查分局设立审理组，完善选案、稽查、审理、执行四分离机制。首次推行复查制度，从已结案的33户中抽出7户企业复查。对复查结果及时通报，纳入考核。从而进一步监督约束稽查人员的稽查行为，全局共查补税款898万元。

2003年，推行"七个一"工程（即查补一笔税款，留下一份建议，规范一户企业，获得一种评价，赢得一份信任，传播一份文明，树立一种新形象），是年共检查纳税户96户，结案88户，查补入库税款72.16万元，入库税收滞纳金、罚款35.37万元，入库防洪保安资金35.05万元。

2005年，推行"阳光稽查"活动。建立税警联系机制，增强打击涉税犯罪的整体合力。为便于日常联系协作，地税局和市公安局经侦大队建立定期联系制度，设立税警联络室，双方都指派联络员，相互为对方履行行政执法活动提供支持和帮助，并定期通报情况，沟通交流。当年通过税警联合办案，追补税款15万元。

税收征收管理信息化建设

1997年7月1日，局与中国建行贵溪支行合作，联合发行金税龙卡，推行银税一体化，雄石镇区的所有有证个体户实行持卡纳税，建立3个新的纳税网点。

1999年，有272户企业1800户个体户纳入计算机管理，城区全部实行计算机开票。每月11日计算机自动生成未按期申报户名单，但此时全局计算机尚不能联网运行。

2000年，局建立计算机控制中心，直属分局纳税大厅、稽查分局及征管计会股增强硬件设施，新添置10台微机，形成征、管、查资料共享，协调监督的局域网络。集局机关办公及纳税服务大厅为一体的多功能综合楼竣工，12月26日正式启用。

2002年，构建广域网，实现全局信息高度共享。新增电脑25台，各单位、各部门都有自己的电脑终端。各单位内部网线全部联通，外部使用中国移动提供的网络。聘请省地税局信息中心的专家来贵溪地税局，修改适宜贵溪实情的征管软件。成立信息中心，加大信息知识及应用的培训工作力度。在12月份的计算机应用测试中，全体人员顺利通过考核。

2003年，信息化建设创新工程下达以后，按照省局、鹰潭市局"一个网络、一个平台、两级处理、三个覆盖、四个系统"的信息化建设规划要求，高起点规划、高标准设计，与中国银行贵溪市支行合作，利用深圳饶兴电子公司"小蜜蜂"远程报税系统技术，攻克一个又一个技术难点，率先在全市顺利实现"银税一体化"。构建上门申报、电话申报、电子申报、网上申报共存的多元化申报体系，并搭建集征管信息化、申报多元化、办公自动化为一体的操作平台，实现纳税人足不出户就能申报纳税的愿望，改变税务干部由"写得一手好字，打得一手好算盘"向能熟练运用、操作信息化系统这一工作标准转变。使具备硬件条件的103户企业开通"点对点"远程电子报税及网上报税，2387户固定个体工商户实现"预储税款、集中批扣"，占总个体工商户的91%，全面实行无纸化办公。建设贵溪地税网站。建立健全符合信息化要求的各项制度，并汇集成《贵溪市地税局信息化管理手册》，该手册涵盖征管系统、多元化申报系统、办公自动化系统等有关软件的操作和信息管理。

2005年,建立江西省地税视频会议系统。5月初,局进入实施阶段。6月10日视频会议系统和办税服务厅监控系统调试成功。该系统的建立使贵溪地税局信息化建设迈上一个新台阶。是年,全局45岁以下干部97%取得计算机一级证书,74%取得二级证书,还有1人取得三级证书,远高于省局指标要求。

在全市范围内实现申报方式多元化和申报纳税“银税一体化”。全市已有2247“双定”纳税户实行银行集中批量扣税,占个体户总户数的95%,年批量税款近100万元;100余户企业实行点对点远程申报,年申报税款达3400万元。建成广域网络,开通互联网站,建立一体化信息平台,定期更换网站内容,利用网络实时、信息互通和资源共享的特点为纳税人提供零距离、全方位的涉税服务。

2007年,对个体工商户全面推行“电子定税”系统。该系统按照核定税款关键指标(参数)值的不同分为4大行业29个子项目,对个体户营业额的核定采取按路段、行业、经营面积、商誉度等因素设置参数,从而计算出个体户的月营业额,计算机自动生成定额,实现个体税收评定的电子化,在很大程度上解决个体户税负不均现象。

2008年,将所有纳税户的税务登记、申报、缴税、欠税、处罚等情况全部纳入征管系统管理和监控。组织开展POS机划卡缴税,认真落实“同城办税”,全年通过POS机划卡缴款金额为100万余元。积极推行网上报税,12月4日,13户企业财务人员在局视频会议室一次性申报成功,申报税款20万元,为后期网报系统的全面推开奠定坚实的基础。

征管措施改革

1995年,贵溪县政府先后出台《固定资产投资方向调节税征收管理办法》《屠宰税征收管理办法》等征管办法,扩大代征面,加强对代扣代缴工作的管理,有效地防止税源的漏征和流失。

1997年,先后以政府的名义出台下发操作性较强的《贵溪市加强房地产交易应缴税、费征收管理意见》《贵溪市所得税收管理实施办法》《贵溪市车辆地方税(费)征收管理办法》。以征管促增收,有效地堵塞“跑、冒、滴、漏”。完善对所得税、交通运输、建筑安装营业税代扣代缴制度。对个人所得税的代扣代缴工作,采取法人支付与个人双向申报制度相结合,跟踪了解个人收入支付明细表申报的工作情况,加强个人收入申报工作的管理与监督。对交通运输、建筑安装营业税的代扣代缴工作,采取“以票控税、先税后票、票税结合”的方法,委托代征单位实行先税后费,进行源泉控制。

1999年,加强对个体私营税收的征管。对固定店面个体户登记造册,重新编码。合理核定个体税负,足额征收,调整定额不低于《全省“双定”个体工商户营业税最低税负等级表》的标准,调整面达98%以上。核定税负时采取“业户自报,典型调查,集体评税,公开税负”的办法,确保税负公平合理。结合实际,开展多种形式的检查,严堵征管死角。以换证为契机,建立个体户登记卡和户籍台帐。严格停歇业管理,各分局对停歇业严格报批手续,建立税收征管内部监控机制,实行交叉检查,增加透明度。实行划片管理,企事业单位纳税人按税种按行业进行划分,个体集贸税收按地段划分,建立税源户籍制。同时为明晰征管各环节、各层次责任,提高征管质量,定岗位、定职责、定人员、定处罚,并配套建立严格的检查考核制度和奖惩制度,实行责任追究制,切实量化责任,硬化细化考核。实行城乡有别的征收方式。城区实行纳税大厅集中申报纳税,乡镇(除雄石镇、滨江乡)核定统一的纳税申报期和集中征收期。

2000年,市政府下发《贵溪市房地产交易、建筑安装地方税收管理暂行办法》。《办法》从土地使用权转让、施工建设、房产所有权转让等环节强化税收控管。局成立专业管理组,对建安行业税收实施专项管理。对个人所得税实行专人专项管理,强化代扣代缴工作力度,普遍开展个人收入双向户报制度,堵塞了征管上的漏洞。

加强屠宰税的征管,实行在收购和屠宰两个环节控管。对农村自宰自食的,由村委会代征;对定点屠宰的,农村分局委托代征员征收,并按年核定征收任务;市区由定点屠宰场代征;对外销的由食品公司代征。成立集贸征收站,加强市区和市郊的集贸市场、夜市摊点等零散税收征管。

2002年,推行新的税户管理办法,确定“深挖漏管户,服务正常户,培植新增户”的新型征管理念,对纳税人实施A、B、C三类管理,对市区个体工商户实行图表式户籍管理,将城区划分为三块,实行片区专人管理。局委托贵溪市信用合作联社及下属各储蓄网点办理代收农村地方税收工作。对全市定期定额征收的纳税人应纳税额实行民主评定。为确保民主评税工作顺利进行，市、乡（镇）两级成立评税工作领导小组和评税人才库。税负按行业分地段评定，不同行业的税负大致平衡。

2003年，对江铜、贵电、贵化、金融保险、建筑安装等重点税源行业以及高收入行业重点纳税人，按照纳税人信誉等级实施重点管理。实行会计一级核算，按月进行票证审计，坚持定期票证盘点制度，加强税收会计征、缴、欠税的核算。加强零散税收征管，充分发挥社会护税协税网络功能作用，对税源分散难以统一管理的地方税收，依法委托有关部门代征，建立代征关系的单位达22个，共代征各项地方税收560万元。

2004年，规范企业所得税的征管，对收入、成本、利润、税金有失正常的企业一律采取附征形式征收企业所得税。全面开展纯营业税户的"全额双定"工作，按民主评税的程序，成立评税小组，对全市303户纯营业税户进行全面的税负调整，实行全额定税。

2005年，对重点工程实行项目登记、源泉控管、以票控税的管理办法，对建筑业税收全过程进行"事前登记、事中管理、事后监督"的管理并建立征管明细台账，对全市56个重点项目工程实行项目登记，并组织录入征管业务软件。重点工程征管效果明显，全年共征收单项工程建安税收2100万元。

2007年，对个体工商户全面推行"电子定税"。全面推行、实施房地产税收"一体化"管理。局与国税、财政部门到广丰县考察学习房地产税收一体化管理、社会综合治税经验。市政府正式出台《贵溪市房地产税收"一体化"征收管理实施办法》，8月10日至11月30日，"一体化"地税征收窗口共受理房屋产权交易115笔，征收地方税收（费）310万元，二手房交易税收减免19.6万元。房地产税收"一体化"管理初见成效。

2008年，根据税源结构和纳税人情况，与税收管理员签订"重点绩效目标承诺书"，对征管员进行优化组合、科学配置、明确职责，推行"税收管理员工作日志"制度。积极推行个体工商户参数定税。通过加强领导，落实责任等措施，制定出台《贵溪市地方税务局计算机参数定税实施方案》，对试点的饮食、住宿、娱乐等服务业，完成信息采集录入工作，并确定不同的参数、系数、权重。

结合2008年企业所得税征收方式鉴定工作，将19户房地产企业的所得税征收方式改为查账征收。

规范化管理

2005年8月24日开始，鹰潭市地税局在全鹰潭市全面推行规范化管理，用ISO 9000标准打造规范化地税。贵溪市地税局制订实施方案，成立规范化试点领导小组。研究制定《学习培训制度》《工作例会制度》《运行协调制度》《检查督促制度》等多项制度和办法。根据贵溪工作实际情况，共完成19个F类个性化作业指导书的编写工作。

2006年3月21日，全省地税系统规范化推广会在鹰潭召开，局整理规范化纸质资料16本，制作宣传板块3块。为防止各单位放松对规范化管理的要求，规范办成员加大巡查力度，经常指导和督促文本运行情况，认真严格地纠正存在的不足，积极提出改进措施。4月下旬和7月上旬，由管理者代表、规范办成员对各基层分局（含办税服务厅）组织两次内审。通过采取听、查、看的方式，了解干部职工掌握规范化基本常识情况，查验各单位工作流程情况，评价各单位推行规范化管理以来所取得的成效和存在的不足。

2008年，根据省局规范化建设推广工作要求，结合实际，2月下发《贵溪市地税局2008年度规范化建设工作计划》《2008年贵溪市地税系统规范化建设工作要点》，3月底制定下发《2008年贵溪市地方税务局规范化建设实施方案》，4月份制定下发《贵溪市地方税务局规范化常态管理办法》。严格按照"谁下发、谁清理、谁规范"的要求，建立相关工作责任制，形成新的制度目录和制度汇编；认真开展职位说明书的编写工作，至4月底，各单位已全部完成职位说明书的编写和上报工作；9月开展规范化管理体系管理评审工作，修改完善F类规范化文本，确保各项工作规范和流程畅通运行。

绩效管理

2005年年底，省局把贵溪地税局定为绩效管理试点单位。

2006年3月，鹰潭市局、贵溪市局组织人员集中时间封闭进行绩效管理方案的编写。6—8月，到江西铜业公司考察党建工作绩效管理，到广州市国税局、厦门市集美区地税局考察绩效管理。

2007 年,初步建立一套以绩效沟通和绩效改进为主线的绩效管理机制。3 月、7 月、9 月、10 月绩效办成员集中时间先后 4 次对绩效方案进行修改,较好地解决方案中存在的问题。在关键绩效目标的设定时对上级的各种考核指标进行优化,删除原目标管理考核中大量相互包容和存在“母子关系”的指标,整合一些考核时意义不大的指标,主要围绕组织收入、纳税服务、税收执法、争先创优、廉政建设等 5 方面设定关键绩效目标。基层分局控制在 15 项左右,机关股室控制在 10 项左右,个人的关键绩效目标一般在 8 项左右。

绩效目标设定之后,为达成绩效目标,各部门将绩效目标进行层层分解落实下去,同时各部门针对绩效目标,制定出相应的绩效措施。通过目标的层层分解落实,可实现压力的传递,改变行政机关传统上靠权威实现的压力传递方式;通过绩效目标按月、季等时间展开分解,实现工作的计划性;在个人绩效管理中应用《个人绩效目标承诺书》的形式,构筑干部职工的主人翁心态;通过绩效目标与职责结合进行分解,做到职责清晰和授权充分。

在绩效考评过程,局在设计绩效考评指标时将定量考核与定性评价结合起来,引入 360 评价方式。同时丰富绩效考核结果的应用,实施奖优罚劣,奖罚及时兑现。考核结果与评先评优挂钩,并将其作为晋升非领导职务、提拔使用干部、优训的重要参考依据。

2008 年,采取走出去请进来等方式,寻求绩效管理理论与实践的新突破,及时组织开展本级绩效管理架构完善和方案的修订工作,深入开展绩效评估,细化 2007 年度绩效分析,找出问题的根源,制订绩效改进的措施,形成部门、单位和个人的绩效分析报告。通过不断探求个人绩效管理的途径和方法,逐步建立一个“以规范化管理为基础,以实现个人与组织共同发展为目的,注重过程控制、强化沟通、持续改进”的个人绩效管理模式。

第十四卷　经济事务管理与人事管理

第一章　计划与发展

第一节　机构管理

机构设置

贵溪县计划委员会，于1972年10月成立。1996年10月，更名为贵溪市计划委员会。2003年3月7日，更名贵溪市发展计划局，同时将市物价局、市支援重点企业发展管理局并入市发展计划局，对外保留物价局牌子。增加对全县的商品价格、各类收费、价格成本调查、物价监督检查、价格认证等方面的物价管理职能。2005年4月8日，改称贵溪市发展改革局，将市政府办公室内设机构的经济体制改革办公室并入市发展改革局，其对全市企业经济体制改革工作指导、组织、协调的职能一并转入。

管理职能

1991年后，计划管理逐步向适应市场经济体制要求的方向转变。国家对国民经济和社会事业计划管理实行宏观调控，微观放开放活的方针。2004年7月后，项目审批制度，按照“谁投资、谁决策、谁受益、谁承担风险”原则，落实企业投资自主权，计划部门实行核准制和备案制。

第二节　计划制定

年度计划

每年依据中长期计划指标编制全市(县)国民经济和社会发展年度计划(草案)，在经市人民代表大会审议通过后执行实施，年度实施中在遇有政治、政策和经济发展情况发生重大变化时会有所调整和变动。

中长期计划

“八五”(1991—1995年)计划 发展目标是：国民生产总值年均增长5.6%，县属(不含驻县企事业目标值单位地方工业)工农业总产值年均增长8%；全社会劳动生产率年均增长5%，国民生产总值综合能耗每年降低2%，依靠科技进步占新增工业产值比重达到40%以上；按可比价格计算，城乡居民收入年均增长4%左右，城乡居民消费水平扣除价格因素年均增长2%左右。

“九五”(1996—2000年)计划 发展目标是：到2000年国民生产总值达到34亿元，力争达到37亿元；按1990年不变价格计算，工农业总产值达到73.1亿元，其中农业总产值达到6.1亿元，工业总产值达到67亿元(其中县属工业总产值达到29.4亿元)；2000年固定资产投资合计39亿元，年均增长20%；地方财政收入达到24040万元，年均递增15%；农民人平纯收入达到3200元，年均增长15.2%；城镇居民人均生活费收入达到6200元。全县出口总额(不含驻县单位)达到1300万美元，年均增长20.9%。

“十五”(2001—2005年)计划 发展目标是：到2005年国民生产总值达到48亿元至50亿元，财政收入年均增长9%，达到40.76亿元，其中地方财政收入达2.22亿元，全社会固定资产投资年均增长

12%,农民人平纯收入年均增长5.5%左右。

“十一五”(2006-2010年)计划 发展目标是:生产总值年均增长18%以上,人均生产总值达到3900美元;财政总收入年均增长20%以上,地方财政收入比重占45%以上;全社会固定资产投资累计完成190亿元,社会消费品零售总额年均增长15%。城镇人均可支配收入达到13600元,农民人均纯收入达到6000元左右。

第三节 计划执行

1991—2008年是制定并实施完成国民经济“八五”“九五”“十五”3个五年计划和正处于实施“十一五”计划中间年份的时期,在这一时期贵溪市经济得到快速发展。1991年全市国民生产总值仅为6.37亿元,2008年全市国民生产总值达到172亿元,比1991年增长27倍,年均增长20%。

“八五”计划执行

“八五”期间是贵溪县经济建设和各项社会事业发展最为迅速的时期,计划提出的主要任务大多提前一年完成或超额完成。

改革方面:进一步转换国有企业经营机制;在农村改革上,推行农村股份合作制;完成城镇住房制度、工伤与养老保险制度改革;价格、劳动用工、工资、科技、教育等改革进展顺利。“八五”期间累计吸收外商直接投资630万美元。

基础设施方面:农业方面,贵溪县作为全国百强重点商品粮基地县之一,总投资460万元用于商品粮基地建设。5年来,老区建设投资累计1118.7万元,以工代赈1956万元;利用世界银行贷款开发红壤累计824万元(含二期贷款34万元)。交通方面,城北铁路立交桥、牛亭桥、徐家桥、富庶岭两桥一路,西排至山头关公路等相继竣工通车;320国道、贵塘公路改造、浙赣铁路复线、信江渠化整治工程及界牌枢纽等工程建设进展顺利;电信方面,截至1993年年底,固定电话万门程控扩容全面竣工,市话用户5288户;1994年,全县各乡镇在全面开通程控电话后,95处全部架通光纤电缆,移动通信机器安装落成;1995年,全县城乡装机总容量达14096门,安装电话6289部,电话普及率达到1.32%。城市建设方面,“八五”期间共筹措建设资金2292.1万元;续建、改建、新建道路27条,面积12.12万平方米;架设路灯、高杆灯,路灯普及率达到76.6%;新建全封闭式垃圾中转站、桥西公园,和一批花坛、绿化带,城市绿化覆盖率达到38.4%;新建、改建自来水一、二级泵房,供水能力由8000吨/日提高到15000吨/日;新建贵溪宾馆,基本建成贵溪商城,开发一批商品房,城市住房面积由“七五”期末的人均7.5平方米增加到“八五”期末的人均9.71平方米。

社会事业方面:县一中办公楼、二中综合楼、县图书馆等相继建成并投入使用;科技成果显著,共承担国家、省、市县科研,星火成果推广项目67项。

“九五”计划执行

“九五”期间贵溪经济和社会各项事业有长足发展和进步。

红壤二期开发、国家粮食储备库、烧箕山和叶家塘农贸市场改造、数据通信、移动通信、雄石西路、石垅坝以及一批城区道路、乡村公路拓宽改造等重大工程相继建成。经济大楼、沿河公园、复兴路改造、雄石110千伏变电站和城市供水管管网改造、农村电网改造、罗河工业开发区等一批项目投入建设。

全市取得科技成果45项,其中39项获全国、省、市科技进步奖,有3家企业列为省区外高新技术企业,大功率稀土节能灯产业化项目被列为国家高新技术产业扶持项目,贵溪市被评为全国科技先进县(市)。市一中和市二中教学综合楼、四中电教楼、博物馆、新华书店、信江电影院改造等一批教育文化设施相继建成。

“十五”计划执行

十五”时期全市综合经济实力强劲提升,超额完成“十五”计划的各项任务,实现在全省“当崛起排头兵、建一流县级市”的奋斗目标。

“十五”期间,三次产业的结构比例调整为10:63:27。农业产业化龙头企业不断发展壮大,全市有省级龙头企业8家，鹰潭市级龙头企业5家；工业在国民经济中的主导作用进一步凸显，铜材加工、光电子、化工、建材、医药食品已成为工业增长的重要力量。工业增加值占生产总值比重达58.8%，高于“十五”计划目标值5.2个百分点；市工业园区建设进一步加快，首期4平方千米“七通一平”基本完成，园区有企业56家，投产企业36家。

“十五”期间，城镇化水平进一步提升，城市基础设施建设明显加快。320国道拓宽工程、城南滨水休闲绿地、象山公园、信江大桥维修、雄石路、站前路、建设路“三路”改造、市办公大楼、中心区水厂及一批商住小区等重大工程顺利竣工，建成区面积由2000年的17.28平方千米扩展到19.50平方千米，城市框架进一步拉开，城市功能进一步增强。

“十五”期间，全市共申请专利134件，排名在全省县(市、区)第一位，荣获鹰潭市以上各级科技进步奖47项。科技进步对经济增长贡献进一步增强，连续三次荣获全国科技进步先进市。疾病预防控制中心等公共卫生体系建设进一步加强，新型农村合作医疗试点工作取得明显成效。

“十一五”计划(2006—2008年)执行

社会主义新农村建设全面启动。完成乡(镇)、林(垦殖)场25个村庄布点规划和112个村庄建设规划。按照“六改、四普及”的要求，60个新农村建设试点村扎实推进。

一批重点工程进展顺利。冶金大道改造、市看守所迁建、贵塘公路入口段等项目已经完成；贵溪大桥、贵溪大道、柏里大道等项目实施建设，交通基础设施建设大大加强，完成贵溪—西排公路(B段)和33条175千米通村公路改造建设，贵溪—冷水公路、樟坪—篁碧—太源三乡连通公路及11条70.2千米通村公路改造投入建设。

利用市外资金取得突破性进展。全市新增工业项目25个，引进5000万元以上内资项目8个，即凡尔顿电动车、世茂铜业、丰阳工贸、博群铜材、亿新铜材、奥泰铜业、江西铜材二期、江西天億矿业，实际进资12.67亿元。

“科教兴市”战略深入实施。贵溪市第四次捧回了全国科技进步先进市(县)奖牌，荣获省科技进步奖1项，鹰潭市科技进步奖4项；全年专利申请量150件，申请总量排在全省县(市、区)的首位。

铜产业聚集效应凸显。市工业园区共有入园企业和项目83个，其中投产企业57家。全年实现主营业务收入116亿元，同比增长111%，其中主营业务收入超10亿元的企业3家，超5亿元的企业5家，超1亿元的企业20家，创税4.62亿元，园区从业人员近2万人；46家规模以上铜加工企业落户园区，其中投产23家，年生产能力达60万吨，铜产业主营业务收入占园区主营业务收入88%以上；铜拆解工业园区建设速度加快。铜拆解区已经国家环保总局批复，并经省发改委批复立项，是内陆批准设立的第一家集中利用加工区，仅5个月完成1.7千米主干道路基土石方及一期1000亩场地平整；并同广东南海宁成金属公司、兴奇金属公司签订总投资15亿元兴办拆解项目协议，与宁波港集团签订合作建设“无水港”项目协议，国外第七类废物进口通关转关机制及海铁联运体系建设已进入实质性运作阶段。

节能减排引起全社会高度重视。开展高耗能、高污染行业专项大检查，并得到有效的遏制。实施贵化新型建材纸面石膏板及水泥缓凝剂、贵雅节能灯产业化等一批节能降耗项目。

重点工程强势推进。市中心转盘渠化、信江路、交通路改造工程、规划三路、城南、城北汽车站已竣工。贵溪大桥主体顺利合拢，铜拆解区、沪昆高速公路贵溪挂线二期建设、柏里大道改造、贵溪大桥东西延伸道路工程、雄鹰大道贵溪段、贵溪至西排公路改造等工程积极推进，贵溪3号大桥、中心区水厂二期、城市污水处理厂、市人民医院整体搬迁等项目前期工作进展顺利。

2008年度计划执行情况。努力克服雨雪冰冻灾害、全球金融危机和铜价大幅波动等不利因素的影响，扎实推进世界铜都建设。鹰雄大道贵溪段、贵溪大桥及其东西延伸段道路、贵溪大道、柏里大道、贵西战备公路A段等重点工程竣工通车；完成桥西公园改造、新水厂联结道、贵塘公路拓宽等建设项目；铜拆解加工区一期工程建设基本完成，已有10家企业开工建设；新人民医院等新建项目顺利开工。

第四节 项目与投资

项目是经济发展的载体,经济的发展离不开项目的投资。近20年来,全市实施了大量项目投资,促进农田水利、工业、城市基础建设、道路交通和社会事业等各方面的长足发展。

1991—2008年贵溪市农业项目投资与争取上级专项资金一览

表14-1

年份	项目(个)	总投资(万元)	重点项目	上级专项支持资金
1991	16	435	贵溪县苗圃、双圳茶园、河潭网箱养鱼	
1992	14	412	鲁水坑水电站、樟坪乡姜山口水电站	
1993	6	1845	鲁水坑水库、太平坂水库扩建	工代赈资金600万元,投入农业水利设施
1994	10	950	贵溪县粮棉主产区发展经济建设、高公乡丰岭村千亩茶园、硬石岭乡果业	
1995	16	18120	太平坂水库扩建、笋竹两用林、鲁水坑水库、梨生产基地、食用菌开发	
1996	13	3555	江西富贵鳖业有限公司扩建、彭湾鳗鱼养殖	
1997	14	1876.1	硬石岭水库水面立体开发项目、耳口采育林场、三县岭林场笋竹两用林	
1998	14	422.3	滨江房地产开发公司立体养殖项目和白田乡苏湾农业综合开发	三县岭场速生果业林改造28万元、天创捺菜公司20万元、水土保持投入16万元、财政债券29万元、林业天然林改造财政债券200万元。同年,国家粮食储备库、城市供水管网改造、水土保持重点治理列入国家2000亿元的基础设施建设项目
1999	7	243.2	耳口林场培植银杏经济林开发	
2000	5	6243.5	农村电网改造、鄱阳湖流域水土保持治理、清洁能源(沼气)的综合利用、罗塘河流域生态治理、野生动物资源保护	
2001	11	63014.29	农村电网改造、鄱阳湖水土保持重点治理、110千伏雄石输变电站、硬石岭水库除险加固、罗塘河区域治理、国家长防林二期、天然林保护、林业生态城市防洪等工程建设项目	
2002	7	36017.4	白鹤湖种草养鹅示范园、白果树水电站、硬石岭水库旅游开发	
2003	4	2400	耳口福源水电站、广源水电站、龙石水电站和金家山水电站建设	
2004	6	21172.69	市三期农网建设改造、雷溪乡万亩园田化生态农业科技示范园、白鹤湖农业生态旅游、枫林湾水库除险加固、农村饮水安全工程、农村卫生基础建设	
2005	6	15143	太平坂水库和枫林湾水库除险加固、优质粮食产业工程、综合农业现代化、农村饮水安全工程、农村卫生基础建设	

续表 14－1

年份	项目（个）	总投资（万元）	重 点 项 目	上级专项支持资金
2006	9	22796	综合农业现代化、国家公益林、阳际峰自然保护区、九牛滩水轮泵站、农村卫生院基础设施建设、社会主义新农村建设、优质粮食产业工程、太平坂水库和枫林湾水库除险加固	
2007	9	13639	太平坂水库和枫林湾水库除险加固、新农村建设试点村“六改、四普及”、世行贷款园田化、世行贷款动物防疫体系建设、国债农村沼气建设、标准粮田建设、水产良种防疫站建设、余家等6个农村卫生院建设	
2008	9	14253	世行贷款农业综合现代化建设、太平坂水库除险加固、枫林湾水库除险加固、岭黄圩堤除险加固、大禾源水库除险加固、杨梅岭水库除险加固、白庙水库除险加固、白庙水库灌渠改造、象山新农村建设示范点	

1992—2008 年贵溪市工业项目投资与争取上级专项资金一览

表 14－2

年份	项目（个）	总投资（万元）	重 点 项 目	上级专项支持资金
1992	29	4000	扩建7万吨水泥生产线竣工、250万支节能灯管生产线扩点	
1993	52	3077.5	新建县振雄实业公司花岗岩开发、雄石镇五金铜件加工厂、西窑花岗岩石矿开发、信江轧钢厂等项目	
1994	23	1600	新建江西富贵鳖业公司、雄石二化扩建磷酸氢钙、县龙虎山矿泉水饮料公司扩建5000吨矿泉水厂等项目	
1995	8	1063.6	新建江西万雄动物保健有限公司、县二厂合资经营年产5000吨饲料磷酸氢钙，西窑花岗岩板材扩建等项目	信江铜制品公司400万元、富贵鳖业公司100万元、贵南板材厂100万元
1996	24	4785.5	新建贵溪钢管厂“农用三轮车减震器”，扩建江西贵溪电光源年产1000万支节能灯及200万套灯具等项目	
1997	11	2793	新建市活性炭厂和市林业总公司合资生产木制工艺品厂，扩建贵溪新型保温材料厂1500吨铁水覆盖剂等项目	信江铜制品公司300万元、恒能通花岗岩板材厂100万元
1998	6	1000	新建市造竹胶板厂、雷溪乡开发石膏矿、冷水镇开发铅锌矿、罗河镇开发石膏矿，扩建市化工厂硫化碱等项目	
1999	4	9598	新建市大忙人与香港江连彬合作连锁企业，扩建市高品质大功率稀土节能灯产业等项目	
2000	19	15705	扩建市罗河工业园区国家高新技术示范工程大功率稀土节能灯、银铜线棒、粉煤灰烧结砖、万吨瓷土开采加工等项目	
2001	10	25649	罗河工业区海利贵溪农药化工有限公司、贵雅电光源有限公司、江西三河瓷业发展有限公司改造技术等项目	
2002	26	3466.1	市国家粮食储备库迁建、320国道拓宽、罗河工业扩建	

续表 14－2

年份	项目(个)	总投资(万元)	重 点 项 目	上级专项支持资金
2003	23	7129	新建市中心水厂,续建市罗河工业园、320 国道拓宽、城南区开发,改造老城区雄石路、建设路、站前路等项目	
2004	27	1080	新建城北液化气有限公司储配站,扩建江西麒麟化工有限公司羟基苯甲酸等项目	
2005	2	2105	续建罗河工业园区基础建设项目	
2006	25	46450	新建海利贵溪化工农药有限公司盐酸回收建设,续建高效高品质稀土节能灯产业化、罗河工业园区基础设施等项目	
2007	7	29067	新建海利贵溪化工农药有限公司年产 7000 吨甲萘威生产线、三元化工冶炼有限公司年产 200 吨碲综合回收建设,续建高效高品质稀土节能灯产业化等项目	
2008	51	417700	新建江西闽源铜业有限公司精密无氧铜带、宏泰铜业有限公司铜杆铜线、宏源铜业有限公司电解铜、江西金雕科技公司铜杆等项目。同年,市铜拆解工业园、雄鹰大道被列入省重点工程,实现市属项目列入省重点建设项目盘子的零突破	

1993—2008 年贵溪市城市基础设施建设项目及投资一览

表 14－3

年份	项目(个)	总投资(万元)	重 点 项 目
1993	57	2232	新建雄石房地产开发公司站前路商品住宅楼、商业仓库商品市场、县桥东商品市场
1994	38	1262	新建县房管局综合大楼建设、雄石房地产开发公司冶金路商品住宅建设
1995	39	4397	雄石房地产开发公司开发象山村沿 320 国道区
1996	19	1127	新建贵溪市邮电局基建等项目
1997	100	14572.3	新建贵溪市雄石培训中心大楼、市林技推广站、中国第四冶金建设公司职工住宅、市卫生防疫站、居民小区管道输送液化气、贵溪市经济大楼开工、贵溪大桥工程等建设项目,贵溪市台侨房地产开发有限公司开发范家花园、江西鸿基实业公司导电玻璃钢厂、市城建开发有限公司改建叶家塘菜市场
1998	29	154902	新建市万亩山住宅小区、贵溪大桥工程、河潭镇集镇建设等项目
1999	37	15064.2	新建江铜贵冶分公司职工住宅、市工商局等五家联建叶家塘农贸市场及商品房开发等项目
2000	21	23056.96	改造市城市管网、贵溪经济大楼、白果树富康小区、王家小区、复兴路旧房、交通路等项目,新建中心水厂、贵溪大桥(含南北引道)体育中心、城市桥东公园改造工程、城市防洪工程、汽车客运站、科技大楼、广电大楼、320 国道立交桥、白杨岭生活垃圾填埋场、城市排污工程、管道输送液化气工程、万亩山居民小区、仙桥公墓等项目
2001	20	51907.7	新建王家小区、知青地段和白果树富康小区及交通路商住楼商品房开发、中心水厂,新建市白杨岭生活垃圾填埋场和市建材中心市场等项目,改造贵神线公路改建、建设大道延伸、复兴路旧房、市电网改造等项目
2002	15	26868	罗河工业区扩建前期工程、新建市公墓回归园、老城区一期改造、贵溪至志光、白田、古港、西窑、泗沥等乡镇公路改造

续表 14－3

年份	项目（个）	总投资（万元）	重　点　项　目
2004	14	15052	新建市中心区水厂、滨江绿地、汽车客运中心站、市疾病预防控制中心、贵溪大桥等工程，改造老城区自来水管网、市经济大楼续建。同年，市城南滨江绿地、经济大楼、疾病预防控制中心等项目相继完成
2005	11	52148	市贵溪大桥东西延伸道路新建工程、冶金大道改造、续建市贵溪大桥和老城区自来水管网及汽车客运中心站等项目
2006	13	45746	新建法院审判大楼和市检察院技侦业务房及管道液化天然气工程，改造市供水管网和市教体活动中心及城市防洪工程，市贵溪大桥续建，市看守所迁建。同年，市看守所迁建项目竣工完成
2007	20	131326	新建中心区市政基础设施配套建设和中心水厂二期及污水处理厂等项目，改造沿河路东西段、市供水管网和交通路等项目，市人民医院整体搬迁扩建，续建贵溪大桥、管道液化天然气及市工业园基础设施等项目
2008	29	132684	新建鹰雄大道（贵溪段）、沪昆高速贵溪挂线二期建设、柏里大道二期及鹰潭（贵溪）铜产业循环基地基础设施建设等项目，续建贵溪大桥、管道液化天然气、冶金大道延伸道路及市污水处理厂等项目

1991—2008 年贵溪市公路建设项目及投资一览

表 14－4

年份	项目（个）	总投资（万元）	重　点　项　目
1991—1993	11	621	新建城北立交桥、牛亭桥、徐家桥、富庶岭两桥一路、西排至山头关公路、浙赣铁路复线、信江渠化整治工程界牌枢纽等项目，改造贵塘公路、320 国道等项目
1994	4	350	新建雄石西路建设等项目，改造县信江大桥引桥
1995	3	3962	新建县雄石西路二、三期等项目
1996	3	400	市建设大道拓宽等项目
1997	3	500	贵溪大桥立项
1998	4	1400	改建贵溪至志光公路等项目
2000	4	4774.85	改建贵神线公路、贵白线公路、县乡公路等项目，市二号大桥已完成各项前期工作
2001	5	3956	新建雄石东路、沿河路北侧人行道硬化等项目，续建贵神线公路、贵白线公路三级水泥路面
2002	4	8620	新建 320 国道拓宽城南区开发、老城区一期公路改造等项目
2003	3	6502	老城区建设路、站前路及雄石路改造等项目
2004	7	59411.38	新建市工业园一期道路及排水、320 国道拓宽、建设大道裁弯取直、梨温高速公路贵溪连接线二期、西排入闽战备公路等项目。同年，320 国道拓宽、信江大桥维修、建设大道裁弯取直、贵溪至上清公路改造等项目已完成
2005	3	21732	新建贵溪至西排公路，续建梨温连接线二期等项目。同年，市冶金大道拓宽、贵溪至志光、金屯至西窑公路改造等项目已完成
2006	5	31902	新建樟坪至太源至篁碧公路贵溪段、市通村公路等项目，改造贵溪至冷水公路，续建贵溪至西排公路、梨温连接线二期等项目，同年，贵塘公路入口段已完成
2007	6	40631	新建市柏里大道、志光集镇道路等项目，续建贵溪至西排公路、梨温连接线二期、改造农村公路，同年，市中心转盘渠化、信江路、交通路改造工程、老城区建设路、站前路、雄石路等项目已竣工
2008	7	18371	续建鹰雄大道（贵溪段）、沪昆高速贵溪挂线二期建设、柏里大道二期等项目

1991—2008 年贵溪市社会事业项目及投资一览

表 14－5

年份	项目（个）	总投资（万元）	重点项目
1991	4	1000	新建县有线电视台、县医院门诊楼和住院大楼等项目
1992	2	96	新建县图书馆等项目
1993	6	404	新建县第四中学教师宿舍、县教师进修学校、县一中办公大楼等项目
1994	3	200	新建县志光等卫生院项目
1995	6	538	新建县一中教学大楼、第二中学学生宿舍、广播事业建设、周坊等16所卫生院农村卫生建设等项目
1996	19	1585	新建县四中电教实验楼、第一小学基建、二中基建、县电影发行放映公司等项目
1997	7	81	新建市计生服务中心建设、教育卫生事业建设、农科所等项目
1998	5	141	新建市教育卫生事业等项目
1999	10	1001	新建市二中教学办公楼，市一中教工宿舍6号、7号楼等项目
2000	3	236.5	新建市四冶学校教学楼、塘湾赛前小学、志光镇塔桥逸夫小学项目
2001	3	274.53	新建第四中学学生公寓和学生食堂、白田中学教学综合大楼等项目
2002	6	1300	新建市信江中学、市幼儿园教学楼、白田中学综合大楼等项目
2003	10	3586.7	新建市疾病预防控制中心、市职中改扩建校园、贵溪一中教学楼等项目
2004	18	1394	市人民医院整体搬迁扩建，新建农村中小学建设、象山特教学校、樟坪民族学校、市公共卫生中心楼、市中医院业务用房等项目，续建市职中改扩建校园等项目
2005	17	2140	新建市一中教师办公楼和教学大楼、雷溪乡南桥希望小学、12所农村中小学教学楼建设等项目
2006	39	2100	新建市一中学学生公寓、安康福利院、农村小学33个综合楼建设等项目
2007	11	1100	新建彭湾等10所中小学“新农村卫生新校园建设工程”、市实验小学和象山特教学校教学楼等项目，续建市职中改扩建校园等项目
2008	8	1400	新建市体育馆、社会福利中心、实验中学校园网、樟坪乡民族教学楼和综合楼，扩建市金苹果幼儿园、四冶学校等项目

1991—2006 年贵溪市以工代赈项目及投资一览

表 14－6

年份	项目（个）	总投资（万元）	重点项目
1991	27	127.74	冷水水库、信江圩堤、周坊高门水库、大禾源水库等水库加高加固，樟坪姜山口栏河坝整治等项目
1992	9	113.9	新建鸿塘公路，改建县牛亭桥改线，加固上清水库、冷水水库、信江圩堤九牛滩段等项目
1993	7	459.6	新建西洋至地理公路、志光乡程控电话中心，修复县上清水电站、梅溪水电站、贵溪公路段、杨梅岭水库等项目
1994	12	380.8	县农业金针菇开发、水产立体养殖开发、毛竹低改开发、信江圩堤护岸、水土保持，新建上清—耳口公路、人畜饮水、樟坪矿山公路、樟坪邮电线路、肖家电站等项目
1995	9	236	修复横田圩、港口圩，续建金针菇开发、枫林湾水库、小流域治理与饮水工程、毛竹林改造、北乡公路等项目
1996	9	147	新建水车岭－圣旨山公路、信江圩堤加固修复、基层供销社水灾被毁修复、樟坪乡电站修复，续建人畜饮水和笋竹两用林抚育等项目
1997	7	80	新建市樟—朝公路，扩建笋竹两用林、供销食用菌和鸭类开发联合公司等项目

续表 14－6

年份	项目（个）	总投资（万元）	重　点　项　目
1998	1	6	续建樟坪毛竹林改造项目
1999	1	45	新建樟坪乡公路建设及架有线电视项目
2000	2	16	新建塘湾小流域治理工程和余家乡洋石桥水库维修加固
2002	3	10	新建文坊镇大源村公路建设等项目
2003	6	231	新建志光镇塔桥珍塔公路、河潭镇界饶公路、周坊高门路和樟坪人畜饮水等项目
2004	4	142	新建志西公路、毛竹开发、扶贫搬迁配套设施建设，续建界饶公路等项目
2005	3	9	新建志光村级公路、周坊库桥李家公路等项目
2006	1	10	改造彭湾乡东干渠项目

第五节　专项管理

建设项目管理

1996 年，会同相关部门抓好贵塘公路、红壤二期、啤酒厂扩建、富贵鳖业有限公司扩建、节能灯管扩建、水泥厂扩建等 10 个重点项目的管理和实施。

1997 年，抓好重点建设项目管理和实施。会同有关部门监督贵塘公路、红壤二期开发、粮棉主产区、罗河工业区开发、新区建设等重点项目的实施。是年，对市经济大楼、市中心区水厂、贵溪大桥进行了设计审查及评估论证。对四中道路、桥东公园、市邮电局大岩支局大楼、物贸大楼、四中电教楼、烧箕山菜市场等 28 项建设工程进行综合验收。会同市地税、市城建等有关部门对 1995 年以来的基建项目进行了全面清理，应清查项目 106 项，已查建设项目 100 项，占应清查项目的 94%，共补缴各种税费 133.85 万元。

1998 年，根据市政府 53 号文件规定，对 24 个竣工项目及时组织验收。

1999 年，对自来水管网改造，水土保持等利用财政国债建设的重点项目情况及时跟踪检查。

2000 年，会同有关部门对 1999 年 1 月以来新建项目规费进行检查和清缴，受查项目 41 项，查出各项报建规费欠缴 260.18 万元。

2008 年，围绕市政府重点建设项目，邀请省、市有关专家对项目的初步设计及概算进行审查，审减投资 6600 万元，仅项目设计优化就审减投资近 3800 万元。同时，加强项目施工图的复核，在招投标监管过程中，注重项目施工图与初步设计的衔接。

毕业生分配就业管理

1999 年前，大中专毕业生由市计委牵头全部分配到行政及企事业单位；1999 年，大、中专毕业生实行供需见面。通过供需见面落实接收单位的毕业生，由接收单位和其主管部门签署接收意见，市计委集中落实接收单位，并将符合分配原则的毕业生名单提交毕业生分配领导小组审查，同意后由计委下达就业安置计划，毕业生分配办按计划派遣。1999 年后，分配制度实行公开竞争，缺人事业单位进人由市人事局牵头组织实施，通过考试择优录用。

商品粮基地项目管理

1992 年，全县商品粮基地建设共有 58 个项目。其中：农业 36 个，水利 22 个。项目总投资 260 万元，其中：中央投资 130 万元，省投资 26 万元，市配套投资 26 万元，县投资 78 万元。

1993 年，全县商品粮基地建设增加投资 116.34 万元，调整投资 11.9 万元的项目：1. 县农科所新建一栋两层计 600 平方米的农技推广站，投资 12 万元；2. 县农科所新建一栋两层计 450 平方米的种子经营系统综合服务部投资 8.5 万元。

1996 年 3 月,由省计委牵头,省农业厅、鹰潭市计委、市农业局等单位组成的商品粮基地验收小组对贵溪市“八五”期间确定的第一批商品粮基地县的基地建设项目进行检查验收,经省检查组评定,贵溪“商品粮基地县”正式通过验收合格。

第二章 工商行政管理

第一节 机构与队伍

管理机构与队伍

1988 年,贵溪县工商局下设 10 个工商所:雄石一所、雄石二所、滨江工商所、文坊工商所、塘湾工商所、周坊工商所、雷溪工商所、河潭工商所、志光工商所、耳口工商所。

1992 年 2 月 20 日,成立贵溪县个体私营经济管理局,挂靠和隶属县工商局领导。

1992 年 10 月 12 日,河潭工商所更名为泗沥工商所。

1993 年 2 月 19 日成立贵溪县工商管理局专业市场股,负责城区范围建筑市场、房地产市场、运输市场、文化市场的管理。

1993 年 2 月 19 日,成立罗河工商所,辖罗河乡、彭湾乡。

1994 年,增设财务股。4 月 11 日,将余家乡划归罗河工商所管辖。

1996 年,下设 12 个工商所:雄石工商所、文坊工商所、滨江工商所、雷溪工商所、塘湾工商所、罗河工商所、志光工商所、周坊工商所、塔桥工商所、泗沥工商所、耳口工商所和直属工商所。10 月,贵溪县撤县设市。贵溪县工商行政管理局更名为贵溪市工商行政管理局。

1999 年 1 月 1 日,根据国务院决定,工商系统正式实行全新的行政管理体制——省以下垂直管理,即省以下机关的人财物管理,从地方政府的“块块管”转变为上级主管机关“条条管”。

2002 年 1 月 7 日,为加强工商所建设和管理,加大执法力度,贵溪市工商局对所属工商所进行归集合并,由原来的 12 个工商所合并为 8 个工商所:雄石工商所、直属工商所、滨江工商所(增管河潭镇)、雷溪工商所(增管罗河所辖区)、塘湾工商所(增管文坊所辖区)、志光工商所(增管塔桥所辖区)、周坊工商所(增管泗沥所辖区)、耳口工商所。1 月 30 日,省政府办公厅明确工商职能为负责流通领域商品质量监管,增加“组织查处传销和变相传销”的职能。7 月 26 日,按照省机构编委、省工商局决定,企业注册监督管理股升级为企业注册监督管理局,公平交易股升级为公平交易局。市工商行政管理局下设雄石分局、信江分局、滨江分局、周坊分局、志光分局、流口分局、塘湾分局、耳口分局等 8 个分局,均为市局直属副科二级局。

2006 年,设立贵溪市工商局消费者权益保护局,为直属正股级行政机构。贵溪市工商局干部职工共计 112 人(含下属分局)。

社会机构与队伍

1991 年 8 月 12 日,贵溪县消费者协会成立。

1992 年 4 月 17 日,成立贵溪县工商局民事调解委员会。1996 年 6 月 6 日挂牌成立贵溪县市场建设服务中心,为工商局下属事业单位,核编 30 人。

1996 年 10 月,贵溪市个体劳动者协会(1985 年 12 月成立)更名为贵溪市个体私营经济协会。贵溪市个体私营经济协会是在工商行政管理机关的领导下,由私营企业(含完全由自然人投资设立的有限责任公司)以及城乡个体工商业者和其他个体劳动者联合组成,在贵溪市民政局注册登记的社会团体。

1998 年 1 月 15 日,成立“3·15”消费者投诉服务台。

2000 年初,贵溪市率先成立便民服务中心,贵溪市工商局抽派 3 名业务骨干进驻。2 月,为方便群众,全局推行外出告示制度,各基层分局、机关股(室)设立告示板,公布外出原因及联系电话。4 月 24 日,专业市场管理所更名为市工商局直属所。撤销叶家塘市场管理所,设立市工商局直属所叶家塘市场管理站。

2001 年 10 月 19 日，根据上级文件精神，正式将贵溪市市场建设服务中心移交给贵溪市人民政府，其原所属的 4 个市场（叶家塘老农贸市场、叶家塘新市场、烧箕山农贸市场、仔猪市场）移交资产共计 8054721 元，移交人员 41 人（包括退休 6 人）。

2008 年，根据财综〔2008〕61 号决定：从 2008 年 9 月 1 日起，停收个体工商户管理费和集贸市场管理费（简称“两费”）。

第二节　企业登记

工商企业登记

1991 年，新增工商企业 171 户，其中：企业法人 111 户，分支机构 60 户，新增注册资本 3857 万元，新增乡镇企业 57 户，比 1990 年增加 4 倍，累计企业总数 1246 户。其中企业法人 663 户，分支机构 583 户，注册资金 143731 万元。依法刊登企业公告 19 期 152 户，完善维护企业合法权益的公告程序。根据上级有关部门要求，清理企业档案，通过企业年检和换照工作，基本上理清全县企业登记情况。

1992 年，新增企业 193 户，新增注册资金 857 万元，企业累计户数 1439 户，其中国营 419 户，集体 1020 户，乡镇企业 214 户。对石油、煤炭、粮食、钢材、化肥、农药等过去专营或归口经营的物资，适当放开经营，注册资金适当放宽，审批手续、登记程序尽量简化，基本上做到“随到随办”，进一步强化以经济建设为中心的意识。

1994 年 7 月 1 日，开始实施《中华人民共和国公司法》《公司登记管理条例》。在此期间，每年新增企业户数均在 100 户以上，同时由于国有企业、集体企业改制等经济机构调整方案的实施，改制或注销企业数大于同期新增企业数，新增企业中私营性质的企业数量增加明显。1994—1998 年，累计登记开业的企业总数为 1029 户，注册资金 85034 万元，其中：乡镇企业 214 户，注册资金 2046 万元；有限责任公司 80 户，注册资金 7248 万元；股份合作企业 3 户，注册资金 203 万元；非公司法人 617 户，注册资金 77583 万元；营业单位 329 户。

1999 年度，是全国工商行政管理体制实行省以下垂直管理的第一年。年度新增企业登记 110 户，新增注册资金 39668 万元。企业有限责任公司 15 户，注册资金 3966 万元。对 1999 年度未按照规定进行年检的 10 家企业依法处罚。

2001 年，新增内资企业 33 户，办理变更登记 63 户，注销 18 户，全市参加年检企业 698 户，依法吊销未年检企业 125 户。累计注册内企业总数为 877 户，其中法人企业 532 户，注册资金 86455 万元，分支机构 345 户。在企业总数中国有企业 402 户，其中法人企业 225 户，注册资金 15265 万元，有限公司 91 户，注册资金 7569 万元。私营企业每年发展的户数均在 100 户左右，新增注册资本数亿元。同时内资企业深化体制改革，新增户数呈递减趋势。2002 年开始实行经济户口计算机管理。

2007 年，新增有限责任公司 126 户（其中法人 113 户，注册资金 16348 万元，分支机构 13 户）；集体企业设立 2 户（其中分支机构 2 户）；个人独资企业设立登记 2 户，合伙设立登记 4 户，农村专业合作社 19 户，变更登记 171 户次；注销企业登记 3 户。

2008 年度，在市联合办证中心设立企业“一审一核”制的企业注册登记“窗口”。新增内资企业 42 户，新增注册资金 9687 万元；新设立私营有限公司 136 户，新增注册资金 26754 万元，新设立农村合作社 54 户，新申报资金 4623 万元。主动为企业年检，发放年检表，由分局、注册局、个体股联合上门为企业年检，受到企业好评。

个体工商户登记

1991 年，核准登记个体工商户和私营企业 1010 户，从业人员 2006 人，注册资金 240 余万元，其中私营企业 4 户，从业人员 48 人，注册资金 9.6 万元；临时经营户 245 户，从业人员 440 人。据年终统计，全县累计有个体工商户和私营企业 3708 户，从业人员 8210 人，注册资金 963.1 万元。其中：工业 337 户，交通运输业 93 户，商业 2176 户，饮食业 448 户，服务业 338 户，修理业 347 户，其他行业 9 户，私营企业

10户。个体工商户、私营企业向国家缴税300余万元。

1992年,核准登记个体工商户和私营企业882户,从业人员1909人,注册资金162.6万元,。据年终统计,全县累计有个体工商户和私营企业3892户,从业人员9227人,其中私营企业20户,注册资金1169.9万元。

1993年,核准登记个体工商户和私营企业1277户,从业人员3194人,注册资金562余万元,其中私营企业16户,从业人员277人,注册资金200.5万元。据年终统计,全县累计有个体工商户和私营企业5065户,从业人员11856人,注册资金1778万元;私营企业29户,从业人员453人,注册资金253万元。个体私营经济的从业人员占全县总人口数的23%,各类个体、私营企业产值和营业额达12782.2万元。

1998年,积极引导个私企业大胆投入、扩大生产,引导农村个私经济向专业村、专业乡发展。新核准登记个体工商户1571户,注册资金1511.8万元,从业人员4418人,累计有个体工商户11607户,注册资金6411万元,从业人员31143人。新核准登记私营企业32户,注册资本1247.2万元,从业人员397人;累计有私营企业93户,注册资本3137.7万元,投资及从业人员1379人,其中有限公司46户,合伙企业28户,注册资本100万以上的有4户,分别比1997年同期增长52.3%、36.3%、66.1%;上交税金1980万元,比去年同期增长50%。

2000年,全市个体工商户总数为4067户,从业人员10049人,注册资金3542万元,新发展个体工商户790户,新增从业人员1699人,注册资本1637万元,与1999年同期相比分别增长13.8%、4.9%、149.5%。全市私营企业总户数133户,从业人员2134人,注册资本6323万元;新增私营企业24户,从业人员557人,注册资本2392万元。截至11月底,个体私营经济纳税2685万元,比1999年同期增长39.55%。

2001年,全市个体工商户总数为7806户,从业人员20135人,注册资金6510万元,新发展个体工商户676户,新增从业人员1636人,注册资本1302万元,与2000年同期相比分别增长17%、16.7%、32.7%。全市私营企业总户数178户,从业人员2617人,注册资本9250万元;新增私营企业45户,从业人员483人,注册资本2927万元。个体私营经济纳税3101万元。

2004年,新发展个体工商户1306户,从业人员2762人,注册资金3692万元。

2005年,全市有私营企业531户,个体工商户8409户;新核准登记的私营企业62户,注册资金5926万元,从业人员416人;新发展个体工商户889户,从业人员1458人,注册资金1916万元。

2006年,全市共有571户私营企业,注册资金71569万元,新设立私营企业87户,新增注册资本11888万元。共有个体工商户5135户,注册资金12949万元;新发展个体工商户367户,新增注册资本847万元。

2007年,实行"一审一核"制,并将个体工商户注册登记权限下放到各分局。全市在册个体工商户6000户,从业人员20980人,注册资金17256万元;新发展的个体工商户1519户,从业人员4055人,注册资金4539万元;私营企业598户,从业人员8265人,注册资本70285万元。新增私营企业142户,从业人员1801人,注册资本26269万元。

2008年,新设立私营有限公司128户,注册资金20079万元。累计个体工商户5622户,从业人员33113人,注册资金19135万元。

企业名称管理

1991年7月22日,国家工商行政管理局公布《企业名称管理规定》,1991年9月1日起施行;1999年12月8日,国家工商行政管理局公布《企业名称登记管理实施办法》,自2000年1月1日起施行;2004年6月14日,国家工商行政管理总局公布修订后的《企业名称登记管理实施办法》,自2004年7月1日起施行。贵溪市(县)工商行政管理局均先后按颁布的办法进行了企业名称管理。

第三节　市场建设与管理

市场建设

1991 年上半年，投资 4 万元新建泗沥农贸市场，贵溪冶炼厂投资 300 万元新建大全市场，市场设在贵冶生活区，市场面积 3000 平方米，被评为省级文明市场。1991 年，全市共建设 17 个农贸市场。

1992 年工商行政管理部门采取多渠道、多层次筹措资金，对原有 17 处集贸市场进行扩大建设和培育。对市场的建设提出可行性规划建议，重点建设专业、批发市场，并采取有效措施促进和加快了市场发展。

1993 年桥东市场竣工开业、改建叶家塘市场、烧箕山小商品市场投入施工、人武部商业步行街投入使用，改善市场环境，共计投资 320 万元。贵溪发电厂投资 30 万元新建电厂市场，面积 600 平方米。

1994 年继续加大力度扶持市场建设，市场面积继续扩大，6 月底，共计新增市场面积 3360 平方米。

1995 年，中国冶金第四建设公司投资 30 万元新建四冶集贸市场，面积 1100 平方米。

1996 年，贵溪化肥厂投资 20 万元新建贵化集贸市场，面积 700 平方米。烧箕山市场新建，面积 1250 ㎡，由贵溪市市场建设服务中心管理。

1996 年起，工商局与原所属市场陆续脱钩并移交给贵溪市政府，工商行政管理机关不再参与市场建设。

市场管理

集贸市场管理　1991 年，全年城乡集贸市场成交额 3304 万元。进一步维护市场秩序，反扒，协助侦破刑事案件，调处民事纠纷，建立群防群治保卫组，制止和查处市场上斗殴或敲诈事件。坚持定点屠宰措施，集中检疫、统一收费，增加财政收入。净菜上市，净化并保持市场卫生环境。

1993 年，全县城乡集市贸易空前活跃。全年成交额 4560 万元，比 1992 年增长 890 万元，增长 24%。叶家塘市场成交额达 3560 万元，比上年增长 22%，市场税收达 52 万元，并带动城乡市场的进一步发展。集贸市场成为国有企业、集体企业、私营企业、个体工商户共同竞争的舞台。

1994 年，集贸市场成交额继续上升，成交额高达 3896 万元，占社会商品零售额 26%。

2004 年，对集贸市场开展 120 余次专项整治，查获有毒水发食品 400 余千克，注水肉、白条肉 820 千克。禽流感防治期出动执法车辆 60 台次，执法人员 120 人次，关闭禽类及产品交易市场。

2005 年，认真做好禽流感、口蹄疫防控工作，查获有毒水发食品 130 千克，注水肉 50 千克，取缔病死猪肉加工黑窝点 1 个，没收病死猪肉加工的腊肉 37.5 千克。

2006 年，开展节日专项整治，特别是元旦、春节、五一、十一黄金周期间，进行日常巡查，对有关的食品进行抽检，查获有毒水发笋 150 千克。

2007 年，加强对流通领域集贸市场的商品质量的监管，对冷冻食品、蔬菜样品进行抽检，合格率 97%，有效维护流通领域食品安全。

2008 年，开展查处无照经营的活动，对城区的固定经营户，全部核发营业执照。加强对生猪猪肉的销售监管，凡进入集贸市场的猪肉都通过检疫部门的检疫并加盖印章才能销售，生猪实行统一屠宰。开展对水发食品、冷冻食品、干鲜货食品、蔬菜等进行不定期的抽检，确保市场食品安全。

生产资料和要素市场管理　1991 年，参与生产资料、要素的管理。审查交易者的经营资格和交易行为的合法性与物资的来源去向。

1992 年，拓宽工商管理职能。积极参与房地产、建筑、运输、金融、劳务市场管理，成立专门机构加强专业市场管理。

1993 年，生产资料、要素市场培育初见规模。

文化市场管理　1994 年，加大文化市场的整顿力度，协助查处 2 起走私案件。

2001 年，清理整顿文化市场：整治歌舞娱乐场所 10 家、放映厅 4 家、卡拉 OK 厅 12 家；查处电子游戏场所 4 家，扣押赌博机 16 台，电路板 22 块；音像制品场所中收缴录像带 300 盒、CD 光盘 780 盒及封建迷信、黄色书籍8000余册。

2002年,国务院颁布《互联网上网服务营业场所管理条例》,工商行政管理机关作为互联网上网服务营业场所的主要监管部门,加强对互联网上网服务营业场所的管理,规范经营者的经营行为,维护公众和经营者的合法权益,保障互联网上网服务经营活动健康发展,促进社会主义精神建设,取缔无照网吧12户,处罚款4万元,淫秽书刊700余册、光盘20多盒。

2006—2008年,认真贯彻贵溪市《关于公共文化娱乐场所整治工作实施方案》,积极配合市文广电局、市公安局、市公安消防大队、通信等部门对网吧、娱乐场所进行摸查。截至2008年年底,有茶座30户,网吧62户,音像制品店21户,舞厅8户。3年中,检查歌舞场所300余次,立案查处9户,停业整顿15户。取缔黑网吧12户,停业整顿12户。在文化市场监管中,进一步建立起行业自律机制,强化社会监督机制,开展创评活动,建立监管台账;完善部门协调机制;进一步加大对乡镇黑网吧打击力度。并加强指导公益性上网场所建设,积极培养规模化、专业化的上网服务机构。

第四节　经济合同管理

1991年,全年受理调解经济合同纠纷案件5起,合同金额9.5万元;鉴证经济合同24份,合同金额148.89万元;咨询经济合同59份。按照省工商局目标管理和有关文件的规定,认真推行合同示范文本的实施。继续开展企业“重合同、守信用”评比活动,经过对51户参评企业的1500余份经济合同的检查,没有发现无效和违法经济合同。经过评选,有28户企业报上级政府授予“重合同,守信用”企业称号,其中:报市政府授予“重合同,守信用”称号企业7户,报省政府授予“重合同,守信用”称号企业1户。由此,增强企业法人依法履行经济合同的法律意识。

1993年,为加强经济合同的管理,在县政府的重视下,加强对建筑行业承包合同的签证。全年共检查100余家企业签订和履行的各类经济合同情况,检查经济合同1336份,未发现不合格合同;签证经济合同127份,鉴证合同金额2156.1万元。全县有95%的企业已使用示范文本的经济合同,“重合同、守信用”活动进一步发展,获县命名为“重合同、守信用”企业20家,获市命名为“重合同、守信用”企业3家,获省命名为“重合同、守信用”企业5家。协助经济合同当事人挽回和避免经济损失110万元。受理经济合同争议调解案件3件,合同金额6.83万元。

1995年,组织开展1994年度“重合同、守信用”评比活动。按上级文件新规定,县工商局审批“重合同、守信用”企业7户,报市工商局审批“重合同、守信用”企业5户,省工商局审批“重合同、守信用”企业4户。印发经济合同示范文本60份。受理经济合同纠纷1起,合同争议金额5.5万元;鉴证经济合同8份,合同金额646万元;帮助企业建立经济合同管理网络79处。检查40余户企业共计1334份经济合同的履行情况,合同金额19341万元。办理企业法人委托代理书83份,帮助企业签订和咨询经济合同10份。

1998年,加强经济合同监督管理,鉴证经济合同16份,合同金额200万元,鉴证费1800元。检查经济合同150份,开展企业“重合同、守信用”评比活动,报批省工商局永久性证书23户。继续推行经济合同示范文本,发送建筑合同文本10套,工矿产品购销合同1份,办理企业法人授权委托书14份。

1999年10月1日《中华人民共和国合同法》施行。打击合同欺诈行为,保护当事人的合法权益,共鉴证合同3份,合同金额1200万元。

2001年,切实加强合同管理,积极开展打击合同欺诈行为,保护当事人的合同权益,向省工商局申报15户“重合同、守信用”企业。贵溪市建筑工程总公司等4家企业被省工商局评为“重合同、守信用”AAA企业;同时加强合同鉴证工作,共鉴证各类经济合同5份,鉴证合同金额420万元;检查经济合同18份,合同金额560万元。

2003年,贵溪市三元冶炼化工有限责任公司等2家企业被省工商局评为“重合同、守信用”AAA企业。

2005年,中国四冶建设公司被省工商局评为“重合同、守信用”AAA企业;2007年被国家工商总局授予“重合同、守信用”的称号。

2007 年，江西力环弹簧有限公司被省工商局评为“重合同、守信用”AAA 企业。同年，依照国家规定，工商行政管理部门取消对合同的鉴证工作。

2008 年，按照国家工商总局的布置，积极开展合同护农、合同帮农的活动，宣传《合同法》，帮助指导农民签订粮食、农副产品等合同，维护农民的切身利益，为支持“三农”做出自身的努力。

第五节　商标广告管理

商标注册管理

1991 年新申请的注册商标 6 件，年底累计有效注册商标 38 件。

1993 年，新申请商标 5 件，年底累积有效注册商标 45 件，注册商标年检 45 件，年检率 100%，查处假冒注册商标标识 300 件。

1995 年，代理核转注册商标 4 件，其中：变更的 1 件，续展的 1 件，新申请注册商标 2 件，全县累计拥有注册商标 46 件。

1997 年，引导企业做好注册商标保护工作，大力宣传贯彻《中华人民共和国商标法》，增强企业商标意识，指导企业正确的商标战略，继续开展著名商标的认定工作，争创著名商标和驰名商标。

1999 年，加强商标验证工作，对辖区 52 件注册商标进行验证，共验 49 件商标，其中改变了注册人名义的 6 件，未办理使用许可的 1 件，验证合格率 90% 以上，上半年注册商标 1 件，续展 1 件，商标变更 2 件，加强商标印刷企业的验证工作。

2000 年，开展对“专营店”“专卖店”的执法检查，共检查各类“专卖店”34 家，对 18 家手续齐全的“专卖店”建立档案，设立台账，对 16 家手续不全的企业下达限期催办通知书，从而规范“专卖店”经营秩序，保护驰名、著名商标的专用权。

2002 年，开展商标印制单位检查，规范商标印制行为和商标使用行为，新申请注册商标 5 件，“施大壮”“大忙人”商标获省著名商标。

2004 年，江西贵溪化肥有限责任公司的“施大壮”商标被认定为驰名商标，填补贵溪市无驰名商标的空白。

2005 年，完善商标建档工作，对现有的 81 件注册商标建立联系网，并指导企业运用商标战略开拓市场，推荐贵溪市知名度较高的注册商标“天师”参加江西省著名商标的认定，查处商标侵权案 2 起。

2006 年，开展对驰名商标、著名商标的保护力度，严厉查处情节严重，性质恶劣，社会反响强烈的商标侵权案件，全年共立案查处商标侵权案件 14 件。

按照国家工商总局印发《保护奥林匹克标志专有权行动方案》通知，在 2007 年 8 月、2008 年 1 月和 2008 年 4 月分别进行集中整治行动，在商品流通领域和商标印制领域全面检查奥林匹克标志使用情况，严厉打击非法使用奥林匹克标志，销售侵犯奥林匹克标志商品和非法印制奥林匹克标志的行为。此次集中整治行动立案查处违法案件 6 起。

广告申报登记管理

1991 年，全县广告经营单位共有 7 户，其中：国营 4 户，集体 1 户，个体 2 户，广告从业人员 42 人，全年广告营业额 1.6 万元，广告的行业机构逐步优化，新媒体、新格式正得到广泛运用，已逐步形成市场的竞争格局，对企业进入市场起到积极推动作用。

1993 年，对全县广告经营单位进行了整顿和年检，进一步规范广告市场秩序。

1995 年 2 月 1 日，《中华人民共和国广告法》正式实施。全年共办理广告企业年检 6 户，年检率 100%，广告经营额 6 万元。

1997 年，支持企业运用广告开拓市场，深入贯彻《广告法》，积极培育规范广告市场，把好广告经营主体准入关，严厉查处群众反映强烈的“虚、假、乱”广告。

1998 年，依法审核登记户外广告 55 件，新审批核准广告经营单位 2 户，开展 1997 年 4 家广告经营单位年检工作,年检率为100%。对违法违章广告进行查处,收缴未经审核的户外广告4000余张,清理乱张贴户外广告600余张,清理未登记广告条幅30余条。

1999年,全市结合年检,对广告经营单位重新进行资格审查,制止和查处虚假违法广告。全年登记户外广告38户,印刷品广告11户,新审批核准广告经营单位1户,对广告经营单位年检率达100%。

2000年,发展广告经营单位3户,查处广告案件4起,罚款1400元。3月,配合团市委开展"贵溪是我家、卫生靠大家"创卫大行动,组织青年志愿者及少先队员700余人对全市各街道乱张乱贴广告进行了全面清理。

2001年,广告登记70户,年检6户,注销1户,发展广告经营单位2户,积极开展"反误导、打虚假"广告市场专项治理活动,查处未经登记擅自分布户外广告4起,罚款800元,收缴违法违章广告2000余份,强制拆除广告条幅33条,广告牌5个。

2004年,坚持每周不少于2次的户外广告巡查制度,建立广告监测台账,办理户外广告登记90件,强制拆除未经登记擅自发布户外广告10起,立案查处3起,罚款6000元。

2005年,开展对保健品、药品、医疗、化妆品、美容业市场检查,查处违法广告12起,罚款共计11300元,全年共登记户外广告95件。

2006年,重点针对与人民群众身体健康和生命安全密切相关的药品、医疗器械、保健食品等广告,进一步清理"垃圾广告",净化广告市场,全年立案查处违法广告案件21起,罚款1.38万元。

2008年,组织全市广告经营单位20余人参加鹰潭市工商局广告审查员培训班,重点学习《中华人民共和国广告法》等法律法规。规范全市医疗服务和药品市场秩序,严厉打击违法医疗和药品广告行为,贵溪市工商局制定《贵溪市医疗和药品市场专项整治工作方案》,建立和完善专项整治与日常监管相结合的长效机制,切实维护人民群众健康权益。全年登记户外广告405起,严厉打击发布虚假广告行为,立案10起,罚款9.5万元。

第六节　消费者权益保护

"3·15"举报投诉

1991年8月12日,贵溪县消费者协会成立。由县直各有关部门、群众团体、企事业单位等方面的消费者代表组成,是具有独立法人资格的社会团体。下设4个办公室:消协办公室(设在县工商局)、质量检验监督室(设在县计量局)、物价检查监督室(设在县物价局)、卫生检查监督室(设在卫生局)、兽禽防疫检验室(设在县农牧渔业局)。

1992年始,在经济检查股设立"3·15"投诉电话和市消协办合署办公,为保护消费者合法权益承担日常工作。

1995年,在"3·15"国际消费者权益日期间,开展《中华人民共和国消费者权益保护法》的宣传和"保优扫劣"活动,在县城和贵冶、贵化、贵电、四建、五建和志光、周坊、塘湾、雷溪等乡镇宣传并开展打假活动,印发《消费者权益保护法》宣传材料4000多份,协调解决交易纠纷30起。

1996年,结合上级工商局布置开展的"公平交易执法年"和"工商形象建设年"活动,加强了消费投诉服务工作,销毁了价值5万余元的假烟、假酒、假辣椒粉、假饮料、假化妆品等,受到城乡消费者广泛的好评,对县啤酒厂等8家获鹰潭市"十佳信得过商店和单位"进行授牌表彰。

1998年1月15日,正式成立"3·15"消费者投诉服务台。当年,受理消费者、经营者投诉612起,其中家电类69起,生产及家用机械类26起,服务类97起,日用百货类54起,食品类50起,药品与药用器具类5起,其他62起,调处结案率98%,接待来信来访法规咨询653人次。移送12起,受理投诉金额51.39万元,支持投诉人索赔金额5.8万元,为消费者挽回经济损失45.5万元。

1999年,受理消费者投诉297起,办结294起,结案率98.9%,为消费者挽回经济损失21万余元,接待来信来访咨询452人次。结合开展"安全、健康"消费年主题活动,"3·15"国际消费者权益日开展了法律法规咨询活动,印发宣传资料8000份,现场接待咨询300余人次,受理投诉15起。

2000年，开展“明明白白消费年”主题宣传活动，举办“3·15”国际消费者权益日纪念活动，印发各类宣传资料6000余份，接待咨询200余人次，现场受理投诉14起，全年受理消费者投诉650起，其中涉及商品质量的445起，假冒伪劣60起，虚假广告40起，其他107起，为消费者挽回经济损失42万余元。

2001年，开展“绿色消费年”主题活动和“3·15”国际消费者权益日活动。当年，共受理消费者投诉657起，其中家电类120起，家用机械类167起，日用百货类30起，其他类49起，为消费者挽回经济损失26万余元。办结5起较大投诉案：啤酒伤害案2起，赔偿金3.3万元；手机质量案2起，赔偿金0.8万元；摩托车伤害案1起，赔偿金额0.8万元。“中胜米业”、“竹辉”地板、“施大壮”化肥、“贵雅”灯具等20家知名企业上全省打假维权网，共同维护企业的合法权益。

2002年，组织开展声势浩大的“科学消费者”年主题活动，受理消费投诉240起，结案率95%，为消费者挽回经济损失7.66万元，在城区烧箕山居委会、雄石村委会开展“红盾维权进社区”试点工作，进一步健全保护消费者合法权益的基层网络。

2004年，围绕中国消费者协会确定的“诚信、维权”年主题，充分发挥12315投诉举报网络作用。组织实施“吃、住、行”三大放心消费工程，做到有诉必接、有案必查、有假必打，全年受理消费者投诉170起，为消费者挽回经济损失21万元。在安徽省阜阳市劣质奶粉事件发生后，处理贵溪市消费者因食用劣质奶粉的投诉案2起，经营者向消费者赔付各项费用共计0.8万元。

2005年，进一步加强消费维权工作，健全消费维权体系，完善消费维权机制，充分发挥12315申诉举报作用，全年受理消费者投诉160起，为消费者挽回经济损失6.2万元。

2006年，根据江西省工商局《关于成立省、市、县三级消费者权益保护局的通知》精神，设立“贵溪市工商局消费者权益保护局”，把“3·15”消费者投诉服务台列入该局工作职能范围。继续深入推进“12315”进社区、进村镇、进市场、进商家、进学校活动，加强“一会两站”（消费者协会分会、消费者投诉站、12315联络站）建设，方便消费者就近投诉，及时调解消费纠纷，抓好重点商品和服务行业保护消费者权益工作。全年受理消费者投诉100件，为消费者挽回经济损失6.9万元。

2007年，积极开展“和谐消费年”主题活动，各基层分局设立“3·15”投诉服务站。全年受理消费者投诉235起，为消费者挽回经济损失27.9万元。会同市食品安全领导小组单位人员在白田乡举办了有乡镇分管食品安全的副乡长、村干部等70余人参加的食品安全知识培训班。

2008年，充分发挥“12315”申诉、举报网络作用，开展“12315”维权进乡镇活动。3月15日在城区主要乡镇开展“消费与责任年”主题活动，现场设立投诉台、假冒伪劣商品曝光台、法律法规咨询宣传台，发放宣传资料万余份。全年受理消费者投诉281起，其中：电话投诉163起、商品投诉118起，立案5起，办结案5起，罚没上缴国库金额5.5万元，为消费者挽回经济损失36万余元。

打击投机倒把、假冒伪劣、传销

打击投机倒把　1998年，在对粮食流通市场监督管理中，查处弋阳县港口乡周竹村委会非法贩运大米1500多千克，周坊粮管所邓家粮站、市粮食局麻纺厂陈某非法收购粮食8040千克等案件50起，查扣没收粮食22.5万千克，其中大米10.18万千克，稻谷10.92万千克。

2003年，查处倒卖陈化粮案件2起，依法没收颜某、张某陈化粮5.8吨。

2008年1月15日，根据国务院《关于废止部分行政法规的决定》，1987年9月17日颁布的《投机倒把行政处罚暂行条例》废止。

打击假冒伪劣　1991年，查处销售假冒伪劣商品案39起，假红花草籽种2吨，劣质汾酒72瓶，以及一批食品、饮料等假冒伪劣商品物资。

1992年，把查处打击假冒商品作为经济检查工作的主要任务来抓，全年组织4次规模比较大、范围比较广的清查打击假冒商品的行动，查处的物资有冒牌自行车、劣质家用电器、假烟假酒、变质食品等价值9万余元的伪劣商品，保护消费者的利益。

1993年，把打击制售假冒伪劣商品活动作为经济检查的工作重点，查处各类经济违法违规案8起，罚没金额0.29万元。查处的商品物资有：劣质钢材46.96吨、假烟27条、假酒1037瓶、变质罐头4箱、过期饮料7000瓶、假蜂王浆300盒、假冒月饼1000千克、假冒香皂150块，假冒彩电4台。

工商执法人员销毁假冒伪劣产品现场

1996年,共查获假冒伪劣商品72个品种价值13万余元,其中香烟785条、酒870瓶,调味品110箱、糕点1300包、饮料200瓶,彩电14台、灌水灌沙畜禽300余只、三无电器配件200余件 。

1998年,组织开展农资市场检查整治,查处假冒伪劣化肥、农药及无照经营农资的物品价值1万余元。发送农资宣传资料3000余份。

1999年,开展打击制假售假专项工作,扣留假冒伪劣商品标值5万余元。

2000年,加大对农资市场、节日市场、食品市场的监管力度、当年,查扣假冒伪劣商品标值6万余元,其中假冒烟537包、假冒酒6700余瓶、假冒化肥32吨、保健品400余瓶。

2001年,开展整顿清理"三无企业"和无照经营专项行动。对从事危害人民群众身体健康和生命财产安全的烟花爆竹、矿产开采、加油点、液化气等无照经营进行重点检查,查处14户,消除安全隐患。共查处无照经营户125户,"三无企业"6户。通过整治打击非法经营,净化市场主体和市场经济环境。

2001年,开展打假护农、打假保节日专项检查,出动检查车辆60台次,人员450人次,检查经营户500余户,检查物品170种,查处各类假冒伪劣商品价值10万余元。加强报废汽车拆解回收市场的监管力度。6月15日会同公安、物资等部门,对全市报废汽车拆解回收市场进行整顿,清理成形整车16辆,全部切割成废材处理。

2002年1月30日,省政府办公厅明确工商职能为"负责流通领域商品质量监管",增加"组织查处传销和变相传销"职能。6月18日,配合全省集中统一行动的食品、饮料打假专项整治行动,共出动检查车辆35台次,出去执法人员200人次,检查市场5个,办理执照145户,查获假冒伪劣商品标值5万余元,查处劣质肉食品500余千克、饮料500瓶、农药300瓶、化肥12吨、保健品150瓶、调味品200余瓶。7月,公平交易股升格为公平交易局,查处不正当竞争行为,加大办案力度。

2004年,查处各类经济违法违规案127起,查扣各类假冒伪劣商品标值146万元,罚没款30万元。

2005年,查处各类经济违法违规案104起,罚没款41万元。

2006年,贯彻落实中共中央《关于开展治理商业贿赂专项工作的意见》(中办发〔2006〕9号)精神,把查处商业贿赂行为作为整顿规范市场经济秩序工作的重点。当年,在对某书店财务帐目进行检查时,发现该书店在销售教学辅助材料和录音磁带过程中,以支付代发手续费的名义贿赂对方从而达到销售商品的目的。依据《中华人民共和国反不正当竞争法》第二十二条和国家工商总局《关于禁止商业贿赂行为的暂行规定》第九条规定对该书店作出没收非法所得6.82万元、罚款11.2万元的行政处罚。当年,查处各类经济违法违章案266起,罚没款入库110万元。

2007年,建筑及建材市场成为整顿规范市场经济秩序工作的重点。查处建筑市场吴某无照承建村委会综合楼工程、刘某无照承建住宅小区工程等无照经营行为7起,罚没款18.3万元。全年查处各类经济违法违章案288起,总案值164.7万元。

2008年,先后对医疗机构和零售业开展商业贿赂专项检查。在检查中对市妇幼保健站、滨江卫生院在医疗服务中商业贿赂行为以及零售商收受商业贿赂行为进行立案调查。共立案6起,其中医疗服务中商业贿赂案2起,零售商收受商业贿赂案4起,罚没款5.4万元。当年,查处各类经济违法案241起,罚没款181万元。

打击传销 2007年12月份,传销开始在本市城乡结合部地区活动,查处传销窝点3个,教育遣散传销人员70余人。

2008 年，公平交易局与公安部门联合行动，开展打击整治传销违法犯罪活动。通过查线索、端窝点，严厉打击和惩处“拉人头”、收取入门费、以介绍工作和从事经营活动等名义欺骗他人参与传销等违法行为。全年共出动执法人员 339 余人次，车辆 92 余台次，共端打传销窝点 30 个，教育遣散传销人员 450 人，刑事拘留 8 名传销人员，解救被害群众 11 名。

第三章　统计管理

1963 年成立贵溪县统计局；1968 年 3 月，由县革命委员会抓促部所代替；1980 年，恢复县统计局。1996 年 10 月，贵溪撤县设市，贵溪县统计局更名为贵溪市统计局。市统计局人员编制 17 人，其中行政编 11 人，事业编 3 人，工勤人员编 3 人。

第一节　统计调查

统计报表

1991 年后，统计报表包括工业、农业、商业、固定资产投资、建筑业、物资、综合、平衡、劳动工资等 10 个专业报表。随着社会经济不断发展，统计任务逐渐增加。2005 年起，统计报表专业增加到 15 个，包括工业、农业、贸易、固定资产投资、房地产开发、建筑业、综合、国民经济核算、劳动工资、县域经济、社会、科技、人口、单位调查、乡镇抽样调查等。

统计报表分为月报、季报和年报。生产总值核算分为季报和年报，劳动工资统计季报、农业统计为季报、半年报和年报，工业、贸易、固投、房地产等为月报、年报。

工业普查

1995 年 1 月，国务院发出《关于进行第三次全国工业普查的通知》，1995 年开始进行第三次工业普查各项准备工作，建立各级工业普查机构，制定普查工作方案，认真做好普查员的选调及培训工作，清查工业企业单位和加强工业企业核算管理基础工作。1996 年 1 月 10 日起进行全面正式普查登记。登记结束后，进行质量抽查、数据处理、数据质量评估、资料开发以及总结表彰工作。

普查范围为全部工业企业和附属工业单位。普查内容涉及工业企业基本情况、财务状况、劳动情况、主要工业产品产销情况、科技活动情况、技术经济指标、产品生产能力、原材料能源消费与库存、能源加工转换、主要工业生产设备拥有量、新旧程序及技术状况、主要工业产品质量和销售、收支情况等十几个方面。

人口普查

1989 年 10 月 25 日，国务院发布《第四次全国人口普查办法》，普查标准时间为 1990 年 7 月 1 日零时，普查项目在 1982 年“三普”基础上，扩大到 21 项，历时 2 年 10 个月，县人口普查办公室完成所有调查内容，并整理编印出《江西省贵溪县 1990 年人口普查资料》，1990 年，全县总人口 500851 人，男性 261828 人，女性 239023 人，性别比 109.54∶100。

2000 年 11 月 1 日零时，根据《第五次全国人口普查办法》进行第五次全国人口普查。此次人口普查与前四次相比，普查项目 49 项，是最多的一次。经过普查，查明全市总人口 535517 人，男性 282662 人，女性 252855 人，男女性别比为 111.79∶100。与 1990 年（7 月 1 日）第四次人口普查相比，增加 34666 人，增长 6.92%。

基本单位普查

第一次全国基本单位普查　1996 年 1 月 29 日，国务院决定进行第一次全国基本单位普查，普查截止标准时间为 1996 年 12 月 31 日。通过普查，截至 1996 年年底，全市除农户、个体户外，共有法人单位 999 个，产业活动单位 1787 个。

第二次全国基本单位普查　2001 年，国务院决定进行第二次全国基本单位普查，普查标准时间为

2001 年 12 月 31 日。普查结果,全市有法人单位 1196 个,产业活动单位 2074 个。

第三产业普查

1993 年,国务院决定进行全国第三产业普查。1993 年 8 月,贵溪县成立第三产业普查协调小组,办公室设在统计局。普查年度为 1991 年、1992 年两年。普查范围和主要内容为贵溪县境内所有第三产业单位 1991 年和 1992 年 2 个年度第三产业经营的各项经济指标。普查于 1994 年年底结束,历时 1 年零 4 个月。普查结果显示,全县除个体户外,1991 年第三产业增加值为 24896.1 万元,1992 年第三产业增加值为 28773.8 万元,比 1991 年增长 15.6%。

农业普查

1995 年 12 月,贵溪县成立全国第一次农业普查领导小组,从统计局、农业局、林业局、土地局、县委宣传部等单位抽调工作人员组成普查办公室,办公室设在县统计局。普查标准时间为 1996 年 12 月 31 日。普查工作到 1998 年年底结束,历时 3 年,对全县 9.8 万个农户,224 个行政村,26 个乡镇逐个进行调查登记。此次农业普查,首次采用大规模光电录入技术,实行“三次处理,超级汇总”工作模式进行数据处理。

经济普查

2004 年,国务院决定在全国开展第一次经济普查。普查对象是我国境内从事第二产业和第三产业的全部法人单位、产业活动单位(包括第一产业法人单位所属的第二、第三产业活动单位)和个体经营户。普查标准时间为 2004 年 12 月 31 日。普查结果显示,2004 年末,全市共有从事第二、三产业的法人单位 985 个,其中,企业法人单位 386 个,机关、事业法人单位 271 个,社会团体法人单位 29 个,其他法人单位 299 个。产业活动单位 1488 个,其中,第二产业 274 个,第三产业 1214 个。个体经营户 8382 户,其中第二产业 670 户,第三产业 7712 户。2004 年末,全市第二、三产业就业人员数为 79725 人。其中,第二产业就业人员为 49501 人,第三产业就业人员为 30224 人。在就业人员中,单位就业人员 65426 人,占 82.1%;个体经营人员 14299 人,占 17.9%。在单位就业人员中,女性 21799 人,占 33.32%。

抽样调查

农村住户抽样调查。1984 年 7 月,成立贵溪县农村抽样调查队(省点),属省事业单位。1991 年,更名为贵溪县农村社会经济调查队。1996 年 10 月,更名贵溪市农村社会经济调查队。调查按随机抽样原则,从全县(市)农村抽取 70 户农户进行日常记账调查。通过 70 户农户的记账资料,分析全县(市)农村住户的生产、收入支出状况,以及全县(市)农民人均纯收入等经济指标。近 10 年来,贵溪市农民人均纯收入发生较大变化。1999—2008 年,贵溪市农民人均纯收入分别为 2349.6 元、2367.3 元、2467.47 元、2566.26 元、2731.22 元、3336.58 元、3730.63 元、4069.91 元、4646.22 元、5366.21 元。

其他抽样调查

每 5 年进行一次 1% 人口变动调查,每年进行一次 1‰人口变动调查、城镇劳动力调查和群众安全感调查。

第二节　统计服务与监督

统计服务

市统计局积极开展统计服务,努力提高服务意识与水平。1991—2008 年,市统计局每年编印《贵溪统计提要》,发布《贵溪市国民经济和社会发展统计公报》,每两年编印《贵溪统计年鉴》;每月向县(市)领导班子提供《贵溪统计月报》。同时,市统计局利用统计信息、数据,从客观的角度监测、评价全市国民经济运行情况。每月提供月度经济运行情况简要分析,每季度提供季度经济运行情况分析,不定期撰写专题调研文章,及时为县(市)党政领导和社会各界提供统计服务。

统计监督

1983 年 12 月,《中华人民共和国统计法》颁布,统计监督和统计法制建设逐步走上正轨。市统计局以强化统计法制建设、提高统计执法水平为中心,积极开展统计法宣传工作。除在地方报刊、电视台上刊登、播发统计法规宣讲材料外，还向各乡（镇）、单位印发《统计法》和《江西省统计管理条例》、《统计法实施细则》等累计2万余份。

为保证统计数据质量，市统计局与市人大财经办多次组织统计执法大检查。特别是1998年中央两办发出《关于坚决反对和制止在统计上弄虚作假的通知》后，市政府成立统计执法大检查领导小组，每年从有关部门抽调干部，对全市统计调查单位的统计报表进行质量抽查，发现存在问题200余个（次）。通过统计执法大检查，增强各级领导和全社会的统计法制观念。

第四章　审计监督

第一节　机　构

市审计机构

1991年，贵溪县审计局编制17人，其中行政编制12人，事业编制5人。1996年5月，县乡机构改革，重新核定人员编制为18人，其中行政编制14人，事业编制4人。10月，贵溪撤县设市，贵溪县审计局相应更名为贵溪市审计局。2003年，贵溪市政府《关于印发〈贵溪市审计局职能配置、内设机构和人员编制规定〉的通知》，规定编制14人，其中行政编制12人，后勤服务人员编制2人。2005年6月，经市机构编制委员会批准，增加专项事业编3人。2008年在职人员18人，其中在岗在位16人，提前离岗2人。

部门内部审计机构

1984年11月，县教育局率先在本部门设置审计股，后林业局、经贸委、卫生局、粮食局等部门也相继设立内部审计机构。至2000年，全市共设立内部审计机构14个，配备人员47人。至2008年，部门内部审计机构均自动撤销。

社会审计机构

1989年3月，成立县审计师事务所，1995年11月，经县机构编制委员会批准，核定县审计师事务所事业编制3名，（从县审计局划拨3名事业编制），经费自收自支。1998年10月，审计师事务所并入贵溪市会计师事务所，与市财政局签订了“业务合并协议书”。统一用“江西贵溪会计师事务所”的名义承接业务和出具业务报告，市财政局为其主管单位。审计师事务所因脱钩进行改制而未成立，于2000年1月被撤销。

第二节　国家审计

同级财政预算执行审计

1996—2008年，同级财政预算执行审计119个单位，查出违纪违规资金5594.26万元。审计中发现市财政赤字严重，财政周转金放款质量差、风险大，科技、教育、支农资金投入不足，预算管理还不规范，部分国有土地出让金收入和行政性罚款收入未纳入预算管理，税务部门个人所得税款未及时足额申报缴纳等问题。经过审计，摸清情况，为市人民政府加强财政预算的宏观管理和市人大常委会审查监督同级财政预算执行情况提供依据。本级财政预算执行审计项目，2006—2007年，分别荣获鹰潭市审计局优秀审计项目三等奖、表彰奖。

金融审计

随着金融体制改革的深入，金融审计的内容由查金融机构自身财务收支逐步向审计信贷资产质量、银行风险管理和效益转变。1991—2008年，共审计47个单位，查出违纪违规资金161.24万元，其中，截留应缴国家各项收入6.55万元，乱挤乱摊成本费用50.94万元，偷税漏税32.26万元，超计划发放贷款18.1万元，少计利息0.14万元，其他54.25万元。1999年审计工商银行1998年资产、负债、损益的真实、合法和效益情况,按五级分类法,审查出该行正常贷款占41.05%,关注贷款占36.85%,次级贷款占12.61%,可疑贷款占4.52%,损失贷款占4.97%,并就存在的问题提出整改意见。

行政事业单位审计

1991—2008年,共审计263个单位,查出违纪违规资金1557.48万元。其中截留应缴国家各项收入507.39万元,偷税漏税111.68万元,挤占挪用专项资金282.87万元,私设"小金库"104.69万元,乱收费乱摊派185.03万元,应缴未缴预算收入86.29万元,乱挤乱摊成本费用2.4万元,其他277.13万元,促进执法部门和领导干部依法执政。

企业审计

1991—2008年,共审计112个单位,查出违纪违规资金642.08万元。其中截留应缴国库各项收入44.4万元,挤占挪用专项资金21.98万元,"小金库"8.16万元,乱挤乱摊成本费用13.61万元,偷漏税55.4万元,其他498.53万元。查出损失浪费金额14万元,促进增收节支5.3万元,并就存在的问题提出了建设性意见。

1998年6月,市审计局根据上级部署,派出局长邓高球和8名审计工作人员进驻余江县,对该县粮食系统17个单位1992年4月至1998年5月31日发生的新增财务挂账和其他不合理占用农发行的粮油收购贷款情况进行了就地审计,此是市审计局有史以来第一次接受跨县区的审计任务。通过审计,查清余江县粮食管理及财政部门粮油政策性补贴资金的收支情况,审核认定1992年3月底以前老挂帐和1992年4月至1998年5月底新增财务挂账及占用农发行贷款等有关数据,向上级审计机关提交了审计报告。2004年8月,市审计局根据上级文件精神,开展对市医药公司2003年财务收支审计,发现该公司在"经营费用"中以"公路货运发票"报账支付销售业务回扣,金额为33.87万元,另外还发现该公司私设"小金库"8.16万元,审计部门针对上述存在的问题,提出审计意见,并作出罚款、补交税费处理。

固定资产投资审计

从建设单位、建设项目、建设资金和财务收支入手,进行固定资产投资审计。1991—2008年,共审计项目191个。

为加强固定资产投资规模的宏观调控,1991—2003年,对166个项目自筹基建资金进行事前审计,审计金额达11888.8万元,查出未落实资金1016万元,截留基建收入94.25万元,漏税3.83万元。

2004年,根据《贵溪市国家建设项目审计监督办法》精神,对投资额在50万元以上(含50万元)的工程建设项目,进行总预算或者概算执行情况、竣工决算审计,至2008年,共开展决算审计项目26个,送审金额16512.05万元,核减金额1259.66万元,核减比例7.63%。

2008年,审计贵溪市"优质高中建设工程"一期竣工决算,送审金额4249.11万元,审定金额为3879.35万元,净核减369.76万元,核减比例为8.7%。

外资项目审计

1991—2008年,共审计外资项目26项,查出违纪违规资金71.52万元,其中挤占挪用专项资金22.86万元,漏交税费0.42万元,其他48.24万元。审计对象为世界银行贷款"红壤开发项目"、"综合性妇幼卫生VI项目"、"结核病控制项目"和农业综合现代化项目,审计内容为世界银行贷款的取得和利用,运用外资项目的执行情况,外资的管理使用和偿还等。

"红壤开发项目"审计分为二期,第一期审计时间是1988年开始,1990—1994年每年审计一次;第二期审计时间是1995—2001年每年审计一次。查明2000年在项目资金转贷过程中,志光镇以物顶贷8.2万元;未落实债务、以个人名字借款4万元做小学、用借条借款6万元修建公路。金沙乡项目办挪用资金0.66万元,西洋村占用0.8万元,水利水保站占用0.15万元。经审计督查,追回被挪用资金,归还了原资金渠道,使该项目得以顺利实施。

"综合性妇幼卫生VI项目"自1997—2003年每年审计一次,发现该项目财政与单位自筹配套资金未及时足额到位、科目使用不合理等问题。项目单位及时改进,该项目取得明显的社会和经济效益。

专项资金审计

1991—2008年,先后对社保资金、计生经费、民政资金等184个单位实施专项审计,查出违纪违规资金711.77万元。其中,截留应缴国库收入4.65万元,挤占挪用专项资金141.03万元,乱收费乱摊派9.16万元,漏交税金28.5万元,应缴未缴预算收入5.13万元,其他523.3万元。

2003年专项审计农村电网建设与改造项目,查出原滨江供电所、直属供电所将自筹款1.21万元与1.99万元分别用于支付该所承包的施工费,市供电有限责任公司将收取的电表费9.2万元列入企业营业收入。审计建议各基层所对已收取的款项要及时足额上缴,不能坐支,对已转入企业营业收入的校表费予以调账,责成补缴的税金共计15万元。

经济责任审计 1995年,贵溪县委、县政府先后出台《关于在全县范围内实行领导干部离任审计的决定》《县管主要领导干部离任审计考核制度》等文件。1995—2008年,共开展领导干部经济责任审计315项,查出违纪违规资金3230.41万元,其中:偷漏税279.95万元,挤占挪用专项资金995.48万元,应缴未缴预算收入12.03万元,乱收费乱摊派158.48万元,截留应缴国库各项收入92.2万元,"小金库"203.67万元,其他1488.6万元。

审计调查

1991—2008年,采用审计和审计调查相结合、审计调查与分析研究相结合的方法,完成审计调查单位197个,查出违纪违规资金215.52万元。

1995年,调查农业投入资金情况,发现挤占专项资金12.5万元,挪用专项资金8.9万元。审计部门对挪用专项资金作出收缴财政处理,并由财政重新安排用于农业投入,对挤占专项资金建议归还原资金渠道。

2006年,调查市社会福利院城市低保资金情况,发现市社会福利院未按照收养人数变动情况及时申报,一直按照最初办理低保时申报的人数享受低保,多118人享受低保,多领低保金13.25万元。审计建议应归还到低保资金专户,并被市政府予以采纳。

审计处理

1991—2008年,共完成审计单位1454个,查出违纪违规资金12310.28万元,其中违纪违规资金分项所占比例为:截留应缴国库各项收入5.66%,挤占挪用专项资金14.55%,偷税漏税4.99%,应缴未缴预算收入2.42%,乱挤乱摊成本费用0.57%,乱收费乱摊派2.91%,私设"小金库"2.77%,其他违纪违规66.13%。审计机关对上述问题予以处理,其中上缴市财政1145.45万元,调账处理105.78万元,与纪委、检察院联合办案处理1人。

2005年,市纪委、市检察院和市审计局成立联合调查工作组,调查贵溪四中,在调查中,发现该户学后勤服务中心账多记支出2.056万元,即移交市检察院,贵溪四中后勤服务中心出纳黄某被判刑。

第三节 内部审计与社会审计

内部审计

1991—2000年,内审机构共完成审计项目1270项,查出违纪违规资金5624.72万元,损失浪费1316.47万元,促进增收节支345.83万元,提高经济效益35.33万元,提出审计建议432条,并查出贪污贿赂案件6件,移送司法机关处理7人。1994年,县经委内审股查出万元以上贿赂案1件,移送司法机关处理1人。1995年,县经委内审股在水泥厂审计中,查出贪污3.5万元的案件,移交司法机关处理1人;是年,县教育局内审股查出挪用公款案两件,建议给予行政处分3人。2001—2008年,上级审计部门未要求内审单位报送资料。

社会审计

贵溪市审计师事务所自成立至撤销的12年中,共开展各类审计查证业务1268项,其中财务收支审计20项,承包离任审计12项,承包经济效益2项,企业注册资金验证和年检1037项,委托和经济案件鉴定22项,咨询服务3项,担任常年顾问1项,基建工程决算80项,清理债权债务1项,其他90项。

审计师事务所坚持"独立、客观、公正"的原则,1992年开展了对43个单位的砂石专用发票的审计查证,查出非专用发票金额9.07万元,无账无证砂石金额48.73万元,为财政增加收入。

1996 年,市政府印发《关于在贵溪市行政、企事业单位建立基本建设项目工程预决算审计制度的实施意见》,该意见规定将基本建设项目预决算审计业务委托市审计师事务所办理,拓宽社会审计领域,解决社会审计业务不饱满的问题。

1998 年,开展基建工程决算审计 24 件,核减工程造价 36.4 万元,防止工程结算的高估冒算,为财政和企业节约基本建设资金。

1991—2008 年贵溪市审计查出违规违纪资金一览

表 14-7　　单位:万元

年 份	截留应缴国家各项收入	挤占挪用专项资金	偷漏税金	应缴未缴预算收入	乱挤乱摊成本费用	乱收费乱摊派	小金库	其他违纪违规	合　计
1991	19.5	11.9	—	—	—	—	—	108.1	139.5
1992	28.92	64.22	—	—	12	9.16	—	122.19	236.49
1993	11.19	4.9	2.24	2.9	8.3	—	—	55.64	85.17
1994	2.69	4	18.48	—	31.06	—	3.6	45.71	105.54
1995	9.81	40.87	18.45	—	13.69	127.44	—	498.92	709.18
1996	6	17	11.42	—	4.94	—	—	41.57	80.93
1997	—	49.59	16.82	—	—	—	21.12	21.71	109.24
1998	—	63.02	18.65	2.64	—	2.12	—	200.44	286.87
1999	6.25	32.19	22.05	26.41	—	3.39	3	263.71	357
2000	—	173.78	29.54	70.9	—	23.2	5.56	62.02	365
2001	41.3	350.5	45.55	—	—	0.12	—	164.45	601.92
2002	—	162.93	26.25	29.98	—	2.4	6.56	798.68	1026.8
2003	—	20.4	94.97	—	—	2.92	76.85	569.68	764.82
2004	—	76.1	12.97	—	—	46.79	19.12	544.81	699.79
2005	19	145.57	91.26	—	—	36.97	9.95	721.92	1024.67
2006	85.95	59.32	30.31	—	—	73.69	185.78	2058.62	2493.67
2007	—	321.43	108.65	—	—	3.74	9.7	1429.55	1873.07
2008	465.88	193.63	66.65	165.29	—	26.29	—	432.88	1350.62
合 计	696.49	1791.35	614.26	298.12	69.99	358.23	341.24	8140.6	12310.28

第五章　物价管理

1981 年成立贵溪县物价局,1982 年 3 月成立贵溪县物价检查所。2003 年,在市政府机构改革中将市物价局与市计委合并,仍然保留原设党组、行政机构的牌子。

第一节　价格管理体制改革

1990—1991 年,这一时期的价格改革有两个特点:一是按照中央治理整顿要求稳定物价,振兴经济;二是积极探索价格改革的新路子,按照计划经济与市场调节相结合的要求,加强管理,控中有改,择机调放，不断巩固和完善改革成果。

1992—1996年，价格改革的主要任务是建立以市场形成价格为主的价格机制。这一时期的价格改革的主要特点是加快价格市场化进程，加强宏观调控。在加快价格市场化进程方面，进一步转换价格形成机制，改善价格结构。通过这一阶段的改革，抑制物价上涨势头，初步形成国家定价和市场价相结合，以市场价为主的价格管理新局面。

1997年《价格法》的颁布，价格改革的方向和目标都发生相应变化，根据市场经济规律要求，价格改革的主要任务是运用价格杠杆扩大内需，改善投资环境，促进产业结构的优化升级。价格管理从单纯以定调价为主转到"定规则、当裁判、搞服务"上来，在规范政府定价行为方面，着力解决价格管理"越位"问题，积极推进政府价格决策民主化，建立和不断完善价格听证制度。

1997—2008年，先后放开一、二、三类商品价格，基本形成政府调控市场、市场形成价格、价格引导企业经济运行的机制。截至2008年，除资源性、垄断性、公益性的少数商品和行政事业收费仍由国家直接管理外，其他商品价格和绝大多数经营性收费全部放开。

第二节　价格调控

1991年，省政府根据国务院关于调整粮油统销价格的决定，从1991年5月1日起，在全省将定量供应城镇居民的早籼米、晚籼米、杂优晚米、粳米、糯米、面粉六种粮食的销售价格提价，平均每500克提高约0.12元；定量供应的花生油、大槽芝麻油、茶籽油、精棉油等五种食油的销售价格，平均每500克提高1.31元。县物价局制定计划外尿素市场销售价格为每吨1300元，碳铵市场销售价格为每吨350元。

1993年，全县市场商品价格97%放开，实行市场调节价，初步形成以市场形成价格为主的价格机制。除食盐、中小学生课本、作业本、部分中药材、西药、计划内农资、石油等价格外，其他商品价格基本放开。对自来水、农电、计划内农膜、尿素、石油等价格进行调整。

1994年，提高电力、原油及成品油，粮棉购销价格及食盐销售价格，并粮食、原油及成品油、钢材等价格秩序进行整顿。稻谷、大米、面条、汽油、柴油、钢材等重要价格重新改为国家定价或指导价，稻谷收购价格每50千克早籼稻45元，晚籼稻52元，早籼米、晚籼米每千克零售价格分别为1.74元、1.94元。是年，规定从9月7日起县城市场猪肉前（后）腿肉排骨肉最高限价每500克5.80元。在生猪收购价上涨较多，猪肉限价难以执行的情况下，为稳定猪肉价格，县政府于11月29日动用10万元补偿县食品公司执行猪肉限价。

1995年，制定议价粮油零售价格，对农资商品制定市场综合销售价格。全县统一制定棉花批发、零售价格。春节期间对猪肉零售实行最高限价，县财政拿出13万元用于补贴由于对生猪养殖户限价造成的亏损。统一制定议价粮油、米面制品最高零售限价，对食糖、灯泡、学生作业本、理发等价格实行提价申报。

1996年元旦、春节、元宵节期间对市场鲜肉零售实行最高限价，并实行主要食品价格补贴，平价鲜猪肉上市，菜农进场直销，组织个体商贩调运蔬菜。

1997年，制定公路各客运站点的客运票价，对258户（人）公路客、货运输单位和车辆换发收费许可证。制定范围内尿素、碳铵、磷肥、氯化钾等化肥、农药市场综合销售价格。对电力、粮食等价格进行调整，及时下达早、晚稻的合同定购价格和议购最低保护价格。

1998年，全市粮食国家定购价、保护价和成品油销售指导价，按照国家"两改一同价"（通过对城市和农村电网改造，使城乡居民电价相同）的要求，从1999年4月1日起，对农村居民生活用电到户价格实行每千瓦时不超过0.98元限价，解决农村电价偏高问题，减轻农民负担，全年减负金额达30余万元。

2000年，对城市客运票价、石油液化气价格进行调整。

2001年，全市居民用水价格调整为0.76元/吨。

2002年，调整全市有线电视收费标准，新装有线电视用户安装一个终端盒一次性交纳的初装费由原来的每户300元（300MHZ网络系统）调整到每户500元（750MHZ网络系统）。对全市经营性、商业性户外广告设置管理费制定标准。

2003 年,制定有线数字电视收费标准,用户可自愿选择购买各类机顶盒,经营单位应按机顶盒实际进行加上不超过 15% 的进销差率制定销售价格,并负责为用户安装调试。当年,制定全市鸭类定点屠宰收费标准,鸭类定点屠宰收费标准为每只 0.9 元。制定全市殡葬服务收费标准。

2004 年,对实行瓶装液化气计量标识收费标准进行调整,由原来的每瓶 1 元调整为每瓶 0.8 元。同时制定华邦安康物业管理公司收费标准,市自来水公司供水安装服务收费标准,供水安装服务费每户 180 元。

2006 年,制定婚姻服务业收费标准。实行市场调节价,由婚姻服务中介机构按照公开、公正、诚实、信用的原则自主确定,实行明码标价。调整生猪定点屠宰服务费标准,由原来的 24 元/头调整为 31 元/头。

2007 年,制定全市城市管道天然气销售价格及管道初装费标准,居民生活用气 3.95 元/立方米,商业、工业用气 4.30 元/立方米;居民用户初装费 2500 元/户(含 IC 卡气表),商业、工业用户初装费按月额定用气量 640 元/立方米收取。当年,制定城市建筑垃圾处置费标准,新建、扩建工程按建筑面积每平方米 3.00 元的标准收取;其他土方工程按每立方米 2.00 元的标准收取。从 2007 年春季学期开学开始,对九年制义务教育阶段学校按规定只能向学生收取课本费、作业本费 2 项代收费和寄宿制学生住宿费作调价审定。住宿费收取标准:农村小学、初中每学年每生 80 元。城市小学、初中公寓宿舍,小学、初中均为每学年每生 300 元;普通宿舍,小学、初中均为每学年每生 150 元。

第三节 价格审查监督

收费审查

1993 年,按照国务院、省政府关于坚决制止“三乱”的决定,开展换发“收费许可证”和行政事业性收费审验工作。换发收费许可证 319 个,其中行政事业性收费证 246 个,审验收费单位 62 个,收费项目 65 项。查出违章收费 15 项,限令停止收费项目 8 项。下半年加强涉农收费和行政事业性收费管理,公布取消 47 项涉农收费及省财政厅、物价局取消的第一批 61 项收费。吊销粮食类、土地类等 10 多项不合理收费项目的许可证。

1994 年,会同县财政局对 1993 年度行政事业性收费进行年审,审验收费单位 57 个,收费大项目 52 个,收费总金额 1180 万元,取消“农机管理费”、“娱乐场所勘测费”等 7 项收费,颁发收费许可证 22 个,增加或调整收费项目 12 个。配合县财政、县审计部门对全县 20 个单位行政事业性收费的收支情况进行调查,逐步将行政事业性收费纳入预算外资金管理。

1995 年,对城建、公安、交警、工商等部门收费项目进行清理,取消收费项目 2 个,降低收费标准 2 项。会同财政局开展 1994 年度行政事业性收费年审工作,审验收费单位 26 个,收费项目 223 个,收费金额 738.81 万元。

1997 年,会同财政局对全市行政事业性收费执收单位进行年审。全市应年审和实验审检查单位 110 个,年审检查项目 488 项,合格项目 447 项,发现提高收费标准、自立收费项目、扩大收费范围、无证收费项目等违纪收费 41 项,查出违纪金额 52.17 万元,退回被收者 6.29 万元,收取年审费 5.73 万元。统一全市人力三轮车和载客二轮摩托车的收费标准,并发放经营性收费许可证 498 个,

1998 年,通过对行政事业性收费年审,共审核 104 个收费单位,取消群众反映大的违规超标收费 26 项,降低收费标准项目 6 个,收取年审费 5.35 万元。

1999 年,对 1998 年度行政事业性收费、经营性收费进行年审和“收费许可证”换证工作,年审收费单位 372 个,年审面达 100%,审验金额 6.5 万元,换证 372 个。

2001 年,会同财政局组成 2 个审验小组,自 4 月 1 日至 5 月底对全市 350 多个行政事业单位 1000 余个收费项目进行收费年审,发现罗河镇洋塘翁源小学在报名时向学生收取工友工资费每人 4 元,大田小学向学生收取铅笔、照像等费用,责令违纪学校将多收金额 0.6 万余元退回学生家长;发现市二轻局自立项目收取个体装璜户年检费约 0.13 万元。这次收费年审,及时变更收费项目及标准 24 个,取消收

费项目7个,审验预算外收费总额3789万元。

2006年,对137个收费单位进行“收费许可证”年审,发现在下半年九年制义务教育几乎无收费项目情况下,收取年审费用6.9万余元。

监督检查

1993年,上半年开展以铁路、邮电、石油、医药等为主行业收费(价格)检查,下半年开展中小学校、行政事业性收费为主的物价大检查。检查单位共计50余个,查处违纪金额27万余元,收缴入库5.07万余元,退返用户7.55万余元。

1994年,开展物价大检查,自查面达100%,重点抽查26个单位,检查面为43%,查出违规金额20万元,实行经济制裁处罚5万元,其中:退返用户3万余元,上缴财政1.7万元。是年,贵府字(1994)16号和37号文下达对大米、面条、食油、食盐、洗衣粉等20种居民生活必需品价格实行监审。对粮食价格从1993年12月1日起实行最高限价和定量供应。加强商贸市场明码标价监督,印发《贵溪县关于商品服务实行明码标价的通告》,统一监制标价签和价目簿,邀请县人大、政协、工商、公安、计量等部门进行三次大的专题检查,检查商店3000多个,共计罚款0.1万余元。

1995年,对全县30所中小学校1995年春季收费进行了清理,责令退回多收款20万余元,对11所违纪中小学校长分别处以300元、200元、150元的罚款,查处滨江公安分局和县公安局户政科非法收取“人口管理微机及工本费”和“落户证工本费”,退回或收缴非法收入0.9万多元;检查全县农资经营单位,进行经济制裁处罚0.15万元;在“五一”节、端午节期间开展市场明码标价的情况检查,发现违规行为,实行经济制裁处罚0.2万余元。

1996年初开学之际,在县监察局、县教育局等部门的配合下,对城区非九年制义务教育收费进行调查;在卫生部门的支持下,开展医疗成本调查。

1997年,组织元旦、春节、国庆等重大节日的市场检查,防止节日价格大起大落。按照国家和省政府的统一部署,开展建设项目收费检查,查出违纪金额34.07万余元,罚没款约4.01万元(其中由执收单位退回被征户1万元)。对16个农资经营单位进行检查和整顿。与鹰潭市物价检查所联合开展铁路专线的检查,查出违纪金额百万余元,对30个单位进行检查整顿,查出价格违纪金额约5万元,缴交罚没款1.96万元。

1998年,市物价检查所以“清费、治乱、减负”为中心,大力开展价格监督检查,坚决制止乱涨价、乱收费,实现零售物价总指数涨幅控制在3%的目标以内。全市共查出价格违法案件37件,查出非法所得10万余元,退回用户1.85万元,没收非法所得6.05万余元,上缴财政6.05万余元。对市区各个学校、乡镇中学收费情况进行了检查,共查出不合理收费金额10万余元,对有违规收费行为的10多所学校进行处罚,共退还给学生1.85万元。

1999年,制定《贵溪市物业管理收费标准》,具体规定各项物业服务的收费标准,使物业管理得到规范。全年查处价格违法案件3件,查处价格违法0.47万余元,实施经济处罚0.2万余元,退还用户0.27万余元。

2000年,开展交通收费检查,共查出违规5.7万余元。会同市教委联合对全市农村18所中学,8所小学,16所村小学进行重点教育收费检查,共查处违规47万余元,对有关学校进行经济处罚,收缴罚没款1万元。

2001年,按照省物价局、省卫生局、省政府纠风办的统一部署,以及赣价检字(2001)10号文件要求,对全市乡镇医院进行监督检查,查出价格违法单位12个,违法金额27.77万元,没收非法所得8.3万元。重点对农网改造收费、农村电价以及农村中小学收费进行检查,查处有违法行为单位7个,查出违法金额10万余元。对技术监督局、自来水公司、房产、交警、公安、一中、二中、三中、四中、人民医院等单位进行专项检查,没收非法所得6.44万元。

2003年,由于“非典”疫情的影响,在全国范围内引发市场价格的异常波动。为稳定特殊时期的市场价格,开展抓重点行业、重点问题,共查出价格违法单位8个,实施经济处罚20万元,记录价格投诉电话60个,立案查办的45件。对国家规定的74种商品进行审查,共收缴违法药品价值300万元,当场处罚哄抬物价药店、诊所 4 个,处罚 1 万余元,收缴假冒口罩 400 只。

第六章　质量技术监督

1985 年 7 月原县标准计量管理所更名为县标准计量局挂靠县经委属二级局。1996 年 10 月撤县建市,更名为贵溪市技术监督局,升格为直属市政府一级局(正科级)单位。2000 年 10 月,更名为市质量技术监督局。2001 年 10 月,特种设备安全监督管理职能由市劳动局划归市质量技术监督局。2005 年 1 月 1 日,原卫生部门承担的生产加工环节食品安全监管职能划归质监部门,共有职工 28 人,其中行政编制 11 人,事业编制 10 人,聘用 7 人。

第一节　标准化管理

机构代码管理

1993 年,启动统一代码标识制度。1994 年 5 月,1308 个单位完成"统一代码"标识建制工作,其中行政单位 201 个,事业单位 312 个,社会团体 166 个,企业 630 个。

1997 年后,机关、企事业单位推行代码条码意识逐步增强,至 2000 年,每年新增代码成员单位 100 个左右。

2003 年,534 个企事业单位变更组织机构的代码信息,其中新办证 134 个,年检 153 个,换证 247 个,办理代码电子副本 180 份。

2004 年,全市 288 个企事业单位变更、年检代码信息。

2007 年,全市 459 个企事业单位新办、变更、年检代码信息。

2008 年,全市有代码单位 1780 个。

企业与产品标准化管理

1989 年开始,每年在食品生产和销售企业以及工业企业中宣传推行《食品标签通用标准》和《标准化法实施条例》等。至 1993 年,共举办标准化知识培训班 50 批次,参训人员 1500 人次。为无标准生产企业提供标准资料 4500 余份,帮助工业企业查找整理产品标准 3400 余个。1991 年,收集建立企业产品标准 15 种。1992 年,收集各类产品标准 130 余个,发放企业产品标准登记证 39 本,帮助 11 家乡镇企业制定产品标准。1994 年,正式实施 GB1 0648—93 饲料标签,收集企业标准 400 余个,帮助 8 家企业制定产品标准。

1997 年开始,对工业企业产品标准实行动态管理,完善企业标准化管理网络,收集和增加各类新标准 100 余个,更改作废标准 11 个,帮助企业制定标准 3 个,使标准覆盖率提高至 97%。1998 年,国家技术监督局制定《产品标准编写规定》,市技术监督部门组织全市工业企业负责人召开会议进行宣传贯彻。各企业根据《江西省标准化管理条例》,对原有产品标准进行重新审查。1999 年,审查认可企业食品标签 17 个,帮助企业制(修)订产品标准 4 个,产品标准审查 2 个,协助办理商品条码 8 个。

2003 年,采用国际标准、国外先进标准 13 项,采用标准产品产值 20 多亿元,有 10 家企业通过质量体系认证。2004 年,三荣银杏茶生产基地被列为国家级标准示范区,生猪养殖和绿色大米等 4 个品种被列为省级标准化示范区。

第二节　计量管理

计量标准器具

1989 年,城区所有经营单位和个体摊贩的市秤、市尺改革工作完成,旧制 16 两 1 斤的杆秤完全退出交易市场,10 两制市斤杆秤逐步更换成千克秤。1990 年,全县农村和民间使用的市秤、市尺改革工作也相继完成。1994 年,市内各商店、门市部、集贸市场的固定摊贩均改用性能稳定、显示清晰、不易作弊的电子秤、双面度盘秤等法定计量器具。2004 年,粮管所与部分企业安装全自动电脑电子衡(地秤)39 台。

计量定级升级

1986 年开始,对工业企业、加工企业开展计量督查考核和定级验收。1992 年,经考核验收,全县获计量等级验收合格证书的企业 24 家,其中获一级计量合格证书的企业 1 家,获二级计量合格证书的 2 家,获三级计量合格证书的 23 家。此后,计量单位定级工作停止。

计量监督检查

1990 年,共调解计量纠纷 165 起,收缴不合格杆秤 125 把。其后继续加大计量案件查处力度。截至 1995 年,共调处计量纠纷 270 起,收缴不合格杆秤 4500 杆,纠正非法定商品标签 8356 个。

1997 年,帮助三家企业按 GB/T1 9022 和 ISO 10012 标准建立计量检验体系。对全市 24 个乡镇粮管所(站)使用的台秤进行全面检查,经查有 28 名仓库保管员在夏、秋粮入库时,利用台秤短斤少两,责令限期整改。

1999 年,检定加油机 82 台(次),天平 105 台,地磅 23 件,压力表 330 只,血压计 45 只,计量器具检定合格率达 100%,其后加大对生产企业使用未检定计量器具的监督检查力度。2003 年,对企业和单位开展计量器具检定工作,全年共完成检定数 438 台(件)。

2004 年后,重点针对加油站短斤少两和加油机计量作弊的违法行为进行监督检查。共检查加油站 134 个,查处有计量问题加油站 3 个,责令限期整改。

2006 年,对医用血压计和用于安全防护的压力表进行强制检定,共检血压计 45 只,合格率为 90%,压力表 526 只,合格率 88%。

2008 年,对全市 182 台加油机,进行 4 次计量周期检定,受检率为 100%。

第三节 质量检验监督

质量检验

2004 年,4 家企业 5 个品牌获"江西名牌产品"称号。5 家企业 6 个产品被确认为"江西省重点保护产品",3 个产品推荐国家名牌,8 家企业通过 QS 质量认证。

2006 年,对经过培训经考核合格的质检员协助办理检验员证,共办理生产企业出具产品质量检验合格证明资格证 110 个,办理检验员证 7 份。

截至 2008 年,全市获中国名牌产品为江西铜业集团公司的阴极铜,获国家免检产品为江西贵溪化肥有限责任公司的高、中浓度复合肥料和磷酸二铵,贵溪新世纪水泥有限公司的 P. O32.5 和 P. O42.5。

2008 年贵溪市获江西省名牌产品企业名单一览

表 14-8

注册商标	产品名称	企业名称	注册商标	产品名称	企业名称
铁拐李	灯芯糕	贵溪市龙兴铺灯芯糕有限责任公司	贵冶	工业硫酸	江西铜业集团公司
竹辉	装饰地板	江西竹辉竹业有限公司	施大壮	磷酸二铵	江西贵溪化肥有限责任公司
施大壮、贵化	复合肥料	江西贵溪化肥有限责任公司	贵冶	阴极铜	江西铜业集团公司
科华	水泥	贵溪新世纪水泥有限公司	贵雅	紧凑型荧光灯	江西贵雅照明有限公司
	电工圆铜线	江西铜业材料有限公司			

农资质量监督

1990 年,对县供销社销售的肥料进行检查,查获不合格过磷酸钙 6 吨,钙镁磷肥 2 吨。

1993年,根据举报,查获在贵溪市销售的无生产许可证的劣质肥料“三原素”复合肥300吨,当场封存,罚款4000元。

建材质量监督

1990年开始,每年在建材行业中开展“查建材、保建设”专项检查活动。

1993年,受理投诉案件20起,涉案金额60万元,销毁伪劣产品价值2万元。

1996年,对全县钢材市场进行全年整顿监查,7家不合格,合格率为41.6%。

1997年,对全市在建房屋及其他建筑工程的钢材、水泥、机砖进行现场检查。

2003年,对“地条钢”生产企业进行彻底整顿,关停取缔企业6家,实现境内无“地条钢”生产企业。

2004—2008年,市技术监督部门共受理消费者投诉123件,办理违法案件近900件,涉案金额1000多万元。

建材质检案例

案例一:2004年6月,群众举报,鹰潭市精粹实业有限公司生产销售无工业产品生产许可证的螺纹钢,局执法人员立即对使用该公司提供的螺纹钢的贵溪市擂鼓岭竹园工地进行执法检查,并对该批螺纹钢进行抽样、送检。该公司不能提供厂家工业产品生产许可证,责令停止生产、销售,并处该批螺纹钢15%的罚款0.6万元。

案例二:2008年4月,局执法人员到贵溪市江滨花苑施工现场进行执法检查,在检查过程中发现制作铝合金的工具及已制作完成的外窗框架,经执法人员现场查证不能提供相关资料。经调查,徐某属于无证生产铝合金建筑外窗,违反《工业产品生产许可证管理条例》第五条,依据该条例第四十五条,责令停止生产,处以1.2万元罚款。

食品质量监督

1990年开始,启动食品质量监督管理工作,每年组织人员对学校、商店、食品和副食品批发市场进行检查。

1991年,对全市125个国营、集体、个体生产销售的食品进行检查,查获假冒伪劣商品价值1万元。

1992年,抽查饮料类11户,20种产品,合格15种,合格率为75%;酒类4户,6种产品,合格4种,合格率为67%;面条类20户,合格11户,合格率为55%;饲料4户,合格2户,合格率为50%;油脂类合格率不到50%。

1994年,检查国营、集体、个体户、经销单位400余家,查验商品85家,其中抽查饮料类样品11个,40%不合格,查处不合格产品价值550万元。

1996年,对全市130多家商店40多个品种进行监督检查,查处不合格商品12类。

2004年,对市场上销售非“B”字瓶装啤酒进行集中检查,涉案啤酒1000余箱。

2004—2008年,受理消费者投诉620件,处理违法案件865起,查获伪劣产(商)品标值1680余万元,销毁伪劣产(商)品标值230万元,为企业和消费者挽回经济损失800余万元。

食品质检案例

案例一:2004年,接消费者投诉,郑某冷饮批发部销售不符合国家强制性标准的冷饮,执法人员立即进行了执法检查。检查中发现该批发部所销售的冷饮部分品牌未在其包装物上标注生产日期和保质期,违反《江西省标准化管理条例》第16条第3款的规定,责令其改正,并处罚款0.06万元。

案例二:2008年6月,执法人员在对贵溪市三得利食品厂进行执法检查时,发现该厂工作人员正在生产蛋心圆。经调查,该厂未取得生产许可证,属擅自生产蛋心圆,违反《中华人民共和国工业产品生产许可证管理条例》第5条之规定。责令停止生产,并处以货值金额两倍的罚款,共计人民币0.8万元。

第四节　特种设备安全监督

2001年7月,根据职能调整,劳动管理部门承担的特种设备安全监察划归质监部门后,市质监局成立特种设备安全监察股,履行对特种设备安全监管职能。

2003 年，对全市 16400 台设备进行不定期安全检查，发出监察意见书 450 余份，排查安全隐患 230 处，落实整改 230 处。

2004 年，对全市 2000 余台特种设备进行 4 次安全大检查，下发整改意见 72 条。

2005 年，对全市 2100 台特种设备进行注册登记，发出整改意见书 600 余份，排除安全隐患 300 余处，受检率和隐患整改率均为 100%

2006—2008 年，检查特种设备 4000 余台次，发出安全检查指令书 100 余份，提出整改意见 450 条，消除安全隐患 150 处，查处严重违法案件 13 起。

2008 年贵溪市特种设备基本情况一览

表 14－9

名称/项目	在 用	停 用	小 计	名称/项目	在 用	停 用	小 计
电梯	80(部)	29(部)	109(部)	压力管道	84.88(千米)	－	84.88(千米)
起重机械	616(台)	103(台)	719(台)	固定压力容器	664(个)	149(个)	813(个)
厂车	448(部)	13(部)	461(部)	移动压力容器	50(个)	－	50(个)
锅炉	136(台)	42(台)	178(台)				

第七章　食品药品监督

1964 年，贵溪县卫生局配备药政管理干部 1 人，负责贯彻执行国家有关药政法规和条例。1984—2002 年，市卫生局药政股负责监督管理全市药政工作。

2002 年 10 月，鹰潭市药品监督管理局贵溪药品监督所成立。2004 年 5 月，贵溪市食品安全监管协调领导小组成立。10 月，贵溪市药品监督所升格为贵溪市食品药品监督管理局（正科级）为鹰潭市食品药品监督管理局的直属机构，负责辖区内食品药品安全综合监督、组织协调和依法对重大食品安全事故的查处，负责药品及医疗器械科研、生产经营、使用环节的监督管理与行政执法。全局共有行政编制 9 人，事业编制 1 人。

第一节　食品监督

食品安全监管体制

2004 年以前，食品安全工作由卫生、质监、工商、农业等部门按分段监管的原则进行管理：市农业局负责初级农产品监管，市质量技术监督局负责食品生产环节监管，市工商行政管理局负责食品流通环节监管，市卫生局负责餐饮消费环节监管。

食品安全监管协调机制

2004 年，市政府制定《关于加强食品安全监管工作的意见》，明确各有关部门食品安全监管职责。先后出台市食品安全监管协调领导小组工作规

工商执法人员宣讲有关法律、法规及食品安全知识

则、食品安全监管协调领导小组会议制度、食品安全信息报告与发布制度、重大食品安全事故报告制度、重大食品安全事故行政责任追究规定、食品安全联合执法工作制度。每年市政府召开全市食品安全工作会议,与各乡(镇、街道)、各食品安全监管职能部门签订食品安全工作责任书,年终进行考核。

食品安全监督管理

1991—2002 年,根据《中华人民共和国食品卫生法》,卫生、工商、质监、农业等部门不断强化食品安全监管,共查办食品案件 3000 余起,收缴销毁假劣食品 1.3 万余千克。自 2004 年起,全市组织实施食品放心工程,深入开展食品安全专项整治行动,2004—2008 年,全市共查办各类食品安全违法案件 1239 起,共查获白条肉 1439 千克、假冒名酒 1200 余瓶、劣质和过期奶粉 1600 余包、假冒伪劣保健食品 830 盒、其他不合格食品 8500 余千克。截至 2008 年,全市已认定无公害农产品生产基地 6 个,无公害农产品品种数 26 个,获 QS 认证食品生产加工企业 34 家。生猪定点屠宰率达 95% 以上,蔬菜农药残留抽检平均合格率 97%,学校食堂和大中型餐饮单位食品卫生监督量化分级管理率为 100%。从 2005 年起,每年 5 月,市食药监、农业、质监、工商、经贸、卫生、盐政等部门联合开展食品安全宣传月活动,设立食品安全举报投诉绿色通道。2006 年,市政府制定《贵溪市食品安全事故应急预案》,2007 年,印发《贵溪市重大食品安全事故应急预案操作手册》。

2008 年贵溪市无公害农产品生产基地一览

表 14-10　　单位:吨

无公害农产品生产基地	产品名称	年产量
贵溪市富宇绿色蔬菜专业合作社	茄子	720
	黄瓜	720
	豇豆	240
	番茄	360
	莴笋	600
	辣椒	600
	芹菜	300
南山食品厂	捺菜	7000
	芥菜	4300
江西穗昌禽业科技有限公司	鸡蛋	4950
贵溪市绿野生态农业开发有限公司	空心菜	200
	西红柿	200
	毛豆	120
	南瓜	500
	茄子	210
	苦瓜	50
江西省双龙湖农业开发有限公司	草鱼	100
	鲢鱼	40
	鳙鱼	60
	鳜鱼	10

续表 14－10

无公害农产品生产基地	产品名称	年产量
贵溪度慧峰水产专业合作社	草鱼	120
	鲢鱼	50
	鳙鱼	80
	青鱼	10
	鳊鱼	40
	鲫鱼	30

2008 年贵溪市获 QS 认证食品生产加工企业一览

表 14－11

企业名称	产品名称	企业名称	产品名称
贵溪市象山粮食加工有限公司	大米	江西大忙人实业有限公司	淀粉制品
江西中胜粮油有限公司	大米	贵溪市泥娃娃食品厂	糖果
江西富饶米业有限公司	大米	贵溪市云波食品厂	花生
鹰潭市龙虎山天然茶油有限公司	茶油	贵溪市龙云食品厂	辣条
贵溪市金禄米业有限公司	大米	贵溪市明达食品厂	茄子干
贵溪市鑫诚精制米有限公司	大米	贵溪市项丰食品厂	茄子干
贵溪市婷洁食品厂	饼干	江西省贵溪市食品加工总厂	豆角干
贵溪市忠新粮食有限公司	大米	贵溪市天华山茶厂	茶叶
贵溪市周坊红军泉水厂	饮用水	贵溪市绿源林特产有限公司	茶油
鹰潭市龙虎山天然矿泉水有限责任公司	饮用水	鹰潭市贵溪华康天然色素厂	天然色素
贵溪市志光大发米厂有限公司	大米	江西省贵溪市金沙蔬菜加工厂	果蔬罐头
贵溪市塘湾五谷丰酒厂	谷酒	贵溪市鸿飞食品厂	茄子干
贵溪市十里泉水厂	饮用水	贵溪市大明食品厂	茄子干
贵溪国家粮食储备库制米厂	大米	贵溪徐椒椒食品厂	果蔬罐头
贵溪市龙兴铺灯芯糕有限公司	灯芯糕	贵溪市嘉和豆制品厂	豆制品
贵溪市南山食品厂	捺菜	贵溪市鑫华粮食有限责任公司	大米
贵溪风味食品厂	捺菜	贵溪市龙虎山啤酒有限公司	啤酒(熟啤酒)

第二节　药品监督

药品流通监管

1991—2002 年，贵溪市医药公司是全市药品市场主要供应渠道。2003 年，根据《江西省药品零售企业设置管理办法》，放开药品经营市场。2004 年，对全市药品经营企业进行 GSP(药品经营质量管理规范)认证工作。12 月，贵溪市医药公司改制为贵溪市医药有限责任公司。截至 2008 年，全市有 1 家药品批发企业、5 家农村药品配送站、26 家药品零售企业通过 GSP 认证。

药品生产监管

1991—2002 年，贵溪制药厂是全市唯一一家药品生产企业，隶属省医药集团管理，2002 年，原贵溪制药厂进行改制,更名为江西天施康中药股份有限公司贵溪分公司,主要生产血康口服液、肠炎宁糖浆、复方鲜竹沥液等产品。2003年,批准成立江西远东药业有限公司,主要生产肾宝糖浆、健儿清解液、川贝止咳糖浆、小儿止咳糖浆、养血当归糖浆等五大系列产品。2004年,批准成立三琦生物有限责任公司,主要生产以白蚁为主要原料的药品、消毒产品、保健品等产品。2004年,江西天施康中药股份有限公司贵溪分公司和江西远东药业有限公司分别通过GMP(药品生产质量管理规范)认证。2007年,市食品药品监督管理局对药品生产企业实施驻厂监督员管理。

药品(械)市场整治

全市涉药单位836家,其中药品生产企业3家、药品批发企业1家、药品配送站5家、药品零售企业26家、县级医疗机构6家、乡镇卫生院18家、农村卫生所(室)、个体诊所700余家。1991—2001年,市卫生行政部门对全市药品生产、经营企业、医院制剂室及药房进行药品质量监督,县级医疗机构及药品生产、经营企业每年监督覆盖率达100%,乡镇卫生院药品监督覆盖率达90%。从2002年起,加大药品市场规范整治力度,先后开展过期药品专项清查、非法渠道购进药品专项检查、药品、医疗器械专项整治、整顿和规范药品市场秩序专项行动等一系列行动。

2002—2008年,共立案件460余起,查处各类假劣药300多个品种,500多批次,涉案金额80余万元。2002年,查处2起无证经营药品案,涉案金额10多万元,涉案的个体医疗机构20多家;2003年,查处一起私设药品仓库违法销售药品案,涉案药品10多批次,数量400多件,金额2万多元;2004年,查处某医疗机构使用假冒的生物制品案,涉案金额1万余元;2005年,查处某药房销售假药案,涉案金额约2万元;某医院从不具有药品生产、经营资格的个人处购进药品,涉案金额2万余元,经核查,此案系汪某套用江西某医药公司的票据、公章等私自销售药品;2007年,查处某医院使用劣药案,涉案金额4万余元;2008年,查处某医院使用劣药案,涉案金额1万余元,罚没3万余元,当事人拒不履行,申请贵溪市人民法院强制执行。

农村药品"两网"建设

2003年,贵溪被列为全省农村药品监督网络与供应网络(简称"两网")建设7个试点市、(县)之一。共审批设立农村药品配送站5家,农村零售药店10家,农村药品零售服务点95家,聘请药品协管员21名,药品信息员193名。2004年,市食品药品监督管理局获"全省农村药品'两网'建设先进单位"。2006年,市食品药品监督管理局会同市卫生局联合开展农村医疗机构"规范药房"建设工作,全市18家乡镇卫生院、600余家农村卫生所(室)通过规范药房验收。2007年,市政府印发《关于进一步加强全市食品药品监管网络建设的实施意见》,全市21个乡镇、街道办事处设立食品药品安全工作站,全市聘请食品药品安全监督协管员40名,村级信息员205名,形成"横向到边、纵向到底"的食品药品监管网络。2008年,开展创建全省农村药品监督网络和供应网络建设示范县工作。当年,进行"示范药房""示范药店""示范工作站"建设和农村药品市场供应主体竞选工作,"示范药房"配备电脑、空调,推广药品电子化管理。规范农村药品供应渠道,通过公开竞选,确定8家药品批发企业为全市农村药品市场供应主体。2008年底,贵溪市通过全省农村药品"两网"建设示范县评估验收。

第八章　安全生产监督

第一节　机构与队伍

机构

2002 年 11 月前,市人事劳动和社会保障局劳动安全监察股负责全市安全生产的综合管理、劳动保护、矿山、锅炉和压力容器安全监察工作,行使市安全生产委员会办公室职责。

2002 年 11 月,原由市人事劳动和社会保障局承担的对全市安全生产综合管理、职业安全和矿山安全监察职能划入市经济贸易局,增挂市安全生产监督管理局牌子,为二级局副科级单位。

2003 年 5 月,市安全生产监督管理局设立财政专户,定员为事业编制 5 名,人员来源从市经济贸易局和市直机关单位中调剂使用。12 月,安全生产监督管理局工作人员编制单列(与市经济贸易局机关人员编制分开划出),定为行政编 2 名、专项事业编 5 名,仍为隶属市经济贸易局的二级机构。

2004 年 3 月,安全生产监督管理局升格为一级局(正科级),为市政府工作部门,与市安全生产委员会办公室合署办公,两块牌子,一套人员。

队伍建设

2004 年,各乡(镇、街办、场)及市工业园区均设立劳动安全管理站(办公室),配备 2—3 名专职安全生产监察员,全市共计择优录用 71 名专职安全生产监察员,各村(居)委会也分别配备 1—2 名专(兼)职安全员,全市成立由 51 人组成的来自各监管部门和企业基层单位的安全生产信息员队伍,从驻市大企业聘请 12 名特邀安全生产监察员。

2005 年 5 月,成立贵溪市安全监察大队,为市安全生产监督管理局下属全额拨款股级事业单位,定编 4 名。

第二节　安全生产检查与考核

安全生产责任

安全生产管理实行"属地管理与分级管理相结合,以属地管理为主"和"谁主管,谁负责"、"谁审批,谁负责"的原则。

生产经营单位是安全生产的责任主体,对本单位的安全生产承担主体责任,对未履行安全生产主体责任导致的后果负责。生产经营单位的主要负责人是本单位安全生产的第一责任人,对落实本单位安全生产主体责任全面负责。

市领导督导企业安全生产

安全生产检查

为确保节假日、重要时段和敏感时期的安全稳定,对非煤矿山、危险化学品、烟花爆竹等重点行业和重点领域,开展经常性、季节性、专业性、综合性、不定期监督检查。安全生产检查的内容主要是:作业场所设施、设备检查,从业人员安全行为检查。通过查资料、听汇报、现场检查(查思想、查管理、查隐患、查整改)和反馈意见等方式,督促和帮助企业建立健全各项规章制度,改善安全生产条件,提升"本质安全"水平,防止和杜绝群体伤亡事故发生,确保人民群众生命财产安全。

安全生产考核

2004年10月,设立安全生产责任奖,对安全生产工作先进单位给予奖励,对不达标的单位实行一票否决。同年11月,市安全生产委员会印发《贵溪市2004年度安全生产目标管理考核办法》。此后逐年修订和完善。

重点监管对象

安全生产重点监督对象主要是非煤矿山、危险化学品等从业单位。截至2008年底,全市共有非煤矿山企业29家,其中:地下开采矿山12家(3家属鹰潭市安全生产监督管理局监管对象),露天开采矿山17家;危险化学品从业单位288家,其中:生产企业6家(2家属鹰潭市安全生产监督管理局监管对象),经营企业275家(12家属鹰潭市安全生产监督管理局监管对象),使用企业7家;烟花爆竹零售网点255家,批发企业1家。

第三节 责任事故预防与处置

安全教育

2002年开始,每年6月份为全国"安全生产月"活动,以此为契机,广泛深入开展《中国人民共和国安全生产法》等法律法规的宣传贯彻和形式多样的宣传活动。2004年,播放市领导电视讲话10余次,设立安全生产宣传咨询台,张贴各种宣传标语1000余条,悬挂宣传气球10个,发放宣传资料12000余份,制作宣传板块30块,创办"安全动态"简报。培训企业负责人、安全管理人员200余人。2006年,刊登市领导宣传动员文章,设立安全生产宣传咨询台,播放、悬挂、张贴各种宣传标语口号1500余条,悬挂宣传气球6个,发放宣传资料18000余份,制作宣传板块40块,培训危险化学品生产经营单位负责人、安全管理人员100人,烟花爆竹销售网点负责人241人,地下矿山企业从业人员460人。2007年,刊登市领导宣传动员文章,设立安全生产宣传咨询台,设置大型宣传彩虹门1个,播放、悬挂、张贴各种宣传标语口号1800余条,悬挂宣传气球6个,发放宣传资料20000余份,制作宣传板块60块;培训危险化学品生产经营单位负责人、安全管理人员211人,烟花爆竹销售网点负责人224人,地下矿山企业从业人员453人。2008年,设立安全生产宣传咨询台,播放、悬挂、张贴各种宣传标语口号1800余条,发放宣传资料20000余份,制作宣传板块80块。

落实责任

每年年初,市政府分别与55个责任单位签订"安全生产责任状",明确安全生产责任,实行风险抵押金和奖罚制度。定期召开非煤矿山、危险化学品、烟花爆竹生产经营单位安全生产工作座谈会,每季度召开安全生产委员会成员单位会议,总结回顾本季度安全生产工作,研究部署下一季度的工作,同时在节假日和重点时段,召开安全生产委员会主要成员单位会议,分析安全生产形势,布置当前重点工作。

排查隐患

每年的安全生产检查和隐患整改工作,主要是以节假日(元旦、春节、五一、十一等)和重点时段(两会、党代会、汛期、暑期和重大活动等)的安全稳定为契机,消除不安全因素,实现安全生产的平稳态势。2002年以来,坚持"安全第一、预防为主、综合治理"的方针,突出重点时段和重点领域,加强安全监管,强化宣传教育,深化专项整治,落实"隐患治理年"和"安全生产年"等活动要求,大力开展安全生产"百日安全督查"和"安全生产执法、治理、宣传教育三项行动",保持全市安全生产形势总体稳定的态势。2003年,开展5次全市范围内的安全生产大检查,对查出的事故隐患进行分类归档。2004年,开展4次全市安全生产联合大检查,共组织检查组32个,出动检查人员192人次,对8家企业实行停产整顿,查封非法危险化学品生产企业3家、非法造纸厂1家,取缔非法片石场1家。2005年,开展4次全市安全生产大检查,共排查事故隐患113处,下发整改指令书57份,对8家生产经营企业实行停产整顿。2006年,开展6次全市范围内拉网式安全生产大检查和隐患整改工作,共检查生产经营单位825家次,排查事故隐患147处,下发整改指令书84份,查处违规经营烟花爆竹案件9起,取消烟花爆竹零售网点23

家，责令10家非煤矿山企业停产停业（市政府已予以关闭）。2007年，开展6次全市范围内拉网式的安全生产大检查和隐患整改工作，共检查生产经营单位872家次，排查事故隐患139处，下发整改指令书74份，查处违规经营烟花爆竹案件4起。2008年，开展6次全市范围内拉网式的安全生产大检查和隐患整改工作，共检查生产经营单位976家次，排查事故隐患225处，下发整改指令书89份，查处违规经营烟花爆竹案件2起，对5家生产经营单位实行停产整顿。

预警机制

2006年6月，制定《贵溪市安全生产事故灾难应急预案》，预案包括总则、组织体系、预警预防机制、应急响应、后期处置、保障措施、附则和附件8个章节。

市安全生产事故灾难应急指挥部由市政府分管副市长、市安全生产委员会主任任总指挥，下设市安全生产应急救援办公室，（设在市安全生产监督管理局），作为其办事机构和综合协调指挥机构，具体承担安全生产事故灾难应急指挥部的日常工作。各部门、各单位均制定相应的应急预案，形成较为完善的应急预案体系。

2002—2008年贵溪市生产安全事故一览

表14－12

年份	事故起数（起）	同比（%）	死亡人数（人）	同比（%）	重伤人数（人）	同比（%）
2002	3	—	1	—	2	—
2003	9	200	7	600	9	350
2004	0	－100	—	—	—	—
2005	1	100	1	100	—	—
2006	2	100	2	100	—	—
2007	1	－50	1	－50	—	—
2008	1	—	1	—	—	—

安全生产事故案例

案例一：1991年9月2日下午1时30分，江西省贵溪县农药厂在上海染料化工厂购得98%的一甲胺2.4吨后返回贵溪。9月3日凌晨2时许，车行经上饶沙溪镇时，路边树枝将阀前焊接处打断，槽车罐内一甲胺立即从断口喷出迅速气化（当时室外气温37℃），形成白色浓雾，向街道深处扩散，当时居民都在熟睡，在睡梦中即已吸入，有的惊醒后也躲避不及，又无防护知识和经验，造成该镇居民因一甲胺中毒死亡41人，600人吸入，其中156人中毒住院，畜禽中毒死亡甚多。

案例二：2003年5月18日中午12时30分左右，江西永雄化工有限公司未经冷却的甲苯气体泄漏，因产生静电而引起爆炸，爆炸致使整栋厂房坍塌，事故共造成1人死亡，8人受伤。

案例三：2006年11月29日晚7时40分左右，贵溪市中天花岗岩石材厂工人运输石板材时，违章操作致使汽车车厢晃动造成板材倒塌，事故共造成3人死亡（当场造成2人死亡，1人重伤，重伤者因救治无效死亡）。

第九章　人事劳动管理

1991年以来，全市人事劳动工作以“保增长、保民生、保稳定、促就业”为总体目标，全面推进人事服务管理和劳动就业管理工作，深化人事管理制度改革，转变干部职工管理机制，狠抓队伍建设，注重培训与考核工作，不断提高干部职工的整体素质。精心组织，顺利完成国家干部过渡为公务员工作。大力推进人才强市工作,加强人才培养与交流,全面实施事业单位人员聘任制,改革大中专毕业生分配方式,建立健全公务员、事业单位人员凡进必考制度。深入开展工资制度改革,不断提高机关事业单位人员收入,全面完成国有企业职工身份置换工作,改革完善国有企业职工收入分配制度。认真做好就业再就业工作,切实解决下岗职工基本生活保障制度。加大就业培训力度,积极开展劳务输出工作。加强劳动监察和劳动仲裁工作,切实维护劳动者合法权益。不断健全社会保障体系,养老、医疗、失业、工伤和生育保险覆盖范围逐步扩大,为构建和谐贵溪奠定坚实基础。

第一节 管理机构

人事管理机构调整

1991 年,贵溪县劳动人事局内设机构有:6 个。1996 年,贵溪撤县设市后更名为贵溪市人事劳动局,职能由微观管理向宏观管理转变,综合管理全市公务员培训、人才培训。2003 年,更名为贵溪市人事劳动和社会保障局,增加机关事业单位工作人员医疗保险、国外智力引进、社会保障体制改革等职能,划出安全生产综合管理、职业矿山安全监察、职业卫生、锅炉压容器和特种设备安全监察职能。全局编制 28 个。

下属单位贵溪市(县)社会保险事业管理局,成立于 1987 年,全额拨款副科级事业单位编制 22 人;贵溪市(县)劳动就业服务管理局,成立于 1991 年,全额拨款副科级事业单位,下设七个业务股室,定编 15 人;贵溪市人才开发交流服务中心,成立于 1992 年,为全额拨款股级事业单位,编制 3 人;贵溪市劳动监察大队成立,成立于 1999 年,为全额拨款股级事业单位,定编 5 人。

劳动就业机制改革

1986 年,全省逐步开始进行劳动制度改革。国营企业计划内用工,开始实行全民劳动合同制。国家机关、事业单位和社会团体在常年性岗位上招用的工人亦照以上规定实行全民合同制,签订定期劳务合同。当年,废除“子女顶替”、“内招”等劳动用工制度,全面实行“面向社会、公开招收、全面考核、择优录用”的劳动招工制度,新招收人员称为“全民合同制工人”。

1992 年,全市全面落实《全民所有制工业企业转换经营机制条例》赋予企业的各项自主权利。企业根据生产经营需要,依据国家法律、法规,按照“面向社会、公开招收、全面考核、择优录取”的原则,自主制定招工简章,决定招工时间、条件、方式和数量,录用后到同级劳动行政部门备案。确定水泥厂等两家企业为全员合同管理试点单位,在试点企业打破干部与工人、固定工与合同工的身份界限,做到干部能上能下,工人能进能出。在企业实施技术职务聘任制和职称评定两种制度,评定职称不受指标限制,职务聘任则根据生产管理工作实际需要来确定,改革聘任管理制度,打破铁饭碗,改变一次聘任定终身的做法,1994 年,在三资企业和私营企业推行集体谈判和订立集体协议,在乡镇设立乡镇劳动管理服务站 9 个。1995 年,启动贵溪县劳动制度区域综合配套改革工作,全面贯彻省政府颁布的《全面实行劳动合同制度的实施方案》,全市所有企业和机关、事业单位的工人一律实行劳动合同制,用人单位与劳动者全部重新签订劳动合同,用人单位招用工人称为“劳动合同制工人”。1998 年起,建立适应社会主义市场经济体制的企业内部分配机制,在部分企业单位中试行企业经营者年薪制。

第二节 干部队伍管理

干部队伍

1991 年以来,通过大中专毕业生计划分配、考录、调配、军转安置等方式,不断促进干部的年轻化、知识化、专业化。1991 年,出台《关于在我县垦殖场等部门通过考试考核择优聘用干部的实施意见》,是年,全市共进聘干 51 名,安置军转干部 5 名,从乡镇聘干吸收录用国家干部 17 名,从“五大”毕业生中择优聘用干部 9 名,确定副主任科员 469 人。1992 年,按照鹰潭市委组织部和鹰潭人事局《关于从企业优秀工人中择优录用干部的通知》,重点从国营大中型企业、有突出贡献的二轻集体企业、乡镇企业录用干部7名,其中国企5名、二轻1名、乡企1名;根据赣人考发〔1991〕9号文件精神,从全县农林水、计生、广播等部门择优聘用79名干部;是年,安排"五大"(电大、职大、业大、函授和夜大)毕业生7名,安置军转干部家属2名,从工人中录用干部8名,社会招收2名;首次确定主任科员485名。1993年,《从乡镇聘用制干部中择优录用国家干部》18名,在工人中录用干部2名,安置军转干部5名,聘用干部199人,办理民转公33人,确定公安系统主任科员40人。1994年,在优秀村干部中聘用干部23人,安置军转干部7名,录用干部4名。1995年,吸收村级聘干23名、专武聘干5名,录用人民警察32名。1996年,录用地税干部14名,民转公教师114人,安置军转干部1人。1997年,安置军转干部4人,录用"110"民警30人。1998年,聘干41人,录干13名,民转公教师104人,增干25名,安置军转干部7名。1999年,聘干27人、自费毕业生增干10人,军转安置5名。2000年,录用事业干部2名,军转安置10人,自费大学生增干10人。2002年,举办公务员培训考核1500人,选拔教师54名。2003年,军转安置2人,选拔教师49名。2004,录用乡镇干部7人,乡镇聘干转公务员40人。2005年,乡镇聘干转公务员35名,事业单位招聘16名,公安局19名。2006年,招收事业单位干部15人,教育卫生126人,"三支一扶"8人。2007年,录用事业干部26名,"三支一扶"7人。2008年,录用事业干部131名。

至2008年年底,全市共有在职干部7657人(含聘干),其中公务员1631人,群团干部28人,全额拨款事业单位干部4563人,差额拨款事业干部667人,自收自支事业干部172人,各类聘干596人。全市干部中大专以上学历为80.6%,党员干部为42.7%,少数民族干部为1.6%。

干部培训与考核

1991年以来,干部培训主要是公务员培训和专业技术人员继续教育培训,培训的类型有集中培训、双修培训、任职培训、专门业务培训、初任培训等,培训的渠道有在党校、行政学院、高校学习及举办专家讲座等,培训的内容包括思想政治理论、法律法规、市场经济理论、业务知识等,年均培训干部约2000人次。

1991年以来,干部考核工作逐步改进。1996年,开始实行公务员考核,公务员考核内容包括德能勤绩四个方面,重点是工作实绩。考核标准以工作人员的岗位职责和所承担的工作任务为基本依据,各单位按照国家公务员考核暂行规定的基本标准,结合各自实际情况具体实施。具体考核内容和标准分类别、分层次,对行政业务类和专业技术类,领导职务和非领导职务区别对待,内容细化、量化。考核坚持客观公正原则,实行领导与群众相结合、年度考核与平时考核相结合,定性考核与定量考核相结合的方法进行。对内设机构负责人的考核,由单位党组负责进行。对正副科级干部的考核,由市委组织进行,本人在单位进行自我总结和述职报告。考核等次按干部管理范围最后确定。考核程序是自我总结、述职评议、领导评鉴、组织审核、确定等次、公布结果、总结归档。考核结果按干部管理权限分别报市委组织部、市劳动人事局审核备案,考核结果分为优秀、称职、基本称职、不称职4个档次。1991—2008年,全市参加考核的行政干部共31452人次,评为优秀的2987人次,不称职的157人次。其中,2008年有1596人参加考核,考核结果为优秀112人、称职1468人、不定等次13人、不称职3人。

职称评聘

专业技术职称评聘工作原由贵溪县科委专业技术职称改革领导小组办公室办理,1985年以前专业技术职称评聘工作只在工业、农林、医疗、工程技术几个行业进行。1987年,县直专业技术职务系列职称改革工作小组成立。1988年,开始在中小学教师、会计、经济等7个系列开展职称评聘工作。1991年,科委职称改革领导小组机构撤销,相关工作移交县劳动人事局专业技术人员管理股办理。职称审批权限:初级职称由贵溪市人劳局专技股审批;中级职称由贵溪市人劳局专技股初审后推荐上报鹰潭市职称科终审,再经各系列评委会评审,最后由鹰潭市职称科审批;高级职称由贵溪市人劳局专技股初审、鹰潭市职称科复审后报省职称处终审,再经各系列评委会评审,最后由省职称处审批(教育系列高级职称由贵溪市人劳局专技股初审,上报鹰潭市职称科终审,经鹰潭教育系统高级评委会评审,由鹰潭市职称科审批)。1992年,完善专业技术职务聘任制度,为1250名专业技术人员办理续聘手续。1998年,深化职称改革,在市一中、人民医院实施专业技术人员聘任管理试点工作。2000年,取消对事业单位直接下达指标的做法,实行专业技术职务结构比例管理,开展非国有企业专业技术职称评审工作。2001年,专业技术实行评聘分开,评定资格由个人申报、社会化评审,聘任由用人单位在人事部门审核的职数范围内自主聘用。当年,在小学、幼儿园开始设立副高级专业技术职务,名称为“小学特高教师”、“幼儿园特高级教师”。

职称评聘(教师除外)都要参加全国职称外语考试。2000 年开始晋升初、中、高级职称人员,还需取得计算机及继续教育课目合格证。从 2004 年起,县级以下农、林、水等单位专业技术人员评审职称免考职称外语。

1991—2008 年贵溪市职称评审一览

表 14-13　　单位:人

年份	高级	中级	初级	年份	高级	中级	初级
1991	12	118	450	2000	48	200	450
1992	11	131	311	2001	55	214	438
1993	17	115	662	2002	87	337	464
1994	未办理	未办理	未办理	2003	86	412	345
1995	27	197	493	2004	86	445	416
1996	12	212	588	2005	82	396	520
1997	14	203	464	2006	48	226	310
1998	23	142	539	2007	94	184	500
1999	24	146	272	2008	121	311	532

2008 年贵溪市各系列已聘专业技术人员一览

表 14-14　　单位:人

系列 职务	工程	农业	卫生	教育	经济	会计	档案文博	新闻出版	律师公证	播音	工艺美术	体育	艺术	其他	合计
正高级	—	1	4	—	—	—	—	—	—	—	—	—	—	—	5
副高级	9	4	29	327	1	—	1	—	—	—	—	—	—	4	375
中　级	55	43	218	1533	37	19	5	2	2		1	—	1	1	1917
初　级	256	273	271	2624	19	28	4	5	2	1	1	—	1	4	3489
合　计	320	321	522	4484	57	47	10	7	4	1	2	—	2	9	5786

公务员管理

1993 年 8 月 14 日,国务院颁布《国家公务员暂行条例》,人事部随即于 1994 年 6 月颁布《国家公务员录用暂行规定》。1996 年,贵溪市制定《贵溪市国家公务员制度实施方案》(贵府发〔1996〕10 号文件),开始实施公务员制度。1997 年,全市推行公务员制度基础准备工作和公务员制度入轨工作全面展开,坚持“公开、平等、竞争、择优”原则,在机构改革核定的编制和确定的职位员额内,按照国家公务员的基本条件和所在职务的任职资格条件,采取考试与考核相结合的办法,履行一定程序,干部过渡为公务员。全市凡批准列入实施国家公务员制度的部门单位中具有国家干部身份、符合公务员基本条件的在职工作人员,均列为过渡对象。当年,全市共 899 人具有过渡资格。

2008 年贵溪市公务员管理单位一览

表 14－15　　　　　　　　　　　　　　　　　　　　　　　　单位：人

单　位	人　数	单　位	人　数
人事劳动和社会保障局	25	发展和改革局	18
科技局	6	教育局(含体育局)	31
公安局	382	经济贸易局	26
民政局	17	财政局	37
统计局	10	价格监督管理局	3
安全生产监督管理局	4	计划生育局	13
农业局	20	森林公安局	22
林业局	18	水利局	11
城乡规划局	11	环境保护局	9
司法局	32	花园街道办事处	18
国土资源局	17	东门街道办事处	20
审计局	13	雄石街道办事处	22
民族宗教事务管理局	2	白田乡人民政府	15
文化广播电视局	10	鸿塘镇人民政府	26
建设局	17	罗河镇人民政府	36
交通局	9	雷溪乡人民政府	23
卫生局	14	塘湾镇人民政府	22
粮食局	15	周坊镇人民政府	23
政府办	35	滨江乡人民政府	36
志光镇人民政府	28	老干局	5
泗沥镇人民政府	26	人大	19
文坊镇人民政府	26	政协	16
河潭镇人民政府	26	法院	72
余家乡人民政府	21	检察院	61
金屯镇人民政府	22	工商联	4
流口镇人民政府	24	编办	5
彭湾乡人民政府	19	农办	3
耳口乡人民政府	16	信访局	5
冷水镇人民政府	14	政法委	11
樟坪畲族乡人民政府	15	机关工委	6
市委办	31		
纪委	20		
市委组织部	10		
市委宣传部	15		
市委统战部	2		

2008 年贵溪市参照公务员管理事业单位一览

表 14－16　　单位:人

单　位	人　数	单　位	人　数
供销社	16	老建办	6
招商局	10	房产局	20

续表 14－16

单　位	人　数	单　位	人　数
工业园区管委会	16	旅游局	2
档案局	10	机关事务局	8
人民防空办公室	5	接待处	1
行政服务中心	6	市委党校	8
项目办公室	6	史志办	8

2008 年贵溪市参照公务员管理群团机关一览

表 14－17　　单位:人

单位	人数	单位	人数	单位	人数
团委	6	残联	4	文联	3
妇联	8	科协	3	总工会	8

第三节　职工队伍管理

职工队伍

1991 年全市各类职工总计 17852 人,2008 年全市有各类职工总计 34792 人,其中机关事业单位职工 3350 人,各类企业职工 31442 人。

职工培训

市劳动行政部门主管职工培训工作。1991 年,劳动部门根据“先培训再就业”的方针,下达就业培训计划,审定教学大纲,配合有关单位组织培训。职工培训内容包括:政治思想教育、劳动制度改革文件、法制和劳动纪律教育、企业转换经营机制暂行条例、劳动争议仲裁、劳动安全、质量管理教育、专业基础知识、岗前职业技能培训等。1992 年,深化职工培训制度改革,贯彻《工人考核条例》,实行培训考核与使用待遇相结合的职工培训机制。1993 年,根据市场经济条件下企业对职工文化、技术要求,配合有关部门进行各种专业性的教育培训,更加重视对职工进行考核、定级、晋级等基础性工作,培训工作采取多种形式和途径培养大量熟练劳动者。1991 年以来,市劳动行政部门加强组织和指导,全市各用工单位结合实际开展各种类型的职工培训,培训方式既有劳动部门统一组织的劳动法规培训,也有各单位自行组织的业务培训,职工素质得到提高。

1991—2008 年贵溪市机关企事业单位职工培训一览

表 14－18　　单位:人次

年份	机关事业单位职工	全民企业职工	集体企业职工	其他
1991	500	3000	600	200

续表 14－18

年份	机关事业单位职工	全民企业职工	集体企业职工	其他
1992	600	3500	600	200
1993	500	4000	800	250
1994	800	4000	700	300
1995	950	4500	700	400
1996	900	5000	500	500
1997	100	5000	500	500
1998	900	5000	400	700
1999	960	5000	400	400
2000	1150	6000	400	1000
2001	1000	6800	200	1500
2002	1000	6000	200	1700
2003	1030	7000	0	1700
2004	1000	7000	0	2000
2005	1120	7000	0	2000
2006	1150	7500	0	1800
2007	1200	8000	0	1800
2008	1170	8700	0	2000

职工录用

市劳动人事局统筹规划和管理职工录用工作。1991 年，县委、县政府出台《关于进一步搞活企业的实施细则》，提出要深化企业分配、劳动、人事制度改革。县劳动人事局制定《关于进一步搞活企业服务的实施办法》，进一步落实企业的用工、分配、招工、管理、培训、调配自主权。1992 年，深化劳动用工制度改革，试行全员劳动合同制管理，在试点企业打破干部与工人、固定工与合同工的身份界限，做到干部能上能下，工人能进能出。各类企业在计划内按国家有关招工规定可自行公布招工简章、组织考试，对符合录用条件的，只需县劳动人事局予以认可就可录用。1993 年，按照赣劳办【1993】28 号、鹰府发【1993】62 号文件精神，全面落实《全民所有制工业企业转换经营机制条例》，赋予企业用工自主权。国企实行全员合同管理的企业依照法律规定，坚持"面向社会、公开招收、全面考核、择优录用"原则，自主决定招工时间、条件、方式和数量。1994 年以来，随着社会主义市场经济的深入发展，职工的招录工作逐步市场化，企业与职工自由双向选择。至 2001 年，除政策性招工外，人事劳动部门基本停止对各类机关及企事业单位用工进行调控。

1991—2001 年贵溪市机关企事业单位招收职工一览

表 14－19　　单位：人

年份	全民	大集体	集体	其他
1991	170	860	420	230
1992	389	566	510	178
1993	435	332	720	310
1994	39	191	543	190

续表 14－19

年份	全民	大集体	集体	其他
1995	64	294	486	249
1996	119	271	634	470
1997	89	227	300	460
1998	64	230	342	387
1999	51	294	301	452
2000	42	181	272	580
2001	18	96	164	732

第四节　人才工作

人才引进与交流

1994 年,举办技能交流洽谈会 1 次,交流技工 300 人(其中县外调入 15 人,调往县外 45 人,县内调整 240 人)。1996 年,办理企业单位工人流动手续 36 名,江西信江铜制品有限公司工人寄托手续 122 人。1997 年,建立“乡镇企业人才现状和人才需求信息库”、“银色人才库”,企业单位干部交流 3 人、企业技工交流 46 人次。做好国营冷水、耳口、双圳、西窑林场和国营河潭埠垦殖场体制改革后,领导人事关系的人事代理。1998 年,为江西信江铜制品有限公司等单位和各类人员寄存人事关系和人事档案 205 人(人事代理 120 份,流动人员 85 人)。协助市计委、教委举办全市首次 98 大、中专毕业生供需见面双向选择洽谈会,办理企业单位干部(聘用干部)交流手续 10 人次、企业技工交流手续 90 人次。1999 年,办理企业单位干部(聘用干部)交流手续 8 人次、企业技工交流手续 32 人次。

2000 年,为全市各企业下岗职工再就业提供求职登记、信息咨询、挂编存档服务。推荐大中专毕业生就业 18 名,办理企业单位干部(聘用干部)交流手续 3 人次、企业技工交流手续 17 人次。2002 年,寄存人事关系和人事档案 194 人,对全市人才现状、应届大中专毕业生供求情况进行摸底调查,建立人才供求信息库,实行计算机管理。推荐 38 名大学生到驻市企业及外企和股份企业工作。办理企业干部交流手续 5 人次、技术工人交流手续 18 人次。2003 年,建立“贵溪市现有人才库”和“贵溪市大中专毕业生人才库”,并进入计算机管理。为市教育下属学校新进 49 名教师、市会计核算中心 23 人办理人事代理,推荐 341 人就业。2004 年,建立“贵溪市乡土人才库”,代办转正定级和调资手续 58 人次。2005 年,办理人事代理业务和有关人员的转正定级手续 376 名,确定 4 个引智项目,办理聘用干部交流手续 5 人、技术工人交流 7 人次。2006 年,建立“高级人才库”,将“一村一品”项目建设与农村基层组织建设工作相结合,做到“两促进”。2007 年,建立贵溪高级专业技术人员联系名册和“专业技术人才库”,会同组织部门对贵溪市 1977 年以来的第一学历本科毕业生进行调查摸底登记,全市共有此类人员 604 名。2008 年,接受大中专毕业生档案 69 份,其中 28 人办理人事代理手续。

自 2003 年以来,全市共引进各类人才(不含教育)205 名,流失 14 人。

人才管理与使用

全市人才包括党政干部、事业单位管理人才、专业技术人才,其中专业技术人才占 75%。人才管理机构为市委组织部和市人事劳动和社会保障局。

1991 年以来,全市相继出台一系列人才政策,建立健全人才管理机制,不断完善人才结构和提高人才待遇。1992 年,做好专业技术人员的岗位设置工作,建立专业技术人员管理卡片和人才库;参加全省首届人才智力交流大会,对人才流动调配如何为经济建设服务进行初步探讨。1993 年,实施专业技术职务聘任制和职称评定两种制度,评定职称不受指标限制,改革聘任管理制度,打破铁饭碗,改变一次聘任定终身的做法，坚持能上能下。1994 年，实行就业服务期制度，凡在本市范围内就业安置的大中专毕业生都应与用人单位签订协议，实行 5 年的服务期制度，未满服务期而辞职的，要向人事部门缴纳一定的培养费。2002 年，进一步深化事业单位人事制度改革，出台《贵溪市事业单位新进人员实行聘用合同制暂行办法》。2003 年出台《关于做好专业技术人员聘任管理工作实施意见》，通过竞争上岗、科学考核、严格奖惩、动态聘任，建立起公开、公平、竞争、择优专业技术职务的聘任管理机制。严格按照《江西省事业单位专业技术职务岗位指数结构比例核定暂行办法》规定，对全市事业单位在岗专业技术人员的岗位进行核定。2007 年制定《贵溪市十一五加强人才队伍建设的意见》和《关于引进、培养、使用人才的若干规定》。

1999 年对乡土人才进行调查摸底，全市乡土人才共 78 名。2003 年，上报江西海利贵溪公司汇百巨、贵雅南方照明公司薛武、三元冶炼化工有限公司吴世军等 3 人为新世纪“百千万”人才工程候选人。2004 年，推荐江西海利贵溪公司总工程师高洪建、贵溪市农业局高级农艺师赵汝贵、贵溪二中高级教师李志英等 3 人为享受国务院、省政府特殊津贴人员。2003 年以来，相继建立“贵溪市高级人才库”、“贵溪市现有人才库”、“贵溪市大中专毕业生人才库”、“贵溪市高级专业技术人员联系名册”和“专业技术人才库”等，进一步规范人才管理。人才结构进一步完善，高学历人才得到充实，全市人才分布不平衡，管理人才主要集中在党政机关，专业技术人才绝大多数集中在事业单位，其中教育系列占 73.6%，卫生系列占 11.5%，工程和农业占 10%，经济、档案、会计、统计、档案文博占 4.5%，其他为 0.4%。

劳动监察

自《中华人民共和国劳动法》实施以来，全市共开展劳动用工大检查 14 次，共检查各类用人单位 1500 多家次，涉及劳动者 20 万人次，查处违法单位 21 家次，受处罚 11 家，清退童工 24 人；接受群众举报投诉案件 400 余起，涉及职工 3000 多人，清退押金 2 万余元，追讨农民工工资 300 多万元，取缔非法职业中介机构 3 个，追缴社会保险基金 500 余万元。

1999—2008 年贵溪市劳动监察一览

表 14－20

年份	受理投诉（起）	立案（起）	结案（起）	追讨工资（万元）
1999	8	8	8	12
2000	16	12	12	15
2001	19	14	11	18
2002	15	12	12	23
2003	18	16	16	28
2004	25	15	14	37
2005	21	14	12	41
2006	51	27	27	43
2007	106	35	31	50
2008	97	43	40	62

第五节　工资福利

机关事业单位工资改革与管理

1994 年，贯彻国务院（1993）79、85 号文件和赣府发（1994）5 号《关于贯彻实施机关事业单位工作人员工资制度改革方案有关问题的通知》精神，在全县行政事业单位进行工资制度改革。行政机关人员(公务员)工资结构为:职务工资、级别工资、基础工资、工龄津贴四项,事业单位工资结构为:职务技术等级工资、津贴(活工资)两部分。

1996 年,根据赣府厅发(1996)10 号文和赣府发(1996)12 号文,审批办理全市机关事业单位工作人员正常晋升职务工资档次和离退休人员增加离退休费的手续,增资执行时间为 1995 年 10 月,此后每两年办理一次机关事业单位正常晋升职务工资和离退休人员增加离退休费手续。

1997 年,根据人发(1997)89 号、赣府厅发(1997)47 号文《关于 1997 年调整机关事业单位工作人员工资标准的通知》,机关行政人员基础工资由原每人每月 90 元提高至每月 110 元,事业单位工作人员和新参加工作人员见习期工资和初期工资也作相应提高,自 1997 年 7 月 1 日起执行,人均增资 20 元。

1999 年,根据赣府厅发(1999)51 号文精神,全省调整机关事业单位工作人员工资标准,机关行政人员基础工资由每人每月 110 元提高到 180 元,级别工资由十五级至一级每人每月 55 元至 470 元提高至 85 元至 720 元,事业单位工作人员的工资标准和新参加工作人员见习期初期工资也相应提高,离退休人员按离退休时职务相应增加离退休费,自 1999 年 7 月 1 日起执行。

2001 年 1 月,印发江西省调整机关事业单位工作人员工资和增加离退休人员离退休费三个实施方案的通知(赣府厅发〔2001〕33 号)。机关行政人员基础工资标准由每人每月 180 元提高至每人每月 230 元,级别工资标准由十五级至一级每人每月 85 元至 720 元提高到 115 元至 1166 元;事业单位工作人员工资标准,新参加工作人员见习期初期工资标准也作相应提高,离退休人员按离退休时职务相应增加离退休费。当年 10 月,赣府厅发(2001)78 号,印发江西省从 2001 年 10 月 1 日起调整机关事业单位工作人员工资标准和增加离退休人员离退休费 3 个实施方案的通知。公务员各职务工资起点标准由最低 50 元至最高 480 元提高到 100 元至 850 元,事业单位工作人员、新参加工作人员见习期初期工资标准也作相应提高,离退休人员按离退休时职务相应增加离退休费。2001 年底,根据赣府发(2001)33 号文件精神,全市首次兑现干部年终 1 个月工资基数的奖金。

2003 年 7 月赣府厅发(2003)45 号文,印发江西省从 2003 年 7 月 1 日起调整机关事业单位工作人员工资标准和增加离退休人员离退休费 3 个实施方案的通知。调整机关行政人员职务工资标准,各职务起点工资标准由 100 元至 850 元分别提高到 130 元至 1150 元。事业单位工作人员的工资标准、新参加工作人员见习期初期工资标准也作相应提高,离退休人员按离退休时职务相应增加离退休费。

2006 年 7 月,省政府办公厅印发机关事业单位工资制度改革 3 个实施意见的通知〔赣府厅发(2006)56 号〕,全省进行工资调整。行政机关(公务员)工资结构由原职务工资、级别工资、基础工资和工龄工资四项调整为职务工资和级别工资两项,取消基础工资和工龄工资;事业单位实行岗位绩效工资制度,岗位绩效工资由岗位工资、薪级工资、绩效工资和津贴补贴四部分组成,其中岗位工资和薪级工资为基本工资;离退休人员按离退休时职务相应增加离退休费。此次工资套改总人数为 16608 人,月增资总额 5131872 元,人均 308 元,其中机关 2015 人,事业单位 10929 人,离退休人员 3664 人。

2007 年,按照赣府厅发(2006)56 号文规定,事业单位年度考核为合格以上等次人员增加一级薪级工资,从 2007 年 1 月起执行,当年起事业单位工作人员每年均可增加一级薪级工资。2008 年,按照赣府厅发(2006)56 号文件规定,机关工作人员累计考核满 2 年为称职以上的,从 2008 年 1 月起晋升工资档次。

1991—2008 年贵溪市行政事业单位人均工资一览

表 14 – 21　　　　单位:元

年份	1991 年	1992 年	1993 年	1994 年	1995 年	1996 年	1997 年	1998 年	1999 年
工资	2187	2231	2379	3530	3941	4373	4409	5259	6122
年份	2000 年	2001 年	2002 年	2003 年	2004 年	2005 年	2006 年	2007 年	2008 年
工资	6995	8569	8438	10225	12383	14651	14924	17569	19419

企业工资改革与管理

1994 年，根据省劳动厅、财政厅、经济委员会下发赣劳薪〔1994〕3 号文《关于贯彻劳动部〔1994〕72 号文件的通知》精神，调整和统一全市企业职工工资标准，将原执行的工人工资标准、干部工资标准，统一为企业职工工资标准，并将劳动部、财政部劳薪字〔1992〕39 号文明确的 1979 年副食品价格补贴 5 元、1988 年物价补贴 10 元、1989 年副食品价格补贴 6 元共 3 项补贴纳入企业职工工资标准。

1995 年 11 月，根据省劳动厅赣劳薪〔1995〕12 号文《关于 1995 年 9 月 30 日前未实行岗位技能工资制的企业职工固定升一级工资的通知》，为全市 2 万多名企业职工办理固定升一级工资手续。同时根据省劳动厅赣劳薪〔1992〕15 号文精神，全市林业、商业、粮食、经贸系统全体职工均批准实行技能工资制。1999 年 10 月，省劳动厅下发赣劳计〔1999〕45 号《关于调整企业大中专毕业生和专业技术人员定级进档工资标准的通知》、赣劳计〔1999〕50 号文《关于贯彻赣劳计〔1999〕45 号文件几个问题的处理意见的通知》，全市按规定调整大中专毕业生和专业技术人员定级进档工资，普遍为企业职工增加工资，也是国家最后一次对企业工资标准进行管理，增加工资执行时间为 1999 年 7 月 1 日。此后，国家对企业内部分配采取宏观管理，不再审批企业职工工资。从 2001 年起，国有企业进行企业改制，人员全部置换身份，全市国有企业人员置换身份时间截至 2002 年年底。

贵溪市志

（1991–2008）

下册

贵溪市地方志编纂委员会 编

方志出版社
Publishing House of Local Records

目　　录

卷　首

第一卷　建置区划　环境资源

第二卷　街道、镇(乡)、场及驻市单位

第五卷　交　通

第六卷　经济综合

第七卷　农　业

第八卷　林　业

第九卷 水利 电力

第十卷 工 业

第十一卷 金融业

第十二卷 粮贸 旅游

第十三卷　财政　税务

第十四卷　经济事务管理与人事管理

第十五卷 中国共产党贵溪地方组织

第十六卷 市(县)人民代表大会

第十七卷 市(县)人民政府

第十八卷 市(县)人民政协

第十九卷 民主党派与人民团体

第二十卷 检察 审判

第二十一卷 公安 司法行政

第二十二卷 武 装

第二十六卷 卫 生

第二十七卷 文化 体育

第二十八卷 方 言

第二十九卷 科技 信息 传媒

第三十卷 档案 史志 谱牒

第三十一卷 人物 先进集体

附 录

第十五卷　中国共产党贵溪地方组织

第一章　市(县)党代表大会

1996年5月28日,国务院批准,撤销贵溪县,设立贵溪市(县级)。同年9月5日,中国共产党贵溪县代表会议召开,会议决定将中国共产党贵溪县第九次代表大会改称为中国共产党贵溪市第一次代表大会。

1991—2008年,中共贵溪市(县)召开4次党的代表大会:即县第九次(市第一次)(1993.1)、市第二次(1997.12)、市第三次(2002.12)和市第四次(2006.6)党的代表大会。

第一节　代　表

任期

自1980年12月县第五次党的代表大会,至1993年1月县第九次(市第一次)党的代表大会,代表任期为3年,即3年选举一次党的代表大会代表。其后任期为5年,5年选举一次党的代表大会代表。

代表组成

县第九届(市第一届)　中国共产党贵溪县第九次代表大会(后改称为中国共产党贵溪市第一次党的代表大会)选举代表205名,其中,各级领导干部113名,占55.1%;各类专业技术人员41名,占20%;先进模范48名,占23.4%;解放军、武警5名,占2.4%;妇女代表51名,占24.9%;少数民族代表3名,占1.5%。

市第二届　中国共产党贵溪市第二次代表大会选举代表279名,其中,各级领导干部167名,占59.9%;各类专业技术人员56名,占20.1%;先进模范51名,占18.28%;解放军、武警5名,占1.8%;妇女代表57名,占20.4%;少数民族代表3名,占1.1%。

市第三届　中国共产党贵溪市第三次代表大会选举代表300名,其中,各级领导干部194名,占64.7%;各类专业技术人员78名,占20.8%;先进模范96名,占25.6%;解放军、武警8名,占2.[illegible]%;妇女代表82名,占21.8%;少数民族代表5名,占1.33%。

市第四届　中国共产党贵溪市第四次代表大会选举代表320名,其中,各级领导干部178名,占55.6%;各类专业技术人员70名,占21.9%;先进模范66名,占20.6%;解放军、武警6名,占1.9%;妇女代表65名,占20.3%;少数民族代表5名,占1.6%。

第二节　会　议

市(县)党代表产生后,即召开市(县)党的代表大会,听取市(县)委及纪委工作报告,选举产生中国共产党贵溪市(县)委员会和中国共产党贵溪市(县)纪律检查委员会,选举市(县)委委员、候补委员和纪律检查委员会委员。

2003年5月,贵溪市被确定为全省党的代表大会常任制试点单位。市委《关于实行中国共产党贵溪市代表大会常任制的意见(试行)》,确定在每届任期内一般每年召开一次党代表会议,听取和审议市委、市纪委工作报告,讨论和决定全市党的重大问题,评议市委全委会及其成员的工作。

中共贵溪县第九次代表大会(中共贵溪市第一次代表大会)

1993年1月5—6日在县委小礼堂召开。县委书记艾佛胜作《解放思想、换活脑筋、真抓实干,为加快经济的发展而奋斗》的县委工作报告。大会提出要狠抓党风廉政建设,坚持“一个中心、两个基本点”(以经济建设为中心,坚持四项基本原则,坚持改革开放)和“两手抓两手都要硬”(一手抓物质文明、一手抓精神文明),紧紧围绕“抓住机遇、深化改革、扩大开放、促进发展、保持稳定”的战略方针,努力实现经济社会平稳协调发展。大会选出县委委员27人,候补委员6人,纪律检查委员会委员15人。

中共贵溪县九届(中共贵溪市一届)一次代表会议

1996年9月5日,中共贵溪县代表会议召开。会议审议通过《关于将中国共产党贵溪县第九次代表大会改称为中国共产党贵溪市第一次代表大会的决议》。《关于将中国共产党贵溪县第九次代表大会代表改称为中国共产党贵溪市第一次代表大会代表》及《关于将贵溪县党的机关组成人员改称为贵溪市党的机关组成人员的决议》,变更名称后,任期不变。

中共贵溪市第二次代表大会

1997年12月25—28日在市影剧院召开。市委书记吴伏生作《高举旗帜、解放思想、抓住机遇、开拓进取,为实现跨世纪的宏伟蓝图而努力奋斗》的报告。会议确定紧紧围绕经济建设这一中心,主攻工业,加强农业,繁荣第三产业,着力招商引资,努力实现“九五”计划提出的“超百亿、兴贵溪、奔小康、争十强”目标。大会选出市委委员29人,候补委员6人,纪律检查委员会委员1 5人。

中共贵溪市第三次代表大会

2002年12月18—20日在市信江电影院召开。市委书记陈爱民作《当崛起排头兵、建一流县级市,加快全面建设小康社会的进程》的报告。大会强调全市必须以党的十六大精神为指导,始终不渝地坚持实施以“两放”(思想解放、对外开放)促“两新”(体制创新、技术创新),以“两新”推进“两化”(工业化、城镇化)的基本战略,继续解放思想,深化对外开放,加快体制创新、技术创新,当崛起排头兵、建一流县级市,加快实现全面建设小康社会目标。大会选出市委委员29人,候补委员6人,纪律检查委员会委员19人。

中共贵溪市三届一次代表会议　2004年1月5日在市信江电影院召开。会议听取市委《全面加快发展,推进小康进程》报告。通过《关于中共贵溪市第三届委员会2003年工作报告的决议》《关于市纪律检查委员会2003年工作报告的决议》以及《关于实行中国共产党贵溪市代表大会常任制的意见(试行)的决议》。

中共贵溪市第四次代表大会

中共贵溪市三届二次代表会议　2005年3月9—10日在信江电影院召开。会议听取市委《抢抓机遇,乘势加力,在新的起点上实现经济社会更快更好发展》的工作报告,通过关于《进一步加强我市农村基层党组织建设的意见》的决议。

中共贵溪市第四次代表大会

2006年6月26—28日在市信江电影院召开。市委书记黄建平作《当好江西排头兵,争创全国百强县,实现发展新跨越,建设美好新贵溪》的报告。会议提出继续实施“以‘两放,促‘两新’,以‘两新’推‘三化’”(新型工业化、新型城镇化、农业现代化)发展战略,坚定“当好江西排头兵、争创全国百强县”奋斗目标,净化招商引资环境，推动全民创业，推进新农村、和谐社会和党的建设，着力打造实力贵溪，魅力贵溪，活力贵溪，和谐贵溪，力争财政 3 年翻番，5 年争创全国百强，在新的起点上实现贵溪经济社会又快又好发展。大会选出市委委员 39 人，候补委员 7 人，纪律检查委员会委员 29 人。

中共贵溪市四届一次代表会议　2006 年 11 月 20 日，中共贵溪市四届一次代表会议召开。会议选出出席中共鹰潭市第六次代表大会代表 76 名。

第二章　市（县）委

1990 年 3 月至 1993 年 1 月为县委第八届，此后，市（县）委历经 4 届，即县委第九届（后改称市委第一届）（1993. 1—1997. 12）、市委第二届（1997. 12—2002. 12）、市委第三届（2002. 12—2006. 6）及市委第四届（2006. 6—）。

第一节　领导人员

市（县）委领导人员职数，坚持结构合理、精干高效原则，由市（县）委常委会集体讨论决定，并报上级党组织批准。常委数额不超过市（县）委委员人数的半数。

1991—2008 年，中共贵溪市（县）委进行 4 次换届选举，分别为 1993 年 1 月的县第九届（后改称为市第一届），1997 年 12 月的市第二届，2002 年 12 月的市第三届及 2006 年 6 月的市第四届，分别选举产生市（县）委领导班子。

其间，艾佛胜、刘尧铣、吴伏生、肖任根、陈爱民、黄建平先后任市（县）委书记。

1990—2008 年市（县）委领导人员更迭一览

表 15－1

届次	职务	姓名	任职时间	籍贯
县委第八届（1990. 3—1993. 1）	书记	艾佛胜	1990. 3—1993. 1	江西会江
	副书记	李宗凯	1990. 3—1992. 10	湖南浏阳
		张鲁年	1990. 3—1992. 5	山东文登
		徐建国	1991. 3—1992. 3	山东文登
		刘尧铣	1991. 6—1993. 1	江西赣县
		陈厚西	1992. 5—1993. 1	江西三城
		汤金汉	1992. 10—1993. 1	江西贵溪
	其他常委	吴金荣	1990. 3—1993. 1	江西贵溪
		洪炳华	1990. 3—1993. 1	江西会江
		张满发	1990. 3—1993. 1	江西贵溪
		李志坚	1990. 3—1992. 10.	江西会干
		冯林友	1992. 5—1993. 1	江西会干
		徐云霞	1992. 10—1993. 1	安徽灵璧
县委第九届（1993. 1—1996. 9）	书记	艾佛胜	1993. 1—1995. 3	江西会江
		刘尧铣	1995. 3—1996. 9	江西赣县

续表 15－1

届次	职务	姓名	任职时间	籍贯
县委第九届（1993.1—1996.9）	副书记	刘尧铣	1993.1—1995.3	江西赣县
		陈厚西	1993.1—1994.9	江西丰城
		汤金汉	1993.1—1993.10	江西贵溪
		吴金荣	1993.11.—1996.9	江西贵溪
		卢　建	1994.6—1996.5	江西南昌
		邓绍聪	1995.3—1996.9	江西南城
		彭中华	1995.3—1996.9	江西贵溪
	其他常委	洪炳华	1993.1—1993.10	江西余江
		冯林友	1993.1.—1996.9	江西余干
		徐云霞	1993.1—1996.9	安徽灵璧
		刘国富	1994.1—1996.9	江西余江
		刘高明	1994.6—1996.9	江西赣州
		叶銮清	1995.6—1996.9	江西贵溪
市委第一届（1996.9—1997.12）	书记	刘尧铣	1996.9—1997.6	江西赣县
		吴伏生	1997.6—1997.12	江西余江
	副书记	邓绍聪	1996.9—1997.12	江西南城
		吴金荣	1996.9—1997.11	江西贵溪
		彭中华	1996.9—1997.1	江西贵溪
		官金福	1997.1—1997.6	江西余江
		刘国富	1997.11—1997.12	江西余江
		叶銮清	1997.11—1997.12	江西贵溪
	其他常委	冯林友	1996.9—1997.11	江西余干
		徐云霞	1996.9—1997.6	安徽灵璧
		刘国富	1996.9—1997.12	江西余江
		叶銮清	1996.9—1997.12	江西贵溪
		李江华	1997.6—1997.12	湖南资兴
		简四涛	1997.11—1997.12	江西樟树
		陈　强	1997.11—1997.12	黑龙江纳河
		李赛白	1997.11—1997.12	江西贵溪
		刘滇鸣	1997.11—1997.12	江西南昌
		李长开	1997.11—1997.12	江西贵溪
市委第二届（1997.12—2002.12）	书记	吴伏生	1997.12—1999.4	江西余江
		肖乇根	1999.4—2002.4	江西樟树
		陈爱民	2002.4—2002.12	江西高安
	副书记	邓绍聪	1997.12—2001.3	江西南城
		刘国富	1997.12—2002.7	江西余江

续表 15－1

届次	职务	姓名	任职时间	籍贯
市委第二届 （1997.12—2002.12）	副书记	叶銮清	1997.12—2000.5	江西贵溪
		李　智	1998.4—1999.4	湖南邵阳
		简四涛	1998.6—2002.7	江西樟树
		陈　强	2001.5—2002.12	黑龙江纳河
		黄建平	2002.7—2002.12	江西都昌
		李忠仁	2002.8—2002.12	江西永新
		李赛白	2002.10—2002.12	江西贵溪
	其他常委	李江华	1997.12—2001.1	湖南资兴
		李赛白	1997.12—2002.12	江西贵溪
		刘高明	1997.12—1999.11	江西赣州
		刘滇鸣	1997.12—2001.6	江西南昌
		李长开	1997.12—2002.10	江西贵溪
		陈和生	1999.11—2000.6	江西进贤
		钟圣生	2000.6—2002.12	江西会昌
		邵方龙	2002.6—2002.10	江西贵溪
		李长华	2001.1—2002.12	江西贵溪
		俞　奇	2001.5—2002.12	江西广丰
		郑荣庆	2001.6—2002.8	江西余江
		桂细荣	2002.10—2002.12	江西月湖
		谢　军	2002.10—2002.12	江西兴国
		李　云	2002.11—2002.12	江西贵溪
市委第三届 （2002.12—2006.6）	书记	陈爱民	2002.12—2006.6	江西高安
	副书记	黄建平	2002.12—2006.6	江西都昌
		李忠仁	2002.12—2005.3	江西永新
		陈　强	2002.12—2003.9	黑龙江纳河
		李赛白	2002.12—2004.12	江西贵溪
		廖奇志	2003.9—2006.6	江西南康
		李长华	2003.9—2006.6	江西贵溪
		阿　东	2004.2—	辽宁海城
	其他常委	钟圣生	2002.12—2003.5	江西会昌
		李长华	2002.12—2006.6	江西贵溪
		俞　奇	2002.12—2006.6	江西广丰
		桂细荣	2002.12—2006.6	江西月湖
		谢　军	2002.12—2006.6	江西兴国
		李　云	2002.12—2006.6	江西贵溪
		李　敏	2003.5—2005.8	江西上饶

续表15－1

届次	职务	姓名	任职时间	籍贯
市委第三届（2002.12—2006.6）	其他常委	雷纪文	2003.5—2006.6	江西贵溪
		杨解生	2003.9—2006.6	江西黎川
		王胜波	2005.8—2006.6	江西鄱阳
市委第四届（2006.6—）	书记	黄建平	2006.6—2009.8	江西都昌
	副书记	艾　农	2006.6—2008.6	江西东乡
		李长华	2006.6—2007.2	江西贵溪
		杨解生	2007.2—2010.12	江西黎川
		柯　嘉	2008.6—2010.3	江西上饶
	其他常委	谢　军	2006.6—2010.5	江西兴国
		朱学路	2006.6—2007.11	江西婺源
		雷纪文	2006.6—2008.10	江西贵溪
		乐文红	2006.6—2007.11	江西贵溪
		揭晓泗	2006.6—2009.4	江西贵溪
		张卫中	2006.6—2009.8	浙江衢州
		俞　奇	2006.6—2007.2	江西广丰
		梅　峰	2007.2—2010.12	浙江天台
		王富生	2007.2—2010.12	江西贵溪
		柯　嘉	2007.10—2010.3	江西上饶
		祝晓勤	2007.10—2010.12	江西余江
		王有金	2008.10—2010.3	江西余江
		李中华	2008.10—2011.6	江西乐平

第二节　工作机构

1991年，县委工作机构有：县委办公室、县委组织部、组织员办公室、县委宣传部、县委统战部、县委政法委、县直机关工委、县精神文明建设委员会、县农村工作委员会、县老干部局、县信访办、县党史办、县台湾工作办公室、机要科、保密局、县委报道组、县委党校、贵溪通讯编辑室。

2008年，市委工作机构有：市委办公室、市委组织部、市委宣传部、市委统战部、市委政法委、市信访局、市委党校、市史志办、贵溪报社。

市委办公室

负责市委有关文书处理、参谋建议、重大决议督查以及市委各种会议的会务安排与接待等工作，负责及指导全市机要、保密、对台等工作。

市委组织部

负责全市党的基层组织建设、党员的管理和发展、干部队伍建设、公务员及知识分子管理等工作。

市委宣传部

负责引导社会舆论、协调新闻部门工作，指导对外宣传工作，指导思想政治建设和精神文明建设等工作。

市委统战部

组织贯彻落实中央和省、市委关于统一战线的方针政策,落实党的民族、宗教政策等工作。

市委政法委

负责全市政法工作和社会治安综合治理工作,监督政法各部门依法行使职权,指导政法队伍建设等工作。

市纪律检查委员会

与市监察局合署办公,履行党的纪律检查和政府行政监察等职能。

市直机关工委

负责直属机关党的思想建设、组织建设、作风建设,做好对党员、干部的管理、教育和监督工作等。

市委老干部管理局

主管全市老干部工作,全市离退休干部的宏观管理工作。

市信访局

负责处理来信、来电、来访,督促检查重要信访事项的处理和落实,协调处理重要信访问题,指导全市信访工作等。

市委党校

负责全市党员领导干部的轮训、培训,学习宣传科学社会主义理论体系等工作。

市史志办

负责全市党史和地方志工作,征集、管理党史、地方志资料,编印地方党史和方志书籍。

贵溪报社

宣传报道全市重大决策、重大事件、重大成就,宣传先进典型、先进人物,介绍新信息、新经验。

第三节 领导方式

集体领导和个人分工负责

根据中共贵溪市委常委会议2007年12月20日通过的《中共贵溪市委常务委员会工作规则(试行)》,在市委全委会闭会期间,常委会行使全委会职权。常委会坚持民主集中制,实行集体领导和个人分工负责相结合制度。凡属常委会职责范围内的重大事项,按照集体领导、民主集中、个别酝酿、会议决定的原则处理。常委会在讨论议题时,常委会委员充分发表意见,讨论后,由会议主持人集中讨论意见,提出决策意见,提请会议表决。对决定事项进行表决时,赞成者超过应到会常委会委员的半数为通过。常委会坚持统揽全局、协调各方,在同级各种组织中发挥领导核心作用,对同级国家机关、人民团体、经济组织、文化组织和其他非党组织领导机关党组请示的问题作出决定;按照干部管理权限和规定的程序,推荐、提名、任免干部,教育、管理和监督干部。坚持党要管党,从严治党,加强党的建设,完善领导机制,改进领导方式,提高执政能力。常委会实行常委分工负责制,常委会委员直接对常委会负责。常委会所作出的决议、决定,由常委会委员按照分工负责组织实施。常委会委员参与集体领导,并对分管的工作全面负责。市委书记负责组织常委会活动,协调常委会委员的工作。常委会委员要接受书记对自己工作的检查、督促,凡分工负责范围内的重大事项,都要及时向市委书记或常委会报告。常委会坚持依法执政,在宪法和法律的范围内活动。

党政分开

根据《中共贵溪市委常务委员会工作规则(试行)》,市政府在职责范围内可以决定的事项,不提交市委常委会讨论。国民经济和社会发展计划、财政预算、宏观调控和改革开放的政策措施、政府和社会管理事务、规范性文件,及有关政府投资建设等重大决策,由市人民政府全体会议或常务会议讨论决定。

民主决策

1993年6月20日通过的《中共贵溪县委常务委员会工作规则》规定:县委常委会会议是县委实施集体领导,对全县重大问题作出研究决策的重要会议,应认真负责地开好,提高会议质量,使会议的决策尽可能地建立在民主化、科学化的基础之上。与会人员对会议需要讨论的问题,会前要做好充分准备。会议讨论时,分工主管与议题有关工作的县委常委成员,应首先发表自己的初步意见或作必要的说明。会议讨论的问题如涉及几个部门和地区,分工主管的县委常委会成员应事先做好协调工作,统一认识,拿出一个比较成熟的意见后,再提交县委常委会议讨论。凡涉及数额较大的财政开支,增设行政机构和编制等问题,应先由县政府提出意见,然后提交县委常委会审定。对于全县经济社会发展战略等问题应请有关部门和专业技术人员进行科学论证,并要听取退居二三线的老干部的意见,有的要征求党外人士的意见。会议决定与下级组织有关的重要问题,在通常情况下,应征求下级组织的意见。1998 年 9 月 3 日市委常委会通过的《中共贵溪市委常务委员会议事规则》,对常委会职责、会议制度等作出规定,要求坚持和健全民主集中制,提高民主决策和科学决策水平。2007 年 12 月 20 日通过的《中共贵溪市委常务委员会工作规则》规定:坚持民主集中制,实行集体领导和个人分工负责相结合的制度。凡属常委会职责范围内的重大事项,按照集体领导、民主集中、个别酝酿、会议决定的原则处理。对涉及全局的重大问题的决策,分管常委会委员要亲自参加调查研究,提出两个以上可供比较的方案。重大决策的方案,一般应征求下级党组织的意见,有的应组织专家学者进行论证,作出评估。市委常委会在讨论议题时,常委会委员应充分发表意见,讨论后,由会议主持人集中讨论意见,提出决策意见,提请会议表决,对决定事项进行表决时,赞成者超过应到会常委会委员的半数为通过。表决可根据讨论事项的不同内容,分别采取无记名投票、记名投票、举手、口头等方式进行。会议决定多个事项时,应逐项表决,如对重大问题有不同意见,双方人数接近,除在紧急情况下必须按多数人的意见执行外,一般应当暂缓作出决定,待进一步调查研究,交换意见后,提交下一次常委会议讨论表决。2008 年 4 月 8 日,中共贵溪市委常委会作出《关于进一步加强自身建设的决定》,要求常委会成员认真执行民主集中制,增强市委常委会班子的凝聚力,坚持重大事项集体研究决定。议事决策,积极探索决策前的论证制、决策中的票决制、决策后的责任制,进一步提高决策的科学化、民主化、制度化水平。

县(市)委在民主决策中,对关系全局的重大问题和事项做出如下重大决策。1991 年,县委制定《贵溪县国民经济和社会发展十年规划和"八五"计划纲要》。1992 年,县委决定全市行政事业单位兴办经济实体。1995 年,县委出台《贵溪县党政机构改革方案》《中共贵溪县委完善中国共产党领导的多党合作和政治协商制度规定》《关于贵溪县农村实现小康目标的实施方案》和《关于进一步加快农村经济发展的决定》。1996 年,出台《贵溪市国民经济和社会发展"九五"计划和 2010 年远景目标的建议》。1997 年,市委决定成立罗河工业区,并成立罗河工业区管理委员会。2000 年,制定《贵溪市国民经济和社会发展"十五"计划》。2001 年,市委决定建设罗河万亩早熟梨基地。2002 年,市委出台关于加快城市化进程,实现三年大变样意见。2003 年,市委决定全面实施新型农村合作医疗;出台《贵溪市机构改革人员分流实施办法》和《贵溪市机构改革人员定岗定员实施办法》。2005 年,市委决定深化农村税费配套改革,取消农业税,全面开展林业产权制度改革。2006 年,市委出台《关于推进新农村建设实施意见》,启动新农村建设试点工作。2007 年,市委决定全面实施铜拆解园区建设项目。2008 年,市委决定全面启动农村"卫生清洁"工程。

党务公开

自 2005 年开始,在乡(镇、街道)村(社区)实行党务公开,除涉及党的机密不宜公开的事项,一律向群众公开。公开内容包括党组织工作开展情况、支部成员岗位职责分工情况、为民办实事完成情况、党员干部民主评议结果、党员干部奖惩情况等。

2008 年 12 月,市委印发《关于进一步推进党务公开建设"阳光党委"的意见(试行)》,以尊重党员主体地位,保障党员民主权利,推进党内民主政治建设,构建民主和谐、开明开放的党务工作新机制,发扬党内民主,加强党内监督,最大限度地扩大党员群众对党内事务的知情权、参与权和监督权,提高党的工作和党内事务的开放度和透明度。公开的主要内容是:在不涉及党和国家秘密的前提下,所有党务工作情况都应该以适当方式向广大党员和群众公开。主要包括:领导班子成员、工作职责、工作分工及岗位目标年度考核情况;对本地经济建设和社会发展作出的重大决策、决定;党组织任期目标和阶段重点工作;为民办实事的内容及进展情况;涉及群众利益的重要工作措施;年度党建主题实践活动安排;党员发展、教育和管理情况;党组织换届选举情况;党费收缴、管理和使用情况;召开民主生活会情况;领导干部学习情况；领导干部述职述廉情况；领导干部执行廉洁自律规定和重大事项报告的情况；对党员、群众反映问题的整改落实情况等。公开的形式有：①公开栏。在比较醒目的地方，设置固定的党务公开栏。②服务窗口。在市行政服务中心设立服务窗口的单位，除设置公开栏外，要在现有政务公开内容的基础上，充实增加党务内容，做到党务政务同时公开。③会议、文件。采取召开党员大会、情况通报会、新闻发布会、组织生活会、征求意见会、听证会等形式公开，或运用党内文件、通报、简报和设立文件查阅处等形式公开。④新闻媒体、互联网站。在广播、电视、报纸、网络、移动信息平台等媒体上，通过开辟专栏、举办专题、增设副刊、设置网页等方式进行公开。

第四节　重要会议

全委会

党的代表大会闭幕后，举行新一届市（县）委第一次全体会议，选举产生领导机构。

每届党的代表大会闭会期间，召开若干次全委会，对全市经济建设、社会发展、党的建设及其他涉及全局性的重大问题作出决策；制定贯彻执行上级党组织和同级党代表大会决议、决定的措施；听取和审议常委会工作报告，对常委会及其成员的进行工作监督和评议；决定召开党代表大会或党代表会议；选举常委会和书记、副书记；通过纪律检查委员会全体会议选举产生的常委会和书记、副书记；对常委会提请决定的问题作出决策。

县委第八届（1991.2—1993.1）召开全委会会议5次。八届三次全委会会议议题：学习中共十三届七中全会精神，传达省委九届二次全会和市委三届四次全会精神，讨论《贵溪县国民经济和社会发展十年规划和“八五”计划纲要》草案。县委书记艾佛胜作题为《团结鼓劲 开拓前进，努力推进贵溪改革和建设事业》的报告。八届四次全委会会议议题：传达、学习、贯彻中共十三届八中全会和省委九届三次全会精神，研究部署全县农业和农村工作。艾佛胜作题为《加强领导，发展农业，为贵溪县农村实现小康目标而努力奋斗》的报告。八届五次全委会会议议题：传达、学习、贯彻省委九届七次全体（扩大）会议精神，通过县第九届党的代表大会筹备领导小组和中共贵溪县八届委员会工作报告。

县委第九届（1993.1—1996.9）召开会议6次。九届一次全委会会议议题：选举县委领导机构。选出县委常委8人，艾佛胜为书记。九届二次全委会会议议题：学习鹰潭市委三届八次会议精神，研究在新形势下如何进一步加强各级领导班子思想、作风建设和深入开展反腐败斗争。艾佛胜作《加强领导班子思想作风建设，深入开展反腐败斗争，保证和促进国民经济更快更好地向前发展》的讲话。九届三次全委会会议议题：学习中共十四届四中全会通过的《中共中央关于加强党的建设几个重大问题的决定》、省委九届四次全会和县委三届四次全会精神。九届四次全委会会议议题：学习中共十四届五中全会精神，通过《中共贵溪县委关于深入学习贯彻党的十四届五中全会精神的决定》。刘尧铣作《认真学习贯彻党的十四届五中全会精神，为实现跨世纪的宏伟蓝图而努力奋斗》的讲话。九届五次全委会会议议题：学习县委四届三次全会精神，研究县委《关于制定国民经济和社会发展“九五”计划和2010年远景目标的建议》。刘尧铣作《团结拼搏、锐意进取，真抓实干、奋勇创先，为建设崭新的贵溪而努力奋斗》的讲话。九届六次全委会会议议题：会议通过《中共贵溪县委关于加强干部队伍作风建设的若干意见》《关于将中共贵溪县第九次代表大会改称为中共贵溪市第一次代表大会》和《关于将贵溪县党的机关改称为贵溪市党的机关组成人员决议》。

市委第一届（1996.9—1997.12）召开会议2次。一届一次全委会会议议题：通过《中共贵溪市委进一步加强社会主义精神文明建设的决定》。一届二次全委会会议议题：通过《关于召开中国共产党贵溪市第二次代表大会的决定》。

市委第二届（1997.12—2002.12）召开会议7次。二届一次全委会会议议题：选举市委领导机构，选出市委常委11人，吴伏生为书记。二届二次全委会会议议题：通过《关于认真贯彻落实党的十五届三中全会决定，切实加强农业和农村工作的实施意见》。

市委第三届（2002.12—2006.6）召开会议5次。三届一次全委会会议议题：选举市委领导机构，选出常委11人,陈爱民为书记。会议通过《中共贵溪市委关于加强自身建设的决定》。三届二次全委会会议议题:通过《中共贵溪市委关于深入学习贯彻“三个代表”重要思想,进一步掀起改革开放和经济发展新高潮的意见》。三届三次全委会会议议题:通过《关于中国共产党贵溪市代表大会常任制试点的意见》。三届四次全委会会议议题:通过《中共贵溪市委关于进一步加强全市农村基层组织建设意见》。三届五次全委会会议议题:会议讨论《中共贵溪市委关于制定国民经济第十一个五年规划的建议》,总结2005年及“十五”期间的工作。

市委第四届(2006.6—)四届一次全委会会议,选举市委领导机构,选出市委常委9人,黄建平为书记。

常委会

在全委会闭会期间,召开常委会,讨论决定全市党的思想、理论、政治、组织、作风建设方面的重大问题,全市政治、经济改革等重大问题,副县级干部人选的推荐、科级干部的任免、奖励和违纪处理,涉及群众利益的重要问题及对全局有影响的较大突发性事件的处置,政府提出的国民经济和社会发展年度计划和长远规划、预决算报告、重大投资项目方案以及需要市委决定的机构、编制及行政区划变更等问题。

1991—2008年市(县)委常委会部分议题一览

表15－2

届	次	会议议题
县委第八届	62	讨论关于在全县进一步开展解放思想大讨论。会议要求,解放思想一要实事求是,二要从实际出发,大胆借鉴外地的经验,正确处理稳和快、放和管、工业和农业、主和次的问题
	64	讨论集资发展经济的问题。会议提出,根据上级文件精神及邻县做法,拿出2000个商品粮指标,按1个指标5000元出让,所得资金用于发展贵溪经济
县委第九届	6	讨论关于鼓励和支持党政、事业单位干部、职工直接参与市场经济的具体办法;讨论关于鼓励和支持党政机关、群众团体和事业单位兴办经济实体的暂行规定;讨论关于筹集乡镇企业发展基金的决定
	59	讨论《贵溪县党政机构改革方案》
	60	讨论通过《关于实行领导干部回避制度的决定》
	66	审议并通过《贵溪县“四荒”资源有偿使用管理暂行办法》;审议并通过《关于在党政机关实行领导干部近亲回避制度的实施意见》
	67	讨论并通过《中共贵溪县委关于制定全县国民经济和社会发展“九五”计划和2010年远景目标的建议》
	73	审定《关于实施“翻番工程”竞赛活动,强力推进经济快速高效发展的决定》;讨论并通过《关于加快乡镇企业发展的决定》
	74	审定《关于鼓励科技人员投身贵溪经济建设的决定》和《关于开展特色农业工程竞赛活动的决定》,审议《关于选拔优秀年轻干部到企业任职的实施意见(草案)》
	81	讨论并原则通过《关于抢抓机遇,超常发展,主攻工业的若干意见》,讨论《关于清理干部职工违规购买公房和集资建房的方案》
市委第一届	1	听取撤县设市庆典活动筹备工作情况汇报
	2	讨论并原则通过《关于国营林场改革现行管理体制的意见》
	6	讨论并原则通过《沿320国道象山段临街开发建设方案》
	8	听取罗河工业园区筹备情况和建设意见汇报
	19	讨论成立“贵溪市经济大厦工作指挥部”
	9	讨论《关于改革公有住宅电话、移动电话、BP机管理办法的通知》
	10	讨论粮食流通改革问题
	12	讨论通过《关于“一推双考”公开选拔青年领导干部实施意见》
	27	讨论通过《贵溪市国有集体企业产权制度改革若干试行办法》
	36	讨论通过《关于加快县域经济发展的决定(试行)》,讨论《关于进一步加快发展个私经济的决定》

续表 15－2

届	次	会议议题
市委第一届	39	讨论通过《关于各级领导切实转变工作作风，做到“三减少”“三深入”工作意见》
	57	听取《关于贵溪市罗河镇太田陈家村“9.13”事件的情况报告》
	59	讨论《关于鼓励机关干部职工离岗从事个私经济的实施意见》
	61	讨论加快城市建设和冶金大道拓宽事项
	81	讨论通过《关于开展工业经济增税收，企业发展创规模活动意见》《关于建立24小时值班制，开通干群“心连心”联系电话的实施意见》
	84	讨论通过《关于毛竹产业建设若干问题的决定》
市委第二届	95	讨论《贵溪市创建全国“双拥模范城”工作实施方案》
	98	讨论通过《关于做好调整乡镇行政区划工作的决定》
	100	讨论通过《关于加快城市化进程，实现城市三年大变样的意见》
	111	讨论税费改革等相关事项
	112	讨论通过《关于在全市组织开展“江西在崛起，贵溪怎么办，我们怎么干”大讨论活动通知》
	113	讨论通过《关于进一步加快罗河工业区发展的决定》
	114	讨论通过《贵溪市城市规划区公告制征地暂行办法》《关于开展城市规划区内基建用地报建审批及收费清理整顿工作方案》
	117	讨论通过《贵溪市城市规划区国有土地资产管理规定》
	124	讨论通过《关于引进国内外资金的中介人的奖励办法》《关于罗河工业园区鼓励投资优惠办法》
	128	讨论通过《贵溪市机构改革方案》《关于在市直部分副科职位实行竞争上岗的办法》
市委第三届	1	讨论通过《关于实施工业企业扶优扶强办法（试行）》
	6	讨论通过《关于党政机关股级干部竞争上岗的实施意见》
	7	讨论通过《贵溪市党政、人大、政协机关、市直属事业单位、乡（镇、街道）“三定”方案》
	17	讨论通过《关于加快集镇建设的意见》
	49	讨论通过《关于小城镇建设和发展若干问题的决定》
	65	讨论通过《贵溪市城区教育资源优化配置的方案》《关于处理破坏经济发展环境行为的暂行规定》《关于在全市开展“建设和谐平安江西，共创富民兴赣大业”主题教育活动意见》
	67	讨论通过《关于完善市乡财政体制改革的意见》
	69	讨论通过《贵溪市规划区内村民建房管理暂行办法》
	79	讨论通过《关于鼓励机关、事业单位工作人员离岗创业的暂行办法》《关于党政机关和全额拨款事业单位工作人员竞争上岗的实施意见》
市委第四届	4	讨论通过《关于鼓励支持和引导个体私营等非公有制经济发展的实施意见》《贵溪撤县设市十周年纪念活动方案》
	8	讨论通过《贵溪市规划区违法建设责任追究暂行办法》，听取关于贵溪市大中型水库移民后期扶持政策实施方案汇报
	18	对贵溪“3.21”事件进行审定
	26	讨论通过《贵溪市创建省级园林城市活动方案》
	44	讨论通过《关于面向全市公开选拔部分市直单位副科级领导干部的工作意见》《贵溪市培养选拔党外干部近期工作规划》，听取城市污水处理厂建设情况汇报

第五节　组织工作

工作机构

组织部定编 23 名，其中，行政编 21 名，事业编 2 名。领导职数 4 名：部长 1 名、副部长 3 名。2002 年机构改革，根据贵发〔2002〕19 号文件通知，保留市委组织部，为市委工作部门。市直属机关工作委员会、市老干部局与市委组织部合署办公。根据贵办字〔2003〕44 号文件通知，市委组织部定编 31 名（含市直属机关工委 4 名，老干局 7 名，村建办 2 名）。其中组织部行政编制 16 名（含专项编制 1 名），后勤服务人员编制 2 名。领导职数 3 名：部长 1 名、副部长 2 名。

党员

数量和结构　1991—2008 年，市（县）党员人数总体呈增长趋势，从 1991 年的 10943 人增至 2008 年的 14654 人，其中女党员从 1154 人增至 2023 人，少数民族党员人数从 68 人增至 94 人。党员结构不断优化，女党员占全体党员比例从 10. 5% 增至 13. 8%，大专以上党员数从 442 人增至 3938 人，所占党员比例从 4% 增至 26. 9%。

1991—2008 年全市中共党员一览

表 15－3　　　　单位：名

年份	全年党员总数			年龄结构						文化结构					
	总计	其中		25 岁以下	26－35 岁	36－45 岁	46－55 岁	56－60 岁	61 岁以上	大专以上	中专	高中	初中	小学	文盲
		女	少数民族												
1991	10943	1154	68	281	1979	3147	2303	1293	1940	442	599	1557	1655	4615	1075
1992	10823	1145	71	242	1939	3151	2298	1273	1920	553	612	1633	2592	4501	932
1993	10781	1136	73	206	1813	3046	2309	1311	2096	576	635	1676	2689	4319	886
1994	10994	1216	74	277	1884	3112	2202	1307	2212	687	701	1784	2850	4223	749
1995	11152	1352	71	209	1853	3034	2473	1256	2327	784	777	1812	2952	4128	699
1996	11517	1330	74	263	1775	3090	2594	1209	2586	954	961	1882	3040	4074	606
1997	11931	1428	72	305	1926	3126	2735	1175	2664	1192	910	1995	3287	3981	566
1998	12046	1443	67	377	1956	3027	2781	1166	2739	1363	883	2084	3420	3866	430
1999	12284	1419	69	362	1914	3011	2983	1069	2945	1665	944	2069	3537	3643	426
2000	12731	1484	78	392	2065	3094	3105	1032	3043	1906	1081	2151	3670	3526	397
2001	12974	1545	80	396	2108	3130	3074	1046	3220	2055	1144	2264	3694	3448	369
2002	13212	1652	83	382	2157	2883	3297	1124	3369	2484	1081	2174	3912	3293	268
2003	13489	1610	74	2549		3030	3259	1325	3326	2719	1168	2338	—	7264	—
2004	13728	1718	86	2665		2923	3346	1449	3345	2959	1124	2310	—	7335	—
2005	13833	1668	93	2705		2941	3195	1582	3410	3207	1091	2287	—	7248	—
2006	14072	1763	93	2702		3011	3076	1817	3466	3457	1082	2353	—	7180	—
2007	14387	1940	96	2815		3127	3136	1795	3514	3686	1093	2379	—	7229	—
2008	14654	2023	94	2816		3257	3119	1865	3597	3938	1126	2402	—	7188	—

党员吸收　1991 年发展党员 220 名，2008 年发展党员 331 名。1991 年发展女党员 30 名，占全年发展总人数的 13. 6%，2008 年发展女党员 63 名，占全年发展总人数的 19. 0%；注重提高发展党员质量，加

大年轻党员、高素质党员的发展力度，1991 年，发展受大专以上教育党员 24 名，占全年发展党员数的 10.9%，2008 年，发展受大专以上教育党员 106 名，占全年发展党员数的 32.0%。

教育　通过举办培训班、召开学习大会、聘请专家和农技人员辅导、依托培训示范基地现场辅导和电化教学设备远程教育等方式，建立健全基层党员教育制度，使党员教育走上正常化、制度化、规范化轨道。1991 年，县委党校和县基层党委业余党校多次进行培训；添置电化教学设备，到各基层党委巡回放映录像带 15 场次；利用历史电影进行传统教育，受教育党员数达 9000 多人次；组织开展民主评议党员工作，参加民主评议党员 10737 名。1992 年，利用乡镇机关干部整风时机，加强对党员队伍的思想教育；利用"7.4"洪灾中的先进抗洪事迹进行教育；制作党员电教片《先锋者之歌》，在各地巡回播映。1993 年，在全市党员中开展中心意识、服务意识、创新意识、效率意识教育。加强对无职党员培训工作，参加培训人数 5716 人，制定提高农村干部党员实用技术水平的三年培训计划。帮助所有乡镇配备彩色电视机和放像机等电教设备。1995 年，在全市党员中开展"双学"（学理论、学党章）活动。1996 年，组织党员学习《邓小平和中央领导同志关于解放思想、实事求是的论述》和中共十四届六中全会《关于加强社会主义精神文明建设的决定》。约 600 名党员参加"双学"知识竞赛活动，208 个村党支部书记、村委会主任、会计参加培训。组织党员学习江泽民在中共十五大上的报告和《在邓小平追悼大会的致词》，组织观看《邓小平》大型文献记录片。1999 年，扎实开展党员教育活动，在广大党员中，尤其是在县级党员领导干部中，开展"三讲"（讲学习、讲政治、讲正气）教育活动。2000 年，对全市各级党员领导干部进行"三个代表"（中国共产党始终代表先进生产力发展要求，代表先进文化前进方向，代表中国最广大人民群众根本利益）思想教育，在广大党员中开展"两学习、两反对"（学习唯物论反对唯心论、学习科技知识反对封建迷信）教育活动，组织观看《坚持唯物论，弘扬科学精神》录像片。2001 年，兴建全省第一家一幢 5 层面积为 1200 平方米的党员电教中心大楼。2005 至 2006 年，开展保持共产党员先进性教育活动。组织学习中共中央下发的《关于加强党员经常性教育的意见》《关于加强和改进流动党员管理工作的意见》《关于做好党员联系和服务群众工作的意见》《关于建立健全地方党委、部分党组（党委）抓基层工作责任制的意见》等 4 个文件。2008 年，制定《关于进一步加强全市党员电教工作的意见》，加强农村、社区电教网点规范化、标准化建设，扩大电教网点覆盖面；强化党员电教基础性工作，党员电化教育逐步走向经常化、制度化；组织拍摄《打拐英雄——施华山》《"村官"卖粮》《种好党员综治"责任田"》等优秀党员电教片 30 余部。创建 18 个以突出种植、养殖等农业实用技术为主的党员教育培训示范基地，对 3500 余名农村党员和干部进行培训。

管理　通过建立流动党员台账、党内基本信息库，制定基层党委民主生活会、民主评议党员制度等一系列措施，加强党员管理。1991 年，把定期召开民主生活会作为加强党的民主集中制的主要内容来抓。制定基层党委民主生活会制度，同时建立县委领导分片参加基层党委领导干部民主生活会制度，并纳入组织工作目标管理责任状。1993 年，制定外出党员 10 项规定，加强对外出党员的管理教育。1996 年，制定"片区活动"制度，将市直单位的党员按所在单位划分 8 个片区。每 2 个片区组织一次党员活动（一般是上党课，听讲座），由各片区所属单位党组织负责人轮流主持。1998 年，开展"发展党员质量年"活动，在全市 37 个基层党委确定 80 个发展党员重点管理单位，实行重点管理，全程把关。2000 年，开展民主评议党员工作，严肃处置不合格党员，纯洁党员队伍，全市 12103 名党员，评出合格 11973 名，基本合格 57 名，不合格 53 名。2002 年，完成党员基本信息建库工作。2003 年，对 2002 年不合格限改党员进行复评复议，对农村无职党员进行设岗定责。对流动党员的流出地、流出原因、上交党费等情况详细登记、造册。2007 年，建立党建工作责任制和党员领导干部履行基层党建工作责任制的专项述职制度；推行农村党员承诺制。2008 年，对全市 750 余名流动党员，执行流动党员有关情况上报制度，与全市 34 个党（工）委签订《贵溪市流动党员管理教育工作责任状》，建立流动党员基本情况台帐。

党组织

数量及行业分布　1991—2008 年，贵溪市基层党组织数基本保持稳定，略有变化。1991 年党组织数为 670 个，其中党委 27 个、总支 25 个、支部 618 个；2008 年党组织数为 674 个，其中党委 21 个，总支 30 个，支部 623 个。

1991—1997 年全市基层党组织一览

表 15－4　　单位:个

年份	基层组织	合计	农林牧渔、水利业	工业	建筑业	交通运输、邮电通讯业	商业、公共饮食业、物资供销和仓储业	房地产管理、公用事业、居民服务和咨询服务业	卫生、体育、社会福利业	教育、文化艺术和广播电视业	科学研究和综合技术服务业	金融、保险业	国家机关、政党机关和社会团体	其他
1991	支部	618	282	40	4	17	68	4	12	40	3	19	112	17
	总支	25	8	2	1	2	2	—	1	1	—	1	7	—
	党委	27	—	—	—	—	—		—		—	—	27	—
1992	支部	614	278	40	4	—	63	4	12	40	3	19	112	17
	总支	23	6	2	1	2	2	—	1	1	—	1	7	—
	党委	27	—	—	—	—	—	—	—	—	—	—	—	—
1993	支部	612	329	27	1	15	23	7	16	41	2	22	106	23
	总支	20	4	2	—	—	2	—	—	—	—	2	10	—
	党委	26	1	—	—	—	—	—	—	—	—	—	25	—
1994	支部	609	259	44	3	15	55	7	13	41	3	22	106	27
	总支	21	3	2	—	2	1	—	—	1	—	2	10	—
	党委	26	1	—	—	—	—	—	—	—	—	—	25	—
1995	支部	625	245	43	2	14	52	7	19	40	2	21	131	49
	总支	22	3	1	—	1	1	—	1	1	—	2	12	—
	党委	26	1	—	—	—	—	—	—	—	—	—	25	—
1996	支部	630	243	18	1	18	63	9	16	48	4	23	127	60
	总支	24	4	—	—	1	2	1	1	3	—	2	9	1
	党委	26	1	—	—	—	—	—	—	—	—	—	25	—
1997	支部	645	273	33	3	14	58	10	13	57	2	24	130	28
	总支	27	7	1	—	1	2	1	1	3	—	2	9	—
	党委	25	1	—	—	—	—	—	—	—	—	—	24	—

1998—2002 年全市基层党组织一览

表 15－5　　单位:个

年份	基层组织	合计	农林牧渔业	采掘业	制造业	电力、燃气及水的生产和供应业	建筑业	地质勘查业、水利管理业	交通运输、仓储及邮电通信业	批发和零售贸易、餐饮业	金融、保险业	房地产业	社会服务业	卫生、体育和社会福利业	教育、文化艺术和广播电影电视业	科学研究和综合技术服务业	国家机关、政党机关和社会团体	其他
1998	支部	640	262	2	30	3	6	8	25	41	8	3	10	13	56	4	137	32
	总支	25	6	—	1	—	—	—	1	—	—	—	—	1	4	—	11	1
	党委	24	—		—	—	—	—	—	—	—	—	—	—	—	—	24	—

续表 15－5

年份	基层组织	合计	农林牧渔业	采掘业	制造业	电力、燃气及水的生产和供应业	建筑业	地质勘查业、水利管理业	交通运输、仓储及邮电通信业	批发和零售贸易、餐饮业	金融、保险业	房地产业	社会服务业	卫生、体育和社会福利业	教育、文化艺术和广播电影电视业	科学研究和综合技术服务业	国家机关、政党机关和社会团体	其他
1999	支部	642	253	10	30	2	5	8	25	39	7	3	8	16	55	5	139	37
	总支	25	6	—	1	—	—	—	1	—	—	—	—	1	4	—	11	1
	党委	24	—	—	—	—	—	—	—	—	—	—	—	—	—	—	24	—
2000	支部	643	266	1	29	2	5	8	26	35	8	3	10	18	52	5	139	36
	总支	25	6	—	1	—	—	—	1	—	—	—	—	2	1	—	14	—
	党委	24	—	—	—	—	—	—	—	—	—	—	—	—	—	—	24	—
2001	支部	643	266	1	29	2	5	8	26	35	8	3	10	18	52	5	139	38
	总支	25	6	—	1	—	—	—	1	—	—	—	—	2	1	—	14	—
	党委	18	—	—	—	—	—	—	—	—	—	—	—	—	—	—	18	—
2002	支部	635	252	1	29	2	5	8	24	35	8	3	10	18	52	5	139	44
	总支	23	6	—	—	—	—	—	1	—	—	—	—	1	2	—	11	2
	党委	18	—	—	—	—	—	—	—	—	—	—	—	—	—	—	18	—

2003—2008 年全市基层党组织一览

表 15－6　　　　单位：个

年份	基层组织	合计	企业	事业	机关	其他
2003	支部	621	123	133	132	233
	总支	25	7	5	13	—
	党委	20	1	1	18	—
2004	支部	606	112	128	143	223
	总支	25	8	5	12	—
	党委	21	1	1	—	19
2005	支部	617	98	135	158	226
	总支	32	8	5	15	4
	党委	20	1	1	—	18
2006	支部	610	87	138	157	228
	总支	28	8	4	12	4
	党委	20	1	1	—	18
2007	支部	630	105	144	153	228
	总支	28	5	8	11	4
	党委	20	1	1	—	18
2008	支部	623	105	144	153	221
	总支	30	6	8	12	4
	党委	21	1	2	—	18

党建工作 制订基层党组织各项工作制度,加大基层党组织建设资金投入,完善各项目标考核办法,使党组织建设工作得到大力推进。1991 年,制订村党支部和村委会各项制度;在县直机关抽调干部 31 名,奔赴全县 25 个“脱壳点”帮助指导村级组织配套建设试点工作。1993 年,对全县党建工作实行目标管理,把党建工作分为党的基层组织建设、党员发展、党员教育、党员管理、党刊通联及调查研究等项。进一步充实和加强村级党组织的建设,全县原有 36 个后进支部,18 个跃升为先进党支部,7 个改变落后面貌。完善乡镇企业党组织的设置,全县乡镇企业党支部由 1992 年的 13 个增至 21 个。1994 年,全县 208 个村党支部确认一类支部 42 个、二类支部 101 个、三类支部 63 个。落实基层党委组织工作目标管理责任制。1996 年,对全市 24 个乡镇党委进行分类排队,一类乡镇党委 7 个,二类乡镇党委 14 个,三类乡镇党委 3 个。进一步完善村党支部的工作、学习、生活、请假等制度,对村党支部书记逐个重新建立档案。1998 年,开展乡镇党委思想作风整顿工作。各乡镇召开会议 113 次,查摆评议出问题 657 条;实行村务公开,村民管理制度;建立企业党建联系点;加强学校党建和党刊通联等工作。1999 年,在市政府办、计委、民政局 31 个领导机关中成立党组。2001 年,组织全市近万名党员分三批进村入户宣讲“三个代表”(中国共产党始终代表先进生产力发展要求,代表先进文化前进方向,代表中国最广大人民群众根本利益)重要思想。2002 年,着力推行“村账民理乡管、组账村管”和民事民办制度。从乡镇选派 23 名优秀青年机关干部下村任村支书。建立非公有制经济组织党建联系点,明确联系对象,选派党建工作联络员。2003 年,开展“三培两带”(把党员培养成致富能手,把致富能手培养成党员,把党员致富能手培养成村组干部;党员带头致富、带领群众共同致富)工作,将 176 名党员培养成致富能手,137 名致富能手培养成党员,261 名党员致富能手培养成村组干部。推行“民事村办”制度。选择 19 个村作为农村小康示范村。2006 年,对全市 18 个乡镇 3 个街道的 40 多个村(居)委会在 2005 年下半年、2006 年上半年落实“三会一课”(党支部大会、支部委员会、党小组会和党课)制度情况和入党积极分子队伍建设情况进行抽查核实。2007 年,继续深入开展乡镇“三民”(亲民、为民、富民)领导班子创建活动;实施“支部堡垒工程、学员先锋工程、党建示范工程、为民服务工程”等 4 项工程。2008 年,出台《关于建立市委常委基层党建工作联系点制度的意见》,安排市委领导班子成员每人确定 2 个基层党建联系点。市委成立党建工作领导小组,督促完成基层党建工作各项任务。市、乡(镇)两级将基层党建工作经费列入财政预算,并逐年增长。建立村干部报酬正常增长制度,原则上村干部年报酬及增幅不低于当地农民年人均纯收入及增幅。

全市基层党组织书记培训

重要活动 1991 年,开展多种形式的纪念中国共产党成立 70 周年活动,并将 5 月定为“党员活动月”,认真开展创先争优活动。1994,在全县农村党员中开展党员带头致富和党员带领群众致富奔小康的竞赛活动。1995 年,以机关作风整顿为切入点,开展“倡导四风、争做好公仆”活动。2000 年,开展为期 40 天的“三个代表”重要思想集中教育活动;开展“进百村访万户”为农服务活动。2001 年,开展庆祝建党 80 周年“七个一”活动。2003,开展争创“十面红旗”活动,实施“五联五抓五帮”工程,乡(镇、街道)班子“三民”(亲民、为民、富民)创建活动。2006 年,开展建党 85 周年活动。“七一”期间表彰一批优秀党员;走访慰问老党员、困难党员活动。2008 年,开展“机关党员亮相社区”活动。全市 91 个市直单位 1700 党员在居住社区公开亮相;居委会党支部开展“党员义务奉献活动周”;开展农村无职党员“设岗定责”活动,设 3392 岗,占无职党员的 69.5%。

干部管理

2008 年,全市县级干部 42 人,科级干部 891 人,其中在职科级干部 678 人(正科 191 人,副科 4180

人),退二线科级干部213人。市直单位科级干部585人,乡镇街道科级干部280人,林垦场科级干部26人。科级女干部98人,党外干部18人。公务员1143人。

领导干部公选　为推进干部人事制度改革,引入竞争机制,拓宽识人、用人渠道,选拔适应经济发展建设需要的优秀青年干部,1999—2007年,全市公开选拔11名青年副科级干部。1999年,采取公开推荐与考试考核相结合(简称"一推双考")的办法,公开选拔6位副科级青年领导干部。分别是:建设局副局长、外贸局副局长、招商局副局长、乡镇企业管理局副局长、供销社副主任、物资总公司副经理;2007年,经过宣传发动、个人报名、资格审查、笔试、民主推荐、面试、组织考察、决定任命8个程序,市委在全市范围内开展公开选拔市财政局副局长、市工业园管理委员会副主任、铜产业循环经济基地副主任、共青团贵溪市委副书记、市妇联副主席各一名。

选调生选拔　从2000年起,江西省委组织部会同省人事厅、省计委、省教委,每年经考试、考核选调一定数量的应届优秀大学毕业生到基层培养锻炼。2000—2006年共分配给本市10名选调生。其中:2000年分配2名选调生,分别任罗河镇镇长助理和雷溪乡乡长助理;2002年分配2名选调生,分别任雷溪乡乡长助理和冷水镇镇长助理;2003年分配2名选调生,1名任泗沥镇镇长助理,1名在周坊镇工作;2004年分配1名选调生,任流口镇党委委员;2005年分配2名选调生,分别任塘湾镇镇长助理和金屯镇镇长助理;2006年分配1名选调生,任罗河镇副镇长。

高校生选拔　从1999年起,江西省委组织部委托鹰潭市委组织部按笔试、面试、考核程序,为鹰潭选拔优秀高校毕业到基层培养锻炼,1999—2008年,贵溪市共分配58名选拔生。1999年,为贵溪市选拔8名高校毕业生分配到雷溪乡政府等8个单位工作;2000年为贵溪市选拔9名高校毕业生分配到东门办事处等7个单位工作;2001年为贵溪市选拔8名高校毕业生分配到河潭镇镇政府等8个单位工作;2004年为贵溪市选拔7名高校毕业生分配到罗河镇镇政府等6个单位工作。

干部任免　市委严格按如下流程选拔干部:动议、初始提名、酝酿、民主推荐、考察、酝酿、部务会研究提出拟任人选、书记办公会研究、市委常委会研究提名或决定、任职公示、谈话、任命、办理有关手续。

1991年,任职86人次,免职32人次。2008年,提拔78人次、重用29人次、交流20人次、转任29人次、兼任5人次、安置军转干部5人次,免职113人次。

管理制度　市委通过完善制度建设,建立长效机制,不断提高整体管理水平,为经济建设提供人才和组织保障。1993年5月2日制定《关于下放商业、供销系统副科级企业干部管理权限的意见》;1996年制定《党政领导干部选拔任用工作暂行条例》;2001年制定《中共贵溪市委关于提拔干部公示的规定》《领导干部选拔任用工作责任制暂行规定》;2002年制定《关于干部诫勉管理暂行办法》;2003年制定《中共贵溪市委关于调整不称职、不胜任现职党政领导干部的暂行办法》《贵溪市领导干部社区监督工作意见》《贵溪市股级干部管理暂行办法》《中共贵溪市委全委会关于拟任(推荐)乡(镇)、街道办事处党政正职领导干部表决和征求意见办法(试行)》和《贵溪市选拔任用领导干部民主推荐和考察工作办法》;2005年制定《贵溪市选拔任用股级干部工作程序暂行规定》《中共贵溪市委贵溪市人民政府关于党政机关和全额拨款事业单位工作人员竞争上岗实施意见》;2007年制定《市委组织部市委统战部关于建立党外干部联席会议制度的通知》《中共贵溪市委组织部关于选派干部到企业联系服务(挂职锻炼)的实施办法》和《中共贵溪市委关于培养选拔党外干部工作的意见》。

第六节　宣传工作

工作机构

1996年机构改革,保留县委宣传部,1996年9月贵溪撤县设市,县委宣传部改称市委宣传部。2002年机构改革,增设文明办,定行政编14人;2008年增设网宣办,定事业编3人。

理论教育

理论教育内容主要是马克思主义哲学、政治经济学、社会主义初级阶段理论、党的基本路线、中国特色社会主义理论、市场经济理论、邓小平理论、"三个代表"重要思想、科学发展观等。市委中心组坚持每月1～2天集中学习日制度,科级干部、一般干部以办班培训、集中辅导和分散自学相结合的方式开展学习。自2001年起,市每年不定期举办领导干部专题知识讲座,采取“请进来”的方式,邀请外地专家学者来市讲学,学习党的路线方针政策、财税金融证券、招商引资、企业管理、城市建设等。

1991年,学习《关于社会主义若干问题学习纲要》。1992年,学习邓小平南方讲话及中央政治局会议精神,全县乡(镇)、村逐级举办学习班。1995年,学习中共十四届五中全会精神。1996年3月,全市组织实施解放思想“先导工程”,并举办“先导工程”理论骨干培训班;8月,县委中心组在双圳林场上山分场集中学习江泽民关于提高领导干部队伍素质的讲话。10月,中心组成员集中学习《中共中央关于加强社会主义精神文明建设若干问题的决议》。1997年,学习江泽民在邓小平追悼大会上所致的悼词、《江泽民总书记在省部级领导干部进修班结业典礼上的重要讲话》和中共十五大报告。2001年,把学习“三个代表”重要思想作为学习的突出主题,市委中心组分专题学习。是年6～7月,全市再次开展“解放思想、促进发展”学习教育活动。2002年,组织中共十六大精神宣讲团,赴乡镇宣讲。2003年,全市掀起学习贯彻“三个代表”重要思想高潮。2005年,市委中心组把先进性教育活动学习内容分专题组织学习,市4套班子领导分别挂乡(镇),并下基层做专题辅导报告。2006年,学习胡锦涛《在庆祝中国共产党成立85周年暨总结保持共产党先进性教育大会上的讲话》《江泽民文选》和中共十六届六中全会精神,围绕“八荣八耻”组成宣讲团深入基层开展宣讲活动,在全市开展“争创学习型机关,争做学习型干部职工”活动。2007年,学习《胡锦涛在中央党校省部级干部进修班上的重要讲话》《中共中央关于认真贯彻党的十七大精神的通知》《正确认识和处理改革发展稳定的关系》和省、鹰潭市领导的讲话精神。举办全市科级领导干部中共十七大精神专题培训班,市委组织成立中共十七大精神宣讲报告团,分赴各基层党委宣讲,市委书记黄建平、市长艾农以“创新创业、共建和谐”为主题,分别到市工业园区和流口镇进行宣讲。2008年,学习《中共中央、国务院关于切实加强农业基础设施建设进一步促进农业发展农民增收的若干意见》,胡锦涛《在抗震救灾先进基层党组织和优秀共产党员座谈会上讲话》。

社会宣传

先进典型宣传 1991年开展“学雷锋,学赖宁,学赖宁式的英雄少年——刘东成”活动,并印制“赖宁式”英雄少年——刘东成宣传画发放到各个学校。2001年集中力量对“第二届中国十大杰出青年卫士”施华山进行宣传,同时推出严格执法、勤政为民好法官邓金发先进典型,并在全省评比获三等奖。2005年深入开展向施华山学习活动。组建施华山先进事迹报告团,到省公安厅、抚州市、鹰潭市等地作事迹报告,在社会上引起强烈反响。

群众性宣传活动 1991年开展建党70周年系列庆祝活动,并邀请中央、省、市新闻媒体召开新闻发布会,提高贵溪知名度。1995年举办爱国主义歌曲大家唱歌咏比赛。1997年举办全市“迎回归”环城跑、游园活动,“庆回归”演唱会和烟火晚会。2004年组织纪念邓小平诞辰100周年文艺晚会和图片展。组织举办纪念“红军长征”“遵义会议”70周年大型文艺晚会。2007年组织开展建军80周年文艺节目进军营活动,并在全市青少年中开展“我心中的道德楷模”演讲比赛。2008年紧扣北京奥运会和中国改革开放30周年两大主题,组织大型歌舞情景剧《井冈山》的演出;举办“迎奥运、促和谐、感动贵溪”摄影大赛和龙舟摄影展。

影视作品出版物宣传 1994年编印《文明市民必读》一书。1995年编印《贵溪》一书,全面反映贵溪发展风貌。1999年结合新中国成立50周年,编印《辉煌五十年》一书。2001年编印《文明市民手册》和《红旗颂》一书。摄制《京城贵溪人》《贵溪人在上海》《上海知青情》等影视片,拍摄反映贵溪市优秀党员事迹的系列片《风采》。2002年编印《贵溪宣传画册》,制作《中国贵溪电视专题片》和《差距大展示专题片》。2005年以施华山先进事迹为主题,录制《华山哥哥,我的亲人》《任重道远》等主题歌曲。编印发行《打拐英雄施华山》宣传画。2006年编印发行《打拐英雄施华山》《纪念贵溪建市十周年文学作品精选》《纪念贵溪建市十周年书法美术摄影作品集》和《中国新铜都——贵溪》宣传邮册。2008年为隆重纪念改革开放30周年,出版发行《贵溪市领导干部论文集》,全方位、多角度地展示贵溪市改革开放30周年来取得的成绩。

新闻报道

1991—2008年,全市在地级以上新闻媒体用稿36000余篇,其中《人民日报》、中央电视台、新华社、《经济日报》等中央级主流媒体用稿3100余篇,在《江西日报》发表头版头条稿件41篇,20多篇新闻稿件和摄影作品在华东6省1市好新闻竞赛、全省好新闻评比中获奖。1999年3月12日和1999年9月30日,由市委宣传部新闻干事江南采写的通讯《大学梦,不再遥远》《孤儿,不再孤单》先后在《解放日报》刊发,引起强烈反响,全国各地读者纷纷为本市鸿塘镇洋塘村考上江西师范大学的孤儿徐国才捐款捐物共计3万多元,时任鹰潭市委书记刘祚三作出批示,贵溪市政府副市长刘诚带领相关部门领导到徐国才家慰问,在全市掀起捐资助学热潮。多次邀请中央、省、市主流媒体对市公安局流口派出所政治教导员施华山的先进事迹进行集中宣传报道,成功塑造全国公安战线"打拐英雄"光辉形象;2004—2008年,市财政收入连续6年位居全省第一,《江西日报》在头版头条位置分别从不同角度刊发13篇重要报道,为宣传贵溪、展示贵溪对外形象发挥重要作用。

主题教育活动

1995年开展"热爱祖国,振兴贵溪"系列爱国主义宣传教育活动。开展纪念"抗日战争和世界反法西斯战争胜利50周年"教育活动。组织"贵溪人应有怎样的形象"大讨论活动。1996年开展"知我贵溪,爱我贵溪,为贵溪发展添光彩"系列教育活动,开展"做文明市民、创文明城市"宣传教育活动。2002年在全市开展"江西在崛起,贵溪怎么办,我们怎么干"大讨论活动,在青少年学生中开展"弘扬井冈山精神,提高思想道德素质"读书教育活动。2003年开展"弘扬井冈精神,加快贵溪发展,兴我美好贵溪"和"加强文明教育,提升城市形象"主题教育活动。2005年,在全市开展"美德在农家"教育活动,开展"建设和谐平安江西,共创富民兴赣大业"主题教育活动。2006年组织开展"科学发展,和谐创业"主题教育和"贵溪离全国百强有多远"宣传教育活动。2008年,开展"迎奥运、促和谐""继续解放思想、推动科学发展"主题教育活动。

第七节　统战工作

工作机构

1991年编制6名,其中工勤编1名。1996年9月贵溪撤县设市,县委统战部改称市委统战部。2003年机构改革,市委统战部仍设1个办公室,编制不变。

民主党派及其工作

1991年,全县有民革、民盟、农工党3个民主党派组织。1993年,党派活动正常化、经常化。建立和健全县委、政府领导与民主党派联系制度。充分发挥民主党派参政议政作用,安排7名民主党派成员担任县人大代表、常委,政协委员、常委和副主席等。政府工作报告和换届人事安排邀请民主党派人士参加座谈讨论,征求意见,帮助民盟贵溪县总支做好换届工作。

1995年,全县有民主党派成员73人。县委下发《关于完善中国共产党领导的多党合作、政治协商制度的若干规定》(贵发〔1995〕12号),要求全县各级党组织认真贯彻执行政治协调、民主监督、交友联谊、对口联系制度,先后召开4次(每季度一次)民主党派座谈会,交心交流,密切挚友关系。人大、政协例会之前,组织民主党派负责人讨论政府工作报告。11月,县委、县政府制定全县国民经济和社会发展"九五"计划及2010年远景目标规划,组织召开民主党派座谈讨论,听取意见和建议。组织民主党派围绕菜篮子工程、市场经济和职业教育等群众热点问题开展考察调研。2003年,全市有民主党派成员逾百人。民主党派人才荟萃,知识密集、联系面广、社会影响面大。市委、市政府进一步健全政治协商、民主监督制度,巩固和发展爱国统一战线,帮助民主党派加强自身建设,发挥党派优势,组织协调开展各项社会公益活动。2007年,市委、市政府聘任10名民主党派成员担任政府职能部门及司法机关特约监督员,建立聘任党外特约人员工作制度,建立和落实市委、市政府党员领导干部与民主党派、无党派人士挂点联系制度,坚持统战系统协调机制双月座谈会,组织民主党派成员视察贵溪大桥建设工程。2008年,建立民主党派调研成果点评制度和市领导传阅反馈制度,让建言献策直达决策层,"党委出题,党派调研,政府采纳,部门落实”的统战调研机制得到落实。

非公有制经济人士统战工作

1992年,新发展工商联会员48名,进一步扩大爱国统一战线。1993年,发展非公有制经济人士工商联会员60余人。组织9个系统46家企业63名代表参加在南昌举办的华东6省1市第七届商品交易会,签订各类合同33份,总金额244.42万元,商品零售1.34万元。1994年,开展对非公有制经济的调查,召开非公有制经济人士代表座谈会,建立有关联系制度,吸收一批人士参加工商联组织,加强对非公有制经济人士的联系和管理。帮助工商联做好换届选举工作,成立贵溪县商会组织。工商联和商会组织为西窑乡、樟坪乡、余家乡的花岗岩矿开发,周坊乡、余家乡的矿泉水开发,古港乡的农业开发,多次与外商联系、谈判。组织参加龙虎山旅游文化节和上饶商品交易会商品展销,为企业发展和贵溪经济振兴做出努力。1995年,组织2家非公有制经济的企业主帮助2个贫困村兴办2个企业:外资企业江西环球有限公司杨家振以年让利5万余元帮助余家乡球源村办花岗岩废料加工厂;私营老板陈大统投资3万元帮助鸿塘镇黄柏村办养鸡场和煤球厂。2000年,工商联发展新会员20名,招商引资100万元,评选14户“青年文明号”个私企业。

统战部组织举办“统战之光”文艺晚会

2003年,召开2次非公有制经济代表人士座谈会,听取意见和建议,引导开展光彩事业及社会公益事业活动,全市个私企业资助贫困大学生入学1.2万元,资助在校贫困生2万元。全年引进招商引资项目4个,合同资金1000余万元,实际进资460万元。2006年,疏通对外经济联系渠道,加强市工商联与浙江绍兴、衢州、柯城等工商联的协作,开辟市招商引资新途径。筹建铜加工行业协会,大力发展扶贫光彩产业,全市非公经济人士回报社会计币120万元。开展“十佳民营企业”“优秀中国特色社会事业建设者”评选活动,全面促进市民营经济的快速发展。2008年,建立和完善新的社会阶层工作联席会议制度,建立新的社会阶层人士信息库,着手非公经济人才建库工作。开展无党派人士政治面貌认定工作。开始筹建党外知识分子联谊会。组织非公有制经济企业为樟坪畲族乡冰雪灾害捐款捐物18万余元。引导统一战线成员支援四川地震灾区,各民主党派、无党派人士、非公有制经济人士和宗教界人士捐款捐物计71万余元。

民族宗教工作

1991年,县委召集科委、林业、农业、教育、卫生、水电等部门在樟坪乡召开现场办公会议,提出六条具体措施,加强该乡发展乡村企业和教育卫生事业。12月,全县宗教活动整改全面展开。对上清天主堂、雄石基督教部分房产的宗教房产问题向县政府提出处理意见。1992年,印发《贵溪县宗教管理暂行办法》,使宗教工作有章可循。继续开展宗教活动整顿,通过整顿,全县有宗教活动点57个,信教群众3513人(其中天主教活动点4个,信徒245人;基督教活动点53个,信徒3268人)。处理雄石耶稣堂和雄石二小历史遗留问题,由二小调拨原耶稣堂等面积的地基做教堂,原耶稣堂的地基给二小,县政府补给耶稣堂房屋拆迁费1.6万元。天师府举办第三届文化活动周活动,进一步加强与港澳台和新、马、泰等道友的联系与交往,天师府自治自养能力得到提高。1994年,争取省给扶助款2万元,以工代赈款40万元,帮助樟坪兴办企业。对全县28座民办庙宇的历史现状及经济情况进行普查,批准登记2座佛道庙宇,制定颁发佛道寺庙管理暂行办法。建立组织领导、人员管理、寺庙安全、财务支配等规章制度,加强对佛道寺庙的领导和管理。开展基督教、天主教两教的调查、整顿、登记和发证工作,使宗教活动进一步正常化。县基督教三自爱国运动委员会组织建立，12 月在耶稣堂召开第一届基督教代表大会，选举产生贵溪县基督教三自爱国运动委员会。1996 年，通过工商联渠道，为樟坪乡引进资金、技术，兴办樟坪乡竹制品工艺厂、筷子厂、花岗石板材厂等，畲乡企业由无到有。5 月，下发《关于在全市集中开展依法取缔非法宗教活动统一行动的实施意见》，开展宗教整治工作。全市 213 个宗教活动场所（其中基督教 153 个，8481 人；天主教点 10 个，325 人；佛道教庙宇 51 座，神职和管理人员 247 人）依法取缔 77 个，其中基督教点 30 个，天主教点 8 个，庙宇 39 座，捣毁神像 258 尊，没收一批非法宗教和迷信活动用品。在此基础上，狠抓宗教活动场所登记发证工作，至 12 月底，全市宗教活动场所共发证 127 个，其中基督教 113 个，天主教 2 个，佛道教庙宇 12 座，进一步促进宗教活动正常化、规范化、法制化。2000 年，开展对全市天主教情况的调查摸底，建立档案。举办两期全市基督教各堂、点负责人培训班，加强对负责人的教育和依法管理。2002 年，成立全市天主教工作督导组，进一步落实雄石天主教会房产政策。2003 年，进一步完善宗教工作协调机制，建立健全宗教工作"三级网络，两级责任制"，开展对全市宗教工作的调查摸底，健全宗教工作管理档案；继续做好市基督教"两会"换届和雄石天主教房产政策落实工作。2004 年 5 月，下发《关于制止乱建庙宇和露天佛像的实施方案》，对各乡（镇）、场、街道办乱建庙宇和塑佛像问题开展专项治理。2007 年，樟坪畲族乡财政收入达 1.02 亿元，成为全省少数民族经济的一面旗帜。建立《宗教工作联席会议制度》，下发《关于要求对全市基督教开展调研的通知》，完善数据档案，进一步规范基督教的管理。成功解决市天主教爱国会易地新建问题。2008 年，建立健全宗教场所基本情况台账。召开全市宗教工作会议，制定和下发《贵溪市乡（镇）人民政府、街道办事处宗教事务管理办法》，进一步落实目标，明确职责。9—10 月，在全市党政机关开展各级党政干部对基督教开展及社会影响认识情况的调研。

党外干部和知识分子工作

1993 年，开展全面调查，对学历在中专以上或获得小学高级、中学一级教师职称以及医务界、科技界获得中级职称以上的非党知识分子和副科级以上党外干部进行登记造册，为各单位各部门推荐和合理使用人才打好基础。1994 年 4 月，开展对 31 名非党科级后备干部队伍、23 名在职科级干部的造册登记和 2 名县级党外后备干部的考察上报。下发《关于做好党外干部培养、选拔、安排、使用工作的通知》，使党外干部的培养、选拔、安排、使用工作列入党委议事日程，对非党知识分子和党外干部的管理纳入制度化、规范化和经常化。1996 年，充实完善非党知识分子档案，对有影响的人物，建立档案，经常加强联系，关心党外干部成长，党外干部队伍有新发展。2003 年，对全市优秀党外干部进行调查摸底，了解并健全党外干部人才库，举办全市党外后备干部培训班，制定党外干部培养工作计划。3 名党外副科级干部得到提拔、安排。2007 年，下发《关于培养选拔党外干部工作的意见》。提拔 5 名党外副科级以上领导干部，在市人大、政府、政协都配备党外副县级领导干部。完成 46 名党外人大代表候选人的提名，推荐产生 138 名党外政协委员。更新党外科级以上干部档案和党外后备干部队伍档案，实行动态管理。2008 年，提拔 1 名正科级和 4 名副科级党外干部，在司法局、招商局、旅游局、审计局、发改局、民政局、编委办等 7 个部门配备党外领导干部，其中旅游局配备党外正职。建立 65 名党外后备干部档案，对党外后备干部做到平时了解与年终考核相结合，为提拔使用党外干部储备人才。

第八节　政法综治工作

机构

政法委　始设于 1981 年 9 月，1989 年撤销政法委员会，成立县政法委员会领导小组。1990 年 9 月恢复县委政法委员会，属县委正科级工作部门，定行政编 5 名。1996 年机构改革，保留政法委员会，定编 11 名；同年 9 月贵溪撤县设市，贵溪县委政法委员会改称贵溪市委政法委员会（简称市委政法委）。2002 年机构改革，市委政法委保留。

综治委（办）　1991 年 5 月成立贵溪县社会治安综合治理委员会，下设科级办公室，定编 5 名，与县政法委机关合署办公。1996 年 9 月改称贵溪市社会治安综合治理委员会（简称市综治委）。2003 年市综治委先后成立5个专门工作领导小组:即铁路护路联防领导小组,办公室设在综治办;流动人口管理工作领导小组;学校周边治安整治工作领导小组;预防青少年犯罪工作领导小组;刑满释放解除教养人员安置帮教工作领导小组。2007年成立贵溪市维护社会稳定领导小组办公室,办公室设在市委政法委,人员编制内部调剂。

基层综治组织　1991年,全县25个乡(镇)设立综治委或综治领导小组及办公室,负责当地治安稳定工作。1997年统一名称,设立乡(镇、街道)社会治安综合治理委员会,为副科级办公室。1992年,市委为各乡(镇、街道)配专职综治工作副书记。市直单位及下属部门都建综治组织机构,明确分管领导,配备专(兼)职干部。2008年,全市乡(镇、街道)设综治办21个,市直120个,配备专职综治干部60名,兼职综治干部210名。

驻市单位综治组织　按照综治"属地管理"原则,1991年,江西铜业公司、贵溪冶炼厂、贵溪化肥厂、贵溪发电厂、中国有色四建总公司、十五冶、贵溪桥梁厂等中央、省属驻市单位及其下属部门,都相应成立综治委或综治领导小组,设立专门办事机构,明确分工领导,确定专(兼)职工作人员。随着企业改制重组兼并,至2008年年底,全市有10个驻市综治责任单位。

政法队伍

1991—1994年政法各部门在全县乡(镇)设立18个公安派出所、7个人民法庭、19个法律服务所,抽调80名干警充实到基层。1995—1996年按照上级要求,公安机关完成盛源、金沙等派出所组建工作,县城恢复雄石派出所,组建烧箕山派出所。有基层派出所24个,法庭7个,法律服务所21个,司法所24个。随着机构改革、撤乡并镇,至2008年,公安机关在全市21个乡(镇、街道)设立19个基层公安派出所、3个森林公安派出所;法院在雷溪乡、金屯镇、泗沥镇、志光镇、上清镇建立5个基层法庭;司法局在21个乡(镇、街道办)设立21个法律服务所。全市有律师事务所5个。

1991—1993年,县政法委出台《关于进一步加强政法队伍建设的意见》,有计划、有步骤地对干警进行多种形式教育,以提高政法队伍整体素质。1995年7月—1998年12月,相继在全市政法队伍中开展以自查自纠、整顿纪律、严刹歪风教育整顿活动。通过查摆问题,开门纳谏,民主评议,着力整改,建章立制等教育整顿措施,强化队伍建设。1996—1999年,全市政法部门相继开展"学英模、塑形象、创一流",争创人民满意优秀政法干警,争创优秀政法单位活动。实行警务公开,检务公开,审判公开,强化执法监督,促进司法公正。2000年市委政法委出台《关于加强全市基层政法队伍建设的意见》。政法部门开展"三讲"(讲学习、讲政治、讲正气)教育,加强领导班子建设,积极推进基层政法队伍建设。2001年政法系统开展"三个代表"(代表中国先进生产力的发展要求;代表中国先进文化的前进方向;代表中国最广大人民根本利益)重要思想学习、社会主义法治理念教育。政法部门领导干警进村入户,走访群众,征求意见。2002年,开展"星级创优"争做"五星级"(忠诚星、廉洁星、能绩星、公正星、爱民星)政法干警;争创"五星级"(团结星、素质星、管理星、执法星、服务星)政法单位。通过开展"三讲""三个代表""三项教育"(严格执法、公正执法、文明执法)"作风建设"(思想作风、工作作风、生活作风)"法治理念教育"(依法治国、执法为民、公平正义、服务大局、党的领导),贯彻落实"五条禁令"(严禁违反枪支管理使用规定,违者予以纪律处分,造成严重后果的予以辞退或者开除;严禁携带枪支饮酒,违者予以辞退,造成严重后果予以开除;严禁酒后驾驶机动车辆,违者予以辞退,造成严重后果予以开除;严禁在工作时间饮酒,违者予以纪律处分,造成严重后果的予以辞退或者开除;严禁参与赌博,违者予以辞退,情节严重的予以开除)等一系列队伍建设活动,政法队伍整体素质明显提高,整体形象显著提升。

制度建设

信息督查报送　2003年,市委办公室印发《关于加强重特大事故及群体性、突发性事件报告工作的规定》,明确对重特大事故及群体性、突发性事件信息必须在规定时间内上报。2005年6月,市委、市政府制定《关于处置突发性及群体性事件的工作预案》,明确规定有突发性、群体性事件苗头时,事发单位及事发所在地乡(镇)、街道、派出所必须在10分钟内报告上级组织,接到报告单位必须在20分钟内报告"贵溪市处置突发性及群体性事件工作领导小组",同时报市委、市政府及市委政法委。同年市委政法委进一步规范维稳信息收集、报送处理制度。信息与督查工作围绕市委、市政府中心工作,负责收集和综合处理，并及时准确报送有参考价值的重要信息，落实领导批示，做好反馈工作。

政法“五长”联合接待制度 为畅通涉法涉诉信访渠道，切实维护人民群众合法权益，1996年8月市委政法委建立“政法五长”（政法委、法院、检察院、公安局、司法局主要负责人）联合信访接待日制度，每月接待2次，接待日所受理信访案件工作纳入综合治理目标管理考核；2004年2月，开展集中处理涉法上访问题专项治理，全市共排查出新老涉法上访案件66件，办结51件，结案率77%。2005年5月，市委政法委在全市政法部门开展规范执法行为，促进执法公正专项整改行动，集中整改人民群众反映强烈的突出问题，全面清查和集中办理全市涉法涉诉上访案件，对涉法涉诉案实行一案一策，逐一处理。2006年，开展对涉法涉诉非正常上访集中整治，通过落实副县级领导包案和稳控责任人，8件主要涉法涉诉信访件办结率达到100%，息诉罢访率100%。出台《政法部门联合接访工作意见》。建立完善案件通报，领导接访包案、责任查究、公开处理、案件回访等机制。2006—2008年，排查处理涉法涉诉案件100余件。2007—2008年，办结中央及省委主要领导交办的7起涉法涉诉案。2008年，市委《关于健全领导干部维稳控访“一岗双责”责任制》通知下达后，《领导干部离岗息诉包案制度》和《全国、全省重大政治活动及重大节日期间群众进京赴省上访责任追究实施细则》相继出台。是年，建立和完善以市信访局为依托的信访投诉受理暨矛盾纠纷调处中心，实行4套班子领导开门大接访，共接待来访105批，665人（次），对56件信访件进行督办，23件办结，33件协调办理稳控。确保全国“两会”“奥运”期间社会稳定。

县委县政府表彰综治工作先进单位

综治工作责任制 1991年，贵溪县推行“治安承包责任制”，把社会治安综合治理任务以“责任状”形式落实到全县各乡（镇）、县直各单位和驻县单位，共同维护社会治安秩序。1992年，县委、县政府制定《政法、综治工作意见》，明确各级党政一把手为本乡（镇）、单位、部门综治第一责任人，分管领导为主要责任人综治领导机制。全市推行社会治安综合治理目标管理责任制，按“条块结合、以块为主”原则划分乡（镇）、市直、驻市单位3个动态责任区。2008年，全市签订综治责任状乡（镇、街办）21个，市直单位114个，驻市单位16个。2002年，综治目标管理责任制进一步推行量化标准，计分考核。在完善综治例会制度、通报制度、五部委联席会议制度、要情报告制度、大案责任追究制和错案追究制度基础上，逐级建立党政主要领导、分管领导综治政绩档案，实行领导干部综治工作述职制度和单位挂点帮扶制度、综治成员履行职责情况报告制度，把保一方平安实绩列入干部考核内容，实行一票否决制。2006年，根据鹰潭市统一部署，全市乡（镇、街道）实行综治目标管理和综治绩效评估考核制。据统计，1991—2008年，全市（县）被评为省级综治先进单位6个，鹰潭市级综治先进单位99个，省级先进个人5人（次）。同时2005和2007年，贵溪市综治工作被省一票否决，2007年，市教育局、2008年市委招待所综治工作被鹰潭市一票否决。

1991—2008 年全市综治工作先进单位、先进个人一览

表 15－7

年份	获省先进单位	获鹰潭市先进单位	获省先进个人
1991		滨江乡、古港乡、双圳乡、上清镇、上清林场、县检察院、综治办、县委宣传部、文化局、水电局、卫生局、贵溪火力发电厂、二六五大队、贵溪化肥厂、公安局交通警察大队	
1992	贵溪县、贵溪火力发电厂	综治办、经济委员会、乡镇企业管理局、检察院、商业局、四中、工行江铜办、滨江乡、泗沥乡、上清林场、双圳乡、冷水乡、雄石镇	李开志、胡银凤
1993	贵溪火力发电厂、双圳乡、冷水镇	彭湾乡、盛源乡、硬石岭乡、法院、财政局、公安局、贵溪火力发电厂、首钢四建总公司、贵溪铁路桥梁厂	江建、倪水旺
1994		东门办、雄石办、金屯镇、樟坪乡、财政局、一中、人劳局、江铜公司	
1995		贵溪发电厂、中国第四冶金建设公司、司法局、中国银行贵溪支行、上清林场、硬石岭乡、彭湾乡、双圳乡、贵溪县公安局上清公安分局、贵溪县	
1997		贵溪市、市经贸委、工行、乡企局、流口镇、冷水镇、金屯镇	
1998		河潭垦殖场、冷水镇、白田乡、滨江乡柏里村委会、一中、贵溪火力发电厂、检察院、江铜公司职工中专、中保财产保险有限公司贵溪支公司	
1999		贵溪火力发电厂、水利局、国税局、商业局、冷水镇、河潭垦殖场、国营贵溪市双圳采育林场、贵溪市雄石镇北街居委会	
2000	余家乡	滨江乡、余家乡、双圳林场、水利局、塘湾镇塘湾村委会、商业局、第一中学、江铜材料设备公司	张洪波
2001		滨江乡、余家乡、冷水采育林场、东门办事处烧箕山居委会、国税局、法院、总工会、江西省贵溪火力发电厂、检察院、司法局	
2002		江铜材料设备公司、检察院、国税局、一中、双圳林场、滨江乡、余家乡、滨江乡柏里村委会	
2003		教育局、东门街道办事处、流口镇、滨江乡、樟坪乡、中国人民银行贵溪支行、江铜材料设备公司、法院、鹰潭奥科现代外语学校、检察院	
2005		财政局、二中、工商局、贵溪冶炼厂	
2006		滨江乡、樟坪乡、彭湾乡、流口镇、河潭镇、白田乡、冷水镇、检察院、教育局、水利局、工业园管委会、冷水林场、人行、贵溪化肥有限责任公司	
2007		一中、粮食局、林业局、地税局、文广局、法院、供电有限责任公司	
2008		流口镇、花园街道办事处、河潭镇、白田乡、志光镇、滨江乡、冷水镇、妇联、粮食局、耳口林场、国土局、地税局、建行、江铜材料设备处	

应急预案

1999 年，全市农村发生由人民内部矛盾引发的群众性治安事件 7 起，分别发生在罗河、雷溪、河潭、余家、鸿塘、白田 6 个乡(镇)，其中跨县有 4 起。2000 年 9 月，市委出台《关于预防和处置群体性事件的工作意见(贵字〔2000〕29 号)》文件，规定各级党政一把手为处理人民内部矛盾，预防和处置群体性事件，维护社会稳定第一责任人。对预防和处置群体性事件工作按部门职能进行分工，实行分级负责，归口调处原则，完善规范排查、例会报告、督查、奖惩等 5 项制度。9 月，四冶 200 余名离退休老工人、50 余名下岗女职工先后 4 次集结于建设路公安局路段静坐，堵塞交通，要求发放医疗费、生活费、遗属生活补助费、补发工资等。经多方做工作事态得以平息。同月 13 日，罗河镇太田陈家发生部分村民抗阻公安民警执行公务，打伤民警、砸坏警车，扣押民警为人质恶性暴力事件。至 12 月，全市共发生 24 起群体性治安事件和突发事件。2001 年 8 月，市委办制定《贵溪市维护社会处置突发事件工作预案(贵办字

〔2001〕81号)》,主要对预防和处置突发事件、群体性事件、事故、灾害事件;重大信访事件;重大节日、重要会议控访等界定,确立处置总原则和处置措施及具体工作要求。2002年2月,市委办制定《关于建立处置重大安全事故和群体性事件工作机制的意见(贵办发〔2002〕3号)》,确定工作目标,组织领导,提出处置重大安全事故、群体性事件主要措施。2002年9月19日,流口镇盛源黄家发生部分村民以学校网点调整,路远不方便为由,拒绝送子女上学的罢学事件。事发后,市综治委抽调公、检、法、司部门干警组成整治组进行10天整治,化解该起影响较大的罢学事件。2003年3月,市综治委制定《关于预防和处置农村纠纷械斗事件工作预案(贵综治〔2003〕4号)》《关于预防和处置群体性冲击堵塞铁(公)路、主要街道事件工作预案(贵综治〔2003〕4号)》,预案分别对工作目标、组织领导、工作范围、人员配置、情况处置进行设定,提出具体要求。9月,出台《关于预防和处置群众赴省进京上访工作预案(贵综治〔2003〕9号)》。主要是有效化解群众越级赴省进京上访问题,确保首都北京和省城南昌社会稳定。2004年8月19日,周坊镇杨家村委会杨家自然村和黄源自然村因宅基地纠纷发生村民斗殴突发事件,导致8人死亡(其中3人当场死亡,1人送往医院途中死亡,3人在医院抢救时死亡,1人一个月后医治无效在医院死亡)和较大经济损失,在社会上造成较大负面影响。受"8·19"事件影响,全市2004年综治工作被江西省、鹰潭市综治委一票否决,限期整改。后市委、市政府确定"摘帽、晋位、争先"整改目标,落实整改措施,翌年达标摘帽。2007年3月发生"3·21"事件。起因是3月13日《鹰潭日报》刊登"月湖区功能定位等相关政策"报道,贵溪市民反映强烈,情绪激动。3月20日市民自发印制、散发传单,传单内容加之网上发布有关煽动消息,误导大部分不明真相群众,导致3月21日上午许多市民纷纷涌上市中心转盘,举行万人签名活动,随后发生大批群众上320国道游行、到铁路静坐事件,使320国道、铁路受到严重阻塞,产生极大负面影响。当年,因"3·21"事件,市综治工作被江西省、鹰潭市综治委一票否决。通过全市上下共同努力,采取有效整改措施,年底摘帽。2007年"3·21"事件发生后,为妥善处置好"3·21"事件后续工作,维护全市稳定,针对不同重要时期、重要事件相应制定内部掌控(未对外)预防和处置突发事件以及群体性事件等预案20件。

维稳

社区维稳　1991年,贵溪县综治委实施治安防范"431"工程,推行乡(镇)长、村(居)委会主任、村(居)民小组长、家长"四长"负责制,开展创建"安全家庭""安全楼院""治安合格单位"三项创评活动,创建治安联防一条街。1995年,积极探索治安防控体系建设之路,集中人力、物力、财力,在社区形成人防、物防、技防结合和专群结合治安维稳管控网络。1996—1998年,先后在全县(市)开展治爆、收缴枪支弹药、民爆物品和管制刀具专项整治行动。1998年,收缴非法枪支531支,管制刀具133把,炸药150吨,雷管674枚,取缔非法生产爆竹作坊2家。1999年,全市建立城区、社区综治室、警务室18个。落实对社区重点人口和治安复杂场所管控,指导安置帮教刑释解教人员,做好预防青少年违法犯罪工作,开展矛盾纠纷排查调处、法制宣传教育和法律咨询服务。城区主要街道构建巡逻布控网络。2000年,以派出所民警为骨干,依托专职治安巡逻队和社区保安队在市区主要繁华街道、公共复杂场所实行24小时巡逻布控,并设立4个治安岗亭。当年3月,学校周边环境整治领导小组制定《贵溪市学校安全工作实施意见》,开展学校及周边治安环境整治,先后两次组织有关部门对全市中、小学开展"拉网式"安全检查。同时开展烟花爆竹生产经营、道路交通秩序、贵溪火车站地段和"打黄扫非"等专项整治。2002年元旦、春节期间,由综治委统一协调,以街道办为单位,组织辖区机关企事业单位干部职工1500人,联合编组,每晚安排2个组,由公安民警带队,进行夜间义务巡逻。2006年,市区三个街道办事处组织53个单位10000余名干部实行夜间义务巡逻。2007年,在城区保留专项治安巡防员基础上增加30名专职治安巡防员及4辆电动巡逻车,形成派出所包片、巡防队员控面、交警管点、巡警巡线,全天候、立体式"大巡防"格局,实行24小时值勤巡逻,做到白天见警车、晚上见警灯、群众见民警,提高街面见警率,切实增强对社会治安掌控。2006—2007年,完善"三网合一",总投资350万元,分别在市区建立由30个电子监控探头组成的电子视频监控网;市委、市政府出台《关于在新建住宅小区安装视频监控系统的实施办法》,对2008年新建住宅小区一律要求安装视频监控系统。

农村维稳　1994年,省综治委将贵溪县列入全省首批整治19个重点县之一,县委、县政府制定方案,对重点乡村治安混乱地区和治安问题突出区域进行集中整治。是年9月,对25个乡(镇、场)扎实开展集中整治农村治安斗争。组成23个工作组进驻乡(镇),落实以县六套班子领导分工包干整治责任制。要求开好一场群众教育大会,办好一个法制学习班,建好一个群防群治示范村。整治期间,破获各类刑事案55起,其中重特大案件12起,抓获各类犯罪分子196人,查处治安案件73起。先后整顿91个村级组织,召开群众法制教育大会25场,受教育群众达15万余人,政法机关依法处理各类违法人员149人,举办轻微违法人员学习班19期,参加人数563名。举办法制学习班做法,当时得到鹰潭市综治委充分肯定并作为经验推广。2000年,省综治委将贵溪列入全省社会治安集中整治重点县(市),3月—11月先后分两批对余家、罗河、鸿塘、雄石、滨江、泗沥、志光、河潭、雷溪9个重点乡(镇)进行整治。期间,破获各类刑事案件92起,摧毁犯罪团伙9个,抓获各类犯罪嫌疑人109人,查处治安案件130起,处罚各类违法人员161人。并有16名在逃人员投案自首。9个乡(镇)治安形势明显好转,各类违法犯罪案件大幅下降。2004年8月,开展矛盾纠纷排查调处和治安整治"百日行动"。排查矛盾纠纷45起(其中涉企纠纷22起),调处39起(含涉企业22起);开展铁路沿线治安整治行动,出动警力300余人(次),查处安全隐患24处,抓获各类违法人员60多人;开展净化校园周边环境整治,城区8所中小学校排查矛盾28起,取缔黑网吧5家;抓看守所周边治安整治,确保监所安全。2007—2008年,开展农村混乱地区排查整治,全市抽调61名干部,分成17个工作组,由副县级领导担任组长,率组进村驻点整治,破获刑事案件7起,刑拘6人,调处民事纠纷21起,10个存在问题的农村基层组织得到有效整顿。2008年7月,市委、市政府出台《实行排查整治农村治安混乱地区和突出治安问题工作机制》,对治安混乱地区界定、排查整治要求、责任追究方法逐一作出明确规定。

驻市企业维稳　1991年,全县政法部门注重加强驻市企业维稳工作。1993年,在滨江工业园区及周边地区进行专项整治4次,破获各类盗窃工业原材料案74起,摧毁犯罪团伙9个,抓获犯罪嫌疑人105人,为企业挽回经济损失3万余元。1994年,先后开展对滨江工业园及周边地区治安重点整治,在320国道开展"清路障、纠违章、防事故、保畅通"交通秩序重点整治和除"六害"专项重点治理,遏制社会丑恶现象蔓延。交通秩序重点整治工作获全省"320国道秩序整治优胜单位"。1995年,开展对滨江工业区整治"回头看"活动,重点是巩固整治成果,加强废旧收购站点及重点行业整治。1997年,对滨江工业区盗窃国有资产犯罪活动进行打击,破获刑事案件2起,调处企业与地方纠纷2起,取缔17家废旧金属收购站;对学校及周边环境治安整治,取缔校门口半径200米之内电子游戏厅3个。1998年,集中力量对余家乡等一些治安秩序混乱、综治工作不力地区进行"滚动式"重点整治。深化和巩固滨江工业区及周边治安秩序整治成果。1999年,省综治委将贵溪冶炼厂及周边地区列为全省4个重点整治地区之一。市委、市政府成立整治领导小组和派出6个专门整治组进驻贵溪冶炼厂。整治期间,破获刑事案件8起,查处治安案件22起。犯罪嫌疑人江冬员自建厂以来结伙作案7次,盗窃"冰铜"70余吨,价值50余万元,被一举抓获。2001—2003年,对驻市贵冶、贵电、贵化企业及周边环境进行为期3个月整治。2006—2008年,围绕建设"世界铜都",服务驻市大企业,先后3次对贵冶周边治安环境进行整治。整治期间,抓获违法犯罪嫌疑人250余人,摧毁犯罪团伙11个,破获刑事案件72件,刑拘89人,逮捕35人,缴获铜材料等财物折合人民币78万余元。

维稳措施　1991—1992年,开展以破大案、打团伙、追逃犯、反内盗为主"严打"斗争统一行动。至1994年年底,先后7次开展反盗窃及多次围歼车匪路霸斗争,一批重大盗窃犯罪分子及车匪路霸落入法网。1993年5月－9月,开展追逃统一行动,全市共追捕各类逃犯107名,占在册逃犯的81.4%。1995年,根据上级总体部署,有重点、有组织开展春、夏两季"严打"和"打现行、反抢劫、追逃犯、破大案"专项斗争,破获各类刑事案件302起,摧毁各类犯罪团伙28个,抓获各类犯罪分子398人,查处经济案件16起。1996年4月－6月,在全市开展以追逃为重点城乡社会治安集中整治总体战,对当年涉及全市20多个乡(镇)136名在册逃犯,集中优势警力,实施统一追捕,共抓获各类逃犯124名,缉捕8名潜逃多年的杀人嫌疑犯。通过"追逃"带破一批积案。1997年,继续开展春季严打,全市破各类刑事案件284件,摧毁各类团伙犯罪14起46人,立经济案件12件13人,其中大案7件7人。1998—1999年,市政法委、综治委组织"打现行、破大案、挖团伙、追逃犯"和打击流氓团伙、盗窃犯罪、查禁赌博专项斗争。全市破获各类刑案747起,破重特大案110起,摧毁各类犯罪团伙44个154人,追捕逃犯127人;立经济案件12件12人,批捕226起356人。2000年,全市开展春季"打流反盗"专项严打斗争,全市破获刑案517起,其中杀人案10起,如"1·1"四建公司宿舍凶杀案、"4·10"流口投毒杀人案、"6·21"烧箕山凶杀案。破获抢劫案44起,盗窃案182起,刑拘373人,批捕162人。开展"打拐禁毒"专项整治,破获拐卖案5起,摧毁犯罪团伙3个,抓获犯罪嫌疑人29名,解救被拐妇女48名,被拐儿童20名。2001年3月至2003年3月,根据中央、省统一部署,结合贵溪治安实际,在全市范围内组织开展打击黑恶势力犯罪、暴力犯罪、多发性侵财犯罪、经济犯罪和缉枪治爆、打流追逃、扫除黄赌毒等一系列专项斗争。摧毁一批严重危害社会的黑恶势力犯罪团伙,先后打掉公安部审核认定的黑社会性质犯罪组织2个,公安部门审核认定黑恶势力犯罪团伙41个,抓获黑恶势力集团成员312名。破获各类刑事案件2038件,其中破获杀人案23件(含年前杀人案5起),盗窃案715件;治爆缉枪行动收缴各类枪支298支,子弹1374发,破涉枪爆案22起,打掉非法制枪窝点4个;查处经济案件19件51人。抓获各类逃犯216名(含投案自首39名)。2004—2006年,持续深入开展"严打"斗争,全市立案1352起,破825起,与2003年同期立1447起相比,发案率下降7%。2006年立刑事案件1034件,与2005年同期相比,绝对数下降24件,下降2.3%,破案823起,与上年同期相比,破案绝对数上升1.2%;查处各类职务犯罪案件9件10人。2007—2008年,组织开展以"六大战役"为重点严打斗争。严厉打击涉黑涉恶团伙犯罪、"两抢一盗"等各类犯罪活动和追捕逃犯。破获刑事案件2279起,其中命案9起,抓获逃犯172人。

维稳队伍　群防群治队伍。全市建立城乡治安巡防队29支261人,看楼护院队员240人,治安信息员202人,治安志愿者308人,综治特派员30人。

2003年,全市组建6支治安防范队伍,公安局组建一支50人专职治安巡防队伍,80人社区保安队伍和40人治安信息员队伍;综治委选任22名综治特派员(维稳信息督查员);组织44名法律工作者入驻6个安全社区;团市委组织建立62名治安志愿者队伍;民政局组建122名看楼护院队伍;6支队伍按照"封住边、按住线、守住点、管住块、护住院、看住门"要求各司其职。2006年,全市共成立180多支校园群防群治队伍和50多支看楼护院队伍。

维稳信息督查员队伍。2003年7月,组建全市维护稳定信息督查员队伍。信息督查员从乡(镇、街道)科级后备干部中选拔,由市委政法委直接管理,经过培训后上岗,异地交流,分别派驻到各乡(镇、街道)、市直有关单位。主要职责是收集报送各地社会稳定信息。维稳信息督查员列席所派驻乡(镇、街道)、单位党政班子会议,享受副科级干部待遇和综治干部岗位津贴。对表现突出的予以提拔重用,至2008年共选调4批36名,期间提拔重用16人。据统计,组建这支队伍以来,维稳信息员报送信息22100余条,督促化解矛盾纠纷1200余起,消除安全隐患近400次。

综治

基层和谐平安创建活动　1991—1996年,开展创建"安全楼院""安居工程"活动,在全市综治责任单位,落实防范员8000人,当年安全楼院率达到90%。1997年,市委制定《开展基层创安工作意见(贵发〔1997〕10号)》《贵溪市1997—1999年创建安全文明小区,法制文明村(镇)方案(〔1997〕65号)》,全市大力开展文明小区、法制文明村(镇)创建活动。1997年6月,市综治委抓烧箕山居民生活小区、贵毛生活小区、四建生活小区"三个文明"小区创建和滨江、流口两个法制文明乡(镇)示范点建设。各乡(镇)抓所辖村级法制文明村试点,试点中与"五比、五竞争十星竞赛活动"相结合,当年全市农村90%家庭达到"法纪星"。1998年,全市创安全文明小区25个,法制文明村、镇74个,覆盖率达20%,验收命名为安全文明小区25个,法制文明村、镇65个。贵溪发电厂、流口镇、滨江乡柏里村获省综治委首批命名的安全文明小区、法制文明镇、村。1999年,在6个街道居委会105个单位共创建安全文明小区42个,近5万居民群众参加小区创建活动。在乡(镇)开展共创安全文明村95个,当年全部验收命名,其中5个文明小区、文明村、镇被鹰潭市命名。2000—2001年,市综治委在罗河、金家、鸿塘、雄石、滨江、泗沥、志光、河潭、雷溪9个重点整治乡(镇)开展创治安合格村、户活动。至2001年,全市命名"安全文明小区"59个、"安全文明村、镇"161个,人口覆盖率达80.5%。滨江乡、北街小区被省综治委命名安全乡(镇)、安全小区。2002年,开展"创安"回头看,对一些发案数较多,人防、技防、物防不够落实,不符合命名标准的小区、村取消命名，共有17个小区、56个村被取消命名。同时，在全市实施创安“3155”工程即新创3个小区、1个边际地区安全走廊、5个安全楼院、5个安全村。2005年，建立基层“创安”新机制，全面开展和谐平安贵溪创建活动。市委、市政府出台《关于切实维护社会稳定，建设和谐平安贵溪的实施意见(贵发〔2005〕13号)》，决定用3年时间(2005年夯实基础、2006年规模创建、2007年达标升级)，分三个步骤实施。2006—2008年，以创建“和谐平安贵溪”为载体，在全市开展以“十创建”为主要内容的和谐平安创建活动。至2007年，全市评出先进和谐平安家庭1000户、和谐平安村(社区)20个、和谐平安乡(镇、街道)12个、和谐平安单位10个，和谐平安企业10个、和谐平安学校10所、和谐平安文化市场2个、和谐平安医院2个、和谐平安国(铁)道线2条、和谐平安边界2个。2008年，综治委评为全省平安县(市)，被鹰潭市委、市政府授予社会治安综合治理先进县(市)。

基层基础建设　1993年，鉴于换届选举，人事变动较大，调整各乡(镇)、县直责任单位调整和完善综治领导机构和办事机构，对村级治保、调解组织进行整顿。1994—1996年，开展“基层组织建设年”活动。市综治委出台《关于选配村级专抓综合治理的治保调解主任试点方案(贵综治委〔1994〕14号)》，着重抓全县49个村治保整治、调解主任选配试点工作。结合村级班子整顿，对一些重点村增配专抓综治工作副职。1997年，全市乡(镇)村(居)委会成立综治领导小组，支部书记任组长，每村配备治安信息员，形成市、乡、村、组四级综治组织网络。在乡(镇)成立人民调解工作指导中心，在村(居)委、厂矿企业设立调委会，村小组(车间、班组)设立调解小组，形成乡、村、组三级调解网。1998—1999年，抓综治基层组织建设，进一步夯实综治、调解、治保3个基层组织，形成网络化。全市有一级综治责任单位、乡(镇)134个，二级综治领导小组(村)、下属单位500余个，各类综治人员2000余名，23个乡(镇)均有调解中心。2000年，全市在各乡(镇)村、组和外出打工人员中普遍建立治安队伍，共有治安信息员1500余名。2002—2003年，稳定综治队伍，加强村级组织建设，调整充实调委会、治保会，市委明确规定村(居)委会党支部书记担任调委会主任，村(居)委会主任担任治保主任。

宣传　1992年3月，贵溪县综治委集中开展以纪念全国人大常委会《关于加强社会治安综合治理的决定》颁布一周年为主题宣传活动，购发《江西省社会治安综合治理条例》近10万册，印发各类宣传材料12.7万份。1993年，县综治委(办)先后2次组织大型宣传活动，出动宣传车231辆(次)，联合宣传部等6家举办由副科级以上干部和部分职工群众参加的《江西省社会治安综合治理一票否决实施办法》知识考试，参考人数2705人。在各级报刊刊登综治文章246篇，撰写各类稿件617篇。确定每年3月为综治宣传月。1994年3月，以《决定》颁布3周年为契机，在全县范围开展综治宣传活动月。全县印发《贵溪县社会治安综合治理公约》3.5万份，张贴到村(居)民家中，当年群众扭送违法犯罪人员21人(次)，为公安机关提供破案线索52条。1996年，《决定》颁布5周年，综治委专门制作50盒宣传录音带，组织责任单位安排宣传车下乡(镇)、上街道宣传，组织近千名副科级以上干部进行综治知识考试。2001年，市委政法委牵头，公、检、法、司机关合作，筹集4万元资金，在贵溪有线电视开播《政法动态》专题节目。2002年，市综治委(办)出动宣传车50余辆深入街头巷尾、田间地头进行综治宣传，悬挂横幅200多条，张贴各类标语、通告7000余份。2003年，征订发行《长安》《公安之路》刊物和江西省见义勇为明信片1.6万份，法制宣传单10万份，各种宣传材料16万余份。在贵溪有线电视台开辟《法制时空》栏目。2008年3—4月，市委政法委、综治委先后出台《贵溪市社会治安综合治理宣传月活动实施意见》和《进一步加强和改进全市政法综治维稳宣传工作意见》，市综治委印发《共创平安贵溪共建美好家园》公开信万余份，市委政法委与文广局联合贵溪有线电视台开设《平安贵溪》专栏，每两周播出一期，当年制作18期，市综治办还开设政法综治网站。

铁路护路联防　2003年，成立贵溪市铁路护路联防工作领导小组，挂靠市综治办。铁路沿线11个乡(镇、街道)成立相应办事机构，开展工作。2004年，健全规范路地联系制度，与铁路沿线11个乡(镇、街办)5华里以内的31个村委会及中小学签订铁路联防责任书。2005年，对铁路重点区段进行重点整治，铁路沿线乡(镇、街办)村民耕牛实施“牛鼻子”工程。整治期间，破获刑事案件35件(其中协外破案23件)，查破治安案件90件，治安处罚72人，发放“牛鼻子”760个，牛绳3600米，杜绝耕牛挡道事故。2005年4月，在铁路沿线11个乡(镇、街办)36个村物色一批素质高、责任心强的村、组党员干部组建

36支145人铁路护路联防工作应急队伍。市铁路护路办明确各应急小分队职责,即:协助护路联防队员对铁路沿线村群众进行爱路护路教育;利用家住铁路优势,经常关注瞭望铁路线路和列车运行状况;发生耕牛挡道、路外伤亡等事故造成列车停车后或接到铁路派出所指挥调度后,在5分钟赶赴现场开展抢险处理;协助铁路沿线其他村庄应急小分队开展抢险工作;参与铁路抢险救灾,协助路地公安机关做一些力所能及工作。8月,开展铁路沿线废旧金属收购站(点)专项整治,排查出43家收购站(点)。对43家废旧金属收购站(点)普遍进行一次守法经营教育,签订守法经营责任书;对铁路沿线18家收购站(点),按照分类整治原则,重点清理。对一家无证照收购站(点),依法予以取缔;对2家非法收购站(点)依法打击处理。

2006年以来,开展创建和谐平安铁路沿线示范村、社区活动,铁路沿线创建"党员护路责任岗",加强铁路护路义务。铁路沿线11个乡(镇)成立36支义务护路联防队和义务护路信息员400余人,设立党员示范岗180个。中共十六大、十七大会议期间,加强重点时期护路联防,先后组织4418名民兵,80余名干警,520余名铁路职工,对境内重点隧道、桥梁、站场和8.28千米铁路实行"三班制"24小时守护值勤,确保铁路畅通。至2008年底,连续6年未发生有影响的重大涉铁刑事案件和群体性事件。

基层综治办规范化建设　1991年,全县开展基层综治办规范化建设,层层签订责任状。规定各乡(镇)、市直各单位、各驻县综治责任单位综治办要有办公场所、有牌子、有印章。将综治办规范化建设纳入正规化管理之中。2003年始,有组织、有计划、有步骤实施综治办规范化建设三年规划。市、乡综治办建立健全重大事项报告、治安形势分析、矛盾纠纷排查调处工作例会、通报批评和检查督办等制度,统一资料台账内容、形式和操作要求,并将资料台账纳入计算机管理,改善综治办工作条件。市综治办配备工作用车,基本上实现办公自动化,乡(镇、街道)解决办公用房1~2间,90%乡(镇、街道)综治办配备电脑。按照省综治委3年规划标准,2005年市、乡(镇、街道)综治办已100%达标。综治办规范建设有效促进乡(镇、街道)综治办在组织机构、办事效率、管理制度、资料台账、经费保障和工作业绩6个方面上新台阶。市政府自2006年开始,给每个乡(镇)投入20万元建立乡(镇、街道)和谐平安联动服务中心,逐步完善配套设施。至2008年,全市21个乡(镇、街道)全面完成和谐平安服务中心建设,电话号码最后三位数统一为"110",乡(镇、街道)和谐平安联动服务中心大楼面积均为400平方米以上。

矛盾纠纷排查调处

1991年,重点加强民事纠纷调解和宗族械斗超前防范工作,全县共调处各类民间纠纷1593起,7起显现械斗苗头事件提前得到扼制。防止民事案件转为刑事案件47件,涉及61人。1994年,根据集中整治农村治安斗争总体部署,在乡村开展"无械斗年"活动,各乡(镇)加强民事纠纷调解和宗族械斗提前防范。12月,进行集中排查,集中调处。全县共调处各种纠纷1419起,无民转刑案件和群众闹事事件发生。

1995年,根据鹰潭市统一部署,加强权属纠纷及民事纠纷排查调处。抽调30名干部组织三个工作组深入乡(镇)、村,按"三定一包"(定人员、定责任、定时间、包调处)要求,落实土地、水利、林业、调纠办等有关业务主管部门责任制,及时调处各类重大权属纠纷。全县权属纠纷68起,调处率100%,调处各类民事纠纷98起。1996年,在巩固往年调处山林、水利、土地等资源权属纠纷基础上,落实"小纠纷不出村、大纠纷不出乡(镇)"责任制,坚持"定期排查、主动疏导、超前理顺、妥善处理"方针,对新发和历史遗留疑难纠纷进行依法调处,全市共调处纠纷1175件,其中耳口乡与资溪县高埠林场长达33年,且多次惊动江西省、鹰潭市领导的"九龙窠"40公顷山林纠纷圆满画上句号。1997年,积极妥善处理各类纠纷,防止人民内部矛盾激化。发挥基层调解组织作用,依法、及时、公正地化解各类民间纠纷1732起,成功调解1678件,调处率96.82%。公安机关处理各类民事纠纷343起。1998年,基层派出所、各乡(镇)对山林、水利、土地权属纠纷案件进行排查,排查出的76起矛盾纠纷妥善处理完毕。1999年5月,在全市开展排查调处民间纠纷专项活动,全力化解各类纠纷矛盾。通过市、乡两级党政组织艰苦工作,平息7起较大群体性事件,杜绝群众性纠纷械斗。2000年,市委、市政府制定《关于预防和处置群体性事件的工作意见(贵字〔2000〕129号)》,要求对不安定因素和影响稳定隐患进行"滚动式"排查,先后妥善处置志光与塔桥姓氏续谱纠纷,金沙山背村与同村村民建房引发纠纷,河潭九夏村两村小组抗旱争水纠纷以及与滨江乡争路纠纷。2001—2002年,全市矛盾纠纷排查调处步入正轨,建立排查调处机制。市直每半个月、乡(镇、街道)每周定期排查一次矛盾纠纷。逐级实行月报、季度分析、要情报告、“零报告”、抄告回执、督查考核、协调会议7项制度。全市排查各类群体性矛盾纠纷284起,多起群体性突发事件得到及时解决。如“4·5”泗沥东洪徐家与金沙婆桥童家因争梨温高速公路碱砂销售权发生群体事件以及志光镇石鼓渡山权权属纠纷,雷溪、塘湾两乡(镇)争土地权属纠纷事件都得到平息。2003年,开展以农民负担、资源权属争议、重点工程建设、企业产权制度改革、下岗工人再就业与贫困居民生活保障、拆迁、征地、经济补偿等问题定期大排查。全市排查出类似矛盾纠纷51起,调处解决26起。当年,全市调处各类民间纠纷1158起,成功率达96%。2004年,市委政法委组织全市15家大中型企业、驻市企业,开展矛盾纠纷和治安问题排查,共排出企业及周边地区矛盾纠纷和治安问题22起。2005年,市委、市政府分别印发《贵溪市全面深入开展矛盾纠纷排查化解工作方案》和《关于进一步健全矛盾纠纷排查调处工作机制的意见》,对矛盾纠纷界定、调处重点、原则、程序和激励机制、责任追究都作出明确规定。2006年,市政法委出台《关于进一步健全矛盾纠纷排查调处工作机制的实施意见》,全市21个乡(镇、街道)建立和谐平安联动服务中心,设立矛盾纠纷排查调处大厅,统一制定矛盾纠纷排查调处流程图。按一周一排查,半月一汇总,一月二例会,一季一考核要求,对矛盾纠纷实行每周滚动排查,排查矛盾纠纷208起,成功调处204起。2007—2008年,注重“急、大、难”矛盾纠纷排查调处,建立“三调联动”格局,实行一案一策,挂牌督办,全力予以化解。全市排查“急、大、难”矛盾纠纷48起,调处解决21起,稳控27起,排查其他矛盾纠纷153起,调处化解矛盾145起。

周边地区联防协作

1991年,贵溪县综治委(办)组织边界乡(镇)开展创建平安边界活动。2007年8月,市综治办、市维稳办、民宗局、公安局、民政局、司法局、国土局、水利局、林业局9单位联合制订《关于开展平安边界建设的实施意见》,制定目标任务,明确各部门职责。地处边界乡(镇)从与邻县边界乡(镇)和谐相处入手,采取“六联”(感情联谊、矛盾联调、治安联防、乱点联治、犯罪联打、平安联创措施),与邻县接壤乡(镇)建立健全开展情报信息互通有无、矛盾纠纷联动联调、边界联防机制。樟坪乡与福建省光泽县寨里乡建立和谐平安联防队;河潭镇、流口镇与弋阳县边际乡镇签订边际互助公约,鸿塘镇与余江县、月湖区边际乡镇签订边际互助公约。

第九节　信访工作

工作机构

1991年,设立县信访办公室,归口县委办公室,机构规格不变。1996年,贵溪撤县改市,县信访办更名为市信访办。2002年,机构改革,贵溪市信访办更名为贵溪市委市政府信访局,增挂市政府信访局牌子,归口市委办公室管理。2004年建立处理突出信访问题及群体性事件联席会议制度,下设6个专项工作小组(农村土地征用问题工作小组、城镇房屋拆迁问题工作小组、国有企业改制问题工作小组、涉法涉诉问题工作小组、军转干部问题工作小组和赴京赴省劝返工作小组)。2006年9月,建立市信访联合接待中心,与市信访局合署办公。

处理原则

全市信访工作实行“属地管理、分级负责,谁主管、谁负责,依法、及时、就地解决问题与疏导教育相结合”的原则,信访部门对人民群众来信来访来电及网上信访事件及时予以受理、交办、转送、协调、督办、查办。

制度

党政领导信访接待日制度。1993年7月,建立党政领导信访接待日制度,规定每月逢十的日子由市委、市政府领导轮流接待群众来访。2000年,将每月逢十接待日改为每月逢五接待日;2003年2月,改为每星期二接待,并实行律师参与接访制度。2006年9月,在信访局内建立市信访联合接待中心,与信访局合署办公。市委常委、政法委书记担任接待中心主任,市政府分管信访工作的副市长任接待中心副主任，信访局长任接待中心办公室主任。工作人员从各乡镇、街办、市直有关单位优秀后备干部中抽调，经费按抽调干部每人每年1万元的标准划拨，并列入同级财政预算。2008年5月26日，贵溪市在全省率先开展市委书记开门大接访活动，大接访活动取得明显成效，受到中央督导组、省委督导组高度评价和充分肯定，《鹰潭日报》《江西日报》、江西政法网和人民网对贵溪市的做法还进行刊登报道，并评为2008年全省"县（市、区）领导大接访先进集体"。

领导包案制度　自实行领导接待日制度以来，相应设立领导包案制度。按照"谁主管、谁负责"的原则予以分包。包案领导必然做到"四定五包"，即定下访包案领导、定工作任务、定处理责任单位和承办人、定办结时间，包调查、包处理、包做思想疏导工作、包信访稳定。

信息报告和预警制度　2005年起，贵溪市建立矛盾纠纷排查调解工作信息报告制度和预警制度，每月以《来访情况警示排位通报》的方式对来市访情况进行排位通报，位列前三位的责任单位为警示单位。

驻京控访制度　2007年，由鹰潭市信访局带队，统一建立驻京劝返小组，对赴京上访人员拦截劝返。贵溪市、月湖区、余江县、龙虎山景区4个县（市、区）轮流驻京控访，每个县区在京3个月。2008年，开始县（市、区）信访局加大控访力度，驻京时间由每年3个月延长为全年。该制度的实施花费大量的人力、物力、财力，也取得较好的成效，2007—2008年，在全国"两会"、中共十七大、奥运会等重要活动期间，贵溪市赴京非正常访为"零"。

责任追究制度　在健全信访接待、包案等工作机制的同时，市对信访工作责任追究予以加强和规范。2002年，下发《贵溪市信访工作领导责任追究制（试行）》；2004年开始，信访工作纳入全市综治工作一并考评，占综治工作考评7分。2008年，信访工作纳入"三个文明"建设予以表彰。2007年，下发《全国、全省重大政治活动及重大节日期间群众赴京赴省上访责任追究实施细则》。2007—2008年，在重大节日和庆典活动期间，依照情节严重程度，贵溪市对因工作不力在此期间出现非正常赴京访的责任单位和责任单位主要领导及分管领导进行通报、诫勉谈话等行政处理。

1991—2008年市来信来访一览

表15－8

年份	来信来访总数	来信	来访	集体访
1991	910	175	735	8批220人次
1992	852	141	711	9批220人次
1993	1311	163	1148	22批369人次
1994	973	152	821	13批239人次
1995	981	138	843	27批273人次
1996	861	329	537	20批405人次
1997	371	169	202	10批120人次
1998	702	195	507	17批397人次
1999	1012	159	853	29批631人次
2000	591	112	479	18批368人次
2001	1160	157	1023	42批786人次
2002	1135	226	909	20批521人次
2003	884	89	795	25批569人次
2004	845	91	754	22批429人次
2005	1658	81	1577	32批1134人次
2006	1845	103	1742	79批1104人次
2007	2513	87	2426	83批1941人次
2008	3123	97	3026	87批2021人次

第十节 党校教育

工作机构

1995年,县委党校实行校委会负责制,校长由县委副书记兼任,常务副校长主持日常工作,级别正科级。1996年,贵溪撤县设市,原中共贵溪县委党校改为中共贵溪市委党校。2003年,党校经市编委批准,内设4个股(室)和6个教研辅助机构。1999年,党校大院由市政府组织拍卖开发,党校从沿河路搬迁到站前路,租用老商业局办公楼办公。2007年,经江西省委组织部批准,党校为参照公务员管理的事业单位。

干部培训

1991—2008年,是党校干部教育飞速发展时期,干部培训从村干部培训至乡(局)干部,培训30期,函授学历教育32期。培训对象有科级干部、后备干部、村干部、各单位理论宣传骨干等。培训内容包括马克思主义基础理论、邓小平理论、"三个代表"重要思想、科学发展观、党章、法律、中共十四大、十五大、十六大、十七大以来的重要文件、公务员条例、国际国内形势、中央党校编纂的"三基本、五当代"(即马列主义、毛泽东思想、邓小平理论基本问题,当代世界科技、军事、思潮、经济、政治)。

1992—2007年若干年市委党校培训干部一览

表15－10　　单位:期

年份	培训班	期数
1992	乡镇干部岗位培训班	2
	全县党史党建辅导员培训班	1
	村党支部书记培训班	2
	经济员资格考试培训班	1
	全县中共十四大文件理论辅导员培训班	1
	全县科级干部学习中共十四大文件读书班	2
1993	村级会计培训班	1
	全县学习建设有中国特色社会主义理论辅导员培训班	1
	村主任实用技术培训班	1
	全县科级干部学习建设有中国特色理论读书班	1
	青年干部培训班	1
1994	科级干部学习班	1
1996	科干、青干、村书记、主任培训班	6
1997	科干、青干、村干培训班	3
1999	村书记学习班	2
2000	科级干部培训班	3
2001	全市科级干部理论班(中共十六大学习培训班)	3
2003	全市科级干部"三个代表"教育培训班	4
2004	新提拔科级干部培训班	1
	青干培训班	1

续表 15－10

年份	培训班	期数
2005	青干培训班	1
2006	新提拔科级干部培训班	1
	科级干部理论班	1
	党外干部培训班	1
2007	中共十七大学习培训班	5

函授教育

1988—1995 年，中共中央党校函授学院江西分院在贵溪县委党校设立函授辅导站，开设党政管理和经济管理 2 个专业函授大专班，学制三年。招生考试由中央党校统一命题，择优录取。学员经学习、考试合格后，由中央党校函授学院颁发毕业证书，享受国民教育同等待遇。1996—2008 年起，由省委党校函授学院直接颁发毕业证书。2003 年起，开设学分制大专班，学制由原来三年缩短为一年半。2008 年，函授教育全面停办，党校函授教育终结。

1991—2008 年中共党校函授学院贵溪辅导站学员一览

表 15－11　　单位：人

类别	班次	录取人数	各学期注册人数						毕业人数
			一	二	三	四	五	六	
中共中央党校函授学院（三年制）	1991 级党政班	17	17	17	16	16	16	16	16
	1992 级经济班	34	35	35	32	32	32	32	32
	1993 级经济班	31	31	30	29	29	29	29	29
	1994 级经济班	59	57	59	59	59	59	59	59
	1995 级经济班	83	83	80	77	76	76	76	76
中共江西省委党校函授学院（三年制）	1996 级经济班	165	158	148	147	146	146	146	146
	1997 级经济班	106	106	92	86	85	85	85	85
	1998 级经济班	83	83	67	63	63	63	63	63
	1999 级经济班	151	91	85	80	78	78	78	78
	1999 级法律班		44	40	40	40	40	40	40
	2000 级经济班	232	138	126	120	115	115	115	115
	2000 级法律班		62	59	54	51	49	49	49
	2001 级经济班		71	54	51	51	50	50	50
中共江西省委党校函授学院（三年制）	2001 级法律班	159	70	58	53	52	53	53	53
	2002 级经济班		39	35	32	32	32	32	32
	2002 级法律班	115	58	52	50	50	50	50	50
中共江西省委党校 函授学院（一年制）	2003 级经济班	50	50	46	45	45	45	45	45
	2003 学分制法律班	31	31	30	30				30
	2003 学分制经济班	43	43	40	39				39
	2004 学分制经济班	28	28	27	26				25

续表 15－11

类别	班次	录取人数	各学期注册人数						毕业人数
			一	二	三	四	五	六	
中共江西省委党校 函授学院（一年制）	2004 学分制法律班	43	43	37	36				36
	2005 学分制经济班	38	38	35	34				34
	2005 学分制法律班	19	19	19	19				19
	2006 学分制春季经济班	29	29	29	29				29
	2006 学分制春季法律班	16	16	16	15				15
	2006 学分制秋季经济班	14	14	13	13				13
	2007 学分制春季经济班	16	16	14	14				14
	2008 学分制春季法律班	19	19	19	18				18

重要成果

1991—2008 年，党校函授教育毕业的学员中，先后有近 10 人担任副县（处）领导干部，有上百人担任科级领导干部和企业法人代表。党校在各类期刊、报纸杂志上发表论文 30 余篇，常务副校长翁龙仁撰写的《激活民间资本，发展鹰潭经济》一文被《中国当代经济论坛》杂志采用，《电子政府发展现状及对策刍议》一文被《中国科教博览》杂志采用，《对县域经济的几点思考》一文先后被《鹰潭通讯》和《中国县市发展战略》杂志采用；教师洪爱民撰写的论文《学习贯彻党章的三个基本问题》被《中国民意》杂志采用，教案《保持党的先进性，促进和谐社会建设》在中共江西省纪委、省委组织部、省委宣传部共同组织的第十一次全省基层党校优质课评选活动中被评为三等奖。此外该校教师还在《江西党建》《鹰潭日报》《贵溪报》《江西党校通讯》等报刊上发表文章多篇，通讯报道 20 余篇。

第十一节　老干部工作

工作机构

1983 年，县委组织部成立老干部办公室，1987 年，成立县委老干部局，为县委工作部门，负责全市离退休干部的管理工作。1996 年贵溪撤县设市，县委老干部局改称为市老干部局。市委老干部局有行政编制 7 名，事业编 2 名，下设行政办公室和活动中心。1995 年，成立贵溪县老年大学。

落实老干部待遇

2008 年，全市有老干部 2302 人，其中：离休干部 102 人，副县以上退休干部 75 人，副科以上退休干部 423 人，一般退休干部 1815 人。在离休干部中享受副地待遇的 1 人，正县待遇 9 人，副县待遇 31 人。有抗日战争时期参加革命的 4 人，解放战争时期参加革命的 61 人。

在政治待遇方面，从 2002 年起，每年都召开全市老干部工作大会、春节团拜会和九九重阳节形势报告会。会议由市委副书记主持会议，市长通报本市政治经济和社会情况，市委书记讲话，市四套班子主要领导和组织部长参加会议。市委、市政府重大举措、重要会议、重要干部推荐都邀请老干部参加，各单位有关会议和重大活动都要有本单位老干部参加。每年举办 1～2 次老干部培训班和离退休干部党支部书记读书班，并组织老干部参加城市建设和新农村建设情况视察。老干部局规定每月 10 日为一般离休干部学习日，20 日为副县级以上离退休干部学习日，每周五为老干部阅文日。从 2008 年起，每季度召开一次由市领导及相关部门主要领导参加的老干部学习讨论座谈会，请老干部就本市经济和社会发展情况提出建议和意见，由两办梳理建议和意见并督促相关部门落实和整改。在生活待遇方面，对老干部做到“三个必访”，即重大节日必访、干部生病住院必访、干部重大变故必访。2007 年以来，市财政每年拿出 12 万元资金，实现走访离退休老干部“六个全覆盖”，即红军遗孀走访全覆盖、抗日老干部全覆盖、离休干部全覆盖、生活困难老干部全覆盖、无固定收入离休干部遗孀全覆盖和从县级岗位退下来的老干部全覆盖，并做到走访标准逐年提高，每年走访、看望、慰问老干部500余人次，给老干部送去党和政府的关怀和温暖。2002年，市下发贵办字〔2002〕108号《关于贵溪市离休干部离休费、医药费保障机制和财政支持机制方案》，确保全市离休干部离休费按时足额发放，医药费按规定实报实销，每年为离休干部进行一次健康体检。

发挥老干部作用

2005年以来，在离退休干部党支部和离退休干部党员中开展"争创红旗支部，永葆党员本色"活动，全市45个离退休干部党支部1185名离退休干部党员积极参与，涌现了许多鲜活的典型和感人事迹。离休干部张捷被中央组织部评为全国老干部先进个人，市农业局等8个离退休干部党支部和4名离退休干部党员受到鹰潭市委组织部和鹰潭市委老干部局的表彰。2008年5月，市委老干部局下发《关于在全市老干部中开展"我为科学发展建言献策"活动的通知》，征求老干部意见和建议64条，建言献策12条，动员和组织全市离退休干部为构建和谐平安贵溪，实现贵溪超常发展，贡献聪明才智。

老干部活动

1987年，新建贵溪县老干部活动中心，占地面积2000平方米，建筑面积1700平方米，活动中心设麻将室、乒乓球室、健身室等10多个活动室。1989年，建2个老年龄门球场。2008年，投资近100万元，建一个老年风雨门球场。活动中心组织老干部开展扑克、钓鱼等10多种健康有益的活动。组织老干部比赛活动23次，组织老干部到兄弟县区参加比赛2次，组织老干部参加健康知识讲座30余次。在"元宵节"和"重阳节"，组织大型的老干部游园活动，元旦期间，组织一次社会各界人士关爱老干部门球比赛活动。

第十二节　机关工委工作

工作机构

1980年，成立贵溪县直属机关委员会。1996年贵溪撤县建市，即更名为贵溪市直属机关工作委员会。根据1996年"三定"方案，机关工委定人员6名：书记1名、副书记兼纪委书记1名、人武部长1名、干事3名；定机构3个：直属机关党工委、纪工委、人武部。根据市委贵发〔2002〕19号文件通知，市直属机关工作委员会与市委组织部合署办公。根据贵办字〔2003〕44号文件通知，工委定行政编制4名，设书记1名、副书记2名、股级干部1名。

党组织及党员

1991年，机关工委下辖总支19个，支部131个，党员1564名。2008年，工委下辖总支16个，支部116个，党员1640名。

1991—2008年市（县）直机关工委下辖党组织及党员一览

表15－12

年份	总支数（个）	支部数（个）	党员数（人）
1991	19	131	1564
1992	19	133	1647
1993	18	124	1308
1994	16	113	1272
1995	18	124	1359
1996	17	130	1410
1997	17	133	1510

续表 15－12

年份	总支数(个)	支部数(个)	党员数(人)
1998	17	117	1369
1999	14	119	1438
2000	14	115	1509
2001	14	109	1533
2002	14	109	1556
2003	14	110	1548
2004	15	110	1535
2005	19	111	1612
2006	14	107	1543
2007	14	109	1595
2008	16	116	1640

党务工作

1991 年,工委制定党建工作目标管理考评办法,并与各(总)支部签订目标管理责任状,使党务工作制度化、规范化。开展两次民主评议党员工作,为下属基层党组织配备和调整党支部书记 15 名、(总)支部委员 21 名,增设 3 个党支部。1996 年,把基层支部分成 6 类:机关党组织、企事业单位党组织、条管单位党组织、块管单位党组织、先进单位党组织和后进单位党组织。在分类基础上,深入调查研究,运用不同形式、方法,针对性进行指导。合理设置和精简组织机构,配合机构改革贯彻实施,将 8 个党支部合并为 2 个党支部,完成液化气公司、医药公司、制药厂、农行等 4 个单位党组织关系的交接。2000 年,工委开展“三个代表”重要思想集中教育,通过采取“群众提、自己找、上级点、互相帮”的方法,对工委班子和班子成员中存在的党性党风方面问题进行查摆和整改。2001 年,从思想建设、组织建设、作风建设、自身建设、工委交办事项、人武工作 6 个方面对基层党组织工作进行目标管理考评,做好工委出席鹰潭市党代表会议代表的选举工作,制定《关于进一步加强机关工委发展党员工作的实施意见》,要求各党组织每半年要将入党积极分子的发展和培养情况上报,每年要对入党积极分子进行一次考察和分析,针对存在的问题,采取改进措施。对入党人员实行入党前的公示制度,接受党内外群众监督。印发《贵溪市直属机关工委发展党员五年规划(2001—2005 年)》。2005 年,开展保持共产党员先进性教育活动。为减少工作环节、提高工作效率,对市委总支、市政府总支进行调整,撤销市委总支、市政府总支,成立市委办总支、市政府办总支。对原属两总支的党组织,根据工作性质,或成立直属支部,或归口到市委办和政府办党总支。2007 年,与市委组织部联合制定下发《关于开展机关党员亮相社区活动的实施意见》,组织所属机关党组织和党员干部到社区亮相,先后有 1700 余名党员到所居住社区报到,开展服务社区活动。2008 年,开展“党建活动月”活动,拍摄“书记谈党建”电视专题,讲授党课,走访生活困难党员和新中国成立前入党的老党员。为进一步提高机关基层党务工作者的党建工作能力和业务水平,以发展党员的工作程序、基本材料和支部换届选举的有关程序、要求为主要内容,举办党(总)支部书记、组织委员共 70 余人参加的培训班。

党员发展及教育管理

1991 年,遵循“坚持标准、保证质量、改善结构、慎重发展”的发展党员十六字方针,认真把好党员入口关,并做到手续完备、材料齐全、按程序办事。全年发展党员 38 名,为 58 名预备党员办理转正手续,对 65 名党支部书记、80 名新党员和入党积极分子进行党课培训,接转党组织关系 99 人,组织科级干部开展党的知识竞赛。1992 年,发展党员 41 名,对 108 名新党员和入党积极分子进行党课教育和培训,并举行入党宣誓仪式,召开建党 71 周年表彰大会。1996 年,开展“双学”知识竞赛、争先创优活动、到革命圣地缅怀先烈及“三讲”学习教育活动。1998年，开展“树四风、争做人民好公仆活动”“新党员党的基本知识问卷调查活动”“千名党员义务劳动日活动”“党员结对帮困献爱心”等活动，组织观看抗洪抢险先进事迹、先进人物图片展和《大地回声》《光辉的历程》等电视教育文献片。2000年，在党员发展上，既重数量又重质量，严把“考察、审批、监督”关，建立党员质量责任追究制，重点向基层一线、知识分子倾斜，发展党员47名，其中一线党员、知识分子占90%以上，妇女党员9名，占20%，大专以上学历31人，占70%以上。在党员的管理上，实行“五管齐下”“内外监督”制度，即组织管、制度管、业务管、任务管、群众管和八小时以内监督、八小时以外监督。2005年，下发《关于在市直机关开展“我为‘和谐创业、富民兴市’做什么?”大讨论的实施方案》，鼓励广大党员为贵溪发展献计献策。组织计生局等单位8名党员到四川参加“追根寻源、激扬生命”红色之旅活动。2008年，制定发展党员工作意见，坚持“育”“推”结合，采取定人培养、定岗锻炼、定点培训、定期考察等多种形式，加强对入党积极分子的培养教育。建立健全入党积极分子考核和滚动管理制度，对上岗履职一年以上，考核称职以上等次的，及时列为发展对象；对考核为基本称职的，延长培养考察期；对考核为不称职的，及时调整出入党积极分子队伍。在发展党员的程序上，从严把关，坚决杜绝违反程序或简化程序发展党员的现象。以科学发展观、党的基本知识和党风廉政建设等为主要培训内容，举办120余名入党积极分子和新党员参加的培训班。

市直纪检

1991年，工委围绕中共中央和中纪委颁发的有关文件精神，联系发生在本县范围内违法违纪的人和事进行教育。在形式上，采取以赛为教，以考为教，以会为教等方法开展活动。组队参加全县党纪知识竞赛，并获得第一名。9月，召开各单位纪检组长（干部）会议，学习传达有关文件精神。一年来，共查处党员干部违纪案件5起，接待来信来访14人次，并做到件件有答复。1992年，组织党员观看党纪教育电视片《大地的回声》，学习《党章》以及中纪委《关于共产党员在经济方面违法违纪党纪处分的若干规定》和《对参与嫖娼、卖淫活动的共产党员及其有关责任者党纪处分的暂行规定》。全年共立案9起，对其中7起案件当事人做出党纪处分。2005年，组织学习《建立健全教育、制度、监督并重的惩治和预防腐败体系实施纲要》和《“三个代表”重要思想反腐倡廉理论学习纲要》，并开展学习《两个纲要》知识竞赛。派员参加所属党组织民主生活会，及时了解情况、发现问题、强化党内监督。2008年，开展“廉政文化进机关”活动、党风廉政教育和职业道德教育、“读书修德”“读书思廉”活动，利用新闻媒体，制作廉政警句警示牌等多种形式的廉政文化宣传教育活动和“下基层、察民情、送温暖、献爱心”访贫思廉实践活动。

市直武装

1991年，工委组织民兵9人到县训练基地参加集训，并被评为先进集体；组织民兵应急分队接受军分区领导点验；进行一年一度的退伍军人预备役核对统计，兵役登记，动员潜力调查工作；积极响应征兵号召，为部队输送新兵3人。1992年，通过民兵整组，新入队基干民兵91名，对新入队的基干民兵进行编组造册，完成动员潜力调查工作；在冬季征兵工作中，输送新兵1名。2000年，充分发挥工委退伍军人多、政治素质高、军事技能硬的优势，重新建立民兵应急分队，结合新形势对应急分队进行定期政治教育和训练监督，完善武装、民兵组织。开展兵员调查摸底、兵役登记，向部队输送7名优秀兵员。2001年，开展民兵组织整顿、集结点验、退伍军人预备役登记和军地专业对口人员的调查登记工作。印发《贵溪市直属机关工委民兵应急行动预案》。输送20名应征青年入伍。2008年，开展民兵应急分队训练、民兵组织整顿、兵役登记、征兵等常规工作。

第十三节 对台工作

工作机构

1991年，中共贵溪县对台工作领导小组办公室更名为中共贵溪县委台湾工作办公室（贵溪县人民政府台湾事务办公室）。1996年撤县设市后，更名为贵溪市台湾工作办公室（贵溪市人民政府台湾事务办公室），简称台办，是中共贵溪市委、市人民政府负责贵溪对台湾工作的工作部门和办事机构。

1996年，在机构改革中，台办并入县委办公室，对外保留台湾工作办公室名称，原机构规格不变。

2002年,并入市委办公室,为内设机构,对外保留市委台湾工作公室和市政府台湾事务办公室牌子,行政编制6名,事业编制1名,下设市台胞接待站。2005年,台湾工作办公室(市人民政府台湾事务办公室)归口市委办公室管理(正科级)。

对台宣传

1991年以来,(县)市对台宣传工作主要围绕推动两岸关系发展,实现祖国和平统一为主线,遵循"和平统一""一国两制"方针,发展两岸关系、推进祖国和平统一进程的八项主张等中央对台政策为内容,进行对台宣传工作。通过撰写宣传稿件和发放赠送各种宣传资料,以及书信、电话、电子邮件等形式,向金陵之声电台、海峡之声电台、华厦经纬网等全方位宣传贵溪。1991—2008年用稿80余篇,利用台胞春节、清明、中秋节返乡探亲和来贵溪观光、旅游、考察、经商、求学之机,开展面对面宣传400多次,散发宣传品20000多份,使《贵溪》画册、画页、"贵溪风光"挂历、《中国贵溪》光盘、《贵溪投资指南》等进入岛内,通过在台乡亲在台传播,提高贵溪知名度和影响力。2008年,台办利用华厦经纬网"'江西与台湾'网页"这一网络宣传阵地,积极宣传对台方针政策,发布贵台交流交往信息,报道贵溪城市面貌、经济发展及台商在贵溪投资与生产生活情况,创造性地开展对台宣传工作。

联络接待

1991—2008年,先后多次组织人员对贵溪籍去台人员、台籍同胞、台属进行普查建档。据统计,因政治原因去台人员2937人,在台人员(包括第二、第三代人)10000余人,台属12600余户。2008年,本着"以人为本"全力服务原则,对来访的台胞、台属、台商做到以诚相待,以情感人,优质服务,确保有事而来,满意而归。接待台胞台商140余人(次),上门走访看望台胞台属60余人(次),调解纠纷6起,接待台属来访80余人(次),及时解答有关遗产继承、入台探亲、探病、办理公证等涉台事项。接待台胞700余人(次)(重点接待了原台湾"战争学院院长"徐博生的妹妹徐维生和好友兰孝惠先生,台湾农学专家熊光斗教授,台湾"清华大学"语言研究所博士吴中杰先生,原贵溪同乡会会长刘力青和理事长吴文远,工商界人士项琴生、罗慕通,台湾教会代表胡君楠先生等)、台属1000余人(次)、台商400余人(次);接待和处理来访来信1400余件;调解纠纷180余起,安置5名台胞回乡定居。贵溪市委市政府始终围绕中国统一"寄希望于台湾人民"的方针,真诚与台胞台属沟通感情。每年春节期间,拨专款慰问金走访看望慰问台胞、台属、台商,并以市长名义向在台乡亲发放热情洋溢的春节慰问信。

对台经贸

贵溪在台乡亲大部分是退伍老兵,政治上有影响力、经济上有实力的少,只有极少数经营小本生意和办一些小企业。台办一方面鼓励这些在台乡亲发挥在台优势,帮家乡经济建设群策群力、牵线搭桥,把贵溪资源和投资环境在台进行宣传、传播,以提高贵溪在台的影响力和知名度。另一方面积极参加各种对台招商引资活动,直接与台商接触,进行面对面宣传,走出去引进来,让台商充分感受到贵溪对台经贸的诚心、热心、信心,积极营造安商、亲商、富商氛围。1990—2008年期间,台办共接待台商600余人(次);邀请台商来贵观光考察200余人(次);参加各种对台招商引资活动50余人(次),其中参加赣台经贸合作研讨会5次;发放各种招商宣传资料6000余份,先后引进台资企业5家,台属各类个体经济50余户。1992年,台商王正华先生与西窑林场合资兴办竹辉竹业有限公司;1994年,台属杨志政创办"888"印刷厂。台属郑锦荣通过其伯父郑水发先生支助3000美元办起个体诊所;1997年,台联会副会长台属王华荣引进700多万资金,先后兴办花岗岩板材厂、双盘高效加工艺企业,成绩显著,多次被省、市评为先进个人,授予"爱国奉献奖"。2003年9月,台办邀请台湾美家园有限公司董事长陈金传、台湾捷安保全总公司副总经理吴宏远等3位台商参加赣台经贸研讨会;2004年8月,台商珠海市鲜美种苗发展有限公司董事范光正先生投资38万美元在贵溪市安康广场开办清心KTV茶楼;2005年,余家乡与台商孙京青先生达成合作协议,设立台资企业——江西昱立京实业有限公司,注册资本500万美元,开展铜加工生产和基础设施建设以及两岸贸易;2007年,在赣台经贸会上,与台商沈亭强先生签约,投资1000万美元在贵溪市进行铜拆解项目。

台胞支援家乡建设

1993年,已故塘湾籍台胞屠树良为家乡教育事业捐资1万美元设立"树良奖学基金";1996年,文坊籍台胞熊光斗捐资4000美元为家乡兴修水利；1998年贵溪遭遇特大洪灾，上海台资企业马德玲先生资助教育系统折合人民币10万元玻璃；为台属企业贵雅电光源有限公司争取33万资助；台湾贵溪同乡会捐赠折合人民币22380元，会长刘力青先生为家乡志光石鼓渡小学捐赠2000元；2001年，圳籍台胞工程技术博士李世民（去台第二代）捐资2万元设立“仕满”助学金；2005年台塑企业集团王永夫捐资40万元在罗河兴建明德小学。至2007年，有120余人相继捐资，折合人民币400余万元，主要用于建设学校、兴修水利，解决照明用电，筹建联谊会馆、改善接待条件等公益事业。

第十四节　关心下一代工作

工作机构

1994年11月16日，成立贵溪县关心下一代工作委员会（简称关工委），下设办公室和“五老”工作团。1996年撤县设市后更名为贵溪市关心下一代工作委员会。全市各街道办事处、乡（镇）、场和大部分市直单位、村（居）委会都成立关工委组织，参加关心下一代工作的老干部累计达数千人之多。

主要工作

随着新形势发展，各级党委、政府加大关心教育青少年的工作力度，把关心教育好下一代工作提高到新的高度。多年来，市关工委和各级关工委的历任领导班子和广大老干部围绕大局，服务中心，发挥自身政治优势、威望优势、经验优势、亲情优势，开展多形式多层次内容丰富的活动，把家庭、学校和社会紧密联系起来，为青少年的健康成长做了大量卓有成效的工作，办了不少难事、实事、好事，工作常抓常新。贵溪市关心下一代工作委员会先后被评为鹰潭市和江西省关心下一代工作先进单位。

1994年至2008年，“五老”报告团人员286人次，在城乡中小学举办理想信念、党史国史、革命传统、思想道德等报告会582场次，受教育青少年153500人次；各级关工委开展“中华魂”读书、环保绿色承诺行动、学雷锋行动、大手牵小手共建和谐社会等教育活动，举办作文、演讲、书法比赛，促进青少年健康成长；积极参与创新社会管理，配合司法、教育部门为中小学配备兼职法制副校长，加强法制教育，使青少年懂法、守法、用法，维护青少年合法权益。“五老”网吧义务监督85人次，引导网吧业主依法经营，劝退未成年人进入网吧，挽救一批网瘾少年；关爱青少年中的弱势和特殊群体，帮扶帮教农村留守儿童、贫困学生、孤残儿童和失足青少年，累计扶助资金162000元，捐赠书包2450个；配合有关职能部门加强失学儿童、流浪儿童的管理和教育，积极预防青少年违法犯罪。在中小学校创办“家长学校”，形成学校、家庭和社会三结合的青少年教育机制，保障青少年身心健康，全面发展。

第三章　市（县）纪委

第一节　领导人员与工作机构

领导人员

1991—2008年，贵溪市（县）纪律检查委员会进行4次换届选举，分别为1993年1月的县第九届（后改称市第一届）、1997年12月的市第二届、2002年12月的市第三届、2006年6月的市第四届，分别选举市（县）纪律检查委员会领导班子。

其间，洪炳华、刘国富、李赛白、陈强、廖奇志、朱学路、祝晓勤先后任市（县）纪委书记。

1990—2008年市(县)纪律检查委员会书记、副书记更迭一览

表15－13

届次	职务	姓名	任职时间
县第八届	书　记	洪炳华	1990.3—1993.1
	副书记	翁恒河	1990.3—1993.1
		姚上灼	1990.3—1993.1
县第九届	书　记	洪炳华	1993.1—1993.9
		刘国富	1994.1—1996.9
	副书记	翁恒河	1993.1—1996.1
		姚上灼	1993.1—1996.1
		李儒钧	1993.6—1996.1
		刘华高	1996.1—1996.9
		郑世帮	1996.1—1996.9
市第一届	书　记	刘国富	1996.9—1997.10
	副书记	刘华高	1996.9—1997.10
		郑世帮	1996.9—1997.10
市第二届	书　记	李赛白	1997.12—2002.11
	副书记	郑世帮	1997.12—2002.12
		兰春发	1997.12—2002.12
		陈成有	1997.12—2002.12
		钟文祥	2000.9—2002.12
市第三届	书　记	陈　强	2002.12—2003.9
		廖奇志	2003.9—2006.6
	副书记	陈成有	2002.12—2005.11
		钟文祥	2002.12—2006.6
		孙　敏	2002.12—
		项贵平	2006.5—2006.6
市第四届	书　记	朱学路	2006.6—2007.11
		祝晓勤	2007.11—2009.8
	副书记	孙　敏	2006.6—
		项贵平	2006.6—

工作机构

1991年，纪委、监察分设。县纪委内设机构为2室3科。1993年6月，县纪律检查委员会与监察局合署办公，实行两块牌子一套人员的新体制。合署后的县监察局仍属县政府行使行政监察工作的部门。2002年7月，成立贵溪市经济环境投诉中心，挂靠市纪委、市监察局，为市纪委、市监察局派出机构。2003年，市纪委监察机构设9个职能室1个派出机构。

第二节　重要会议

1991—2008年，市（县）纪委召开全体会议20次。

1991—2008年市（县）纪委全体会议一览

表15－14

届	次	时间	会议内容
县第八届	三	1991.3.26	总结1990年工作，部署1991年工作。
	四	1992.4.14	总结1991年工作，部署1992年工作。
县第九届	一	1993.5.6	会议选举，选出纪委委员15名，洪炳华为纪委书记。
	二	1994.5.31	总结1993年工作，部署1994年工作。
	三	1995.9.20	总结1994年工作，部署1995年工作。
市第一届	一	1996.12.11	学习和贯彻中共十四届六中全会精神、鹰潭市纪委全会、市委一届一次全会精神，回顾总结 贵溪市党风廉政建设和反腐败工作情况，研究部署2000年工作任务。
	二	1997.3.27	传达贯彻中纪委、省纪委以及鹰潭市纪委全会精神，回顾1996年全市党风廉政建设及反腐败斗争的情况，部署1997年党风廉政建设和反腐败工作。
市第二届	一	1997.12.26	会议选举，选出纪委委员15名，李赛白为纪委书记。
	二	1999.3.24	传达鹰潭市纪委八次全会精神，表彰先进，李赛白作工作报告，总结1998年工作，对1999年 工作进行部署。
	三	2000.3.3	传达贯彻中纪委、省纪委及鹰潭市纪委全会精神，回顾总结1999年贵溪市党风廉政建设和反腐败工作情况，研究部署2000年工作任务。
	四	2001.2.13	传达江泽民在中纪委五次全会上的重要讲话精神，报告2000年市党风廉政建设和反腐败工作成果。
	五	2002.5.16	传达中纪委、省纪委、鹰潭市纪委全会精神，报告2001年市党风廉政建设和反腐败工作成果。
市第三届	一	2002.12.18	会议选举，选出纪委委员19名，陈强为纪委书记。
	二	2003.3.10	传达中纪委、省纪委、鹰潭市纪委全会精神，总结市2002年党风廉政建设和反腐败工作情况，部署2003年工作任务。
	三	2004.3.9	传达中纪委、省纪委、鹰潭市纪委全会精神，总结市2003年党风廉政建设和反腐败工作情况，部署2004年工作任务。
	四	2005.3.2	传达中纪委、省纪委、鹰潭市纪委全会精神，总结市2004年党风廉政建设和反腐败工作情况，部署2005年工作任务。
	五	2006.6.20	传达中纪委、省纪委、鹰潭市纪委全会精神，总结贵溪市2005年党风廉政建设和反腐败工作情况，部署2006年工作任务。
市第四届	一	2006.6.28	会议选举，选出纪委委员29名，朱学路为纪委书记。
	二	2007.5.11	传达中纪委、省纪委、鹰潭市纪委全会精神，总结市2006年党风廉政建设和反腐败工作情况，部署2007年工作任务。
	三	2008	传达中纪委、省纪委、鹰潭市纪委全会精神，总结市2007年党风廉政建设和反腐败工作情况，部署2008年工作任务。

第三节　主要工作

制度建设

1995年,根据中纪委和省纪委对领导干部廉洁自律提出的新要求,贵溪市先后颁布《关于党政机关县(处)级以上领导干部廉洁自律的补充规定》《关于国有企业领导干部廉洁自律(四条规定)的实施和处理意见》《关于党政机关工作人员在国内公务交往中收受礼品实行登记制度的规定》等文件。针对实行双休日制度可能出现的问题,下发《关于实行双休日制度中应注意的几个问题的通知》,针对少数干部"大错不犯,小错不断,无所事事,整日游荡"的现象,下发《关于对犯有轻微违纪行为和工作不力的科级干部实行发整改通知书的通知》。

1996年,反腐败斗争不断深入。结合贵溪市实际情况,针对暴露出的问题,制定《对参与赌博的共产党员、行政监督对象党纪政纪处分的暂行办法》《领导干部个人生活重大事项报告制度》《市管主要领导干部离任审计考核制度》《重申领导干部在工程建设中"五不准"规定》,配合市委出台《关于加强干部队伍思想作风建设若干问题的决定》。

1997年,出台《关于贯彻党政机关厉行节约、制止奢侈浪费行为的若干规定的实施意见》《关于对允许安装公有住宅电话和配置移动电话的话费实行统一付费的有关规定》《关于精减会议节减经费的通知》等文件,从贯彻"八项规定"着力,从加强防范入手,从领导干部做起,制止奢侈浪费行为。

2000年,实行"同城不吃请、乡镇分餐制、下村吃派饭、会议吃快餐"四项制度,并实行招待费"单位财务单列,按月申报,纪委书记审核",纪委"不定期检查,季度通报,年终考评"等制度,并对违规者作出严肃处理。

2002年,鹰潭市"规范县级以上领导干部配偶、子女经商办企业行为"工作,在贵溪市先行试点。贵溪市转发鹰潭市纪委《关于对县(处)级以上领导干部配偶、子女从业情况调查的通知》,印制"登记表",分发到31名县级领导干部手中,对所填的"登记表"采取"先由班子主要领导核实,后由市委常委会逐人逐项审核"的办法进行把关,然后再上报。

2003年,逐步完善党风廉政建设责任制,进一步细化《贵溪市党风廉政建设责任分工的决定》,内容包括廉洁自律工作目标、查办案件工作职责、纠风工作任务和源头预防治理工作4大类22项具体任务,顺利推行会计核算中心和全市农村"村账代理制"。

2004年,形成用制度规范从政行为、按制度办事、用制度管人的机制。围绕贯彻落实《中华人民共和国行政许可法》,进一步转变政府职能,继续深化行政审批制度、人事制度、财政体制和投资体制改革。干部选拔任用工作采取"三点一线"法,预防和杜绝任人唯亲、跑官要官等现象发生;全面推行"村账代理"、乡镇金库市管、财政集中支付等制度,规范财政行为。

2007年,大力开展"机关作风建设年"活动,在全市推行每周学习制度、挂牌上岗制、上下班考勤登记制、限时办结制、首问负责制、党务政务公开制、重大事项报告制、责任追究制等"八项制度"。严格执行"四不准"规定:即不准在工作日中午无故饮酒;不准上下班和开会时迟到早退;不准在办公时间办公地点做与工作无关的事;不准参与赌博。

2008年,为建立健全机关作风建设长效机制,出台《贵溪市机关作风建设"八条禁令"》和《贵溪市机关作风建设长效机制实施方案》,制定下发《关于禁止利用子女升学之机大操大办借机敛财的通知》《关于禁止公款旅游的通知》。

教育宣传

1991—1992年,结合形势和任务,对广大党员进行普遍性的党风党纪教育,针对党员的思想状况,组织机关党员观看《焦裕禄》等影片;针对少数基层组织和党员干部"令不行,禁不止"的问题,组织观看影片《悬崖》;针对农村少数党员不能正确处理婚姻、家庭、计划生育、宗教信仰等问题,组织广大农村党员观看《党员违反社会主义道德的若干规定》。放党纪教育片92场(次),受教育党员8000余人次。

1993年,利用党校党课及电教片教育等形式,普遍开展以党章、条规为主要内容的党风党纪教育活动，同时对已查处的违纪问题通报进行典型教育。制定防腐倡廉工作具体措施和意见。全县460名副科以上干部撰写廉洁自律报告，126个单位上报廉政工作情况汇报。

1994年，中纪委关于领导干部廉洁自律的两个五条规定颁布以后，将“规定”及实施细则全文印发给每个在职副县级以上领导干部，并要求全县副科级以上干部参照执行。

1998年，开展形式多样的党风廉政教育，增强党员干部拒腐防变的能力。邀请鹰潭市纪委领导讲授《廉政准则》和其他党纪条规。将全市800余名科级干部分批在市委党校培训，讲党纪条规。举办“倡导四风，争做好公仆”先进事迹报告会，开展党政机关作风整顿以及党员结对帮困活动，全市掀起“讲学习、讲政治、讲正气”的热潮。

1999年，把开展党性党风教育活动，增强党员干部的“免疫力”作为反腐败基础性工作，纪委主要领导在中心组做廉政专题发言，请专家讲授廉洁方面法律法规。在城区有线电视黄金时间，播放《中国共产党纪律处分条例（试行）》以及专题片，在沿河路开辟宣传橱窗，介绍反腐败工作的指导思想、基本原则、领导机制和本市反腐败成果，在贵溪报登载党纪政纪条规知识100题，全市党员干部结合电教进行自学，组织科级干部参加党纪政纪知识测试。制定《关于推行企务公开的民主监督工作的实施意见》《进一步推行政务公开的实施意见》《贵溪市预算外资金管理办法》《贵溪市会计委派制试点暂行管理办法》4个与经济体制改革相配套的廉政制度。

2001年，全市广泛开展学习中共中央总书记江泽民在中纪委第五次全会的讲话，在建党80周年纪念会上的讲话，以及中共十五届六中全会《关于加强和改进党的作风建设的决定》的活动，各级党委组织学习200余次，撰写心得体会1万余份。

2005年，着重抓好廉政文化内容建设，增强廉政宣传教育的有效性。与贵溪报社联合开展万时半年的廉政征文活动，抓廉政文化阵地建设，拓展廉政宣传教育平台。在坚持党校开设廉政课、纪委领导到基层讲廉政课、每逢重大节假日向科级干部发送廉政手机短信等一系列做法的基础上，积极开拓新的宣传阵地，在政府网上开通“贵溪廉政网”，在城南滨水休闲绿地开辟长达30多米的“廉政文化墙”。

2006年，举办反腐倡廉图片展、开展以案件说纪说法活动，近5000名党员干部接受一次现场警示教育，组织全市党员干部观看廉政电影，印制4000多册《廉政读本》，免费赠给全市科级干部和第三批先进性教育活动单位，积极推进廉政文化进机关、进社区、进家庭、进学校、进企业、进农村。

2008年，大力开展廉政文化“六进”活动。在市区擂鼓岭广场投资60多万元建成廉政文化广场，将廉政宣传送进“社区”和“商业区”；抓“科华水泥”“海利农药”两个“廉政文化进企业”示范点；建立贵溪一小、贵溪四中等学校“廉政文化进学校”示范点；建立流口镇横路村“廉政文化进农村”示范点。建成擂鼓岭广场廉政文化广场，城南滨水休闲绿地廉政文化宣传墙，周坊镇红色教育基地，塘湾镇农民廉政书法协会，樟坪乡廉政书屋，流口镇廉政文化一条街等廉政文化品牌。春节期间，分别印发廉政明信片1500份。在全市举办“扬正气树新风明荣辱促和谐贵溪市廉政歌曲大家唱”歌咏比赛。

构建惩防体系

2006年开始，构建惩防体系。制定《贵溪市建立健全惩防体系工作意见》，对贯彻落实惩防体系任务进行责任分解，明确各项工作责任单位、责任人和工作措施，建立考评体系。

市、乡、村成立以党委（支部）书记为组长的农村基层党风廉政建设工作领导小组，各乡（镇、街道办）均配齐纪委委员、纪检专干，行政村党支部均设立纪检员。每个村民小组聘请3～5名党风廉政建设监督员，全市共设立村级纪检员193个，聘请党风廉政建设监督员579人。

2008年，全市开展贯彻落实党风廉政责任制10周年专项检查，对贯彻落实党风廉政责任制工作不力、排名落后单位的主要领导进行诫勉谈话。

执法监察和纠风治乱

1993年，围绕如何加强对减轻农民负担和企业转换经营机制的监督检查问题，进行广泛的调查研究。配合省纪委深入到上清镇汉浦村委会进行有关减轻农民负担问题的调查。根据县委的统一部署，以县纪委牵头组成农民负担调查组深入到罗河乡排上村委会及其所辖的胡家村民小组66户农户进行重点抽样调查，并写出调查报告，向县委及有关部门提出减轻农民负担的建议和措施。深入到县铜材厂、县粮油工业公司、啤酒厂等有关企业进行《中华人民共和国企业法》《国有企业转换经营机制条 例》贯彻执行情况的调查，与企业厂长、经理座谈，广泛了解企业生产经营状况以及贯彻《条例》中遇 到的困难和阻力。帮助企业排除障碍。会同土地管理等部门开展清理整治土地隐形市场工作。开展效能监察，会同计生委等部门对有关法规的贯彻执行情况进行督察。

1995年，全年共开展执法监察项目15项(次)，发现问题线索5个，提出改进工作建议和意见9个，查出违纪金额766万余元。对减轻农民负担政策措施的执行情况开展执法监察；对企业转换经营机制情况开展执法监察；对重点工程及工程的招、投标等开展执法监察；会同土地管理等部门，对滨江乡在县城规划区内越权批准建房用地进行调查；对救灾款物的发放、使用情况及农业税减免落实情况进行跟踪检查；治理群众普遍关注的“车子、杯子、机子”热点问题。

1996—1999年，结合贵溪市实际，标本兼治，不断巩固和扩大纠风成果。公路“三乱”基本刹住，整治中小学乱收费工作效果明显，农民负担反弹现象得到控制，加强预算外资金管理使用，继续 拓展对企业的挂牌服务，加强对工程项目招标投标工作的执法监察。

围绕市委、市政府重大改革和发展决策、措施落实情况，唱好“农民减负、三招一征、建设工程项目监察、整治行业歪风”等重头戏。开展清房工作，全市1027名科级干部核查对象完成核查956名，核查140个单位完成133个，需要各种取证材料4877件，完成4728件，发现占有2处住房的131名，占有3处住房的46名，住房只有一处但超面积的计705平方米，隐瞒漏报住房的2 4 人 ，认真执行中共中央关于减轻农民负担的“一项制度” “八个严禁”的规定，实行“一定三年不 变”，农民人均负担费用54. 51元。理顺农网改造体制，农村电价由原来的1. 5 ～2元降低到0. 8元，针对 村级财务不规范，实行“村账乡审”制度。抓好公务车辆管理，班子领导的车辆按规定配备、更换，全市实行公务用车定点修理、定点供油、定 点保险，与兄弟县市交叉检查公车私用，取得良好效果。制定中小学收费标准，制止乱收费行为，整顿药品市场秩序，规范医药管理，开展行风评议活动，抓行风评议工作，发放民意测验表2010份，召开座谈会159次，走访170人(次)，受理投诉、意见1359条，梳理后向被评议单位提出切实可行的整改意见38条。

2000—2004年，认真做好减轻农民负担工作，紧紧围绕农村税费配套改革，全面落实四项制度，加大涉农收费监管力度；深化治理教育乱收费；纠正医药购销中的不正之风，对市直医院大额药品实行政府招标采购，对药品管理实行“三公开一监督”；市经济环境投诉中心积极当好“经济卫士”，对破坏经济环境者在“一台一报”进行公开曝光，大力整治经济发展环境，先后出台《贵溪市经济环境投诉中心工作规则》《中共贵溪市委、市人民政府关于对损害经济发展环境行为实行责任追究的暂行规定》等文件。

2005— 2008年，专项治理损害群众利益的8个方面突出问题：拖欠农民工工资问题；城镇拆迁中侵害居民利益问题；企业改制中侵害职工利益问题；教育乱收费问题；农民负担问题；医药购销中侵害患者利益问题；征用农民土地问题；公路三乱中侵害农民利益问题。

以经常性的专项治理为载体，着力解决关系群众根本利益的突出问题，会同市环保局联合开展查处企业违法排污损害群众利益专项整治行动，共出动执法检查人员300余人次，检查企业70余家，重 点检查企业5家，加强对辖区内污染企业环保设施的监督检查，监督企业严格履行“环评”和“三同时” 的要求，对污染严重的“十五小”企业、“新五小”企业进行严肃查处。

紧紧围绕市委、市政府中心工作履行纪检、监察两项职能，坚决查处和纠正有法不依、执法不严的行为，形成党政监督的整体合力。加强执法监察，建立市纪委与外商投资企业挂点联系体制，不定 期对各单位落实贵溪市委、市政府对工业园区封闭式管理情况进行专项检查，对行政许可法等法律法规 执行情况开展执法监察，对重点建设工程进行全程监督检查，促进依法行政。深入推进效能监察，认真 办好行政效能监察和投诉中心工作，切实解决行政乱作为和不作为，对破坏和影响发展环境的人和事进 行及时处理，保证政令畅通。

重视解决发展环境中存在的突出问题，在10家企业设立“政务环境”检测点，聘请18名政务环境监督员。进一步纠正教育乱收费现象，努力解决上学难问题，进一步纠正医药购销和医疗服务中的不正之风，着力解决“药价高”问题。参加省以上为单位网上集中采购2次，招标采购药品总金额1110万元,占医院购药总金额的80%,降低了药品价格。

案件查办

1991年,立案查处党内违纪案件19起,结案17起,其中开除党籍2人,留党察看3人,撤销党内职务1人,党内严重警告4人,警告6人,免于党内处分1人,待处理2人。上半年,接到志光乡群众举报该乡西江村委会书记徐某利用职权占用粮田建私房和私分扶贫款等问题,在当地群众中影响恶劣,及时责成该乡纪委作出处理,退回粮田和扶贫款。查出涉及30多人的赌博案和利用职权倒卖木材的投机倒把案,共收缴赃款赃物11300多元。

1995年,立案40起,涉及人员45人。受处分人员43人,免予处分2人,党纪处分20人,政纪处分17人,双重处分6人,科级干部6人。直接查办案件8起,涉及科级干部9人。办理初查核实案件30起,涉及科级单位9个,股级单位4个,共查处违纪金额441454.05元,挽回损失713258.75元。

1997年,立案54起,结案54起,涉及科级干部11人,处分55人,党纪处分16人,政纪处分29人,双重处分8人,免予处分2人,受党内撤职以上11人,行政撤职以上处分11人。

1999年,立案35件,处分54人,涉及科级干部8人,党纪处分23人,政纪处分31人,受撤职以上三大处分4人,开除党籍2人。查处上清林场国有资产流失失职案等。

2001年,立案74件,处分86人,党纪处分51人(其中警告21人,严重警告12人,撤销党内职务3人,留党察看5人,开除党籍10人),政纪处分34人(其中警告13人,记过13人,记大过6人,开除留用察看2人),双重处分1人,涉及科级干部10人。

2002年,立案51起,复查复议案件2起,结案46起,处分47人,其中党纪处分20人,政纪处分21人,双重处分6人,免予处分3人,涉及科级干部8人。

2004年,立案63件,处分82人,其中党纪处分49人,政纪处分30人,双重处分3人,撤职以上处分10人,涉及科级干部19人。

2006年,立案53起,结案51起,处分52人,其中党纪处分36人,政纪处分12人,双重处分4人,涉及科级干部6人,受撤职以上处分19人。开展治理商业贿赂专项工作,排查出商业贿赂案件线索10条,涉案金额67.17万元,立案侦查1起,涉案金额52万元。

2008年,立案56起,结案54起,处分62人,其中党纪处分40人,政纪处分25人,双重处分3人,撤职以上处分19人,涉及科级干部11人。

1991—2008年市纪委案件查办情况一览

表15-15

年份	立案(件)	结案数(件)	处分人数(人)	撤职以上(人)	副科以上(人)
1991	19	17	19	6	—
1992	34	34	34	21	3
1993	37	37	33	9	13
1994	31	31	31	—	7
1995	40	40	43	—	6
1996	88	88	80	14	14
1997	54	54	55	11	11
1998	45	45	53	12	5
1999	35	35	54	4	8
2000	47	47	51	13	4
2001	74	74	86	19	11

续表 15－15

年份	立案(件)	结案数(件)	处分人数(人)	撤职以上(人)	副科以上(人)
2002	51	51	47	—	8
2003	51	51	50	—	8
2004	63	63	82	10	19
2005	53	53	65	21	8
2006	53	53	52	19	7
2007	51	51	55	15	14
2008	56	56	62	19	11

信访举报受理

1991 年,受理群众来信 88 件,从司法机关收集线索转立案 7 件。1993 年,受理群众来信来访 256 件(次),其中,县纪委直接受理来信来访 196 件(次),同比增 51.9%,办结率为 90.31%。进行重点信访调查 19 件,由信访转入立案查处 15 件。1995 年,直接受理群众来信来访 198 件(次),其中来信 161 件,来访 33 人次,电话举报 4 件,反映经济问题 90 件,违反组织人事纪律 13 件,违反计划生育 23 件,徇私枉法 7 件,侵权 8 件,腐化堕落道德败坏 5 件,其他问题 52 件,涉及科级干部 86 件 92 人。1998 年,受理群众来信来访 248 件(次),转基层纪委和有关部门 149 件,纪委作出处理 42 件,暂存 33 件,存档 24 件,办结率 100%。2000 年,受理来信来访 234 件(次),转基层纪委和有关部门 107 件,纪委处理 46 件,暂存 47 件,存档 34 件。在直接处理的 46 件信访件中组织力量初核 33 件,转立案 18 件。同时全市基层纪委受理并初核信访 190 件。2004 年,受理群众来信来访 68 件(次),其中来信 54 件,来访 12 次,电话举报 2 次,纪委处理 37 件,转基层纪委和有关部门 23 件,暂存 8 件。2005 年,受理群众来信来访 124 件(次),其中来信 77 件,来访 17 件,来电 2 件,网上举报 2 件,其他 26 件,办结 103 件,其中市纪委办理 68 件(转立案 28 件),转基层纪委和有关部门 27 件,存档 8 件。2007 年,受理群众来信来访 73 件(次),其中来信 49 件,来访 22 件,电话举报 2 件。2008 年,受理群众来信来访 72 件(次),其中来信 53 件,来访 15 件,电话举报 3 件,其他 1 件。

第十六卷　市(县)人民代表大会

第一章　代表与会议

1954 年 3 月 26 日,贵溪县首届人民代表大会会议召开。1996 年 5 月 28 日,国务院批准,撤销贵溪县,设立贵溪市(县级)。1996 年 9 月 6 日,贵溪市第一届人民代表大会第一次会议召开,会议决定将贵溪县第十一届人民代表大会改称为贵溪市第一届人民代表大会。至 1996 年,贵溪撤县设市前,贵溪县人民代表大会历经 11 届。

1991—2008 年,市(县)人民代表大会历经 5 届,即县第十届(1990. 4—1993. 1)、县第十一届(后改称为市第一届)(1993. 1—1998. 1)、市第二届(1998. 1—2003. 1)、市第三届(2003. 1—2007. 3)及市第四届(2007. 3—)。

第一节　代　表

市(县)人大代表由选民直接选举产生。

市(县)人民代表大会任期届满,即进行市(县)人大代表和市(县)国家政权机关换届选举。

自 1980 年 12 月县第七届人民代表大会,至 1993 年 1 月县第十一届人民代表大会(后改称为市第一届),县人民代表大会任期均为 3 年,即 3 年选举一次人大代表和国家机关领导人员。其后每届任期为 5 年。1991—2008 年,市(县)人大代表换届选举历经 4 次,即:县第十一届(1993. 1)、市第二届(1998. 1)、市第三届(2003. 1)及市第四届(2007. 3)(市第一届不属换届,其人大代表由县第十一届改称而来)。

代表选举

代表名额及其分配　市(县)人大代表名额由省人大常委会确定。代表名额确定后,市(县)人大常委会将代表名额分配到乡镇、街道所辖选区。在分配代表名额时,注意代表的广泛性和合理结构。代表中非中共党员代表一般不少于 35%,妇女代表不低于 20%,工人、农民、知识分子、少数民族的代表均有适当比例。

选区划分　选区按照便于选举组织工作和选民参加选举活动,便于了解代表和代表联系选民的原则,或按选民居住状况,或按系统、行业和生产单位、工作单位划分。乡镇以一个或者几个村委会,街道以一个或几个居委会为单位划分选区;市(县)直单位原则上按系统划分选区,不能按系统划分的,就与附近单位合并划分选区;驻市单位单独或联合划分选区;部队按中国人民解放军选举办法实施,由市(县)人武部牵头。选区的大小,按照每一选区选 1 ~3 名代表划分。城镇、农村各选区每 1 名代表所代表的村、居民数大体相等。

候选人提名推荐　代表候选人的提名推荐采取自下而上的原则。各政党,各人民团体可以联合或者单独提名推荐代表候选人。选民 10 人上联合提名推荐,也可以作为代表候选人。代表候选人必须保证有法定的差额。提名推荐的代表候选人名单,由各选区办事组汇总,逐级上报市选举委员会审查,以市(县)选举委员会名义在选举日前 15 天在选区张榜公布。

候选人确定　选举办事组在对该选区的代表候选人初步名单进行研究后,按照人大代表应具备的条件,具有的先进性、广泛性、代表性要求,连同公布的代表候选人初步名单,交各选民小组,按照选区确定的正式候选人人数反复酝酿、协商,最后根据较多数选民的意见确定正式候选人。正式代表候选人数,应多于应选代表名额的三分之一至一倍,以保证选举有法定的差额。各选区将正式代表候选人名单上报选举委员会审批后,以选举委员会名义于选举日5天前在选区张榜公布。

选举方法　正式候选人确定后,各选区设立流动投票站、流动票箱或召开选举大会进行选举,选举一律采取无记名投票方法。选举人对于代表候选人可以投赞成票,可以选其他选民,也可以弃权。

县第十一届(市第一届)选举产生人大代表289名,其中,中共党员代表228名,占代表总数的79.2%;干部、知识分子代表159名,占55%;工人、农民代表118名,占40.8%;解放军代表4名,占1.4%;妇女代表37名,占12.8%;少数民族代表6名,占2.1%。

市第三届人民代表大会代表名额226名,除留额2名,将224名代表名额分配到选区。经124个选区的384179名选名以无记名投票,进行差额选举,选出市第三届人民代表大会代表223名,其中,中共党员代表179名,占代表总数的80.27%;干部代表106名,占47.53%;知识分子代表16名,占4.17%;工人代表17名,占7.62%;农民代表68名,占30.49%;解放军代表3名,占1.35%;妇女代表44名,占19.73%;少数民族代表1名,占0.45%。

市第四届人民代表大会代表名额226名,除留额8名,将218名代表名额分配到选区。经125个选区的416181名选名以无记名投票,进行差额选举,选出市第四届人民代表大会代表218名,其中共党员代表172名,占代表总数的78.9%;干部代表86名,占39.4%;知识分子代表38名,占17.4%;工人代表8名,占3.7%;农民代表65名,占29.8%;解放军代表3名,占1.4%;妇女代表49名,占22.5%;少数民族代表1名,占0.46%。

第二节　会　议

市(县)人大代表选举完成后的两个月内,召开市(县)人民代表大会第一次会议,选举市(县)人大常委会组成人员、人民政府正副职领导人员、人民法院院长以及人民检察院检察长。

市(县)人民代表大会每年至少召开一次人民代表大会会议。

1991—2008年,市(县)人民代表大会召开会议26次。

县第十届　县第十届人民代表大会召共会议3次,其中,1991—1992年召开会议2次。

第二次会议　1991年4月1—3日在县人民剧院举行。会议听取并审议《贵溪县人民政府工作报告》《贵溪县人大常委会工作报告》《贵溪县人民法院工作报告》《贵溪县人民检察院工作报告》《贵溪县1990年国民经济和社会发展计划执行情况与1991年计划(草案)的报告》及《贵溪县1990年财政预算执行情况和1991年财政预算(草案)的报告》。会议通过上述报告,并作出相应决议。

第三次会议　1992年3月25—28日在县人民剧院举行。会议听取并审议《贵溪县人民政府工作报告》《贵溪县人大常委会工作报告》《贵溪县人民法院工作报告》《贵溪县人民检察院工作报告》,听取、审议、批准《贵溪县1991年国民经济和社会发展计划执行情况与1992年计划(草案)的报告》及《贵溪县1991年财政预算执行情况和1992年财政预算(草案)的报告》。会议通过上述报告,并作出相应决议。会议收到议案33件,建议、批评和意见24件。经审议,会议决定将全部议案改作建议、批评和意见。

县第十一届

县第十一届人民代表大会召开会议5次。

第一次会议　1993年1月8—10日在县人民剧院举行。会议听取并审议《贵溪县人民政府工作报告》《贵溪县人大常委会工作报告》《贵溪县人民法院工作报告》《贵溪县人民检察院工作报告》《贵溪县3年来国民经济和社会发展计划执行情况与1993年国民经济和社会发展计划(草案)的报告》及《1992年财政预算执行情况和1993年财政预算(草案)的报告》。会议通过上述报告,并作出相应决议。会议选举艾佛胜为贵溪县人大常委会主任,张满发、方瑞海、金宏杰、杨树太为副主任;选举刘尧铣为贵溪县人民政府县长,汤金汉、彭中华、叶銮清、洪年熙、简四涛为副县长;选举傅银良为贵溪县人民法 院院长、李佳寿为贵溪县人民检察院检察长。

第二次会议　1993年9月9—10日在县人民剧院举行。会议选举贵溪县出席鹰潭市第四届人民代表大会代表133名。

第三次会议　1994年3月14— 17日在县人民剧院举行。会议听取并审议《贵溪县人民政府工作报告》《贵溪县人大常委会工作报告》《贵溪县人民法院工作报告》《贵溪县人民检察院工作报告》《贵溪县1993年国民经济和社会发展计划执行情况与1994年计划(草案)的报告》及《贵溪县1993年财政预算执行情况和1994年财政预算(草案)的报告》。会议通过上述报告,并作出相应决议。会议补选县人大常 委会委员1名。

第四次会议　1995年3月25—28日在县人民剧院举行。会议听取并审议《贵溪县人民政府工作报告》《贵溪县人大常委会工作报告》《贵溪县人民法院工作报告》《贵溪县人民检察院工作报告》《贵溪县1994年国民经济和社会发展计划执行情况与1995年计划(草案)的报告》及《贵溪县1994年财政预算执行情况和1995年财政预算(草案)的报告》。会议通过上述报告,并作出相应决议。会议选举刘尧铣为贵溪县人大常委会主任、邓绍聪为贵溪县人民政府县长。

第五次会议　1996年2月29日至3月3日在县人民剧院举行。会议听取并审议《贵溪县人民政府工作报告》《贵溪县人大常委会工作报告》《贵溪县人民法院工作报告》《贵溪县人民检察院工作报告》《贵溪县国民经济和社会发展"九五"计划与2010年远景目标纲要(草案)》《贵溪县1995年国民经济和社会发展计划执行情况与1996年计划(草案)的报告》及《贵溪县1995年财政预算执行情况和1996年财政预算(草案)的报告》。会议通过上述报告,并作出相应决议。

市第一届　市第一届人民代表大会召开会议3次。

第一次会议　1996年9月6日在县人民剧院举行。会议听取县人民政府关于撤县设市工作报告;宣读民政部关于撤销贵溪县设立贵溪市批复,江西省人民政府、鹰潭市人民政府关于贵溪撤县设市的通知,以及江西省人大选任联工委关于撤销贵溪县设立贵溪市有关问题请示的答复。审议通过关于将 贵溪县第十一届人民代表大会改为贵溪市第一届人民代表大会、贵溪县第十一届人民代表大会代表改 为贵溪市第一届人民代表大会的代表、贵溪县国家机关改为贵溪市国家机关、贵溪县国家机关领导及组成人员改为贵溪市国家机关领导及组成人员的决定。

第二次会议　1997年2月26—28日在市影剧院举行。会议听取并审议《贵溪市人民政府工作报告》《贵溪市人大常委会工作报告》《贵溪市人民法院工作报告》《贵溪市人民检察院工作报告》《贵溪市1996年国民经济和社会发展计划执行情况与1997年国民经济和社会发展计划(草案)的报告》及《贵溪市1996年财政预算执行情况和1997年财政预算(草案)的报告》。会议通过上述报告,并作出相应决议。会议收到议案23件,建议、批评和意见10件。经审议,决定将全部议案改作建议、批评和意见。

第三次会议　1997年8月28—29日在市影剧院举行。会议补选吴伏生为贵溪市人大常委会主任。

市第二届　市第二届人民代表大会召开会议8次。

第一次会议　1998年1月7—10日在市影剧院举行。会议听取并审议《贵溪市人民政府工作报告》《贵溪市人大常委会工作报告》《贵溪市人民法院工作报告》《贵溪市人民检察院工作报告》《贵溪市1997年国民经济和社会发展计划执行情况与1998年计划(草案)的报告》及《贵溪市1997年财政预算执行情况和1998年级财政预算(草案)的报告》。会议通过上述报告,并作出相应决议。会议收到议案34件,建议、批评和意见23件,经审议,决定将全部议案改作建议、批评和意见。会议选举吴伏生为贵溪市人大常委会主任,张满发、洪年熙、杨树大、敖高源为副主任;选举邓绍聪为贵溪市人民政府市长,简四涛、刘滇鸣、蔡金炎、任江南、李长华为副市长;选举傅银良为贵溪市人民法院院长、李开才为贵溪市人民检察院检察长 。

第二次会议　1999年1月7—10日在市影剧院举行。会议听取并审议《贵溪市人民政府工作报告》《贵溪市人大常委会工作报告》《贵溪市人民法院工作报告》《贵溪市人民检察院工作报告》《贵溪市

1998 年国民经济和社会发展计划执行情况与 1999 年计划(草案)的报告》及《贵溪市 1998 年财政预算执行情况和 1999 年财政预算(草案)的报告》。会议通过上述报告,并作出相应决议。会议收到议案 11 件,建议、批评和意见 12 件。经审议,决定将关于“兴建贵溪市体育中心”议案列为大会议案,另 10 件议案改作建议、批评和意见。会议选举出席鹰潭市第五届人民代表大会代表 120 名。

第三次会议　1999 年 5 月 30 — 31 日在市影剧院举行。会议补选肖 伲 根为贵溪市人大常委会主任,于明为副主任。

第四次会议　2000 年 1 月 29—31 日在市影剧院举行。会议听取并审议《贵溪市人民政府工作报告》《贵溪市人大常委会工作报告》《贵溪市人民法院工作报告》《贵溪市人民检察院工作报告》《贵溪市 1999 年国民经济和社会发展计划执行情况与 2000 年计划(草案)的报告》及《贵溪市 1999 年财政预算执行情况和 2000 年财政预算(草案)的报告》。会议通过上述报告,并作出相应决议。会议收到议案 13 件,建议、批评和意见 10 件。经审议,决定将全部议案改作建议、批评和意见。

第五次会议　2001 年 3 月 17—19 日在市影剧院举行。会议听取并审议《贵溪市人民政府工作报告》《贵溪市人大常委会工作报告》《贵溪市人民法院工作报告》《贵溪市人民检察院工作报告》《贵溪市国民经济和社会发展第十个五年计划纲要(草案)》《贵溪市 2000 年国民经济和社会发展计划执行情况与 2001 年计划(草案)的报告》及《贵溪市 2000 年财政预算执行情况和 2001 年财政预算(草案)的报告》。会议通过上述报告,并作出相应决议。会议收到议案 40 件,建议、批评和意见 15 件,经审议,决定将全部议案改作建议、批评和意见。会议补选市人大常委会委员 2 名,增补选陈毛义、胡有财为贵溪市人大常委会副主任;补选简四涛为贵溪市人民政府市长,陈金茂为贵溪市人民检察院检察长。

第六次会议　2002 年 1 月 22—23 日在市影剧院举行。会议听取并审议《贵溪市人民政府工作报告》《贵溪市人大常委会工作报告》《贵溪市人民法院工作报告》《贵溪市人民检察院工作报告》《贵溪市 2001 年国民经济和社会发展计划执行情况与 2002 年计划(草案)的报告》及《贵溪市 2001 年财政预算执行情况和 2002 年财政预算(草案)的报告》。会议通过上述报告,并作出相应决议。会议收到议案 10 件,建议、批评和意见 4 件。经审议,决定将全部议案改作建议、批评和意见。

第七次会议　2002 年 5 月 15—16 日在市影剧院举行。会议补选陈爱民为贵溪市人大常委会主任。

第八次会议　2002 年 8 月 19—20 日在市影剧院举行。会议补选黄建平为贵溪市人民政府市长。

市第三届　市第三届人民代表大会召开会议 5 次。

第一次会议　2003 年 1 月 9 — 12 日在信江电影院举行。会议听取并审议《贵溪市人民政府工作报告》《贵溪市人大常委会工作报告》《贵溪市人民法院工作报告》《贵溪市人民检察院工作报告》《贵溪市 2002 年国民经济和社会发展计划执行情况与 2003 年计划(草案)的报告》及《贵溪市 2002 年财政预算执行情况和 2003 年财政预算(草案)的报告》。会议通过上述报告,并作出相应决议。会议收到议案 33 件,建议、批评和意见 24 件。经审议,决定将全部议案改作建议、批评和意见。会议选举陈爱民为贵溪市人大常委会主任,蔡金炎、陈毛义、杨树太、于明、胡有财、任江南为副主任;选举黄建平为贵溪市人民政府市长,李忠仁、杨解生、乐文红、吴塘顺、揭晓泗为副市长;选举王建东为贵溪市人民法院院长、陈金茂为贵溪市人民检察院检察长。

第二次会议　2004 年 1 月 31 日至 2 月 2 日在电厂俱乐部举行。会议听取并审议《贵溪市人民政府工作报告》《贵溪市人大常委会工作报告》《贵溪市人民法院工作报告》《贵溪市人民检察院工作报告》《贵溪市 2003 年国民经济和社会发展计划执行情况与 2004 年计划(草案)的报告》及《贵溪市 2003 年财政预算执行情况和 2004 年财政预算(草案)的报告》。会议通过上述报告,并作出相应决议。会议收到议案 31 件,建议、批评和意见 13 件。经审议,决定将全部议案改作建议、批评和意见。会议选举出席鹰潭市第六届人民代表大会代表 121 名。

第三次会议　2005 年 1 月 12—14 日在电厂俱乐部举行。会议听取并审议《贵溪市人民政府工作报告》《贵溪市人大常委会工作报告》《贵溪市人民法院工作报告》《贵溪市人民检察院工作报告》《贵溪市 2004 年国民经济和社会发展计划执行情况与 2005 年计划(草案)的报告》及《贵溪市 2004 年财政预算执行情况和2005年财政预算(草案)的报告》。会议通过上述报告,并作出相应决议。会议收到议案43件,建议、批评和意见10件。经审议,决定将全部议案改作建议、批评和意见。

第四次会议　2006年6月10—13日在电厂俱乐部举行。会议听取并审议《贵溪市人民政府工作报告》《贵溪市人大常委会工作报告》《贵溪市人民法院工作报告》及《贵溪市人民检察院工作报告》,审议、批准《贵溪市国民经济和社会发展第十一个五年规划纲要(草案)》《贵溪市2005年国民经济和社会发展计划执行情况与2006年计划(草案)的报告》及《贵溪市2005年财政预算执行情况和2006年财政预算(草案)的报告》。会议通过上述报告,并作出相应决议。会议收到议案41件,建议、批评和意见21件。经审议,决定将全部议案改作建议、批评和意见。会议补选市人大常委会委员3名,选举周美龙为贵溪市人大常委会副主任。

第五次会议　2006年11月21—22日在电厂俱乐部举行。会议补选黄建平为贵溪市人大常委会主任,李赛白为副主任。会议选举出席鹰潭市第七届人民代表大会代表。

市第四届　2007—2008年,市第四届人民代表大会召开会议3次。

市四届人大一次会议

第一次会议　2007年3月21—23日在电厂俱乐部举行。会议听取并审议《贵溪市人民政府工作报告》《贵溪市人大常委会工作报告》《贵溪市人民法院工作报告》及《贵溪市人民检察院工作报告》。审议、批准《贵溪市2006年国民经济和社会发展计划执行情况与2007年国民经济和社会发展计划(草案)的报告》及《贵溪市2006年财政预算执行情况和2007年财政预算(草案)的报告》。会议通过上述报告,并作出相应决议。会议收到议案49件,建议、批评和意见25件。经审议,决定将全部议案改作建议、批评和意见。会议选举黄建平为贵溪市人大常委会主任,李赛白、陈毛义、于明、胡有财、周美龙、余红艳为副主任;选举艾农为贵溪市人民政府市长,乐文红、揭晓泗、黄占共、张子建、黄如象、方洪海为副市长;选举王建东为贵溪市人民法院院长、方成为贵溪市人民检察院检察长。

第二次会议　2008年3月30至4月1日在电厂俱乐部举行。会议听取并审议《贵溪市人民政府工作报告》《贵溪市人大常委会工作报告》《贵溪市人民法院工作报告》及《贵溪市人民检察院工作报告》,审议、批准《贵溪市2007年国民经济和社会发展计划执行情况与2008年国民经济和社会发展计划(草案)的报告》及《贵溪市2007年财政预算执行情况和2008年财政预算(草案)的报告》。会议通过上述报告,并作出相应决议。会议选举市人大常委会委员2名。

第三次会议　2008年9月28—29日在信江电影院举行。会议补选杨解生为贵溪市人民政府市长。

第二章　人大常委会

市(县)人大常委会是市(县)人民代表大会的常设机关,对本级人民代表大会负责并报告工作。人大常委会任期同本级人大相同,职权行使到下届人民代表大会选出新一届人大常委会为止。

1980年12月10日,贵溪县第七届人民代表大会第一次会议决定,设立贵溪县人民代表大会常务委员会。自县第七届人大常委会选举产生至贵溪撤县设市,县人大常委会历经5届。1996年9月6日,贵溪市第一届人民代表大会第一次会议召开,会议决定将贵溪县人民代表大会常务委员会改为贵溪市人民代表大会常务委员会。自1996年撤县设市至2008年,市人大常委会历经4届。

第一节 组成人员与工作机构

组成人员

市(县)人大常委会由市(县)人民代表大会会议中选举产生,在人大代表中选举主任、副主任及委员若干名组成。市(县)人大常委会组成人员名额由省人大常委会确定。

1990年4月至1993年1月为贵溪县第十届人大常务会。1993年1月后,市(县)人大常委会历经4届,即县第十一届(后改称市第一届)(1993.1—1998.1)、市第二届(1998.1—2003.1)、市第三届(2003.1—2007.3)及市第四届(2007.3—2011.8)。艾佛胜、刘尧铳、吴伏生、肖伔根、陈爱民、黄建平先后任贵溪市(县)人大常委会主任。

1990—2008年市(县)人大常委会主任、副主任更迭一览

表16－1

届次	职务	姓名	任职时间	籍贯
县第十届(1990.4—1993.1)	主任	艾佛胜	1990.4—1993.1	江西余江
	副主任	胡发生	1990.4—1993.1	江西南昌
		方瑞海	1990.4—1993.1	江西贵溪
县第十一届(1993.1—1996.9)	主任	艾佛胜	1993.1—1995.3	江西余江
		刘尧铳	1995.3—1996.9	江西赣县
	副主任	张满发	1993.1—1996.9	江西贵溪
		方瑞海	1993.1—1996.9	江西贵溪
		金宏杰	1993.1—1996.9	江西无锡
		杨树太	1993.1—1996.9	江西贵溪
市第一届(1996.9—1998.1)	主任	刘尧铳	1996.9—1997.8	江西赣县
		吴伏生	1997.8—1998.1	江西余江
	副主任	张满发	1996.9—1998.1	江西贵溪
		方瑞海	1996.9—1998.1	江西贵溪
		金宏杰	1996.9—1998.1	江西无锡
		杨树太	1996.9—1998.1	江西贵溪
市第二届(1998.1—2003.1)	主任	吴伏生	1998.1—1999.5	江西余江
		肖伔根	1999.5—2002.5	江西樟树
		陈爱民	2002.5—2003.1	江西高安
	副主任	张满发	1998.1—2003.1	江西贵溪
		洪年熙	1998.1—2000.3	江西玉山
		杨树太	1998.1—2003.1	江西贵溪
		敖高源	1998.1—1999.5	江西贵溪
		于　明	1999.5—2003.1	江西余江

续表16-1

届　次	职　务	姓　名	任职时间	籍　贯
市第二届（1998.1—2003.1）	副主任	陈毛义	2001.3—2003.1	江西贵溪
		胡有财	2001.3—2003.1	江西贵溪
市第三届（2003.1—2007.3）	主任	陈爱民	2003.1—2006.11	江西高安
		黄建平	2006.11—2007.3	江西都昌
	副主任	蔡金炎	2003.1—2007.3	江西抚州
		陈毛义	2003.1—2007.3	江西贵溪
		杨树太	2003.1—2007.3	江西贵溪
		于　明	2003.1—2007.3	江西余江
		胡有财	2003.1—2007.3	江西贵溪
		任仁南	2003.1—2005.3	浙江东阳
		李赛白	2006.11—2007.3	江西贵溪
		周美龙	2006.6—2007.3	江西贵溪
市第四届（2007.3—）	主任	黄建平	2007.3—	江西都昌
	副主任	李赛白	2007.3—	江西贵溪
		陈毛义	2007.3—	江西贵溪
		于　明	2007.3—	江西余江
		胡有财	2007.3—	江西贵溪
		周美龙	2007.3—	江西贵溪
		余红艳	2007.3—	江西贵溪

工作机构

1991年,县人大常委会设办公室和财政经济、政治法制、教育科学文化卫生、选举任免联络5个办公室,均为正科级行政机构。1996年撤县设市,县人大常委会改为市人大常委会后,工作机构设置未变。

第二节　会　议

市(县)人大常委会每两个月至少举行一次会议,主要议题是听取审议“一府两院”工作情况汇报,任免市(县)国家机关工作人员。会前,常委会主任(党组)会议根据一个时期经济建设等方面的重点、难点工作及热点问题,以及市(县)委提出的人事任免建议和“一府两院”提交议案,确定议题。然后,有关工作机构围绕议题进行调查研究,并形成书面调查报告,作为会议审议发言材料。会中,进行集体审议。会后,常委会将会议决议决定会议纪要,印发“一府两院”和有关部门。

为落实好审议意见,提高监督效果,常委会创新监督形式。自市二届开始,常委会将重要审议意见以“审议意见书”形式,交政府和有关部门办理落实。

1991—2008年,市(县)人大常委会召开会议134次,其中,县第十届20次,县十一届(市第一届)41次,市二届38次,市三届38次,市四届13次。

县第十届

县第十届人大常委会任期3年,自1990年4月至1993年1月,期间召开常委会会议20次。其中,1991年1月至1992年12月召开会议15次,听取“一府两院”工作情况汇报38项,作出决议决定5项。

在1991年5月第八次会议上，常委会任命左喜明为副县长；在1991年7月第九次会议上，接受刘尧铣辞去副县长职务；在1992年5月第十四次会议上，接受左喜明辞去副县长职务，任命郭兵为副县长；在1992年7月第十五次会议上，任命刘滇鸣为副县长；在1992年10月十七次会议上，接受李宗凯辞去县长职务，任命刘尧铣为代理县长；在1992年12月第二十次会议上，接受赵运玖辞去副县长职务。

县第十一届(市第一届)

县十一届(市一届)人大常委会任期5年，自1993年1月至1998年1月。期间，召开常委会会议41次，听取“一府两院”工作情况汇报87项，作出决议决定11项。在1993年10月第六次会议上，常委会接受汤金汉辞去副县长职务；在1994年3月第九次会议上，接受郭兵辞去副县长职务，任命蔡金炎为副县长；在1995年3月第十七次会议上，接受艾佛胜辞去县人大常委会主任职务，接受刘尧铣辞去县长职务，任命邓绍聪为县人民政府代理县长；在1995年6月第二十次会议上，接受彭中华辞去副县长职务；在1996年4月第二十七次会议上，任命皇甫玉宝为副县长；在1996年8月第二十九次会议上，任命刘滇鸣、游岚为副县长；在1996年12月贵溪市第一届人大常委会第二次会议上，任命朱世友为副市长；在1997年3月市一届人大常委会第五次会议上，任命刘诚为副市长；在1997年5月市一届人大常委会第六次会议上，接受皇甫玉宝辞去副市长职务，任命程锦官为副市长；在1997年9月市一届人大常委会第九次会议上，任命李长开为副市长；在1997年11月市第一届人大常委第十次会议上，接受叶銮清、刘诚、李长开辞去副市长职务。

市第二届

市第二届人大常委会任期自1998年1月至2003年1月。期间，召开常委会会议38次，听取“一府两院”工作情况汇报82项，作出决议决定17项，任免国家机关工作人员228人次。常委会先后接受吴伏生、肖 任 根辞去市人大常委会主任职务，洪年熙、敖高源辞去市人大常委会副主任职务；邓绍聪辞去市人民政府市长职务，刘滇鸣、刘恩祥、郑荣庆、邵方龙辞去市人民政府副市长职务，任命简四涛为市人民政府代理市长。

市第三届

市第三届人大常委会任期自2003年1月至2007年3月。期间，召开常委会会议38次，听取“一府两院”工作情况汇报56项，作出决议决定21项，任免国家机关工作人员145人(次)。常委会先后接受任江南辞去市人大常委会副主任职务；黄建平辞去市人民政府市长，刘长金辞去市人民政府副市长职务；任命艾农为市人民政府代理市长，赵向阳、刘长金、郭建平、黄占共、王富生、张子建、黄如象、傅小青、叶明和为市人民政府副市长。

市第四届

市第四届人大常委会自2007年4月至2008年12月，召开会议13次，听取“一府两院”工作情况汇报24项，作出决议决定7项，任免国家机关工作人员194人(次)。在2008年8月22日第十次会议上，常委会接受艾农辞去市人民政府市长职务，柯嘉辞去市人民政府副市长职务，任命杨解生为市人民政府代理市长。

1991—2008年市(县)人大常委会会议一览

表16-3

届次	会　议　议　题	决议决定
县第十届(1990.3—1993.1)	听取审议政府办理12件实事进展,计划执行,财政决算,计划、财政预算草案,乡镇企业发展,农业科技网络建设,初级卫生保健,普及法律常识第二个五年规划,社会治安,《中华人民共和国义务教育法》贯彻实施,商业工作,民政工作,抗旱救灾,沙溪"九〇三"事故,《中华人民共和国行政诉讼法》、《中华人民共和国环境保护法》贯彻实施、县十届人大二次会议代表建议办理,《中华人民共和国森林法》执法检查,植树造林安排意见,扫除"六害",文化工作,科技兴农,住房制度改革,《中华人民共和国土地管理法》执行,"二五"普法,"七四"洪水救灾、招生和职业教育工作,《中华人民共和国全民所有制工业企业法》执行、预算执行与调整、《农民负担管理条例》贯彻执行,法院、检察院工作等情况汇报。	作出关于召开县第十届人民代表大会第二、三次及县第十一届人民代表大会第一次会议,在人大代表中开展"创优争先"活动等决定决议。
县第十一届(1993.1—1998.1)	听取审议"3、25"风雹灾情及救灾,农业结构调整,税收征管,计划调整,《治安管理处罚条例》执行,城市规划、建设、管理,初级卫生保健落实,《村民委员会组织法》实施,代表议案与建议、批评和意见办理,工商管理,个体私营二商发展,《江西省计划生育条例》实施,减轻农民负担,预算执行和调整,反贪污贿赂斗争,基础教育,"3·25"风雹灾情救灾落实,文化市场管理,叶家塘排水道治理,"二五"普法,税制改革,地方性法规有关行政处分规定执行,物价工作,广播电视工作,《关于加强城市管理的若干规定(草案)》制定、志光镇周塘村委会中源村小校舍倒塌事件处理,社会治安,粮食工作,《中华人民共和国药品管理法》执行,《中华人民共和国科技进步法》贯彻实施,《贵溪县依法治县实施方案》,科技兴县规划纲要,《贵溪县城市总体规划》调整方案,预算部分项目调整,计划生育工作,《中华人民共和国森林法》《中华人民共和国残疾人保障法》贯彻执行,私立学校办学情况、《中华人民共和国农业法》贯彻实施及春耕备耕生产情况,实施每星期40小时工作制后,如何加强领导,深化改革,强化管理,确保1995年各项经济指标完成和超额完成、《治安管理处罚条例》执行情况与加强实行新工时制后节假日、休息日安全保卫工作实施办法,《中华人民共和国义务教育法》实施和学校危房改造情况,宣传贯彻《中华人民共和国审计法》和审计工作情况,《中华人民共和国食品卫生法》执行,《关于贵溪县长途汽车站选址变更的报告》,物价管理,"6·27"洪灾灾民生活安排,《中华人民共和国档案法》贯彻实施,财政决算,预算执行和调整,"二五"普法规划完成情况,《中华人民共和国渔业法》及《江西省文化市场管理条例》贯彻执行,公费医疗改革新方案,社会治安处理,计划生育工作,执法监督工作,工商行政管理工作,"严打"整治工作,《关于提请审议市徽市标的报告》,村民委员会换届选举,案件免于起诉情况,审判工作,开展反贪贿赂斗争等情况汇报。	作出召开贵溪县第十一届人民代表大会第二、三、四、五次会议及市第一届人民代表大会第一次会议等决定决议。
市第一届(1996.9—1998.1)	听取审议《关于将贵溪县人民政府国家机关改为贵溪市人民政府国家机关的报告》,粮食工作,决算、预算部分项目调整,"两基"工作,第二个五年法制宣传教育规划实施和第三个五年法制宣传教育工作安排意见,开展法制宣传教育"第三个五年规划"情况,深化城镇住房制度改革,春耕备耕,信访工作,科技工作,《中华人民共和国水利法》贯彻实施和水利冬修情况,《中华人民共和国环境保护法》和《中华人民共和国矿产资源法》贯彻实施,农村卫生工作,代表建议办理情况,预算执行,计划生育工作,《中华人民共和国土地管理法》贯彻执行,"三五"普法工作启动与实施,乡镇文化站建设,审判监督工作,反贪污贿赂斗争等工作情况汇报。	作出在全市公民中继续开展法制宣传教育及同意《贵溪市深化城镇改革实施方案》上报,召开市第一届人民代表大会第二、三次及市第二届人民代表大会第一次会议等决定决议。

续表 16－3

届次	会 议 议 题	决议决定
市第二届 (1998.1—2003.1)	听取审议春耕备耕,卫生系统医德医风,劳动保护和安全监察工作,义务教育经费筹措和使用管理,市、乡公路建设,110 报警服务台建设及工作,预算执行,农电管理,饮食业食品卫生,“6.16”洪灾救灾情况,决算、预算及计划调整,粮食流通体制改革,行政监察工作,有线电视建设和管理,土地管理,“三五”普法,《中华人民共和国婴儿保健法》实施情况,代表议案与建议办理,市区文化市场管理情况,实行行政执法责任制工作情况,商业工作,《中华人民共和国消防法》实施,计划生育工作,关于《市体育馆建设筹资方案的报告》,科技兴农,社会保险工作,兴建市体育中心进展情况,个体私营经济发展,公安队伍建设,预算外资金管理使用情况,市直预算外资金预算,村民自治,市人大代表评议教委工作后进行整改情况,乡镇企业发展,计划生育队伍建设情况,贯彻实施《中华人民共和国食品卫 生法》情况,“三五”普法规划执行情况及“四五”普法工作安排意见,市二届人大常委会“关于代表建议办理的审议意见”落实情况,卫生执法,重点工程建设 情况,企业转机建制,推行“校长负责制、教师聘任制、结构工资制”情况,撤乡并镇工作情况,乡镇行政区划调整议案,住房公积金,城乡最低生活保障,《中华人民共和国教师资格条例》贯彻执行,《中华人民共和国执业医师法》实施情况,市人大常委会视察 组视察农网改造和管理的意见与建议办理情况,“严打”整治斗争,科委工作,“四五”普法,教育工作,人民法院建设及其工作,刑事审判工作,反贪贿赂工作,检察工作等情况汇报。	作出召开市第二届人民代表大会第二、三、四、五、六、七、八次及市第三届人民代表 大会第一次会议,成立 市乡镇人大换届选举 工作领导小组,对任命 的国家机关工作人员进行法律知识考试,同 意市人民政府《关于审议调整贵溪市乡镇行政区划的议案》,实行 执法责任制,加强市级 预算审查监督,加强经 济工作监督等决定决 议。
市第三届 (2003.1—2007.3)	听取审议安全度讯及农业产业结构调整,农村税费改革后中小学运转情况,防治“非典”工作,部门预算改革,代表建议办理,老城区改造,社区建设,经济大楼建设指挥部财务收支情况,市经济大楼扫尾工程建设情况,计划、预算执行及其他财政收支审计情况,办理落实市人大常委会关于加强农村中小学“一费制”管理审议意见情况,招商引资,社会治安工作,梨温高速公路贵溪连接线初步设计方案,贵溪大桥建设,财政决算,再就业情况,《中华人民共和国人口和计划生育法》执行,“环保信江行”组委会工作情况,农村新型合作医疗工作,办理落实市人大常委会关于《中华人民共和国未成年人保护法》及江西省实施办法审议意见情况,农村药品“两网”建设,行政性审批项目清理情况,春耕备耕,司法鉴定工作,《关于建立贵溪大桥建设财政基金的议案》,市属工业发展,《关于提请审议市人民政府按期偿还城市基础设施项目贷款的议案》,《关于将市土地储备中心归还江西国际信托投资股份有限公司贷款缺口资金纳人同期年度财政预算的议案》,关于将体育中心用地改建教体活动中心,《中华人民共和国食品卫生法》贯彻实施,防控高致病性禽流感情况,预算调整,十一五规划纲要编制,预算执行和预算安排,农村公路建设,代表建议意见和《体育中心议案》办理,《中华人民共和国未成年人保护法》《中华人民共和国业法》《中华人民共和国工会法》执法检查审议意见办理落实情况,“四五”普法工作情况和编制,《贵溪市关于开展法制宣传教育第五个五年规划》的说明情况,《关于将我市新农村基础设施建设等项目贷款本息偿还资金纳人同期年度财政预算的议案》,选任人民陪审员、人民陪审员资格审查等情况汇报。	作出召开市第三届人民代表大会第二、三、四、五次及市第四 届人民代表大会第一 次会议,确定市人民法 院人民陪审员名额,进 一步加强法制宣传教 育,贵溪大建设使用资金,批准市人民政府关于《 城市设施项目贷款》,《将市土地储备 中心归还江西国际信托投资股份有限公司贷款缺口资金纳人同期年财 》及《将我市新农村设施设等项目贷息偿还资金纳人同期 年度财政预算》的议案,拆除市标、实施城南节点渠化、工程保障交通安全等决定决议。
市第四届 (2007.3—)	听取审议春耕备耕生产,计划、预算执行,劳动就业,婴儿出生性别比情况,代表建议和意见办理,社会治安,预算执行和其它财政收支审计,宗教事务管理工作,预算调整,新型农村合作医疗工作,关于《按期偿还鹰潭进口第七类废物拆解区基础设施建设项目贷款的议案》,贵溪大桥及其东西延伸道路工程项目建设,“四五”普法工作,少数民族地区移民扶贫搬迁,关于《按期偿还九牛滩水毁工程及城市防洪工程(柏里片)建设项目贷款的议案》及《市人民医院新医院建设项目融资的议案》,办理 2008 年市人大常委会审议意见,预算调整,市人民法院执行工作等情况汇报。	作出召开市第四届人民代表大会第二、三、四次会 议,批准市人民政府关于《按期偿还鹰潭进口 第七类废物拆解区基础设施项目贷款 》的议案等决定决议。

第三节　重要活动

视察

1991—2008 年,市(县)人大常委会组织常委会组成人员和部分人大代表进行视察工作 19 项,其中,县第十届 1 项,县第十一届 3 项,市第一届 1 项,市第二届 4 项,市第三届 7 项,市第四届 7 项,其中,2007—2008 年 3 项。视察内容包括乡镇企业、城市规划、建设和管理,公路建设以及园区基础设施建设等。

执法检查与调查

县第十届人大常委会对《中华人民共和国义务教育法》等 7 部法律条例实施情况进行检查;县第十一届人大常委会对《治安管理处罚条例》等 14 部法律条例实施情况进行检查;市第一届人大常委会对《中华人民共和国环境保护保法》等 7 部法律条例实施情况进行检查;市第二届人大常委会对《中华人民共和国食品卫生法》等 10 部法律条例实施情况进行检查;市第三届人大常委会对《中华人民共和国人口与计划生育法》等 19 部法律条例实施情况进行检查;市第四届人大常委会对 9 部法律条例实施情况进行检查,其中,2007—2008 年对 4 部法律条例实施情况进行检查。

述职评议

述职评议始于县第十一届。

1993—2008 年,人大常委会组织述职评议 49 人次。其中,县第十一届人大常委会先后对县劳人局等 21 名局长(主任)进行述职评议;市第一届人大常委会对市公安局等 3 名局长进行述职评议;市第二届人大常委会对市教委等 12 名局长(主任)进行述职评议;市第三届人大常委会对市政府分管农业农村工作的副市长,市建设局、市法院刑事审判庭及市检察院检察员等 13 名市"一府两院"工作人员进行述职评议。

工作评议

工作评议始于市第二届人大常委会。

2000 年 8 月主任会议决定,在全市范围内开展《中华人民共和国义务教育法》及其相关法律执法情况检查,在此基础上,组织部分市人大代表对市教委的工作进行评议。

评议在市人大常委会主任会议领导下进行。下设办公室,承办具体工作,组成若干工作小组,成员由若干人大常委会委员和市人大代表组成。

评议方法程序:在市、乡(镇)政府和教育等有关部门自查自评基础上,市人大常委会各评议小组到市教委、市直有关部门和乡镇进行重点评议调查,然后召开评议会议,听取市教委工作情况汇报,参评代表评议发言,评议组提出综合意见。最后常委会召开会议,对评议报告进行审议,形成书面整改意见,并向市政府反馈。

评议内容:教委学习、宣传和贯彻教育法律法规;执行市人大及其常委会决定决议;办理市人大代表提出的建议、批评和意见;办理市人大常委会审议意见;领导班子勤政廉政、民主作风;坚持依法行政、履行职责、建立和实行执法责任制;教育法制工作机构和行政执法队伍建设等方面的情况。

评议会上,10 名市人大常委会委员和市人大代表从教育人事制度改革、网点调整、控制辍学率、推行素质教育、职业教育发展、教育经费筹措和管理、教育收费和教师队伍建设等方面作专题发言。

1991—2008 年市(县)人大常委会重要活动一览

表 16-3

届次	视　察	执法检查	述职评议
县第十届 (1991.1—1993.1)	乡镇企业工作	对《中华人民共和国义务教育法》《中华人民共和国行政诉讼法》《中华人民共和国环境保护法》《中华人民共和国森林法》《中华人民共和国土地管理法》《中华人民 共和国全民所有制工业企业法》《江西省农民负担监督管理条例》贯彻实施情况进行检查。	

续表 16－3

届次	视　察	执法检查与调查	述职评议
县第十一届（1993.1—1996.9）	城市建设和管理情况、雄石西路等城市四大建设工程以及红壤开发和果业工程	对《中华人民共和国治安管理处罚条例》《中华人民共和国村民委员会组织法》《江西省计划生育条例》《中华人民共和国药品管理法》《中华人民共和国科技进步法》《中华人民共和国森林法》《中华人民共和国残疾人保障法》《中华人民共和国农业法》《中华人民共和国义务教育法》《中华人民共和国审计法》《中华人民共和国食品卫生法》《中华人民共和国档案法》《中华人民共和国渔业法》《江西省文化市场管理条例》贯彻实施情况进行检查。	对县劳动人事局、文化局、审计局、城建局、房管局、环保局、计生委、体改委、粮食局、商业局、物资局、二轻局、监察局、财政局、外贸局、科委、土管局、计委、交通局、乡企局等局长（主任）进行述职评议。
市第一届（1996.9—1998.1）	公路建设	对《中华人民共和国教育法》《江西省义务教育经费筹措和使用管理办法》《中华人民共和国水法》《中华人民共和国环境保护法》《中华人民共和国矿产资源法》《中华人民共和国土地管理法》《中华人民共和国行政处罚法》贯彻实施情况进行检查。	对市公安局、商业局、乡企局局长进行述职评议。
市第二届（1998.1—2003.1）	水利和城市规划建设和管理、农网改造和管理、安全生产工作	对《中华人民共和国母婴保健法》《中华人民共和国森林法》《中华人民共和国水土保持法》《中华人民共和国消防法》《中华人民共和国职业教育法》《中华人民共和国义务教育法》《中华人民共和国食品卫生法》《中华人民共和国教师资格条例》《中人民共和国执业医师法》《江西省计划生育条例》贯彻实施情况进行检查。	对市教委、广电局、水利局、审计局、物价局、交通局、司法局、计生委、卫生局、林业局、土地管理局、建设局局长（主任）进行述职议。
市第三届（2003.1—2007.3）	市区环境、高速公路挂线工程、冶金大道、工业园基础设施建设、贵溪大桥工程、石泉村和万家村等新农村建设	对《中华人民共和国环境保护法》《中华人民共和国人口与计划生育法》《中华人民共和国大气污染防治法》《中华人民共和国水污染防治法》《中华人民共和国矿产资源法》《中华人民共和国未成年人保护法》《中华人民共和国统计法》《中华人民共和国行政许可法》《中华人民共和国农业法》《中华人民共和国食品卫生法》《中华人民共和国动物防疫法》《中华人民共和国村委会组织法》《中华人民共和国工会法》《中华人民共和国劳动保障监察条例》《中华人民共和国义务教育法》《中华人民共和国律师法》《中华人民共和国节约能源法》《中华人民共和国专利法》贯彻实施情况进行检查。	对市政府分管农业农村工作的副市长、市公安局、文化广播电视局、建设局、环保局、国土资源局、科技局、水利局、人口和计划生育局、林业局局长，市法院刑事审判庭和上清法庭庭长、市检察院检察员进行述职评议。

续表 16－3

届次	视　察	执法检查与调查	述职评议
市第四届 (2007.3—)	工业园、铜拆解园基础设施	对《中华人民共和国教师法》《中华人民共和国环境保护法》《中华人民共和国药品法》《中华人民共和国行政许可法》贯彻实施情况进行检查。	

第四节　联系工作

代表工作

组织领导市(县)人大代表选举　市(县)人民代表大会换届选举期间设立选举委员会,主持本级人民代表大会代表的选举。选举委员会由本级党委、人大常委会有关负责人,党委组织、宣传、统战部门负责人,公安、民政、司法、财政部门负责人,法院、检察院有关负责人,各民主党派和人民团体负责人组成,人数为 11～17 人。委员会下设办公室。乡(镇)、街道成立选举指导组,选区设立选举办事组。

选举委员会受市(县)人大常委会领导。

联系代表　每届人大代表选出后,人大常委会本着便于组织和开展活动的原则,建立代表小组活动制度。城区代表以系统为单位建组,农村代表以乡镇为单位建组,每组人数一般 3～20 人,各组推选 1 至 2 名召集人。活动一般每季度 1 次,每次 1 天。活动主要内容:学习、传达贯彻上级有关文件,组织开展调查、视察等工作。

1993 年,县人大常委会制定《关于进一步加强同代表联系的办法》。1998 年,市人大常委会制定“联系代表办法”,进一步规范人大常委会各位副主任及各工作机构与代表联系制度。

代表保障　在政治保障方面,代表在大会及其他各种会议上的发言不受法律追究。在大会期间和闭会期间,未经人大及其常委会许可,不受逮捕或者刑事审判。对代表采取法律规定的拘留和其他限制人身自由的措施,必须经人大常委会许可;在组织保障方面,健全联系制度,依法组织代表参加各种活动;在经济保障方面,代表执行职务,享受所在单位的工作和其他待遇。无固定工资收入的代表,给予适当补贴。

服务代表履职　人大常委会组织对代表进行培训。为代表征订《中国人大》《时代人大》《人民代表报》等报刊。组织学习,召开经验交流会、座谈会,总结交流人大代表在闭会期间履行职务开展活动的经验,促进代表参政。

促进代表履职　自 1992 年起,市(县)人大常委会在代表中开展“争创先进代表活动小组和优秀市人大代表”活动,并于每年年底由人大常委会组成考评组,对评选出的先进活动小组和优秀代表予以表彰,促进代表履职。

督办代表议案和建议　人大代表在大会期间提出议案和建议,先由议案审查委员会或大会秘书处审查,向大会主席团提出议案审查意见报告。再由主席团决定是否作为议案或建议提请大会审议,全体会议表决通过。在大会闭会期间,交由有关专门工作机构进行调研,提出审议报告,再由常委会决定是否作为议案,作为议案的交由执行机关组织办理。

人大代表在大会期间提出的议案或建议,在会议闭会后,由人大常委会有关专门工作机构及时召开国家机关负责人参加的建议交办会议,分别交有关国家机关办理,并组织加强对办理工作的检查监督指导。市(县)人大常委会每年都要听取和审议政府关于代表建议意见办理结果的报告。

指导乡镇人大换届选举　乡镇换届选举工作期间,人大常委会及时组织传达贯彻上级有关换届选举会议工作精神,提出实施方案。常委会领导按照选举委员会制定的联系指导制度,深入挂点乡镇进行调查研究,总结经验,解决选举工作中出现的问题,确保乡镇人大换届选举工作如期完成。

乡镇人大换届时,市(县)成立乡镇人大换届工作领导小组,成员由市(县)委,市(县)人大常委会领导和有各方面负责人组成,领导和指导全市(县)乡镇人大换届工作。下设办公室,内设秘书、组织、宣传组,办理换届选举工作事宜。另抽调一批懂政策、法律,熟悉选举工作的干部,组成若干乡镇人大换届选举工作组,下派到乡镇指导换届选举工作。乡镇设立选举委员会,主持本级人民代表大会代表的选举,其组成人员由(市(县)人大常委会任命,成员一般由乡镇党委、人大负责人,组织委员、宣传委员和民政、财政、团委、妇联等方面的负责人组成,人数通常为7～11人。乡镇还设立指导组,指导选区选举工作。选区设立选举办事组,办理本选区的选举事项。

指导乡镇人大主席团

人大常委会每年都要组织乡镇(街道)人大主席团主席、副主席(联络员)以及人大干事参加理论培训,学习《中华人民共和国宪法》《中华人民共和国地方各级人民代表大会和地方各级人民政府组织法》《中华人民共和国全国人民代表大会和地方各级人民代表大会选举法》《中华人民共和国全国人民代表大会和地方各级人民代表大会代表法》《中华人民共和国各级人民代表大会常务委员会监督法》及《江西省乡镇人民代表大会工作条例》。邀请具有丰富实践经验的人大工作者讲授人大业务知识,为乡镇开好人大会,组织代表活动,办理代表议案建议,开展视察评议检查等方面工作进行培训。

第十七卷　市(县)人民政府

第一章　组　成

第一节　领导人员

市(县)人民政府由市(县)长、副(县)市长,政府工作部门各委局(办)主任、局长组成。根据工作需要,设市(县)长助理。

领导选举

1991—2008 年,市(县)人民政府历经 5 届,即县第十届、第十一届(后改称为市第一届),市第二、三、四届,李宗凯、刘尧铣、邓绍聪、简四涛、黄建平、艾农、杨解生先后任市(县)长。

1991—2008 年市(县)人民政府领导人员更迭一览

表 17－1

届次	职务	姓名	任职时间	籍贯
县第十届 (1990.4—1993.1)	县长	李宗凯	1990.4—1992.10	湖南浏阳
	代理县长	刘尧铣	1992.10—1993.1	江西赣县
	副县长	刘尧铣	1990.4—1991.7	江西赣县
		赵运玖	1990.4—1993.1	江西上饶
		彭中华	1990.4—1993.1	江西贵溪
		叶銮清	1990.4—1993.1	江西贵溪
		洪年熙	1990.4—1993.1	江西玉山
		左喜明	1991.5—1992.5	
		郭　兵	1992.5—1993.1	
		刘滇鸣	1992.7—1993.1	江西南昌
		汤金汉	1992.12—1993.1	江西贵溪
县第十一届 (1993.1—1996.9)	县长	刘尧铣	1993.1—1995.2	江西赣县
		邓绍聪	1995.3—1996.9	江西南城
	副县长	汤金汉	1993.1—1993.10	江西贵溪
		彭中华	1993.1—1995.6	江西贵溪
		叶銮清	1993.1—1996.9	江西贵溪
		洪年熙	1993.1—1996.9	江西玉山

续表17－1

届次	职务	姓名	任职时间	籍贯
县第十一届（1993.1—1996.9）	副县长	简四涛	1993.1—1996.9	江西樟树
		蔡金炎	1994.3—1996.9	江西抚州
		皇甫玉宝	1996.4—1996.9	
		刘滇鸣	1996.8—1996.9	江西南昌
		游　岚	1996.8—1996.9	江西贵溪
		郭　兵	1993.1—1994.3	
市第一届（1996.9—1998.1）	市长	邓绍聪	1996.9—1998.1	江西南城
	副市长	叶銮清	1996.9—1997.11	江西贵溪
		简四涛	1996.9—1998.1	江西樟树
		洪年熙	1996.9—1998.1	江西玉山
		蔡金炎	1996.9—1998.1	江西抚州
		刘滇鸣	1996.9—1998.1	江西南昌
		皇甫玉宝	1996.9—1998.1	
		朱世友	1996.11—1998.1	
		刘　诚	1997.3—1997.11	江西贵溪
		程锦官	1997.5—1998.1	
		李长开	1997.9—1997.11	江西贵溪
市第二届（1998.1—2003.1）	市长	邓绍聪	1998.1—2001.3	江西南城
		简四涛	2001.3—2002.7	江西樟树
		黄建平	2002.7—2003.1	江西都昌
	副市长	简四涛	1998.1—1998.7	江西樟树
		刘滇鸣	1998.1—2001.7	
		蔡金炎	1998.1—2001.3	江西抚州
		任江南	1998.1—2003.1	
		李长华	1998.1—2001.3	江西贵溪
		朱世友	1998.3—2000.9	
		游　岚	1999.5—2003.1	江西贵溪
		周　巍	1999.5—2000.5	
		詹华春	1999.7—2001.3	
		刘恩祥	2001.3—2001.7	
		孙　钢	2001.3—2001.5	
		萧永进	2001.5—2002.11	江西贵溪
		郑荣庆	2001.7—2002.8	
		杨解生	2001.7—2003. 1	江西黎川
		邵方龙	2001.11—2002.11	江西贵溪
		李忠仁	2002.8—2003. 1	江西永新

续表 17－1

届次	职务	姓名	任职时间	籍贯
市第二届(1998.1—2003.1)	副市长	吴塘顺	2002.8—2003.1	
		刘天华	2002.8—2003.1	
		乐文红	2002.11—2003.1	江西贵溪
		徐双文	2002.11—2003.1	江西余江
市第三届(2003.1—2007.3)	市长	黄建平	2003.1—2006.6	江西都昌
		艾　农	2006.6—2007.3	江西东乡
	副市长	李忠仁	2003.1—2005.3	江西永新
		杨解生	2003.1—2007.2	江西黎川
		乐文红	2003.1—2007.2	江西贵溪
		吴塘顺	2003.1—2005.7	
		揭晓泗	2003.1—2005.7	江西贵溪
		王富生	2006.6—2007.2	江西贵溪
		赵向阳	2003.11—2005.11	
		刘长金	2004.10—2006.10	江西贵溪
		郭建平	2004.10—2006.10	江西余干
		黄占共	2006.3—2007.3	江西余干
		张子建	2006.4—2007.3	江西贵溪
		黄如象	2006.5—2007.3	
市第四届(2007.3—)	市长	艾　农	2007.3—2008.8	江西东乡
		杨解生	2008.9—	江西黎川
	副市长	乐文红	2007.3—2007.12	江西贵溪
		柯　嘉	2007.10—2008.8	江西上饶
		揭晓泗	2007.3—2009.6	
		黄占共	2007.3—2007.9	江西余干
		张子建	2007.3—	江西贵溪
		黄如象	2007.3—	
		方洪海	2007.3—	
		傅小青	2006.12—2008.12	
		叶明和	2006.12—	
		吴泉水	2008.8—	江西余江
		王有金	2008.8—	

第二节　机　构

工作机构

1991 年,县政府设工作机构 46 个,即:县政府办公室、司法局、公安局、财政局、民政局、计委、统计局、计生委、监察局、经委、劳动人事局、卫生局、教育局、林业局、广电局、文化局、粮食局、农牧渔业局、水电局、交通局、物价局、物资局、城乡建设局、商业局、二轻局、乡企局、对外贸易局、档案局、科技委、体委、老建办、环保局、地名办、蔬菜办、审计局、县志办、精神文明办、职教办、农业利用外资办、土地局、体改委、对外经济协作办、农办、矿产局、编委办、保密局。

2008年,市政府设工作部门24个:

市政府办公室 1996年10月由县政府办公室改称为市政府办公室。

市发展和改革局 1996年10月由县计划委员会改称为市计划委员会;2003年3月撤销原市计划委员会,成立市发展计划局,同时将贵溪市物价局、支重局并入市发展计划局;2005年4月改为市发展和改革局,同时将市政府办公室内设机构经济体制办公室并入市发展和改革局。

市经济贸易局 1996年10月由县经济委员会改称为市经济贸易委员会;2002年11月更名为市经济贸易局,原市商业局、外贸局、二轻局、乡镇企业局、物资总公司并入市经济贸易局,对外保留对外贸易经济合作局牌子。

市教育局 1996年10月由县教育局改称为市教育委员会;2003年3月改称为市教育局。

市科学技术局 1996年10月由县科学技术委员会改称为市科学技术委员会;2003年2月改称为市科学技术局。

市公安局 1996年10月由县公安局改称为市公安局。

市监察局 1996年10月由县监察局改称为市监察局。

市民政局 1996年10月由县民政局改称为市民政局。

市司法局 1996年10月由县司法局改称为市司法局。

市财政局 1996年10月由县财政局改称为市财政局。

市人事劳动和社会保障局 1996年10月由县人事局改称为市人事局;2003年2月并入市劳动就业局和社会保障局,改称为市人事劳动和社会保障局。

市国土资源局 1996年10月由县土地管理局改称为市土地管理局;2003年2月改称为市国土资源局。

市建设局 1996年10月由县城乡建设局改称为市城乡建设局;2003年2月改为市建设局。

市交通局 1996年10月由县交通局改称为市交通局。

市农业局 1996年10月由县农业局改称为市农业局。

市水利局 1996年10月由县水利局改称为市水利局。

市林业局 1996年10月由县林业局改称为市林业局。

市人口和计划生育局 1996年10月由县计划生育委员会改称为市计划生育委员会;2003年3月改称为市计划生育局;2005年7月改称为市人口和计划生育局。

市卫生局 1996年10月由县卫生局改称为市卫生局。

市环境保护局 1996年10月由县环境保护局改称为市环境保护局。

市文化广播电视局 1996年10月由县文化局改称为市文化局,2003年2月并入广播电视局改称为市文化广播电视局。

市统计局 1996年10月由县统计局改称为市统计局。

市审计局 1996年10月由县审计局改称为市审计局。

市民族宗教事务局 2005年4月增设。

市安全生产管理局 2006年11月增设。

派出机构

街道办事处 2000年11月,市委市政府决定:撤销雄石镇建制,改设雄石、东门、花园3个街道办事处。

联合行政服务中心 贵溪市联合行政服务中心管理委员会原名贵溪市便民服务中心,成立于2000年1月。2002年更名为贵溪市联合办证服务中心,2006年5月30日经三届市委第九十九次常委会研究决定更名为贵溪市行政服务中心,并成立管委会。

第三节　办公室

内设股室

1996年,市政府办公室设置5个职能股室:经济体制改革委员会办公室、外事侨务办、民族宗教事务办、秘书股、综合股。行政编制35名,事业编制17名。设主任1名,副主任5名。主要职能:办理上级党委、政府及各部门的文电呈(传)阅以及有关文电的处理工作,负责市政府及其办公室文电的草拟、审核和编发;承办市政府会议会务工作,协助市政府领导对会议、文件、工作部署以及领导同志重要批示的实施、督办和检查;组织对全市改革、发展和稳定工作中的重要问题的调查研究,采写和编发《政务信息》,协助市政府领导决策;根据市政府领导指示,协调部门之间、乡镇之间以及与驻市企业和跨地区之间的有关联系工作;加强与鹰潭市政府办公室和市委、市人大、市政协、市纪委、市人武部办公室的联络,督促有关部门办理人大代表、政协委员的提案和建议;做好群众来访的接待和人民来信的处理工作,及时反映信访工作中的重要问题、意见和建议。

2002年,内设8个职能股室:综合股、秘书股、后勤保障股、信访专线办、驻市企业协调办、法制局、体改办、民宗局。行政编制40名(其中专项行政编制8名),后勤服务人员编制10名。领导职数:办公室主任1名,副主任2名,体改办主任1名,法制局局长1名(副科),民宗局局长1名(副科)。主要职能:负责市政府会议的会务工作,协助市政府领导组织会议决定事项的实施;负责市政府、市政府办公室文电的起草、审核和制发工作;办理中共中央、国务院,省委、省政府,鹰潭市委、市政府及其各部门,市委的公文呈(传)阅,提出贯彻意见,报市政府领导决定;研究政府各部门、各乡(镇)政府、街道办事处请示市政府的问题,提出审核意见,报市政府领导决定;根据市政府领导指示,对市政府各部门间相互协商后仍有争议的问题提出处理意见,供市政府领导决定;督促检查市政府各部门和乡(镇)政府,街道办事处对国务院、省政府和鹰潭市政府、贵溪市政府公文、会议决定事项以及领导有关指示的执行落实情况,并跟踪调研,及时向市政府领导报告;处理群众来信,接待群众来访,及时向市政府领导报告来信来访中提出的重要建议和反映的重要问题,办理市政府领导交办的有关信访事项;负责与市人大办公室、市政协办公室联系、组织、督促有关部门和单位及时办理人大代表建议和政协提案;根据市政府领导的指示,组织专题调查,及时反映情况,提出建议;负责全市政府系统信息工作;协助市政府领导组织处理需由市政府直接处理的突发事件和重大事故;协助市政府领导协调驻市企业周边环境;负责市政府法制、民族宗教、体改和外事侨务的工作。

政务工作

1991年,承担全县经济工作暨表彰大会等10多次大中型会议的组织、公文制作、文电处理,督促检查信访工作、档案管理,181件市、(县)人大代表、政协委员建议、提案的办理工作。组织20余人次专题调研活动,创办《政务汇要》,完成驻沪联络处的组建。先后派出10余人次参加县委、县政府组织的抗旱救灾、路线教育等中心工作,为包片的3个村委会群众宣讲党的路线、方针、政策,整顿村级班子,加强综合治理,发展集体经济。负责组织参展团参加鹰潭市举办的第二届龙虎山旅游暨经贸活动周,推销产品、洽谈项目、引进资金技术。向到县的境外宾客提供《贵溪画册》《贵溪投资指南》等资料120多册。完成79户分布在中国香港、美国、法国、加拿大等10多个侨情工作普查与登记,参与接待到县的驻外大使、领事参观团和由200多人组成的60个国家国际农业考古专家团工作。

2008年,围绕中心,服务大局,当参谋助手。围绕全市经济社会发展中的重点、热点、难点和焦点问题,谋划对策思路,提出解决办法,为领导科学决策提供服务。调度经济社会、民生工程、环境保护等主要发展指标,掌握丰富的资料数据,在广泛了解和深入分析基础上,建言献策,为领导提供决策建议。各副主任对口协助市长、副市长、市长助理,就市政府领导分管的各项工作做好协调跟踪服务。协助市领导加强与驻市企业协调,做好贵冶农赔、新渣场征地、老渣场整治及东扩工程遗留问题处理,推进四冶政策性破产改制等工作。实行办公室主任信访接待日制度,接访72批600人次,为市政府领导腾出大量精力和更多时间抓具体工作。办理上级公文呈(传)阅和各部门、各单位请示,认真提出审核意见,按程序报请市政府领导审定。做好市政府、市政府办文电的起草、审核和制发工作。以市政府或市政府办名义印发128份综合性文件,办理各类公文600多件,组织起草重要文件和领导讲话等综合文稿400多篇上百万字,承办以市政府名义召开的26个全市性会议。围绕市政府决策部署和领导关注的重大问题落实情况,人民群众关心的热点难点问题的解决情况开展督查。重点围绕决策部署,实地督查。针对江铜三期扩建项目征地拆迁及贵冶西区建设等有关问题,进行现场督办。整治城市规划区内违章建房,多次深入违章建房点进行督查。就落实民生工程的各项任务,两次组成督查组,对全市11个乡镇3个街道办事处和7个部门涉及8个方面的72项民生工程实施情况进行督查。跟踪督办上级来文和市政府公文、会议决定事项及领导有关指示。对城市建设如铜拆解加工区、鹰雄大道贵溪段、高速公路贵溪连接线、柏里大道等重点工程进行专项督办。按照《政府工作报告》要求,对各部门年初上报的工作安排阶段性落实情况进行督办。与市人大办、市政协办联系协调,督促办理市人大代表建议144件、政协提案245件,办结率、满意率均达100%。发出督查通报57期,2007年、2008年均获全省督查工作先进单位。编发政务信息200余条、调研文章20余篇,编印《樟坪畲族乡经济社会可持续发展的做法》《依法维护社会稳定推进破产改制》等调研文章得到省政府吴新雄、凌成兴、洪礼和等领导的批示,并被省政府办公厅以《江西政务》呈阅件、增刊形式刊登,被评为全省政务信息先进单位。建立全市安全性公共事件信息网络和应急联运机制,形成应急救援队伍体系。组织修订和完善1项总体预案、348个分项应急预案,帮助指导28个乡(镇、街办、场)、26个部门、13个社区、187个村、54个学校和40个企业制定并完善应急预案。对年初发生的雨雪冰冻灾害等突发公共事件,协助市政府领导做艰苦细致工作,确保信息畅通。确保市政府领导第一时间准确了解全市工作动态和重要社情民意,使改革成本降到最低,稳定风险降到最小。

法制工作

1991年,参加由县人大牵头的《中华人民共和国森林法》执法大检查,司法系统执法检查,会同有关部门调处山林纠纷12起。1994年,调查处理24件有关行政执法机关违法或不当的行政行为;协调解决4件城市国有土地出让与转让问题争执。审核有关政府职能部门以县政府名义制定的《贵溪县实施〈水土保持法〉暂行规定》《贵溪县计划用水、节约用水实施办法》《贵溪县城镇公有房屋管理办法》等8件规范性文件;开展执法监督检查活动,参加对《中华人民共和国国旗法》《中华人民共和国消费者权益保护法》《中华人民共和国统计法》《中华人民共和国传染病防治法》等法律、法规执法检查;牵头组织对公安交警、交通稽查等部门上路检查、收费情况的监督检查,使公路"三乱"现象得到有效控制。组织对各部门执行省政府令的情况进行检查,反馈有关信息。开展行政复议和行政应诉工作,强化行政机关的层级监督作用,全年受理行政复议案件6起。

事务管理

1991年,开展大院、办公楼和宿舍的卫生、绿化、美化、安全保卫工作。改善食堂服务。食堂饲养生猪65头,新建锅炉房,解决机关干部职工吃开水难问题。堵塞财务管理漏洞,保证政府机关工作正常运转。小车实行定点维修,控制修理费用。1992年12月,成立县政府机关事务管理科,为县政府办公室内设机构(副科级,科长由县政府办公室副主任兼任),编制14名,内设办公室、县委大院保卫股、县委食堂及政府食堂四个股(室)。负责县委、县政府大院绿化、保洁、治安、水电房屋维修及县委、县政府机关食堂的管理和县委、县政府机关宿舍建设、管理等工作。1996年5月,政府机关事务管理科人员编制增加至20名。2002年11月,市政府机关事务管理科升格为市政府机关事务管理局,为市政府直属事业单位(正科级),参照执行公务员制度管理。事业编制30名,设局长1名,副局长2名,4个职能科室:即办公室、保卫股、机关后勤服务股和水电房屋工程维修股。主要职责是负责市办公大楼的安全保卫,市四套班子大型会议后勤服务保障,市政广场的绿化、美化、亮化及环境卫生,市办公大楼维修、公共设施的购置、维护、管理及水、电、卫生、生活等后勤保障,市政府宿舍文明建设和管理,市委、市政府公务接待用车的养护。管理和服务范围为市办公大楼(建筑面积21047.44平方米)、市政广场(分为南园、北园,占地面积100219.13平方米)、市政广场音乐喷泉等基础设施的管理维护。服务对象包括市委、市人大、市政府、市政协、市纪委、市委组织部、市委宣传部、市委政法委、市发改局、市司法局、市人事局、市科技局、市统计局等36个机关单位日常办公设施的维护和公共场所的保洁等工作。自2004年12月，市四套班子及相关单位搬迁至市办公大楼以来，市政府机关事务管理局先后制定《市办公大楼管理制度》《市公务接待车辆管理制度》《市办公大楼安全保卫制度》《市办公大楼电梯、暖通、消防控制室等重点设施管理制度》《市政广场绿化及市政设施维护管理制度》和《市政府宿舍管理制度》等一系列制度，确保市办公大楼的高效正常运转，为驻楼各单位提供一个优美、舒适的办公环境。

第二章　施政方式与重要会议

第一节　施政方式

领导分工负责

市（县）政府实行市（县）长负责制与副市（县）长分工负责。

市（县）政府市（县）长主持市政府全面工作。

市（县）长召集和主持市（县）政府全体会议、常务会议、市长办公会议。市（县）政府工作中的重大事项，须经市政府全体会议或常务会议讨论决定。常务副市（县）长协助市（县）长主持市政府日常工作，其他副市（县）长和市（县）长助理按分工协助市（县）长负责处理分管工作。

市（县）人民政府各委（办）主任、局长负责本部门的工作。

决策与执行

市（县）政府提出年度重点工作目标，形成年度工作安排布局，下发执行。市（县）政府的重大决策作出后，由部门、乡（镇）人民政府、街道办事处、林（垦殖、园艺）场贯彻落实。各乡（镇）人民政府、街道办事处、林（垦殖、园艺）场，市政府各部门要认真落实市（县）政府年度工作安排，并在年中和年末向市（县）政府报告执行情况。市（县）政府办公室适时作出通报。

1998年4月10日，市政府第四次常务会议通过《贵溪市人民政府工作规则》，规定市政府工作中的重大事项，必须经市政府常务会议或全体会议讨论决定。2003年6月12日，市政府第九次常务会议讨论通过的《贵溪市人民政府工作规则》规定：市人民政府及各部门要建立健全领导、专家、群众相结合的决策机制，完善重大决策的规则和程序，推进决策科学化、民主化。2006年9月13日市政府第五十六次常务会议讨论通过的《贵溪市人民政府工作规则》规定：市政府工作要按照科学执政、民主执政、依法执政要求，努力提高政府行政能力和管理水平，全面履行政府职能，实行科学民主决策，推进依法行政，接受人民监督，建设行为规范、运转协调、公正透明、廉洁高效的行政管理体制，建设法治政府。市政府及各部门要完善群众参与、专家咨询和政府决策相结合的决策机制，健全重大决策的规则和程序，实行依法决策、科学决策和民主决策。国民经济和社会发展计划、财政预算、宏观调控和改革开放的政策措施、政府和社会管理事务、规范性文件、有关政府投资建设等重大决策，由市政府全体会议或常务会议讨论决定。在作出重大决策前，通过召开座谈会等形式，直接听取民主党派、群众团体、专家学者等方面的意见和建议。涉及人民群众切身利益的，一般通过社会公示或听证会等形式听取意见和建议。

政务公开

2001年，贵溪市政府全面推行政务公开制度。政务公开基本原则是：①依法公开。②真实公开。③注重实效。④有利监督。政务公开基本要求是：①提高工作效率，方便群众和企业、事业单位办事。②提高依法行政水平，严格依法管理。③强化对行政权力运行的监督，有效遏制消极腐败现象。④进一步落实民主决策、民主管理、民主监督制度。政务公开的范围是：除涉及国家机密事项外，均实行政务公开。教育、公安、科技、人事、民政、财税、工商、审计、劳动和社会保障、文化、卫生、计生、建设、土地、房地产、广播电视、交通、供电等管理部门和单位，是实行政务公开的重点机构。政务公开的主要内容是：凡是与公民、法人和其他组织办事相关的事项，都应予以公开。主要包括：办事机构的管理权限、办事依据、办事程序、服务标准、办事结果、办事时限、工作纪律、监督投诉渠道、服务承诺和责任赔偿标准,以及办事对象应具备的资格、条件和应办理的手续。政务公开的重点是:①公开责任目标。市政府及其各工作部门在年初把自己的年度责任目标,通过各种形式公开,并实施量化管理、动态考核。②公开决策过程。对与群众切身利益密切相关的问题和事关社会经济发展的重大事项,都要在决策前以一定的形式公开,征求社会和群众的合理意见,推进决策的民主化、科学化。③公开审批程序。各类审批事项,全部公开办理程序和条件。④公开收费项目和标准。各类行政事业性收费项目都必须以适当的方式向社会予以公布。⑤公开内部财务开支。各单位的招待费、电话费、小车使用费等各项财务收支逐月向全体干部职工公开。⑥公开选拔(调)干部。选调干部,实行在一定范围内公开招考,择优录用。选拔领导岗位干部,一律实行任前公示制度。⑦公开发包工程项目。20万元以上的工程项目必须实行公开招投标。⑧公开采购公用设备。5000元以上的公用设备都必须实行公开集中招标采购。政务公开的工作方式:政务公开要形式服从内容,要设立便于群众观看的政务公开栏,或通过会议、报纸、刊物、广播、电视、便民手册等有效形式,予以公开。公开的时间,要与公开的内容相适应,实行长期、定期、临时相结合的方式,经常性工作定期公开,阶段性工作逐段落公开,临时性工作随时公开。

2008年,市政府办制定《关于开展提升行政效能建设服务型政府活动实施方案》,要求全面推行政务和事务公开。①以公开为原则,不公开为例外,抓好政府信息公开工作。各部门、各单位要按照公开、公平、公正原则,根据《政府信息公开条例》有关规定,依托市政府网站平台,依法将应当让公众知晓的事项,及时向社会公开,尤其是对涉及群众切身利益的事项,要全面推行办事公开制度。②创新和规范政务公开形式。各部门、各单位要因地制宜,不断创新和规范方便群众办事、便于群众知晓、利于群众监督的政务公开形式。充分运用电子政务建设和综合应用平台,做到查阅有网站、查询有热线、查找有资料。同年,市政府办发出《关于进一步做好政府信息公开工作的通知》,要求:①确保政府信息公开工作顺利开展。各地、各部门要按照“谁制定、谁清理、谁公开、谁负责”原则,认真履行好工作职责。建立健全政府信息公开工作责任制,明确责任科(室)和责任人。要按照“公开为原则,不公开为例外”的总体要求,对本地、本部门的政务信息进行分类、整理、界定、公开。对申请公开的信息要及时提供或告知获取的渠道;对要件不全的申请要指导申请人补全要件,涉及免予公开信息的申请要耐心说明不予公开的理由,对本单位业务范围之外的信息申请要明确告知申请途径或转告相关部门。②进一步规范政府信息公开工作。各部门要根据本部门的职能,参照政府信息公开内容,设置信息公开目录。对没有分类内容的栏目提出删除申请。规范整理在政府信息公开平台上发布的信息,充实目录中无信息、信息不全的栏目内容,形成机制,及时、准确、有效地发布信息。③建立政府信息公开长效机制。围绕信息公开内容和服务质量,完善加强信息公开和信息公开工作人员考核办法,强化考核结果的运用。市信息中心定期对各地、各部门信息公开工作情况进行督查考核,并在市一报一台和政府网站上及时公布。

市长专线

1997年9月7日,设立市长专线电话贵溪网络办公室,为副科级机构,定编4人,归市政府办公室管理,设立地点为市政府办一楼。

市长专线电话贵溪网络办主要承担4项职能:①承办鹰潭市市长专线电话交办的事项,及时给予解决和答复;②政府和市民沟通的渠道,通过这一渠道保持与群众的密切联系;③政府为民办事的窗口,市民可以通过这个窗口获得政府更多的服务和帮助;④政府处理群众事务的中枢,按照“分级负责,归口办理”原则,来电反映的问题迅速分解到有关单位和部门,及时给予解决。服务宗旨:真诚为民着想、竭诚为民办事。服务承诺:快捷、优质、高效和公平、公正、公开,件件有着落,事事有回音。其中:急电急办,24小时内答复;一般来电96小时内答复;疑难来电或需要交办有关单位调查处理的来电20天内答复。成员单位有:市委组织部、市委宣传部、市人事劳动局、市文化局、市教委、市广电局、贵溪报社、市委政法委、市公安局、市司法局、市经贸委、市二轻局、市供销社、市交通局、市建设局、市房产局、市粮食局、市商业局、市外贸局、市民政局、市卫生局、市农业局、市水电局、市林业局、市乡企局、市计委、市监察局、市计生委、市地税局、市物价局、市技术监督局、市土管局、市环保局、市供电局、市邮政局、市电信局、市工商局、市烟草专卖局、市城管局、市便民服务中心、各乡(镇)场。工作要求:各成员单位把网络向基层和社区延伸，形成上下贯通，层层负责的网络体系。固定专用电话和带班领导、值班人员坚守岗位，非上班时间也有1～2部电话保证联系畅通。与群众生活息息相关如供水、供电、电信、医院、交通管理、治安管理等单位，有应急工作人员。接群众来电或市长专线电话转办、交办事项后，能及时出动，快速为群众解决困难。市长专线电话，日常工作由市政府办负责；专线电话受理、办理来电等具体事务，由市长专线电话贵溪网络办承办。市政府每月第一、第三个周二的8:30～10:30，由一位领导到市长专线电话贵溪网络办值班，受理、办理群众来电。

第二节　重要会议

市(县)政府实行全体会议、常务会议、市(县)长办公会议制度，讨论决定重大事项，部署重要工作。

全体会议

市(县)政府全体会议由市(县)长、副市(县)长、市(县)长助理、政府工作部门各委(办、局)主任、局长组成。会议的主要任务是：讨论决定市政府工作中的重大事项，部署市政府的重要工作。市政府全体会议一般每半年召开1次。

市(县)长办公会议

由市(县)长或市(县)长委托常务副市(县)长召集并主持，主要任务是：研究处理市(县)政府日常工作中的重要问题，总结前一段工作，对下一阶段工作作出安排。市(县)长办公会议原则上每月召开1次。

提交市(县)政府全体会议、常务会议、市(县)长办公会议讨论的议题，由市(县)政府主办部门提出，经相关部门协商达成一致意见，经市(县)政府分管领导审核并签署提交讨论意见，报市(县)长审定。

常务会议

市(县)政府常务会议由市(县)长、副市(县)长、市长(县)助理组成。会议的主要任务是：讨论决定市(县)政府工作的重要事项；讨论决定市(县)政府各部门和各乡(镇)人民政府、街道办事处、林(垦殖、园艺)场请示市(县)政府的重要事项等。市(县)政府常务会议一般每月召开1～2次。

1991—2008年市(县)政府常务会议部分议题一览

表17－2

年份	会议议题
1991	城市教育附加费安排，城市规划范围，建立教育基金会，房改工作。
1992	部分单位成立公司问题，工业企业改革，国合商业改革试点，公费医疗制度改革，有线电视网建设、集资改造、乡镇卫生院危房，叶家塘农贸市场改建，高公乡集镇规划，塘湾镇集镇建设规划调整，320国道改线后信江南岸规划，城市基础设施建设，发展第三产业。
1993	城市基础设施，发展乡镇企业，罗河乡政府机关搬迁，村民委员会选举实施办法，乡村两级办学经费统筹，卫生防疫保健，农村卫生院建设，城镇规划区土地管理"五统一"规定。
1994	二中道路曹家湖工程设计方案调整，居委会工作若干问题意见，320国道建设，雄石西路改造建设，依法治县实施方案，商城建设，乡镇程控电话安装筹资计划，猪肉限价和供应，城市总体规划，拔尖人才子女就业，严格城市规划，加快城市建设决定，盛源、罗河、周坊、高公4乡设镇问题，城镇公有住房管理暂行规定，农业生产，早稻旱床育秧，雄石二、三小收归教育局直管，冷水、文坊两镇总体规划。
1995	加快个体私营经济发展决定，雄石西路建设，"五荒"资源有偿转让，出租和拍卖管理细则，农业生产资料流通体制改革，加快乡镇企业发展，农村"五保户"供养，城市规划管理办法，十万亩笋竹两用丰产林基地实施意见，实施总体规划、加快城市建设决定，市场整顿，城市建设，体育中心筹建，科技进步奖励办法，320国道贵溪段改造工程征地拆迁，中心区建设，汽车站拆迁方案，鼓励各类人才投身县经济建设若干意见，长防林工程达标工作，党政机构改革方案，减轻农民负担问题，雄石西路开发，"九五"计划和2010年远景目标建议，国道两侧土地管理暂行规定，王家小区土地征用，综合治理工作，公费医疗管理暂行规定。

续表 17－2

年份	会议议题
1996	县乡党政机构改革,粮食部门深化改革实行两条线运行,工商业经济,发展乡镇企业决定,推行住房公积金制 度,村村通程控电话,"两基"教育,雄石西路工程建设,乡镇土地管理体制改革决定,城镇土地定级估价方案,土地利用总体规划编制和基本保护区划定方案,招商引资优惠办法,机构改革"三定"方案,农业站管理体制,农民负担,城市建设工程项目进展,主攻工业意见,信江电影院改造,叶家塘农贸市场改造方案,乡级财政管 理,勘界工作,周坊、泗沥、志光3镇集镇规划,农药厂加入海利集团问题,城市管道液化气项目实施方案,农村 社会养老保险九五规划,国营林场体制,电厂二期灰场工程建设房屋拆迁,中心区规划方案,城市开发方案,罗河工业区规划意见,滨江乡政府办公大楼搬迁。
1997	环境保护若干问题决定,深化城镇住房制度改革方案,市职中与农技校合并问题,农药厂与湖南海利集团合 资合作,110"报警台和治安巡警大队组建,客运汽车站选址,交通路拓宽改造工程,硬石岭撤乡设镇,桥东公园娱乐场开发建设,贵塘公路建设,农民负担,农业产业化,贵溪大桥筹建,经济大楼工程建设设计方案,中心区水厂筹建,罗河工业区建设,耕地保护和基本农田保护区建设规划,城市中心区建设用地征用出让,农村最低生活保障制度暂行办法,农村经济发展,加强民间流通工作意见,叶家塘农贸市场改造,中心区水厂改造,管道液化气工程进展,新汽车站建设,企业转机建制,成立贵溪电视台(教育、有线两台合并)。
1998	职工养老保险,再就业工程,公路建设规划落实,加快发展个体私营经济,创建文明城市及综合整治市容市 貌,河潭镇政府机关搬迁,加快公路建设,罗河工业区总体规划,粮食流通体制改革,工业及企业转机建制情 况,引进人才工作,市场建设,粮食市场管理办法,土地利用总体规划,万亩山开发,大中专毕业生就业,外来投资项目实行"一个厅"服务办法,建设大道延伸工程,乡镇土管所管理体制改革,行政执法责任制实行。
1999	城镇最低生活保障方案,强化服务优化经济发展环境,城市供水管网改造建设及中心水厂新建,(贵神、贵白)公路改造,农电体制改革,城市综合整治,擂鼓岭开发,工商行政体制改革,一中扩招,师范院校毕业生分配,党校土地出让,笋竹两用林工程建设,大中专毕业生分配,加快国有、集体企业改革。
2000	国有资产经营管理,加快县域经济发展,工业污染达标考核方案,个私经济发展决定,中小学校校长负责制和 教师聘任制实施方案,城区中学网点调整,啤酒厂、农药厂破产问题,计划生育工作,中心区水厂建设,中招工 作,政府上网,老城区建设项目,化工厂产权制度改革,城市防洪规划,城市房屋拆迁管理办法,国有集体产权 制度改革补充规定,硬石岭水库旅游风景名胜区成立,夏粮收购,农业税征收,安全生产管理制度,政府采购,贫困生助学基金筹集和管理办法,市长专线电话贵溪网络设立,退伍军人安置,旧城改造开发,贵华公司改 制,粮食企业经营体制改革完善,经济大楼建设,改制企业离退休人员管理办法,校园建设与管理办法,城市 客运管理办法。
2001	商品流通市场规划建设管理暂行办法,商品市场建设发展"十五"规划,国民经济和社会发展"十五"计划纲要,乡镇企业发展意见,社区建设意见,中胜厂退城进效,城市深化房改工作,建材市场建设,农药厂与海利公司合资入股,城南1千米畅通工程,城市规划区公告制征地暂行办法,土地市场建设和管理,设立民间组织管理局、啤酒厂情况,成立白鹤湖风景旅游管理局,招商引资 工作,柏里大道建设,自来水价格调整,毛竹产业建设,王家小区规划,沿河西路开发,县乡道路网调整,客运站 建设,雄石110万千伏变电站建设,沿河西路改造,电光源厂产权制度改革,余家乡政府机关搬迁及集镇建设,贵溪大桥引资建设,塘湾镇老街改造,文化市场管理,规划局、城市建设投资公司设置,王家小区规划调整,白 鹤湖旅游开发,企业产权制度改革,冷水镇旅游开发,阳际坑自然保护区项目规划,摆鼓岭商住小区拆迁改 造,320国道畅通工程建设,城镇退伍军人安置,创建全国"双拥模范城"工作,人口与计划生育综合改革,实施五大工程、提升城市形象方案,安康小区规划,汪张小区道路网络规划,城镇户籍管理制度改 革,居民最低生活保障及成立相关机构工作,村级财务管理改革,深化城镇住房制度改革,城区有限电视网络 改造,文化馆办公大楼拆旧建新,中胜公司产权处置,罗河工业区发展,乡村卫生组织一体化,卫生监督体制 改革,卫生事业第十个五年计划及2010年远景规划。

续表 17－2

年份	会议议题
2002	退耕还林工作，擂鼓岭商住小区开发，安全工作，土地储备实施办法，加快工业化进程实现三年翻番目标意见，加快城市化进程实现三年大变样意见，农业产业化实施意见，市区违章建筑情况，药品监督机构设置，城市环境管理暂行规定，中小学危房改造工程管理细则，三中校园扩建，妇女发展2001—2010年规划，计生工作，知青大楼规划调整，上祝至洞源公路建设，罗河工业区控制性详规，320国道、罗河工业区沿线控制管理，城市规划区公告制征地暂行办法，文坊镇总体规划，城市规划管理实施细则，城市社区建设，城市房屋拆迁补偿暂行办法，便民服务中心机构设置及管理，规划区国有土地资产管理规定，市属企业产权制度改革，企业改制国有资产管理规定，加强城市管理规定，城乡客运秩序整顿，种子市场管理，滨江中学实行国有民营，铜工业园区首期征用土地方案，非国有土地房屋拆迁补偿安置办法，加快国有企业产权制度改革进程工作意见，教育网点调整，志光镇集镇建设总体规划，余家乡集镇规划，文坊镇集镇二期规划实施，中心区水厂项目情况，罗河工业区扩建征地，城南开发区建设，村委会换届选举，招商引资奖励办法，320国道罗河工业园区段拓宽方案，社区建设方案，工业园区房屋拆迁安置方案，城南防洪规划修编，信江大桥两岸景观设计，基础教育改革与发展意见，老城区改造一期工程房屋拆迁安置补偿，中心区水厂筹建，教育系统公开考录应届师范类毕业生方案，贵华铜材有限责任公司实施破产，菜市场资产处置建设 信江两岸控制性详细规划意见，老城区一期改造建设，罗河工业区建设，城南区建设，化工厂、食品公司改制 梨温高速贵溪连接线走向，居委会建设，机构改革人员定岗定员实施办法及机构改革方案，塔桥园艺场学校划归市管，农田水利基本建设规划，泗沥镇集镇规划，高速公路贵溪连接线工程征地拆迁补偿，省属工业企业自办中小学校交地方政府管理意见，城南绿地广场设计。
2003	招商引资工作，工业企业扶优扶强办法，擂鼓岭、东门货场土地出让，贵溪至西排战备公路立项，城南桥头滨水绿地景观设计，农业和农村工作，加强村级财务管理意见，村民自治、村组一事一议意见，计划生育工作，国有企业产权制度改革意见，夜市场建设，建设大道规划拆迁建设，信江大道两侧旧城改造详细规划，建立劳动力市场意见，农田基本建设和园田化改造，啤酒厂资产出让，二小扩建，下岗失业人员再就业，新型农村合作医疗管理办法，泗沥镇总体规划，加强城市管理规定，擂鼓岭拆迁补偿安置方案，城市总体规划修编，城南区、建设大道和冶金大道两侧修建性详细规划，北乡停车场选址，土管所管理体制改革，垃圾中转站建设，改革完善市乡财政管理体制，贵塘、金文、文双线维修，恢复设置房产管理局，城市建设项目 就业再就业工作，党政、人大、政协、直属事业单位“三定”方案，乡镇、街办、机关职能配置、内设机构和人员编制规定，擂鼓岭规划设计、房屋拆迁安置补偿方案，非典型性肺炎防治，救灾应急预案，一中搬迁，市工业园区建设，疾病控制中心建设，三中扩建，经济大楼工程建设，信江三号桥工程建设，退伍士兵安置，机构改革方案，就业和再就业工作，安全生产，梨温高速公路贵溪连接线二期工程，冷水镇、耳口乡集镇规划，新型农村合作医疗管理办法，饮食服务公司、龙兴铺灯芯糕厂、化建公司改制，粮食局下属企业国有资产处置，加快集镇建设意见，医疗保险工作意见，学校网点布局调整，成立市传染病医院，成立市广播电视网络传输公司，计生服务站（所）建设，理顺供电体制，市办公大楼及档案馆搬迁，加快推进劳务输出，促进再就业工作意见，加快发展开放型经济意见，加快工业园发展意见，余家乡集镇规划，塘湾镇总体规划，加快农村公路建设意见，电厂二期扩建。
2004	高致病性禽流感防治，财政支出预算安排，城市基础设施建设项目及资金筹措，工业园国有土地使用权出让等有关问题，中心区详细规划编制，安全生产监督管理办法，传染病医院建设，融资建设贵溪大桥，国家建设项目审计监督办法，政府投资项目与资金管理办法，企业改制工作，森林防火工作，象山公园规划及资源管理，优质高中工程建设，出租车“面的”换“轿的”方案，重点建设项目计划，加快农村公路建设实施意见，擂鼓岭区域开发规划有关问题，土地储备意见，市区经营性土地供应计划，新宾馆国有土地使用权出让方案，江铜集团扩建工程项目征地房屋拆迁及补偿方案，安全生产监督机构升级，天然液化汽化站建设，病险水库除险加固意见，九牛滩水轮泵站改造扩建，农村有线电视光缆联网工程建设方案，城市总体规划及近期建设规划，地方工业企业扶优扶强，城区学校招聘教师，农机、客运公司改制，村庄建设规划编制意见，新型农村合作医疗实施办法，农村劳动力转移培训工作，创建全国“双拥模范城”工作方案，小城镇建设与发展若干问题“十一五”规划编制方案。

续表 17－2

年份	会议议题
2005	周坊镇、彭湾乡、志光镇、耳口乡、白田乡土地利用总体规划调整，招商引资工作意见，城市建设方案，土地储备 及市区经营性土地供应出让计划，市工业园征用土地计划，入园工业项目用地规定及商住区土地出让，安全 生产和信访维稳，农业局所属6场改制方案，教体大楼、风雨球场及游泳馆兴建，人口与计生工作意见，贵溪大 桥建设，城区教育资源优化配置方案，城市建设工程、房屋搬迁补偿安置方案，完善市乡财政体制，冷水镇、雷 溪乡土地利用总体规划调整，高速公路贵溪连接线二期和城市防洪工程建设，城市规划区内村民建房管理，征收征用集体所有土地房屋拆迁安置补偿办法，加强农村用地管理规定，驻市企业筹资建房，林业产权制 度改革，“十一五”重大建设项目，加强计划生育、村民自治工作意见，引进本科毕业生、骨干教师和公开考录 大中专毕业生意见，调整自来水价格，城市绿化管理规定，滨江乡土地利用总体规划调整，信江路、交通路和 冶金大道改造工程，市本级财政预算调整，调整恢复部分村委会建制，食品安全工作、卫生系统考录大中专毕 业生，困难职工帮扶，贵溪大桥建设。
2006	贵溪发电有限责任公司，柴油泄漏水污染事故调查处置，新型农村合作医疗实施办法修改，乡镇动物防疫队伍建设意见，九牛滩水轮泵站改造工程，梨温高速公路贵溪连接成二期工程，贵溪大桥建设审计项目计划，校舍改造，小型病险水库险加固，乡财市管改革试点，梨温高速连接成二期、冶金大道、快速通道、兴贵大道工程招标，突发公共事件应急预案，城南区域土地征收征用方案，安全生产，结核病、艾滋事病防治，中心区行政办公用房建设，南方照明公司退城进效，扩大养老保险覆盖面加强基金征缴意见，防空地下室建设管理意见，出租车营运价格调整，农村居民最低生活保障和城乡医疗扶助实施细则，市区建设土地征收方案，本科生引进、城区学校招聘教师，罗河镇、金屯镇、冷水镇新建敬老院新增用地，科技发展“十一五”规划，综合农业现代化项目实施方案，滨江乡建设新镇区，余家乡、罗河镇土地利用总体规划，雷溪乡、塘湾镇土地整理，旅游总体规划编制，非公有制经济发展意见，志光镇、滨江乡、樟坪乡、河潭镇、耳口乡、流口镇土地利用总体规划，标准粮田建设项目实施方案，河道采砂专项整治方案，地质灾害危险点治理，残疾人事业“十一五”发展纲要。
2007	体育中心选址，建设和启动城南综合市场，重点建设项目，社会主义新农村建设工作意见，城市规划区内村民 建房审批程序，余家乡、罗河镇集镇建设，事业单位引进人才，改革企业退休人员基本医疗保险，城镇退役士 兵安置，支持和鼓励江铜集团加大投资，加快地方企业发展奖励办法，鼓励招商引资企业发展奖励办法，金融 机构支持经济发展奖励办法，市人民医院整体搬迁，贵溪冶炼厂周边环境综合整治，工业园建设用地等级问 题，整顿规范客运市场秩序方案，城市社区卫生服务，网吧市场监管，预防和处置群体性事件工作意见，矛盾 纠纷化解领导包案方案，饮用水水源一、二级保防区问题，主要污染总量减排措施，高耗能、高污染行业自查 自纠，国土资源管理体制改革，大中型水库区和移民安置区基础设施和经济发展规划，中心转盘渠化，信江路 改造工程，突发公共事件信息报告工作意见，实施《中华人民共和国公务员法》情况，档案馆建设，进一步优化 政务环境实施办法，政府投资项目管理办法，首批经济适用房销售方案。
2008	住房建设计划，贵溪大桥及其道路工程项目建设，乡镇财政收人超千万元方案，促进农业发展农民增收、扎实推 进社会主义新农村建设意见，进一步加大农业产业化意见，畜牧兽医体制改革，定向培养农村中小学英语教 师，人口计生工作，农村科技服务体系建设，城区中小学校统一更名，市人民医院整体搬迁建设工程，专业人 才聘用，九牛滩水轮泵站修复工程，安全生产，经济适用房和廉租房建设，鹰雄大道后续工程建设，提高城乡 最低生活保障标准，土地利用总体规划，新型农村合作医疗实施办法，城市道路交通安全。

第三章　施政纪略

第一节　强化经济建设

农业

1991—1992 年,投资 40 万元的温水养鱼工程基本竣工。1991 年被评为"全国粮食生产先进县"。1992 年,财政、银行、老建等部门安排支农和信贷资金 6000 万元,比 1989 年增长 171.74%。农业生产克服严重自然灾害,夺得较好收成,生猪存栏、出栏、家禽、水产品产量均有较大幅度增长。1992 年"七·四"特大水灾和山洪暴发后,县政府号召广大干群奋力抗灾救灾,组织大量资金和物资帮助灾民开展生产自救。通过财政拨款、上级和驻县单位支援、救灾募捐等形式,筹集救灾资金 1000 余万元,妥善安置灾民 6.75 万人,修复水毁房屋 4.74 万平方米,修复水毁工程 200 项,修通水毁公路 559 千米,恢复红壤开发项目区柑桔面积 60%。推广与运用各种农业科研成果和实用技术,提高农业综合生产能力以及单位面积产量和品种质量,主要经济作物油菜、小麦、蚕豆、豌豆分别较 1989 年增长 230%、13.4%、124.36% 和 184.54%。农田水利基本建设投入 1136.4 万元,完成土石方 735 万方。新增装机容量 1485 千瓦,新增有效灌溉面积和旱涝保收面积 593.3 公顷。改造中低产田 686.7 公顷。采取层层签订责任状,严格兑现奖罚等措施,完成荒山造林 2 万公顷,基本实现县委、县政府提出"两年消灭荒山,两届绿化贵溪"奋斗目标。调整产业结构,在主攻粮食单产、稳定总产的前提下,调减早稻面积 1800 公顷,用于扩种旱花生、旱玉米、旱大豆,以及甘蔗、蔬菜、瓜果等高效经济作物。

1993—1997 年,按照农业增产、农民增收目标,实施科技兴农战略,增加农业投入,减轻农民负担,保护农民种田积极性,农业生产连年丰收。信江沿河圩堤和小(二)型以上水库除险加固,罗塘河治理初见成效,1992 年"7·4"洪灾和 1995 年"6·27"洪灾的水毁工程全面修复。新增小水电装机 300 千瓦,新增有效灌溉面积 1333.3 公顷。1997 年,农业总产值比 1992 年增长 0.5 倍,年均增长 8.42%;粮食总产量 26.4 万吨,比 1992 年增长 0.17 倍;各种经济作物大幅度增长,水果总产量达 10450 吨,比 1992 年增长 9 倍;畜牧水产业稳定发展,生猪出栏 40.25 万头,水产品总产量 8250 吨,分别比 1992 年增长 0.53 倍和 1.95 倍。农民收入连年增长,农民人均纯收入由 1992 年的 734 元增加到 1997 年 2185 元,年均增长 24.38%。

1998—2002 年,调整产业结构,推广农业科技,农、牧、水、果产品产量增加,品种增多,品质提高。粮食总产稳定在 2.5 亿公斤以上,农业总产值 10.17 亿元。推进农业产业化,发展壮大一批农业产业化龙头企业。落实各项农村政策,促进农民增收减负,农民人均纯收入由 1997 年的 2185 元增加到 2002 年的 2566 元。

2003—2006 年,推进农业产业化进程,培育大忙人系列食品、中胜粮油、金沙蔬菜等一批农业产业化龙头企业,构建贵北果业、贵南高效笋竹、城郊商品蔬菜 3 个产业区。2007 年,全面落实各项强农惠农政策,发放粮食补贴 3500 万元,全市粮食总产量 31.15 万吨,增长 0.8%;退耕还林补贴资金 588 万元,公益林补偿基金 511.44 万元。培育特色鲜明、布局合理、规模较大、效益较高的农业示范基地,雷溪大棚蔬菜、西瓜成为全省农业一大亮点,重点抓大忙人、红谷养鸡、金沙蔬菜等龙头企业。完成小(二)型以上病险水库除险加固 62 座,加固圩堤 3.65 千米,改善灌溉面积 1 万公顷。完成园田化建设 0.067 公顷。投资 4500 万元,完成 12 个土地开发项目和雷溪、塘湾 2 个土地整理项目。

2007 年,投资 2000 万元,除险加固病险水库 25 座,基本完成 22 座小(二)型以上水库除险加固和 8 个灌区渠道清淤。造林面积 2000 公顷。

2008 年,开展"造地增粮富民工程"实地选点和踏勘工作,上报立项面积 201.8 公顷,新增耕地 187.27 公顷。全市粮食播种面积 61333 公顷,粮食总产 33.5 万吨。建立 13333 公顷绿色大米基地。

工业

1991—1992年,开展“双增双节”劳动竞赛和“质量、品种、效益年”活动。深化企业改革,强化内部管理,推进技术进步,提高产品质量,拓宽销售渠道,促进工业经济稳步发展。1992年,预算内工业实现产值、利税、销售收入同步增长。完成企业第一轮承包兑现及第二轮续包衔接工作。在全县工业企业内部实行工资总额包干和工效挂钩,健全竞争激励机制。以县属16家骨干企业为重点,对企业的生产经营情况进行分析、调度,通过现场办公等方式,帮助企业解决实际问题。对重点企业在资金、原材料等方面予以优先安排,保证企业开足马力正常生产。完成技改项目18项,新产品开发11项,新增产值1265万元,全员劳动生产率提高4.2%。节能灯、精铋、肌醇、麻袋、编织袋、水泥微机配料等新上项目陆续投产达标,主要产品质量稳定提高率达95%。无氧光亮铜杆、精铋等5种产品创省优。粮油加工总厂、铜材厂跨入省级先进企业行列。加速资金周转,减少产品积压,改单纯的产值考核为销售收入、工业产销率、资金周转天数等经济指标的综合考核。拓宽市场,抓销售队伍建设,组织县属企业参加各种交易会、洽谈会,主动把产品推向市场。1992年产成品资金占用下降16%。加强安全教育和检查,健全安全生产管理责任制,将每年的9月定为“安全生产月”,强化企业和职工的安全意识,确保生产安全。

1993—1997年,贯彻中央、省、市有关转换经营机制的决策,从改革找出路,以改革求发展,向管理要效益,实行“政、企、银”3家抬及内动外扶、外引内联等措施,开展“质量效益年”“翻番工程、效益工程、扭亏工程”“促销增效年”等活动。1997年,全市乡及乡以上工业总产值完成49.91亿元,比1992年增长1.8倍,年均增长22.97%,其中市属预算内工业企业完成产值1.67亿元,实现利税总额2600万元,比1992年分别增长1.13倍和31.7倍。节能灯、啤酒、农药、硫化碱、电铅、精铋、水泥等主要工业产品质量稳定,销售形势看好。全面开工建设罗河工业园区。

1998—2002年,强化企业管理,走靠大联大、产学研结合路子,加快企业技术创新和技术改造步伐,促进产业升级和产品创新,基本形成铜材、电子节能、医药食品、化工、建材五大支柱产业。2002年,全市规模以上工业总产值56.30亿元,其中市属规模以上工业总产值8.40亿元,实现全市工业增加值19.40亿元。

2003—2007年,基本完成园区一期4平方千米基础设施建设,入园企业和项目70个,其中投产企业和项目48个。2006年,园区主营业务收入55.6亿元,创税2.3亿元,从业人员9014人。全力支持江铜集团贵溪冶炼厂四期30万吨铜冶炼技改项目和年产10万吨阳极铜项目建设。贵溪发电厂二期2台30万千瓦机组投产。2007年,服务驻市企业,整治贵冶周边环境,服务驻市企业做大做强,重点支持贵冶四期30万吨铜冶炼项目、贵电三期“上大压小”及贵溪化肥厂扩产技改项目。江铜集团公司30万吨铜冶炼扩建项目建成投产,以70万吨的综合生产能力跻身世界铜行业的前三强,主营业务收入突破500亿元。征地147公顷,平整场地104公顷,增强园区吸纳力和竞争力。入园企业和项目83个,投产企业57家,其中铜加工企业46家,铜加工能力60万吨,初步形成粗铜、电解铜、铜杆、铜线、铜管、铜棒、铜板带、异型铜材及铜铸件等产品比较配套的铜产业链,实现主营业务收入116亿元,增长111%,实现一年翻一番,创税4.62亿元,增长162%,解决就业2万余人,跻身全省超百亿十强工业园区之列,成为全省唯一全国首评“模范劳动关系和谐工业园区”。建设铜拆解加工区,与广东南海宇成金属公司、兴奇金属公司签订总投资15亿元兴办拆解项目协议。完成1.7千米主干道路基土石方、一期66.7公顷场地平整工程、二期66.7公顷土地报批前期工作准备。当年规模以上工业总产值完成588亿元,增长34.6%;市属规模以上工业总产值150亿元,增长109.9%,市属规模以上工业总产值占全市规模以上工业总产值同比提高9个百分点;全市规模以上工业增加值完成103亿元,增长36%;市属规模以上工业增加值22亿元,增长105.6%,市属规模以上工业增加值占全市规模以上工业增加值同比提高10.5个百分点。工业对国民经济贡献提升,三次产业中,二次产业比重提高5.1%,由2006年9.0:70.6:20.4调整为7.3:75.4:17.3;全市工业经济利润总额81.2亿元,同比提高10%。

2008年,出台《关于进一步做好支持服务驻市企业八项工作的意见》,支持江铜整体上市和铅锌资源整合工作,配合贵冶16万吨阴极铜挖潜改造工程,加大地方铜加工企业与江铜集团的合作步伐,为江铜集团提供铜原料12万吨。综合整治贵冶周边环境,启动贵冶周边3个村庄搬迁前期准备工作。全力支持四冶政策性破产改制工作。融资1亿元完善工业园区基础设施建设,推进10平方千米的征地拆迁工作,园区客商服务中心主体工程竣工。园区商住区建设、污水处理厂等前期工作进展顺利,生态工业园区通过评审。出台《铜加工企业发展奖励办法》,入园项目和企业93个,投产74家,实现主营业务收入180亿元,创税6.3亿元,位居全省十强园区第6位,继续荣获"全省先进工业园区"。强力推进铜产业循环经济基地建设,发挥推进"世界铜都"建设主力军作用,完成一期120公顷场地平整和"四纵两横"道路、供电供水、污水处理厂、暂存库、通讯等基础和监管中心、"无水港"等项目建设,10家企业开工建设,被授予"中国再生资源循环利用基地"。抓住沿海地区产业升级、企业转移的机遇,开展"百日招商"活动,组建24支专业招商小分队,参加"香港(江西)活动周"等重大经贸活动,建立重大项目联动机制,促进重大项目早签约、早开工、早见效。全年引进5000万元以上工业项目29个,其中铜加工项目22个,引进三花控股集团、红旗集团、宏鑫铜业等一批投资5亿元以上重大项目。实际引进内资24.57亿元,同比增长38.4%,出口创汇6100万美元,荣获"全省开放型经济综合先进县(市)"。出台《政府投资项目管理办法》,推进项目建设,新开工3000万元以上项目44个,争取上级各类项目资金超过1.2亿元。

第三产业

1991—1992年,积极开拓新的经营路子,疏通流通渠道,启动农村市场。利用商品展销会和"漾会"等形式,促进城乡商品流通。个体、私营企业进一步发展。截至1992年底,全县有个体、私营企业3892家,注册资金1169.9万元,从业人员9227人,城乡集市贸易成交额3336.8万元。粮食、化肥、日用品、肉、禽、蛋、水产品等生产资料和生活资料的购进和销售均有较大幅度增长。1992年,社会商品零售总额17840万元,增16.77%,年均增长5.3%。

1993—1997年,第三产业日益繁荣,增加值占全市国民生产总值比重逐年提高。1997年,全市第三产业增加值为8.36亿元,比1992年增长1.51倍。交通、邮电、金融、保险、房地产、商品流通、个体私营经济均保持持续发展好势头。全市有各种客运车辆850余辆,比1992年增加700余辆,形成三轮、的士和大、小客车全方位城乡客运格局。1997年,邮电通信完成业务收入3675万元,比1992年增长6.2倍;全市各类银行存款余额14.58亿元,比1992年增长2.47倍;寿险和财险分设,保险业务总收入2294万元,比1992年增长1.7倍;全市社会消费品零售总额5.12亿元,比1992年增长2.12倍;商业系统销售总额1.3亿元,比1992年增长1.57倍,供销系统销售总额1.24亿元,比1992年增长1.5倍;个体工商户、从业人员分别比1992年增长1.49倍和1.79倍;个体私营企业、个体工商业上交税费1320万元,比1992年增长1.95倍;房地产业配合住房制度改革,5年建成商品房17.59万平方米。

1998—2002年,第三产业增加值占全市国内生产总值比重继续提高。2002年,全市第三产业增加值为11.51亿元,社会消费品零售总额7.67亿元。个私、民营经济快速发展,个私纳税额3793万元,比1997年增长1.87倍。启动旅游开发。全市年客运、货运量分别比1997年增长1.8和37.5倍。邮电通信业务收入1.14亿元,比1997年增长2.1倍;各类银行存款余额26.5亿元,比1997年增加12.1亿元。

2008年,出台《关于加快汽车货运产业发展意见》,引进3家物流企业。贵溪市星宇汽车运输有限公司、江西铜业集团(贵溪)物流有限公司等7家物流企业被认定为规模以上物流企业,全年新增吨位4346吨,总吨位7500吨,创税1200多万元。当年,社会消费品零售总额21.61亿元。

财经

1991—1992年,加强税收征管,紧缩财政开支,财政收入连年跨上新台阶。1991年进入全省十大财政县(市)行列。1992年,完成工商税收6055万元,比1989年增长69.75%。全县国民生产总值完成71500万元,比1989年(下同)增长28.2%,年均增长8.63%;国民收入6.3亿元,增长37.13%,年均增长11.1%;县属工农业总产值6.67亿元,增长38.94%,年均增长11.6%。其中工业产值3.12亿元,增长84.5%,年均增长22.64%。农业产值35528万元,增长14.2%,年均增长4.52%;地方财政收入6668万元,增长64.56%,年均增长18.06%;外贸出口总额300万元;银行各项存款余额48127万元,增长81.59%,各项贷款余额27.37亿元,增长10.4倍。

1993—1997年,强化税收征管,培植财源,加大改革力度。尽管遇到风灾、水灾及铜价下跌、铜业公司改制后税收减少等诸多因素影响,财政收入仍然实现年年增长。1997年,全市国民生产总值24.56

亿元,比1992年增长1.66倍,年均增长21.6%;完成市属工农业总产值130379万元,比1992年增长0.86倍,年均增长13.24%。1997年全市财政收入完成31000万元,其中地方财政收入完成1.52亿元,比1992年增长1.25倍,年均增长17.6%。

2002年,全市完成国内生产总值38.64亿元,比1997年增加10.13亿元,按可比价年均增5.5%。财政总收入完成4亿元,比1997年增加8800万元,其中地方财政收入完成1.8亿元,年均增5.1%。

2006年,全市生产总值110.36亿元,比2002年(下同)增长1.76倍;人均生产总值2.03亿元,增长1.81倍;规模以上工业增加值69.99亿元,增长2.5倍。市属规模以上工业总产值68.13亿元,增长8.35倍;财政总收入14.56亿元,增长2.61倍,其中地方财政收入5.11亿元,增长1.79倍,财政总收入连续四年位居全省县(市、区)第一。乡镇经济实力迅速增强,2006年全市财政收入过千万元的乡(镇、街办)8个,其中滨江乡财政收入突破亿元,进入全省乡镇财政收入十强之列;社会消费品零售总额15.27亿元,增长99.6%;金融机构贷款余额70.9亿元,增长48.1%,金融机构存款余额54.1亿元,增长1.1倍;三次产业的比重由16:54:30调整为9:71:20,年内二产提升17个百分点,工业成为推动经济快速增长主导力量,经济社会综合发展指数在全国位次大幅前移。

2007年,全市完成地区生产总值140.46亿元,成为全省第一个人均生产总值突破3000美元的县(市、区)。财政总收入20.07亿元,增长38%,其中地方财政收入7.6亿元,增长49%,实现两年翻一番,财政总收入继续位居全省县(市、区)第一。全社会固定资产投资44亿元,增长15.8%;社会消费品零售总额17.86亿元,增长16.9%,省委、省政府为贵溪财政收入突破20亿元发来贺电。

2008年,克服雨雪冰冻灾害、全球金融危机和铜价大幅下跌等不利因素影响,凝心聚力、攻坚克难,保持经济社会发展势头。荣获"全国金融生态市""全省工业崛起贡献奖""全省发展非公有制经济先进县(市)",跻身全国最具区域带动力中小城市百强县74位。全市地区生产总值172亿元,比2007年增长15%。财政总收入23.09亿元,增长15%,其中地方财政收入9.34亿元,增长23%,财政总收入连续位居全省县(市、区)第一。全社会固定资产投资86.79亿元,增长60.1%。

第二节　推进改革开放

1991—1992年,实施住房制度改革;坚持国家、集体、个人三者共同负担原则,实施公费医疗制度改革,减轻财政压力;健全职工养老保险和退休金社会统筹制度;全面推开国合商业"四放开"改革。与上海南汇县正式结为友好县,与江苏武进县达成结为友好县意向,与上海机械学院签订人才培训协议。举办新闻发布会和经济信息发布会,参与鹰潭市龙虎山文化活动周暨经贸洽谈会,宣传贵溪,扩大影响,制订鼓励全民招商引资办法。批准成立三资企业4家,合同投资504.45万美元,其中外资422.9万美元,实际进资134万美元。

1993—1997年,以建立现代企业制度为目标,在资产重组、盘活存量、强化管理等方面进行国有企业改革探索和实践。啤酒厂、农药厂、电光源厂、竹辉公司等重点企业通过租赁、股份合作、合资经营等改革措施,走出困境,成为本市工业经济的主要支柱。城乡集体企业实行租赁、承包、托管和股份制改造;国合商业实行国有民营、社有私营、公司加农户等经营模式改革。深化城市住房制度改革,低租金、福利性住房向商品房过渡;公费医疗制度和职工社会医疗保险制度改革继续推进;实施市、乡机构改革,国家机关工作人员向国家公务员制度过渡;改革国营林(垦殖)场和乡镇农业五站体制;进一步深入城市国有土地有偿使用、农村土地使用权有偿出让和农村"五荒"资源拍卖等改革;深化小城镇改革,建制镇由1992年的3个发展到13个。采取各种优惠办法,改善投资环境,加大招商引资力度,全市合同引进境外资金1415.2万美元,实际进资1072.6万美元,合同引进市外资金4.8亿元,实际进资2.45亿元。1997年,实际引进外资总额是1992年的5.84倍。利用外资共兴办各类项目381个,涉及冶金、化工、机械、食品、电子、建材、采矿、轻工、种养等13个门类,三资企业出口创汇690.63万美元。

1998—2002年,改革市属国有集体企业产权制度,改制企业57家,改制面达74%。进行农村第二轮土地承包,稳定以家庭联产承包为基础的经营机制。改革农村税费,从根本上减轻农民负担。实行城市医院内部岗位竞争上岗及农村卫生院职工股份合作制,激发医务人员工作积极性。实施校长负责制、教师聘任制、结构工资制改革,进行城乡中小学教学网点调整,优化教育资源配置。整体推进城市国有土地有偿使用、城镇住房制度、社会保障制度、城市管理以及其他方面改革。继续扩大对外开放,招商引资。2002 年,全市实际引进市外资金 3.80 亿元,实际吸收外商直接投资 200 万美元。

2003—2007 年,各项改革深入推进。支持企业重组改制、接收企业办社会职能;深化农村税费改革,取消农业税;实施新型农村合作医疗、市乡财政管理体制、林业产权制度和政府机构等一系列改革。加速发展民营经济,全市有非公有制企业 420 家,其中纳税 10 万元以上企业 160 多家。利用外资大幅增加,累计引进资金 40.04 亿元,引进投资规模 5000 万元以上工业企业 36 家,海利贵溪农药、江西贵雅照明成为全国同行业龙头企业;累计地方出口贸易 7600 万美元,比前 5 年增长 1.2 倍。2007 年,基本完成国有和集体企业改制,推进粮食企业、水利、国有农场税费改革。深化乡镇财政体制改革,所有乡镇实行"乡财市管乡用";实施"异地办厂,原地纳税"奖励政策,提高乡镇发展工业积极性,乡镇经济实力跃升。引进投资 5000 万元以上省外工业项目 29 个,增长 182%,其中亿元项目 20 个,铜加工项目 22 个。实际引进内资 15.6 亿元,增长 158.1%;实际利用外资 5133.46 万美元,增长 20%。出口 6300 万美元,增长 110%。全口径争取上级各类项目资金 1.38 亿元,银行融资 3.2 亿元,发展后劲提升。

2008 年,健全财政惠农补贴资金"一卡通"工作机制;落实征占用林地的审批制度,加强对林权流转的管理;完善社会保障体系和新型农村合作医疗补偿和报销制度;推进国有农场税费、畜牧兽医管理、粮食流通体制管理等各项改革制度;全面运作"政银企"融资模式,组建中小企业融资担保中心,破解中小企业贷款难难题。出台《关于开展提升行政效能建设服务型政府活动的实施方案》《关于进一步优化发展环境的实施意见》等规章制度,工业园区实行"封闭式"管理,对客商做到"一卡通""一站式"服务;制定《贵溪市行政许可编制目录》,取消行政许可审批项目 23 项,清理免予收取费用项目 41 项。

第三节　促进城乡发展

1991—1992 年,投资 50.3 万元,占地 3.4 公顷的桥西公园建成并开放;徐家大桥于 1992 年 7 月竣工通车。投资 40.3 万元的前仓石桥主体工程竣工通车。贵河公路形成 7.8 千米的路基路面。投资 58.8 万元,对城区南大街、西门外路、解元坊、茨荸弄和水塔路等 11 条主干道和小街小巷进行改造,铺设水泥路面 17713 平方米,城区脏、乱、差面貌得到较大改观,解决群众行路难问题;投资 249 万元完成铁路立交桥工程的房屋拆迁、北端引道、南端道路、人行天桥等工作,约占总工程量的 85%,长期制约南北交通的"卡脖子"状况改变,车畅其流,人便其行;由 5 个功能小区构成的森林公园总体设计完成,栽植各类绿化树木 80 余种,调节县城小气候。

1993—1997 年,投资 1200 万元,相继新建、改建雄石西路、四中道路、柏里大道、建设大道等 4 条城市主要干道和 13 条小街小巷,建成柏里大道和雄石西路两座立交桥;投资 290 万元,新建和改建水泥路面 6.5 万平方米,新建沥青路面 2.56 万平方米;投资 59.6 万元,新建建设大道、曹家湖等两条主干道下水道,改造汪张路等 12 条支干道下水道;投资 196 万元,铺设雄石路、站前路等主要街道人行道彩色地板砖 2.1 万平方米;投资 310 万元安装高杆灯和架设、更新路灯;投资 280 万元,完成自来水厂二期改造,日供水量由原来 0.5 万吨提高到 1.5 万吨;投资 90 万元新架设雄石西路、建设大道等处供水管网 2400 米;投资 78.9 万元兴建 1 座垃圾中转站和 3 座水冲式公厕;新建桥东公园 A.C 段和雄石西路广场花圃、桥南花圃及建设大道绿化带,完善改造桥西公园园林绿化设施,城市绿化覆盖率由 1992 年的 27.7% 提高到 31.8%。叶家塘农贸市场一期工程和烧箕山农贸市场建成投入使用。实施城市管道液化气工程,其中第四中学的 100 户管道液化气工程竣工使用。加大城市管理力度,整治市容环境,主要街道保洁步人制度化轨道。编制《贵溪城市建设总体规划》,城市建设按照总体规划要求形成城市中心向东扩展态势。完善农村集镇基础设施,文坊、冷水、塘湾等集镇自来水工程竣工投入使用,流口、文坊、塘湾、志光、余家等乡镇水泥街道建成通车,公路建设取得突破性进展。320 国道贵溪段 18 千米二级油路、贵塘线 20 千米三级油路、206 国道贵溪段 16 千米油路、龚资线 16 千米三级油路、柏里大道 3.5 千米三级油路、鹰硬线10千米水泥路建成通车,硬石岭至画桥、水车岭至圣旨山、赵家岗至流口等71.76千米的三级砂石公路改造工程和新建5座公路桥梁建设工程竣工。雄石变电站35千伏增容工程、泉塘变电站110千伏增容工程、南电一期工程均全面竣工。同时,新建10千伏架空线路14千米、10千伏线路升压改造10.5千米、城区低压线路技术改造9千米、城区高压线路技术改造4千米等供电设施项目。南电二期工程完成前期筹备工作并开工建设。

1998—2002年,完成《中心区详细规划》《信江大桥两端地段城南区、老城区控制性详细规划》《贵溪城市防洪规划》《贵溪市工业园区总体规划》等10多个详细规划和专业规划编制并通过评审。城南区开发、老城区改造、中心区水厂等城市建设重点工程全面开工,沿河公园改造工程建成投入使用。完成鹰硬、贵神、贵白线等13条公路145千米硬化。梨温高速公路竣工通车,320国道城南1.2千米畅通工程基本完成路面硬化。南乡输变电线路及雄石110千伏等变电站建成投入使用,基本完成城网和一期农网改造。完成石龙坝重建、界牌库区淹没防护工程建设、鄱阳湖一期工程泗沥河小流域水土保持重点治理项目以及一批小(二)型以上水库除险加固任务。全市固定电话普及率每百户达35.03部,移动电话用户7.4万户。

2003—2006年,完成城市总体规划修编,完成城南滨水休闲绿地、中心区水厂、320国道拓宽、城区主干道改造等重大工程建设。象山地质公园通过申报批准为省级地质公园。集中整治城市规划区违法建设取得成效。完成60个新农村试点村建设。投入11.89亿元,改造890千米市乡村公路,全市所有乡镇通水泥路(油路),所有行政村通公路。建设贵西线、贵溪大桥、贵溪大道等重点工程。贵溪铜城220千伏、罗河110千伏变电站建成投产。实现工业和城市用地占补平衡。

2007年,调整修编贵溪城市总体规划,修改完善片区规划及多个专项规划,高起点编制10平方千米的铜产业循环基地总体规划和2.38平方千米的拆解加工区控制性详细规划。完成市区中心转盘渠化、信江路、交通路改造工程,城南汽车站竣工,贵溪大桥顺利合龙。实施鹰雄大道贵溪段、贵溪大桥东西延伸段、战备公路A、D段、沪昆高速公路贵溪连接线二期和柏里大道改造工程。改造城市供水管网设施。硬化沙井头等6条小街小巷路面。亮化路灯安装、改造桥西公园,进一步美化城市。以"迎省运会、创文明城"活动为统揽,开展整治市容环境和规范客运市场秩序专项活动,出台《门前"三包"管理实施意见》等管理措施,开展和谐社区联建共创活动。组建城市管理综合执法大队,遏制违法建房,治理城区脏、乱、差,建立城市管理长效机制。突出抓129个试点自然村的"六改四普及"工作,累计投入2000多万元,让更多农民享受"走平坦路、喝干净水、上卫生厕、住整洁房、用洁净能源"。推进文坊、塘湾、志光等集镇建设。完成130个新农村试点村建设,开展400个自然村庄规划。实施农村"卫生清洁"工程,对自然村的垃圾进行无害化处理,对公路沿线和集镇环境进行整治,《江西日报》、江西省新农村建设网刊载贵溪做法。建设农村能源沼气,新建3处大中型沼气工程。推进枫林湾等25座病险水库除险加固工程。贵西战备公路A段竣工通车,完成7座渡改桥。坚持"既要金山银山,更要绿水青山"理念,完成市绿色农业区划和中长期规划。开展绿色生态贵溪建设,启动绿色生态环保"十大工程"和"七项专项整治行动",1万元生产总值综合能耗同比下降4.7%。樟坪乡荣获江西省首届十佳环境优美乡镇。

2008年,实施环保"十大工程"和"七项专项整治行动",加强新、改、扩建项目环保审批,加强对企业污染防治设施运行监督检查,依法查处5家环境违法企业,关停9家非法排污企业,荣获"全省污染物减排先进县(市)"。空气和水质量达到国家二级和II类标准,城市环境质量综合定量考核名列全省第二。造林绿化,重点做好城区、乡镇、公路沿线绿化,完成造林绿化4180公顷。阳际峰申报国家级自然保护区通过国家初评。樟坪乡被评为"全国环境优美乡镇"。

第四节　统筹社会事业

1991—1992年,投资100万元的县有线电视台正式开播;投资80万元的县图书馆大楼基础工程基本完工;投资24万元,具备摄制、编辑和发射功能的县教育电视台竣工并正式开播;投资150万元,建筑面积5200平方米,内设各类病床300张的县住院部大楼工程于1992年10月竣工并交付使用。推广运用科技成果,促进科研成果向现实生产力转化。抓普通教育、成人教育和职业教育。至1992年,发展职业中学5所,私立学校发展到9所,在校人数达1120人。学龄儿童入学率、学生巩固率和普及率均达到或超过上级颁布标准,扫盲工作通过上级验收,3年共为大专院校输送新生1552人。改造中小学危房面积73100平方米,中小学危房基本消灭。清理整顿文化市场,强化娱乐市场管理,健全广播和有线电视网络,逐年普及程控电话。新开辟客运线路2条近70千米,新建公路桥梁3座;城乡体育运动蓬勃开展,3年获市级以上奖牌191块;加强农村医疗卫生工作,初级卫生保健工作代表江西省通过国家卫生部等单位考评,并被确定为基本达标县。1992年全县人口自然增长率为13.84‰,较1989年下降6.03‰。

1993—1997年,多渠道筹措办学资金,改善学校教学条件,九年制义务教育和扫除青壮年文盲的"两基"教育各项指标于1997年10月、11月分别被省政府、国家教委验收评估认可。13项科技成果获市级科技进步奖,5项科技成果获省级科技进步奖。恢复农村有线广播,开通15个乡镇小调频广播,有线电视覆盖全市2/3地区。投资近200万元的图书馆于1995年建成投入使用。创建全省文化先进县(市)工作于1997年12月份通过省政府验收。送文化下乡,组建"贵溪艺术团"。《贵溪县志》正式出版发行。市人民医院晋升为省"二级甲等"医院。改造市妇幼保健站,医疗条件有较大改善。新建10所农村卫生院,总面积达6185平方米。全市人口自然增长率和人口出生率分别下降至10.41‰和17.5‰。

1998—2002年,巩固"两基"成果,提高素质教育水平,多渠道办学,促进教育事业发展。获得全国、省、市科技进步奖45项。有线电视覆盖率扩大。医药管理和卫生工作进一步加强。先后荣获"全国文化先进市""全国科技先进市""全国'两基'教育先进市""全国环境保护系统先进集体""全省双拥模范城"等荣誉称号。

2003—2006年,加大教育投入,完成292所农村学校现代远程教育工程,新建、改造中小学校舍7万平方米,基本消灭一类危房。基本完成有线电视网络城区改造,农村广播电视"村村通"覆盖面进一步扩大。全面铺开新型农村合作医疗,为农民报销医疗费2284.33万元,受益农民24655人次。出生婴儿性别比失调综合整治工作取得初步成效,人口自然增长率控制在7.5‰以内。安置就业和再就业2.2万人次。发放养老金18267万元,拨付率100%,3万人参加失业保险,1.85万人参加城镇职工基本医疗保险,为24145名城市、农村低保对象发放保障金3573.1万元。被评为"全国科技进步先进市""全国文化先进市""全国'两基'教育先进市""全国全民健身先进市"。

2007年,落实科技三项经费460万元,出台《贵溪市中小型企业技术创新基金管理办法》《贵溪市专利专项资金管理办法》,蝉联"全国科技进步先进市"荣誉,贵雅有限公司被认定为国家高新技术企业。麒麟化工有限公司的"省有机化工中间体工程技术研究中心"通过省评估,荣获省级科技进步奖1项,鹰潭市科技进步奖7项,科技合作奖1项,专利申请200余件,居全省县(市、区)第一。全面落实义务教育经费保障机制,改造中小学危房1.34万平方米,小学、初中入学率分别为99.6%和99.2%,升学率分别为100%和69.97%。引进60多名大中专毕业生充实到农村中小学,招聘5名医科大学毕业生充实基层卫生院,选派38名大学本科学历的优秀干部到工业园区非公有制企业挂职锻炼。举办"第一届民间文艺大赛"和"首届农民书法美术展"。市文艺工作者深入农村演出130余场,组织26支放映队,深入乡村放映1784场。樟坪畲族马灯舞在广州举行的全国第八届少数民族运动会上荣获金奖。卫星广播电视转星调整,启动有线电视数字平移工作,城市、农村有线电视覆盖率分别达到90%和60%。健全卫生服务体系,新建和扩建16所乡镇卫生院业务用房,改建12所社区卫生服务中心(站),对全市102个行政村卫生所进行五室分开规范化改造。

2008年,改造市中医院业务用房,批准设置7个社区卫生服务站,建设规范化农村卫生所(室)93家,示范卫生所(室)34家,发放城市社区公共卫生服务券3.24万张。全市义务教育阶段公办学校学生全部免除学杂费和免费提供教科书,为义务教育阶段经济困难家庭寄宿生、考入大学经济困难家庭学生提供补助。引进各类优秀专业人才131名。专利授权量和专利申请量分别为125件和127件,继续位居全省县(市)首位,蝉联“全国科技进步先进县(市)”。新建老年风雨门球场,成立老年大学。完善计划生育利益导向机制,人口出生率和人口性别比分别下降千分之3.94和11.30个百分点。投资160万元,启动电子政务和政府信息公开平台项目建设,实现与省、鹰潭市政府信息公开平台连接,荣获“全省政府信息公开工作二等奖”。组织开展送戏、送电影下乡活动,丰富农民业余文化生活,挖掘创作一批具有本土特色的文艺精品,樟坪畲族乡马灯舞列入全省非物质文化遗产项目名录,全面完成广播电视“村村通”。启动《贵溪市志》编修工作。

第五节　提升居民生活水平

1991—1992年,拓宽就业门路,累计安排城镇待业青年6548人,劳务输出403人,创收11.75万元。投资57万元、容量为40吨、可供5000户居民用气的液化气储配站于1992年9月全面竣工,正式向居民供气。兴建儿童乐园。建成桥东公园780米的铁围栏。自来水厂二期改造工程完成工程总量的40%;南乡供电联网工程落实资金290.86万元,改变南乡电力紧张局面。在全县范围内实行优待金统筹。老建工作变扶贫“输血”为扶贫“造血”,帮助老区兴办扶贫项目259项。1992年,城乡居民储蓄存款余额26074万元,比1989年增长131.6%。农民人平纯收入715元。

1993—1997年,市区40个1C卡公用电话亭建成投入使用,农村程控电话从无到有,1995年实现乡乡镇镇通程控电话,1997年村级程控电话开通率达60%,并在5个乡镇建成移动通信转发站。推进“民心工程”“送温暖工程”和“再就业工程”,完善社会保障制度,加大物价监控力度,物价上涨幅度逐年回落。1997年人均储蓄1950元,比1992年增长2.8倍,年均增长30.7%。建立农村最低生活保障制度,提高农村五保户供养标准。

1998—2002年,完善社会保障体系,推进“两低保”和扶贫帮困工作。人均居住面积明显提高。

2003—2007年,城镇居民人均可支配收入9500元,比2002年(下同)增长50.79%;农民人均纯收入4069元,增长58.6%;年末城乡居民储蓄存款35.92亿元,增长94.16%。

2007年,安排各类民生配套资金6000多万元。在岗职工平均工资18137元,增长15%;农民年人均纯收入4646元,增长14%;农村使用沼气新增2500户,增长127%;为13260名移民进行了现金直补;城乡居民储蓄存款38.9亿元,增长8.4%。城镇净增就业3046人,增长32%,有就业愿望的零就业家庭就业安置率达100%。发放小额贷款2100万元。城镇职工参加基本养老保险3.5万人,参加失业保险3.1万人,分别增长16%、3.3%。分别提高城乡低保80元和30元,累计发放低保金2063万元,养老金8159万元,人均月基本养老金750元。筹集新型农村合作医疗资金2038.44万元,参合率90.28%,全年15595农民获得住院补偿,补偿资金达1727.3万元。正式启动城镇居民医疗保险,参保人数3万人。免费发放城市社区公共卫生服务券28500张,金额67万元。参加城镇职工基本医疗保险3.76万人,增长102%。全市公办义务教育阶段学生免除杂费1313.3万元,免除义务教育学生课本费370.9万元。为3531名贫困家庭学生补助寄宿生生活费116.5万元。资助普通高中贫困生866人、资助高考贫困大学生125人、中职学校贫困生2187人。启动4.52万平方米经济适用住房建设,首批48套、3744平方米经济适用房建设摇号销售。

2008年,落实民生工程目标管理责任制和行政领导负责制,安排民生资金2.63亿元,办55件实事。解决7646名农村人口的饮用水安全问题。城镇居民基本医疗参保人数6万人,新型农村合作医疗参合农民41万人,参合率94.06%。新增200套经济适用住房和100套廉租房建成。开展8个重点村扶贫工作。安排194万元走访慰问农村困难老党员、重灾户、“五保户”和城镇困难居民、特困职工。基本实现“劳有所得、学有所教、病有所医、住有所居、老有所养”目标,让广大群众共享改革发展成果。是年,城镇居民人均可支配收入12554元,比2007年增长13.9%。农民人均纯收入5366元,比2007年增长15.5%。

第四章　管理改革

第一节　机构调整

1991 年,贵溪县党政机关设 56 个机构,县委 10 个、县政府 46 个。中共贵溪县委机构由办公室、组织部、宣传部、统战部、直属机关工委、信访办、对台办、政法委、党史办、机要科组成。县政府由办公室、司法局、公安局、财政局、民政局、计委、统计局、计生委、监察局、经委、劳动人事局、卫生局、教育局、林业局、广电局、文化局、粮食局、农牧渔业局、水电局、交通局、物价局、物资局、城乡建设局、商业局、二轻局、乡企局、对外贸易局、档案局、科技委、体委、老建办、环保局、地名办、蔬菜办、审计局、县志办、精神文明办、职教办、农业利用外资办、土地局、体改委、对外经济协作办、农办、矿产局、编委办、保密局组成。

1995 年,县委出台《贵溪县党政机构改革方案》。1996 年 6 月,党政机构改革。改革后县委设置 5 个部门:县委办公室、组织部、宣传部、统战部、政法委(挂社会治安综合治理委员会的牌子)。政府设置 31 个委、局、办。设置上海、厦门、深圳办事处 3 个驻外机构、12 个县直事业和 3 个县直经济组织单位,其中机关事务科、旅游局为副科级事业单位。改革后,县直党政机构共设置工作部门 36 个,比改革前机构精简 37%,人员精减 18%。

2002 年 8 月,市党政机构进行又一次改革,全市党政群及市直属事业单位机构由改革前 78 个精简为 61 个,减少 17 个,精简 22%。市机关行政编制精简 17%,定编 536 名。乡镇机关行政编制精简为 23%,定编 566 名。市直各部门、各单位在定职能的基础上,精简调整内设机构。总的要求,尽量综合一些,一般不设专业性股室。市直各工作部门领导职数为正职 1 人、副职 1 ~ 3 人。任务繁重,人数较多,编制在 12 人以上可以设股,一般股不少于 3 人。股级领导职数一般配 1 人,人员编制 6 人以上增加 1 名。

13 日,《贵溪市乡镇事业单位改革方案》实施。此次改革的主要任务:1. 理顺乡镇事业单位管理体制;2. 确立事业单位法人地位;3. 精简各类站、所机构;4. 精简事业单位人员编制;5. 清退超编人员和各类临时聘用人员。改革后乡镇机构设置与人员编制如下:设财政所,增挂农业税征收管理所牌子,核定人员编制 4 ~ 5 名;设农村经济综合服务站,将农业五站、林业工作站、水保站、乡企办并入,核定人员编制 13 ~ 18 名;设土地村镇建设规划所,将土地管理站、村镇规划所并入,核定人员编制 3 ~ 4 名;设计划生育服务所,将计划生育站、计生办并入,核定人员编制 4 ~ 5 名;设文化广播电视站,将文化站、广播电视站并入,核定人员编制 2 ~ 3 名;设劳动安全管理站,核定人员编制 2 ~ 3 名。经调整,各乡镇设事业单位机构 6 个,人员编制由 1081 名精简为 655 名,精简比例为 39.4%。

19 日《贵溪市机构改革实施方案》实施。此次党政机构改革调整情况如下:市信访办公室更名为市委信访局,增挂市政府信访局牌子,归口市委办公室管理。老干部局与市委组织部合署办公。直属机关工作委员会与市委组织部合署办公。政策研究室、机要局、保密局并入市委办公室,对外保留市国家保密局牌子。台湾工作办公室并入市委办公室,对外保留市委台湾工作办公室和市政府台湾事务办公室牌子。精神文明建设指导委员会办公室并入市委宣传部,对外保留精神文明建设指导委员会办公室牌子。经济贸易委员会更名为经济贸易局,原人事劳动局承担的安全生产综合管理、职业和矿山安全监察职能划入该局,增挂安全生产监督管理局牌子,原经济体制改革委员会承担的国有企业改革职能划入该局,原商业局、外贸局、二轻局、乡镇企业局、物资总公司的行政管理职能划入该局,对外保留市对外贸易经济合作局牌子。原房产管理局、城管办的行政管理职能划入建设局。原经济体制改革委员会承担的农业经济体制改革职能划入农业局,蔬菜办、外资办并入农业局,为其内设机构。原人事劳动局承担的职业卫生监察职能划入卫生局。计划委员会更名为发展计划局。教育委员会更名为教育局。科学技术委员会更名为科学技术局。计划生育委员会更名为计划生育局。水利电力局更名为水利局。在人事劳动局的基础上组建人事劳动和社会保障局。文化局与广播电视局合并,组建文化广播电视局。土地管理局与地质矿产局合并,组建国土资源局。保留粮食局,由市发展计划局管理。组建城乡规划局,由市政府办公室管理。经济体制改革委员会、民族宗教事务局并入政府办公室,对外保留经济体制改革委员会办公室、民族宗教事务局牌子。山林纠纷办并入法制局,法制局并入市政府办公室,对外保留法制局牌子。物价局、支重局并入发展计划局,对外保留市物价局牌子。国有资产管理局、预算外资金管理局、政府采购中心并入财政局,为其内设机构,对外保留国有资产管理局牌子。体育运动委员会更名为体育局,并入教育局,对外保留体育局牌子。市政府机关管理科更名为市政府机关事务管理局,为正科级单位。组建市联合办证服务中心,为正科级单位。旅游局升格为正科级单位。党史办与市志办合并,组建史志办,为正科级单位。不再保留商业局、乡镇企业局、二轻局、外贸局、蔬菜办、预算外资金管理局、房产局、外资办、城管办、物资总公司、手工业联社。

第二节　职能转变

政企政事分开

1995年,县委县政府出台《贵溪县党政机构改革方案》,要求机构改革遵循坚持政企职责分开原则。在政企关系上,由直接管理转向间接管理,把属于企业的自主权切实下放给企业,属于市场调节的职能切实转移给市场;在管理内容上,由微观管理转变为宏观管理,把政府职能转变为统筹规划、掌握政策、依法行政、信息引导、组织协调、提供服务和检查监督;在管理手段上,由主要依靠计划控制转变为依靠市场调节,运用经济手段、法律手段和必要的行政手段管理国民经济。

2002年11月19日,市委、市政府在《贵溪市党政机关改革实施方案》中提出:政府部门不再直接管理企业,不再兴办经济实体,不再保留工业专业经济管理部门;辅助性、技术性和服务性事务交给事业单位和社会中介组织。

简政放权

1993年1月15日,县政府决定把14项权力下放给企业,增强企业活力,把企业推向市场。

1994年1月,县政府作出《关于进一步深化改革,加快贵溪县国有工业、商贸企业发展的决定》。《决定》指出:切实转变政府职能,采取必要的扶助政策,为企业经营机制转变和贵溪经济发展创造宽松环境。

1996年5月,实施乡(镇)党政机构改革要求乡(镇)党政机构改革,要利于加强党对农业和农村工作的领导,加强农村政权建设,加强和完善社会服务体系,促进农村经济和社会事业发展。要按照“小机构、大服务”方向,促进政权职能转变。要理顺市与乡(镇)的关系,将应有乡(镇)管理的机构和人员交给乡(镇)管理。

改革行政审批制度

2002年,市委、市政府制定《贵溪市党政机关改革实施方案》。《方案》提出:按照社会主义市场经济要求,推进行政审批制度改革,减少行政审批事项,建立结构合理、管理科学、程序严密、制约有效的行政审批管理制度,明确划分市乡政府的事权,下放属于乡级政府的管理权限,完善乡镇政府功能。

2008年,市政府办制定《关于开展提升行政效能建设服务型政府活动实施方案》,着手深化行政审批制度改革。要求在11月底前进一步清理、精减行政审批事项,进一步规范审批行为。决定保留的审批项目要简化审批环节,优化审批程序,提高审批效率;决定下放的审批项目要明确审批主体,落实审批责任,做好上下衔接工作;决定取消的审批项目要加强事后监督,不允许把备案、核准变成变相审批。加强对行政服务中心的规范管理,确保行政审批项目集中在市行政服务中心内运行。市行政服务中心要实行“两集中”“八公开”,将各部门行政审批权限逐步集中到一个科或股,各部门的行政审批项目尽快集中到市行政服务中心办理;在服务窗口公开项目名称、设立依据、申报材料、办理程序、承诺期限、收费依据、收费标准和窗口权限。积极推行“一门受理、并联审批”方式和首席代表制,不断减少审批环节。

便民服务

2000年1月,贵溪市便民服务中心成立。

服务中心是市政府派出机构,隶属于市政府管理,正科级事业单位,编制8名,主任1名,副主任2

名,工作人员5名。中心管理机构内设一办两科,即办公室,业务科和督查科。2003年设2个职能股(室),即行政股和业务股。

进驻服务中心的成员单位24个,分别为:发展和改革局、城乡规划局、房产管理局、建设局、国土资源局、环境保护局、人民防空办公室、水利局、经济贸易局(含墙体材料革新办公室)、安全生产监督局、教育局、气象局、消防大队、贵溪市供电有限责任公司、工商行政管理局、国家税务局、地方税务局、质量技术监督局、公安局、卫生局、交通局、林业局、人口和计划生育局、财政局。

服务中心成立以来,累计发放各类证件、办理(审批)各种事项10万余件,其便捷服务群众、提高办事效率、优化投资环境、促进经济发展的宗旨得到充分体现。

为简化审批程序,提高办理效率,为各类经济组织和人民群众提供优质高效服务,2000年3月,市政府下发《关于进一步明确便民服务中心服务项目和办理制度的通知》,进一步明确市便民服务中心成员、项目和办理制。进入便民服务中心的成员单位共20个,即市计委、市经贸委、市公安局、市交通局、市地矿局、市计生委、市建设局、市房产局、市环保局、市农业局、市城管办、市林业局、市卫生局、市文化局、市工商局、市民政局、市粮食局、市招商局、市劳动就业局、市土管局。视事项不同实行5种不同形式的办理制。《通知》还特别规定:各成员单位相关服务项目一律在市便民服务中心集中办理,不得私自单独放在局办理。

为完善便民服务中心的承诺服务制,进一步规范办理程序,2000年6月,市政府办下发《关于进一步完善便民服务中心承诺服务制的通知》,要求各成员单位必须参照市土管局"办理土地初始登记程序"格式,将本单位在"中心"的服务项目每个环节的承诺时限报"中心",所有证件的受理和出证环节均在"中心"完成。

为进一步完善市联合办证服务中心的职能,提高行政工作效率,创造优良经济发展环境,2003年6月,市政府下发《关于进一步明确市联合办证服务中心服务项目、办理制度和管理权限的通知》,进一步明确市联合办证服务中心的服务项目、办理制度和管理权限。《通知》要求,需进"中心"的成员单位24个:即市公安局、市民政局、市计生局、市环保局、市卫生局、市交通局、市就业局、市工商局、市技术监督局、市地税局、市国税局、市供电分局、市发展计划局、市人民银行、市国土局、市建设局、市规划局、人防办、市房产局、市教育局、市经贸局、市消防大队、市水利局、市财政局。依据各类服务项目的办理程序和性质,采取"一般事项的直接办理制、特殊事项的承诺办理制、重大事项的联合办理制、上报事项的负责办理制、控制事项的明确答复制"。《通知》赋予市联合办证服务中心的业务工作管理权限。《通知》同时要求各成员单位确保各类服务项目在"中心"实现"完全进入、有效动作"。未进"中心"的成员单位必须在2003年6月16日前安排适当人员进入"中心"工作,受理《通知》要求进入"中心"的各类服务项目。已进"中心"的成员单位按《通知》要求进行自查,并在2003年6月16日前按要求贯彻落实。自服务项目进入"中心"之日起,各成员单位不得再在本单位受理。各成员单位必须向进入"中心"的工作人员明确授权并配备启用"市联合办证服务中心XXX局窗口专用章"。窗口工作人员在"中心"工作一定两年不变。

第三节 人员管理

"三定"

2002年,市委、市政府出台党政机构改革方案,要求市委工作部门、市人大机关、市政府工作部门、市政协机关、法检两院、群众团体机关、议事协调机构的办事机构、归口管理机构、部门管理机构、市委、市政府直属事业单位、经济组织等都要进行"三定"。"三定"内容包括:部门职能调整情况(包括划入、划出、增加和转变的职能);部门的主要职责;内设股室的数量、名称和主要职责;人员编制数及科、股级领导职数。"三定"工作具体要求:(一)定职能。按照政企、政事、政社分开和建立社会主义市场经济体制要求,明确界定各部门职责任务,合理调整部门分工,把政府职能切实转变到经济调节、市场监管、社会管理和公共服务上来,从而使该加强的职能得到加强,该弱化的职能得到弱化,该转移的职能得到转移。(二)定内设机构。理顺职能交叉内设机构,职能相同或相近的合并,职能较少、工作量不大的综合设置或归并到职能相近的机构。内设股室平均精简10%以上,业务股室应占60%以上。(三)定编制。此次机构核定全市市直、乡镇机关行政编制1107名,比原有的1381名。减少274名,精减19.8%。政法专项编制394名,按机关专项编制精简10%,比原有的418名减少24名,精简5.74%。要求党政群机关后勤服务人员编制不得突破15%,政法系统机关后勤服务人员编制不得突破10%。严格按规定配备领导职数。部门领导职数一般配正副职1～3名。股室领导职数按《国家公务员制度实施方案》规定,编制3名的配1名,编制4名以上的可配2名。

定员定岗

2002年,市党政机构改革方案要求各部门按照"工作需要,群众参与,竞争上岗,综合考评,组织决定"原则,做好人员定岗工作。"三定"方案批复20天内完成人员定岗工作任务。

2003年,市委、市政府制定《贵溪市机构改革人员定岗定员实施办法》。其指导思想是:坚持干部队伍"四化"方针和德才兼备标准,保留工作骨干,优化人员结构,发挥个人专长,提高行政效率。原则是:①工作需要。机构改革在定职能、定机构、定编制基础上,根据重新确定的职位和优化人员结构要求,配备合适的人选任职,做到因职配人、人尽其才。②群众参与。增强定员定岗工作透明度,充分让群众参与和监督定岗定员工作。③竞争上岗。根据职位和任职条件,采取公开报名、考试考核、演讲答辩、民主测评等办法,择优产生预选对象。④综合考评。对预定对象由单位党组织、干部人事部门进行综合考察,既注重思想政治表现、工作实绩和身体健康情况,又要考虑干部队伍的职务结构、年龄结构,进行全面考察、综合评议,产生拟定岗人选。⑤组织决定。对拟定岗人员严格按照干部管理权限,集体讨论决定上岗人员,依照有关任用程序办理上岗手续。《办法》对职位位置和上岗作出规定,要求在"三定"方案规定的编制限额基础上,重新合理设置岗位,不得超编定岗。①股级干部职数,按"三定"方案确定的股室干部职数进行设置。②受领导岗位职数限制,由领导职务改任非领导职务的,可以采取高职低配,原职级待遇不变的办法。参与定岗定员的对象:市直行政机关、并入行政机关的事业单位人员参与市直行政机关或市直事业单位的定岗定员,市直事业单位人员参与市直事业单位的定岗定员;乡镇机关包括原乡镇机关选配到土管所的干部(含聘干)参与乡镇机关的定岗定员。

人员分流

1997年1月,市委、市政府作出《关于切实加强农业和加快农村经济发展的决定》。《决定》要求:裁编减员,提高乡镇工作效率。是年,乡镇开始实施人员交流人员分流。

2002年,市委、市政府出台党政机构改革方案,要求各部门按照"带职分流,定向培训,充实基层,优化结构"原则,做好人员分流工作,并在3年内完成分流工作。

2003年,市委、市政府出台《贵溪市机构改革人员分流实施办法》,启动机构改革人员分流。按照机构改革方案,要求机关人员编制精减20%。从2003年1月1日起到2004年12月31日全面完成人员分流。人员分流基本原则:带职分流、定向培训、充实基层、优化结构。主要途径:①转制分流。因职能调整由行政机关成建制转为事业单位或社团、组织的原机关人员随同划转。不再保留或合并的专业经济部门,除部分人员随行政职能转到相关管理部门外,其余人员成建制转入新组建的经济实体或服务实体。②退休离岗。严格执行退休制度,对已达到国家规定的退休年龄和丧失工作能力的,及时办理退休手续。③充实基层。根据工作需要,选调有专业特长和管理经验的人员,充实到基层机关和执法监督机构,以及企业、党校、科研、医疗机构等企事业单位。④加强事业。根据调整人员结构需要,选派合适人员到各部门所属的事业单位和社团组织工作。⑤自谋职业。鼓励机关工作人员辞去公职自谋职业。⑥把为机关办公和职工提供服务的后勤机构及人员从机关行政序列中分离出来,市直党政机关、政法系统及并入行政机关的事业单位在编在职的工人,全部一次性从上述机关分离出来,安排在机关后勤服务人员岗位或安排到事业单位,有条件的也可选聘到专项事业编制岗位。⑦乡镇机关工人从乡镇机关分离出来,参加乡镇事业单位竞聘上岗。⑧2001年以来连续两年考核基本称职或2002年考核不称职人员从行政机关(党、群)分流到事业单位。

实施公务员制度

1996年,市政府出台《贵溪市国家公务员制度实施方案》,建立和推行国家公务员制度。

《方案》提出贵溪市实行国家公务员制度的时间安排:1996年上半年完成过渡培训、考试、考核,第三、第四季度完成职位分类和人员过渡,至年底,全市各级国家行政机关基本纳入国家公务员制度管理轨道,然后逐步加以完善。

《方案》明确公务员制度实施范围对象和目标任务。范围和对象:(一)市、乡(镇)国家行政机关中除工勤人员以外的工作人员;(二)其他行使国家行政职能、从事行政管理活动的单位中除工勤人员以外的工作人员。上述单位中从事党群工作的人员亦列入实施国家公务员制度范围。目标和任务:建立"四个机制":即实施国家公务员录用、考核、奖励、职务升降和任免、工资保险福利等制度,建立有效的激励竞争机制;实施国家公务员培训、交流、退休和辞职、辞退等制度,逐步建立正常的新陈代谢机制;实施国家公务员纪律、回避和申诉控告,加强国家公务员义务和权力的教育,逐步建立严格的廉政勤政机制;实施《条例》和配套的规章、制度,逐步建立完备的法规保障机制。

第十八卷　市(县)人民政协

第一章　机构与委员

第一节　机构设置

政协委员会

县政协七届委员会下设9个专门委员会,在政协机关实行3科1室岗位责任制,设协商监督科、政宣文史科、咨询联络科和办公室。各科室相应制定工作条例,明确职责分工,对口联系各专门委员会。

县政协八届和市政协一届委员会对政协机构进行调整,政协机关由原来的3科1室改为4委1室,即:学习文史委员会(学文委)、提案社团委员会(提案委)、经济科技委员会(经科委)、民族"三胞"委员会(三胞委)和办公室。

市政协二届委员会延续前届4委1室的机关工作机制。学习文史委员会(学文委)下设文化艺术组、教育组、医疗卫生组等3个活动小组;提案社团委员会(提案委)下设提案组和社团组等2个活动小组;经济科技委员会(经科委)下设财经组、企业组、工交组、农林科技组、农村一组、农村二组等6个活动小组;民族"三胞"委员会(三胞委)下设民族宗教组和三胞组等2个活动小组。

市政协四届委员会依据上级政协机构设置和对口联系单位情况,变更部分委员会的名称:学习文史委员会改称教卫文史委员会(教文委),提案社团委员会改称提案社团法制委员会(提案委),经济科技委员会(经科委)不变,民族"三胞"委员会改称民宗港澳台侨委员会(民宗委)。教文委下设文化组、教育组、医药卫生组等3个活动小组;提案委下设提案组、社团组、法制组等3个活动小组;经科委下设财经组、企业组、科技组、工交组、农经组等5个活动小组;民宗委下设民族宗教组、三胞组、人口资源组等3个活动小组。

2003年,根据机构改革"三定"方案,市政协保留4委1室,名称不变,均为正科级机构。2008年,市政协机关在编工作人员20名,其中行政编15名,工勤编5名。

政协常务委员会

政协常务委员会由主席、副主席、秘书长和常务委员组成,政协决策、决定和政协重要工作、人事任免由政协常委会研究决定。

1991—2008年政协常委会领导:

县政协七届委员会　主席:王树新;副主席:叶沛祖、金宏杰、魏源。

县政协八届委员会　主席:王树新;副主席:叶沛祖、魏源、张宗武、雷长生;秘书长:姚功鉴。

市政协一届委员会　主席:王树新;副主席:阮从国、叶沛祖、魏源、雷长生、江新旺。

市政协二届委员会　主席:吴金荣;副主席:阮从国、雷长生、江新旺、李秋生、魏源、杨志超、刘林根;秘书长:姚功鉴。

市政协三届委员会　主席:吴金荣;副主席:傅银良、游岚、阮从国、雷长生、李秋生、赵鹭娜、黄占共、杨样华(2005年3月13日增选)、陈成有(2006年6月11日增选)、助理调研员:李开才。

市政协四届委员会　主席:简四涛;副主席:杨样华、赵鹭娜、陈成有、姚建中、曾细根、李激;调研员:

游岚;助理调研员:李开才。

1991—2008 年贵溪政协领导更迭一览

表 18－1

届次	职务	姓名	任职时间	籍贯
县政协七届委员会	主席	王树新	1991.1—1993.1	东乡
	副主席	叶沛祖	199.1—1993.1	广丰
		金宏杰	1991.1—1993.1	上海
		魏　源	1991.1—1993.1	玉山
县政协八届委员会	主席	王树新	1991.1—1993.1	东乡
	副主席	叶沛祖	1993.1—1996.9	广丰
		魏　源	1993.1—1996.9	玉山
		张宗武	1993.1—1996.9	安源区
		雷长生	1994.3—1996.9	贵溪
	秘书长	姚功鉴	1993.1—1996.9	贵溪
市政协一届委员会	主席	王树新	1996.9—1998.1	东乡
	副主席	阮从国	1996.9—1998.1	贵溪
		叶沛祖	1996.9—1998.1	广丰
		魏　源	1996.9—1998.1	玉山
		雷长生	1995.9—1998.1	贵溪
		江新旺	1995.9—1998.1	贵溪
	秘书长	姚功鉴	1995.9—1998.1	贵溪
市政协二届委员会	主席	吴金荣	1998.1—2003.1	贵溪
	副主席	阮从国	1998.1—2003.1	贵溪
		雷长生	1998.3—2003.1	贵溪
		江新旺	1998.1—2003.1	贵溪
		李秋生	1998.1—2003.1	贵溪
		魏　源	1998.1—2003.1	玉山
		杨志超	1998.1—2003.1	樟树
		刘林根	1998.1—2003.1	贵溪
	秘书长	姚功鉴	1998.1—2003.1	贵溪
市政协三届委员会	主席	吴金荣	2003.1—2007.3	贵溪
	副主席	傅银良	2003.1—2007.3	贵溪
市政协三届委员会	副主席	游　岚	2003.1—2005.5	贵溪
		阮从国	2003.1—2007.3	贵溪
		雷长生	2003.1—2007.3	贵溪
		李秋生	2003.1—2007.3	贵溪
		赵鹭娜	2003.1—2007.3	河南新野

续表18－1

届次	职务	姓名	任职时间	籍贯
市政协三届委员会	副主席	黄占共	2003. 1—2007. 3	余干
		杨样华	2005. 5—2007. 3	贵溪
		陈成有	2006. 6—2007. 3	贵溪
	调研员	游　岚	2005. 5—2007. 3	贵溪
	助理调研员	李开才	2003. 1—2007. 3	贵溪
市政协四届委员会	主席	简四涛	2007.3—2008. 12	樟树
	副主席	杨样华	2007.3—2008. 12	贵溪
		赵鹭娜	2007.3—2008. 12	河南新野
		陈成有	2007.3—2008. 12	贵溪
		姚建中	2007.3—2008. 12	贵溪
		曾细根	2007.3—2008. 12	月湖区
		李　激	2007.3—2008. 12	贵溪
	调研员	游　岚	2007.3—2008. 12	贵溪
	助理调研员	李开才	2007. 3—2007. 12	贵溪

第二节　委员构成

政协组成单位、界别

1991—2008年,贵溪市政协先后换届6次。

政协贵溪县第七届委员会(1990.4—1993.1.)由主席(1名)、副主席(3名)、秘书长(1名)、常务委员(21名),共151名委员组成。政协贵溪县第七届委员会委员来自中国共产党、民主党派、无党派民主人士、工会、共青团、妇联、工商联、工商、文艺、科技、社会、工业、农林、教育、医卫、少数民族、台胞台属、归侨侨眷、宗教、特邀人士等20个界别,具有广泛的代表性。其中,中共产党员57名,占委员总数的37.75%,民主党派和无党派民主人士94名,占委员总数的62.25%;妇女委员26名,占委员总数的17.33%;委员年龄最大的78岁,最小的26岁,平均年龄48.2岁;具有高中以上文化的委员99名(其中大专以上文化程度50人),占委员总数的59.63%。

政协贵溪县第八届委员会(1993.1—1996.9)由主席(1名)、副主席(3名)、秘书长(1名)、常务委员(22名,届中分别增选常务委员4人),共164名委员组成。政协贵溪县第八届委员会委员来自21个界别,比上届增加1个(经济界),更具有广泛性。其中,中共党员62名,占委员总数的40.86%;妇女委员27名,占委员总数的16.54%;委员平均年龄47.5岁,比上届下降2.75岁,形成老、中、青梯形结构;具有中专(高中)以上学历的共101名,占委员总数的64.33%,其中有技术职称的69名,占委员总数的43.95%。

政协贵溪市第一届委员会(1996.9—1997.10)与贵溪县政协第八届委员会任期连续计算,共为5年。政协贵溪市第一届委员会由主席(1名)、副主席(5名)、秘书长(1名)、常务委员(24名,届中增选3名),共164名委员组成。

政协贵溪市第二届委员会(1997.10—2002.1)由主席(1名)、副主席(4名)、秘书长(1名)、常务委员(26名),共171名委员组成。委员来自中共、民革、民盟、民建、农工党、九三学社、无党派、总工会、妇联、共青团、港澳台、科学技术、教育、文化艺术、社会科学、工商联、经济、农业、医卫、宗教、少数民族、特邀人士等22个界别,在上届21个界别的基础上进行调整并增加1个,更具有广泛代表性。其中,妇女委员26名。

政协贵溪市第三届委员会(2002.1—2007.3)由主席(1名)、副主席(8名,届中离任3名,增选2名)、常务委员(36名,届中离任3名,增选2名),共189名委员组成。该届委员来自22个界别,分布情况是:中共17名,民革4名,民盟6名,民建5名,农工党4名,九三学社4名,无党派人士8名,总工会3名,妇联3名,共青团2名,港澳台3名,科学技术界6名,教育界7名,文化艺术界6名,社会科学界13名,工商联23名,经济界27名,农业界12名,医卫界5名,宗教界3名,少数民族界3名,特邀人士24名。其中,中共党员74名,占委员总数的39.15%;妇女委员42名,占委员总数的22.22%。

政协贵溪市第四届委员会(2007.3—2012)由主席(1名)、副主席(7名)、常务委员(39名,届中辞去6名,增选6名),共230名委员(届中辞去14名,增选28名)组成。本届委员在22个界别和单位的分布情况是:中共20名,民革6名,民盟8名,民建7名,农工党6名,九三学社5名,无党派人士10名,总工会5名,妇联5名,共青团4名,港澳台4名,科学技术界8名,教育界9名,文化艺术界8名,社会科学界15名,工商联25名,经济界29名,农业界14名,医卫界7名,宗教界4名,少数民族界4名,特邀人士27名。230名委员中,中共委员92名,占委员总数的40%,非中共委员138名,占委员总数的60%,符合党内外委员比例规定;妇女委员46名,占20%;少数民族委员4名,占1.7%;续任79名,占34.3%,新任151名,占65.7%,基本符合委员调整的实际情况,保持政协委员的连续性。从总体数量来看,比上届委员增加41名,从文化素质来看,具有大专以上学历的168名,占73%。

政协委员产生

政协贵溪市委员会历届委员,是依据《中国人民政治协商会议章程》相关规定,按照程序,在贵溪社会各界中经民主协商推荐,再由组织考察审定后产生,具有广泛的代表性。

第二章　会　议

第一节　政协全体会议

政协全体会议与人大代表会议合称"两会",一般每年同时召开一次。全体政协委员参加会议,驻市省政协委员、鹰潭市政协委员及老委员联谊会会员等列席会议。

七届二次全体会议　政协贵溪县七届二次全体会议于1991年3月31日至4月3日召开,197人出席会议,另有43人列席会议。会议主要议程是:听取并审议政协贵溪县第七届委员会常务委员会工作报告;听取并审议政协贵溪县第七届委员会提案委员会关于七届一次会议以来提案工作情况的报告;列席贵溪县十届人民代表大会第五次会议;通过政协贵溪县七届二次会议关于提案审查情况的报告通过政协贵溪县七届二次会议决议。会议共收到提案113件,立案办理108件,其中已实施的41件,采纳并着手实施的22件,待解决的45件。

七届三次全体会议　政协贵溪县七届二次全体会议于1992年2月25日至28日召开,204人出席会议,另有47人列席会议(含在县的省和市政协委员16人、老委员联谊会成员25人、乡镇政协工作组负责人1人、县工商联及科室负责人5人)。会议主要议程是:听取并审议政协贵溪县第七届委员会常务委员会工作报告;听取并审议政协贵溪县第七届委员会提案委员会关于七届二次会议以来提案工作情况的报告;列席贵溪县十一届人民代表大会第一次会议;通过政协贵溪县七届三次会议关于提案审查情况的报告;通过政协贵溪县七届三次会议决议。会议共收到提案84件,立案办理80件,其中解决或基本解决的16件,正在研究处理的20件,建议留作参考的12件。

八届一次全体会议　政协贵溪县八届一次全体会议于1993年1月7日至10日召开,205人出席会议,另有49人列席会议(含在县的省和市政协委员16人、老干部协会成员11人、老委员联谊会成员18人、科室负责人4人)。会议主要议程是:听取并审议政协贵溪县第七届委员会常务委员会工作报告;

听取并审议政协贵溪县第七届委员会提案委员会关于七届三次会议以来提案工作情况的报告;列席贵溪县第十一届人民代表大会第二次会议;选举政协贵溪县第八届委员会主席、副主席、秘书长和常务委员;通过政协贵溪县八届一次会议提案审查情况的报告;通过政协贵溪县八届一次会议决议。经大会选举,王树新当选为政协主席,叶沛祖、魏源、张宗武为副主席,王华荣等22人为常务委员。

八届二次全体会议　政协贵溪县八届二次全体会议于1994年3月14日至17日召开,208人出席会议,另有51人列席会议(含在县的省和市政协委员18人、老委员联谊会成员29人、科室负责人4人)。会议主要议程是:听取并审议政协贵溪县第八届委员会常务委员会工作报告听取并审议政协贵溪县第八届委员会提案委员会关于八届一次会议以来提案工作情况的报告;列席贵溪县第十一届人民代表大会第三次会议增选政协贵溪县第八届委员会副主席;审议通过政协贵溪县八届二次会议提案审查情况的报告,审议通过政协贵溪县八届二次会议决议。经大会选举,增选雷长生为政协副主席。

八届三次全体会议　政协贵溪县八届三次全体会议于1995年3月25日至28日召开,214人出席会议,另有50人列席会议(含在县的省和市政协委员19人、老委员联谊会成员27人、科室负责人4人)。会议主要议程是:听取并审议政协贵溪县第八届委员会常务委员会工作报告听取并审议政协贵溪县第八届委员会提案委员会关于八届二次会议以来提案工作情况的报告;列席贵溪县第十一届人民代表大会第四次会议;增选政协贵溪县第八届委员会常务委员;通过政协贵溪县八届委员会提案委员会关于八届三次会议提案审查情况的报告;审议通过政协贵溪县第八届委员会第三次会议决议。大会增选政协常委2人。

八届四次全体会议　政协贵溪县八届四次全体会议于1996年2月29日至3月3日召开,217人出席会议,另有50人列席会议(含在县的省和市政协委员19人、老委员联谊会成员27人、科室负责人4人)。会议主要议程是:听取并审议政协贵溪县第八届委员会常务委员会工作报告听取并审议政协贵溪县第八届委员会提案委员会关于八届三次会议以来提案工作情况的报告列席贵溪县第十一届人民代表大会第五次会议;增选政协贵溪县第八届委员会常务委员;审议通过政协贵溪县第八届委员会提案委员会关于八届四次会议提案审查情况的报告;审议通过政协贵溪县八届四次会议决议。大会增选政协常委2人。

一届一次全体会议　政协贵溪市一届一次全体会议于1996年9月6日召开,151人出席会议。会议主要议程是:听取县人民政府关于撤县设市工作报告,及上级关于撤销贵溪县设立贵溪市的批复与通知,审议通过关于将政协贵溪县第八届委员会改为政协贵溪市第一届委员会的决定;增选政协贵溪市第一届委员会副主席。经大会选举,增选阮从国、江新旺为政协副主席。

一届二次全体会议　政协贵溪市一届二次全体会议于1997年2月25日至28日召开,151人出席会议,另有48人列席会议。会议主要议程是:听取和讨论中共贵溪市委领导讲话;听取并审议政协贵溪市第一届委员会常务委员会工作报告;听取并审议政协贵溪市第一届委员会提案委员会关于一年来提案工作情况的报告;列席贵溪市第一届人民代表大会第二次会议;增选政协贵溪市第一届委员会常务委员;审议通过政协贵溪市一届二次会议关于提案审查情况的报告;通过政协贵溪市一届二次会议决议。大会增选常委2人。

二届一次全体会议　政协贵溪市二届一次全体会议于1998年1月6日至9日召开,218人出席会议,另有65人列席会议(含在贵溪市的省和鹰潭市政协委员37人、老委员联谊会成员27人、鹰潭市驻市厂矿活动小组组长1人)。会议主要议程是:听取并审议政协贵溪市第一届委员会常务委员会工作报告听取并审议政协贵溪市第一届委员会关于一届二次会议以来提案工作情况的报告;列席贵溪市第二届人民代表大会第一次会议;选举政协贵溪市第二届委员会主席、副主席、秘书长、常务委员;通过政协贵溪市二届一次会议关于提案审查情况的报告;通过政协贵溪市二届一次会议决议。经大会选举,吴金荣当选为政协主席,阮从国、江新旺、李秋生、魏源、杨志超、刘林根当选为副主席,姚功鉴当选为秘书长,王天伟等26人当选为常务委员。

二届二次全体会议　政协贵溪市二届二次全体会议于1998年3月16日召开,补选雷长生为市政协副主席。

二届三次全体会议　政协贵溪市二届二次全体会议于1999年1月6日至9日召开。232人出席会议,另有64人列席会议(含在贵溪市的省和鹰潭市政协委员37人、老委员联谊会成员26人、鹰潭市驻市厂矿活动小组组长1人)。会议主要议程是:听取并审议政协贵溪市第二届委员会常务委员会工作报告;听取并审议政协贵溪市第二届委员会提案委员会关于二届一次会议以来提案工作情况的报告;列席贵溪市第二届人民代表大会第三次会议;增选政协贵溪市第二届委员会常务委员;通过政协贵溪市二届二次会议关于提案审查情况的报告;通过政协贵溪市二届二次会议决议。大会增选政协常委4人。

二届四次全体会议　政协贵溪市二届三次全体会议于2000年1月27日至29日召开,218人出席会议,另有62人列席会议(含在贵溪市的省和鹰潭市政协委员36人、老委员联谊会成员26人)。会议主要议程是:听取并审议政协贵溪市第二届委员会常务委员会工作报告;听取并审议政协贵溪市第二届委员会提案委员会关于二届二次会议以来提案工作情况的报告;列席贵溪市第二届人民代表大会第四次会议;通过政协贵溪市二届三次会议关于提案审查情况的报告;通过政协贵溪市二届三次会议决议。

二届五次全体会议　政协贵溪市二届四次全体会议于2001年3月15日至18日召开,229人出席会议,另有67人列席会议(含在贵溪市的省和鹰潭市政协委员36人、老委员联谊会成员27人、有关单位主要负责人3人、非政协委员的民主党派主委1人)。会议主要议程是:听取并审议政协贵溪市第二届委员会常务委员会工作报告;听取并审议政协贵溪市第二届委员会提案委员会关于二届三次会议以来提案工作情况的报告;列席贵溪市第二届人民代表大会第五次会议;增选政协贵溪市第二届委员会副主席、常务委员;通过政协贵溪市二届四次会议关于提案审查情况的报告;通过政协贵溪市二届四次会议决议。经大会选举,李秋生、刘林根为政协副主席,增选政协常委7人。

二届六次全体会议　政协贵溪市二届五次全体会议于2002年1月20日至23日召开,230人出席会议,另有67人列席会议(含在贵溪市的省和鹰潭市政协委员36人、老委员联谊会成员27人、有关单位主要负责人3人、鹰潭市政协委员驻市厂矿活动小组组长1人)。会议主要议程:听取并审议政协贵溪市第二届委员会常务委员会工作报告;听取并审议政协贵溪市第二届委员会提案委员会关于二届四次会议以来提案工作情况的报告;列席贵溪市第二届人民代表大会第六次会议;通过政协贵溪市二届五次会议关于提案审查情况的报告;通过政协贵溪市二届五次会议决议。

三届一次全体会议　政协贵溪市三届一次全体会议于2003年1月7日至10日召开,234人出席会议,另有36人列席会议(含在市的省和鹰潭市政协委员6人,老委员联谊会成员26人,工、青、妇、科协主要负责人4人,非政协委员的民主党派主委1人)。会议主要议程是:听取并审议政协贵溪市第二届委员会常务委员会工作报告;听取并审议政协贵溪市第二届委员会提案委员会关于二届六次会议以来提案工作情况的报告;列席贵溪市第三届人民代表大会第一次会议;选举政协贵溪市第三届委员会主席、副主席和常务委员;通过政协贵溪市三届一次会议关于提案审查情况的报告;通过政协贵溪市第三届委员会第一次会议决议。经大会选举,吴金荣当选为政协主席,傅银良、游岚、阮从国、雷长生、李秋生、赵鹭娜、黄占共为副主席,王天伟等27人为常务委员。

三届二次全体会议　政协贵溪市三届二次全体会议于2004年1月7日至9日召开。234人出席会议,另有36人列席会议。会议主要议程是:听取并审议政协贵溪市第三届委员会常务委员会工作报告;听取并审议政协贵溪市第三届委员会关于第三届一次会议以来提案工作情况的报告;列席贵溪市第三届人民代表大会第二次会议;通过政协贵溪市三届二次会议关于提案审查情况的报告;通过政协贵溪市第三届委员会第二次会议决议。

三届三次全体会议　政协贵溪市三届三次全体会议于2005年1月10日至13日召开,239人出席会议,另有75人列席会议(含在市的省和鹰潭市政协委员44人,老委员联谊会成员26人,工、青、妇、科协主要负责人4人,非政协委员的民主党派主委1人)。会议主要议程是:听取并审议政协贵溪市第三届委员会常务委员会工作报告;听取并审议政协贵溪市第三届委员会提案委员会关于三届二次会议以来提案工作情况的报告;列席贵溪市第三届人民代表大会第三次会议;通过政协贵溪市三届三次会议关于提案审查情况的报告;通过政协贵溪市第三届委员会第三次会议决议。

三届四次全体会议　政协贵溪市三届四次全体会议于2005年3月12日至13日召开,198位政协委员出席会议。会议主要议程是:传达政协江西省九届三次会议精神;部署2005年市政协工作;选举政协贵溪市第三届委员会副主席。经大会选举,杨样华为政协副主席。

三届五次全体会议　政协贵溪市三届五次全体会议于2006年6月8日至11日召开,247人出席会议,另有85人列席会议(含在市的省和鹰潭市政协委员48人、老委员联谊会成员26人、有关单位主要负责人4人、政协科室负责人4人、非政协委员的民主党派主委1人)。会议主要议程是:听取和审议政协贵溪市第三届委员会常务委员会工作报告;听取和审议政协贵溪市第三届委员会提案委员会关于三届三次会议以来提案工作情况的报告;列席贵溪市第三届人民代表大会第四次会议;选举政协贵溪市第三届委员会副主席;审议通过政协贵溪市第三届委员会第五次会议提案审查情况的报告;审议通过政协贵溪市第三届委员会第五次会议决议。经大会选举,陈成有为政协副主席。

四届一次全体会议　政协贵溪市四届一次全体会议于2007年3月19日至22日召开,290人出席会议,另有73人列席会议(含在市的鹰潭市政协委员39人,老委员联谊会成员28人,工、青、妇、科协、工商联主要负责人5人、政协科室负责人4人、非政协委员的民主党派主委1人)。会议主要议程是:听取并审议政协贵溪市第三届委员会常务委员会工作报告;听取并审议政协贵溪市第三届委员会提案委员会关于三届五次会议以来提案工作情况的报告;列席贵溪市第四届人民代表大会第一次会议;选举政协贵溪市第四届委员会主席、副主席和常务委员;审议通过政协贵溪市第四届委员会第一次会议提案审查情况的报告;审议通过政协贵溪市第四届委员会第一次会议决议。经大会选举,简四涛当选为政协主席,杨样华、赵鹭娜、陈成有、姚建中、曾细根、李溦为副主席,丁建均等32人为常务委员。

四届二次全体会议　政协贵溪市四届二次全体会议于2008年3月28日至31日召开,274人出席会议,另有57人列席会议(含在市的鹰潭市政协委员39人,市政协历届老领导10人,工、青、妇、科协、工商联主要负责人5人,不是政协委员的专门委员会负责人2人、非政协委员的民主党派主委1人)。会议主要议程是:听取并审议政协贵溪市第四届委员会常务委员会工作报告;听取并审议政协贵溪市第四届委员会提案委员会关于四届一次会议以来提案工作情况的报告;列席贵溪市第四届人民代表大会第二次会议;增选政协贵溪市第四届委员会常务委员;审议通过政协贵溪市第四届委员会第二次会议提案审查情况的报告;审议通过政协贵溪市第四届委员会第二次会议决议。大会增选政协常委6人。

第二节　政协常委会议

政协常务委员会按照《政协常委会议议事规则》,一般一个季度召开一次会议,主要内容是听取党政领导通报有关重大决策和政治经济工作情况,听取委员视察调研和专门委员会工作汇报,研究政协工作和人事任免。参加会议人员为全体常务委员,政协办公室和专门委员会负责人列席会议。在专题协商讨论有关问题时,邀请党政分管领导、有关单位负责人列席会议。

县政协七届委员会常委会议(10次)

1990年5月3—4日,县政协七届一次常委会议召开。经过民主协商,决定成立9个专门委员会,并对政协工作作出具体分工。

1990年7月17—18日,县政协七届二次常委会议召开。会议传达全国和全省统战工作会议精神,学习贯彻江总书记的重要讲话,并就如何进一步贯彻中共中央(1990)14号文件精神进行座谈讨论。

1990年12月15日,县政协七届三次常委会议召开,对年终工作进行总结评比。

1991年3月15日,县政协七届四次常委会议召开。会议是为县政协七届二次会议的召开作准备,并学习《中共中央全会公报》、中共江西省委(1991)3号文件,传达省政协六届四次会议精神。

1991年7月16—17日,县政协七届五次常委会议召开,着重研讨“科技兴农”问题。

1991年10月10日,县政协七届六次常委会议召开,主要内容是为纪念辛亥革命八十周年进行座谈。

1992年3月13日,县政协召开七届七次常委会议,由县委副书记刘尧铣传达中共十三届八中全会精神、中共中央1992年2号文件精神。

1992 年 6 月 19 日,县政协七届八次常委会议召开,会议就深化农业改革、调整农业产业结构问题进行协商讨论。

1992 年 9 月 21 日,县政协七届九次常委会议召开,会议就发展县域经济进行协商讨论。

1992 年 12 月 16 日,县政协七届十次常委会议召开,协商通过第八届政协委员名单。第八届委员会界别为 21 个,(增设企业界),委员名额由上届 154 名增至 157 名。

县政协八届及市政协一届委员会常委会议(17 次)

1993 年 2 月 26 日,县政协八届一次常委会议召开,会议讨论通过本届政协领导组织分工、各专门委员会组成人员名单及 1993 年政协工作要点。

1993 年 5 月 28 ~29 日,县政协八届二次常委会议召开,会议深入学习全国人大、全国政协八届一次会议精神和中央领导重要讲话。

1993 年 8 月 23 日,县政协八届三次常委会议召开。

1993 年 11 月 6 日,县政协八届四次常委会议召开,学习贯彻中共十四届二中全会精神。

1994 年 2 月 28 日,县政协八届五次常委会议召开,会议协商讨论《政府工作报告》(征求意见稿),并对县政协八届二次会议的召开进行专题研究和具体部署。

1994 年 4 月 22 日,县政协八届六次常委会议召开,协商讨论关于加强城市建设、迎接撤县建市等重要工作。

1994 年 12 月 16 日,县政协八届七次常委会议召开,共商贵溪城市建设总体规划实施工作。

1995 年 3 月 9—10 日,县政协八届八次常委会议召开,会议为县政协八届三次会议作准备,并对《政府工作报告(征求意见稿)》进行认真讨论。

1995 年 5 月 30 日,县政协八届九次常委会议召开,围绕调控蔬菜、猪肉市场价格问题进行协商讨论。

1995 年 9 月 19 日,县政协八届十次常委会议召开,就如何促进全县个私经济健康发展进行协商讨论。

1996 年 5 月 22 日,县政协八届十一次常委会议召开,会议围绕县委在“九五”规划中提出的“超百亿、兴贵溪、奔小康、争十强”奋斗目标,协商讨论加速贵溪县域经济发展问题。

1996 年 8 月 23 日,县政协八届十二次常委会议召开,会议听取副县长简四涛《关于我县“翻番工程”1—7 月份实施情况的通报》。

1996 年 12 月 20 日,市政协一届一次常委会议召开,会议就赴川考察“三高”农业、畜牧养殖业及水利工程建设情况进行协商讨论。

1997 年 1 月 31 日,市政协一届二次常委会议召开,商议《市政府工作报告(征求意见稿)》;协商通过召开市政协一届二次会议的决定及会议议程、日程、分组召集人名单;讨论市政协一届常委会工作报告;协商人事事项。

1997 年 6 月 20 日,市政协一届三次常委会议召开,听取关于全市上年财政收入情况和当年财政增收意见情况通报;听取经济科技委员会关于财政增收方面的调查情况汇报。

1997 年 9 月 30 日,市政协一届四次常委会议召开,听取并讨论《关于我市实施“行业形象工程”情况的考察报告》;审议《关于市政协换届筹备工作的请示报告》。

1997 年 12 月 15 日,市政协一届五次常委会议召开,协商通过市政协二届一次会议的决定、议程、日程、主席团名单、执行主席名单、提案审查委员会名单、列席人员名单、委员名单、常委候选人名单、一届市政协常委会工作报告、一届市政协一次会议以来提案工作报告;讨论《市政府工作报告(征求意见稿)》。

市政协二届委员会常委会议(24 次)

1998 年 3 月 14 日,市政协二届一次常委会议召开,协商补选政协副主席有关事宜。

1998 年 4 月 23 日,市政协二届二次常委会议召开,听取全市政法系统教育整顿工作情况和春耕备耕工作情况通报听取市政协关于全市个私经济发展现状调查和赴浙江考察学习的情况汇报;协商讨论如何进一步加快个私经济发展问题。

1998年7月9日,市政协二届三次常委会议召开,听取全市当前反腐败斗争和廉政建设情况通报;听取市政协经科委关于企业转机建制工作的调查报告;通报上半年市政协工作情况。

1998年10月14日,市政协二届四次常委会议召开,协商讨论市政协关于全市乡(镇)服务基地建设情况的考察报告;协商通过委员任免名单。

1998年12月18日,市政协二届五次常委会议召开,协商市政协二届三次会议议程、日程安排;讨论《市政府工作报告(征求意见稿)》;听取市政协关于再就业情况考察报告;审议市政协二届委员会常务委员会工作报告。

1999年3月16日,市政协二届六次常委会议召开,研究部署1999年市政协工作;传达、贯彻省政协、鹰潭市政协全会精神;讨论并选定1999年度常委会议议题。

1999年5月5日,市政协二届七次常委会议召开,审议《市政协关于进一步发挥民主监督作用的建议》;听取和讨论市政协关于全市个体私营经济发展调查情况的汇报;审议《市政协系统开展"三讲"活动的具体意见》。

1999年7月27日,市政协二届八次常委会议召开,听取市政协各委室上半年工作情况汇报和下半年工作打算;协商讨论《关于我市城管工作的考察报告》。

1999年9月27日,市政协二届九次常委会议召开,协商讨论《关于我市果业、笋、竹、茶生产情况的调查报告》。

2000年3月14日,市政协二届十次常委会议召开,会议对各专委会活动小组组长进行调整、商议委员增补情况,并审议2000年政协工作要点。

2000年7月6日,市政协二届十一次常委(扩大)会议召开,市委副书记刘国富通报全市"三讲"教育工作情况;副市长刘滇鸣通报全市上半年经济运行情况;协商讨论如何利用宗教文化促进贵溪市旅游业的。

2000年9月29日,市政协二届十二次常委(扩大)会议召开,传达学习省市政协提案工作会议精神,并就二届一次会议以来提案办理工作情况进行通报。

2001年1月12日,市政协二届十三次常委会议召开,协商讨论《政府工作报告(征求意见稿)》;审议《学寿光经验,探我市产业结构调整之路》的调研报告;审议通过召开政协二届五次会议有关事项。

2001年3月17日,市政协二届十四次常委会议召开,审议通过政协届五次会议决议草案及提案审查情况报告;协商通过人事任免事项及选举办法草案。

2001年5月22日,市政协二届十五次常委会议召开,听取市公安局政委傅享林关于全市公安严打整治情况通报;协商樟坪乡旅游开发问题。

2001年6月8日,市政协二届十六次常委会议召开,在政协常委中开展解放思想学习教育活动大讨论。

2001年6月26日,市政协二届十七次常委会议召开,举行中共建党八十周年座谈会。

2001年10月18日,市政协二届十八次常委会议召开,协商讨论《关于我市经济发展环境情况的调查报告》;副市长肖永进通报全市重点项目基本情况。

2002年1月11日,市政协二届十九次常委会议召开,副市长蔡金炎通报全市乡镇行政区划调整情况;市委副书记刘国富通报乡镇换届工作情况;协商讨论关于《加强公民道德建设刻不容缓》专题报告;政府办通报2001年市政府办理提案情况;审议《政府工作报告(征求意见稿)》;审议通过二届六次会议报告。

2002年1月21日,市政协二届二十次常委会议召开,审议通过二届六次会议决议草案及提案审查情况报告。

2002年5月30日,市政协二届二十一次常委会议召开,开展"我们怎么干大讨论"活动。

2002年7月30日,市政协二届二十二次常委会议召开,组织常委进行学习;并就全市农村学校网点布局调整情况进行讨论。

2002年11月5日，市政协二届二十三次常委会议召开，副书记李忠仁通报全市重点工程建设进展情况；政府办通报提案办理情况；协商《我市农业产业结构调整刻不容缓》调研课题。

2003年1月1日，市政协二届二十四次常委会议召开，审议三届一次会议报告及三届政协委员名单；通过政协机关办公室、各专委会主任任免事项。

市政协三届委员会常委会议(19次)

2003年5月21日，市政协三届一次常委会议召开，副市长乐文红通报全市防治“非典”工作情况，协商讨论“关于全市农村小学网点调整的调研报告”；审议通过《政协贵溪市委员会关于加强委员管理的意见》。

2003年6月24日，市政协三届二次常委会议召开，听取市审计局局长曾保林关于市经济大楼建设指挥部财务收支情况汇报。

2003年8月12日，市政协三届三次常委会议召开，听取市委副书记李赛白关于擂鼓岭城区工程改造进展情况通报；对全市2003年执收、执罚经济管理部门窗口单位进行测评；协商讨论《贵溪市宗教工作调查报告》。

2003年11月12日，市政协三届四次常委会议召开，市纪委领导通报2003年市窗口单位评议情况；审议《贵溪市社区建设情况调查报告》。

2003年12月25日，市政协三届五次常委会议召开，协商讨论《政府工作报告》讨论稿。

2003年12月29日，市政协三届六次常委会议召开，审议《贵溪市水利调查情况的报告》，讨论政协三届二次会议材料。

2004年3月18日，市政协三届七次常委会议召开，审议通过《市政协三届三次会议决议(草案)》，审议通过《市政协三届三次会议提案审查情况的报告(草案)》。

2004年4月16日，市政协三届八次常委会议召开，学习《中国人民政治协商会议新修改章程》，协商讨论《2004年市政协常委会工作要点》《优秀提案评选标准(草案)》《评选优秀政协委员条件和办法(草案)》和《市政协“三联系”制度的实施办法(草案)》，审议通过《新增补政协委员名单》。

2004年4月29日，市政协三届九次常委会议召开，协商讨论《贵溪市城区学校教育体制改革方》。

2004年7月9日，市政协三届十次常委会议召开，市检察院负责人通报2003年以来全市检察工作情况；协商讨论《关于全市农村文化站建设情况的调查报告》。

2004年9月24日，市政协三届十一次常委会议召开，学习胡锦涛同志在全国政协成立55周年纪念大会上的讲话精神；协商讨论《贵溪市毛竹产业发展情况的调查报告(草稿)》。

2005年3月4日，市政协三届十二次常委会议召开，协商通过关于推荐杨梓华为市政协三届委员会副主席候选人、吕剑林任市政协办副主任等人事事项；传达学习省政协九届三次会议精神。

2005年3月10日，市政协三届十三次常委会议召开，审议通过《市政协三届四次会议决议(草案)》和《市政协三届四次会议提案审查情况的报告(草案)》。

2005年7月20日，市政协三届十四次常委会议召开，协商讨论《关于我市民办教育办学情况的调》。

2005年9月27日，市政协召开三届十五次常委会议，协商讨论《关于全市旅游资源开发的调查报告》。

2005年11月8日，市政协三届十六次常委会议召开，学习贾庆林同志在全国政协十届十次常委会议上的讲话精神。

2006年6月6日，市政协三届十七次常委会议召开，协商讨论《政府工作报告》，审议通过《市政协三届常委会工作报告》《市政协三届四次会议以来提案工作情况报告》《关于召开市政协三届五次会议决定》《市政协三届五次会议议程(草案)》《市政协三届五次会议日程(草案)》《市政协三届五次会议选举办法(草案)》和《关于表彰2005年度优秀政协委员和优秀提案的决定》；协商通过关于推荐陈成有为市政协三届委员会副主席候选人的人事建议事项和《市政协三届五次会议列席邀请人员名单》。

2006年9月8日，市政协三届十八次常委会议召开，协商讨论《贵溪市非公有制企业发展情况调查报告》;协商通过增补吕剑林等4人为政协委员、徐双文等9人辞去政协委员的人事任免事项。

2007年3月15日,市政协三届十九次常委会议召开,协商讨论《政府工作报告》;审议通过《市政协三届常委会工作报告》《市政协三届五次会议以来提案工作情况的报告》《关于召开市政协四届一次会议的决定》《市政协四届一次会议议程(草案)》《市政协四届一次会议日程(草案)》《市政协四届一次会议列席邀请人员名单》《市政协四届一次会议主席、副主席、常务委员候选人名单》《市政协四届一次会议主席团、主席团会议主持人和秘书长名单》《市政协四届一次会议提案审查委员会名单》《市政协四届一次会议选举大会总监票人、监票人、唱票人、计票人名单》和《市政协四届一次会议主席、副主席、常务委员选举办法》。

市政协四届委员会常委会议(7次)

2007年9月6日,市政协四届一次常委会议召开,听取市政府副市长乐文红关于对全市重点网吧整治情况的通报;协商讨论《关于市政协委员视察网吧整治情况的调查报告》,审议通过《政协贵溪市委员会全体会议规则》《政协贵溪市常务委员会工作规则》和《政协贵溪市关于加强政协委员管理的规定》;协商决定政协贵溪市第四届常务委员会各专门委员会的设置。

2007年12月28日,市政协四届二次常委会议召开,由党校副校长黄建华为常委们辅导解读中共十七大会议精神;市政府副市长傅小青通报全市2007年国民经济和社会发展执行情况及2008年经济社会发展的主要指标。

2008年3月24日,市政协四届三次常委会议召开,协商讨论《政府工作报告》讨论稿审议通过四届二次全会大会报告。

2008年3月30日上午,市政协四届四次常委会议召开,协商增补四届常委候选人名单及选举办法草案。

2008年3月30日下午,经各小组讨论后,市政协四届五次常委会议召开,协商通过四届增补常委候选人名单及选举办法。

2008年6月13日,市政协四届六次常委会议召开,副市长张子建通报全市重点工程建设情况;协商讨论《关于尽快解决我市城市低收入家庭住房问题的调研报告》。

2008年10月31日,市政协四届七次常委会议召开,组织常委们学习中共十七届三中全会公报;由市政府办副主任詹东旺汇报市政协四届二次会议以来提案办理情况;协商讨论《关于加快医卫人才队伍建设,提高卫生服务能力的调研报告》。

第三章　工作与活动

第一节　主要工作

提案办理

县政协八届委员会和市政协一届委员会期间,共收到委员提案316件,立案办理316件,办复率达100%。为切实提高提案质量和办理质量,政协认真做好以下工作:一是增强提案意识,寻求各级领导对提案工作的重视;二是创造有利条件,积极引导委员写好提案;三是坚持立案标准,确保提案质量;四是服务工作到位,努力提高提案办理质量;五是实行跟踪办案,切实抓好重点提案的办理和落实;六是完善各项制度,促进提案工作的制度化、规范化建设。市政协二届委员会共收到委员提案293件,立案273件,提出提案的委员共476人次,其中党派团体提案50件,联名提案104件,这些提案涉及工业、交通、农、林、牧、水、电、城建环保、科教文卫、财贸金融、劳动人事和党群、司法、统战、廉政等各个方面,办复率达100%。市政协三届委员会向全体委员印发《提案撰写要点》,向市委报送《关于开展有选择性的民主评议活动的意见》,出台《优秀委员提案评选办法》,激发委员撰写提案的热情,确保提案质量,规范提案办理程序。四年来,共收到提案355件,立案340件,办复率达100%。有21件提案被评为优秀提案,另有26件被列为主席建议案和主席督办案,加大提案督办力度。每次例会期间,市政协密切配合纪检监察部门,组织广大政协委员对有关部门和执法单位的行风进行评议,共有40余名责任心强的委员被有关执法单位部门聘为特邀民主监督员,促使有关部门改进工作作风,提高服务质量和水平,推进全市依法行政的进程。市政协四届委员会两年来共收到委员提案246件,立案238件。从中精选11个重要提案,由主席、副主席分别跟踪督办,同时还筛选出16件涉及全市经济建设和社会发展以及群众关心的热点、难点的提案,作为重要提案直接呈报市委市政府主要领导阅示,办案层面大为提高。

调查视察

县政协第七届委员会紧紧围绕经济建设这个中心,认真履行政协职能。3年间,县政协各专门委员会先后进行专题调查56次,参加调查的政协委员及有关人士达273人次。专题调查内容涉及工业、农业、商业、城市建设、乡镇企业、公费医疗改革和群众关心的热点、难点等重大问题。县政协通过组织常委外出考察,频频建言,组织安排24名政府部门和执法部门的政协委员与12名个私业主结成12个"二帮一"对子,帮他们进行投资决策、信息咨询、解决生产经营中的实际问题。围绕"如何挖掘我市历史文化底蕴,促进贵溪旅游业发展"进行专题调研,写出的专题报告《利用历史文化促进我市旅游业的发展》在市委常委会议上进行研究,之后市委采纳市政协的建议,迅速成立旅游开发工作领导小组,组建旅游局,制订旅游发展规划。县政协八届委员会和市政协一届委员会共组织专题调查64次,提出有价值的调查报告30余份。其中《关于四川省简阳市农牧业生产情况的考察报告》《关于改良生猪品种等几个问题的调研报告》等,由市委、市政府转发并责成有关部门研究实施。市政协三届委员会四年间共组织专题调研、视察38次,形成《关于我市非公有制经济发展情况的调查报告》《关于我市民办教育发展情况的报告》《关于社区建设的情况调查报告》《关于我市宗教事务发展情况的调研报告》等20余份调研报告。提出进一步改善投资环境、工业园区建设、城市道路交通规划建设与管理、加快民办教育发展、把旅游资源优势转换为经济优势等诸多方面的意见和建议,得到市委市政府的充分肯定,并以文件形式转发或利用《政务督查》刊载。其中有些经验还在十一县(市、区)横向联系会上进行交流,不但为市委市政府决策提供参考依据,而且为兄弟县(市、区)宣传介绍一些好的做法,扩大了贵溪市的影响。此外,市政协还积极配合省政协和鹰潭市政协进行"发展县域经济""农村合作医疗""农村信息化建设"等专题调研、视察活动,争取上级有关部门对全市各方面工作的支持。2006年年底,市政协组织教育界委员对全市网吧运营情况进行视察、督查,发现存在证照不齐、非法吸纳未成年人上网、超时营业、安全隐患等问题,及时向市委、市政府反映后,市委书记黄建平亲自做出批示并分别召开市委、市政府领导会议,研究对策,及时召开全市网吧整治动员大会,成立以市长为组长的网吧整治工作领导小组。在政协视察督查活动期间,取缔非法网吧2家、违规网吧2家,提出整改意见210余条,责令10家网吧停业整顿,净化贵溪文化市场,得到社会各界好评。市政协第四届委员会两年来把促进经济快速发展和社会全面进步作为全部工作的出发点和落脚点,努力提高协商议政、建言献策的质量和水平。2007年11月,市政协组织委员对市新农村、重点工程、工业园区等建设情况进行视察,取得很好成效,让政协委员切身感受到改革开放给贵溪带来的巨大变化,充分发挥出政协智力密集、联系广泛的优势,提出继续加快推进贵溪市各项重点工程建设的意见和建议。市委书记黄建平对视察报告作出重要批示,表明市委、政府对政协专题协商工作的关心支持和高度评价,反映政协议事能议到点子上。2008年,市政协围绕生态环境保护、低收入家庭住房改革、医卫人才队伍建设等重要议题进行专题协商,共组织专题调研、视察4次,其他工作视察12次,参加视察调研人员200余人次,撰写报告4份,其他工作视察总结12份,提出意见和建议80余条,得到市委的重视与采纳。

文史工作

县政协七届委员会3年间出版《贵溪文史资料》两辑,配合鹰潭市政协出版发行30余万字的《鹰潭近现代人物》,征集整理10万字的文史资料。县政协八届委员会及市政协一届委员会在文史工作中又有新突破,编辑出版史料丰富、达21万字的《贵溪文史大观》,内容包括历史沿革、苏区风云、道教文化、书院沧桑、畲乡演变、古迹览胜、人物春秋、芗溪经纬、反帝烽火、铜城新姿等十个方面,生动显示贵溪的风貌和特色。县政协调查研究成果之一《第十五洞天—贵溪鬼谷洞》一文在《光华时报》发表后,四川省有关专家闻讯前来考察投资,对鬼谷洞进行开发,为拓展贵溪旅游事业做出新贡献。市政协二届委员会编印机关刊物《政协简讯》45期,于1998年12月出版《委员风采录》一书,有力地宣传政协工作,扩大政协的影响。市政协三届委员会编印《政协简讯》20余期,对重要信息和社情民意及时进行反映上报,使社情民意真实可靠,意见建议正确有效。市政协四届委员会两年来编印《政协简讯》10余期,反映社情民意、刊登委员建议及政协工作信息百余条。调研文章《留在农舍的红色历史》在省政协主办的《文史大观》上刊发,收集整理《贵溪人周时望》《象山书院及其历史变迁》等文史资料。政协委员履职为民系列报道一《委员风采》栏目完成10组镜头的摄制工作,以此形式对认真履职、为全市经济社会发展作做积极贡献的委员,在市新闻媒体集中进行宣传报道,并录成光盘发给每位政协委员,着力在全市政协系统营造争先进、比贡献、谋发展、促和谐的浓厚氛围。

咨询服务

县政协第七届委员会以振兴地方经济为宗旨,组织政协委员和科技人员深入生产第一线,开展多种形式的咨询服务活动。举办专业培训班。政协农林、工交、财经、文卫等专门委员会协同有关部门举办专业培训39期,培训各种专业技术人员1947人。传递科技信息。政协委员利用自己的专长,积极提供有关花岗岩的科技信息咨询,并采集大量矿石标本加工成样品,吸引外商纷纷前来考察洽谈开发生产,为贵溪引进外资350万美元兴办"江西环球石业有限公司"做出贡献开展各种咨询服务,累计接受群众咨询达1100多人次。四是送医送药下乡。县政协文卫委员会协同卫生局组织医护人员深入到老、少、边、穷乡镇开展义诊活动,共诊治患者574名。县政协八届和市政协一届委员会贯彻《中共中央关于加强社会主义精神文明建设若干重要问题的决议》精神,促进精神文明建设,多次组织开展下乡义诊活动。1997年6月,市政协组织医护人员下乡义诊2次,义务治病136人次。市政协二届委员会五年间共组织送医送药下乡活动20余次,无偿资助药品10万余元,义务诊治病人1万余人次。市政协三届委员会进一步凸显政协优势,扶助社会公益事业,为社会办好事、实事,让群众得到实惠。经常组织医卫界委员到边远山区开展"三下乡"活动。市政协四届委员会继续开展送医送药、送文化、送温暖下乡活动,丰富农民生活、增长文化知识。

建言献策

县政协七届委员会3年间,每年请县委、县政府领导到政协常委会通报情况,先后由副县长彭中华通报县政府为人民群众办13件实事的情况、县委副书记刘尧铣通报全县1991年经济工作情况和1992年深化改革方案、副县长洪年熙通报全县农业产业结构调整情况等,为委员知情建言创造条件。政协常委会本着政协协商、民主监督的原则,对县委、县政府有关部门工作进行民主评议,并就如何加大改革开放力度,进一步深化改革等问题,开展协商讨论、建言献策,提出许多意见和建议,得到党政领导的重视,为加快全县经济建设作可贵贡献。县政协八届和市政协一届委员会四年多来,政协发挥自身优势,积极参与经济建设,广泛开展建言献策活动。1996年,县政协在委员中开展"四个一"活动,要求每位委员一年内至少写一条建议、反映一个情况、提一项提案、办一件实事,建言献策见行动,参与两个文明建设。政协以召开常委会议为主渠道,先后协商讨论村建工作、财政增收和实施行业形象工程等专题,并邀请党政主管领导及有关部门负责人分别到会通报情况,听取意见,共同协商,常委们则是知无不言,言无不尽。市政协二届委员会服务经济建设大局,积极建言献策。为加快农业产业化进程,市政协通过深入调查研究提出"扶持能人、建立协会、统一销售"的建议,得到市委、市政府肯定与采纳,促成市果业协会、蔬菜协会等13个民间流通组织相继成立,在农业产前、产中、产后各个环节提供优质服务,有效地促进农副产品的商品化,推动全市农业产业化进程。市政协还通过各种形式,广辟反映社情民意渠道。2002年5月,市政协召开企业代表座谈会,围绕"江西在崛起,贵溪怎么办,我们怎么干"这一主题广泛开展讨论,重点就全市经济环境问题提出意见和建议并上报市委,市委主要领导对此非常重视,批示、责令市委督查室对有关问题进行梳理,由市分管领导亲自督办,下发"督查通知单",要求各有关单位对照问题认真进行整改,并将整改落实情况及时反馈给市政协委员。市政协三届委员会围绕发展参政议政、服务经济献计献策,为市委、市政府科学民主决策咨政建言,得到市委市政府的充分肯定。市政协主席、副主席参加市领导班子成员会议,参与市委、市政府的重要会议及重大活动,参与事关全市大局问题的研究讨论;市政协常委会议邀请市委、市政府领导通报经济社会发展、人事安排等情况6次,便于常委们有针对性地进行协商讨论。三届五次会议期间,共有10位政协委员就“社区建设,共建和谐平安贵溪”“培育集群,做大铜产业”“推进我市新农村建设”“建设节约型社会”等内容在政协例会上作大会发言,为加快贵溪经济社会发展献计出力。三届市政协先后安排8次常委会议,分别就“水利建设”“毛竹资源利用”“农村文化建设”等进行专题视察议政,提出加大水利设施建设力度,增加毛竹产业附加值,加强农村精神文明建设,把全市社区建成“绿色社区、温馨家园、安全港湾”等30条具体建议。四届市政协委员会两年来在委员中开展“五个一”活动,即要求委员每年提出一件有较高质量的提案,参加一次政协活动,办一件有益于群众的实事,反映一条有价值的社情民意信息,提出一条加强和改进政协工作的意见。

宣传联谊

县政协第七届委员会本着立足大陆、面向海外、广交朋友、联络友谊的原则,积极开展海外统战工作。县政协利用贵溪“三胞”亲属多的优势,广泛开展“我为引进做贡献”活动,鼓励“三胞”亲属向港澳台及海外亲友寄出200余封书信,动员其回乡投资办厂和参加经贸活动。通过多种渠道向海外赠送《贵溪画册》200多本,《投资指南》150多本,介绍贵溪的投资环境和优惠政策。这期间来贵溪考察和洽谈项目的境外客商有42批共151人次,签订意向书19个,经批准正式投产或正在筹建的合资企业5家,独资企业1家,协议投资总额为3180多万美元,为全县经济发展注入新的生机和活力。县政协还利用文史资料和新闻报道开展宣传工作。政协中心报道组在各级报刊、电台发表新闻稿件270篇,扩大政协影响,增强政协工作的透明度。县政协八届委员会和市政协一届委员会积极牵线搭桥,引进外资。“三胞”委员会和台侨办开展“三胞”联谊活动,有20多位台侨胞捐款39万元支援家乡教育及公益事业。市政协二届委员会多次组织并参加周边县(市、区)以及外省县(市、区)政协横向联系会,积极开展对外联谊交友活动。五年间,开展政协横向联系200余次,接待3000多人次,邀请省政协领导辅导讲座23人次,全国政协副主席2人、省政协副主席5人次莅临贵溪指导工作,接待省政协委员100余人次来贵视察、指导工作。2001年10月,市政协承办第23次省内十一县(市、区)政协横向联系会议,会议主题是深入贯彻中共十五届六中全会精神,认清新形势,明确新任务,结合政协包容性大、代表性强的优势特点,交流和探讨人民政协如何围绕党政中心工作履行三项职能、建言出力的经验和体会,安排与会人员参观视察贵溪冶炼厂、龙虎山风景旅游区。2007年6月,市政协承办第34次省内十一县(市、区)政协横向联系会议,会议以“互相学习、交流经验、增进友谊、共谋发展”为宗旨,就学习中共十六届六中全会精神,发挥政协三大职能作用,围绕党政中心促进工业经济快速发展,服务社会主义新农村建设等方面的经验和做法进行广泛交流与探讨,还安排与会人员参观视察塔桥农业生态园、新农村建设示范点、白鹤湖景区、工业园区,并举办歌舞联谊晚会。市政协应邀参加九省(区)十二市政协工作研讨会、省内十一县(市、区)政协横向联系会议8次。市政协三届委员会四年间共接待省政协领导和政协委员20余人次、机关人民16批200余人次、外地政协参观考察68批1200余人次。2003年9月,省政协原主席钟起煌率省政协常委20余人到贵视察农村合作医疗工作期间,看望政协机关全体同志并合影留念。市政协四届委员会坚持用正确的舆论导向宣传政协工作,宣传贵溪改革、发展、稳定中涌现的先进政协委员及典型事迹,宣传市政协在创新开展政协工作方面所取得的好经验好做法。至2008年底,市政协累计在中央、省和两级市党报党刊及政协刊物、电视台等媒体刊发政协工作信息、事迹报道、经验交流及理论文章130余篇;以《政协简讯》刊登委员建议、反映社情民意及政协工作信息300余条,宣传贵溪、宣传政协,扩大政协影响。市政协还通过举办庆“五一”棋牌赛、迎奥运乒乓球联谊赛等丰富多彩的活动,促进各界别委员进一步加强交流,增进友谊。市政协四届委员会每年在“委员活动日”组织全体政协委员进行乒乓球赛、红歌会等活动,加强委员之间联络交流。

民主监督

市政协四届委员会密切关注民主、民生、民情、民意,加大参与民主监督工作力度,注重提高民主监督实效。市委召开常委会议专题研究《关于加强和改进民主监督工作的意见》,并予发文实施。《意见》对民主监督员的产生、职责和工作方式作出明确要求,是全市第一份指导、规范民主监督工作,具有较强操作性的文件。按照有关精神和《意见》要求,120 名市政协委员被市 47 个行政管理部门、行政执法单位和公共事业单位聘请为义务民主监督员。有关单位认真组织实施,及时开展工作,发放聘书,为民主监督员履职提供用武之地,切实推进全市民主监督工作。担任民主监督员的委员认真履职尽责,至 2008 年共开展民主评议、座谈讨论 90 余次,对所聘单位提出工作意见和建议 200 余条,有力促进全市机关作风和党风廉政建设,加强和完善政协民主监督工作。

中心工作

1991—2008 年,按照市委的统一部署安排,市政协机关先后挂点帮扶上清通桥、余家球源和流口盛源、新溪、横路等村基层组织建设及横路村汪家小组、上汉塘小组新农村建设,按要求派驻工作组进村,较好完成各项目标任务。主席和副主席及政协办公室挂点流口、泗沥等乡镇小(一)型、小(二)型水库多座,做好实地察看汛情、筹措备料资金、落实防洪措施等工作,确保挂点水库安全度汛。市政协驻村工作组围绕建设社会主义新农村"生产发展,生活宽裕,乡风文明,村容整洁,管理民主"的二十字方针,牢记驻村指导员"做好党的政策方针的宣传员;做好农村经济发展的服务员;做好社情民意的调研员;做好化解群众矛盾的调解员;做好基层组织建设的督导员"的五大职责,积极下村开展工作,认真履行驻村工作组职责。对所驻村组进行全面认真调查研究,写出详细的调研报告和工作小结;在深入调查研究的基础上,协助村两委制定五年发展规划,提出发展目标和落实措施;通过开展单位捐资助物,向村捐书扶智,慰问基层,组织"七一"节活动等,为驻村群众办实事、求实效、解难题,共向挂点村捐资助物价值 2 万余元。同时,驻村工作组协助做好计划生育、"双基"迎检、"整村推进"、基层组织"两规范"建设、抗洪救灾、农村卫星电视转星等工作。2007 年以来,市政协机关牵头负责区域内 30 个单位的文明城市"联建共创"和"门前三包"工作,做到"主要领导亲自抓,办公室具体抓",多次召开责任单位工作协调会,进行具体部署和督促落实,并确定一名副科级领导负责此项工作。通过有关责任单位共同努力,共向辖区街道社区捐赠帮扶资金 5 万余元,市政协办牵头负责区域内的"联建共创"和"门前三包"工作取得明显成效。

自身建设

贵溪县政协第七届委员会从改善机关内部环境、加强自身建设入手,注重提高政协委员和机关工作人员的政治、业务素质,增强事业心和责任感。政协机关建立三科一室工作岗位责任制,各专门委员会制订工作条例。机关党支部在政协党组的领导下,开展整顿机关作风和民主评议党员活动,党的生活日趋健全,团结、务实、廉洁、高效的工作作风逐渐形成。县政协八届委员会和市政协一届委员会继续保持"自觉学习、自我教育"的优良传统,开展以《邓小平文选》为中心内容的学习宣传活动,在毛泽东同志诞辰 100 周年之际,举行有各民主党派成员、无党派民主人士、各基层代表参加的座谈会。一届市政协对政协工作机构进行调整,由原来的 10 个专委会精编为 4 个专委会,政协机关由原来的一室三科改为一室四委,上下班实行签到制,干部增强勤政意识,机关改进工作作风。同时,加强政协工作"两化"(规范化、制度化)建设,结合实际先后制订《关于政协协商、民主监督、参政议政的实施简则》《常务委员会工作制度》《专门委员会工作条例》等,推动全市政协各项工作健康有序地开展。二届市政协自 1998 年以来,政协机关先后制定《机关人员考勤制度》《小车管理制度》《后勤保障工作制度》等,使各项工作有章可循。2002 年出台《贵溪市政协关于改进机关作风、增强机关干部和委员服务意识的实施细则》和《市政协办公室关于落实市委市政府〈意见〉实行责任划分的细则》,进一步明确职责,改进机关作风建设。三届市政协按照政协工作"生动、有序、活泼、稳定、发展"的要求,增强职能意识、政治意识、中心意识、责任意识,政协履行职能的制度化、规范化、程序化得到进一步推进。制定并实施《贵溪市政协委员管理意见》,出台《贵溪市政协"三联系"制定实施办法》《优秀委员评选办法》和《优秀提案评选办法》等制度,规范对政协委员的管理,充分调动了委员参政议政的积极性。进一步健全中共党组会议、主席会议、常委会议、专委会议等专题调研与专题议政形式,规范提案审查立案与交办督办、委员视察与反映社情民意等工作程序,完善委员参加政协会议、活动考评制度,修订机关工作制度 8 项,市政协工作的管理运行机制不断完善,各项活动规范有序地开展。四届市政协陆续制定并完善《主席会议规则》《常委会议规则》《全委会议规则》,将政治协商活动纳入规范化程序。出台《委员管理暂行规定》,不断完善对委员的履职管理及考核办法，建立委员免退机制，对不合格委员实行免退。政协办公室建立委员活动记录档案，由专委会收集委员履职活动情况，并进行量化处理，年终汇报小结，作为委员评先评优、免退的重要依据。不断强化委员及政协机关干部的学习培训，邀请省政协办公厅副主任王国龙给政协委员进行题为《认真履行政协职能争做合格政协委员》专题辅导讲座，市委党校教员为政协常委解读学习中共十七大精神。每年市政协组织机关人员参加全国政协学习培训，进一步提高政协履职能力和水平。

1991 年以来，政协机关以创建学习型机关为目标，坚持周末学习日制度，组织大家学习贯彻中央、省、市精神，了解熟悉政协理论、经济科技和法律法规等方面知识，不断提高服务地方经济社会发展的能力。政协机关自八届委员会以来开始编印《政协简讯》，主要刊登政协理论、领导决策、会议动态、委员活动及社情民意等内容，至 2008 年共编印 100 余期，为委员履职提供广阔平台，有效提高政协的影响力。

第二节 重要活动

扶贫济困

县政协八届委员会和市政协一届委员会紧紧围绕“四定包干创五好”的工作目标，通过外扶与内动相结合的办法，帮助余家乡球源村在短期内迅速由三类村向一类村转变，全村面貌发生显著变化，村党支部更具凝聚力和战斗力，集体经济得到发展壮大，各项工作、管理制度进一步完善，农村两个文明建设全面进步。市政协每年组织委员开展“送医送药下乡献爱心”活动，为农村及基层群众赠送药品免费诊治，提供义务咨询服务。18 年来，委员们支持公益事业，积极参与扶贫帮困活动。市政协二届委员会期间，委员资助贫困大中小学生 100 余人，支助资金每年达 10 万余元，出资改善鸿塘凉山小学、余家球源小学办学条件。市政协三届委员会鼓励委员发展不忘社会，开展捐资修路、架桥、助学活动。4 年共助贫困中小学生数十名完成学业，委员由于社会公益事业、扶助贫困学生的资金达 120 余万元。市政协四届委员会组织 19 位经济界委员捐资 7 万余元，结对帮扶 19 名贫困高中毕业生圆了大学梦，两年来市政协委员还资助中小学生计 60 余人次，帮助许多贫困家庭解决子女入学难问题。省政协副主席刘远奉献爱心，资助流口镇细叶村曾宪蒙同学完成学业。2008 年 5 月 12 日汶川地震发生后，市政协及时向广大政协委员发出倡议，积极开展救灾募捐活动，共向汶川地震灾区捐款 40 万元，其中市政协机关干部捐款 4 万元，为帮助灾区人民开展脱灾度险、灾后重建发挥出政协的独特优势和群体作用。

纪念活动

1997 年 7 月 1 日，香港回到祖国的怀抱是全国人民政治生活中的一件大事。迎接香港回归之际，市政协举办“迎香港回归”专题讲座及诗词、书画、摄影竞赛等活动。2008 年是贵溪政协成立 50 周年，为大力宣传 50 年来在中共贵溪市委的领导下政协不断发展壮大，为促进地方经济社会发展做出的积极贡献，特举办贵溪政协成立 50 周年文艺晚会，精心印制 4000 份简要介绍贵溪经济发展优势、展示全市改革开放三十年来发生巨大变化的新年贺卡，分别寄发到市政协委员及省内外各级政协组织，对外宣传贵溪，提升贵溪在全国的知名度，为掀起新一轮发展大潮做出一些政协力所能及的工作。

第十九卷 民主党派与人民团体

第一章 民主党派

第一节 中国国民党革命委员会贵溪总支部

组织机构

1990 年 1 月，中国国民党革命委员会（简称民革）贵溪小组成立，共有民革党员 5 人，选举黄春和为组长，吴振中为副组长；1997 年 8 月，召开民革贵溪市第一次党员大会，成立民革贵溪支部，与会民革党员 12 人，选举产生支部委员会：主委吴振中、组织委员薛美琴、宣传委员颜友华、文娱委员李早林、提案委员彭初开、咨询服务委员张文胜、三胞联谊委员吴桐；2000 年 5 月，召开民革贵溪市第二次党员大会，与会民革党员 18 人，选举产生支部委员会：主委薛美琴、副主委彭初开、组织委员颜友华、宣传委员钱秀英、提案委员吴桐、咨询服务委员张文胜、三胞联谊委员朱成华；2003 年 4 月，成立民革贵溪总支，下设教育支部、综合支部和化肥厂支部 3 个支部，与会民革党员 20 人，选举产生总支委员会和各支部主委：总支主委薛美琴、副主委彭初开、组织委员颜友华、宣传委员钱秀英、提案和咨询服务委员张文胜，教育支部主委颜友华、组织宣传委员胡丽春、综合支部主委钱秀英、组织宣传委员胡兵、化肥厂支部主委张文胜、组织宣传委员朱成华。

至 2008 年，民革贵溪总支下辖教育支部、综合支部和化肥厂支部 3 个支部，成员主要分布在学校、医院、工厂、银行和机关等单位，共有党员 26 人。党员中具有中高级职称 22 人；有鹰潭市人大代表 1 人，鹰潭市政协委员 5 人；有贵溪市人大代表 1 人，贵溪市政协委员 5 人。

党务工作

1998—2000 年，民革贵溪支部全体党员每年拿出部分工资资助贵溪二中贫困学生王忠民同学，帮助其完成高中学业并考取江西农业大学；2006 年九江地震、2008 年汶川地震发生后，民革贵溪总支迅速组织全体党员进行捐款。

1999 年，民革贵溪支部被民革江西省委评为全省“先进支部”；2007 年，民革贵溪总支被民革江西省委评为全省“先进支部”；1997—2008 年，民革贵溪支部、总支连续 11 年被民革鹰潭市委评为“先进支部。”

参政议政

每年确定调研课题后，组织党员深入基层进行调研，撰写调研报告或集体提案。2005 年，撰写调研报告《关于我市畲族经济文化发展情况的调查》和集体提案《巩固义务教育成果，关注农村学生辍学问题》；2006 年，集体提案《关于我市农村文化建设现状的思考与建议》在贵溪市政协会议上作大会发言；2007 年，集体提案《积极扶持逐步规范发展壮大我市农民专业合作经济组织》在鹰潭市政协会议上作书面发言；2008 年，集体提案《扶持发展农村服务体系，促进农业生产又好又快发展》被贵溪市政协评为“优秀集体提案”。

第二节　中国民主同盟贵溪总支部

组织机构

1985年11月,中国民主同盟(简称民盟)贵溪小组成立,共有民盟盟员5人,蒋德明为组长,魏源为副组长;1986年1月,召开第一次民盟盟员大会,成立民盟贵溪支部,与会盟员11人,选举产生支部委员会:支部主委魏源,组织委员蒋德明,宣传委员王天伟,委员谢碧云、方谢全;1993年12月30日,召开第二次民盟盟员大会,民盟贵溪支部进行换届选举,与会盟员24人,选举产生支部委员会:支部主委魏源,副主委王天伟、任江南,组织委员蒋德明、吴锦华,宣传委员谢碧云,社会服务委员方谢全;2001年12月29日,召开第三次民盟盟员大会,成立民盟贵溪总支,与会盟员32人,选举产生第一届总支委员会:总支主委任江南、副主委王天伟、组织委员姚光明、宣传委员叶航、社会服务委员陈栋太;2006年4月28日,召开民盟总支暨支部主委会,进行届中调整,组成新的民盟贵溪总支:主委李溦,副主委王天伟、陈栋太,组织委员姚光明,宣传委员叶航,社会服务委员祝等水。

至2008年,民盟贵溪总支下设教育一支部、教育二支部和综合支部3个支部,盟员共45人,成员主要分布在教育、医卫、机关、林业等单位。其中:高级职称25人,中级职称17人,律师1人;有鹰潭市人大代表3人,鹰潭市政协委员1人;贵溪市人大代表1人,贵溪市政协委员6人。

参政议政

2006年,集体提案《加快推进我市社会主义新农村建设》在贵溪政协会议工作大会发言;2007年,姚光明委员的提案《长盛钢铁厂的污染值得关注》被评为鹰潭市政协优秀提案;2008年,委员吴杰阳的提案《尽快加强卫生系统人才储备的建议》,被列为重点提案提交主席会议通过,并上报市委、市政府。委员陈栋太的提案《城镇拆迁户安置房建设值得关注》、委员叶航的提案《请将"茨荸弄""烧箕山"改回"刺蓬弄""筲箕山"》、委员何接华的提案《加强规范律师援助工作及法律服务市场》,均被评为政协优秀提案。

第三节　中国民主建国会贵溪支部

1990年9月25日,学习小组开展活动,共有3人,孔繁春为负责人;1993年4月1日,学习小组更名为中国民主建国会(简称民建)贵溪小组,杨丽华任组长;1993年12月15日,成立民建贵溪临时支部,共有会员5人,杨丽华为支部主任,魏捷、谭根深为副主任;1995年1月20日,成立民建贵溪支部委员会,共有会员8人,谭根深为主任,王华荣为副主任,杨丽华为组织委员,魏捷为宣传委员;1998年3月25日,成立民建贵溪第二届支部委员会,共有会员11人,谭根深为主任,王华荣为副主任,陈建亚为组织委员,陈小贵为宣传委员,贵溪电厂支部、贵溪化肥厂支部同时成立;1999年,王华荣以全国归侨侨眷先进个人身份出席全国归侨侨眷代表大会,并受到江泽民等中央领导的亲切接见;2000年,王华荣受民建中央表彰,并被评为全国先进个人;2002年9月12日,支部举行换届大会,共有会员15人,选举王华荣为主任,陈建亚、宋丽蓉为副主任,金来恩为宣传委员(后因事辞职,由毕堂生接任),陈小贵为组织委员,2009年年初,补选姜丽艳为生活委员;2008年,王华荣提交的《关于加快雄鹰大道建设》的提案,被评为鹰潭市政协优秀提案。

至2008年,民建贵溪支部会员共33人,其中女性会员11人;鹰潭市人大代表2人,贵溪市人大代表3人(其一为常委);鹰潭市政协委员2人,贵溪市政协委员11人(其一为常委)。2005年以来,民建贵溪支部每年提案、议案均在20件以上。

第四节　中国农工民主党贵溪支部

组织机构

1986年9月17日，中国农工民主党(简称农工党)贵溪小组成立，由老中医翟兴明担任组长，有党员3人；1990年1月19日，召开第一次党员大会，成立农工党贵溪支部，与会党员8人，选举宋文海为支部主委；1994年5月26日，召开第二次党员大会，进行支部换届，与会党员11人，吉智谋当选为支部主委，唐家珍为副主委；1999年7月9日，召开第三次党员大会，成立农工党贵溪支部委员会，进行换届，与会党员16人，吉星当选为主委，吴东开为宣传委员，桂凯为组织委员。

至2008年，农工党贵溪支部共有党员38人，其中具有高级职称的7人，具有中级职称的31人，分布于18个单位，平均年龄43.5岁；医卫界占60.8%，非医卫界占39.2%；有鹰潭市人大代表2人，鹰潭市政协委员2人；贵溪市人大常委1人，贵溪市政协常委1人，贵溪市政协委员6人。

党务活动

思想建设　每月15日召开支部组织生活会，布置上级党组织工作部署，组织学习本党党报、党刊和中央、省、市重要会议精神及地方大政方针政策，积极向本党党报党刊投稿。

组织建设　支部坚持发展高标准、高要求，按照本党党章要求和“三个为主”的发展方针，每年发展新党员2～3名。每年选派1～2名骨干党员到省社科院学习，或参加鹰潭市委统战部、贵溪市委统战部举办的骨干党员干部培训班学习。1999年、2004年，支部被农工党省委会授予“优秀基层组织”。

社会服务　支部每年开展2～3次不同形式的社会义诊活动、法律咨询活动、义务献血活动。2007年6月，支部获农工党中央授予2005—2006年度“农工党全国社会服务工作先进集体”荣誉称号。2008年，积极组织参加抗击低温冰冻雨雪灾害、四川汶川地震灾区的捐款活动，共捐款8280元，支部被农工党省委授予“抗击低温冰冻雨雪灾害先进集体”称号。

参政议政

支部以参政议政工作为中心，围绕全市改革开放、经济建设、城市化建设和民主问题，以及群众关心的社会热点、难点问题，全体党员结合自身工作特点和优势，积极反映社情民意。利用组织生活会开展专题讨论和座谈，提出调研课题，发挥支部中人大代表、政协委员的作用，开展调研活动，提出一些好的意见建议。每年在两级市政协会上提出有情况、有分析、有建议、可操作、有实效的提案和社情民意7～8件，调研报告1～2篇，被鹰潭市政协评为优秀提案2篇，被贵溪市政协评为优秀提案8篇，作为主席建议案1篇，被评为优秀政协委员4人次。参与本党省委会、市委会、市委统战部的调研工作，向农工党主委会提交提案68篇，被农工党省委会采用5篇，在省刊“工作与学习”上刊登1篇，向贵溪市委统战部提交调研报告3篇。2006—2007年度，支部1人被农工党省委会授予“参政议政先进个人”称号。参加市人大、市政协、市委统战部、市党政部门召开的情况通报会、协商会、征求意见会、座谈会及调研活动80余次，就地方的大政方针、群众关心的社会热点、难点问题，以及部门行风建设，坦诚地提出合理化建议和意见。支部10位人大代表、政协委员被聘为9个服务部门的监督员。

第五节　九三学社贵溪支社

组织沿革

1991年8月，九三学社江西铜业公司贵溪直属小组成立，艾丽君任组长，曾德和任副组长；1996年10月，九三学社江西铜业公司贵溪直属小组召开全组社员会议，许晶当选为组长；1997年10月，增补周雨亭为直属小组副组长；1998年8月，撤销九三学社江西铜业公司贵溪直属小组，成立九三学社贵溪市支社委员会，选举产生九三学社贵溪市支社第一届委员会：主委许晶，委员有郑跃辉、邓炼青2人；2003年7月，增补周雨亭为九三学社贵溪市支社第一届委员会委员；2004年12月，九三学社贵溪市支社召开全体社员大会，选举产生九三学社贵溪市支社第二届委员会：主委周雨亭，副主委郑跃辉，委员有邓炼青、江晓生、许晶3人。

至2008年年底，九三学社贵溪支社共有成员23人，其中正高级职称2人，副高级职称14人，中级职称7人；成员所学的专业或从事的行业有医疗卫生、财会、环保、教育、计算机、电机、冶金、建筑监理、工程设计、城市规划、农业等。2008年8月，九三社员吴泉水从余江县人民政府副县长调任贵溪市人民政府副市长。

社务活动

九三贵溪支社成立后，在加强社员教育、规范组织建设基础上，主要以政协提案、社会调研、社区服务等形式履行参政议政职责。1998年8月，九三社省委将“九三学社上海交大基层委员会赴赣考察助学”活动安排在贵溪进行。九三上海交大基层委员会的社员将个人捐助的1万元现金和价值1000多元的图书、文具交给贵溪塘湾镇的20名特困小学生和20名优秀小学生。

1998年来，九三社员提出的政协提案有50余份，撰写调研文章近20篇，开展社区服务活动多次。1999年关于《发展经济、勿忘环保》一文在省政协选为民主党派大会发言材料，2006年的《从实事做起努力建设节约型社会》、2008年的《信江水环境质量调研与思考》等调研文章均在省政协相关调研会议交流。2008年以来，九三贵溪支社开展以坚持走中国特色社会主义政治发展道路为主题的学习教育活动，围绕市委、市政府工作重点，以党派形式，在菜市场规划建设和管理、城市噪音管理等方面进行社会调研，撰写调研报告。

第二章　人民团体

第一节　市（县）工商业联合会

组织机构

贵溪县工商业者联合会（简称工商联）于1954年4月正式成立，1991年会员发展到近400名。1996年9月贵溪撤县设市后，贵溪县工商联改称贵溪市工商联。1991—2008年，朱全洲、裴其田、刘小阳、余红艳先后任贵溪工商联主席（会长），王华荣、张会英、毕堂生任副主席。行政机构改革后，市工商联确立为行政编制机关，内设办公室。至2008年，市工商联有副主席会员单位6个，分别是科华水泥有限公司、华泰铜业有限公司、恒鹏金属有限公司、信达投资有限公司、南方照明有限公司和同辉建材有限公司；常委单位23个、执委单位42个；团体会员200余个，个体会员600余人；成立有雄石、雷溪、文坊、流口等20余个基层商会及西瓜协会、浙江义乌贵溪商会、贵溪市浙商企业家协会等；大多数商会未进行改选、重新登记及开展活动。

1991—2008年贵溪市工商联代表大会一览

表19－1　　单位：名

届次	时间	会员代表	执委	会长	副会长
县第九届	1994年4月20日	120	21	裴其田	张会英（女）、王华荣
市第二届	2004年8月31日	120	42	余红艳（女）	张会英、王华荣、张社喜、邵春洪、施建中、郑银松、彭江萍、陈红云

参政议政

学习培训　1991年以来，工商联及时组织非公有经济人士学习、贯彻中共的方针政策和最新精神，提高参政议政水平。在中共十七大召开期间，市工商联组织非公人士集中收看胡锦涛总书记的报告，会后进行中共十七大精神培训学习。结合学习十七大精神，在全市个体商户和私营企业中开展“爱国、敬

业、守法”教育活动,组织非公经济人士参加全省、鹰潭市举办的经济、法律、礼仪等学习培训班,参训者35人次。

参政监督　在中共党委领导下,经民主推荐和组织考察,安排非公人士加入人大、政协等组织,提供参政议政平台。2007年市人大、市政协换届,全市有9名非公有制经济人士当选为市人大代表,有58名非公有制经济人士担任市政协委员;换届后有5人当选为鹰潭市人大代表,有15人担任鹰潭市政协委员;有4人当选为鹰潭市工商联五届副会长、1人当选为鹰潭市总商会五届副会长、9人当选为鹰潭市工商联(总商会)五届常委、13人当选为鹰潭市工商联(总商会)执行委员;另有26人在民主评议行风活动中担任行风监督员或评议员。

建言献策　18年来,市工商联采取“分散”与“集中”的工作方式,推动参政议政、民主监督工作。平时,代表、委员和骨干积极分子都“分散”在各自的工作岗位上,立足本职、本行业,认真履行职责,积极参政议政,及时发现问题、找出矛盾,提出意见和建议,同时为在“两会”上建言献策,提交议案、提案早做准备。在“两会”召开前夕,组织代表、委员召开座谈会,汇报调研情况,“集中”重点、难点、焦点问题,梳理归纳意见建议,研究“两会”发言材料和重点议案、提案。

调查研究　市工商联坚持自主和参与相结合的工作方针,广泛开展调查研究活动,丰富、活跃参政议政、民主监督的形式,增强参政议政、民主监督的活力。自主组织的各类调研活动、座谈讨论每年超过4次,18年来完成的主要调研报告近10个、方案建议200余项。如对全市铜产业情况进行调研,提出做大铜产业、加快铜业商会建设的构想,形成或提出与江铜建立合作利益共同体、如何应对铜价下跌对全市财政收入的冲击调查与思考、进一步加快全市民营企业发展办法探析、提高全市民营企业参与社会主义新农村建设的调查与思考、怎样提高当前农村农民收入等建议或对策。主要负责人多次对执委以上的会员企业,进行全面走访和调研,深入了解情况,倾听他们的意见和建议。并积极参与市政协、上级工商联等组织的调研与座谈活动。

商务活动

企业家联谊　1991—2008年,市工商联开展多种形式活动,搭建企业家与部门之间的交流平台。每年与市地税局和市检察院合作组织召开“纳税人看地税”和“检察官与民营企业家座谈会”,开展中秋座谈联谊活动,让企业家们更深入地了解税收政策与检察机关的工作职能,为企业家与部门之间的交流与合作搭建一个良好的沟通平台。每次座谈会,市委、市政府相关领导亲临会议,倾听民营业主呼声,为民企释疑解困、谋划打算,树立发展信心。

服务会员

市工商联经常深入企业,与企业负责人交心,就其关心的问题进行交流,听取他们的意见和建议,帮助他们解决一些力所能及的困难。每当企业负责人生日时,都会及时送上祝福。将维护会员合法权益作为己任,为会员企业提供经济、信息、技术、法律等方面的服务。如石膏矿由于生产原因与附近老百姓存在纠纷,合法权益得不到保护,经多次与相关职能部门沟通协商,问题得到解决;为使福利企业享受政策,主动与有关部门协调,了解退税政策与办事流程,指导企业做好申报与协调工作,让众多福利企业在第一时间享受政府优惠政策;与市委统战部密切配合,克服困难,完成非公经济人才库的摸底调查、数据统计、光盘录入等工作,全市共有47位非公经济人才入选鹰潭市非公经济人才库,80余位非公经济人士入选贵溪市非公经济人才库;每年在全市非公有制企业中,开展争当社会主义事业优秀建设者、争创十强企业活动,分别从销售收入、利税总额、净资产、科技含量、参与社会公益事业、环保安全情况等指标对企业与个人进行考评;依托网络优势,以友好商会为纽带,建立以商招商平台,积极开展招商引资活动。通过走出去、请进来的方式,发挥工商联组织的网络优势,加强联系和合作交流,先后与广丰县、弋阳县、玉山县、进贤县、杭州市萧山区、绍兴市绍兴县、衢州市柯城区等商会组织结成友好商会。主动与当地商会和个私业主接触,介绍贵溪、宣传贵溪,每年接待外商7～8批次。积极参与厦门“九八”会、赣港经贸会及“五会”(南昌)等招商活动,发挥商会作用,开展项目推介活动,积极推介贵溪服务环境,推介全市优势产业。

光彩事业

市工商联积极引导非公有制经济人士健康成长，承担社会责任，弘扬光彩精神，组织开展“凝聚力工程”暨“民企帮村、民企助学”活动。全市5个新农村建设点与民营企业结成帮扶对子，并现场进行“民企帮村”对接签约，20名优秀民营企业家成为“民企帮村”活动经济发展顾问，捐赠物资、资金达40多万元；全市30名民营企业家资助100名困难学生，其中资助大学生30名，资助金额共计20万元。吴世军、李春芳、陈大统、赵保忠、朱仙贵、郑银松等私营业主为市光彩事业做出较大贡献。

第二节　市(县)总工会

组织机构

内设机构　1991年，县总工会设2部1室，即组织宣传部、生产生活部和办公室；1998年，市总工会改设3部1室，即组织宣传部、生产生活部、财务部和办公室，成立贵溪市职工互助保险办公室，由生产部负责日常工作。2004年12月，市总工会由公安110对面迁往雄石街道办事处二楼办公，2007年9月搬至原商业局(波澜街)南楼二楼办公。1991—2008年，吴洵伟、周火炉、周木生、张宏礼、黄敏浪先后任总工会主席，2007年起由市人大副主任周美龙兼任市总工会主席。2008年，市总工会在岗工作人员共15人(副主席2人、经审委主任1人、办公室3人、组织宣传部3人、生产生活部4人、财务部2人)，其中行政编制5人、事业编制3人、职校编制7人。

基层组织　18年来，市总工会遵照全总“哪里有职工，哪里就必须建立工会”的指示精神和“先建立，后充实，再完善，逐步规范”的基本工作方针发展工会基层组织，发动广大职工群众“组织起来，切实维权”。工会工作在不同时期具有不同的着力点，20世纪80年代在乡(镇)，90年代在行政事业单位，2000年以后在新经济组织包括个私企业，工会基层组织发展呈现新特点。1994年，体制改革后银行系统工会县总不予代管，与地方总工会脱钩。企业改制后，供销、经委、粮食等系统仅剩机关工会或为数不多的企业工会。机构改革后，商业、二轻、乡企等系统工会已不复存在。至2008年，全市工会组织有690个，占应建会的97%。其中非公有制企业工会402个，公有制企业工会27个，行政事业单位工会261个；职工总数为33265人，会员为31674人，占职工总数的92%。

代表大会

1992年11月，召开县工会第十二届会员代表大会，选举周火炉为县总工会主席；1994年9月，召开县工会十二届六次会议，补选周木生为县总工会主席；1996年1月，召开县工会十二届八次会议，补选张宏礼为县工会主席。10月，经县总工会第十二届常委会决定，将县工会第十次会员代表大会改称市工会第一次会员代表大会；1998年6月，召开市工会第二次会员代表大会，选举张宏礼为市总工会主席；2003年4月，召开市工会二届七次会议，补选黄敏浪为市总工会主席。当年11月，召开市工会第三次会员代表大会，选举黄敏浪为市总工会主席；2007年12月，召开市工会三届六次会议，补选周美龙为市总工会主席。2008年10月，召开市工会第四次会员代表大会，选举市人大副主任周美龙为市总工会主席(兼)。

1991—2008年市(县)总工会代表大会情况一览

表19-2

届次	召开时间	出席代表		选举结果				
		正式代表	列席、特邀	委员	常委	主席	副主席	经审委主任
县十二届(市一届)	1992.11.23—25	201	33	21	8	周火炉	李德秀、严国强	龚才勤
市二届	1998.06.08—09	136	33	18	8	张宏礼	李德秀、严国强、朱水财	汤连生
市三届	2003.11.18—19	123	48	20	8	黄敏浪	李德秀、程义峰、祝火生	祝火生
市四届	2008.10.07—09	180	40	21	8	周美龙	程义峰、祝火生	叶志萍

工会工作

保障工作　1991年春节期间,全县走访慰问困难职工70户,分发补助款4000元,为他们送去党和政府关怀;1994年,县政府和上级工会累计发给特困和困难职工救济款10万余元;1997年起,春节期间全市开展送温暖活动,是年市政府拨款11.2万元,推进特困职工8条优惠政策的落实;1998年1月8日,中华全国总工会书记处书记纪明波率领全总"送温暖慰问团"来贵走访慰问困难职工。元旦春节期间,全市各级工会筹集送温暖资金117.4万元,慰问补助困难职工2653户(次)和离退休职工237户(次)。是年,还在全市工会组织中开展"攀亲结对帮困"活动,全年完成职工互助保险任务12.7万元;1999年12月,市政府决定设立"送温暖工程基金",安排资金20万元,并开设专门账户;2000年,市总首次为特困职工建立档案,全市有特困职工167人。是年9月,市总组织部分基层工会对国有企业离退休职工基本养老金发放情况进行调查;2001年元旦春节期间,筹资27万元,走访慰问204户特困职工与678户困难职工家庭,全年培训下岗职工1392人,实现再就业484人;2002年培训下岗职工498人,实现再就业375人,政府出资购买岗位297个。是年9月,组织各基层工会对下岗职工生活状况进行调查;2003年5月,市总下发《关于开展建立企业工资集体协商机制的通知》,至年底有市工业园区等44家企业制定实施方案。

2005年元旦春节期间,市总筹资37万元,走访慰问1000户困难职工。基层工会与特困职工结对26个,另筹资近1.4万元帮助10个困难职工子女顺利上学;2006年6月,市总与市劳动部门联合成立"贵溪市困难职工帮扶中心"。7月,市总、市人事劳动保障局、市公安局及市建设局联合开展农民工维权专题调研,并就农民工工资支付情况进行调查。是年,全市开展"金秋助学"活动,各级工会组织培训下岗职工450人次,推荐介绍就业60人,全年职工互助安康保险达212万元;2007年元旦春节期间,上级工会和市政府安排送温暖专项资金21.5万元,全市各级工会组织多渠道筹资20余万元,走访慰问特困、困难职工(农民工)1000余户。全年培训下岗职工与农民工430人,帮助实现再就业268人;2008年元旦春节期间,市总共慰问特困、困难职工、离退休工会干部及住院职工1050名,共计42万元。全市各级工会组织对下岗职工和农民工进行再就业培训421人,帮扶实现再就业280人。当年底,为1248名困难职工建立微机档案。

"帮扶中心"自成立到2008年年底实现大病救助181名20.75万元,生活救助1500名3.65万元,"金秋助学"118人11.9万元,对困难职工进行技能培训2100人4万元。为16名困难职工提供法律援助,为其挽回经济损失23.8万元;完成重大疾病险750人,保费达7.5万元。

组织建设　1993年10月,鹰潭市首家乡办企业贵溪化肥包装袋厂成立工会;1994年5月,第一家三资企业贵雅电光源有限公司组建工会。7月,市党政机关组建工会座谈会后,县总下发《关于在党政机关组建工会的实施意见》。9月至10月,县法院、县检察院、县财政局及县人大办等成立工会,会员达160余人。11月,县总下发《关于在外商投资企业组建工会的实施意见》;1995年5月,第一家乡(镇)办外商投资企业江西永雄饲料有限公司组建工会。11月,第一家村办企业贵溪振雄实业总公司组建工会;1996年5月,县总及时纠正上清林场在单位内部机构改革时,将工会与其他党群部门合并、取消工会组织的错误做法,并举办全市工会知识培训班。7月,县委批转县总工会《关于大力推进我县乡(镇)及新经济组织组建工会工作的意见》。1997年8月,第一家乡(镇)工会联合会一贵溪市冷水镇工会联合会组建成立;1998年6月至1999年5月,全市22个乡(镇)相继成立工会联合会;1999年5月,市总成立"职业介绍所"和"职业培训中心";2000年4月,成立"贵溪市新经济组织工会组建工作领导小组",市委副书记刘国富任组长;2001年,组建工会281家,其中非公有制企业199家;2002年,组建新经济组织工会335家,其中外商投资企业工会13家,乡镇企业工会69家,私营企业工会241家,社区工会2家。7月,成立私营企业工会联合会。8月,市工业园区工会联合会成立;2005年3月,组建第一个行业工会一贵溪市出租车行业工会。8月,鹰潭市总在罗河工业园区召开"全市新经济组织工作现场会",市工业园区工会在会上作典型发言。10月,试点组建贵溪市滨江乡总工会。11月,举办新建企业工会干部培训班,参加者有70余人;2006年,中华全国总工会等5家单位授予贵溪工业园"全国模范劳动关系和谐工业园"称号,全省仅此一家,省总副主席文之周专程祝贺并授牌;2008年,对全市工会组织进行覆盖面达 100% 的调查摸底，对会员数在 25 人以上的基层工会进行法人资格认证登记，共登记 175 家。聘请 10 名工会组建工作指导员，对城区企业工会进行指导，帮助其解决一些“老大难”问题。

1991—2008 年全市基层工会组织一览

表 19－3

年份	职工总数(人)	工会组织数(个)	会员数(人)	专兼职工会干部数(人)	女职工组织数(个)
1991	17924	237	14261	269	118
1992	18721	252	15353	274	123
1993	18913	255	15729	277	126
1994	18983	257	15812	279	122
1995	19331	261	17243	303	130
1996	19412	270	17342	310	135
1997	19528	273	17802	345	142
1998	19676	280	18112	360	161
1999	19913	284	18413	364	145
2000	19928	290	9985	354	153
2001	19070	285	9856	390	140
2002	18274	280	11138	480	160
2003	17211	449	13706	561	242
2004	21123	570	17261	638	290
2005	24811	590	21923	649	295
2006	29710	630	25421	687	324
2007	31117	661	29667	702	346
2008	33265	690	31674	831	367

思想建设　1991 年 3 月，组织全县职工群众观看电影《焦裕禄》。4 月，组员参加鹰潭市总工会庆祝建党 70 周年“爱国爱党爱社会主义”演讲比赛；1992 年 5 月，县总工会、宣传部、司法局联合发文，组织全县基层工会认真学习、宣传贯彻《中华人民共和国工会法》。7 月中旬，举办工会法知识竞赛；1993 年 10 月，县委批转县总《关于进一步加强和改善党对基层工会组织建设工作领导的报告》。12 月，县总召开十二届（市一届）五次全委（扩大）会，传达学习全总十二大会议精神；1994 年，县总配合全县“二五”普法工作，举办培训班 6 期，参加培训者达 310 人；1995 年 5 月，召集系统工会主席及部分基层工会主席 30 余人，就新《工会法》颁布以来各部门学习宣传贯彻执行情况进行座谈；1996 年 4 月，召开县总十二届（市一届）九次全委（扩大）会议，学习中共十四届五中全会精神和中国特色社会主义理论。6 月 28 日，县总机关支部为庆祝中共生日，举办革命歌曲大家唱活动。1997 年 6 月 20 日，市总组员参加鹰潭市总工会举办的“迎香港回归”知识竞赛。8 月，开展“综合宣传月”宣传活动，市总机关在桥西公园设立宣传点；1990—1999 年，编发《工会简讯》78 期，投稿者近 200 人；2002 年，在全市基层工会组织中开展“鹰潭在江西率先崛起，贵溪当排头兵，我们工会干部怎么办”大讨论；2003 年 6 月，市总组织开展“弘扬井冈精神，兴我美好贵溪，岗位建功立业”教育活动；2006 年 3 月，在全市基层工会组织开展“贵溪离全国百强县还有多远”的宣讲、讨论活动；2007 年 2 月，制定“创和谐，讲文明，建功业，迎省运”活动方案。6 月，市总工会、宣传部、组织部联合发文，在基层单位开展“创建学习型组织、争做知识型职工、争为创新型人才”活动；2008 年 5 月，制定“工会宣传工作奖励办法”，自编《贵溪工会知识手册》并印发至

基层工会。市工会第四次代表大会召开后,《贵溪报》整版报道大会盛况和全市工运事业。

劳动竞赛　1991年3月,县竞赛委召开1990年度社会主义劳动竞赛表彰大会(县总第十一届委员〔扩大〕会同时召开),县4套班子领导出席会议并颁奖,受表彰的有先进单位42个、先进个人46名。7月,鹰潭市检查小组来县检查上半年工作,在县米面制面厂召开劳动竞赛现场会,副县长赵远玖受县长李宗凯委托出席并讲话;1992年,开展"岗位创一流,班组创先进,企业创效益"为主题的劳动竞赛,评选出先进集体45个、先进个人60名;1994年,开展以"质量、品种、效益"为主题的劳动竞赛,10个系统工会的100多个企业近万人参加活动,评选出先进单位40个、先进个人82名。当年上半年,贵华铜材有限公司引进的新型阴极框紫杂铜直接电解铜工艺获得成功,该项新工艺填补全省废杂铜再生回收空白,年产可达500吨,可创利税20万元;1996年4月10日,召开县"翻番工程、效益工程、扭亏工程"动员暨"质量效益年,双增双节,安全生产"总结表彰大会,县4套班子领导、鹰潭市及鹰潭市总领导出席会议,先进个人和先进集体代表及1000余职工参加大会。1997年,开展以"促销增效,最佳服务"为主题的劳动竞赛,评选出先进单位54个、先进个人78名。贵溪被省政府、省总工会授予1996年度劳动竞赛组织工作先进市称号;1998年,全市开展以"争创一流业绩,争当九五英模"为主题的劳动竞赛。旺达水泥有限公司注重抓节能降耗,成功利用沸腾炉渣代替水渣、磷石膏代替天然石膏,每年节支45万元;1999年11月,开展以"工业攻坚战"为主题的劳动竞赛,参赛单位有45个。12月,授予海利贵溪化工农药有限公司的仲丁威合成新工艺二等奖、甲基硫菌灵工艺技术改进三等奖;2000年,开展"增强创新意识,提高创新能力,争当创新能手"的群众性经济技术创新活动。1月,表彰1999年度劳动竞赛先进集体9个、先进个人18名,省政府、省总工会授予贵溪1999年度劳动竞赛管理工作先进市称号;2004年6月,市总转发省竞赛委"关于开展全省群众性技术创新成果征集评选活动的通知"。贵雅电光源有限公司的EFA、FML型节能灯被评为省优秀产品二、三等奖;是年,举办职业技能培训班2期,共80余人;2007年,开展"当好主力军,建功十一五,和谐奔小康"群众性经济技术创新活动,2000余名职工参加提合理化建议、岗位练兵、技术比武等活动;2008年,全市共有16家企业、1万余职工参加全国"安康杯"安全生产竞赛活动,并继续开展"当好主力军、建功十一五、和谐奔小康"竞赛活动。是年,贵雅电光源的产品共获得30多项国际认证,国家发改委为其颁发"金牌工程奖",贵雅公司同时被认定为"十一五"期间国家新技术产业化示范基地。

1991—2008年,全市职工群众在企业开展的各项活动中共提出合理化建议5500余条,被采纳有2000余条,取得的经济效益累计1亿元左右。市总工会参加全市(县)性安全生产大检查20余次,参与劳动部门处理工伤亡事故5次。

民主管理　1993年10月,县总要求从1994年开始,各单位工会须将职代会、工代会操作情况书面报告总工会;1994年,改制后贵华铜材有限公司董事会5人中有工会委员2人,工会副主席列席董事会并担任监事会监事长,股东会职工代表有30名,占60%。旺达水泥有限公司董事会有工会委员2人,工会代表占董事的40%;1995年,县总贯彻省总《关于在建立社会主义市场经济体制中加强职工民主管理工作的意见》,全市加强企业民主管理工作。1997年,在全市66家国有企业工会中开展民主评议活动,接受评议的企业领导干部达100余人;1998年8月,市总与组织部联合印发《贵溪市职工代表民主评议企业领导干部实施意见》,民主评议的内容、方法、步骤都有具体要求;1999年4月,市企务公开民主监督领导小组成立,并在经委召开动员大会。是年,在职代会民主评议企业领导的有45家,对经委等50个单位进行督查,领导小组办公室举办企务公开信息联络员培训班,并编发《企务公开简报》5期;2003年4月,市总下发关于继续做好企务公开民主监督工作的实施意见。5月,海利贵溪化工农药有限公司等80家企业均制定本单位企务公开民主监督的实施方案。至9月,全市90%的企业均建立职代会制度;2005年,市九牛滩水轮泵站、市人民医院建立职代会制度,市三元冶炼化工有限公司等非公有制企业开展企务公开活动;2007年,市新世纪水泥有限公司、市二中、市供电有限责任公司在召开职代会时,开展厂(校)务公开、民主评议领导干部活动;2008年,全市国有集体控股企业全部实行厂务公开,100. 建立职代会制度。事业单位中有84家实行厂(政)务公开,79家建立职代会制度。全市48家非公有制规模企业有38家开展厂务公开,覆盖率达79.2%。至2008年,建立职代会制度的工会组织有317

家,常年开展厂(政)务公开的有257家。工会主席进入董事会的有9家,进入监事会的有9家。

女职工工作　1991年5月,县总举办女职工劳动保护知识培训班,参加者有48人。6月21日,县总工会首届女职工委员会(以下简称工作女工委)成立。10月,进行女职工妇普及乳检,年底全县基层工会建立女职委79个;1992年1月,县总女工委对试点企业县铜材厂等3家企业进行为期四个月的女职工基本情况调查,内容包括转岗、工资等方面;1993年,县总女工委组织开展历时半年的"三赛三争"(赛质量、赛技术、赛效益,争当优质能手、争当合理化建议能手、争当后勤服务能手)竞赛活动。"三八"妇女节,举办女职工演讲比赛,参加者有商业系统等7个队;1994年,全县14个系统及82个直属工会成立女工委,女工干部达329人;1995年,县总女工委组织开展女职工"八五"建功立业活动,评比出先进女职工工作者12人、先进女职工25人。4月,县汽修厂11名女职工与企业发生劳动争议,县总工会积极参与这起仲裁,经调解达成统一意见,保护其合法权益;1996年6月,县总工会在女职工中组织开展"巾帼双文明建设立业"竞赛活动。1997年3月,市总工会在全市各基层女工委组织开展"三爱三学"(爱国、爱厂、爱岗,学理论、学文化、学技术)活动。年底,市总女工委对32名特困女职工发放救助资金1.2万元;1998年4月起,开展为期半年的女职工"岗位立功、学习成才、姐妹献爱心、创建文明家庭"活动,产生文明家庭12个;1999年3-6月,市总女工委组织全市女职工在妇幼保健院进行妇普及乳检,普查率为历年最高,达82%;2000年4月,组织全市女职工参加女职工权益保障法律法规知识竞赛,参加率达75%,同月下发落实省总女工委"38111"活动方案;2002年5月,继续开展"争创工会女职工工作示范单位"及"女职工素质提升工程"活动,并建立贵溪市女职工工作基本台账70余宗。6月,对部分企业进行"女职工劳动保护规定"贯彻情况的调查。9月,开展建立女职工组织档案工作;2003年元旦春节期间,市总女工委慰问特困女职工93户,资助金额2.3万元;2004年,开展深化促进女职工再就业"311"活动。对400多名下岗女职工提供技能培训,其中免费培训特困女职工312名,实现再就业100余名;2005年3月,市总女工委与市妇联联合邀请省女性保健教授来贵作专题讲座。市人民医院免费为200多女职工进行生殖、乳腺检查。以市中医院、市一中及海利贵溪化工农药有限公司为重点,全市开展"争创工会女职工工作示范单位"活动;2006年4月,开展非公有制企业"女职工劳动保护、自我达标"活动。"五一"期间,对女工委工作达标先进集体及示范单位等8个单位进行表彰;2007年,继续开展"女职工双文明建功立业工程"和"女职工素质提升工程"活动,全市女职工参加率达90%以上。至11月,全市签订女职工权益保障专项集体合同的共有132家;2008年,对全市工会女工委组织建设情况进行调研,对机构不健全、人员配备不齐的单位提出整改意见,并落实专人督办。加大女职工幸福险和安宁险的推广力度,投保女职工达800余名,完成重大疾病险750人,保费达7.5万元。

至2008年,全市有446个企事业单位较好执行女职工"四期"禁忌从事劳动的规定,占总数的95%;女职工"四期"享有特殊待遇的有关规定执行较好的有412个,占总数的86%;已签订女职工权益保障集体合同的企事业单位有200个,占75%(不包括非企业管理的事业单位);帮助单亲困难女职工解决问题有70人次,发放补助金2万元。18年来,全市女职工工作多次得到省总、鹰潭市总表彰。

法律援助　市总工会以平等协商为原则,以签订集体合同为主,在企业推进法律工作。1996年10月,市总工会在"江西省推行平等协商和签订集体合同表彰会"上作经验介绍。

1997年5月,首次举办签订集体合同知识培训班,有40余人参加,并组织他们赴张家港学习经验。10月,举办劳动保护及劳动法律监督知识培训班,参加者达90余人,省总干校教师授课。全年共成立劳动争议调解委员会42个,有劳动争议调解员118人、劳动法律监督员87人;1999年11月,举办劳动争议调解委员会正、副主任、委员及劳动法律监督员培训班,参加者有61人;2001年,续补签订集体合同252家;2002年,签订集体合同206家;2003年4月,成立贵溪市总工会法律援助中心,聘请首达律师事务所一位律师担任顾问。10月,举办劳动争议调解员及劳动法律监督员培训班;2005年,到期集体合同100%进行续签,80%以上的新组建工会签订集体合同。

2008年,区域性集体合同覆盖率达100%。市工业园区劳动合同签订率达95%,新建29家企业工会全部签订集体合同。至2008年,全市110家企业建立工会劳动法律监督委员会(小组),24家企业建立劳动争议调解委员会,市总工会参与劳动仲裁工作3次。

文体活动 1993年5月,县总工会在铜城商业大厦举行书画作品大赛展览,作品有70余幅,县委书记艾佛胜、鹰潭市总工会主席童水仙参加剪彩。12月26日,举行纪念毛泽东诞辰100周年演讲等活动;1994年5月,首次组织基层工会开展“粮库杯”全县职工书法比赛活动(分毛笔和硬笔),县委书记艾佛胜为活动剪彩。

1997年6月29日,举办全市工会系统“迎回归,庆七一”文艺晚会;1998年“五一”期间,在市影剧院举办“迎五一卡拉OK大赛”文艺晚会(又名五一之夏)。市委副书记刘国富等领导出席观看;1999年9月,为庆祝新中国成立50周年,举办全市基层工会主席卡拉OK比赛;2005年,组团参加鹰潭市首届职工运动会,100余名运动员参加12项男女单项比赛、14项团体赛,结果获团体第一名及9个单项冠军。“五一”期间,市总与市直机关工委举办全市“弘扬劳模精神,保持共产党员先进性”歌咏比赛;2006年7月,举办贵溪市首届职工运动会,比赛设有8个项目,64个队600余人参加角逐,24个团体和30位个人获奖;2007年,组队参加鹰潭市首届职工文化艺术节,获优秀组织奖、歌咏比赛二等奖及工装(时装)大赛最佳表演奖。7月,市总与市直机关工委组队参加全市“廉政歌曲大家唱”歌咏比赛,获得组织奖;2008年4月,市总与体育局联合举办贵溪市第二届职工运动会,比赛项目有13个,61个队520余人参加角逐,18个单位获团体奖,32位个人获个人单项奖。在开幕式上,进行“迎奥运万人签名活动”。

劳模管理 1991－2008年,市(县)总工会强化管理模式,落实“三个到位”:待遇落实到位。市总根据不同时期的形势和任务,采取多种形式,落实劳模的政治及经济待遇。每年的“五一”或元旦、春节期间,市总均召开劳模座谈会,请他们谈感情、提建议,市领导出席并讲话。1991年5月,县总与水电局联合行文,将省劳模李小平在防治白蚁等科学领域的建树,报告县职称评定领导小组和科委,要求晋升其为工程师得到批准。2006年5月,组织20余名各级劳模参观城市建设和贵溪工业园。2008年3月,通过调查论证,对河潭镇南塘村省级农业劳模姚海忠的资格进行确认,并为其补发劳模津贴。贯彻落实《鹰潭市劳模管理办法》,全市享受国家级劳模荣誉津贴的有3人,共发放津贴1.44万元;享受省级劳模荣誉津贴的有47人,共发放津贴13.36万元;发放劳模慰问款7.52万元;补助家庭困难劳模(如全国劳模徐林生)2万余元;精神弘扬到位。市公安局流口派出所政治指导员施华山2000年被评为全国先进工作者,通过各大媒体宣传报道,“打拐神探”的英雄事迹家喻户晓。2005年5月,市总专门制作省级以上劳动模范事迹宣传板块在信江桥下的宣传橱窗展出,并在“贵溪报”开辟劳模事迹专栏。2006年5月,市总通过劳模座谈会发出“大力弘扬劳模精神,振兴贵溪经济”的倡议书,在全社会营造尊重劳模、热爱劳模、关心劳模、学习劳模的浓厚氛围;档案建立到位。在2006年全面调查摸底的基础上,2007年和2008年继续完善规范劳模的档案管理,并建立电子档案,推进劳模动态化管理工作。18年来,贵溪市先后有3人(曾裕信、施华山、徐林生)被评为“全国劳动模范”(全国先进工作者),有1个单位(市供电有限责任公司)获“全国五一劳动奖状”,“全国五一劳动奖章”获得者也有3人〔1991年的县粮油加工总厂厂长吴发林、1997年的钱江(贵溪)啤酒有限公司总经理王跃明、2008年的海利贵溪化工农药有限公司的何雄彬〕;“江西省五一劳动奖状”获得单位有2个(2004年的海利贵溪化工农药有限公司、2006年的市三元冶炼化工有限公司),“江西省(级)劳动模范”44人、“江西省五一劳动奖章”获得者4人(1995年的县农药厂厂长艾建兵、1996年的市冷水采育林场场长杜立潮、2004年的县三元冶炼化工有限公司董事长吴世军、2007年的海利贵溪化工农药有限公司职工何雄彬;1989年以来,“鹰潭市劳动模范”有30人次,“鹰潭市五一劳动奖状”单位1个。“鹰潭市五一劳动奖章”获得者有9人次;1982年以来,“贵溪市(县)劳动模范”有56人次。

第三节 中国共产主义青年团贵溪市(县)委员会

组织机构

中国共产主义青年团贵溪市委员会(简称团市委)内设学少部、组宣部、青工部、青农部、办公室和预防青少年违法犯罪办公室,机关人员管理参照执行公务员制度。1996年贵溪撤县设市后,团县委更名为团市委,设书记1名,副书记2名。1991—2008年,先后由黄少华、龚剑勇、张子建、官正强任团委书记。1991 年全县直属团组织有 56 个，团员总数为 16088 人；2008 年全市直属团组织发展为 66 个，团员总数达 25642 人。

代表大会

1991—2008 年，共召开 4 次团代会，选举产生共青团贵溪市第一、二、三、四届委员会，以及常委和正、副书记。

1991—2008 年贵溪市团代会选举情况一览

表 19－4

届次	时间	选举结果	
		书记	副书记
市一届	1996 年 10 月	龚剑勇	刘晓阳
市二届	2001 年 11 月	张子建	孙南燕、官正强
市三届	2004 年 8 月	官正强	苏慧芳
市四届	2007 年 12 月	官正强	苏慧芳

主要工作

青少年思想教育　1991－2008 年，主要组织团员青年学习中共历次代表大会及中央全会精神、邓小平理论、“三个代表”重要思想和科学发展观。以深入开展“学雷锋、做四有青年”活动为主线，在青少年中进行思想道德教育，先后在全市开展《中华人民共和国未成年人保护法》宣传活动，组织广大青少年认真学习《中华人民共和国预防未成年人犯罪法》，组织全市青少年开展“我与父母同学法”普法大宣传，组织观看预防青少年违法犯罪法制教育电影《为了明天》等，开展创建“青少年安全放心网吧”活动，并在城镇中小学创建青少年法律学校。

学校和少年先锋队工作　1991—2008 年，各级团组织在学校和少年先锋队工作中坚持“德、智、体、美、劳”全面发展的教育方针，以爱祖国、爱社会主义、爱集体为核心的“五爱”教育为主要内容，以“学雷锋”活动、“创造性”活动为主要形式，先后开展“创造性”征文活动、“勤巧小队”活动、“创造杯”活动、“全国双好”活动、“振兴星”活动、“十小能手竞赛”活动、“手拉手”活动、“观看百部爱国影片”活动、“远离网吧、健康成长”活动、“红领巾读书”活动、“中国少年雏鹰行动”、“红领巾文明行动”、“中国人 3 个了不起”教育活动等启动跨世纪工程。全市学少工作共获全国级奖 42 项，省级奖 37 项，市级奖 14 项。团市委先后获“全国勤巧小队”活动园丁组织奖和“全国少先队创先、达标、争优竞赛活动先进团县委”称号，两次获全省“振兴赛活动全面性有组织奖”，2003 年、2005 年获得“全省团建先进集体”称号。

青年文明号活动　“青年文明号”是由江泽民亲笔题字并倡导开展的一项旨在激励和引导广大青年立足本职、优质服务、争创佳绩的活动，团市委按照《青年文明号规范化管理意见》，积极组织开展创评青年文明号活动。到 2008 年年底，先后在金融、国税、卫生、公安、交通、消防、地税等系统评出省级青年文明号 19 个，市（地）级青年文明号 27 个，县级青年文明号 41 个。

希望工程　希望工程是共青团发起倡导并组织实施的以救助贫困地区失学儿童重返校园，帮助贫困地区农村改善办学条件为宗旨的一项社会公益事业。贵溪市希望工程开始运作以来，累计结对 2400 人，其中参与结对子的大学生 10 人、中学生 60 人。新建希望小学 3 所，援建希望小学 6 所，累计投资达 100 余万元。1998 年市境内遭遇百年未遇的洪涝灾害，灾区中小学灾情严重，急需救助，团市委多次向团省委、省青基金和鹰潭市团委汇报灾情，得到上级有关部门重视与支持，共争取到希望小学帐篷 10 顶、书包 500 个、援建希望小学 1 所等捐赠救灾物资，并对 80 位困难学生进行特别救助，累计款项达 40 万余元。

青年志愿者活动　3 月 5 日是为“青年志愿者奉献日”。长期以来，全市广大团员青年坚持开展以“学雷锋精神、做四有新人”为主题的青年志愿者活动。每年 3 月 5 日，各单位各行业团委纷纷组织团员青年上街为群众服务,还有很多青年志愿者长期定点为孤寡老人、军烈属、特困户送温暖,开展服务进万家活动,为人民办实事、做好事,在群众中反映较好。

杰出青年评选活动 “贵溪市十大杰出青年”评选活动是由团市委与市报社、市有线电视台联合主办的。该项活动在市委、市政府领导及社会各界的大力支持下,已经成为全市青年工作的一个标志性活动,而在历届评选中脱颖而出的杰出青年,已经成为贵溪青年奋发向上的学习典范。自2004年以来,已评选出三届“十大杰出青年”,2005年开展首届贵溪市“十大创业青年”评选活动。2005年评选出的“十大创业青年”是:车剑英、江先标、刘文红、许建旺、朱益胜、徐劲松、徐辉良、童天生、游兆忠、裴年胜;2008年评选出的“十大杰出青年”是:王晓帅、王琪、李伟、李美萍、江曙、张华、宋英、何按华、黄荣伟、董永刚。

第四节　市(县)妇女联合会

组织机构

1992年,贵溪县妇女联合会内设农村工作部、城市工作部和办公室,机关行政编制为8名;当年6月17日,成立县儿童活动中心,为县妇联下属事业单位,核定事业编制2名。1993年9月,根据全国妇联章程,领导职务改称正、副主席。1995年6月,内设机构改为办公室、组宣部、儿童部。1996年10月,撤县设市后,县妇联更名为贵溪市妇女联合会(以下简称市妇联),并自然过渡履行市妇联一届执委职能,设组宣部、城乡工作部、权益工作部、儿童工作部和办公室,市妇联机关参照执行公务员制度。2003年,机构改革时,市妇联内设机构更改为:综合办公室(含组宣部)、妇女发展维权部和市妇女儿童活动中心;机关行政编制为6名,机关工勤编1名,事业编2名。2004年,市政府第28次常务会调剂市妇联行政编制1名到市妇儿工委办公室。至2008年,市妇联下辖21个乡(镇)、街道办妇联,7个林(垦殖)场妇委会,32个党政群机关妇委会,207个村(居)妇代会。1994一2008年,有1068名妇女加入中国共产党,占全市发展党员总数的21%。1999年,市妇联被评为全国妇联系统先进集体,2003年获得全国“三八红旗集体”称号。

代表大会

1991—2008年,共召开3次妇女代表大会。

1992年10月22日—23日,贵溪县第十二次妇女代表大会召开,代表名额170人,其中正式代表150人,特邀代表20人。选举产生县妇联执行委员会委员25人,常委7人;选举吴小莲为县妇联主任,孙华为副主任。在会上吴小莲作关于“解放思想、投身改革、为振兴贵溪建功立业”工作报告。

1997年12月8日,贵溪市第二次妇女代表大会召开,代表名额170名,其中正式代表150名,特邀代表20名。选举产生市妇联执行委员会委员25人,常委7人;选举孙华为市妇联主席,严芬芳、杨丽华为副主席。在会上孙华作关于“高举邓小平理论伟大旗帜为实现贵溪妇女事业的全面进步再创辉煌”工作。

2003年11月19日—21日,贵溪市第三次妇女代表大会召开,代表名额170名,其中正式代表150名,特邀代表20名。选举产生市妇联执行委员会委员25人,常委7人;选举张逸云为市妇联主席,杨丽华、姜晓虹为副主席。

2005年8月,召开三届三次执委(扩大)会,选举汪丽荣为副主席;2008年2月,召开三届四次执委(扩大)会,选举郭罗清为副主席;2008年9月,召开三届五次执委(扩大)会,选举汪丽荣为主席。

活动场所建设

1991年6月,县政府划拨专款10万元、土地3000平方米,筹建县儿童活动中心。1994年10月,县妇女儿童活动中心大楼开始动工。1996年,市妇女儿童活动大楼建设工程被列入市重点建设工程,市政府拨20万元作为建设经费。1997年2月28日,占地面积3000平方米,总投资140余万元的市妇女儿童活动中心大楼建成,该大楼内设儿童娱乐中心、儿童艺术培训中心、女子健美中心、妇女儿童法律服务中心、家长学校、蓝天幼儿园和家务劳动服务中心,结束市内无妇女儿童活动场所的历史。

主要活动

妇女儿童权利维护　1992年全国人大五次会议审议并通过《中华人民共和国妇女权益保障法》，县各级妇联掀起学习宣传的热潮，印发宣传材料400余份；同时还广泛宣传《中华人民共和国婚姻法》、《关于严禁卖淫嫖娼的决定》、《关于严惩拐卖妇女儿童犯罪分子的决定》和《女职工劳动保护条例》等法律、法规。1993年，开展《妇女权益保障法》实施一周年情况问卷调查，并通过层层办班，培训妇女达400余人。1994年共接待来人来访30多次，处理20多起维权问题。1998年共接待来人来访50余次，来信5封，成功调解21起，妇联参与调解重大案件2起。1999年6月，与贵溪市法院联合成立贵溪市妇女儿童维权法庭，市妇联2名干部被聘为特邀审判员。2002年，共接待信访案件146件，参与法院陪审案件3起，协调处理案件32件，帮助结案102件。充分发挥"妇女维权投诉站""妇女儿童维权法庭""妇女儿童法律服务中心"作用，加强信访维权的力度。2005年5月，为鸿塘镇尿毒病患者李员兰、滨江乡白血病患者周丽萍向社会倡议募捐资金5000余元。2006年，成立妇女儿童维权中心，各乡镇相应成立妇女儿童维权投诉站，完善贵溪市维护妇女儿童合法权益组织网络。2007年，市妇联聘请常年法律顾问1名，为妇女免费提供法律援助服务；同年，市妇联成立留守儿童调研小组，随机选择全市7个中心小学和7所中学进行调研，掌握全市留守儿童现状的第一手资料，建立留守儿童档案。2008年5月，周坊镇孤女邵娟获父亲因车祸死亡赔偿金18万元，其亲属对邵娟的监护权及18万元的管理权展开激烈的争夺，市妇联闻讯后，作为第三方资金监管人，主动介入，维护邵娟的合法权益；同年5月31日，市妇联在罗河一中举办"关爱留守儿童爱心电话开通仪式"，为1000名留守儿童免费发放3.6万元的爱心电话卡，架起留守儿童与亲人之间爱的桥梁；同年11月，市妇联对周坊、河潭、彭湾等7个乡镇的乡级"留守儿童之家"进行综合考评，为其授予市级"留守儿童之家"称号，赠送电脑、书籍、文体用具、书包等近10万元物品，为留守儿童营造温馨的家。1991—2008年，市妇联平均每年接待信访90多起，调处率100%，获得省市县三级信访工作"先进集体"称号。

市妇联举办"关爱女孩"资助"春蕾"活动

"两个纲要"实施　1993年5月，县委、县政府召开县儿童基金会成立大会，通过《贵溪县儿童基金会章程》及由58人组成的县儿童基金会人员名单，县长刘尧铣任名誉会长，县委副书记陈厚西任会长，县妇联主任吴小莲任常务副会长。1994年5月30日，县儿童基金会、县妇女儿童协会召开儿童工作专题会议，通过《90年代贵溪县儿童发展规划纲要》。1995年，县妇女儿童工作协调委员会更名为县妇女儿童工作委员会。1996年，县妇女儿童工作委员会更名为市妇女儿童工作委员会；同年出台《贵溪市妇女发展规划(1995～2000)》。2001年4月，市妇女儿童工作委员会办公室改设在市妇联并拨经费6000元。2002年，出台《贵溪市妇女发展规划(2001～2010)》《贵溪市儿童发展规划(2001～2010)》(简称"两个规划")。2004年，市政府第二十八次常务会决定市妇儿工委办公室每年划拨6万元活动经费(列入财政预算)。2005年，市妇联积极宣传男女平等基本国策，促进"两个规划"实施，获省级男女平等基本国策宣传奖。2006年，省"两纲"中期评估考察组对市"两个规划"实施情况进行中期评估，市妇联工作得到省考察组赞扬与肯定；同年，市政府被评为全国"2005—2006年度实施'两纲'先进集体"。

"双学双比"竞赛　1989年全市开展农村妇女"双学双比"活动(学文化、学技术，比成绩、比贡献)并成立市农村妇女"双学双比"协调小组。1991年"八抓"工程(即抓培植草菇点、抓快速养猪点、抓绿

化点、抓庭院经济点、抓水产养殖点、抓开发项目点、抓科技人才培养点、抓困难户脱贫致富点)和“1234567”工程(即新创妇女活动地100个,组织200名女青年参加农函大学习,培训300名培植食用菌女能手,举行400名“巾帼建功”选手大奖赛,进行50亩基地达标评比,开展参赛妇女户经济收入达6000元活动,增加70名农业技术员)是“双学双比”活动重点。1993年是“双学双比”活动第五年,涌现出养猪能手徐香年、女强人江细英、开荒先进徐根莲等11名女能人。1994年8月,兴建“三八”果林农业开发基地,共开发基地79.3公顷。盛源乡妇联创办“三八”绒绣厂,年产值近20万元,解决安置闲散女劳力200余人。1995年,全县各级妇女组织共举办各类实用技术培训班84期,受训人数达3076人;开办妇女扫盲班,扫盲人数达5870人。1996年,创建农村妇女特色农业“六大工程”:周坊吨粮田基地,余家猪牛羊基地,文坊笋竹两用林基地,流口特色水产养殖基地,硬石岭、志光高效果业基地,滨江、雷溪商品蔬菜基地。1998年,市农村妇女“双学双比”协调小组成员调整,领导小组办公室设在市妇联。2002年,文坊镇岭西村党支部书记黄鲜花带领全村农民开发高(低)效笋竹两用林400余公顷,全村笋竹总产值由1999年的39万元增加到2002年的130万元,人均收入达2410元,全村走上致富路。黄鲜花荣获全国妇联“三八绿色奖章”称号。2004年,“双学双比”树立4项科技致富典型和4户妇女种粮大户,建立3个优质示范基地和4个城乡结对帮扶项目,创建4个“妇女之家”示范点及1个沼气示范基地,树立4个送科技下乡示范单位。2005年,出台《贵溪市农村妇女“双学双比”“双百”竞赛活动方案》,成立活动领导小组,建立“双学双比”五大示范基地21个,鹰潭市级3个。2006年,开展妇女服务社会主义新农村“六个一”(创建一所高标准妇女学校,培训一批新型女农民,创建一支秧歌、腰鼓队,组建一支“三清三改”服务队,输送一批女农民工,创评一批“和谐平安家庭”)活动,创建15所妇女学校、18支秧歌队、22支腰鼓队、23支巾帼服务队,培训1000多新型女农民。2007年,“双学双比”注入新内容,开展“巾帼示范村”创建及村居家居环境卫生评比活动,创评12个“巾帼示范村”和153户“巾帼卫生示范户”。2008年,创建“天师板栗”“大棚蔬菜”“来料加工”“绿源林油茶”“三八”绿色示范基地,以点带面,辐射带动妇女创业就业;与市信用联社联合下发《关于对农村妇女致富女能手和五好文明家庭等农户实行小额信贷优惠的通知》,为全市“双学双比”女能手、“五好文明家庭”的创业女性提供优惠贷款10万元,帮助聂海霞等5名女性创业;8月,联合“阳光工程”办在彭湾、罗河、滨江等6个乡镇举办6期铜加工、电子等专业实用技能培训班,共培训371名女农民工,提升女农民工的素质和致富本领;9月,开展“清洁家园、妇女在行动”活动,向全市妇女发出“清洁家园,妇女在行动”的倡议,建立“清洁家园、妇女在行动”活动试点村28个,在试点村成立28个婆婆、大嫂等妇女理事会,开展庭院卫生评比活动;滨江李童婆桥被评为省级“巾帼示范村”。2005年、2006年、2008年,市妇联均获省级“双学双比”先进集体称号。

“巾帼建功”活动 1993年是“巾帼建功”活动第一年,贵溪县直各单位妇委会积极开展公文写作、法律知识、细沙机布工序等“巾帼建功”业务技术竞赛活动,同年县妇联荣获全省“巾帼建功”活动组织奖。1995年,在全市开展“巾帼兴县建功”存款活动,号召城镇储户为国家存款70多万元。1996年5月,在工贸系统妇女中开展“翻番工程”“效益工程”“扭亏工程”竞赛活动,以“四比”(比效益、比安全、比质量、比贡献)为主要内容,建立三级竞赛网络。1998年6月,市遭受新中国成立以来最大的洪涝灾害,一天内市直各单位妇委会捐送饼干320公斤,高级棉花被65床,衣服5000件等价值近2万元的物资,支援抗洪救灾。“巾帼建功”活动5年来,共有60000多名城镇妇女踊跃参加,组织各类各种规模的岗位成才、岗位练兵、岗位竞赛、岗位建功活动达538次,涌现出省、市、县“三八红旗手”“巾帼建功”标兵各类达标先进个人185人,培养造就女企业家、高级知识分子、女业务标兵等93人,创造间接经济效益达25000万元。2002年,多渠道安置下岗女工300多名再就业。2004年11月,举办下岗女工再就业培训班,参训人数80余人。2005年,先后启动“巾帼科技致富工程”“巾帼成才示范工程”及“巾帼创业示范工程”,在全市建立全国巾帼文明岗1个,市级巾帼文明岗10个,树立“巾帼典型”8个,创建巾帼示范基地3个。市妇联与贵溪电视台、贵溪报社开展贵溪市“十佳创业女性”评选活动,张员、江淑琴、刘满兰、李爱中、赵丽荣、张有根、刘伍莲、周彩琴、董奕娟、聂丽芳获此殊荣;当年,举办下岗女工再就业培训班,为160名下岗女工培训家政服务技能。2007年,深入开展“迎省运动会,创文明城市”活动,召开

“创文明城，做文明女性”座谈会，市直各单位妇委会相应成立“巾帼服务文明城”队伍，主动参与城市管理。与人劳社保局联合为81名下岗女工举办为期1个月的劳动技能培训。2008年，创评贵溪电信分公司为全国“巾帼文明示范岗”，广圆超市、鹰王空调有限公司、海利化工质检科为市级“巾帼文明示范岗”，中国人民银行贵溪市支行、市中医院妇产科、市国税局计划财务股为县级“巾帼文明示范岗”。

“五好”家庭创建　1994年为联合国“国际家庭年”，县妇联开展创评“五好”家庭活动，共创评5000户，其中2户被省妇联、省文明办授予“五好家庭标兵”。1998年全市共创“五好文明家庭”66966户，受省表彰“五好文明家庭”15户，文明楼院1栋，受鹰潭市表彰“五好文明家庭”37户，文明楼院10栋，“五好文明家庭”标兵10户。2004年，市妇联在创建文明家庭的同时，积极动员广大妇女开展文明健身活动，市妇联被省妇联、省体育局评为“省亿万妇女健身活动先进单位”，市妇联嫂子艺术团被评为省级“巾帼文明健身队”。2006年，与市综治委联合评出平安家庭先进示范户1000户，鹰潭市和谐平安家庭先进示范户20户。2007年，联合市综治委在全市开展以“学在家庭、富在家庭、美在家庭、乐在家庭、融在家庭、平安在家庭”为主要内容的“和谐平安家庭”创建活动，评出贵溪市和谐平安家庭先进示范户、鹰潭市级“和谐平安家庭”示范户各200户，“全国和谐平安家庭”示范户1户。2008年，开展“平安家庭示范村”创建活动，打造河潭镇揭家为省级“平安家庭示范村”。自2004年以来，市妇联连续5年被评为市级文明单位；2008年获鹰潭市社会治安综合治理工作先进单位称号。

“春蕾计划”实施　1996年，市妇联实施“春蕾计划”，动员全市妇女捐资助学，全年救助失学儿童63名。至1997年，全市各级妇女组织共救助失学女童102个。截止1998年5月共有200多名失学女童得到扶助，重返校园。扶助资金4万元。至1999年，累计募集到专用于失学女童的扶助款8.24万元，先后资助失学女童412人次，捐助学习用品3000余件，衣物2000余件。妇联获1999年江西省实施“春蕾”计划组织奖。2002年，市经贸局三元冶炼化工有限公司经理吴世军连续3年出资4万余元资助6名失学女童，其中1名考取江西中医学院，吴经理仍一如既往资助她念完大学。2004年7月，设立“春蕾基金”，开展“春蕾计划十元捐”活动，全市共41个单位近1000名干部职工捐款6万多元。8月举行捐赠仪式，一次性捐助133名女童重返学校，2名女大学生圆了大学梦。2006年9月，举行全市“关爱女童、助‘春蕾’、圆大学梦”资助仪式，15名考上二本以上、家庭困难的女学生每人获得2000元的资助。2007年年底，由中国少年儿童基金会捐资20万元兴建的流口横路萧楚乔春蕾小学胜利竣工，这是鹰潭市第一所春蕾小学。2008年“六一”儿童节，走访10名春蕾女童，为她们各送去200元慰问金；同年7月，建立2008年优秀贫困女考生档案，为12个贫困女大学生争取到市教育局、市计生局每人5000元资助费的帮扶指标，帮她们圆了大学梦。自实施“春蕾”计划以来，共筹集资金44.2万元，帮助1063名贫困女童重返校园，30多名贫困女大学生完成学业。

第五节　市(县)文学艺术界联合会

组织机构

贵溪市文学艺术界联合会(简称市文联)前身为县文学艺术界联合会，成立于1986年3月。1991年，县文联有文学工作者、书法美术摄影工作者和音乐舞蹈戏剧工作者等3个协会。1998年5月召开市文学艺术界联合会第一次代表大会后，市文联发展有文学、诗社、美术、书法、摄影和音乐舞蹈戏剧6个协会，会员为357人，其中省级会员43名、市级会员102名、县(市)级会员326名。2002年以后，市文联组织不断壮大，相继增加9个协会。根据新农村建设需要和乡镇要求，在塘湾镇成立全省第一个乡镇文联组织，在罗河镇成立市书法家协会罗河分会，之后陆续成立文联合唱团、文联演艺中心、百花戏剧团、南方“手拉手”艺术团、天空电声乐队和文联新视野创作室等群众文艺团体组织。坚持党管文艺方针，先后在作家、书法、曲艺、音舞等10余个协会组织成立临时中共党支部。把支部建在协会中，这在全国尚属首创，得到中国文联党组的充分肯定，《中国艺术报》、中国文联网站全面报道这一做法，并向全国推广。至2008年，市文联连续6年获得“全省先进县(市)文联”称号，中国著名作家、江西省文联主席陈世旭先后3次来贵指导工作，对贵溪文学创作给予充分肯定。2008年全市文联会员达1200余人，其中国家级会员8名、省级会员107名、市级会员230名。

至2008年,市文联下属协会共有13个,分别是:作家协会,成立于1986年3月,2003年8月之前称“文学工作者协会”,2008年有会员98人、其中省级会员8人;书法家协会,成立于1986年3月,1993年12月前称“书法美术摄影工作者协会”,2003年8月之前称“书法工作者协会”,2008年有会员127人、其中国家级会员3人、省级会员35人;美术家协会,成立于1986年3月,1993年12月前称“书法美术摄影工作者协会”,2003年8月之前称“美术工作者协会”,2008年有会员47人,其中国家级会员2人、省级会员8人;摄影家协会,成立于1986年3月,1993年12月前称“书法美术摄影工作者协会”,2003年8月之前称“摄影工作者协会”,2008年有会员118人、其中国家级会员4人、省级会员20人;音乐舞蹈戏剧家协会,成立于1986年3月,2003年8月前称“音乐舞蹈戏剧工作者协会”,2008年有会员150人,其中省级会员3人;诗词楹联学会,成立于1991年3月,之前称“贵溪诗社”,2006年10月更名为“诗词楹联学会”,2008年有会员85人,其中国家级会员2人、省级会员17人;曲艺家协会,成立于2003年3月,2008年会员115人,其中省级会员5人;老摄影家协会,成立于2003年3月,2008年有会员75人,其中省级会员7人;散文学会,成立于2007年11月15日,2008年有会员35人,其中省级会员7人;文联演艺中心协会,成立于2004年4月,2008年有会员85人,其中省级会员17人;《象山》文艺编辑部,前身为1990年12月创办的《龙虎山》文艺报,2004年改为《象山》文艺杂志;文联合唱团,成立于2004年5月,2008年有团员120人;塘湾镇文联,成立于2005年7月,设有3个协会,2008年有会员60人。

代表大会

1991—2008年,市文联共召开2次代表大会。1998年5月召开市文学艺术界联合会第一次代表大会,选举产生贵溪市第一届文联委员会及名誉主席、主席、副主席、秘书长、文联委员共25人。2004年12月召开市文学艺术界联合会第二次代表大会,选举产生贵溪市第二届文联委员会及名誉主席、主席、副主席、秘书长、文联委员共49人。

主要活动

文艺活动 市文联根据广大人民群众的文化需求,先后策划组织“曲苑杂坛走进贵溪”迎新春文艺晚会,“永远跟党走”“七一”文艺晚会,“放飞梦想”中秋文艺晚会,“放歌十七大、红心永向党”文艺晚会以及春节团拜会和“畲乡风情”篝火晚会等活动。在纪念中共建党86周年之际,举办“风华杯”卡拉OK大赛,共200余人参赛,创贵溪历年大赛人数最多、参赛面最广的记录。举办和谐贵溪“富康杯”读书征文赛,收到征文稿521篇。贵溪诗社连续19年不间断地组织“谷雨诗会”,书法家协会连续12年在大街小巷义务为百姓书写对联。2004年以来,文艺活动增多。2004年4月,市文联组织作协、诗社、音协、书协、美协、摄协等协会,在贵溪白鹤湖举办谷雨文艺沙龙。6月,选派20名小歌手参加全省少儿歌曲卡拉OK大赛,共有12人获奖,为全省获奖人数最多的县(市),其中刘莎莎还被选送福建东南台参加少儿音乐擂台比赛。10月,市文联组织成人、少儿歌舞演唱专场,书法、美术、摄影作品参加鹰潭市首届艺术节。12月,市文联应邀组织演艺团体,代表省文联赴广昌县进行扶贫慰问演出。2006年11月,市文联召开座谈会,组织文学艺术界同仁学习贯彻胡锦涛总书记在中国文联第八次、中国作协第七次的全国代表大会上重要讲话精神。2007年11月,由市文联、樟坪畲族乡选送的畲族马灯舞赴广州参加全国第八届少数民族运动会开幕式,进行表演获金奖。2004年8月、2007年1月先后2次召开大会,表彰全市文艺先进工作者、德艺双馨艺术家及优秀文艺作品。

艺术展览 2004年以来,全市多次举办艺术展览。2004年8月12日,贵溪市文学艺术界联合会第二次代表大会期间,举办《书画摄影作品成果展》;2006年10月26日,在庆祝贵溪撤县设市10周年之际,举办“四冶”杯书画摄影展,共展出作品300余件;2008年12月8日,为纪念改革开放30周年,举办“书法、美术、摄影作品展”,共展出作品100余件;另外,还相继举办“祝伟民国画展”、“刘永华龙舟摄影展”等展览活动。

文艺演出 1991一2008年,在元旦、春节、“两会”“七一”、教师节和国庆等节假日期间,全市组织进行形式各异的文艺演出。2002年以后,全市文艺演出活动逐渐增多。影响较大的文艺演出活动有:1996年6月,县委组织举办纪念中国共产党成立75周年“七一”文艺晚会。当年国庆节期间,举办贵溪

撤县设市庆典文艺晚会。

1999年8月,组建业余合唱团,在市首届艺术节歌咏晚会和迎澳门回归文艺晚会上表演。

2002年,举办塑造江西人新形象"七一"贵溪之歌文艺晚会。

2003年4月,举办贵溪市首届"太平洋财保杯"少儿歌曲卡拉OK大赛,共有186名选手参赛。7月19日,首次举办"贵溪人同一首歌"文艺晚会,现场观众达万人之多。

2004年8月,举办纪念邓小平诞生100周年暨市第二次文代会文艺晚会。10月,举办贵电二期工程回报家乡人民"光明颂"大型文艺晚会。12月9日,举办纪念红军长征70周年"长征之歌"文艺晚会。12月25日,举办张卫东相声小品歌舞晚会。

2005年6月1日,市"手拉手"艺术团赴福利院慰问演出,与该院小朋友共度"六一"儿童节。6月2日,举办"八一南昌起义"专题歌舞晚会。7月,举办市首届少儿器乐演奏大赛,共107名小乐手参赛。8月1日,市"手拉手"艺术赴驻市部队、武警中队和消防大队进行慰问演出。10月15日,组织演员20余名赴铅山县杨林乡进行慰问演出,打拐英雄施华山参加。12月28日,举办"走向辉煌—庆祝贵溪市2005年财政收入超十亿"文艺晚会。

2006年10月26日,在庆祝贵溪撤县设市10周年之际,举办"魅力贵溪"大型文艺晚会,著名歌唱家蒋大为、白雪登台献艺。

2007年1月4日,中央电视台《曲苑杂坛走进贵溪》暨迎新年文艺晚会举行。6月23日,举办"浙信·风华"杯卡拉OK大赛,共有38人获奖。6月28日,举办"永远跟党走"卡拉OK赛颁奖晚会。9月24日,举办"爱心万里行"大型文艺晚会。11月2日,举办"放歌十七大,红心永向党"大型文艺晚会。

2008年1月7日,上演大型历史情景剧《井冈山》。12月31日举办纪念改革开放30周年暨迎新年大型晚会。

采风活动 1991年以来,市文联发挥自身优势,组织文艺工作者深入生活,深入一线,开阔视野,激发灵感,力求多出作品、多出精品。多次组织市文艺工作者到安徽歙县、福建霞浦湾、浙江景宁畲族自治县、上饶市婺源县、上饶鹅湖书院、仙人寨、江西庐山、内蒙古、张家界及市内塘湾、雷溪、冷水、耳口、河潭等地参加笔会,开展采风活动。2004年10月17日,市作家协会组织部分会员赴湘西采风;2005年7月23日,市作家协会20余人到塔桥采风;2006年8月12日,市作家协会6人赴内蒙古赤峰参加笔会;2007年6月11日,市作家协会组织会员参加庐山笔会,著名作家贾平凹、蒋子龙到会讲课。是年12月9日,市散文学会举办笔会,市文联、散文学会共20余人参加;2008年3月27日,市散文学会组织会员赴冷水、耳口、文坊等地了解冰雪灾害情况,掌握救灾工作第一手素材。

帮困解忧 市文联在经费紧、人员少的情况下,树立"有思想才会有市场、有思路才会有出路、有作为才会有地位"的全新工作理念,发扬"实在、实干、实效"的"三实"精神,从提高文艺队伍凝聚力、提升文艺界人气、繁荣文艺事业出发,热心为广大会员、文艺工作者和热爱文艺人士服务,及时为他们排忧解难。市文联及协会负责人转变作风,经常深入到文艺工作者中去,关心会员、帮困解忧,特别是对德艺双馨的老文艺工作者关爱有加。农民诗人张双茂在患病期间,文联一班人多次去看望,并帮助其出版《张双茂诗集》;周坊70岁的农民作家郑长林写出长篇小说《八十年代后遗症》,河潭73岁的农民作家胡录明10年间撰写《空中空谈》和《乾隆皇帝在江西》2部长篇民间故事,均因资金困难未能如愿出版。市文联得知该情况后,积极与相关单位协调,筹措资金出版。作家协会会员、贵溪职中退休教师李泽民不慎摔断腿,文联领导多次前去探望;曾经参加东南电视歌手大赛的小歌手、四冶残疾学生刘莎莎身患小儿麻痹,母亲早世,文联领导多次去看望,并送上慰问金。

第六节 市(县)残疾人联合会

组织机构

1986年5月,贵溪县成立盲人聋哑人协会。1991年4月,贵溪县残疾人联合会成立,为事业单位,副科级机构,编制5人,由县民政局代管,朱春胜、李光华先后任理事长。1991年6月成立县政府残疾人事业领导小组,1994 年成立县政府残疾人工作协调委员会,由县政府分管领导及各有关部门组成,负责抓全县残疾人事业,发挥各部门职能,及时解决具体问题。1996 年 10 月,市委正式批准市残联为正科级单位,经费渠道不变,设理事长 1 名,副理事长 2 名,江荣旺、李建平、彭先发先后任理事长。按照中残联要求,经请示市委、市政府批准,成立"残疾人就业服务部",为残联内设机构。2008 年 5 月 28 日,中国共产党贵溪市残疾人联合会支部成立,隶属中共贵溪市直属机关工作委员会。市残联下设 5 个专门协会,即盲人协会、聋人协会、肢残人协会、智力残疾人及亲友协会和精神残疾人及亲友协会,并在各乡(镇、街道)相应建立残联基层组织,成立村(社区)残疾人协会,形成市、乡、村三级工作网络。至 2007 年,全市 21 个乡(镇、街道)相继成立残疾人联合会,配备残联理事长。2008 年,通过购买公益性岗位,在 21 个乡(镇、街道)残联和部分村(社区)残协配备专职委员。2008 年,全市有各类残疾人约 37400 人,占市总人口的 6.39%。

市残疾人联合会是事业团体,履行着"代表、服务、管理"职能,主要负责残疾人医疗卫生康复、维权、文体,推进残疾人劳动就业、社会保障、教育、职业培训等工作。1993 年,贵溪县残联被省政府残工委授予残疾人康复工作先进单位称号。2008 年,贵溪宝山金属公司残协被国务院残工委评为"全国残疾人之家",该公司领导光荣出席在北京召开的"第四次全国自强模范暨扶残助残先进集体和个人表彰大会"。

残联自成立以来,长期在市民政局办公大楼办公。2007 年 12 月 5 日,市残联从市民政局办公大楼搬出,借用市中医院旁的市民政局康复楼独立办公。为更好地开展残疾人就业、培训、康复、维权、文体、教育等工作,在中共中央和省委市委的关怀下,市残疾人综合服务设施楼于 2008 年予以立项,选址于市建设大道以北、国土局东侧。

代表大会

1991—2008 年,市(县)残联召开二次代表大会。1991 年 4 月,召开贵溪县残联第一次代表大会,出席会议正式代表 118 人,特邀代表 4 人,残疾人代表 65 人,选举朱春胜为残联执行理事会理事长,贵溪县残疾人联合会正式成立。2007 年 12 月,召开贵溪市残联第二次代表大会,出席会议正式代表 87 人,特邀代表 6 人,残疾人代表 54 人,选举彭先发为市残联执行理事会理事长。

主要工作

康复项目 市残联紧密配合市有关部门,协调卫生、防疫和教育部门,建立机构和工作联系制度,同各基层残联组织一道,开展康复对象调查、筛选、宣传发动及输送工作,制订各项康复计划目标和实施方案,并多次聘请外地专家医生来我市开展康复手术。1991 — 2008 年,全市共有 5000 多名残疾人得到不同程度的康复服务。为 2200 名贫困白内障患者实施复明手术,为 160 名低视力患者验配助视器,为 4 名肢残儿童实施矫治手术,为 85 名贫困肢残人员装配假肢,对 400 多名贫困精神病患者给予服药医疗救助;对 135 名聋哑儿童进行系统的听力语言训练,并赠送价值 1200～3000 元不等的助听器;发放拐杖、轮椅、坐便器等各类残疾人辅助器具 3650 件。

就业安置 市残联在建立完善残疾人就业服务机构的基础上,认真贯彻"集中与分散相结合"的方针,拓宽残疾人就业门路。1991 — 2008 年,扶持发展社会福利企业 33 家,集中安置残疾人就业 3980 人,鼓励和扶持 2000 多名残疾人个体从业举办各类培训班 18 期,培训残疾人 875 人;积极实施残疾人按比例就业工作,全市共有 600 多名残疾人在各级党政群机关、企(事)业单位和城乡其他各类经济组织中分散就业。创办盲人保健按摩中心 7 家,安置盲人就业 32 名,使一批原来从事算命、占卦等封建迷信活动的盲人走上自谋职业、合法的就业岗位,变成自食其力的社会财富的创造者。2007 年,肢体残疾人、江西贵雅公司总经理潘小平被评为"全省自强模范"。

扶贫解困 1991 年以来,政府把残疾人扶贫解困工作纳入国民经济总体规划同步实施。1993 年,县政府制定贵溪县康复扶贫实施方案,并成立以县政府分管领导任组长的残疾人扶贫工作领导小组。1994 年,县政府又制订《贵溪县关于残疾人实施优惠政策的若干规定》,县直有关单位和乡(镇)也制定相应的优惠措施和办法。政府在制定《"八七"扶贫攻坚实施方案》时,把对贫困残疾人的扶贫事项纳入方案。从 1993 年实施康复扶贫以来,残联一直不断地就残疾人扶贫的形式和方法进行探索。至 2008

年，先后建立省、市、县三级农村残疾人种养业扶持示范基地8个，辐射、带动残疾人就业240名。各部门、各乡（镇、街道）根据政府出台的残疾人扶持优惠政策，减免各种费用和负担，农村减免义务工、公益事业费及其他社会负担；学校减免学杂费；工商部门减免工商管理费；邮电、水电、广电部门减免初装费30%；税务部门减免个人所得税、免征营业税。据不完全统计，10多年来共减免各种费用约1000万元。争取利用扶贫专项资金，扶助残疾人发展生产、脱贫致富，共有贫困残疾人20户获得扶贫贷款，贷款资金65万元。做好贫困残疾人的社会保障工作，将全市贫困残疾人列为重点保障对象，实现应保尽保。至2008年，全市贫困残疾人纳入农村最低生活保障线的有6658人，城镇有1260人，近8000名残疾人已经解决基本生活问题。投入资金100多万元，为100多户农村贫困残疾人实施危房改造，改善居住条件。每年春节及助残日等重要节日，积极组织开展走访慰问贫困残疾人活动，共慰问贫困残疾人1280户，款物合计35.6万元。10多年来，社会各界广泛开展送温暖工程、希望工程、春蕾计划、青年志愿者行动以及领导干部、国家工作人员、党团员、富裕户与贫困残疾人结对帮扶等多种形式的扶残助残活动，为残疾人送温暖、献爱心、办实事。2001年11月，市残联副理事长李光华被国务院扶贫开发领导小组评为"全国残疾人扶贫工作先进个人"。

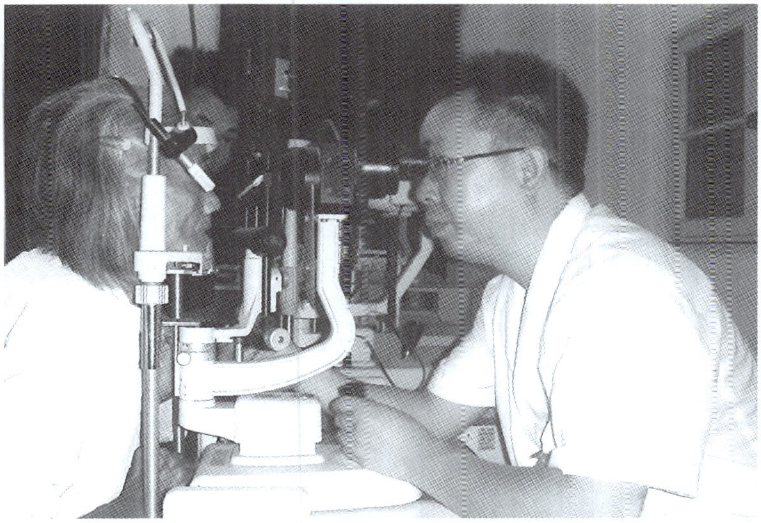

为贫困视力患者提供康复服务

教育文体　贵溪市把残疾人教育列入整体教育的一个组成部分。1991年以来，全市残疾人教育以义务教育和职业技术教育为重点，采取普通教育和特殊教育相结合的方式，特殊教育从少年儿童抓起，开办特教训练班，把残疾少年儿童纳入义务教育轨道，城乡适龄残疾儿童少年义务教育入学率达到95%以上，达到高考录取分数线的残疾考生高招录取率一直保持在100%。选址于城南、总投资400多万元的贵溪市特教学校正在建设中。积极开展残疾人文体活动，着重培养和选拔文体苗子，参与残疾人运动会和文艺会演，活跃残疾人文化生活，体现他们的人生价值。2007年，贵溪市选派的聋人运动员王红顽强拼搏，在全国第七届残运会田径比赛中获第二名；2008年4月，市奥科学校残疾学生刘莎莎取得全国残疾人文艺会演比赛三等奖、全省一等奖的好成绩。2008年11月，市残联协调组织江铜集团铜材公司3位聋人足球运动员赴省备战全国聋人足球锦标赛。

权益维护　加强法制建设，将残疾人工作纳入法制化轨道，切实维护残疾人的合法权益。1991年以来，全市认真贯彻实施《中华人民共和国残疾人保障法》，并根据该法和省实施办法，出台一系列扶助残疾人的政策法规，各部门配套制定优惠残疾人的具体措施和办法，并开展执法大检查，以促进残疾人权益维护工作的落实。同时建立法律服务机构，为残疾人提供法律咨询和法律援助；认真做好来信来访、办理残疾人证等工作。至2008年，接受法律咨询的残疾人达208人次，法律援助119人次；接待处理来信128件，来访360人次；办理残疾人证件10268本。

基金征缴　残疾人就业保障金，是指向安排残疾人就业未达到规定比例的单位和组织征收用于残疾人就业工作的政府性专项基金。省残联、省地税局、省财政厅、人民银行南昌中心支行共同制定《江西省残疾人就业保障金征收使用管理办法》后，从2006年开始，残疾人就业保障金改残联征收为地税部门代征，大大提高残疾人就业保障金的征收额，2008年达到53万元，是2005年的5倍。至2008年，全市累计征收残疾人就业保障金126万元，为残疾人就业、康复等各项工作提供保障。

第七节　市(县)科学技术协会

组织机构

1979年12月,贵溪县科学技术协会恢复成立。1991—2008年,贵溪科协未正常换届,方东先、江康保、杨新民、袁建国先后任科协主席。至2008年,市科协机关内设办公室、普及部、学会部和省农村致富函授大学(简称农函大)贵溪辅导站。1991—2008年,贵溪县获得全国科普先进县称号,贵溪市(县)科协多次被评为全省科协系统先进单位。

至2008年,全市有市级学(协)会23个,会员1315人;有农村专业技术协会7个,会员1067人;有乡镇科协21个,会员1438人。市科协学会、专业技术协会具体组织如下:

卫生工作者协会,成立于1950年8月,会员200人;农学会,成立于1979年10月,会员85人;林学会,成立于1979年10月,会员50人;水电学会,成立于1979年10月,会员30人;农机学会,成立于1979年10月,会员20人;工学会,成立于1979年10月,会员28人;建筑学会,成立于1979年10月,会员39人;教育学会,成立于1979年,会员157人;医药学会,成立于1979年,会员110人;护理学会,成立于1981年4月,会员26人;中医学会,成立于1981年6月,会员20人;青少年科辅协会,成立于1982年12月,会员30人;质量管理协会,成立于1983年10月,会员17人;蔬菜研究会,成立于1985年5月,会员30人;药学会,成立于1985年,会员25人;气象学会,成立于1986年10月,会员15人;白蚁防治研究会,成立于1990年9月;畜牧兽医协会,成立于1990年,会员70人;计算机协会,成立于1996年,会员200人;西瓜协会,成立于1996年,会员40人;果业协会,成立于1996年,会员50人;水产协会,成立于2002年,会员126人;笋竹协会,成立于2003年6月,会员300人;老年科技工作者协会,成立于2003年12月,会员83人;养牛协会,成立于2004年,会员258人;食用菌协会,成立于2004年,会员300人;禽业协会,成立于2004年,会员103人;特种养殖协会,成立于2005年10月;茶叶协会,成立于2005年11月;水果蔬菜加工协会,成立于2009年2月,会员106人。

主要活动

科普宣传　2004年,贵溪市建立科普工作联席会议制度,由分管党群的市委副书记或分管科技副市长任组长,市16个有关部门领导任成员,办公室设在市科协,负责全市科普协调工作。全市科协系统上下联动,每年由市科协策划组织各级科协及所属学会共同开展“科普之春(夏、秋、冬)”“全国科普月”“科技活动周”“科普进社区”、送科技下乡等大型科普活动,年参与活动的科技工作者和爱好者达万余人次,直接受益的公众有几十万人,营造良好科普氛围。

科技培训　市科协把对农民的科技培训作为一项重要工作,根据农村实际需求举办各种类型的培训班,把农函大作为培养和提高农民科技文化素质的一条重要途径。1987年,农函大贵溪辅导站成立,开设种植、养殖、加工、乡镇企业计算机等12个专业,采取面授、现场指导、放科技片、巡回讲学、长短期、单多科结合培训等形式教学。至2008年,农函大贵溪函授站共招收学员5553名,培训农村管理人员、生产人员、乡村干部、复退军人、科技示范户、专业户几十万人次,农村98%以上的党员干部普遍接受了1～2项农村实用技术培训,成为发展农村经济的科技骨干。

青少年科普活动　1982年11月,正式成立贵溪县青少年科技辅导员协会。1991年以来,“大手拉小手”青少年科技传播行动在全市深入开展,相继举办“节能在我身边”、“爱护我们的家园”等一系列主题科普活动。邀请科技专家进学校,开展生动活泼的科学普及活动,使数十万中小学生感受到科学的魅力。市科协还与有关部门组织学生参加全省青少年科技创新大赛和全国高中生数、理、化、信息、生物五项学科竞赛等科普活动,每年都有很多中小学生踊跃报名。

科普示范　1991年以来,认真抓好科普示范村和科普示范基地建设,做好新技术、新品种的引进和推广工作。截至2008年,先后有流口镇横路村、塘湾镇大桥村、泗沥镇泗沥村、雷溪乡鲶桥村先后被评为省级科普致富示范村,同时,在全市还建立10个鹰潭市级科普示范村。2007年,市养牛协会被评定为全省科普示范基地;2008年,市食用菌协会荣获会省先进农村专业技术协会称号。雷溪的大棚西瓜

和蔬菜、横路的旱田藕、杨桥的荸荠、泗沥的肉用牛、王湾家禽养殖、潜岭的水产养殖、桂里的葡萄、象山的食用菌、文坊的茶叶、樟坪的毛竹、周坊的食品加工都已成为科技致富的"品牌",起到以点带面、带动周边农民靠科技致富的作用。

科技咨询与服务　1985年3月,"贵溪县科技服务中心"成立,属事业单位、企业管理,归口县科协。服务中心设有理事会,下分4个服务部,即咨询服务部、信息服务部、智力开发服务部、展销修理服务部。具体服务范围%进行咨询服务,接受技术承包;沟通商品信息,实行有偿转让;挖掘智力资源,举办专业培训;展销新产品,承接电机修理。科协力量来自各个学会、协会,科技服务中心聘请科技人员或外地专家参与工作,自成立以来,为很多企业、单位和农户解决"急、难、新、缺'的技术问题。

学术研究与交流　1991—2008年,市科协密切结合经济建设的需要,本着互相尊重、互相学习、取长补短、共同提高的精神,组织各学会科技工作者,开展广泛的学术研究与交流活动。

市卫生系统有5个学会,广泛开展学术交流,邀请著名医学专家、学者来讲课,并派出医务人员外出进修,参加学术交流。市教育学会建会以来,每年都举办大型学术年会、讲座、学术论文评比、组织科普知识竞赛等活动,增添学术交流的活力,卫生、教育成为贵溪市学术交流经常、论文撰写最多、科技成果显著的两大学会。

市科协经常组织科技界人士,围绕贵溪经济发展、科技创新进步等重要课题,开展学术研究与科学论证,为党政领导机关及经济建设部门提供决策依据。在农业方面,市农学会为加快贵溪农业发展速度,以本市商品粮基地建设、杂交稻制种、杂优品种引用,以及调整种植业内部结构等关键问题,多次召开专题研讨会,提出许多科学合理的意见,为贵溪粮食生产超历史起到重要作用;在林业方面,贵溪大面积栽种桉树成功,为南方农村发展和营造速生材、生物防治松毛虫、杜绝药物对大气污染,解决农村能源结构树种,促进生态良性循环,乃至对全国、全省造林具有重大参考价值。

在城市建设方面:市建筑学会针对贵溪市规划建设和城市规划实施问题,提出《重点建设项目应与城市建设统一》的建议,并经城市规划研讨会论证认定意见可行,政府城建部门已在城市规划建设中采纳应用。

第二十卷　检察　审判

第一章　检　察

第一节　机　构

1991 年,贵溪市人民检察院内设 7 科 1 室,即批捕科、起诉科、法纪检察科、经济检察科、监所检察科、控告申诉科、人事科和办公室。1991 年 6 月设立驻县税务局检察室,1997 年 12 月 27 日撤销;同年 7 月增设技术侦查科,1992 年 3 月人事科更名为政工科,同年 4 月设立驻县工商银行检察室,1995 年 4 月 28 日撤销;1993 年 6 月增设民事行政检察科;1994 年 3 月 10 日设立驻雷溪乡检察室,同年 8 月 11 日设立院工会委员会,11 月 19 日,成立法律政策研究室,2003 年 4 月撤销,其职能由院办公室履行;1995 年 1 月 5 日,设立驻金沙乡检察室;1996 年 9 月 3 日,设立贵溪市人民检察院反贪局,为二级行政机构,内设 3 个科:侦查一科、侦查二科和综合科。同年 9 月,贵溪撤县建市,县院更名为贵溪市人民检察院(以下简称市检察院),内设机构也相应改称;1997 年 12 月 27 日,撤销驻贵溪市农业银行检察室;4 月,设立警务科,与司法警察大队合署办公。4 月,技术侦查科更名检察技术科;2006 年,批捕科更名侦查监督科,起诉科更名公诉科;2007 年 5 月,反渎职侵权科更名反渎职侵权局。至 2008 年 12 月,市检察院内设机构共有 8 科 2 局 2 室 1 队,即办公室、政工科、侦监科、公诉科、监所科、民行科、控申科、技术科、警务科、反贪局、反渎局、法警大队、监察室,编制 72 人,在职干警 69 人,其中政法专项编 65 人,工勤编 7 人。

贵溪市人民检察院办公楼

1991 年至 2007 年 8 月,院办公楼位于贵溪市雄石东路 1 号。2005 年 5 月,在市冶金大道东侧(府西路)新建市检察院办公大楼。新办公大楼于 2007 年 8 月 18 日正式竣工启用,占地面积 9300 平方米,建筑面积 7320 平方米,总投资 931.59 万元。

第二节　队伍建设

1991 年以来,贵溪市(县)人民检察院注重抓好干警思想政治建设、领导自身建设、纪律作风和廉政建设以及队伍专业化建设,打造一支“政治过硬、作风优良、业务精湛、保障有力”检察队伍。1997 年 2 月在全国检察机关第四次“双先”(先进集体和先进个人)会上荣获集体一等功,1998 年 1 月被高检院荣记集体一等功,2006年被高检院授予"全国检察机关涉检信访专项活动先进单位"称号,2008年2月被授予"全国文明接待室"称号。1986—2003年,连续9届18年评为江西省文明单位,5次被省院评为"先进检察院",荣获省政法委授予的"五好检察院""人民满意政法单位"等称号;2001—2008年荣记集体一等功5次,3次被评为"江西省先进基层检察院";30余人(次)被省院、鹰潭市院评为优秀公诉人、优秀检察官、人民满意检察干警、优秀青年卫士等荣誉称号,10余人(次)荣立省级二等功、三等功,2008年年底,11名工作满25年干警荣获高检院荣誉勋章和证书。

思想政治建设

坚持周二、五政治学习日制度,落实思想政治教育"一岗双责"制度,做到政治思想教育经常化、制度化。1991一2008年,先后开展"三讲"(讲学习、讲政治、讲正气)"强化法律监督,维护公平正义""保持共产党员先进性教育""规范执法行为,促进执法公正"社会主义法治理念教育等专题学习教育活动,撰写学习笔记和心得体会文章1000余篇。1995年,县检察院被评为全省检察机关学"邓小平文选"先进单位,1998年3月,被贵溪市委宣传部授予"十佳理论学习优胜单位"称号。

领导班子自身建设

建立和完善《检察长办公会议议事规则》《党组中心组学习制度》《党组民主生活会制度》《党组廉洁自律若干规定》等制度,落实院党组中心组学习制度、民主生活会制度和重大事项实行民主集中制原则,发挥院党组、检委会核心作用,提高决策水平,强化执行力。配齐配强领导班子,1991—2008年,检察院先后更换4任检察长、提拔9名副检察长。

纪律作风和廉政建设

树立"监督者更要强化自我约束和接受监督"观念,从严治检,为检清廉,强化自我约束,完善各办案环节监督制约和防范检察人员违法违纪措施,建立健全执法档案和廉政档案,落实办案责任制和党风廉政建设责任制;开展干警廉洁守纪、秉公执法教育,办案安全教育;加强干警8小时以外管理,开展"贤内助""廉内助"评比活动;发扬民主,落实检务公开,接受人大、政协、社会各界及新闻媒体监督。1991—2008年,市检察院干警违法违纪为零记录。

检察官队伍建设

鼓励在职干警参加升专、升本学历教育,干警由1993年大专学历55人,发展到2002年全部普及大专学历,至2008年,本科学历干警41人,占全院干警总数85%,硕士研究生2人。加快法律人才引进步伐,2002—2008年,通过全省统一考试招录法律专业人才15名,并积极鼓励新进干警参加司法考试,采取按资历报销车船费和住宿费、安排脱产学习等措施,至2008年,共有13名干警通过全国统一司法考试。认真开展检察官任命工作,1991年以来共任命助检员28名,检察员24名。2008年有检察官43人,其中四级高级检察官13名,一级检察官8名,二级检察官6名,三、五级检察官16名。

飒爽英姿的贵溪市女检察官

第三节 检察制度

侦查一体化机制

2000年以来,为强化对职务犯罪检察工作的统一领导和指挥,市检察院按照一体化机制要求,逐步建立互相支持、互相配合、互相协助侦查协作机制,初步形成高效、协调、规范的侦查统一指挥系统。

未成年人犯罪检察工作机制

本着教育、感化、挽救方针,研究制定并规范未成年人犯罪案件的批捕、起诉工作。在公诉部门设立"青少年维权岗",指派公诉经验丰富的女检察官主办未成年人犯罪案件。

检察官办案责任制

实行主诉检察官办案责任制。从2000年起,根据最高人民检察院对主诉检察官条件、选任、职责、管理、考核、奖惩、监督及工作机制作出的统一规定,经考试考核,在起诉部门率先推行主诉检察官办案责任制,首批任命邓迎红等3名主诉检察官。2001年,对其他各业务部门结合其职责和具体情况,逐步实行主办检察官办案责任制,并遴选李建斌等一批主办检察官。

检察官考核制度

自2000年起,每5年对检察干警进行一次任职资格考试考核,合格者方能继续从事检察工作。检察官晋升都要进行考试,对考试合格的进行考核,根据考试考核结果决定是否予以晋职晋级。完善检察干警评价体系,制定岗位分类和职责规范,建立符合检察工作特点的岗位责任制,改进考核方法。

录用检察人员统一招考制度

自2002年起,坚持"凡进必考"原则,录用主任科员以下职务工作人员,一律实行考试录用制度。逐步实行初任检察官面向社会统一公开招考制度,健全检察官考录机制,在同等条件下,优先录用法律专业毕业生。坚持审核审批制度,录用、调进人员,逐级报省检察院审核。

内部监督制约机制

健全检察业务工作中对举报、初查、立案、适用强制措施、撤案、不批捕、不起诉、申诉复查等诉讼环节的监督制约机制。对检察机关直接立案侦查的案件,建立"一案三卡"(办案告知卡、廉洁自律卡、回访监督卡)制度,实行同步录音录像,动态跟踪监督各办案环节执法情况;在侦查监督科、公诉科、反贪局、反渎局、监所科、民行科、法警大队等主要执法办案部门,由纪检监察部门不定期检查,防止和纠正有案不立、有罪不究、该捕不捕、该诉不诉、执法不严、执法行为不规范等问题。

检察业务经费保障制度

根据中央关于推进司法体制改革的决定,2006年,省财政厅、省检察院联合下文,建立基层检察院经费保障机制,2006~2008年,用3年时间,确保贵溪市检察院每人每年公用经费3万元。努力落实从优待检政策,改善检察官工作和生活条件。积极与有关部门沟通协商,逐步提高检察干警工资待遇和抚恤标准,建立检察干警保险制度,落实检察官津贴。

处理交通肇事案件联动机制

2008年8月开始,与公安机关建立交通肇事案件处理联动机制。对积极施救、投案自首、坦白认罪、赔偿损失、得到被害方谅解的肇事者,经检察院审查建议,可由公安机关作撤案或检察机关作不起诉处理,最大限度地做到交通肇事案件处理后,办案质量、效率和社会效果有机统一。

民事督促起诉工作机制

建立健全民事督促起诉工作机制,对侵害国家和集体利益涉及民事方面的行为,市检察院通过向有关单位和部门发出检察建议,督促有关单位和部门对侵害方提出诉求或向法院提起民事诉讼,以保障国家和集体利益不受损失。

检调对接机制

2006年以来,市检察院侦监、公诉部门积极在检察实践中建立健全检调对接机制,对一些轻微刑事案件努力进行调解,促进当事人双方和解,化解社会矛盾。至2008年,市检察院运用检调对接机制共促成10余件轻微刑事案件当事人握手言和。

"不予批准逮捕、相对不起诉"

对不捕、不诉案件制作理由书,下发有关当事人和执法部门,促进案结事了,化解社会矛盾,增强社会和谐。

第四节 刑事检察

审查批捕

1997 年以前,审查批捕和审查起诉职能合二为一,全部由刑事检察科承担,由一名院领导分管;1997 年新《中华人民共和国刑事诉讼法》修订颁布后,审查批捕和审查起诉职能分开,分别由起诉科和批捕科办理,由两位院领导分管。

1991—2008 年,市检察院共受理公安机关和检察院自侦部门提请批准逮捕案件 3144 件 5365 人。经审查,依法批准逮捕 2777 件 4372 人。坚持"严打"方针,坚持稳、准、快原则,以打击黑社会性质犯罪、爆炸、杀人、绑架、"两抢一盗(抢劫、抢夺、盗窃)等严重危害社会稳定犯罪案件为重点,配合公安、法院形成合力,做到快审快结快捕,保持对犯罪分子高压态势。如毛某杀人一案,移送审查批捕后,承办人加班加点,放弃双休日,移送当天就作出批捕决定。沈某等人多次盗窃贵溪冶炼厂铜材,破坏国有企业生产和经营秩序,市检察院在报捕后第二天对此案就作出批捕决定。

积极开展引导取证工作,适时介入公安机关侦查活动,针对证据收集、固定加以引导,及时获取有价值证据材料,确保案件质量。涂某、王某、熊某特大抢劫杀人案,罪犯将司机活埋后抢走价值 27 万余元电解铜,情节恶劣、手段残忍,系新中国成立以来贵溪罕见的刑事案件,市检察院在案发第一时间里派员介入公安侦查,引导取证,公安报捕后迅速作出批捕决定。市公安局法医邹某重大持枪杀人案,案发时市检察院就立即派员赶赴现场,参与公安取证,当日中午此案就告破。

加强对刑事侦查活动和刑事立案工作监督。以纠错防漏为重点,严把事实关、证据关和适用法律关,1991—2008 年,共依法追捕漏犯 150 人,发现公安机关有案不立、有罪不究、以罚代刑问题,随即发出"要求说明不立案理由通知书"48 份,侦查机关接到通告后立案侦查 58 人。王某破坏电信设备一案,在审查批捕时发现同案犯陈某、张某也有共同犯罪故意,且实施共同犯罪行为,遂向公安机关发出建议要求追捕这两名案犯,被公安机关采纳。在审查批捕徐某等人抢劫一案时,发现公安遗漏涉案嫌疑人章某,于是建议追加逮捕。2001 年 10 月,在审查批捕黄某、程某聚众斗殴致人死亡一案时,发现同案犯吴某、徐某应当报捕,而公安机关以吴某自首为由采取取保候审措施,以徐某未查清事实为由未报捕。市检察院经调查核实证据后,及时向公安机关发出应当逮捕犯罪嫌疑人意见书,公安机关立即报捕 2 人,检察机关及时作出批捕决定。从 2002 年开始,市检察院加大追捕漏犯力度,每年追捕人数都在 10 人以上。其中 2004 年、2007 年追捕数分别达 19 人。

与此同时,对主要事实不清、证据不足情节轻微、没有逮捕必要,不构成犯罪的,市检察院依法作出不捕决定,对第一种情况,一般退回公安机关或自侦部门补充侦查,或由检察干警携卷复查,待犯罪事实清楚、证据确实充分后再予批捕。1991—2008 年,共不批准逮捕 422 人。其中 1991—2003 年,不捕人数呈上升趋势;2003 年达到顶峰为 73 人。2005 年以来,不捕人数总体呈下降趋势,2005 年不捕 64 人,2008 为 17 人。范某、邱某倒卖文物案因证据不足而不捕,之后检察机关督促公安机关补充侦查后重新报捕。2005 年以后,为贯彻最高人民法院和最高人民检察院实行宽严相济刑事政策,最大限度化解社会矛盾,市检察院改变"够罪即捕"执法观念,利用审查批捕职能,促进社会和谐。对青少年犯罪、偶犯、初犯、从犯、胁从犯、投案自首和有立功情节及犯罪情节轻微案件,一般都不批准逮捕。某中学初中在校学生邓某伙同他人抢劫案,因邓某作案时年仅 15 周岁,系未成年人,又是初犯,犯罪情节轻微,依法作出不批捕决定。

1991—2008 年全市审查批捕一览

表 20－1

年份	受案		批捕		不捕		追捕		公安撤案		退公安补充侦查	
	件	人	件	人	件	人	件	人	件	人	件	人
1991	120	227	105	219	2	5	—	—	—	—	—	—
1992	121	236	107	203	2	4	—	—	2	2	16	39
1993	90	154	82	138	—	—	4	4	—	—	7	10
1994	114	232	100	188	—	—	3	3	—	—	8	12
1995	113	211	74	145	3	6	9	11	2	4	—	—
1996	135	260	122	228	8	9	7	8	—	—	—	—
1997	126	186	111	167	7	15	—	—	—	—	—	—
1998	157	245	137	207	10	27	1	2	—	—	—	—
1999	152	252	127	205	—	—	—	—	—	—	—	—
2000	172	292	148	233	—	—	4	4	—	—	—	—
2001	185	366	165	310	45	56	6	8	—	—	—	—
2002	224	359	200	308	—	—	10	13	—	—	—	—
2003	212	386	189	313	63	73	13	17	—	—	—	—
2004	203	362	172	303	50	59	15	19	—	—	—	—
2005	193	292	159	229	53	64	12	15	4	4	—	—
2006	240	379	218	326	28	53	14	16	4	4	7	9
2007	224	344	208	310	19	34	16	19	—	—	—	—
2008	363	355	248	340	16	17	9	11	1	1	—	—

审查起诉

1991—1997 年底，检察机关审查起诉，主要是对侦查机关和检察院自行侦查终结移送审查起(不)诉的案件确认犯罪事实和证据、犯罪性质和罪名进行审查核实，并作出起诉或免予起诉决定。1997 年新《中华人民共和国刑事诉讼法》颁布施行后，取消免予起诉权，检察机关对审查的案件只能作出起诉或不起诉决定。1991 一 2008 年，市检察院共受理移送审查起诉案件 2935 件 3913 人。

起诉　1991—2008 年，市检察院共起诉刑事案件 2664 件 3902 人。

1991 年起诉 87 件 139 人。1992 年，市检察院重点打击杀人、抢劫等重大犯罪，全年共审查起诉此类案犯 101 人，占起诉总数的 72. 。1996 年建立“严打”10 天一报告制度，对重特大案件坚持从重从快方针，把握“基本事实清楚，基本证据确凿”原则，快捕快诉，全年起诉 112 件 157 人，起诉准确率达 100%。1998 年，针对“98 洪灾”而引发新的不稳定因素情况，依法从重从快打击各类刑事犯罪，遏制趁火打劫犯罪势头。全年起诉 96 件 128 人，起诉准确率达 99%，起诉审查时间平均为 28 天，100% 在法定时限内审结。

2001—2004 年突出打击重点，坚持“稳、准、狠”原则，把打击锋芒指向黑恶势力等犯罪，分别起诉“三类”(抢劫、盗窃、诈骗)犯罪案件 52 件 83 人、98 件 121 人和 92 人。对重特大案件适时提前介入，快捕快诉。在办理徐某故意伤害案时，由于依法提前介入，在公安机关移送起诉后第 3 天就作出起诉决定；江某盗窃案和蔡某抢劫案，在一周内作出起诉决定。喻某、蔡某等 14 人团伙抢劫案，该团伙 6 个月内有分有合作案数十起，社会危害之大，通过细致核实每一起犯罪事实，仅用 10 天时间便审结起诉。

同时严格把关个案的细枝末节，如罗某故意伤害一案，起诉部门在审讯时发现罗某有精神病症状，遂与公安机关带罗某到横峰县做司法精神病鉴定，结果证实其确有精神病，后罗某被无罪释放，防止一起错诉案件发生。

此外，对审查起诉中发现定性不准问题，检察机关也依法纠正。犯罪嫌疑人董某等人故意毁坏财物一案，从犯罪目的、作案手段等要件分析，认定符合寻衅滋事罪犯罪构成，遂改变侦查机关定性，后被法院采纳。

追诉　在审查起诉时，市检察院做到客观、公正、全面，注重审查有无遗漏犯罪嫌疑人和遗漏罪行，如：审查盗窃、诈骗、走私案件时注意追查销赃犯和包庇、窝藏犯；审查未成年人犯罪案件时注意审查有关教唆犯；审查个人犯罪案件时注意发现团伙犯罪活动；审查团伙犯罪时注意审查有无漏诉其他犯罪成员。通过追诉漏犯和漏罪，确保不枉不纵、不偏不倚。1991—2008 年，检察机关共追诉犯罪嫌疑人 39 人。肖某抢劫一案，同案犯李某多次参与抢劫，但公安机关对其作撤案处理，检察机关发出建议公安机关撤销原撤案通知书，将李某一并起诉；2005 年在审查杨某等人盗窃、抢劫一案时，依法追诉同案抢动犯罪嫌疑人江某；何某伙同他人盗窃现金 2350 元一案，公安机关只对被告人何某一人提起公诉，而对其他同案犯作罚款处理，市检察院逐一核对证据材料，对其他 3 名同案犯进行复核，查实 3 名同案犯均构成盗窃罪，依法对其他同案犯作出追诉决定。

免诉（不诉）　免予起诉是 1997 年以前审查起诉制度，此后国家取消检察机关免诉制度。1997 年修订后的《中华人民共和国刑事诉讼法》为防止滥用不诉权而放纵犯罪，规定绝对不起诉、酌定不起诉，存疑不起诉三种不起诉类型。市检察院严格控制不诉率，并规范不诉程序，1991—2008 年，共免（不）诉 133 件 235 人，其中，1992—1993 年两年共免诉 70 件 80 人。1997 年以前免诉案件集中在经济案件和法纪案件中。如 1992 年免诉经济犯罪案件 5 件 7 人，免诉法纪案件 3 件 3 人，分别占该类犯罪立案数 71.4% 和 37.5%；2003 年不诉经济案件 5 人，占立案数的 29.1%。免（不）诉案件增多，不利于打击犯罪，也有损于检察机关公信力和威信。检察机关强化自我监督，对免（不）诉案件进行多次复查，做到有错必纠。如 1994 年经过复查，改免诉为起诉 3 件 3 人。1997 年 1 月取消免诉制度后，不诉案件大为减少，操作也更为规范，在社会上反响较好。1997 年不诉仅 1 人，1998 年不诉仅 1 件 2 人。到 2005 年，为贯彻落实宽严相济刑事政策，坚持以人为本，不诉案件有所上升。2005 年不诉 18 人，2006 年不诉 16 人，2007 年不诉 16 人。在审查不诉过程中，检察机关严格依照法律法规和有关司法解释规定，科学合理地进行操作，把不诉工作作为化解社会矛盾、促进和谐平安贵溪建设的助推器来抓。2005 年 1 月 9 日，塘湾镇 3 名年轻人抢劫在校生钱物一案，其中一犯罪嫌疑人年方 19 岁，具有自首情节，归案后认罪态度较好，抢劫数额极小，遂作出不起诉决定。另 2 名未成年同案犯则建议公安机关作撤案处理。

1992—2008 年全市审查起诉一览

表 20－2

年份	受案		批捕		不捕		追捕		公安撤案		退公安补充侦查	
	件	人	件	人	件	人	件	人	件	人	件	人
1992	111	182	89	140	1	1	30	38	—	—	—	—
1993	116	164	60	92	5	6	40	50	—	—	8	9
1994	115	142	73	106	3	3	8	9	—	—	25	38
1995	106	161	107	162	—	—	3	4	—	—	—	—
1996	150	207	112	157	—	—	8	9	—	—	—	—
1997	89	132	68	100	—	—	—	—	1	1	—	—
1998	130	185	96	128	—	—	—	—	11	2	—	—
1999	180	218	169	253	—	—	—	—	—	—	—	—
2000	140	205	129	180	4	5	—	—	—	—	—	—

续表 20－2

年份	受案		批捕		不捕		追捕		公安撤案		退公安补充侦查	
	件	人	件	人	件	人	件	人	件	人	件	人
2001	153	221	142	200	—	—	—	—	9	11	—	—
2002	227	327	202	293	1	2	—	—	—	—	—	—
2003	218	345	180	251	—	—	—	—	2	7	—	—
2004	220	309	178	266	4	4	—	—	3	7	—	—
2005	214	339	183	273	4	4	—	—	15	18	10	14
2006	255	375	214	317	4	4	—	—	13	16	7	9
2007	241	375	192	276	—	—	—	—	11	16	2	7
2008	270	401	276	407	7	10	—	—	6	6	3	6

审判监督

检察机关重视对法院审判活动监督,综合运用出庭公诉、抗诉、发检察建议和纠正违法通知书等手段,依法监督纠正错案和裁判不公等群众反映强烈问题。1991 —2008 年,共提出抗诉 11 件 15 人,发出检察建议 80 余份,发出纠正违法通知书 70 余份。

出庭公诉　1991 年,庭审方式为纠辩式,检察机关出庭支持公诉率达 100%。在公诉岗位上,培养练就一批优秀公诉人,1994 年,刑检二科科长钱锦荣在全省优秀公诉人评比中荣获省级优秀公诉人称号,2006 年公诉科副科长邓迎红也荣获此称号。2000 年,起诉科被省院命名为全省首批优秀"青少年维权岗"。1997 年修改后《中华人民共和国刑事诉讼法》施行,新的庭审方式由纠辩式转变为控辩式,对公诉人自身水平、表达能力、心理素质等方面提出更高要求。为此,市检察院加大对公诉人培训和岗位练兵力度,积极开展公诉人实庭业务考核,要求公诉人在每起案件起诉前,做到证据掌握充分,起诉书、公诉词制作规范,对重大疑难案件要拟定法庭调查提要及答辩提纲,熟记有关法律条文及司法解释。2000 年,市检察院试行主诉检察官制度,按照公正、公开、公平原则,通过书面考试和能力测试,竞选出 3 名主诉检察官,为出庭公诉选拔优秀人才。2003 年以后,由于深入推进庭前证据交换制度和被告人认罪案件简化审等公诉改革,适用简易程序审理和普通程序简易审的案件不断增多,检察官出庭公诉次数在逐年减少。2004 年,建议法院适用简易程序审 49 件,2007 年增至 57 件,2008 年猛增至 117 件。简化审理案件数增多,使检察官集中精力和腾出时间办理大案、刑案及疑难复杂案件。何某等 8 名被告人打砸抢一案,案情重大、复杂,被告人聘请 5 名辩护律师,出庭工作压力很大,为此,院党组推举出 4 名起诉经验丰富检察官出庭公诉,并详细准备好答辩提纲,审查案件每个疑点,庭审圆满成功。

本着教育、感化、挽救方针,对未成年人犯罪案件出庭公诉时,注重宣传法律。陈某等 4 名少年犯抢劫一案出庭公诉时,公诉人以案释法,有理、有法、有情地进行长达半小时法制宣传教育,被告人及其家属深受触动,当庭痛哭流涕。

抗诉　1991—2008 年,市检察院向市法院提起抗诉 11 件 15 人,法院依法改判 6 件 6 人,提请鹰潭市检察院抗诉 1 件。1993 年严某强奸案,法院一审判处严某有期徒刑 3 年,缓刑 3 年,检察机关认为量刑畸轻,判处缓刑不妥,依法向法院提出抗诉,得到法院支持。2000 年,余某故意伤害案,法院判处其有期徒刑 4 年,市检察院以量刑畸轻为由依法提起抗诉,后余某被法院改判有期徒刑 5 年。2008 年叶某故意伤害一案,同年 12 月 4 日经法院一审以寻衅滋事罪判处拘役 3 个月,检察院以法院判决定性错误和量刑不当为由,于同年 12 月 15 日提请鹰潭市检察院向鹰潭市中级人民法院提出抗诉,后得到改判。这是对法院已发生法律效力的一审判决所做的首例抗诉。

第五节　经济检察（反贪污贿赂）

经济检察受案范围在各个历史阶段有一定差异。1997 年新《中华人民共和国刑法》施行前，检察机关内部将 22 种自侦案件中的 8 种案件划归经济检察管辖，包括贪污案、贿赂案、偷税、抗税案（1997 年转公安管辖）、挪用救灾、抢险、防汛、优抚、救济款物案，假冒商标案、盗伐、滥伐林木案（1985 年 7 月后划归公安受理）、重大责任事故案（1984 年 6 月由法纪检察受理，1997 年 10 月 1 日后由公安管辖），以及人民检察院认为需要依法直接受理的其他经济案件。

1991—2008 年，检察机关共受理经济案件 338 件 384 人（包括偷税、抗税案件），立案 230 件 271 人，其中要案 4 件 4 人，大案、特大案 98 件 103 人，为国家挽回经济损失高达 3486 余万元。总体上看，经济犯罪案件查处在 2001 年、2002 年达到高峰，分别为 20 件、19 件，2003 年后有所减弱。2006—2008 年都在低位徘徊，每年为 7 至 9 件。

贪污贿赂案件

1991—2008 年，共立贪污贿赂案件 180 件 204 人，其中包括一些有影响、震动大的大案、要案。如鹰潭市供电局书记赵某（正县级）、副局长傅某受贿案，贵溪市交通局党委书记、副局长李某等 4 人受贿案；市商业局领导何某、民政局领导杨某、福利院领导王某受贿案，在贵溪市影响很大。

查办贪污贿赂犯罪，市检察院注重克服单纯办案思想，将办案同维护和促进经济发展结合起来，对涉企案件，多向党委、政府请示、汇报，慎用强制措施，确保企业正常生产经营。查处某厂长受贿大案，院领导连夜向县委作出请示汇报，待该厂长交待完厂内工作后，再对其依法逮捕；查处滨江乡柏里村某村办企业刘某等 3 名正副厂长集体贪污公款 10 万元一案时，由于厂长、副厂长被依法传唤，厂里陷入混乱，一些业务不能开展，合同不能签订，生产一度受损，及时向县委领导和鹰潭市院请示，后对 3 人暂缓采取强制措施，回厂戴罪立功，使该厂重新焕发生机。

查处"三机关一部门"（党政机关、司法机关、行政执法机关和经济管理部门）经济犯罪案件始终是反贪污贿赂工作重点，查处的案件中，有贵溪银矿金某受贿 1 万元大案；该矿领导宋某（副县级）等人合伙贪污要案和业务员钟某贪污 2.6 万元大案；江西铜业公司杨某受贿 1.5 万元大案和王某受贿 1.8 万元大案。在查处江铜销运处原料科负责人朱某等 3 人合伙受贿 10 余万元案件时，通过一条不起眼粗浅线索，迅速出击，出其不意，连续作战，仅 15 天突破该"窝案"。

经济案件具有"挖出一个带出一窝、拉出一线带出一片"特点，市检察院在办案中，增强侦查意识，注重抓串案挖窝案。办案中，改变工作方法，将侦查工作前移。查办某校办工厂李某贪污受贿一案时，由于侦查前移，证据确凿，尽管李某到案后态度蛮横，拒不认罪，市检察院果断采取强制措施，翌日李某便坦白全部犯罪事实；在查办中铁十四局王某受贿 1.9 万元大案时，深挖出某村委会领导李其贪污 2 万元等案 2 件。突出查办乡、村、站、所等基层干部经济犯罪案件 5 件；1998 年，抓住全国粮食流通体制改革重大决策出台之机，在市粮食系统查出一批钻体制空子、虚报粮库存数、大肆套取差价款、从中非法牟利的违法犯罪分子，立案查处贿赂案件 7 件，为国家追回损失约 16 万元。此外，还有贵溪化肥有限公司张某伙同他人共同贪污 90 余万元大案，市卫生系统人民医院余某、中医院马某等 7 件 7 人受贿窝串案。

挪用公款案件

1991—2008 年立案侦查挪用公款案件 25 件 30 人。

典型案件有：市人寿保险公司李某挪用公款 20 多万元大案；中国银行贵溪支行叶某伙同谢某挪用公款 370 万元案，中国人保公司贵溪分公司胡某挪用公款 73 万元案，贵溪冶炼厂建筑安装公司出纳马某挪用公款 77 万元案；贵化公司高某挪用公款 70 万元案。

其他经济犯罪案件

1994 年，着重查处司法机关干警徇私舞弊、贪赃枉法、包庇犯罪以及行政执法机关干部投机倒把等腐败案件。原泗沥派出所所长违法办案、贪赃枉法被查处；1996 年查办投机倒把案 1 件 1 人；1999 年立案查处人保公司私分国有资产案。

1991—2008年全市经济犯罪案件查处一览

表20－3

年份	受案		立案		要案		大案		追缴赃物	挽回经济损失	移送起诉
	件	人	件	人	件	人	件	人	万元	万元	件/人
1991	8	10	8	10	—	—	2	2	20	70	—
1992	7	10	7	10	—	—	1	1	8	50	6/7
1993	28	30	17	18	1	1	6	6	—	56	3/3
1994	32	32	16	16	—	—	8	8	60	150	14/14
1995	16	16	16	16	—	—	10	10	—	500	11/13
1996	11	11	11	11	1	1	5	5	—	1300	—
1997	12	13	12	13	—	—	7	7	—	80	—
1998	17	17	17	17	—	—	14	—	—	60	—
1999	30	30	15	15	—	—	3	3	—	30	—
2000	18	18	18	18	—	—	5	5	—	100	—
2001	20	22	20	22	—	—	6	8	—	480	—
2002	19	19	19	19	2	2	6	6	—	—	—
2003	12	26	12	26	—	—	7	21	—	80	—
2004	16	18	16	18	—	—	8	8	—	200	—
2005	12	15	12	15	—	—	2	3	110	60	12/15
2006	26	30	9	10	—	—	2	3	100	—	—
2007	26	32	7	7	—	—	—	—	—	140	8/8
2008	28	35	8	10	—	—	6	7	200	130	—

偷税抗税案件查处

1991—1996年,涉税案件属于检察机关管辖。此后,涉税案件从检察机关分离出去由公安机关管辖。期间,市检察院共受理偷税抗税案50件52人,立案查处21件21人。

所查处涉税犯罪案件中,偷税、抗税和虚开增值税发票案件居多,具有案值大、跨省作案等特点。1994年,余家乡税收专管员虚开增值税发票700多万元,被依法逮捕;1995年,根据湖北省有关方面提供的线索,检察机关历时60余天将虚开、代开增值税发票5000万元、从中牟利7万元的犯罪嫌疑人朱某从新疆押回贵溪;1996年,浙江籍何某虚开增值税发票122万元,从中牟取暴利后逃离贵溪。市检察院接到举报后,迅速派出干警到浙江等地蹲点守候,经过一个星期努力,将何某抓获归案,为国家挽回经济损失3.8万元。

第六节　渎职侵权检察

侵权案件

1991—2008年,市检察院共立案查处侵权案件52件54人。

市检察院将刑讯逼供、非法拘禁、破坏选举等国家机关工作人员严重侵犯公民人身权利和民主权利案件作为查处重点,办理一批社会反响强烈案件。1996年,周坊镇长塘村长塘村小组在选举镇人大代表时,吴某因落选而撕毁选票,导致选举中断。通过立案侦查,对吴某依法进行逮捕,提起公诉,这是检察院建院以来查办的首例破坏选举案;市公安局李某为小团体利益,以犯人家属要交伙食费为由,不释放犯人。市检察院接到举报后，及时予以核查，依法纠正；市城管监察大队3名行政执法人员非法拘禁案，18天侦结并移送审查起诉，3名被告人均获有罪判决。

渎职案件

1991—2008年，共立案查处渎职犯罪案件20件20人。

渎职案件对象是国家机关工作人员，他们懂法律、知政策、有关系，查处阻力大、干扰多，市检察院领导高度重视，亲自挂帅，力排阻力、顶住干扰，每一起案件都顺利查处。县烟草公司曹某特大玩忽职守案，院党组及检委会多次研究、讨论、指导办案，成功查办该起案件。1993年7月25日凌晨，贵冶公安局经警中队张某在本厂熔炼车间开枪击毙盗铜人，法纪科干警全员出动，开展调查取证等工作，使这起轰动全市的案件得到快速处理；1994年，志光镇中源村礼堂倒塌压死7名学生，没有人报案，办案部门听到传言后即通过电话核实，随后连夜组织干警赶赴事故现场进行勘查，走访群众，掌握事实真相。通过技术部门鉴定，最终查清事故原因，分清事故责任，将直接责任人依法起诉到法院；1996年，办案部门受到省院通报表彰。随后余江县公安局某派出所负责人彭某徇私舞弊案，市调纠办主任童某徇私舞弊案、市盐业专卖公司负责人闵某对单位走私盐放任自流、从中渔利的徇私舞弊案；鹰潭市塔桥园艺厂实业公司王某、罗河供销社汪某、市粮食局新田粮管所周某、贵华铜材公司刘某、贵溪化工厂原料公司刘某、市副食品公司姜某玩忽职守等大批案件被办结。市公安局滨江分局民警舒某在主办一盗窃案中，参与刑讯逼供，造成一死三伤的严重后果，该局局长季某对此负有渎职责任，市检察院依法对舒某、季某分别以刑讯逼供罪、玩忽职守罪立案侦查，予以逮捕和提起公诉，案结后，受害者所在村广大群众自发给检察院送来一面绣有“严格执法，为民作主”锦旗。

2001年，新《中华人民共和国刑法》修订后，市检察院渎职检察工作面临领域新、案源少、层次高、要求严、侦查难新形势，主动出击，深挖案源，一举在地税部门立案侦查两起地税干部以“情”代征、以“私”代征、不征、少征贵溪银矿24万元税款案、在林业部门立案侦查叶某非法发放林木采伐许可证案等新类型犯罪案件，使渎检工作在查处案件方面有新突破。

1991—2008年全市渎职侵权案件查处一览

表20－4

年份	受案		立案		玩忽职守		非法拘禁		刑讯逼供		徇私舞弊		其他		移送起诉		挽回经济损失（万元）	免诉（不诉）	
	件	人	件	人	件	人	件	人	件	人	件	人	件	人	件	人		件	人
1991	15	17	7	8	2	2	1	2	—	—	—	—	4	4	—	—	—	—	—
1992	17	20	8	8	4	4	3	3	1	1	—	—	—	—	—	—	64	3	3
1993	17	23	4	4	—	—	—	—	—	—	—	—	1	1	2	2	—	5	7
1994	14	14	2	2	—	—	—	—	—	—	1	1	1	1	1	2	—	—	—
1995	9	9	6	6	1	1	2	2	—	—	—	—	3	3	—	—	—	—	—
1996	14	15	12	13	6	6	—	—	—	—	4	5	2	2	3	3	53	5	5
1997	11	11	6	6	—	—	—	—	—	—	—	—	—	—	1	1	30	—	—
1998	3	3	3	3	1	1	—	—	1	1	—	—	—	—	2	2	—	—	—
2000	5	5	2	2	—	—	—	—	—	—	1	1	1	1	—	—	—	—	—
2001	—	—	3	3	—	—	—	—	—	—	2	2	1	1	—	—	24	—	—
2002	14	14	10	10	5	5	1	1	—	—	—	—	4	4	7	7	—	—	—
2003	3	3	3	3	—	—	3	3	—	—	—	—	—	—	3	3	—	—	—
2004	3	3	3	3	—	—	—	—	—	—	—	—	—	—	—	—	—	—	—

续表 20－4

年份	受案		立案		玩忽职守		非法拘禁		刑讯逼供		徇私舞弊		其他		移送起诉		挽回经济损失(万元)	免诉(不诉)	
	件	人	件	人	件	人	件	人	件	人	件	人	件	人	件	人		件	人
2005	3	3	—	—	—	—	—	—	—	—	—	—	—	—	—	—	—	—	—
2006	—	—	1	1	—	—	—	—	—	—	—	—	—	—	—	—	—	—	—
2007	2	2	1	1	1	1	—	—	—	—	—	—	—	—	—	—	—	—	—
2008	1	1	1	1	—	—	—	—	—	—	—	—	1	1	1	1	—	—	—

第七节　监所检察

市检察院通过检察看守所执行法律政策情况，纠正违反法律政策行为，保障国家法律政策正确实施；通过检察人犯、罪犯接受改造教育情况，打击重新犯罪活动，维护监管改造秩序，保障惩罚和改造教育工作顺利进行；通过正确处理人犯、罪犯及其家属申诉和控告，保障人犯、罪犯合法权益。

看守所监督

1991—2008 年，院领导赴看守所检察 256 天(次)；进行日常性巡视 360 天(次)，驻所干警开展以安全为主专题检查 100 余次；找人犯谈话 1000 人(次)；召开“小三家”(驻所检察室、看守所、武警中队)联席会议 200 余次；上专题法制教育课 48 次；找人犯谈心 500 余人(次)；对看守所干警、武警战士口头提出违法纠正意见 260 人次，发出书面纠正意见 36 份，发出书面检察建议 20 余份，检察干警驻所检察 4800 余天(次)。

市检察院监所检察方式主要是召开联席会议、日常巡视、上专题法制教育课、安全大检查、提出纠正违法意见或建议、找人犯谈话。1998 年以后，监所检察步入规范化，认真填写每日“一志八表”(看守所检察工作日志；检察看守所收押犯罪嫌疑人违法情况登记表；检察看守所释放、变更强制措施违法情况登记表；检察看守所羁押人犯起期羁押情况登记表；检察看守所执行判决、裁定违法情况登记表；检察看守所管理活动违法情况登记表；检察发现在押人员犯罪、立功情况处理登记表；受理看守所在押人员及其家属控告、申诉登记表；检察发现看守所重大问题报告表)。2007 年，监所检察注入科技含量，健全监所检察信息化建设，对每名罪犯量刑、执行时间登记造册备查，把各诉讼阶段信息输入微机，不断增强发现和纠正监管活动及刑罚执行中违法行为的能力；2008 年，认真落实高检院制定的监所检察工作“四个办法”(监狱检察办法；看守所检察办法；监外执行检察办法；劳教检察办法)，坚持日常监督与专项检察相结合，加大对变相超期羁押、违法留所服刑、侵犯在押人员合法权益等突出问题的监督。通过监所检察，发现并及时纠正一些看守人员违法违纪问题，保障在押人员合法权益，1993 年，对看守所个别看守人员使用自制刑具(木夹板)体罚人犯、超期羁押及违法关押等问题进行纠正；1994 年，发现有的武警战士利用查监号打骂体罚人犯，及时进行查处。张某等人敲诈勒索一案，检察院发现严重超期羁押后，向办案单位发出书面纠正违法通知书；汪某因妨害公务罪被刑事拘留 143 天，严重超期羁押，市检察院立即发出违法通知书并予以纠正；杨某抢劫一案，因证据不足作出不捕决定后，未及时释放，即发出纠正违法通知书并得到纠正；对 2005 年以来所关押的未成年人犯进行专项检查，针对存在混押混管情况，提出检察建议督促看守所整改。看守所采纳后调整管教民警和羁押场所，对未成年人实行单独关押。

监外执行罪犯和监所内犯罪监督

监外执行罪犯包括被判处管制、剥夺政治权利、宣告缓刑、暂予监外执行(含保外就医)、假释等 5 种罪犯，也称对“五种人”检察监督。1991—2008 年，共对 1000 余名监外执行人犯进行回访考察，落实帮教措施,查处监外执行人犯重新犯罪5人,对28名不符合保外就医条件人犯全部收监执行。2007年以后,强化对监外执行罪犯执行情况监督,制定《关于开展核查纠正监外执行罪犯脱管、漏管专项行动的实施方案》,对全市监外执行罪犯底数进行核查统计,对执行机关执行情况进行专项检查,对存在的问题进行纠正。故意伤害案犯浦某,在缓刑期间又故意伤害他人,被依法收监执行并判处有期徒刑5年。

第八节 控告申诉检察

市检察院通过处理群众来信、接待人民群众来访、查办控申案件,纠正冤假错案、维护社会稳定,保护公民人身权利、民主权利和其他合法权益。

接待信访受理举报

1991年,市检察院将控告申诉业务从办公室分离,成立专门控告申诉检察科,配备专职人员,制定"首问责任制""限时办结制""接待人员守则""举报工作保密制度""检察长接待日"等制度,做到件件有记录、有查处、有反馈、有结果。1991—2008年,市检察院共接待受理信访件2180件(次),受理举报线索832件次,初查104件,经初查移送立案39件,奖励举报有功人1名,依法处理一起报复举报人案件。

申诉案受理和举报初查

1991—2008年,共受理申诉案14件,举报初查203件,审查刑事赔偿案6件(次)。

市检察院重视涉检涉法申诉信访案件处理,做到认真、及时、慎重,以此化解社会矛盾,促进社会和谐。对2003年以来涉法上访申诉案进行一次专项排查清理,集中受理涉法上访申诉案件6起,审结6起,有效防止进京上访。2005年,梳理并妥善处理胡某不服对叶某、江某不起诉案、喻某要求退还扣押款案等3件涉检上访案件;2006年,办理刑事赔偿案2件4人,赔偿金额为11.6万元,当年被高检院授予"全国检察机关涉检信访专项活动先进单位",2008年2月,被高检院评为"全国文明接待室"。

第九节 民事行政检察

民事检察业务,1991年尚未列入检察院业务范围。1993年,市检察院民事行政检察科挂牌成立。1993—2008年,受理民行申诉案69件,立案46件,提请抗诉或建议提请抗诉33件,改判4件,在做好抗诉工作同时,贯彻"有限救济"司法理念,对不符合抗诉条件民行申诉案件,做好当事人说服教育工作,促其息诉罢访,共息诉申诉案30余件。

民事行政检察是检察机关一项全新业务,1993年开展此项业务之初,处于探讨、摸索之中。当年,民行科向县法院成功抗诉一起行政判决申诉案件。该案由鹰潭市中级人民法院裁定撤销一审判决,发回县法院重审,成为江西省检察机关抗诉成功的首例申诉案件,填补全省行政审判法律监督的一项空白。当年,院民行科被省、鹰潭市院评为先进单位。经过总结司法实践经验,民行检察触觉向更深领域和更广阔空间延伸,将民行检察工作纳入反腐斗争总体部署,在办理民行案件中发现和查处徇私舞弊案1件、国有资产流失案1件,向违纪人员单位发出应给予违纪人行政处分检察建议1件。2008年,尝试开展民事督促起诉工作,建议贵溪国土局加大对土地出让金收缴力度,共协助收缴土地出让金2737万元,有效防止国有资产流失。

第十节 检察技术

市检察院技术侦查科成立于1990年7月,2003年4月更名为检察技术科。2008年12月,技术检察科配备干警3名,其中副科长1名,干警2名,聘用网络管理员1名。

检验鉴定

加强与自侦、公诉等业务部门的交流与合作,积极将专业技术与法律实践相结合,协助本院办理职务犯罪案件和其他刑事案件。1991—2008年,共进行法医鉴定120件(次),进行文字鉴定13件(次),进行司法会计鉴定23件(次),协助清查账目80件(次)。2006年以来,落实高检院《人民检察院讯问职务犯罪嫌疑人实行全程录音录像制度的规定》,对30件职务犯罪案件40余人次进行全程同步录音和录像。

科技强检

2001年成立科技强检工作领导小组,制定科技强检发展规划。同年5月筹资12万元在鹰潭市政法系统率先建成一套审讯闭路监控系统,投资6万余元完成计算机网络布线工作。2005年以来,以新办公大楼建设为契机,大力强化信息化建设。截至2008年12月,建立职务犯罪办案区审讯监控室,购置职务犯罪侦查系统有关软件,建成具有检察特色的侦查指挥、审讯监控指挥等检察业务应用系统;配备通信指挥设备、物证检验鉴定设备、录音录像设备和安全保密防范设备;院检察委员会添置投影机;配备办案用车24台,传真机1台,扫描仪1台、数码照相机3台、摄像机2台。

信息化建设　1991年后,市检察院逐步由过去笔纸时代变现在电脑时代,做到台式电脑人手一台,有笔记本电脑10台,打印机10台;专线网、局域网、网络安全三项基本建设已完成;三级专线网视频会议系统改造、外网门户网上举报内网信息发布、电子邮件、法律法规查询等基本应用系统均已完成,基本实现以计算机网络技术为核心的办公自动化和办案现代化。

第十一节　司法警察

市检察院司法警察大队成立于2003年4月,与检务科合署办公,主要承担执行传唤、执行强制措施、押送、看管、送达司法文书、参与追逃、保障办案安全等工作。大队成立之初3人,至2008年年底5人,其中大队长1名,司法警察4名。2007年开始,以争创司法警察编队管理示范单位活动为载体,不断强化职能,规范管理,加强装备建设和队伍建设,设立办案工作区,配备小型囚车。至2008年年底,司法警察大队共执行传唤156人(次),协助执行强制措施48人(次),押送48人(次),看管144人(次),维护群众来访场所秩序8次,送达168人(次),协助追捕职务犯罪嫌疑人20余名。

第二章　审　判

第一节　机　构

1991年1月,贵溪县人民法院坐落在原雄石镇西街解元坊36号;内设刑事审判庭、民事审判庭、经济审判庭、行政审判庭、告诉申诉审判庭、办公室、政工科、基层人民法庭8个机构。1992年5月迁至沿河路东8号新大楼办公。为改变审判、办公硬件建设长期滞后状况,2005年市法院党组积极争取立项,经过报建、审批,于2006年8月15日在贵溪市府东路奠基动工,2008年年底,建成一座占地面积13320平方米,建筑面积11000平方米的集审判、办公为一体的审判大楼,2009年3月25日迁址新楼办公,总投资2078万元。

院机关内设机构

1991年以后,法院内设机构先后作相应调整或增设。1993年10月增设执行庭;1996年3月,设立纪检监察室(与政工科合署办公);1996年4月,设立司法警察中队。1996年10月,贵溪撤县设市,县法院更名为市法院,内设机构也同时改称。1998年3月,增设研究室(与政工科合署办公);1998年7月,纪检监察室与政工科分离,市委正式为市法院调配专职纪检组长;2001年1月,撤销司法警察中队,升级为司法警察大队,同年4月,撤销执行庭,更名执行局,同时设立审判监督庭、立案庭、民事审判第一庭、民事审判第二庭、民事审判第三庭,撤销告诉审诉审判庭、民事审判庭、经济审判庭。2002年6月,撤销研究室;2004年7月,增设少年法庭(与刑事审判庭合署办公)和执行二庭(非诉案件执行庭)。

2008年12月31日，贵溪市人民法院共14个内设机构，即办公室、政工科、纪检监察室、刑事审判庭、民事审判第一、三庭、民事审判第二庭、行政审判庭、审判监督庭、立案庭、执行局、法警大队、少年法庭、执行二庭、基层人民法庭。

贵溪市人民法院审判大楼落成典礼

基层法庭

1991年，贵溪县法院下设滨江、上清、文坊、塘湾、雷溪、志光、泗沥7个基层人民法庭。1993年8月，增设龙虎山人民法庭；1997年4月至2001年4月，市法院先后撤销文坊人民法庭、龙虎山人民法庭和滨江人民法庭；塘湾人民法庭迁址金屯镇，更名为金屯人民法庭。

至2008年12月，市人民法院共下设上清、金屯、雷溪、志光、泗沥5个基层人民法庭。

法庭分布　上清人民法庭成立于1957年1月，辖区为上清镇、龙虎山镇、冷水镇、耳口乡、余家乡、彭湾乡、上清林场、耳口林场、冷水林场、冷水银矿和龙虎山风景旅游区管理局，共3镇3乡三林场1局1矿，面积达769平方公里，人口约9万人，法庭民警4人。

金屯人民法庭前身为塘湾人民法庭。1953年9月，设立塘湾巡回法庭，1956年5月成立塘湾人民法庭，1997年4月更名为金屯人民法庭。辖区为金屯镇、塘湾镇、文坊镇、樟坪畲族乡、双圳林场、西窑林场，共3镇1乡2林场，人口近10万人，法庭民警4人。

雷溪人民法庭成立于1989年7月，辖区为雷溪乡、罗河镇、流口镇1乡2镇及童家鱼种场、地质11队、265队，人口约10万人，法庭民警4人。

志光人民法庭成立于1980年6月，辖区为志光镇、鸿塘镇、原金沙乡、硬石岭工程管理局、塔桥园艺场，人口约10万人，法庭民警4人。

泗沥人民法庭前身泗沥巡回法庭，1954年3月设立，1956年5月成立泗沥人民法庭，辖区为泗沥镇、河潭镇、周坊镇、白田乡、三县岭林场、河潭垦殖场3镇1乡2场，人口约10万人，法庭民警4人。

法庭建设　1991年后，市人民法院所有法庭相继结束在简陋破旧房内办公的历史。1994年年底建成金屯人民法庭审判办公楼并交付使用；1996年10月，志光、雷溪人民法庭审判办公楼先后建成并交付使用；1998年8月，泗沥人民法庭审判办公综合楼建成并交付使用；2000年年底，上清人民法庭审判办公综合楼建成并交付使用；2006年7月，重新兴建金屯人民法庭审判办公综合大楼，占地面积1300平方米，房屋建筑面积754平方米；2008年年底，重新建成志光人民法庭审判办公综合大楼，占地面积2400平方米，房屋建筑面积720平方米。

第二节　队伍建设

1991年，贵溪县人民法院有在编干警58名（含职工2名），配备一正两副院长，有副科级以上干部16名，党员干部33名。

1991—2008年，院党组始终如一抓班子，带队伍，坚持内强素质，外树形象，不断强化队伍建设。

思想政治建设

坚持党组中心组学习制度，干警月、周政治学习日制度。坚持集体领导，贯彻民主集中制原则，班子成员定期召开民主生活会，开诚布公，坦诚相见。以上级机关倡导的各种教育活动为载体，因势利导开展思想政治教育工作。1991—1994年，开展“严格执法，热情服务”；“整顿作风 廉洁办案”；“学习孔繁森，主动为民服务”等中心内容主题教育活动，着重解决干警工作中存在执法不严、办案不公、作风不实、服务意识不强等问题。1995—1999 年,根据最高人民法院、省委政法委、省高级人民法院部署,开展“审判质量年”;“创十佳基层单位、十佳政法干警”、“集中教育整顿”、“争创人民满意的好法院、争当人民满意的好法官”活动。通过开展这些活动,办案质量明显提高,“为谁执法,为谁服务”思想进一步增强,全体干警人生观、世界观、价值观有新转变。泗沥法庭被江西省高级法院评为“双争创”先进集体;上清法庭庭长邓金发被最高法院评为“人民满意好法官”光荣称号。2000 年,开展全国性讲学习、讲政治、讲正气“三讲”教育活动,领导班子成员带头剖析思想,查摆问题,提出整改方向。2001 年,开展“三个代表”重要思想学习教育活动,全省政法干警“星级创优”活动。2002 年,根据最高人民法院、省高级人民法院部署,开展“转变审判作风年”“公正与效率年”活动,邓金发又被评为全国法院系统“指导人民调解”先进工作者。2003—2004 年,开展“公正司法树形象”“争创学习型法院、争当学习型法官”以及“规范司法行为,促进司法公正”专项整改活动;2005 年,开展保持共产党员先进性教育以及“社会主义法治理念”教育活动,官盱华荣获全国法院系统“优秀执行员”称号。2006—2008 年,开展“机关作风建设年”和“江西要崛起,政法干警怎么办”大学习大讨论等活动。其间,金屯法庭被评为全省优秀人民法庭;市法院被评为全省优秀人民法院;志光法庭被省高级法院、省司法厅联合授予“指导人民调解工作”先进集体。2008 年,省委政法委就“社会公众安全感”对全省政法机关进行民意测评,市法院排名第三位。

组织建设

1991—2008 年,市法院领导班子成员由 1991 年的 5 人壮大到 8 人。其间,更换 3 任院长,先后调配和提拔 9 人任副院长或纪检组长;院审判委员会成员由 1991 年的 7 人到 2008 年的 8 人,其中一人为专职委员,党员干部(在职)由 1991 年 33 名发展到 63 名;副科级以上干部由 1991 年 16 名发展到 33 名。为切实加强全国政法干部队伍建设,1999 年 4 月 15 日,中共中央中发〔1999〕6 号文件作出《关于进一步加强政法干部队伍建设的决定》。特别强调加强各级政法机关政工部门与纪检监察部门建设,明确规定各级政法机关政工部门的主要干部由同级副职兼任或同级副职专任。最高人民法院 1999 年 7 月 29 日法发〔1999〕22 号文件作出关于贯彻中共中央中发〔1999〕6 号文件精神的若干意见。《意见》规定:各级人民法院的政治部主任、纪检组长要由副院长级干部担任,任免政治部主任、纪检组长要征得上级人民法院同意,任免副主任、副组长要向上级法院备案。2004 年,由全市各乡(镇)党委、街道工委推荐,市法院考核,呈报市人大常委会任命 29 名人民陪审员。为加强基层基础建设,解决基层干警职级待遇问题,2005 年,江西省编制委员会下达文件,明确全省法院各基层人民法庭升格为副科级单位。随后贵溪市编制委员会以贵编字(2005)2 号转发此文。

纪律作风建设

1991—2008 年,市法院党组狠抓干警纪律作风建设,以人为本,做到警钟长鸣,防患未然。1991—1995 年,以最高法院制定颁布的人民法院干部“八个不准”(不准主观臆断;不准徇私枉法;不准贪赃枉法;不准吃请受礼;不准索贿受贿;不准经商牟利;不准欺压群众;不准泄露秘密)为行为准则,要求干警身体力行。其间,有一干部因生活作风不检点被调离审判岗位;有一预备党员因要求自己不严,被延期一年转正。1996—2000 年,贯彻执行中央政法委、省委政法委制定并颁发的政法干警“三条禁令”(绝对禁止政法干警接受案件当事人请吃喝,送钱物;绝对禁止对告状求助群众采取冷漠、生硬、蛮横、推诿等官老爷态度;绝对禁止政法干警打人骂人,刑讯逼供等违法违纪行为)和“三个严禁”(严禁任何人为犯罪分子说情开脱罪责;严禁任何人设置障碍干扰依法办案;严禁司法人员徇私舞弊、贪赃枉法),大力开展纪律教育,促进干警作风转变。2001—2008 年,深入贯彻《中华人民共和国法官法》规定,严格执行法官“十三个不得有”行为(①散布有损国家声誉的言论,参加非法组织,参加旨在反对国家的集会、游行、示威等活动,参加罢工;②贪污受贿;③徇私枉法;④刑讯逼供;⑤隐瞒证据或伪造证据;⑥泄露国家秘密或者审判工作秘密;⑦滥用职权,侵犯自然人、法人或者其他组织的合法权益;⑧玩忽职守,造成错案或者给当事人造成严重损失;⑨拖延办案,贻误工作;⑩利用职权为自己或者他人谋取私利;⑪从事营利性的经营活动;⑫私自会见当事人及其代理人,接受当事人及其代理人的请客送礼;⑬其他违法乱纪的行为)和最高法院颁布的“五个严禁”(①严禁接受案件当事人及相关人员的请客送礼;②严禁违反规定与律师进行不正当交往;③严禁插手过问他人办理的案件;④严禁在委托评估、拍卖等活动中徇私舞弊;⑤严禁泄露审判工作秘密),不断加大内部纪检监察和外部开门纳谏力度,坚持惩戒与教育相结合,用制度管人。由于常抓不懈,管理从严,长期以来,没有干警因违反规定受到党纪政纪处分。

法官专业化建设

1991年,市人民法院58名干警中仅有7人大专毕业以上学历,占干警总数11%,且都是“回炉生”。2008年年底,有本科毕业以上学历44人,占干警总数58%,其中学士学位6人,硕士学位4人,还有3人在职攻读硕士研究生,具有大专学历32人,其中20人通过国家法官学院举办的专升本专项教育培训,12人正参加专升本学习。随后,根据法官队伍准入要求高,对法官实行严格等级评定,至2008年年底,市人民法院共有法官57名,其中高级法官16名,一级法官10名,二级法官15名,三至五级法官16名。

第三节　审判改革

1999年和2004年,最高人民法院分别制定并颁布第一个、第二个《人民法院五年改革纲要》。根据2个“纲要”精神,市法院积极稳妥地推行审判方式改革。

实行公开庭审

凡依法应当公开审理的案件,一律实行公开开庭审理。让当事人有话在庭上说,有证在庭上举,有理在庭上讲。法官当庭查清案件事实,明断是非责任,并当庭作出裁决。同时允许公民旁听,记者采访,电视台直播,适时邀请人大代表,政协委员旁听。让法院审判全过程阳光透明,置于社会广泛监督之中。

强化公诉人和当事人举证责任

修改后的《中华人民共和国刑事诉讼》法规定:指控和证明犯罪的责任由公诉人承担。法庭质证和辩论完全在控辩双方之间展开,全部庭审活动都在法官指挥下进行。民商事审判,则要求当事人提供证明自己的主张真实、合法,并经过当事人相互质证,法官通过法庭调查来审核认定证据,最后决定采信与否。

审判统一与立审、审执、审监分离

根据法律规定:合议庭和独任庭是人民法院审理案件基本组织形式,由其对案件进行审理并依法作出裁决。既赋予权力,又增强责任,改革以往“审者不判”“判者不审”,审与判相脱节传统弊端。

实行立审分立、审执分立、审监分立,贯彻职责明确,分工合理,运作有序的审判原则,把案件立案权、审判权、执行权、监督权,分别赋予立案庭,对口审判业务庭、执行庭、审判监督庭,使之各司其职,相互配合,相互制约。改变过去各业务庭和案件承办人自立自审、自审自执、个人包案,缺乏监督的审判格局。

实行审判案件流程管理

全院一盘棋,由立案庭或其他专门机构对立案、送达、开庭、结案、执行等各个环节跟踪流程管理,及时掌握个案审理情况,督促案件按时审判。同时,实行排期开庭,纠正以往案件久拖不审、审而不决,超法定审限的审判作风。

建立健全审判监督体系

司法公正是社会公平正义的基本要求,法官又是公平正义的化身。为有效防止审判权、执行权滥用,1998年9月,最高人民法院制定和颁布《人民法院审判人员违法审判责任追究办法(试行)》和《人民法院审判纪律处分办法(试行)》。市法院以“两个办法”为契机,结合实际进一步完善制度建设,用制度管人,同时加大内部违法审判、违法执行查处力度。将案件受理范围、办案程序、办案纪律、收费标准等上墙公示,接受社会公众和案件当事人监督。

改革裁判文书

裁判文书质量高低是人民法院司法专业化水平优劣的集中体现。改革前的裁判文书制作格式化,千篇一律化,忽视说理,当事人对为什么这样判心中无底。改革后的裁判文书注重对案情事实、证据的分析,突出裁判理由的阐述,让当事人一目了然。赢要赢得堂堂正正,输要输得明明白白。从而心服口服,息诉止争。

第四节 立案工作

市人民法院积极创造条件、认真推行审判方式改革,实行全院上下统一立案,然后根据案件类型,归口交付审判。改革过去审判职责不分,争立简单案,抢审容易案、标的大的案,而推诿复杂疑难案、棘手骨头案,导致人民群众“告状难”。1991 — 2008 年,共受理刑事、民商事、行政、执行等各类案件 38349 件,其中刑事案件 2846 件,民商事案件 19153 件,行政案件 406 件,再审案件 81 件,执行案件(含非诉执行)15863 件。

1991—2008 年全市各类案件立案一览

表 20－5　　单位:件

年份	合计	刑事	民商事	行政	再审	非诉	执行
1991	1158	104	709	17	—	—	328
1992	1285	104	609	38	1	—	533
1993	1067	93	831	34	4	—	105
1994	1479	100	1300	12	7	—	60
1995	1895	133	1017	22	4	53	666
1996	2603	162	1267	34	4	65	1071
1997	2280	101	1201	38	8	13	919
1998	2234	102	1016	21	13	30	1052
1999	3123	142	1113	34	10	45	1779
2000	2303	139	1007	25	7	17	1108
2001	2361	164	1185	22	4	11	975
2002	1841	203	955	25	—	36	622
2003	1976	189	933	14	8	30	802
2004	2383	197	1140	18	6	53	969
2005	1518	195	748	13	3	104	455
2006	1391	230	744	10	1	68	338
2007	4479	203	1547	16	—	1258	1455
2008	2973	285	1831	13	1	210	633

第五节 刑事审判

1991 年以来,市人民法院始终贯彻依法从重从快“严打”方针,以故意杀人、故意伤害、抢劫、强奸、重大盗窃等严重危害社会治安的暴力犯罪和贪污、贿赂等经济犯罪为打击重点,严厉打击各类刑事犯罪。

1991—2008 年,审结各类刑事案件 2516 件 3677 人,其中盗窃 676 件 1133 人,抢劫 330 件 610 人,强奸 84 件 91 人,故意伤害 449 件 501 人,交通肇事 166 件 168 人,贪污贿赂 79 件 88 人,诈骗 54 件 81 人,其他案件 678 件 1005 人。

1991—2008 年全市刑事案件审判一览

表 20－6

年份	合计		盗窃		抢劫		强奸		故意伤害		交通肇事		贪污贿赂		诈骗		其他	
	件	人	件	人	件	人	件	人	件	人	件	人	件	人	件	人	件	人
1991	96	152	35	51	24	55	5	6	11	11	—	—	7	7	4	5	10	17
1992	98	136	21	43	16	30	7	7	21	21	—	—	5	5	3	4	25	26
1993	88	146	24	35	14	42	3	3	24	27	—	—	—	—	—	—	23	39
1994	90	124	26	46	24	34	9	9	16	18	2	2	3	4	—	—	10	11
1995	119	192	29	53	18	33	7	8	19	20	2	3	7	7	3	6	34	62
1996	138	195	45	81	20	31	9	9	23	23	—	—	10	12	—	—	31	39
1997	94	136	25	47	3	5	9	9	34	38	—	—	2	3	3	4	18	30
1998	94	147	31	66	9	17	4	4	26	26	2	2	2	3	2	2	18	27
1999	123	170	38	60	3	3	8	9	26	31	4	4	3	3	6	12	35	43
2000	114	173	38	60	19	40	3	4	22	24	5	5	—	—	5	9	22	31
2001	149	194	32	44	31	42	2	2	24	25	13	14	4	4	3	8	40	55
2002	166	247	37	50	13	21	3	3	38	43	10	10	8	12	2	3	55	105
2003	163	229	39	58	21	38	1	1	33	36	—	—	3	3	4	5	52	88
2004	188	291	43	92	27	46	2	3	22	25	—	—	4	4	2	2	38	119
2005	168	229	50	74	31	52	4	6	26	35	29	29	5	5	5	7	18	21
2006	209	294	51	86	20	39	3	3	29	35	37	37	7	7	3	4	59	83
2007	170	262	46	82	15	36	2	2	24	28	31	31	4	4	4	4	44	75
2008	249	360	66	105	22	46	3	3	31	35	31	31	5	5	5	6	86	129

第六节 民商事审判

民商事审判工作历来是人民法院审判工作重头戏，市法院把化解好民事纷争作为维护社会平安和谐头等大事来抓，贯彻“能调则调、当判则判、调判结合、案结事了”方针。

原告卢某诉被告周坊镇岭脚村委会拖欠工程款纠纷一案，卢某与周坊镇岭脚村委会多年前签订合同，承包建造村委会新办公楼。办公楼建好后，村委会未支付工程款，卢某催要工程款五六年未果，多次到鹰潭市有关单位上访，并扬言继续越级上访。卢某诉至法院后，办案法官及时召集周坊镇政府领导、岭脚村委会干部和卢某座谈，了解双方困难和纷争所在。认真听取双方意见后，经过多方协调，历尽周折，最后促使双方达成协议并当场兑付全部工程款，力促案结事了。

对一些经多次调解无效案件，法官根据“当判则判”原则，查清事实后，依照法律及时作出判决。原告汤某、胡某诉被告徐某等 5 人人身损害赔偿纠纷一案，2008 年 6 月 1 日 7 时许，二原告仅一岁半的儿子汤某在自家门前玩耍，不小心掉进 5 被告挖的水沟中溺水身亡。二原告诉至法院，要求 5 被告共同赔偿死亡赔偿金 44.6 万元、精神损害抚慰金 8 万元、丧葬费、误工费等 13000 元，共计人民币 53.9 万元。此案经审理查明：5 被告共同在街道旁挖沟，沟内有积水约 60 厘米，沟边又未设置警示标志或采取其他安全防护措施，对二原告之子溺水死亡事故的发生负有不可推卸责任，但二原告之子年仅一岁半，让其独自出门玩耍，掉进水沟中溺水身亡，原告也没有尽到监护责任，对事故的发生亦负有一定责任。经多次协商调解，未能达成协议，法官依法作出判决：由五被告共同赔偿二原告死亡赔偿金 81960 元、丧葬费

9200元、误工费600元、交通费400元,合计92160元。承担70%之责,即64512元,同时赔偿二原告精神损害抚慰金20000元。对二原告不合理诉求不予支持。

1991—2008年,共审结各类民商事案件17187件,其中婚姻纠纷案件6249件,人身损害赔偿纠纷案件1330件,民间借贷纠纷案件3048件,财产纠纷案件387件,赡养纠纷案件256件,继承纠纷案件63件,各类合同纠纷案件2996件,支付令1681件,其他案件1177件。

1991—2008年全市民商事案件审判一览

表20－7　　单位:件

年份	合计	婚姻纠纷	赔偿纠纷	债务纠纷	财产纠纷	赡养纠纷	继承纠纷	合同纠纷	支付令	其他
1991	515	210	49	58	21	10	12	97	—	58
1992	562	187	52	121	30	7	4	89	—	72
1993	680	286	62	81	—	13	5	161	—	72
1994	1089	251	55	91	11	16	8	176	457	24
1995	976	281	33	209	12	14	3	145	235	44
1996	1120	379	60	90	—	—	7	386	159	39
1997	1100	376	48	184	10	26	2	179	200	75
1998	1048	387	65	151	13	13	—	136	141	142
1999	1026	404	65	108	—	—	—	171	121	157
2000	872	292	73	250	15	23	—	105	—	114
2001	1019	418	96	281	16	21	—	91	—	96
2002	824	368	103	193	10	15	—	76	13	46
2003	855	427	81	216	37	—	—	54	—	40
2004	1039	507	126	209	31	18	3	78	29	38
2005	675	301	69	112	23	14	4	62	56	34
2006	657	295	58	123	34	16	2	73	27	29
2007	1402	423	127	296	65	28	7	302	89	65
2008	1728	457	108	275	59	22	6	615	154	32

第七节　行政审判

1990年10月1日,《中华人民共和国行政诉讼法》施行。市法院及时组建行政审判庭,积极开展行政审判这一全新工作。大胆受理、慎重裁判每一起"民告官"案件,依法保护行政相对人合法权益,依法及时纠正行政机关违法行政行为。坚持协调为主,树立行政机关威信,维护法律尊严。徐某不服市公安局行政拘留一案,贵溪市政府因城市规划需要,原贵溪知青公司房屋拆迁,经过协商,知青公司职工代表已同意市政府拆迁方案,但在施工时,该公司职工徐某煽动并带领多人阻挠施工,严重影响拆迁工作顺利进行。经市公安局工作人员劝阻无效后,决定对其实施拘留5天行政处罚。徐某不服向法院提起行政诉讼。法院查明事实后,依法作出维持市公安局行政处罚决定的判决。行政审判工作既做到维护行政机关依法行政权威,又保护行政相对人合法权益。余某、郭某不服贵溪市公安局治安罚款、没收非法所得治安行政案件,经法院审理认为,原告余某、郭某参与赌博属实,应予处罚。但被告市公安局对处罚程序和对二原告罚没款不能举证,故依法判决撤销市公安局行政处罚决定,以维护二原告合法权益。

1991—2008 年，共审结各类行政案件 340 件，其中涉及公安 88 件、土地 75 件、林业 58 件、工商 11 件、城建 8 件、计生 14 件、交通 11 件、其他 75 件。

1991—2008 年全市行政案件审判一览

表 20－8　　　　单位：件

年份	合计	公安	工商	土地	林业	城建	计生	交通	其他
1991	11	5	—	3	1	1	—	—	1
1992	18	4	—	4	10	—	—	—	—
1993	31	5	—	7	18	—	—	—	1
1994	12	2	—	—	8	—	—	—	2
1995	22	3	—	4	9	1	—	—	5
1996	34	11	—	6	7	—	—	2	8
1997	37	9	—	10	4	—	1	3	10
1998	16	5	—	8	—	—	2	—	1
1999	30	6	3	15	—	—	—	—	6
2000	17	4	2	5	—	—	—	2	4
2001	19	6	—	—	—	—	—	3	10
2002	22	6	2	5	—	1	1	—	7
2003	11	2	—	1	—	1	1	—	5
2004	17	4	1	3	—	2	3	1	3
2005	11	3	—	2	—	2	2	—	2
2006	8	3	1	2	—	—	1	—	1
2007	13	7	—	—	1	—	2	—	3
2008	11	3	2	—	—	—	1	—	5

第八节　执行工作

1991—1992 年，江西省人大常委会作出《关于加强全省各级人民法院执行工作的决定》，江西省高级人民法院下发《关于法院开展集中执行月活动的意见》。1999 年，中共中央下发 11 号文件，解决人民法院“执行难”问题。随后，省、市、县都相继出台系列相关措施，全力解决好“执行难”顽症。市人民法院也集中人力、物力、财力，穷尽执行措施，讲究执行艺术，采取集中执行、重点执行、委托执行、发放债权凭证、公告敦促执行等方式方法解决“执行难”问题。

申请人张某等 51 人申请执行贵溪市素柏机耕队和海南金华林业有限公司拖欠劳务工资一案，两案被执行人欠张某等 51 人劳务工资计人民币 347090 元未付，张某等人多次到该单位催收都无功而返，张某等人向法院申请执行。法院受理后，领导高度重视，决定优先执行此案，并采取集中执行、重点执行等措施，执行人员克服重重困难，仅用 21 天就将全部款项执行到位，并全额兑付给申请人。对少数有执行能力而拒不履行生效判决裁定义务的被执行人，坚决依法予以强制执行。

申请人上清供销社申请执行该社职工薛某拖欠承包该社利润一案，经判决薛某应付上清供销社承包费 1500 元，判决生效后，上清供销社派人多次催薛某履行义务，薛某拒不履行，上清供销社只好向法院申请执行，执行人员多次上门对薛某进行说服教育，并言明拒不履行法定义务的法律后果，但薛某仍置若罔闻,薛某的行为已严重违反有关法律规定,执行人员依法果断对其采取强制措施,薛某在被拘留后第三天即交清全部欠款。

1991—2008年,共执行各类案件12631件、执行标的达14263.57万元,同时执行各类非诉行政案件1993件。

1991—2008年全市案件执行一览

表20－9

年份	执行数(件)	执行标的(万元)	非诉执行(件)
1991	328	233	—
1992	533	513	—
1993	93	57	—
1994	60	32	—
1995	666	630	53
1996	996	651	65
1997	919	1600	13
1998	1052	313	30
1999	1017	1783	45
2000	931	637	17
2001	975	1000	11
2002	622	760	36
2003	801	1057	30
2004	879	2012	53
2005	419	898	104
2006	322	719	68
2007	1432	656	1258
2008	586	710	210

第九节　审判监督

审判监督重点是审理法院内部已生效裁判确有错误的案件,解决好人民群众涉法涉诉信访、上访问题,切实做到“有错必纠”,杜绝冤假错案发生。吴某诉周某道路交通事故人身损害赔偿纠纷一案,上饶市汽车贸易公司作为肇事车的车主单位,被依法追加为被告,故原审判决周某负赔偿责任,上饶市汽车贸易公司负连带赔偿责任。判决生效后,上饶市汽车贸易公司不服判决,申请再审。法院在再审过程中,承办案件法官多次到上饶核实,最终查清周某在向上饶市汽车贸易公司购买汽车时属分期付款保留车辆所有权的事实,根据最高人民法院关于“购买人使用分期付款购买的车辆从事运输因交通事故造成他人财产损失,保留车辆所有权的出卖方不承担民事责任”相关规定,上饶市汽车贸易公司不应当负连带赔偿责任,原审判决该公司负连带赔偿责任属适用法律错误,依法应予改判,故再审判决上饶市汽车贸易公司不承担连带赔偿责任。

1991—2008年,共审理各类再审案件81件,其中刑事再审案件13件、民商事再审案件64件、行政再审案件4件。已审结的81件再审案件中,维持23件、改判49件、调解9件。

1992—2008 年全市再审案件审判一览

表 20－10　　　　　　　　　　　　　　　　　　　　　　　　单位:件

年份	合计	刑事案件	民商事案件	行政案件
1992	1	1	—	—
1993	2	—	2	—
1994	7	—	4	—
1995	4	3	1	—
1996	4	1	3	—
1997	8	2	5	1
1998	13	1	9	3
1999	10	1	9	—
2000	7	—	7	—
2001	6	—	6	—
2002	—	—	—	—
2003	8	—	8	—
2004	6	—	6	—
2005	3	1	2	—
2006	1	—	1	—
2008	1	—	1	—

说明:2007 年缺失统计资料。

第二十一卷 公安司法行政

第一章 公 安

第一节 机 构

1991年，贵溪县公安局址设县城南街民国时期原警察局院内。1993年9月，搬迁到城区建设路67号花园陈家新址。1996年10月，贵溪撤县设市后更名为贵溪市公安局。1991年，县公安局设局长1人、副局长3人、政委1人、纪委书记1人，内设机构有一科（政保）、二科（内保）、三科（治安）、四科（预审）、五科（消防）、户政科、出入境管理科（与一科合署办公）、秘书科、政工科、通信科、法制科、监察室（县监察局派驻与局纪委合署）、刑事侦查队、治安巡逻队。直属机构有交通警察大队和贵溪县看守所。派出机构有滨江分局、上清分局和雄石、上清（与分局合署）、新田、文坊、塘湾、高公、余家、滨江、河潭、周坊、志光共11个派出所。企事业公安机构有贵溪县公安局发电厂派出所；贵溪县公安局林业分局及下属上清、冷水、文坊三个林业派出所；贵溪县公安局冶炼厂分局；贵溪县公安局四建分局；贵溪县公安局化肥厂分局。

1991年以后，县公安局内设和派出机构的设立、撤并、变更及企事业公安管理体制都发生变化。1993年3月22日，县政府批复同意县公安局治安巡逻队更名为治安巡警队，雄石派出所与滨江分局合署办公，两块牌子一套人员。1994年10月22日，经县政府批准刑事侦查队更名为刑事侦查大队。经县政府同意和省公安厅批准，自1993年7月至1995年10月，分期分批相继成立雷溪、双圳、泗沥、耳口、塔桥、鸿塘、白田、流口、金沙、龙虎山共10个派出所，实现“一乡（镇）一所”。1995年11月，撤并五科（消防），成立消防大队（现役）。是年12月，雄石派出所与滨江分局脱钩，二科与滨江分局合署，两块牌子一套人员。经贵溪市政府同意和鹰潭市公安局批准，1996年4月19日，成立贵溪县公安局烧箕山派出所，为整合警力，将治安巡警队人员一分为二，分别充实到雄石和烧箕山派出所，巡警队自然解体。1997年3月24日，市政府批复同意成立贵溪市公安局治安警察大队和贵溪市公安局预审大队，公安局三科（治安）、四科（预审）自然撤销。当年8月18日，成立贵溪市公安局巡逻警察大队。1998年4月，成立贵溪市公安局经济案件侦查队。当年7月7日，江西省公安厅赣公复〔1998〕17号文件，同意成立贵市公安局龙虎山分局，将原贵溪市公安局上清派出所更名为贵溪市公安局龙虎山分局上清派出所，将原贵溪市公安局龙虎山派出所更名为贵溪市公安局龙虎山分局龙虎山派出所。当年11月26日，鹰潭市人民政府办公室鹰府办字〔1998〕178号关于印发《理顺龙虎山风景旅游区公安管理体制协调会议纪要》通知，龙虎山公安分局行政上（包括人、财、物）由鹰潭市龙虎山风景旅游区管理局管理，业务上由鹰潭市公安局和贵溪市公安局共同指导。贵溪市公安局龙虎山分局负责龙虎山风景旅游区管理局管辖范围的社会治安，行使治安管理权和刑事案件侦查权。执行公务时，统一使用贵溪市公安局签署出具的法律文书。错案追究、国家赔偿等执法责任由龙虎山公安分局承担，人犯羁押由贵溪市看守所承担。当年12月，公安机关实行“侦审合一”，预审大队撤销。1999年1月，成立贵溪市公安局警务督察大队。当年1月28日，贵溪市公安局龙虎山分局挂牌成立，其下属派出所同时更名，原贵溪市公安局上清分局自然撤销。当年，双圳派出所因负责人调离缺位，警力不足，撤并到文坊派出所。2000年1月5日，贵溪市人民政府第31次常务会议研究同意成立贵溪市公安局经济犯罪侦查大队。原贵溪市公安局二科（内保）和经济案件侦查队自然撤销，内保职能归属治安大队。2001年12月6日，贵溪市人民政府第66次常务会议研究同意，将市公安局一科更名为国内安全保卫大队。2002年，随着贵溪市部分乡（镇）合并，塔桥派出所撤并到鸿塘派出所，金沙派出所撤并到滨江派出所。根据省编委办赣编办发〔2000〕33号关于《企业单位公安机构体制改革核增公安行政编制的通知》和省公安厅、人事厅、财政厅赣公字〔2001〕304号《关于在企业单位公安机构体制改革中录用人民警察的有关工作意见》，贵溪市企业公安冶炼厂分局和发电厂派出所收编，2003年3月18日贵溪市人民政府第58次常务会议研究同意，组建贵溪市公安局铜都分局和贵溪市公安局东门派出所。此后，贵溪市企业公安机构全部撤销。2003年7月25日，贵溪市人民政府办公室贵府办发〔2003〕41号关于印发《贵溪市公安局职能配置，内设机构和人员编制规定》的通知，市公安局增设指挥中心、办公室、装备财务科和缉毒大队，撤销秘书科，通信科更名为信息通信科，刑事侦查大队更名为刑事警察大队。消防大队（现役编制）列人公安机构序列。森林公安分局列人市公安局序列，受主管部门和市公安局双重领导，为市公安局负责组织、指导、查处森林刑事案件和治安案件的职能部门，业务工作以市公安局领导为主。当年12月17日，省公安厅赣公复〔2003〕66号批复同意设立贵溪市公安局工业园派出所。2004年8月，经鹰潭市公安局批复同意，新田派出所更名为罗河派出所，高公派出所更名为金屯派出所。2006年9月，根据省机构编制委员会办公室赣编办发〔2006〕35号关于规范各县（市、区）森林公安机构名称的通知，贵溪市公安局森林公安分局更名为贵溪市森林公安局，同时挂贵溪市公安局森林警察大队牌子。当年11月10日，江西省高级人民法院、江西省人民检察院、江西省公安厅、江西省林业厅下发赣林公字〔2006〕361号《关于办理森林刑事、治安和林业行政案件有关规定》通知，从2007年1月起贵溪市森林公安局对森林案件行使调查、立案、侦查、采取强制措施、提请批准逮捕、移送审查起诉以及进行治安、林业行政处罚职权。2007年11月6日，贵溪市机构编制委员会贵编发〔2007〕21号通知，成立贵溪市拘留所。当年12月30日，鹰潭市公安局鹰公字〔2007〕103号批复，铜都分局更名为铜都派出所；滨江分局更名为花园派出所。根据贵溪市机构编制委员会贵编发〔2007〕22号、贵编办发〔2007〕23号通知，2008年1月，成立贵溪市公安局城市管理警察大队和贵溪市公安局特勤大队。

贵溪市公安局办公大楼

2008年，贵溪市公安局设局长1人、副局长5人、政委1人、副政委1人、纪委书记1人，内设机构有：指挥中心、办公室、政工科、装备财务科、户政科、出人境管理科、信息通信科、法制科、纪委（监察室）、警务督察大队、公安消防大队（现役编制，列人公安机构序列）；直属机构有：国内安全保卫大队、经济犯罪侦查大队、治安警察大队、刑事警察大队、缉毒大队、巡逻警察大队、特勤大队、交通警察大队、贵溪市看守所和拘留所；派出机构有：雄石、燒箕山、花园、铜都、东门、滨江、河潭、泗沥、白田、周坊、志光、鸿塘、流口、雷溪、罗河、金屯、塘湾、文坊、耳口、余家、工业园21个派出所和城市管理警察大队（派驻市城管局）。

第二节 队伍建设

1991 年,公安局在编人员 206 人,聘用合同民警 76 人。1992—2000 年,公安局增设 11 个派出所,成立巡警大队暨 110 报警服务台和经济犯罪侦查大队,增加事业编制民警 116 人,原合同民警解聘。2002 年,企业公安体制改革,收编录用民警 29 名。2004—2008 年聘用巡防队员 125 名,特勤队员 60 名。

市领导走访巡警大队

1992 年 7 月 1 日《人民警察警衔条例》和 1995 年 2 月 28 日《人民警察法》相继颁布施行后,公安队伍步人依法依规管理轨道。1992 年 10 月 23 日一11 月 13 日组织全局民警进行授衔前集中轮训,1993 年 4 月 28 日在县委小礼堂举行人民警察授衔仪式,首次授衔公安民警 176 人。1996 年 4 月开展"学济南交警、树良好形象"活动和爱岗敬业教育,设立便民服务窗口,推出便民、利民措施。1997 年 4 月,开展学习贯彻禁令条规,加强廉政建设,严格执法守纪教育活动。1998 ~ 1999 年,开展向"打拐"英雄施华山学习宣传活动。成立警务督察机构,对公安机关所属单位及其人民警察依法履行职责,行使职权和遵守纪律情况进行监督。结合 1998 年 8 月 12 日发生内保刑侦队办案人员刑讯逼供致犯罪嫌疑人死亡事件以及 1999 年 8 月 16 日民警邹某因婚外情持枪杀人事件,先后 2 次在全局开展纪律作风集中教育整顿活动。2000 年,在公安机关领导班子中开展"三讲"(讲学习、讲政治、讲正气)教育活动,制定"十条局规",规范民警行为。2001 年,按照公安部统一部署,开展以全心全意为人民服务宗旨教育,实事求是思想路线教育和严格、公正、文明执法为主要内容的"三项"教育活动。2002 年,开展贯彻执行公安部"五条禁令"和省公安厅"三项禁止"宣传教育活动。2003 年以来,坚持民警上岗和首任必训,职务和警衔晋升必训,基层和一线民警每年实战必训"三个必训"制度。2003 年组织开展"贯彻十六大,全面建小康,公安怎么办"大讨论和"社会主义法治理念教育"活动。2004 年开展全警大练兵活动,提高队伍执法水平和实战能力。2005 年,按照党中央统一部署,在公安机关开展为期半年的"保持共产党员先进性"教育活动。2006 年,开展"八荣八耻"社会主义荣辱观主题教育活动。2006—2008 年,在社会各界聘请警风监督员 19 名,开展"政风行风"评议活动。大力加强"抓基层,打基础,苦练基本功"的"三基"建设,组织民警学政治、学法律、学业务、学警务技能、学群众工作、学计算机使用、学公安科技,推行以业务、体能、信息化运用为主要考核内容的全警竞争上岗考试,提高队伍综合素质。2006 年,公安局代表鹰潭市公安机关参加大练兵比武竞赛,获全省第四名。2007 年 8 月,参加鹰潭市公安系统运用计算机技能竞赛,获团体第一名并囊括个人三个级别第一、第二名,同年 12 月,在全省公安机关开展"十百千"(评选十名破案专家、百名技能标兵、千名业务能手)活动中,有 14 位民警被评为"业务能手"称号,有 1 人被评为全省首批公安国保系统破案专家。1991 一 2008 年,公安民警获地厅级以上表彰,授予荣誉称号和记三等功以上共 339 人次,其中,全国先进工作者、公安系统一级英模 1 人,省部级劳模 3 人,获省部级表彰授予荣誉称号 22 人次,获地厅级表彰、授予荣誉称号 254 人次,记一等功 1 人次,二等功 7 人次,三等功 55 人次。公安民警因公负伤致残 7 人。因违法违纪被开除公职 2 人,被清调辞退 6 人。2008 年市公安局在职民警 382 人(其中授衔 378 人,未授衔 4 人),机关工勤人员 10 人。聘用巡防、特勤队员 185 人,交警协管员 34 人,共 219 人。

第三节　国内安全保卫

1991 年,县公安局设政保科(对外称一科),2001 年 12 月 6 日更名为国内安全保卫大队。

情报信息

1991 年,特别是进入 21 世纪以来,公安国保部门由以侦察破案为主转移到情报、侦察、保卫三位一体,以情报信息为中心。是年,共收集各类情报信息 96 条,其中重要信息 10 条,被公安部采用 1 条,被省、市公安和国家安全部门采用 9 条。根据所获情报信息,公安机关查清国(境)外敌对组织投寄和空飘反动宣传品 5 次,侦破发现案件 1 件,查明不立要查案件线索和问题 18 起,疏导化解群体性上访事件 3 次。收缴台湾当局利用夏季东南季风空飘"心战"气球 2 只,反动宣传单近万份和一批衣物、食品。并在贵南山区 7 个乡(镇、场)开展有针对性的反敌"心战"宣传教育活动。

1994 年 3 月,收集上报关于旅美华侨、美国西来寺"法师"文某,以结缘为名发展贵溪县 50 多人参加"观音法门"组织,骗取结缘费 1 万多元和县政府同意修复"金峰寺"扎文的情报信息被公安部采用,证实文某系台湾邪教组织"观音法门"重要成员。

1998 年 2 月,根据所获信息,及时查处滨江乡江某插足台胞家庭婚姻,企图染指台胞妻儿事件,化解一起一触即发重大涉台案件。

2000 年 9 月 19 日,收集上报"首钢四建公司国庆期间将有重大闹事行动"情报信息,省领导当即作重要批示上报国务院办公厅被采用。

2001 年 9 月,围绕首钢四建公司近千名职工聚集 320 国道阻断交通达 40 多个小时的"9·11"事件,公安国保部门获取 10 多条深层次和预警性情报信息,为省、市党委、政府妥善处理这一群体性事件起到重要作用。

2006 年 2 月 8 日,上报"贵溪市主要领导收到一封攻击原中央最高领导信件"的信息,被省委、省公安厅和公安部采用。北京市公安国保部门对此信立专案侦查,并派专人到贵溪调查取证,为北京市公安机关依法打击处理邪教"法轮功"顽固分子王某提供信息和证据支持。

2007 年元旦、春节前夕,围绕首钢四建公司政策性破产后维稳工作,公安国保民警全力以赴,夜以继日深入四建公司基层和职工群众家中,了解掌握情况,及时形成和报送 10 多份书面报告和调查材料,为预防处置可能引发群体性事件提供有价值的情报信息和决策依据,有效地维护全市元旦、春节期间社会政治稳定。当年 3 月,在贵溪"3·21"事件前后,编发上报《贵溪国保信息》3 期,为整个事件处置和后续维稳工作提供大量深层次、预警性和内幕性情报信息。

1991—2007 年,市公安局国保部门共收集、研判和上报各类情报信息 2201 条,其中重要信息 359 条。编写《贵溪国保信息》203 期,被国办采用 4 条,公安部采用 16 条,国家安全部采用 6 条,省委、省政府两办采用 12 条,省公安厅采用 95 条,省安全厅采用 9 条,鹰潭、贵溪两级市委、市政府采用 138 条,鹰潭市公安局采用 116 条。

2008 年,公安机关在全国人大、政协"两会"和北京奥运会期间,针对涉军群体、工行、建行和邮电系统协解人员,粮食、供销系统改制下岗人员,知青公司、原雄石福利厂、福达家园部分住户、贵冶及铜拆解园周边农村、出租车司机和首钢四建公司等存在不稳定因素,收集上报各类情报信息 120 条,重要信息 50 条,被公安部采用 2 条,省市公安机关和鹰潭、贵溪两级市委、市政府采用 48 条。

侦察调查

1991 年 4 月 9 日,开展对贵溪冶炼厂朱某投寄传播境外敌对组织印发的"民主青年宣言"反动宣传品案侦察调查,后与湖南省公安厅并案侦查,朱某被湖南省公安厅收审。

1993 年,根据省、市公安机关统一部署,开展"三资企业"调查、"六种人"调查、"动暴乱积极分子"调查等专项调查,掌握基本情况和底数,编写上报专题调查报告。

1994 年,开展涉外案(事)件调查、卫星地面接收设施调查等专项调查。当年 10 月 24 日,按照鹰潭市公安局统一部署,经过 24 天缜密侦查,破获一起由省委、省公安厅交办署名"全省 5 万退休人"要打倒省委主要领导反动匿名信案件,查获作案人周某,予以收容审查。根据省公安厅对该案处理意见批复,11 月 24 日对周某解除收审,处以治安拘留 15 天,具结悔过,重点列管。

1995 年,开展对反动会道门复辟活动情况、“六种人”现实活动情况调查等专项调查。当年 5 月,侦破盛源乡陈某多次收听敌台,并与“中国人权组织”等 10 多个国(境)外敌对组织和电台建立联系的勾连案,陈某被拘留审查,及时切断其与国(境)外敌对组织联系。

1996 年 5—6 月,经过 14 天缜密侦查,破获彭某连续书写、张贴、悬挂攻击、诽谤党和国家领导人 7 起反标诽谤案。

1997 年,开展对国有大中型企业情况调查、去台人员情况调查、涉外婚姻调查等专项调查。是年 3 月 24 日,会同国家安全机关侦破贵溪化肥厂王某非法购买、持有和试用窃听器材案,挖出和收缴微型窃听器 1 只。10 月,会同鹰潭市国安局传唤审查台胞刘某,对其历史特务身份作揭盖处理。

1999 年 5—7 月,根据上级公安机关统一部署,开展对贵溪市邪教“法轮功”组织侦察调查,查清其组织体系、辅导站、练功点分布、练习者和骨干分子及其活动情况,为打击取缔邪教“法轮功”作准备。

2003 年 3 月开始,在全市范围内开展为期 1 年国保工作对象基础调查。

2005 年 1 月,开展民营企业调查、打字复印场所调查、新疆三股势力调查、有害气功组织调查。是年 8 月 8 日,侦破黎某编造传播恐怖信息案,黎被刑拘转取保候审。

2006 年,开展对境外非政府组织、非法“维权”组织、涉军群体和文化事业单位专题调查。

2008 年 8 月 5 日,配合省、市国保部门查处李某拟在冷水鬼谷洞组织中功“八八”节非法聚会活动。

1991—2008 年,共侦破危害国家安全案件 67 起,查处不立要查案件线索和问题 239 起,开展各种专项调查 100 余次。

防范保卫

1991 年查清收缴国(境)外投寄的反动“心战”宣传品 8 起。1992 年,查破滨江乡邱某、四建公司丁某向台湾投寄挂钩信案 2 件。查清收缴国(境)外渗透“心战”宣传品 10 起。1994 年 3 月,查处福建和尚黄某在贵溪县城发展佛教徒,骗取入教费,组织非法集资 5.2 万元,在人口密集居民区购民房 1 幢,擅自设立寺庙“青莲寺”非法宗教活动场所,会同县宗教局依法予以取缔。当年 12 月 8 日,查破陈某在市一中张贴题为《94 岁末温馨大行动》反动广告,煽动一中师生向台湾“亚洲之声”电台投稿案件。对陈某予以行政拘留并收缴国(境)外敌对组织投寄的所有“心战”物品和资料,及时防范阻止一起重大渗透勾连案件。1996 年 5－10 月,遵照中办、国办和公安部公通字〔1996〕10 号文件精神和鹰潭市统一部署,在全市范围内开展为期 6 个月宗教整治专项斗争,取缔非法宗教活动点 56 个,拆除滥建佛、道教庙宇 41 个,遣散靠庙吃庙闲杂人员 203 人,摧毁大小神像 300 余尊和一大批迷信活动用品。是年 9 月 20 日,查处贵溪发电厂朱某擅自创立“圣友世界”非法宗教组织,收缴非法宗教宣传品 4 种计 5000 多份。1997 年 7 月 7 日,查处制止余家乡龙背脊村小组基督教活动点举办 200 余人参加的非法交通集会,三名为首组织者被处以治安拘留。当年 10 月,查处塘湾镇凌某多次利用代某台属写家信机会向台湾敌对势力和敌对分子投寄反动文章、诗稿和信件,企图与台湾挂钩联系案。及时依法传唤教育凌某,收缴其创作的反动文章、诗稿原件和收音机等工具,切断他们勾连渠道,防范阻止又一起渗透挂钩案件发生。1999 年 8 月 31 日,查获收缴贵溪发电厂朱某编写打印非法宗教宣传品 10 种 450 多份,准备发往国(境)外信件 29 件,2000 年 4 月 22 日,查处制止市区西门基督教点举办 400 余名教徒参加的非法交通集会。是年 6 月 9 日,查处制止滨江乡五里亭张家教会点举办 500 多名教徒参加的非法交通集会,传唤教育组织者和由浙江江山市流入的自由传道人诸某。2001 年 2 月 14 日,查处浙江籍台湾基督教头目赵某及其妻在河潭镇泗塘葛家教会点非法传教的渗透活动,没收一批台湾宗教宣传品,经对赵某传唤教育责令具结悔过后,交由浙江兰溪县公安局带回并案处理。是年 7 月 18 日,查处志光镇信江村天主教徒刘某等人非法举办天主教儿童培训班,遣散已招收儿童 42 人,粉碎天主教地下势力与党和政府争夺下一代图谋。2008 年 6 月 20 日,会同市宗教局查处浙江籍台湾基督教头目赵某夫妇等 4 人在河潭镇界山非法传教活动。对赵某夫妇进行训诫教育,处以治安警告一次并责令限期离境。

安全警(保)卫

1991年9月7日,时任化工部常务副部长贺国强视察贵溪农药厂和贵溪化肥厂,公安机关派出民警10人会同企业公安保卫人员做好安全保卫工作。

1992年1月30日,原中央顾问委员会主任、原中央军委主席邓小平到南方视察后,乘专列沿浙赣线回京途经贵溪,公安机关组织民警119人参加做好安全警卫工作。

1994年11月20—21日,全国人大常委会副委员长费孝通一行50人视察贵溪冶炼厂和县属企业、上清天师府和龙虎山仙水岩景区。公安机关组织民警100多人参加做好安全警卫工作。

1995年2月11—13日,中共中央政治局委员、国务委员李铁映视察贵溪冶炼厂、贵溪化肥厂、上清天师府和龙虎山仙水岩景区。公安机关组织民警和企业公安共200人参加做好安全警卫工作。是年11月18日,中共中央政治局常委、国务院总理李鹏和中央政治局委员、国务院副总理邹家华乘专列沿皖赣线和浙赣线(西线)途经贵溪,公安机关组织民警160多人做好安全警卫工作。

1996年5月3日和13日,中共中央政治局常委、国务院总理朱镕基,中共中央政治局常委、中央军委副主席刘华清先后乘专列沿皖赣线和浙赣线(西线)途经贵溪,公安机关分别组织民警130多人做好安全警卫工作。是年10月15—17日,贵溪隆重举行撤县设市庆典活动,应邀出席的领导和中外来宾近500人,城乡群众10万余人参加庆典活动。为做好庆典期间安全保卫工作,成立撤县设市安全保卫工作指挥部,抽调公安、武警、检法干警、保卫干部和民兵共611人参加安保工作。制订安保工作总体方案和庆祝大会、庆祝游行、宾客住地、焰火晚会、交通安全、机动应急、后勤保障等12个分方案,绘制警力安排示意图。从10月12—14日,组织参战人员进入现场、察看地形、实地演练,庆典活动期间,未发生一起刑事、治安案件和火灾、交通事故。

1997年6月底至7月上旬,根据省市公安机关紧急通知精神,为确保浙赣铁路绝对安全,迎接香港回归和党的十五大胜利召开,公安机关组织浙赣铁路沿线6个派出所民警和5个乡(镇、场)政法干部100余人,对贵溪境内浙赣铁路进行安全守护,确保安全。

1999年4月21日,中共中央原政治局委员、中央军委副主席张震一行车队途经贵溪境内320国道,公安机关组织民警70余人做好安全警卫工作。

2000年4月22日,中共中央政治局委员、国务院副总理吴邦国视察江西铜业公司和贵溪冶炼厂,公安机关组织民警、武警和企业公安共200多人参加做好安全警卫工作。

2001年4月13日,全国政协副主席白立忱一行6人,到贵溪视察塘湾供销社和塘湾红芽芋生产基地,公安机关组织民警60人做好安全警卫工作。当年5月12—13日,全国政协副主席孙孚凌一行6人到贵溪,视察塔桥园艺场及果树研究所、志光镇果农合作社、龙虎山仙水岩和上清天师府,公安机关组织民警70多人做好安全警卫工作。

2002年5月9—10日,全国人大常委会副委员长铁木尔·达瓦买提视察贵溪冶炼厂、上清天师府和龙虎山仙水岩景区,公安机关组织民警80多人做好安全警卫工作。

2003年9月20日,省委书记孟建柱、省长黄智权一行到贵溪冶炼厂参加贵冶三期工程竣工典礼,公安机关组织民警200多人、并抽调检察、法院60名干警及企业保卫人员参加做好安全警卫工作。

2005年11月9日,省委副书记王君陪同河南省党政代表团一行140人到贵溪参观考察,公安机关组织民警100多人做好安全警卫工作。

2008年4月25日,中共中央原总书记、国家主席、中央军委主席江泽民乘专列沿鹰厦线途经贵溪,公安机关组织民警150多人做好安全警卫工作。当年5月29日,全省农村公路建设暨改渡建桥现场会议在贵溪市举行,省政府领导及与会代表400余人沿贵文线参观考察贵溪公路建设及改渡建桥工程。公安机关组织民警266人做好安全保卫工作。

1991—2008年,为迎接中央、部、省各级领导和四海宾朋视察调研、参加庆典、访问,出席各类现场会及经贸洽谈等活动,市公安局累计抽调9588人(次)警力,执行236场(次)安全警(保)卫工作。

第四节　打击刑事犯罪

1991—1999年,全市共立刑事案件3188件,平均每年立案354件。进入21世纪,刑事犯罪处于高发期,2000—2008年,共立刑事案件11501件,平均每年立案1278件。侵犯公民人身权利案件、黑恶势力犯罪、侵害财产犯罪、毒品犯罪案件增多。

专项斗争

1996年4月—1997年2月,开展第二次全国性严打斗争,市公安局先后四次集中统一行动。共破获刑事案件544件,其中挂牌督办的杀人、抢劫重特大案件11件,抓获犯罪嫌疑人455人,摧毁犯罪团伙31个,涉案成员81人,缴获赃款及赃物折款158.3万元。1998年,市公安机关组织开展打击走私、盗抢机动车专项斗争,破获重特大刑事案件23件,缴获被盗抢车辆31辆,摧毁犯罪团伙5个,抓获犯罪嫌疑人17人。2001—2002年,开展第三次全国性"严打"斗争,市公安机关组织"打黑除恶""百日破案大会战"等战役行动,破获刑案786件,抓获犯罪嫌疑人627人,摧毁各类犯罪团伙66个,涉案成员266人,其中经公安部认定并督办"费某为首的黑社会性质犯罪团伙""江某强奸抢劫恶势力团伙""黄某故意杀人恶势力团伙"等黑恶势力犯罪团伙20个,省公安厅认定督办恶势力团伙3个,其他恶势力团伙9个,盗窃团伙11个,缴获赃款及赃物折款360余万元,逮捕犯罪嫌疑人376人,报送劳教25人。2003年,市公安机关开展打击车匪路霸、"两抢一盗"侵财性犯罪专项斗争,破获纪某、刘某等人团伙作案盗窃贵溪冶炼厂电解铜、不锈钢30余件,价值200万元特大盗窃案件;以陈某、蒋某为首抢劫盗窃团伙抢劫案76件,盗窃案8件;张某和张某飞车抢夺、盗窃摩托车团伙飞车抢夺案35件,盗窃摩托车案46件。这次专项斗争共破获各类刑事案件454件,抓获各类犯罪嫌疑人273人,其中提请逮捕115人,劳教8人,摧毁犯罪团伙29个,涉案成员127人,缴获赃款及赃物折款70余万元。2004—2007年,开展侦破命案专项行动,继续"打黑除恶"和打击"两抢一盗"犯罪专项斗争。市公安机关把"命案必破"作为打击刑事犯罪第一要务,完善命案侦破工作机制,提高命案初期处置能力,主要领导亲临命案现场,组织指挥侦破工作。其间,全市共发命案38件,破30件,破案率80.,另破命案积案3件,破协外命案1件,共摧毁恶势力犯罪团伙15个,逮捕团伙成员67人,破获恶势力团伙犯罪案件122件,挽回经济损失20余万元。破获"两抢一盗"案件2985件。2008年,按照省公安厅统一部署,开展以"打、防、控、整"为内容的"赣安一号"行动,破刑案1526件,抓获犯罪嫌疑人484人,逮捕犯罪嫌疑人324人,劳教24人。

刑事案件侦查

全市刑事案件侦查工作,由公安局刑事警察大队(原称刑侦大队)负责。1991年9月25日晚,驻冷水乡912地质勘探队一分队退休职工肖某夫妇被骗至冷水老虎山洞内遭铁棍击打致死,其儿媳赵某(白血病患者)次日在家中服安眠药自杀身亡。经过80天缜密侦查,同年12月15日这起由其儿媳赵某蓄谋策划,请外地帮凶实施杀人特大案件告破,犯罪嫌疑人铅山县永平镇陈某被抓获归案。

1992年5月,破获河潭乡南塘村委会老屋张家村小组妇女张某因妒忌生恨毒杀邻居男婴案件。

1994年5月,破获县人民医院药品仓库4万元贵重药品被盗案件,从横峰、铅山、弋阳三地抓获盗窃销赃犯罪嫌疑人周某等3人,缴获全部被盗药品,带破外地被盗药品大案3起,总价值10万余元。同年11月,破获掩埋在贵溪化肥厂附近滨江乡新屋村路旁无名白骨尸体案,将犯罪嫌疑人弋阳县花亭中学学生方某抓获归案。

1995年6月,破获境内320国道柴家坡路段过往司机被抢现金3500元,货主眼睛被铳打伤致残特大持械抢劫案件2件,抓获犯罪嫌疑人3人。同年12月破获"8－18"站前路9号艺新珠宝行店员被犯罪分子打伤昏迷,抢走金银首饰、珠宝玉石价值4万余元特大抢劫案件,将犯罪嫌疑人弋阳县圭峰乡胡某抓获归案。

1997年2月6日除夕之夜,犯罪分子进入滨江乡柏里村一南杂商店行窃被发现,持刀杀死1人、杀伤1人,抢劫部分钱财后潜逃。接报案后,刑警迅速赶赴现场,开展调查布控,利用特情提供线索,秘密侦查获取证据,南下北上组织追逃,于4月13日抓获犯罪嫌疑人童某,破获此案。同年3月,破获歹徒以租车为名在贵塘公路电厂灰坝路口，持刀威胁、绳索捆绑“摩的”司机，抢劫摩托车及现金物品系列案件，抓获犯罪嫌疑人张某等3人。6月28日，信江河道红卫坝上游发现一具女尸，刑侦人员经现场勘查，从死者身上附着物确定侦察方向，开展调查访问，查找尸源，传唤嫌疑人朱其，两日内强奸杀人沉尸案件破获。

1998年春，流口、雷溪、罗河、金屯等乡镇发生多起耕牛被盗案件，刑警从控制销赃和运赃车辆入手，化装秘密侦察，摧毁一个3人盗牛团伙，追回被盗耕牛12头。同年3月17日，破获建行贵溪分行金库保险柜被撬盗现金35.5万元特大案件，被盗现金完璧归赵，犯罪嫌疑人严某落入法网。12月18日，破获客车司机龚某从广州载客返回鹰潭途中，趁乘客下车用餐之机，盗取3名合伙经商乘客现金15.7万元，并寻机将赃款在国道沿线分3处藏匿重大盗窃案件，被盗赃款全部追回，案犯龚某落入法网。

1999年，破获“5·2”罗河镇洋塘汪家村汪某因赌博纠纷持刀杀人案和“11·9”发生在贵溪农药厂李某奸情杀人案。

2000年，破获元旦期间四冶生活区下岗女工王某在家中被杀案、“6·25”交警大队宿舍“六四式”手枪被盗案、“10·14”贵冶生活区虞某雇凶杀人案，三案犯罪嫌疑人全部归案，枪支及时追回。

2001年11月14日，市汽车运输公司驾驶员周某、蒋某驾驶赣L—11029货车从贵溪冶炼厂运载20吨电解铜往福州途中神秘失踪，刑侦大队接报案后，立案跟踪调查，从寻找遗弃货车，排查货物去向，查明货物下落，发现销赃人员入手，于12月30日成功破获历史罕见、预谋缜密、手段残忍，抢劫财物价值30万元，在320国道弋阳县潭石大桥附近沙滩活埋杀死司机2人特大案件，主犯涂某、王某相继落网。

2002年，破获塘湾镇白果村夏某报复杀人案、“8·6”金屯镇上马村张某投毒杀人案、“9·10”河潭垦殖场圳畔分场出租房内养蜂人叶某投毒杀人案、“10·17”城区金三角商住楼涂某杀人纵火案。

2003年6月7日，破获滨江乡江北村项家组“5·28”杀人案，从深圳市龙岗区将犯罪嫌疑人项某抓获归案。同年7月16日，破获发生在流口镇官庄村孔家垅山上强奸未遂故意杀人案，从会昌县将犯罪嫌疑人桂某抓获归案。

2004年，破获“6·25”塘湾中学初二学生周某行凶杀死同学1人，杀伤1人案件、“6·27”耳口乡黄某行凶杀害岳父案件、“7·19”四冶生活区青年宫门口苏某、徐某杀人案件、“7·24”耳口乡圳上村周某系列投毒杀人案件。同年10月16日，破获外地流入贵溪犯罪嫌疑人林某自制开锁工具，在贵溪商城、都市小区、金童花园等处打开居民“王力”牌防盗门入室作案23次，盗窃财物6万余元系列案件。

2005年5月8日，破获“4·23”抢劫杀人、异地抛尸弃车特大案件，在樟枰乡曹家村将杀害出租车司机犯罪嫌疑人兰某抓获归案。同年8月13日，经严密布控，缜密侦查，破获2004年6月以来发生在市区沙井头、汪张路口、铁路工区、五七农场等地强奸案7件，抢劫案4件，案值1万余元特大系列案件，犯罪嫌疑人叶某被抓获归案。

2006年，在“侦破命案专项行动”中，破获当年发生11件命案，破案率100%，另破一件命案积案，从浙江义乌市将1997年“12·12”凶杀案犯罪嫌疑人刘某抓获归案。11月4日，刑侦民警通过蹲点守候，巡逻监控，抓获现行，破获梨温高速公路贵溪连接线持刀拦路抢劫货车司机现金43000余元，手机16部系列案件10余件，抓获犯罪嫌疑人2人。

2007年，发生命案12件破10件，另破2件命案积案。是年10月20日破获梨温高速公路鹰东连接线持刀抢劫现金4万余元、手机21部系列案件11件，抓获犯罪嫌疑人7人。

2008年1月17日，破获“2007·12·6”犯罪分子在高速公路连接线贵溪市第五加油站持刀持銃威胁、打伤工作人员，抢走营业款93000元特大抢劫案件，从上饶县将5名犯罪嫌疑人抓获归案。7月1日破获叶家塘菜市场“药水浸泡钱生钱”重大诈骗案件，在四川省南充市顺庆区将犯罪嫌疑人曾某抓获归案，缴获诈骗赃款14万元。是年破获“1·20”鸿塘镇卢宋村陈某故意杀人案、“8·30”雄石小学张其故意伤害致人死亡案、“11·6”鸿塘镇红山村徐某故意杀人案等3件命案。

“追逃”与打击流窜犯罪

20世纪90年代以来，一些重特大案件犯罪嫌疑人为躲避打击，利用现代交通通信便利条件纷纷潜逃，甚至继续流窜作案，危害社会。公安机关不断加大工作力度，创新工作方式，充分运用刑事侦查措施和协作机制,开展“追逃”和打击流窜犯罪活动。

1994年8—11月,县公安机关在开展整治农村社会治安行动中,抓获1990年以来批捕在逃犯23人,负案在逃犯20人。是年9月17日,上清分局在上清镇抓获被广州市公安机关通缉抢劫现金226500元潜逃的犯罪嫌疑人燕某,缴获赃款6.8万元、金戒指一枚、手表一块、催泪弹一只,案犯被押回广州审理。1996年,针对全市历年在册逃犯133名,发动全民追逃。当年追逃归案124名,归案率达93.,其中1983年“严打”期间在汽车客运站杀人后潜逃13年之久董某和杀人犯汪某等一批重大逃犯相继落网,杀人犯董某在政策感召下投案自首。1997年1月29日,流口派出所根据深圳市公安局龙港分局案情通报和本地群众举报,在流口镇双岭村抓获深圳打工期间伙同他人撬盗外资企业保险柜现金40万元而潜逃的犯罪嫌疑人苏某,移送深圳警方处理。4月18日,刑侦大队根据案情通报,在贵溪化肥厂侦查布控,抓获福建省晋江市“4·15”撬盗保险柜现金115万元特大案件犯罪嫌疑人颜某,当场缴获现金24.7万元、手提电话2只、转账支票3本等赃物,案犯被押回原地处理。9月15日,耳口派出所根据协查通报,组织民警赴冷水茶山等地查控,将在浙江省义乌市持刀抢劫、杀伤9人潜逃的特大案件犯罪嫌疑人韩某抓获刑拘,移送义乌警方处理。1999年,公安部在全国公安机关实行“破案追逃新机制”,开始网上追逃,全国在逃人员信息系统正式投入使用。当年7—9月,市公安机关开展“追逃专项斗争”,将117名逃犯抓获归案(历年在册逃犯96人,现行逃犯21人),其中通过网上追逃抓获69人。2000年6月29日,市公安机关组织缉捕小分队,秘密进入余家乡罗湾村委会小贝村小组,对长期横行乡里称霸一方,多次持铳伤人危害百姓的恶势力犯罪嫌疑人陆足水进行追捕,陆持铳行凶拒捕被当场击毙。2003年9月,刑侦民警通过夜间巡逻捕捉现行,突击审讯、快速出击,抓获从外地流入盗窃作案30余起,案值3万余元流窜犯罪嫌疑人5人,依法予以逮捕。2004年10月16日,刑警大队根据德兴市警方协查通报,在四冶生活区好心情歌舞厅门口将“10·15”德兴市泗洲镇歌舞厅杀人碎尸特大案件犯罪嫌疑人金某抓获,移送处理。2006年6月30日,市公安机关获悉省督办的以吴某为首恶势力团伙于2005年4月29日在城区金碧辉煌歌舞厅杀人后潜逃中缅边境,有可能混迹于缅甸老街赌场之中的情报后,派出6人追捕小组飞抵云南临沧市镇康县,侦察员化妆成游客,从边境口岸进入缅甸境内,开展秘密侦查,发现逃犯行踪,在缅甸掸邦第一特区政府工作人员配合下,于7月3日晚将吴某、琚某、万某3名案犯抓获归案。2007年7月13日,刑警大队在弋阳县圭峰镇抓获“4·6”雄石西路时代广场杀人潜逃犯罪嫌疑人孔某,同日该案主犯周某投案自首。同年12月29日,在福建邵武市将“1·29”文坊镇荆树村持刀杀人后潜逃一年犯罪嫌疑人李某抓获归案。

2008年2月1日,抓获贵州籍流窜盗窃团伙主犯张某。4月21日,在吉安市抓获该团伙成员4人,破获在鹰潭、贵溪、上饶、抚州、吉安等地入室盗窃20余起价值10万余元系列案件,缴获笔记本电脑3台、台式电脑1台、数码摄像机1台、数码照相机1台、手机2部等赃物。同年7月11日,经雷溪派出所对逃犯家属教育感化,公安部重点督捕的网上逃犯,“2003.1.10”在贵塘公路农科所路段持刀杀人潜逃犯罪嫌疑人杨某从福建回贵溪投案自首。同年12月26日,刑警大队追捕小组经过艰难排查、获取线索、设伏监控,将2004年1月30日晚杀死雷溪乡端港村计生专干后潜逃5年之久,改名换姓、藏匿在福建省连江县黄岐镇长沙村犯罪嫌疑人舒某捕获归案。实行网上追逃后,全市公安机关自2000—2008年通过网上追逃924人,协助外省抓获网上逃犯72人。

打击拐卖妇女儿童犯罪

1991年9月,新田派出所民警施华山主动请战,从福建省安溪县边远山区,成功解救罗河镇被拐卖少女徐某,并在鹰潭火车站抓获人贩子2名。1993年12月,县公安机关破获徐某等7人以开办“贵溪县人才交流劳务输出服务公司”为名,拐骗贩卖妇女团伙案,解救被拐卖妇女3名,抓获犯罪嫌疑人4人。2000年,市公安机关按照公安部统一部署,开展“打击人贩子,解救被拐妇女儿童”专项斗争,破获拐卖妇女儿童案5件,抓获犯罪嫌疑人29人,摧毁“拐卖”团伙2个,解救被拐卖妇女48人,被拐儿童20人。2001年10月,流口派出所教导员施华山在福建省安溪县,成功解救出第100名被拐卖妇女吴某。此次解救行动引起新闻媒体高度关注,中央电视台《东方时空》栏目、《江西日报》《贵溪报》等新闻单位派出记者随行跟踪采访,2005年10月,市公安局成立刑警大队打拐中队,由施华山兼任中队长,挂牌流口派出所，建立“打拐”工作长效机制，并在人力、物力、财力上给予保障。自打拐中队成立至2008年年底，共解救被拐妇女36名，其中解救外地被拐妇女12名，抓获犯罪嫌疑人9人。

禁毒与打击毒品犯罪

1991年，县公安局治安巡逻民警在贵溪火车站抓获外地流入毒贩3人，缴获毒品鸦片500克，查获吸毒者2人，分别予以收容审查和行政拘留。1995年5月10日，会同县卫生局查处罗河镇黄墩村委会乐家村小组乐某非法种植罂粟，制成烟果出售牟取暴利案件，对乐某处以行政拘留15天，罚款2000元。1996年5月18日，查获耳口乡梅潭村委会陈家村小组徐某非法种植罂粟1000株，鲜果7.5公斤当即铲除，缴获其家中存放干果0.5公斤，并予以行政处罚。是年通过对公共娱乐场所和旅馆业治安检查，缴获毒品鸦片13500克。1997年4月25日，召开全市禁毒工作会议，部署禁毒工作专项斗争，开展禁毒宣传教育和涉毒情况调查。当年在中国第四冶金建设有限责任公司生活区抓获吸毒者11人，缴获部分吸食残存鸦片、安定剂及注射器等涉毒物品。2003年10月，成立市公安局缉毒大队，以每年“6·26”国际禁毒日为活动载体，与团市委、市疾控中心联合开展大型禁毒宣传活动，提高公民拒毒、防毒意识。2005年11月，实施对易制毒化学品购销、运输备案管理，列管单位40余家。自缉毒大队成立至2007年底，通过调查摸底，登记上网吸毒人员49人。破获吸毒贩毒案35件，抓获涉毒人员149人，其中刑拘20人，提请逮捕、移送起诉15人，行政拘留4人，劳教3人，强制戒毒39人，缴获毒品海洛因63包、麻古55粒、2粉18包。

2008年3月，开展禁毒宣传教育进社区、厂区活动，在贵溪冶炼厂、贵溪发电厂等企业单位举办禁毒图片展览和毒品知识咨询，散发禁毒宣传单5000余份。同年9月13日在江西铜业公司技校开展以“远离毒品、珍爱生命”为主题青少年毒品预防教育活动，通过毒品实物和图片资料展示，提高青少年学生抵御毒品能力。是年7月13日和9月14日，成功破获黄某、乐某、李某等人贩卖毒品案和刘某团伙重大贩卖毒品案，全年破获毒品犯罪案3件，抓获涉毒人员43人，提请逮捕犯罪嫌疑人9人，行政拘留14人，缴获毒品冰毒100余克，麻古3895粒，2粉12包。

刑事科学技术

1991年，县公安局刑侦队设三级技术点，有暗室和化验室各一间，法医化验员2名，刑事照相兼痕检员1名，配置常规现场勘查器材。1995年3月成立刑侦技术中队，1996年1月充实痕检员2名。是年8月12日，经法医对河潭火车站废水井内遗弃女尸检验，发现死者颈椎骨内有1块约1平方厘米金属刀片嵌在其中，经鉴定为理发师剃刀断片，在现场观看的犯罪嫌疑人眼见罪行暴露连夜潜逃，公安干警从弋阳将其抓获归案，“8·12”毛某强奸杀人案件告破。全年通过指纹破获发生在雄石镇站前南路、雄石西街化工厂宿舍和江西铜业公司技校舞厅等3件入室盗窃案件。1997年12月，通过指纹破获彭某、邱某团伙入室盗窃案5件，带破系列撬防盗门作案100余件，案值80余万元。1998年8月17日，通过痕检技术，破获建行贵溪分行金库保险柜被撬盗现金35.5万元特大盗窃案件。1999年7月，通过足迹破获“7·15”艾家岭橡胶路7号祝某故意杀人案件。2000年6月，通过指纹认定彭某“6·25”盗窃交警大队宿舍“六四”手枪案件。2001年12月，通过指纹破获“7·16”罗某在市公安局攀爬入室盗窃案。2003年，市公安局投入资金25万元购置各种常规现场勘查器材和常规检验鉴定器材，设立指纹自动识别系统工作站。是年11月，经省公安厅考核，三级技术点上升为三级刑事科学技术室。12月通过指纹自动识别系统破获孔某系列盗窃案6件。2004年12月，通过指纹自动识别系统破获杨某系列盗窃案8件，部某系列盗窃案3件，黄某盗窃案2件。2005年5月8日，通过指纹认定“4·20”兰某抢劫杀害出租车司机案件。是年刑事科学技术室晋升为“二级技术室”，通过指纹自动识别系统破盗窃案6件。2006年3月2日，通过掌纹破2006“3·1”乐某故意杀人案。是年，通过指纹自动识别系统破杨某系列盗窃案8件。2007年，市公安局投入资金30万元，改建刑事科学技术楼一幢，建筑面积350平方米，设法医、痕检、物证、照相、技管、器材、档案、办公和多媒体会议室共11间，并添置一批高科技设备。通过指纹自动识别系统破杨某系列盗窃案9件。是年12月，刑事科学技术室经公安部考核验收被评定为全国“一级技术室”。1991—2007年，法医参与现场勘验工作，检验杀人、投毒、伤害、强奸和交通事故、意外死亡、无名尸体共1100具，法医学伤情检验鉴定1万多人(次)。

2008年,市公安局投入资金30万元,购置24台指纹活体采集仪,在基层所队建立标准化信息采集室,刑警大队刑事科学技术室(技术中队)设法医、痕检及影像三个专业,有技术人员6名,其中法医2名,痕检3名,技术管理人员1名,配置现场勘察车1辆和指纹比对系统、比较显微镜、多波段光源、指纹比对仪、指纹熏显箱、数码摄像机、数码照相机等高科技器材设备。是年通过指纹自动识别系统破肖某盗窃案3件。法医做活体检验645人(次),尸检105具。

1991—2008年全市刑事案件统计一览

表21－1

年份	立案(起)	破案(起)	逮捕(人)	劳教(人)	年份	立案(起)	破案(起)	逮捕(人)	劳教(人)
1991	509	592	193	35	2000	973	497	172	26
1992	254	209	180	10	2001	1241	383	172	11
1993	314	457	154	33	2002	923	403	204	14
1994	326	271	221	38	2003	1559	861	299	33
1995	354	561	221	13	2004	1504	899	289	16
1996	347	544	239	29	2005	1368	946	244	21
1997	315	522	160	10	2006	1340	996	297	21
1998	277	485	171	12	2007	1450	1245	283	26
1999	492	434	103	7	2008	1143	1526	324	24

第五节 打击经济犯罪

1991年,公安机关管辖经济犯罪案件侦查工作由县公安局刑侦队负责。1994年2月,破获江西铜业公司被骗价值84万元电解铜44吨和江铜广信中贸总公司被骗价值36.05万元铜杆(线)17.937吨两起重大案件,抓获犯罪嫌疑人4人,追回经济损失50余万元。1998年4月,市公安局成立经济案件侦查队,经侦民警分别派驻国税局、地税局税务警务室,加强协税护税、打击涉税犯罪活动。查处贵溪市物资总公司虚开增值税专用发票,非法获利1.7万元等5起涉税案件。2000年1月,市公安局成立经济犯罪侦查大队,管辖《中华人民共和国刑法》规定的8类77种(2008年增至84种)经济犯罪案件。是年,破获发生在江铜"6·16"特大生产销售伪劣铜精矿案件,涉案价值1500万元,抓获犯罪嫌疑人19人,追缴赃款200万元,为国家和企业挽回经济损失500多万元。2002年6月,破获一起重大合同诈骗案。2000年10月14日,厦门市新龙发进出口公司业务员高某与江铜公司签订硫酸销售合同,在合同履行过程中,采用故意写错汇票地址,私刻银行业务公章,伪造银行电汇回单,做假账,转移汇款等手段,骗取江铜公司货款91.85万元,并将江铜公司催款人打伤,而后携款潜逃。2002年年初,江铜公司向公安机关报案,经侦大队立案侦查布控,于6月21日抓获犯罪嫌疑人高某及同案犯杨某。2004年9月,破获贵溪市杰士再生资源有限公司潘某、吴某、许某利用公司属免税企业有利条件,先后为8家公司虚开发票319份,抵扣税款259.6万元,非法获利20余万元涉税案件。犯罪嫌疑人潘某、吴某、许某、何某被依法逮捕起诉。2006年上半年,立案侦查一起合同诈骗、抽逃资金案。浙江杭州千岛湖宏顺电缆有限公司法人代表潘某,以非法占有为目的,在与江铜集团铜材有限公司、浙江金格公司签订履行合同时,采用欺骗手段,骗取该两家公司铜材价值101万元。接报案后,经侦大队快速侦破,及时追回大部分被骗财物,挽回经济损失50余万元。犯罪嫌疑人潘某被逮捕起诉。当年,立案查处罗河镇、余家乡村委会干部职务侵占挪用资金案3件,刑拘1人,移送起诉3人,追回挪用村民征地补偿资金90万元并如数发放到群众手中,由此引起村民集体上访事件得到平息。2007年,开展"追逃"和治理商业贿赂专项斗争,组织民警赴浙江、上海、内蒙古等地追捕经济犯罪网上在逃人员7人,破获经案10件;破获商业贿赂案

2 件，涉案金额 14.2 万元，抓获犯罪嫌疑人 4 人。2008 年 8 月，破获陈某特大合同诈骗案。2007 年 9 月，犯罪嫌疑人陈某经人介绍认识江西铜材有限公司董事长吕某，经双方协商达成口头协议，陈某在广东清远市组织收购杂铜，全部销售给江西铜材有限公司。此后，江西铜材有限公司以其配套的贵溪市飞翔再生资源公司名义将货款陆续汇入陈某、黄某（陈聘用的财务人员）银行账号。其间，由于货款被陈某大肆挥霍，致使合同不能履行。陈某以增加收购量，需从国外收购杂铜为由，欺骗江西铜材有限公司继续预付货款。2008 年 5 月 30 日，当陈某收到最后一笔 1100 万元预付货款后，于 6 月 1 日在深圳市龙岗区大鹏镇金沙湾酒店写下遗书，伪造自杀现场，而后潜逃福建。自 2007 年 9 月至 2008 年 5 月底，陈某共骗取江西铜材有限公司货款 3074.68 万元。该案引起鹰潭、贵溪两级市委、市政府和公安机关高度重视，中共鹰潭市委常委、政法委书记、公安局长魏运亭五次亲临贵溪召开协调会，部署指导侦破工作。鹰潭市公安局经侦支队长曾海军，中共贵溪市委常委、公安局长谢军，副局长马新能各率一个专案追捕组开展排查布控，历时一个月，跨越三个省辗转数千里，于 7 月 31 日在深圳市将犯罪嫌疑人陈某抓获归案，其他 4 名同案犯也相继落网，犯罪嫌疑人陈某等 5 人被提请逮捕后移送起诉，追回经济损失 1300 余万元。8 月 23 日，中共鹰潭市委书记杨完萍对此案作出重要批示："优化发展环境，为企业提供优质服务，这是一个最有说服力的案例，也是最生动的体现。在这里，我代表市委、市政府对办案的领导和同志们表示感谢和诚挚的慰问"。当年，开展打击传销违法犯罪专项行动，公安机关与工商部门密切配合，采取多种形式宣传《禁止传销条例》，出动警力 100 多人（次），开展调查摸底、掌握动向、获取信息、顺线追踪，捣毁传销窝点 20 个，解救被骗遭禁群众 20 余人，教育遣散 300 余人，立案侦查涉嫌犯罪传销案 2 件，刑事拘留 7 人，提请逮捕 2 人，移送起诉 3 人，有力地打击"拉人头"、收取入门费、以介绍工作和从事经营活动为名、欺骗他人参与传销违法犯罪活动。自 2000 年经侦大队成立至 2008 年年底，共立经济案 106 件，破案 103 件，刑事拘留 165 人，提请逮捕 106 人，移送起诉 117 人，为国家、集体和个人挽回经济损失 5260 万元。

2000—2008 年全市经济犯罪案件一览

表 21－2

年份	立案（起）	破案（起）	刑事拘留（人）	提请逮捕（人）	移送起诉（人）	挽回损失（万元）
2000	24	20	32	17	22	600
2001	13	9	42	37	30	2000
2002	13	12	21	16	13	290
2003	13	11	12	5	7	120
2004	8	8	17	10	10	400
2005	7	6	4	2	5	130
2006	7	14	7	4	11	220
2007	7	11	7	4	6	200
2008	14	12	23	11	13	1300

第六节　治安管理

公共秩序管理

1991 年 9—10 月，公安机关在县城查处涉及 12 个单位 114 人参与传播、复制、观看淫秽录像案件，对参与者分别予以收容审查、治安拘留和罚款处理。1992 年 4 月查破塘湾镇 50 多人参与，历时一年投入赌资 25 万余元特大聚众赌博团伙案，收容审查赌头 3 人。1996 年，为撤县设市净化治安环境，开展为期 3 个月公共秩序集中整治,清理整顿舞厅、发廊、卡拉OK厅、旅社400余家,查获取缔卖淫窝点15个,抓获卖淫妇女46人,嫖客50人。1998年4月和10月,开展扫除社会丑恶现象及禁娼禁赌专项整治工作。是年10月27日组织警力60余人摧毁在双圳乡西排村跨省聚众赌博窝点,查处违法人员70余人,收缴赌资10万余元。2003年4—5月"非典"期间,公安机关配合有关部门开展防控工作,排查返乡人员13286人(次),旅馆住宿人员5826人(次),检查过往司机5120人(次),协助做好隔离观察620余人次。是年,取消公共娱乐场所审批改为备案制,公安机关对公共娱乐场所由静态管理转变为动态管理,加强日常检查和监督,及时查处"豪仕达"歌舞厅非法组织脱衣舞表演及"星海"沐浴城介绍、容留卖淫嫖娼案件,治安拘留12人,追究刑事责任2人。2005年4月,开展打击赌博违法犯罪活动专项工作,捣毁"地中海"大酒店开设摇奖赌博机、麻将馆聚众赌博窝点,抓获参赌人员54人。缴获赌资3万余元,刑事拘留3人,治安拘留3人,罚款28人。1991—2007年,城乡举行端午节划龙船活动和物资交流会,公安机关均制定方案,周密部署,派出大批警力,维护公共秩序。2007年4月,按照公安部、中央综治办等六部门通知精神,开展整治自行车被盗专项行动,治安大队被评为2007年度全国治理自行车被盗专项行动先进集体。是年,组织治安检查统一行动2次,查获取缔"火车站电玩城""满江红游戏室""百乐城游戏室"等6个赌博窝点,缴获销毁赌博机316台,对违法犯罪人员刑事拘留1人、治安拘留15人。

2008年,全市有娱乐场所105家,其中茶座歌舞厅62家,游戏机室39家,影剧院4家。公安机关围绕奥运安保工作开展为期7个月治安秩序综合治理,统一清查行动12次,检查场所1320余处(次),捣毁利用游戏机设赌窝点28处,开设赌场1处,连线赌博机室18家,收缴销毁连线赌博机380台,庄闲赌博主机148台,缴获赌资86万元,查破赌博案件15起,查获涉嫌赌博网上在逃犯3人,抓获涉赌违法犯罪人员164人。是年,公安局成立城市管理警察大队(派驻市城管办)。全年,当场制止妨碍城管执行公务510起,调处城管执法纠纷40余起,配合清理查处占道经营、乱堆乱放1256处,清查取缔无证流动摊点436个,查纠人行道乱停乱放车辆2560辆。

枪弹爆炸危险物品管理

1992年5—6月,公安机关根据县委、县政府统一部署,在全县范围内开展声势浩大收缴枪支弹药、爆炸物品、管制刀具集中统一行动。收缴各类枪支339支,长短铳5217把,土炮6门,地雷1枚,遗弃迫击炮弹1发,手榴弹19枚,子弹2034发,炸药211.2公斤,雷管656支,导火索97米,管制刀具534件。1995年,检验核查全县政法、保卫部门业务用枪、换发持枪证,并配合鹰潭市公安局逐枪建立痕迹档案。同年,收回不符合配备自卫用枪、业务用枪领导干部配枪3支。1996年,开展收枪治爆专项行动,收缴流散在社会上各类枪支897支,子弹88发,炸药3125公斤,雷管331枚,导火索2200米,管制刀具596把。1998年,清理全市企事业单位保卫用枪,除金融系统外,其余枪支全部收回上交。是年,收缴炸药450公斤,雷管647支,导火索330米,查处涉爆案件6起,治安处罚15人。1999年破获"1·20"市中医院宿舍爆炸案件和"3·16"鸿塘镇朝阳村持铳杀人案件,抓获犯罪嫌疑人2人。2000年3月根据上级公安机关通报精神,在全市开展烟花爆竹全面清理整顿工作,收缴烟花爆竹、原材料及生产工具,取缔非法生产小作坊130家,建立爆竹生产基地2个、工厂7家。2001年5月22日公安机关对历年来收缴的6300支枪支、1544发子弹和1808把管制刀具进行集中销毁。2002年3月15日,国务院重新颁布《危险化学品安全管理条例》,公安机关负责危险化学品公共安全管理,负责发放剧毒化学品购买凭证和准购证。是年,按照江西省统一部署,贵溪市爆竹生产企业退出市场,市公安局协同有关部门做好退市企业和失业人员补偿安置工作。2003年,查处"12·24"罗河石膏矿5号矿井施工人员无证爆破,违章作业,发生爆炸伤亡事故,责令该矿停业整顿,并依法追究有关责任人法律责任。2004年,公安部、国家安全生产监督管理局、发改委联合发出《关于做好职能调整期间烟花爆竹安全监管工作的通知》,对烟花爆竹安全管理职能作出调整,公安机关负责烟花爆竹运输通行证发放和运输线路确定,管理烟花爆竹禁放,实施烟花爆竹燃放点四邻安全距离等公共安全管理,侦查非法生产、经营、储存、运输、邮寄烟花爆竹刑事案件。原来由公安机关管辖烟花爆竹经营条件审查发证和安全生产,交由安全生产监督管理局负责。2005年10月1日,公安部下发《办理剧毒化学品公路运输通行证业务工作规范》,自即日起,由公安交警部门负责审查核发剧毒化学品公路运输通行证,对危险化学品道路运输安全实施监督检查。

2006年1月16日，国务院颁布《烟花爆竹安全管理条例》，进一步明确公安机关和安全生产监督管理部门对烟花爆竹安全管理职责范围。2006年5月10日，国务院重新颁布《中华人民共和国民用爆炸物品安全管理条例》从9月1日起施行，原来由公安机关发放的“爆炸物品使用许可证”变更为“爆破作业单位许可证”，实行分级管理发证。原来由公安机关发放的“爆炸物品储存许可证”被废止。是年市公安局对民用爆炸物品实行计算机网络技术信息化管理。根据上级公安机关要求，对全市涉枪单位、公务用枪人员录入信息化平台，实行规范化、信息化管理。2003—2007年，公安机关根据市工业园区和铜拆解园区建设情况，增加千吨以上炸药用量爆破作业，派出专管民警进驻施工现场，实施安全监管。

2008年，公安机关列管涉枪单位12个，涉爆单位12个，涉剧毒化学品单位6个。破获涉枪案4件，摧毁制枪窝点1个，收缴民用枪支20支，废旧炮弹3枚，收回子弹38发，抓获犯罪嫌疑人2人，治安拘留2人，开展对涉爆单位清理检查，消除安全隐患76处，签订安全责任状12份，对152名从业人员进行安全培训和法制教育，是年未发生涉爆案件和事故。查处非法携带管制刀具案1件，治安拘留1人。开展对购买、使用剧毒、放射性危险物品安全检查，发现隐患敦促整改5处，查处违反危险物品管理规定案1件，治安拘留1人，行政处罚违法单位2个。办理初审、报批发证购买运输液氯等危险化学品4382吨。

特种行业管理

1991年全县特种行业经营户60家，其中旅馆业37家，印刷业8家，刻字业2家，废旧金属收购业13家。公安机关依据国家法律法规，实施特行管理。1996年开展对特种行业清理整顿，取缔滨江工业区和冶金大道两旁废旧金属收购站点104家，收缴非法收购废铁、钢材10吨，铜1吨。2002年公安部公通字〔2002〕64号通知，严格执行《国务院关于取消第一批行政审批项目的决定》，将旧货业、生产性废旧金属收购业、印刷业公安行政审批取消，此后上述三行业设立由经公安机关许可改为向公安机关备案。2005年，市公安局统一制发《旅馆业治安管理制度》在各旅馆服务总台处悬挂。统一印制废旧金属收购登记簿，规范登记，各派出所负责人与辖区收购站点业主签订治安责任状。2007年，开展清理整顿铁路沿线废旧金属收购站点专项行动，破获销赃案1起，取缔非法收购电力、电信、广播电视设施器材被盗赃物收购站点2家，刑事拘留1人。当年6月，查处贵溪市原子印章厂私刻公章案，对业主予以行政处罚，收缴非法刻制印章3枚。

2008年，公安机关取缔无证营业旅馆2家，治安拘留3人。全市共有特种行业经营户112家，其中由公安机关审批并颁发《特种行业许可证》旅馆业69家，典当业1家，印章刻字业3家；向公安机关备案废旧金属收购业34家，桑拿按摩业5家。是年按上级公安机关要求，全市旅馆业全部安装治安管理信息系统，公安机关根据旅馆业信息系统报警抓获网上在逃犯5人。清理取缔非法收购电力、电信、广播电视设施被盗赃物收购站点2家，破获销赃案2件，抓获犯罪嫌疑人3人。

内保工作与保安服务

1991年，县公安局列管内部单位保卫机构87个，由二科管辖指导。1993年，查处县属企业因转换经营机制、法人代表遭威胁、围攻殴打事件7起。是年12月，县公安局成立内保刑侦队，抽调企业公安保卫人员10人组成，与二科合署办公，两块牌子一套人员、集防范和打击于一体。当年，公安内保机关查处各类案件21件，打击处理违法犯罪分子37人。1995年12月，二科（含内保刑侦队）与滨江公安分局合署，内保工作纳入滨江分局管理。1996年6—9月，开展重点整治驻市大企业周边环境和城区学校周边环境专项工作，查处侵害企业利益、扰乱企业生产生活秩序案件11件，为企业挽回经济损失100多万元。查处学校周边刑事、治安案件11件，抓获违法犯罪分子16人，其中提请逮捕2人，劳教3人，治安处罚11人。2000年，市公安局成立经济犯罪侦查大队，撤二科，内保工作归属治安大队管理，实行保卫科长月例会制度。是年，会同市人民银行深入金融系统营业场所进行现场检查指导。2002年9月，举办全市首期保卫科长培训班，为期8天，参训者63人。是年12月，按照“防弹化、监控化、信息网络化”要求，在全市金融系统营业网点、要害部位安装110联网报警系统。2003年6月根据公安部、中国人民银行关于《银行营业场所风险等级和防护级别的规定》，对全市101个营业场所和45个金库（含业务金库）进行达标验收，统一颁发有效期2年《江西省营业场所、金融安全防范设施合格证》。2005年11月，市公安局贯彻公安部关于《维护校园及周边治安秩序八条措施》，实行各警种分工负责，局领导分片挂点学校安全工作,维护校园及周边治安秩序。每年中考、高考期间,公安机关派出民警负责考卷押送、守护和维护考场秩序及考生安全。2006 年 5 月,破获一起扰乱生产经营秩序,制售假烟价值百万余元特大案件,捣毁制贩假烟窝点 1 个,抓获犯罪嫌疑人 10 人。当年 10 月,根据国务院 2004 年 9 月 13 日颁布《企业事业单位内部治安保卫条例》,确定贵溪市内保系统省级重点单位 2 个,市级重点单位 12 个,县级重点单位 66 个,对列管内保干部进行一次业务培训。2007 年 9 月对全市金融系统 76 个营业场所,4 个专业金库再次进行检查验收,颁发公安部统一制发的"安全防范合格证",当年 12 月对农行贵溪工业园区支行违反《金融机构营业场所金库安全设施建设许可证》规定,其营业场所安全防范设施建设工程未经验收投入使用,无证营业,予以行政处罚。2008 年全市列管重点单位保卫机构 80 个,保卫干部 118 人。

2002 年 10 月,鹰潭市保安服务公司贵溪分公司成立,隶属公安局治安大队,首次招聘以退伍军人为主保安队员 52 名,经为期 15 天集中培训,陆续向全市 15 家用户单位派驻执勤。公安机关对保安队员每年两次集中培训、轮训。2005 年 12 月 16 日,公司保安队员胡伟在工行东门办事处储蓄所执勤时抓获犯罪嫌疑人 1 人,协助公安机关成功破获杨某伪造金融票证案件。2006 年 4 月,公司组建保安押运队,为工行、建行、石油公司等 17 个营业网点提供现金押运安保服务。2007 年 1 月组建江铜集团新材料公司保安中队,为企业保驾护航。自成立保安服务公司至 2007 年,保安队员抓获违法犯罪嫌疑人 6 人,为公安机关提供破案线索 20 余条,为服务单位挽回经济损失 30 余万元,参加用户组织大型活动维护治安秩序 5 次。2008 年,全市有保安队员 168 人,保安用户 26 家。是年 12 月 8 日,驻江铜新材料公司保安中队现场抓获盗窃金碲价值 8 万元的犯罪嫌疑人 1 名。

巡警 110、特勤与处置群体性突发事件

1991 年 6 月,依法处置"6·4"志光乡夏家岭与流源彭家因龙船下水过路争端引发夏、彭两姓数百人持梭镖、鸟铳参加宗族械斗致死 3 人,伤 20 余人特大治安事件,逮捕犯罪嫌疑人 5 人。当年 12 月,依法处置"12·24"塘湾镇金源何家因山林纠纷,聚集村民 130 多人持械到上清镇泥湾村委会叶家村小组打砸抢事件,逮捕犯罪嫌疑人 5 人。1996 年 5 月,稳妥处置"4·27"耳口乡梅潭村委会姚家村民数十人聚众阻挠执行公务,殴打捆绑公安民警,抢夺枪支特大治安事件,逮捕犯罪嫌疑人 4 人,行政处罚 42 人。1997 年 5 月 28 日及时处置余家乡坂上村委会周杨村小组村民周某之妻出殡安葬路经杨村受阻,引发两姓村民数十人持械斗殴死伤 2 人重大治安事件,有效控制事态发展。依法处置"7·29"上清镇桂洲村民 100 多人冲击上清林场和林业派出所,砸毁 7 块党政牌子,打砸机关宿舍,打伤干部职工 10 多人,扰乱社会秩序重大治安事件,逮捕犯罪嫌疑人 6 人。同年 8 月 18 日,成立市公安局巡警大队暨 110 报警服务台,坚持维护治安和服务群众并重原则,全天候 24 小时受理报警求助,对市区交通要道、街面巡逻监控,预防制止违法犯罪,先期处置全市范围内发生的重大治安事件和灾害事故,履行"有警必接,有难必帮,有险必救,有求必应"社会承诺。当年 9 月 10 日,公安机关稳妥处置驻市企业中国首钢四建(四冶)总公司因发放生活费问题,400 多名退休工人在建设大道集会、静坐、堵塞交通群体性事件。1998 年,110 报警服务台与 120(医疗急救中心)、122(交通事故报警)有线联网,建立与供水、供电、民政、卫生、城建等单位社会服务救助联动体系。是年依法处置泗沥镇东洪村划龙船引起械斗,泗沥镇雅基坑村民聚众闹事、封闭冶炼厂大门扰乱生产秩序等 8 起突发性治安事件。1999 年市公安局调整完善《处置群体性事件工作预案》,有效预防和稳妥处置四建总公司因拖欠巨额电费被供电部门限电停电后,2000 多名职工和退休人员欲聚集 320 国道闹事和去鹰潭市集体上访等 12 起群体性事件。2000 年,稳妥处置"9·13"罗河镇陈家村民数百人阻碍执行公务、打伤公安民警多人的重大治安事件以及周坊镇岭脚村与余江县高公寨林场山林纠纷扣押人质事件,金沙乡山背汪家与丁家山界纠纷械斗等 10 余起群体性突发事件。2001 年,公安机关重新制定完善《预防和处置群体性事件工作预案》,成功处置"4·11"贵溪啤酒厂因体制改革问题引发职工聚众闹事,"87"雄石镇花园村委会沙古桥村民聚众阻挠雄石 110 千瓦变电站建设施工,"9·11"四建公司职工和退休人员近千人聚集 320 国道堵塞交通等群体性事件。2002 年,成功处置"3·10"鸿塘镇界牌村民阻拦梨温高速公路施工取土、打伤施工人员,"4·23"志光镇中源彭家 60 多名湖南籍民工因劳务纠纷挟持广东投资商,"5·1"白田乡行马村民因宅基地纠纷引起聚众械斗等突发性治安事件。2003年，成立市公安局指挥中心，加强接处警工作规范化建设，形成以指挥中心为龙头，巡警为骨干，派出所为依托各警种密切配合的快速反应机制。110报警服务台开通数字化报警系统，增加受理公众对公安机关及人民警察现时发生违法违纪或失职行为投诉。是年排查调处群体性矛盾纠纷22起，未发生群体性突发事件。2005年，成功处置"3·23"罗河镇潜岭村民因对客车票涨价不满，聚集在贵白公路潜岭邓家路段拦阻扣押客车事件和"8·14"雷溪乡鲶桥村委会桂林村小组村民杨某出殡安葬过路受阻，引发宗族50多人参与斗殴事件。2006年，开展对涉及退伍军人群体稳定情况调查，协助相关部门单位做好重点人员稳控工作，排查调处群体性矛盾纠纷30起，全年未发生群体性事件。2008年，110报警服务台与119（火警）、122（交警）三台合一。

1997年8月至2008年底，巡警大队共接处警37138次，先期处置刑事、治安案件25129起，火警和交通事故3051起，巡逻执勤20285人（次），抓获违法犯罪嫌疑人4630人。参与处置群体性事件36起，大型安全保卫活动57次，抢险救灾9起90人（次）。为求助群众排忧解难8752人（次），寻回失散儿童、老人389人（次），护送伤病员到医院急救1987人（次），资助特殊困难群众43人（次）金额10580元。

2008年1月，成立公安局特勤大队，下设3个中队，抽调5名中层干部和业务骨干担任大队领导，在社会上择优招聘以武警退伍战士、公安警察院校毕业生为主特勤队员60名，实行军事化封闭式管理，全天候24小时在职待命，吃住行统一。战时反恐防暴处突，平时训练巡逻执勤。大队拥有一幢集办公、开会、教学、住宿、装备库房于一体五层办公大楼，建筑面积1100平方米。配备指挥车1辆，依维柯运兵车3辆，装备车1辆，对讲机18台，计算机6台及警用器具单兵盾牌65具，组合盾牌20套，防暴盔甲65套，防弹、防刺背心各15件，头盔15顶，伸缩警棍、应急警棍各65根，强光手电65把。当年2—4月，对特勤队员进行法律法规、公安业务知识培训和强化心理素质、队列队形、5000米越野、徒步防卫与控制、装备使用、擒拿格斗、强行突击、强行带离、目标警卫、查缉、重点场所控制及解救劫持人质等专业技能训练，提高队员综合处突能力。3月2日凌晨3时，贵州永泉运输公司货运汽车在沪昆高速公路贵溪路段发生化学危险品黄磷泄漏事故，特勤大队接指令后出动警力25人迅速赶赴现场，协助消防官兵把100多桶黄磷安全转移，确保高速公路畅通，挽回经济损失80多万元。至2008年年底，特勤大队参与处置群体性突发事件7起，成功率100.，协助城管拆除违章建筑专项整治8次，参加重大安全保卫活动6次，上街巡逻执勤1920人（次），协助公安机关抓获违法犯罪嫌疑人243人，缴获机动车辆6辆，民用枪支7支。在"抗冰救灾"中，出动警力286人（次），清扫98千米公路积雪，3千米铁路积雪，护卫桥梁2座，清理铁路垃圾16吨，疏散滞留旅客3000多人。

1991—2008年全市治安案件查处一览

表21－3

年份	治安案件查处（起）	治安处罚（人次）	治安拘留（人次）	年份	治安案件查处（起）	治安处罚（人次）	治安拘留（人次）
1991	644	1571	494	2000	2408	3362	314
1992	640	1614	423	2001	2443	3544	322
1993	458	966	315	2002	2035	2702	408
1994	567	1321	365	2003	1644	2632	302
1995	581	1297	248	2004	829	1276	207
1996	604	1729	255	2005	1012	1472	188
1997	596	1717	328	2006	724	1037	299
1998	706	2035	372	2007	591	690	381
1999	733	1552	338	2008	784	639	370

第七节 户政管理

1990年12月，县公安局成立户政科。负责全县户籍、居民身份证和流动人口、暂住人口、重点人口管理及人口统计工作，指导基层派出所户政业务及社区、村镇安全文明楼院建设。

常住人口管理

1991年，常住人口实行出生登记、迁入迁出、变更更正、分户立户和死亡注销五项管理制度。雄石镇、上清镇和驻县企业户口分别由雄石派出所、上清派出所和滨江公安分局管理，其他乡镇户口则由乡镇政府管理。全县共有常住人口516313人，其中，城镇人口85160人，农业人口431153人。

1994年3月，县政府〔1994〕35号《关于户口、居民身份证工作移交给公安派出所管理的通知》下发后，全县17个农村派出所开始从乡镇接管户口和居民身份证管理工作，并有正式民警担任专职户管员。1995年9月20日，县公安局下发《贵溪县农村户口城市化管理实施方案》通知，此后，农村户口按一人一表、一户一簿、一宅一牌管理模式逐步实现规范化管理。1996年开始，对常住人口和居民身份证实施微机信息化管理。对办理条件、办理时限、审批程序、收费项目和收费标准全部实行公开。遵照国发〔1997〕20号《国务院批转公安部小城镇户籍管理制度改革试点方案和关于完善农村户籍管理制度的意见》和江西省赣府发〔2002〕13号《改革户籍管理制度推进我省城市化进程意见》，以及江西省公安厅赣公户字〔2003〕20号文件要求，自1998年以来逐步推行各项户籍制度改革。一是降低城市户口落户门槛，取消"农转非"计划指标和收取城市户口增容费、建设费规定，实行条件准入。只要符合在城镇有合法固定住所、稳定职业或生活来源及其共同生活直系亲属，可根据本人意愿，登记城镇常住户口。对原来小城镇和农垦系统登记自理口粮户口、"定销粮"户口，根据本人自愿一律变更为城镇常住户口。二是放宽市区户口迁移落户政策限制，凡在城市购买住房，凭房产证即可办理城镇户口，夫妻一方户口在城镇，其另一方配偶在农村的，亦可办理城镇户口。未成年子女，老年父母投靠均可办理城镇户口。在市区投资具有一定规模，投资兴办公益事业，个体工商户或私营企业业主纳税达到一定标准以及大中专毕业生均可登记城镇户口。1999—2008年，全市共办理"农转非"户口14395人，蓝印户口6590人；三是解决户口管理中一些突出问题。对部分已办理"农转非"，但在城镇无生活基础，实际居住在农村人员、下岗城镇职工，本人要求"非转农"以及大中专毕业生尚未分配工作要求回原籍的，退伍军人未分配工作要求回原籍的，均按照本人要求，经乡镇、村和村小组同意，订立分田、分山、分地、分钱等协议和经派出所审核后，报市局审批均可办理"非转农"回农村落户手续。

2008年，全市共登记常住人口154851户585350人，其中：城镇人口117906人，农业人口467444人，男性314744人，女性270606人，男女性别比例为116比100。18岁以下128283人，19～35岁177630人，36～60岁212434人，60岁以上67003人。在常住人口中，畲族人口2043人。张姓32819人，李姓31461人，徐姓28413人，为贵溪"三大"姓氏。

流动(暂住)人口管理

2008年，全市共登记流动人口81988人，其中流出78928人，流入暂住人口3060人，对流入本市暂住人口主要通过辖区派出所找用工单位、企业、私营业主、租包房宾馆(旅社)和私房出租房东调查登记，核发暂住证等手段进行管理。

重点人口管理

公安机关对重点人口管理，按照江西省公安厅赣公字52002〗107号《重点人口规范化管理要求》文件精神，由辖区派出所管理，对两劳释放人员回原籍到户政部门申办落户手续时，及时将他(她)们列入重点人口进行管理。对判处管制、剥夺政治权利、缓刑、假释、监外执行、所外执行的六种人也由辖区派出所作重点人口列管。对外地公安机关来函报备"法定不批准出境人员"，则由出入境管理部门作重点人口列管。2008年，全市共登记列管重点人口657人。

居民身份证管理

全国自1985年开始实行居民身份证制度，1987年县人民政府成立颁发居民身份证领导小组及办公室，开展分期分批集中颁发居民身份证，是年10月至1990年年底，全县共颁发居民身份证33万余张。1990年12月，县公安局成立户政科以后，将居民身份证转入正常发证和管理。截至2006年5月，全市共颁发第一代居民身份证41万张，实际持证人口约38万人。1999年12月，居民身份证编号由15位升至18位。2001年6月，国务院批准同意采用非接触式IC卡技术制作换发第二代居民身份证，并要求各地积极做好换发第二代居民身份证准备工作。全市自2005年4月起至2006年5月，开展换发第二代居民身份证之前户口核对，清理纠错、照片采集等各项准备工作，同时停止办理第一代居民身份证。2006年6月，贵溪换发第二代居民身份证工作全面启动。成立由主管政法工作的副市长任组长，由市发改委、财政、公安、宣传、民政等部门领导组成换发二代证领导机构及办公室，并下发贵府办字〔2006〕60号文件，下拨专项经费30万元，用于解决派出所办理二代证添置设备和印制表格。根据省公安厅指示精神，全市在2006—2008年底必须完成36万张第二代居民身份证换发任务。截至2008年12月31日止，全市共完成第二代居民身份证换发任务379308张，已制证362149张，换发证数占省公安厅下达总任务数105.05%。截至2008年年底，全市实际制证392070张，公民实际持有第二代居民身份证392070张。自2009年1月起，第二代居民身份证已转入正常申请、补领和换领。

第八节　出入境管理

1991年，县公安局出入境管理科与政保科合署办公，设外事接待室，负责全县出入境管理工作。受理、审核、上报国内公民申请出国（境）材料和对国（境）外入境人员、"三资企业"（中外合资经营企业、中外合作经营企业、外商独资经营企业）管理及涉外案（事）件处理。2004年9月，在冶金大道65号临街面设立贵溪市公安局出入境接待室（窗口）。至2008年年底，共受理上报公民出国（境）申请9131人（次），受理国（境）外人员申报验证5912人（次），办理外国人签证4人，办理外国人居留证6人，居留证延期6人，签证延期71人（次），办理台胞暂住证5人，台胞签注延期27人（次），登记管理"三资企业"12家，查处涉外案（事）件18起。

出境管理

1991年，受理公民出国（境）申请70人（次），接待回访出国（境）回归人员151人次，接处来信来访100多件次。是年9—12月，查处刘某私刻国家驻外使领馆等12枚印章和伪造多种文书证件，企图骗领护照，组织17人去匈牙利非法移民团伙案。1994年受理上报县民政局福利院12名涉外收养儿童出国定居材料，及时为3名外资企业中方董事长（总经理）出国洽商引资办理护照。1995年1月，县政府外办和县公安局下发《关于在全县开展外事纪律检查的通知》，对全县涉外单位和外资企业出国（境）人员遵守外事纪律和出入境情况进行检查和通报。是年5月，查处福建省平潭县环卫所职工三某（女）弄虚作假，冒用雷溪乡村民黄某（女）户口和身份证资料，企图异地办照，骗取护照去日本自费留学案。12月，查处孙某（女）以揭换照片方法冒用吉林省外办签发普通因公护照多次出入境案件。1996年2月，为纪念《中华人民共和国外国人入境出境管理法》《中华人民共和国公民出境入境管理法》颁布10周年，公安机关采取召开座谈会，出动宣传车，悬挂标语横幅等形式开展宣传外管"两法"活动。1997年，按时回复全国人大王汉斌副委员长和我驻外使领馆及上级公安机关交办的协查函电、信访件5件。1998年12月，查处黑中介李某私刻派出所印章、伪造国家工作人员签字，为4名福建人办理假户口、身份证企图以组团出国旅游名义骗领护照，组织偷渡出国、诈骗钱财的重大案件，李某被刑事拘留。1999年6月，查处郑某（女）偷渡去台湾打黑工偷渡案，郑某被处以限制2年不得申请出国（境）。2000年8月，启用1997版护照，实施新的《公民因私出国审批规范》。2001年2月，查处福建人庄某持伪造香港亲属资料，冒用塘湾镇村民户口和身份证申请去香港探亲，制止一起企图异地办证骗证去香港打黑工案件。2003年，"非典"发生初期，及时为"三资"企业贵雅公司6名管理人员办理护照，为他们去斯里兰卡办厂和去韩国追讨货款赢得宝贵时间。当年8月，开展"法定不批准出境人员"清理整顿工作，全市报备123人，依法不批准出境8人。2004年10月，实行特殊身份人员登记备案制度和逐步实行按需申领护照制度，全市登记备案特殊身份人员960人。当年12月，查处雄石镇曹某、滨江乡李某、叶某和冷水镇艾某4名女青年偷渡去台湾打黑工案，报备限制她们2年内不得申请出国(境)。2005年，进一步放宽公民申请出国(境)审批条件，出国和去港澳旅游人员骤增至1091人(次)，首次突破千人大关。2006年，市公安局加强出入境管理各项基础性工作，调整充实外管联络员、户管员、信息员队伍，建立健全窗口服务规范，进一步改善接待服务环境，推出一系列便民利民措施，通过省公安厅考评验收，出入境管理科被授予全省和全国出入境管理达标文明窗口荣誉称号。2007年《中华人民共和国护照法》颁布施行，并于1月1日启用10年有效期新版护照，开始与国际接轨。2008年，全市受理公民出国(境)申请2113人次，回复外省(市)出国(境)协查函96人(次)，报备法定不批准出境人员52人。

入境管理

1991年，受理国(境)外入境人员申报验证和住宿登记324人(次)，外国人和华侨申报率达100.，港澳居民申报率达98.，台湾居民申报率达95. 以上。办理签证1人，签证延期7人，居留证延期4人。1992年10月9日，责令来贵溪冶炼厂演出的俄罗斯小白桦歌舞团一行70人补办申报验证和住宿登记，并对歌舞团和接待单位进行“外管法”宣传教育，维护国家主权和法律尊严。1993年为“三资”企业常驻国(境)外人员办理暂住证3起3人。1994年，为到贵溪投资的华侨和港台同胞办理居留证和暂住证4次4人，为台湾居民办理签注延期11人(次)。8月8日，外事民警主动上门服务，为来江铜公司演出的美国华盛顿波多马克歌舞团一行33人办理申报验证和住宿登记。1995年8月上旬，召开全局外管工作会议，组织学习外管法规。任命公安分局、派出所和企业公安分管外事工作领导及外事干事，建立健全外管“三员”队伍，统一制作下发“公安派出所出入境管理工作职责”“入境人员须知”牌匾，形成基层外管网络，实行规范化管理。1996年上半年，开展清查国(境)外“三非”人员统一行动，查处“三资”企业竹辉公司台胞非法就业案。9月28日，查处1德国人未持有旅行证而自备交通工具，非法进入贵溪多处未开放地区旅行，被处以治安警告，限期离境，并将自行车打包经南昌海关邮寄出国。1999年3月31日，接待无国界医生组织驻南宁办事处法国人吉来一行3人来访，对他们要求寻访被其收留所谓“弃儿蒋运峰”父母及其家庭一事提供必要帮助，做出恰当安排，维护国家形象和尊严。7月，查处一起非法入境骗婚案，3名越南妇女被遣送出境。当年，“8·16”案件死者熊某侨居国外兄妹，分别从美国和澳大利亚来函，并通过美、澳两国驻华大使馆频频来电施压，要求尽快查清事实，缉捕凶手，出入境管理科及时回复国外函电，认真做好宣传解释工作，避免涉外争端发生。10月4日，传唤日本人炭谷正一，责令补办申报验证和住宿登记，鉴于其在龙虎山可疑活动，令其限期离境回国，对接待住宿旅店老板孔某予以治安处罚。2000年9月，放宽对国(境)外人员临时住宿限制，允许非指定涉外馆店(旅社)接待国(境)外人员住宿。2002年上半年，针对放宽对国(境)外人员住宿限制后，一些宾馆(旅社)不按规定申报国(境)外人员住宿登记，出现申报率下降情况，出入境管理科会同治安部门召开全市旅馆业主会议，组织学习宣传外管法，要求接待国(境外)人员住宿馆店(旅社)严格按规定申报住宿登记，发生涉外案(事)件要及时报告公安机关，并开展两次集中清查整顿行动，成效明显，住宿申报率回升。2003年4－6月底，伊朗哈通阿巴德冶炼厂61名员工在贵溪冶炼厂进行岗位操作培训，市公安局及时制订涉外安全保卫方案，召开科所队长会议进行部署，落实措施，确保安全无事故。2004年5月30日，查处中国第四冶金建设有限责任公司奥科学校一尼日利亚人逾期非法居留案，经报请上级批准，决定缩短其在华停留期，限令在2004年6月4日前离境回国。2006年3月24日，破获贵冶铜苑宾馆美籍韩裔客商白某被盗手提电脑价值1280美元案件，抓获犯罪嫌疑人1人，及时挽回外商损失和消除政治影响。2008年3月，开始启动派出所网上办理国(境)外人员申报验证和住宿登记业务与信息传输，将居留的国(境)外人员正式纳入辖区实有人口管理，做到“来能发现、行知其踪、走明去向”。7月9日，查处一加拿大英语教授非法就业案，令其停止在贵溪收受学生办暑期英语培训班活动，返回所在学校，对接待其住宿而不按规定申报住宿登记的某饭店业主予以治安警告处罚。是年，全市受理国(境)外人员申报验证481人(次)，各项申报率达到或超过上级规定标准。

1991—2008 全市出入境人数一览

表 21－4　　单位：人

年份	出国(境)	外国人入境	申报率
1991	40	115	100
1992	31	175	100
1993	32	97	100
1994	34	183	100
1995	36	1	100
1996	33	125	100
1997	35	129	100
1998	38	207	100
1999	43	80	100
2000	99	119	100
2001	212	167	100
2002	198	68	100
2003	295	247	100
2004	308	256	100
2005	510	349	100
2006	646	283	100
2007	932	205	100
2008	954	413	100

1991—2008 年全市赴港澳台人数一览

表 21－5　　单位：人

年份	出境		入境		申报率
1991	港澳	24	华侨	6	100
			港澳居民	6	98
	台湾	6	台胞	195	95
1992	港澳	29	华侨	2	100
			港澳居民	119	98
	台湾	12	台胞	169	95
1993	港澳	28	华侨	2	100
			港澳居民	19	98
	台湾	13	台胞	112	95
1994	港澳	35	华侨	5	100
			港澳居民	14	98
	台湾	8	台胞	78	95

续表21－5

年份	出境		入境		申报率
1995	港澳	36	华侨	1	100
			港澳居民	10	95
	台湾	10	台胞	97	90
1996	港澳	39	华侨	9	100
			港澳居民	80	98
	台湾	11	台胞	79	90
1997	港澳	41	华侨	12	100
			港澳居民	85	98
	台湾	12	台胞	63	90
1998	港澳	46	华侨	9	100
			港澳居民	104	98
	台湾	14	台胞	45	90
1999	港澳	48	华侨	6	100
			港澳居民	67	95
	台湾	15	台胞	32	90
2000	港澳	167	华侨	18	100
			港澳居民	93	95
	台湾	14	台胞	69	90
2001	港澳	76	华侨	6	100
			港澳居民	57	95
	台湾	13	台胞	43	90
2002	港澳	194	华侨	71	100
			港澳居民	61	95
	台湾	15	台胞	59	90
2003	港澳	257	华侨	12	100
			港澳居民	59	95
	台湾	30	台胞	17	90
2004	港澳	456	华侨	12	100
			港澳居民	77	95
	台湾	30	台胞	40	90
2005	港澳	551	华侨	13	100
			港澳居民	57	95
	台湾	30	台胞	42	90
2006	港澳	562	华侨	11	100
			港澳居民	75	95
	台湾	21	台胞	43	90

续表 21 - 5

年份	出　境		入境		申报率
2007	港澳	645	华侨	11	100
			港澳居民	101	95
	台湾	25	台胞	40	90
2008	港澳	1126	华侨	5	100
			港澳居民	42	95
	台湾	33	台胞	21	90

第九节　信息通信

有线与无线通信

1991 年,公安局通信科设机务室,配置供电程控人工转接交换机 2 台,开通公安有线通信专线四级网,装设电话 52 部、拥有无线基地台 3 部、车载台 7 部、对讲机 47 部,并对警用电台进行普查登记,建立档案,统一管理。1993 年 8 月,安装有线模拟程控交换机一台,450 米无线双功能转信台一台,配备各类终端 150 余台。1994 年,有线主机因没有专用电源遭雷击,导致一度停机,经与邮电部门协商,将交换机中继电路改为程控单机线路,一线多机,保证局机关有线通信畅通。是年新装电话 11 部,装机总量达 63 部。1996 年,购置通信密码设备,开通密码传真,建立严格管理制度和保密措施,确保密码机要绝对安全。1998 年 3 月,重新安装有线数字程控交换机,内部电话装机总量达 98 部。2001 年,实施全省公安信息通信质量管理年,进一步健全通信值班和机要收发登记制度,实行目标管理责任制,有线通信开通到全国各省、市、自治区和江西省各地市县(区)公安专网电话。2003 年,开通有线数字化 110 接报警系统,拥有金融单位与 110 联网报警功能,无线通信改装为 350M 常规转信台。2006 年,开通公安专网密码通信系统,设专职机要员,配置密码机 2 台、传真机 1 台。2008 年,有线通信实现 110 指挥中心与火警 119、交警 112"三台合一",实施密码通信机房标准化建设为三级机要室,安装 350 米模拟集群无线通信系统,配备各类终端 214 台。

信息化建设和应用

按照公安部"金盾工程"总体规划和省公安厅关于科技强警统一部署,2001 年开始公安信息化工程建设,是年 8 月建立市公安局门户网站,开通至市区各科所队公安网,2003 年开通至各农村派出所公安四级网和人口信息系统。2004 年建立全市金融系统信息联网报警中心,2006 年市公安局被列为"全省科技强警示范县"单位,市政府加大对公安信息化建设资金投入,先后在市区重点区域、单位、交通路口、主要街道和复杂场所安装视频监控系统,在罗河、金屯、文坊、余家、滨江、河潭、周坊、白田、志光、鸿塘等 10 个乡镇公路卡口、集镇安装监控探头,在派出所设视频监控室,改造市区交通指挥信号和电子警察系统,完成看守所监区视频监控,自动对讲,智能电网系统建设。至 2008 年,市公安局共有计算机 365 台,各基层所队均建立标准化信息采集室,配置扫描仪、打印复印一体机、数码照相机,全市 69 家旅馆安装治安管理信息系统与公安联网。在加强硬件建设的同时,开展全警参与信息化练兵活动,做到应知应会,市局和科所队领导能熟练运用信息系统组织开展公安工作,管理公安队伍,实行网上决策指挥、网上审批案件、督导工作。全局民警普遍掌握计算机使用知识,会上网、会查询、会录入、会比对、会下载、会收发电子邮件。2008 年 4 月,成立市公安局信息中心,负责对全局公安业务信息采集、录入、传递、管理和应用进行指导,制定《警务信息采集工作规范》《警务平台建设应用考核办法》,建立信息化长效运行机制。公安机关指挥中心接处警、调度指挥功能得到全面提升,警务信息系统成为民警开展公安业务基础平台,网上传递文件、报送信息、查询资料、审批案件、教学考试和远程视频会议日益常态化。

至2008年年底,市公安局运用警务信息平台,发送警情通报、提示56件,预防可能发生的群体性事件40余起,抓获网上逃犯27名,破获刑事案件79件,发现查处交通违章637人(次),为民服务排忧解难403件(次)。

公共信息网络安全监察

1996年,市公安局通信科兼管计算机安全监察工作,协同上级公安机关计算机安全监察机构,对全市计算机房(室)安全管理进行督促检查、登记备案。2001年5－6月,对全市互联网上网服务场所进行全面清理整顿,查获上网查阅淫秽信息"网吧"3家,违反上网登记制度"网吧"11家,予以行政处罚。经过整顿,重新审核发证上网服务"网吧"26家,其中拥有电脑30台以下22家,30～60台4家,全部安装安全管理软件。8月,接群众举报,查处取缔黑网吧1家。是年,组织"网吧"及重点单位计算机信息系统安全员37人参加鹰潭市公安局开办的安全员培训班。查处互联网传播淫秽、反动内容行政案件25件。2003年,实施"网吧"实名登记制度,落实安全技术措施,开展对农村"网吧"集中整治,重新审核并按规定为15家农村"网吧"办理"网络安全合格证"。2004—2005年,开展对全市重点企业、行政事业单位计算机网络安全检查,下发整改通知书3份,查处违规经营"网吧"5家,罚款3万余元。2006年,开展对全市网吧集中整治工作,重新规划设置"网吧"布点,进一步落实安全技术措施和实名登记制度。关停违法违规经营"网吧"11家,下发整改通知书51份,停止审批新增设网吧和网吧转让手续,要求城区"网吧"上规模、上档次,用于经营服务电脑须在80台以上。2007—2008年,实施"网吧"管理安全技术升级,加强舆情监控。通过网监,提供维稳信息5条,处理删除攻击、毁镑党政领导信息16条,关停黑"网吧"2家,处罚违规经营"网吧"21家(次),罚款7万余元。2008年,全市登记备案"网吧"48家,其中市区21家,农村27家。

第十节　消防管理

1991年,县公安局设消防科,实施消防监督管理。全县有公安消防中队1个,企业专职消防队3个,基层义务消防队107个,消防战斗车8辆,消防指挥车3辆,战斗服127套,水带664盘,消防机动泵32台,各种灭火器7667只,消防铲104把,水桶743只,消防水池27个,消防栓11个。1995年11月,撤并消防科,成立公安消防大队,下辖1个中队,址设建设路市公安局右侧,占地面积4120平方米,建筑面积2230平方米。1998年9月1日《中华人民共和国消防法》施行。2004年12月,成立消防二中队,址设柏里大道九牛岗铁路桥西侧,占地面积13423平方米,建筑面积1676平方米。2008年,全市设1个公安消防大队,下辖2个中队,现役编制消防人员51人,聘用合同制消防人员8人,企业专职消防队2个,消防队员35人,基层义务消防队18个,队员180余人。共有各类消防器材60余种,消防特种器材14种,消防战斗车13辆,消防监督车4辆,战斗服254套,水带331盘,消防机动泵35台,消防栓151个等。是年10月28日,《中华人民共和国消防法》重新修订颁布,2009年5月1日施行。

消防安全宣传

公安机关消防机构与有关单位配合,以"119"消防宣传日活动为载体,大力宣传消防法律法规。2008年,在《贵溪报》和贵溪电视台开设"消防之声"栏目,在建设路文化长廊喷绘消防画卷。全年开展各种形式消防宣传活动20余次,悬挂宣传条幅32条,发放新《消防法》1万余份,消防宣传单2万余份。是年"119"消防日,在擂鼓岭广场举行由市政府、市公安局领导出席,市奥科学校师生、太平洋购物中心职工等20多个消防安全重点单位400余人参加消防志愿者服务队成立仪式大型宣传活动,组织消防重点单位设立宣传点5个,悬挂横幅标语18条,展出宣传版块30余幅,发放宣传资料2000余份。

消防监督管理

1991—1995年,公安机关组织消防机构协同治安、内保部门普遍开展防火、防盗、防破坏、防治安灾害事故"四防"安全大检查,落实防火安全责任制。1996年,为做好贵溪撤县设市各项安全保卫工作,公安消防机构加大消防监督检查力度,发现火灾隐患,及时敦促整改,参与制定庆典活动"焰火晚会"安全保卫工作方案,组织实地演练,派出20名消防官兵参加庆典活动安全保卫工作。1998年,《中华人民共和国消防法》颁布施行后,对贵溪市内发生火灾可能性较大,以及一旦发生火灾可能造成人身重大伤亡或者财产重大损失的单位确定为消防安全重点单位,建立消防档案,加强监督管理。是年开展建筑工程消防监督审核工作。2006 年,公安消防机构下发各类整改通知书 46 份,“复查意见书”32 份,“公安行政处罚决定书”4 份,警告 4 人,确定为政府挂牌督办重大火灾隐患单位 6 家,落实整改 6 家。2007 年,根据公安部消防局“8 · 16”电视电话会议精神,开展对辖区内重点单位、场所火灾隐患排查整治工作,其中人员密集场所 103 个、易燃易爆场所 14 个、发现火灾隐患 402 处、下发“责令限期改正通知书”69 份、“复查意见书”13 份、整改火灾隐患 126 处、整体关停场所 28 个、局部关停场所 12 个、包房 75 个、处行政罚款 71500 元、治安拘留 1 人。2008 年实施“奥运消防安全保卫攻坚战”,开展“冬防”“赣安一号”和“整治歌舞娱乐场所”等消防安全专项治理工作。检查单位、场所 357 家,发现火灾隐患 295 处、下“责令限期改正通知书”48 份、“复查意见书”48 份、处行政罚款 8100 元、责令停产停业 6 家、报政府官定拟停产停业 2 家。消防监督审核建筑工程 32 个,面积 46 万平方米,消防验收建筑工程 41 个,面积 15 万平方米。至 2008 年年底,全市确定消防安全重点单位 102 个。

火灾扑救和抢险救援

公安消防机构坚持“平战结合”,开展每年冬训和岗位练兵活动,警官每周不少于两课时,士兵每年不少于 110 个训练日,进行体能、技能训练和灭火演练,指导专职消防队和义务消防队业务训练。随着经济社会快速发展,适应灭火救援实战需求,不断深化消防训练改革,积极开展车辆装备和作战力量编成训练及战术操法训练,加强高层建筑、地下工程、石油化工及危险化学品泄漏、建(构)筑物坍塌、交通事故等灭火救援专业训练;着力推进由处置常规火灾训练向扑救现代火灾和应急救援训练转变,由偏重技能训练向技术、战术、保障合成训练转变,由偏重操场训练向实战化训练转变,由偏重移动消防装备训练向固定消防设施与移动消防装备相结合训练转变;强化安全防护训练、合成训练、模拟仿真演练、实战演习,开展随机拉动、临机设情演练和夜间、节假日及火灾多发时段、恶劣复杂条件下实兵、实装、实战演练。用过硬本领及时扑灭火灾,完成抢险救援任务。1996 年 11 月 21 日凌晨 5 时半左右,余家乡滴水村委会游家村小组发生火灾,公安消防队接报警后迅速出动赶赴现场扑救,由于道路不通,消防车无法进村,消防官兵徒步进入,与村民一起经过 3 个小时扑救,将大火扑灭。此次火灾造成 19 户房屋被烧,72 名村民受伤,烧毁房屋 480 平方米,财产损失 13500 元。2006 年 3 月 31 日 20 时 33 分,城区南街雄石派出所对面店铺发生火灾,公安消防大队在鹰潭市消防支队特勤中队和贵溪市企业专职消防队增援下,经奋力扑救,于当晚 23 时 20 分将大火扑灭,救出被困人员 7 名,疏散居民 24 名,保护了火场周围 40 余户居民生命财产安全。2008 年 3 月 1 日 21 时零 5 分,一辆车牌为贵 J13438 号载有 20 吨桶装化学危险品黄磷大货车,在沪昆高速公路贵溪出口处发生泄漏引起燃烧。接报警后,公安消防大队和市公安局特勤大队迅速赶赴现场,紧急处置,安全转移黄磷,及时扑灭大火。当年 4 月 22 日凌晨,一辆装载 30 吨浓盐酸槽罐车,在沪昆高速公路贵溪境内鹰东 16 千米处发生 1 死 1 伤重大交通事故,接警后,公安消防大队出动消防车 3 辆,指战员 24 人,消防支队特勤中队出动特勤车 1 辆,指战员 7 人协同作战,实施紧急救援,排除险情,使高速公路在 3 小时内恢复通车。当年 11 月 28 日凌晨 1 时左右,贵溪市龙兴铺汽车站内 8 辆载客中巴车起火,情况危急,接报警后,公安消防大队出动 4 辆消防车 20 名官兵赶赴现场,经过 1 个小时奋力扑救,将大火扑灭,火灾未造成人员伤亡。2008 年火警 119 与 110、122 三台合一。

1991—2008 年全市火灾情况一览

表 21－6

年份	起数(起)	死(人)	伤(人)	损失折款(元)	年份	起数(起)	死(人)	伤(人)	损失折款(元)
1991	7	0	0	23200	2000	35	0	0	311200
1992	28	0	0	86326	2001	38	—	—	350062
1993	5	0	0	26000	2002	36	—	—	523760
1994	6	0	0	35203	2003	66	1	—	602310
1995	21	—	—	10562	2004	70	—	—	723012
1996	7	0	73	26100	2005	55	—	—	682650
1997	39	—	—	122205	2006	29	1	2	823621
1998	38	0	0	303960	2007	54	—	—	816564
1999	58	0	0	339350	2008	69	2	3	884971

第十一节　监所管理

1991 年,贵溪县看守所址设城区建设路公安大院后侧,占地面积 36414 平方米,监区内设监室 15 间,关押容量 300 人。因受关押场所条件限制和执法环境影响,监所超员关押,超期关押和治安拘留人员与人犯混合关押情况严重,看守工作面临巨大压力,10 月 18 日发生在押人犯詹某、陈某、苏某、姚某打死同室收审人员陈某事件。同月,公安机关开展监所秩序整顿,打击牢头狱霸。詹某等 4 人因故意伤害罪被提报加刑,分别被判处死刑、死缓和无期徒刑。是年,加大清监工作力度,加快消化处理在押收审人员,及时将已决犯押送劳改农场服刑,恢复监所正常关押量。至年底,在押人犯 208 人。

1992—1997 年,监所改造扩建,增加关押容量,完善安全设施,建立健全收押、提审、会见、通信、送物、谈话教育、巡视监控、狱情分析、安全检查、医疗卫生等各项管理制度,实行民警承包监号责任制,对承包监号人犯做到"四知"(知姓名、知住址、知案情、知家庭情况),负责包安全、包教育、包卫生、包建立人犯档案。开展"创评文明监室"和"百日安全竞赛活动",对在押人员进行监规、法律、政策、形势教育、促其认罪服法、悔过自新。在生活管理上,保证人犯饭菜热、熟、量足、卫生。狱医定期给人犯检查身体,在易发生传染病季节,对监号进行统一消毒,做到有病及时治,无病及时防,监所实现连续 6 年安全无事故。1998 年 12 月 24 日,发生在押人犯中毒死亡事件,11 号监室琚某食用监外有人送给同室人犯汪某含有"毒鼠强"成分的方便面残汤后中毒,经抢救无效死亡(该案未破)。监所及时吸取教训,自办小商店,由专人负责采购、销售、传递在押人员所需物品、食品,严禁从其他渠道将食物送入监室。

2001—2002 年,开展全国性第三次严打斗争,监所关押人犯剧增,全年收押均在 1200 人左右,其中有部督、省督黑恶势力犯罪团伙和重特大经济犯罪团伙 10 多个,成员数十人。市看守所重新修订《看守所各项工作制度和民警岗位职责》,坚持依法凭证收押,加强巡视监控和狱内侦察,实施人犯分类关押和对收押人员过渡适应周监管教育,对在押人员、外劳犯、治安拘留人员统一制作穿着标志服装,每个监室张贴《监规》《在押人员行为规范》《在押人员权利义务》,在点名、学习、集体活动时按军事化规范要求进行训练。继续开展"文明示范监室"活动,改善在押人员居住条件和精神文化生活,完成 14 个监室装修,在 13 个监室安装有线电视。2002 年 12 月,由看守所发放提审证,实行"办案时限跟踪流转卡"制度,有效防止超期羁押和非办案人员提审等情况发生。2003 年,投入资金 23 万元建设视频监控系统、巡更系统和脉冲电网改造。2004 年,加强信息化建设,建立贵溪市看守所网站,成为全省监管系统第一个建立网站看守所。对在押人员实施教育和改造相结合,组织在监区内加工羽毛球生产劳动,年产值 10 多万元。当年 6 月,公安机关在河潭镇龙石村征地 8. 67 公顷计 86710 平方米动工新建看守所、拘留所。2005年4月始,商请市疾控中心对所有入所人员进行艾滋病等传染病检查、防控。2006年,进行值班勤务改革,所有执勤岗位实行双人上岗,监控、巡视双岗合一,落实管教民警主协管制度。2007年,强化监所工作监督机制,建立所长接待日,设立举报电话、举报箱、出所人员意见簿,配备兼职法制员,请人大代表、政协委员来所视察,在公、检、法机关和律师中聘请执法监督员。当年8月25日,新看守所竣工整体搬迁。新所位于贵溪市河潭镇龙石村,毗邻梨温高速公路,距城区5.5千米,交通便利。总建筑面积8410平方米,工程总造价1100余万元。主要分4个区域,一是行政区,占地面积9200平方米,建筑面积872平方米,内设办公室、内勤室、外值班室、提审室、休息室、娱乐室、会见室;二是监区,占地面积12100平方米,建筑面积3600平方米,监室30套,最大关押量400人,内设值班室、监控室、图书室、管教室、医疗室,各种安全监控设施完备;三是拘留区,占地面积6000平方米,建筑面积500平方米(2008年竣工),设监号8套,最大关押容量80人,内设值班室、办公室、管教室、会见室、活动室;四是武警营区,占地面积7880平方米,建筑面积1670平方米,设有训练场、多功能会议厅、学习室、图书室、活动室、干部战士宿舍、食堂等。

2008年,贵溪市看守所(含拘留所)有民警20人,单警装备20套,配置囚车1辆、工作用车2辆、生活用车1辆、350兆集群对讲机5台,连接局域网办公室、监控室电脑6台,装置高压脉冲电网,周界控制系统、全方位监控系统、讯问指挥系统、应急警报系统、会见管理系统、受虐报警系统、巡视系统、对讲系统、门禁系统。当年被公安部评为"三级看守所",实现连续10年安全无事故。

第十二节　道路交通管理

1991年,县公安局交通警察队更名为交通警察大队,负责全县道路交通管理工作。保留贵溪县公安局车辆管理站机构,直属交警大队,负责车辆管理业务。交警大队下设办公室,3个中队和鱼塘分队。1992年6月成立4中队,1996年4月成立5中队,当年10月贵溪撤县设市后,公安交警机构随之更名。1997年底,按照江西省公安厅赣公通〔1997〕181号通知要求,组建贵溪市公安局公路巡逻民警大队,与公安交警大队两块牌子一支队伍,统一执法,履行公安交警和公路巡警双重职责。1998年12月,根据省公安厅赣公复〔1998〕17号文件,撤销交警鱼塘分队,其龙虎山风景旅游区管理局管辖范围内道路交通管理工作,由新成立的龙虎山公安交警机构负责。2003年9月,交警大队从贵溪信江桥南旧址搬迁到市区冶金路铜苑宾馆右侧交警"122"指挥中心大楼新址,占地面积6660平方米,建筑面积5500平方米,2007年5月成立交通违法处理中心,归口办公室管理,负责对交通违章处罚实施。2008年10月,车辆管理站更名为车辆管理所,对外称4中队。2008年,交警大队下设办公室和事故处理、车辆管理(车管所)、国道线、北乡片、南乡片秩序管理5个中队,在编民警48人,工勤人员6人,聘用协管员34人。

交通安全设施

公安交管机关负责道路交通安全设施设置和管理。1991年,县政府投入资金11万元在城区建设路、站前路、沿河路增设隔离带7090米,主要街道安装缓冲器30个,县城及国道干线设置安全标牌警示标志90幅。1992—1995年,投入资金40万元,在国道和山区险坡路段设置反光式安全标牌87幅,警示标志62幅,修理城区路栏30余处,涮新路栏3500米,设置指挥台安全岛3个。1997年投入资金10万元,在市区主要交通路口安装红绿自动信号灯3组。1998—2000年,在市区雄石路、信江路等要道设置美观实用路栏,改设路墩隔离带1600米,高低杠交通护栏6000米,设置禁鸣限速标志牌20余幅;在城南设双向路栏400米;在全市各乡(镇)中、小学校门口、路段设立交通警示标志,划设人行道线、停车线32处,车道线、斑马线近万米。2006年9月,在雄石路、站前路、建设路三处十字路口安装交通电子警察,在境内320国道安装雷达测速监控仪。2007年,邀请省"畅通工程"专家指导交通安全设施规划设置,市财政投入资金120万元对全市所有交通标志、标线重新规划,全面完善交通安全设施。至2008年,全市公路通车里程522.3千米,其中国道2条28千米,省道12条144.3千米,市(县)乡道64条350千米。交通安全设施有:城市道路T字路口及广场十字路口红绿自动信号灯4组,电子警察4组,指路标牌35块,减速带1720米,道路护栏1800米,划设热熔标线10000平方米,境内320国道装置雷达测速监控仪2组,完善省道贵溪至文坊、樟枰,上马至西窑、文坊道路安全警示标志。

交通安全宣传

公安交警大队结合普法教育、创建文明城市活动和实施平安畅通工程,大力开展交通安全法律法规宣传教育。1992—1994年,举办交通安全法规展览3次、宣传车巡回宣传19次、制作悬挂大型宣传标语165幅、刊出交通宣传橱窗(栏)18期、新闻媒体宣传报道46篇。1995年,以“创建文明城市,争做文明市民”活动为契机,发布交通秩序管理通告3次,开展交通安全法规宣传咨询活动,播放交通事故现场录像12场(次),散发宣传资料15000余份,出动宣传车巡回宣传22次,设固定宣传标语113幅,致驾驶员公开信5000封。1998年,举办交通安全宣传咨询活动4场(次),散发宣传资料8000余份,出动宣传车巡回宣传12次,交警到中、小学校讲授交通安全知识课11次,受教育学生5000余人,召开人大代表、政协委员、居民和驾驶员代表座谈会3次,印发“致驾驶员一封信”2000余封,“遵守交通法规,告别不文明交通行为“倡议书3000余份。2000年,举办交通法规宣传咨询活动6场(次),制作展出大型宣传板块8块,散发宣传资料5000余份,在“贵溪电视台”开设“交警动态”栏目,宣传播放10余(次)。2006年,开展以“珍爱生命,平安出行”“珍爱生命,从我做起”为主题道路交通安全宣传进农村、学校、企业、社区、家庭“五进”活动。在《江西法制报》交通周刊、省交警总队信息网以及《鹰潭日报》《贵溪报》等新闻媒体用稿80余篇。2007—2008年,围绕创建平安畅通工程和奥运会百日攻坚战,开展贯彻实施《中华人民共和国道路交通安全法》和普及交通安全常识集中宣传活动。

车辆和驾驶员管理

1991年,公安交管机关对全县机动车辆及其驾驶员和非机动车辆实施统一管理。是年12月根据省人民政府办公厅赣府厅发〔1991〕第30号文件,拖拉机及其驾驶员道路行驶安全、技术检验、驾驶员考核和核发道路行驶牌证,由公安交管机关委托农机监理机关负责,公安交管机关依照交通法规,适时对所委托工作进行监督检查。1992年,县公安交警大队在有车单位成立安全学习小组42个,组织车管人员、驾驶员学习交通安全知识和3025名在册驾驶员进行交通法规考试。对驾驶员实施培训考核管理。至2001年,共培训摩托车、简易机动车、农用机板车等“五小”车辆驾驶员8286名,审验38107人(次);吊扣驾证96人(次),吊销驾证5本,培训汽车驾驶员1180名,汽车驾驶员初审4814名。1993年1月22日发生贵溪运输公司客车营运途中翻车死8人伤2人特大事故后,为防止群死群伤交通事故再次发生,1993—1995年,公安交警机关组织全县所有大小客车每年进行三次检测、禁止病车上路。1995年,县公安交警大队开始办理“五小”车辆挂牌发证和年检业务,至2008年底,共办理机动车牌证2735辆,审验36877辆(次),汽车初审5926辆(次)。1998年“春运”期间,对客车进行安全技术检查,核发春运“安全合格证”和临时“准驾证”。2006年,开展客运车辆专项治理,与客运企业签订安全管理责任状,对客运车辆和驾驶人实行户籍式管理。2008年,开展以客运车辆和中、小学校车辆管理整顿工作,责成客运企业8台不符合营运条件车辆停运,解聘不符合驾驶条件驾驶员23名,排查学校(幼儿园)169所,拥有接送车辆93辆,其中租用和个人车辆18辆,雇请驾驶员75人,排查中实行人、车、证三见面,与校方签订安全管理责任状。2008年,全市共有机动车辆25673辆,其中汽车4384辆,农用车604辆,摩托车20685辆,驾驶员18658名。

交通违章整治

1991年,自行车挂牌业务由交警机关委托各单位保卫科和公安派出所办理。1992年6月,交警大队成立非机动车管理中队，专管自行车挂牌、打印、审验过户等业务，适时开展自行车秩序整顿，处罚违章行为。至1997年年底，办理自行车挂牌打印58254辆，审验自行车213825辆（次），开展自行车秩序整顿集中行动3次，查获无牌无证来路不明自行车744辆，处罚违章5000余人（次）。1998年1月，自行车管理工作移交治安大队和基层派出所负责。1996年，贵溪撤县设市后，黄包车（人力三轮车）在市区一时兴起，迅猛发展，公安交警大队及时将其列入非机动车辆和市区交通秩序管理，进行登记核准、统一装饰、挂牌验审。1997年，登记核准营运黄包车498辆。为提升城市品位，缓解市区道路交通压力，2000年1月，全市500余辆黄包车被取缔，此后，非机动车辆不再列入公安交警管辖范围。

交通秩序管理

1991年，公安交警大队按属地管辖和业务管辖相结合，划定三个管辖区，将交通秩序管理、交通安全宣传、交通事故处理以及交通安全设施的设置与管理，分别由一、二中队和鱼塘交警分队包干负责。1992年，一中队改为事故处理中队，交通秩序管理等业务与交通事故处理分离。交通秩序管理工作，以城区为中心，国道干线为重点，通过路栏守护、设岗执勤、检查车辆、纠正违章、清除路障，疏导交通和开展专项整治活动，维护交通秩序，保障道路畅通，预防和减少交通事故发生。1994年按省交警总队统一部署，开展为期三个月集中整治境内320国道交通秩序工作，进行路况、路障和交通事故情况全面调查，在沿线村庄、单位广泛深入开展交通安全法规宣传教育，出动警力8.5万人（次），检查车辆158640辆（次），纠正违章55670余辆（次），消除重大隐患60起，清除路障184处约1857平方米，指挥疏导交通阻塞8次。是年交警大队被评为全省整治320国道交通秩序优胜单位。1995年为巩固整治成果，与国道沿线路边店铺签订"遵守交规合约"1200余份，开展对无牌照行驶、无驾证开车整治工作，检查车辆8万余辆（次），查出故障车辆5000余辆，消除隐患100余起。是年6月26—28日连降暴雨，境内320国道流口等路段被洪水淹没，交通民警日夜守护外地进入被困车辆，洪水退后连续5昼夜100多小时疏导因路面被毁和外地涌入车流造成的交通阻塞，指挥疏导被阻车辆3万余辆。

1996年，为缓解道路交通秩序管理警力与任务不相适应的矛盾，县公安局于2月4日在境内320国道童家路段设立执勤点，由一名派出所副所长任负责人，抽调民警5名，配警车1辆，负责路段巡逻监控，受理群众报警求助，打击车匪路霸活动，查处周边治安案件。执勤点自成立起至1997年8月撤离止，破获车匪路霸案件5起，逮捕犯罪嫌疑人3人，查处治安案件36起，处治安拘留15人，警告10人。

1998年，开展"治理交通秩序，创建文明城市"活动，公路巡警上路统一执法，检查车辆6万余辆，查扣无牌无证车辆2100余辆，假牌假证299辆，纠正违章3万辆（次），消除重大事故隐患140起，疏导交通阻塞420余起，完成重大安全保卫任务8次。是年6月，遭遇百年罕见洪灾，境内320国道3处3公里路段被淹，公安交警站立国道水中当路标，指挥疏导9万余车辆安全过境，帮助司乘人员排忧解难720余人（次）。6月18日凌晨4时，一辆浙GH1400号卧铺大客车，因司机疲劳驾驶，车速过快，在境内320国道童家路段翻入洪水中，公路巡警紧急施救发现及时，车上36名乘客除1人窒息死亡2人轻伤外，其余32名乘客安全脱险。

2000年，开展创建平安大道，实施畅通工程活动，在贵溪大桥城南千米路段安排警力从早上6时至晚上10时轮岗执勤，严防死守，杜绝乱停乱放，抢道通行混乱现象，在市教委门口设立护学岗，对市一中千余名学生上学放学横穿国道，实行定岗执勤护学。公路巡警在国道干线日夜巡逻，查纠违章，稳妥处置因人民内部矛盾引起群体性突发堵车事件16起。在城区沿河东路设定交通严管街，由交警轮岗执勤，早上6时至7时、晚7时至10时控制车辆通行，保障休闲散步市民安全。

2003年4月，制订"非典"期间道路交通安全畅通工程方案，配合有关部门在进入市区路口设立健康检查站2个，交警24小时轮岗执勤，检查过往车辆5120辆。是年，严格执行《交通民警执勤执法规则》实行处罚违法车辆和交纳罚款分离，查处无牌无证车辆1500辆（次），吊扣驾证60余份。

2006—2008年，公安交警机关实施"三基"建设工程，围绕"压事故、保畅通"总体目标，抓好道路交通安全组织体系建设。2006年，深化警务机制改革，进一步落实交通管理工作责任制，实行中队包片区民警包路段，提高路面见警率、管控率。2007年，贯彻省公安厅赣公交管〔2007〕69号文件精神，开展"平安畅通县区"活动，建立市（县）乡、村三级农村道路安全组织体系。派出交警30人安排4台专用车辆,对全市境内道路危险路段进行全面排查。按照排查标准确定县级督办危险路段77处,形成书面报告,及时向市政府汇报和有关单位通报,明确各自责任,落实管理人员和整改措施。

2008年1—2月,贵溪遭遇雨雪冰冻极端天气,严重威胁道路交通安全,公安交警顶风雪、抗冰冻,坚持上路巡逻执勤,及时报告交通安全信息,采取积极应对措施。2月3日交警大队全警动员,组织50余人参与清扫信江大桥积雪,冲洗冰冻路面,铺设防滑设施,排除险情,保障畅通。从7月1日起,依托新闻媒体发布辖区道路路况信息和安全预警。当年,先后开展奥运百日攻坚战,增强公众安全感交通秩序整治工作,派驻交警到客运站、客运公司登记检查过往车辆3780辆,杜绝超负超载带病车辆出站。全年查处各类交通违法行为23586起,查扣违法载客黑车、违法出租车、无牌无证、套牌假牌和未按规定年检车辆等1337辆。完成全省农村公路建设现场会,以及领导视察活动安全保卫任务42次。2008年,公安交警大队被省总队授予“抗灾保畅”先进集体称号。

交通事故处理

1991年,交通事故处理与交通秩序管理业务连为一体,实行辖区中队包干负责制,1992年单设事故处理中队,事故处理与秩序管理分离。是年8月10日,公安部颁发《道路事故处理程序规定》,交通事故处理由公安交警勘查事故现场,调查事故原因及责任,组织侦破肇事逃逸案件,进行事故损害赔偿调解,依法追究肇事者责任。1998年,配置事故现场勘查车辆和摄像设备,建立交警122与巡警110报警服务联动机制,实行每日24小时值班接警处警制度。1999年,与110联动在市人民医院、四冶职工医院、解放军184医院设立交通事故伤员急救中心。2006年,商请人民法院在交警大队设立交通事故损害赔偿速裁庭,为当事人提供便捷服务。2007年,完善事故处理中队基础设施,办公场所相对独立,中队设技术室、物证室、法医室、接待室和公开调解室,并实行事故处理预约机制,提高办案质量和工作效率。当年,建立每周、每月、每季交通安全形势研判机制和每周一例会制度。对每周发生的交通事故由事故处理中队写出有情况、有数据、有事故成因特点的个案分析,有加强和改进管理建议的书面报告,提交例会研究,商讨应对措施。2008年,交警122台与110、119三台合一。

1991—2008年全市机动车辆一览

表21－7 单位:辆

年份	大货车	小货车	大客车	小客车	农用车	摩托车	合计
1991	21	22	2	57	4	34	140
1992	23	28	3	64	4	52	174
1993	26	31	4	71	43	168	343
1994	29	36	6	85	118	416	690
1995	33	43	9	101	118	1414	1718
1996	39	52	11	155	118	3209	3584
1997	43	57	13	237	126	4980	5456
1998	51	69	18	274	201	6924	7537
1999	59	83	24	310	284	8523	9283
2000	83	106	33	321	312	9569	10424
2001	101	131	52	392	372	10723	11771
2002	125	158	71	594	441	11694	13083
2003	150	201	106	821	551	13171	15000
2004	183	285	125	1148	597	15135	17473
2005	225	368	161	1241	650	16734	19379

续表 21－7

年份	大货车	小货车	大客车	小客车	农用车	摩托车	合计
2006	270	451	196	1436	547	16129	19029
2007	332	555	230	2040	595	18404	22156
2008	387	693	567	2737	504	20685	25673

第十三节　法制工作

1990 年 1 月，成立县公安局法制科，为公安机关综合性职能机构。

法制宣传调研

1991—2008 年，法制科组织实施全局“二五”“三五”“四五”“五五”普法宣传教育工作，编写普法宣传资料 2000 余份，举办普法讲座 150 余次，组织法制员业务培训和公安民警执法培训 45 期，编发《公安法制简报》108 期，开展社会治安状况，青少年违法犯罪特点，公安刑事执法情况，县级公安机关执法监督工作等专题调研活动，撰写调研文章 10 余篇，其中《加强县级公安机关执法监督的几点思考》在 1995 年全省公安机关执法监督研讨会上宣读并被评为优秀论文。2007 年，法制科民警有 1 人获司法部颁发的法律职业资格证书，有 1 人被省公安厅评为全省法制业务能手和优秀法制民警。2008 年，开通贵溪市公安局法制网站。

行政复议诉讼

1991 年，县公安机关贯彻实施《中华人民共和国行政诉讼法》和《行政复议条例》，法制科受理行政复议案件和组织、指导、参与行政诉讼工作。1991 — 2007 年，共办理行政复议案件 509 件，其中经复议维持 393 件，变更 27 件，撤销 46 件，当事人撤回复议申请 43 件。办理行政诉讼案件 137 件，其中经法院审理维持 121 件，当事人撤诉 14 件，法院驳回起诉 1 件，判决撤销 1 件。受理申请国家赔偿案件 5 件，经审查确认给予赔偿 1 件，不予赔偿 4 件。2008 年，当事人申请行政复议案件 34 件 35 人，其中向市政府申请行政复议 30 件 30 人，向鹰潭市公安局申请行政复议 4 件 5 人。经过复议维持 33 件 34 人，当事人撤回复议申请 1 件 1 人。共发生行政诉讼案件 4 件 10 人，经法院审理一审判决维持 3 件 8 人，另 1 件 2 人尚在审理中，当年无申请国家赔偿案件。

案件审核把关

1993 年，县公安局下发贵公字〔1993〕04 号《关于加强法制工作，实行案件审核把关》通知，明确规定对劳教少管、治安处罚、收容审查案件，在领导审批前由法制科审核把关。公安法制机构及时建立案件审核制度，规范审核工作，对报送审核案件，就事实、证据、案由、程序、处罚等方面进行审核，坚持“五不报批”（事实不清不报批，证据不足不报批，定性不准不报批）原则，程序不合法不报批，处罚不当不报批。根据审核情况，分别提出退补调查、改变案由、完善程序、变更处罚或不予处罚意见。1999 年，公安机关撤销预审机构，实行“侦审”合一，由法制机构负责对刑事案件处理、刑事侦查、强制措施审核把关和法律文书统一管理。2003 年，公安机关开展法制工作“规范化建设年”活动，加大对各类案件审核力度，严把案件“入口”关和“出口”关，严格对犯罪嫌疑人刑事拘留和取保候审适用条件审核，防止以拘代侦，受利益驱动而滥用刑事强制措施。据统计，1993—2007 年，共审核治安行政案件 11832 件，处罚 28447 人，其中行政拘留 5259 人，罚款 23188 人。审核各类刑事案件 3769 件，收容审查 1842 件 2345 人，提请逮捕 3229 人，刑事拘留 5616 人，取保候审 2205 人，监视居住 44 人，移送起诉 1526 件 2251 人，撤案 865 件 978 人，劳动教养 310 人，收容教养 13 人。2008 年，审核刑事立案 417 件，审核决定刑事强制措施 786 人（次），其中刑事拘留 484 人，取保候审 271 人，监视居住 26 人；审核提请批准逮捕案件 220 件 288 人，提请逮捕 282 人，移送起诉 233 件 344 人，撤销案件 111 件 134 人，劳动教养 24 人；审核行政处罚案件 269 件 459 人，其中行政拘留 213 人，行政罚款 40 人，行政拘留并处罚款 206 人。

执法监督检查

1991年,按照省、市、县人大机关和上级公安机关部署要求,开展对治安行政案件、收容审查、劳教少管、打击拐卖妇女儿童、卖淫嫖娼违法犯罪活动执法情况进行检查,查阅案件200余件,提出整改意见30余条。1995年,组织开展刑事执法自查活动,对8件降格治安处罚刑事案件,督促办案单位重新补充调查核实,依法报捕或报送劳教处理。1998—1999年,开展对各类案件两次全面检查和对刑拘羁押情况专项检查,下发《纠正违法通知书》3份、《督办通知书》4份,纠正降格处理案件3件、清理超期羁押刑拘人员4人,其中提请批准逮捕1人,呈报劳教1人,变更强制措施取保候审2人。2000年,全面推行执法责任制,并对执法情况进行两次检查,清理超期羁押人员20人,下发《纠正违法通知书》6份,超期羁押人员得到及时处理。2002年,按照省人大机关和省公安厅统一部署,组织开展接受人大执法检查评议工作,对2001年以来办理270件刑事案件、1190件行政案件进行梳理逐案自查,查出有问题案件87件,已纠正85件,限期纠正2件。当年,根据《江西省公安机关执法质量考核评议规定》,组织考核小组对2001年11月1日至2002年10月31日办理115起刑事案件756件行政案件逐一考核评分,奖优罚劣,对执法质量考评不合格单位,取消当年评优资格。2003—2008年,强化执法质量考评工作,实施每月集中考评,半年、全年汇总考评,专项检查和重点抽查相结合,三级把关三次反馈制度。2007—2008年市公安局连续2年被评为全省执法质量优秀单位,2008年9月办理李青根故意伤害案入选全省"十大优质案件"。2008年度,被评为全省县级公安机关执法示范单位。

第十四节　公安派出所

1991年,县公安局下设雄石等11个派出所(不含企、事业公安),实行由公安机关和派驻地党委双重领导,以公安机关领导为主管理体制。

1997年,贯彻公安部在苏州召开的派出所工作改革会议精神,改革和调整工作方式运作机制。建立与110联动处警;坚持现住地实有人口管理,将常住人口、暂住人口、人户分离人口,居留境外人口,纳入责任区管理,着重管好重点人口,严防失控;建立责任区民警负责制和责任追究制,实行一区一警,一警多能,责任区民警每周下责任区不少于30个小时,对责任区治安负全责;实施警民联系卡、所长接待日制度和开门评警活动,密切警民关系。2003年,开展派出所等级考核评定工作。是年,派出所所长任派驻地乡(镇、街道)党委(工委)委员。2006年,全国公安机关"基层基础建设年",开始连续3年实施"抓基层、打基础,苦练基本功"为内容"三基"建设工程。2006—2008年,3年内共投入资金700多万元,完成泗沥、河潭、白田、志光、鸿塘、余家、耳口等7个无房派出所办公大楼建设,对铜都、花园、文坊派出所进行改造扩建,全市派出所统一建筑外观形象和悬挂设置外观标识。塘湾、工业园、流口派出所新办公大楼于2009年先后竣工。全市派出所新增警用车辆10辆,无车无房状况得到彻底改变。配置电脑174台,其中联公安网143台,全部建立标准化信息采集室,配置打字、复印一体机和活体信息采集仪。按照"机关要精、基层要强、基础要牢、运转要畅"要求,实行警力下沉,先后充实派出所警力30余人,全市派出所警力达172人,占总警力的43.8%,各派出所都配有5名以上民警。此外,全市招聘巡防队员125人,分配到雄石、烧箕山、工业园等派出所参加治安防控工作。改革创新警务工作机制,城区派出所推行"三队一室"(社区警务队、巡逻防控队、案件办理队和综合内勤室)工作模式,建立三警联勤制度,实行公安民警、巡防队员"四班三运转"24小时全天候巡逻执勤,提高街道、路面见警率、管控率。流口派出所实施勤务改革"六转变",即变被动勤务为主动勤务,静态勤务为动态勤务,常规勤务为弹性勤务,狭义勤务为广义勤务,区域勤务为跨界联防勤务,平均勤务为重点勤务。铜都派出所推行警企联动,"三力合一"警务机制,警务工作与企业生产发展联动,与企业安全保卫工作联动,与周边地区社会活动联动。派出所民警、企业内保人员和专职巡防队伍实行联勤联防,建立辖区点、线、面有机结合的治安防控体系。工业园派出所实行"四一""四联"工作机制,每周走访一次园区企业,每月排查一次矛盾纠纷,每月通报一次治安形势,每月开展一次法制宣传。整合力量,组织联合调解矛盾纠纷,联合巡逻执勤,联合安全防范,联合创建活动。按照"有室、有警、有制度、有成效"规范化要求,全市派出所在社区和农村共设立警务室27个，配备社区（村）民警54人。

2007年，公安部公通字〔2007〕29号关于印发《公安派出所正规化建设规范》通知，明确规定：公安派出所是县（市）公安机关直接领导的派出机构。

2008年，市公安局下设派出所21个，其中市区派出所5个，农村派出所15个，工业园区派出所1个。经考核评定，流口派出所由公安部授牌为一级派出所，雄石、烧箕山、铜都、滨江、河潭、周坊、志光、鸿塘、雷溪、余家等10个派出所由省公安厅授牌为二级派出所，花园、东门、泗沥、白田、罗河、金屯、塘湾、文坊、耳口、工业园等10个派出所由鹰潭市公安局授牌为三级派出所。

第二章　司法行政

第一节　机构与队伍

机构

1991年，贵溪县司法局下设法制宣传科、人民调解科、公证处、律师事务所和办公室，司法干警12人。1994，内设机构有法宣股、基层股、社会股和办公室。1996年6月贵溪撤县建市，同年10月县司法局更名为市司法局。2003年，增设贵溪市法律援助中心和江西公众法医学司法鉴定所。2008年，内设机构有法制宣传教育股（挂市普法办公室牌子）、公证律师股（公证处）、基层工作股、法律援助工作股、司法鉴定管理股和办公室。

1996年，遵照国家司法部《关于加强司法所建设意见》，全市按一乡（镇）一所规模成立24个乡（镇）司法所，并由1名党委副书记或副乡（镇）长担任司法所所长。2002年，全市乡镇网点调整，司法所由24个调整为21个。2003年，全市司法所共配备专项政法编干部21名。至2008年年底，市司法局派驻基层司法助理员12名，事业编干部15名。

队伍

市司法局围绕造就一支政治坚定、业务精通、作风优良、执法公正的高素质司法行政队伍目标，坚持“抓班子，带队伍，强素质，树形象”宗旨，1991—2008年，获集体二等功2次，15人次被省、市先后评为先进工作者、十佳人民调解员、人民满意司法民警、学雷锋标兵等。

班子内部一贯坚持“民主集中、团结协作、勤政廉洁、求真务实”原则，坚持用制度管权、管事、管人。先后出台机关考勤、财务管理、首问责任、限时办结和服务承诺等制度，机关各项管理能力有明显提高。

1991年，贵溪县司法局有工作人员12名，大专以上学历1人。2003年，市司法局行政编制增至41名，后勤编制2名。2008年，司法局实有工作人员61名，其中公务员30名，机关工勤编2人，事业编干部29人。59名干部全部达到大专毕业以上学历，其中大学本科学历20人，还有10人通过国家司法考试。18年无一名干部职工因违法违纪受到处分。

第二节　法制宣传

1991—1995年是“二五”普法的5年。1991年是实施第二个五年普法教育准备年。年初，调整充实县普法领导小组和普法办公室，随后，调配两名干部，拨普法经费每年5000元。3月制定《全县“二五”普法规划》，10月，县委、县政府在县影剧院召开700余人参加的“二五”普法动员大会。11月，与政府团总支联合举办“司法杯”法制论文征文竞赛活动，收到团员青年专题论文30篇。同年发行“二五”普法课本5000余册，利用县委党校干训班机会，培训乡级普法骨干140人。全县出动宣传车13辆（次），出宣传窗、宣传栏510期，黑板报1360期，同时还组织和配合县直有关部门重点宣传《中华人民共和国税法》《中华人民共和国水法》《中华人民共和国矿产资源法》《中华人民共和国土地管理法》《中华人民共和国城市规划法》和《江西省计划生育条例》等法律法规。与县委宣传部，贵溪通讯社联合召开全县“二五”普法新闻宣传工作会议，培训新闻宣传工作者54人，印发“二五”普法宣传提纲700份。1992年，开展以宪法为核心、以专业法为重点的普法教育，宣传30多部法律法规。5月，召开全县专业法规宣传教育工作会议，确立“以宪法为核心，以专业法为重点”学法指导思想。1993年，以“五法三条例”为重点，以乡(镇)为单位集中举办村委会以上干部和普法骨干培训班。县直机关单位均举办在职干部“五法三条例”学习班。同年，按照县委、县政府统一安排，在县委党校举办三期副科级以上领导干部“五法三条例”学习班，参加人数达到600余人。1994年，“二五”普法第四年，县政府制定《贵溪县依法治县实施方案》，标志着“依法治县”在全县全面推开。同年以“六法一条例”为重点紧密配合中心抓普法。在各乡(镇)召开声势浩大法制教育大会，受教育人数超过10万人。并召开普法骨干、青少年及“两劳回籍人员”学习班，对重点对象强化普法教育。1995年，围绕二五普法考核验收这个中心，制定验收方案。特别是认真搞好依法治村试点工作，树立滨江乡柏里村“依法治理试点“等一批先进典型。

1996—2000年是“三五”普法的5年。1996年是“三五”普法启动准备年。年初，印发《关于进一步巩固“二五”普法成果，为迎接“三五”普法做好各项准备工作的通知》。同年，以《中华人民共和国电力法》、《中华人民共和国律师法》和修改后的《中华人民共和国刑诉法》为重点，组织全市副科级以上领导干部700余人和行政执法人员1100余人参加法律学习和执法培训。举办法制学习班36期，组织群众参加学习班人数达3700人(次)。1997年，全市共有普法对象42万人，参加学法人数达35.7万人，普及率达85%。共发放普法手册1.2万册，其他学习资料近万册。1998年，全市90%以上领导干部学习新《中华人民共和国刑法》《中华人民共和国国防法》《中华人民共和国乡镇企业法》《依法治国理论与实践》等。同年，成立“贵溪市法制教育培训中心”，使各级领导干部学法制度化、规范化。1999年，以《农民法律顾问》为读本，以《中华人民共和国村民委员会组织法》为重点，开展千名干部送法下乡，受教育群众达20余万人。2000年，2500余名一般干部参加“三五”普法统一考试。受教育群众达11000余人。市环保局、建设局、林业局、土管局、矿管局等部门抓住“6·5”世界环境日这一有利时机，采取利用宣传车、组织街道咨询、举办图片展览等形式，广泛宣传《中华人民共和国环保法》《中华人民共和国土地管理法》《中华人民共和国森林法》等多种法律法规，受教育群众超过10万人。

2001—2005年是“四五”普法的5年。2001年12月，全市“三五”普法总结表彰暨“四五”普法动员大会胜利召开。市人大作出《关于实施“四五”法制宣传教育规划的决议》，市委、市政府出台《2001年法制教育宣传教育、依法治市工作意见》。2002年，法制宣传教育工作围绕全市“严打”和整顿规范市场经济秩序及厂、校周边秩序，广泛宣传有关法律法规。出动宣传车40余次，办板块展览百余次，受教育群众超过1万人。2004年，法制宣传教育坚持开展“法制进社区”“送法进村入户”活动，组织全市1000多名机关干部集中两个月时间，进村入户开展法制宣传教育，赠送《农民普法实用手册》2000多册，受教育群众超过20万人。2005年，组织全市干部参加全省统一法律知识考试。

2006—2010年是“五五”普法的五年。2006年，市司法局广泛开展法律“六进”(专指法律进机关、进乡村、进社区、进学校、进企业、进单位)活动，共发放各类法制宣传资料1万余份。2007年，为全面提高全民特别是各级干部、司法行政执法人员、大中小学生和骨干农民的法律素质，建立普法依法治理长效机制，全面推进依法治市进程。2008年，在全市范围内组织1000名机关干部开展以“宣传法制、调处纠纷、维护稳定、促进发展”为主题千名机关干部“送法进村入户”活动，整个活动共向广大农村干部群众、社区居民发放《农村(社区)实用法律知识问答》11万册、法制宣传单11万份；制作法制宣传版块20余块，在各村(居)委会巡回展出100多场(次)，参观人数达几万人(次)；悬挂横幅及张贴宣传标语近千条，各村(居)委会更新法制宣传栏内容800余期；举办法制讲座230余期，集中向群众、学生宣讲法律知识，群众受教育面达70%以上，学生受教育面达90%以上。

第三节 人民调解

1991年，全县已建立各类调解组织464个，其中村民调解委员会234个，居民调解委员会9个，厂矿企业事业单位调解委员会221个，联合调解组织10个，调解队伍达6240余人。同年5月和12月分别召开司法助理员工作会议，以会代训，全年共调处各类纠纷2111起，调解成功率94.6%，防止可能发生非正常死亡人数93人。1992年，全县共调处各类民事纠纷2546起，调解成功率达95%。1993年，全县建成一类调解组织51%，二类调解组织49%，标准化调解委员会达46%。1994年，全县已建调委会340个，调解员总数达1498人，共调处民间纠纷1419件。1995年，全县已建成标准化调委会193个，共调处各类民间纠纷1398起，防止民转刑案件86件，防止非正常死亡78人。1996年，全市建有调委会282个，调解人员1425名，共调处各类纠纷1661件，调处率达100%，调处成功率达96%以上。1997年，全市在乡镇设立"人民调解工作指导中心"23个，调解委员会240个，调解员1191人，共调处民间纠纷1732件，调解成功1678件，调解成功率为96.88%。1998年，全市建立调解组织265个，调解员1219人，共调处各类纠纷1106件，调解成功1073件，调解成功率为97%。1999年，全市已有调委会256个，其中标准化调委会193个，占总数73.5%，调解人员发展到4345人，基本形成县、乡、村三级调解网络。2000年，全市257个调解组织共调处各类纠纷1170件，成功调处1135件，调解成功率达97%。2001年，全市257个调解组织有调解员4345人，其中1160人通过不同形式接受不同程度业务培训，全年共调处各类纠纷1450件，制止群体械斗56起，防止民转刑案件42起42人(次)。2002年，人民调解工作围绕社会治安稳定大局，发挥维护社会稳定"第一道防线"作用，全年共调处纠纷960起，调处成功735件，调处成功率达80%，预防民转刑案件32件47人(次)，有效地维护基层社会稳定。2003—2004年，人民调解工作围绕"六有""四规范"要求，共调处社会矛盾纠纷1662件，调处成功1643件，制止群众性上访事件10件和群众性械斗事件6次。2005—2006年，共排查民间纠纷1642起，成功调处1600起。2007年，全市各级人民调解组织共调处矛盾纠纷1632件，成功调处1560件。2008年，以千名干部"送法进村入户(社区)"为契机，集中40天时间针对当时农村土地承包、山林权属、征地补偿纠纷突出等问题，召开36场示范调解现场会。

第四节 帮教与法律服务

帮教

1993年，县司法局开始承担"两劳"回籍人员安置帮教工作。1994年，成立贵溪县安置帮教工作领导小组，领导小组办公室设在司法局社会股办公。1993—1994年，县司法局对"两劳"回籍人员进行全面调查摸底，登记造册，建档立卡。通过调查，掌握1983年7月1日至1993年11月30日期间全县刑释解教人员693人。1994年10月下旬，在原盛源乡举办为期7天的全市刑释解教人员和轻微违法人员法制教育学习班，参学人数达590余人，其中刑释解教人员300余人。2001年，配合"严打"斗争，遵照省综治委召开的电视电话会议精神，落实1999—2001年3年来刑释解教人员衔接管理。2005年市司法局与民政、劳动部门配合，按照中央、省有关文件规定，切实解决好符合条件的刑释解教人员社保、低保和社会救助。2006—2008年，新接受"两劳"回籍人员581人。根据"两劳"回籍人员逐渐增多情况，2008年在乡(镇、街办)成立21个安置帮教工作站，对刑释解教人员跟踪帮教，做好衔接工作，防止脱管、漏管。同年对2007年以后全市刑释解教人员逐一建档立卡，实现信息化管理，确保底数清，去向明。

律师事务所

1991年，贵溪县律师事务所有专职律师5名，兼职律师3人，同年担任常年法律顾问16家，民事代理59件，刑事辩护55件，非诉讼案件28件，涉外法律事务10件，避免直接经济损失133万元。1992年，以搞好大中型企业和加速农业发展提供法律服务为重点，受聘担任常年法律顾问17家，全年办理刑事辩护案件59件，办理民事代理案件60件，办理行政诉讼代理案件10件，办理非诉讼代理案件13件，代书193件，避免或挽回经济损失125万元。特别是在全县4295名农户诉县农业局、上高县种子公司因"华联8号"稻种质量问题受损索赔一案中，为农户索赔45万元，依法保护广大农民合法权益，为农业和农村工作保驾护航做出较大贡献。1993—2001年，共办理各类案件1425件。2002年，市律师事务所脱钩改制，由国资律师事务所改为合伙所，更名为江西首达律师事务所。1991—2008年，贵溪市先后成立合伙所4个(即江西首达律师事务所、江西赣新律师事务所、江西信江律师事务所、江西雄石律师事务所),注册律师增至32名。

法律服务所

1991年,全县共有9个法律服务所,法律服务工作者34人,同年担任法律顾问38家,参与民事诉讼144件,非诉代理35件,代写法律文书187次,协办公证31次,调解纠纷268起,解答法律咨询1090人(次),宣讲法律95场(次),受教育人数28130人(次)。1994年,先后在西窑、双圳、雷溪、白田、河潭、泗沥、古港等七个乡(镇)建立法律服务所,全县乡(镇)法律服务所发展到19家,占应建总数的76.,法律服务工作者62人。1996年,经批准成立市法律服务中心。同年法律服务所增加到21家,法律服务工作者发展到72人,其中专职48人,兼职24人。1998年,各乡(镇)法律服务所采取与乡(镇)司法所"两块牌子,一套人员"做法,为乡镇集体经济和广大农民进入市场搞活流通提供法律服务和法律保障。2000年,制定法律服务所布点规划和管理意见,对原有21个法律服务所进行全面清理整顿,核准登记法律服务所9个,对核准登记的法律服务所与市公证处、律师事务所结成"一帮一"对子,落实逐一帮扶。2008年,核准登记法律服务所8个,法律服务工作者35人,其中专职21人,兼职14人。1991—2008年,调解各类纠纷5130件,担任法律顾问918家,办理民事代理案件2466件,非诉讼代理1188件,协办公证756次,代书3708次,避免或挽回经济损失超过3000万元。

法律援助

市法律援助始于2001年。当年,共办理法律援助案件15件。2003年4月,贵溪市法律援助中心成立。2007年,贵溪市法律援助中心在原有10名编制基础上,增加全额拨款事业编制25名。2008年,法律援助中心共有编制数35名。同年8月新增全额拨款事业编干部18名。至2008年年底,贵溪市法律援助中心实有工作人员28名,工勤人员1人。中心成立以来,共办理法律援助案件400余件,挽回直接经济损失2000万元。

第五节　公证与司法鉴定

公证

1991年,公证处有公证员3人,办理各类公证1016件,其中经济合同公证296件,避免经济损失464万元。1992年,公证处发展公证联络员18名。同年办理各类公证1600件,经济合同公证147件。2000年,注重公证工作质量,为维护社会秩序稳定,促进城市建设,积极配合政府拆迁工作,办理证据保全公证,签订安置补偿协议。2001年,对市公交车客运投标、企业产权制度改革、房屋产权变更进行现场公证,取得较好效果。2002—2003年,把招商引资、发展经济、提供服务作为重点,做好政府领导参谋和助手,积极办理企业租赁、承包、股份合作、出售、拍卖等公证。2003年,省司法厅授权市(县)公证处办理涉台公证业务。2004—2008年,开展生产资料贷款协议公证,个人住房(商品房)按揭贷款公证,开展农村能源—生态—果业开发系列公证。同时加强现场监督公证工作,全程介入彩票摸奖、重大工程招投标、国有土地使用权出让、大宗房产交易竞标拍卖等公证活动。1993—2008年,共办理各类公证业务12536件。

司法鉴定

2003年,按照《江西省司法鉴定条例》规定,设立贵溪公众法医学司法鉴定所。2005年,经市机构编制委员会研究,同意市司法局增设司法鉴定股。同年,贵溪市司法局被评为全省司法鉴定管理先进单位。2003—2008年,共受理司法鉴定申请1260件,出具鉴定结论1235件。鉴定结论采信率达98%。

第二十二卷 武 装

第一章 军事组织

第一节 市(县)人民武装部

市(县)人武部

1986年6月，贵溪县人民武装部改归地方建制(为副县级)，接受同级党委政府和军分区双重领导，其性质、职能和任务不变。机关设办公室、军事科、政工科，撤销后勤科。

1996年4月，贵溪县人民武装部重归军队建制(为正团)，接受鹰潭军分区和中共贵溪县委、贵溪县人民政府领导。机关设军事科、政工科、后勤科，撤销办公室。5月，贵溪撤县设市，贵溪县人民武装部改称贵溪市人民武装部。

贵溪市人民武装部的主要工作任务是负责辖区内的民兵和兵役工作。

内设工作机构有:军事科、政工科、后勤科、办公室、民兵训练基地。

基层人武部

1990年有基层人武部43个。至2008年12月，有基层人民武装部48个，其中行政乡7个:西窑乡、雷溪乡、白田乡、滨江乡、彭湾乡、余家乡、耳口乡。建制镇11个:鸿塘镇、金屯镇、流口镇、罗河镇、冷水镇、周坊镇、河潭镇、志光镇、泗沥镇、文坊镇、塘湾镇;林(园艺、垦殖)场7个:双圳林场、冷水林场、西窑林场、耳口林场、三县岭林场、塔桥园艺场、河潭垦殖场;街道3个:雄石街道办、东门街道办、花园街道办;行业和企业20个:江西铜业公司、贵溪冶炼厂、贵溪发电厂、贵溪化肥厂、713矿、265大队、中国四建、贵溪银矿、市农业局、林业局、水利局、粮食局、交通局、建设局、经贸局、教育局、卫生局、供销社、电信分公司，市直属机关。

基层人武部根据上级规定和具体情况配备部长、副部长、干事(简称专职人武干部)，一般配2名，大乡镇配1~3名，小乡镇和行业、企业单位一般配1名。专职人武干部来源主要从转业退伍军人、优秀民兵干部和省人武学校毕业生中选配。要求思想好、身体健康、年轻、有一定文化知识和军事素质。部长、副部长年龄一般在40岁左右，干事年龄在30岁左右。按照上级规定程序进行任免和享受相应待遇，根据分工由军事机关和地方党委分别做好培训、管理、考核和调整工作。

第二节 驻军与驻警

驻军

驻地某部队　2000年10月更名为中国人民解放军某部，正团建制。

驻警

武警贵溪市中队　1996年8月以前称武警贵溪县中队，1996年贵溪撤县设市，中队随之改称贵溪市武警中队。

武警贵溪市消防大队　1983年纳入武警序列，实行警衔制。1995年11月，成立消防大队，下设1

个中队;2004 年 12 月成立消防 2 中队。至 2008 年,全市设有消防大队 1 个,消防中队 2 个,现役消防警察 51 人,聘用合同制消防人员 8 人。另外,驻市大厂矿企业单位专职消防队 2 个,消防人员 35 人;义务消防队 18 个,消防人员 180 余人。

第二章　军队建设

中央军委及各级军区均把县(市、区)人民武装部称为“一线指挥部”。抓好“一线指挥部”建设是平时加强国防后备力量建设,战时组织支前保障和防卫作战的关键所在。贵溪市人武部坚持抓好自身军事、政治、后勤建设等。

第一节　军事建设

建设战备预案

市(县)人武部根据形势和任务,适时制定(修订)战备各方面的计划和预案,以应对各种可能发生的事变做好准备。

1992 年 3 月制定《贵溪县民兵武器仓库联防预案》。明确联防单位,规定敌情判断、首长决心、任务区分、情况设置和组织指挥等重要事项和措施。

1998 年 5 月制定《贵溪市民兵武器装备应急突发预案》以应对各种突发事件,做好应急突发工作。6 月制定《军事斗争准备工作任务规划》《贵溪市入闽通道“三抢一卫”行动预案》。

1999 年重新修订《应急分队人员收拢预案》《协助地方维护社会治安行动预案》。

2002 年围绕“保畅通”目标,制定和完善《贵溪市战时动员行动后勤保障预案》《贵溪市支前保障方案》《应急突发事件后勤保障预案》《交通运输保障方案》《贵溪市国防科技动员后勤保障方案》。

2003 年进一步完善《贵溪市兵要地志》《贵溪市经济动员潜力分布图》《贵溪市交通战备图》和《贵溪市后勤保障部署图》。2003 年,修订完善《贵溪市战时动员行动后勤保障预案》《贵溪市支前保障方案》。

2005 年围绕军区赋予的军事威慑、防卫作战、兵员动员、动员支前“四项任务”,完善兵要地志有关资料,修订《军、警、民联防预案》。对贵溪铁路大桥、左家大桥、贵溪发电厂、贵溪冶炼厂、各种重要铁路、公路、桥梁等重要目标,坚持“定任务、定分队、定指挥、定打法”四定,拟定预案。为增强对空防御能力,组建甲种民兵防空团。在城区重点目标单位组建高机连。

2006 年围绕动得快、筹得来、供得上、救得下、运得畅的要求,修订完善《贵溪市保障后勤支前预算》《贵溪市防卫作战后勤保障预算》以及其他后勤保障预算。

战备值班

首长值班　由副部长以上领导担任。主要掌握、处置本单位、本地区战备情况,及时处理重大问题和指挥部队、民兵应付紧急情况。

作战值班　建立作战值班制度,值班员 24 小时在位,主要负责处理战备工作有关事宜。人武部机关值班和作战值班合一。人武部作战值班由科以下干部担任。主要职责是:掌握当前敌情,部队、民兵战备情况;接受有关作战和战备工作方面的上级命令、指示和下级请示报告及友邻的通报,并及时报告、处理,记载作战值班日记,检查下级作战值班情况。

部(分)队值班　平时无值班部(分)队。节日战备期间,由民兵应急连所属排轮流担任值班分队。1993 年《江西省军区关于作战值班情况报告的规定》要求,每年元旦、春节、五一国际劳动节、八一建军节、十一国庆节,都按照战备要求安排节日战备。

请示报告　值班室每日将当日的主要情况向军分区值班室报告,每年 11 月 15 日前,向军分区上报本年度的战备工作总结。

战备训练

1996—1998年，组织机关干部学习高科技军事知识，3年来共有36名人武部干部、专（兼）职武装干部参加南京陆军指挥学院、南京政治学院函授学习，有7人取得大学本科文凭（占50%），专武干部中大专以上学历占44%，文化素质和军事理论素养明显提高。

1999年，狠抓机关全体人员军事训练工作。进行为期55天的计算机学习，计算机理论考核合格率达100%，8人达国家计算机一级标准；完成首长机关在职训练任务，进行轻武器射击训练、首长机关人员业务训练，经军分区达标考核，平均成绩在良好以上。

2000年，组织机关干部、职工参加全国计算机登记考试，100%机关干部和部分职工取得全国计算机一级资格证书。

2002年4月，机关全体干部完成全国计算机等级二级考核，考核合格率达90%以上。

2004年，开展首长机关训练。训练时间为35天，计245小时。训练内容：①共同科目、军事理论、手枪射击、民兵武器装备操作、队列和体能训练，所训内容均达到合格；②业务基础训练，主要是围绕防卫作战的特点进行研究、探讨；③战术作业训练，主要进行分析判断情况、提出决策建议、定下行动决心、制定行动计划、全面提高指挥员组织指挥和统筹谋划能力。

2005年，把提高军事机关素质和指挥能力作为重要工作来抓，严格按照大纲要求落实训练时间内容，着力提高训练质量和科技含量。

2006年，首长机关训练，参谋达训率100%。主要进行军事理论、手枪射击、民兵武器装备操作。队列训练和体能训练，参谋业务基础、军事、政治和后勤等专业科目的学习、集训，围绕反“台独”应急作战、深化重难点问题攻关，以年底形成作战能力为目标开展作业、进行搜集信息、分析判断、提出决策建议、定行动决心和定行动计划等方面训练。

2007年，首长机关训练，主要进行军事理论、手枪射击、民兵武器装备操作，参训率100%。6月下旬，首长机关和民兵分队骨干参加总部、空军及战区统一组织的训练。7月中旬，省军区按纲施训抽考，抽考课目6个，合格率100%，优秀率达81.2%。9月，参加军分区编组联训。

维稳处置

1993年8月21日，南京军区后勤部某仓库发生1起特大盗窃枪支弹药案件。贵溪县人武部和基干民兵营、连坚决执行命令，积极配合公安干部行动，在各车站、码头、主要交通路口设卡、巡逻，使犯罪分子在短时间内落入法网，圆满完成围捕任务。滨江乡人武部、贵溪冶炼厂人武部及县人武部游晓玲、县交通局人武部熊中文、县二轻局人武部李建国受到鹰潭军分区通报表扬。

1997年中共十五大召开期间，组织民兵应急连在位待命。

行政管理

1991年以来，严格执行条令条例，学习、整风、检查、建立健全规章制度、开展安全竞赛、进行责任考核、改善硬件设施等方法，认真做好机关安全、保密、信息、车辆等各项管理工作，始终保持一个正常、有序、安全、舒适的工作和生活环境。为顺利完成各项工作任务创造必要条件。

1996年4月，县人武部收归军队建制后，制定试行《正规化建设若干规定》，内有机关行政管理制度，民兵装备仓库管理制度、战备工作制度、民兵训练基地和副食品生产基地管理制度、党委中心组学习制度、党委民主生活会制度、组织生活制度、党委会议规则、会议制度、思想政治工作制度、政治学习制度、文体生活制度、财务管理制度、接待制度、水电管理制度、营房管理制度、营产营具管理制度、食堂管理。

1997年4月10日至18日，集中开展“严守政治纪律确保政令军令畅通”教育，重点放在自查自纠方面，找出薄弱环节和不足。

1998年3月，部党委围绕“三个不正常”（不正常的内外关系、不正常的社会交往、不正常的消费和经济往来），对本单位的实际情况进行认真分析和梳理，找出根源，针对存在的问题制订整改措施。5月，制定《微机、传真机、复印机和会议（演习）涉密文件资料保密管理规定》，具体规定微机使用管理，会议（演习）涉密文件资料保密管理有关事项和要求。

1999年2月,组织机关干部职工进行安全预防工作教育整顿,深入开展"查领导、查思想、查制度、查设施、查隐患"活动,并着重抓重点目标、重要岗位人员,特别是通信员、驾驶员、炊事员、打字员和武器保管警卫人员的教育和整顿,取得明显效果。3月组织武器弹药安全管理教育整顿。7月,组织开展暑期安全竞赛活动。12月对保密工作进行自查,对个人涉密文件资料进行认真检查和清理,彻底消除个人保管涉密文件资料现象,对涉密办公电器(微机硬盘、软盘、传真机、复印机等)进行全面检查和规范管理,无私自复制涉密文件资料的现象,对保密设施进行检查,及时维修故障设备。

2000年3月,组织机关干部进行保密专题教育,使之认识到新形势下的保密就是"保生存、保胜利、保安全、保发展"。5月,制定《八小时外人员管理暂行规定》。10月,扎实开展以"从严治官、从严治软、从严治松、从严治难、从严治编"为主要内容的治理活动。

2002年6月至11月,组织机关干部职工开展学习贯彻新条令《内务条令》《纪律条令》活动。坚持以江泽民"五句话"总要求(政治合格、军事过硬、作风优良、纪律严明、保障有力)为指导,以新的共同条令为依据,突出新修改的条款、内容为重点,结合"五治"工作和部队建设实际,周密筹划,突出重点,学训一致,狠抓养成,通过加强领导,狠抓落实,保证共同条令学习训练活动的有效开展,保证共同条令学习的效果,保证日常工作、生活的正规有序。

2002年11月,根据参务传第19号通知精神,组织对印章、空白介绍信进行清理。清理销毁废旧私章5枚,本级制发废旧公章10枚,上级印发废旧公章1枚,销毁旧空白介绍信2本共168张,通过清查,进一步排除了安全隐患,确保部队安全与稳定。

2003年2月,为继续深入贯彻依法治军,从严治军方针,加强部队正规化管理,消除和预防各类事故、案件的发生,制定《"两防"工作制度》,加强"两防"工作领导,坚持每季分析一次工作形势,经常性组织条令条例和法纪教育,每月的第一个周五为学习日;抓好机关干部职工和外单位在院内住宿人员的政治审查工作;开展暑期安全竞赛活动;加强训练期间人员武器装备管理;大力开展健康有益的文化娱乐活动;完善安全设施,重点整治薄弱环节严格请销假制度,加强对外出人员和"三个以外"人员管理,杜绝"三个不正常"现象。

2004年,继续加强保密工作。党委把保密工作列入议事日程,第一季度专门召开会议听取汇报,研究解决保密工作中的问题,投资3000元更换微机干扰器,对营区部分安全设施进行更换;加强经常性的保密教育和重点人员教育,强化保密意识;严格规章制度,加强日常工作中的保密管理,坚持每天下班前对演习场和机关办公室进行检查。5月,制定《开展"管理和安全竞赛"活动实施方案》,在5月下旬至8月下旬,实现了军区提出的"三个减少一个杜绝"(减少违纪、减少事故、减少案件杜绝群死群伤)目标。

2005年2月,在机关开展"学、查、训、整"活动,重点查人员、车辆、营院管理上问题,进一步严格人员、车辆、营院、保密工作的管理,确保安全稳定。6月,组织清查小组,对内部刊物保密情况进行清查,采取横向到边、纵向到底的方法,逐个清查,不留死角,未发现有散落和遗失的诸如"国防内参""内部参考"之类的内部刊物。

2006年1月春节前,进行安全形势分析,针对"人、车、枪、弹、密"方面进行安全隐患排查。实现安全管理"两无"(无事故、无事故苗头),"两除"(除隐患、除薄弱环节)"一少"(一般违规违纪问题少)的目标。

2008年5月开展隐患排查整治活动。按照省军区提出的"六个不出"(不出任何政治性问题,不出群体性上访事件,不出严重军警民纠纷,不出群死群伤的重大失泄密问题,不出部队和重要目标遭受恐怖袭击问题,不出因指挥犹豫、准备不足、行动迟缓影响维稳处置问题),深化教育,深查细排,狠抓整改,确保隐患排查整治工作扎实有效。

第二节　政治建设与支援地方

党委建设

1986年6月至1996年4月,贵溪县人武部改归地方建制,为副县级建制。成立中共贵溪县人武部委员会。

1996 年 4 月，贵溪市人武部收归军队为正团建制，成立中共贵溪市人武部委员会。

部党委议事和决策贯彻集体领导、民主集中、个别酝酿、会议决定的原则，按照确定议题、准备预案、提前通知、充分酝酿、民主讨论、会议表决、形成决议、决策实施的程序实施。党委议事和决策，遵循下列原则和要求：①明确议事依据；②集体讨论决定重大问题；③符合会议法定人数；④平等议事；⑤少数服从多数；⑥回避；⑦保密。

纪检工作

1996 年以前，市（县）人武部未设纪律检查委员会。只在部党委内由 1 名委员兼做纪检工作（基层党支部成员中也安排 1 位成员负责纪检保卫工作）。1996 年以后，根据党章和上级有关指示精神，设立中共贵溪市人武部纪律检查委员会。纪检委在部党委和上级纪检委双重领导下开展工作。主要任务是：维护党的章程和其他党内法规，检查党的路线、方针、政策和决议的执行情况，协助党的委员会加强党风建设和组织协调反腐败工作。主要工作是：经常对党员进行遵守纪律的教育；对党员领导干部行使权力进行监督检查和处理违纪违法案件。

纪检委由党员大会选举产生，任期同部党委任期相同，纪检委书记、副书记和委员若干人。书记一般由 1 名部副职委员领导担任，副书记一般由政工科长担任，委员由干部、职工中的党员担任。由党委通过，报上级党委批准。

党员教育

1996 年 1 月 28 日至 3 月 18 日，县人武部完成收归军队建制工作。在收归工作中，按照上级“军地团结好、人员安排好、收留制度好、政策纪律执行好、经费物资清理好”的要求，县人武部唱好收归主角，县委、县政府加强领导，解决难点、重点问题：从有限财力拿出 51 万元，用于解决民兵训练基地和人武部正规化建设；解决征用的民兵训练基地产权问题，办齐所有房产证、土地证，办齐原有房屋产权手续；妥善安置部收归人员，做到本人自愿安置到哪里，就把工作做到哪里。7 名干部职工分别安置在工商局、土管局、房管局、环保局、公安局、民政局工作，做到县委政府满意、县人武部满意、本人满意。

1998 年 4 月下旬，市人武部组织机关干部职工开展“顾大局、支持改革”的教育。教育引导干部职工服从大局、支持改革，正确对待改革中带来的利益调整，顺应改革，立足本职建功立业。为更好地坚持民主集中制原则，贯彻执行党委统一集体领导下的首长分工负责制，进一步加强党委集体领导，使党委议事民主化、规范化、制度化、科学化，制定《党委议事规则》《加强党委民主集中制建设的措施》。

1999 年 5 月，组织开展“弘扬伟大抗洪精神，保持艰苦奋斗本色”教育。9 月，在机关进行“革命气节”教育。帮助机关干部职工进一步树立正确的人生观、价值观，坚定共产主义理想信念，激发工作热情。教育中，部里 3 位领导亲自备课授课，与大家广泛开展讨论。

2000 年 9 月，组织机关干部职工，“利用胡长清等重大典型案件”对党员干部进行警示教育。10 月开展“三讲”（讲学习、讲政治、讲正气）教育。

2002 年 5 月，紧贴部队实际，推行部务公开制度。6 月，开展“传统教育月”活动，集中观看《烈火中永生》等优秀历史题材录像，请老红军讲述战斗功绩，结合半年工作总结，对机关 22 名党员进行民主评议，全部合格，有 2 名党员被军分区分别评为优秀共产党员和优秀党务工作者。

2003 年，市人武部党委按照“坚持根本、扭住龙头，强班子，强队伍、强基础，瞄准不足，积极进取，夺回先进，为创标兵人武部打下坚实基础”的思路，加强班子建设，扎实抓好理论学习和政治教育，抓好人才队伍建设，促进以对台军事斗争准备为龙头的各项工作落实。

2004 年 4 月，党委召开民主生活会。副团职以上干部作述职述廉，军分区政委张刚亲临指导。

2005 年 3 月，在机关党员中开展保持共产党员先进性教育活动。在总结教育经验的基础上，部党委制定《关于进一步加强人武部党委机关建设的措施》。

2006 年 2 月至 3 月，在机关干部职工中开展“大力弘扬老区革命精神，忠实履行新的历史使命”主题教育活动。

2007 年，开展以反对拜金主义、享乐主义和极端个人主义为重点的社会主义核心价值体系教育活动。围绕“怎样做人、做官、做事”这些基本问题,提高认识,对照检查、揭露矛盾、整改提高,在此基础上,制定《进一步加强人武部党委机关建设的措施》。

干部管理

1986年6月县人武部改归地方建制后,配部长、政委,设办公室、军事科、政工科;部长、政委为副县级,科室为正科级,一般干部按主任科员、科员、办事员确定职务等级,仍称参谋、干事、助理员,由地方、军队共同管理,以地方为主,部长、政委的任免,在征得军分区党委同意后,由市委审批任命;科长及其以下干部,由县委组织部商请人武部提名,共同考核,按地方党政干部任免权限任免。对人武部全体干部的工资调整和奖惩,须征求军分区的意见。改归地方建制后,县人武部现役干部均由原管理机关发布命令退出现役,转业地方工作。再按干部管理权限任免。

1996年4月,县人武部收归军队建制,同时做好现有干部的调配和安置工作。根据赣发1996年5号文规定县人武部编制12人,设军事科、政工科、后勤科,均为正营级单位,撤销办公室。配部长、政委、副部长兼军事科长;对1986年随建制移交地方的现有干部,按《中国人民解放军现役军官服役条例》规定条件决定去留。收归军队建制的干部,重新办理入伍手续。职务任命,军衔评授,军龄计算,工资套改等事宜由上级军事机关按有关规定组织办理。县未收归的干部、职工由地方安排工作。人武部管理的离、退休干部,交由市政府接收和管理。

精神文明建设

1993年,驻贵溪某部党委被总政授予“全军先进党委”荣誉称号。1982年以来,该部队党委先后帮助驻地10多个村抓党支部建设。

1998—2000年,全市230个学雷锋小组、便民服务队、义务帮工队常年活跃在城乡,为人民群众特别是烈军属、特困户做好事实事。在全市民兵中广泛开展“把爱心献给功臣”,让“三老”晚年幸福活动,分别与1642名家庭贫困的“三老”人员进行结对帮扶,定期组织民兵志愿者服务队、医疗服务队和优抚服务小组为“三老”开展送温暖活动,坚持送医送药上门,免费提供医疗服务。江西铜业公司、贵溪发电厂和化肥厂等人武部,分别和全市6所光荣院结成帮扶对子,累计提供各类资金物资达10余万元。各基层人武部依托“青年民兵之家”文化阵地,组织民兵和群众学习政治理论、科技文化,开展娱乐活动。

1999年,驻地某部队与贵溪冶炼厂,被省委宣传部,省文明办公室、省军区政治部授予全省军民共建先进称号。

2005年,184医院与贵溪市樟坪乡医院建立联系,开展医疗帮助,给予技术上的支持、帮助和指导。

2007年7月27日,组织雄石办、林业局、建设局、经贸局、滨江乡等民兵130余人到火车站广场、站前路进行爱民助民和环境卫生清理活动。9月18日,市人武部、武警消防中队和民兵应急分队150余人参加联建共创活动,清理叶家塘菜市场和北门车站沿路卫生死角20多处。

经济建设

1991年7月24日至8月7日,进行人工降雨作业,四战四捷,共消耗炮弹363发,共使水库增容420万立方米,增发电23万千瓦,增插二季稻10余万亩,取得直接经济效益36万元。县财政对此工作支出1.5万元,经济效益之比为1∶23.3。人工增雨,缓解全县大部分旱情和部分乡镇农民生活用水困难。

1992年1月17日,鹰潭市人民政府、军分区给贵溪冶炼厂民兵高炮连记集体三等功,表彰高炮连充分发挥经济建设中的重大作用。

1993年,全县组织民兵参加修堤坝、清河道的水利冬修战斗,参加大小工程210余项,完成土石方130多万方;参加抗洪救灾4800余人次,抢救伤员61人;在进市场、奔小康活动中,全县有2460多个种、养、加工、销售专业户,成为经济建设的主力军。

1994年12月19日,鹰潭市政府、军分区发出《关于表彰以劳养武先进单位的通报》,表彰以劳养武取得显著成绩的贵溪市人武部,冷水镇人武部、滨江乡人武部、贵溪市城建局人武部、贵溪市发电厂人武部。

1996年夏,贵溪持续高温,久旱未雨,县人武部抽调37高炮,实施人工增雨,缓解旱情,取得好的经济效益,社会效益。全县大部分地区下中到大雨,其中硬石岭、彭湾、枫林湾降雨79毫米左右。

2000年6—7月,贵溪市人武部组织在泗沥镇、周坊镇、硬石岭镇、金沙乡等地,多次成功实施人工增雨,挽回经济损失100多万元。

抢险救灾

1993年3月,贵溪县遭受百年未遇的龙卷风和冰雹袭击。县人武部及时组织民兵预备役人员200余人赶赴灾区,抢救伤员61人。

1998年6月至8月,贵溪市遭受有史以来最大的水灾,全市24个乡镇无一幸免,受灾人口达41万,直接经济损失8亿多元。在大灾面前,人武部首长机关靠前指挥,干部职工冲上第一线抢险。全市组织民兵预备役、出动民兵应急分队、应急车辆40余台,解救和转移群众4万余人,加固圩堤10千米,处理险段40余处,守护中、小型水库150座,运送麻袋4万余只,草袋7.5万余条,装砂石2万余方等,搬运木竹等抢险物资1万余件。洪灾过后,市人武部及时下发《关于迅速组织民兵预备役人员投入灾后生产自救的紧急通知》,发动基层人武部开展"一部扶一村,一兵帮一户"活动,基层人武部成建制出动民兵预备役人员投入生产自救1.2万人次。全市组织16个民兵特别"小分队",为灾民抢修房屋456间,搭建简易蓬屋135间,组织34个民兵义务帮工队,为特困户、重灾户、烈军属抢种4325亩;组织6个通信电力小分队,协助有关部门修复损毁线路。

6月15日16时,鹰厦铁路上清段出现山体滑坡,泥石流从30多米高的山顶滑落,50多米长的铁路线覆盖着2.5米厚的土石。火车运行中断,数千名旅客滞留鹰潭车站和列车上,军分区迅急组织上清民兵应急分队100多名抢修,连续奋战达21小时。

6月21日18时40分,鹰厦铁路上清至资溪段34千米处、38千米处和富庶岭车站再次出现山体滑坡。富庶岭车站滑落土石6000多立方米,3条铁轨全部覆盖,两股道被冲毁,46次列车被冲离轨道,中断运行达86小时,1.5万多旅客滞留车站和列车上。军分区迅速派出前指,协调32276部队150余名官兵,指挥上清镇、上清林场、耳口乡、冷水镇民兵应急分队200余人投入抢险,部队民兵会同铁路福州分局职工,冒雨昼夜奋战69小时,疏通主干道,于28日8时恢复通车,受到南京军区表彰。

1998年10月3日,塘湾镇发生重大山林火灾,市人武部迅速组织50名民兵应急分队赶赴火灾一线协同当地民兵扑灭大火,挽回经济损失。

2000年,先后组织民兵应急分队扑灭文坊、塘湾等5个乡镇林场森林火灾,挽回经济损失150多万元,市委书记萧茂普称赞:"关键时刻还是民兵预备役部队管用"。

2001年7月中旬至8月上旬,组织民兵进行增雨抗旱。第一次动用民兵,使用高炮1门,消耗弹药402发,降雨量增到80毫米,第二次动用民兵,使用高炮2门,消耗弹药386发,降雨量增加到120毫米,减缓旱情。

2002年4月5日下午,余家乡龙井窝、塘湾镇三亩塘村和雄石办事处汪家村,因清明扫墓原因相继发生森林火灾。市人武部立即组织市民兵应急分队和部机关干部职工共80余人,携带灭火器材迅速赶赴火灾现场。塘湾镇、雄石办和金屯镇人武部等单位组织260余名民兵参加扑火战斗,民兵们冒着七级大风,不顾个人安危,始终冲在最前面,经过4个小时艰苦奋战,与当地群众一道将3处的森林大火扑灭,受到市领导和当地群众的赞扬。

2003年9月27日至28日,余江县马荃镇岩前村发生森林火灾,火势蔓延山地。市人武部组织130名民兵参加灭火,经过46个小时奋战,将火扑灭。

2005年上半年,贵溪市共发生森林火灾9起,过火面积242.26公顷,经济损失33.47万元,木材丧失1479.9立方米,损失幼林11.348万株;水灾受灾范围27个乡镇,人口达6.7万人,直接经济损失6036万元。全市组织民兵预备役人员参加抢险救灾,双圳林场、冷水林场、塘湾镇在抢险救灾中表现突出。

2006年6月,贵溪市连降大雨,8月遇超强台风。市人武部及时组织机关干部、专武干部和市民兵应急分队投入抢险救灾,出色完成任务。

2007年8月,市民兵高炮分队(化肥厂民兵)进行人工增雨,发射炮弹300发,使近万亩农田受益。

2008年春,受持续低温雨雪天气影响,贵溪市遭遇50年一遇的冰冻灾害,交通、电力、民生险情不断。市人武部组织机关干部职工、专武干部和民兵预备役人员投入抗灾救灾行动。两次扫雪除冰,两次抢运塔材,两次保障过境部队。从2月2日至18日,组织扫除120余千米道路积雪冰层,开辟山路16千米,抢运9吨重的塔材3座。抢修通信线路100千米,为保交通、保电力、保民生,夺取抗灾救灾全面胜利做出积极贡献。

第三节 后勤建设

财务与审计

1998年5月至7月,对照上级关于财经秩序治理标准、要求,对该部财经秩序进行自查。

2002年,严格执行党委集体理财和党委统一领导下的分管领导"一支笔"审批制度,预决算制度,经费审核制度,内控制度,库存现金限额制度,贵重物品使用登记管理制度,财务公开制度,落实家底经费基数,根据财务工作中的新情况,修改和完善经费管理规定,制定《看望慰问有关规定》《差旅费管理有关规定》,较好规范财务秩序。

2003年,严格执行党委集体理财和分管领导"一支笔"审批制度;严格落实预决算,经费审核、内控制度,严格掌握库存现金限额,加强会计基础工作。

2006年1月,对新营院工程建设竣工决算经费进行审计。新营院指挥办公大楼1幢(2400平方米),公寓楼1幢(1450平方米),内部招待所1幢(950平方米)。2004年4月动工,2005年5月竣工,决算总金额736万元。6月,市人武部对代管经费审计调查工作进行自查。8月,对财经管理专项整顿工作进行自查。

2007年6月,根据省军区、军分区通知要求,对2005年1月至2007年4月30日的资金进行审计自查。查清银行存款、库存现金、票据、借垫款和内控落实情况。同时结合对财务管理秩序进行专项整治。

营房与基建

1996年4月,县人武部1993年集资投建的"扬武街",与总后《关于清理整顿军队有偿集资活动坚决制止乱集资问题的通知》规定不相符合。决定全部收归县人武部统一管理。个人已经收归的租金(利润)用于退还个人的集资款和利息。

2002年,在市政府大力支持下,受让原环球实业有限公司(系倒闭企业)地基作人武部新址。该地基占地面积17290平方米,当年新址地基已正式过户,正着手新址、旧址的开发准备工作。

2002年3月,制定《贵溪市人武部后勤建设规范化管理三年规划》要求加快后勤建设步伐,高起点、高标准、高质量抓好各项硬件建设,完善后勤保障预案和各项制度措施,使后勤战备训练、经费物资管理、军交和油料管理,卫生管理、营产营具管理、基础设施建设和职工管理等工作有一个全面提高。真正做到硬件要硬、软件不软,力争在两年内达标。

2003年4月,对房地产管理情况进行自查。通过自查验证,市人武部签订的租赁合同合法、合规,执行严格,没有无效合同、擅自变更合同内容等现象。

2007年4月,对空余房地产租赁情况进行自查。所属扬武街店面均已租赁出去,租赁时与所有承租户签订合同,规定不得从事桑拿、泡脚、按摩、电子游戏或赌博、走私、淫秽物品等损害军队形象及部队安全保密的项目;店面不得用于储存易燃易爆、腐蚀性、有毒性等物资;租赁收益纳入预算外收入科目,严格实行"收支两条线"管理。为加强对出租店面的日常管理,专门抽调后勤科1名职工担任管理员,定期督促检查,发现问题及时纠正。

农副业生产

1999年,制定《农副业生产三年发展规划》,明确规定通过3年努力,使副食品生产基地逐步形成"地里种菜、圈里养猪(鸡),水上养鸭、水中养鱼"的以养殖业为主,种植业、加工业为辅,种养加一条龙的现代化科技种养生产基地,实现干部职工人月均供应"三个五"(5斤禽蛋、5斤猪肉、5斤鲜鱼),蔬菜供应常年自给,品种在10个以上,做到粗细粮搭配。副食品基地利润3年分别达到1.5万元、1.8万元、

2.2 万元。《规划》还提出实现目标的具体措施。

2002 年 3 月，制定《贵溪市人武部农副业生产 2001—2005 年发展规划》。按照“一保战备、二保生活”原则。提出目标任务是:5 年内农副业生产总收益达 8 万元，干部职工每人每年供应猪肉、禽蛋(肉)、鱼各不少于 30 公斤、水果 30 公斤、蔬菜 60 公斤。为此提出主要措施:推进科技兴农，提高农副业生产档次，加强基础设施建设，增强农副业生产发展后劲，完善生产和管理机制，建立健全各项管理制度，进一步提高服务和保障能力。

2003 年上半年，市人武装部一边抓生产，一边抓新址选征工作。生产方面，养猪 43 头、出栏 28 头、产肉 626.5 公斤，养鸭 218 只、产蛋 718 公斤、产禽肉 162.5 公斤，种菜 0.24 公顷、品种达 19 个，产菜 1605.5 公斤。为干部职工供应猪肉 626.5 公斤、禽蛋 540 公斤、禽肉 162.5 公斤、鱼 683.5 公斤、菜 1605.5 公斤、水果 580 公斤，做到每月和节假日都有副食品供应，实现军委提出的产到、补到、吃到的标准，同时经过勘察，选征滨江乡铜都村一块 59.55 亩作基地，并取得土地使用权。

2007 年 9 月，经军分区批准，将副食品基地闲置的 1.33 公顷土地和 1 栋约 200 平方米楼房出租给王建龙用于铜矿精加工，此举既不影响基地日常生产，又能充分利用闲置土地为部机关带来预算外收益。

卫生与计生

1997 年，市人武部计划生育工作，严格执行国家和军队计划生育政策，以控制计划外生育为重点，不断强化服务，加大工作力度，确保计划生育工作各项指标落到实处。市人武部现有干部职工 25 人，已婚 20 人，育龄夫妇家庭 20 户，育龄夫妇家庭子女数为 21 个，平均为 1.05 个。现有 1 个子女的夫妇 13 对，独生子女领证率 100%，计划内出生 1 个小孩 13 人，2 个小孩 8 人，计划生育率 100%，女性绝育 4 人，宫内或药具节育 13 人，节育率为 100%。

2003 年，非典型性肺炎在全国各地肆虐，市人武部为打好这场特殊“战争”，成立以部领导为组长的领导机构，适时制定防治“非典”预案，并在干部职工家庭中加强宣传教育，切实加强营院管理，对垃圾箱、下水道等定期进行杀菌、灭虫，对办公室、食堂、车辆进行定期消毒，消除病毒传染源，及时给干部职工配发中药，购买消毒液和防护用品，为大家创造良好工作和生活环境。

职工管理

1997 年 2 月，录用职工 28 名。4 月，制定《职工管理暂行规定》。规定分 7 章 34 条，明确规定职工招收录用和调配、职工培训与考核、职工待遇与安全卫生、行政管理、婚姻和计划生育等重要事项。

1988 年 3 月，对司机队伍进行教育和整顿。围绕“查思想、查制度、查漏洞、查措施”，组织驾驶员认真学习有关文件和交通法规，认真对照检查、查找事故隐患与苗头，针对性地提出整改措施，使驾驶人员受到一次实际教育。

2000 年 5 月，组织对车管干部和驾驶员进行教育整顿。1 名车管干部、2 名驾驶员自始至终参加。教育整顿中重点开展以“五查五看”为主要内容自查自纠专题讨论，即查思想作风、看状态稳不稳，查服务态度、看爱岗敬业水平高不高，查安全意识、看安全弦系得牢不牢，查遵纪守规、看法规意识强不强，查爱车节约、看自己动手多不多。通过教育，认识到“安全行车就是节约、安全稳定就是大局”。同时，结合教育整顿、健全有关制度。

2002 年 6 月，组织对驾驶员进行思想、作风、技术考核，由交警人员任主考，考核驾驶技术，3 人均获得优秀成绩。由上海大众汽车修理厂师傅检查东风车、三凌车和桑塔纳车的状况，尤其是对车的制动系统，转向系统，油路系统和指示灯及发动机重大部位，逐一进行检查与核对，排除事故隐患。建立完善车辆登记、车历记录、车辆动态和“三证一匙”管理制度，车辆完好率达 100%，车辆入库率达 100%，全年行车累计达 6.4 万千米，实现安全无事故。

2003 年 7 月，利用 3 天时间，集中组织职工进行以“听招呼、守纪律、立足岗位做贡献”为主题的作风纪律教育。

第三章 国防动员

第一节 机 构

领导机构

1996年,成立贵溪市(县)国防动员委员会。市国防动员委员会由市委书记任第一主任,市长任主任,市人武部部长为常务副主任,市人武部政委、市委副书记、常务副市长任副主任,市委办公室、市政府办公室、市计委、市法制局、市交通局、市人事劳动局、市财政局、市统计局、市科委、市国税局、市妇联、市商业局、市经贸局、市教育局、市农业局、市民政局、市体育局、市卫生局、市总工会、团市委、市建设局、市邮政局、市工商局、市地税局等部门主要负责人(或副职),市人武部副部长和各科科长为成员。根据人事变化,市国防动员委员会成员适时进行调整。

市(县)国防动员委员会在市委、市政府、市人武部领导下主管全市国防动员工作。主要任务是,贯彻积极防御军事战略方针,组织实施国家和本市国防动员工作,协调国防动员工作中经济与军事,军队与政府,人力与物力之间的关系,以增强国防实力,提高平战转换能力。主要职责是,贯彻中共中央、国务院、中央军委有关国防动员工作的方针、政策和指示,组织拟制国防动员工作的规范性文件和措施,组织编制国防动员规划与计划;检查督促国防动员法规的实施和国防动员计划的执行;协调军事、经济、社会等方面的重大国防动员工作;组织领导人民武装动员、政治动员、人民防空、交通战备工作等。

办事机构

1996年,市国防动员委员会下设秘书组、人民武装办公室、经济动员办公室、交通战备办公室,简称“一组三室”。

2002年2月,贵溪市国动委秘书组改为综合办公室,增设政治动员办公室、科技动员办公室、信息动员办公室。4月,市国防动员委员会下设专业工作机构为综合办公室、武装力量动员办公室、政治动员办公室、经济动员办公室、科技动员办公室、信息动员办公室、交通战备办公室、人民防空办公室,简称“八办”。各办事机构的主任、副主任分别由市委、市政府、市人武部相关部门负责人担任。根据需要和人事变动,适时进行调整。坚持把“有人办事”作为办事机构组织建设的重点,至2005年已基本落实专(兼)职人员53名,其中市国动委综合办5人,政动办21人,人武办4人,交战办4人,经动办4人,科技办5人,信息办4人,人防办专职6人。

各办事机构在市国动委领导下,按照年度工作安排,主动做好赋予的各项国防动员工作,日常加强学习和业务训练。

为了保证市国动委各项工作的正常开展,建立并坚持了各项制度,即会议制度、文件承办制度、请示报告制度、工作计划制度、工作联系制度等。

第二节 国防动员准备

国防教育

1998年,结合举办全市科级干部法制培训班,对科级干部进行《中华人民共和国国防法》、《中华人民共和国兵役法》学习教育,先后5次派出人员分别为贵溪冶炼厂、贵溪发电厂上国防教育课。上述2厂和贵溪化肥厂还把国防教育列入职工轮训内容。

2003年,国动委作出《国防动员规划》,把国防教育全面纳入干部在职学习内容,确保县级学校和普通高校、函授高校开设国防教育课程,85%以上中、小学校进行国防知识教育,全市党报、电台、电视台开辟国防教育栏,举办国防知识讲座,强化全社会公民的国防观念,形成全民关心国防、支持国防、建设国防的氛围。

2003年8月2日，市人武部组织市四套领导班子成员共35人过“军事日”生活。观看军事资料录像片，汇报国防后备力量建设情况，到民兵训练基地进行手枪、步枪实弹射击。

2003年9月，结合第三个全民国防教育日，市人武部与市委宣传部共同组织开展“四个一”活动，组织市四套班子领导成员过一次军事生活日活动，举办一台以“国防连着你我他，安宁维系千万家”为主题的广场国防教育文艺晚会，在市民集中的沿河路开设一期国防教育专栏，请南昌陆军学院教官向全市科以上领导干部上国防教育课。市人防办与贵溪报社联合开展“人防宣传月”活动，开设人防教育，在贵溪电视台黄金时段播出人防专题片“铸和平之盾”，在城区中的初中部（贵溪二中、三中，电厂子弟学校，冶炼厂子弟学校，十五冶子弟学校，鹰潭奥科现代外语学校，化肥厂子弟学校，106地质学校，信江中学）开设人防知识课，对各校挑选的人防骨干教师进行专业知识培训，强化全民人防意识。

2004年至2005年，广泛开展国防教育，利用移动平台向全市移动用户发送国防教育信息3万余条，并在全市各主要地段张贴国防教育宣传画100余张，多次聘请南昌陆军学院教授给市委党校青干班学员、全市副科以上干部进行国防形势教育。结合“全民国防教育日”活动和征兵宣传教育月，充分利用广播、电视等宣传媒体在全社会广泛宣传《中华人民共和国国防法》《中华人民共和国兵役法》等国防知识，在全市引起较大的反响。通过开展一系列的活动，进一步增强全民国防意识。

2005年5月，为增强全市公务员队伍的全面素质和国防意识，市人武部对全市公务员298人进行为期5天的军事训练，并为公务员配备服装。

科技动员试点

2001年3月至5月，市国动委进行以确保战时入闽通道畅通为重点的国防科技动员试点工作。按照“平战结合、军民兼容”“区分层次、突出重点”“对口适用、注重质量”原则，积极研究探索国防科技动员工作的具体实施办法，全面了解掌握全市国防科技动员力量底数，结合实际建立以确保入闽通道畅通为首要任务的科技保障队伍和科技力量动员储备，制定战时科技动员预案。

试点中，对全市26个乡镇、42个企事业单位和驻市企业的国防科技动员潜力进行摸底调查，调查登记3627人，经过筛选确定科技动员对象，战时可用于军事用途的地方器材、设备。军事保障的地方技术围绕战时确保入闽通道畅通需要和支前保障任务，组建科技保障队伍6支，出台《贵溪市国防科技动员实施办法》，建立健全科技力量储备、管理、教育、训练制度，建立国防科技动员计算机管理系统，国防科技力量的管理进入正规化、规范化轨道。通过试点，为战时实施科技动员打下良好基础。

2007年12月，省国动委、省军区机关工作组对贵溪市科技动员能力进行检查评估。同年，省军区对贵溪市民兵进行了集结点验。

维修保障站组建

2007年3月，市国动委综合办、科技动员办、经济动员办和交战办研究决定，由铜业公司人武部协调有关单位组建通用车辆装备科技支前维修保障站1个，提出建设标准、实施的时间要求。保障站成立后，制定《应急抢救抢修行动预案》及配套计划。

江西铜业集团（贵溪）汽车修理有限公司成立于1984年，是该地区综合实力最强的修理企业。场区占地面积22000平方米，厂房占地3600平方米；共有设备628台，其中通用设备93台，专用设备30台，检测设备5台；从业人员152人。公司下属修理厂3个，年维修能力大修80辆次，总成大修800辆次，二级维护2000辆次，一级维护1800辆次，小修10000辆次，专项修理12000辆次。修理能力包括客、货、轿车、重型机械、吊车和其他各种特型车辆。

学术研究与演练

2000年，开展电力系统如何抗击敌石墨炸弹破坏的研究，形成初步战法；开展“三打三防”研讨，形成《高炮分队打武装直升机之我见》《着力提高交通防护能力，确保战时入闽通道畅通》等学术文章；利用地方科技平台和技术力量，组织电力抢修分队和道桥抢修分队进行高压输电线路的快速抢修和利用新型复合材料土工布对泥泞道路的快速修通课题的演练，被选送参加省军区科技练兵演示。

同年8月29日至9月25日，市人武部组织民兵参加军分区组织的训练和演习，参加人员，分别来自贵溪冶炼厂、贵溪发电厂、贵溪化肥厂。训练第一阶段，进行60余次枪代炮对空飘气球射击、4个航次的枪代炮对敌改－1型航模拖靶实弹射击,击毁气球50余个,命中率为85%,命中拖靶3次,命中率为75%。第二阶段训练参加军分区综合演练、预演和演习,组织3次枪代炮对空飘气球和2次对航模拖靶实弹射击,5次射击均首发命中,枪代炮空飘气球射击命中率100%,对航模拖靶命中率为90%。

同年,市人武部对民兵高炮分队建设情况进行调研。人员在位情况良好,通过有计划组织训练,基本素质达到遂行任务要求。训练内容形式和手段与实战有一定距离。调研就加强民兵高炮分队组织建设、军事训练、作战指挥、强化战备制度等方面提出建议。

9月,市人武部对贵溪军民通用物资资源、仓储、生产情况进行调研。重点调查贵溪国家粮食储备库有关情况,贵溪冶炼厂有关情况。

12月,对贵溪市兵员动员军事需求进行分析。要通过多种途径,不断提高兵员动员质量和兵员动员。

2001年9月15日,贵溪市民兵参加军分区民兵综合保障营实兵演习。

2002年,积极开展学术研究。围绕战时参战支前,保畅通问题进行探讨研究,撰写《参战支前征集民用车辆技术保障之浅见》《对保畅通交通准备工作的几点思考》《保畅通作战物资支援的特点及应注意的几个问题》等6篇文章,其中1篇被南京军区《后勤》杂志刊用。

2002年9月组织实施民兵综合保障营部分参演分队训练及实兵演习。第一阶段主要完成大型机械、土工布、土工格室的分练及各课目合练。第二阶段主要完成合练及演习任务。市参演的土工格室、土工布以它的实用价值受到省军区参谋长及省军区机关领导的一致好评。

2003年2月,组织对全市海、空军退伍军人专业技术兵情况进行统计分析。7月,各专业办公室围绕"国动委机构建设情况""国防动员潜力调查情况""国防动员工作开展情况"3个方面的16个课题,调研,提供准确、详细、真实的情况,提出科学、合理、符合实际的意见和建议。

2004年,深入进行理论研讨和学术研究。撰写有价值的论文20余篇,其中《围绕"保畅通"抓好高技术条件下科技动员》一文在总参《军事》刊物发表,《正确处理"保畅通"作战中抢与修的关系》一文在南京军区《东南军事学术》刊物发表。钟圣生、刘安撰写《浅谈"两沿一重"地区民兵"保畅通"分队编组应着重把握的几个问题》,综合办撰写的《建立战时区域性军地联合指挥机构的几点思考》《利用土工格室克服沙滩地》《利用土工布快速抢修泥泞道路》两项科技练兵成果受到省军区领导好评,被省军区评为"科技练兵先进单位"。加强"保畅通"为主题的课题研究,其中有4篇文章分别被总部《群工简报》《军事》杂志和军区《东南军事学术》《后勤》杂志刊用。5月,组织市国动委及"八办"人员开展保障应急作战行动室内演练。重点研究如何依托国动委平时机构建立军地联合指挥机构,探索战时国动委指挥编成、职责区分、平战转换时机、程序、方法及运行机制,站在战区全局和对台作战全程防卫作战行动和交通枢纽畅通的内容、程序和方法,动员组织民兵预备役人员对交通枢纽重要目标进行警戒、伪装、防护、抢修的对策和办法。在军分区组织指导下,进行以练思想、练作风、练战术、练指挥、练协同为主要内容的国动委保障应急作战行动室内演习。

2005年,在民兵整组点验中,针对民兵预备役在位率低,应急动员人员在位率低的情况,采取了"面对面点、函电和电话点验"的方法,摸清动员对象在何处、怎么联系?能否召回来、找不回来怎么办?如何把应急动员人员收拢集结等课题进行初步探讨。加大依法征召的宣传力度,结合下发应急人员通知书,加大动员对象及家长的宣传教育,使其明白依法应征参战是每个适龄公民的光荣义务。

2007年,省军区预备役炮兵旅赴上饶旅部参加快速集结动员演练,并参加旅年度实弹、非实弹战术演习。组织防空群雷达、侦察、通信骨干和指挥人员参加省军区集训。市人武部机关和分队骨干参加由空军和战区统一组织的"联合07—2"防空演习。

潜力调查

1993年7—9月,进行地方与军事专业对口技术人员预备役登记试点工作。编入基干民兵983人,普通民兵1860人。为扩大专业技术兵储备,做好战时兵员动员工作打下基础。

1995年6月,组织开展国防动员潜力调查核对统计。

1996年6月,组织进行国防动员潜力调查掌握人员基本情况(包括地方与军队专业对口预备役技术人员、战时可动员专业技术人员)，行政区划和经济状况，通信设施情况、工程机械情况和测绘、气象情况等。

1997年5—6月，组织对军需资源及生产情况，人员基本情况，交通运输情况，原材料生产、储备及油料、油库情况，医疗卫生情况，工程机械情况，测绘、气象情况，水电、房屋情况调查。在对国防动员潜力调查核对基础上，进行分析和评估。认为贵溪市可供动员后备兵员潜力较大，邮电通信业、交通运输业较发达，医疗卫生及设施设备基本能满足局部战争动员需求，军需资源和物资潜力较丰富。

1999年5—6月，对调查行政区划，经济状况，人员基本情况，通信设施情况，工程机械情况，军工、可转军工生产情况，测绘，气象情况，交通运输情况，原材料生产、储备及油料、油库情况，军需资源情况，水电、房屋情况等11大类动员潜力情况。5月下旬至6月底，各专业办公室完成国防动员潜力调查数据的采集、核对、汇总、统计工作。6月至8月，市国动委组织对国防潜力情况进行调查。重点调查地区基本情况、人民武装建设情况、企业生产情况、水电情况、公路运输情况、通信情况、医疗卫生情况、金融、物资储备情况，科研机构、人防工程、宣传机制等情况。

2003年5—6月，组织国防动员潜力调查核对，基本摸清贵溪可用于战争动员的人力、物力等方面情况，进一步建立和完善经济动员潜力数据库，完善《贵溪市兵要地志》《贵溪市经济动员潜力分布图》《贵溪市交通战备图》和《贵溪市后勤部署图》。

2004年8月下旬至10月，组织对全市国防动员各项潜力数据资料进行逐项调查核对。

2005年8月，对全市物资动员制作潜力数据库。

2006年3—5月，对人民武装潜力、政治动员潜力、经济动员潜力、人民防空潜力进行全面调查统计核对。重点调查民兵综合情况预备役部队预任军官，预编士兵情况，退伍军人预备役情况，地方与专业对口预备役技术人员情况。5月，对全市交通运输动员潜力情况进行调查。同时，制定《民兵动员预案》。

2007年，对科技动员潜力进行调查核对。重点调查科研机构，人员，高技术企业情况，制定《装备科技动员保障方案》；对全市兵员动员潜力进行核对统计。

第四章　人民防空

1999年10月，省政府决定贵溪市列为省级人民防空重点城市，执行国家三类防护标准。2000年3月设立工作机构，与法制局合署办公。2002年10月将工作机构单设，为正科级单位。2003年4月市政府研究制定《贵溪市人民政府关于进一步加强人民防空工作的意见》，对人防工作的组织领导、机构建设、政策规定、工作目标、宣传教育、队伍建设等作出具体明确规定。6月制定《贵溪市防空地下室易地建设费和人防工程建设维护费征收管理实施细则》，明确征收范围、标准和渠道。8月，确定重要经济目标，编制《重要经济目标防护抢险方案》。10月，在城区安装防空警报，并举办首次防空警报试鸣仪式，确立每年一次的试鸣制度，制定《贵溪市人民防空警报设施管理规定》。2004年6月，结合民用建筑修建防空地下室工作开始启动，为人防工程建设拉开序幕，并结合民兵整组工作，在市区组建人防专业队伍，以战时消除空袭后果和平时应急抢险救灾需要。

第一节　机构与队伍

工作机构

贵溪市人民防空办公室(以下简称市人防办)是贵溪市国防动员委员会的组成单位和专业办事机构，是市政府人民防空工作具体实施部门，受市委、市政府和市人武部双重领导，并接受上级人民防空主管部门的管理。

市人防办成立于2000年3月，与法制局合署办公，“两块牌子，一套人员”，2002年11月单设为一级机构,正科级单位,下设综合科和宣教科。

人防队伍

按照中央军委新时期军事战略方针,依据《人民防空法》,紧扣新时期军事斗争准备这根主线,贯彻“减少数量、提高质量、健全组织、保留骨干”的总体要求,市人防办对人防专业队伍作出筛选担负城市防空袭斗争任务。

第二节 人防设施与战时疏散

工程建设

市人防工程建设规划纳入城市总体规划,城市分区规划都有人防工程的内容和要求。具体由市人防办会同有关部门制定人防工程建设规划,报市人民政府批准。2007 年 7 月投资 100 余万元,建设“人防地面指挥室”,开通与省、市指挥所视频会议系统,实现三级联网,连接军队有线通信网。2008 年 12 月人防应急救援中心动工建设。

警报设施

根据江西省实施《中华人民共和国人民防空法》办法规定,人民防空通信、警报网所需的专用线路,电信部门、军队通信部门应当优先保障。人民防空主管部门安装人民防空通信、警报设施时,有关单位和个人应当积极配合,并提供场地、空间、水源、电源等;人民防空通信所需的无线电频率,无线电管理部门必须保障。市通信警报建设进展顺利,并依法施行警报试鸣。

截至 2008 年,市人防办安装警报器,并在贵溪有线电视台安装警报系统,实现城区户内户外警报齐鸣,使市区音响覆盖率达到 90% 以上。确立每年一次试鸣制度,完成与鹰潭市同步试鸣任务。同时市人防办组织对警报管理人员进行技术培训,完善警报定期检查维修制度,确保警报始终处于良好战备状态。

战时疏散

科学界定重要的经济目标,对重要经济目标所在单位明确管理部门,落实防护责任,组建防护队伍,落实防护措施,制定应急抢修预案。结合新农村建设,探索城市人口疏散基地建设路子,按照“走得了、散得开、吃住有保障、防空行动用得上”的原则,就近疏散。

第三节 宣传教育

2000 年以来,采取集中宣传与日常宣传相结合的方法,在全市开展多层次、全方位的宣传教育活动。一是宣传对象注重多层面。通过向居委会、工矿企业、社会团体发放宣传资料、工作文件,赢得他们对人防工作的支持和参与。二是宣传内容注重多角度。既介绍兄弟县市的成功经验,又通报本市的工作情况。三是宣传方式注重多样化。市人防办与鹰潭市人防办联合开展“人防宣传月”活动,开设人防教育专版,刊登有关文章,转载法规、政策、文件,介绍人防知识,在贵溪有线电视台设置专题,播放人防知识教育专题片,人防宣传标语;在建设大道、桥西公园等主要交通干道和人员密集地方制作永久性大型宣传牌,举办“人防杯”老干部门球赛、“人防杯”象棋赛。组织以“民生人防”为主题大型文艺汇演,大力营造社会参与、支持、关心人防建设的和谐气氛。同时,在各中学开设人防知识课,全市 7 所中学 37 个班 1738 人接受人防知识教育,11 位教师接受培训,并且举办中学生人防知识竞赛。

2002 年 11 月,市人防办对学校人防教育情况进行调查。市城区设立初中部的学校(贵溪二中、三中、电厂子弟学校、冶炼厂子弟学校、十五冶子弟学校、鹰潭奥科现代外语学校、化肥厂子弟学校、106 地质学校、信江中学)均成立人防知识教育领导小组,明确 1 位领导分管,具体负责此项工作的部门和任课教师,按规定将人防知识课列入学校教学总体规划,各学校用于人防知识教育不少于 18 个课时。市人防办和教育局共同制订《人防知识目标管理考评标准》,各校按标准抓好各项内容落实,并实行一年一考评一表彰的评比表彰办法。

2003 年,市政府印发《关于进一步加强人防工作的意见》,对人防工作的组织领导、机构建设、政策规定、工作目标、宣传教育、队伍建设等作出具体明确规定。市人防办公室联合贵溪报社开展“人防宣传月”活动,开设人防教育专刊,刊登有关文章,转载法规文件,在贵溪有线电视台黄金时间播出人防专题《铸和平之盾》。在中学开设人防知识课,培训各学校挑选的人防骨干教师。

2004 年 2 月,市人防办根据平时负责组织管理全市人民防空建设、战时负责组织开展城市人民防空空袭斗争的实际,按照“准军事化”的要求,制定健全各项制度。

从 2004 年始,市人防办不定期编发《人防动态》刊物,适时向市 4 套班子领导,市国动委领导成员和有关部门通报人防工作情况,转载有关典型经验,传达上级有关人防工作的声音。

第五章　兵　役

第一节　兵役制度与机构

兵役制度

1991 年以来,继续执行六届全国人大二次会议通过的《中华人民共和国兵役法》,实行义务兵役制度为主体的义务兵与志愿兵、民兵与预备役相结合的兵役制度。义务兵的服役年限:陆军 3 年、海、空军各 4 年。志愿兵服役年限:从改志愿兵之日算起,至少 8 年,不超过 12 年,年龄不超过 35 岁,本人自愿,经军以上机关批准,可以适当延长。退出现役的士兵和军官以及其他符合兵役条件的公民,在规定年龄内服预备役。28 岁以下的退伍士兵,编入基干民兵,成为民兵中随时准备参军参战,执行任务的骨干力量。

新兵役法规定:有严重缺陷或者严重残疾不适合服兵役的人,免服兵役。依照法律剥夺政治权利的人,不得服兵役。有服兵役义务的公民拒绝、逃避兵役登记的,应征公民拒绝、逃避征集的,预备役人员拒绝、逃避军事训练的,经教育不改,基层政府应当强制其履行兵役义务。在战时,预备役人员拒绝、逃避征召或者拒绝、逃避军事训练,情节严重的,依照《惩治军人违反职责罪暂行条例》有关规定处罚。国家工作人员办理征兵工作时,收受贿赂、营私舞弊的,或者玩忽职守,致使兵役工作遭受严重损失的,分别依照《刑法》有关规定处罚,情节较轻的,可给行政处分。

征兵领导小组

贵溪市(县)人民武装部是市人民政府的兵役机关,统一管理兵役工作。

每当征兵工作开始前,市人民政府成立征兵领导小组。组长由市长担任,副组长由常务副市长、市人武部部长、政治委员担任,成员由市公安局、市委宣传部、市卫生局、市监察局、市财政局、市民政局、市教育局、市人事劳动和社会保障局、市交通局、市文化广电局等部门主要负责人、市人武部副职领导和各科负责人担任。主要任务是:按照《兵役法》和市下达的征兵命令,结合实际情况研究确定本市征兵区域、征集范围、征集年龄,解决征集工作中遇到的重要问题,计划部署全市征兵工作。市征兵领导小组成员的变更由市政府和市人武部共同决定。

市征兵领导小组下设办公室,办公室设在市人武部,办公室主任一般由市人武部部长或副部长担任。副主任由市人武部军事科长、公安、卫生部门负责人担任。办公室工作人员从市政府有关部门抽调。征兵的日常工作由贵溪县(市)人武部负责。

乡、镇、街道办事处征兵办公室内组成体检组和政审组,分别具体负责体检和政审工作。征兵开始时成立临时征兵小组,由乡、镇、街道办事处负责人和专职武装干部组成,负责办理辖区内的兵役登记,报名参军人员的体检、政治条件初审等事宜。

第二节 兵员征集

兵员征集的数量,各年不等。征服现役的兵员必须是政治历史清楚,拥护中国共产党,热爱社会主义,热爱劳动,遵纪守法,道德品质好,身心健康,决心为保卫祖国英勇奋斗的适龄青年。农村应征的青年在初中毕业以上,城镇应征的青年在高中毕业以上。征集办法:适龄青年在户口所在地应征,经身体检查、政治审查合格,由市(县)人民政府征兵办公室批准入伍。

兵役登记

兵役登记,即对符合服兵役年龄的公民进行注册管理,掌握适龄公民的数量、质量和分布状况,为组织公民服兵役做准备。

登记时间:年满18岁的男性公民在当年9月30日以前,按照县(市、区)兵役机关的安排,进行兵役登记。2003年开始,鉴于农村外出打工适龄青年9月间在家少,春节前后集中在家多的情况,将一次登记时间改为从年初到9月的多次登记。

登记方法:根据市兵役机关的安排,兵役登记由各机关、团体、企事业单位和乡镇人民政府具体组织实施。填写“兵役登记表”,注明适龄公民数、应登公民数、实登公民数。依法确定应服兵役、免服兵役和不得服兵役的人员,并报市兵役机关批准。在2002年以前,一般是一次性集中登记。2003年开始,集中与分散相结合的多次登记。经过兵役登记的应征公民,进行体格目测、病史调查和政治文化初步审查,对政治思想好、身体好、文化程度较高的公民确定为当年征集对象,记入档案,发给“兵役证”,并告诉本人“被确定为本年度预征对象,做好应征准备,接受祖国挑选”。

2006年9月,市人武部组织开展兵役登记。

兵役宣传

1991年后,根据上级征兵命令的要求和每年征兵工作的特点,市(县)人民政府、人民武装部利用各种场合、时机、媒介、载体,有计划、有步骤、有重点地向广大适龄青年、职工、学生和人民群众开展“兵役法规”、方针政策、国防知识的宣传教育。

1992年10月,全市各乡(镇)、村均成立宣传教育领导小组,采取广播、标语、宣传栏、电视、录像、报告会、专题讲座等形式进行教育。贵溪电视台多次播放征兵工作的有关新闻,贵溪报社多次报道征兵工作的进展情况和有关政策规定。市征兵领导小组负责人亲自发表广播、电视讲话。

1994年5月,市委宣传部、人武部、预备役部队、各有关新闻单位把宣传活动摆上议事日程,安排专人负责,以基层为重点,有计划、有步骤、有针对性地开展《中华人民共和国兵役法》宣传教育和纪念活动。

1999年,全市各地通过各种渠道,运用会议、广播、板报、墙报(专栏)、街头标语、影前幻灯、宣传车、知识竞赛、开设《中华人民共和国兵役法》咨询点等形式开展新《中华人民共和国兵役法》的宣传活动。提出加大“四个力度”,即加大领导力度、加大宣传力度、加大执法力度、加大廉洁征兵力度。

2001年,利用《中华人民共和国国防教育法》和新《征兵工作条例》颁布的有利时机,市有针对性地选择在贵溪冶炼厂进行国防教育试点。组织以《中华人民共和国兵役法》和新《征兵工作条例》为主要内容的国防知识竞赛。组织领导干部、适龄青年、适龄青年家长进行“固我长城”演讲比赛。开辟一个专栏,在《贵溪报》开辟书记话国防专栏。宣传教育注重区分层次:一是对领导干部的教育。二是对适龄青年的教育。三是对适龄青年家长的教育。

2002年,针对适龄青年依法服兵役积极性下降、个别青年逃避服兵役等情况,开展多项宣传教育活动:即下发一个通知,明确宣传的方法、内容及要求。插播一次口号。市电视台在每天的新闻节目播出的黄金段插播征兵宣传口号。观看一次爱国主义教育片。印发一封公开信。统一向适龄青年印发《致适龄青年的一封信》,制作一部宣传教育警示片。组织播放鹰潭市征兵办制作的征兵教育警示片《神圣的使命》,下发到全市各征兵体检站,利用预征对象候检的时机组织观看。组织一次高考复读生体检。

2004年7月30日,省十届人大常务委员会第十次会议审议通过《关于修改〈江西省征兵工作条例〉

的决定》。根据江西省人民政府征兵办公室下发［2004］赣征字第2号《关于开展〈江西省征兵工作条例〉宣传的通知》和鹰潭市人民政府、鹰潭军分区10月召开的全市征兵工作会议精神，强调学习、宣传、贯彻落实《征兵工作条例》的重要性，讲明征兵工作中必须遵照执行的方针政策、法律法规，提出要加大宣传教育力度，特别是在和平环境和市场经济条件下，一部分人的国防观念比较淡薄，到部队当兵对适龄青年的吸引力越来越弱的情况下，各级要把加强国防教育和征兵宣传作为一项基础性工作，努力营造舆论氛围，使大家认识到，保卫祖国是适龄青年的义务，是光荣的使命。全市各新闻媒体、人武部门、基层单位把征兵宣传工作列入第四季度宣传计划，报纸、电台、电视台、网站免费开辟征兵工作宣传栏，以宣传《中华人民共和国宪法》《中华人民共和国国防法》《中华人民共和国兵役法》《征兵工作条例》等法规为主要内容，在全社会形成"依法服兵役光荣、逃避兵役可耻"的气氛。

2005年，全市报刊、电台、电视台开辟征兵工作宣传专栏，发放《致应征青年及家长一封公开信》。征兵期间，对贵溪市所有手机及小灵通用户发放征兵宣传信息，电视台在新闻播放期间滚动插播征兵宣传口号，向所有应征入伍青年发放服务"连心卡"。印发《征接兵工作手册》，发至所有征接兵工作人员，在各征兵体检站播放征兵宣传教育。

征集程序

征兵准备　根据鹰潭市的分配兵员额、规定征集范围、年龄、完成时间及相关政策和要求，市征兵领导小组下达征兵命令，研究制定征兵工作计划，确定实施步骤、方法，作出相应决议；召开全市征兵工作会议，部署征集工作。对征兵宣传教育工作、应征公民的体格检查工作、应征公民的政治审查工作、廉洁征兵工作分别作出具体安排。

宣传动员　征兵宣传动员的内容、方法、要求，根据鹰潭市统一部署，结合实际，编写通俗的宣传教育材料下发到基层。市征兵领导小组负责人在电台、电视和报纸发表专题讲话。报纸、电台、电视台等新闻媒体或综合新闻，或开辟专题栏目（节目）作广泛宣传。乡村、集镇、街道张贴悬挂标语。通过各种手段营造"参军入伍是公民应尽义务""一人参军全家光荣"的征兵氛围，使征兵意义、政策规定和各项要求深入人心，家喻户晓。1996年，周坊镇应征青年徐建飞在祖（父）辈影响和鼓动下，积极报名应征入伍。祖父是方志敏领导的红十军老战士，父亲也在部队服役。滨江乡应征青年王拥水、江剑平，一个卖掉个体运输车，一个关闭个体诊所，放弃2万余元的年收入，毅然报名应征。彭湾乡应征青年蒋兵祥，随父在中越边境做生意，年收入10余万元，接到乡人武部通知，及时回乡应征。1997年，罗河镇吴志军、吴志强两兄弟踊跃积极报名应征，双双被批准入伍；鸿塘镇一老农怀着朴素的报国情，千里寻子返乡应征。河潭镇泗沥村委会近年来有12名青年参军，8名已考入院校提干或转入志愿兵，另4名也被评为优秀士兵或获得奖励，该镇用这一典型进行宣传，对青年影响很大，一大批青年主动要求应征。

应征报名　征兵宣传开始后，乡镇、街道即组织参加过兵役登记的适龄青年（或预征对象）报名应征。对在外地打工的适龄青年，由其家长或基层干部打电话通知其回乡应征。对报名应征青年体格，先由乡镇、街道征兵工作人员进行目测和初检。初检合格者，按县（市、区）征兵办公室安排，集中到县以上征兵体检站正式体检。

体格检查　每年征兵开始，市征兵办公室按征兵任务，抽调医务人员组成体检组，先进行短期培训，熟悉本年度、地区兵员征集体检标准和有关规定。体检组设内科、外科、眼科、五官科、化验室、胸透室、主检室等，由20名左右医务人员组成。执行国防部1991年9月29日颁发的《应征公民体格检查标准》和各军兵种对体格要求的规定。从1996年起，市体检站实行"封闭式"体检法。体检组实行较严格的岗位责任制，谁体检，谁签字，谁负责。执行规定好的予以表扬奖励，执行规定差的，影响新兵质量的予以批评、处分。对部分"条件兵"（如进藏兵、潜水兵、空降兵等）的体检，按国家颁布的附加体检条件，接兵部队医生可参加体检组一同检查或专门组织复检。

政治审查　应征公民要填写国防部征兵办公室统一制发的《应征公民政治审查表》（1990年之前为《应征公民入伍登记表》）。执行公安部、总参谋部、总政治部1990年10月6日颁发的《关于应征公民服现役政治条件的规定》和有关规定。1996年始，《应征公民入伍政治审查表》增设"就读学校对本人在校期间表现及文化程度鉴定意见""村（居）委会或企事业单位鉴定意见""常住户口所在地公安派出所审查意见”三项。政审在应征公民体检合格的基础上进行。政审工作实行县(市、区)、乡镇(街道)、村(居)委会三级审查和区域联审。对每个体检合格青年的政治立场、思想道德、社会关系和有无违法犯罪行为及其他劣迹,做到清楚。政审采取岗位责任制,谁审查,谁签字,谁负责。公安部门对征集新兵的政治审查工作负主要责任。公安局长、派出所长为各级政审组组长。

文化审核　对征集兵员的文化程度,每年征兵命令都有明确规定。征集的农业户口的青年应具备初中毕业以上文化程度(具有高中毕业文化程度的青年优先征集),征集的非农户口的城镇青年,应具备高中(含职业高中)毕业文化程度(大专以上文化程度的优先征集)。征集乡镇非农业户口的青年放宽到初中毕业。对女青年的征集只限应届高中毕业生。对应征青年文化程度(毕业证)的审核,由征兵办公室会同教育局、监察局(以教育部门为主)进行,集中审验高中以上学历青年的毕业证。

审定新兵　市征兵办公室根据各乡、镇、街道上报的体检、政审合格应征公民的材料,召开有本级征兵领导小组负责人、征兵办主任、体检组组长、政审组组长和接兵部队负责人参加的定兵会议,逐个审定,全面衡量,优先挑选政治、身体合格、文化素质较高的青年入伍。市审定新兵之后,将审定的名单分交各乡(镇)、街道,张榜公示。公示后无异议,由市征兵办公室签发国防部统一制发的《应征公民入伍通知书》《安置卡》,通知合格应征公民应征,并注明报到时间、集中地点。市征兵办公室填“新兵花名册”一式两份,一份由市征兵办公室存档,另一份连同新兵及其《应征公民政治审查表》《应征公民体格检查表》一并移交接兵部队。

新兵转运　征兵工作开始后,市征兵办公室根据征集任务、兵员去向,编制新兵运输计划,报省征兵办公室,依据上级下达的新兵运输方案,召开全市新兵运输工作会议贯彻落实。市新兵即从当地集中乘汽车到鹰潭火车站起运。每批新兵启程时,市征兵办公室领导都到车站送别,勉励新战士为国为民为家乡立功争光。

特殊兵员征招

进藏兵征集　根据军分区下达的征兵任务,贵溪市分别在1995年、2005年两次征集进西藏服现役兵员。进藏兵的征集与其他兵员的征集同时进行。在体检上,把心脏、血压作为重点,确保所征集的新兵能适应高原生活环境。市政府制定优待规定,对进藏兵的优待金、家庭义务工减免和退伍安置,均实行优惠,激发了适龄青年进藏服役的热情,每次进藏兵的征集任务都较好完成。

驻港兵征集　1997年、2001年冬季,贵溪市为驻香港部队征集新兵。各级兵役机关把做好这项工作作为“形象”和“窗口”工程摆在突出位置。严格按照政治条件兵和身体条件兵的双重标准,严把审查关,所征新兵高中以上文化程度占97.8%,中共党员、共青团员占85.3%,形象好、素质高,受到人民群众和驻港部队领导的好评。

中央警卫团兵征集　1998年,为中央警卫团征集新兵。市征兵办公室领导积极主动地与接兵部队协商,采取一系列措施,做到严挑精选。把任务赋予选优工作基础较好、民风纯朴、预征对象质量较高、领导班子较强的乡(镇),圆满完成中央警卫新兵征集任务。

士官招收　依据《中华人民共和国兵役法》关于“根据军队需要,志愿兵也可直接从非军事部门具有专业技能公民中招生”和《征兵工作条例》关于“从非军事部门招收士官”的规定,国家确定从2003年起,进行直接招收士官的试点。

第三节　奖励与处罚

奖励

根据《中华人民共和国兵役法》和《征兵工作条例》的有关规定制定奖励办法,对在征兵工作中做出优异成绩和突出贡献的单位和个人,适时给予奖赏和鼓励。奖励的形式主要有:

通报表彰　以正式文件的形式,通报表彰本辖区内征兵工作的先进单位和个人。

发放奖金　为奖励乡(镇)征兵任务的完成,计划外多征1个兵即发放1000元奖金。1996年分别给予鸿塘、塘湾、文坊、白田、金沙、河潭、双圳、龙虎山、滨江、雄石、冷水、樟坪、耳口、彭湾等乡镇和农业局奖励。2005年分别给予滨江、文坊、流口、河潭、余家、龙虎山、冷水等乡镇和东门、雄石街道，塔桥园艺场、农业局奖励。

颁发荣誉证书　主要是对多年参加征兵工作并做出突出贡献的先进个人，特别是体检医生，颁发荣誉证书，并给予适当的物质奖励。

处罚

根据《中华人民共和国兵役法》《征兵工作条例》和有关规定制定惩罚办法，对在征兵工作中出现的违反政策、弄虚作假、搞不正之风和逃避兵役的责任人以及正常情况下不能完成征兵任务的单位，进行相应的处罚。通常包括行政处罚和经济处罚两种：

行政处罚　即对征兵中违法违纪的责任人，进行通报批评或必要的党纪行政处分。

经济处罚　对正常情况下由于工作不力，计划内少征1个兵，处以1000元罚款。对个别逃避兵役的个人或单位组织不力，导致未完成任务的予以必要的经济处罚。1995年彭湾乡政府对肖某、龚某"自我淘汰"逃服兵役行为处以1800元、1500元的罚款，并责令其做出深刻检查。1996年，分别给予志光、古港、雷溪、金屯、西窑等乡镇和林业局6000元至1000元的罚款。在1997年冬季征兵中，有6个单位对预征对象初审、初检把关不严，工作标准不高，工作作风不扎实，未完成征兵命令中高中以上文化程度达到35%的任务，每少完成1名罚款1000元，其中民兵营教导员、乡(镇)长、专武干部个人各承担罚款总数的10%。

2005年10月，市政府、市人武部发出通知，对2004年冬季征兵责任制完成情况作出奖惩决定：按照有关规定，对超额完成征兵任务的罗河镇奖励500元，雷溪乡、河潭镇、彭湾乡和东门办事处分别奖励200元，鸿塘乡、文坊镇、三县岭林场、塔桥园艺场、塘湾镇、耳口乡、农业局、花园办事处分别奖励100元；对未完成任务的志光镇、泗沥镇、金屯镇分别罚款7000元、4000元、3000元。

第六章　民兵预备役

第一节　民兵组织建设

组织发展

1992年，依据南京军区新颁发的《民兵组织整顿暂行规定》，在整组中重点解决城关镇民兵漏编漏建、小散企业没有民兵组织、撤乡并镇中的民兵组织关系不顺和整组中不按规定进行点验等4个方面问题，理顺县城武装工作关系，将交通、卫生、商贸、供电、金融等系统漏建漏编的人员全部编入基干民兵组织。

1994年8月根据军分区指示精神，县人武部决定重点抓好街道、新型企业和乡镇企业民兵组织建设。以居委会为单位建立民兵连(排)，把符合条件的待业人员、外地流动至本地暂住1年以上人员、个体工商户、企业脱岗人员全部编入民兵组织，归街道武装部管理。县人武部在调查研究的基础上，在全县党团组织健全的新型企业和股份制企业建立民兵组织。

1998年2月至5月，组织开展民兵组织调整改革试点工作。试点工作在余家、冷水、龙虎山、耳口、上清5个乡(镇)和市卫生局展开。紧紧围绕战时铁路"三抢一卫"任务，突出抓试点单位民兵分队质量建设，调整专业结构，合理编组，调整年龄结构，提高各分队人员整体素质。

2000年7月，对道路抢修分队快速抢通作战运用情况进行调查研究，根据战时可能担负的任务和现有潜力情况，对民兵道桥抢修分队进行调整。

2003年，针对市场经济条件下人员流动性大的特点，重新调整民兵组建范围，打破过去按人口比例分配基干民兵组建任务的做法，改为按兵员的流向编组。在农村，以行政村为依托，向小城镇、经济园区、景区、乡(镇)企业及林场拓展；在市区以规模以上工业企业和行业系统为骨干，重点向工业园区、院校、科研院所和街道社区发展。

2004 年按照重要目标、重要地区以及便于集中和管理要求,重新调整部分建制单位。

组织整顿

进行民兵组织整顿,是加强民兵组织建设,合理调整民兵组织结构,保持民兵队伍的纯洁,提高民兵素质的重要措施。组织整顿的内容:对民兵进行政治思想教育;调整民兵组建单位,确定民兵建制;按条件确定出队、人伍、转队人员;调配民兵干部;健全民兵活动制度;总结年度民兵工作和整组工作;集合点验。整顿用时,县(镇、市、区)1 个月左右,基层单位半个月左右。组织整顿一般按组织准备、实施、总结验收 3 个阶段进行。1990 年,根据鹰潭军分区统一制发《基干民兵政治考核标准》,采取人武部、司法部门和民兵所在单位 3 方联审办法,对全县基干民兵进行政治考核。

整组时间,一般安排在每年 8 月初至 9 月底,结合兵役登记工作进行。从 2004 年后,根据〔2004〕总参动字 231 号文件精神,将民兵整组时间调整到每年的第一季度进行。

每年整组工作开始后,按照军分区的整组工作指示,组织基层人武部开展整组工作。各基层单位成立民兵整组领导小组,负责本单位的民兵整组工作。

在整组工作前,军事科长、参谋人员参加军分区组织的集训;市人武部相应举办整组骨干培训班,对各乡(镇)、企事业单位、街道武装部长或干事及有关行政村、民兵营长进行培训。

组织形式

1991 年以后,民兵组织经过调整改革,取消武装基干民兵,只编普通民兵和基干民兵。在基干民兵中组建应急分队、专业技术分队、对口专业分队。

普通民兵　按照《兵役法》规定 18～28 岁没有经过训练和 28～35 岁符合兵役条件的男性公民编为普通民兵。一般符合条件的有多少编多少,农村以行政村为单位组建民兵营,城镇在普通民兵能编 1 个排的厂矿企事业单位建立民兵组织,通常不足 50 人的编排,50～250 人的编连,250～700 人的编营,700 人以上的单位编民兵团。普通民兵通常不配武器装备,不分兵种和专业,不编女民兵。

基干民兵　基干民兵是民兵组织的骨干力量,也是民兵预备役工作的重点。凡 28 岁以下退出现役的士兵和 18～28 岁经过训练或当年选定参加军事训练的符合新兵身体、政治条件的对象都编为基干民兵。农村一般以乡(镇)为单位组建基干民兵连或排,行政村编基干民兵排或班;城镇在厂矿企事业单位组建连或排,车间或跨车间编排或班;基干民兵总数超过 300 人的单位编营,大单位有的组建 2 个以上连,基干民兵能编 4～5 人的单位都建立民兵组织。

民兵应急分队　民兵应急分队是基干民兵中的一种组织形式和骨干力量,是和平时期地方党委、政府和军分区、人武部直接指挥维护社会治安、应付突发事件的机动力量。1990 年以后,民兵应急分队并进行适当的应急训练,配备必要的装备。从 1995 年开始,按照省军区的规定,民兵应急分队扩大组建规模,按照平战结合的原则,实行规范化建设,落实"八个统一",即:统一编制,统一装备,统一组织,统一管理,统一方案,统一训练,统一指挥,统一保障。

1998 年,新组建民兵应急独立排。2003 年,针对民兵应急分队数量过大,基层单位负担过重的实际情况,民兵应急分队进行压缩。

民兵专业技术分队　民兵专业技术分队是基干民兵中主要力量。1991 年以前,县民兵专业技术兵人数少、技术含量低,从 1992 年开始,通过民兵组织调整,压缩步兵分队,逐步增加专业技术兵,使城市专业技术兵比例不断上升,符合上级要求。新增加的人员,主要是汽车驾驶人员(运输分队)、卫生人员(卫生分队)和军械修理工(修理分队)等。

1992 年按照省军区的要求,全市民兵专业技术分队编组本着"结合实际情况,有什么装备就编什么专业分队"的原则进行。在农村,一种专业技术分队可跨行政村编组;市区一种专业尽量集中在一个厂矿、企事业单位,可跨车间、班、组编组。专业技术兵的条件要求为政治合格(要按新兵的政审条件政审),身体健康,专业对口,技术等级达到 3 级以上。男性年龄要求不超过 35 周岁,特殊岗位的高技术人才年龄放宽到 45 周岁,女性技术人员年龄均不超过 28 周岁。专业技术分队的干部由组建单位精通技术业务的企事业单位干部担任,班长由车间主任担任,排长由重点车间的技术主任或工程师担任,分队长由企事业单位分管领导担任。

2003 年，结合未来实战担负的保交护路、防卫作战、科技支前等实际，以退伍军人为重点，以军事专业对口技术人员为补充，增编 3 个专业技术分队，使专业技术种类占基干民兵总数的 92.5%。2004 年，根据上级赋予的任务，重点组建南海舰队防救船动员预编分队，其人员全部是海军舰艇退伍士兵。同时，对民兵高炮、地空导弹、通信、工兵等配装分队编制进行调整。

民兵对口专业分队　根据省军区关于优化民兵组织结构，适当减少专业技术分队中低层次专业技术分队的数量，提高民兵专业技术分队的高科技含量的要求组建。

第二节　预备役组织建设

预备役军官登记

1996 年 9 月，根据中央军委颁发《关于评定授予预备役军官军衔工作的指示》，对编入预备役部队和预编到现役部队的预备役军官评授军衔，经军分区批准，授予汪茂贤等 30 名预备役军官军衔，其中上校 1 名、中校 7 名、少校 10 名、上尉 9 名、中尉 2 名、少尉 1 名。

2002 年 6—9 月，市人武部进行选拔地方科技人员服军官预备役工作，遴选地方科技人员服军官预备役。为做好此项工作，专门成立领导小组。下发《关于做好选拔地方科技人员服军官预备役工作的通知》，开展以《中华人民共和国预备役军官法》《中华人民共和国国防法》为主要内容的宣传教育活动，全市有 180 名地方高科技人员主动要求服军官预备役；在宣传教育基础上，深入调查摸底，准确掌握地方科技人员数质量、坚持严格标准，规范地方科技人员服军官预备役工作的程序和方法，即严格标准条件和专业，严格批准审批程序，认真建档管理，对确定服军官预备役的人员建立花名册，并区分专业进行储备管理。

预备役部队组建

1999 年 7 月，组建江西省预备役师工兵营道路连、桥梁连。

2000 年 5 月，市人武部认真执行上级有关预备役部队组织调整方案，对预备役工兵营、道路连、桥梁连组织进行调整。

2004 年 9 月至 2005 年 6 月，依据《江西预备役炮兵旅组建方案》完成预备役的组建工作。2004 年 9 月，制定组建方案，进行连（营）部的选址，协调营连部的建设和保障经费的落实工作。

2005 年 1 月，旅党委派 4 名现役干部到营队，经过 5 个月精心的准备工作，基本完成营部”三室两库”和一个连部的“两室一库”建设，现役干部生活用房的落实，全营预任军官和预编士兵的选配，营部和三连连部的办公、资料（室）的建设、战备物资的购置等工作；6 月 1 日召开营成立大会。组建工作受到上级军事机关和地方各级党委政府的充分肯定，得到合营官兵和全市人民群众的一致认可。

2006 年 4 月 24 ~26 日，在营长方平的带领下，全营官兵戎装赴上饶东山岭参加旅快速动员集结演练，锻炼部队平战转换能力。

2005 年组建以来，每年组织 1 次入队训练、1 次炮兵骨干专业集训、1 次快速动员集结点验、1 次轻武器实弹射击，提高预编官兵的基本技能。

2007 年 8 月 15 日，省军区预备役炮兵旅在营长黄电华带领下，赴上饶旅部东山岭参加旅快速集中动员演练和旅实弹战术演习，部队由平时战备向战时动员集结的转换能力得到提升。

学生军训

1996 年开始，市教育局人武部利用每年秋季开学之际，对高一和初一新生实施军事训练。每年受训人数达 5000 余人。

1996 年，贵溪冶炼厂中小学成立“少年军校”，每年组织一批学生到 73870 部队接受封闭式军事训练。至 2007 年，共受训学生达 600 余人次。

1998 年，组织铜技校学生军事训练 125 人，训练时间 15 天，完成训练任务，取得优异成绩，合格储备率 100%。

1999 年 5 月，市人武部为提高学生的军事素质和国防意识，奠定向部队输送优质兵员基础，由军事科与贵溪市职业中学签订“协议书”,由校方开办农村籍青年预备役军人班,由市人武部军事科负责军事教学训练方面的支持。协议规定:招生对象及条件,必须具备初中文化程度,年龄为15至18岁,常住市农村户口,男性青年,并符合应征公民入伍的身体、政治条件;涉及到军事教学训练,由市人武部军事科义务支持。

2006年8月30日至9月8日,市人武部抽调基层专武干部、民兵干部和机关干部,组成教学队伍,帮助江西铜业公司技工学校开展为期10天的学生军训,参训学生1020人。

2007年8月,市人武部集中18名教官组织开展学生军训1460人(其中贵溪市一中845人,贵溪三中320人、江西铜业技校295人)。历时15天,对象主要是新入校学生,内容为队列动作、国防知识教育、内务整理和军队歌曲教练等内容,考核成绩基本达到预期目的和要求。为搞好学生军训,市人武部副部长担任队长。部长、政委深入训练场检查指导。事前进行充分准备,训练中严格科学。

第三节　民兵政治教育

教育内容

坚持对民兵预备役人员进行经常性的政治教育,是贯彻落实民兵工作“三落实”的重要内容,是不断增强民兵国防意识,提高军政素质的重要保证。1991年以来,军分区和县级人民武装部坚持以《中国民兵》《中国国防报》和《东海民兵》等民兵刊物为重要教材,有计划有制度地开展政治教育。把开展党的路线、方针、政策教育、爱国主义和革命英雄主义教育、民兵基本知识教育和形势战备教育贯穿全过程。

民兵政治教育在各个时期有不同的侧重点。坚持根据各个时期的形势、任务来确定内容。

1991年4月—6月,开展党对军队绝对领导和党管武装专题教育。县人武部部分人员参观了革命旧址,使大家更加清醒地认识到党对军队绝对领导和党管武装的极端重要性,进一步完善加强党管武装和服从双重领导的措施。当年,高炮表演及军警民保卫铁路枢纽演习被省军区评为一等奖,贵溪化肥厂、贵溪火力发电厂被省军区评为城市民兵工作“三落实”先进单位。

1992年3月,邓小平南方讲话发表后,及时对人武部和民兵学习作出专门部署。坚持用邓小平特色理论和新时期建军思想武装现役军人、专职武装干部和民兵的头脑,引导大家进一步解放思想,提高加快改革开放的认识。

1993年5月,在全县开展增强使命感,确立革命人生观、价值观教育。组织民兵深入学习中共十四大精神。

1994年,在全县开展学习《邓小平文选》第三卷学习,组织民兵开展“三比”(比一比谁的学习自觉性高,比一比谁的理论功底夯实,比一比谁运用理论指导实践效果好)的竞赛活动,并重点抓好参训民兵的学习。

1996年,全市各级宣传部门根据国际国内形势和周边环境变化,结合重大节日,对民兵预备役人员进行爱国主义和国防知识教育。

1997年,结合纪念建军70周年,迎接香港回归,在民兵中开展“爱党、爱国、爱军”专题教育。同年,《中华人民共和国国防法》颁布后,组织民兵认真学习,广泛开展宣传活动。

1998年,深入传达贯彻中共十五大精神。4月,在企业民兵、预备役人员中开展“投身改革,振兴企业”教育试点,帮助民兵调整视角,转变观念,增强改革的心理承受能力。试点后在全区铺开。

1999年,组织民兵进行爱国主义教育,民兵性质、任务、地位和作用教育,人生观、价值观、民兵光荣传统教育。1999年以后,对民兵应急分队、专业技术分队集中训练时的形势战备教育内容实行统一,并作为每年必训课目之一。

2001年,在全市民兵中侧重开展法制教育。把民兵普法教育纳入“三五”“四五”普法规划,在乡(镇)成立普法指导中心和法律辅导小组,民兵营(连)指定一名民兵担任法律宣传员,结合民兵政治教育、民兵整组、征兵等时机宣传法律知识。

2002年,中共十六大召开后,组织民兵认真学习,引导民兵预备役人员加深对党的路线、方针、政策的理解,号召民兵积极投身到有中国特色的社会主义建设中。

形式与方法

集中授课 1991年开始,按照上级要求,基干民兵每年集中4次政治教育。时间不得少于16个课时。1992年后,基干民兵集中训练期间,按总政《参训民兵政治教育纲目》,将政治教育纳入训练计划,统一安排和组织实施:民兵干部、专业技术分队训练期间,政治教育时间为3天;民兵应急分队训练和专业分队、步兵分队新入队的民兵以及现役部队预编人员训练期间,政治教育时间为2天;对口专业分队训练期间,政治教育时间为半天。普通民兵的政治教育,结合整组,征兵和重大节日活动进行,每年不少于2次,每次至少4个小时。各级人民武装部门利用民兵整组、点验、民兵军事训练、征兵体检、兵役登记、农村农闲、厂矿生产设备维修保养和停工待料等时机,集中民兵干部、基干民兵进行政治教育。给民兵上课的教员,一般由分管政治工作的领导、宣传部门负责人以及专职武装干部担任。有的单位还不定期的聘请老干部和地方党校的教员给民兵讲课。1998年,针对新形势下民兵政治教育遇到的新情况、新问题,军分区从改革中找对策,在全区民兵政治教育中推行"四个结合",即集中授课与多种形式,普遍教育与重点教育,"借台唱戏"与见缝插针,理论灌输与感情投入相结合方式。2003年后,根据总政治部规定,民兵政治教育实行以集中授课教育为主,辅之以多种形式的教育,民兵干部、民兵应急分队、专业技术分队人员的政治教育纳入集中训练计划之中,统一安排集中组织实施,其他民兵利用企业停产检修,岗前培训、生产淡季、农村"三夏"和秋收后休整时机及春节前后的闲暇时间实施教育。

兴办民兵之家 根据民兵年轻活泼,爱好读书娱乐的特点,发动民兵自己动手,自筹资金,创办"青年民兵之家"。早期称"民兵政治夜校""民兵俱乐部",建立思想文化阵地,通过开展读书、看报、唱歌、演戏、讲故事和打球等文体活动,对民兵进行政治教育。此种形式,既活跃了民兵的文化生活,又增强了政治教育的知识性、趣味性、针对性,受到广大民兵的欢迎。滨江乡柏里村的"青年民兵之家"设有图书室、阅览室、学习室、娱乐厅。图书室有《中国民兵》《农村百事通》等各类书刊600余册,娱乐厅有彩色电视机、放像机,有《三大战役》《英阿马岛战争》等40多部国防教育录像片。

刊授教育 1986年后,及时推广清江县刊授教育经验,利用《中国民兵》《东海民兵》等刊物,对民兵进行政治教育。各基层单位踊跃订购《中国民兵》、《东海民兵》等刊物,大部分单位做到每班一份,基本满足了基干民兵的阅读需要。1987年11月,县人武部转发雄石镇人武部《关于进一步搞好民兵刊授教育的意见》,雄石镇人武部为民兵订阅《中国民兵》刊物,人手一份,进行爱国主义、革命英雄主义、国防军事知识、法律和科学文化教育。县人武部要求各基层人武部予以参照,解决民兵政治教育的难题,并鼓励创造出自己的教育方法和经验。县人民武装部政工科利用刊物,组织专武干部进行集中备课,每季下发一课教育辅导提纲,一份民兵政治教育考试卷。1988年,贵溪县人民武装部被总政群工部、《中国民兵》杂志社评为刊授先进单位,次年被授予"订刊用刊三等奖"。

创先活动 开展创先活动,是搞好民兵政治教育,提高民兵政治思想觉悟的有效形式和方法之一。

1990年8月,县委、县政府、县人武部印发《贵溪县基层人武部达标创先工作的规划》,具体目标要求,1990年上半年抓好双圳乡人武部达标创先试点工作。取得经验后在全县铺开,下半年重点抓好一些基础设施和条件较好单位的达标创先工作。1991年在巩固上年度"达标创先"成果基础上,着重抓好未达标单位的"达标创先"工作,各单位力争第一年达标,规划提出具体达标措施。

1992年10月,县委、县政府、县人武部对全县44个基层人武部达标创先工作进行全面考评验收。达标人武部41个,共同特点是党管武装得到加强,基本建设正规配套、政治教育生动活泼、以劳养武蓬勃发展,民兵组织健全巩固,民兵作用充分发挥。创先达标活动的开展,明显加强了两级人武部的建设,促进了民兵预备役工作。一般每年年底,按考评标准进行评选,由鹰潭市政府、军分区进行通报表彰。

1998年3月,市人武部组织开展"学雷锋树新风"的活动。2月28日至3月4日,机关二部、职工和全市民兵预备役人员1620余人广泛开展学雷锋做好事活动。机关在家的干部、职工同雄石镇人武部民兵一道到敬老院帮助劈柴、擦窗户、打扫室内外环境卫生。河潭镇人武部部长李志兵带领民兵210人到该镇公路两旁植树,共栽1000余棵,周坊镇人武部部长汪保标、副部长周启忠带领民兵60余人帮助库前村和三丫村修公路长达2000多米,化肥厂人武部组织青年和民兵帮助军烈属做好事,以实际行动响应毛泽东提出“向雷锋同志学习”的号召。

1995年6月19日,鹰潭军分区在纪念毛泽东关于民兵工作“三落实”指示发表33周年之际,在全市开展“百名优秀基干民兵”评选活动。贵溪市51名民兵当选。

多媒体教育　注意运用墙报、报纸、广播、电视等媒体对民兵实施政治教育,做到电视上有图像、广播里有声音、报纸上有稿件,墙壁上有标语。在征兵、整组、国防教育日、“八一”建军节、“十一”国庆节等重要活动日和节假日期间加大在广播、电视等媒体的宣传力度。1995年,贵溪冶炼厂人民武装部充分发挥现代企业的优势,由各车间(班组)组织对民兵实行网上教育,平均每天上网参加教育的有22人次,丰富了教育形式,取得良好效果。

动态教育管理　随着改革开放的不断扩大和深入,民兵的流动性增大,外出增多,政治教育难以落到实处。1994年1月,组织全县民兵组织,利用春节外出民兵返乡、节日期间民兵在位率高、组织活动方便的有利时机,积极开展活动。主要内容是民兵营(连)集中上好一堂政治教育课。1996年后,民兵动态管理教育步入制度化、经常化轨道,民兵政治教育得到较好落实。1999年,为防止兵员失控,对农村外出打工和企业下岗民兵建立《基干民兵流动管理卡》,由基层人武部对其实施管理。

第四节　民兵军事训练

组织与领导

训练分工　1991年后,民兵军事训练采取二级训练分工负责制。新任专武干部、专业技术兵干部训练和部分人数较少、训练难度大、专业技术兵训练由军分区直接组织。市人武部是全市民兵军事训练的主管机关,负责直接组织民兵干部、基干民兵分队、应急分队、专业技术分队及民兵对口专业技术分队的训练。各训练年度的起止时间为上年的10月1日至当年的9月30日。每年训练结束后,按照上级要求上报训练情况总结和报表。

训练组织　集中训练期间,抽调机关干部和部分专武干部组成集训队,由市人民政府1名分管领导任队长,人武部领导任集训队领导,集训队下设教学组,行政管理组、政治工作组、后勤保障组等4组。集训队下编为中队、排、班,中队和排干部,由专武干部担任,班长由各参训单位选配有一定组织能力和军事素质的退伍军人或专武干部担任。集训队普遍建立临时党团组织和经委会。这种训练组织领导方式一直得到延继。

教学队伍　按照“政治思想稳定,工作作风扎实,军事技能过硬”的原则,主要由人武干部、专武干部担任教员,也从在部队担任过班长的退伍军人中挑选教员和教学班长。市民兵训练基地都有相对稳定的各兵种专业教员队伍。开训前,组织教员先进行7~10天时间的规范化集中培训,1993年,由军分区采取全面培训、逐级考核、以考促训、以训迎考等措施,组织民兵“四会”教练员教学比赛活动,选拔兵种、专业的教员进行集中培训,经考核受省军区表彰的优秀“四会”教练员1名,受军分区表彰的优秀“四会”教练员3名,1997年,主动走出去聘请南昌陆军学院教员来基地指导侦察、爆破专业课教学。1999年,专武干部和教员组成示范班,每训一个科目都让示范班先进行示范。2000年后,军事教员在训练教学中,在坚持“郭兴福教学法”等传统练兵方法的同时,广泛运用军事教育学、军事心理学、运动心理生理学于教学法中,在学习中除继续贯穿“苦练、巧练”、“高强度、满负荷”的学习方法外,以高新军事技术理论为指导,使学的方法走向科学,科学地教,科学地学,成为民兵军事训练的一大特色。

对象与方法

训练对象　1998年前,训练对象主要以民兵干部和专业技术兵为重点,注重单兵军事技术和战术的掌握。1999年后,训练对象由单兵转向各类分队,特别是对口专业分队,抓好各类分队成建制训练,着重提高分队整体遂行任务的能力。

训练方法　1994年4月11日,军分区在贵溪市召开民兵规范化训练观摩会。各县(区)人武部部长、军事科长,军分区机关人员参加会议。会议按照总部有关民兵军事训练法规和实施规范化训练的要求，紧紧围绕提高训练质量这个中心，坚持依法治训、按纲施训的原则，现场观摩贵溪市第一期基干民兵规范化训练的成果。1994 年后，结合民兵训练特点，建立和完善民兵军事训练措施、训练先进单位和优秀教(学)员评比条件、一日生活制度、行政管理评比制度、武器装备管理制度、政治活动评比细则、各级各类人员职责。2001 年后，民兵军事训练按照科技兴训的要求，着眼战时需要，立足现有装备和条件，依托地方科技平台，积极推进规范化训练，大力开展科技练兵和岗位练兵，不断提高民兵训练质量和遂行任务的能力。

训练内容

1991—1996 年，基干民兵训练内容按照总参 1986 年颁发的《民兵军事训练大纲》和南京军区 1990 年下发的《全区民兵军事训练暂行规定》、省军区《江西省基干民兵规范化训练实施细则》实施。1992 年后，训练时间在大纲规定的基础上增加 2 天的政治教育，普通兵训练时间为 22 天，专业技术兵训练时间为 27 天。1997 年，对训练时间进行压缩，课目进行精简。分队集中训练时间为 15 天(含政治教育 2 天)，训练内容的增减由军分区确定。1998 年，利用民兵武器装备组建的通信、防化专业技术分队，由过去以基础训练为主，转变为以应用训练为主，由以新入队单个人员训练为主，转变为按成建制训练为主。按四分之一安排训练，训练时间为 30 天(含政治教育 3 天)。其他专业技术分队主要进行新入队队员训练，时间为 15 天(含政治教育 2 天)。对口专业技术分队训练 3～5 天接口训练。1999 年后，民兵军事训练内容、时间主要按 1998 年 8 月总参新颁布的《民兵军事训练大纲》执行。2000 年，根据《关于民兵分队建设若干规定》(赣办字〔2000〕62 号文件)，民兵专业技术分队每年安排四分之一的分队训练，训练时间 30 天(含政治教育 3 天)，依托民兵技术装备编组的专业技术分队，主要抓好新入队人员的训练，新入队队员按专业技术兵内容组训，训练时间 15 天(含政治教育 2 天)。2001 年后，民兵训练内容减少共同课目，加大专业训练、接口训练和应用训练力度，组织各对口专业分队加大演示和演练，增大分队指挥、协调训练内容。

专武干部、基干民兵连(排)长　1991—1998 年，主要是外军研究、军兵种知识、"三防"知识、军事地形学、军事教学法、动员工作业务、战术等课目。训练时间为 60 天。军分区 1992 年举办的新任职专武干部集训完成攻防战术等课目的训练。1994 年，着重学习基本技能和班以下战术，基础课目与民兵同训，把高新技术知识作为训练的重要内容。1999—2005 年，增加人民战争思想、军事高科技知识等内容。同时，增加组织指挥方面的战术理论、军事教学法、教案编写、技术和战术训练等，取消了投弹、爆破、步兵连进攻、防御、游击战勤务内容。训练时间为 30 天。

基干民兵、普通民兵　1998 年前主要是队列、射击、投弹、爆破、土工作业、战术；1999 年后，为共同条令、军事常识、射击、投弹、单兵战术。普通兵根据使用武器的不同，分别进行训练。统一共同课目训练为共同条令、军事常识，增加高科技知识内容，取消爆破、土工作业内容。降低单兵训练难度和危险性。

民兵专业技术分队　主要进行专业技术分队新入队队员训练，按共同训练和分业训练两部分安排。共同训练内容主要是条令条例、第一练习射击、战术基础；分业训练按各专业内容依据大纲结合实际有重点地进行安排。突出专业应用演练，提高专业分队单独执行任务和整体遂行任务的协调配合能力。步兵、侦察、工化专业，在完成基础技术课目训练的基础上，突出战术的应用配合训练。工化专业配属到步兵、侦察排，围绕完成各种遂行任务训练，队员熟悉预案、班排长作业推演、全分队综合演练。从指挥员的组织入手，提高专业分队指挥员的协调配合意识，达到训用一致的目的，使分队具有遂行各种复杂条件下任务的能力。

民兵应急分队　主要进行快速反应能力和遂行作战任务能力的训练，着重应付突发事件的军事技能训练。1991 年实行两年一个周期的升级训练模式。第一年训练 10 天，第二年训练 12 天，科目为步兵班组战术、侦察兵班组战术、绳索攀登、应用射击、捕俘技术、预案演练，增设 5 千米越野课目的训练。通信班专业训练按报话员的训练内容实施，每年相同，增加步兵射击课目的训练，训练时间各单位自定。1993 年，按照省军区编印下发《江西省民兵应急分队军事训练大纲》及考核标准和教案，突出以应急方案为主要内容的应用训练和演练，训练时间为 7～10 天。1998 年后，按总参颁发《民兵应急分队军事训练大纲》内容实施两年一个周期的训练，增加维护稳定、处置突发事件和护林防火等内容的综合演练内容。2000 年，根据省《关于民兵分队建设若干规定》，全市民兵应急分队实行周期升级训练，年度训练时间为 15 天(含政治教育 2 天)，每个周期为 2 年。第一年主要进行共同科目和分业训练，并以连为单位完成一次集结与机动训练；第二年主要进行应用训练和综合演练。根据平时可能担负的任务，进行森林扑火、抗洪抢险、维护社会治安、处置突发事件课目训练，并选训 1 个作战课目进行演练。

民兵对口专业分队　主要安排接口训练(又称补差训练)，课目有队列、射击、军事法规、军事理论。时间为 3—5 天。1996 年，重点抓民兵高技术含量分队(对口专业分队)军事补差训练。2000 年后，根据省《关于民兵分队建设若干规定》，对口专业分队分为基础训练和应用训练。基础训练主要是学习军事理论特别是军事高科技知识，进行队列、射击和单兵战术训练，训练时间为 3－5 天(含政治教育半天)。应用训练主要是学习掌握本专业遂行军事任务时的战术技术要求和程序、方法，实现民用技术向军用专业技术的转换。2004 年后，贴近任务和对象，实行由以基础训练、应用训练为主，向未来遂行作战任务的使J果题训练转变；由以零散的单课目战术训练为主，向系统的协同训练转变；由以新入队单个人员训练为主，向成建制训练转变。做到“训一个课题，掌握一种遂行任务的方法，培养一支可靠管用的队伍”。使命课题训练重点是：动员集结、伪装防护、对空抗击、消除空袭后果、道桥抢修和佯动造势。

科技练兵

科技练兵组织　1998 年 12 月，军委、总部发出关于科技兴训的号召，根据两级军区下发关于“深入开展群众性科技练兵”的指示，按照军分区提出的“瞄准战场、依托市场、发扬传统，抓好骨干”的思路，在民兵预备役中开展科技练兵活动。市人武部成立科技练兵领导小组，制定开展科技练兵的意见和措施，把科技练兵开展情况作为单位评先、个人进步的一个重要条件，调动民兵科技练兵积极性。

科技练兵演示　为加强对民兵科技练兵训练的指导，2000 年 8 月，贵溪市人武部在军分区召开科技练兵成果现场观摩会上，演示“民兵如何对抗巡航导弹”。

2001 年，开展评比“四会”教练员活动，市人武部从首长机关、民兵专业技术分队、高科技含量分队训练 3 个方面各选 1 个课题进行以科技练兵为内容的教学法训练。10 月，在南昌举行的全省民兵预备役工作“一线指挥部”建设座谈会上，市民兵专业技术分队进行“空中拦障对抗巡航导弹”科技练兵成果展示和实兵演练。根据战时担负的贵溪电厂防卫任务，组织民兵对抗石墨炸弹进行技术攻关，从“打、迷、阻、消”探索 12 种抗防手段，撰写的《民兵对抗石墨炸弹四招》学术文章被总参《军事》杂志刊载。

2002 年 1 月，鹰潭市在贵溪召开的全市党管武装座谈会上，贵溪市向参加会议的鹰潭市武委会领导，军分区部门以上领导、县(市、区)委书记、县(市、区)长、县(市、区)人武部主官，作民兵军事训练成果汇报表演。

2004 年 2 月，在贵溪市党管武装座谈会上，市民兵专业分队进行军事课目集中演示，课目有：网络攻防、空情报知、运输支前、道路、桥梁、电力线路、通信光缆抢修。

2005 年，贵溪市民兵高炮连参加军分区组织的训练，新炮手占参训民兵总数的 82%；实弹射击参考率 100%，取得命中空飘目标 7 个，命中率 87.5%，弹迹有效率 89% 的优秀成绩。这次民兵高炮分队训练，开展反“台独”应急作战准备重难点课题攻关的具体行动。坚持立足现有条件和装备，围绕锻炼提高民兵高炮分队“走、打、吃、住、藏、管”综合能力，按照“仗怎么打，兵就怎么训”的要求，练指挥、练技能、练协同、练战法、练保障。

2006 年，市人武部开展民兵军事训练和市民兵应急分队集训。完成机动医疗分队、心理战分队、民兵甲种防空团集训和新任职专武干部和民兵营(连)长集训。

2007 年，组织新任职专武干部和全市民兵营(连)长集训，组织开展市民兵步兵分队、重要目标警戒分队、森林灭火分队、仓库警戒分队训练、地面交通管制分队岗位自训和有关单位补差训练，达到预期要求，训练成绩在合格以上。

2007 年，组织专武干部参加省人武学院武装专业轮训，和防空群专业技术人员集训。专业民兵参加总部、空军及战区统一组织的防空演习；民兵应急分队集训，市民兵步兵分队，重要目标警戒分队为期

15 天训练，对地面交通管制分队进行岗位自训；抓森林灭火分队、仓库警戒分队补差训练，成绩均在合格以上。

训练基地建设

1986 年，建立起民兵军事训练基地。1996 年被省军区基地达标评比规则，被评为达标先进单位。

1994 年 4 月 11 日，军分区在贵溪县召开民兵规范化训练现场观察会，县人武部在会上介绍实施规范化训练，提高训练质量的做法。

1999 年，加强基地基础设施建设，设有大教室、电教室、兵种教学室、资料室、器材室、文娱活动室、办公室，各室设施齐全，宿舍和双人钢管床 100 张，单人钢管床 20 张，被子 130 套。基地建设达到通水、通电、通路、通话的要求。

2000 年后，训练基地加强综合利用，坚持以基地养基地的方向，把基地创出的综合效益投入到基地自身的完善和建设上，并朝着“综合型、功能型、开放型、效益型”发展。

2001 年，经军分区报请省军区批准，位于鹰潭童家镇的军分区教导队、贵溪市、月湖区人武部民兵训练基地，实施总体规划，合并建成军分区民兵预备役训练中心。共投资 140 万元，5 月动工，11 月竣工。

第五节　武器装备

武器装备配备

贵溪县民兵武器装备从无到有，不断改善，从 20 世纪 50 年代始至 90 年代，由单一兵种武器发展到合成兵种武器。

1991 年以后，全县民兵武器装备的配发，根据上级的规定和省军区的计划安排，由军分区和县人民武装部组织实施。

县人民武装部归地方建制期间，民兵武器装备由地方政府管理，武器装备的补充、使用、调拨、维修由军分区负责。1996 年 4 月，县人民武装部收归部队建制后，配发给县人民武装部的民兵武器装备，随同收归人员一起收归军队管理。1991 年—2001 年，根据县民兵军事训练和可能担负的战备执勤任务的需要，军分区对所属民兵武器装备进行了一些调整、补充和配备。

1991 ~ 2001 年，训练使用弹药由军分区统一下达训练用弹指标。用弹指标根据训练任务和装备确定。弹药供应均从库存装备弹中解决，不足部分到军分区请领，年度训练结束后向军分区核销。2001 年，全市民兵武器装备及弹药集中存放管理后，进一步加强训练弹药的管控，改为由市人武部在每次用弹前，将用弹种类、数量和用途以报告形式交军分区承办部门，经批准后领取。

武器装备管理

民兵武器装备的保管，经历了由分散到逐渐集中保管的过程。1991 年进一步加大民兵武器装备管理力度。对《民兵武器装备管理制度》《应急预案》等进行修订，同年 9 月，县武器库从童家民兵训练基地搬迁回县人武部院内。

1992 年，贯彻落实《关于进一步加强民兵武器弹药管理的通知》，认真检查武器库建设情况，包括库房的坚固、隔热、防潮、通风性能和密闭门的安装情况；检查电网、报警器、避雷针、消防器材等安全设施的性能状况和使用情况；检查各项制度落实情况。

1993 年 2 月，县武器库统一归口由人武部军事科管理。1997 年全区按照省军区关于《县级民兵装备仓库正规化建设标准及验收细则》，统一制作更换各种库房登记统计表簿册和制度，从 1991 年开始，县人武部把民兵武器装备仓库建设的侧重点放在仓库维修改造和配套设施的巩固提高上。

1994 年，县财政安排 6 万元用于武器库设施配套建设。贵溪发电厂拨款 11 万元新建库房。

1996 年，县人武部制定《贵溪县民兵武器装备仓库建设近期目标和三年规划》，制定《民兵武器仓库联防预案》明确县公安局、县武警中队、县消防中队、县火车站、县民兵应急分队等单位任务，处置措施及组织指挥。民兵武器装备仓库都与当地公安 110 报警系统实现连通，落实了护卫军犬。民兵装备仓库全部达到“四通”(水通、电通、路通、电话通)“六有”(有值班室、警卫室、资料室、报警器、消防器材、避雷装置,各种应急预案)的要求。

1997 年,针对市武器库看管职工新成员多的实际,组织参加军分区于 4 月份举办的军械保管员集训和军械技术参谋短期集训,请部队军械仓库技术员授课,进行示教见学,提高武器库看管人员的业务能力,统一正规化建设标准。

1998 年 5 月,制定《民兵装备仓库警卫人员管理补充规定》。开展安全管理竞赛活动。重点整治薄弱环节,加强看管队伍建设,进一步完善安全设施,狠抓规章制度的落实,取得比较明显的成效。

1999 年,围绕民兵武器装备仓库的安全管理和技术管理,全面加强仓库正规化建设。专门请气象部门对仓库避雷设施进行安全检测,及时更换灭火器药剂,修复排风扇,按要求改拉电网,使脉冲电网安全形成闭合电路,整修仓库大门、库房铁门、购买消防设备,使各项管理设施完好齐全。

2004 年 8 月,市人武部在全市基层任务部开展彻底清查武器弹药工作,使民兵武器弹药不失控,杜绝私存武器弹药,彻底消除事故隐患,不留死角,不留盲区;对查出来的武器弹药认真登记、查明原因,妥善保管。

2006 年 9 月,在基层人武部、民兵训练基地开展清查收缴遗留枪支弹药及危险品爆炸物品活动,清查出遗留步枪刺刀 8 把,废旧枪管 10 支,并严格报上级请求予以处理。

1991—2008 年,市人武部制定和完善检查带班制度。仓库实现干部 24 小时带班,节假日实行干部和部领导双重带班。坚持部领导每半月、军事科长每周查库不少于 1 次,装备参谋每周不少于 3 次,重大节日每天查库制度。

武器装备维修

民兵武器装备的维修,坚持军民结合、平战结合、上下结合的方针,因地制宜解决武器维修问题。1991 －2005 年,民兵武器维修由军分区和人武部分级负责。民兵武器由县人武部自行换件修理,自修不了的送军分区民兵武器维修所修复。

第二十三卷　民政　民生

第一章　民　政

第一节　管理机构

市(县)民政机构

1991 年,贵溪市(县)民政局内设行政办公室、退伍军人安置办公室、优抚股、社会股、民政股、财务股;下辖市革命老根据地招待所、社会福利院、革命烈士纪念馆、光荣敬老院 4 个事业单位,共有在职干部、工人 51 人,其中局机关干部 17 人(行政编 14 人、工勤编 3 人)。

2003 年,加大机关改革力度,实行人员分流、竞争上岗,内设机构有:行政办公室、民间组织管理和区划地名股(市地名办)、救灾救济和社会福利股、优抚股(市双拥工作领导小组)、退伍军人和军队离退休干部安置股、基层政权社区建设和社会事务股、纪检组(监察室)。

1992 年 4 月,县老区建设委员会办公室从民政局划出;县地名委员会办公室由县政府办公室成建制移交县民政局管辖(对外称县地名办),为副科建制。1993 年 3 月成立县农村社会养老保险事业管理处(副科级)。1997 年 4 月成立市军队离退休干部服务管理站。1999 年 7 月成立殡葬管理所。2003 年 5 月成立城乡社会救助中心。2004 年 10 月成立市婚姻登记处。2005 年 3 月成立市老龄工作委员会办公室。2008 年,市民政系统在职工作人员增至 80 人(干部 26 人、工人 54 人),其中局机关干部 17 人(行政编 14 人、工勤编 3 人)。

乡(镇)民政机构

1985 年,全县多数乡(镇)成立民政工作委员会办公室,配备专(兼)职民政干事。1991 年,在全县各乡(镇)成立乡(镇)民政所,各配 1 名民政助理员,民政干事由局机关通过考试择优录用,并签订合同书。各所所长由副乡(镇)长或人武部长兼任,民政助理员则任副所长。各乡(镇)民政所的主要任务是负责基层政权建设、优待抚恤、救灾救济、农村社会福利保障、五保供养、婚姻登记、残疾人管理等工作。从建立民政所开始,实行乡(镇)五保金统筹,设立专户专账,民政业务归口办理,民政干事到岗就位。2000 年,各乡(镇)、街道成立民政优抚服务站,负责优待军人家属、扶持优抚对象发展生产等工作。

第二节　基层政权建设

村委会换届选举

20 世纪 80 年代《中华人民共和国村委会组织法》颁布后,以村民自治为核心内容的农村基层民主政治建设作为国家一项基本社会政治制度在农村推行。1992 年 5 月,贵溪开始实施《中华人民共和国村委会组织法》。是年 5 月 7 日至 23 日,由鹰潭市委组织部牵头,从市、县(区)组织部、民政局等部门抽调人员,在雷溪乡南山、张桥、八甲 3 个村委会进行试点。试点结束后,县委、县政府转发鹰潭市委、市政府批转市委组织部、市民政局《关于贯彻〈村民委员会组织法〉加强村委会建设的实施意见》。同年 9 月,县民政局下发《贯彻实施“村委会组织法”工作方案》,在开展第三期社会主义教育的乡(镇)贯彻实施,依法进行村委会换届选举。1993 年 5 月,县人民政府正式颁布《贵溪县村民委员会选举工作实施办法》(试行)。到 1993 年 7 月,全县 26 个乡(镇)、222 个村委会,除上清、龙虎山两镇 15 个村委会和樟坪畲族乡(无设村委会)外,有 23 个乡(镇)、139 个村委会进行依法换届选举,分别占全县乡(镇)和村委会总数的 100% 和 67%。其中,18 周岁以上村民投票(全民)选举的村委会 1 个,户代表投票选举的村委会 1 个,村民代表投票选举的村委会 137 个。1996 年,江西省人民政府决定,全省村民委员会换届选举工作由省统一部署,并统一确定为第三届。1996 年 4 月 4 日县人民政府下发《贵溪县第三届村民委员会换届选举工作实施方案》,全县第三届村委会换届选举工作按照统一部署进行。

第三届村委会换届选举　为加强组织领导,成立"贵溪县第三届村民委员会换届选举工作领导小组",县选举工作领导小组下设办公室。乡(镇)相应成立村委会选举工作指导组,由乡(镇)党委、人大主席团、政府及有关部门人员组成,受县领导小组的领导。指导组下设办公室,由乡(镇)政府分管民政的领导任办公室主任。村成立村选举工作领导小组。按《江西省实施"村委会组织法"办法》规定,村选举领导小组由组长、副组长和成员共 5 人组成,由乡(镇)人民政府批准。其领导小组由村党支部、村委会、村经济合作组织等村级组织各推荐 1 名成员,村民代表会议推荐 1～2 名村民代表,经村民代表会议逐个举手表决通过。未获村民代表会议通过的人选,由原推荐单位补充提名后,再交村民代表会议表决通过。组长由村党支部书记担任,副组长由村选举领导小组成员推举 1 人担任。

1996 年 4 月 12 日,召开全县村委会换届选举工作会议。参加人员:县委、县人大、县政府主要领导,县村委会换届选举工作指导组的全体成员,各乡(镇)党委书记、乡(镇)长、分管民政的领导和民政助理员,县直村建工作组组长。全县村委会换届选举工作会议结束后,各乡(镇)召开乡(镇)选举工作会议。县、乡开会后,各村召开村选举工作会议。换届选举工作会议召开以后,分县、乡、村三级进行培训工作:①县指导组负责培训县选举办公室工作人员和乡指导组组长、乡民政助理员;②乡指导组负责培训乡选举办公室工作人员和乡民政所干部及村选举领导小组组长;③村领导小组负责培训村干部、村选举工作人员、村民代表和村民小组长。

4 月下旬至 6 月底为选举实施阶段:宣传发动,选民登记,公布选民名单,发选民证,提名推荐村委会主任、副主任和委员候选人,确定村委会主任、副主任和委员正式候选人,召开选举会议,进行投票选举。在各乡、村开展贯彻实施《村委会组织法》《江西省实施"村委会组织法"办法》重要意义的宣传教育,组织学习《江西省村委会换届选举宣传提纲》和村委会选举工作的有关法律法规、文件、决定、领导讲话和实施方案。以村民小组为单位进行选民登记,注意把好"三关":一是年龄关。对年满 18 周岁的村民进行登记,出生日期一律按公历时间,以身份证为准。二是病情关。无法行使选举权和没有被选举权的精神病患者不列入选民名单。如果是间歇性的精神病患者,在选举期间未发病的予以登记参选。三是政治关。凡是依照法律被剥夺政治权利的人,没有选举权和被选举权,不予登记。因反革命案或其他严重刑事犯罪案羁押,正在受侦查、起诉、审判的人,经人民检察院或人民法院决定,在被羁押期间停止行使选举权的,亦不予登记。选民登记后,经过复查无误,选民名单在选举日前 10 天张榜公布,并发给选民证。村委会主任、副主任和委员候选人的条件是:(1)必须是本村的选民;(2)必须遵纪守法,密切联系群众,作风正派,办事公道,热心为村民服务;(3)必须坚持四项基本原则,坚持改革开放,具有一定的法律观念和政策水平,有一定文化,有经济头脑,有实际的组织能力和工作能力,能带领村民勤劳致富奔小康。候选人分初步候选人和正式候选人两种。初步候选人的提出,采取选民 5 人以上联名提名、村民小组推荐和个人自荐三结合的形式。村选举领导小组对选民(或村小组)提交的初步候选人,进行整理、汇总,剔除不符合规定要求无效的提名后,所有有效提名名单按姓氏笔画顺序张榜公布。接着,由村选举领导小组根据提名情况,提出正式候选人初步名单,提交村民小组征求选民意见,同时提交村民代表会议和村民小组会议讨论酝酿,将酝酿的情况汇总后,由村选举领导小组作出调整,再组织选民反复酝酿、协商,必要时可进行预选。最后,由村选举领导小组全体成员根据多数选民意愿,过半数通过,确定正式候选人。正式候选人名单,在正式选举日前 5 天按姓氏笔划顺序予以张榜公布。选举日召开选举大会,采用一次性无记名投票方式,实行差额选举。主任候选人比正式候选人多 1 人。如果提名的候选人数和应选人数相等,也可以等额选举。副主任、委员的候选人比正式候选人多 1～2 人。选举大会会场(中心会场)选举,由村选举领导小组主持,设固定投票箱。人数较多或居住分散的村,分片设立投票站(点)。对年老、病残、行动不便的选民,设流动票箱上门就选。选民在选举日外出的,经选举领导小组确认,可以委托其他选民代为投票,但每一选民接受的委托不得超过3人。投票结束后,由工作人员当场开箱计票,计票结束后当场宣布选举结果。

村选举领导小组按每10~15户选1名的比例,确定各村民小组的代表名额,但每个村民小组至少要有1~2名村民代表。村民小组按照分配的名额,召开由全体有选举权的村民或户代表参加的村民小组会议,推选产生村民代表。村民小组长、副组长,由村选举领导小组或村委会派人主持召开该小组18周岁以上村民或户代表参加的村民小组会议推选产生。村民代表和村民小组干部产生后,经村选举领导小组确认有效后,予以张榜公布,并同时报乡(镇)人民政府和县民政局备案。

新一届村委会产生后5日内,召开新一届村委会第一次全体成员会议,明确分工,拟订3年任期目标,建立和完善村委会各项规章制度;10~15天内,召开新一届第一次村民会议或村民代表会议,讨论通过新一届村委会3年任期目标和本村发展规划,通过村委会下设的工作委员会成员,讨论通过村规民约或村民自治章程。

在县第三届村委会换届选举中,全县共有农村选民264265人,实际参加投票选民258557人,参选率达97.8%。

该届村委会换届选举,应选主任206人,副主任99人,委员722人。由选民5~10人以上联名提名和村小组推荐,全县共提出主任初步候选人388人,副主任初步候选人245人,委员初步候选人1137人。经村民反复协商酝酿,根据大多数村民的意见,村选举领导小组确定主任正式候选人240人,副主任正式候选人170人,委员正式候选人918人。最后,选出主任192人,其中连任的141人,新当选的51人;选出副主任91人,其中连任51人,新当选的40人;选出委员688人,村民代表5835人,村民小组长2259人。对当选的村委会主任、副主任、委员和村民代表都颁发当选证书。在当选的村委会成员中,主任年龄最大的61岁,年龄最小的20岁,平均年龄40.2岁。初中以上(含初中)文化程度的159人,小学32人,中共党员127人,团员8人。副主任年龄最大的56岁,年龄最小的23岁,平均年龄35.5岁,初中以上文化程度的75人,小学17人,中共党员52人,团员5人。委员年龄最大的63岁,年龄最小的20岁,平均年龄36.9岁,初中以上的文化程度的581人,小学102人,中共党员304人,团员56人。有14个村委会因无主任候选人,没有选出主任。

第四届村委会换届选举　市第四届村委会换届选举从1999年10月10日开始,2000年1月10日结束,历时3个月。1999年10月8日,市委、市政府下发《贵溪市第四届村(居)委会换届选举工作实施方案》,分四个阶段进行。

第一阶段,组建机构,制订方案,召开会议,进行业务培训。第二阶段,试点。这次,村委会选举是按照新颁布的《中华人民共和国村委会组织法》和《实施办法》进行的首次选举,又是实行"海选"的第一年。在具体操作过程中,可能会遇到一些新情况、新问题。为了保证选举工作不走弯路,市委、市政府决定在全面铺开选举前,抽调部分乡(镇)民政助理员,从10月8日到11月10日在雷溪乡进行选举试点。通过试点,指导面上的换届选举工作。第三阶段,全面铺开。11月12日,市委、市政府在市委小礼堂召开了全市第四届村(居)委会换届选举工作会议。会议总结和推广试点工作经验,部署全市村(居)委会选举工作。第四阶段,总结经验。选举工作结束后,乡(镇)选举工作指导小组,对各村的选举工作进行全面检查;市选举指导小组采取点面结合的方法对乡(镇)指导村委会选举工作情况进行验收,并在每乡(镇)重点抽查1~2个村委会进行选举全过程的检查。对验收不合格、群众意见大的村进行补课。对泗沥镇王湾村违规选举,市第四届村委会选举工作指导小组及时作出决定;由王湾村村民选举委员会重新组织选民提名候选人,重新决定正式候选人,重新确定选举日,进行重新选举。

第五届村委会换届选举　市第五届村委会换届选举从2002年9月10日开始,同年12月结束,历时3个多月。全市18个乡(镇),3个街道办事处,共有193个村委会,192个村进行换届(雄石街办象山村未换届),共有选民29.42万人,实际参加投票的选民28.39万人,参选率达96.4%。

该届应选村委会主任193人,委员489人。经过村民直接提名并由村选举委员会进行资格审查后,全市确定正式候选人1369人,其中主任候选人350名,委员候选人1019名。经正式投票选举产生主任190人(村支书兼任村委会主任46人),副主任5人,委员464人。村委会成员总数比上届减少了243名,减少了27%。成员整体素质比上届有明显的提高,主要表现在:①当选村委会成员中政治面貌有很大变化,共有中共党员416人,占成员总数的62.6%;②年龄结构趋于年轻化,成员平均年龄39.7岁;③文化水平有显著提高,成员中初中文化的380人,高中文化的223人,大专以上文化的2人;④妇女干部占有一定的比重,成员中有妇女95人,占成员总数的14.3%。

第六届村委会换届选举 市第六届村委会换届选举工作,从2005年9月13日开始,是年12月底结束。全市18个乡(镇)&3个街道办事处,191个村委会,全部完成此次换届,完成率达100%。

本届选举产生村委会成员641人,其中主任190人,副主任4人,委员447人。本届当选的主任、委员连选连任率较高,连选连任的主任的有125人,占主任总数的65%;连选连任委员的有313人,占委员总数的70%。

第七届村委会换届选举 市第七届村委会换届选举工作从2008年10月开始,2009年1月结束。本届选举产生村委会成员618人,其中村委会主任190人,副主任6人,委员422人。新一届村委会成员中,连选连任村主任的122人(占村委会总数的63%),新当选村主任的68人(占村委会总数的37%),村书记、主任"一肩挑"的67人(占村委会总数的35%);委员连选连任的291人,占委员总数的69%。

换届后,村委会呈现出"两高两低两加强"。"两高"即村干部中党员的比例增高,女性比例增高;"两低"即村干部平均年龄降低,村干部职数降低;"两加强"即村基层组织战斗力得到加强,村民民主法制意识得到加强。

居委会换届选举

全市居委会换届选举从1999年正式开始,因与市第四届村委会换届选举同步进行,统称第四届。其间,有选举任务的镇成立居委会选举工作指导小组,各居委会相应成立有原居委会干部和居民代表参加的选举领导小组。

第四届居委会换届选举 该届居委会由主任、副主任和委员5～9人组成。初步候选人由本人自荐或由依法享有选举权的居民10人以上或3个以上居民小组代表联合提名,或由镇党委、政府推荐。居委会选举领导小组将依法提出的全部初步候选人名单交由居民小组酝酿后,再由镇选举工作指导小组对自荐、提名、推荐的初步候选人统一进行考试、考核。经考试、考核合格者,在居委会选举领导小组召开的由居民小组代表(每个居民小组选举代表3～5人)参加的会议上进行竞选演讲,最后按照到会多数代表的意见和差额的原则确定正式候选人。正式候选人名单在正式选举日前3日张榜公布。选举日,召开选举大会。选举大会由居委会选举领导小组主持,须有过半数以上依法享有选举权的居民代表出席大会。选举采取无记名投票方式,直接产生居委会主任、副主任和委员。

该届选出居委会主任8人。其中男性2人,女性6人。选出委员39人。其中男性4人,女性35人。

第五届居委会换届选举 该届因乡镇规模调整等原因,未进行正式选举。

第六届居委会换届选举 全市第六届居委会换届选举工作于2005年9月13日开始,2006年1月31日结束。当时,全市共有居委会20个,其中城区居委会13个(即雄石街道:东街、南街、西街、北街、仙桥居委会东门街道:信江、江边、烧箕山、城北、铁路、雄石居委会花园街道:白果、花园居委会);单位型居委会4个(电厂、化肥厂、冶炼厂、四建居委会);乡镇居委会3个(文坊街、塘湾街、冷水云梦山居委会)。在本次选举中,除4个单位型居委会外,其他16个居委会进行了换届选举。

该届应选居委会主任16人,副主任4人,委员57人。经各居民小组代表直接提名,并经居委会选举领导小组进行资格审查后,确定正式候选人84名,其中主任候选人17名,副主任候选人4名,委员候选人63名。经居民代表采取无记名投票方式,共选举产生居委会成员77人,其中主任16人,副主任4人,委员57人。当选居委会成员中中共党员44人(占总数的57%),初中17人,高中文化30人,大专以上3人;平均年龄36.1岁;妇女58人(占总数的75%)。

第七届居委会换届选举 全市第七届居委会换届选举工作从2008年10月开始,2009年1月结束。

根据省委、省政府有关要求，该届居委会换届选举采取“居民直选”“户代表选举”和“居民代表”三种投票方式。

直选和户代表选举为本届试点。为此，市委、市政府决定选择花园街道办的白果居委会为直选试点。同时决定选择雄石街道办的仙桥居委会和东门街道办的城北居委会为户代表选举试点。为认真做好试点居委会的选举工作，市村（居）委会选举指导小组对上述3个试点居委会都安排市委常委挂点，市人大、市政府分管领导和业务部门领导现场督导，市民政局业务股室工作人员同试点居委会“一对一”对试点居委会的选举工作进行全程跟踪指导，确保试点居委会顺利换届。从而开创全市城镇居民行使直接选举当家人的先河。

该届20个居委会，除4个单位型居委会（电厂、化肥厂、冶炼厂、四冶居委会）未进行选举外，其他16个居委会都进行换届选举。应选职数86人，最终选举产生82人，其中居委会主任15人（缺1人），副主任及委员76人。

第三节　婚姻登记

登记机关

1994年以前，婚姻登记由各乡（镇）民政所（办）办理。1994年下半年，县民政局根据上级“关于婚姻登记要集中到县级民政局办理”的要求，开始采取“愿者来，来则登”的方式，正式开展婚姻登记业务，实行相对集中办理登记（县民政局与乡（镇）同时办理）。乡（镇）所需婚姻证件（结婚证、离婚证等）由各民政所到县民政局民政股购买，并加盖“贵溪县（市）人民政府婚姻登记专用章”。2000年后，婚姻登记窗口由市民政局民政股改设在市政府便民服务中心，登记员由民政股派往，乡（镇）继续办理婚姻登记。2002年4月，雄石街道办事处停止办理婚姻登记业务。2004年2月，经市人民政府第14次常务会议同意，撤销各乡（镇）和塔桥园艺场婚姻登记点，设立贵溪市婚姻登记点（设在市民政局），实行全市集中办理婚姻登记。是年7月，成立贵溪市婚姻登记处，为市民政局下属自收自支事业单位。

结婚登记

2003年10月以前，由申请结婚的男女双方携带本人户口簿、身份证（临时身份证）、所在工作单位或村（居）委会出具的婚姻状况证明和市妇幼保健站出具的健康状况证明，到一方户口所在地的婚姻登记机关申请结婚。经婚姻登记机关审查，证明材料齐全，符合《中华人民共和国婚姻法》和《婚姻登记管理条例》的要求，准予登记，发给结婚证。对离过婚的当事人，同时注销原离婚证件（离婚证或人民法院的离婚判决书）。对不符合法定条件的，不予登记，并向当事人说明理由。现役军人办理结婚登记，除按上述程序办理外，还须持有军队团以上政治机关同意结婚的证明。

2003年8月，国务院公布修改后的《婚姻登记条例》，从2003年10月1日起施行。

离婚登记

民政部门办理的离婚登记属协议离婚。

2003年10月以前，当事人双方自愿离婚的，双方应到一方户口所在地的婚姻登记机关办理离婚登记，并携带证件和证明材料。

2003年10月以后，内地居民自愿离婚的，男女双方应到一方当事人常住户口所在地的婚姻登记机关办理离婚登记，并出具证件和证明材料。

复婚登记

离婚的男女双方自愿恢复夫妻关系的，应当到婚姻登记机关办理复婚登记。复婚登记程序和结婚登记程序相同。2003年10月1日新《婚姻登记条例》公布后取消复婚登记。

1991—2008年全市准予结婚、离婚、复婚登记一览

表23－1　　　　单位:对

年份	结婚	离婚	复婚	年份	结婚	离婚	复婚
1991	3640	110	12	2000	2500	117	15
1992	3732	98	9	2001	3500	133	9
1993	4502	99	11	2002	3094	207	3
1994	3750	49	10	2003	2427	183	16
1995	3247	67	15	2004	3274	380	—
1996	4928	46	6	2005	4210	510	—
1997	4072	107	13	2006	4436	507	—
1998	3918	155	22	2007	4341	488	—
1999	4397	152	22	2008	4564	488	—

第四节　民间组织管理

社团登记管理

1989年,国务院颁布《社会团体登记管理条例》,明确规定社会团体登记管理机关为县级以上地方各级民政部门。1991年8月,县民政局发出《关于开展县级社会团体清理整顿的通告》,成立县级社会团体清理整顿工作领导小组,下设办公室(设在民政局)。1991年8月至1992年9月,对全县社会团体进行全面清理整顿和复查登记,当年依法登记的社会团体35个,依法责令解散的社会团体3个。此后,每年进行一次年检,对检查合格的社团予以保留,对检查不合格的社团限期予以整顿,对拒不参加年检或违法社团予以撤销。

根据江西省民政厅《关于建立社团年度成果报告制度的通知》(31995〕165号)精神,1995年9月中旬至10月上旬,全县首次开展《江西社会团体兴赣富民成果贡献》问卷调查。据“问卷调查”统计,1994年1月到1995年6月,全县社团技术服务创效益32.8万元,社团自身收益20万元;技术开发创效益1万元,社团自身收益1万元;技术咨询创效益13.5万元,社团自身收益0.5万元;举办学术专业培训49次,参训者为1914人;为党、政机关决策提供参考,提有关经济建设的建议49条,被采用27条;提出有关社会改革的建议13条,被采用2条;提出有关社会公益事业的建议7条,被采用4条;提出有关社会文明建设的建议13条,被采用4条;获得专利2项;获奖成果8个,其中国家级奖1个,省级奖3个,市级奖4个;发表论文33篇,其中在国家刊物刊登5篇;出版著作、论著8部,计58万字;承担研究课题8个,完成6个,其中省级课题5个,完成4个;普及与应用科学技术6项,创效益39.5万元;传递经济、技术与市场信息4条,有24个单位受益;组织经验交流26次,184个单位受益;举行理论研讨23次,交流论文105篇;募集本省、本县资金14.28万元,全部用于社会公益事业,其中用于救灾救济101865.56元,用于扶贫1.99万元,用于兴办公益机构和公益项目2.1万元;兴办社会公益机构1个;组织实施社会公益项目1个,受益者3000人次;承担党、政机关委托项目3个,20万人受益,为国家创造(挽回)经济损失32万元。

1991—2008 年全市社会团体登记注册一览

表 23－2

社团名称	登记年月	主管单位
贵溪市消费者协会	1991.12	市工商局
贵溪市红十字会	1992.06	市卫生局
贵溪市卫生工作者协会	1992.06	市卫生局
贵溪市气象学会	1992.06	市气象局
贵溪市计划生育协会	1992.06	市计生局
贵溪市林学会	1992.06	市林业局
贵溪市老年人体育协会	1992.07	市老干部局
贵溪市个体私营经济协会	1992.08	市工商局
贵溪市教育学会	1992.08	市教育局
贵溪市道路运输协会	1993.09	市交通局
贵溪市荸荠产业协会	2003. 07	市供销社
贵溪市建筑协会	2004. 05	市建设局
贵溪市农业协会	2004.08	市农业局
贵溪市篮球协会	2005. 07	市体育局
贵溪市自行车运动协会	2007. 08	市体育局
贵溪市幼儿教育协会	2007. 12	市教育局
贵溪市雷溪乡马山社区老年协会	2008. 06	雷溪乡政府

民办非企业事业单位登记管理

2001 年,市民政局首次在全市进行民办非企业事业单位登记工作。登记之前进行调查摸底,发放宣传单 4000 余份。从 2003 年 1 月开始正式登记,至 2008 年 12 月,全市登记在册的民办非企业事业单位有 5 个。

2003—2008 年全市民办非企业事业单位注册一览

表 23－3

名称	创办时间	登记时间	注册资金(万元)	业务主管单位
贵溪市好孩子幼儿园	2003 年	2003.01	30	市教育局
贵溪市小太阳幼儿园	2003 年	2003.04	30	市教育局
贵溪市晨阳中学	2004 年	2004.03	300	市教育局
贵溪市金苹果幼儿园	—	2004.04	300	市教育局
贵溪市阳光幼儿园	—	2005.12	30	市教育局

第五节　救灾救济

1991—2008年,全市境内发生水灾12次、雨雪低温冰冻灾3次、风雹灾10次、旱灾3次、病虫灾1次。每次灾害发生后,市(县)党、政领导亲临抗灾救灾第一线,指挥抗灾救灾,及时拨出专款,下发救灾物资,为受灾群众排忧解难。

1991年12月26日始,出现持续雨雪冰冻天气,全县大部分地区气温都在－9.3℃,部分地区降至－12.5℃,致使全县柑桔全部受到摧毁性冰冻灾。在灾害面前,县委、县政府及时召开全县救灾捐赠工作动员大会,发出"一方有难,八方支援"的号召,部署开展群众性的捐赠救灾工作。全年共接收捐赠款12万元,为灾区购买化肥等救灾物资,制发棉被425床、棉袄500件,发放救灾款27.3万元,确保灾民的基本生活和灾后的生产恢复。

1992年7月4日,双圳乡境内连日大降暴雨,发生历史罕见的山洪暴发,洪水从双圳、文坊、高公沿途直冲而下,造成双圳黄思电站被冲倒,公路冲毁,损坏桥梁7座,致使交通中断数天。沿途房屋倒塌,水坝冲倒,良田被毁。这次洪涝共造成8人死亡。洪灾发生后,县委、县政府迅速调集各类物资、机具,由六套班子成员和大批干部组成生活救济、农业生产恢复、公路桥梁疏通、水毁工程修复、通讯电线修复、卫生防疫、宣传汇报等7个组奔赴灾区抗洪抢险,救助灾民,安定民心。县民政局机关干部、职工坚守岗位,昼夜值班,及时将干粮送到灾区,组织人员分7批31个工作组124人次,跋山涉水步行到灾区查灾核灾;先后下拨救灾款160多万元(其中房屋修建49万元),救灾大米580万公斤,棉被1800床、棉袄600件、绒裤700件,并向社会募集资金137万元,作为救灾资金。

1993年3月25日傍晚,境内部分地区遭受百年罕见特大龙卷风雹的袭击,致使流口、雷溪、雄石、滨江等14个乡(镇)82个村委会受灾,其中有6个村庄遭受毁灭性破坏。全县受灾面积5334公顷,倒房3734间(其中全倒1144间),损坏房屋10000间;受灾人口6.8万人,因灾死亡18人,受伤578人(其中重伤141人),死亡牲畜490头,直接经济损失达5000万元。灾发后,县委、县政府即刻成立以县委书记为总指挥的救灾指挥部,组织有关部门奔赴救灾第一线,开展抗灾救灾运动。半小时内调集各种救护车28辆,组织了200多人的救援队,县长亲自任救援队长,连夜赶赴盛源乡新溪、流口等重灾区。在两个小时里,共抢救伤员160人,分别送入6个医院救治;及时向灾区运送粮食2.25万公斤、被子367床、衣物3.9万余件,为灾民搭建临时住棚3处计400平方米。

1994年6月9—17日,信江上游地区普降暴雨。9天时间里,全县降雨量累计453毫米,平均日降雨64.7毫米,信江三次出现超警戒线洪峰。全县6座中型水库有4座泄洪,18座小(一)型水库也有11座泄洪。信江河水以每小时20厘米的速度暴涨,至18日17时,县大南门水位高达37.19米,超过警戒线4.19米,造成了新中国成立以来贵溪第四次大洪灾。全县24个乡(镇)96个村委会512个村小组不同程度受灾,受灾人口达26万人,死亡1人。农作物受灾面积16680公顷,成灾面积13900公顷,绝收面积达7000公顷(早稻),水毁耕地71公顷,水围村庄45个,围困人数为8960人,紧急转移灾民3700人,损坏房屋1650间(3.3万平方米),倒塌房屋225间(4320平方米),因灾减产粮食3750万公斤,损失群众库存粮食92000公斤,直接经济损失7322万元(含工矿企业)。为切实做好防汛救灾工作,县委、县政府一方面组织人员加强24小时值班巡逻,另一方面迅速调集各类救灾物资、器具、种子发往灾区,帮助灾民开展生产、生活自救。县民政局及时下拨救灾款41.38万元(含恢复住房款5.68万元)。

1995年4月1日至6月26日,暴雨频繁,全县降雨量高达1563毫米,为历年同期平均雨量的两倍多,信江先后出现11次超警戒线水位(平均每周一次),全县189座小(二)型以上水库全部暴满泄洪,硬石岭、大禾源、枫林湾、太平坂等中型水库溢洪量为建库以来最大。6月27日17时,县城大南门水位高达37.95米(吴淞高程),超过警戒线4.95米,比1992年"7·4"洪水还高0.27米,仅次于1954年洪峰水位。全县24个乡镇195个村委会1401个村小组遭灾,受灾人口达32.7万人,水浸村庄452个,受淹人口12.6万人,水围村庄69个,水围人口8.4万人,紧急转移人口3.2万人。损坏房屋1.9万间25.5万平方米,倒塌房屋2660间5.32万平方米,直接经济损失0.1516亿元。农作物受灾面积2.02万公顷,死亡牲畜1.55万头。全停产工矿企业196个,部分停产企业241个。公路中断11条,冲毁公路桥涵48座,毁坏公路路基193千米,供电线路中断5条,损坏输电线路150杆、120千米,损坏通讯线路140杆、120千米。损坏小(一)型水库8座、小(二)型水库56座,损坏堤防35千米,堤防缺口5处、130米,损坏护岸366处、水闸167座、渡槽37座、桥涵384座、管理设施15处、机电泵站25座、675千瓦,水电站1座、1350千瓦,冲毁塘坝379座,渠道缺口66千米,此次洪灾造成直接经济损失合计为3.1亿元。洪灾发生后,县委、县政府成立贵溪"6·27"洪灾生产、生产自救领导小组,统一指挥,统一调度。灾后,县民政局下派5个工作组3次深入灾区核灾,下拨救灾款140.4万元,捐赠款54万元,发放救济棉被690床。发出《关于紧急行动起来,开展抗灾生产自救的通知》,号召县直各部门,各乡镇、各行各业都要把支援抗灾救灾视为己任,发扬"一方有难,八方支援"的精神,有钱出钱,有物出物,积极为灾区人民捐款、献爱心。

1998年6月12—22日,全市累计降雨量达920毫米,为全年平均降雨总量(1820毫米)的50%,信江水位最高时达到38.38米,超过警戒线水位(33米)5.38米,全市大小水库全部泄洪。此次特大降水,造成三大灾害交加:一是洪涝灾害;二是山体滑坡;三是洪水袭击。全市24个乡(镇)、7个林(垦殖)场全部受灾,受灾村庄1596个,被毁村庄7个,受灾人口45.9万人,全市停产工矿企业81个,各项直接经济损失共计95400万元。灾后市委、市政府及时部署开展生产自救、安抚灾民工作,成立6个救灾工作组,即农业生产恢复组、卫生医疗组、公路修复组、救灾资金筹集组、生活救济组和宣传报道组。各工作组分别由党政领导任组长,有关职能部门、乡(镇、场)为成员单位,按照职责分工迅速开展救灾工作。市民政局及时调动救灾帐篷60顶,组织4个核灾小组,由局领导带队,深入24个乡镇所有受灾严重的村、户核实灾情,为救灾提供依据。同时,广泛开展社会募捐工作,通过民政接收的大米、化肥、衣物,总计折价610.38万元,是历史上捐赠物资最多的一次。按照"突出重点、兼顾一般"的原则,将捐赠财物发放到灾民手中。先后两次下拨房屋全倒户灾民重建资金59.9万元,零星倒房修缮资金17.4万元。全市212户房屋全倒户,当年全部重建完工,春节前大部份灾民搬进新居。此举在江西省委十届九次全会上受到省委书记舒惠国的高度评价,并在《人民日报》、江西电视台《社会传真》栏目中作专题报道。

2008年1月中旬至2月4日,全市28个乡(镇)、街办、林(垦、园艺)场遭受特大低温冰冻和雨雪灾害,贵北山区和贵南山区灾情为近50年来之罕见。全市受灾人口31.82万人,农、林、竹、果、茶等作物受灾面积5.1万公顷,其中农业绝收面积4800公顷,直接经济损失23.38万元;因灾倒塌房屋1305间,其中居民住房657间,损坏房屋6612间,因灾伤病人口5181人,因灾死亡牲畜838头(只)。全市上下迅速开始抗冻救灾工作,市委、市政府于1月30日晚召开抗冻救灾紧急工作会议,要求市财政列支救灾专项资金200万元,与上级救灾资金捆绑统筹使用。各单位、各部门立即组织工作组深入灾区一线,与当地干部、群众一道开展抗灾救灾工作。全市共派出16个工作组计4500余人次,吃住在灾区,深入群众核实灾情,开展生产自救工作。市政府紧急下达救灾资金390万元,其中中央和省级救灾资金168万元,市本级救灾资金222万元,帮助解决灾区群众吃、穿、住、医等基本生活问题。市民政局紧急加工制作救灾棉被331床,购买军用棉被500床和棉衣、棉裤500套,连同上级分配的150床棉被和库存的100余件大衣、棉衣以及大米1.5万公斤、方便面100箱、蜡烛3.3万余支、应急灯100只等用车送往受灾乡镇林场,及时发放到灾民手中。

1991—2008年全市救灾一览

表23－4

年份	救急转移安置人口(万人)	救济粮人口(万人)	救济衣被人口(万人)	救济伤病人口(万人)	安排恢复住房(间)	安排恢复住房户数(户)	安排恢复住房款				救灾资金投入				救灾物资折款投入				春荒救济资金(万元)
							国家(万元)	省(万元)	地(万元)	县(万元)	国家(万元)	省(万元)	地(万元)	县(万元)	国家(万元)	省(万元)	地(万元)	县(万元)	
1991	—	—	—	—	—	—	—	—	—	—	26.4	—	—	6.3	—	—	—	4.8	—
1992	—	—	—	—	130	40	1.9	—	—	—	90	—	—	600	—	—	—	25.23	—
1993	10.5	0.4	0.0568	0.0578	1362	454	—	20	—	38.4	—	120.7	—	—	—	—	—	6.816	11.4
1994	0.37	0.69	—	—	378	290	5.68	—	—	—	35.7	—	—	—	—	—	—	—	—
1995	3.2	—	0.12	—	163	24	—	—	20	—	10	90.4	—	78	—	—	—	8.28	24.5
1996	—	—	—	—	—	—	—	—	2.4	—	—	—	39	13.3	—	—	—	—	27.1
1997	0.35	1.3	0.73	0.001	255	41	—	37.5	—	—	—	109	—	—	—	—	—	12.84	10.3
1998	4.32	10	1.6	—	6670	212	—	25.73	—	—	—	350	—	60	—	640	—	—	14
1999	0.6	4.7	0.2	—	146	36	—	57	—	—	—	426.7	—	—	—	10	—	—	45
2000	—	—	—	—	550	89	14	—	—	—	56	85	36	—	—	—	—	—	21
2001	—	—	—	—	272	102	—	37	—	—	—	103	—	611	—	—	35	—	35.14
2002	0.15	0.5	0.5	—	2700	650	—	5.5	—	17.5	—	112	30.4	30	—	46	—	10	45
2003	—	0.4	—	—	3000	750	—	20	—	—	—	145	21	15	—	—	—	—	11
2004	0.05	—	—	0.0007	15	4	—	6	—	—	—	193.5	—	30	—	—	—	—	26
2005	0.0205	—	—	—	99	21	—	2.4	—	—	—	74.2	3	34.6	—	—	—	—	—
2006	0.04	—	—	—	49	15	16.8	—	—	—	91.6	24.3	19	35.8	—	—	—	—	98.4
2007	0.004	—	—	—	40	20	19	—	—	—	211.2	32.8	—	25.5	—	—	—	—	10
2008	2.13	1.4	0.85	0.22	115	26	21	—	—	—	495	58	30	280	—	8.8	3.3	50	64.5

救灾扶贫互助储金会　20世纪80年代初期,为将过去单纯依靠政府救济变为群众互助互济,全省始创成立救灾扶贫互助储金会。1991年9月,县民政局贯彻实施《江西省农村救灾扶贫互助储金会管理规定》,制定《贵溪县农村互助储金会管理实施办法》。当年底,全县互助储金会总数由1985年的221个发展到222个;入会农户由1985年的4.7万户发展到6.2万户;储金总额由1985年的105万元发展到141.4万元。互助储金会具有社会效益和经济效益,到20世纪90年代中末期,此种救灾形式逐渐停办。

农房保险　20世纪80年代,县民政部门积极配合保险部门做好农房保险工作,将其列为救灾救济一项内容,从救灾款中为五保户、生活困难户支付房屋保险金。1991年,对农村救灾保险进行改革创新,开展"8年期"和"长效还本"保险业务。鹰潭市民政局为全县三缺户(缺吃、缺穿、缺劳力)3733户投了8年期农房保险,县民政局为1461户特困户和困难烈、军属投了"长效还本"保险,让一些受灾的农户得到经济赔偿,助其及时恢复生产、重建家园。农房保险后因救灾工作内容有所变动而停办。

灾民新村　基于保障地势低洼易涝和有地质变化(地质下沉,开裂等)村庄村民的安全,民政部门对此准予提前搬迁。1998—2003年,市民政局在灾情救济款中斥资270余万元,建设灾民新村15个,除上清和龙虎山镇外安置灾民631户。灾民新村的建设由乡(镇)申报,市民政局审核,报上级民政部门批准。建房面积每户在100～120平方米之间。灾民新村由乡(镇)统一征地、统一规划、统一设计,分户实施。

1998—2003 年全市灾民新村兴建一览

表 23－5　　单位:户

灾民新村名称	户数	灾民新村名称	户数
流口镇新溪村尖山	36	金屯镇下屯灾民新村	46
流口镇板桥村陈何	51	西窑乡西窑村邓湾	29
塘湾镇大桥村余家	34	西窑乡里河灾民新村	19
塘湾镇大桥村上苏	47	雄石镇象山村石泉	167
塘湾镇财源村朱岭	17	双圳乡苏家灾民新村	36
泗沥镇王湾村畈郑	52	彭湾乡白庙村江家	13
泗沥镇东洪村湖背	19	流口镇横路汪家	30
金屯镇丰岭村太坞	35		

社会救助

城镇最低生活保障　1991—1998 年,全市城镇救济工作落实国家救济和集体补助相结合的政策,对城镇居民困难户和孤寡残幼实行临时救济和定期定量救济。1999 年 2 月,市民政部门贯彻国务院、江西省和鹰潭市《关于建立城镇居民最低生活保障制度》的精神,首先在雄石地区范围内开展城市纯居民最低生活保障的调查、摸底、审批工作,确定当时最低生活保障标准为每人每月 70 元。是年,享受城市最低生活保障对象为 161 户 291 人,发放保障金 10. 17 万元。2001 年,保障范围扩展到市属企业单位和首钢第四冶金建设总公司下岗职工。2008 年,全市城镇居民最低生活保障人数为 10148 人,发放保障金 1914. 6 万元,保障标准提高到每人每月 180 元。

1999—2008 年全市城市居民最低生活保障标准一览

表 23－6

年份	最低保障标准（元/月/人）	享受保障人数（人）	发放保障金额（万元）	年份	最低保障标准（元/月/人）	享受保障人数（人）	发放保障金额（万元）
1999	70	291	10. 17	2004	100	12603	341.01
2000	100	791	40.8	2005	100	12528	864
2001	100	1339	66. 13	2006	120	12068	958.8
2002	100	12703	385.11	2007	140	11859	1275.8
2003	100	12803	71.53	2008	180	10148	1914.6

农村最低生活保障　1991—2005 年,市人民政府对农村五保户、常年困难户、残疾人、孤儿等社会困难户主要采取定期定量和临时救济的办法给予救助。2006 年,在全市农村开始实行最低生活保障制度。当年 7 月,市人民政府出台《贵溪市农村居民最低生活保障实施细则》,保障标准为每人每月 70 元。2008 年,保障标准调整为每人每月 100 元。

2006—2008 年全市农村最低生活保障标准一览

表23－7

年份	最低保障标准(元/月/人)	享受保障人数(人)	发放保障金额(万元)
2006	70	11377	190.3
2007	70	11851	431.4
2008	100	15138	793

城乡大病医疗救助　根据中共中央、国务院《关于进一步加强农村卫生工作的决定》和江西省民政厅、卫生厅、财政厅《关于建立农村医疗救助制度试点实施方案》的精神,2004 年 10 月,市人民政府制定《贵溪市农村特困群众医疗救助实施方案》,是年 12 月进行试点工作。试点期间,救助 31 人,发放救助金额 5.1 万元。2006 年 7 月,市城乡大病医疗救助工作全面推进,扩大农村医疗救助范围,全面开展城市医疗救助,市人民政府出台《贵溪市城乡医疗救助实施办法》。救助对象:(1)城市为城市低保对象;(2)农村为农村低保对象和农村五保供养对象;(3)城乡低保边缘户。救助标准实行零起付线。救助比例:农村以医疗费用总额为基数,农村五保户报 30%,农村低保户报 20%,农村低保边缘户报 10%;城市低保户以医疗费用个人负担部分在 1500 以下的全额救助,超出部分按 50% 救助,城市低保边缘户按医疗总金额的 10% 救助。城乡医疗救助对象单次救助为 0.6 万元,全年原则上不超过 1 万元。2004 年大病救助 31 人次,金额 5.10 万元;2008 年大病救助 16824 人次,金额 410.15 万元。

精简退职老职工救济　1991—2008 年新增救济人数 12 人。其间曾 3 次提高救济标准:(1)从 1994 年 10 月 1 日起,城镇由每人每月 42 元,增加 15 元,达到每人每月 57 元,农村由每人每月 16 元,增加 15 元,达到每人每月 31 元;(2)从 2005 年 1 月起,不论是城镇还是农村的,均在原救济的基础上,每人每月增加 50 元,达到城镇每人每月 107 元,农村每人每月 81 元;(3)从 2007 年 1 月 1 日起,每人每月增加 50 元,城镇达到每人每月 157 元,农村达到每人每月 131 元。2008 年,全市精简退职救济人员共 127 人,全年发放救济费 19.71 万元。

流浪乞讨人员救助　贵溪境内铁路有浙赣线、皖赣线、鹰厦线,公路有沪昆高速公路和 320 国道,交通便利,来往人员相对较多,救助站因故一直未能建立,但救助工作没有间断。从 2004 年上半年起,市民政局在社会事务股设立救助点,对自愿来接受救助的人员,提供返乡车票、食品、衣物等,实施临时救助。2004—2008 年,平均每年救助近 1000 人、发放救助资金近 2 万元。

第六节　社会保险与福利

社会保险

1987 年,贵溪县社会保险事业管理所成立,1989 年更名为贵溪县社会保险事业管理局。1996 年撤县设市后,贵溪县社会保险事业管理局更名为贵溪市社会保险事业管理局。贵溪成立社会保险事业管理机构以来,社会保险事业得到不断完善和发展。在办理养老保险(含村干部养老保险)的基础上,全市于 1995 年开办职工工伤保险和女职工生育保险,2004 年开办城镇职工基本医疗保险,2007 年开办城镇居民医疗保险。

养老保险　基本养老保险是国家的法定保险。本市于 1987 年开始实行企业职工养老保险,随着经济社会的不断发展职工养老保险的覆盖面越来越广,全市国有企业、城镇集体企业、外商投资企业、城镇私营企业和其他城镇企业在职职工、离退休人员,实行企业化管理的事业单位在职职工、离退休人员都在实施范围。1989 年,又适时启动村干部养老保险工作。

1991—2008 年全市职工养老保险一览

表 23－8

年份	参保人数（人）	离退休人数（人）	收缴保险费（万元）	支付离退休费（万元）
1991	17950	3949	1005	655
1992	18154	3993	981	637
1993	18326	4031	1287	875
1994	13762	2459	1051	859
1995	10189	2242	733	507
1996	11199	2484	1878	1623
1997	13163	2780	1943	1795
1998	22397	5030	1477	1983
1999	22677	5399	1468	2528
2000	23485	5758	1667	2893
2001	23850	6194	1723	3013
2002	23600	6487	1653	3716
2003	24645	6886	1890	4382
2004	25141	7826	2141	4075
2005	26342	8315	2807	4973
2006	30152	8993	3674	6796
2007	35492	9549	4958	8019
2008	39188	10824	6930	10708

工伤、生育保险　贵溪于 1995 年 6 月启动职工工伤保险和女职工的生育保险。

1995—2008 年全市工伤保险一览

表 23－9

年份	参保人数（人）	收缴保险费（万元）	支付费用（万元）
1995	6666	12.6	—
1996	9013	39.2	7.8
1997	9136	40.2	12.2
1998	9270	40.5	12.6
1999	9260	40.4	18.0
2000	7148	39.4	28.4
2001	7127	38.6	19.5
2002	5017	25.2	27.7
2003	2973	23.8	23.4
2004	3117	24.8	2.0
2005	6531	62.3	10.1

续表 23－9

年份	参保人数(人)	收缴保险费(万元)	支付费用(万元)
2006	6861	71.7	17.8
2007	12220	169.6	56.1
2008	18064	316.8	276.8

1995—2008 年全市女职工生育保险一览

表 23－10

年份	参保人数(人)	收缴保险费(万元)	支付费用(万元)
1995	6516	9.8	1.6
1996	8654	22.6	8.8
1997	8610	25.5	15.7
1998	8615	25.8	15.5
1999	8631	27.1	11.8
2000	6180	22.9	10.7
2001	6027	21.7	16.2
2002	2777	11.1	7.7
2003	2115	12.6	7.4
2004	1977	11.6	4.2
2005	952	9.3	3.2
2006	967	8.0	2.6
2007	1218	9.7	2.5
2008	1871	17.9	1.8

城镇职工基本医疗保险　贵溪市城镇职工医疗保险的管理机构前身是贵溪市卫生局原所属的公费医疗办。公费医疗制度改革后,公费医疗办于 2004 年 7 月整体转入市社会保险事业管理局管理。改名贵溪市城镇职工基本医疗保险办公室,定编 5 人。负责办理全市城镇职工医疗保险各项业务。谢利锋任主任。

2008 年全市医疗保险一览

表 23－11

年份	参保人数(人)	医保基金收入(万元)	医保基金支出(万元)
2004	10304	800	709
2005	11576	990	820
2006	18271	1267	1017
2007	38014	2278	2155
2008	38271	2767	2644

城镇居民基本医疗保险　2007 年,成立贵溪市城镇居民基本医疗保险办公室,是年 6 月 1 日,全市

城镇居民基本医疗保险全面启动。2007年,全市参保2983人,收缴医保费85万元,支付74万元。2008年,全市参保人数达60011人,收缴医保费209万元,实际支付349万元。

失业保险　1986年7月国务院颁布《国营企业职工待业保险暂行规定》,1991—1993年为贵溪建立失业保险制度基本框架建立阶段。1995年10月,成立贵溪县失业保险基金委员会。1998年7月1日起,失业保险的缴费比例由职工工资总额的1%提高到3%。2001年制定《失业保险金申领发放办法》等一系列配套文件,全市失业保险制度由不规范到规范,从计划走向市场,失业保险制度初步建立并走向基本完善时期。

1991年前,失业保险基金累计结余50万元,1991—2008年全市失业保险基金累计结余3471万元。1999年7月,全市事业单位纳入失业保险范畴。2007年1月起,财政拨款的事业单位由单位缴纳的失业保险费实行财政代扣代缴,个人缴纳的失业保险费按照系统也实行代扣代缴。

全市从2000年开始发放失业保险金,发放标准为每人每月172.50元,2004年9月失业保险金发放标准为每人每月247.5元,2008年1月失业保险金发放标准提高到每人每月320元。全市失业保险金累计发放300人,发放失业保险金166万元。1991年参保单位为34个,参保人数9900人;2008年全市参保单位达246个,参保人数34100人。

农村社会养老保险　1992年省政府办公厅下发《关于在全省推进农村社会养老保险工作的通知》,1993年又下发《关于加强发展农村社会养老保险事业的通知》,明确规定全省农村(含乡镇企业)社会养老保险工作由各级民政部门负责统一组织实施。1993年3月,成立贵溪县农村社会养老保险事业管理处,归口县民政局管理,属副科级机构,事业单位性质,核定事业编制3人。是年5月5日至30日,在雷溪、滨江、泗沥、冷水等乡(镇)进行全县农村社会养老保险(以下简称农保)工作试点。首批参加投保的人数为1.4万人,收取保费41.16万元。试点后农保工作在全县铺开,至1993年12月31日,全县有13个乡(镇)开展了农保工作,参保人数达到1.62万人,保费达到110.61万元。1994年,全县24个乡(镇)全部开展农保工作。从1995年11月起,农保兑付工作在全县逐步开展,是年有148位参保农民开始领取养老金。至1996年11月,全市共有7.2万农民参加了农保,累积保险基金达700万元。1997年农民参保覆盖面达21%,累积保险基金1000万元,是年贵溪被国家民政部授予全国农村社会养老保险先进市(县)称号。1998年3月,九届全国人大一次会议审议通过的《国务院机构改革方案》正式实施,农保工作由民政划归劳动和社会保障部门管理,移交前重点加强管理,确保基金的安全和有效增值。2005年,市农保处组织各乡(镇)对现已领取养老金的对象进行一次全面清理复查,将参保人员的备案情况全部输入微机管理,为农保划归、移交作准备。

福利

农村"五保"供养　1991年7月,全县26个乡(镇)符合五保供养条件的对象为1503户1906人,应保未保的209户283人,占五保对象总数的14.85%。金沙、高公、余家、龙虎山、上清、硬石、志光、河潭、双圳、西窑、樟坪11个乡(镇)实行五保金以乡(镇)为单位统筹,供养标准为每人每年360元,其余15个乡(镇)仍由村委会统筹,或由村小组供养,或以田代保。到1994年,全县24个(除上清、龙虎山)乡(镇)全部实现五保金以乡(镇)统筹。1996年,市政府批准下发《贵溪市农村五保供养实施办法》,供养标准由1991年每人每年360元,调为每人每年不少于300公斤口粮(稻谷)和400元以上的其他开销。2002年,农村税费改革后,五保金改由中央财政转移支付,供养标准又有提高。2005年,集中供养标准为每人每年1200元,分散供养标准为每人每年800元。《农村五保供养工作条例》颁布后,市民政局于2006年对全市五保对象进行调查、核实。是年,全市符合五保条件的有2386人,其中集中供养的873人,分散供养的1503人。2007年10月,市民政局制定《贵溪市农村五保供养工作管理制度》,对五保供养对象、供养内容和形式、监督管理和法律责任等方面作了进一步的规定。此后新增五保对象,须由乡(镇)报市民政局审批。2008年底,全市共有五保供养对象2692人,其中集中供养的1233人,集中供养率为46%,分散供养的1439人,占54%;集中供养标准调整为每人每年1800元,分散供养标准调整为每人每年1200元(含每人每年房屋维修金200元)。

市社会福利院　市社会福利院创建于1983年10月,是一所全额拨款、公办社会福利机构,主要供养城市"三无"人员,为老、残、孤和弃婴提供养护、康复、托管等服务。2008年,全院有收养人员83人,其中老人22人(自费5人)、孤残儿童17人,弃婴44人。1995—2004年,先后投资270余万元,对原建4栋800平方米的平房进行拆除改建,兴建2300平方米的康复大楼1栋,扩建儿童部大楼1栋和2层办公楼1栋。2005—2008年,利用省电脑福彩公益金改造楼房2800平方米,添置电脑、空调、洗衣机、烘干机、复印机、传真机、B超治疗仪、太阳能热水器、工作生活用车、闭路电视等设备;铺设院内水泥路面300多平方米,建造儿童露天乐园三面滑梯、老人温馨亭、灯光篮球场、门球场,安装一批室外健身器材。同时,对院内进行全面绿化,栽种1000多株花木,种植草坪4000多平方米,花卉、树木种类达30多种,绿化覆盖面达7500平方米。市福利院1998年晋升为省二级社会福利事业单位,2000年被省建设厅、省绿化委授予"省园林绿化达标单位"和"省园林化单位"称号。

弃婴收养　自1992年4月1日起施行《中华人民共和国收养法》以前,贵溪对弃婴的处置办法是:(1)县民政局出具证明,由辖区的公民领(寄)养;(2)送社会福利院抚养。《中华人民共和国收养法》颁布以后,县民政局由民政股(后改为社会事务股)负责办理收养登记工作。根据《中华人民共和国收养法》和《中国公民收养子女登记办法》的规定,收养社会福利机构抚养的查找不到生身父母的弃婴和儿童,不受收养人必须是无子女及只能收养一名子女的限制。收养人只须同时具备年满35周岁(1999年4月1日改为年满30周岁)、有抚养教育被收养人的能力、未患有医学上认为不应当收养子女的疾病等项条件,经市民政局审核登记,发给收养证,收养关系自登记之日起成立。1993—2008年,全市共办理国内收养登记153人。

经民政部收养中心批准,市福利院从1994年6月起开展涉外送养业务。至2007年,国外部分家庭开始进行回访。1994—2008年,市社会福利院涉外送养共652人。

乡(镇)敬老院　1991年全县乡镇敬老院24所,在2002年乡镇规模调整时,撤销周坊神前敬老院,并入周坊扬坊敬老院;撤销西窑敬老院,并入文坊敬老院;撤销金沙敬老院,并入滨江敬老院。2008年底,全市共有乡(镇)敬老院22所,有床位1337张,工作人员110名,收养老人(孤、残)1193人。其中,光荣敬老院5所,收养老人291人(优抚对象175人,占收养人数的60.13%),社会敬老院17所,收养老人(孤、残)1018人。1995—2008年,投资250余万元为雄石、流口、泗沥、金屯、河潭、冷水、樟坪、志光、文坊等乡(镇)敬老院进行房屋院址异地搬迁,建筑面积约9100平方米;投资180余万元为雷溪、塘湾、白田、滨江、鸿塘、耳口、罗河一院、周坊杨坊、周坊古港及塔桥敬老院进行房屋就地改建和扩建,建筑面积约3400平方米。2007年,省下拨福彩公益金46万元、市财政下拨配套资金46万元共计92万元新建罗河第二敬老院。该院占地面积1公顷,建有平房3栋,2层楼房2栋,建筑总面积为2300平方米。至2008年年底,全市所有敬老院是水磨石地面、铝合金门窗,有自来水、席梦思床、浴室、卫生间、活动室等设施。2008年,对22名敬老院院长实行聘用制,不定期地进行培训。

市光荣敬老院　周坊光荣敬老院创建于1958年,1996年12月5日更名为贵溪市光荣敬老院,是全额拨款事业单位,占地面积5.33公顷,建筑面积2410平方米,有床位42张,另有水田0.8公顷。2008年,全院有工作人员9人,其中正式职工3人,临时工6人(农工2人、炊事员1人、服务员3人);共收养老人22人,其中优抚对象17人,占收养人数的77.27%。1997—2005年,先后投资110余万元,对原有的平房全部拆除重建。至2008年,建起楼房4栋,其中3层老年公寓1栋,2层老年公寓1栋,3层办公、会议楼1栋,2层餐厅和老人活动室1栋。老年公寓每个房间都设有卫生间和有线电视。院内还设有公共洗澡室,安装了太阳能热水器。院办经济主要是种稻、种菜和养猪,每年能收稻谷0.85万公斤、养猪10～20头,基本做到粮食、蔬菜、猪肉自给。

社会福利彩票发行销售　贵溪市社会福利彩票发行销售始于1988年。是年3月,成立贵溪县社会福利有奖募捐委员会,下设办公室,与救灾扶贫福利公司合署办公,两块牌子一套人员。1996年4月,贵溪荣获中募委县级彩票发行超500万元殊荣和江西省募委彩票发行一等奖。2001年1月16日,《江西风采》电脑福利彩票开始在全市销售,至12月31日,投注机(站)由开始的2台(站)增加到19台(站),分布在城区闹市区和交通要道。2006年3月,在全市范围布点新增设电脑福彩投注站23个,其中乡(镇)投注站16个,并建立贵溪福彩网站,为本地彩民提供网络交流平台。1991—2008年发行销售福彩 4150.86 万元，积累福利基金 444.32 万元，其中大部分福利基金用于社会福利院、光荣敬老院、社会敬老院房屋改造和社区服务。

1991—2008 年全市福利彩票销售一览

表 23－12　　单位：万元

年份	即开型福彩销售	电脑福彩销售	积累福利基金
1991	—	—	—
1992	30	—	4.1
1993	30	—	4.1
1994	—	—	—
1995	265	—	74.25
1996	265	—	74.25
1997	100	—	21
1998	380	—	79.8
1999	39（赈灾彩票）	—	与鹰潭联合发行
2000	—	—	—
2001	—	284	—
2002	—	208	—
2003	—	226	—
2004	—	255	—
2005	—	419	—
2006	—	431	—
2007	—	525	—
2008	68.23	625.63	232.62

慈善事业　2003 年 1 月，市救灾募捐委员会放象山学校（原贵溪四中）召开万人大会，在全市范围内组织开展“慈善一日捐”活动，有 130 个单位参加，当年共得捐款 29.11 万元，近 1000 户贫困家庭获得 100～500 元不同标准的救助。2004 年 7 月，贵溪市慈善会成立。2005 年，市慈善会开展援助“五困”人员慈善大行动—慈善结对助学、慈善危房改造、慈善送温暖和慈善安老慰问工程、慈善手术复明工程、慈善民心救助工程、慈善阳光门诊工程。贫困生汪文珠考上北京大学，但因家庭贫困无能力入学，市慈善会积极认真地做受助大学生的审核、推荐工作，让该生及时得到江西省慈善总会的救助，圆了大学梦。2006 年 2 月，中共江西省委办公厅通知规定，除遭受特大自然灾害或国家有明确要求外，慈善募捐活动每年只开展一次，即每年 12 月“慈善一日捐”。2006—2008 年，“慈善一日捐”共募集捐款 27.5 万元。2008 年 5 月 12 日，四川汶川地区发生 8.0 级地震后，市慈善会为地震灾区开展募捐活动，全市社会各界共捐款 104.36 万元，及时汇往灾区。

社会福利企业　20 世纪 50 年代中期到 80 年代末期，全县先后兴办社会福利服装厂、苏区纸厂、双圳纸箱厂、上清卫生筷厂、古港综合社会福利厂、周坊铸造厂、雄石化工厂等社会福利企业数十家。部分福利企业有的在 60 年代移交农垦部门管理，有的在“文化大革命”中被撤销，大部分是因管理经营不善、产销不对路而停办。2000 年 9 月，开始重新兴办福利企业，到 2008 年年底，全市共有社会福利企业 31 家，其中铜材加工企业 22 家、生产其他产品企业 9 家；职工总数 5344 人，安置残疾人就业 3528 人，占职工总数的 66%，年产品销售收入达 102142.66 万元。

社区建设　社区建设包括社区服务、社区卫生、社区文化、美化社区环境和社区治安等内容，全市社区建设从2001年起步。2002年，市民政局投资6万元，建成雄石街办社区老年服务站、东门街办社区老年福利服务中心和樟坪畲族乡社区服务中心。是年对社区建设进行新探索，在雷溪村(祖公塘黄家)建立农村社区建设示范点，在城市建成两个社区文化中心和一个文化活动站。2003年，市民政局又投资17万元，建成雄石街办东街居委会老年活动站、花园街办白果居委会老年服务站和东门社区老年福利服务中心。2004年4月，市民政局要求各村落社区成立“一会五站”，即村落社区志愿者协会和村落社区文体活动联络站、村落社区卫生环境监督站、村落社区公益事业服务站、民间纠纷调解站、社会互助求助站。2004年8月，雷溪乡祖公塘黄家村落社区经市民政局考核，评定为三星级村落社区。是年11月，东街居委会、北街居委会、西街居委会、江边居委会、信江居委会和白果居委会，经市人民政府批准，市民政局命名为城市社区建设示范社区。至2008年，全市共建城市社区建设示范社区6个，农村村落社区建设示范点4个，建立农家书屋18个，农村休闲活动场所120余处。

第七节　拥军优属

拥军工作

贵溪境内驻有9支部队，全市各级党、政、军、企领导机关把双拥工作纳入国民经济、社会发展和部队建设的总体规划，并提出争创全国双拥模范城的总体目标。市委、市政府制定《贵溪市创建全国“双拥模范城”工作实施方案》，明确各单位在创建工作中的职责，并列入各部门、乡镇、街办和驻市单位目标管理的考核内容。1991年1月1日，《贵溪县军人抚恤优待实施细则》发布施行，通过这一地方法规，充分维护驻军和广大优抚对象的正当权益，明确规定各行各业应尽的义务和拥军优抚服务的原则及措施。龙虎山镇中小学1000多名学生组成学雷锋小组，坚持数年为驻军打扫营房和护理杉林；镇中学老师组成“拥军优属教育宣传小组”，几年来为驻军76名干部、战士补习文化，镇粮管所“援军服务队”自成立以来，每年为驻军供应优质大米3.5万多公斤、各种副食品1万多公斤，逢年过节还派人到外地采购优质食品改善驻军生活；镇政府与驻军多次召开联防会议，成立军警民联防办公室，解决军民纠纷20多起，为认真执行《中华人民共和国军事设施保护法》，保证营区安全和融洽军民关系发挥出重大作用，得到南京军区嘉奖。

1991年起，每年“八一”建军节期间，市(县)委、市(县)政府领导率领民政、商业、粮食等10多个部门的负责人，前往驻贵部队营地、干休所、驻军医院和市人武部等处走访慰问，征询意见，检查优抚政策落实情况，并赠送茶杯、毛巾等慰问品；有时邀请他们到贵溪宾馆开座谈会，共谈军民关系发展。每年春节期间，全市(县)各乡(镇)、街道、机关、企事业等单位，均组织慰问小组慰问烈军属和荣、复、转、退军人中的困难户，并赠送慰问金。2000年以后，每年的“八一”建军节和春节，全市(县)各乡(镇)、街道办事处以民政优抚服务站等形式开展群众性的拥军优属活动，涌现出一批先进集体和先进个人。

贵溪广泛深入开展双拥宣传和全民国防教育，将双拥宣传和国防教育纳入全民教育规划和部队政治教育计划，市4套班子主要领导亲自讲授《中华人民共和国国防法》《中华人民共和国国防教育法》，在副科以上干部培训班增设国防教育课；每年清明、“八一”、元旦、春节期间开展双拥宣传月、宣传周等双拥宣传活动，形成浓厚的双拥氛围。1991年3月，贵溪县成立拥军优属、拥政爱民(简称“双拥”)工作领导小组。此后不断调整充实“双拥”领导小组成员，并建立会议、办公、联络、检查评比等项制度。市政府还先后拨款16万元，帮助部队解决教育、训练和生活中的实际问题。1991—2008年，利用节日走访慰问部队34次，赠送慰问品、金2.5万元；在军转办积极联系与努力协调下，2名随军家属找到满意的工作岗位，解决军人子女入学、入托480人。1993年，春节、“八一”建军节期间，县4套班子主要领导组成7个走访慰问组，先后走访9个驻县部队，慰问部队伤病员35人，为部队办好事98件。1996年市人民政府颁发《贵溪市1996年全市双拥工作实施意见》，在全市范围内开展“十佳军属”评选活动，评选出9名“十佳军属”，其中被鹰潭市表彰的有5名。同年11月初，驻赣部队到贵溪驻训，市民政局组织贵冶、贵电和贵化等驻市单位，由市领导带队，派专车送去2万元慰问金，得到部队好评。1997年，市委、市政府制定贵溪市《关于争创全国双拥模范城活动的决定》,调整充实市"双拥"工作领导小组,乡(镇)、街道的办事机构也得到加强;军地相互支持,互办实事。1994—1997年,地方政府共投入1028.96万元用于军队基础建设,投资人武部建设520.45万元,投资消防大队建设297.51万元,投资消防二队建设101万元,投资武警中队建设27万元,投资130加农炮及工兵营建设83万元。其中用于改善部队办公训练条件的投资903.15万元,用于改善官兵生活的资金125.81万元。为动员适龄青年踊跃参军,建立健全征兵责任制,贵溪保持20余年无责任退兵的纪录。2003年以来,市人武部组织民兵预备役人员8600余人次参加地方的抢险救灾,扑灭山林火灾和协助公安围捕逃犯等急难险重任务,共扑灭山林火灾32次。为帮助现役军人子女入学,实行一系列优待制,不划区限制,不收额外附加费,对烈士子女考入公办学校的做到免交学杂费、并基本解决随军家属的住房困难。驻军、武警部队积极支援地方抢险救灾,1994—1997年,共出动官兵1万多人次,车辆500多台次,捐赠物资折合人民币达20余万元。军民共建结对扶贫,成效显著。开创各类少年军校、共建中小学、影院、车间、共建点、示范小区等等,形式多样,内容丰富。尤其是市双拥办、市消防大队和烧箕山社区居委会共建的烧箕山双拥示范小区在双拥共建活动中起着带头示范作用,得到省双拥办和鹰潭市双拥办的表彰。全市军民共建点达15个,其中11个被评为市(县)级以上文明单位。中国人民解放军一八四医院为表达对老区人民的爱戴,多年来与革命老区周坊镇人民医院结成军民共建点,挂扶市光荣敬老院。贵溪市人武部所挂的金屯镇黄梅村已驻点7年,共筹资70万余元,义务投劳3000个,帮助黄梅村修建一条公路,并架起电线,接通广播电视。部队与贵溪市一中结成共建对子,为一中军训学生6批次,军训学生2000余人;上门加强与驻军的联络,做好87334、32283部队和消防、武警大队与余家、罗河、滨江、市二中的军(警)民共建协调工作,共建"双拥"基地;主动上门与驻军挂钩扶优的彭湾、鸿塘、志光、周坊、雄石等乡(镇)街道做工作,共同做好"解三难扶优奔小康"活动。1998年,"双拥"工作走社会化道路,在各乡(镇)街道办的交通要道旁设置永久性宣传标牌80余块。2000年,市委、市政府要求驻市条件较好的企业积极支持"双拥"宣传工作,共筹集15万元资金在市区醒目处树立11幅大型宣传画和多条标语。市"双拥"领导小组出台全市《"双拥"工作三年规划纲要》,提出新的工作思路,要求军、政、企拧成一股绳,扎扎实实开展"双拥"工作,为三年内从省级模范跃入国家级模范城打下坚实基础。为落实维护军人军属合法权益,成立"贵溪市维护军人军属合法权益工作领导小组",市人民法院成立"维护军人军属合法权益合议庭";市人武部成立法律咨询站,依法为军人和优抚对象提供服务。交通、旅游等服务行业,坚持"军人优先"服务,根据各自的业务内容,相应设置"军人窗口""军人售票窗口""军人候车区""军人病房"等标牌。2001年,广泛开展科技拥军活动,成立市科技拥军领导小组,出台《关于广泛开展科技拥军活动实施意见》。市民政局出资在鹰潭市率先购买4万多元的科技器材、电脑4台、彩电2台和1万余元书籍,在市政府分管民政的副市长带领下,先后到驻鹰空军修配厂、南后干休所、市武警中队、市消防大队、市人武部走访。2004年9月中旬,协助部队做好国防测绘工作,市民政局为该部队一行5人无偿提供15天食宿服务,中秋佳节,还专门慰问他们。因服务周到,该部队为市民政局赠送"真情拥军,情深意浓"的感谢匾。市科委、科协派出人员对部队官兵进行种植业和养植业等技术培训。为搞好部队"菜篮子"工程,市里予以大力支持,市蔬菜办和雷溪乡南山村,无偿为部队官兵提供大棚蔬菜的有关栽培技术,使该部队的蔬菜生产大有改进,已形成大棚蔬菜生产基地。当地对其他驻军的蔬菜供应也给予适当优惠。

优属工作

2008年,全市共有优抚对象3万余人,其中重点优抚对象3615人,1999年始,根据中央、省、市民政部门要求,市政府下发《贵溪市扶优奔小康行动的实施意见》,在全市开展"爱心献功臣,扶优奔小康"活动,动员全社会、各部门行动起来,共同解决老烈军属、老红军、革命伤残军人、在农村的老复员军人等优抚对象生活、住房、治病困难。驻市大企业江铜、贵冶、贵电、贵化等单位18年如一日,与市光荣敬老院挂扶结对子活动,解决该院生活用煤等问题。1996—1999年,为市光荣敬老院共送生活用煤70吨、化肥60吨和各种物资折合人民币5万余元,重阳节时用大客车接送优抚对象到厂里参观。市人武部、工、青、妇、教育部门,共组织学雷锋小组或送温暖小组3100个,为军烈属(含五保户)帮工27000多个工作日;冷水、耳口、上清、龙虎、双圳等7个乡镇党政主要领导,多年来在"双抢"季节带领乡镇服务站及机关干部,为缺乏劳动力的优抚对象义务劳动3～7天;市农行在建房征地时,冷水镇获4名土地带劳的全民招工指标,服务站留下两名,分配给服现役的农村义务兵;原古港乡服务站为军属叶冬梅治瘫痪数月,手术后见叶冬梅不能从事体力劳动,即与工商、税务部门协商,为其办理开小卖部的营业执照,解决她家困难;泗沥镇服务站组织青年和妇女在开展“双拥一片心”活动中,各学雷锋、送温暖小组为全乡优抚对象做好事计85件;志光镇送温暖小组,为孤老优抚对象送柴5000余公斤。对优抚工作中遇到的新情况、新问题,市委、市政府给予及时处理解决,如在国有企业体制改革中制定贵溪市《市属企业产权制度改革中若干具体问题的处理意见》,保障企业产权制度改革中在职革命伤残军人的合法利益。

全市有光荣敬老院6所,做到组织机构健全,领导班子得力,职工爱岗敬业。各光荣敬老院建立健全管理制度,院长、会计乃至服务员职责分明,各项规章制度公布于众,做到院务公开。各院完成主管部门下达的庭院经济指标,每年纯收入不低于1万元,其中市光荣敬老院完成4万元,鸿塘镇光荣敬老院完成3万元。1996—1999年,共投资约303万元改造搬迁市光荣敬老院、泗沥光荣敬老院、白田乡光荣敬老院,投资85万余元,新建1000平方米的市光荣敬老院老人住宿楼,完善院内附属设施筹资120余万元搬迁泗沥镇光荣敬老院,新建800平方米的综合大楼和院内的附属设施;筹资98万元,新建800平方米的白田乡光荣院老人住宿楼。各光荣院做到整洁美观,规划更趋合理,让老人居住、生活的环境得到全面改善。1996—1999年,投资100余万元对县级烈士革命纪念建筑物进行维修,投资100万元搬迁市革命烈士纪念馆,建筑面积800平方米,占地0.67公顷使革命烈士纪念馆硬件得到改善,充分发挥爱国主义教育基地的作用。全市分级管理的数十座烈士纪念建筑物都在发挥良好的爱国主义教育功能。

市党、政、军与江西铜业公司、中国有色四建、中国有色五建、贵溪冶炼厂、贵溪化肥厂、贵溪火力发电厂、贵溪铁路桥梁等驻市大型企业联为一体,构筑双拥军企共建基地,共创双拥模范城。全市各乡(镇)、街道、各部门帮扶结对子608户,形成全社会爱心献功臣热潮。市民政局筹集资金143万元,为全市600余名优抚对象解决“三难”问题。江西铜业总公司捐助2万元为志光镇敬老院建水塔、水井和自来水管道,彻底解决老人用水难问题。泗沥镇光荣敬老院接受市财保公司等单位价值2.1万余元的捐赠物资。全市107户“三老”对象基本解决住房难问题。贵溪冶炼厂自成立优抚服务中心以来,都由厂党政主要领导及人武部等九个主要部门负责人兼实职。该厂与部队共建少年军校,从1997年到现在利用暑假已举办军训班14期,为冶炼厂子弟中小学军训800人次。该厂有15名转退军人担任厂中层领导,51名担任班组长、工段长;贵溪发电厂服务中心在全厂100户职工尚未分到住房的情况下,180户优抚对象户户分到住房。该厂转业退伍军人262名无一人待岗、下岗,无一军属未安排工作;县联网管理中心的老建、民政、农行、科协和人武部,运用无息贷款、有偿扶助和科技示范等形式,在1995—1997年培训优抚对象303期,参加培训的优抚对象计3万人次;中央驻市厂矿企业单位共扶助老区柴油205吨、化肥3000吨,全市扶优2189户,其中有869户脱贫,有315户成为各种类型的专业户。

又对全市“三属”定补人员进行普调,除国家定补标准外,平均每人每月地方财政增补10元,这在江西省属首例。强化制度保证,实行优抚对象医疗减免制。市政府下发《关于我市实行优抚对象医疗减免工作的通知》,对在乡6级以上残疾军人都实行公费医疗,医疗费不得包干,实行实报实销。重点优抚对象基本解决医疗难问题,全市已初步建立医疗减免、医疗补助和大病救助三个层次的重点优抚对象医疗保障体系。1994—1997年,地方财政列支18万元,对2000多名重点优抚对象看病的费用给予适当减免;明确享受医疗减免、补助和大病救助的优抚对象,对重点优抚对象颁发“重点优抚对象医疗优待证”,凭证到定点医院(卫生院)就医。在普遍减免基础上,市民政局下拨184万元对全市重点优抚对象实行医疗补助,每年补助医疗费160元。对患大病且生活特别困难的重点优抚对象,每年拿出40万元,实施大病救助,基本解决重点优抚对象医疗难问题。1999年,贵溪被全国双拥工作领导小组、国家民政部评为“爱心献功臣行动”先进市。

烈士抚恤　全市各个时期为革命献身的烈士共5545名。1991—2008年,国家多次调整抚恤标准。2008年底,全市享受定期抚恤的有3780人,全年共发放定期抚恤金11560万元。

1991年,境内肖家火车站值班员李志财为保护列车运输物资惨遭歹徒杀害而壮烈牺牲,是年4月

15 日省人民政府正式批准其为革命烈士。后按有关规定对其母、其妻发给一次性抚恤金 40 个月,合计人民 6720 元。

1992 年 7 月 4 日,发生特大洪灾,周秋林、江海棠、朱远华、陈小平、陈建东、黄美来等 6 人为抢救国家财产和保护人民生命而英勇献身,后经江西省民政厅批准为革命烈士。1994 年 9 月 26 日,在县影剧院召开贵溪县 1992 年“七四”洪灾革命烈士命名大会,号召全县人民以革命烈士为榜样,为贵溪社会发展和经济腾飞做出贡献。

伤残抚恤　1991 年,全县在册革命伤残军人计 403 人,共发放伤残抚恤金 70 万元。从是年起,分在职、在乡发放,每半年发放一次。

做好优抚对象清理换证工作。1994 年,民政干部走村入户、上门服务,为全县 17 个乡镇 3000 多名优抚对象清理换证,为 2300 名优抚定抚、定补和伤残军人换(验)证,召开座谈会 23 次,主动上门为卧床不起或年迈行动不便的优抚对象换证有 175 人。

落实措施确保优抚经费到位。为使优抚对象的生活水平达到或略高于当地人民群众的生活水平,做到“三个确保”,即确保优抚对象的抚恤、补助标准足额及时到位到人;确保优抚对象的调标经费足额及时到位到人;确保优抚对象抚恤补助标准自然增长机制经费足额及时倒位到人。平时对生活困难的优抚对象给予优先享受生活困难补助,将符合低保条件的优抚对象纳入最低生活保障线,逢年过节对生活困难的优抚对象采取生活困难补助,“八一”、春节期间开展多层次走访慰问,多种途径保证优抚经费的落实。根据国务院《军人抚恤条例》、国务院《关于加强优抚工作的通知》和《江西省军人抚恤优待办法》的精神,市政府召开市长办公会,结合实际建立优抚经费保障机制,市财政每年通过预算安排 20 余万元用于优抚对象抚恤补助标准自然增长。1994—1997 年,全市共投入优抚经费 1910 万元。1998—2000 年,连续 3 年提高在乡伤残人员抚恤金标准。2008 年,全市有革命伤残军人、伤残人民警察和伤残国家工作人员 541 人,发放伤残抚恤金 365 万元,按政策规定每半年发放一次。

复员军人和老干部补助　1991 年,贵溪县享受定期定量补助对象为 786 人。在乡的复员军人和苏区老干部每人每月补助标准提高 20 元,城市的提高 30 元。苏区老干部和红军失散人员补助所需经费,由国家民政部、财政部下拨;回乡复员军人、带病回乡退伍军人的补助经费,由地方财政支付。

从 1993 年 1 月起,在乡和住城市的苏区老干部、带病回乡的农村退伍军人每人每月再增加 10 元。是年,全县为 3780 名补助对象发放定补经费共 160 万元。

1998 年,红军失散人员、居住在农村的苏区老干部每人每月补助经费增至 80 元,居住城镇的每人每月增至 100 元。在乡的复员军人每人每月增至 10 元,从 1999 年 1 月 1 日起,每人再增加 10 元,7 月 1 日又增加 10 元,带病回乡的退伍军人补助经费也从每月 26 元调到 36 元。2008 年,红军失散人员、苏区老干部的补助经费,调整到每人每月 395 元。是年全市享受定期定量补助人员共计 810 人,其中红军失散人员和苏区老干部 435 人、复员军人和退伍军人 1112 人、部分军队退役人员 184 人,其中:城镇部分军队退役人员 34 人、农村部分退役人员 151 人;三属定抚 786 人、三属定补 950 人、带病回乡退伍军人 994 人;全年发放定补经费共计 1198 万元。

义务兵家属优待　落实义务兵优待制。1991 年,贵溪县对从农村入伍的义务兵家属的优待经费由乡(镇)村统筹,按上一年当地乡(镇)人均收入 70% 的标准发给。在职入伍的义务兵家属,由所在单位按入伍前标准工资的 70% 发给优待金。对立功受奖的军人,另增发一次性奖励金。凡由军以上单位授予荣誉称号或荣立一等功者,增发当年优待金的 80%(战功为 100%);荣立二等功者,增发当年优待金的 50%(战功为 60%);荣立三等功者,增发当年优待金的 20%(战功为 30%);优秀士兵增发一次性奖励金 50 元。参战、驻海、边防前线的,增发当年优待金的 10%。1992 年,落实全国全省“双拥”工作会议精神,实行全县统筹优待金,派专人上门收取。2001 年,全市全额拨款单位由市财政统一发放工资,市政府调整优待金统筹标准,由原来的每人均 10 元提高到 20 元,市统发办统一代扣,条管单位派专人上门收取。坚持以市为单位统一筹集、统一标准、统一发放,实行市级优待金专户管理,确保义务兵家属优待标准按照政策规定及时足额发放。

1994 年农村入伍义务兵人年 460 元;1995 年农村义务兵人年 700 元;1996 年农村义务兵人年 800

元;1997年农村义务兵人年900元、城镇义务兵人年180元;1998年农村义务兵人年1200元、城镇义务兵人年800元;2001年农村义务兵人年1410元、城镇义务兵人年800元;2002年农村义务兵人年1410元、城镇义务兵人年800元;2003年农村义务兵人年1410元、城镇义务兵人年800元;2004年农村义务兵人年1912元、城镇义务兵人年800元;2005年农村义务兵人年2336元、城镇义务兵人年1250元;2006年农村义务兵人年2336元、城镇义务兵人年1250元;2007年农村义务兵人年2336元、城镇义务兵人年1250元;2008年农村义务兵人年2336元、城镇义务兵人年1250元;进西藏义务兵优待金为其他义务兵当年的3倍。在统筹余额中,对生活困难的优抚对象给予临时救济。

复员退伍军人安置　市(县)政府对复员退伍军人实行记分制,按照择优分配的办法,加强安置对象的审核,优先照顾立有战功军人和残废军人,对口安置有技术专长的城镇籍退伍兵和志愿兵(士官)。军地两用人才的开发使用是农村退伍军人安置工作中的一项主要内容,对在乡两用复退军人的专长进行调查登记,建立档案,传递信息,组织培训。1991—2008年,全市(县)共接收农村复退军人两用人才2315人,推荐、使用1222人,两用人才开发使用率达53%。

军队离退休干部安置　1997年4月,成立市军队离退休干部服务管理站,编制2名,共接收安置军队离退休干部7人;1999年由陆军一八四医院移交地方管理干部1人,并按照政治待遇不变、经济待遇从优、服务上门的原则做好工作。1995年8月底,组织身体健康的军队离退干部前往井岗山参加纪念抗战胜利五十周年座谈会。搞好住房、用车制度改革,落实好军队离退休干部的政治生活待遇。

附:

拥军模范洪凤珠

洪凤珠是中国有色四冶一公司退休工人,1929年出生,1958年参加工作,1970年加入中国共产党。她家境并不宽,丈夫长年瘫痪在床,三个孩子有两个残疾,两个孙子全靠她抚养,生活负担相当沉重。从1974年开始,三十多年如一日她为驻地部队做好事,经常挤出多余时间到军营为子弟兵拆洗被褥,缝补衣服,有时一天要洗10多床被子,缝补20多件衣服。为了多做几双鞋,她常常要熬到深夜才休息。

1975年春节,她将亲手制作的20双布鞋用红布包好,来到军营送鞋给子弟兵,表达拥军深情。1979年,四建公司迁来贵溪,洪凤珠也把拥军传统带到了这片红色的土地。环境变了,人也老了,但她的拥军热情不减当年。有人劝她:驻地附近又没有驻扎部队,你就少操这份心吧。可她却说:我已铁了心,要拥军一辈子。当时那几年,社会上刮起"高消费"风,有些人讥讽她向部队送布鞋"太土气"、"不合时宜"。而洪凤珠心想部队情况我知道,艰苦朴素的传统绝对不会丢。她照样日复一日,年复一年地纳起了鞋垫,义务做军鞋,用自己一颗热心、一双巧手寄托着她的拥军情。有一天,她从广播中得知鞋垫在老山前线很受指战员的欢迎,于是便发动女儿、儿媳一起动手纳鞋垫。年幼的孙女也受到奶奶的"感染",加入到纳鞋的行列。祖孙三代齐上阵,加班加点,挑灯夜战。夏天,天气热,蚊子叮,扇上几下,抹点驱蚊油又接着干;冬天,手指冻得伸不直,在火上烤烤照样干。她们祖孙三代还订下君子协定:小毛病绝不下"火线"。有一次,洪凤珠感冒发烧还在坚持干,后来实在挺不住病倒了。她躺在床上,心中非常着急,心想我躺一天就要少纳一双鞋垫呀。病还没全好,她硬是叫儿孙们把她扶起来,靠在床头干起了她的手中活。她在每双鞋垫都绣上:"卫国光荣"四个字,连续8年为子弟兵做布鞋,纳鞋垫累计1000多双,均在"八一"之前寄往老山前线。1988年,她所在单位一次性补发百分之十五退休费1000多元,她首先想到的是把组织的温暖送给人民子弟兵,将这些钱全部购买钢笔、毛巾、袜子等用品寄往老山前线部队。1996年,多病的老伴去世后她的生活状况虽有所改观,但收入并不高,每月退休金只有400多元,她硬是从中节俭一部分下来,用于慰问人民子弟兵。1998年夏,遭遇百年未见的洪灾,百万子弟兵日夜奋战在抗洪前线。当她耳闻目睹战士们浑身泥、满身伤,舍生忘死与洪水搏斗的英雄事迹时,老人心痛得哭了。她马上拿出600多元,买了130多条毛巾,将这些物品送到鹰潭军分区,由他们通过九江抗洪指挥部转交子弟兵。洪凤珠很关心子弟兵的冷暖,视他们为自己的孩子,经常和战士们拉家常、讲故事、说知心话。一次在军营里有个战士拉肚子起不了床,她便每天抽时间去照顾他,给他带去热稀饭,咸鸭蛋。后来这位战士拉着洪凤珠的手哭着说:"洪大妈,您就是我的妈妈呀"。她说:"军民本来就是一家人,离开父母,当兵保卫国家,让人民过安生的日子,我们人民就是要帮助他们。"她还经常为战士们作报告,进行现身说教。1998 年 7 月应贵溪市人武部邀请,她给新兵们作报告,勉励大家要向抗洪英雄学习,努力工作,保卫国家,保卫人民。战士们在她身上学到不少东西,夸她是"我们生活中的好大妈,政治思想上的编外指导员"。

千载万载寄深情,真心实意为拥军。洪凤珠为子弟兵做布鞋、纳鞋垫、买物品,在拥军这条路上做了很多事,也舍得花钱。仅 2000—2005 年,她共花费 15000 元购买物品慰问部队子弟兵。她的拥军事迹先后被《鹰潭日报》《江西日报》《解放军报》等刊载报道,她多次被评为优秀共产党员、省劳动模范、全国"三八红旗手",被青海省、江西省及鹰潭市政府和江西省军区、鹰潭军分区授予"拥军模范","双拥"先进个人称号;部队授予其"子弟兵的好母亲,拥军模范洪凤珠""三十年的拥军情,子弟兵的好母亲"等锦旗、锦匾。

第八节　老年工作

组织机构

2005 年 3 月成立市老龄工作委员会,下设办公室,为常设股级事业机构,人员编制 3 人,划归市民政局管理。当年全市有 60 岁以上老人 5 万余人,占全市总人口的 10%。2006 年前后,全市各乡(镇)、街道办均设立老龄工作委员会,社会事务所指定专人负责老龄工作。各村委会、居委会都成立了老年协会,形成三级管理制度,理顺关系,开展老年人普查、建立老年人信息档案、办理老年人优待证等工作,做到"热情接待、优先办理、高效廉洁、方便老人"。为更好地方便农村老年群体,民政部门采取主动上门服务、集中办理的方法,到乡镇村委会为其服务,对有实际困难的特殊老人实行免费办理。至 2008 年,全市老年人基层组织 23 个、会员 1900 人。

爱老敬老工作

从 2005 年 4 月起,在全市广泛开展敬老、养老、助老(简称"三老")宣传教育活动,树立尊重、关心、帮助老年人的社会风尚。每年"九九"重阳节和国际老人节期间,市政府召开"三老"座谈会、茶话会和联欢会,逐户走访慰问百岁老人和特困老人,给每人赠送长寿金,对高龄离休老干部也进行走访慰问。市民政部门还为 9 名因公致残、行动不便的困难家庭老人办理定量或临时社会救济手续。市医疗单位为百岁老人及市社会福利院、敬老院的老人免费检查身体。将长寿补贴款及时落实到百岁老人手中,让他们感受到党的温暖。市政府制定老年人优惠实施办法,市老龄办为 60 岁以上的老人发放老年优待证共 12000 份。

老年人文体活动

市老龄工作委员会办公室经常组织退(离)休干部、工人等开展门球与健身舞(操)等活动。举办棋牌、桌球、门球、太极拳(剑)、跳舞、垂钓、气功等竞赛或表演。每月 15 日,市民政局组织退(离)休人员学文件、读报刊等活动。单位老年协会组建老年宣传队,为老年人举办老年医学、法制、环保、科普、社保等知识讲座。

第九节　殡葬改革

火葬推行

1987 年全县开始推行火葬,火葬对象为中共党员、机关干部和国家职工。1992 年 10 月,县人民政府颁布《贵溪县殡葬管理实施细则》规定:雄石(含象山水产场)镇,滨江乡的滨江、太岩、柏里和浮桥村委会,上清镇的府前居委会和上清村委会,龙虎山的站上居委会,塘湾镇的塘湾街居委会为火化区,其他地方为提倡火葬区。凡本县辖区内所有党政机关、团体、学校、厂矿企事业单位的干部、职工(含离退休人员)、各类招聘干部、民办老师、乡(村)医生,一律实行火葬。同时,将推行火葬列入乡(镇)民政工作目标管理责任状。2003年,市民政局为推进殡葬改革制定零点行动方案,市政府下发《贵溪市强力推进殡葬改革实施意见》,成立殡葬改革办公室(后改设贵溪市殡葬管理所)。当年3月开始,对三峰山森林公园辖区内的坟墓进行清理迁移。至年底,共迁坟1600余座(其中500余座迁至回归园公墓区内),发放迁坟补偿专项资金40余万元。

村级公益性墓地建设

为推进全市殡葬改革,市民政局安排10余万元资金,启动雷溪乡南山村村级公益性墓地试点建设。南山村公益性墓区按照50年规划设计,总规划面积达7公顷,实行分期分批施工启动,第一期工程一墓区道路、路牌、绿化等基础实施在2008年年底全面完工,投入使用。

回归园建设

2002年4月21日,市民政局通过招商引资同江西丰华实业公司签定兴建贵溪市回归园合同,并向市政府及相关部门进行报批,经营年限为40年(自2003年5月1日起至2043年4月30日止)。回归园建设工程按照国家三星级殡仪馆标准和火化、公墓一条龙规划、设计。园址设在泗沥镇王湾卧龙山,征地面积17公顷。2003年3月回归园开始破土动工,工程建设以江西丰华实业公司为主,投资600万元。园内设有食堂、贵宾休息室、悼念厅、火化间、整容室、冷藏室、骨灰寄存处、职工宿舍楼等设施。2004年,市回归园建成并投入使用,当年实现火化尸体216具。此后,火化量逐年增加,2005年火化尸体234具,2006年261具,2007年283具,2008年306具。

第二章　民　生

第一节　最低生活保障

社会保障和就业支出　1991—2008年,共支出社会保障资金45016.7万元,其中2008年支出7550万元,比1991年支出1120万元增长5.7倍。

抚恤事业费　全市有定期优抚对象497名,补助金额从每人每年3300元到6000元不等。

伤残抚恤是指按规定用于伤残人员的抚恤金和按规定开支的各种伤残补助。全市有残疾军人353名,补助金额从每人每年1800元到18900元不等。

在乡复员和退伍军人生活补助是指在乡退伍老红军战士(含红军失散人员)、1954年10月31日前入伍的在乡复员军人、按规定办理带病回乡手续的退伍军人生活补助。目前,全市有红军失散人员435名、复员退伍军人912名、三属定补对象912名。补助标准从每人每年4080元到13680元不等。

市财政每年需要支出抚恤资金1074万元,其中:市财政本级预算安排173万元、上级财政专项补助901万元。

城市居民最低生活保障　是指财政对城市居民最低生活保障对象的救济支出。全市有城市低保对象11894名,补助标准是常补对象每人每月220元,非常补对象每人每月180元。资金来源由省、市、县三级财政负担,负担比例为7:1:2,2008年度城市低保支出1284万元。

农村居民最低生活保障　是指财政对农村居民最低生活保障对象的救济支出。全市有农村低保对象12125名,补助标准是每人每月100元。资金来源由省、县(市)两级财政负担,负担比例为8:2,2008年度农村低保支出758万元。

就业补助　就业补助是指财政用于就业方面的补助支出,包括:扶持公共就业服务、职业培训补贴、职业介绍补贴、社会保险补贴、岗位补贴、小额贷款贴息、补充小额贷款担保基金、职业技能鉴定补贴、特定就业政策支出、其他就业补助支出等。本市级财政对就业资金的配套是按中央下达资金的30%予以配套,2008年度就业补助支出1120万元。

行政事业单位离退休支出　2008年,行政事业单位离退休支出6384万元,比1991年支出347万元增长18.4倍,其中包括:医疗服务支出、社区卫生服务支出、医疗保障支出等。

第二节　农村合作医疗

占人口大多数的农民的医疗问题，一直受到党和政府的高度关注，试图用合作医疗方式解决农民看病难问题的努力不曾间断过。1991 年，贵溪县卫生局开始着手组建村级卫生所时，就曾选择 3 个村作为合作医疗的试点，翌年又增加 4 个村试点，并由县卫生局制定《贵溪县推行乡村联办合作医疗的实施意见》，召开合作医疗保健制度研讨会，滨江乡九甲村代表在会上介绍开办合作医疗的经验。

1996 年 12 月 9 日，中共中央总书记江泽民《在全国卫生工作会议上的讲话》中指出："一部分农民因贫困而看不起病，一部分农民因病致贫、因病返贫，疾病已成为农民脱贫致富的重要制约因素。""看来，加强农村卫生工作，关键是发展和完善农村合作医疗制度。"1997 年 1 月 15 日，江西省委、省政府制定贯彻实施农村合作医疗的意见，要求全省乡镇都应建立起各种形式的合作医疗制度，行政村覆盖率达到 85% 以上。

1997 年 8 月，贵溪市卫生局与塘湾镇政府选定条件较好的东港村为试点，由镇政府发文批转《东港村合作医疗试点方案》，后由于存在经费亏损、管理困难、集体财力跟不上、办合作医疗条件不成熟等问题。东港合作医疗试点未能坚持。

2002 年 10 月 29 日，中共中央、国务院发布《关于进一步加强农村卫生工作的决定》；2003 年 1 月 16 日，国务院办公厅转发卫生部等部门《关于建立新型农村合作医疗制度的意见的通知》；同年 9 月 10 日，省委、省政府发出《关于进一步加强农村卫生工作的意见》，随后省政府办公厅颁发《江西省新型农村合作医疗管理办法（暂行）》。

贵溪市委、市政府于 2003 年 2 月下旬，抽调 52 名工作人员，组成 8 个调查小组，开展新型农村合作医疗基线调查，对 8 个乡镇、17 个村委会、122 个村民小组、4639 户、20525 人，进行 5% 农村人口医疗消费情况的调查，形成调查报告，并制定《贵溪市新型农村合作医疗管理办法》，得到省政府、省卫生厅的充分肯定。同年 6 月 3 日，省卫生厅、省财政厅发出《关于确定我省新型农村合作医疗试点县（市）的通知》（赣卫基妇字〔2003〕23 号），贵溪被列为试点县（市）之一。7 月 26 日，市委、市政府召开新型农村合作医疗（以下简称"新农合"）试点工作启动大会，同时成立贵溪市新农合办公室，核定编制 7 人。全市 18 个乡镇和 3 个街道均成立领导小组和办公室。8 月 1 日，新型农村合作医疗正式启动（开始新农合补偿）。市委、市政府组织千名机关干部下基层，开展新型农村合作医疗宣传活动。各乡镇、街道累计召开新农合宣讲大会 470 次，参加会议的农民达 50328 人。至 2003 年年底，全市有 80267 户、358461 人参加合作医疗，占农户总数的 82%，收到合作医疗参保基金 3583890 元，其中农民自缴 2603320 元，占收缴资金的 72.8%；发放新农合医疗证 76829 个，占参加农户总数的 96%。自新农合运转以来，参合农民因大病住院 282 人次，发生医疗费 1453659 元，按规定已报销 198861 元；农民个人台账经费（自缴部分）用去 887740 元，占自缴经费的 24.5%。

2004 年 10 月 12 日，市政府以贵府发〔2004〕18 号文，发布《贵溪市新型农村合作医疗实施办法》。

2005 年，市委、市政府为巩固新农合制度，采取两大举措。一是进一步加强宣传力度。市合医办印制《贵溪市 2005 年度新型农村合作医疗宣传画》10 万份，多数乡镇组织上年度受益农民现身说法，向广大农民证实新农合制度的好处和可靠可信。二是确保新农合基金的安全和使用的公平、公开。严格执行《江西省新型农村合作医疗基金财务制度（试行）》《江西省新型农村合作医疗基金会计核算办法》的规定，实行收支两条线、专款专用，封闭运行；当年，贵溪市新农合基金的管理、监督情况，获得国家审计署武汉特派员办公室的肯定。

2006 年，市合医办印制该年度新农合宣传画 10 万份，分发至每户；统一制作了 43 块新农合费用公示栏，要求按规定内容定期发布。当年，由于中央、省、市投入增加，贵溪市按照省合医办的指导意见，对补偿方案作调整：一是降低起付线，乡镇由原 200 元降为 100 元，市级由原 500 元降为 400 元；二是调整报销比例，按乡（镇）级、县（市）级、县（市）外分别报销 50%、40%、30%；三是住院分娩补助由原 150 元提高到 180 元。

2007年，继续印发新农合宣传单，单上详载本年度新农合各项新规定，逐户分发；市合医办举办培训班，使基层工作人员透彻地掌握合医政策。再次调整补偿方案为：①市级起付线由原400元降到300元；②报销比例，乡(镇)级上调至60%、县(市)级上调至45%；③癌症患者就诊不受医院级别限制，一律按可报销费用的50%报销；④参合农民费用达到起付线的，最低补偿30元，每人每年度只能享受一次最低补偿待遇；⑤在定点医疗机构使用中药饮片治疗所发生的中药费，其报销比例可在本级医疗机构报销比例基础上再上浮10%。

2008年贵溪市新农合有关政策作调整：起付线由原来的三级起付线调为四级起付线；补偿比例也相应调整：乡镇级由原60%上提至75%，县市级由原45%上提至60%，县外定点医疗机构补偿比例定为40%，非定点机构定为30%；住院正常分娩定额补偿为每人300元；取消对癌症患者可报费用50%的特殊补偿标准。对新农合所发生的医疗费用的审核，本年度开始实行现场审核，尤其对市内医疗机构，审核人员直接到医疗机构对票据、医嘱、处方等全部资料进行审核，审核后由审核人员和医疗机构负责人签字，谁审核谁负责，责任到人。

2008年，贵溪市对新农合直补范围作了扩大。自2005年起，首先在本市范围内的定点医疗机构中实行直补，至2008年，根据省合医办的要求，直补范围扩大到省内定点医疗机构，并纳入民生工程，明确规定一次性报账的报账率要达到85%以上。贵溪市合医办先后与省级10家、鹰潭市级5家定点医疗机构签订了直补协议，极大地方便参合农民。

2008年，贵溪市卫生部门把控制新农合医疗费用的增长列为巩固、完善新农合制度工作中的重中之重。从9月份开始，明确规定各定点医疗机构对参合患者就医人(次)均医疗费用的目标值，超额部分的补偿由医疗机构自行负担；同时，通过改变审核模式、签订协议等方式，力争该年度把人次均医疗费用的增长控制在5%以内。

自2003年8月1日贵溪市新农合制度开始运行，至2008年度，参合人数发展到40.76万人，参合率达94%；在4年5个月中，筹资总额为9680.72万元，其中：个人缴纳1784.13万元，占总额的18.5%；中央财政配套3855.53万元，占39.9%；省级财政配套2757.11万元，占28.5%；市级财政配套592.85万元，占6.2%；县级财政配套647.51万元，占6.7%；其他54.62万元，占0.6%。参合农民共获补偿8085.78万元，其中：门诊补偿的418205人次，金额784.92万元；住院补偿的62561人次，金额7300.85万元。大大减轻了农民就医的经济负担，有效减少了因病致贫、因病返贫的现象发生，明显提高了农民抵御疾病风险的能力，促进了社会主义新农村与和谐社会的建设。

附：

新农合制度受惠农民实例

涂志萍，女，塘湾镇塘湾居委会民主街人。2007年5月1日在南昌江医一附院做了肾移植手术，术后一直服用骁悉、新赛斯平等抗排斥药物，一年药费约需五、六万元。2008年1月，她到塘湾中心卫生院就诊，当年先后获新农合补偿费3万元，她自己仅负担2万余元。她说："如果没有新农合，我这条命可能早就保不住了！"

2003—2008年全市新农合一览

表23－13

年份	农村总人口数(万人)	参合人数(万人)	筹资(万元)						补偿情况						住院受益面(%)
			个人缴纳	中央财政配套	省级财政配套	市级财政配套	县级财政配套	其它	门诊补偿		住院补偿		合计		
									人次(人)	金额(万元)	人次(人)	金额(万元)	人次(人)	金额(万元)	
2003～－2004	40.85	36.83	363.17	544.9	219	165.75	165.75	5.86	186680	220.88	5628	570.96	192308	791.84	1.52

续表 23－13

年份	农村总人口数（万人）	参合人数（万人）	筹资（万元）						补偿情况						住院受益面（%）
			个人缴纳	中央财政配套	省级财政配套	市级财政配套	县级财政配套	其它	门诊补偿		住院补偿		合计		
									人次（人）	金额（万元）	人次（人）	金额（万元）	人次（人）	金额（万元）	
2005	40.85	27.87	279.63	226.4	112.2	83.6	139.35	20.06	73819	169.45	7154	535.74	80973	805.19	2.57
2006	40.85	34.2	342.25	564.23	477.4	103	102.69	7.96	72389	182.99	11875	1077.62	84264	1260.61	3.47
2007	43.36	39.14	391.45	854	548	117.5	117.43	9.71	50312	127.46	15595	1727.27	65907	1854.73	3.98
2008	43.36	40.76	407.63	1666	1400.51	123	122.29	11.03	35005	84.15	22309	3289.26	57314	3373.41	5.47

第三节　劳动就业

再就业

1998 年以来，按照中共中央、国务院的部署和要求，市委、政府坚决贯彻执行"鼓励兼并、规范破产、下岗分流、减员增效、实施再就业工程"和建立国有企业下岗职工基本生活保障制度、失业保险制度、城市居民最低生活保障制度"三条保障线"等政策措施，确保绝大多数下岗职工的基本生活，并使一大批下岗职工通过多种途径实现再就业。1998 年，根据江西省劳动厅《关于做好国有企业〈下岗职工证〉发放管理工作的通知》和江西省国有企业下岗职工基本生活保障和再就业工作领导小组《关于印发〈江西省国有企业下岗职工基本生活保障和再就业资金管理实施办法〉的通知》精神，全市国有企业"下岗职工证"发放和下岗职工进中心享受基本生活保障工作从是年第四季度起全面开展，就业再就业工作逐年推进。进中心享受基本生活保障：食品公司 76 人、汽车修配厂 15 人、瓷土矿 52 人、耳口供销社 22 人、贵华铜材公司 125 人、罗河供销社 40 人、盐改办 29 人、文坊供销社 32 人、雄石供销社 33 人、志光供销社 26 人、雷溪供销社 23 人、河潭供销社 18 人、塘湾供销社 31 人、建安公司 7 人、印刷厂 44 人、水泥厂 18 人、冷水林场 84 人、副食品公司 2 人、建材公司 2 人、经销站 2 人，合计 681 人，首钢四建 2351 人，总计 3032 人。

1998—2003 年市属企业下岗职工基本生活保障一览

表 23－14

年份	人数（人）	基本生活费（元）	养老金（元）	失业金（元）	合计（元）
1998	43	56852	26832	2879.28	86564.16
1999	116	153370	72684	7767.36	233521.92
2000	607	802551	378768	40644.72	1220963.84
2001	670	885847	418080	44863.2	1348790.4
2002	627	828994	391248	41983.92	1262226.24
2003	218	288230	136032	14597.28	438860.16

2000 年 1 月，按照市委、市政府《关于印发贵溪市国有、集体企业产权制度改革若干试行办法的通知》精神，全市 80 多家国有、集体企业实行改制，8000 余名职工完成身份置换。2008 年，中国第四冶金建设公司下属 12 个企业实行政策性破产，共 6993 名职工完成身份置换。1998 年以来进"中心"的人员均返回原单位随企业改制出中心。

政策支持

2002 年 10 月以来，根据中共中央、国务院《关于进一步做好下岗失业人员再就业工作的通知》精神,市委市政府及相关部门为做好贵溪市就业再就业工作,相继出台如下文件,提供政策支持:(1).《关于进一步做好下岗失业人员再就业工作的通知》(贵发〔2003〕9号);(2).《关于调整市再就业工作领导小组机构组成人员的通知》(贵府字〔2003〕57号);(3).《关于印发贵溪市再就业工作“三项制度”的通知》(贵府办字32003〕54号);(4).《关于做好2003年度就业再就业工作的通知》(贵再就〔2003〕1号);(5).《关于召开全市再就业工作督查汇报会的通知》(贵再就办字〔2003〕2号);(6).《关于转发江西省人民政府办公厅〈关于下岗失业人员从事个体经营有关收费优惠政策的通知〉的通知》(贵府办字〔2003〕57号);(7).《关于认真做好〈江西省下岗失业人员再就业优惠证〉发放和管理工作的通知》(贵人劳就〔2003〕15号);(8).《关于转发〈财政部国家税务总局关于下岗失业人员再就业有关税收政策问题的通知〉的通知》(贵地税发〔2003〕10号);(9).《关于转发〈鹰潭市地方税务局关于进一步落实下岗失业人员再就业税收优惠政策的通知〉的通知》(贵地税发〔2003〕20号);(10).《关于下发〈贵溪市地税局下岗职工再就业减免税审批实施方案〉的通知》(贵地发〔2003〕32号);(11).《关于要求切实做好下岗失业人员再就业工作的通知》(贵工商字〔2002〕55号);(12).《关于印发〈关于充分发挥工商行政管理职能进一步做好促进下岗失业人员再就业工作的意见〉的通知》(贵工商字〔2002〕59号);(13).《关于开展再就业小额贷款担保、扶持下岗失业人员再就业的通知》(贵人劳社〔2003〕39号);(14).《关于转发〈全省街道和社区劳动保障工作平台建设基本要求(试行)的通知〉的通知》(贵人劳社〔2003〕34号);(15).《关于印发市政府购买公益性工作岗位帮助困难人员就业实施意见的通知》(贵府发〔2002〕9号);(16).《关于印发〈2003年贵溪市就业和再就业春季招聘洽谈大会实施方案〉的通知》(贵人劳〔2003〕06号);(17).《关于印发在全市开展社会保险和再就业宣传咨询活动实施方案的通知》(贵人劳社〔2003〕35号);(18).《关于为下岗职工免费举办电脑培训班的通知》(贵再就办字〔2003〕4号)。

支持创业

设立小额担保贷款。2003年6月劳动就业服务局设立小额担保贷款担保中心,为下岗失业人员创业提供小额担保贷款,后逐步将扶持对象扩展到大中专毕业生、城镇退伍军人、返乡农民工等。7月,开办小额担保贷款业务,小额担保贷款由财政实行全额贴息。截至2008年12月31日,全市累计落实担保金965万元,累计发放小额担保贷款12314万元,其中个人创业贷款6574万元,中小企业融资贷款5740万元,累计回收6900万元,回率达99.5%,直接扶持2665人创业,带动7433人就业。

创办“心连心”夜宵城。2003年10月23日,“心连心”夜宵城成立开业,“心连心”夜宵城权属归贵溪市劳动就业服务局,主要用于安置下岗失业人员再就业和创业。截至2008年12月31日,共扶持31位下岗失业人员创业,带动216人就业。

提供公益性岗位。2002年6月,市政府在市教育局、市交警大队、市环卫处、市园林处等单位开发公益性岗位,援助就业困难人员就业,岗位补助资金从再就业资金中开支。到2008年12月31日止,共开发1300多个公益性岗位,援助1204人就业。

进行创业指导。2006年10月,贵溪市创业指导中心成立,创业指导中心主要职责是:面向全社会广泛征集创业项目,为广大有能力和条件的社会劳动者提供及时的创业项目信息;开展面向下岗失业人员和其他社会劳动者的创业培训和创业见习;组织专家和专业人士为创业者提供创业指导服务;组织扶持创业的相关部门开展“一站式”服务。2006—2008年,免费举办创业培训班9期,培训人员550名。

2005年6月9日,市人民政府召开全市再就业工作表彰大会,决定授予贵溪市地税局等6个单位为“贵溪市再就业工作先进单位”称号;授予江小化等10人为“贵溪市再就业工作先进工作者”称号;授予贵溪市三元冶炼化工有限责任公司等5家企业为“贵溪市再就业先进企业”称号;授予汪文胜等5人为“贵溪市再就业优秀个人”称号。

就业培训

1991—2005年,国家对就业培训工作未做明确的政策规定,也未给劳动就业部门下达明确的任务目标,时期的就业培训工作由市劳动部门根据全市经济社会发展需要自主进行,培训人数相对较少。2005年,由于全市国有企业改制从2002年延缓下来,至2005年,全市下岗失业人员增加,对就业培训的需求更加强烈,市委、市政府对此高度重视,要求劳动部门加大就业培训工作力度。是年,市劳动部门根据上级下达的任务，开展大规模的就业培训工作，当年培训人数猛增到12000人，并制订长期的培训工作计划。2008年，《贵溪市农村劳动力转移培训（金蓝领工程）管理办法》出台实施，做到转移培训与就业相结合，并紧密结合市内工业园区用工和市场需要开展培训。

劳务输出

全市劳动力资源丰富，但民营集体经济不发达，吸纳劳动力能力弱，富余劳动力多达10万人。1991—2005年，全市劳务输出基本以自发为主，大多流向浙江、上海、福建、广东等沿海发达地区，2005年外出务工人数高达6.5万人。2006年开始，政府对劳动部门下达明确的任务计划，以劳动部门为主导的劳务输出人数大增。同时，随着本市工业园区的发展，对劳动力的需求也在不断增加，越来越多的人选择在贵溪就业。2008年，贵溪市工业园区吸纳约20000人就业。

1991—2008年全市就业培训和劳务输出一览

表23-15

年份	城镇职业技能培训（人次）	农村转移劳动力培训（人次）	劳务输出（人）
1991	1300	300	300
1992	1400	400	380
1993	1500	460	400
1994	1600	400	400
1995	1600	400	450
1996	1600	500	600
1997	1700	500	600
1998	1850	500	1500
1999	1600	550	1500
2000	1800	600	1500
2001	1600	600	2000
2002	1700	1000	2500
2003	1500	1500	2000
2004	1900	1500	2000
2005	2600	8000	2000
2006	3000	10500	6500
2007	3300	12000	7500
2008	3000	12400	7500

第四节　教育民生

学生民生工程

贵溪市从2004年春季起实行“两免一补”政策，即对农村义务教育阶段贫困家庭学生‘免杂费、免书本费、逐步补助寄宿生生活费”。2005年春季共有15295人次贫困生享受“两免一补”专项资金，其中享受免费教科书12076人、享受免杂费2411人、寄宿生生活补助808人，共计发放资金70.6万元；2005年秋季发放资金84.5万元。

2006年春季补助享受“两免一补”专项资金，贫困家庭学生人数与2005年相同，共计发放资金81.6

万元;2006 年秋季共有 14929 人次贫困生享受“两免一补”专项资金,其中享受免费教科书 11928 人、免杂费 2221 人,享受寄宿生生活补助 780 人,共计发放资金 75.19 万元。

2007 年春季共有 16452 人次贫困生享受“两免一补”专项资金,其中享受免费教科书 13100 人,享受寄宿生生活补助 3531 人,共计发放资金 116.5 万元;秋季所有学生免除课本费,并开始对补助贫困寄宿生生活费发放实行“一卡通”。共有 16485 人次贫困生享受“两免一补”专项资金,其中享受免费教科书 12586 人、享受寄宿生生活补助 3899 人,共计发放资金 118.38 万元。全市公办义务教育阶段免学杂费 7.06 万人,免除杂费 1313.3 万元。资助普高贫困生 866 人,资助贫困大学生 125 人,资助中职贫困生 2187 人。

2008 年春季有 6249 人享受贫困寄宿生生活补助,共计发放补助金 234.34 万元;义务教育阶段学生全部享受免费教科书,共计 327.07 万元;秋季寄宿生生活补助。共计发放 234.34 万元;义务教育阶段学生全部享受免费教科书,共计 351.31 万元。2008 年,“阳光工程”培训 2375 人,资助经费人均 360 元,全市共发放 85.5 万元。

邱甜,女,贵溪市实验中学高三(1)班学生。2007 年,其弟被诊断为白血病,因家庭贫困,无钱医治,且欠下巨额外债,邱甜同学因此就要辍学,学校领导知道这一情况后,号召全校师生为其捐款,并减免邱甜同学的部分学费,同时让其享受政府助学金。

张思明,男,出生于 1990 年 11 月 27 日,共青团员,家住泗沥镇珠岭村 108 号。因父亲患有矽肺,家庭贫困,一直受“两免一补”政策资助,在校期间被评为 2008—2009 学年度江西省优秀学生干部。

为资助考取高校的贫困家庭子女上学,解决其入学的经费难题,贵溪市遵循公开、公平、公正的原则,努力做好贫困家庭学生高考入学政府资助金发放工作,严格按照《江西省贫困家庭学生高考入学政府资助金额管理办法》规定的申请条件,经过学生申请,学校筛选,有关部门评审、公示等程序,最后确定受助学生的范围和名额。2007 年接受资助的学生计 66 人,发放资助金 18 万元;2008 年资助 195 人,资助金额 98.5 万元。每人资助金额一次性发放 5000 元。2009 年后每人资助金额提高到 6000 元。

教师计生工程

贵溪教育系统计生工作单列工作始于 2008 年。全市有各类学校 58 所,其中农村中心学校 18 所、农村初中 23 所、市直各学校 17 所及机关共有育龄妇女 2882 人(其中含单边户 933 人)。为有效地开展计划生育工作,教育局党委认真贯彻、落实《中华人民共和国人口与计划生育法》《江西省人口与计划生育条例》精神,并与各乡镇(街道)及有关部门紧密配合,强化管理,狠抓落实,做到思想到位,措施到位,顺利完成市委、市政府及市计生局下达的计生工作的各项任务。

执行上级实行计划生育“一票否决制”的精神,落实各学校校长亲自抓、重点抓的要求和计划生育的工作职责,继续强化《关于做好教育系统人口和计划生育工作的实施意见》,把计划生育工作与评先评优评职、晋升职务等挂起钩来,实行一票否决。同时进一步强化《以块为主,条块结合,条条负责,单位包干》“的计生管理体制和工作措施,把制度建设和制度落实紧密结合起来。

在中考招生中让她们享受降分优惠,营造了广大教职工自觉参与计划生育的良好氛围。教育局为 0~6 周岁的独生子女买爱心保险,计划生育家庭爱心保险 100% 落实到位。

1991 年至今,教育系统计划生育出生政策符合率达到 100%,长效避孕措施落实率达 90% 以上,环孕检率达到 95% 以上,外出育龄妇女避孕节育报告单寄回率达 90% 以上。人口与计划生育基础知识教育普及率达到 100%。初中以上学校(包括初中)都以符合受教育者特征的适当方式有计划在学生中开展青春期或性健康教育,教育普及率达到 100%。在全员人口信息数据库建设工作中,教育局采集录入人员信息数据准确率达 98% 以上,细致认真标准地对全局工作人员的身份证号码、性别、出生年月、节育措施等基础信息进行核实。

资助教师

救助困难教师　1991 年以来,贵溪市(县)各级政府和教育部门实行对特困教师的救助工作,年终走访困难教职工家庭,送出慰问金和物资,每年均有数万元,2008 年,全年发放慰问金在 5 万余元。

大病大灾救助　贵溪市(县)历年来,对因大病、大灾的教职工施行救助,并成一项制度。有数字统计,该项工作,已发放经费10余万元。

市一中上官志英、市二中周维国患绝症,市教育局会同总工会、保险公司资助各1万元。

发放山区补贴　贵溪市对山区、边远地区工作的教师实行津贴,始于2007年,分两个档次,即大山区、特困地区每人每月补助120元;对边远山区每人每月补贴70元。

退休教师管理

贵溪的退休教职工是一支庞大的队伍。自党中央,国务院于20世纪70年代末实行干部、职工退休制度之后,1979年当年全县退休教职工54人,1980年86人、1981年24人、1982年6人、1983年25人、1984年3人、1985年59人、1986年130人、1987年31人、1988年33人、1989年53人、1990年42人,累计524人。

自1991年后,全市(县)退休教职工逐年增加,截至2008年年底,全市退休教职工总数达1560余人。下限至2010年,全市退休教职工数达1644人。

贵溪市(县)教育局根据国家政策,尽力做到老教师退下来:老有所养、老有所学、老有所居、老有所乐、老有所为、老有所医。

首先是把全市退休教师组织起来,以乡、镇和市(县)直属学校为单位,成立老教师体育协会,教育局也成立老教师管理委员会,由几名教育部门退下来的老领导担任主席、秘书长和委员。每年召开委员会议,上传下达市(县)领导报告和讲话精神,反映老教师的心声和要求。组织各单位老教师开展健康有益的文体活动,并指导各单位老教师体育协会的工作。

市教育局并按上级规定,每年分两季发放活动经费,(全年人均40元)给各单位开展活动。自1991年以来,还每年开展向老教师拜年,发放慰问品;每当岁末年初,市教育局还将全市老教师福利费集中起来使用,为全市(县)大病、重病的老教师发放救济费和慰问金,并重点走访一些危重病人和特困老教师。1991年以来,全市为老教师发放慰问金30余万元,发放大病救助资金10余万元,使一些大病、重病之老同志不致于因病返贫,因病欠债。

市教育局老教师管理委员会还组织一些老同志参加市老年大学学习,增长知识,加强交流,丰富退休生活开展一些文体活动,开展太极拳、健身操、门球、棋牌和舞蹈活动。为退休教师订阅一些党报、党刊及老年杂志,组织老教师进行旅游、参观驻市企业和新农村建设。

在物质生活方面,市教育局还按贵溪市财政能力,从2007年始,为每位老教师按月定期发放生活津贴800元。以确保广大退休老教师的生活不受影响,以颐养天年,共享改革开放的美好时光。

当老教师因病或衰老而仙逝之后,也做到为其开追悼会,发放丧葬费,从2007年始,提高抚恤金标准,每人发放20个月的基本工资,以做到安抚逝者,关爱遗属,促进社会和谐。

第五节　安居工程

城镇住房制度改革

1993年,城镇住房制度改革启动,主要包括5项内容:①改革住房建设投资体制。由原来国家或单位统包的投资体制转变为国家、单位、个人三者合理负担的投资体制。②改革住房建设、分配、维修、管理体制。由原来单位统包职工住房建设、分配、维修、管理一体化的单位所有制,转变为住房的生产、建设专业化,维修、管理社会化的货币分配体制。③改革住房分配体制。由原来的行政手段、福利性质、实物分配的制度,转变为按劳分配为主的货币工资,职工根据自己的承受能力通过市场购买或租赁解决住房问题,满足住房需求。④建立双轨制住房供应体系。以中低收入家庭为对象,具有社会保障性质的经济适用住房供应体系和以高收入家庭为对象的商品房供应体系。⑤建立住房公积金制度。由职工个人和所在单位分别缴纳占职工工资一定比例的资金,归职工个人所有,集中管理,定向使用,可供融通,形成职工个人住房基金,提高职工个人住房支付能力。

1997年,为全面贯彻国发〔1994〕43号、赣府发〔1995〕77号、国办发〔1996〕34号、35号和鹰府发〔1997〕03号文件精神,加快住房建设步伐,逐步建立与社会主义市场经济体制相适应的新的城镇住房制度,贵溪市出台《贵溪市深化城镇住房制度改革实施方案》,主要有6个方面的内容:①全面推行住房公积金制度;②积极推进租金改革;③稳步出售公有住房;④加快经济适用住房的开发建设;⑤加强房屋维修基金的筹集、使用与管理;⑥加强领导和协调,强化宣传和监督。

2002年,随着住房制度改革的不断深入,贵溪市结合实际又相继出台配套文件,住房制度改革稳步实施。

经济适用房和廉租房建设

随着国家经济适用住房和廉租住房系列政策的出台,市政府高度重视并加大解决城市低收入家庭住房困难工作力度,启动经济适用住房和廉租住房建设。经济适用住房和廉租住房实行了严格套型标准和保障对象,经济适用住房建筑面积控制在60平方米左右,廉租住房建筑面积控制在50平方米以内。

2007年度贵溪市经济适用住房建设总量为44827平方米,共456套,共分四个项目:1. 贵溪市经济适用住房建设一期工程项目。位于市站前路原瓷土矿地块,共48套、3744平方米;2. 中国第四冶金建设公司经济适用住房项目(位于四冶生活区五区)总建筑面积23983平方米,共240套;3. 中国十五冶经济适用住房(6号、9号、26号楼)项目(位于建设路十五冶生活区内),总建筑面积10980平方米、共120套;4. 江西贵溪化肥有限责任公司经济适用住房(16号、17号份楼)项目,总建筑面积6120平方米、共48套。

2008年贵溪市新建经济适用住房总建筑面积84363.6平方米、共996套,共分2个项目:①2008年经济适用住房恒泽园小区项目,总建筑面积13464平方米、共204套,位于贵溪市工业园区生活区3号地块南端,该项目已经全部竣工并交付使用;②江铜贵冶分公司经济适用住房项目,总建筑面积70899.6平方米,25栋、共792套,位于江铜贵冶生活区西区,目前该项目也已经全部竣工并交付使用。

2008年,贵溪市新建廉租住房建筑面积8330平方米,共170套,分两批建设:第一批建设108套、5292平方米,在恒泽园小区项目中,位于市工业园区生活区3号地块南端,已经竣工并交付使用;第二批建设62套,3038平方米,在幸福小区项目中,位于市工业园区320国道以北、东环路以东,目前已经竣工。

2008年度全市廉租住房补贴共发放1727863.2元,保障低收入住房困难家庭958户。

第二十四卷　精神文明建设

第一章　思想道德建设

第一节　爱国主义教育

1995年是贯彻落实《爱国主义教育实施纲要》的第一年。县委、县政府下发文件，提出建立贵溪县爱国主义教育基地的意见。同年3月，县委宣传部、县教育局，县文化局等7家单位联合下发《关于开展“热爱祖国，振兴贵溪”系列爱国主义宣传教育活动的实施意见》。确立周坊革命烈士纪念馆、夏润珍烈士墓、贵溪冶炼厂、贵溪发电厂为全县爱国主义教育基地暨中小学生德育教育基地，组织党员、团员、干部、职工、青少年学生和驻地官兵到烈士陵园参观，瞻仰、缅怀革命先烈，开展祭扫烈士墓和入党(团)宣誓活动，进行爱国主义教育。组织全县中小学生开展“看百部爱国主义优秀影视片”“读百种爱国主义教育优秀图书”《中国母亲》读书征文活动。7月，组织编写《日军入侵贵溪63天暴行录》，编辑《爱国主义歌曲选》，举行“爱国主义歌曲大家唱”歌咏比赛，组织纪念“抗日战争”“世界反法西斯战争胜利50周年”座谈会。

1996年，全市开展“知我贵溪、爱我贵溪、为贵溪发展添光彩”系列爱国主义教育活动，对广大干部及中小学生深入进行一次县情教育及思想道德教育。

1997年，以庆祝香港回归为契机，在贵溪市一报两台(贵溪报、贵溪有线电视台、贵溪教育电视台)开辟“庆祝香港回归”专栏，举办全市迎香港回归环城跑、游园活动以及庆回归演唱会和烟火晚会。余家乡组织歌咏比赛，志光镇组织知识竞赛，白田乡组织业余文艺队下村演出，雄石镇举办近代知识讲座，经贸委组织文艺节目会演、香港基本法知识竞赛。

第二节　未成年人思想道德教育

为加强未成年人思想道德建设这项工作，贵溪于1994年11月成立关心下一代工作委员会，聘请一些德高望重的“五老人员”(老专家、老战士、老干部、老教师、老模范)为校外辅导员，抓好“四个强化”，即强化管理职能、强化责任意识、强化德育地位、强化德育督导。开展“八项教育”即道德教育、法制教育、心理教育、青春期教育、爱情教育、生命教育、安全教育、休闲教育。开展艺术活动，根据未成年人自身特点，发挥每个未成年人特长，组织舞蹈、美术、书法、棋类等兴趣小组或利用社团组织，有计划、有组织地开展活动；充分发挥共青团、妇联、工会作用。开展节庆活动。每两年举行一次全市中小学文化艺术节和运动会，每年开展读书活动周以及爱国主义教育、感恩教育、法制教育等活动。开展校外活动，充分运用家庭、学校、社会三位一体功能促进未成年人思想道德情操向前发展。涌现全国师德教育先进工作者、贵溪二中副校长李志英，连续18年在班上组建“学雷锋小组”，荣膺全国优秀教师的贵溪市实验小学杨芳。

1995年，县一中、四中等中小学校举行学习孔繁森事迹演讲会，出台《关于进一步加强和改进未成年人思想道德建设的实施方案》。成立社区“五老”志愿者队伍，对未成年人开展法制宣传教育、“公民道德宣传日”和道德、法律、科技、卫生“四进校园”等道德实践活动。大力整治非法网吧。大力弘扬“敬老、爱老、助老”社会新风。

县委、县政府《关于广泛开展“三包三建三评”,加强青少年思想教育工作的实施意见》下发后,各单位、各部门认真贯彻实施,广泛开展“五包五建五评”活动。一是家长包子女。教育子女成人成才;开展建设“五好家庭”和“文明家庭”,评教育子女成人成才的好家长活动。二是学校包学生。建设文明学校,评德育工作好学校活动。三是村委会(居委会)包社会青年。开展建立社会教育机制,评关心教育青少年成人成年的好村委会(居委会)活动。四是单位包青年职工。建设文明单位(班组),评思想政治工作好单位(班组)活动。五是开展司法行政、公安部门组织调务会、治保会,包“两劳”回籍人员与失足青少年,建设社会帮教组织,开展评维护治安稳定的好派出所、司法所活动。

1996年,藉纪念红军长征胜利60周年之机,对广大未成年人进行爱国主义和革命传统教育,县关工委、县委组织部、县委宣传部等11家单位联合开展“中华魂”《寻红军足迹,树革命理想》读书教育活动,激励广大青少年学习红军精神,争做红军传人。

1999年9月,以庆祝中华人民共和国成立50周年和澳门回归祖国为契机,对广大青少年进行爱国主义、集体主义和社会主义教育,加强社会主义精神文明建设。

2001年3月28日,“中国青少年绿色承诺行动”教育活动贵溪市组委会正式成立,组委会由市关工委、教委、环保局、科委、计委、财政局、物价局、土管局、林业局、农业局、水电局、建设局、地矿局、广电局、报社、总工会、团市委、妇联、科协、文联、减负办21个单位组成,以“走可持续发展道路,保护地球,保护人类共有的家园”为主题,激发10多万名青少年参与。举行全市青少年暨各界人士“走可持续发展道路,保护地球,保护人类共有的家园”绿色承诺万人签名活动和全市青少年《可持续发展教育》知识竞赛、作文比赛、绘画比赛和演讲比赛活动。

2002年,市关工委、市委宣传部、市教育局、市民政局联合编写印刷《红色贵溪》一书1万余册,分发各中小学校,对学生进行热爱家乡和革命传统教育。

2003年,市关工委、贵溪报社、市作家协会、市供电局在《贵溪报》开展长达6个月“农电杯”青少年文学作品征文大赛,以健康向上文学作品鼓舞、教育青少年。参赛作品80多篇,评选出优秀作品一、二、三等奖共5篇,颁发证书和奖品。

2005年,市关工委为发挥“五老”教育青少年的作用,召开全市“五老”代表座谈会,成立市关工委“五老”工作团和“五老”网吧义务监督小组,针对性开展青少年道德、法制教育活动。投资400万元,在全省率先建成贵溪市青少年活动中心,为广大青少年身心健康发展提供活动场所。

2006年5月,为进一步引导广大少年儿童了解中华传统书信文化的悠久历史,感受书信文化的特殊魅力,使青少年儿童运用书信这一载体,加深与父母的情感交流,促进家庭成员的沟通,引导少年儿童践行社会主义荣辱观,构建社会主义和谐社会。市关工委、市教育局、市邮政局联合开展“全市少年儿童书信文化活动”。

2007年1月,市关工委、市教育局为使广大青少年开展好“中华魂”(团结互助友爱,共建和谐社会)这一读书活动,组织“五老”工作团到学校作主题教育宣讲报告,组织青少年就地就近去革命传统教育基地、社区和新农村参观。

2007年6月至2008年,为深入贯彻中共中央、国务院《关于进一步加强和改进未成年人思想道德建设的若干意见》文件精神,进一步落实国家和全省“五五”普法规划纲要,预防未成年人违法犯罪,维护未成年人合法权益,根据省委、省政府“五五”普法工作部署和第六次全国法制宣传教育工作会议精神,省关工委、省文明办、省法宣办、中国关爱网站江西办公室共同开展以“为了明天工程一关爱生命、关注安全,构建和谐社会”为主题的全省首届互联网“百万家庭一父母与我同学法”知识竞赛活动。市关工委、文明办、法宣办联合下文部署此项工作,筹集经费购买6万多本“团结互助友爱,共建和谐社会”书籍发给每位中小学生学习,并组织全市中小学生进行答题竞赛和演讲比赛。

第三节　社会公德教育

1991年，市委、市政府在一手抓物质文明建设，一手抓精神文明建设的同时，注重开展社会公德教育。当年中共贵溪县委以贵发〔1992〕5号文件形式表彰1991年度黎秋生等98名劳动模范、先进集体、先进生产（工作）者，号召全县各行各业人民群众向他们学习，开展社会公德培养和教育。1992年，22号文件授予江海生、周秋林舍己救人好干部称号；陈小平、朱远华舍己为公好干部称号；黄美英舍己为公好党员；陈建东舍己为公好青年；施容琴以身殉职好医生光荣称号，把全社会的社会公德教育引向深入。

1994年，表彰江有旺等50名劳动模范。

1995年，围绕"贵溪人应有怎样的形象""怎样提高贵溪人的素质"为主题展开教育。9月中旬至10月中旬，全县举行"六不"宣传月活动，即："不乱倒垃圾，不损坏公物，不乱行抢道，不出口伤人，不欺人害人，不乱搭乱建"。以"六不"作为市民最基本的行为规范要求，树立贵溪人新形象。

2001年，全市开展"解放思想学习教育活动"和"实施五大工程，提升城市形象"以及"我就是贵溪，我就是环境"为主题的宣传教育活动，市委、市政府先后下发《关于进一步提高市民素质和城市文明程度的意见》《关于开展"我就是贵溪，我就是环境"宣传教育活动的通知》。当年，编印《文明市民手册》，免费下发到全市干部职工、城区学生和普通市民家庭。组织一周环城宣传活动，在城区各主要街道张贴宣传标语，悬挂宣传横幅30余幅。各单位自制横幅，开展做文明市民万人签名活动。组织百题知识竞赛。以《文明市民手册》和《公民道德建设实施纲要》为内容，拟出100道知识竞赛测试题在《贵溪报》刊登，组织全市干部、职工、市民答题。组织各系统、各部门干部职工举行"我就是贵溪，我就是环境"演讲比赛。

2002年，全市开展"江西在崛起，贵溪怎么办，我们怎么干"大讨论活动。以"求新思变，开明开放，诚实守信，善谋实干"为主题组织职工在行动、妇女在行动、青少年在行动、社区在行动、群众在行动系列教育和实践活动以及"优化发展环境，重塑贵溪形象"宣传教育活动。编写《优化发展环境，重塑贵溪形象宣讲提纲》，抽调政治理论和经济学水平高、演讲能力强的干部组成宣讲团深入到企业、社区、学校、城区周边乡（镇）以及市区各服务行业进行宣讲，共组织宣讲22场（次），听课人数约5000余人次。

附：

贵溪市文明市民守则

一要爱国守法，不要违法乱纪；二要爱护市容，不要乱设摊点；
三要讲究卫生，不要乱贴乱扔；四要维护交通，不要乱行乱停；
五要爱惜公物，不要损坏设施；六要言行文明，不要打架相骂；
七要崇尚科学，不要赌博迷信；八要诚信友爱，不要欺人害人；
九要勤俭创业，不要好吃懒做；十要健康好学，不要消极守旧。

第四节　职业道德教育

1991—2008年，全社会倡导"爱岗敬业、诚实守信、办事公道、服务群众、奉献社会"的职业道德准则，掀起职业道德教育热潮。

1991年，结合创"三优"竞赛，要求各"窗口"单位必须将竞赛内容与本单位、本行业职业道德教育、职业责任教育、职业技能训练、职业纪律教育结合起来，分别制定有行业特点、简明扼要、又切实可行的"职业道德守则"，职业道德规范以及"便民措施"、"公开办事制度"等，商业、银行、粮食等系统聘请社会义务监督员，设置举报电话和举报信箱，在系统内部开展单位竞赛评比、评议等活动，置"窗口"单位服务质量处于社会监督之中。县工商银行编印《贵溪工行加强内部管理有关规章制度汇编》,开展创“最佳营业储蓄所”和“最佳储蓄员”活动。教育系统配合全市职业道德教育举办多期新教师岗位培训班,共培训新教师377名,从《教师职业道德》《教育教学基本技能》《现代教育发展及动态》等方面进行集中面授,促进新教师尽快适应教育教学工作。举办8期中小学校长培训班,共培训校长622名,开设《当代社会与教育专题》《学校管理专题》《教育法治专题》《学校常规管理》《学校师德师风建设》等课程。举办3期班主任培训班,共培训845人,从《未成年人思想道德建设》《学校安全与法规》《班主任工作规范》《师德教育》《现代教育理念》《小学生心理健康》等方面进行培训。2007年,贵溪市被评为全省师训先进单位。教师江样才、叶洪、杨小敏、叶子齐、李亚嫣、夏建福、徐乌荣等人分别被评为全省、全国先进个人。政法系统干警提出政治坚定、业务精通、作风优良、执法公正的总体要求,结合“三讲(讲学习、讲政治、讲正气)”“三个代表”“作风建设”“星级创优”“社会主义法治理念”教育和贯彻落实“五条禁令”等一系列职业道德教育活动,涌现出李开志、江建、张洪波等职业道德先进人物。经贸系统注重干部、职工职业道德教育,着力塑造“窗口”形象。18年涌现22人(次)省、市劳动模范、五一劳动奖章、先进工作者等。其中原旺达水泥厂厂长江有旺先后两次被评为江西省优秀经营管理者和省劳动模范;海利贵溪化工农药有限公司副总经理高洪建和职工何雄彬获省“劳动模范”称号和省“五一劳动奖章”;贵雅照明有限公司董事长张社喜、职工潘小平分别获省“劳动模范”称号;三元冶炼化工有限公司董事长兼总经理吴世军多次被评为劳动模范及获省“五一劳动奖章”。

2007年7月31日上午10时许,在市有线电视网络有限公司收费大厅上班的员工郭珊与陈艳,发现收费柜台上留放着一个女式提包。此时,柜台前空无一人。为尽快找到失主,她们打开提包,发现包里不仅有2400多元现金,还有信用卡和许多有价证券。她们按包里留下的信息及时联系失主,原来失主是该公司一名客户。拿着失而复得的提包,客户致谢不已。

第五节 家庭美德教育

1994年为联合国“国际家庭年”,县妇联开展各项创评活动。评出五好家庭5000户,文明家庭标兵户60户,其中2户被省妇联、省文明办授予“五好家庭标兵”。

1995年,全县创评“五好”家庭3783户,文明家庭960户,文明家庭标兵80户。

1998年,全市创“五好文明家庭”6696户,受省表彰“五好文明家庭”15户,文明楼院1栋,受鹰潭市表彰“五好文明家庭”37户,文明楼院10栋,“五好文明家庭标兵”10户。

2004年,市委宣传部、市妇联、市文明办联合下文,在全市广大农村开展“美德在农家”活动。活动围绕“家家学,呼唤美德进农家”“家家议,点评农家新鲜事”“家家做,共签治家好协议”“家家乐,展示农家新生活”“家家评,争当家庭好成员”“除陋习,树新风”6个方面进行。以“倡导文明新风,共建美好家园”为主题,着力提高广大农村家庭成员思想道德素质和科学文化水平,在全市形成健康、文明、科学、卫生的家庭风尚。

2006年,市妇联与市综治委联合评出平安家庭先进示范户1000户,鹰潭市和谐平安家庭先进示范户20户。

2007年,全市开展以“学在家庭、富在家庭、美在家庭、乐在家庭、融在家庭、平安在家庭”为主要内容的“和谐平安家庭”创建活动,评出贵溪市“和谐平安家庭”先进示范户、鹰潭市级“和谐平安家庭”示范户各200户,“全国和谐平安家庭”示范户1户。

2008年,开展“平安家庭示范村”创建活动,河潭镇揭家村被评为省级“平安家庭示范村”。

第二章　文明创建活动

第一节　组织机构与队伍建设

1984 年 8 月，贵溪县精神文明建设办公室成立（以下简称文明办），设主任 1 名，专职副主任 1 名，定编 8 人。

1985 年 2 月 27 日，成立贵溪县五讲四美三热爱活动委员会、贵溪县五讲四美三热爱活动委员会办公室。

1989 年 6 月 14 日，五讲四美三热爱活动委员会更名为精神文明建设活动委员会。

1998 年 5 月 1 日，成立贵溪市精神文明建设指导委员会。市精神文明建设指导员会下设办公室，负责处理市精神文明建设指导委员会日常工作。原贵溪市精神文明建设活动委员会及其办公室予以撤销。

2003 年 4 月 20 日，市文明办归口市委宣传部，成为其内设 6 个职能股（室）之一。精神文明建设办公室设主任 1 名，专职副主任 1 名。至 2008 年年底，市文明办共有干部、职工 5 名，隶属市委宣传部，保留市精神文明建设指导委员公办公室牌子。

第二节　文明单位创建

1991 年，制定《贵溪县文明单位文明村镇管理办法》，将文明单位评选标准、命名、管理、奖惩等工作逐步纳入经常化、制度化、规范化管理。为把贵溪建成整洁、优美、舒适的文明卫生城镇，县政府决定 1994 年在 8 个集镇继续开展创“三优”竞赛活动。参赛单位为雄石镇、塘湾镇、文坊镇、冷水镇、志光镇、鸿塘镇、泗沥镇、河潭镇。围绕经济建设这个中心，以建文明、卫生城市为目标，以加强思想政治教育，提高市民素质为根本，以治理脏、乱、差为重点，深入开展创优美环境、优良秩序、优质服务为主要内容的创“三优”竞赛活动。同年 5 月 25 日上午，县委、县政府召开全县精神文明建设工作会议，下达任务，明确要求，按照“四有”（有理想、有道德、有文化、有纪律）和“五爱”（爱祖国、爱人民、爱劳动、爱科学、爱社会主义）的要求，突出思想道德建设。抓好军民共建活动和创文明单位、“五好”家庭活动；开展创“三优”建文明城镇竞赛，开展职业道德、社会公德教育，进一步抓好移风易俗工作，大力开展学雷锋、学熊云清活动。10 月，县委出台《关于迎接省创“三优”建文明城竞赛活动实施方案》。结合全县创“三优”实际情况，制定《文明单位、文明村镇管理办法》及奖罚措施。同时还制定《贵溪县加强城市管理的若干规定》。落实“门前三包”（即包卫生、包秩序、包绿化）责任制。政府各职能部门与各单位和有关居民逐一签订“门前三包”责任状，确定责任地段，明确“三包”任务，做到“地段、任务、人员、制度、收费”五落实。创建活动结束，全县先后有 90 个单位被评为文明单位（其中：省级 8 个、市级 23 个、县级 59 个）；有 17 栋楼院被评为文明楼院（其中：省级 1 栋、市级 3 栋、县级 13 栋）；有 1915 户家庭被评为“文明家庭”；有 7129 户被评为“五好”家庭。由于全县精神文明建设工作中取得优异成绩，1991 年贵溪县获全省创“三优”建文明城竞赛先进单位（县城）三等奖。1991 年，贵溪县精神文明建设办公室获全省先进单位称号。

1994 年，县政府下发《关于迎接撤县建市要求对临街建筑装饰整修的通知》，县城市管理委员会制定《关于迎接撤县建市要求对临街环境立即整改的紧急通知》。全县上下按照撤县建市要求，结合创“三优”开展工作，取得优异成绩，1994 年，贵溪县获鹰潭市社会精神文明建设先进单位（县区组）优胜奖。

1995 年，县委、县政府根据鹰潭市创建文明城市竞赛活动目标。积极开展“十、百、千”活动。全县上下广泛开展创十佳文明窗口单位，评百个文明守法经营户，树千名文明市民标兵活动。1995 年，贵溪县获鹰潭市创文明城镇竞赛活动组织奖。

1996年,县政府出台《关于实行“门前三包”责任制的管理办法》,并与有关沿街单位层层签订门前“三包”责任书,同时下发《贵溪县人民政府关于市区小街小巷市容环境卫生门前三包管理试行办法》《贵溪县人民政府关于开展整治城区市容环境、拆除违章建筑的通告》。全市各单位、居民积极响应,认真实施,成绩喜人。当年,贵溪火力发电5片区获“江西省十佳文明社区”称号。

1997年,市委、市政府出台《关于实施社会主义精神文明建设“八大工程”的决定》,在农村抓“1133”工程,开展“五比五赛争十星”创评活动,充分发挥家庭在农村精神文明建设中的细胞作用。同时,制定《关于开展典型示范“六个一”活动的实施意见》,在全市开展一条“文明卫生示范路”,一个“文明卫生示范小区”,一个“文明卫生示范集贸市场”,一片“文明卫生示范楼院”,一处“文明卫生示范施工场地”,一座“文明卫生示范交通场(站)”创建活动。

1998年,在全市开展迎接创卫生城市工作检查暨城市环境综合整治考核评比工作,颁布《贵溪市城市管理实施细则》,印发《贵溪市创建文明城市暨综合整治市容环境宣传单》《贵溪市人民政府关于贯彻执行“门前三包”责任制的通告》等。

1999年,全市开展“做文明市民、创文明城市”活动,当年贵溪市获鹰潭市首届创文明城市工作先进城市称号。流口镇派出所民警施华山获全省“窗口行业服务标兵”称号。贵溪火力发电厂获中央精神文明建设指导委员会颁发的“全国精神文明建设工作先进单位”称号。

2005年,开展“人人都是环境,事事都是形象”“除陋习、树新风”“争做文明贵溪人”等主题教育活动,编印《贵溪市文明市民手册》和《文明市民守则》《致全体市民朋友的一封信》宣传资料3万余份。通过演讲、征文、座谈、讨论、出动宣传车等多种形式,教育广大市民做到“爱国守法、明礼诚信、团结友善、勤俭自强、敬业奉献”公民道德20字规范要求,说文明话、办文明事、做文明人。制定《贵溪市文明社区建设管理办法》以“环境优美、管理有序、治安稳定、文化丰富、人际关系和谐”为目标,明确社区建设具体内容和职责。在全市城区深入开展“十佳文明楼院”“十佳文明庭院”“文明家庭”评选活动,以及文明单位、文明行业、十佳文明诚信“窗口”“十佳诚信企业”评选活动,出台《贵溪市文明单位考核细则》和《贵溪市文明单位建设管理办法》。2006年,市获江西省创建文明城市工作先进城市(县域、区)称号。

2008年,全市广泛开展文明单位创评、建设和管理活动。当年,市一中、贵溪火力发电厂等7个单位被评为江西省第一届文明单位。市检察院等16个单位被评为鹰潭市级文明单位。市委、市政府命名表彰29个市级文明单位。积极参与全市20个窗口行业和单位开展“提升窗口形象,创建文明窗口”的行业创评活动,评出11个文明行业、文明窗口。同时还开展“迎奥运、树新风、促和谐”宣传教育活动。出动138辆出租车、60辆公交车参与文明使者树新风活动,团市委、市妇联、市教育局、市城管局、市交警大队等单位青年志愿者、妇女志愿者、职工志愿者共60余人参加。在城区、结合“迎省运会、创文明城”工作,组织修改《市民守则》并在网上供市民讨论。结合“联建共创”工作,广泛开展文明社区、志愿服务等活动,制定《文明社区评选标准及办法》,把各项创评活动推向深入。积极组织全市各单位参与“全国十大道德模范”评选工作,市公安局流口派出所政治教导员施华山获“全国道德模范”提名奖。贵溪籍海军士官张伟丛回家探亲勇救落水老人获感动鹰潭十佳新人新事。经组织举荐,海军部队为他荣记个人二等功。同时,与新闻单位一道对张伟丛的先进事迹进行学习宣传。结合全国“迎奥运、讲文明、树新风”活动,组织市民举行“奥运礼仪知识”竞赛,全市共有7000余名市民参与答题。结合“全国抗震救灾英雄少年”评选活动,组织青少年网上投票,市精神文明建设办公室免费向中、小学校及乡镇、社区赠送100套先进事迹光盘和部分书籍,制作“江西省文明网贵溪专页”。

1991—2008年贵溪市被评为国家、省、(地)市级文明单位情况一览

表24-1

年份(届次)	国家级	省级	(地)市级
1991—1992	—	县检察院、县一中、华东地勘局二六五大队、县粮食局、工行贵溪支行、县百货公司文化用品商店、县百货公司第一商店、周坊乡下二堡村	县粮食局、工行贵溪支行、县百货公司文具店、县百货公司第一门市部、周坊乡下二堡村、贵溪冶炼厂、县新田粮管所、县气象站、县雄石粮站、县车站粮站、县中医院、县文化局、贵溪火力发电厂、周坊敬老院、县保险公司、县人武部、江铜材料设备公司、中国人民解放军32276部队、中国有色四冶公司、中国有色四建物资处、中国有色四建一公司托儿所、中国有色四建滨江居委会、中国有色四建劳动服务公司、中国有色四建职工医院、中国有色四建子弟学校、雄石镇、雄石镇石泉一队、雄石镇北街居委会、雄石镇东街居委会
1994	—	—	县交通稽征所、县滨江公安分局、县邮电局、县国家税务局
1995	—	—	县检察院、贵溪火力发电厂、工行贵溪支行、县一中、工行江铜办事处、贵溪冶炼厂、县粮食局、华东地质局265大队、县货公司文化用品商店、县交通稽查征费所、县公安局滨江分局、县邮电局、县国税局、人保贵溪支公司、四建总公司、四建总公司教育处、四建总公司滨江居委会、县二中、县国税局塘湾分局、县新田粮管所、县人武部、县文化局、雄石镇、农行贵溪支行、县自来水公司、周坊敬老院、县气象局、江铜基地支行、县四中、贵溪冶炼厂
1996	—	—	人保贵溪支行、财保贵溪支行、农发行贵溪支行、市消防大队、江铜材料设备公司、市国税局郊区分局、市国税局周坊分局、市检察院、贵溪火力发电厂、工行贵溪市支行、工行江铜办事处、贵溪冶炼厂、市一中、市粮食局、华东地质局265大队、市交通稽查征费所、公安局滨江分局、市邮电局、市国税局、四建总公司、四建总公司滨江居委会、市二中、市国税局塘湾分局、市新田粮管所、市人武部、市文化局、雄石镇、农行贵溪支行、市自来水公司、周坊敬老院、市气象局、建行江铜支行、市四中
1997	—	—	市一中、市国税局、市公安消防大队、财保贵溪支公司、中保人寿贵溪支公司、市公安消防大队、江铜材料设备公司、市国税局郊区分局、市国税局直属分局、市国税局周坊分局、市检察院、贵溪火力发电厂、工行贵溪支行、工行江铜办事处、贵溪冶炼厂、市一中、华东地质265大队、市交通稽查征费所、市邮电局、市国税局、市二中、市国税局塘湾分局、市人武部、市文化局、雄石镇、农行贵溪支行、市自来水公司、周坊敬老院、市气象局、建行江铜支行、市四中、市地税局、市国税局耳口分局、贵溪化肥厂、市教委、市公安局上清分局
1998	—	—	人保贵溪支公司、人寿保险公司贵溪支公司、市公安消防大队、江铜材料设备公司、市国税局郊区分局、市国税局直属分局、市国税局周坊分局、市检察院、贵溪火力发电厂、工行贵溪支行、工行江铜办事处、贵溪冶炼厂、市一中、华东地质局265大队、交通稽查征费所、市邮政局、市电信局、市国税局、市二中、市国税局塘湾分局、市人武部、雄石镇、市气象局、建行江铜支行、市四中、市地税局、市国税局耳口分局、贵溪化肥厂、市教委、市公安局新田派出所、市新华书店、市福利院

续表 24－1

年份(届次)	国家级	省级	(地)市级
1999	贵溪火力发电厂	—	市国税局、江铜材料设备公司、市人武部、农发行贵溪支行、市公路段、市烟草专卖局、人保贵溪支公司、人寿保险公司贵溪支公司、市公安消防大队、市国税局郊区分局、市国税局直属分局、市国税局周坊分局、市检察院、贵溪火力发电厂、工行贵溪支行、工行江铜办事处、贵溪冶炼厂、市一中、华东地质局265大队、市交通稽查征费所、市二中、市国税局塘湾分局、雄石镇、市气象局、建行江铜支行、市四中、市地税局、市国税局耳口分局、贵溪化肥厂、市新华书店、市社会福利院
2000	—	—	江西铜业公司、市国税局、十五冶二公司、贵溪公路段、市公安消防大队、市检察院、贵溪火力发电厂、工行江铜办事处、市一中、市交通稽查征费所、市二中、雄石镇、市气象局、建行江铜支行、市一中、市交通稽查征费所、市二中、市雄石镇、市气象局、建行江铜支行、市四中、市地税局、市新华书店
2002	—	—	市国税局、江西铜业公司、贵溪火力发电厂、市一中、市人民检察院、十五冶二公司、鹰潭奥科现代外语学校、市交通稽查征费所、市气象局、市四中、市地税局、市新华书店、市二中、市财政局
2002—2003 (第九届)	—	中央储备粮贵溪直属库、市气象局、贵溪火力发电厂、市国税局、市地税局、市一中、江西铜业公司、市检察院	—
2003—2004	—	—	江西铜业集团公司、贵溪火力发电厂、十五冶二公司、梨温高速公路贵溪收费站、市国税局、市地税局、市地税局雄石分局、市地税局城郊分局、市气象局、市新华书店、中央储备粮贵溪直属库、贵溪交通稽查征费所、市检察院、市财政局、市一中、市二中、鹰潭奥科现代外语学校、市三小
2004—2005 (第十届)	—	江西铜业集团公司、十五冶二公司、市国税局、市一中	—
2005—2006	—	—	梨温高速公路贵溪收费站、贵溪火力发电厂、十五冶二公司、贵溪化肥有限责任公司、中央储备粮贵溪直属库、市国税局、市地税局、市地税局雄石分局、市地税局城郊分局、市地税局稽查局、市地税局金屯分局、市气象局、市新华书店、市交通稽查征费所、市检察院、市财政局、市一中、市二中、鹰潭奥科现代外语学校、市三小、电信公司贵溪市分公司、移动公司贵溪市分公司、市国土局、市冷水镇、市樟坪乡、市妇联、市邮政局、市金苹果幼儿园
2007—2008	—	—	梨温高速公路贵溪收费站、贵溪发电有限责任公司、十五冶二公司、中央储备粮贵溪直属库、国税局、地税局、贵溪供电有限责任公司、人行贵溪支行、中行贵溪支行、市气象局、市新华书店、市检察院、市法院、市一中、市公安消防大队、电信公司贵溪分公司、移动公司贵溪 公司
2008 (第十一届)	—	十五冶二公司、市一中、贵溪火力发电厂、中央储备粮贵溪直属库、移动公司贵溪分公司、市地税局、市新华书店、市国局	—

第三节　文明镇村创建

1991 年，贵溪县委、县政府落实鹰潭市签订的创“三优”责任状目标，率先在雄石镇、塘湾镇、上清镇试点签订“创优”责任状，实行以点带面。年底，雄石镇、塘湾镇分别获鹰潭市 1991 年度城镇创“三优”竞赛活动优胜单位第一名、第二名称号。

1993 年，在深入推进社会主义物质文明和精神文明建设中，雷溪乡获全省先进乡（镇）人民政府称号；滨江乡柏里村委会、雷溪乡南山村委会分别获全省先进村民委员会称号。

1994 年，在试点成功基础上，增加文坊镇、冷水镇、志光镇、鸿塘镇、泗沥镇、河潭镇 6 个集镇继续开展创“三优”竞赛活动，层层签订责任书。

1997 年，塘湾镇获鹰潭市精神文明建设活动“1133”工程文明集镇称号、滨江乡柏里村、塘湾镇大桥村、雷溪乡雷溪村、彭湾乡花门村获鹰潭市文明村称号。

2004 年，出台《全市文明村镇创建活动实施意见》。明确文明村（镇）创建要六有：即有一幅村庄布局总体规划图；有一个干净整洁的村容村貌；有一个发展经济的好思路；有一个文明进步的村规民风，建立《村规民约》；有一个常年活动的精神文明活动场所；有一个完善的公共服务体系。12 月，召开全市创建文明村（镇）工作会议。按照上级创建活动要求，部署全市创建文明村、镇活动，坚持四个原则，做好五项工作。即制订切实可行的实施方案、抓好文明示范村建设、积极筹措创建扶助资金、组织一批有影响力的宣传报道、完善一套考核激励机制；实现五个变化，即农村整体形象要有新变化、村容镇貌要有新变化、农村生产生活条件要有新变化、农村社会事业发展要有新变化、村风民风要有新变化。

2005 年，《2005 年度全市文明村镇创建活动工作意见》《关于 2005 年文明小康示范村建设工作意见》《文明小康示范村村内宅基地集中统一管理和村内空闲房拆除工作方案》《关于建设社会主义新农村示范村的实施意见（试行）》4 个文件出台，全面贯彻落实中共十六届五中全会精神，按照“生产发展、生活宽裕、乡风文明、村容整洁、管理民主”的要求建设社会主义新农村。市委、市政府组织党政代表团赴上高、分宜、渝水、上饶学习小康示范村和文明示范村建设经验。坚持群众为主体，政府牵头、部门支持的原则，创建活动以村委会为主体，围绕“有一个干净整洁的村容镇貌、有一个文明进步的村规民约”和“文明信用农户”开展创评。市委、市政府同时下发《贵溪市创评“文明信用农户”活动实施方案》及《贵溪市创评“文明信用农户”活动宣传单》，共发宣传单 11 万余份，农村每户 1 份。凌有信等同志获全市“十佳文明信用农户”称号。

2006 年，全市扎实开展文明村镇创建工作。以改善农村人居环境，提高农民文明素质为内容，确定滨江乡柏里村等 32 个文明小康示范村为创建示范点，抓好村镇规划建设，推选新的理事会，制订村规民约，继续开展“创评文明信用农户”和“美德在农家”活动。当年，共评出文明信用农户 9985 户，占农户总数的 9.7%。滨江乡柏里村获省文明村（镇）称号，罗河镇、泗沥镇、流口镇盛源村分别获全省创文明村、镇工作先进村、镇称号。市文明办获全省创建文明村、镇工作优秀组织奖称号。

2007 年，全市 21 个乡（镇、街办）农村普遍开展“文明信用农户”“十大和谐村庄”“文明村镇”等创评活动。市委宣传部、市文明办、农村信用联社获全省创评“文明信用农户”活动优秀组织奖称号。

2008 年，覆盖全市村、组开展“文明村镇”“文明信用农户”“文明信用村组”“十大和谐村庄”等创评活动。共有 10.2 万农户参评，有 7 个村组和 7 户农户分别获贵溪市文明信用村组、文明信用农户标兵。2008 年，文坊镇花桥村草坪小组、樟坪乡樟坪村小组、塘湾芦甸村陈家小组、耳口乡耳口村沙湾村小组分别获鹰潭市“文明信用村（组）”称号，李富贵等 5 户农户分别获鹰潭市“文明信用农户标兵”称号。樟坪乡、滨江乡、冷水镇、白田乡分别获鹰潭市文明村、镇称号。罗河镇、流口镇盛源村分别获“江西省第二届文明村镇”称号。冷水镇获全省创建文明村、镇工作先进村、镇称号。塘湾镇大桥村获第二批全国文明村、镇称号。

第四节　青年文明号创评

共青团贵溪市委按照《青年文明号规范化管理意见》,积极组织开展创评青年文明号活动。至2008年年底,先后在金融、国税、卫生、政法、交通、消防、地税等系统评出省级青年文明号19个,市(地)级青年文明号31个,县级青年文明号60个。

省级青年文明号

贵溪市公安消防大队、贵溪第一发电有限公司发电部电运一班、贵溪市地税局雄石分局、贵溪市地税局罗河分局、贵溪市地税局金屯分局、贵溪市地税局稽查局、贵溪市地税局志光分局、贵溪市地税局办税服务厅、海利贵溪化工有限公司财务部、住房公积金管理中心贵溪办事处、贵溪供电公司文坊供电营业厅、移动贵溪分公司擂古岭营业厅、移动贵溪市分公司交通路营业厅、移动贵溪分公司雄石西路营业厅、江西电信贵溪分公司沿河路营业厅、联通贵溪分公司雄石西路营业厅、贵溪市邮政局营业班、中央储备粮贵溪直属库仓储科、贵溪市农村信用合作联社营业部等19个。

鹰潭市青年文明号

市国税局人事教育股、市森林消防大队一中队、市森林业公安局文坊派出所、市森林业公安局冷水派出所、市公安局特勤大队、中石化鹰潭分公司贵溪第五加油站、市人民法院志光法庭、市人民法院金屯法庭、市供电分公司调度通信中心、市供电分公司柏里工作站、市供电分公司雷溪供电所、市供电分公司耳口供电所、市供电分公司营业班、市供电分公司营销核算班、市供电有限责任公司余家供电所、发电厂电控班、发电厂宁德项目部汽机班、发电厂汽机本体班、发电厂发电二部团支部、市邮政局大客户服务中心、联通公司贵溪营业厅、移动公司雄石路营业厅、市工商局滨江分局、鹰潭市烟草公司雄石客服务部、市联合办证服务中心、天施康公司贵溪分公司质量技术科、南方照明公司排气车间、地税局城郊分局、市烟草专卖局稽查一中队、市公安局塘湾派出所、市国税局驻江铜企业组等。

第五节　军民警民共建活动

军民共建

军民共建工作始于1993年3月25日。当天,贵溪县遭受百年未遇的龙卷风和冰雹袭击。县人武部及时组织民兵预备役人员200余人奔赴灾区,抢救伤员61人。后来凡遇重大灾情、险情及重大活动,人武部都及时组织驻军及民兵参与救灾救助,形成制度与共识。

1996年7月7日,人武部政委陈和生组织高炮分队民兵40人到硬石岭水库和白庙水库进行人工增雨作业,共发射炮弹120枚,实施人工降雨及时缓解旱情。

1998年6月14日,雄石镇人武部带领民兵小分队日夜奋战在抗洪抢险第一线,出动民兵300余人次,疏散群众1418人,转移牲畜800余头(只),搬运物资5000余件,镇人武部部长黄斌、副部长江涛冒雨把600公斤馒头送到花园村和雄石村。

1999年,贵溪市组织民兵应急分队人员3000余人次,扑灭森林火灾4次。6月6日10时左右,彭湾云梅溪村沙子岭山场发生火灾,过火面积64公顷,其中受害人工林面积53公顷,损失达25万元。市人武部、彭湾乡、上清林场、余家乡人武部共组织民兵应急分队320余人灭火,经过12个小时苦战,于当晚23时扑灭大火;12月14时40分,塔桥镇富红村发生森林火灾,镇人武部当即组织民兵300余人,市人武部组织民兵应急分队80余人灭火,当日7时30分将火扑灭;12月12日组织民兵200余人扑灭上清林场发生的火灾,12月25日组织民兵300余人扑灭白田乡甘苏村发生的森林火灾。

2000年6—7月,贵溪市人武部组织在泗沥镇、周坊镇、硬石岭镇、金沙乡多次成功实施人工降雨,缓解旱情,挽回经济损失100余万元。

1999—2000年,贵溪市人武部为缓解扶贫挂点村金屯镇黄梅村资金困难,投资2万元,组织民兵40余人修公路,经过3个月苦战,修造出1条宽5米、长3000米乡道,解决交通不便问题,为黄梅村经济发展创造条件。

2001 年 4 月，贵溪市周坊、塔桥、古港等乡镇遭受历史罕见的特大风雹袭击，造成通信、通电瘫痪，公路交通中断，贵溪市民兵道路抢修分队、电力抢修分队、通信维修分队，经过 8 昼夜奋战，疏通公路、抢修输电、通信线路，恢复通车、通电和通信。

2004 年 2 月 14 日，贵溪市塘湾镇、金屯镇、周坊镇等地发生多处山林大火。贵溪市出动民兵 900 人，在兄弟单位的配合下，经过近 20 个小时奋力扑救，3 个乡（镇）山火全部扑灭。民兵共扑灭山火 8 处约 667 公顷，开劈防火隔离带 4500 余米，转移群众约 2 万人。

2008 年 1—2 月，南方发生重大冰冻灾害。贵溪市人武部出色完成抢修鹰厦电气化铁路月铁 1 号线 94 号主供电力铁塔任务。

警民共建

1991—2008 年，贵溪武警中队先后与贵溪一中、贵溪实验中学、贵溪市城建监察大队、河潭镇揭家村开展警民共建活动，签订警民共建协议书。自 2001 年始，每年出动兵力 30 人次帮助贵溪一中和实验中学开展国防教育。每年协助市城建监察大队对市区环境进行整治，在河潭镇揭家村建设社会主义新农村过程中，中队先后出兵 100 人次帮助建设，捐款 2000 余元。拥政爱民建设受到各级领导高度赞扬。1997 年 7 月被鹰潭市委、市政府、市军分区评为拥政爱民先进单位。

1991 年，贵溪县公安局消防科、贵溪县消防中队与贵溪县一中、贵溪县冶炼厂立共建关系。先后派人为贵溪县一中、贵溪县冶炼厂职工辅导消防法规，开展消防理论教育，开展消防演练。同时还抽调骨干为中学新生进行军训。贵溪县一中也抽调骨干教师为大队官兵进行文化知识讲座，以提高官兵文化素质。其间，共与地方单位开展共建活动 50 余次。1991—2007 年，消防大队先后与市一中、贵溪冶炼厂、贵溪市奥科学校、烧箕山社区、市艺术团、市报社、市广播电视局、市福利院、贵溪火力发电厂、贵溪国家粮库、市财政局等十余家单位建立共建关系，并充分利用节日开展形式多样、健康有益的联谊会、知识竞赛、体育活动、学雷锋做好事活动。大队每年都派骨干人员为共建单位职工辅导消防法规，开展消防理论教育，开展消防演练。在“八一”“春节”期间，地方单位领导都亲自带队看望慰问消防官兵。2003 年，大队被贵溪市表彰为警民共建先进单位。2008 年，贵溪市消防大队与市一中、烧箕山社区、市艺术团、市报社、中储粮贵溪直属库确立共建关系。深入地方单位开展消防法律法规宣讲、消防业务指导培训、消防安全检查 10 余次。“八一”期间与市艺术团开展警民共庆“八一”联欢晚会；“3·12”植树节期间与中储粮贵溪直属库开展警民共植“友谊林”活动；“3·15”学雷锋日期间与市报社开展“警民共学雷锋”活动。开展共建联谊活动 70 次。

1991—1999 年，全市各学校每年以校园及周边治安环境整治为契机，聘请政法干警进课堂给小学生进行法制启蒙教育、中学生法律常识教育。司法行政机关、教育局、关工委组织由法律工作者参加的法制宣传队伍，到各校巡回讲课。2000 年 7 月，为认真贯彻中共中央、国务院《关于深化教育改革、全面推进素质教育的决定》精神，大力推进全市青少年法制教育工作。市法宣办、综治办、教委联合制定关于在全市各中小学聘任法制教育副校长实施方案（贵法立办〔2000〕8 号），方案对聘任法制副校长的目的任务，聘任原则，聘任条件，法制教育副校长工作职责，聘任办法和要求，管理考核等提出明确要求。8 月，经单位推荐，市法宣办、综治办、教委选拔，报市法制教育、依法治理工作领导小组批准，7 名政法机关中层以上领导到市直中小学任法制教育副校长。被受聘的法制副校长中有律师、法官、检察官、公安干警和司法行政干部。2003—2008 年，为深化全市中小学法制教育，切实提高全市青少年法制观念，市直中小学续聘法制副校长，同时对各乡（镇）中小学采取聘任办法，聘请法制副校长和法制辅导员。

第三章 文明新风录

第一节 见义勇为

1994年,贵溪县政府专项拨款5万元设立见义勇为奖励基金。

2004年5月,建立贵溪市维护社会治安见义勇为奖励基金会,市财政拨10万元作为见义勇为奖励基金垫底资金。同时,在5—12月开展维护社会治安见义勇为奖励基金募捐活动,接受全市乡(镇、街办)、机关、厂矿、学校、企事业单位、驻市企业、个私企业、社会团体以及干部、职工、教师、村(居)民、个体从业人员自愿捐助。通过市维护社会治安见义勇为奖励基金会向全市发出倡议及电台、报纸等各种舆论宣传,全市各乡(镇、街办)、各单位干部、职工及广大人民群众慷慨解囊,踊跃捐赠10万元。至2008年,先后奖励表彰见义勇为积极分子53人,并对见义勇为积极分子每年进行走访慰问。

胡银凤勇斗歹徒

胡银凤原系贵溪县土产公司旧货门市部营业员。1992年7月10日凌晨1时许,胡银凤正在旧货门市部上班,突然一名歹徒窜进来,凶相毕露地向胡银凤扑去,双手死死卡住不放,"把钱交出来,不然就卡死你",一双贼眼盯着柜台内两只钱箱,猛砸小胡头部、脸部,她的颅骨被打成骨折、三颗牙齿被打脱落,但小胡没有被歹徒凶残狠毒所吓倒,奋力搏斗、呼叫。歹徒更加凶狠,残忍地紧勒着小胡的喉咙。并将她按倒在地,用脚踩她的胸部,揪住她的头发不停地朝水泥地上碰撞。身负重伤的她,坚强地爬起来,吃力地呼喊着抓住歹徒……直到昏迷过去。流窜犯被及时赶到的群众当场抓获,扭送公安机关惩处。国家财产保住了,胡银凤见义勇为事迹得到上级领导高度评价。1993年8月,中宣部、公安部授予胡银凤为"全国人民群众见义勇为与犯罪分子作斗争先进分子"称号。江西省综治委和鹰潭市分别授予她"见义勇为积极分子"称号。

包艳英勇救人

1997年9月28日下午4时许,贵溪市青年包艳与孔红艳在城区街道相遇,她们边走边聊,当行至贵溪市石油公司对面的"沁园春酒家"门口时,随孔红艳出来玩的4岁侄儿夏宇突然朝马路中间跑去。此时一辆满载建筑材料的拖拉机正向小夏宇急驰而来,把小夏宇吓呆了。包艳见状,毫不犹豫地冲了过去,将呆立在马路中间的小夏宇推到路边,她自己则被拖拉机撞倒,车辆从她腹部重重地压过。小夏宇得救了,包艳却因伤势过重,经全力抢救无效,于当晚9时牺牲。1998年2月25日,鹰潭市综治委授予包艳"见义勇为先进分子"光荣称号,1998年3月11日贵溪市综治委授予"见义勇为先进个人"称号,省人民政府,省民政厅于2000年11月5日同意批准包艳为革命烈士。

雷建华追擒劫匪

1998年,余家乡雷建华高中毕业后随其姐姐前往广州打工。2005年7月17日晚近9时,广州市民陈某在站前路一边走路,一边接手机。突然手中的手机被人抢走。"有人抢东西!"就在陈某大声呼喊时,骑着摩托车下班途经此地的雷建华,在简单地了解情况后,主动载着陈某去追歹徒,并拿出手机叫事主报警。当两人驾车追至广园西路瑶台附近,离歹徒的摩托车只有3～4米远时,突然后面一辆来路不明的车子将雷建华的摩托车撞翻,凶狠的歹徒对晕倒在地的雷建华身上连砍5刀,其中一刀砍中主动脉。在路人的帮助下,雷建华和陈某被送广州军区总医院救治。广州军区总医院组织多名专家对雷建华全力抢救,由于心脏受伤过重,于次日凌晨1时左右牺牲。

雷建华遇难后,广州《信息时报》《广州日报》《羊城晚报》广州电视台等多家媒体对雷建华追擒劫匪事迹进行报道。此后,新华网、大洋网、长江网等国内40余家新闻媒体和网站都进行转载。雷建华追击歹徒遇害消息,许多网民引起强烈共鸣。家乡为他召开追悼会,号召全社会青年向雷建华学习,并慰问其父母。

1992—2005 部分年份市见义勇为积极分子一览

表 24－2

年份	全国见义勇为积极分子	省见义勇为积极分子	鹰潭市见义勇为积极分子	贵溪市(县)见义勇为积极分子
1992	—	—	胡银凤	—
1993	胡银凤	—	龚金太、张建权	—
1994	—	胡银凤	胡银凤、王德才	—
1995	—	—	王万文	周长太、杨开兴、孔菊香、裴先标、彭德开、彭森开、涂文辉、黄映龙、吴孝兴、胡根照、费田庆
1997	—	周长太	包艳、彭飞杰	包艳、彭飞杰、高洪建、黄长荣、周满发、李中民、曹春祥、侯金元、宋丽蓉
1998	—	姜仁义、江细保、江胜录	—	姜仁义、江细保、江胜录、汪家骥、蔡斌、徐卫东、黄青华、彭强
1999	—	—	陈花保	肖挹文、姚泉泉、陈花保、韩淑琴
2000	—	叶志红	—	叶志红、戴祥林、侯金元、杨校泉、甄志平
2001	—	叶志红	—	盛保林、陈永彪、陈文生、陈仁生、李小华、潘达金、黄煜庆、童来富
2002	—	—	—	李志义、祝丹、刘年香
2004	—	—	—	杨文智、黄根福、李街涛
2005	—	—	—	程学解、周爱碧

第二节　爱岗敬业

1991—2008 年，全市各行各业涌现出许多爱岗敬业典型。

陆桂林：二十余年如一日勤勤恳恳工作

1989 年 10 月，从部队转业分配至中国工商银行贵溪分行工作 21 年，历任押运员、储蓄所主任、出纳股长、分理处主任，现任工行江西省贵溪支行营业部主任。兢兢业业做事，踏踏实实做人，出色地完成历任岗位的每一项工作任务，1994 年以来，连续 10 年被鹰潭市支行评为“金融先进工作者”，先后 4 次被江西省总行评为“十佳储蓄员”及“优质文明服务先进个人”“优秀工会积极分子”“优秀共产党员”。2005 年，被鹰潭支行党委、省总行党委、中国工商银行党委授予“优秀共产党员”。

张林奎：辛勤耕耘结硕果

贵溪二中校长。他不鞭自奋，积极参加进修和培训，增长才干，提高管理能力和水平，争做学习型校长、学者型导师。10 多年来，他辅导学生参加全国数学竞赛，获一等奖 3 人，二等奖、三等奖 49 人。先后被评为“江西省数学骨干教师”“中国奥林匹克一级教练员”“全国数学教学优秀园丁”等。他认为：为人处事必须谦虚，号令施政必须严厉，做工作必须耐心细致，抓管理必须扎实有效。贵溪二中在张林奎引领下，实现从普通片区中学到省级品牌学校飞跃。2005 年 3 月，他被中国教育学会等 5 单位聘请为中国西部地区教育顾问。2009 年 4 月，他被评为首届全省“十大人民满意校长”。

李志英：教书育人众称赞

贵溪二中副校长，中学英语高级教师，全国师德先进个人。2003 年 9 月，她被评为贵溪市优秀教育工作者。2004 年 3 月，被评为鹰潭市首届“十佳女性”“三八红旗手”，同时还被评为江西省“三八红旗手”。2004年9月,被评为“全国师德先进个人”。2005年2月,她辅导的学生赴北京参加CCTV第八届中国广播电影电视国际才艺冬令营英语(口语)竞赛分获铜奖和优秀奖;同年12月,她又同本校另一英语教师一道辅导学生参加全国初中英语能力竞赛获全国一、二、三等奖及多个鹰潭市级奖;2006年12月,她获第五届全国中小学外语教师园丁奖。2007年12月,她又辅导学生参加竞赛获全国一等奖;2007年11月,她所申报的“口语测试效度、信度研究”课题获得省教育厅课题基地办立项批准。2007年12月她独自编写八年级英语寒假作业并由江西教育出版社出版。2008年9月,她被评为江西省首批英语学科带头人。

第三节 扶贫济困

刘云军乐善好施

刘云军是雷溪乡张桥村刘家村小组村民,从事建筑业。1983年春节,刘云军回到家,得知村里的刘姓长辈没钱医治,当即拿出准备过年的200元钱,把刘二叔送进医院救治。此是刘云军捐助的第一笔钱。1992年7月,山洪暴发,雷溪乡许多农田被毁、房屋倒塌,刘云军得知捐资1.2万元,帮助村民灾后重建。1993年3月,贵溪遭受特大风灾,许多民房被狂风吹倒,刘云军当即捐资1万元。看到雷溪乡南山小学校舍成危房,刘云军又捐款1万元重建。1998年,他为张桥希望小学捐资2000元,并帮助多名贫困生重返校园。2001年,他出资1.5万元,为雷溪乡政府修建篮球场。2004年,雷溪乡实施园田化二期工程,刘云军出资3万元,租来大型挖掘机开挖排水渠。2005年,南山村开展小康示范村建设,他捐款7万元,帮助村民改水改厕。2006年,张桥村修复农田水渠,他捐款1000元。村里开展新农村建设,他又带头捐款6000元。

每逢春节来临,刘云军都要从城区特意回乡看望村里的特困户、老党员和孤寡老人。从1993年开始,刘云军就按照镇政府提供的名单走访,每户200元,年年如此。雷溪乡敬老院有32位老人,从2003年春节开始,刘云军每年都要带上800元钱,到敬老院看望老人。此外,他还帮助10多名贫困生重返校园。近10年来,刘云军为贫困家庭送钱送物达9万多元。2003年,滨江乡一青年不幸得了尿毒症,要一大笔钱换肾,得知情况后,刘云军立即送去2000元;2005年1月30日,刘云军从报纸上看到塘湾镇东港村民刘富仁因病致贫,子女辍学,他又主动送去1000元。

刘云军20多年如一日乐于奉献,累计捐助金额达47.4万余元,受到家乡人民的称赞。他多年被雷溪乡党委评为优秀共产党员,先后多次获得市县劳动模范、带头致富标兵及救灾捐款光荣户等多项荣誉称号。2007年,他被评为鹰潭市十大爱心人物。

熊火根义务护理精神病患者

三县岭林场李家门分场有一位职工叫裴贵南,由于妻子亡故,精神受到打击,1995年不幸患上精神病。其子又在外务工,生活无人照料,病情日益加重,酿成四处流浪和不知吃饭服药。该场女职工熊火根看在眼里,急在心里,一边与丈夫商量,取得支持,一边分派儿子为其寻医问药。经过几年精心护理和照料,裴贵南恢复正常生活和工作。熊火根因此受到全场干部职工的称赞。

第四节 舍己救人

傅文村、李崇旺、刘东成、李志财、江小明舍己救人

1991年,雄石二小学生傅文村奋勇救起一个四岁落水儿童;上清镇青年李崇旺为救落井少年献出自己年轻生命;少年儿童刘东成舍己救人,被共青团中央少工委授予“中国好少年”;青年民兵李志财为保卫国家财产英勇献身,被省政府追认为革命烈士;江小明为抢救遇险群众献出自己宝贵生命,被县委命名为“舍己救人好青年”。

陈小平、黄美来、朱远华、陈建东为抢救集体财产转移群众而英勇献身

1992年7月4日晨,双圳乡境内的濠溪河水猛涨,建在濠溪旁边的双圳水电站出现险情。双圳乡政府合同干部、双圳乡人民政府种子员、保险代办员朱远华(男,1962年9月13日出生,双圳人),双圳水电站主办会计黄美来(男,1937年10月14日出生,雷溪黄家人),双圳林场副场长兼电站站长陈小平(男,1962年2月1日出生,双圳人),双圳水电站临时职工、陈小平同胞兄弟陈建东(男,1970年12月7日出生,双圳人)在抗击洪流中,为抢救电站财产,安全转移群众献出宝贵生命。1992年9月29日,县委、县政府授予陈建东“舍己为公好青年”光荣称号,授予黄美来“舍己为公好党员”光荣称号。1994年3月20日,省政府批准陈建东、陈小平、黄美来、朱远华为革命烈士。

周秋林、江海堂为转移集体财产勇救妇女儿童壮烈牺牲

1992年7月4日,高公乡(今金屯镇)所在地大塘河因连降暴雨,加上上游山洪暴发,河水迅猛上涨。高公乡政府司法员周秋林(男,汉族,1968年农历七月初二出生,系周坊镇河上村委会小山嘴村人,1989年7月江西省畜牧水产学校毕业),高公乡政府合同干部、乡农机站站长江海堂(男,1951年6月出生,高小文化,中共党员,金屯镇人)英勇参加抢救国家财产和档案材料。周秋林刚从周阳村、上马村抗洪抢险返乡,马上投入乡诊所和派出所抢险工作。他疏散部分群众安全脱险后,又冲进派出所,将过道上的自行车搬进房间,将派出所档案材料垫高。转入抢救8岁小女孩李莎时,不幸被急流卷走,献出自己年轻的生命。江海堂将受伤群众送往县医院抢救后,返回高公乡,继续与其他人员一道将诊所里的妇女、儿童转移到隔壁较安全的派出所。下午1时40分左右,为抢救一名妇女时,江海堂被洪水吞没,英勇献身。1992年9月29日,县委、县政府授予周秋林、江海堂“舍己救人好干部”光荣称号,1994年3月20日,省政府批准周秋林、江海堂为革命烈士。

第五节　拾金不昧

公司职工陈尚有拾金不昧

1995年3月,罗河镇退休教师姚贯德生病在县人民医院住院。3月26日上午,他家人不慎在医院门口丢失2000元存折、800余元医药发票和身份证、退休证等物。全家人四处寻找无果。正值他们心急如焚时,当天下午贵华铜材有限公司洪根香等人经过多方打听,把该公司职工李尚有拾到的钱包送到姚贯德手中。

交警陈根界拾金不昧

1998年9月17日上午11时许,在市区站前路铜都服务大楼岗点值勤的市公安交警二中队交警陈根界,在密切注意来往车辆时,发现机动车道上有一黑色公文包,内有现金5000多元和价值30余万元的发票及摩托车行驶证等物。陈根界安排好同组队员守岗,自己骑摩托车按照行驶证上的地址朝冶炼厂方向追寻失主。经询问,行驶证已易主。谨慎的陈根界,进一步仔细检查包内什物,发现夹层中有一手机话费结算清单,而此时已是中午1时左右。陈根界顾不上回家吃饭,马上打移动电话与失主联系。电话接通后,失主急匆匆按约定地点来认领失物。经询问核实,陈根界确定物主是该男子,于是完璧归赵。失主捧着失而复得的钱包,立即从包内拿出一叠钱向陈根界表示感谢,被陈根界拒绝。

面的司机王钦拾金不昧

2003年3月,浙江客商顾少军来贵溪周坊镇创办一家竹木加工企业。9月5日下午,顾先生携带1万元现金包租一辆面的车从贵溪市区赶往周坊镇。途中,不慎将钱遗失在车上,当晚10时左右才发现丢了钱。次日上午,万分焦急的顾少军接到一个电话,拨电话的人说自己是赣L—11401面的车司机,名叫王钦,问他是不是在9月5日下午坐面的车丢了钱。顾先生忙称自己是失主顾少军。原来,9月5日晚上8点多王钦把顾少军送达目的地返回贵溪,在洗车入库时,发现一扎百元现钞丢在车内。一番揣摩后,断定失主是那个来周坊办厂的浙江客商丢失的,于是打电话询问证实。将钱归还失主。

学生邱智嘉拾金不昧

2001年12月7日上午,家住塘湾中学附近的居民何月云因遇急事,急忙之中不慎将脖子上价值2000元的金项链丢失。当天中午,塘湾中学初三(3)班学生邱智嘉返校上课,在校门口捡到项链,当即交给班主任陈有文,并贴出招领启事。何月云领回失而复得的金项链后表示要感谢,被邱智嘉婉言谢绝。

第二十五卷　教　　育

第一章　机构与改革

第一节　管理机构

1991 年,贵溪县教育局办公地址位于信江大桥南 320 国道旁,设局长 1 人,副局长 4 人。1996 年 10 月,贵溪县教育局更名为贵溪市教育委员会。10 月 4 日,贵溪市教育局与体育局合署办公,一个机构,两块牌子。2001 年 9 月,教委机关办公地址迁至建设路新营业楼。2003 年 3 月,贵溪市教育委员会更名为贵溪市教育局。2006 年 11 月 13 日,贵溪市青少年活动中心大楼落成,教育局和体育局进驻办公。

2008 年,贵溪市教育局设局长 1 人、副局长 4 人、政府教育督导室主任 1 人。

2005 年为整合培训资源,成立贵溪市职业教育培训中心。市职业教育培训中心为市政府管理的负责开展职业教育和技能培训的事业单位,归口贵溪市教育局,定编 5 人。职教中心主要工作职责:贯彻落实中央和地方关于职业教育与技能培训的政策和法律法规并负责监督负责对全市职业教育机构的管理、督导和评估工作;整合全市培训资源,指导各职业教育和培训单位进行专业设置和调整。

第二节　教育体制改革

从 20 世纪 80 年代中后期到 90 年代初,按《中共中央关于教育体制改革的决定》的部署,教育改革从体制入手,放权,增加校活力,下放教育管理责任和权限,建立比较完善的职业教育和成人教育、教育督导、学生资助制度、义务教育制度。1993 年,贵溪县委、县政府出台贯彻教育体制改革的实施意见,逐步对基础教育行政管理体制和学校管理体制进行改革,进一步巩固完善以县为主的教育管理体制。

校长任免制度改革

1991—1996 年,贵溪县教育局管理直属单位,指导乡(镇)教育教学工作,乡(镇)政府管理本乡(镇)的教育事宜。副科级直属学校校长由县委组织部任免,股级直属学校校长、场办学校校长由教育局任免,报县委宣传部;农村初中校长、教办主任由当地乡(镇)党委、政府提议,县教育局任免,报宣传部备案。

1996 年撤县建市后,副科级直属学校校长由市委组织部任免;副科级直属学校中层干部、股级直属学校校长、场办学校校长、农村初中校长、教办主任、副主任由市委宣传部任免,股级直属学校、场办学校、农村初中中层干部由市教委任免,报宣传部备案。

1999 年 11 月,贵溪市政府出台《贵溪市中小学校长负责制实施方案(试行)》,方案中对校长及学校中层干部的任免权限作出规定:完中校长由市委宣传部、教委推荐,市委、市政府考察任免;乡(镇)初中、市属(除高中外)其他学校由教委推荐、市委宣传部考察任免;乡(镇)完小由各乡(镇)推荐、教委考察任免;副校长和其他中层干部由校长提名,依照干部管理权限和程序任免。2000 年秋季,全市农村中小学试行校长负责制。

根据《关于贵溪市教育体制改革的决定》(贵发〔2001〕5 号),全市教育系统内的教师调配和管理权归口教育行政部门。自2002年起，全市全面开展深化义务教育管理体制和教育人事制度改革。全市各级各类学校的校长，按照竞争上岗、择优聘任的办法产生，并按干部管理权限和程序批准聘任。完全中学校长由市委宣传部与市委组织部共同负责考察，提出意见，由市委组织部上报市委审批，由教委聘任；农村初中校长、乡（镇）原教办主任的任免，由市教委同乡（镇）党委协商后书面报告市委宣传部，由市委宣传部按干部工作程序研究审批，教委聘任。2002年，全市共有500多名学校中层领导，和骨干教师参加了校长岗位的竞聘考试，公开答辩，51名年富力强，观念新，业绩显著的、群众公认的优秀人员通过公开竞选脱颖而出，走上了中、小学校长的岗位，成为全市中、小学校长队伍的骨干力量。从此，公开竞聘代替了行政直接任命。城区小学校长、幼儿园园长、乡（镇）初级中学副校长和教导、总务主任、乡（镇）中心小学校长、副校长由教委同乡（镇）党委协商后聘任，报市委宣传部备案；村完小校长经乡（镇）党委批准后由乡（镇）教办聘任，报教委备案。

2002年8月，全市24个乡（镇）教育办公室撤销，同时在新设立的18个乡（镇）的中心小学的基础上组建乡（镇）中心学校，原教办有关教育教学业务转入中心学校管理；新组建市直中心学校，城郊4所小学并入市直中心学校管理。

学校内部管理体制改革

2003年3月，贵溪市委市政府下发并颁布《贵溪市中小学校长负责制实施方案》及《贵溪市中小学教师全员聘任制和结构工资制实施方案》（简称三制），成立了以市委分管副书记为组长，市委常委、宣传部部长和市政府分管副市长任副组长，教育、人事、财政、体改、编委等部门领导为成员的教育体制改革小组，对全市中小学学校内部管理体制进行改革（即“三制”改革）。主要试行：①在全市各级各类学校实行校长负责制。校长是学校的法人，享有对副校长及中层干部的提名权及对人事、财务安排等各项行政工作的最终决定权。校长实行竞争上岗，择优聘任。对校长的工作实行目标管理和定期考核，考核不合格者予以解聘。②全市各级各类学校（含市中心幼儿园）实行“教师全员聘任、竞争上岗”制度。学校按规定严格定编、定岗、定责。按照公开、公平、公正的原则，对教师实行竞争上岗、择优聘任、落聘分流。实行聘任制后，清退所有代课教师和临时工。③改革学校分配制度。受聘教职工的工资待遇与工作任务和专业技术职务挂钩，根据评聘分开的原则和学校岗位设置情况，学校对教职工可以高职低聘或低职高聘，原职称工资记入档案。按照“效率优先、兼顾公平”的分配原则，在学校内将教师的30%活工资和学校创收、结余的可分配资金进行统筹，按教师的工作量和绩效进行分配。打破教师的“铁饭碗”，彻底改变“干多干少一个样，干好干坏一个样”局面，使广大教师具有危机感，从而自觉增强教书育人的责任感和使命感。

2003年7月，按照“三制改革”的要求，教育系统对全市各乡（镇）中心学校校长、初中校长、中心完小校长、城区小学校长、中心幼儿园园长等81个职位进行公开竞聘。通过笔试、面试和考察，经市教委党委会研究，报市委宣传部审批，最后由市教委对参与竞聘的285人中的79人予以聘任。2007年7月，市教育局将市二小、塘湾中学、金屯中心学校、流口中心学校、文坊中心学校等5个学校校长职位在全市进行公开竞聘，经笔试和面试，确定5名校长候选人试用考察一年，2008年11月正式任命。

2008年8月，全市中小学（含市中心幼儿园）试行全员聘任、竞争上岗，4346名教师受聘，297名教师未聘（其中含落聘107名）。

2008年，全市有在职中学教师2569人（含职中251人），在职小学教师2525人。

办学体制改革

1986年年底，《中华人民共和国义务教育法》颁布实施，贵溪县委县政府下发了《贵溪县关于中小学“三级办学、两级管理”的实施方案》，决定对全县中小学实行县、乡、村三级办学，县、乡两级管理，推行九（八）年制义务教育，加大对“老、少、边、山”贫困地区的扶持，鼓励社会力量办学。1989年9月，罗河乡回乡知青侯正祥创办改革开放以来贵溪县第一所民办学校一私立罗河初中，标志着贵溪开始了办学体制改革的试验。20世纪90年代中后期，随着“两基”工作的深入，“三级办学、两级管理”的办学体制逐渐向“以县为主，地方管理，分级负责”办学体制过渡。

2001年3月，《国务院关于基础教育改革与发展的决定》指出：“基础教育以政府办学为主，积极鼓励社会力量办学。义务教育坚持以政府办学为主,社会力量办学为补充;学前教育以政府办园为骨干,积极鼓励社会力量举办幼儿园;普通高中教育在继续发展公办学校的同时,积极鼓励社会力量办学。”贵溪市加快教育体制改革的步伐,教育行政部门同时也加强对民办学校的审批与监督管理。一些办学手续不全、办学条件落后的学校被勒令停办,还有一些管理乏力、经营不善的学校被自然淘汰。至2008年,全市民办中小学有象山学校、虎岗中学、晨阳中学、益智学校(后改为行知学校)。

为进一步完善“以县为主,地方管理,分级负责”办学体制,从2003年起,驻市企业子弟学校陆续移交地方管理。2003年1月,贵溪市政府根据省经贸委省教育厅《关于省属工业企业自办中小学校移交地方管理实施意见》(赣府厅发〔2002〕55号),分别与江西铜业公司贵溪冶炼厂和江西贵溪化肥有限责任公司就学校资产移交、人员移交、过渡经费问题及移交双方的责任和义务等进行认真协商,达成一致意见,经江西省财政厅审核同意后,双方正式签订移交协议。9月,贵溪冶炼厂中学更名贵冶中学、贵溪冶炼厂小学更名贵冶小学、贵溪化肥厂子弟学校更名贵化中小学并正式移交贵溪市管理。

塔桥园艺场划归地方后,2004年1月,塔桥园艺场中小学与鸿塘中学硬石岭分校、毫岭小学合并,成立塔桥中小学。

2006年1月,贵溪市政府根据《国务院办公厅关于第二批中央企业分离办社会职能工作有关问题的通知》精神分别与中国电力投资集团公司江西贵溪发电厂和十五冶就学校资产移交、人员移交、过渡经费问题及移交双方的责任和义务等进行认真协商,达成一致意见,经财政部门审核同意后,双方正式签订移交协议。9月,贵溪发电厂子弟学校更名贵溪市发电厂中小学、十五冶子弟学校更名十五冶中小学,正式移交贵溪市管理。

2006年6月,贵溪106地质队子弟学校解体。

2007年7月,贵溪市政府与四冶就移交地方管理的事宜经过几轮磋商,最后达成分期过渡将鹰潭奥科现代外语学校移交地方的协议。2008年7月全面移交地方,改称贵溪市实验中学。

课程改革

为深入开展教学改革,适应不断发展的教育事业的需要,贵溪市教育局和市教研室以新课程理念为导向,重课改教研,促教育改革顺利发展。市教育局和教研室把学习新课程,理解新课程,实践新课程作为全市教研工作的重中之重,大力加强教师的新课程培训工作,自1991年以来,组织全市各类学校教师参加国家级、省、鹰潭市级培训人数达4800人次,为新课程走进学校,走进教师,走进学生奠定坚实的基础。2002年下半年和2003年上半年,市教育局相继成立基础教育课程改革实验工作领导小组和贵溪市实验教材审定小组,并外请专家与教研员、全市各骨干教师组成专家指导小组,制订方案,为进入新课程改革实验作准备。2003年秋,作为江西省第二批课改实验区,全市一年级和七年级进入课程改革实验。按照“先培训,后上岗;不培训,不上岗”的原则,从2003—2007年,教研室对所有进入课改实验教学的中小学教师进行全员轮训,合格者颁发证书。2004年,全市建立和完善市、乡、校、组四级教研网络,并开设“贵溪教研网站”,为开展教研活动搭建平台,逐步形成重学习、重研讨、重实践、重反思的新型教研文化,促进教师专业的提升,教育教学理念与教学方法不断更新,课堂教学过程不断优化,学校教研氛围日益浓厚。2008年全市通过大力实施《星校名师优先工程》,开展各学科教学大比武和教师“五项业务技能”(上课、评课、三字、演讲、写作)比赛,促进一大批教师的快速成长和业务能力的提高,教坛新秀不断涌现,教师理论研究成绩显著。全市获特级教师称号1人,省级优秀课教师20人,调整优质鹰潭市级学科带头人,骨干教师225人。市实验小学教师安娜获小学教学全国优质课比赛一等奖,市三小冯红芸获全国小学教学多媒体教学大赛一等奖;截至2008年,贵溪全市教师在省级以上报刊发表教育论文500余篇,出版教学书籍30余册,申报立项课题30余项。

学校布局调整改革

1991年,城区县直属中小学有一中、二中、四中、职业中学和实验小学5所。农村有六岭中学、泗沥农中、上清共大3所直属学校。2001年撤乡并镇后,雄石二小、雄石三小更名贵溪市二小、贵溪市三小,归市教委直属管理。2008年8月,所有驻市厂矿企业子弟学校收编地方工作结束,为方便统一管理,理顺地方办学体制,市教育局对部分学校进行更名,发电厂中小学更名为贵溪市第三中学,冶炼厂中学更名为贵溪市第四中学,化肥厂中小学更名为贵溪市第五中学,十五冶中小学更名为贵溪市第六中学,象山场中小学更名为贵溪市第七中学,冶炼厂小学更名为贵溪市第一小学,市直中心学校下辖的雄石小学、花园小学、象山小学分别更名为贵溪市第四小学、贵溪市第五小学、贵溪市第六小学。原贵溪三中更名为贵溪市职业高中,鹰潭奥科现代外语学校更名为贵溪市实验中学。至此,贵溪市直属中小学共16所,其中单办普通高中1所(市一中),职业高中1所,完全中学1所(市四中)十二年一贯制学校1所(实验中学),九年一贯制学校4所(市三中、市五中、市六中、市七中),单办初中1所(市二中),完全小学7所(市实验小学与市一小至六小)。

全市按照规划要求,通过撤并和调整,2008年保留完全中学(包括职中)5所,初级中学25所,九年一贯制中小学7所,小学230所,小学、初中入学率,巩固率稳稳控制在99%以上。在校学生76525人。

教育教学制度的完善与改革

为顺应本市教育改革和教育事业发展的要求,引导广大教职工依章办事规范操作,向管理要质量和效益,市教育局组织人员编纂《贵溪市教育管理规程》。2001年以来,通过实践,不断修改完善,历经4次易稿,使规程与时俱进,更彰显科学性、规范性和可操作性。规程集中全市教育部门的56项规章制度,提出5条意见,合为61个规定。其中针对教育行政管理有11项制度,针对教学教研有6项制度,针对人事管理上提出13项要求,针对后勤管理及教育经费管理制定4项制度,针对学校安全管理制定3项制度,针对全市教育系统的宣传、经费、体育、教师行为规范、计生、综治、社会力量办学、幼儿园管理甚至连四季教学作息时间安排都作出明确要求。此规程可谓是贵溪市教育教学的大法,亦为贵溪市教育教学制度的具体改革措施。

课堂教学改革

教无定法。新中国成立前与新中国成立初期的20世纪50~60年代,学校的教学,沿袭旧时的封建教育方法,最习以为常的"填鸭式"教学。随着改革开放的深入发展,教育系统改革的进程不断推进,素质教育逐步取代应试教育。贵溪市教育局和全市各级各类学校掀起课堂教学的改革尝试。20世纪90年代,市实验小学首先开展教学方法的改革试验,推广启发式教学,倡导适应小学生的趣味教学。随之,市三小、市一小(指原冶炼厂小学)及随后的民办象山学校都大力开展趣味教学和快乐教学法。让学生学得主动,学得轻松。市二中也大力推行以"不教为教的新型课堂教学方法,充分发挥学生的自觉自学积极性,变学生在课堂上的被动学习为在课前充分预习,做好准备而到课堂上的主动学习"的大转变。

2008年秋,全市全面启动新课程改革,开始构建新的教学模式。改"讲解—传授"单一的课堂教学为"师生互动,生生互动",由"教学化的学习"向"学习化的学习"转变,构建以学生为主体的新的教学模式。

2008年,市教育局先后组织各中、小学骨干教师赴江苏、浙江、上海和赣州等地学习先进教学方法;派市区优秀教师到山区,到边远地区学校支教传授与交流先进的课堂教学方法经验。市二中参加饶鹰地区10校交流联谊活动已坚持10年之久,形成一项传统好做法。市二中李志英以她特色的"以爱执教"的教学法,坚持"爱是教育教学过程中的永恒之旋律",取得杰出的教学成绩,2005年1月,被国家教科文卫体工会评为"全国师德先进个人"。罗河镇明德学校还以其独特的办学特色和先进的教学方法在2008年度被评为"全国教育系统先进单位"。

教育经费管理改革

为完善教育财务管理制度,创新财务管理方法,按照县级财政支出结构,增加对义务教育的投入,将教育事业所需经费单独列项,全额纳入预算,优先安排;建立和完善教职工工资保障机制,自2001年起,全市中小学教师工资全额纳入市本级财政预算,市财政将全市教职工工资按时拨给市会计核算中心,由中心按规定统一拨到教职工个人存折,确保全市教职工工资按时,足额发放,防止和杜绝拖欠,挪用教师工资现象;建立规范的教育收费公示制度,进一步加大治理教育乱收费力度,严格规范学校收费行为。

2004年,市教育局成立教育会计报账中心,结算全市教育经费,对各学校的财务活动实行集中管理,统一核算,真正做到一个笼子"进",一个笼子"出",收支两条线,从而确保无截留。防止挤占和挪用各种教育经费现象发生,从源头和制度上筑起"第一防线",市教育局报账中心的成功运作模式多次被

《中国教育报》等国家级媒体向全国教育系统介绍推广。

教学网点调整

根据学校资源配置、生源等实际情况,贵溪市(县)教学网点每年均作相应调整。1991年,全县中小学共有682所,其中初中34所、完中7所、职中6所、小学635所。1994年,上清镇和龙虎山镇划出,全县中小学共有547所,其中初中41所、完中6所、职中4所、小学496所。

2000年9月至2001年8月,为了深入落实《关于贵溪市教育体制改革的决定》,根据各学区的实际情况,贵溪市中小学学校布局作了大规模的调整,城区教学网点的调整情况是:市一中撤销初中部,全力创办高中;市二中撤销高中部,全力创办初中;市职业高中更名为贵溪三中,设立初中部,职业教育与普通教育综合发展;市四中初中部不再招收新生,工作重点转移到高中阶段的教学上。

2001年9月至2002年8月,由于撤乡并镇,撤并农村初中6所:撤销塔桥中学设为鸿塘中学硬石岭分校、撤销横山中学并入河潭中学、撤销盛源中学并入流口中学、撤销县园艺场初中并入雷溪中学、撤销双圳中学和西窑中学并入文坊中学;塔桥中心完小、西窑中心完小、金沙中心完小、双圳中心完小等4所农村中心完小改为普通完小;共撤并村完小9所、村小39所。

2002年9月至2003年8月,村完小和村小网点再次进行大调整。在坚持效益优先和就近入学的前提下,全市撤销完小15所、村小20所,增设村小15所。

第二章　各类教育

第一节　学前教育

1991年在全县68所幼儿园中,教育局行政管理的公办幼儿园1所,另小学附设学前班11个,其他绝大部分园所是依靠社会力量兴办的。全县厂矿企业和驻县企业(贵溪冶炼厂、贵溪发电厂、四冶、十五冶、106地质队、贵溪化肥厂等)基本办起幼儿园或托儿所。县直属单位办起系统幼儿园,招收机关及下属单位职工的子女。同时,农村集体兴办幼儿园62所。经过逐年调整、发展,至2008年,全市有幼儿园41所,其中教育部门办1所、集体办5所、民办35所,在园(班)幼儿8786人。

办园体制与管理

贵溪市幼儿园办园体制主要以公办、厂办幼儿园为骨干,以民办幼儿园为主体。幼儿教育工作1996年以前由县妇联管理,移交教育行政部门后基本形成"谁主管谁负责,谁审批谁负责"的管理体制。城区学前教育学校由教育局教育股(2004年后改由综合教育股)登记注册,农村学前教育学校由乡镇人民政府登记注册。全市幼儿园实行分类管理和分级收费。

幼儿教师队伍的管理按照《幼儿园管理条例》执行。园长、教师应当具有幼儿师范(包括职业学校幼儿专业)毕业学历,或经教育行政部门考核合格,园长、教师均实行持证上岗。

学制与课程

幼儿园学制一般为3年,分小班、中班、大班,幼儿年龄为3~6周岁。

幼儿课程相对划分为健康、语言、社会、科学、艺术等五个领域,各领域的内容相互渗透,从不同的角度促进幼儿情感、态度、能力、知识、技能等方面的发展。

1991—2008 年全市幼儿园一览

表 25－1

年份	园数（所）	班数		在园幼儿数		教职工数				
		总计（个）	其中小学附设学前班（个）	总计（人）	其中学前班（人）	总计（人）	其中			
							园长（人）	专任教师（人）	保健员（人）	其他（人）
1991	68	128	23	4093	943	225	6	184	35	—
1992	50	106	37	3554	1432	170	5	161	4	—
1993	62	143	44	4526	1552	238	5	182	51	—
1994	52	139	49	4480	1767	203	6	194	3	—
1995	39	115	53	4280	2045	152	6	145	1	—
1996	43	135	64	4955	3659	157	1	155	1	—
1997	77	183	99	5635	3093	218	6	210	2	—
1998	84	173	76	4890	2289	208	5	201	2	—
1999	99	360	169	9411	4415	314	7	304	3	—
2000	39	317	153	9517	4448	331	26	283	22	—
2001	28	241	132	6221	3020	369	35	214	68	52
2002	22	200	105	5344	2640	370	35	204	59	72
2003	21	262	173	7431	4629	365	33	207	32	93
2004	21	236	145	6570	3829	361	34	206	41	80
2005	20	179	96	5060	2493	333	28	194	50	61
2006	22	252	95	7454	2547	418	36	239	51	92
2007	31	382	252	12733	9624	513	47	331	52	83
2008	41	292	140	8786	4001	561	57	325	79	100

说明：1996 年厂矿企业幼儿园未统计。

教育教学方式

幼儿园的教育教学形式活泼多样，提倡以游戏为主，寓教于乐，让幼儿在游戏中轻松获得认识、情感和养成良好习惯。2001 年以前，课堂教学形式相对单一，2001 年 7 月《幼儿园教育指导纲要（试行）》颁布后，教育方法发生重大改革，提出一日生活即课堂，特别强调游戏活动，各班根据幼儿年龄特点和身心发展规律，创设丰富多彩的活动区角，有建构区、娃娃家、图书角、绘画区、益智区等，让孩子在区角游戏中快乐学习，在做做玩玩中获得有益于身心成长的各种体验，大大促进素质教育的发展。同时，对教师的自身素质也提出更高要求，教师在实施教学活动中，要善于计划、总结和开展教学，注重个别差异、注重培养孩子的兴趣、爱好以及个性；要善于观察发现典型，进行个案分析和教学反思等；要善于与家长沟通、争取家庭教育与幼儿园教育的有机结合。

幼儿园选介

贵溪市幼儿园　位于市区东部烧箕山居民区中心，是全市城区唯一由教育部门承办的幼儿园。1987 年由贵溪县妇联筹建，1989 年 3 月正式招生并隶属县教育局管理，始称贵溪县中心幼儿园，当年有专任教师 9 名，入园幼儿 150 人，分 2 个大班、3 个小班。1999 年更名为贵溪市幼儿园。全园占地面积 4000 平方米，建筑面积约 3600 平方米，绿化面积约 1600 平方米。园内有一栋功能齐全的综合教学楼和一栋标准化的幼儿教学楼，另有教师宿舍楼、厨房等附属用房，园内幼儿的学习、生活、活动设施配套齐全。师生 190 人次获市级奖，26 人次获省级奖，10 人次获国家级奖。先后荣获江西省先进幼儿园、江西省示范幼儿园、江西省卫生庭院等荣誉称号。

2008年,全园有教师41人,其中小学高级21人,小学特高2人;在园幼儿408人,分设10个班。

贵溪市金苹果幼儿园　创办于1998年6月,位于建设路北侧市公安局对面四冶幼儿园旧址。建园以来,该园逐年增加投入,不断扩大办园规模,1998年,全园占地面积5000多平方米,开设2个班,招收幼儿60多名,教职员工8名。1999年有教职员工17人,招收幼儿260余名,当年该园被评为鹰潭市一级幼儿园。2007年开设11个班,幼儿人数增加到530余人,工作人员近50名,当年成立金苹果艺术团。2008年9月金苹果分园一明科幼儿园创办,两所幼儿园有教职员工近百名,招收幼儿1000多名,全园面积10000多平方米,总建筑面积8482.7平方米,绿化面积占总面积的43.2%,户外活动场所占地4900平方米。

2005年该园被江西省教育厅评定为江西省示范幼儿园;2005—2006年连续两年获得鹰潭市、贵溪市文明单位、鹰潭市幼儿教育先进幼儿园、鹰潭市民办教育先进单位称号。

贵溪冶炼厂幼儿园　创办于1986年,是一所集托儿所、幼儿园于一体的大型全日制企业幼儿园,下设3个托儿班、10个学前教学班,主要收托2～6岁江铜集团贵溪冶炼厂子女。幼儿园占地5060平方米,建筑面积4770平方米,活动面积3020平方米,绿化面积800多平方米。

建园以来,贵溪冶炼厂年均投入20万元经费,有计划地逐步改造室内外环境,完善更新园内设施,把该幼儿园建设成"美化、安全化、儿童化、教育化"的幼儿乐园。

贵冶幼儿园是鹰潭地区和江铜集团的第一家省级示范园。2008年,该园收托幼儿350人,园内有教职工52名,其中幼教特高级教师1名、幼教高级教师14名、一级教师1名,教师中大专学历8人、幼师中专学历15名,全体保育员都经过保育员职业培训,取得上岗证。

贵化保育院　贵化保育院位于江西省贵溪市化工大道1号,创办于1991年。占地5950.80平方米,绿地面积4390平方米,幼儿户外活动面积4410平方米。2008年有5个教学班,在园幼儿140余人,教师13人,其中本科学历教师3人、大专学历教师10人、市优秀授课教师3人、小教高级教师2人、小教一级教师3人、小教二级教师4人。

1996年被评为化工部"巾帼建功"先进集体,1999年被评为鹰潭市一级幼儿园,2000年获贵溪市"食品卫生"先进单位,2002年获省爱卫会授予的"卫生庭院"光荣称号,同时获"清洁文明"岗,2003年保育院荣获鹰潭市"青年文明号"光荣称号,2004年保育院获厂"女职工创新标兵岗"。

文坊中心幼儿园　位于文坊镇中心(原文坊中心小学),占地面积2800余平方米,建筑面积1059平方米,是一所环境优美、设施齐全的乡镇中心幼儿园。

创办于2007年8月,原为私人承包性质的幼儿园,招生对象为文坊街道及周边村委会幼儿。建园之初,共招收幼儿100余人,招聘教职工7人。

第二节　义务教育

1991年全县有小学635所,在校学生68051人,学龄儿童入学率为96.0%;普通中学41所,在校初中生20174人。1993年,根据《江西省实施中华人民共和国义务教育法办法》,贵溪县政府出台《贵溪县九年制义务教育实施细则》,开始在26个乡镇有计划、有步骤实行九(八)年制义务教育。

1995年7月,再次颁发《贵溪县"两基"实施细则》,从"普及程度、师资水平、办学条件、教育经费、教育质量"五个方面对"普九"提出指标和具体实施办法。1997年10月,贵溪市"两基"工作提前一年通过省政府验收,11月,再次通过国家督学率领的"两基"检查组验收。1998年全市有小学425所,在校学生56378人,普通中学45所,在校初中生32977人,适龄儿童、少年的入学率分别达到100%和98.5%,"两基"成果进一步巩固。2003年秋季贵溪市被确定为省级基础教育课程改革实验区,全市义务教育阶段起始年级学生全部实施新课程,初一、初二、初三年级分别改称七、八、九年级。

2008年秋季起,全市小学实行六年制,九年制义务教育确立小学6年、初中3年。当年全市有义务教育阶段学校共265所,其中小学230所、初中25所、九年一贯制学校7所、完全中学3所;小学生数48152人,在校初中学生数18889人。

1991—2008 年全市义务教育阶段学校情况一览

表 25－2

年份	学校数(所)					学生数(人)		
	合计	小学	初中	九年一贯制	完中	合计	小学	初中
1991	706	635	34	—	7	88225	68051	20174
1992	617	576	34	—	7	86811	66930	19881
1993	612	570	35	—	7	83781	65096	18685
1994	543	496	41	—	6	74630	57270	17360
1995	522	476	39	—	7	79865	59905	19960
1996	503	455	41	—	7	85567	59095	26472
1997	473	425	41	—	7	88353	59246	29107
1998	470	425	38	—	7	89355	56378	32977
1999	464	420	37	—	7	86637	51990	34647
2000	439	396	36	—	7	83245	48427	34818
2001	378	333	30	8	7	77688	45734	31954
2002	317	280	23	8	6	76591	45261	31330
2003	306	269	24	7	6	73140	43357	29783
2004	299	262	25	7	5	72044	42035	30009
2005	293	257	24	7	5	70487	41190	29297
2006	282	245	24	9	4	70626	42215	28411
2007	278	241	24	9	4	68816	43607	25209
2008	265	230	25	7	3	67041	48152	18889

说明:1991—2000 年,九年一贯制学校数列入初中学校数统计,1994 年起龙虎山镇、上清镇未列入统计

2008 年全市九年制义务教育阶段学校情况一览

表 25－3

项目		学校数(所)					班数(个)			学生数(人)			教职工数(人)			
													小学		初中	
		合计	小学	初中	九年一贯制	完中	合计	小学	初中	合计	小学	初中	合计	其中专任教师	合计	其中专任教师
	合计	265	230	25	7	3	2044	1515	529	68314	48152	18889	2525	2425	1653	1498
	教育部门和集体办	262	230	23	6	3	1994	1501	493	65104	47752	17352	2505	2407	1527	1396
	民办	3	—	2	1	—	50	14	36	1937	400	1537	20	18	125	102
城区	小计	13	4	2	4	3	461	184	277	14695	9134	5562	418	410	395	369
	教育部门和集体办	11	4	1	3	3	417	170	247	13018	8734	4284	398	392	293	285
	民办	2	—	1	1	—	44	14	30	1678	400	1278	20	18	102	84
农村	小计	252	226	23	3	—	1583	1331	252	52345	39018	13327	2107	2015	1253	1129
	教育部门和集体办	251	226	22	3	—	1577	1331	246	52085	39018	13068	2107	2015	1234	1111
	民办	1	—	1	—	—	6	—	6	259	—	259	—	—	24	18

教育学制与教学

学制　1991—2004年，贵溪市九年制义务教育阶段实行小学5年、初中3年的“五三”学制，实验小学自1995年秋季起部分班级试行6年制，2005年城区小学全部实行6年制，2006年农村中心学校实行6年制，2007年农村村完小实行6年制。2008年后，小学学制为6年，初中学制为3年。

课程　课程设置以国家安排为主，做到国家安排与地方安排相结合。随着义务教育的普及，学校根据义务教育阶段学生的身心发展规律与培养目标来设置课程。课程包括学科、活动两部分，学校在教育教学中充分发挥学科和活动的整体功能，对学生进行德育、智育、体育、美育和劳动教育。1991年小学阶段开设思想品德、语文、数学、社会常识、自然常识、体育、音乐、美术、劳动9门学科课程和自习、班队活动、科技活动、体育活动4门活动课程，2002年秋季，城区小学和乡(镇)中心小学三年级开始开设英语课程；初中阶段开设政治、语文、数学、英语、物理、化学、历史、地理、生物、生理卫生、体育、音乐、美术、劳动技术14门学科课程和自习、班团活动、科技活动、体育活动4门活动课程。

1994年3月1日，全国实行新工时制度，每周工作44小时(5天半)，1995年5月1日起全国实行每周40小时(5天)工作制，省教委对中小学的课时均作相应调整，贵溪全县小学、初中按调整后的九年制义务教育“五三”学制小学、初中课程安排表执行。2003年秋季始，所有进入基础教育新课程改革的年级按《义务教育新课程改革实验课程安排表》开设课程。

教学

1991年以来，贵溪各级中小学教学以实施常规教学为基本要求，以课堂目标教学为基本教法，鼓励学校和教师进行教学改革。20世纪90年代初期，幻灯、录音、照相等是常用的电化教学手段，1994年通过省级验收，贵溪被评为“实验教学先进县”后，教学设备得到进一步改善，现代科学技术开始应用于课堂教学之中，如投影机、电脑、多媒体等。

考试与评价

考试以闭卷形式为主，辅之以开卷和实验操作等形式。考试成绩通常以分数量化，一些学校偶尔使用等级制。1992年开始，全县取消小学升初中的统一考试，只实行毕业考试，小学毕业生一律免试就近升人初中。初中阶段的考试主要有期末考试、会考和中考。

期末考试　由教研室统一命题，各校组织考试与阅卷。

会考　是学生获得毕业证的资格考试，由中招办统一组织。1991年开始实行初二历史、生物会考，1996年始改为初二地理、生物会考和初三历史毕业会考。成绩及格者准许毕业并可报考小中专，不及格者允许补考一次。会考由省统一要求，鹰潭市统一命题并组织阅卷。2005年起，会考由省统一命题，鹰潭市统一阅卷。

中考　即初中升学考试，也是九年制义务教育阶段结束后的学生分流考试。通过中考，初中毕业生分别升入普通高中、中专、职业技校(职中)或走向社会。考试科目有政治、语文、数学、英语、物理、化学、生物(该科1996年起不列入中考科目)。由江西省统一命题，鹰潭市统一阅卷。1993年起实施初中毕业生升学体育考试，体育成绩计入中考总分。1996年起，英语考试增加听力测试内容。2000年考试科目试行物理、化学合卷，2001年起实行政治开卷考试，物理、化学不再合卷。2005年，增加理化实验操作考试内容，从该年起政治、历史合卷，仍然为开卷考试。2006年起，实行中考成绩等级制评价，考生各科得分转化为A、B、C、D、E五个等级予以公布，体育、综合素质评定为考查科目。

学校选介

贵溪市实验小学　位于市区沿河路，创办于1961年10月，当年有1～6年级各1个班，教员9名。1965年改学制为五年制。1968年更名为贵溪县雄石第一小学，1987年重新恢复“实验小学”校名。1982年起学校多次尝试使用辽宁黑山教材、北京景山教材进行实验教学。1995年秋季在全县率先进行学制五改六实验，三年级起开设英语课程。1997年、1998连续两年被评为“江西省家长函授学校办学先进单位”称号，2000年8月，被授予“江西省德育示范学校”称号，2003年1月，被授予“江西省教务公开工作先进单位”称号。近10年来，学校陆续建有微机房、多媒体教室、校园电视台、语音室、网络教室、远程教育系统，教学设备与教学手段日趋现代化。

2008年，校园占地面积13933平方米，建筑面积11000平方米。全校拥有43个教学班，在校生2431人，专任教师111人。教师队伍中，大专以上学历的占81%，小教特高级教师4人，小学高级教师39人；江西省学科带头人1名，鹰潭市学科带头人和骨干教师5名。

贵溪市第一小学　位于贵溪冶炼厂生活区，1980年秋创办。原名贵溪冶炼厂子弟学校（含中学），1991年中小学分设，成立贵溪冶炼厂子弟小学，隶属贵溪冶炼厂。2003年移交地方管理，更名贵冶小学。2008年8月更名为贵溪市第一小学。

学校占地面积6606.28平方米，校舍占地面积5896.64平方米。1991年在校生282人，教职工31人。2008年开设23个班，在校生1100人。教职工64人，项梦被评为省特级教师，是贵溪市、鹰潭市唯一获此殊荣的教师，小学特高级教师9人，专科、本科学历教师各占50%。

2003年被授予江西省电化教育先进单位、全国青少年集邮活动示范基地，2004年被列为江西省首批建设中的义务教育阶段省级示范学校，2005年被国家课题组授予先进实验学校，2006年被授予江西省艺术示范学校。

贵溪市第二小学　创办于清光绪二十八年（1902），始称贵溪县官立两等小学堂。1949年10月命名为贵溪县立雄石小学，1953年秋改名为贵溪县雄石第一小学，1954年秋复称贵溪县立雄石小学，1966年8月改名为贵溪县雄石公社第二小学。1990年有22个班，在校学生1220名。

1991年8月，为适应职教发展的形势，经县委、县政府决定，在原雄石四小成立县职业中学。雄石四小合并到雄石二小，学生达到1700余人，进入第二个高峰期。教职工86人，合并后的雄石二小，继承和发扬两校优良作风，毕业升学考试连年名列前茅，各项工作都取得骄人成绩。

1992年2月至1999年11月，学校抓住“两基”对教育发展的有利契机，全面落实《中国教育改革发展纲要》，把“两基”工作作为中心任务来抓。兴建综合大楼，建筑面积1400余平方米。先后装备自然实验室、图书室、阅览室，实验器材按省一类学校配备，图书室藏书2万余册，生均20册，进一步完善体育实施，新建篮球场，极大地改善办学条件。

丰富多彩的校园文艺

2000年暑期，面向全市公开招聘专职音、体、美教师，进一步优化教师队伍的知识结构，提高师资整体水平。学校根据学生自愿长年开设音、体、美等兴趣小组，学生参加各种才艺展示取得理想成绩。

2001年暑期，市教委全面推行“三制”（校长聘任制、教师聘任制、结构工资制）改革，教师精神面貌焕然一新，责任感、使命感进一步增强，教研风气日益浓厚，学校被评为“鹰潭市三星级教改窗口学校”。学校投入大量经费改善办学条件，于2001年向教师集资15万元装备计算机教室，32台电脑。2002年，又采用分期付款的方式装备多媒体教室，并投资4万余元添置音体美教学设施，迈开教学手段现代化的步子。

2008年9月起，实行“我快乐、我健康、我能行、我成长”的办学理念。旨在培养学生创新精神和实践能力，使之达到行为、思想、交往、身心、心理、学习等方面自主和谐发展，快乐健康成长。同时实行创建品牌老校，特色老校、和谐老校的办学目标。拆除二小校区内的平房，兴建塑胶跑道，教师办公楼装修一新，使学校的办学条件得到很大改观。

贵溪市第三小学　1968年秋季创建，原址建于西街解元坊雄石人民公社及县卫生防疫站以西，始称贵溪县雄石镇第三小学。当年该校招收一年级新生100余名，分设2个班级，学校教师7人。1969

年,三小迁至现址(交通路81号,贵溪火车站南对面),时为汪张村建小学,生源大部分来自汪张村民子女。进入80年代后期,随着贵溪城市东移,学校办学规模逐渐扩大,改为雄石镇属管理。2001年秋季,学校改称贵溪市第三小学,由市教委直属管理。2002年,学校在校学生812人,专职教师45人。2008年,学校占地面积9666.7平方米,拥有25个教学班,学生1308人,教职工66人。

学校拥有小巧的电子备课室、完善的校园网络、图书室以及两间计算机室、具有示范性64座语音室、多媒体教室、舞蹈室、红领巾电视台、自然室等专用教室。蓝白相间的教学楼与200米塑胶环行跑道及200多平方米的绿化带、花坛、功能齐全的羽毛球、乒乓球活动场所,构成清新淡雅的育人环境,是一所声誉佳、充满生机的现代化理想学校。市三小是全国重点课题"发展与创新教育""中小学素质教育中多种教学媒体综合运用实验研究"先进学校、江西省安全文明校园、江西省全民健身好学校、鹰潭市十大和谐校园、鹰潭市中小学管理工作先进学校、鹰潭市师德先进单位、鹰潭市"文明单位",贵溪市"星校"。是全市教育系统的一面旗帜。

为打造"书香校园",学校发动师生开展捐赠图书献爱心活动,共添置各类图书1万余册。

该校努力打造温馨、和谐、充满阳光的校园人际关系。用理论学习武装人,制度建设约束人,人文关怀感染人,成功喜悦鼓舞人。开展围绕"爱生"和"敬业"为核心的师德规范检查评比活动。"你有多大才,给你多大台",学校通过"名师精品课堂"、教师基本功大比武等活动形式,为教师搭建施展才华的大舞台,从细微处入手,关心、关注教师的生活和身心健康。做到教师节的一支鲜花,生日时的一份蛋糕,上课前的一杯健康茶,放学后的一次文体活动,处处让教师感到一种人文的关怀,时时体味到学校这个大家庭的温暖。逐步形成"奉献、和谐、创新、追求卓越"的三小特色精神。

罗河明德小学　2005年,由台湾人士台塑集团董事长王永庆捐资40万、地方配套140万兴建的农村小学。前身是罗河镇黄墩小学。全校占地面积14400平方米,建筑面积2161平方米。2008年,学校有9个教学班,学生400余人,教职工21人,专任教师中60%以上是县级以上骨干教师和优质课教师。

该校以"校园文化建设、特色美育教育,中华文化经典诵读,学生劳动服务"为办学特色,按照"全人教育"的办学理念,遵循"弘志明德,勤劳朴实"的校训,努力创办"和谐学校"。2007年,被国家人事部、教育部评为"全国教育系统先进集体",2008年,被鹰潭市评为"鹰潭市十大和谐校园"。

贵溪市第二中学　坐落在市区站前北路,学校前身是贵溪县雄石城镇中学,创办于1973年。创办初期开设初中7个班,学生401人。1979年开设高中部。1980年更名贵溪二中,2001年停招高一新生,2002年高中部全面剥离,改为单办初中。学校占地面积48000平方米,建筑面积14531.6平方米。2007年至2008年先后投资500余万元,新建2栋5层教学大楼,配有学生电脑教室4间,教师机房1间,电视演播中心1间,多媒体教室3间。学校按九年制义务教育要求高标准配置初中音体美器材,学校办学条件初具现代化。

贵溪二中教学楼

学校以"团结进取,求真务实"为己任,以"读书守纪,尊师爱校"为校训,认真贯彻教育"面向现代化,面向世界,面向未来"的方针,按教育规律办学,坚持以教学为中心,全面提高教学质量。坚持"四抓":抓教学管理、抓教学常规、抓教研教改、抓学科课外活动。逐步把教学管理纳入制度化、规范化、科学化轨道。坚持向45分钟要质量。

学校树立"为学生一生奠基,对民族未来负责",力求"人人发展、发展人人;崇尚科学、追求卓越"的办学理念,以及"以德育为首位,以教学为中心,以质量求生存,以特色求发展"的办学思路,坚持落实

“管理育人、教书育人、服务育人”的教育原则，形成“实事求是、团结创新、严谨治学、争先创优”的校风和“勤奋好学、虚心求教、文明守纪、励志成才”的学风。

2002年以来，贵溪二中获得“江西省现代教育技术示范学校”“江西省绿色学校”“全省教育系统工会先进单位”“鹰潭市中小学管理工作先进单位”“贵溪市星级学校”等20多项荣誉称号。

贵溪二中把建设一支业务精良、务实创优的教师队伍作为立校之本。学校通过制定落实《贵溪二中教师（百分制）常规工作考评方案》、中考、竞赛、班级学习成绩、平均分提高、及格率提高、教研工作、教育论文、通讯报道、进修等多方面奖励条例，一系列有效措施，加强青年教师的培养，鼓励广大教师在成就学生的同时成就自我，自我提高，岗位成才。经过数十年的锻炼培养，形成一支政治过硬、业务精良、爱岗敬业的优秀教师队伍。1991年以来，教师撰写教学科研论文共计582篇，先后有212次在国家级、省、市级评比中获奖。在教学常规方面，强调7个基本环节（备、教、批、辅、复、考、评）和“五个统一”（统一目标、统一备课、统一作业、统一试卷、统一质量分析），从而规范教师的教学常规工作。

贵溪二中紧扣人才培养目标，立足实际，放眼未来，提升品位，突出特色，不断优化育人环境，努力为师生营建一个安全、文明、高雅的学习、工作环境和生活环境。自1991年以来，贵溪二中从没发生过一例学生重大伤亡事件，是个典型的和谐平安校园，2007年被鹰潭市公安局评为内保工作先进单位；被贵溪市政府评为“和谐平安”创建先进单位。

每学期开学第一天，贵溪二中就对学生进行入学教育，组织学生收看《开学第一课》。开学第一周开展“新学期、新打算”和欢庆教师节为主题的黑板报评比活动。大大激发学生的理想和感恩之心。按照美观、实用、创新要求布置教室，创造温馨的育人环境。

贵溪二中在发展壮大的同时，校际联谊活动也越来越多，举办“饶鹰十校”校本教研工作经验现场交流会，贵溪二中与上海南苑中学结成联谊学校，美国爱心使者—莫苏姗女士与贵溪二中师生交流中西文化等等。

贵溪二中中考连续10年获贵溪市第一。2008年，贵溪市中考获6A的考生253名，其中贵溪二中就有87人。

2008年学科竞赛中，获全国级奖项42人（其中获全国一等奖5人），获省市级奖221人；连续3年跻身全省一流行列。

2008年教学班48个，在校生2117人。有教职工160人，其中中学高级教师54人，中学一级教师65人。1991年，该校教师朱丽君被国家教委授予“教育系统劳动模范”；2004年李云英被中国科教文卫体工会全国教育委员会评为“全国师德先进个人”。2008年，市二中被评为全省校园廉政文化示范单位。

贵溪市文坊中学 位于贵溪南部山区，离城区约40公里。前身为贵溪县民族中学，1958年创办，原址樟坪，20世纪70年代末迁至文坊镇，是一所典型的贵南山区学校。全校占地面积10700平方米，建筑面积8129.4平方米。1991年在校教师42人，学生778人，12个教学班。2008年有教师51人，学生704余人，14个教学班。

该校坚持实施严格而规范化的管理，始终把全面提高学生综合素质作为教学工作的重中之重。在努力提高教学质量的同时，利用学校现有资源，创造条件，开展丰富多彩的第二课堂活动，成为贵溪市农村中学素质教育的典范。书法、舞蹈、电脑制作等兴趣小组多次获省市大奖。学校教学质量在全市一直名列前茅。

贵溪市周塘中学 创办于1958年，是现志光镇所属两所初级中学的前身。创办之初，学校设在周塘村老祠堂，1960年迁往志光，改称志光初级中学。1968年，在志光周塘村现址重建周塘初级中学。学校占地5340平方米，开设初一、初二年级共三个班，学生160余人，教师8人。1990年秋季首设初三年级。1991年，在校学生298人，设5个教学班，专任教师11人。1991—2008年，该校连续18年中考成绩位居全县（市）农村初中前三名。1994至1997年连获4届县（市）人民政府颁发的教育金花奖。2008年，占地达11000平方米，在校学生488人，设9个教学班，专任教师50人。

樟坪民族学校 始建于1944年12月，贵溪县参议会建议教育局于县南边缘的畲族聚居区设立“苗民”（即畲民）巡回教导所。1950年，贵溪县人民政府改“苗民”巡回教导所为樟小，定点樟坪。1952年，樟坪村小升格为初级小学,1954年,樟坪小学开设高年级班,并在桃田、老屋基两村增设分校。1957年,樟坪畲族小学、民族中学的校址均在樟坪(民族中学1971年迁文坊,仍称民族中学)。1959年,樟坪人民公社共有小学4所,中学1所。1966年,“文化大革命”开始,全县各级学校停止招收新生,学生走出课堂,开展革命大串连,樟坪民族小学的教育处于停顿状态。1971年,樟坪民族小学附设初中班。1976年秋,樟枰民族小学改为八年一贯制的民族中小学校,亦称民族学校,原单独设立的小学仍称分校。

2007年3月,樟坪民族学校择地新建,新建校舍投资达300万元,拥有教室12个及实验室、远程教育室等现代化教学设施。

2008年,在校学生(不含村小学生)151人,有专任教师(不含村小教师)22名。分小学、初中两部分:民族小学有专任教师11名,其中畲族教师6名;民族中学有专任教师11名,其中畲族教师4名。学校建筑面积约5000平方米。

第三节　普通高中教育

1991年,贵溪全县有一中、二中、四中、冶炼厂中学、有色四建子弟学校、化肥厂子弟学校、发电厂子弟学校7所完全中学,在校普通高中学生3073人,专任教师263人。1994年秋,化肥厂子弟学校高中部撤销,1997年秋,发电厂子弟学校高中部撤销;2001年秋,市一中撤销初中部成为单办高中,市二中高中部停止招收新生,市四中初中部停止招收新生,市职业中学更名市三中增设普通高中班,招收高一新生486人。当年,全市有市一中1所单办高中和市二中、市四中、冶炼厂中学、奥科学校、信江中学、博文中学、新才中学7所完全中学以及市三中1所综合高中,在校普通高中学生5631人。2002年,市四中成为单办高中,铜南中学高中部招生。2003年,冶炼厂中学更名贵冶中学成为地方完全中学,晨阳中学高一招收新生44人,新才中学、博文中学停办。2004年,铜南中学高中部停办。2005年,市四中撤销,原高一、高二学生在原址升学就读,教职工逐年分流至市一中;是年,全市有市一中1所单办高中和市三中、贵冶中学、奥科学校、信江中学、晨阳中学5所完全中学,在校学生10117人。2006年信江中学停办。2007年,奥科学校由民办转为公办,该年秋季晨阳中学不再招收高一新生。2008年8月,奥科学校更名实验中学,原市三中更名贵溪职业高中(不再招收普通高中学生),贵冶中学更名为贵溪市第四中学。是年秋,全市有市一中1所单办高中,新市四中和贵溪实验中学两所完全中学,在校普通高中生9484人。

教育与教学

学制与课程　贵溪全市高中学制实行三年制。

课程结构由学科课程和活动课程两部分组成,必修课有政治、语文、数学、外语、物理、化学、生物、历史、地理、体育和劳动技术共11科,选修课分单科性选修和分科性选修2种。1994年7月5日,国家教委印发指导性文件《实行新工时制对全日制高中课程计划进行调整的意见》。调整后《高中课程计划》培养目标是:高中作为一个独立的学段,要与九年制义务教育紧密衔接,要面向全体学生,全面实施素质教育,强化思想教育和学生能力的培养,为高等学校和社会各行各业输送素质良好的普通高中毕业生。普通高中课程计划强调重视课外活动和社会实践活动,学科以必修课为主,适当增加选修课和职业指导课。选修课分2种:一种是单科选修,主要安排在高一、高二年级;另一种是分科性选修,即在文科、理科、外语、艺术、体育和职业技术等方面有所侧重选修,主要安排在高三年级。2000年,贵溪市根据教育部印发《全日制普通高级中学课程计划(试验修订稿)》,在高中设思想政治、语文、数学、外语、物理、化学、生物、历史、地理、艺术、体育与健康、信息技术等必修课12科。此外,还设综合实践活动和地方课程。

2008年秋季,根据《江西省普通高中各学科课程改革实施指导意见》和《江西省普通高中课程改革实验方案(试行)》,贵溪市所有高中全面启动课程改革,实施新课程。

教学

1991年以来,贵溪各高中教学形式均以课堂教学为主,课外教学为辅。教学方法注重培养学生分析问题和解决问题的能力。1998年以后,现代化教学手段广泛应用于教学之中,各中学配备了电脑、背投等先进教学设备,完善多媒体教学。2008年秋,全市全面启动新课程改革,开始构建新的教学模式。

改“讲解－传授”单一的课堂教学为“师生互动，生生互动”，由“教学化的学习”向“学习化的学习”转变，构建以学生为主体的新的教学模式。

考试

主要有月考、会考、高考，均为闭卷考试。

月考　是对学生进行阶段性检测的主要方式。通常由学校组织命题，或与其他兄弟县市高中进行联考，学校统一组织考试、阅卷。

会考　1992 年开始实施。高一会考历史、生物，高二会考英语、物理、化学、地理，高三会考语文、政治、数学。会考科目全部及格才能颁发高中毕业证书并允许报名高考。由江西省统一命题，鹰潭市统一阅卷。不及格者允许补考一次。

高考　全国性的高校招生选拔考试。每年应届毕业生和往届毕业生均可报名参加。高考的报考类别分文史、理工、医农三大类，后调整为文史、理工、英语三大类，医农归理工。考试科目：文科考政治、语文、数学、英语、历史、地理；理科考语文、数学、英语、物理、化学、生物。1995 年开始实行“3＋2”考试，即语文、数学、英语 3 科各类考生均考，文科（英语）加考政治、历史，理科加考物理、化学；报考文艺、体育的考生须参加专业考试。

招生录取

1991—2008 年，全县（市）共向全国各地高等院校输送优秀毕业生 18287 人，考入清华大学 15 人，北京大学 12 人。2002 年，市一中毕业生邱翔、江中华高考理科成绩分别列全省第五名、第九名，2008 年，市一中毕业生杨腾飞夺得鹰潭市高考理科状元，成绩名列全省第七名。

1991—2008 年贵溪市（县）高校中专招生录取情况一览

表 25－4　　单位：人

年份	考生数	本科		普通大学		专科		艺术、体育	中专	大专录取新生总数
		文科	理科	文科	理科	文科	理科			
1991	1702	7	46	9	34	47	80	10	77	238
1992	1376	4	41	4	39	62	96	16	41	275
1993	1466	2	18	16	89	85	112	24	109	350
1994	1378	1	30	21	85	77	137	20	61	365
1995	1420	5	55	24	71	110	183	18	85	455
1996	1324	16	82	20	71	82	126	24	91	415
1997	1590	4	82	14	88	72	74	24	100	356
1998	1639	12	103	24	97	78	71	28	48	411
1999	1772	14	87	35	171	100	144	52	88	599
2000	1705	23	194	68	160	150	236	63	17	893
2001	1796	30	150	80	209	166	270	42	938	—
2002	2059	26	125	138	320	191	476	103	1379	—
2003	2189	28	116	172	359	214	578	32	1607	—
2004	3042	36	82	192	329	345	457	39		1671
2005	3452	48	126	286	502	522	635	165	—	2351
2006	3298	35	135	212	453	288	374	163	—	1684
2007	3917	34	144	309	476	297	414	187	—	1871
2008	3928	45	150	267	587	508	615	168	—	2417

学校选介

贵溪市第一中学　位于城南三峰山下。南宋著名教育家、思想家陆九渊于淳熙十四年(1187)在应天山创建象山精舍,讲学五年,南宋绍定四年(1231)江东提刑袁甫将应天山精舍迁建于此,是象山书院最为鼎盛时期。

民国27年(1938),辛亥革命元老、江西省参议长彭程万和著名教育家张石樵创办贵溪私立象山中学,校址设在塘湾理源。民国30年(1941),国民党江西省党部委员苏芬创办贵溪私立扶风中学,校址设在三峰山下象山祠,贵溪县长廖上璠创办贵溪县立中学,校址设在鲇鱼桥杨家祠堂。1943年,两校合并为贵溪县立扶风中学,初中部四个班设在塘湾镇下庙,师范部设在龚家祠堂。民国34年(1945O,贵溪私立象山中学和贵溪县立扶风中学合并为贵溪县立中学,校址设在三峰山下。

1949年新中国成立后,仍称贵溪县立中学。1952年因生源不足,高中部并入上饶中学,学校改称贵溪县立初级中学。1959年恢复高中,又称贵溪县立中学,这年学校成立党支部。“文化大革命”期间,学校几经易名,1968年实行工厂办学,学校被分成农机厂“五七”中学和化工厂“五七”中学;1969年两校合并搬回原址,改称贵溪中学;1970年又改称雄石镇“五七”中学;1975年,恢复贵溪县中学原称。1977年分设贵溪中学大塘分校。1979年,大塘分校划出,筹办六岭高中,此时学校附设有一个师范班。1980年,改称贵溪县第一中学。列为江西省112所重点中学之一。1996年贵溪撤县设市后改称贵溪市第一中学。2002年贵溪一中初中部从学校剥离,专办高中。2005年原贵溪四中撤销,其师生并入市一中。

2003年,贵溪市委市政府决定贵溪市第一中学在原址扩建,规划占地面积22公顷,总建筑面积90000多平方米。截至2008年年底,学校扩建一期工程结束,完成投资近8000万元,完成校舍总建筑面积达60000平方米。

2008年,市一中有98个教学班,在校学生5600余人,教职工446人。专业师资力量雄厚,有专职教师384人。其中高级教师142人,一级教师140人,中共党员161人。学校坚持德、智、体、美全面发展的教育方针,主要采取以年级组为主体的管理模式,严抓教学常规管理,积极倡导和实践教学科研,全校教师兢兢业业,严谨从教,先后有237人次受到市以上各级党委、政府的表彰,有百余篇论文获省级以上奖励,一批优秀教师先后被评为国家、省、市先进工作者;翁先新、沈建豪被评为全国模范教师。中国医学院和协和医科大学学术委员会执行委员、中国抗癌协会副理事长、中国工程院院士程书钧曾就读贵溪一中。黄晓晴被全国妇联命名为全国“三八”红旗手。全校学生勤奋好学,文明守纪,有500人次受到市以上教育行政部门的表彰,学校先后被授予国家级“绿色学校”“全省园林化单位”“省级绿色学校”“江西省卫生庭院”“省三级档案管理先进单位”“省德育示范学校”“省现代教育技术示范学校”等称号,自1986年至今,学校共获10多届省“文明单位”荣誉称号。恢复高考后,学校培养了22000余名合格毕业生,为全国高校输送上万名优秀学生,其中有100多人获博士学位,毕业生遍及全国,远涉欧美。从1996年至2008年,学校应届考生二本线以上人数总数6200余人,并有10余人次夺得鹰潭市文、理科高考第一名,连续13年录取人数居鹰潭市各学校第一。从2004年开始,5年间录取二本人数遥居鹰潭之首。历年清华大学录取14人,北京大学录取10人。

贵溪市第三中学　贵溪市第三中学原是贵溪发电厂子弟学校,属企业办学,成校于1981年,九年一贯制,2006年中央分离社会职能,移交地方后更改为现名。学校经过近30年的辛勤办学,已发展成为一所素质教育有特色,教师队伍一流,教学成绩显著的地方名校,特别是学校分离以后,学校更是狠抓管理,将企业管理模式和地方办学机制紧密结合,坚持以人为本,求实创新,从严治校,创建特色。努力在管理质量,服务质量,教学质量上下功夫,加强教师队伍的师德师风建设和对学生的思想品德、行为习惯的教育,确保学校各项工作上一个新台阶,努力办好人民满意的学校,取得瞩目成绩。在由贵溪市政府接管后的三年里,学校规模逐年扩大,至2008年在校学生由原来的不到1000人发展到1620余人,在校教职工也由分离时的60名发展到109人,先后被评为“鹰潭市安全文明校园”“鹰潭市德育示范学校”“鹰潭教育工作先进集体”,贵溪市教育局先进党支部,校长吴建贤也先后被评为2004年和2007年两届贵溪市“十佳校长”,2008年“鹰潭市十佳校长”、鹰潭市优秀校长。学校现占地面积11451平方米,有教室34个,教学辅助用房有实验楼一栋,含理化生实验室各一个、生物标本室一间、电教室二间、多媒体设施两套、计算机网络教室一个、图书阅览室一个；另配套有门卫室、自行车棚、厕所及篮排球场地。现有32个教学班（其中小学22个，初中10个），在校学生1659人（其中小学1134人）。雄厚的师资力量加快了学校的发展，近年来，学校坚持“以人为本、科研兴教、强化管理、创新发展”的办学理念，广大教职工发扬“严谨求实，团结奋进”的工作作风，教学质量稳步上升，中小学教学成绩稳居全市前三名，特别是中考成绩，2008年以前连续8年获贵溪市综合评价第一名，多次获得教学成果奖。

贵溪市第四中学　简称贵溪四中，位于江西省贵溪市冶金路19号（江铜集团贵溪冶炼厂生活区东北侧），北临沪昆高速公路，西接冶金大道。学校创办于1980年，原为江铜集团贵溪冶炼厂子弟学校，2003年划归贵溪市政府管理，2008年9月更名为贵溪市第四中学，是贵溪市所属的公办完全中学，省重点建设中学。

2008年，市四中共有专职教师104人，其中高级教师29人、一级教师10人、省学科带头人1人、省骨干教师3人、鹰潭市学科带头人1人、鹰潭市骨干教师7人。高中年级17个班，在校学生761人，初中年级10个班，在校学生426人，在校学生共有1187人。1988—2008年，共培养高中毕业生1512人，初中毕业生2499人。

学校凭借实力雄厚的师资队伍，承担了多项国家、省、市级科研课题研究，其中贵溪四中生物小组在1993年参加全省青少年航天搭载番茄种子实验中荣获一等奖；英语学科教改重大成果“四寓教学法”在1997年通过江西省评定验收，得到了国内外教育专家的高度评价；承担国家级课题研究项目两项，其中梅文魁、何玉华等承担的全国教育科学“十五”规划重点课题《中小学校课程资源的研究与实验》子课题《高中政治阅读》第一轮研究与实验，于2006年通过审核验收结题。承担的省级课题研究项目4项，其中危春梅等承担的《合作学习在优育教学中的运用》课题已于2007年结题。

1991—2008年，教师785人次荣获各类奖项，其中95人次获国家级荣誉奖项，183人次获省级荣誉奖项。学生1091人次参加并荣获各类奖项，其中105人次获国家级荣誉奖项，63人次获省级荣誉奖项。在省级三好学生和优秀学生会干部的评比中，6人次获省级三好学生称号，1人次获省级优秀学生会干部称号。

截至2008年，学校已先后向清华、北大、北师大、人大、复旦、南开、上海体院、北京体院等高等院校输送600多名学子，其中，2人（1994年刘锴，1995年刘旦）被清华大学录取，1人（1991年李佳）被北京大学录取，其中李佳为1991年鹰潭市高考理科第一名，徐筱燕、刘锴为1994年江西铜业公司高考理科第一名，曾铭、吴春霞2人为1994年贵溪县高考文科第一名，刘旦为1995年江西省高考理科第一名，吴新华为1995年贵溪市高考文科第一名，韩琴为2002年贵溪市高考文科第一名。中考成绩历年名列贵溪市前茅。

贵溪市实验中学　坐落在贵溪市东郊，与市政府毗邻。该校是一所从小学到高中的全日制学校。学校占地面积达97323平方米，建筑面积为38000平方米。2008年开设小学、初中、高中72个教学班，在校学生3500余人。在职教职工252人，其中118名市市级以上骨干教师和优秀授课教师。

学校坚持“团结拼搏，求实创新”的精神，坚持“德育为首、教学为主、素质为重、育人为本”，坚持“创一流名校，育世纪英才”的办学目标。学校于1979年由西北迁入江西。1979年7月至1999年12月学校由企业办学，校名为中国有色四建子弟学校。1999年12月至2001年9月学校实行“公助民办”办学，更名为四冶学校。2001年10月至2007年6月，学校实行“股份制”办学，更名为鹰潭奥科现代外语学校。2007年7月学校移交地方教育部门公办。2008年，经贵溪市政府和教育主管部门审批，更名为贵溪市实验中学。

第四节　中等职业教育

教育规模

1991年，全县有职业中学6所，其中高中4所：县职业中学、县农业技术学校、新田农中和四建职业中学；初高中合设2所，即泗沥农职中、上清农职中。当年招收新生518人，毕业生214人，在校学生952

人(其中高中866人),教职工128人(其中专任教师86人)。1993年,泗沥农职中初中部停办。1994年上清农职中划归龙虎山管委会管辖。1995年秋新田农中更名罗河二中,1998年转为普通初级中学。1999年始,全市职业中学有市职业中学、市农业技术学校、泗沥农职中3所。2007年在校学生3024人,教职工159人,其中专任教师129人。2008年招生304人,毕业1171人,转出300人,其他情况减少521人,在校学生1336人。

1991—2008年贵溪市(县)职业学校设置一览

表25－5

年份	学校(所)	班数(个)	学生数(人)	开设专业(个)	年份	学校(所)	班数(个)	学生数(人)	开设专业(个)
1991	6	22	952	6	2000	3	37	1913	5
1992	6	26	1091	5	2001	3	24	1185	4
1993	5	23	834	3	2002	3	31	1616	7
1994	4	18	558	5	2003	3	—	1941	8
1995	4	19	928	4	2004	3	—	1786	7
1996	4	31	1494	5	2005	3	—	1703	7
1997	4	33	1786	5	2006	3	—	2449	7
1998	4	33	1880	5	2007	3	—	3024	7
1999	3	31	1935	5	2008	3	—	1336	8

1981年教师进修学校创办,27年来培训学员39207人次。2005年5月成立贵溪市职业教育培训中心,根据职能积极开展就业再就业培训、农村劳动力转移阳光工程培训。应届初、高中毕业生培训,2005年6月公开招标,认定市二中、市三中、市农技校、晨阳中学、奥科学校中专部为2006年阳光培训基地,认定江西贵雅照明有限公司、铜都美食城、云梦超市、信江驾校、工业园区力环厂等10余家企业为实训基地。2007年新增认定鹰潭阳光职业培训学校、现代职业技术学校为培训基地。2009年新增认定贵溪职业中学为培训基地。阳光工程培训:2005年培训2226名,2006年培训2500人,2007年培训3500人,2008年培训3500人。应届初、高中毕业生培训:2005年380人、2006年354人、2007年460人、2008年710人、2009年649人。中等职业教育(学校)开设的专业有农林、电工、家电维修、缝纫、装璜、烹饪、微机、加工制造、建筑、信息技术、医药卫生、商贸与旅游、财经、文化艺术和体育、公关文秘、社会公共事业、师范和其他类,每年根据需要进行开设。

学校选介

贵溪市职业中学　位于贵溪市雄石西后街原雄石第四小学旧址。学校创办于1991年秋,占地面积9600平方米,校舍建筑面积7000平方米。

学校自创办以来,始终坚持为社会发展服务的正确方向,面向经济建设这一主战场,实行按需施教,先后开设微机应用、电子电器、服装制作、民用建筑、公关文秘、电脑财会、旅游饭店服务、装璜美术、中国书画等9个专业。2000年起,走联合办学道路,与安徽徽州师专联办旅游饭店服务专业,与上海中航食府联办厨师培训班,与南昌交通技校联办驾修专业,与贵溪市工艺品厂联办工艺美术班。学校为满足社会人才需求,还积极开展长、短期结合培训工作。1991—2003年,学校举办微机培训、电工、招工迎考等多种形式的培训班,为贵溪市工商局进行为期两年干部培训,为教育局代办为期两年的中师职业班,与劳动人事局联合举办微机培训班,培训各种人才3000余名。

1998年市职业中学首开“三校生”(技校、中专和职高)参加高考之先河,当年有2人(朱先军、乐蓓)考取南昌职业技术师范学院本科,16人考取省内外高职专科学校。2001年应届毕业生林君以全省“三校生”总分第七名的优异成绩考取厦门大学。翌年起,市职业中学连续6年在“三校生”高考中位居鹰潭市第一名。自1994年起,历届都有一批毕业生在当地企事业工厂、公司安排就业,为当地输送大批有专业技能的、服务于发展地方经济的乡土人才，截至2008年，累计达1320人。

1991年学校开设2个班，在校生104人；1993年增至8个班，在校生400人；2000年秋季更名贵溪市第三中学，走职业教育与普通教育同步发展之路，学校规模逐年扩大，高峰期班级多达24个，在校生1600余人；2005年秋季，初中部剥离，高中仍然实行职教与普教双轨教学；2008年8月，学校更名贵溪市职业中学，当年在校学生402人，分设10个班级。

鹰潭工业中等专业学校　前身是中国第四冶金建设公司于1972年创办的技工学校，1986年学校由甘肃省兰州市搬迁至贵溪。主要招收企业职工子弟，毕业后分配至四冶各基层公司。20余年来，学校为企业培养了大批瓦工、木工、土建、电工、钳工、铆焊工、管道工等专业技术工人。20世纪90年代末，四冶公司经济效益滑坡，毕业生无法分配，学校于2001年8月停办。

2003年8月，经江西省劳动厅批准，四冶技工学校复办。同时报鹰潭市教育局批准，举办中等职业教育，对外称鹰潭奥科现代技术学校，对内为鹰潭奥科现代外语学校中专部。同年9月面向企业职工子弟和社会招生，招收新生76人。2004年8月，搬迁至现址（原四冶总公司医院）；9月，招收新生59人，在校生135人；同年兴建的教学实训大楼、三层的学生用膳大厅投入使用。2007年7月1日，鹰潭奥科现代外语学校小学、初中、高中阶段教育划归地方管理。中专部剥离，继续民办，经鹰潭市教育局批准，民政局注册，更名为鹰潭工业中等专业学校，专业设置有：机电一体化、计算机技术应用、数控加工、电子电工、文秘与办公自动化、餐旅管理、汽车驾驶与维修、农业机械运用与维修，当年招收新生839人、在校生1560人、毕业59人。随着办学规模的不断扩大，2008年8月，新建一栋教学大楼、两栋学生公寓投入使用。9月，招收新生711人，在校生2049人；11月，被江西省教育厅评为江西省示范性中等职业学校。

江西铜业集团公司技工学校　简称江铜技校，坐落在信江河南岸距贵溪城区3公里320国道旁。创建于1978年，是全国特大型企业—江铜集团创办的江西省重点技校。是以培养高、中级技术人才为主，同时集学历教育、职业培训、技能鉴定、再就业培训等为一体的综合类教育培训基地。校园面积33.3万平方米，拥有固定资产7000多万元，学校建有完善的计算机教学网络、多媒体教室、教学大楼、实习楼、图书馆、学生公寓、学生食堂等良好的教学、生活设施；并建有一流的机械、电子、电工、化工、选矿等实验室和金工、数控、电钳、电焊、汽修等实训厂房。创办以来，学校为江铜集团和社会培养了万余名高、中级技术人才，大多数毕业生已经成为江铜集团的管理骨干和生产技术骨干。

2008年，在校学生2328人，教职员工200余名，其中60%具有高、中级职称，形成以高级讲师、讲师为主体的理论教师和以技师为主体的实习指导教师队伍。

市教师进修学校　贵溪市教师进修学校地处贵溪信江南岸，宋代著名教育家陆九渊创立的象山书院东侧。学校创办于1981年9月，原名继承在六岭中学前身的贵溪县教育学校。1984年，更名为贵溪县教师进修学校。1988年7月12日，首批经省政府正式批准备案，从此学校成为一所具有独立办学资格的中等师范性质的成人教育学校。1996年10月贵溪撤县设市，学校易名为贵溪市教师进修学校。

学校由贵溪市人民政府领导，市教育局主管。学校主要从事教育教学培训和研究工作，基础教育课改的实施和非学历的教育行政培训，教师职务培训，还从事教师以及全市干部职工的学历提升教育，是贵溪市中小学校长培训基地和中小学教师继续教育培训中心，承担着贵溪市中小学校长岗位培训、中小学教师和幼儿教师的在职培训、全市中小学及幼儿园教师继续教育和信息技术全员培训任务。

2008年，学校有教职工22人，其中专任教师10人；高级教师7人，中级教师11人；具有硕士学历1人，本科学历20人。学校配备有校长1人、中共党支部书记1人、副校长3人，多数教师具有丰富的基层教育教学及学校管理实践经验，长期担任教研培训任务，具有较高的教学水平和较强的学习培训指导能力。

学校占地面积约2670平方米，建筑面积2417平方米，建有办公楼一栋，内设专用教室6个、计算机室1个、图书室1个（藏书1.5万册）、资料室、阅览室、实验室、电教室各1个、教师办公室20个、大小会议室2个、学生宿舍19间，具有现代化培训教育发展基础。

学校本着求真务实，以人为本的精神。以"服务基层学校、服务教师、服务教学"为办学宗旨，以良好的教学环境和高素质的师资队伍为依托，以面授、函授、网络教育为载体，开展多层次、多形式、多方位的培训工作。如:小学校长岗位培训和中小学校长提高培训、乡(镇)中心学校校长培训、教育系统后备干部培训、中小学教师基本功培训、中小学新教师岗位培训、小学骨干教师培训、中小学各学科教研培训、小学班主任培训、小学教导主任培训、中小学教师远程教育全员培训等。办学以来,在教师继续教育工作中共培训学员39207人次。

1991年以来,贵溪市教师进修学校充分利用自身的资源优势和特点,建立与高等教育机构合作的办学机制,先后与江西教育学院、江西广播电视大学、江西经济管理干部学院、江西中医学院、江西农业大学联合办学,设有工商管理、行政管理、高级护理、林学、财务会计、计算机、教育管理、中西医结合等专业的大专班、本科班。迄今为止,共培训中师、大专、本科学员2935人,为贵溪市教育教学质量的提高打下了坚实的师资基础,为全市干部职工文化知识水平的提高提供了良好的学习平台。学校秉承"团结、协调、服务、进取"的校训,以争创"一流素质、一流条件、一流工作、一流业绩"为目标,充分发挥教师培训功能作用,面向全员、突出骨干,增强社会责任感和时代使命感,全面促进本市教师队伍的专业化发展,全方位服务全市中小学办学水平的整体提高。在办人民满意教育发展中,学校干训、师训、教研工作均受到省、市(县)的表彰:1993年学校被评为"江西省三沟通先进培训站";1996年学校被评为"江西省三沟通办学先进单位";1998年学校被评为"江西省九五期间校长岗位培训工作先进单位";2001年,被省教育厅评为"合格进修学校";2007年被省教育厅评为"师训先进单位"。

第五节 成人教育

扫盲教育

基本扫除青壮年文盲是成年人教育的重要方面,也是"两基"工作的重点之一。1988年国务院颁布《扫除文盲工作条例》,进一步推动了贵溪县的扫盲工作。1990年第四次全国人口普查统计,贵溪全县共有青壮年264634人,其中文盲31565人,非文盲率为88.1%,该年年底通过省扫盲验收并被评为"扫盲工作先进县"。1993年8月国务院对《扫除文盲工作条例》进行修订,规定1949年后出生的15岁以上文盲都是扫盲对象,基本扫除文盲的单位非文盲率要达到95%以上。1994年县人民政府下发《贵溪县扫盲工作实施意见》,更具体地明确了各级领导的责任,县级负责制订全县扫盲规划,引进或编印教材,考试验收,表彰奖励;乡级负责摸清文盲底数,建立档案,落实经费,制订乡规民约;村级负责动员组织,督促上学,提供办学条件;教育部门负责实施教学,命题考试。1997年上半年,全市共有青壮年290202人,其中文盲7321人,非文盲率达97.5%,已脱盲人员参加学习,巩固提高接受实用技术培训的累计有59933人,脱盲巩固率达97.5%;24个乡(镇)均开办农民文化技术学校,乡级办学覆盖面达100%。1997年10月,江西省人民政府扫盲工作评估验收组通过听汇报,查资料,调查访问,现场考试等程序,最后确定贵溪市青壮年非文盲率为98.8%,脱盲人员巩固率为97.4%,均达标准。之后,在继续扫盲的同时开展农村实用技术培训。

自学考试

自学考试由贵溪县(市)高招办按省高等教育自学考试指导委员会的规定,负责组织考生报考。考试由鹰潭市高招办主持。1991—2008年,全县(市)参加各科考试人数13853人。报考人员大多是干部、工人、教师,部分为社会青年。报考专业主要有汉语言文学、法律、英语、会计、行政管理、工商管理、教育管理、公安管理、金融、护理等10多个专业。毕业人数723人,其中本科241人,专科482人。

1991—2008年自学考试情况一览

表25－6　　单位:人

年份	报名人数	报名总科次	毕业生数		
			大专	本科	合计
1991	1121	2570	9	—	9

续表 25－6

年份	报名人数	报名总科次	毕业生数		
			大专	本科	合计
1992	1098	2337	21	—	21
1993	1185	2651	37	—	37
1994	1215	2928	17	4	21
1995	1461	3116	34	2	36
1996	1500	3622	42	2	44
1997	1272	3002	30	2	32
1998	1301	2874	35	5	40
1999	1592	3939	31	4	35
2000	1818	4331	30	3	33
2001	1866	4205	33	6	39
2002	1953	4239	23	19	42
2002	1953	4239	23	19	42
2003	1578	3427	41	22	63
2004	1094	2196	45	37	82
2005	805	1588	56	29	85
2006	522	1015	30	37	67
2007	513	926	20	33	53
2008	476	858	13	36	49

成人高考

全称为成人高等学校招生考试。参加成人高考的考生主要是在职人员。报考专科的考生一般应具备高中学历或同等学历。报考专科升入本科（简称“专升本”）的考生，应具备大专学历；报考函授学习的，其工作年限不限；报考脱产进修学习的，应有1年以上工作经验；报考专科第二学历教育的，必须是已获得大学专科以上毕业文凭的在职从业人员，其工龄和年龄不限。专科和本科均分理科、文科两类。报考大专理科的应考政治、语文、数学（理）、物理、化学。报考大专文科的应考政治、语文、数学（文）、历史、地理。成人高等学校招生由省招生办负责，录取后直接通知考生。

1991—2008年，贵溪全市（县）参加成人高考1192人，录取378人。

第六节　民办教育

随着贵溪的教育改革不断深入，1989年9月，回乡知识青年侯正祥在罗河镇率先创办私立罗河初中，打破贵溪（辖区）内国家独家办学的格局。当年该校招收初一新生169人，学校招聘教职工7人。此后几年，私立泗沥初中、私立志光初中、私立周坊初中、私立河潭初中、私立鸿塘初中、私立泗沥二中、私立金沙初中、私立盛源初中、私立余家一中、私立余家二中、私立白田初中、私立周坊小学等民办中小学相继创办。由于办学理念滞后、办学经验不足、师资力量单薄等原因，加上教育行政部门缺乏有效的管理监控和业务指导，大部分民办学校的办学形式很不规范，难以保证生源，开办两三年便自然解体。1998年2月，贵溪市教委对全市原有6所私立中学和1所私立小学进行全面督导评估，撤并私立余家一中、私立河潭初中、私立罗河初中，批准创办私立余家新才初中，保留私立余家二中、私立白日初中、私立周坊初中,私立周坊小学。1999年秋,泗沥虎岗初中创办;1999年12月,中国有色四建子弟学校更名四冶学校,实行"公助民办"办学;2001年秋季,白鹤湖武校、信江中学和博文中学创办;2001年10,四冶学校更名为鹰潭奥科现代外语学校,实行股份制办学。2002年秋,铜南中学创办;2003年秋,晨阳中学创办;2004年秋季,信江中学易主易址,更名树人学校。2005年8月象山学校创办。2006年7月,树人学校、铜南中学和白鹤湖武校停办。2007年7月,奥科学校正式收归地方政府管理。至2008年,全市民办中小学仅存象山学校、虎岗中学、晨阳中学、益智学校。

在教育办学体制改革的大潮下,民办中专在贵溪应运而起。1995年12月,贵溪汽车技校创办;1994年8月,贵溪武术学校创办;12月,贵溪生命科技学校创办;1996年6月,贵溪健身培训中心成立;1999年贵溪少林精武学校创办。民办中专的审批与管理归属鹰潭市教育局。

1991—2008年贵溪市(县)民办教育情况一览

表25－7

年份	学校数			学生数(人)				教职工数(人)		
	总计	小学	中学	总计	小学	中学	高中	总计	小学	中学
1991	6	1	5	774	25	749	—	51	1	50
1992	8	1	7	1042	30	1012	—	63	1	62
1993	10	2	8	1035	66	969	—	70	2	68
1994	7	—	7	1058	—	1058	—	68	—	68
1995	8	1	7	1445	91	1354	—	77	2	75
1996	9	2	7	1849	71	1778	—	87	3	84
1997	8	1	7	2297	33	2264	—	107	2	105
1998	5	—	5	1351	—	1351	—	53	—	53
1999	4	—	4	1536	—	1536	—	69	—	69
2000	4	—	4	1639	—	1639	—	77	—	77
2001	8	1	7	4353	705	2799	849	379	66	313
2002	8	1	7	4752	629	2656	1467	443	66	377
2003	7	1	6	4434	600	2324	1510	367	36	331
2004	7	1	6	4938	610	2678	1650	341	36	305
2005	6	1	5	5081	646	2459	1976	331	36	295
2006	7	1	6	5758	1060	2829	1869	326	74	252
2007	5	—	5	1968	318	1650	—	126	20	106
2008	3	—	3	1937	400	1537	—	126	20	106

学校选介

晨阳中学　2002年6月,由乐平房产商在滨江乡柏里村九牛小组西侧的荒山上兴建,学校占地面积9万平方米,校舍占地面积6880平方米。2003年秋季招收七年级新生95人,高一新生44人,在校教职工17人。2003—2007年,学校不断更换管理人员,加强教学管理,完善学校设施,不断加大投资力度,学校硬件设施有了很大改善。学校拥有教学楼、办公楼、公寓、食堂、澡堂。教育教学质量逐年上升,在民办学校中脱颖而出。2008年中考,考入市一中人数50人,共18个教学班。2008年秋季,经教育行政部门批准开办小学,招收六年级学生172人,在校学生达752人,教职工37人。一级教师以上15人(其中高级教师5人),学历达标为100%。晨阳中学学生的主要来源是农村"留守孩子",基于这一实际，学校坚持"既教书，更育人"的理念，实行全封闭教学管理，对学校、学生、家长做到三负责。

晨阳中学自2007年开始有毕业生，当年110人参加中考，录取一中41人，其中9人进入市一中零班；2008年106人参加中考，录取一中50人，其中17人进入市一中零班；2009年96人参加中考，录取市一中49人，27人进入零班。

2007年参加贵溪市中学生综合知识竞赛，均获"团体三等奖"。

在全国化学竞赛中，揭瑶荣获鹰潭市一等奖；姜武辉、张明华、海侠、潘国忠，荣获鹰潭市二等奖。在全国物理竞赛中，揭瑶、张明华、曾志华，荣获鹰潭市二等奖，在全国数学"希望杯"竞赛中，荣获鹰潭市一等奖。

在全国英语电视大赛中，吴冠华、汪九雄获鹰潭市二等奖。

象山学校　市象山学校于2005年8月经教育行政主管部门批准创办，是一所面向农村留守儿童提供九年一贯寄宿制教育服务的民办学校，2006年6月正式开始招生办学。学校坐落在市区西郊的沙井头原贵溪四中校园内。

截至2008年，象山学校已开设36个班、9个年级，在校生1400余人，教职工170人，发展成为贵溪市教学设施配备齐全、师资力量雄厚、家长信任的优质民办学校。

市象山学校一经创办，即面向社会郑重承诺："一切为了孩子，为了孩子一切，努力创办省级一流名校"，并着力付诸实际行动。为加强学校管理，打造和谐校园，学校制定一系列管理制度。一是对住宿生实行全封闭管理，学生衣食住行均有育导老师照料，课外有教师专门负责辅导学生功课，组织开展课外活动，让留守学生的父母放心。二是对于半封闭学生，要求挂牌进出校门，中午休息时，有值日领导和教师巡查。日常管理实行班级量化评比，每日公布一次，每周统计一次并评出名次。教师实行坐班制，实行查课制，对学生日常管理实行值日行政和值日教师负责制。为保证学生上学、放学路上的安全，学校专门安排数辆校车接送，同时还在学生放学后安排保安护送，以确保学生安全。

象山学校注重以促进教育教学质量的提高为中心，以课堂教学为主阵地，加强各项教学常规管理，关注教学过程中的每一个细节，扎实提高课堂教学的质量。学校以新课程改革理念为指导，不断开展教育教学的实践和研究，在继承传统的基础上力求创新。学校严格检查一切教学活动，要求教师及时做出总结和反思、查缺补漏、加强听课、听课后的研讨、鼓励相互学习。学校专门提出科学的教学方针：即"备课要深、上课要实、作业要精、教学要活、手段要新、活动要勤、辅导要细、考核要严、负担要轻、质量要高"。

一流的管理模式创造出一流的育人业绩，4年中，象山学校的各类竞赛硕果累累，3年中考成绩一年一个台阶，学校在教育部基础教育改革与发展研究所、江西师范大学等省内外高校及其教育专家的引领下，以"创当代精舍、育康乐新人"为主题制定新的三年发展规划，提出"让学校成为洋溢着乐学氛围、充满成长生机的地方"的发展远景，确立"面向农村留守儿童提供九年一贯寄宿的优质教育服务"办学定位，奉行"康·乐教育"理念，倡导"深度理解"教学，力争"三年之内把学校建成区内领先、省内知名的优质民办学校；使教师成为具有一定改革意识、爱学习、会研究、能合作、求发展的新型教师；使学生成为基础扎实、习惯良好、志向明确、身心健康、具有终身学习和发展积极愿望的自主能动的一代新人"。

第七节　特殊教育与校外教育

特殊教育

特殊教育在贵溪起步较晚。1996年城乡部分小学开始招收弱智儿童随班就读。1997年秋，雄石三小附设特教班，招收学生10人，配备教师3人，是年全市在校智障儿童155人。2008年随班就读的智障儿童达366人。2009年8月，贵溪市特殊教育学校建设启动，2010年春季竣工。2010年秋季招收120名盲聋哑残儿童入学。

特殊教育的教学形式以集体教学为主，个别教学为辅。以读、写、手势为基本教学方法，建立学校、教师、家庭三位一体的教育体系，使盲聋哑残儿童学业成绩向正常儿童靠拢。

校外教育

为推动全市未成年人校外教育事业稳步协调发展,由国家彩票公益金扶持,征得政府地方财政配套,贵溪市教育局多方筹资,贵溪市青少年活动中心项目建设于2005年5月动工,次年11月竣工。2006年12月,贵溪市青少年活动中心成立,隶属市教育局管理,为全额拨款股级事业单位。

项目概况　青少年活动中心建设项目占地面积8586平方米,由综合楼、室外活动园区及室内灯光球场三部分组成。其中:综合楼占地1000平方米,建筑面积3000平方米,设有演播大厅、多功能报告厅等各种功能室;室外活动园区占地6390平方米,其中综合活动区4390平方米,绿化园区2000平方米。设有篮球场、排球场、健身器械场和2个塑胶网球场,拥有1200个座位的室内灯光球场1座,可供青少年学生进行篮、排球训练和比赛,或进行大型团体操比赛与文艺表演。整个青少年活动中心可同时容纳500名学生开展各类活动。

活动情况　青少年活动中心从2007年2月3日正式开展活动培训,开设书法、美术、小记者、舞蹈、英语、中国象棋、围棋、篮球、乒乓球等10多个活动项目。2008年10月,青少年活动中心将活动培训点延伸到城区学校,在8所中学、7所小学、1所幼儿园设立16个活动培训点,启动探索与学校相互衔接的延伸工程。

2007年10月,中国象棋班学员何智伟在参加"2007年江西省首届棋类等级比赛"中获得中国象棋F组的第一名,被中国象棋协会授予棋协一级棋士称号,这是贵溪市首次获此殊荣。书法、美术班的部分学员在江西省第七届、第八届、第九届少儿书画作品大赛中,共有177人获大奖,其中:获金奖18人、银奖63人、铜奖55人、优秀奖38人、新苗奖3人。另有14人获优秀园丁奖;活动中心并被大赛组委会授予优秀组织工作奖牌。

2007年12月,青少年活动中心取得"全国书画等级考试考点"资格,2007年、2008年共组织118名学员参加全国书画等级考试,并获得相应的等级证书。

2008年6月,青少年活动中心被共青团贵溪市委授予"青年文明号"。

2008年10月,书法班部分学员在全国第十届青少年书法临帖大赛中,3人荣获儿童组状元奖;3人荣获儿童组金奖;4人获少年组银奖。另有2位教师分别荣获青年组金奖和银奖。

第三章　德育工作

第一节　德育管理

1991年3月,成立贵溪县德育工作领导小组,贵溪县中小学德育工作由县教育局政教股主管。撤县设市后,教育股负责德育管理工作。

中小学生教育

贵溪教育局通过多次发文,组织各级各类学校从中小学学生基本文明行为的养成教育入手,在全县(市)中小学广泛开展讲文明、讲道德、讲理想的教育活动以及爱国主义、集体主义、社会主义思想政治教育,学生的思想素质有明显提高。历年来,组织开展"我爱社会主义""学赖宁、学刘东成,誓做党的好孩子""光辉的旗帜""迎回归、爱祖国""高举旗峡,再创辉煌""辉煌五十年,跨进新世纪""弘扬民族精神,加强思想道德教育""兴赣富民奔小康"等读书活动,围绕读书活动开展演讲、讲故事、作文竞赛、征文比赛等,使广大学生普遍受到爱国主义教育。周坊革命烈士纪念馆、贵溪冶炼厂等德育教育基地相继成立,革命传统教育、民主法制教育取得了较好成效。许多学校聘请公检法机构专业人士担任学校法制副校长,不定期给学生上法制教育课。1991年以来,全市共对中小学学生上法制教育课达5628次(场)。

幼儿养成教育

根据教育部颁发的《幼儿园教育纲要(试行草案)》,幼儿德育以养成教育为主,在全市幼儿园中向幼儿进行互助友爱、文明礼貌教育,培养幼儿独立生活能力和爱劳动习惯,养成自己叠被、穿衣服、系鞋带、洗手帕等良好习惯,通过音乐、舞蹈、美术、游戏、儿歌等形式,培养热爱中国共产党、热爱社会主义、热爱祖国的情感。进入21世纪后,全市城乡各级幼儿园加大了养成教育的力度,在幼儿中进行爱祖国、爱人民教育,培养幼儿优良的品德、文明的行为、活泼开朗的性格、愉快的情绪,培养幼儿之间友好相处,互相关心,互相帮助的情感。教育儿童热爱花草树木、爱护玩具、图书,爱惜粮食、不挑食、不挑穿戴。教育儿童自己的事自己做,为同学、为集体做好事,遵守公共秩序,遵守交通规则,学会礼貌用语。培养儿童自尊、自重、自立、自强的精神,教育儿童热爱家庭、尊敬长辈,尊敬老师,学习革命前辈和英雄人物。养成良好生活和学习习惯,规范儿童的行为,养成良好的思想品德。

第二节 小学思想品德教育

1991年以来,贵溪市(县)教育部门遵照教育部《小学德育纲要》的规定,在小学思想品德教育中主要向学生进行"爱祖国、爱人民、爱劳动、爱科学、爱社会主义"为基本内容的社会公德教育和有关的社会常识教育(包括必要的生活常识、浅显的政治常识以及同小学生有关的法律常识),着重教育学生心中有他人,心中有集体、心中有人民、心中有祖国;以对学生进行感恩教育,着重培养和训练学生逐步养成良好的道德品质和文明行为习惯。着重提高学生的道德认识,培养道德情感,指导道德行为,使学生初步具有分辨是非的能力。

实施新课程后,贵溪市各中小学按《小学思想品德课课程标准》规定,在小学一、二年级主要对学生进行日常行为规范教育,通过具体的行为指导,帮助学生养成良好的行为习惯。在小学3~5年级主要对学生进行道德品质教育,使学生在基本的道德问题上,知道是与非,知道应选择正确的行为。在小学6年级系统地对学生进行道德规范教育,使学生知道社会生活中必须有道德,并能对社会生活中遇到的道德问题进行比较,做出正确的道德选择,从而提高道德行为的自觉性。

贵溪市各小学加强思想品德课的教学改革,同时还进行小学生操行评语改革的实验。各校都能积极改革小学生操行评语,坚持全面、准确、规范的评价原则,使用恰当的评价语言,促进全市小学生素质的全面发展,使每一位小学生学会做人、学会求知、学会学习、学会健体。

第三节 中学思想政治教育

20世纪90年代初期,贵溪教育部门及各中学遵照中共中央《关于改进和加强中小学德育工作的通知》精神,积极探索思想教育在课堂教学中的新途径,有计划地把德育与传授科学知识相结合,根据学科特点,渗透、贯穿在各科教材和教学过程中,对学生进行"爱祖国、爱人民、爱劳动、爱科学、爱社会主义"教育。1994年8月23日,中共中央颁布《爱国主义教育实施纲要》。贵溪教育局根据《纲要》要求:强调对学生要进行中华民族悠久历史教育,中华民族优秀传统文化教育,党的基本路线和现代化建设成就教育,中国国情的教育,社会主义法制教育,国防教育和国家安全教育,要进行民族团结教育,要进行"和平统一、一国两制"方针教育。对学生思想教育的内容更加广泛,要求更加具体。全市各中学加快了德育工作力度,不断研究和探索中学德育课内思想教育的方法。课内思想教育的重点仍是学科渗透,但教学方法有所改进和创新。

2000年12月14日,中共中央办公厅、国务院办公厅发布《关于适应新形势进一步加强和改进中小学德育工作的意见》,贵溪市教育部门认真贯彻《意见》,把思想政治教育、品德教育、纪律教育、法制教育作为中小学德育工作长期坚持的重点,遵循由浅入深、循序渐进原则,确定不同教育阶段的内容和要求,把培养学生成为热爱社会主义祖国,具有社会公德、法制意识、文明习惯和遵纪守法的公民作为中学德育工作的基本任务,引导学生逐步树立正确的世界观、人生观和价值观,不断提高爱国主义、集体主义和社会主义思想觉悟,为他们中的优秀分子将来能成为共产主义者奠定基础。对高中学生进行马列主义、毛泽东思想和邓小平理论基本观点教育,辩证唯物主义和历史唯物主义的基本观点教育;加强国情教育,帮助学生了解我国改革开放以来取得的巨大成就,加强心理健康教育,培养学生的良好品质;加强法制观念,使他们从小养成遵纪守法的良好习惯。

贵溪市各中学德育的课内教育除思想政治课外,重点寓教育于各学科教学中,贯穿于教学的各个环节。在中学语文、历史、地理、数学、物理、化学、生物等学科中根据各自的特点,结合教学内容对学生进行了爱国主义、社会主义、中国近现代史、基本国情、民族团结和辩证唯物主义世界观教育,以及科学精神、科学方法、科学态度的教育。体育、音乐、美术等学科也结合学科特点,陶冶学生情操,激发学生爱国主义情感,培养团结协作和坚忍不拔的精神,学校的教育充分体现既教书又育人。

2001 年,贵溪市政府印发《贵溪市素质教育工程实施方案》,确定学生的培养目标应该是:提高学生的思想道德素质,科学文化素质,身心健康素质,艺术审美素质和劳动技能素质。明确提出把学生的思想道德素质放在首位。各中学加强政治思想教育,教育学生学会做人、学会学习、学会劳动、学会生活、学会创造。

2002 年,组织全市各校师生进行革命传统教育,市区中、小学赴市革命烈士纪念馆瞻仰、祭扫,当年入纪念馆参观师生达 5000 余人。并组织市区中小学生师生到夏润珍烈士墓祭扫。

2003 年,开展"除陋习,树新风"文明教育活动;举办"弘扬伟大民族精神,加强思想道德教育"读书活动,进行演讲、作文竞赛。

2005 年,下发《德育工作管理办法》;开展"心系祖国,健康成长"读书活动。

2006 年,开展城区学校"未成年人告别网吧"主题教育活动。

2007 年,举办全市青少年"我心中的道德楷模"演讲、征文比赛;开展"红领巾、绿草地"黑板报评比活动。

2008 年,开展"弘扬和培育民族精神月"活动。

第四章　教学与研究

第一节　机构设置

教研室

直属教育局管理的独立事业单位,以教材教法研究、教学指导、教学业务管理为主要任务,进行专题研究、教改实验,推广先进教育教学经验和方法,为教育管理部门当好业务方面的参谋和助手。2008 年,教研室有中小学专职教研员 12 人,分别负责中学的语文、数学、英语、物理、化学、思想品德,小学的语文、数学、英语,以及中小学音体美等学科。专职教研员中中学高级教师 10 人,小学特高教师 1 人,小学高级教师 1 人。

教研网络

实施新课程后,全市乡(镇)中心学校配备专职教研干事,乡(镇)成立学科中心教研组,定期开展全乡(镇)的教研专题活动。在初中:分学区成立教研协作组,把"市教研室—学校"两级教研网完善为"市教研室—学区—学校"三级教研网络,建立起以市教研室为龙头,以学区、乡(镇)为中介,以学校教研组为基地的三级教研网络,并建立若干个教研体,形成全市上下指导与反馈、交流与提高的纵横贯通的体制,使教研工作组织落实、计划落实、时间落实、内容落实、人员落实。

第二节　业务管理

教学常规

遵照江西省教育厅教研室 2000 年颁发的《江西省中小学各科教学常规》,贵溪市中小学教学常规由市教研室负责指导督查,学校负责组织、落实和检查。市(县)教研室就以下 8 个方面做出具体要求:

教学计划　全市(县)教师每学期应制订教学计划,并在开学初一周内交教导(务)处审批后执行。教学计划内容应包括:教学对象分析、教材内容分析、提高教育教学质量的具体措施及进度安排。

备课　教师应隔周备课,一课时一教案。教师以独立备课为主,集体备课为辅。教案应有:授课时间、课题(教学内容)、教学目标、重点难点、教学过程、作业设计、所需教具、学具及板书设计等。复习课、试卷讲评课、作业指导课也应有教案。

上课　按时上课、下课,不准随意调课。上课时目标明确、内容正确、教法得当、组织周密、语言清晰、板书合理、训练扎实。

作业　作业设计要紧扣课标、教材,要难易适中,份量适当。小学一年级不留书面家庭作业,其他年级不超过1小时,初中不超过1.5小时(以上以中等生为准),严禁惩罚性作业。作业批改要认真、及时。理科作业一般要求在上下一节课前下发,作文批改不超过两周,作业批改符号要规范。作业批改应做到全批全改,不得由学生代劳。

辅导　对“学困生”及时辅导,做到对象、措施、时间、效果四落实。辅导时热心、耐心、细心。成立各学科兴趣小组,以激发兴趣,发展特长。

考试与考核　小学语文、数学、英语可进行书面考试,其他学科则进行考核。每次考试后,要认真阅卷并做好成绩统计和质量分析。要上好试卷讲评课。每次考试后,不能按分数排队,以免挫伤学生学习积极性。

教研活动　教师要相互听课,每学期听课不得少于12节。教师要制订业务进修计划,认真学习课标,钻研教材。应自费订一种学科教学类杂志,每学期业务学习笔记应在5000字以上。学期结束,教师要写出书面教学小结,内容应有:教学任务完成情况,学生学习情况,主要经验与体会,存在问题及改进的措施等。每学期教师要撰写1篇教学论文。

业务骨干评选

2002年起,开展全市中小学优质课教师、骨干教师、学科带头人系列业务骨干评选活动。三类业务骨干档次递增,至2008年,分三批次共评选出中小学优质课教师1016人,从优质课教师中分三批次共评选出骨干教师689人,从骨干教师中评选出学科带头人共26名。2006年,市教育局出台《贵溪市中小学骨干教师管理办法》,规定上述三类业务骨干任期均为5年,任期满后经考核合格者继续授予同档次的业务骨干称号,并享受相应待遇。

2001—2008年,在鹰潭市中小学业务骨干评选中,贵溪市共有31名教师当选学科带头人,116名教师当选骨干教师。2008年,江西省首批学科带头人评选,贵溪市共有6人当选,分别是:二中李志英、教研室孙红英、市四中(冶炼厂中学)何玉华、实验小学龚健梅、市一中张吟芳和沈建豪。

教研积分评比和教学质量年终考核

自20世纪90年代中期起,在全市以乡镇为单位开展小学教研积分评比活动,每学年由市(县)教研室负责组织考核小组,从教研常规、日常工作、教研成果等方面对各乡镇的小学教学教研情况进行考核打分,排定名次。在名次靠前的单位选取典型学校召开全市农村小学教研现场会暨总结表彰会,通报评比情况,推广优秀经验,表彰先进。2003年,农村初中教研积分评比工作启动。2006年起,教研积分评比工作由教学质量年终考核替代,仍由教研室负责。

教学成果奖

1994年,县教育局决定开设“教育百花奖”,划拨专项资金用于奖励每年度在各项教育工作中取得优秀成绩的单位和个人。“教育百花奖”分为金花奖、银花奖、百花奖三个档次。从1994—1998年共举办了5届,发放奖金361620元。2001年,市教育局制定《贵溪市教学成果奖励条件》,改“教育百花奖”为“教学成果奖”,奖励每学年度在教学教研工作中取得优秀成绩的集体和个人。

2005年,教学成果奖奖励条件修改,是年9月评出2004—2005学年教学成果奖339项,发放奖金63550元;2006年评出2005—2006学年度教学成果奖300项,发放奖金54030元;2007年评出2006—2007学年度教学成果奖199项,发放奖金55460元;2008年评出2007—2008学年度教学成果奖206项,发放奖金69850元;以上统计均不含高考教学成果奖。

业务考核

每学年度从教学业绩、教研教改成绩、获得的荣誉、受到的处分等方面分优秀、称职、基本称职、不称职四个等次对教师进行业务考核,填好教师业务登记表,建立教师业务档案。

第三节 教学实验与课题研究

教改实验

目标教学实验 20世纪90年代初期,全县大部分中小学开始实践并推广教育先进地区的目标教学实验成果。目标教学是以教学目标为核心,以群体活动和个别帮助相结合为基本形式,以导学达标为中心环节,以反馈矫正为重要手段,使95%以上学生都能当堂达标的一种有效的课堂教学模式。贵溪化肥厂子弟学校(改为市五中)教师郑超主持的课题《初中化学目标教学实验研究》于1995年通过省级结题。

英语“四寓教学法”教学实验 1982年起,冶炼厂子弟学校郑继红老师在高中部进行“寓思想于教学中,寓娱乐于教学中,寓应用于教学中,寓竞争于教学中”的英语“四寓教学法”教学研究,1996年通过省课题规划领导小组鉴定验收。论文《四寓教学法》被载入《当代教育名家论坛》一书;论文《“四寓教学法”实验报告》获国家级一等奖。《人民日报》《文汇报》《中国教育报》《人民日报·海外版》等分别予以报道,中国教育电视台先后2次播放“英语四寓教学法”教改电视片。2004年12月由国家基础教育实验中心外语教育研究中心、浙江大学继续教育中心联合主办的“走进新课程”全国中小学英语外语教学研讨观摩活动中,郑继红运用“四寓教学法”开出的小学和中学两堂课:《The seasons》和(How to plant a tree》被制作成光盘,作为推进新课程理念的示范课在全国推广。

新课程改革实验 2002年下半年和2003年上半年,市教育局相继成立基础教育课程改革实验工作领导小组和贵溪市实验教材审定小组,并外请专家与教研员、全市各骨干教师组成专家指导小组,制订方案,为进入新课程改革实验作准备。2003年秋,作为江西省第二批课改实验区全市一年级和七年级进入课程改革实验。按照“先培训,后上岗;不培训,不上岗”的原则,从2003—2007年,教研室对所有进入课改实验教学的中小学教师进行全员轮训,合格者颁发证书。

课题研究

从1991年始,贵溪市(县)教研室、贵溪市(县)电教仪器站根据《江西省中小学教育教学研究课题管理办法》和《现代教育技术试验课题管理办法》,制定《贵溪市(县)中小学课题研究管理办法(试行)》,在全市(县)中小学以基础教育课程改革的重大理论问题和现实问题为主攻方向,大力开展教育教学和现代教育技术实验课题研究工作。据不完全统计,1991—2008年全市(县)中小学省级以上立项课题共40余项,其中经中央教育科学研究所、江西省教研室课题基地办和江西省电教馆等部门审核准予结题的16项。市三小在中央教育科学研究所组织的全国15部级规划课题“中小学素质教育中多种教学媒体综合运用实验研究”的课题研究和管理中被评为先进集体,姜萍、汪莺被评为先进个人,贵溪六中课题“智能互动白板系统下的中小学有效教学研究”被评为江西省优秀课题。自1991年以来,全市(县)参与课题研究的教师有3000余人。

第四节 教育督导

1994年11月,贵溪成立县教育督导室,定为副科级机构。

贵溪市(县)教育督导室的职能是:负责对全市教育工作进行监督和指导,统筹规划、组织实施教育督导工作,制定教育督导与评估的指导性文件和工作制度,代表政府对所属乡镇、场和直属教育部门、各中、小学在贯彻国家教育方针、政策、教学管理等方面实行监督、检查和评估验收,开展教育督导科学研究、培训教育督导人员,组织信息交流。

1995年10月,贵溪县教育局、县人大科教文卫委、县政协教文卫体委根据国家教委、全国人大科教文卫委、全国政协科教文体委联合发出的《关于在全国开展基础教育“五项内容”督导检查的通知》精神，在全县开展基础教育“五项内容”的督导检查。“五项内容”是：①“两基”规划实施情况；②《教师法》的落实情况；③增加教育投入情况；④加强德育工作情况；⑤减轻义务教育阶段学生过重课业负担各项主要措施落实情况。

1998年12月，教育部、财政部授予贵溪市人民政府《普及九年义务教育和扫除青壮年文盲先进单位》，2001年6月，教育部等3单位授予贵溪《全国“两基”工作先进地区》，2003年又被授予“江西省‘两基’巩固提高工作先进县”。

2000年，贵溪市由政府主导，组织教育、公安、卫生、文化、城建、计委等部门共同参与，基本摸清全市实施素质教育和各中、小学安全隐患情况，并采取针对性的补救措施，加强对各类危房的维修与改造。

第五章　师资队伍

第一节　教师来源

公办学校

教师主要来自大中专师范类毕业生分配、民办和代课以及面向社会考试招录。

大中专师范类毕业生分配　1991—2001年，师范类毕业生均能顺利进入教师队伍，充实到缺编学校任教。1991年，接收安置师范类大中专毕业生317人，是接收人数最多的一年。1993年为278人，其中，大学毕业生73人，中专生为205人。1995年，全市接收安置师范类大学生（含大专）141人，其中，大学生60人，中专生81人。2001年，接收安置大学生117人，中专生22人。

民办和代课教师转编　1991年，全县在册中小学民办教师有1896人。1991～2000年，按照国家有关政策，1621名民办教师转为公办编制。1998年11月，通过考核、审查，全市共有200名具有6年以上教龄且在职的民办代课教师转为合同制教师。2000年秋季起，全市中小学在职教师中的民办和代课教师不复存在。

面向社会考试招录　自2002年起，大中专毕业生不再包分配，开始面向社会招考师范类大中专毕业生和已经取得教师资格证的非师范类大中专毕业生补充进教师队伍。至2008年，共录用480名新教师。

社会力量办学

教师队伍主要由公办学校分流教师、离退休教师和学校自行向社会招聘具有教师资格的人员组成。

1991、2008年全市教师专业技术职称一览

表25－8　　单位：人

职称	1991年							2008年						
	总计	百分比	其中					总计	百分比	其中				
			幼儿园	小学	初中	高中	职中			幼儿园	小学	初中	高中	职中
合计	4509	—	—	2975	1185	263	86	5083	—	325	2425	1498	588	247
中教高级（小教特级）	42	0.93	—	2	8	32	—	361	7.1	—	10	163	154	34
中教一级（小教高级）	377	8.36	—	174	108	80	15	1962	38.6	29	1112	532	104	125
中教二级（小教一级）	1337	29.65	—	926	279	108	24	2341	46.1	52	977	703	223	84

续表 25 - 8

职称	1991 年							2008 年						
	总计	百分比	其中					总计	百分比	其中				
			幼儿园	小学	初中	高中	职中			幼儿园	小学	初中	高中	职中
中教三级(小教二级)	699	15.5	—	443	227	19	10	—	—	27	231	42	2	—
小教三级	32	0.71	—	32	—	—	—	11	0.21	—	11	—	—	
中教未评级	624	13.84	—	—	563	24	37	107	2. 11	—	—	58	45	4
小教未评级	1398	31.01	—	1398	—	—	—	301	5.92	217	84	—	—	—

1991、2008 年全市教师学历一览

表 25 - 9　　单位:人

学历	1991 年							2008 年						
	总计	百分比	其中					总计	百分比	其中				
			幼儿园	小学	初中	高中	职中			幼儿园	小学	初中	高中	职中
合计	4693	—	184	2975	1185	263	86	5083	—	325	2425	1498	588	247
本科及以上	184	3.92	—	4	51	120	9	1759	34.61	27	270	817	541	104
专科	639	13.62	11	33	417	131	47	2293	45.11	141	1290	672	47	143
高中及中专	2823	60. 15	103	1984	698	12	26	1027	20.2	153	865	9	—	—
高中阶段以下	1047	22.31	70	954	19	—	4	4	0.08	4	—	—	—	—

第二节　教师待遇与培训管理

待遇

政治待遇　贵溪市(县)委、政府历来把关心教师的工作、学习、生活列入日常工作,全市(县)尊师重教的风气日臻浓厚。每年 9 月 10 日教师节,市委、市政府都坚持开展庆祝活动。每届县(市)人大、县政协机构,教师都有一定比例的名额。1990—1993 贵溪县第十届人民代表大会有教师代表 11 名,建市以来贵溪市第一到四届市人民代表大会有教师代表计 35 名;建市以来,贵溪市四届政协先后共有 42 名教师当选政协委员。

经济待遇　1991 年以来,教师工资逐年增长,除固定工资外,还按月享受教龄津贴(5 ~ 9 年教龄 3 元,10 ~ 14 年教龄 5 元,15 ~ 19 年教龄 7 元,20 年以上教龄 10 元),边远山区教师享受山区补贴等福利。自 2007 年 1 月起,贵溪在全省各县市中率先发放每年人均 12000 元的教师绩效工资。

住房待遇　1994 年住房制度改革以前,全县教师均享受单位福利性分房。因单位住房紧张自行解决的,单位给予一定的住房补贴。推行住房制度改革以后,城区学校逐年取消福利性分房,部分学校根据政策实行集资建房。农村中学为稳定教师队伍,保障正常的教育教学工作,均建有教工宿舍免费提供给教职员工,一些学校在条件允许下按照政策建造教师公寓或在校园内集资建房。1999 年 4 月,开始实行住房公积金制度,全市所有在编教师均可参加住房公积金改革,享受相应的住房公积金补贴。

培训

中小学校长培训　根据《全国中小学校长任职条件和岗位要求》(教人〔1991〕38 号),贵溪市(县)教育部门提出新任校长必须接受任职资格培训,在职校长每五年必须接受国家规定时数的提高培训。

中小学校长任职资格培训和定期提高培训由鹰潭市教师培训机构和贵溪市教师进修学校负责进行。1991年9月—12月，全县43名小学校长参加为期3个月的脱产培训，42名获得合格证书；1994年，35名校长参加任职资格培训；1995年5月，98名校长参加了新任小学校长岗位培训；2001年，通过竞聘选拔的27名新任校长参加任职资格培训；2004年，165名正副校长参加提高培训；2006年，21名农村初中正副校长参加鹰潭市初中校长暑期培训班学习；2007年，23名初中正副校长参加鹰潭市初中校长暑期培训班学习；2008年，107名正副校长参加提高培训。

为学习发达地区的先进教育理念，锻炼一批有培养前途的校长，进而推进全市中小学校长队伍建设，提高校长素质和教育教学质量。2004年11月，贵溪市教育局决定每年外派部分校长或学校后备干部赴北京、上海、杭州等发达地区学校进行挂职锻炼。经教育局党委组织，2004年选派11名；2005年选派12名；2006年选派了15名；2007年选派13名，2008年选派16名。

2006年4月到2009年4月，为加强农村教育，促进城乡教育均衡发展，造就一支既有丰富实践经验、又有较高教育理论水平，观念新、责任心强、善管理的农村初中校长队伍，江西省教育厅举办了20期农村初中正职校长省级培训班。贵溪市农村中学有19名校长先后参加其中16期的培训学习。

教师培训　教师培训的类型有新任教师岗前培训、教师岗位培训、骨干教师培训、远程继续教育培训、计算机全员培训、提高学历培训、新课程培训、教学基本功培训和学科基本功培训等，大部分培训的课程纳入继续教育课程。各类培训由市(县)教师进修学校、教研室、电教站或教育局人事股负责组织进行，培训层次有县市级培训、地市级培训以及省级培训。

2004年，市二中英语教师李志英赴英国进修，当年7—10月先后在伦敦、剑桥两所国际型名牌大学学习进修。

新任教师岗前培训　贵溪市(县)新任教师岗前培训始于1989年，教师进修学校是主要培训机构。培训内容有教育基础理论知识、教育心理学、教学基本功和学科基本功等。至2008年，新任教师岗前培训共举办7届，培训学员456人。

继续教育　2003年起，贵溪市实行《继续教育证书》制度，要求在周期内(每5年一周期)参加培训的教师必须按照安排学完规定课程，不少于190课时，由市教师进修学校负责对参训教师进行考核，经考核合格者，发给由省教育厅统一印制的《继续教育证书》。《继续教育证书》是学校考核教师、晋升和聘用教师职务的重要依据之一。无正当理由拒不参加培训或擅自中断培训的中小学教师，不能参加职称评定、晋升、续聘。至2008年，全市参加继续教育的教师计有16834人次。

骨干教师培训　2002年暑期，鹰潭市首届中小学骨干教师培训班在鹰潭职业技术学院(原鹰潭师范)举办，贵溪市有184名中学教师参加语文、数学、英语学科的培训，215名小学教师参加语文、数学学科的培训。

2006年7月至2008年12月，由贵溪市教育局人事股组织，贵溪教研室推荐，共选派138名初中语文、数学、英语、物理、化学、生物、历史、思想品德等学科的教师，206名小学语文、数学、音乐、体育、美术、思想品德、科学等学科的教师参加江西省首届农村骨干教师培训；2007年，共选派40名中学语文、数学、英语、物理、化学、思想品德学科的教师，62名小学语文、数学、音乐、体育、美术、思想品德、科学等学科的教师参加江西省第二届农村骨干教师培训；2008年，共选派42名中学语文、数学、英语、物理、化学、思想品德学科的教师，38名小学语文、数学、音乐、体育、美术、思想品德、科学等学科的教师参加江西省第三届农村骨干教师培训。

新课程培训　2003年暑期，贵溪市教研室聘请数位北京和省教育厅的专家，对进入新课程教改实验的初中、小学教师进行新课程理念知识培训和学科新教材培训，参训教师达793人。经考试考核，所有参训教师取得培训合格证，顺利上岗。至2007年，市教研室按照"先培训，后上岗；不培训，不上岗"的原则，每年利用暑期聘请省内外知名专家，对全市初中、小学教师进行新课程培训。

2004—2006年暑期，鹰潭市教育局指定鹰潭市教研室负责组织，进行三届初中、小学新课程新教材培训。贵溪市教育局共遴选150名初中骨干教师，150名小学骨干教师参加学习培训。

2008年，高中学段进入新课程，由鹰潭市教研室负责组织，全市高一年级计78名教师参加学习培训。

提高学历培训　从20世纪90年中期起,贵溪市中小学各学段逐步提高教师的学历要求,各级教育管理部门都积极鼓励在职教师通过函授、自考、脱产进修等方式参加提高学历培训。在职教师离职进修,由本人申请,学校同意,报教育局人事股备案,经局主管领导批准后可报考脱产进修。进修期间由学校安排好其担任的教学工作,修业期满后回原单位任教。根据《江西省教育事业发展"十一五"专项规划》关于"小学教师70%具备专科学历,有条件的地区初中新增教师基本具有本科学历,普通高中教师在学历达标的基础上,硕士研究生以上学历教师达到一定比例,职业院校"双师型"教师比例明显提高"要求,至2008年全市师资学历水平基本达标。

管理

资格认定　1996年,贵溪市实行教师资格证过渡,凡在1993年9月1日前参加工作、符合过渡条件的教师均可参加教师资格证过渡。同年底共有2333名小学教师、605名初中教师、284名高中(含职业中学)教师、28名幼儿教师获国家教委颁发的"教师资格证"。1993年9月1日以后从教的教师,必须经过考核考试,合格者发给教师资格证。至2008年年底,累计有2658名小学教师、935名初中教师、509名高中(含职业中学)教师、52名幼儿教师通过资格认定。

教师调动　教师在县内调动遵循学科配套和就近任教的原则。由于毕业生分布不均等原因,导致城区和近郊的中小学教师饱和或超编,而边远山区中小学则缺教师或存在学科与教师不配套等问题。1998年开始,贵溪市教委采取公开考试、择优录用的办法选聘农村中小学教师进入城区学校任教。

1991—2008年,全县(市)调出教师561人,调入教师1026人。

考核奖惩　实行年度考核制度,每学年都对在册教师的思想政治表现和工作总量、教研教改、进修培训及班级工作、党政及其他工作等进行任职资格考核。思想政治表现定优、良、中、差4个级别,教学、业务等工作量化定优秀、称职、基本称职、不称职4个级别。凡参评中级职称以上者,思想政治表现必须有连续2年达到良以上级别,教学、业务工作量化必须连续2年达到优秀级别。每年评先、评优、表彰先进,均参照个人年度考核级别,公开量化,择优表彰。

职称评聘　每年对从教满一周年以上的教师进行职称认定,并按职称评聘工作程序,每年评聘(续聘)一次相应职称,并及时兑现职称工资。2000年8月起,贵溪在全市教师职称评聘时实行"评聘分开,竞争上岗"。

第六章　教育经费

第一节　经费来源

贵溪市(县)历年来教育经费的筹措以国家财政拨款为主,辅之以征收教育附加,收取学杂费,勤工俭学收入,社会捐资、集资和建立教育基金等。

财政拨款

1991年,贵溪县国家财拨教育经费1130万元,2008年为2.72亿元。

1991—2008 年贵溪市(县)国家财政拨付教育经费一览

表 25-10 单位:万元

年份	计划指标	实际支出	年份	计划指标	实际支出
1991	923	1130	2000	4912	6686
1992	1147	1363	2001	6065	7881
1993	1297	1884	2002	6649	7793
1994	1769	2987	2003	6647	7458
1995	1959	3475	2004	8474	9120
1996	2486	4883	2005	9821	11236
1997	2605	5015	2006	11711	12592
1998	2935	5289	2007	15827	21208
1999	3382	5274	2008	24246	27219

教育附加征收

农村教育附加 2001 年以前,贵溪市(县)农村征收教育附加费。2001 年后停止征收,以减轻农民负担。1991 年,全市征收农村教育附加费 21 万元,1994 年为 418 万元,1996 年为 638 万元,1998 年为 870 万元,1999 年为 730 万元,2000 年 701 万元,2001 年为 749 万元。

城市教育附加 1991—2008 年均征收城市教育附加费。1991 年征收 183 万元,1996 年 664 万元,2000 年 190 万元,2004 年 409 万元,2006 年 803 万元,2008 年 2268 万元。

地方教育附加 1998—2008 年征收地方教育附加费。1998 年征收 169 万元,2002 年 40 万元,2005 年 192 万元,2008 年 178 万元。

社会捐资

捐资系家长、社会各界人士和社会各单位捐赠。捐资主要用于农村小学的项目建设,政府配套一定资金。

1994—2008 年贵溪市(县)学校接受社会捐赠一览

表 25-11 单位:万元

捐赠时间	捐赠单位或个人	接受捐赠学校	捐赠金额	财政配套金额
1994	沈炳麟(香港)	周坊中心学校	15	5.5
1996	团市委	金沙地理希望小学	3.5	9
1996	省团委、青少年发展基金会	滨江希望小学	12	34.8
2000	贵溪发电厂	河潭九夏希望小学	6	5
2001	江西铜业公司	周坊岭脚希望小学	12	10
2002	江西铜业公司	河潭丰田希望小学	14	—
2002	邵逸夫(香港)	塘湾上祝逸夫小学	11	19
2002	邵逸夫(香港)	志光塔桥逸夫小学	15	15
2003	江西铜业公司	滨江柏里希望小学	20	25
2004	程炳濂、王永权(澳门)	雷溪南桥希望小学	38	12
2005	江西铜业公司	雷溪鲶桥希望小学	25	—
2005	中国石化	中石化彭湾星明希望小学	40	12

续表 25－11

捐赠时间	捐赠单位或个人	接受捐赠学校	捐赠金额	财政配套金额
2005	邵逸夫(香港)	彭湾逸夫小学	15	18.84
2005	金开置业公司	志光希望小学	15	—
2006	许志兵	罗河罗田小学	20	18.3
2006	台湾台塑集团	罗河明德小学	40	11.6
2007	中国石化	中石化彭湾白庙希望小学	40	12
2007	邵逸夫(香港)	流口逸夫小学	20	28
2007	台湾台塑集团	文坊明德小学	45	40.88
2007	上海陈连生慈善会	金屯上马小学	34	24.55

学校收费

为弥补教育经费的不足,贵溪市(县)各学校在政策规定标准内可以向学生收取一定额度的学杂费,收费项目必须经物价、财政部门严格审批。20世纪90年代初期,为贯彻落实中共中央、国务院《关于坚决制止乱收费,乱罚款和各种摊派的决定》,贵溪县教育局成立制止乱收费领导小组,明确提出中小学收费工作"五不准"的规定。即:不准义务教育阶段的公办小学和初中招"择校生",坚持就近入学原则;不准举办以各种名目收取费用的补习班,超常班等;不准以行政手段强制学生购买复习资料和其他商品等;不准把社会上对学校的乱摊派转嫁到学生头上,严格控制代收费项目;不准未经政府批准擅自出台新的收费项目或自行提高收费标准。同时县教育局(市教委)严格把住春、秋两季开学收费关口。每个学期,县教育局(市教委)会同财政、物价等部门组成检查组,结合各校收费情况进行监督检查。

"一费制"收费　2002年秋季开始,按省教育厅、省计委、省财政厅《关于贯彻落实(教育部、国家计委、财政部关于切实做好2002年农村贫困地区义务教育阶段"一费制"试行工作的通知)的意见》(赣教计字〔2002〕121号),周坊、志光、樟坪、河潭、彭湾五个被列为省定贫困乡的农村初中和小学试行"一费制",收取一项综合费用(包括杂费、课本费、作业本费和信息教育费等)。具体项目和标准为:小学每生每学期95元,初中每生每学期155元。住校生另按每生每学期最高不超过30元的限额交纳住宿费。搭膳生另按每生每学期最高不超过10元的限额交纳搭膳费。其他乡镇中小学实行一次性限额收费,只允许收五项费用:①杂费及信息教育费:小学每生每学期75元,初中每生每学期90元。②课本费;根据教育部门颁布的教学大纲规定的学生用书目录,按省价格部门核定的课本标价据实收取(必须与课本和教学配套的学具收费标准另定)。③作业本费:小学每生每学期最高10元、初中每生每学期最高20元。④住宿费:住校初中、小学生每生每学期最高限额40元。⑤搭膳费:凡搭膳的初中、小学生每生每学期最高限额10元。城区九年义务阶段的学校也按省定标准限额收费。

2005年春季开始对全市农村中小学实行"两免一补"政策,即对义务教育阶段家庭经济困难学生免费提供教科书、免杂费和补助寄宿生生活费。

2005年秋季开始,全市所有九年义务教育阶段的学校均实行"一费制"收费。

"零收费"　2008年春季开学起,贵溪市率先在全省实行义务教育阶段"零收费",即免收学费。

勤工俭学

1985年10月,贵溪县人民政府成立贵溪县勤工俭学领导小组,由县教育局代管。在20世纪80年代后期,贵溪县勤工俭学活动开展比较活跃。随着经济体制改革的逐步深入,在市场经济大潮的冲击下,县内校办企业纷纷改制或倒闭,农村勤工俭学基地锐减。至1996年,全县校办企业仅剩教育印刷厂、硫酸厂、职业中学服装厂等3家,农村勤工俭学基地尚存双圳中心学校茶场、鸿塘中学果园、古港中学果园、雷溪中学蔬菜基地、县农技校桔园等5所。市职中校服厂从1991年创办以来,年平均为全市中、小学生提供5000套校服，经济效益年均20万元。

2000年，硫酸厂倒闭；2004年，贵溪教育印刷厂改制。2004年以来，贵溪实验小学通过招商引资创办实验小学校具厂，贵溪市一中成立三峰公司，贵溪市各级中小学建立了校园小超市（小卖部）。至2008年，全市农村勤工俭学基地尚存双圳中心学校茶场、鸿塘中学果园、古港中学果园、雷溪中学蔬菜基地等4所。

勤工俭学的收益主要用于改善学校办学条件、补充学校办公经费、增加教师生活福利、资助贫困学生等。

第二节　经费管理

教育经费主要用于教职工工资、福利、教学设备购置，新建、维修校舍及教学公务费、业务费等方面。

财政包干

1991年，贵溪县实行“划分收支，分级包干”的财政包干体制，各乡镇教师的工资由各乡镇自行发放，县直各学校的教职工工资由县财政定额按时发放。1995年，根据上级有关文件精神，各类教育费附加的征收，也采取“乡征县管乡用”的原则，由乡镇代收，然后统一上缴，再由县返回乡镇使用。

全市（县）教育事业费的使用和管理，特别是农村教育事业费附加的征收和管理存在突出问题，大部分乡镇在难以完成财政收入任务的情况下，把征收的教育附加作为本级财政收入顶抵财政拨款，用于发放教师工资或挪作他用；少数乡镇甚至挪用和克扣教育经费和教师工资。2002年10月《贵溪市关于进一步加快基础教育改革与发展的实施意见》出台，农村教师工资和教育经费全市统筹，“以县为主”的农村教育管理体制更加完善。

为了加大对全市义务教育阶段学校公用经费的投入力度，从2007年起，不仅提高投入标准，而且逐年提高农村中小学公用经费标准。2007年，在校学生不足100人的农村小学公用经费人均为300元，中学为500元。

会计中心集中管理

2004年10月成立贵溪市会计中心，从教育系统选聘14名会计人员主管全市乡镇学校的财务会计工作，报账中心在保留各学校资金所有权、使用权及财务自主权不变的前提下，取消分散独立的核算方式，对各校的财务实行“集中管理，统一开户，分户核算”。会计报账中心成立后，各乡镇学校财务纳入会计中心集中管理，使核算监督的会计职能得到充分体现。做到收支两条线，从而确保无截留、挤占和挪用各种教育经费现象发生，从源头上和制度上筑起“一道防线”。

第七章　教育设施设备

第一节　校舍维修改造

1991—2008年，贵溪市（县）中小学（市一中另计）校舍维修改造总面积550163平方米，总投资15912.5万元。

1994年5月9日，志光镇周塘村委会中原村大礼堂（礼堂戏台下面设2个教室）突然坍塌，坍塌房屋394平方米，教室81平方米，伤亡22人，其中死亡7人、重伤5人、轻伤10人；伤亡中有19位学生，3名未入学小孩。这是一起贵溪学校安全工作中的重大事故，引起县政府高度注意，尽最大力量抓好学校房屋改造工作。

1991—2008 年全市中小学校舍维修改造一览

表 25－12

年份	维修改造面积(平方米)	总投资(万元)	年份	维修改造面积(平方米)	总投资(万元)
1991	27100	418.5	2000	30600	1057
1992	34600	517	2001	14100	718
1993	31200	440	2002	13300	391
1994	23100	351	2003	17758	627
1995	68500	987	2004	19255	976
1996	42400	570	2005	16543	786
1997	38500	612	2006	14771	722
1998	41600	958	2007	23436	1500
1999	43400	1206	2008	50000	3076

第二节　电教仪器站

贵溪市(县)电教仪器站成立于1981 年。2008 年,在编人员 8 人,设正、副站长,具有高级职称3 人。

工作职责

市(县)电教站的工作职责是贯彻执行教育主管部门有关电化教育、远程教育、教育技术装备方面的方针、政策。指导贵溪市城乡各类学校的电化教学、远程教育、教育技术装备工作。制定全市教学仪器设备装配计划与调拨。

负责组织开展全市(县)各级各类学校电化教学活动、远程教育活动、实验教学活动的调研、观摩及各项竞赛活动。

负责“现代教育技术示范校”的工作开展,对各级各类学校电化教学、远程教育进行规范化管理。对全市(县)各级各类学校实验室、实验教学工作进行规范化管理。

培训电化教育、远程教育、教育技术装备工作人员。

结合教育教学的实际需要,推广电教教材和音像教材的使用,促进教学改革,提高教学质量。

电教工作

1991 年以来,贵溪市(县)逐年加强全市中小学电化教育技术装备建设。此项工作分四阶段进行:①1991—1995 年,投入经费 300 余万元。建立 5 所完中、30 所初中、24 所中心小学的实验室及仪器室,装备 3200 余所村完小的仪器室。1992 年,为全县培训农职技术人才,向社会播放有关农业技术专题录像片。1993 年,制订全县乡镇教学仪器和实验教学评估标准。当年 4 月,培训小学自然实验教师。5 月,开展优质电教课、电教教案、教学设计、自制教具评选工作。1995 年 3 月,江西省教育委员会下文,验收通过宣布贵溪县为实验普及县达标。②1996—2000 年,贵溪市投入 300 余万元在全市各级各类 375 所学校建立图书馆(室),使全市生均图书册数达到小学每人 10 册、初中每人 15 册、高中每人 25 册水平;做到各级各类学校的音、体、美、器材达到当时的省颁标准,通过江西省“两基”验收,并被评为江西省和全国先进单位。其间,1996 年 3 月进行全县“两基”(基本普及义务教育、基本扫除青壮年文盲)的摸查工作。1996 年 4 月,开“两基”技术装备动员会;11 月,召开全市“两基”图书资料、音、体、美、器材装备工作经验交流会。1997 年,贵溪市电教站获江西省教育技术装备先进集体称号。1998 年继获鹰潭市电化教学先进单位称号。2000 年,贵溪市电教工作获江西省中、小学实验教学普及县(市)先进单位。③2001—2005 年,贵溪市再次投入 400 余万元,进一步提升全市电化教学水平。市电教站在全市城区中、小学校装备闭路电视系统、计算机教室、扩播系统、语音室;并为全市农村初中、中心学校(即前乡镇教学辅导站)装备计算机教室。2004年首先投入设备,为樟坪乡畲族中学试点建成校校通工程(即卫星接收点)。通过卫星接收中央电教馆农村远程教育教学资源及空中课堂资源。2005年,贵溪市又投入设备在全市18所中心完小建有校校通工程(卫星接受点)。④2006—2008年,贵溪市教育信息化得到初步发展。普及实验县得到巩固和提高。该时期,贵溪市又投入750余万元,增强全市电化教学工作。其间,市电教站总投入资金,国家财政250万元、省投入250万元、市财政配套资金250万元。在全市28所农村初中装备农村远程教育模式三的设备,即每所中学包括一个多媒林教室、一个计算机教室、一套卫星接收远程教育装置和一套光盘播放设备。在全市192所农村小学装备农村远程教育模式二设备,即每所小学包括一套卫星接收远程教育装备和一套光盘播放设备;在72所农村村小装备农村远程教育模式一的设备,即一套光盘和一套播放设备。为迎接江西省人民政府对市(县)级教育督导工作的评估,贵溪市财政投入300余万元,在全市所有的农村中心完小装备19个多媒体教室,更新和增配673台电脑,在农村4所中学、1所小学建成标准化实验室11个。补充装备图书200余万元,使高中生均达35册,城区初中与部分农村初中生均达25册,城区小学与部分农村完小生均达15册,职中生均达30册。使全市绝大部分学校达到省颁要求。同时,江西省人民政府还给予贵溪市一些资金,重点补助一些项目。①为市实验小学、市一小(原贵溪冶炼厂小学)、雷溪乡小学各装备机器人教室一间;②为堆湾镇小学装备语音室一间;③为罗河镇明德小学建一所班班通工程试点学校;④为市实验中学建"通用技术实验室"两间。

截至2008年,全市共建立成套教学光盘播放点94个、卫星教学收视点192个、计算机教室23个,全市中、小学计算机总数达2079台。

电教站活动成果

2006年,组织全市各类学校参加省、市、县(贵溪市)的项目技术人员、教师、校长对计算机基础知识、基本技能操作、远程教育设备安装调试、课件制作、资源整合等一系列的培训。2007年制定、印发贵溪市农村远程教育管理制度及农村远程教育评估办法,加强对各级各类农村远程教育项目学校的管理。2008年举办全市远程教育项目学校校长、项目学校技术人员交流座谈会,达到交流经验、提高远程教育的质量。组织全市城乡远程教育项目学校校长、技术人员、教师的说课比赛。2006年后,每年均组织全市中、小学学生参加省英语听力竞赛。2007年,以市电教站名义组织全市中、小学教师参加省、市三优(优秀论文、优秀课件制作、优秀电教课)评比活动,市二中教师李志英的英语录像课获江西省一等奖、市二中教师张桂琴的课件制作获江西省一等奖、国家二等奖。在鹰潭市"三优"比评中,市电教站5次获最佳组织奖。

在组织教师参加江西省教育厅的小学学具教学优质课评比活动中,贵溪市三小教师冯红云获江西省一等奖,并代表省参加全国比赛获全国一等奖;市实验小学教师朱淑芬获省一等奖,并代表省参加全国比赛荣获国家二等奖。在组织部分学校教师参加江西省级机器人操作培训中,市实验小学教师徐伏生指导的机器人足球竞赛获江西省二等奖。在2008年中,对全市城乡3000余名教师进行网上注册,有322名教师参加网上报名培训与考试。2008年,组织农村学校教师参加省电化教学单项竞赛。泗沥小学教师刘晶获全省小学英语资源应用课赛一等奖;周坊中心学校教师胡丽华在说课、赛课活动中荣获二等奖;滨江中心学校教师江芸、罗河中心学校教师黄秀云在说课、赛课活动中获省三等奖。2008年,通过半年的建设,贵溪市教育网站规模不断扩大,日趋完善的网站正在形成。教育网站使全国乃至世界人民有一个了解贵溪教育现状和未来发展方向的窗口,也是鹰潭地区第一个教育门户网站。

贵溪市电教部门为使信息化管理水平得到提升,在全市各学校开通无纸化办公系统,将全市各学校连成一体,构建统一、完整的管理应用体系、运用系统。自2008年起,全市各校相关报告、数据可以通过网络上传、做到市内信息共享,信息第一时间到达,基本实现管理自动化,改变贵溪市教育部门传统管理工作繁复低效局面,从而使管理水平得到提升。

2008年,市电教站获"江西省电教活动先进单位"称号。

第三节　教育电视台

贵溪教育电视台创办于1990年,1991年1月正式开播。台址设在贵溪一中象山书院脚下,创办之初,设台长1人,记者2人,发射功率50瓦,信号覆盖面积为1200平方千米。节目播出频道为10频道。到2008年,电视台工作人员增至8人,分设台长、记者、播音主持人,专职编辑;发射功率增加到1000瓦,信号覆盖面积为2200平方千米。开设专栏有《教学天地》《幼儿教育》《教改之窗》《科技信息》《贵溪教育周刊》《教育影视》《教育视点》《教育在线》,每天上午8时开播,晚上12时结束。教育电视台开播期间,充分发挥电视媒体优势,为贵溪的教育发展及地方经济建设做了大量的宣传报道工作,被评为江西省县级教育台先进单位。电视台采访拍摄的新闻稿曾在中央《新闻联播》《江西新闻联播》中多次播出。该台编辑制作的电视专题片《山路弯弯》《山乡育人歌》被评为江西省优秀专题节目。

第二十六卷　卫　生

第一章　机构与改革

第一节　机构与组织

管理机构

贵溪市(县)卫生局为贵溪市(县)人民政府卫生行政主管部门,设有《贵溪卫生信息》网站(http://www.gxwsj.gov.cn),于2006年6月10日正式运行。

1991年,县卫生局机关共有工作人员25名。

1996年12月12日,市政府印发《贵溪市人民政府卫生局职能配置、内设机构和人员编制方案》(贵府发〔1996〕25号),规定卫生局设7个股室,机关行政编制12名、事业编制7名;领导职数:局长1名、副局长3名,正副股级干部8名。

至2008年年底,市卫生局行政编制12名,事业编制6名;领导职数:局长1名、副局长2名。全局机关实际上岗人数48名,其中在职在编17名,借用29名,聘用2名。

下属机构

1990年,贵溪县卫生局下属单位共有462个,其中:县直医疗卫生单位8个,全民所有制林场、垦殖场职工医院6所,乡镇卫生院21所(其中中心卫生院5所),村医疗点427个。另有驻县单位职工医院7所,城乡企事业单位、学校(含驻县单位)门诊部、所32个。

2003年4月4日,撤销贵溪市卫生防疫站,设立贵溪市疾病预防控制中心和贵溪市卫生监督所。

2007年8月1日,贵溪市设置3个社区卫生服务中心,11个社区卫生服务站。

贵溪市公共卫生中心大楼

截至2008年年底,贵溪市卫生局下属卫生医疗单位共有797个,其中:市直机构8个(人民医院、中医院、疾控中心、妇幼保健院、卫生监督所、传染病医院、皮肤病医院、健康教育所),社区卫生服务中心3个(东门、雄石、花园),社区卫生服务站18个,乡镇中心卫生院5个,乡镇一般卫生院13个,农村卫生所(室)686个。另有驻市医疗机构7个,城区个体诊所51所,民营医疗机构1个(即精神病院),门诊部5所。上述医疗卫生单位人员总数为2117人(含编外人员),其中卫技人员2013人。以2008年全市人口计每千人拥有卫技人员3.4人。平均每个行政村有医疗点3.3个;以46.7万农村人口计,平均每733.8人有医疗点1个;农村有卫技人员875人,占农村人口总数的1.9‰。

学术团体

贵溪市卫生工作者协会:1996年7月,贵溪县卫生工作者协会被卫生部医政司、中国农村卫生工作者协会评为“全国先进县卫生工作者协会”。1998年,举行贵溪市卫生工作者协会第一届第一次代表大会,代表会员78人,通过《贵溪市卫生工作者协会章程》,并选出理事会。2006年9月8日,贵溪市卫生工作者协会二届一次代表大会召开,代表会员76人,选举产生贵溪市卫生工作者协会第二届理事会及会长。

贵溪市医学会:现有会员180余人,主要以临床医生为主,吸收医技检查科室初级职称以上人员以及部分医院管理人员。医学会活动以参加鹰潭市医学会周期活动为主。

贵溪市护理学会:1991年,贵溪县护理学会归鹰潭市护理学会统一管理,有会员约80人,其中副主任护师1人。其护理工作的重点是按医生医嘱,完成病人的基本治疗,工作模式以疾病为中心。1993年,县护理学会召开护理工作会议,进行学术交流,讨论护理工作的发展方向。1994年开始实行责任制护理。2001年,护理工作的模式由以病人为中心转变为以人的健康为中心的服务模式,服务理念发生巨大改变。2008年护理新技术、新业务得到发展,如:ICU病房的成立、PICC的开展,造口护理、蓝光照射小儿静脉留置针、血液透析。

贵溪市中医学会:1996年举行贵溪市第一次中医学会大会,中医院院长马志强当选为会长,会员现有40余人,其中主任医师4名、副主任医师7名。1997年10月,会长马志强被省卫生厅评为全省中医先进工作者。1998年11月,中医学会会员、冷水镇中医师李义龙研究制作的中草药药枕、中草药鞋垫两项成果,在第二届加拿大国际营养保健产品、中医中药产品(技术)博览会暨国际荣誉评奖会上,分别获得国际金奖、国际优秀奖。

第二节 队 伍

队伍构成

1991年,贵溪县国家列编的医疗卫生系统人员总数为979人,其中卫生技术人员(医务)802人,其他技术人员36人,管理后勤人员141人。在卫生技术人员中,中医系列的68人,西医系列的462人,护理系列的252人。另有未聘任职务人员20人。

1999年,国家列编人员总数曾达1124人,比1991年增加145人。此后逐年减少,至2008年减为923人,比1991年反而减少56人。18年来,人民群众卫生医疗需求大幅度增加,业务量迅猛增长,而列编人员反而减少,其主要原因是国家严格控制编制数,各医疗机构人手不足,只得聘用编外人员。2008年,市直属医院和各乡镇卫生院自行聘用的编外人员达300人左右。

2008年,在国家列编的923人中,卫生技术人员为729人,其他技术人员42人,管理后勤人员152人。在卫生技术人员729人中,属中医系列的46人;属西医系列的412人;属护理系列的251人。另有未聘任职务人员20人。

多年来,贵溪市医疗系统存在人才缺乏的问题。改革开放以后,卫生技术人员上岗实行“双向选择”机制,一些业务水平较高、有专业特长的医生流向浙江、广东、海南等沿海城市或南昌市,有些年轻医生下海经商,还有一些优秀的老医生陆续退休而医科大学的毕业生一般不来贵溪就业,人才得不到及时补充。贵溪市卫生局2001年度工作总结称:“当前卫生系统人才缺乏主要表现在市直医疗卫生单位的高级人才出现断层,真正的拔尖人才、学科带头人少。其次,由于贵溪市经济欠发达,分配来贵溪临床专业的本科生很少,像市人民医院,在职的本科学历的医生只有33人,只相当于总数的10%。”个别乡镇卫生院配备常规医疗设备后,因缺乏专业技术人员,以致设备闲置。至2008年,此种状况虽有改善,但未获根本改变。

1991—2008 年全市医务人员统计一览

表 26－1 单位：人

年份	总计	国家列编人员	卫生技术人员																															
			小计	主任中医师	副主任中医师	主任临床医师	副主任临床医师	副主任中西医结合医师	主任护师	副主任护师	副主任中药师	副主任麻醉影像师	主治中医师	主治临床医师	主治公共卫生医师	主治口腔医师	主管护师	主管中药师	主管药剂师	主管检验师	主治麻醉影像师	中医师	临床医师	公共卫生医师	口腔医师	护师	中药师	药剂师	检验师	麻醉影像师	中医士	西医士	公共卫生医士	口腔医士
1991	979	979	802	0	0	5	26	0	0	1	0	0	11	109	5	1	59	6	15	10	8	17	120	5	6	96	10	22	16	19	7	34	9	4
1992	1010	1010	831	0	0	5	30	0	0	1	0	0	12	114	5	1	57	6	14	10	8	17	127	5	6	101	10	23	16	19	13	38	9	4
1993	1004	1004	823	0	1	5	34	0	0	1	0	0	14	127	3	1	65	3	13	10	9	15	126	8	5	104	7	23	15	16	10	21	7	2
1994	1052	1052	867	0	1	5	35	0	1	1	0	0	16	137	3	1	65	3	15	10	8	16	125	5	8	109	7	30	19	15	12	20	3	4
1995	1070	1070	914	1	1	5	38	1	1	1	1	0	15	127	3	1	69	2	16	11	10	20	133	5	9	127	7	34	20	15	11	31	8	5
1996	1088	1088	934	1	2	5	43	1	1	1	1	0	16	124	3	1	86	2	18	13	9	21	132	7	9	123	7	34	23	16	10	29	9	5
1997	1088	1088	930	1	2	8	34	1	1	0	1	0	18	130	4	3	93	2	19	15	9	21	129	8	9	99	7	32	25	18	9	27	12	6
1998	1077	1077	910	1	3	7	37	0	1	1	1	0	16	133	5	2	84	2	18	15	10	21	127	7	9	119	7	30	24	17	9	14	11	7
1999	1124	1124	915	1	5	8	34	0	1	2	2	0	15	138	8	3	100	1	22	15	11	18	106	7	9	101	7	27	19	17	9	23	15	7
2000	1057	1057	852	1	6	7	34	0	1	2	1	0	18	137	7	4	98	1	25	14	9	15	94	7	12	83	8	26	17	18	7	31	15	4
2001	1038	1038	832	0	5	7	34	0	1	2	1	0	17	132	8	4	101	1	26	19	11	14	96	10	12	88	7	27	16	19	6	27	12	2
2002	1040	1040	829	1	5	6	36	0	1	2	1	0	14	125	8	4	98	1	24	18	11	13	109	12	10	93	4	27	16	17	6	22	11	1
2003	1035	1035	820	1	5	6	38	0	1	2	1	0	16	129	10	4	105	2	24	18	11	11	104	10	8	81	4	26	16	16	5	21	11	1
2004	1001	1001	814	1	5	5	36	0	1	2	1	1	17	132	11	6	118	3	24	18	14	10	106	11	6	81	3	25	16	14	3	18	8	1
2005	1002	1002	804	2	6	6	35	0	1	2	1	1	15	129	12	5	109	3	26	17	11	13	99	11	6	86	3	25	14	13	3	20	11	1
2006	979	979	786	2	5	5	33	0	1	3	1	1	13	131	13	4	116	3	27	16	11	12	90	10	5	76	3	22	16	13	3	16	12	1
2007	958	958	774	2	5	2	37	0	1	3	1	1	13	127	13	4	118	3	27	15	13	13	79	10	5	72	3	23	15	12	2	19	12	1
2008	923	923	729	2	4	2	38	0	1	3	2	1	13	116	14	4	118	3	25	15	11	13	66	9	5	69	4	22	17	13	2	22	9	1

医技人员培训

县(市)卫生局每年都要求医疗机构免费培训一定数量的农村卫生技术人员,1991—1996 年,县级医疗机构免费接受乡镇卫生院进修人员 300 余人;各医疗机构送出去进修的 180 余人。1997 年市卫生局印发《1997 年卫技人员培训计划》《1998—2000 年卫技人员培训计划》,使在职卫技人员的培训率达 12% 以上。2004 年,贵溪市制定《2004—2008 年乡村医生在岗培训计划》,每年对全市乡村医生进行培训,培训率达 92% 以上。2005 年,为把乡村医生逐步转变到执业医生上来,开展乡村医生中等学历教育,让乡村医生免试进入江西省卫生学校进行系统学习,2005—2008 年,全市共有 628 名乡村医生参加系统学习。从 2006 年开始,贵溪市对全市乡镇卫生院卫生技术人员进行全员培训。2006 年,成立贵溪市继续医学教育领导小组,由卫生局长担任组长,在局医政医教科设立办公室,并成立医学、药学、护理学、预防医学、中医学 5 个学科小组,负责全市继续医学教育学科项目的制定,全市每年外派人员到省级以上医院进修 30 多人,参加短期培训、学术会议等 100 多人次,市直医疗机构每年免费接受乡镇卫生院卫生技术人员培训 36 人。2008 年各医疗单位组织开展各种新知识、新技术讲座和岗前培训 32 期,并开展技能竞赛、论文评选等活动;外聘新加坡、上海、南昌、鹰潭等地知名专家教授来市讲学 20 余次。在上级有关部门的大力支持下,贵溪市于 2005 年建立"双卫网"接收站,开展远程网络医学教育;全市包括乡村医生在内共有 1428 人办理远程医学教育卡。2007 年,利用"双卫网"远程教学和教师面授相结合的教学方法,对 760 名乡村医生进行在岗培训。

第三节 经费与基础设施

经费

卫生事业费投入(支出)　卫生局根据年度计划与经费预算,对全市(县)卫生事业费进行统一安排、拨付和监督使用。

根据国家有关政策,贵溪县(市)人民政府对没有收入的公共卫生机构(疾病预防控制机构、妇幼保健机构、卫生监督机构),从新中国成立以来一直实行全额拨款制度。对有收入的医疗机构,1985 年财政体制改革中,开始实行"划分收支、核定收入、分级包干"。自 1999 年 1 月 1 日起,国家对医院(差额补助事业单位)实行"核定收支、定额或定项补助、超支不补、结余留用"预算管理办法。定额或定项补助的具体内容和标准,根据各级各类医院不同的特点和业务收支状况及财力确定。

1991 年,县财政补助卫生事业费支出为 91.5703 万元,占当年财政总支出 3210 万元的 2.85%;2008 年,市财政补助卫生事业费支出 2872.3888 万元,占当年财政总支出 92480 万元的 3.11%。18 年间,年卫生事业费支出增加 31.37 倍。

1991—1998 年贵溪县(市)卫生事业费支出(财政补助)情况一览

表 26－2　　　　单位:元

年份	医院经费		全民乡(镇)卫生院补助	集体乡(镇)卫生院补助	血站	防治防疫事业费		药检所	妇幼保健经费	其他卫生事业费	合计
	县(市)人民医院	县(市)中医院				防疫站	皮肤病医院				
1991	226240	35120	203661	23983	—	73733	32575	—	48735	271656	915703
1992	242300	37600	216300	24800	—	76000	24700	—	42800	281520	946020
1993	234200	35900	186500	25600	—	112100	30700	3500	78000	297800	1004300
1994	473800	83300	371000	57300	—	165600	40300	32000	95300	363900	1682500
1995	504600	81800	457100	57600	—	122500	42300	10200	57700	240900	1574700
1996	541200	92800	434700	65900	15000	143000	53500	13600	77700	436600	1874000
1997	556700	117100	493800	85300	—	152600	47000	17000	94700	645000	2209200
1998	573300	175700	490100	91100	4400	188900	79000	15600	87600	871800	2577500

1999—2008 年全市卫生事业费支出（财政补助）情况一览

续表 26－2 单位：元

年份	医院经费				乡、镇卫生院补助		疾病控制机构		卫生监督机构		妇幼保健机构		其他卫生机构		其他		合计	
	县级医院	其中：项目资金	县级中医院	其中：项目资金	乡、镇卫生院补助	其中项目资金	防治防疫事业费	其中：项目资金	卫生监督经费	其中：项目资金	妇幼保健经费	其中：项目资金	其他卫生事业费	其中：项目资金	合作医疗	其中：项目资金	经费	其中：项目资金
1999	946300	140000	241700	40000	1602800	807000	372300	100000	—	—	93300	—	579600	—	—	—	3836000	1087000
2000	818132	—	224720	50000	1635055	710047	449910	8000	—	—	151960	—	874977	—	—	—	4154754	768047
2001	1126410	6000	316100	30000	2265940	1140800	506892	—	—	—	258526	100000	921045	—	—	—	5394913	1276800
2002	940947	3000	300610	95000	1260024	207090	552729	—	—	—	149338	—	1904955	—	—	—	5108603	305090
2003	1117190	157190	210400	—	1649940	361000	635151	110800	—	—	148298	—	1811599	977869	—	—	5572578	1606859
2004	1146048	—	275210	—	1432642	145820	763344	—	—	—	228948	—	2060729	814403	—	—	5906921	960223
2005	1510732	30000	261941	—	1770299	120000	1078364	309410	127106	5000	218474	—	2103721	1397300	—	—	7070637	1861710
2006	1562410	60500	330070	—	2390876	60500	1178883	432090	119641	—	240335	—	1543636	24601	—	—	7365851	577691
2007	2511500	165000	454500	10000	2040870	1991900	2289151	1325644	263352	5000	346201	—	5993116	4285092	—	—	13898690	7782636
2008	9259416	3121000	1576190	150000	4527314	559298	2172866	540098	271044	—	571522	80780	10119431	7279670	226105	—	28723888	11730846

说明：①县级医院含市人民医院、市传染病医院、市血站。疾病控制机构含疾病控制中心、皮肤病医院。其他卫生机构指卫生局。

②项目资金，涉及范围广泛：人民医院主要是人禽流感监测，人员培训、新建人民医院建设项目配套资金。中医院主要是增加中医特色建设经费。防治防疫主要是艾滋病、结核病、寄生虫病经费、鼠疫监测经费、麻风防治、爱国卫生改水、改厕、培训经费等。卫生监督指培训费。妇幼保健增加保健事业基建经费、卫生 VI 项目。其他卫生机构主要是指危房改造、风雪灾后救济、增强卫生服务能力建设经费、社区卫生服务经费，农村卫生院基础设施建设等。

医疗单位业务收入　1991 年,全县医疗业务收入为 503.5654 万元;2008 年,全市医疗业务收入达 15152.1325 万元;18 年间,年业务收入增长近 30 倍。

基础设施建设

1990—2008 年,贵溪卫生系统基础设施建设发展迅速,群众就医条件得到很大改善。期间新建项目 58 个,建筑面积 95640.49 平方米,工程投资 12706.9 万元;改造装修项目 14 个,工程投资 418.34 万元。

1992—2008 年全市卫生系统基础建设工程(新建工程)一览

表 26－3

年份	项目名称	建筑面积(平方米)	工程投资(万元)
1992	文坊中心卫生院门诊业务楼	913	19.4
1994	鸿塘卫生院门诊业务楼	587	15.2
1995	县妇幼保健站业务楼	1000	42
1995	河潭卫生院门诊业务楼	478	10.9
1995	罗河中心卫生院门诊楼	660	17.8
1996	彭湾卫生院业务楼	672	23.7
1996	余家卫生院门诊业务楼	672	18.5
1996	金沙卫生院门诊楼	521	16.2
1997	鸿塘卫生院防保业务楼	397	13.8
1997	塘湾中心卫生院门诊业务楼	628	26
1998	市妇幼保健站业务楼加层	135	7.5
1998	志光中心卫生院门诊楼	1209	40.2
1998	塔桥卫生院业务用房改扩建	495	9.7
1999	罗河卫生院业务楼、宿舍楼	1100	36.8
1999	周坊中心卫生院门诊楼	956	30.8
2000	金屯卫生院宿舍楼	510	16.3
2000	彭湾卫生院宿舍楼	382	12.5
2000	塘湾中心卫生院住院楼	736	22.8
2000	塘湾中心卫生院宿舍楼	911	36.1
2000	志光中心卫生院宿舍楼	911	29.1
2000	泗沥卫生院宿舍楼	488	16.5
2000	雷溪卫生院宿舍楼	678	26
2000	周坊中心卫生院业务楼	824	27.7
2001	鸿塘卫生院全宿舍楼	900	29.1
2002	罗河中心卫生院业务楼	860	65.66
2002	周坊中心卫生院住院楼	800	47.5
2004	贵溪市疾控大楼	3143	356
2005	贵溪市人民医院传染病区	1311	255
2006	冷水卫生院业务楼	430	25

续表 26－3

年份	项目名称	建筑面积(平方米)	工程投资(万元)
2006	耳口卫生院业务楼	713	43
2006	河潭卫生院业务楼	922	59
2006	文坊中心卫生院业务楼	844	49
2006	樟坪卫生院业务楼	430	25
2007	樟坪畲族乡黄思村卫生室	60	4
2007	樟坪畲族乡双圳村卫生室	60	4
2007	泗沥卫生院住院楼	700	39.01
2007	市中医院扩建外妇大楼配套工程	700	37
2007	滨江卫生院业务楼	1152	62
2007	雷溪卫生院防保楼	300	12.6
2008	志光中心卫生院门诊楼	849	46.3
2008	白田卫生院改扩建	139	24.8
2008	市人民医院磁共振业务用房	60	10.18

2007—2008 年贵溪市卫生系统改造装修工程一览

表 26－4　　单位:万元

年份	项目名称	工程投资	年份	项目名称	工程投资
2007	流口卫生院医技楼装修	15.38	2008	鸿塘卫生院业务楼装修	13.99
2007	周坊中心卫生院门诊、住院楼装修	27.21	2008	文坊中心卫生院门诊楼装修	14.91
2007	市中医院外妇大楼装修	70	2008	滨江卫生院附属工程	13.72
2007	市中医院扩建外妇大楼配套工程	37	2008	新妇幼保健院改造	85.[illegible]
2007	彭湾卫生院装修	6.3	2008	市中医院行政、内科楼装修	30.7
2007	金屯卫生院装修	4.8			

卫生系统固定资产积累

1991—2008 年,是贵溪县卫生系统在楼、舍建设、医疗设备添置上大发展时期,固定资产积累速度加快,医疗卫生机构面貌焕然一新,为卫生事业的持续发展、服务能力的增强奠定较为扎实的物质基础。

全县(市)医疗单位固定资产 1991 年为 466.4885 万元,2008 年达 7980.0358 万元,增加 16.[illegible] 倍(其中房屋增加 5.8 倍、设备增加 80 倍);卫生单位固定资产 1991 年为 109.7 万元,2008 年达 1102.4122 万元,增加 9 倍(其中房屋增加 5.6 倍、设备增加 12.36 倍)。

第四节　医德医风建设

20 世纪 90 年代初期,社会上商品经济运行中各种不正之风,逐渐渗入卫生系统的药品供销关系和医患关系,开始出现一些新问题:一是拿“药品回扣”。药品生产厂家为销售产品,对医院主管药品进货的领导、药房人员及有处方权的医生,私下给一定比例的“回扣”。二是收受“红包”。有求于医生的患者及其亲属,开始是请有关医务人员吃饭或送烟酒之类的礼物,后变而为私下塞给现金,即所谓送“红包”,否则“脸难看、话难听”。三是医务人员对病人态度怠慢、冰冷。此三类问题有愈演愈烈之势,严重败坏医德医风,社会反映强烈,患者敢怒不敢言,影响到医院内的人际关系、工作情绪和医疗服务质量。

贵溪市(县)委和政府及卫生主管部门了解到此情况,为坚持全心全意为人民服务的宗旨和“救死扶伤,实行革命的人道主义”的传统作风,自1991年,特别是1996年以来,采取一系列措施,强调以病人为中心,大力加强医德医风建设,实行医德医风年度考核一票否决制度,纠正不正之风,树立廉洁行医、精诚服务的行业形象。1995年,县人民医院儿科主任刘剑英从不收受病儿家属礼品,被评为全省巾帼风采典型模范;外科主任舒安乐视病人如亲人,一年拒收红包金额达4000余元,被评为市优秀党员、劳动模范。

1996年,市卫生局出台《关于治理药品回扣问题的实施意见》,并在全系统开展学模范人物、学白求恩的“双学”活动。市级医院推出“承诺服务”,规定医疗服务“十公开”、医务人员“十不准”,凡经查实有索要行为者,以一罚十,凡年度医德医风考评不及格者,晋升职称和先进评比,实行一票否决。1997年,市卫生局连发4个文,即《关于开展以病人为中心优质服务,树医疗行业新风活动的通知》《卫生系统“行业形象”工程的实施意见》《贵溪市卫生局实施先导工程方案》《贵溪市卫生局“讲文明、树新风”活动实施方案》,加强行业精神文明建设,开展“三比三赛创十佳”活动。1998年4月23日,举行卫生系统机关作风医德医风整顿动员大会;市卫生局转发卫生部纠发〔1998〕2号文《关于在医疗活动中严禁临床促销费、开单费等回扣行为的通知》。1999年5月3日至28日,全市卫生系统开展“党风廉政建设教育宣传月活动”。2000年4月,市人民医院成立医德医风督查组。同年8月12日,在市委小礼堂举行卫生系统评议行风动员大会;市卫生局印发《关于纠正医药购销不正之风的实施意见》;市卫生局党委连续发出《“三讲”教育整改月医德医风建设实施方案》《民主评议行风实施方案》。2003年,市卫生局颁发《卫生技术人员工作质量与职业道德评估办法》;卫生系统开展“四好标兵、六佳科室”评选活动(四好标兵:好党员、好院(站)长、好医师、好护士标兵,六佳科室:优质服务、规范管理、科技进步、廉洁行医、团结协作、完成任务佳)。2004年4月5日,市卫生局印发《贵溪市“群众满意医院”创建活动实施办法》,并成立领导小组,督查活动开展。2005年,市卫生局转发省卫生厅《江西省医疗机构各类工作人员服务规范》《江西省医疗机构十大窗口服务规范》,对医德医风、服务态度实行规范化管理。2005年以后,相继实行市直医疗单位药品集中招标采购和大型医疗设备采购管理制度,乡、村医疗机构药品统一招标采购制度,从而有效地遏止药品回扣、医生收红包等商业贿赂行为,弘扬正气,改善服务态度,提高医疗质量。2006年,根据省卫生厅治理商业贿赂领导小组统一部署,贵溪市卫生局制定《市卫生系统开展治理医药购销领域商业贿赂专项工作实施方案》,召开卫生局成立以来规模最大的专项工作动员大会。2007年,根据鹰潭市卫生局、贵溪市政风行风评议领导小组的部署,全市卫生系统又展开一次民主评议行风活动。

2007年,市人民医院、市中医院和5所乡镇卫生院通过鹰潭市卫生局复评,分别授予“群众满意医院”“农民满意乡镇卫生院”称号。2008年,市人民医院经省卫生厅“医院管理年”活动专家组检查考核,荣获“江西省行风建设先进单位”称号。

第五节　医疗卫生体制改革

医疗卫生机构运行机制改革

1991年以前,贵溪县卫生系统延续计划经济体制,各乡镇医疗机构主要负责人实行任命制,职工分配实行固定工资制,严重抑制干部职工的主动性和积极性,卫生系统内部缺乏活力。

1992—2008年,在全国各方面改革不断深化的形势推动下,贵溪市(县)卫生系统遵照中央、省、鹰潭市及贵溪市委、市政府的统一部署,积极探索医疗卫生体制改革之路,采取一系列改革举措。其间大体分为三个阶段:第一阶段(1992—1996年),在邓小平南方谈话的鼓舞和启示下,解放思想,改革工作启动,推行院长负责制、院科两级核算、奖金浮动等措施,局部触动“大锅饭”“铁饭碗”等旧体制;第二阶段(1997—2004年),在中共中央、国务院《关于卫生改革与发展的决定》精神指引下,改革加大力度,在乡镇卫生院经试点逐步推行股份制、承包制等经营模式和分配制度改革,在全系统推行竞聘上岗、人员分流、解聘待岗、公开招聘等人事制度改革，从深度和广度上转换僵化、平均主义的运行机制；第三阶段（2004 年以后），在总结前段改革经验教训的基础上，推行综合考评绩效工资制。改革的目标是：建立起有责任、有激励、有约束、有竞争、有活力的运行机制。

经营模式改革

1992 年，贵溪县卫生系统拉开改革序幕：全面推行院（站、所）长负责制、目标管理责任制；大多数单位实行奖金浮动改革。县人民医院开始实施院科两级核算，县防疫站实行中层干部聘任制；对全县乡镇卫生院改差额补助为定额补助，实行任务带经费相结合的分配办法；金沙、雷溪试行乡、村两级卫生所、室联营，耳口、河潭卫生院试行承包经营模式，仅几个月就扭亏为盈。

1993 年，全县卫生系统加快改革步伐。县卫生局发出《关于进一步深化卫生改革的实施意见》（贵卫字〔1993〕34 号），提出："卫生经济是商品经济的一部分，卫生事业属于第三产业。但卫生事业的性质，在现阶段仍然是公益性的福利事业。"县级医院在健全院科二级核算制的基础上，办医模式从单一型向系统型转变，院内分流，增设专科，开设专家门诊特殊服务；后勤承包，以副业补主业。乡镇卫生院运行方式多种多样：分科核算；总额承包；下伸设网点；乡医联营。当年有冷水、河潭、盛源、志光、泗沥等 5 所卫生院由个人承包。大多数单位都从增强自身补偿这个角度，挖掘资源潜力，充分使用人才，力求经济效益上台阶。据当年抽样推算，由经营机制转换而创造的经济收入，约有 25 万元。当时，社会上掀起"机关办经济实体""干部下海经商"热潮，卫生系统也试图打开"以副补主"的局面。成立贵溪县卫生系统劳动服务公司，卫生局机关增设工副业办公室，出台一系列优惠措施，激励工副业生产发展：领头办经济实体者，一切待遇不变，从事商业经营者，可办留职停薪；创办开发性企业者，给予提供必要的生产条件；从事服务性创收者，按比例给予奖励。

1994—1995 年，扩大医疗卫生单位管理自主权，试行多种形式的责、权、利结合的责任制（包括"一院多制"和"股份经营"试点），扩大总额承包范围，修订经费与任务挂钩管理办法等。1996 年 4 月 16 日，县卫生局发出《贵溪县乡（镇）卫生院转换运行机制的实施意见》（贵卫字〔1996〕19 号），提出委托制、股份制、租赁制、承包制、城乡协作联合办医等 5 种改革办法，供各单位因地制宜选择。

1997 年 1 月 15 日，中共中央国务院发布《关于卫生改革与发展的决定》（中发〔1997〕1 号），贵溪市委、市政府为贯彻《决定》精神，加强对卫生改革与发展的领导。

1998 年 4 月 1 日，市政府办公室发文批转《贵溪市医疗机构转换运行机制的实施意见》（贵府办发〔1998〕3 号）；市政府召开有各乡镇政府和各医疗卫生单位主要负责人参加的全市卫生工作会议，市长邓绍聪作题为《勇于改革，加快发展，开创贵溪卫生事业的新局面》的报告，落实中央《决定》提出的改革、发展的各项任务。4 月 15 日，成立贵溪市医疗机构转换运行机制工作领导小组，派出 5 个指导小组分赴各单位督导。市卫生局提出转换运行机制的目的是：群众满意、医院发展、增加收入、职工受益。当年 5—6 月间，河潭、金沙、余家 3 所卫生院实行承包经营，周兵福、刘健、徐祥茂分别与市卫生局签订承包河潭、金沙、余家卫生院的《经营承包责任书》，承包期为两年。但承包后的单位性质不变，产权关系不变，单位隶属关系不变，职工性质不变，工资待遇不变，晋职晋级渠道不变。承包人在承包期间全权负责行政、业务、财务、人事管理和职工的政治思想工作，自主经营、自负盈亏。同年 6 月 1 日起，罗河卫生院实行以资金、劳务、技术入股的全员"股份合作责任制"试点，实行医院董事会领导下的院长负责制、经营上的股份制、管理上的责任制、核算上的分科制、医疗质量、医德医风及财务物价上的监督制，保证国有资产保值和增值。打破了职工固定工资制，按照医院的经济效益进行工资和奖金的分配。

1999 年，在罗河卫生院实行股份合作责任制取得成功的基础上，文坊、志光、周坊、塘湾卫生院也推广实行股份合作责任制。通过股份合作责任制的运行，实现了"三个转变和四个增加"的目标，即职工由被动工作转为主动工作，由以药养医转变为以医养医，医院发展由等待观望向自主发展转变；达到了结构合理的收入增加，收支结余大幅度增加，职工收入普遍有所增加，群众满意度增加。

在此期间，市直卫生医疗单位和其他乡镇卫生院也深化改革，实行任务、经济、质量、技术综合目标责任制，把任务分解到科室、到个人，实施工资、奖金与绩效挂钩（"绩效"指工作的量与质，岗位技术熟练程度、责任风险与难度大小、以及服务态度、医德医风等项的综合）。

运行机制改革,优化人员组合,打破平均主义,调动员工积极性,提高服务质量,增强卫生机构内部活力。1998年,全市卫生系统业务收入达2483万元,比1997年增加836万元,增长50%,增长速度超历史;同时,首次筹集到卫生事业发展基金100万元(各单位业务毛收入按3%提取)。当年,全系统实际新增固定资产348万元。5所中心卫生院职工月收入普遍比档案工资增加100元以上。

在改革试行过程中,也出现一些负面现象,如:股份结构核算不合理,分配比例有偏颇,大处方、乱检查、乱收费、抢病号,防疫、保健工作滑坡,群众不理解等。市卫生局经常了解运行情况,及时研究,作出适当调整。1999年,调整部分股值的计算方法,防止一些医务人员的短期行为,避免出现乱检查、乱收费现象。2003年,对实行股份合作责任制的卫生院,提高单位法人代表工资待遇,其院长工资由原定的"跟第二名走"改为"跟第一名走"并再上浮15%,使之与其所负的责任风险相称,同时加强检查监督,防止改革损害群众利益。

2007年,在总结5所中心卫生院推行股份合作责任制经验教训的基础上,注意矫正片面追求经济效益的偏向,经过对原方案进行调整和完善,并参考2006年在流口、白田卫生院试行综合考评责任制的经验,进一步在5所中心卫生院和流口、泗沥卫生院及市传染病医院等7个单位推行分配制度方面的《综合考评绩效工资制改革方案》,合理调整分配比例,注重工作业绩、服务质量和医德的考评。

人事分配制度改革

2000年3—6月,根据中共中央组织部、人事部、卫生部《关于深化卫生事业单位人事制度改革的实施意见》精神,市卫生局召开卫生系统人事分配制度改革工作会议,并成立改革领导小组,决定首先在市人民医院、中医院、防疫站推行人事分配制度改革。市卫生局发出《关于贵溪市直医疗单位人事分配制度改革的指导意见》,制定《关于医疗卫生单位实行待聘、待岗、辞职、辞退、内退的若干规定》和《关于实行待岗的暂行规定》等配套文件,批准市人民医院的《人事分配制度改革总体方案》及3个配套方案、中医院和防疫站的《人事分配制度改革实施方案》。改革的主要内容:

一是重新定编设岗,紧缩机构人员。根据单位性质和承担的工作任务,本着优质、精减、高效的原则,科学确定单位的内设机构和岗位职数。在岗位总职数中,原则上卫技人员占80%以上,行政工勤人员不超过20%,同时确定医、药、护、技等各类人员的比例和初、中、高级技术职务的比例。通过改革,仅市人民医院的一级行政职能科室就由原来的9个减到5个,下降44.4%;中层干部的职数,由改革前的48人,减少到38人,下降20%。

二是推行中层干部竞争上岗、择优聘用制度。对市直单位内中层干部的任用,实行"公开职位、公开条件、公开演讲、公开答辩、群众评议、组织考核"的办法。为体现"公开、公平、公正"的原则,市人民医院对答辩评委和演讲评委量化评分标准,规范评分行为,当场亮分;采取评委集体封闭生活、亲属申请回避、演讲答辩时竞聘者相互隔离、设立举报箱和举报电话、分数张榜公布等措施,全方位接受群众监督。市中医院中层干部的任用,采取更加公开、民主的"海选"办法。4月21—23日,市人民医院举行中层干部演讲答辩会,有70名职工参加28个岗位的公开竞聘;市中医院有17人参加12个职位的公开竞选,市卫生防疫站有8名职工参加4个中层干部岗位的竞聘。通过改革,一批业务精、作风正、爱岗敬业、年富力强的中青年,经过激烈的竞争,走上中层领导岗位,使该单位的管理队伍提高素质,增强活力;中层干部的平均年龄比改革前减少4岁,其中护士长的平均年龄减少7岁,文化素质也有大提高。

三是推行全员聘用合同制。科室员工打破身份界限,实行双向选择,优化结构,竞争上岗,单位与员工签订聘用合同,明确用工关系和双方的权利、义务。单位内部可实行待聘、待岗、转岗、提前退养,解决人浮于事的问题。通过改革,市人民医院减员24人,占职工总数的7.76%。

四是改革分配制度,实行浮动工资和绩效工资制。遵循按劳分配、效率优先、兼顾公平的原则,根据责任轻重、技术高低、强度大小、贡献多少,拉开分配档次;分配向一线岗位、向业务骨干和管理骨干、向苦、累、脏岗位倾斜,对行政职能科室,按照系数分配法打破平均主义。

人事分配制度的改革,为两院一站带来新的生机和活力,增强干部职工的危机感和责任感,提高了为人民健康服务的意识和创新意识,得到社会各界、医职员工、患者及家属的一致好评,产生明显的社会效益和经济效益。当年,市人民医院1—11月业务收入达1912.49万元,同比增长30.03%;市中医院

1—11 月业务收入达 449.68 万元，同比增长 30.15%

贵溪卫生系统的人事分配制度改革，走在鹰潭市乃至全省的前列，鹰潭市副市长李萍文、鹰潭市卫生局局长夏公章专程到市人民医院考察并给予肯定。仅下半年，接待兄弟县、市到访 20 多批次。

2001 年 10 月 8 日，市卫生局党委、市卫生局行政出台《关于乡镇卫生院人事分配制度改革的指导意见》（贵卫党字〔2001〕号），市卫生局印发《贵溪市卫生系统人事分配制度改革乡镇卫生院院长竞聘竞标方案》（贵卫字〔2001〕80 号），在乡镇卫生院推行院长公开竞聘竞标、择优聘用制。时有 12 人报名参加竞聘，其中市人民医院外科副主任谢巧俊竞聘罗河卫生院院长、塘湾卫生院外科医师吴开华竞聘河潭卫生院院长、塔桥卫生院医师朱晓俊竞聘塔桥卫生院院长、周坊卫生院医师詹兵样竞聘余家卫生院院长、塘湾卫生院中医师陆一春竞聘冷水卫生院院长，均全部上岗。

2003 年 7 月 1 日，市卫生局向市政府呈报《贵溪市卫生局机关机构改革实施方案》（贵卫字〔2003〕109 号）。局内设机构（股、室）负责人全部实行竞聘上岗。

2005 年，贵溪市卫生系统在国家取消大中专毕业生计划分配以后，第一次面向社会公开考录了 20 名大中专毕业生，其中妇幼卫生（含助产）专业 15 名，预防医学专业 5 名，以解决乡镇卫生院专业技术人才缺乏问题。

贵溪市卫生事业的改革与发展，取得令人瞩目的成绩，得到各级领导的重视与肯定。2002 年 5 月 8 日，卫生部部长张文康一行 9 人，在省政府副省长胡振鹏、省卫生厅厅长熊小江、鹰潭市市长钊宪等人的陪同下亲临塘湾中心卫生院视察调研，对贵溪市卫生改革与发展作充分肯定。

第二章 管理与监督

第一节 医疗管理

医院管理

医疗机构管理体制 1991 年 7 月 17 日，国务院批转《卫生部等部门关于改革和加强农村医疗卫生工作请示的通知》，在医疗卫生机构的管理体制上实行分级管理的原则，县级医疗机构和乡镇中心卫生院由县人民政府举办和管理，乡镇卫生院一般可由乡镇人民政府举办和管理，村级卫生组织一般由村民委员会举办和管理。

1994 年 5 月 9 日，彭湾乡政府与县卫生局签订《关于调整乡镇卫生院管理体制有关问题的协议书》，从协议书签订之日起，彭湾乡卫生院由原来的乡政府全权管理转为县、乡两级管理体制。

1997 年 10 月 5 日，经市政府第十九次常务会议研究决定，并以抄告单形式，正式批准西窑林场、三县岭林场、双圳林场职工医院划归市卫生局统一管理。

2002 年，市卫生局下发《关于白田卫生院由市中医院托管的通知》，为充分发挥县级医疗机构的人才、技术、设备优势，达到城乡医疗资源共享，从 2002 年 12 月 26 日起，白田卫生院由中医院全权托管，成为中医院的分支机构，其业务、行政，人、财、物均由市中医院全权负责管理，此管理体制维持到 2005 年 12 月。

医疗机构评级发证 1995 年 8 月 15 日，贵溪县人民医院被评为“达标爱婴医院”。1996 年 12 月 30 日，经鹰潭市医院评审委员会的医疗机构评审，授予贵溪市文坊中心卫生院、塘湾中心卫生院、周坊中心卫生院、贵溪银矿职工医院、贵溪化肥厂职工医院、中国有色十五冶贵溪职工医院为“一级甲等医院”，授予贵溪市志光中心卫生院、核工业华东 265 大队职工医院“一级乙等”医院。1997 年 1 月，贵溪市人民医院被省卫生厅评为“二级甲等医院”。1996 年，换发机构执业许可证 598 个，其中市直医疗单位 4 所（市人民医院、市中医院、市妇幼保健院、市皮肤病医院），驻市医疗单位 12 所（中国有色四建公司职工医院、江西铜业公司职工医院、中国有色十五冶职工医院、贵溪银矿职工医院、贵溪化肥厂职工医院、贵溪发电厂职工医院、713 矿职工医院、核工业华东 265 大队职工医院、塔桥园艺场职工医院、铜技校卫生所、赣东北地质大队 106 队医务室、贵溪冷水采育林场职工医院），乡镇卫生院 18 所，个体医疗机

构574所。2005年,换发医疗机构执业许可证809所。2008年,全市换发医疗机构执业许可证719所,其中市直医疗机构6所(市人民医院、市中医院、市妇幼保健院、市传染病医院、市疾控中心门诊部、市皮肤病医院),驻市医疗机构8所(四冶总医院、塔桥园艺场职工医院、中国十五冶职工医院贵溪分院、江西贵溪化肥有限责任公司职工医院、贵溪银矿职工医院、冷水采育林场职工医院、江西铜业集团(贵溪)医院、贵溪精神病医院)。

医师护士执业许可发证　1999年5月1日,《中华人民共和国执业医师法》开始实施,贵溪市卫生局依法对执业医师审查发证。2008年,全市有执业医师453人、执业助理医师107人。2008年5月12日,国务院颁布的《护士条例》开始施行。市卫生局组织全市护士学习《条例》,进行培训。2008年底,全市有执业护士493人。

医疗机构整顿　1997年6月20日至8月底,遵照国务院颁布的《医疗机构管理条例》,市卫生局医疗机构清理整顿工作组对全市所有医疗机构进行一次清理整顿。共取缔无证无照行医100余家,对私自带徒、擅自扩大诊疗范围和聘用非卫生技术人员的医疗单位进行了处罚,无证无照行医现象得到遏制,规范医疗市场、保障广大群众医疗安全,提高医疗机构的整体服务能力,使医疗市场步入法制化管理轨道。

个体行医管理

市卫生局医政医教科负责全市医疗机构及个体行医人员管理,依法依规准入和监管,同时,发挥卫协会、医学会、药学会等行业协会组织职能,实行全行业规范管理。

2004年7月开始,根据《乡村医生从业管理条例》和《江西省乡村医生注册管理办法》规定,全市先后有952名乡村医生进行全省统一网上注册,取得乡村医生执业证书。

2004—2008年,全市有602名乡村医生参加江西省乡村医生中专学历教育,学制3年,毕业后可取得国家认可普通中等教育学历,可参加全国执业助理医师考试,考试合格可取得执业助理医师资格;同时,按照卫生部和省卫生厅《乡村医生在岗培训规划》和《培训大纲》要求,市卫生局农村卫生技术人员教育培训基地每年组织一次乡村医生在岗培训,为期7天,共54个课时,连续进行5年培训。

2005年开始,对全市城区门诊部、诊所、医务室及村卫生所(室)进行规范化建设:城区诊所、医务室业务用房面积必须达到50平方米以上,做到三室分开(诊室、药房、治疗室),执业人员必须具备执业医师资格,医疗设备必须达到诊所配置标准;村卫生所(室)业务用房面积必须达到60平方米以上,做到三室分开,执业人员必须具备乡村医生执业证书或执业助理医师资格,医疗设备必须达到村卫生所(室)配置标准。

2007年开始实施农村卫生所(室)服务能力建设项目(列入"民生工程"建设):当年完成102所,翌年完成98所,每所业务用房面积均达到100平方米以上,做到五室分开(诊室、药房、治疗室、值班室、观察室)。除基本设备配置外,省财政下拨每所1万元资金为列入"民生工程"的村卫生所(室)配备空调、冰箱、电脑、心电图机和急救设施。

在农村卫生改革过程中,市卫生局逐步探索村级医疗机构管理模式,在部分乡镇实行乡村医生联办、乡镇卫生院和乡医联办等一体化管理模式,卫生所(室)的人员、业务、制度、财务、药品做到"五统一",由卫生院统一管理。

在城市大力推行社区卫生服务机构建设,增强公共卫生服务职能,适当控制个体诊所和民营医疗机构数量和规模,城区个体医疗机构由2004年的88家减少到2008年的49家。

采供血管理

医院供血　1991年,因鹰潭地区未设中心血站,贵溪医疗机构临床用血实行自采自供。1992—1995年,贵溪医院血库血源90%来自鹰潭中心血站,但因鹰潭血站成立初,血源不足,10%血源尚需自采。医院对自愿供血的人员进行严格的健康检查,并对所供血液支付一定的营养补偿费。1996年以来,贵溪医院血库的血液全部来自鹰潭中心血站,不再自采自供。2000年以前,贵溪医疗单位年用血量在20万毫升左右;2000年以后,年用血量增至30～40万毫升左右。2007年,贵溪市红十字会开展无偿献血活动;2008年,贵溪市各医院临床用血,实现100%的无偿献血。

单采血浆站　1993年10月5日，贵溪县卫生局同意成立贵溪市单采血浆站，隶属县红十字会管理，实行独立核算、自负盈亏的管理模式。租用县人民医院原住院部宿舍为站房。1995年11月7日，成立贵溪县单采血浆站，在当地卫生行政部门的领导下，统一组织管理血源，采集血浆，为江西博雅生物制药有限公司提供原料血浆。1996年4月24日，贵溪县编委批复成立贵溪县单采血浆站，属卫生局下属股级差额拨款事业机构，核定事业编制25名，经费在卫生事业费中列支。该站一开始就严把质量管理关。同年5月25日，江西省血液机构检查评审组对贵溪县单采血浆站进行考评验收，并报省卫生厅核发《采供血机构执业许可证》，年采浆量约12～15吨。1997年，该站通过省卫生厅、国家卫生部血站管理检查验收达标，是江西省唯一通过卫生部检查达标的采浆站。2007年9月，贵溪市单采血浆站改制，由河南中泰药业有限公司收购，更名为江西省贵溪市中泰单采血浆有限公司。

1997年，贵溪市开始无偿献血，当年全市献血127人次，2008年，全市献血1146人次。

急救管理

贵溪地域交通事故急救中心　1996年10月8日，市人民医院与交警大队联合成立贵溪地域交通事故急救中心。急救中心设于市人民医院门诊部急诊科，其领导小组由医院与交警大队双方共同组成，备有急救车1辆及各种急救药械；事故报警电话122，急救中心电话3771284；实行"救治在先，入院手续在后"的原则。此为贵溪历史上第一个急救中心。

市人民医院急诊科(120急救)　1996年3月，医院急诊室改为急诊科。有医师、护士各2名、司机1名。1998年9月12日，成立120急救中心。医师增至8名，司机2名，设有固定科主任、护士长。2008年增加司机1名。

设备：1996年有救护车1辆、洗胃机1台。1998年有救护车2辆、洗胃机1台、心电监护仪1台、手术床1张。2008年有救护车3辆。

出诊：1998年986次，2000年1168次，2002年2688次，2008年2955次。

医疗事故管理

凡发生医疗事故，由专设鉴定机构组织调查、鉴定，视情节按规定作出处理。

2000年1月21日，市人民医院某外科医师在为塘湾镇港西村的9岁患儿诊治过程中，将咽部食管憩室误诊为"甲状舌骨囊肿"，于1月24日上午进行手术切除，由于诊断错误，在手术中误伤患儿食管，形成食管瘘，给患儿留下经常出现吞咽困难后遗症。经贵溪市医疗事故技术鉴定委员会2001年1月11日鉴定为三级甲等医疗技术事故，赔偿26万元，造成巨大经济损失，给予该医师行政记过处分。

突发公共卫生事件应急处置

2008年8月，新闻媒体揭发河北石家庄市三鹿集团所产三鹿牌婴幼儿奶粉致婴幼儿泌尿系统结石的重大事件，举国震惊。

根据上级卫生行政部门和市委、市政府的统一部署和要求，市卫生局制定《关于"食用含三聚氰胺奶粉致婴幼儿泌尿系统结石重大食品安全事故"的医疗救治应急处置预案》，成立以卫生局局长为组长的领导小组和医疗救治、宣传、督查、综合协调4个工作组，迅速开展问题奶粉致婴幼儿泌尿系统结石患儿的筛查诊断和救治工作。当年底，全市医疗机构已筛查有三鹿牌等奶粉喂养史的婴幼儿17602人，发现结石患儿62例并在市人民医院门诊免费治疗，治愈1人，无重症死亡病例。

第二节　卫生监督

2004年以前，贵溪县(市)卫生防疫站承担大量的卫生监督工作。2003年4月14日，贵溪市机构编制委员会下发《关于同意设立"贵溪市卫生监督所"和"贵溪市疾病预防控制中心"的批复》，决定撤销卫生防疫站，设立贵溪市卫生监督所和贵溪市疾病预防控制中心，隶属卫生局管理，均为全额拨款股级事业单位，人员编制从原卫生防疫站编制内调剂解决，不新增加编制。市卫生监督所的主要职责是卫生行政许可、公共卫生监督、医疗卫生监督，定编10人。

贵溪市卫生监督所于2004年5月9日组建完成，同年8月8日正式挂牌。至2008年年底，卫生监督所人员为16人(在编7人、借用9人),其中专业技术人员8人。

食品卫生监督

按照《中华人民共和国食品卫生法》等法律法规的要求,对食品生产经营单位进行经常性卫生监督,日常工作为发证、验证和监督检查。在工商行政部门的配合下,每年均开展集中式食品卫生大检查、早夜市及农贸市场的整治和人大代表视察检查等活动,依法对有关违法单位及违法人员实施行政处罚(表26－6)。2005年,对全市食品行业2143户,深入监督检查1879户,发证1605户;从业人员健康检查3387人,调离职业禁忌人员26人。对餐用具监测13550件,合格率为67.69%;各类食品抽样177件,合格率78.46%。开展城区主要街边餐饮店卫生要求专项整治和学校及周边食品卫生专项整治。警告并限期整改餐饮食堂41家、批发零售业4家,责令停业改进36家,销毁不合格产品1560公斤。对31所学校食堂进行量化评分,评为C级2家、D级29家;进行量化分级管理餐饮单位50家,评定C级32家、D级18家。2006年,元旦、春节期间开展食品专项整治,开展《中华人民共和国食品卫生法》及食品安全行动宣传,还组织市直卫生监督员及乡镇卫生院防疫人员进行业务知识培训。全年共监督检查食品行业1567户,发证1523户,从业人员健康检查3919人,对餐(用)具监测4845件,合格率为84.6%,2007年,全年共监督检查食品行业1302户,发证1263户,从业人员健康检查3218人,查处无证经营单位7户,警告并限期整改单位49户,责令停业改进18户,没收销毁不合格产品200公斤,调离职业禁忌人员23人。对大中型餐饮单位负责人开办食品卫生监督量化分级管理制度相关知识的培训,共培训120余人,并对市一中全体师生进行一次食品卫生知识和法律法规培训。2008年,市区共有食品生产企业1314户,发证1274户,从业人员健康检查2940人;共抽检食品132份,合格率为93%;对27户食品生产经营单位进行警告和限期整改,取缔非法生产加工点两家,收缴“三无”(无生产日期、无质量合格证、无生产厂家)食品300公斤;参加政府重大会议、接待工作的食品卫生监督4次。

自2005年起,贵溪市卫生监督所负责食品卫生发证和监督,贵溪市疾控中心负责食品质量监测检验。

2005—2008年全市卫生许可证验发一览

表26－5　　　　单位:份

年份	食品生产经营	公共场所	生活饮用水	合计
2005	1605	308	4	1917
2006	1523	245	4	1772
2007	1289	206	4	1499
2008	1274	87	4	1365

1991—2008年全市食品卫生检验一览

表26－6

年份	经营总户数	检查总户/次数	警告限期改正户/次数	没收、销毁产品户/次数	没收、销毁产品公斤数	罚款户/次数	罚款金额(元)	停业改进户/次数
1991	2334	3629	11	84	3887	9	760	9
1992	2365	3835	10	95	2675	15	1130	20
1993	2369	3840	15	90	2367	13	1560	28
1994	2269	3625	18	83	2250	16	1430	21
1995	2269	3365	25	75	3125	21	1960	30

续表 26－6

年份	经营总户数	检查总户/次数	警告限期改正户/次数	没收、销毁产品户/次数	没收、销毁产品公斤数	罚款户/次数	罚款金额（元）	停业改进户/次数
1996	2219	3216	23	70	2016	25	1980	35
1997	2230	3225	27	65	1985	32	2950	60
1998	2258	3238	29	78	1995	28	2660	55
1999	2155	3245	30	85	2010	25	2490	50
2000	2310	3580	45	94	2579	38	3560	45
2001	2315	3595	48	90	2540	30	3400	40
2002	2365	3576	51	79	1399	29	2800	38
2003	2356	3584	57	75	1580	24	2500	35
2004	2360	3360	47	70	1475	20	2000	30
2005	2143	1879	45	56	1560	0	0	35
2006	1751	1567	46	33	1000	0	0	15
2007	1528	1307	49	25	200	0	0	15
2008	1314	1398	27	22	300	0	0	8

为有效监督食品生产经营单位的卫生质量，贵溪市卫生防疫部门每年均开展重大节日（含元旦、春节、端午节、中秋节等）期间对与节日相关食品市场抽样监测、食品生产单位生产食品样品监测、夏令饮品市场食品抽样监测及食品卫生大检查（含食品打假活动）、食品质量监测、相关单位送样检测等措施，有力维护食品生产经营市场的有序经营及食品质量安全卫生。

1991—2008 年全市食品样品检验一览

表 26－7

年份	抽检			送检			合计		
	监测件数	合格件数	合格率（%）	监测件数	合格件数	合格率（%）	监测件数	合格件数	合格率（%）
1991	314	256	81.5	—	—	—	314	256	81.5
1992	316	245	77.5	—	—	—	316	245	77.5
1993	310	244	78.7	—	—	—	310	244	78.7
1994	384	314	81.8	—	—	—	384	314	81.8
1995	253	214	84.6	—	—	—	253	214	84.6
1996	381	311	81.6	—	—	—	381	311	81.6
1997	385	328	85.3	16	12	81.5	401	340	84.8
1998	415	358	86.3	25	21	84.0	440	379	86.1
1999	503	444	88.3	30	27	90.0	533	471	88.4
2000	604	514	85.1	35	31	88.6	639	545	85.3
2001	616	579	94.0	45	40	88.9	661	619	93.6
2002	586	575	98.1	40	35	87.5	626	610	97.4
2003	580	552	95.2	38	35	92.1	618	587	94.9

续表 26－7

年份	抽检			送检			合计		
	监测件数	合格件数	合格率(%)	监测件数	合格件数	合格率(%)	监测件数	合格件数	合格率(%)
2004	575	522	90.8	32	28	87.5	607	550	90.6
2005	177	143	80.8	—	—	—	177	143	80.8
2006	219	196	89.5	—	—	—	219	196	89.5
2007	135	115	85.2	—	—	—	135	115	85.2
2008	132	123	93.2	—	—	—	132	123	93.2

从业人员健康体检

每年组织对食品生产经营单位相关从业人员进行健康体检并建档工作,对发现患有乙型肝炎、伤寒、菌痢及阿米巴痢疾、化脓性皮炎、肺结核等“五病”人员立即予以调离食品行业从业岗位。2005 年起,由卫生监督所和疾控中心共同承担食品从业人员的健康体检。2007 年,食品及同类行业从业人员的健康体检工作,由卫生局发文安排到中医院体检。

1991—2008 年全市食品从业人员体检一览

表 26－8

年份	应检单位(个)	实检单位(个)	应检人数(人)	实检人数(人)	体检率(%)	检出患病例数(人)	调离人数(人)
1991	2334	2319	4332	4183	98.8	18	18
1992	2365	2353	4399	4193	95.3	30	30
1993	2369	2358	4410	4396	95.8	18	18
1994	2269	2258	4210	4126	98.0	49	49
1995	2269	2258	4210	4126	98.0	34	34
1996	2219	2208	4205	4121	98.0	58	58
1997	2230	2212	4216	4135	98.1	45	45
1998	2258	2250	4234	4162	98.3	50	50
1999	2135	2138	4111	4037	98.2	47	47
2000	2310	2305	4196	4154	99.0	54	54
2001	2315	2310	4201	4138	98.5	48	48
2002	2365	2358	4251	4183	98.4	45	45
2003	2356	2351	4242	4157	98.6	50	50
2004	2360	2353	4246	4152	97.8	52	52
2005	2143	1879	4168	3387	81.2	26	26
2006	1567	1523	3986	3919	98.3	28	30
2007	1302	1263	3275	3218	98.2	23	23
2008	1314	1301	3107	2940	94.6	17	17

附：

1996 年夏季食品卫生督查案例

县城夏季食品抽检　1996 年 7 月，为贯彻省卫生厅关于开展夏季食品抽检工作的通知，县防疫站对县城 29 户食品生产经营单位部分食品随机抽样 43 件，按省卫生厅统一抽检方案检验，合格 34 件，总合格率为 79.1%。不合格食品有浙江金义集团公司产品金义奶、鹰潭市食品总厂产品草莓酸奶、台中味丹企业股份有限公司产品绿力纯麦奶茶、河口食品总厂产品粒粒橙、湘潭新多福制酱厂产品瓶装一等酱油、东乡红星企业集团公司产袋装全脂奶粉、黑龙江安达红梅乳品厂产袋装奶粉。

制售假酱油违法行为查处　酱油本应是以大豆、麦麸等为原料，经蒸煮后发酵而成的一种调味品，但有些不法之徒为牟取暴利，不择手段，制造或经销配制假酱油（即以盐、水加上酱色素配制而成），坑害消费者。

1996 年 6 月，县卫生防疫站组织力量赴河潭乡丰田、泗塘、大马岗、孙家塘等地，对制售假酱油情况进行了一次突击检查，计检查生产经营单位 17 户，查出销售假酱油 4 户，除给予警告外，共销毁假酱油 31 缸计 775 公斤；对制造假酱油的三叉路口酱油厂，即行查封，作专案处理。

三维冷饮经销部销售不合格产品查处　三维冷饮经销部是个私营企业，租用贵溪冶炼厂一号冷库专门经销广东、浙江、福建外埠冷饮系列。

1996 年 7 月中旬，接群众举报：该经销部销售超过保存期的冷饮，坑害消费者。经食品卫生监督人员现场查明，该经销部从弋阳县拉回一批福建政和冷饮系列计 136 箱，为 1995 年 6—10 月生产，该批冷饮并未做到专库存放，而是与二号冷库中的肉、禽、水产品等混放储存，不但超过保存期，而且产生交叉污染。上述行为违反《中华人民共和国食品卫生法》第九条规定，卫生局现场监督销毁不合格冷饮 136 箱，价值 3400 元，罚款 2000 元。

环境卫生监督

1991—2004 年，县卫生防疫站设立卫生科，按照《公共场所卫生管理条例》《化妆品卫生监督条例》《生活饮用水卫生监督管理办法》等法规要求，负责辖区内相关领域的卫生监督监测工作。2005 年起这些工作由新成立的市卫生监督所负责。

2005 年，公共场所单位 358 户，当年监督 322 户，验发证 308 户，从业人员健康检查 470 人，调离职业禁忌人员 13 人；公共场所用品监测采样 940 件，合格 670 件，合格率为 71.27%。2006 年，公共场所 351 户，验发证 245 户，从业人员健康检查 756 人，调离职业禁忌人员 18 人，公共场所用品监测采样 1057 件，合格率为 86.7%。2007 年公共场所单位 247 户，从业人员健康检查 421 人，公共场所用品监测采样 550 件，合格 454 件，合格率 82.5%。2008 年公共场所 174 户，全年经常性巡回监督 165 次，监督覆盖率为 95%，对不符合卫生要求的 18 家单位提出限期改正意见，进行相应的行政处罚。

1991—2008 年全市公共场所卫生监督一览

表 26－9

年份	公共场所经营户数（户）	监督户数（户）	监督率（%）	应体检人数（人）	实体检人数（人）	体检率（%）	调离职业禁忌人员数（人）
1991	94	85	90.4	298	201	67.0	3
1992	118	90	76.2	305	205	67.2	1
1993	110	100	90.9	338	328	97.0	4
1994	112	105	93.8	342	316	92.4	2
1995	121	110	90.9	345	321	93.0	6
1996	119	102	85.7	336	300	89.3	1

续表 26－9

年份	公共场所经营户数(户)	监督户数(户)	监督率(%)	应体检人数(人)	实体检人数(人)	体检率(%)	调离职业禁忌人员数(人)
1997	115	104	90.4	360	312	86.7	2
1998	189	180	95.2	629	545	86.6	3
1999	195	186	95.4	649	561	86.4	5
2000	131	115	87.8	560	442	78.9	7
2001	134	116	86.6	559	472	84.4	4
2002	214	202	94.4	674	644	95.5	6
2003	256	221	86.3	701	620	88.4	8
2004	301	285	94.7	742	701	94.5	11
2005	358	322	89.9	545	470	86.2	13
2006	351	245	69.8	791	756	95.5	18
2007	247	219	88.6	468	421	89.9	9
2008	174	165	95.0	257	232	90.2	6

生活饮用水卫生监督

2005 年,市卫生监督所会同市疾病预防控制中心对生活饮用水采样检测 187 件,合格 82 件;2006 年检测 261 件。2007 年,对饮用水生产厂家进行产品抽检,对集中式供水单位进行监督监测检查。2008 年,对市区级水厂 9 家、乡镇级供水单位 5 家进行监督检查,对部分供水单位出厂水、管网末梢水进行监测,共抽检 160 份,合格 120 份。

职业卫生监督

贵溪是一座新兴工业城市,境内工、矿企业较多,1980 年开始启动职业卫生监督工作,由劳动、经委、工会、卫生等部门共同负责,卫生防疫机构办理职业卫生危害因素监测和有毒有害作业场所人员健康体检。1991—2008 年,先后对冷水银矿、罗河和雷溪石膏矿、水泥厂、电光源厂、海利农药厂、三元化工厂等企业的职业卫生危害因素开展监测,检测项目为对人体有毒有害的重金属、粉尘、热辐射、噪音等,对存在的问题及时提出整改意见。

2003 年贵溪市防疫站按照有关法律法规要求,对申报的 22 家企业进行职业危害因素监测和有害、有毒作业场所岗位人员职业体检工作。2005 年市卫生监督所对 42 家企业进行生产环境有害因素粉尘、化学、物理因素测定,合格率分别为 66.66%、72.72%、100%。进行职业健康检查 680 人。2006 年开展一次《中华人民共和国职业病防治法》宣传活动,发放宣传资料 1000 余份。2007 年开展《中华人民共和国职业病防治法》实施 5 周年宣传周活动。并对辖区内接触氯气的自来水厂、耐火材料厂、水泥厂、采石厂、砖厂、印刷厂等生产企业进行监督检查,给予警告 7 户,下达卫生监督意见书 15 户。2008 年进行《中华人民共和国职业病防治法》专项宣传活动一次。

放射卫生监督

对应用放射线的医疗、工业单位实行放射卫生管理。1991—2008 年,原贵溪县(市)卫生防疫站和贵溪市疾控中心每年均开展医疗单位放射卫生监测工作,对从事放射工作的人员进行个人剂量监测和定期健康体检,对接受放射检查的人员进行放射防护监测检查,对放射工作场所的放射防护进行监测,并全部建立医用 X 线诊断设备和放射防护档案。

贵溪工业单位应用放射物质的不多,主要集中在华东地勘局 265 大队、贵溪化肥厂和科华水泥厂。265 大队的放射标准源含量相当高,管理规范,后因军转民,大部分放射源已上缴。贵溪化肥厂和科华水泥厂生产线上的放射物质料位计含放射性不很强,放射防护较好。2005 年完成全市医疗单位 X 射线防护监测19家，主要围绕工作人员防护设备及周围环境开展监测，对不符合卫生监督要求的都及时提出整改意见，并对3所医院污水进行检测，及时将检测结果与意见书反馈各医院。2007年加强对用人单位放射卫生防护监督管理，开展放射卫生专业机构与人员基本情况以及从事个人剂量监测技术服务基本情况调查。2008年，对全市25所使用医用诊断X线机的医疗机构进行防护效果监测和监督检查，建立并完善监督档案。

学校卫生监督

根据《学校卫生管理条例》，每年对中小学生开展健康体检并建立健康档案。

学生体检工作由教育局和卫生局联合发文，城区由防疫站负责体检，农村由乡镇卫生院派医务人员负责体检，并将体检结果填入每个学生的体检手册，学校体检手册由学校统一保管，检出问题及时告知学生及家长。

2001年，贵溪市卫生防疫站购置学生健康评估软件系统，对市区11800名学生的生长发育进行评估，根据学生体检数据对照测试标准，运用统计学方法进行运算，市区学生发育正常。2005年，开展了对学校及周边食品卫生专项整治，对其采购食品原料索证和各餐饮主副食品留样情况、从业人员健康证、饮用水卫生等进行监督。2006年，开展全市城区学校食堂的卫生专项整治工作。2007年开展学校卫生专项行动，共监督中小学校30余所，监督次数78户次，并结合"学校及周边食品卫生安全专项整治""加强学校传染病防治工作"等，对学校的教学环境、生活饮用水、传染病管理、洗浴设施进行检查，并督促学校进行相应整改。2008年，对市辖区30所学校（含幼托机构）学生食堂及校周边食品摊点进行全面监督检查，取缔一批校园周边不符合卫生要求的食品摊点。

医疗卫生监督

2005年，全市有医疗机构702家，实际监督615家，监督覆盖率为87.60%，成立打击非法行医专项行动工作办公室，联合公安、计生等多部门开展打击非法行医专项整治行动。取缔非法行医机构23家，没收器械5台，没收药品33箱，价值1.3万元，药款4400元。清理医疗机构聘用非卫生技术人员34人。组织市直卫生监督员及乡镇卫生院防疫人员培训工作，并开展中老年心脑血管疾病预防科普宣传的监督，散发宣传单2000份；每月对肺结核防治工作监督检查，夏季对各医疗单位肠道传染病防治设置进行检查。同时加强人感染高致病性禽流感、艾滋病预防控制工作的监督检查，集中力量打击"医托"。受理群众投诉举报案件24件，处理率为100%。2006年开展《中华人民共和国传染病防治法》《执业医师法》法律知识宣传，在夏季对各医疗单位肠道传染病诊治设置进行监督检查。并加强人感染高致病性禽流感、艾滋病预防控制工作及病情报告制度的监督检查；对医疗机构提出警告并限期整改41户，查处非法行医案件5起，查处聘用非卫生技术人员18家，查处未经批准擅自变更执业地点5家，查处医疗机构出租外包科室2家，查处未经允许擅自开展性病诊疗活动4家，查处非法鉴定胎儿性别和选择性别引产2家，查处其他违法医疗行为42起，没收药品19件，罚款40000元，没收非法所得2000元，吊销执业医疗许可证1家。2007年，开展传染病防治督查专项行动，对预防接种单位督查。开展取缔违法医疗广告专项行动。开展对非法采血专项整治行动。年内共检查576户诊所，立案查处167家诊所，罚款7.8万余元，取缔39家无证无照的黑诊所。并组织对辖区内"医疗保健机构利用超声等手段进行非医学需要的胎儿性别鉴定和非医学需要的选择性别人工终止妊娠"的监督检查工作，召开专题会议研究打击"两非"工作，开展"两非"专项专治工作，查处4起"两非案件"；还开展传染病病情和突发公共卫生事件报告的监督检查工作，对部分单位疫情和突发公共卫生事件报告不规范、疫情迟报、漏报等问题，依法责令限期改正。2008年每季度开展1次传染病防治执法检查，共检查医疗卫生机构527家、乡村小学136家、幼儿园23家。年内共查处违法医疗机构173家，取缔非法行医8家，立案处罚12家，罚款76430元，收缴药品和器械27箱。

2005—2008 年全市医疗卫生机构监督检查一览

表 26－10

年份	医疗卫生机构数(个)	监督户数(户)	处罚户数(户)	处罚金额(元)	取缔户数(户)
2005	750	615	23	4400	23
2006	750	689	78	42000	8
2007	756	576	167	78000	9
2008	748	526	173	76430	8

化妆品卫生监督

2005 年开展化妆品卫生专项整治工作,化妆品监测采样 3 件,全部合格。2006 年,化妆品抽样检测 17 件。2007 年,开展化妆品市场专项整治行动,共查处普通化妆品、特殊用途化妆品、进口化妆品等不合格化妆品 11 公斤,全部没收并予销毁。

1998—2008 年全市化妆品卫生监测一览

表 26－11　　单位:件

年份	化妆品监测数	合格数	合格率	年份	化妆品监测数	合格数	合格率
1998	10	6	60	2004	12	10	83.3
1999	12	7	58.3	2005	3	3	100
2000	15	10	66.6	2006	17	15	88.2
2001	15	9	60	2007	—	—	—
2002	16	11	68.7	2008	—	—	—
2003	13	10	76.9				

第三章　医　疗

第一节　机构与队伍

市直医院

市人民医院　贵溪市人民医院原坐落于雄石西路金三角地段。1995 年 8 月评为达标爱婴医院;1996 年 11 月评定为二级甲等医院。

基础设施:贵溪县人民医院原分为门诊部(北院)、住院部(南院)。

住院部位于信江以南距市区 2 公里的许家塘村附近,原设有门诊急诊室和 3 个住院病区,即外(1)区(脑外、胸外、普外)、外(2)区(泌外、矫外)、内科和传染病区。1993 年,由于门诊部 6 层住院大楼建成,外(1)区、外(2)区、内科全部搬迁至北院,南院成为人民医院专设的传染病区(传染科)。

1994 年,兴建一栋 4 层门诊大楼。1999 年,兴建一栋 6 层医技大楼,于 2000 年 4 月 1 日正式投入使用。1998 年,兴建一栋 6 层办公、宿舍、食堂综合大楼。至 2008 年,市人民医院占地面积 1 公顷,其中医疗用房建筑面积 10141.84 平方米。开设病床 276 张。

1998 年 8 月,投资 27 万元,购进北泰集团 BC－1461E 型 14 寸彩显计算机 22 台。自此,挂号、划价、收费和医嘱录入、药品管理、医技质控、入出院人次、业务收入等均实现计算机化管理。

2001年,投资100余万元,将住院大楼病房内外进行装修,铺设中心供氧系统、中心吸引系统、电话通信系统、安装闭路电视和空调,更换电梯,住院设施显著改善。

随着城市建设快速发展、市区范围的扩大和群众医疗需求的迅猛增长,市人民医院所在地被边缘化,院内空间狭窄、科室布局拥挤、患者就诊需排长队、滴注患者只能紧挨坐着,而且周边环境污染、噪音严重、院内又无绿化场地,市民要求新建人民医院的呼声强烈。因此,2006年市政府决定筹资1.5亿元,在建设大道中段开阔地带兴建一座规模较大、现代化的市人民医院;2008年9月7日由市政府举行奠基仪式,10月28日破土动工,新医院占地面积10公顷,计划一期工程建筑面积50485平方米,床位500张,达到三级乙等医院建设标准。

医护队伍:1992年,医院有医技人员239人(其中副高级职称14人),护理人员80人,行政后勤人员43人。全院职工共362人,其中卫技人员319人,占88.2%。

2008年年底,全院职工总人数459人,其中正式在编职工318人,聘用141人。正式在编职工318人中,卫技人员266人(其中正高级3人、副高223人),卫技人员382人中,有护理人员176人,其中:副主任护师4人、主管护师66人。

科室设置:1991年科室:业务科室:内科、外科、妇产科、儿科、传染科、门诊部、药剂科;医技检查科室:X光室、化验室;职能科室:办公室、医务科、财务科、总务科、护理部。

2008年科室:业务科室:外一科(骨科、矫外、显微外科)、外二科(泌外、普外、脑外、烧伤)、外三科(普外、胸外、肿瘤)、内一科(心血管、肾内、消化、内分泌)、内二科(呼吸、神经、肿瘤)、妇产科、儿科、手术麻醉科、五官科、中医室、急诊科(120急救中心)、理疗室、门诊部、注射室、供应室、重症监护室(ICU)、药剂科(门诊中西药房、病区中心药房);医技检查科室:检验科、放射科(CT、磁共振)、医技科(彩超、B超、病理室、心电、脑电、碎石、胃镜)。

医疗设备:1991年,医院仅有500毫安X光机、心电图机及B超机等一般性设备。十多年来投入大量财力,引进当代高、精、尖新设备。至2008年年底,市人民医院拥有美国、德国、日本产和国产的价值40万元~620万元的大型医疗先进设备10台。

医疗技术:1991年以来,医院突出走科技兴院之路,不断深化卫生改革,投入大量人力、财力引进新技术、新设备,医疗技术水平空前提高,尤其在外科、内科、骨科、妇产科诸多领域获得重大进展,部分技术项目获得全省科技进步奖。

业务收入:每五年上一个台阶:1991年278万元,1995年654万元,2000年2146万元,2005年3761万元,2008年6435万元。2008年比1991年业务收入增加22倍。

运行机制改革:为加快医疗事业的发展,医院坚持"以人为本"的管理理念,不断深化改革。早在1993年3月,制定出台《关于深化医院改革、完善综合目标管理责任制实施方案》,开始实行院科两级核算;实施综合目标管理制及考核体系。2000年4月,按照鹰潭市及贵溪市卫生局的部署,在市人民医院开展了涉及面更广的人事分配制度改革,制定了总体改革方案,根据"公开、平等、竞争、择优"的原则,建立与市场经济体制相适应的职务能上能下、人员能进能出,有责任、有激励、有竞争、有约束、有活力的运行机制。在用人制度上,推行全员竞聘上岗,改变专业技术人员"一聘定终身"的做法。在中层干部竞聘中,采取了公开演讲、公开答辩、群众评议、组织考核的方法进行,全院有71名职工参加演讲竞聘,结果38人被正式聘任为各科正副主任、护士长职务。科室员工采取个人申报岗位、科主任选聘员工的双向选择。在分配制度上,改革原来的工资结构和资金核算办法,实施总额包干,推行绩效工资和浮动工资制,根据责任程度、技能高低、贡献大小,拉开分配档次,按劳、按勤、按绩计酬。

1991年以来,医院注意抓医德医风建设,坚持"以病人为中心",纠正行业不正之风。要求每个职工时刻牢记"八荣八耻"(以热爱祖国为荣、以危害祖国为耻;以服务人民为荣、以背离人民为耻;以崇尚科学为荣、以愚昧无知为耻;以辛勤劳动为荣、以好逸恶劳为耻;以团结互助为荣、以损人利己为耻;以诚实守信为荣、以见利忘义为耻;以遵纪守法为荣、以违法乱纪为耻;以艰苦奋斗为荣、以骄奢淫逸为耻)荣辱观,自觉遵守"八个严禁"和"十个不准"。采取各种措施:从社会相关团体聘请"医德医风义务监督员";每年1~2次深入街道、学校、厂矿进行对医院满意度的测评;设立举报箱、举报电话、投诉接待处。

2008年,市人民医院行业作风评比达标,得到广大市民好评,群众对医院满意度达96%以上。2007年获鹰潭市"群众满意医院"称号,2008年被评为江西省行风建设先进单位。涌现一批模范先进人物:大外科原主任舒安乐被评为鹰潭市劳动模范、儿科老主任刘剑英被评为江西省卫生系统文明规范服务先进个人;副院长黄绍卫被评为鹰潭市"优秀共产党员";妇产科主任毛桂英被评为鹰潭市劳动模范;门诊部主任杨泉明被评为全省职工道德十佳标兵和全省基层优秀中医;年轻医生许建华被评为全省基层好医师;外二科护士长朱宝岚获全省优秀护士及鹰潭市"三八红旗手"称号。

1991—2008年市人民医院诊疗情况一览

表26－12

年份	门诊人次(人次)	出院人次(人次)	治愈好转率(%)	病死率(%)	病床数(张)	病床使用率(%)	病床周转次数(人次)	业务收入(万元)
1991	116895	5899	97.2	0.8	210	89.7	28.1	278.1
1992	121716	6229	97.3	0.7	210	82.2	29.7	346.5
1993	138644	6639	97.0	0.5	230	89.1	29.5	410.7
1994	107785	5383	96.6	0.5	230	80.0	23.0	512.3
1995	104920	4788	96.8	0.5	230	71.8	20.8	654.3
1996	104178	4786	94.9	0.7	210	82.6	22.8	674.6
1997	100256	3975	95.5	0.35	210	78.8	18.9	1017.1
1998	106358	3952	94.9	0.7	210	70.7	19.0	1338
1999	118266	3944	95.9	0.5	210	74.3	19.0	1677.1
2000	118424	4533	95.5	0.46	210	78.8	21.6	2146.1
2001	127895	5030	94.1	0.2	235	72.6	24.0	2342
2002	101498	5630	93.0	0.4	235	79.0	26.0	2583
2003	175143	6297	95.3	0.6	235	79.3	26.8	2895.2
2004	202937	6086	94.7	0.6	205	83.9	28.3	3022
2005	205001	6794	95.6	0.7	205	100.1	33.1	3761
2006	181420	6908	96.1	0.6	276	84. .0	27.9	4141.1
2007	199411	8518	96.5	0.5	276	84.4	29.2	5192.7
2008	211821	9620	96.6	0.4	276	92.7	33.0	6435.3

市中医院　贵溪市中医院位于市区信江大桥北端引桥东侧,是中医特色突出的综合性医院。2006年被评为鹰潭市"群众满意医院"。

基础设施:1991年,中医院有3层医技楼一栋,建筑面积1856平方米。2002年,在医技楼上加建第4层,面积600平方米。2004年新建CT室平房一座,220平方米。2007年4月,为缓解中医院业务用房紧张问题,支持列入当年全市民生指标的中医院达标建设,市政府将市卫生局的一栋4层办公大楼(信江路64号)划拨给市中医院,作为外科、妇科专用楼。此外,2002年,新建职工宿舍楼一栋。至2008年年底,市中医院占地面积7亩,业务用房4860平方米,开放病床100张。

科室设置:1991年设诊疗、医技13个科室,此后逐年增设一系列新科室。至2008年,全院共设科室25个,其中,诊疗科室16个,内科、外科、妇产科、儿科、五官科、口腔科、骨伤科、脑外科、烧伤科、肛肠专科、疼痛专科、肝病专科、肾病专科、针灸理疗科、推拿按摩科、皮肤性病科医技科室9个,放射科、检验科、放免、病理室、B超室、彩超室、胃镜室、心电图室、经颅多普勒室。1996年后又成立贵溪市糖尿病防治中心。

医技队伍：1991 年，全院职工总数 41 人，其中，副主任医师 1 名，主治中医师 4 名。卫技人员占职工总数的 91%。1999 年职工总数增至 80 人。

2008 年，全院职工总数达 156 人（内聘用 53 人），其中：主任中医师 1 名，副主任中（西）医师 5 名，中西医结合医师 1 名，中（西）医师 27 名，护师（士）44 名。卫技人员占职工总数的 86.5%。

医疗设备：1991 年，中医院主要医疗设备仅有 X 光机 1 台。此后，根据治疗需要和经费可能，逐年陆续添置设备，尤其是自 1996 年开始，注意购置诊断和医疗的先进设备。据统计，1991 — 2008 年，共投入医疗设备购置款 994.6 万元。至 2008 年，该院拥有国产和美国、日本进口的一系列大型高、精、尖医疗设备。

医疗技术：该院运用中西医结合疗法，对诸多慢性病、疑难病症具有独特疗效：普外、泌外、矫外、烧伤外科能开展多种手术；设有 3 个特色专科：疼痛、肛肠、皮肤病。

业务收入：1991 年业务收入 67.3 万元，2008 年达 1767 万元，走上"以技养医、以德养医"良性循环的发展轨道。

1993—2008 年市中医院诊疗情况一览

表 26－13

年份	门诊（人次）	住院（人次）	出院人次	治愈好转率（%）	病死率（%）	诊断符合率（%）	病床数（张）	病床使用率（%）	业务收入（万元）
1993	34013	374	374	97	—	95.6	50	72	86.2
1994	26250	399	399	94	0.3	96	50	76	103.8
1995	36500	430	430	95.4	1.2	97	50	94	139
1996	26785	576	576	97.3	0.7	96.8	50	66	197
1997	33332	713	713	96.6	1.3	97.5	50	67	251
1998	34824	795	795	96.3	2.3	97.8	50	70	283
1999	37340	877	877	95.6	1.3	98.5	50	81	376
2000	39393	1053	1053	97.7	0.2	98	50	80	497
2001	43294	1263	1263	96.5	0.8	98.5	50	87	533
2002	45995	1601	1601	96.8	1	97.6	50	94	596
2003	45405	1566	1566	97.4	1	98.6	60	72	751
2004	48343	1778	1778	96.8	0.5	97.2	60	76	877
2005	49989	2154	2154	95.6	0.8	98.4	60	94	1051
2006	54260	2369	2369	97.6	0.6	98.9	60	101	1133
2007	63927	2701	2701	97.8	0.6	98.3	80	104	1355
2008	65009	3524	3524	96.9	0.8	98.8	100	118	1767

市传染病医院　2004 年 3 月 27 日，贵溪市人民政府办公室向市卫生局发出抄告单：同意成立贵溪市传染病医院。贵溪市传染病医院，属市卫生局管理的股级卫生事业单位，具有独立的法人资格，人员编制暂定 40 名。

2005 年 7 月，贵溪市传染病医院正式成立。院址在信江南岸、雄石街道办事处象山村委会许家塘村小组（原人民医院老住院部）。2008 年，该院职工总数 21 人。

2005 年 7 月投资 108 万元新建 1400 平方米住院大楼，有三人间、两人间、单人间不同规格病房，内有闭路电视、空调、衣橱、衣柜，洗浴、卫生间。

主要设备:200毫安放射机、B超机、全自动生化仪、血液分析仪、尿液分析仪、血气分析仪、救护车。

医技特长:可收治肝炎、伤寒、痢疾、钩端螺旋体病、出血热、流行性脑炎、乙型脑炎、腮腺炎、破伤风、肺结核等传染病患者。尤其是对肝炎、痢疾、伤寒、腮腺炎、钩体病、破伤风、结核病的治疗有独到之处。同时,还肩负着全市突发性传染病的救治工作。

艾滋病管理:该院有专门医师主管艾滋病的发药、治疗。2006年接诊病号1例,到2009年病号增至12例。贵溪发病的主要分布地区是城郊结合区,主要发病年龄段是老年人。

2006—2008年市传染病医院收治病人情况一览

表26－14

年份	住院就诊(人次)																	门诊就诊(人次)	业务收入(万元)
	合计	其中											治愈	自动出院	转院	好转	死亡		
		甲型肝炎	乙型肝炎	肺结核	伤寒	戊型肝炎	丙型肝炎	乙戊混合型肝炎	未分型肝炎	HIV感染者	急性细菌性痢疾	破伤风							
2006	192	0	127	51	4	1	1	0	8	0	0	0	24	5	13	150	0	688	110
2007	238	1	161	49	0	1	0	1	24	0	1	0	94	5	7	132	0	719	216
2008	283	2	209	45	0	0	0	0	23	2	1	1	129	9	13	132	0	1178	285

市皮肤病医院　前身为1957年在耳口乡圳上村附近云台山支脉山谷中始建的“麻风病隔离防治所”。1959年,贵溪县人民委员会颁发《关于拨给贵溪县麻风病院隔离防治所所需山林土地的报告批复》,并签订了“圳上村委会与贵溪县皮肤病院山界界址的协议书”,1972年改称县皮肤病院。1991年医院有职工8人。

1995年3月,该院从耳口乡圳上山区搬迁至贵溪城内(1996年11月8日,皮肤病院与鹰潭龙虎山经济战略研究所刘文红签订《承包经营皮肤病院山场合同书》),租用民政局旧房开设皮肤性病科门诊。时医院有显微镜1台、激光机1台。是年接诊皮肤病患者约2000人次。

1998年以后,该院历经7次搬迁租房开业,其中2005年11月至2006年11月曾一度合并到市疾控中心办公。2009年1月,市卫生局将刚由地方接管的原四冶总医院部分房屋划拨给市皮肤病院为固定院址。医院设有皮肤科、性病科、中医科、美容科、妇科、变态反应科、检验科、药房等科室。职工14人,其中中级职称3人、初级职称5人、其他人员6人。配置有多媒体显微镜、过敏原检测等医疗设备。

驻市单位职工医院

1991年,驻贵溪县的中央部、省、鹰潭市属厂矿、单位所办的医疗卫生机构,共7所(中国有色四建职工总医院、贵溪冶炼厂医院、有色五建贵溪工地医院、贵溪化肥厂医院、塔桥园艺场医院、华东地勘局265队医院、江西冶勘一队医院),病床410张,人员总数484名,其中医务人员419名;此外,还有贵溪发电厂、江西铜业公司技工学校、国营713矿、江西火电一处、鹰潭铁路贵溪段、江西地质局106队、江西地矿局912队、冷水银矿等单位设有医务室、卫生所。这些医疗机构除为本单位职工服务外,均对外开放。

1998—2005年,江西冶勘一队医院、华东地勘局265队医院先后迁至鹰潭市区。2008年4月,有色四建职工总医院移交地方管理,由贵溪市卫生局将其医技大楼改造后,交付贵溪市妇女儿童医院和皮肤病医院使用。

至2008年年底,驻贵溪市的中央部、省和鹰潭市所属企业设立的医疗机构共有5所,病床总数165张,其中%江西铜业集团(贵溪)医院设100张,十五冶金建设公司职工医院设10张,贵溪发电厂、(鹰潭市)塔桥园艺场职工医院各设20张,贵溪化肥厂职工医院设15张。

江西铜业集团(贵溪)医院　江西铜业集团(贵溪)医院于1979年借用贵溪党校房屋由李德展院长筹建,现已由当时的8人卫生所发展成集医疗、教学及预防保健为一体的综合性医院,发展成为业务用房面积7966平方米的现代化医院。

科室设置:医院设有内儿科、外科、妇产科、感染科、口腔科、五官科、中医科7个临床科室;放射科、检验科、药剂科、平安药房、手术供应室5个医技辅助科室。

医院现有职工110人,其中卫生技术人员90人。

1991—2008年,先后购置HP-DX彩超、螺旋CT、意大利全自动生化分析仪、黑白B超、眼科A/B超、电脑验光仪、非接触眼压仪、纤维胃镜、肠镜、脑电地形图仪、红外线乳腺扫描诊断仪、肺功能仪、24小时动态心电图仪、六通道心电图仪、电测听仪、耳鼻喉综合治疗仪。医院现有床位100张。

医疗技术:医院不断引进新的医疗技术和医疗方法,开展腹腔镜胆囊切除术、胃癌根治术、肝修补术、直肠切除术、膀胱切开取石术、肾切开取石术、肾盂口切开取石术、胃底静脉断流术、壁层胸膜修补术、开颅血肿清除术,各种骨折内固定术、腰椎DICK内固定术、自体邮票植皮术,晶体囊内摘除术,子宫全切除术。成功抢救大面积下壁广泛心肌梗、急性左心衰、肺水肿、血压下降患者,重度脑挫裂伤昏迷40余天的工伤患者刘某。1999—2000年,由院长张乐山为首组成的"高血压、高血糖、高血脂"干预治疗小组,对体检中确诊的350例"三高"患者实施干预治疗,经反复临床实验室检查,患者的相关指标得到了有效控制,获鹰潭市科技进步奖。院长张乐山先后被评为江西省职业道德标兵、江西省创新女标兵、全国职工医院优秀院长。

江西贵溪化肥公司职工医院　位于贵溪市化工大道1号贵化生活区内,1990年由洪晓柏院长创办。业务用房1200平方米。医院等级一级甲等。

科室设置:内儿科、外科、妇产科、口腔科、急诊医学科、预防保健科、麻醉科、药剂科、医学检验科、医学影像科。

职工人数:1991年总人数曾达65人,2008年总人数为30人。

主要设备:500毫安X光机,B超机,血液分析仪、尿液分析仪,心电图机,自动生化分析仪,救护车。设病床15张。

1991年业务收入30万元;2008年业务收入150万元。

该院住院部2000年5月被评为"江西省青年文明号"。

十五冶职工医院贵溪分院　中国第十五冶金建设有限公司职工医院贵溪分院始建于1980年10月。当时因兴建贵溪冶炼厂工程队伍的医疗需要,由冶金工业部第十五冶金建设公司各卫生所合并而成,称十五冶贵溪工地医院。

1992年10月更名为中国有色总公司第十五冶金建设公司贵溪职二医院;2003年7月改现名。

科室设置:临床科室有内科、外科、妇产科、儿科、中医科、柏里门诊部、手术室。医技科室有:放射科、检验科、药剂科、心电B超室、预防保健科。

1980年建院之始编制床位100张,实际开放床位50张。1991年业务收入52万元,2008年业务收入120万元。

医院有职工22人,其中卫生技术人员20人。

医院占地8760平方米,建筑面积2542平方米。

民营专科医院(门诊部)

贵溪市精神病医院　1995年以前,贵溪没有精神病医疗机构,患者须到设于横峰县的上饶地区莲河精神病院就诊,甚至远赴南昌、上海求治。在农村群众中,由于对精神病缺乏科学认识,一旦有人精神失常,就认为是魔鬼缠身,求神拜佛,跪倒在"神汉""仙姑"脚下,甚至用野蛮的非人道手段对待病人,往往酿成惨剧。鉴于此,贵溪县卫生局支持县人民医院与上饶地区莲河精神病院联合,创办民营的贵溪精神病分院,以县人民医院原住院部大楼为院址,于1995年6月1日正式开业。共有医护人员13名,设病床30张;由来自莲河、有40年精神病临床经验的医师傅煜明任院长(后由戴迪继任院长)。县民政局赠给该院电视机、洗衣机、三用机等设备。

该院开业后第一年(至1996年5月30日),共收住院精神病患者132人次(最多时有23名住院病人),门诊586人次。通过中西药物、心理、行为、工娱等多方面的综合治疗,有30多名病人获得康复。

2005年,该院新建住院综合楼、职工宿舍楼各1栋。

2008年,职工总数28人,有副教授1人、中级4人。设有病床80张,备有脑电地形图仪、心电图机、心理测验以及有序治疗仪等设备,能治疗各类精神病、癫痫病、神经症、失眠症及各种心理障碍;年住院300人次,业务收入120万元。

博爱专科门诊部　创建于2005年1月,址在雄石街道办事处交通街,建筑面积180平方米。设有皮肤科、妇科、中医科。医技人员7名,其中主治医师2名,医疗设备:阴道镜、显微镜、多功能微波治疗仪、恒温箱、多功能红光治疗仪,病床两张。

治疗采用中西医结合疗法,以妇科为重点,以微创无疤痕治腋臭及中医治皮肤病技术。

2008年平均日接诊患者15人次,年业务总收入约30万元。

阳光门诊部　2005年5月1日创办,址在擂鼓岭桃园四栋楼,医疗业务用房面积500平方米。

设有妇科、内科、皮肤科、中医科、耳鼻咽喉科、肛肠科、检验科等科室,共有职工30名,其中主治医师3名,执业医师3名,中医师2名。

门诊部配置有心电图机、体外短波、微波治疗仪、内窥镜治疗仪、盆腔治疗仪、半自动生化分析仪、高清晰显微镜等设备,并配有6张病床。2008年门诊业务总量达到5000人,业务收入达到100万元。

长江门诊部　设于交通路计生局一楼,2005年7月由苏瑞太创办,医疗用房面积260平方米。诊疗科目:内科、皮肤科、中医科、妇科、检验科。职工8名,其中主任医师1名,主治医师2名。

医疗设备:二氧化碳激光机,微波治疗机,数码电子阴道镜,红光治疗仪,多功能电离机,超声诊断系统,乳腺治疗仪,紫外线消毒车。

主治各种皮肤病、妇科病。2008年业务收入21万余元。

中山门诊部　设于信江北路交通宾馆二楼,2008年10月1日由朱国仁创办,医疗用房面积580平方米。

诊疗科目:内科、皮肤科、中医科、妇科、检验科。职工10人,其中主任医师1名、主治医师2名。

医疗设备:微波治疗机、EK – 8000B型乳腺病治疗仪、多功能电离子治疗机、ZP – Ⅱ盆腔治疗仪、GB – S2000数码电子阴道镜、电动离心沉淀机、半自动生化分析仪。

特色治疗各种妇科常见病。2008年10月1日至12月31日三个月业务收入共计36682元。

社区卫生服务中心

2006年,国务院发布《关于发展城市社区卫生服务的指导意见》;2007年,江西省人民政府发布《关于发展城市社区卫生服务的实施意见》。贵溪市政府于2007年制定《贵溪市城市社区卫生服务机构设置规划(2007—2010)》和《贵溪市城市社区卫生服务工作实施意见》,成立贵溪市城市社区卫生工作领导小组、贵溪市城市社区公共卫生服务工作小组及贵溪市社区公共卫生服务绩效考评委员会。根据规划,贵溪市社区卫生服务机构共设26个,其中社区卫生服务中心6个,社区卫生服务站20个。2008年,贵溪市已建成东门、雄石、花园3个社区卫生服务中心;江边、烧箕山、城北、雄石、柏里(以上东门街道),东街、西街、南街、北街、仙桥、象山、工业园(以上雄石街道),四冶、贵化、贵冶、白果、铁路、信江(以上花园街道)等18个社区卫生服务站。全部达到国家规定的建设标准,其中东门社区卫生服务中心和东街、贵冶社区卫生服务站,创省级示范社区。社区卫生服务机构网络基本形成。实现了三个街道办事处社区卫生服务中心覆盖率100.,城市居民社区卫生服务网络覆盖率达到95%以上。

贵溪市卫生局每年举办多期社区卫生服务管理干部和社区卫生服务机构服务能力培训班。根据省卫生厅、省财政厅制定的《江西省城市社区公共卫生服务券管理办法》,2007年、2008年,全市共发放社区公共卫生服务券60845张,为城市居民提供免费健康检查。

东门社区卫生服务中心　东门社区卫生服务中心由贵溪发电厂职工医院转制建成。

1978年贵溪发电厂筹建即设立厂医疗所,开始门诊。当时设备简陋,只有1名医生。1980年医务人员增加到7人。随着电厂职工队伍不断壮大,1984年医疗所人员增加到30人,医疗用房1500平方米。有职工 18 人。分医生组、医技科、护理部、药剂科 4 个科室。2007 年 7 月 1 日,由职工医院改为东门社区卫生服务中心。

主要设备:美国惠普 HP2410A 彩色多普勒,上海产 XG200 毫安 X 线机,日本产 MEK－6318(19 项参数 4 分类)全自动血球计数仪,意大利产 AUTOLAB18(奥拓来)全自动生化分析仪,广科 BX－1200E 红外乳腺诊断仪,经颅多普勒脑地形图仪—脑电图仪,日本产全自动心电图机,十二导心电图机,多普勒胎心检查仪,全顺牌 8 座救护车。

有观察病床 20 张。设有口腔科、妇产科、内、外、小儿保健科,注射室、治疗室、抢救室、防疫保健室、理疗室、X 线室、生化检验室、B 彩超室、红外乳检查诊断室、心电图室、经颅多普勒脑血流图一脑地形图一 fe 电图室、药房、药库、消毒房、洗衣房等。

主要服务对象为电厂职工及家属和东门社区居民的一般性医疗门诊,电厂工伤抢救。1991 年业务收入 30 万元,2008 年业务收入 70 万元。

雄石社区卫生服务中心 地址在贵溪市交通路,成立于 2006 年 6 月,建筑面积 2150 平方米。科室设置:妇女保健科、儿童保健科、老年保健科、预防接种科、康复科、中西药房、放射科、检验科、全科医疗影像科、心电图科、注射科。服务项目:预防保健、基本医疗、计划生育指导、康复、健康教育。年业务收入 60 万元。医技队伍:15 人,其中医护人员 12 人。医疗设备:B 超、心电图、血液分析仪、尿液分析仪、半自动生化仪、尿糖仪、X 光机、康复治疗仪。

花园社区卫生服务中心 地址在四冶生活区内,成立于 2006 年 6 月,占地面积 5000 平方米,业务、办公用房建筑面积 1800 平方米。

科室设置:妇女保健科、儿童保健科、老年保健科、预防接种科、康复科、中西药房、放射科、检验科、全科医疗影像科、心电图科、注射科、口腔科。服务项目:预防保健、基本医疗、健康教育、计划生育指导、康复等。

医技队伍:26 人,其中医护人员 24 人。医疗设备:B 超、心电图、心电监护仪、全自动血球仪、生化分析仪、X 光机、血凝血沉仪、洗胃机等。

花园街道社区卫生服务中心

乡镇卫生院

1991—2008 年,贵溪共投入资金 13124 万元,用于乡镇卫生院的改建、扩建、新建、共完成建筑面积 95640 平方米;同时添置了大批先进医疗设备。2008 年,全市乡镇卫生院已基本实现"一无三配套"(无危房,房屋、人员、设备配套)的目标。一个以乡镇卫生院为骨干,由千余名卫技人员组成的农村卫生医疗服务网已覆盖全市农村。2003 年 8 月贵溪开始推行的新型农村合作医疗制度,建立小病及时看、大病有补偿的机制,为全市占人口绝大多数的农民提供获得基本医疗服务的保障。

1991 年初,贵溪县有塘湾、志光、周坊、文坊、上清、鸿塘、金沙、泗沥、河潭、白田、新田、大塘、余家、鱼塘、樟坪、冷水、硬石岭、滨江、盛源、罗塘、彭湾、耳口等 22 所乡镇卫生院,其中前 5 所为中心卫生院。

另有西窑、三县岭、双圳、冷水林场职工医院 4 所,亦属乡镇级卫生医疗机构。此外,有塘湾血吸虫病防治组。2008 年,全市共有 18 所乡镇卫生院。

塘湾中心卫生院 塘湾中心卫生院是一所一级甲等医院,坐落在贵溪市塘湾集镇,占地 1.5 公顷,建筑面积约 4000 平方米,医疗用房面积约 1600 平方米。职工总数为 36 人,开展中医针灸治疗和剖宫产、阑尾切除等手术,并设有防疫保健站。拥有 B 超机、半自动生化分析仪、碎石机、阴道镜等医疗设备,设病床 30 张。2008 年 1 月,该院引进体外冲击波碎石机,是贵溪市第一个引进碎石机的乡镇卫生

院,为结石患者解除痛苦。该院积极尝试创新和改革。1999年起,实施院内职工股份责任分配制改革,设立风险责任股、固定股和技术劳务股,实行医院管理股东大会制及院长负责制,打破以往职工的"铁工资"制,实行按劳分配、按股取酬。运行后,医院发生明显变化,职工由被动工作转变为主动工作,由"以药养院"转变成"以医养院"。1991年该院的年业务收入仅30万元,2001年突破100万元,2006年突破200万元,2008年达278万元。

2002年6月8日,国家卫生部部长张文康一行9人专程到该院考察调研,在听取该院院长江斌的汇报后,深入到各科室实地察看,并慰问值班的医护人员。张文康说:塘湾中心卫生院实行的股份制改革,是市场经济条件下乡镇卫生院发展新路子的有益探索,改革取得的成绩、经验十分可贵,是江西乃至全国农村卫生院改革的先进典型,值得大力推广。

塘湾镇中心卫生院

志光中心卫生院　志光中心卫生院坐落于志光镇政府驻地,担负全镇及周边地区10万名群众的防病、治病服务。1997年被卫生部命名为"一级甲等医院"。2007年被评为鹰潭市"农民满意乡镇卫生院",是首批开展新型农村合作医疗单位。医院始建于1959年。2008年有在职职工25名,该院占地面积已由创办时的300平方米扩展到13000平方米,其中医疗业务用房1400平方米;设立住院部和门诊部。住院部设有病床28张。年门诊人次多年保持在10000左右。2006年,院长江冬生荣获"全国优秀乡镇卫生院长"称号。2008年,该院业务收入超300万元,为鹰潭市首家超300万的乡镇卫生院,比1991年的业务收入20万元增长10多倍。

周坊中心卫生院　周坊中心卫生院坐落在贵溪市最北端的红色革命根据地周坊镇。创建于1958年。医疗用面积2400平方米,有门诊大楼、住院大楼、医技大楼各1栋,服务范围为全镇15个行政村以及三县岭林场,约40000人口,是集医疗、防疫保健、计划生育、农村合作医疗为一体的农村综合中心卫生院。能开展中下腹部手术、一般矫形手术、泌尿外科手术和计划生育4项手术。1996年被评为一级甲等医院。2008年,医技队伍:核编24人。该院业务量逐年增加,业务收入由1991年的30万元提高到2008年的208万元,新型农村合作医疗农民参合率达到95%以上。2007年获"青年文明号""鹰潭市农民满意卫生院"称号。2007年10月,国家疾控中心在鹰潭市召开全国寄生虫病综合防治示范区工作经验交流会,与会的130余名领导和专家特到该院考察,对该镇驱虫工作给予肯定和好评。

罗河中心卫生院　罗河中心卫生院为一级甲等医院,坐落于罗河集镇。医院占地总面积约5000平方米。职工总数25人,设有病床30张。该院技术特色以外科见长,含普外科、泌外科、骨科、妇科手术。开展了多项特殊手术,包括普外科的肝叶切除、胰体切除、胃全切、肺叶切除等多项高难度手术;泌尿外科的肾切开取石、前列腺摘除;骨科的股骨头置换;妇科的阴式子宫切除等手术。2001年12月20日,通过人事制度改革,该院引进4名市人民医院专家进行管理,并领导业务开展,社会效益、经济效益明显提高。业务收入从1991年的20万元增至2008年的180万元。2003年,江西省胡振鹏副省长曾到该院考察。

文坊中心卫生院　文坊中心卫生院为一级甲等医院,位于文坊集镇中心,业务用房总面积2157平方米。服务区内人口约为2.6万人。2008年,全院在岗职工22人。

科室设置:内科、外科、妇产科、儿科、中医科、急诊室、发热门诊室、护理部、肠道传染病房;心电图室、B超室、X光室、手术室、化验室、消毒供应室。

医疗技术：能开展下腹部及妇科常见手术，在治疗小儿腹泻及疳积、妇科泌尿系统疾病、更年期综合症、结石症、慢性胃肠病、风湿腰腿痛等方面有特长。2008年，该院业务收入超200万元；而1991年业务收入仅为12万元。

村卫生所(室)

1991年，县卫生局组建196个村卫生所，占应建数的92.4%，其中50个达到甲级村卫生所标准。

1992年，县卫生局制订《乡村医生管理细则》，明确规定村卫生室的工作职责；联合县保险公司，对乡村医生实行养老保险制度，解除其后顾之忧；开展"乡村医生红色证书工程"，对全县700多名乡村医生、卫生员实施函授教育。

2008年，全市建成规范化卫生所(室)616个。

1991—2008年，通过逐年分期分批的示范村卫生所、规范化卫生所建设，特别是2007—2008年的全省统一的"民生工程"村卫生所服务能力建设，村级卫生所(室)基础设施建设登上一个新台阶。"民生工程"村卫生所建设的主要标准是：房屋面积(服务人口2000人以上的具备100平方米以上、1000～2000人的80平方米以上、1000人以下的60平方米以上)；"五室"分开(即诊室、治疗室、注射室、观察室、药房分开)；地面铺设地板砖，吊顶、墙面六面光(全部白色粉刷)；贵溪市2007年建设102所，2008年建设98所，共200所(每个行政村1所)。对列入建设计划的200个村级卫生所(室)，每所由国家提供价值1万元的设备。至2008年底，200所村卫生所(室)规范化建设全部达标。

2005年起，开展"农民满意村卫生室"创建活动。2008年，泗沥乡三湾村等34家村卫生所被评为农民满意的示范所。

乡镇防疫保健站

1991年，贵溪有11个乡镇成立卫生保健站(其中志光、周坊、文坊、上清、塘湾、罗河在1990年成立，鸿塘、泗沥、大塘、河潭、余家为1991年2月新增)，其他乡镇仍延续卫生防疫组，承担疫情报表、督促乡村医生进行预防接种等任务。2002年12月，根据市卫生局《关于进一步深化我市卫生防疫妇幼保健工作改革的决定》(贵卫字〔2002〕100号)，全市18个乡镇卫生院均设防疫保健站，站长由卫生院院长兼任(5所中心卫生院另设常务副站长)，配置2～4名防保人员。2003年3月20日至4月16日，在市纪检监察部门的全程监督下，市卫生局组织对全市乡镇卫生院防保站卫生防疫、妇幼保健人员进行竞聘考试考核，确认20名卫生防疫人员、11名妇幼保健人员上岗。2005年底，完成了全市18所乡镇公共卫生防保站的设置。2006年，通过市政府公开招录大中专毕业生，有5名专业人员加入到乡镇卫生防疫队伍。至2008年底，全市共有乡镇级卫生防疫人员35名、妇幼保健人员18名。

1991年，村级防疫保健队伍建设进一步规范，各乡镇卫生院在每个村委会聘任两名乡村医生分别承担防疫、保健工作，劳务报酬采取多种方式：①由乡镇卫生院减免半年乡村医生管理费；②由村委会按村人口年人均0.1元给予支付；③村防疫医生自行收取预防接种注射费；④村保健医生开展接生服务收取接生费。2005年起，贵溪市实施"降低孕产妇死亡率、消除新生儿破伤风项目"，取消村保健医生的接生资格，保留孕产妇系统管理、儿童系统管理等职责。2005年起，市财政每年都拨出5.8万元的专项经费，按每年每个村委会300元的标准发放，用于解决村级防疫保健人员的劳动报酬。自2008年起，贵溪实施"扩大国家免疫规划"，承担一类疫苗接种任务的村防疫医生按每人3元针次的标准获得接种报酬。

2008年贵溪市卫生医疗机构设置示意图

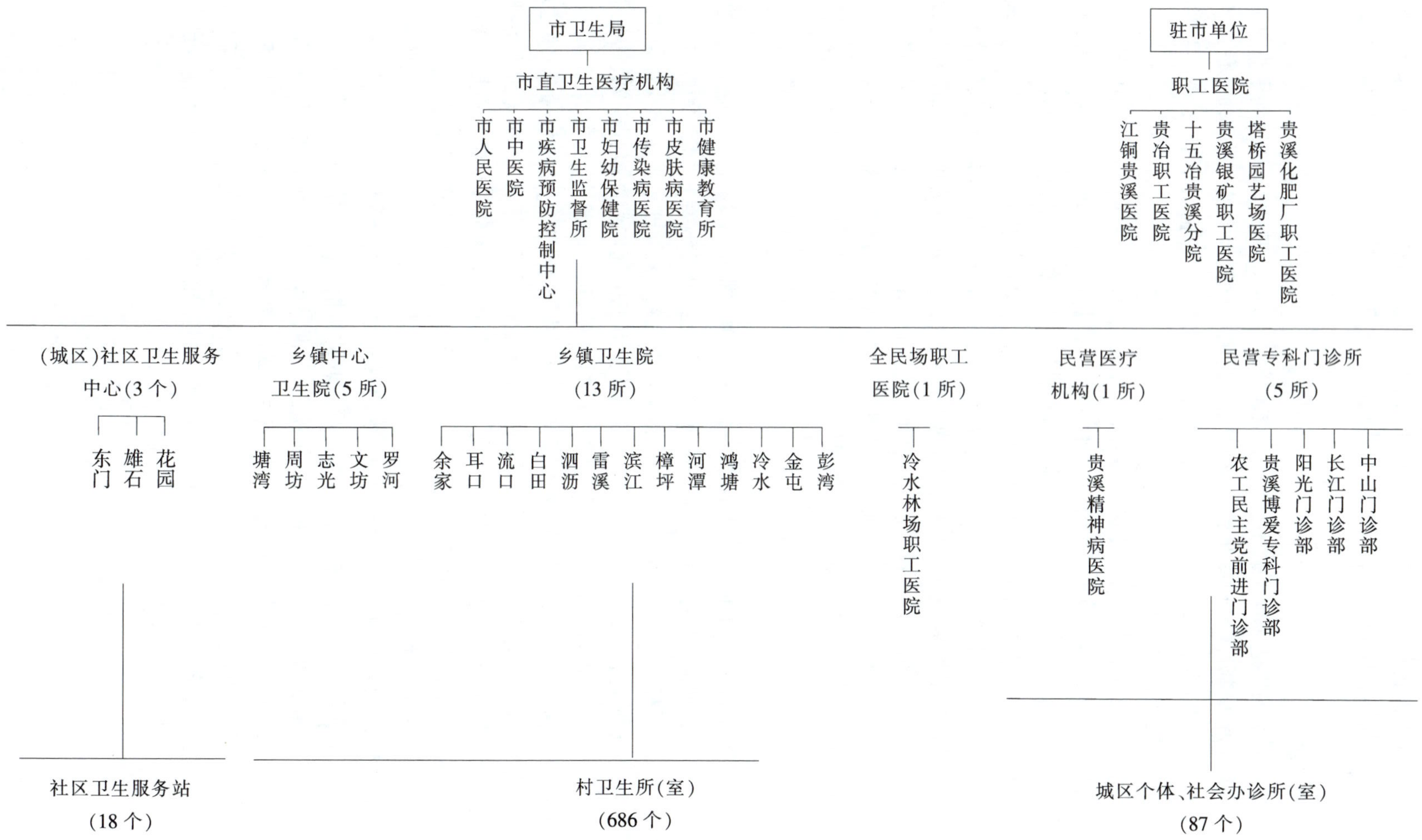

1991—2008年贵溪县(市)直属及驻市企业医疗机构病床一览

表26-15　　单位:张

年份	床位总数	市人民医院	市中医院	市妇幼保健院	市传染病院	市皮肤病院	四冶职工总医院	江铜(贵溪)医院	十五冶职工医院	贵溪化肥厂职工医院	贵溪发电厂职工医院	塔桥园艺场职工医院	华东地勘局265队职工医院	江西冶勘一队医院	社区卫生服务中心
1991	659	235	50	—	—	15	120	64	60	50	20	15	20	10	—
1992	659	235	50	—	—	15	120	64	60	50	20	15	20	10	—
1993	695	235	50	—	—	15	120	100	60	50	20	15	20	10	—
1994	680	235	50	—	—	—	120	100	60	50	20	15	20	10	—
1995	660	235	50	—	—	—	120	100	60	30	20	15	20	10	—
1996	660	235	50	—	—	—	120	100	60	30	20	15	20	10	—
1997	670	235	50	10	—	—	120	100	60	30	20	15	20	10	—
1998	660	235	50	10	—	—	120	100	60	30	20	15	20	—	—
1999	660	235	50	10	—	—	120	100	60	30	20	15	20	—	—
2000	660	235	50	10	—	—	120	100	60	30	20	15	20	—	—
2001	660	235	50	10	—	—	120	100	60	30	20	15	20	—	—
2002	660	235	50	10	—	—	120	100	60	20	20	15	20	—	—
2003	622	235	60	10	—	—	120	100	30	20	20	15	12	—	—
2004	636	235	60	24	—	—	120	100	30	20	20	15	12	—	—
2005	650	235	60	24	26	—	120	100	30	20	20	15	—	—	—
2006	691	276	60	24	26	—	120	100	30	20	20	15	—	—	—
2007	731	276	80	24	26	—	120	100	30	20	20	15	—	—	20
2008	756	276	100	24	26	7	120	100	10	20	20	15	—	—	20

第二节　设　备

1991—2008年,贵溪市医疗机构为摆脱设备短缺而严重制约医疗水平、医疗质量提高的被动局面,多方面积极筹资,大规模购置先进医疗设备。1991年3月18日,县卫生局发出《关于动员全县医务人员集资购买医疗设备的通知》(贵卫字〔1991〕48号),当年集资15万元(后按协议归还本息),购进500毫安X光机、电子胃镜、国产B超等设备。同年冷水卫生院职工主动集资购买B超。2000年市卫生局下发《关于下达2000年医疗设备购置计划的通知》(贵卫字〔2000〕42号)。该通知下达购置医疗设备总值高达597.3万元,其中卫生局配套108.87万元,单位自筹470.43万元,当年购进一大批新型设备。此后,各医院逐年以自筹资金为主、财政资助为辅,陆续添购一系列现代化高、精、尖医疗设备。

1999—2008年部分年份市人民医院购进大型医疗设备一览

表26－17　　单位:万元

年份	品名	价值
1999	日本U－41遥控X光	70
	高档彩色多普勒超声诊断仪	80
2001	WDEF狼牌腹腔镜	40
	AU －400全自动生化仪(日本进口)	89
2004	德国爱克发S010数字成像系统(CR)	80
2005	德国威孚莱钬激光治疗仪	127
2007	美国T3000彩色B超机	88
	血液透析机4台	70
2008	美国JA公司8排螺旋CT	468
	美国GE公司signaEXCLTE0. 35T核磁共振	620

1996—2008年部分年份市中医院购进较大型医疗设备一览

表26－17

年份	品名	年份	品名
1996	半自动生化仪	2002	血凝分析仪
1998	动态心电图仪	2003	麻醉机
	血球计数仪		全自动生化仪
1999	奥林巴斯Q40型纤维胃镜		碎石机
	多参数监护仪	2004	美国CE螺旋CT
	彩色经颅多普勒	2005	电解质分析仪
2000	500毫安X光机		日本进口电子胃镜
	影像增强电视系统	2006	依维柯NJ5045XXZ救护车
	遥控摇篮系统	2007	多功能麻醉机
2001	彩色超声诊断仪		脉动真空灭菌器
	放射免疫计数器	2008	美国柯达850CR
	医用胶片冲洗机		整体手术无影灯
2002	血凝分析仪		中心供氧负压呼叫系统

2008年全市乡镇卫生院软硬件情况一览

表26－18

院名	房屋建筑面积(平方米)	在岗人数(人)	主要医疗设备	病床(张)	业务收入(万元)
滨江	1100	20	500毫安X光机、进口B超、心电图机、半自动生化分析仪、血液、尿液分析仪	16	60

续表 26－18

院名	房屋建筑面积（平方米）	在岗人数（人）	主要医疗设备	病床（张）	业务收入（万元）
流口	952	16	500 毫安 X 光机、进口 B 超、心电图机、半自动生化分析仪、血液、尿液分析仪、万能手术台、麻醉呼吸机、多参数监护仪、多功能婴儿抢救台、电解质分析仪	15	61
白田	2600	9	200 毫安 X 光机、进口 B 超、心电图机、麻醉工作站、多参数 监护仪、全自动血细胞分析仪	10	78
泗沥	1600	18	X 光机、B 超、心电图机、心电监护仪、变频电刀、血液、尿液 分析仪、新生儿抢救床	20	100
鸿塘	2400	15	X 光机、B 超、心电图机、心电监护仪、变频电刀、血液、尿液 分析仪、新生儿抢救床	12	70
河潭	1000	14	CFS501 －1 型自动爆光摄影机、MA－4280KB 自动化尿液分 析仪、AM100A 型麻醉机	12	36
雷溪	977	15	100 毫安 X 光机、B 超、手术床、洗胃机、全自动血球分析仪、尿液分析仪	10	57
耳口	1900	8	200 毫安 X 光机、B 超、半自动生化仪、尿液分析仪、新生儿 抢救床	8	63
冷水	828	6	X 光机、B 超、心电图机、血球分析仪	8	34.6
余家	700	11	X 光机、B 超、心电图机、新生儿辐射台	—	48.3
金屯	500	12	血球分析仪、200 毫安 X 光机、多参数监护仪、胎儿监护仪、吊式无影灯、抢救床、半自动生化仪	—	81
樟坪	69＋	—	X 光机、B 超、血球分析仪、呼吸机、抢救床、胎儿监护仪	8	1
彭湾	700	8	200 毫安 X 光机、B 超（2 台）、半自动生化仪、尿十一样分析 仪、离心机	6	27

说明：除彭湾、樟坪、冷水外，其他卫生院均有救护车。

第三节 技 术

20 世纪 80 年代以来，贵溪市（县）大力推进“科技兴医”，一批努力钻研医学科技、热忱“救死扶伤”的医务人员，运用新型医疗设备，在临床实践上历年有所创新，取得了医疗技术发展的一批新成果。

市人民医院医疗技术

贵溪市（县）人民医院一直以西医为主，开展医疗工作。

1985 年，医院妇产科率先在鹰潭市开展了“输卵管复通术”。至 2008 年年底，共做 800 余例，复通率达 80%。

1998 年，外科胡伟能医师开展的“经尿道前列腺气化电切术”于 2000 年获鹰潭市科技进步奖。

2000 年，由外科姚文、叶晓斌医师完成的“食指断指移位再植拇指功能重建术”获鹰潭市科技进步三等奖和贵溪市科技进步三等奖。该项技术填补了省内空白，属国内先进水平。

2002 年，由矫外科黄绍卫主任医师主刀的“脊柱暴裂性骨折椎弓根螺钉复位术内固定”为鹰潭市首例，并获鹰潭市科技进步奖；另其进行了“老年陈旧性股骨颈骨折不愈合人工髋关节置换术”为贵溪市首例。

2005年,由矫外科黄绍卫医师主刀的“胸腰椎多段结核前路病灶清除、植骨内固定术”填补了鹰潭市的空白,获贵溪市科技进步奖。

2005年,由外科胡伟能医师主刀的“腹腔镜乙状结肠切除术”获鹰潭市科技进步奖。

2007年,由外科胡伟能医师主刀的“腹腔镜胆总管切开取石术”和“腹腔镜钬激光碎石术”双双获得鹰潭市科技进步奖。

2008年,由内一科金绣春主任指导开展贵溪市首例“人工心脏起搏器安装”。

2008年,人民医院妇产科在上海复旦大学专家指导下完成我国首例“单纯经阴道阑尾切除术”及“腹腔镜在不孕症上的应用”,已申报省科技新项目。

人民医院相继完成鹰潭市首例“断腕再植术”,贵溪市首例“人工晶体植入术”“脑梗塞溶栓治疗”“全麻支撑喉镜下双侧声带息肉摘除术”“腹腔镜引导下脑室一腹腔分流术”,同时还完成“肝叶切除术”“腹膜后巨大肿瘤及胰体尾切除术”“肾上腺髓性脂肪瘤摘除术”“晚期肝癌分支动脉结扎及动脉插管术”“颈椎前路椎间隙减压及椎间融合术”“颈前路开骨窗减压扩大椎管自体髂骨植骨钢板内固定术”“后腹腔镜肾上腺肿瘤切除术”等高难度手术。此外,该院医技科还利用院内新设备开展“磁共振胰胆管成像”和“低场磁共振乳腺检查支架的研究与临床应用”及“电磁式体外冲击波碎石排石”手术。

市人民医院外二科主任胡伟能、外一科主任姚文分别于2003年、2007年获贵溪市优秀学科带头人称号。

市中医院医疗技术

贵溪市(县)中医院一直以中、西医结合,开展医疗工作。

1996年,增设普外科,开展剖腹产(15例)、胃切除(1例)、阑尾切除(15例)、肠梗阻(2例)、髋关节陈旧性脱位开放复位(1例)等手术。

1997年,开展胆总管探查、胆囊切除手术。

1998年,开展子宫次全切除、首次摘除巨大卵巢囊肿(4公斤)获得成功,并开展结肠癌、胆肠吻合、胃癌根治手术。

1999年,率先在贵溪市开展腹膜透析、烤瓷牙、口矫新技术,开展桡神经探查、腰椎间盘摘除、股骨骨折开放性复位等术。

2000年,与江西省微量元素检测中心共同开展微量元素测定与治疗项目,该项目填补贵溪市在微量元素测定、治疗方面的空白。

2001年技术革新,开展腹部横切口剖腹产术,开展病理及放免检验项目,其中糖耐量和胰岛素C肽的测定填补了贵溪市检验项目的空白。

2002年,开展无痛人流、分娩新技术。

2003年,开展阴式全子宫切除术。

2004年,开展输尿管切开取石、脾切除、腰椎突出髓核摘除、胆总管闭塞、四肢长管状骨折带锁髓内钉内固定等手术。

2005年,开展四肢干骺骨折切开复位解剖板内固定术、股骨粗隆间骨折透视下闭合复位Y型带锁髓内钉内固定术、可吸收螺钉内固定术。

2007年,开展前列腺摘除、肾盂切开取石、膀胱镜检查、人工全髋关节置换术、肩胛骨骨折切开复位内固定术、腰椎间盘突出髓核摘除术、椎体暴裂性骨折切开复位钉棒固定术、颅内血肿清除术、人工股骨头置换术。

2008年,开展动静脉造瘘术、肾盂切开取石术、乳腺癌根治术(改良法)、自体植皮术、硬膜下血肿钻孔引流术、神经血管吻合术。

显示中医院特色的医疗技术是:对高血压中风、糖尿病、结石病、急、慢性肾炎、急、慢性肝炎、肝硬化、心血管疾病、呼吸系统疾病、关节炎、皮肤病、性病、痒疮、眼底病、慢性中耳炎、各种骨折、脱臼、腰腿痛、妇科疑难病症、烧伤等疾病的中西医结合治疗,具有独特疗效;普外、脑外、泌外、矫外、烧伤外科、妇产科可开展多种手术。

第四章　疾　控

第一节　机　构

县(市)卫生防疫站

1956年建立县卫生防疫站。“文化大革命”中一度被撤销,1971年恢复。1991年,该站设有办公室(宣教科)、卫生科、食品卫生监督科、检验科、防疫科,共有人员28名,其中卫技人员22名。主要设备有:冰柜、冰箱、粉尘采样器、消毒器、恒温箱、新极谱仪、721分光光度仪、烤箱、净化工作台、空气采样泵,x:y剂量仪、热辐射仪、热球式风速计、声级计。各乡镇卫生院受县防疫站业务指导,承担辖区内农村疫情报表,督促乡村医生进行预防接种等任务。

2004年年初,该站共有人员27名,其中卫技人员19名。

市疾病预防控制中心

根据卫生部《关于卫生监督体制改革的意见》江西省编办、江西省卫生厅联合下发《关于市县卫生监督体制和疾病预防控制体制改革的意见》。2003年4月4日,贵溪市机构编制委员会下发《关于同意设立“贵溪市卫生监督所”和“贵溪市疾病预防控制中心”的批复》,同意撤销卫生防疫站,设立“贵溪市卫生监督所”和“贵溪市疾病预防控制中心”,隶属卫生局管理,均为全额拨款股级事业单位。人员编制从原卫生防疫站编制内调剂解决,不增加新编制。2004年5月,贵溪市卫生防疫站撤销,贵溪市疾病预防控制中心正式成立,为全额拨款事业单位,定编30人。2004年投入408万元新建疾病预防控制中心大楼,建筑总面积3300平方米,于2005年4月竣工投入使用。至2008年底,中心在岗人员37人,专业技术人员占78.。设有6个科室,即办公室(含健康教育科)、业务科、检验科、免疫规划科(含预防接种门诊)、传染病防治科(含慢性病、地方病、艾滋病防治)、结核病防制科。

疾控中心的主要职责为疾病预防与控制;突发公共卫生事件应急处置;疫情及健康相关因素信息管理;健康危害因素检测与干预;实验室检测检验与评价;健康教育与健康督促;技术管理与应用研究指导。

2005年新大楼投入使用,检验业务用房扩展至1000平方米,2007年6月,获得江西省卫生厅民生工程实验室改造项目,市政府投入90万元,对实验室进行改造,面积达到1130平方米,恒温恒湿面积350平方米,实验室检测环境得到很大改善,通过加强实验室的管理,提高检验检测质量,使检验检测结果更具准确性、科学性和公正性。仪器设备,拥有原子吸收分光光度计、气相色谱仪、血球分析仪、全自动生化分析仪、酶标工作站、纯水机、微波消解器、生物安全柜、X线拍片机、B超、等大型先进检验检测仪器和一批小型检验检测仪器设备如x:y剂量仪、1/万电子天平、臭氧测定仪、电导率测定仪、浊度仪、甲醛测定仪等共计114台件,开展的检验检测项目增至107个。

第二节　传染病防制

1991—2008年间,贵溪以乙肝、痢疾、肠道传染病发病为主,性病、艾滋病发病率呈逐年上升趋势,免疫规划针对的疾病发病率大幅下降,虫媒传染病有散在报告。

结核病　1991年,贵溪县开展结核病调查,当年查治224例,为历史最高纪录。

2004年4月1日,贵溪正式启动“世界银行贷款/英国赠款和日本援助中国结核病控制项目”(经费10万美元),先后印发《贵溪市贯彻落实全国结核病防治规划(2001—2010)实施方案》《贵溪市结核病防治工作实施细则》等文件,将结核病人归口管治,实施“四统一”:即结核病人统一由市疾病预防控制中心诊断、治疗;按统一的治疗方案施治;所有结核病人由市疾病预防控制中心统一实行管理;结核病疫情按统一的程序登记、报告。同时,在5所乡镇中心卫生院、市直医疗卫生单位和驻市企业职工医院设立12个痰结核菌检查点，以便及时发现传染性肺结核病人。

2004年4月，市疾病预防控制中心成立结核病防治科，设立结核病防治门诊，正式启动现代结核病控制策略。2004至2008年，全市结核病的防治工作成效显著，达到《规划》预期目标。

2004—2008年全市结核病发病治愈情况一览

表26－19

年份	发病总数	新发涂阳数	治愈数	治愈率
2004	301	107	101	94.4
2005	489	240	233	97.1
2006	487	231	230	99.5
2007	418	246	242	98.4
2008	405	236	220	93.2
合计	2100	1060	1026	96.8

艾滋病　1997年，贵溪市单浆采血站投入7万元，建立鹰潭市首家艾滋病初筛实验室，为防止经血液传播艾滋病提供检验设备。

2002年6月25日，贵溪市发现首例艾滋病感染者，该患者为罗河镇一名长期在外经商的农民，有长期的嫖娼史，该患者因并发肺结核于2002年11月死亡。自出现首例艾滋病以来，市内每年均有新发艾滋病感染者，主要的疫情特点是：2002—2007年，艾滋病疫情以青壮年（在外务工人员）外地感染为主，疫情呈散发状态。到2008年，艾滋病疫情过渡到中老年人群，以当地感染为主，且疫情加速上升。

2004年，贵溪市成立艾滋病防治委员会，采取防控措施：一是加强疫情监测。开展既往有偿供浆人员HIV筛查，先后承担国家级长卡司机、暗娼、嫖客、吸毒人群的艾滋病哨点监测，开展省级性病门诊综合监测、公安部门羁押人员、医院住院病人、手术病人、传染病病人、孕产妇的HIV筛查工作。2002—2008年，累计筛查各类高危人群15708人次；二是推行高危险行为干预工作。从2006年开始，市疾控中心组建3支由18人组成的艾滋病高危行为干预队，每月深入到全市各娱乐场所开展外查工作，覆盖全市100余个娱乐场所，筛选人员1800人次，发放各类宣传资料2万余份、安全套4万余只，发展同伴教育员30余人次；三是广泛开展艾滋病宣传。共发放宣传画、册、折页、单、纸杯等30万份。在全市各主要街道、交通要道、集贸市场、医院、学校以及乡镇、行政村均设立艾滋病宣传栏以及永久性广告宣传牌、墙体标语。

鼠疫、霍乱　1991－2008年，市疾控中心每年4—10月都要对信江河水和水（海）产品开展霍乱弧菌检索，均未检出霍乱弧菌阳性标本。2007年，贵溪列为省级鼠疫监测点，到2008年，对800余只老鼠进行血清检测，未发现阳性标本。

非典型肺炎　（详见附2003年抗“非典”纪略）

人感染高致病性禽流感　人感染高致病性禽流感是由高致病性禽流感病毒（H5N1亚型）引起的呼吸系统损害为主的人急性感染性疾病。2004年年初，滨江乡月亮湾蛋鸡养殖场和志光飞龙生态养殖场先后发生禽流感疫情，市防疫站为进入疫区工作的人员接种预防疫苗，先后对61人进行医学观察，流行病学调查2起，为密切接触者43人采集血样和鼻咽拭子样品送检，没有发生人感染。

手足口病　贵溪每年都有手足口病发生，2008年5月列入丙类传染病管理，当年度报告16例。

疟疾　经多年防治，2000年12月8日，经江西省政府“血地防”领导小组考核验收，下达《贵溪市基本消灭疟疾考核验收报告》，认定已达到基本消灭疟疾标准。

1991—2008 年全市各种传染病发病情况一览

表 26－20　　　　单位：人

年份	病毒性肝炎		痢疾		伤寒和副伤寒		AIDS/HIV		淋病		梅毒		脊灰		麻疹		百日咳		流脑		猩红热		流行性出血热		狂犬病		钩端螺旋体病		斑疹伤寒	
	病	死	病	死	病	死	病	死	病	死	病	死	病	死	病	死	病	死	病	死	病	死	病	死	病	死	病	死	病	死
1991	903	—	769	—	70	—	—	—	6	—	—	—	2	—	2	—	6	—	11	—	—	—	12	—	1	1	7	—	—	—
1992	1430	—	567	—	109	—	—	—	7	—	—	—	3	1	51	—	2	—	7	—	—	—	9	—	2	2	8	—	7	—
1993	718	—	413	—	107	—	—	—	2	—	—	—	1	—	14	—	11	—	6	—	1	—	11	—	—	—	10	—	4	—
1994	518	—	597	—	51	—	—	—	9	—	1	—	—	—	73	—	6	—	2	—	—	—	8	—	—	—	4	—	—	—
1995	512	—	762	—	31	—	—	—	10	—	—	—	—	—	85	—	4	—	2	—	—	—	9	—	—	—	—	—	—	—
1996	990	—	581	—	45	—	—	—	16	—	—	—	—	—	105	—	—	—	2	—	—	—	6	—	—	—	2	—	—	—
1997	645	—	247	—	21	—	—	—	28	—	2	—	—	—	155	—	—	—	9	—	—	—	1	—	—	—	—	—	—	—
1998	548	—	434	—	36	—	—	—	80	—	15	—	—	—	10	—	3	—	—	—	—	—	5	—	—	—	3	1	—	—
1999	530	—	325	—	33	—	—	—	78	—	21	—	—	—	5	—	1	—	—	—	—	—	5	—	—	—	8	—	—	—
2000	488	—	79	—	19	—	—	—	58	—	22	—	—	—	3	—	—	—	2	[illegible]	—	—	6	—	—	—	—	—	—	—
2001	517	—	98	—	22	—	—	—	58	—	28	—	—	—	15	—	—	—	—	—	—	—	2	—	—	—	3	—	—	—
2002	370	—	57	—	33	—	1	1	10	—	8	—	—	—	119	—	—	—	—	—	1	—	5	—	—	—	3	—	—	—
2003	320	—	72	—	19	—	—	—	25	—	2	—	—	—	20	—	—	—	1	—	—	—	5	—	2	2	—	—	—	—
2004	511	—	117	—	18	—	3	1	24	—	12	—	—	—	11	—	1	—	—	—	—	—	3	—	1	1	—	—	—	—
2005	528	—	53	—	17	—	2	1	7	—	23	—	1	—	23	—	1	—	—	—	2	—	2	—	1	1	1	—	—	—
2006	521	1	42	—	12	—	1	—	30	—	27	—	—	—	4	—	—	—	—	—	—	—	1	—	1	1	—	—	—	—
2007	515	1	40	—	5	—	3	—	7	—	23	—	—	—	3	—	—	—	—	—	—	—	—	—	—	—	—	—	—	—
2008	596	1	41	—	1	—	23	1	38	—	55	—	—	—	26	—	—	—	—	—	1	—	—	—	1	1	—	—	—	—

1991—2008 年全市各种传染病发病情况一览

表 26－20　　　　单位：人

年份	疟疾		流行性感冒		流行性腮腺炎		水痘		肺结核		麻风病		尖锐湿疣		乙脑		新破		急性出血性结膜炎		其他感染性腹泻		疯疹		其他传染病		其他疾病	
	病	死	病	死	病	死	病	死	病	死	病	死	病	死	病	死	病	死	病	死	病	死	病	死	病	死	病	死
1991	2	—	—	—	—	—	—	—	—	—	—	—	—	—	21	2	—	—	—	—	—	—	—	—	—	—	—	—
1992	—	—	—	—	—	—	—	—	221	—	—	—	—	—	20	1	—	—	—	—	—	—	—	—	—	—	—	—
1993	1	—	—	—	—	—	—	—	—	—	—	—	—	—	8	—	—	—	—	—	—	—	—	—	—	—	—	—
1994	1	—	—	—	—	—	—	—	—	—	—	—	—	—	15	—	—	—	—	—	—	—	—	—	—	—	—	—
1995	—	—	—	—	—	—	—	—	—	—	—	—	—	—	2	—	—	—	—	—	—	—	—	—	—	—	—	—
1996	—	—	—	—	—	—	—	—	—	—	—	—	—	—	14	1	—	—	—	—	—	—	—	—	—	—	—	—
1997	—	—	—	—	—	—	—	—	—	—	—	—	—	—	1	—	1	—	—	—	—	—	—	—	—	—	—	—
1998	2	—	—	—	—	—	—	—	—	—	—	—	—	—	6	—	—	—	—	—	—	—	—	—	—	—	—	—
1999	—	—	—	—	—	—	—	—	115	—	—	—	—	—	6	—	—	—	—	—	—	—	—	—	—	—	—	—

续表 26－20

年份	疟疾		流行性感冒		流行性腮腺炎		水痘		肺结核		麻风病		尖锐湿疣		乙脑		新破		急性出血性结膜炎		其他感染性腹泻		疯疹		其他传染病		其他疾病	
	病	死	病	死	病	死	病	死	病	死	病	死	病	死	病	死	病	死	病	死	病	死	病	死	病	死	病	死
2000	—	—	—	—	—	—	—	—	191	—	—	—	—	—	—	—	—	—	—	—	—	—	—	—	—	—	—	—
2001	1	—	—	—	—	—	—	—	256	—	—	—	—	—	—	—	—	—	—	—	—	—	—	—	—	—	—	—
2002	—	—	—	—	—	—	—	—	193	—	—	—	—	—	—	—	—	—	—	—	—	—	—	—	—	—	—	—
2003	—	—	—	—	—	—	—	—	158	—	—	—	—	—	—	—	—	—	—	—	—	—	—	—	—	—	—	—
2004	—	—	12	—	116	—	—	—	410	—	—	—	—	—	2	—	—	—	1	—	276	—	61	—	93	—	23	—
2005	—	—	20	—	66	—	—	—	603	—	3	—	—	—	—	—	—	—	—	—	341	—	2	—	36	—	6	—
2006	—	—	224	—	48	—	—	—	622	2	—	—	17	—	—	—	—	—	—	—	602	—	5	—	—	—	—	—
2007	—	—	226	—	102	—	—	—	557	—	—	—	2	—	—	—	—	—	—	—	456	1	4	—	—	—	—	—
2008	—	—	201	—	194	—	—	—	573	4	—	—	21	—	—	—	—	—	1	—	419	—	10	—	22	—	—	—

防治

疫情报告　依据《中华人民共和国传染病防治法》以及江西省卫生厅《关于开展传染病疫情网络零报告工作的通知》(2005 年 4 月 10 日起实行)，贵溪市各医疗卫生单位建立和健全传染病报告管理制度，建立全市各医疗卫生机构疫情网络直报系统。贵溪市疾病预防控制中心依托中国疾病预防控制信息系统，运行疾病监测信息报告管理系统(大疫情)、突发公共卫生事件报告管理系统、健康危害因素监测信息系统、传染病自动预警信息系统、死因登记报告信息系统和肺结核专报系统、艾滋病专报系统等。2008 年，贵溪市传染病报告质量及时率达 90.6%，完整率达 95.3%，准确率达 91.8%，符合率为 90.7%，重卡率为 7.6%，漏报率为 1.7%。

免疫规划　免疫规划是根据《传染病防治法》、《疫苗流通和预防接种管理条例》等法律法规所制定的规划、计划和策略。

1991—2005 年，沿袭惯例，贵溪仍然实施儿童计划免疫，主要内容为“四苗防六病”“四苗”：卡介苗、脊髓灰质炎三阶糖丸疫苗、百白破三联疫苗和麻疹疫苗；“六病”：结核、脊髓灰质炎、百日咳、白喉、破伤风和麻疹。)，对 7 周岁及以下儿童进行卡介苗、脊髓灰质炎三阶糖丸疫苗、百白破三联疫苗和麻疹疫苗的基础免疫和加强免疫接种，使儿童获得对结核、脊髓灰质炎、百日咳、白喉、破伤风和麻疹的免疫。从 1992 年起，根据国家卫生部要求，将乙肝疫苗纳入计划免疫管理，实行计划免疫“五苗防七病”(“五苗”：上述“四苗”加乙肝疫苗；“七病”：上述“六病”加乙肝。)，即新生儿出生后 24 小时内、1 个月、6 个月各接种乙肝疫苗一针 2004 年 2 月起，江西省将乙肝疫苗纳入计划免疫，实行免费接种，同年 5 月，又将乙脑、流脑疫苗纳入计划免疫管理。

2008 年，国家实行扩大免疫规划。4 月 24 日贵溪市召开扩大免疫规划工作启动大会，并正式在全市范围内开始实施扩大国家免疫规划工作，即扩大免费接种的疫苗种类，主要就是在“五苗防七病”的基础上，把含麻疹疫苗成份(麻风疫苗、麻腮疫苗)、A 群流脑疫苗、A＋C 群流脑疫苗、甲肝减毒活疫苗列入免疫规划，适龄儿童通过上述 11 种疫苗接种，可以预防结核病、百日咳、白喉、破伤风、脊髓灰质炎、麻疹、乙型肝炎、风疹、腮腺炎、流行性脑脊髓膜炎、流行性乙型脑炎、甲型肝炎等 12 种传染病。必要时在重点地区对重点人群(包括成人)进行钩端螺旋体疫苗、流行性出血热疫苗、炭疽疫苗应急接种，以实现国家扩大免疫规划“十四苗防十五病”的要求。

2006 年起，教育、卫生部门实施儿童凭接种证入托、入学制度。2008 年，贵溪市完成所有 23 个预防接种门诊有关儿童预防接种信息管理系统的建设，将 2005 年以来出生的 32853 名儿童预防接种信息资料全部录入系统。

免疫成效 白喉、破伤风连续 5 年(2004—2008 年)无病例发生;百日咳 2004—2008 年间仅在 2005 年出现 1 例;麻疹 2004—2008 年间仅在 2008 年一度发生,发病率为 4.69/10 万;肺结核发病率多年控制在国家标准以下;脊髓灰质炎多年来都没有病例发生。贵溪市分别于 2003 年、2005 年通过省卫生厅组织的 85%、90% 计免达标考核。

1991—2008 年全市主要疫苗预防接种一览

表 26-21 单位:万人份

年份	卡介苗	乙肝	麻疹	脊灰	百白破三联	乙脑	A群流脑	A+C流脑	麻风	麻腮	无细胞百白破	甲肝	白破	水痘	流感	B型流感	肺炎	腮腺炎
1991	5.0	—	2.5	2.1	6.0	6.0	—	—	—	—	—	—	—	—	—	—	—	—
1992	2.2	0.12	2.7	7.5	4.4	7.15	—	—	—	—	—	—	—	—	—	—	—	—
1993	—	—	—	—	—	—	—	—	—	—	—	—	—	—	—	—	—	—
1994	—	—	—	—	—	—	—	—	—	—	—	—	—	—	—	—	—	—
1995	0.43	—	0.70	1.3	1.69	—	—	—	—	—	—	—	0.18	—	—	—	—	—
1996	0.45	—	0.5	1.9	1.8	—	—	—	—	—	—	—	0.21	—	—	—	—	—
1997	0.43	0.33	0.6	1.69	1.0	—	—	—	—	—	—	—	0.20	—	—	—	—	—
1998	0.47	0.92	0.68	1.0	1.1	—	—	—	—	—	—	—	0.25	—	—	—	—	—
1999	0.45	1.08	0.68	1.59	1.57	—	—	—	—	—	—	—	0.17	—	—	—	—	—
2000	0.43	1.06	0.63	1.55	1.56	—	—	—	—	—	—	—	0.15	—	—	—	—	—
2001	0.64	1.79	0.80	1.94	1.93	—	—	—	—	—	—	—	0.22	—	—	—	—	—
2002	0.58	1.66	0.9	1.95	1.94	4.90	4.80	—	—	—	—	0.26	0.25	—	—	—	—	0.30
2003	0.57	1.74	0.8	1.92	1.91	—	—	—	—	—	—	—	0.23	—	—	—	—	—
2004	0.54	1.73	1.07	2.20	2.21	1.0	4.90	—	—	1.30	—	0.27	0.47	0.06	0.14	—	—	—
2005	0.59	1.74	1.06	2.09	2.20	2.08	0.80	0.0	2.57	—	—	0.35	0.47	0.15	1.07	—	—	0.30
2006	0.76	2.25	1.35	2.98	2.7	3.53	—	0.45	—	—	—	0.66	0.56	0.13	0.6	—	—	0.21
2007	0.85	2.42	1.47	2.4	3.0	0.30	—	0.43	—	0.22	—	1.30	0.90	0.10	0.38	—	0.02	—
2008	0.96	2.72	0.82	3.1	2.82	1.36	1.63	1.40	0.68	0.4	0.68	0.85	0.80	0.19	0.41	0.17	0.03	0.02

1991—2008 年部分年份全市疫苗接种率一览

表 26-22 单位%

年份	卡介苗	乙肝	麻疹	脊灰	百白破三联	乙脑	A群流脑	A+C流脑	麻风二联	麻腮二联	无细胞百白破	甲肝	精白破	五苗接种率(四苗)	强化疫苗接种率	新增疫苗接种率
1991	97.7	—	95.0	98.0	94.0	—	—	—	—	—	—	—	—	90.0	—	—
1992	97.7	—	90.1	93.4	93.1	—	—	—	—	—	—	—	—	86.7	—	—
1993	99.3	—	95.2	98.3	97.9	—	—	—	—	—	—	—	—	89.0	—	—
1995	100.0	—	91.2	96.0	97.0	—	—	—	—	—	—	—	—	89.5	—	—
1998	99.4	—	91.4	98.8	96.0	—	—	—	—	—	—	—	—	88.0	—	—
2000	97.0	85.0	95.5	96.0	94.0	—	—	—	—	—	—	—	41.8	92.0	39.4	—
2002	99.0	90.0	94.0	96.5	94.8	—	—	—	—	—	—	—	72.4	93.0	46.8	—
2003	99.1	90.2	91.1	95.8	93.4	—	—	—	—	—	—	—	64.7	90.0	35.8	—

续表 26－22

年份	卡介苗	乙肝	麻疹	脊灰	百白破三联	乙脑	A群流脑	A+C流脑	麻风二联	麻腮二联	无细胞百白破	甲肝	精白破	五苗接种率(四苗)	强化疫苗接种率	新增疫苗接种率
2004	98.7	97.4	96.9	97.3	95.6	—	—	—	—	—	—	—	84.2	94.4	83.6	—
2005	100.0	97.0	96.0	97.0	97.0	—	—	—	—	—	—	—	81.4	96.0	80.0	—
2006	100.0	98.0	97.5	100.0	99.0	92.3	—	—	—	—		—	91.2	95.4	90.8	—
2007	100.0	96.1	96.7	97.2	95.0	93.4	—	—	—	—	—	—	92.3	94.4	91.4	—
2008	97.8	99.7	97.8	100.0	98.9	91.1	94.4	93.3	97.8	88.9	96.7	95.6	95.6	97.8	88.9	91.1

附：

2003 年抗“非典”纪略

2002 年冬至 2003 年初，世界部分国家与我国的香港、台湾地区以及大陆各省、市先后发生非典型肺炎疫情，严重威胁人类生命，引起世界卫生组织和各国政府高度重视。中共中央、国务院迅速作出部署，领导全国人民开展抗击“非典”的严峻斗争。

贵溪市交通便利，外出农民工很多，人群流动频繁，存在着疫情爆发、流行的较大威胁。为坚决抗击“非典”，保障人民健康，从 2003 年 2 月中旬至 7 月中旬，贵溪市委、市政府，遵照上级部署，及时采取了一系列举措：

一、成立领导机构，构筑坚强阵线

市委、市政府成立“贵溪市非典型肺炎防治协调领导小组”，由市长黄建平任组长，市委副书记陈强、副市长乐文红任副组长，市卫生、财政、教育、文化广电、公安等局局长为成员，调动各方力量和资源，组织抗击“非典”斗争。同时，设立“防非典指挥部”，由乐文红任指挥长，调集三辆车 24 小时驻市防疫站值班待命。对全市副科以上领导干部进行“非典”防治法律法规和防治知识全员培训。市委、政府、人大、政协、纪委、人武部六套班子领导成员，以及市直各单位、各乡镇领导干部，分片负责，靠前指挥“非典”防治工作。制定了工作规则，确定各级一把手亲自抓、负总责，确保政令畅通。市卫生局设立紧急疫情处理小组、应急处理技术工作督查小组、“非典”防治医疗专家小组和督查小组，并组成 4 支疫情应急处理机动队、2 支“非典”救治医疗队，实行 24 小时值班制度，做到层层有组织、处处有队伍，构成了防治“非典”的坚强阵线。

二、制定《应急预案》，召开会议部署

按照“沉着应对，果断决策，依靠科学，有效防治，加强协作，完善机制”的总体要求，制定了《贵溪市非典型肺炎应急处理预案》，对应急机制、疫情监测、临床诊治、消毒隔离、疫情上报、人员调集、防治骨干培训以及经费、物资保障等作出全面安排。

2003 年 4 月 18 日，市委、市政府召开有市委各部门、市直各单位、各乡镇党委政府以及各医疗卫生单位主要负责人参加的全市非典型肺炎预防工作会议，传达国务院、省政府、鹰潭市政府一系列指示精神，宣读《贵溪市非典型肺炎应急处理预案》，市长黄建平对“非典”防治工作进行了具体布置。

4 月 18 日晚 10 时，接省卫生厅电报，有 5 名在广东曾接触“非典”患者的贵溪籍打工人员已经返乡，要求对其进行排查。指挥部当即派出 5 支小分队，连夜分赴 5 人所在村庄对其进行检查，未发现呼吸道症状，按规定对其实行居家医学观察 15 天。

4 月 22 日，市卫生局再次召开全市卫生系统非典型肺炎防治工作会议，传达贯彻卫生部、省卫生厅发布的《关于印发传染性非典型肺炎临床诊断标准的通知》《关于做好传染性非典型肺炎病人和疑似病人转运工作的通知》等一系列指导文件，并进行了细致的安排。

4 月 23 日，市政府根据上级有关文件精神，召集铁路、交通、客运等部门负责人举行协调会议，决定采取在火车站、汽车站、信江公路大桥进城入口处以及各乡(镇)汽车停靠站设立登记排查哨卡，对疫区返乡人员进行体温监测和防治“非典”宣传，并对车辆每日进行消毒等综合措施。

三、采取果断措施，阻断疫情传播

为做到“非典”疫情早发现、早报告、早隔离、早治疗，派人控制传染源，阻断传播途径，防止疫情传播和蔓延，市防疫站每天到各哨卡搜索疫情，严密掌握外出返乡人员中发热病人动态。督导全市影剧院、超市、游戏机室、餐饮店、学校等公共场所进行消毒，建立市、乡、村三级监测网络，由各医疗机构协助乡镇人民政府每日对全市流动人口和外地返乡人员进行健康监测，对与“非典”或疑似“非典”患者有密切接触者送留观站进行医学观察，发现返乡人员有发热、咳嗽症状者，即送医院发热门诊就诊。据统计，“防非”期间，全市累计对13265名返乡人员进行登记排查，各级医疗机构共监测体温6320人，家庭隔离观察1208人，集中隔离观察148人（从广东等疫区返乡的农民工）。强化“非典”疫情日报制和零报制，各级卫生单位均建立健全疫情报告管理制度，实行24小时值班制，规定每日下午3时至4时向市防疫站进行零非典病例报告。发现疑似病人应以最快通讯方式向上级报告。

四、确保技术物资到位，做好治疗抢救准备

按照卫生部的要求，及时下发“非典”防治技术方案，并组成专家小组制定治疗抢救方案，指定设于市郊的市人民医院传染病区（即今市传染病院）为“非典”治疗的定点医院，配备专用救护车、全自动呼吸机、X光机、重症监护仪等抢救医疗器械；在四建医院（即今市妇幼保健院）设置了150张床位的隔离留置站；全市医疗机构均建立发烧门诊，选派有经验的医生接诊，实行首诊问责制，负责对所有就诊的发热病人进行排查和转诊。除市政府拨出专项资金70万元外，卫生系统为抗击非典，投入资金98万余元，采购了一大批预防、消毒、治疗药品和防护设备、医疗器械。仅市防疫站就采购分发消杀药品5种计2300公斤，防护用品10种1420件。

4月23日晚，市人民医院发热门诊接诊一名刚从广东返乡的发热病人，据称曾接触“非典”患者，其家住滨江乡柏里村李家塘小组。市防非典指挥部即调派公安干警和乡村干部封锁了该村。24日晨市防疫站防疫科长罗芳（女）受命率应急分队前往李家塘，现场20多名当地干部不敢带路进村，罗芳挺身而出，对队员说：“走，我们自己进村找！”带着3名应急队员进村消毒，进入患者家中对其家属进行检查和流行病学调查。一周后，该患者被治愈出院，排除“非典”嫌疑。

五、加强宣传报道，维护人心安定

2003年2月，市卫生局就针对社会上出现的“非典”恐慌心理和抢购物资现象，在《贵溪报》和有线电视台上进行了防治非典型肺炎知识的宣传报道。4月16日，市卫生局又组织专家编写《“非典”防治知识问答》宣传资料，印制4万余份，迅速发至全市每个家庭。同时，《贵溪报》和有线电视台每日开设“非典”防治专栏和专题节目，适时适度把握舆论导向，让群众知道非典型肺炎是可防、可治、可控的，克服不必要的恐慌心理，自觉投入防治工作，维护社会稳定。在广大农村各乡镇组织专人书写了大量防“非典”标语，并以乡镇、街道名义向外出人员邮发了数千封信件，劝告他们在“非典”流行时期暂时不要回乡，切断疫源传播渠道。

六、大力开展爱国卫生运动，增强群众自我保健意识

2003年4月，是中共中央、国务院在《关于加强爱国卫生工作的决定》中提出“建立爱国卫生月活动制度”的第15个爱卫月。贵溪市以此为契机，结合抗“非典”，动员全市人民群众进一步积极开展爱国卫生活动。突击治理超市、影剧院、候车室、美容美发厅、歌舞厅、游戏机室、饮食店、快餐店、邮政营业厅、储蓄营业厅等公共场所的室内卫生，每天进行消毒；同时，综合整治街道、里巷、农村的环境卫生，普及疾病预防控制知识，增强了广大市民自我保健意识和防病能力。

贵溪市全力以赴抗击“非典”取得胜利，确保了全市未发生非典型肺炎。当年，余方钦、罗春荣、何明球获全市防治“非典”工作优秀共产党员，吴杰阳获全市防治“非典”先进个人。

防疫救援支援四川抗震救灾

2008年5月12日，四川省汶川等地发生大地震，贵溪市疾控中心响应省卫生厅关于选派卫生防疫人员赴川抗震救灾号召，有14名同志积极报名参加抗震救灾，经鹰潭市卫生局党委批准，邱如宗、罗芳、

吴东开、王小虎4名专业技术人员参加赴川抗震救灾卫生防疫应急救援队。5月22日,赶赴四川省地震重灾区青川县茶坝乡,同济南军区某防化部队一道,共同参与该乡的灾后防病、环境消杀灭、卫生防病知识宣传、健康心理咨询等工作。他们克服工作和生活中的重重困难,冒着余震不断的险情爬山涉水,走村入户开展卫生防疫救援和宣传工作,在灾区奋战40天,圆满完成任务安全返回。当年贵溪市疾控中心被江西省卫生厅评为全省卫生系统抗震救灾先进集体,邱如宗被评为全省卫生系统抗震救灾先进个人。

第三节　地方病防治

碘缺乏病防治

碘缺乏病又称“地甲病”,是贵溪地方病之一。1991—2008年,每年对居民食用盐进行了碘含量测定,累计检测食盐21122份,合格18271份,碘盐平均合格率为86.5%。同时每年对8～12岁儿童甲状腺肿大情况进行调查(碘缺乏影响儿童智力发育,导致智商偏低)。结果显示,儿童甲状腺肿大率呈逐年下降趋势;1991年,调查1129人,触诊肿大295人,占26.1%;2008年调查200人,B超检查肿大3人,占1.5%。

2005年开始,贵溪市被江西省疾病预防控制中心列为碘缺乏病监测点,监测项目有:8～12岁儿童甲状腺肿率、尿碘含量测定、智商水平测定和孕妇尿碘含量测定。监测数据显示:儿童尿碘和孕妇尿碘及儿童整体智商水平均在正常范围。

丝虫病防治

病原学监测　在基本消灭丝虫病10年后,于1995年8月28日开始,县卫生防疫站先后在上清、彭湾、白田、余家、金沙、志光、周坊等7个乡镇进行病原学监测,共血检8788人,均未检出微丝蚴血症者。

1997年6—9月,贵溪市卫生防疫站开展蚊媒调查监测工作,选择白田、泗沥、周坊3个乡镇为调查点,共捕捉人住房中华按蚊1011只,经解剖镜检,均未发现蚊体幼丝虫感染。

1998年3月20日,江西省卫生厅下发赣卫疾发〔1998〕57号文,认定贵溪市达到卫生部颁布的消灭丝虫病标准,决定授予市卫生局达标证书,并向市卫生防疫站颁发奖状。

慢性丝虫病调查　2003年,根据《江西省慢性丝虫病调查建档实施方案》的要求,确定贵溪市周坊、耳口、河潭、余家4个乡镇为居民慢性丝虫病患者的调查点,每个乡抽查3个村,共调查12个村11770人,查出慢性丝虫病患者13例,患病率1.1%;其中周坊镇患者6人,河潭镇患者6人,余家乡患者1人。

1997年,全市共有晚期丝虫病患者152人(其中象皮肿112人,乳糜尿1人,淋巴管炎39人)。2003年全市复查,在152例慢性丝虫病患者中,已死亡84人。

微丝蚴血症复查　根据江西省卫生厅《关于开展全省微丝呦血症复查复治工作的通知》,2003年,贵溪市卫生防疫站对在1982年开展最后一次丝虫病复查工作时所发现的微丝呦阳性患者4例进行复查,结果为:2例血检阳性、1例死亡、1例外出打工未检出。

2007—2008年,晚期丝虫病患者17例。对这些患者,乡镇卫生院每年进行4次随访和照料,同时发放慢性丝虫病象皮肿、乳糜尿病人的家庭护理与照料宣传单,告知自我照料的方法和注意事项。市疾控中心每年也进行两次照料和随访。

血吸虫病防治

为巩固消灭血吸虫病的成果,1991年2月,贵溪县卫生局决定恢复“贵溪县塘湾血吸虫病防治组”机构。1992年,查螺面积127000平方米,此后每年坚持查螺。1999年春,经省卫生厅血防督导组在原疫区塘湾镇进行防治监测,未发现钉螺及新发血吸虫病人。2008年,持续完成塘湾镇芦甸村12万平方米的查螺任务,未见钉螺。

麻风病防治

1992年5月,贵溪县卫生局举办麻风病防治培训班,组织县、乡防疫人员100余人,深入志光、鸿塘、泗沥、罗河、雷溪、高公等疫源乡的26个疫源村,开展麻风病重点普查,共访查2214户、实检9238

人,受检率达97%以上;同时,对非疫源乡开展全面的线索调查,共发现麻风病新发病人10例。当年,对35例现症病人全部进行联疗,联疗覆盖率100%。1996年6月26日,县卫生局组织3个麻风病普查组,分赴金沙、志光、鸿塘、泗沥、余家、罗河、雷溪7个疫源乡镇24个疫源村,10天中共检查1932户,7500人,受检率96.8%,复查已治愈病人24人,查出新发麻风病人2例,实施联合化疗率达100%。2003年,全市进行麻风病普查,培训乡村医生86人,深入疫源地普查2350人,对原治愈的麻风病人75人及其家属172人进行体检,新发现麻风病患者3例,年发病率为0.55/10万,联合化疗率100%。

2008年,全市继续实施江西省消除麻风病运动项目,通过广播电视、宣传栏、传单、条幅等形式宣传麻风病的防治知识,发放宣传资料1.5万份;培训皮肤科医生、社区医生及全市疫源乡镇的乡村医生218人。实行对报告可疑病人并得到确诊的报告人给予500元奖励等激励机制。

1991—2008年全市麻风病患者情况一览

表26-24 单位:人

年份	发现病人数	年发现率1/10万	患病率1/1000	现症病人
1991	5	0.96	0.046	24
1992	10	1.92	0.0517	27
1993	5	0.95	0.0515	27
1994	5	0.94	0.051	27
1995	2	0.37	0.035	19
1996	3	0.56	0.020	11
1997	3	0.56	0.020	11
1998	2	0.37	0.022	12
1999	6	1012	0.027	15
2000	4	0.74	0.029	16
2001	3	0.55	0.031	17
2002	0	0	0	17
2003	3	0.54	0.033	18
2004	0	0	0	15
2005	2	0.36	0.027	15
2006	0	0	0	12
2007	3	0.54	0.020	11
2008	1	0. 17	0.012	7

说明:历年共发现麻风病人221名,其中多菌型男性111人、女性15人;少菌型男性75人,女性20人。

第四节 寄生虫病防治

2002年,贵溪市有3个乡被国家抽样为全国重要寄生虫病现状调查点,按照《全国人体重要寄生虫病现状调查实施细则》的要求,于2002年10月对金屯镇大塘村下肖组、彭湾乡星明村望古组和雄石镇象山村桥头组进行人体重要寄生虫感染现状调查。3个点共调查1500人,总感染人数566人,总感染率37.73%,其中:蛔虫感染329人,感染率为21.93%;钩虫感染259人,感染率为17.2%;鞭虫感染115人,感染率为7.67%;蛲虫感染3人,感染率为0.2%。城区感染率为13.8%,农村感染率为49.7%。

贵溪市寄生虫病总感染率是全国平均水平的1.91倍,按此推算,贵溪有20万人感染寄生虫病。

经贵溪市政府积极申请,2006年贵溪市被列为全国10个寄生虫病综合防治示范区之一,其总目标是通过落实示范区工作措施,降低人群寄生虫感染率,增进人民群众健康水平,改善居住环境和卫生条件,促进社会主义新农村建设。具体措施是采取以健康教育为先导,组织发动和引导群众自愿驱虫,同时采取改水改厕及生产生活环境治理相结合等综合防治措施。

市人民政府于2006年9月25日印发《贵溪市寄生虫病综合防治示范区工作实施方案》,接着召开全市启动大会,掀起寄生虫病防治宣传热潮。刷写墙体永久性标语300余条,刻录光碟80张,发放宣传画2000余份,印制并发放宣传折页12万份,印制培训教材1000本,编印通俗易懂的寄生虫防治知识“三字经”,制作宣传版12块、宣传窗400余期。同时创建环境改造示范点、家庭主妇健康教育示范点和学校健康教育示范点。

2006年11月13日至11月29日,选派专业技术人员在21个乡镇(办事处)开展基线调查。(表26－25)

贵溪市寄生虫病综合防治示范区项目工作得到卫生部、中国疾病预防控制中心的肯定。2007年10月11日,全国寄生虫病综合防治示范区工作经验交流会在鹰潭召开,与会代表130余人深入贵溪寄生虫病综合防治工作现场进行实地参观考察。

2006年全市寄生虫病调查(土源性线虫基线调查)一览

表26－25

单位名称	调查人数(人)	蛔虫		钩虫		鞭虫		蛲虫		总感染人数(人)	总感染率(%)
		感染人数(人)	感染率(%)	感染人数(人)	感染率(%)	感染人数(人)	感染率(%)	感染人数(人)	感染率(%)		
文坊	125	15	12.0	17	13.6	7	5.6	—	—	36	28.8
金屯	126	16	12.7	22	17.5	19	15.1	—	—	52	41.3
塘湾	126	14	11.1	24	19.0	6	4.8	—	—	41	32.5
雷溪	125	23	18.4	24	19.2	11	8.8	—	—	54	43.2
流口	125	17	13.6	16	12.8	9	7.2	—	—	38	30.4
罗河	125	14	11.2	24	19.2	14	11.2	—	—	45	36.0
彭湾	129	20	15.5	20	15.5	2	1.6	1	0.8	39	30.2
耳口	125	17	13.6	15	12.0	12	9.6	—	—	42	33.6
冷水	129	5	3.9	8	6.2	6	4.7	—	—	18	14.0
余家	125	20	16.0	37	29.6	12	9.6	—	—	61	48.8
滨江	125	6	4.8	9	7.2	6	4.8	—	—	19	15.2
河潭	125	11	8.8	37	29.6	8	6.4	—	—	54	43.2
泗沥	125	9	7.2	12	9.6	6	4.8	—	—	25	20.0
白田	125	5	4.0	37	29.6	6	4.8	1	0.8	46	36.8
周坊	125	8	6.4	34	27.2	11	8.8	—	—	50	40.0
鸿塘	125	15	12.0	30	24.0	12	9.6	—	—	51	40.8
志光	128	8	6.3	17	13.3	11	8.6	—	—	31	24.2
樟坪	125	8	6.4	5	4.0	1	0.8	—	—	13	10.4
东门	80	8	10.0	13	16.3	6	7.5	1	1.3	28	35.0
花园	87	11	12.6	16	18.4	6	6.9	—	—	31	35.6
雄石	83	7	8.4	11	13.3	8	9.6	—	—	23	27.7
合计	2513	257	10.23	428	17.03	179	7.12	3	0.12	797	31.71

第五章　妇幼保健

第一节　市（县）妇幼保健站（院）

贵溪县妇幼保健站成立于1958年，原址在老城区解元坊。1997年7月，迁址于交通路一幢二层办公楼。经上级评审，获得“妇幼保健服务技术全套执行许可证”。

妇幼保健站（院）主要承担贯彻执行国家妇幼保健法律法规，指导市、乡、村三级妇女儿童保健工作，并负责对乡村保健医师业务知识的培训，对乡镇卫生院妇幼保健工作进行目标管理；长期坚持妇科病普查，实施孕产妇保健、围产期保健，推行新法接生，推广母乳喂养，促进母婴保健系统管理，从而降低母婴的死亡率，保障母婴的健康。

贵溪市妇幼保健院

1991—1996年，保健站在职在编人员12人，仅承担妇女、儿童的保健工作，未开展临床业务。1997年下半年，随着妇幼保健工作的不断发展，先后从市直医疗卫生单位和乡镇卫生院借用、聘用14名卫技专业骨干，职工增至26人。从此，面向全市开展产科、妇科临床业务。1998年，保健站改变建站40年来从不接生的惯例，实现到站住院分娩的突破，当年接收来站住院产妇60余例。2004年，保健站病床由12张增至27张。由于业务发展需要，2008年末，由妇幼保健站改名妇幼保健院，迁至四冶总医院，人员增至41人：在编人员11人，借用人员10人，聘用人员20人。其中副主任医师1名，主治医师10名，儿科主治医师2名，医师5名，药剂师2名，检验师1名。

站（院）内主要医疗设备10台：血球分析仪1台，自动血球分析仪（EK3500）1台，半自动生化分析仪（RT－9800）1台，ASU－3000PIUS－E彩色多普勒诊断系统1台，CTS－310黑白B超1台，NLS－11－B内窥式流产吸引系统1台，D－ELL阴道镜1台，LEO－2200A微波治疗仪1台，麻醉机1台，200毫安X光机1台。

1997年下半年，保健站推广新法接生，由于收费合理规范，服务态度良好，到站分娩和保健咨询的人越来越多，业务收入逐年增加。2006年，开展无痛人流手术，2008年，在贵溪市率先引进内窥式流产系统，比传统人流手术更安全可靠，损伤小。

1991—2008年市妇幼保健站（院）业务收入一览

表26－26　　单位：万元

年份	业务收入	年份	业务收入	年份	业务收入
1991	8	1995	11.5	1999	60.5
1992	9	1996	12	2000	85
1993	9.5	1997	15.6	2001	104
1994	10.5	1998	30.5	2002	123

续表 26－26

年份	业务收入	年份	业务收入	年份	业务收入
2003	134	2005	230	2007	246
2004	185	2006	238	2008	238

第二节　妇幼保健业务

妇女保健

孕产妇保健　主要措施是健全孕产妇系统管理制度，即认真开展孕产妇的早孕检查、产前检查、住院分娩、产后访视、产后健康检查，以保障孕产妇的安全、健康。

1988年，贵溪县开始推行孕产妇系统管理制度，城市妇女从怀孕开始，就享受到了产前检查、住院分娩、丈夫陪产和爱婴病房等一系列无微不至的关怀。但在广大农村，由于经济、交通条件所限和群众缺乏孕产期卫生保健知识等原因，1995年，仍然有83.7%的产妇在家中生孩子。

1996年10月，市妇幼保健站对全市近5年24210例孕产妇分娩情况进行调查统计，表明从1991年以来，全市(县)孕产妇死亡24例。其中分娩地点在家中的18例，死亡原因以产后大出血为主，共8例，占57.1%；其次为妊娠高血压合并心脏病2例；子痫、羊水栓塞、前置胎盘、中毒性休克各1例。

农村孕产妇死亡率之所以高，在家中分娩之所以不安全，原因是一旦发生产妇大出血，就无法救治。另外，有的农村孕妇不做孕期、产前检查、孕期保健知识普及不够，孕产妇自我保健意识差，也是造成死亡的间接原因。因此，妇幼保健工作者用各种方式向全市城乡居民发出忠告：为母婴安全，请孕产妇及时到各级医院住院分娩。并逐渐改变农村接生员的工作内容，改为主要开展产前检查和护送产妇到医院分娩及产后访视等保健服务，尽最大努力降低孕产妇死亡率。

经过实施“卫生VI项目”和“降消项目”，孕产妇系统管理制度在全市城乡得到全面、持久的实施，2001年出现史无前例的“零死亡”；2008年全市7041名产妇，死亡数为1，死亡率为14/10万。

1991—2008年全市孕产妇保健管理情况一览

表26－27　　单位：人

年份	产妇数	高危产妇数	建卡数	早检人数	系统管理人数	孕产妇保健覆盖率	非住院新法接生数	住院分娩数	住院分娩率	其中高危住院分娩数	产后访视数	孕产妇死亡					
												死亡数	死亡率/10万	死亡原因			
														产科出血	妊娠高血压症	产褥感染	内科合并症
1991	6353	716	5993	3693	2268	35.6	4410	1943	30.5	642	6207	4	63	—	—	—	—
1992	5607	689	5149	4859	4859	86.7	3452	2154	38.4	615	5334	3	54	1	1	—	—
1993	5060	695	4814	4129	4129	81.6	2760	2300	45.4	632	4738	4	79	3	1	—	—
1994	4517	649	4066	3581	3541	78.4	2276	2241	49.6	609	3975	3	66	3	—	—	—
1995	4535	736	4367	4075	4025	88.7	2153	2382	52.2	719	4211	1	22	1	—	—	—
1996	4431	541	4369	4353	4351	98.1	1753	2678	60.4	521	4123	2	45	2	—	—	—
1997	4926	633	4568	4568	4568	92.7	1862	3064	62.2	622	4716	4	81	2	1	—	1
1998	4352	372	4208	4070	4001	91.9	1714	2638	60.6	366	4179	2	45	—	1	—	1

续表 26－27

年份	产妇数	高危产妇数	建卡数	早检人数	系统管理人数	孕产妇保健覆盖率	非住院新法接生数	住院分娩数	住院分娩率	其中高危住院分娩数	产后访视数	孕产妇死亡					
												死亡数	死亡率/10万	死亡原因			
														产科出血	妊娠高血压症	产褥感染	内科合并症
1999	4644	663	4485	4344	4144	89.2	1774	2870	61.8	655	4314	3	65	—	—	—	3
2000	4565	676	4493	4417	4417	96.7	1652	2913	63.8	672	4475	4	87	2	—	—	2
2001	4310	663	4280	4190	4190	97.2	1470	2818	65.3	657	4290	0	0	0	—	—	—
2002	4160	725	4145	4131	4130	99.2	1364	2796	67.2	725	4109	1	24	1	—	—	—
2003	4101	695	4079	4051	3990	97.2	1388	2713	66.1	691	4209	2	48	1	1	—	—
2004	4345	778	4316	4207	4168	95.9	1367	2978	68.5	777	4267	2	46	0	1	—	1
2005	4716	709	4656	4605	4605	97.6	614	4102	86.9	709	4662	3	63	2	—	—	1
2006	5289	752	5148	5148	5148	97.3	110	5179	97.9	752	5143	1	19	0	—	—	1
2007	5579	758	5441	5441	5441	97.5	97	5482	98.2	758	5441	2	35	1	—	—	1
2008	7041	948	6956	6956	6956	98.8	65	6986	99.2	948	6955	1	14	1	—	—	—

妇科病普查　在市（县）妇联和各单位妇女组织的支持下，市（县）妇幼保健站（院）每2年开展一次在职妇女的妇科病普查。其中1996年5月份进行的为期一个月的妇科病普查，县城各单位共1300多名妇女接受检查。为提高普查质量，卫生局及站领导购进多功能妇科病治疗仪1台、红外线乳腺诊断仪1台。此次检查共查出：子宫肌瘤10例，宫颈癌1例，宫颈脱落细胞检查Ⅱb4例，Ⅱa－Ⅱb9例，宫颈Ⅱ°－Ⅲ°糜烂200例，无症状阴道滴虫20例，乳腺纤维瘤8例，乳腺小叶增生58例。以上患者分别接受手术、药物治疗及理疗，治愈率达90%以上。检出患病率、治愈率均较1994年提高了10个百分。

1997年11—12月，由市总工会组织、市妇幼保健站承办，对全市750名女职工开展妇科病普查；使用新购置的CFT－6002型红外电脑乳腺诊断仪。对查出有妇科病的215名女职工，给予治疗和咨询服务。

婚前体检　1991年以来，加强对婚前医学体检制度的落实，严把体检质量关，对检出有传染病、遗传疾病，影响婚姻质量的，暂缓发放婚检合格证明，以确保优生优育，提高人口素质。自2003年10月1日实施新的《中华人民共和国婚姻登记条例》（国务院第387号令）后，实行自愿婚检制度，贵溪市婚前检查率骤降至0.07%。

1991—2008年全市婚前检查情况一览

表26－28　　　　单位：人

年份	应检人数	实检人数	检查率	患病数	暂缓结婚	不宜生育
1991	4294	4118	95.9	123	39	2
1992	5067	5018	99.0	73	55	0
1993	4530	4442	98.0	16	2	1
1994	3865	3650	94.4	23	2	1
1995	4057	3978	98.0	9	5	0

续表 26－28

年份	应检人数	实检人数	检查率	患病数	暂缓结婚	不宜生育
1996	5610	5510	98.2	49	4	5
1997	6276	4874	77.7	14	2	1
1998	4644	4516	97.2	119	1	0
1999	6412	5540	86.4	123	7	0
2000	6012	5388	89.6	333	3	5
2001	4992	4532	90.7	394	1	0
2002	5796	5602	96.6	599	7	1
2003	3828	3586	93.6	364	31	0
2004	6280	5	0.07	0	0	0
2005	8048	4	0.04	0	0	0
2006	7052	2	0.03	0	0	0
2007	6626	2	0.03	0	0	0
2008	6844	5	0.07	0	0	0

儿童保健

儿童保健系统管理工作由单纯的儿童体检发展到系统的儿童营养指导，开展儿童眼、口腔、听力保健等。2008 年，市妇幼保健院引进儿童生长发育监测软件，及时应用到儿童保健工作中，每个儿童定期体检时，将体检结果输入该软件后，计算机自动计算体检时年龄，以形象的方式对比儿童生长发育各个阶段的标准值，自动快速绘制体重曲线图和身高曲线图，供医生对儿童生长发育作出科学的评价。

1991—2008 年全市婴幼儿童系统管理情况一览

表 26－29　　单位：人

年份	活产总数	其中小于 2500 克数	死胎死产数	七天内死亡数	新生儿破伤风	新生儿访视数	七岁内儿童管理数	三岁内系统管理数	婴儿死亡数	婴儿死亡率‰	其中新生儿死亡数	一至四岁儿童死亡数
1991	6302	79	35	28	2	4960	27560	3876	71	11.2	41	46
1992	5568	69	48	31	0	5410	26791	6951	153	27.4	68	49
1993	5016	56	44	14	0	4877	24952	9570	121	24.1	73	74
1994	4487	48	39	34	0	3933	26951	7170	95	21.1	60	49
1995	4501	45	41	42	0	4213	27961	7308	124	27.5	71	27
1996	4394	39	48	58	0	4280	28143	12866	118	26.8	92	31
1997	4911	72	29	56	0	4420	29108	10992	87	17.7	65	28
1998	4303	62	54	83	0	3638	22572	12152	122	28.3	92	29
1999	4634	75	16	70	0	4460	28548	13755	137	29.5	110	19

续表 26－29

年份	活产总数	其中小于 2500 克数	死胎死产数	七天内死亡数	新生儿破伤风	新生儿访视数	七岁内儿童管理数	三岁内系统管理数	婴儿死亡数	婴儿死亡率‰	其中新生儿死亡数	一至四岁儿童死亡数
2000	4537	148	30	34	0	4409	24147	12926	133	29.3	90	27
2001	4289	77	43	50	0	4192	28797	13463	112	26.1	92	15
2002	4164	80	14	49	0	4168	23066	12831	76	18.2	60	10
2003	4111	107	18	38	0	3981	26121	13741	61	14.8	52	9
2004	4354	129	8	54	0	4252	26608	13390	70	16.0	67	8
2005	4738	34	12	47	0	4931	32932	15712	80	16.8	50	5
2006	5286	43	18	39	0	5288	32005	13963	69	13.0	54	11
2007	5592	52	7	32	0	5531	36482	17204	54	9.6	41	13
2008	7051	73	10	20	0	6956	40420	18958	29	4.1	28	9

幼儿保健

根据《中华人民共和国母婴保健法》及卫生部、国家教委颁布的《托儿所幼儿园卫生保健工作的管理办法》的规定，1999 年贵溪市卫生局、市教育委员会联合颁发《贵溪市托儿所幼儿园卫生保健管理实施细则》规定，每一年对辖区内的幼儿园、托儿所的教师、保育员及幼儿进行身体健康检查，并发放健康证和建档卡。对检查出患有法定传染病以及医学上认为具有严重传染性疾病的保教人员，及时给所在园所下达通知，患者不得从事保教工作。对申请入托入园的儿童，应具有体检合格的条件再予以接收，对患有法定传染病和医学上认为具有严重传染性疾病的儿童，未经治愈不得收入幼儿园托儿所。对不符合办园办所卫生条件的，不给予发放卫生合格证。

2000—2008 年城区幼托机构体检情况一览

表 26－30　　单位：人

年份	总人数	疾病缺点	龋齿	先天性疾病	中度营养不良	HBSAG 阳性	贫血	佝偻病
2000	2260	581	421	32	18	26	152	12
2001	2450	584	432	41	19	25	92	21
2002	2750	601	457	45	23	21	110	14
2003	2565	596	504	42	16	16	132	11
2004	2850	623	526	32	18	11	115	9
2005	2903	745	578	36	21	14	103	12
2006	2957	857	774	40	19	16	116	14
2007	3427	847	781	47	24	26	142	58
2008	3527	856	796	78	20	17	240	27

注：存在同一儿童有数种疾病缺点情况。

妇幼保健项目

世界银行贷款综合性妇幼卫生项目　1994年8月,经省政府批准,贵溪县被确定为世界银行贷款“综合性妇幼卫生保健合作项目”县。该项目系世界银行对中国卫生部门的第六次贷款项目,简称“卫生Ⅵ贷款项目”。该项目具有一定扶贫性质,主要用于妇女儿童的卫生保健。时间从1995年开始至1999年结束。5年内资金全部到位,还款期限自第5年开始至35年还清。贷款主要用于设备购置、妇幼保健业务用房新建和改造、人员培训及开展妇幼保健业务活动等4个方面。贵溪市是鹰潭地区唯一的项目市。卫生Ⅵ贷款总额为530.75万元,其中世行贷款336.12万元,国内配套总额194.63万元。该项目要达到的目标:孕产妇死亡率从1993年的112.64/10万到项目末降低一半,即降至56.23/10万以下;新生儿死亡率从1993年的66.56‰。到项目末降到三分之一,即降至32.27‰以下;婴儿死亡率从1993年的66.56‰,到项目末降到三分之一,即降至44.37‰以下;5岁以下儿童死亡率从1993年的89.11‰,到项目末降到三分之一,即降至59.4‰以下;到项目末消除新生儿破伤风、小儿脊髓灰质炎。

世界银行贷款“综合性妇幼卫生保健合作项目”　扶贫行动覆盖全县所有年人均收入在400元以下家庭的孕产妇和5岁以下儿童。其目的主要是有效地降低孕产妇死亡率和5岁以下儿童死亡率,确保世行贷款综合性妇幼卫生项目顺利实行。扶贫项目行动施行中,全市所有上述贫困家庭人口中的孕产妇、婴幼儿,在孕产妇保健、消毒接生、产科住院分娩、产科急救、中重度婴幼儿呼吸感染、腹泻的门诊、住院治疗中的费用,由市、乡两级根据情况,减免10－400元不等。该扶贫项目行动计划的实施,有力地促进了贵溪妇幼保健事业的发展。

降消项目　为实现《中国儿童发展纲要(2001—2010年)》和《中国妇女发展纲要(2001—2010年)》,解决制约实现纲要目标的难点问题,自2000年以来,卫生部、财政部和国务院妇女儿童工作委员会,在中西部地区共同组织实施“降低孕产妇死亡率和消除新生儿破伤风项目”,简称“降消项目”。贵溪市2004年列入江西省“降消项目”县。市妇幼保健站(院)制定实施方案和工作计划,认真落实“降消项目”各项工作。以市乡两级产科建设为重点工作,对市乡两级产科人员进行全面培训,邀请专家采取讲课、课题讨论和提问解答的方式,着重传授产科基础理论、基本知识、基本技能,取得良好效果。全市妇幼保健人员86人,参加培训85人,参训率98%。为减轻群众经济负担,实行住院平产接生最高限价,乡镇卫生院限价550元,市级医疗卫生机构限价800元。

项目工作指标完成情况(2005年数据):孕产妇死亡率63.30/10万,住院分娩率为86.58%,婴儿死亡率为12.70‰,5岁以下儿童死亡率为13.70‰,7岁以下儿童管理率为91.66%,低出生体重儿童发生率为2.3%,孕产妇保健覆盖率为97.6%,母乳喂养率为80%,新生儿破伤风发生率为0,出生缺陷发生率为0.77%。(1991年贵溪曾发生新生儿破伤风2例,自1992—2008年,未再发现新生儿破伤风病)

接受慈善机构捐赠

2004年7月,市妇幼保健站接受香港万志仁慈善基金会捐赠,主要为医疗设备,其中救护车1台,胎儿监护仪1台,综合产床2台,婴儿培养箱1台。总价值人民币20万元。

第六章　爱国卫生运动

爱国卫生运动,历来是政府统一部署、全民动员的社会卫生行动。自1989年国务院颁发《关于加强爱国卫生工作的决定》以来,县(市)政府爱国卫生运动委员会主任由分管卫生工作的副县(市)长担任,下设办公室,挂靠在市卫生局办公。1998年,市政府下发《关于市爱卫办要求增加编制、经费的请示的批复》贵府字〔1998〕147号,将爱卫办定编5人,并加大对爱卫经费的投入。2006年,市政府发布《贵溪市爱国卫生工作管理办法》,对全市爱国卫生工作进行规范化管理。

第一节 除害防病及公共卫生周活动

除害防病工作是爱国卫生运动的重点，市政府高度重视除“四害”（即消灭苍蝇、蚊子、蟑螂、老鼠）工作，每年都将除“四害”工作列入各乡镇政府农村卫生工作目标考核的重要内容，2006年市政府制定《除四害管理暂行规定》，全市在每年的4月和9月都要开展春秋两季除害灭病活动，组织全市城乡各单位、居民群众开展统一的外环境灭蚊、灭蟑、灭蝇药物消杀及外环境投放灭鼠药工作。

1991—2008年，贵溪市每年坚持开展广泛动员，以除害灭病和环境卫生为主要内容的爱国卫生运动。

1993年，县政府确立建设“卫生县城”的目标，根据当时城区卫生存在的突出问题，把整治街道路面和下水道列为爱国卫生运动的当年重点，县财政投入120万元，整修路面和排水管道，增添垃圾箱、垃圾车等设施，4月份，全面开展爱国卫生月活动，县政府授予县爱卫办“门前三包”监督检查的职权，重新签订“门前三包”责任状1314份，其中单位114份，居民户1200份；其间，发动清理卫生死角；投放鼠药2000公斤，在农村建立无鼠害示范村26个，县城鼠密度降至2.4%以下。同年6月，县政府组建了贵溪城市管理委员会，初步理顺城区卫生管理体制。

1997年，贵溪市委、市政府号召开展创建卫生城市活动，主要领导在有关大会上做动员报告，并在全市开展市民卫生文明素质宣传教育活动，将城管办升格为科级单位，在实行“门前三包”的基础上提出整治城市卫生路段包干责任制，投入150万元整治市容环境和城市卫生基础设施建设，评选出46个卫生单位，1300户卫生家庭，有16个庭院被省爱卫会授予“卫生庭院”，并首次接受省卫生城市检查团来贵溪检查，获得较满意。1998年，根据疫情动态，贵溪市将出血热、钩端螺旋体病防治工作作为重点来抓，。而老鼠就是上述二病的传染源。为控制鼠害，市政府、市爱卫办先后下发《关于在全市开展灭鼠突击活动的通知》以及《统一开展夏季除四害活动的通知》。在全市城乡于4月24日、8月26日和9月18日先后开展3次大规模的除四害活动。全市共投放“大隆”鼠药2000公斤、“力克鼠”13000余包，降低鼠密度。市爱卫办、卫生防疫站加强灭鼠工作的技术指导，全市各部门、各单位普遍制定本部门的防鼠、灭鼠计划，设立专（兼）职灭鼠员，经常备有灭鼠器械和药物。市爱卫办还组织灭鼠工作培训班，对全市灭鼠员普遍进行培训。灭鼠工作取得满意的效果。

2000年，爱国卫生工作突出“全民齐动员，让贵溪更整洁”主题，大力开展对城乡环境卫生的整治工作。四月份，爱国卫生月活动期间，全市共出动车辆460车次，清理垃圾3200余吨，疏通沟渠5254条，平整场地25116平方米，修建花圃4723平方米，清理道路25428米，处理违章乱倒垃圾单位30个，处罚金9000余元；投放鼠药15000余包，鼠密度由灭鼠前的21.5%下降到1.6%。当年3月，还由市妇联、市爱卫办牵头，各有关职能部门、居民委员会密切配合，开展“楼道卫生革命”活动，对全市城区楼道卫生进行一次彻底整治和达标验收，通过严管重罚、明查暗访、媒体曝光等手段，使全市城区居民的卫生状况明显改观。市区8个单位被评为省级卫生庭院。

是年，爱国卫生工作的另一特点是“城乡联动”，城乡爱国卫生工作平衡发展，各乡镇通过“爱卫月活动督查会”引导乡镇开展创卫生乡镇、卫生村、卫生家庭活动。

2002年，爱国卫生活动以创建卫生城市、卫生乡镇、卫生单位、卫生庭院、卫生村活动为重点，大力整治市容市貌，清除卫生难点，治理脏、乱、差。对违反《中华人民共和国食品卫生法》的经营户进行了处罚，没收了非法所得，有5家被停业整顿。4月24日开展了一次全市性突击灭鼠活动，全市共投入鼠药2万余包，鼠密度由灭鼠前的17.1%下降到1.82%，达到预期效果。

2003年起，贵溪市政府规定，每年3月份最后一周和9月份最后一周，在全市范围内开展公共卫生活动。

贵溪市于2004年3月1日起在全市范围内开展轰轰烈烈的公共卫生周活动。活动启动仪式在鸿塘镇揭幕。仪式结束后，市领导、机关干部、职工、城乡居民按照责任区划分，对全市大街小巷、居民楼院开展一次大规模的整治清扫活动。各卫生单位还组织医疗卫生人员上街、下乡开展义诊、咨询活动。市爱卫办还在城区悬挂20多条宣传横幅,出动宣传车进行3天公共卫生周活动内容的巡回宣传,散发宣传单1万余份,单位、沿街店面张贴公共卫生周活动宣传画1000余张,使全市的环境卫生面貌大为改观。省政府爱卫办对公共卫生周活动进行了检查,并评选鸿塘镇为全省小集镇卫生建设先进单位。

爱卫月期间,于4月24日开展一次全市性的突击灭鼠活动,共投放鼠药3万余包,鼠密度由19.1%下降到1.62%。

当年底,为实现市委、市政府关于在全省"当崛起排头兵,建一流县级市"的目标,大力开展对"贵神""贵白""贵塘"等农村主要公路沿线的环境卫生整治活动。重点整治干道沿线成堆、成片的垃圾、杂物、污水、渣土,特别是整治乡(镇)村结合部的环境卫生,各乡(镇)组织干部、群众对公路沿线开展以清沟排淤、填平坑洼、硬化路面、清除"四害"孳生场所等为主要内容的卫生大清扫活动。全市大部分乡(镇)对集镇上的乱搭乱建、过街横幅、垃圾广告也进行彻底拆除,对占道经营、乱堆乱放进行全面清理。

2005年爱国卫生活动势大面广。3月6日启动公共卫生周活动,3月28日又启动爱国卫生月活动。期间,全市城乡参与义务清理活动的达2.12万人次,运用铲车、清运车345次,清理死角284处,清理陈年垃圾1570吨,清理巷道乱堆乱放杂物248处,清洗乱写乱画及乱贴广告3000多张(条)。彭湾乡投入资金13万元安装路灯13盏、植树85株,对集镇进行绿化、美化。4月下旬,开展2次突击灭鼠活动,全市共投放灭鼠药4万余包,使鼠密度控制在国家规定的标准。

2006年的春季公共卫生周、爱国卫生月活动,改善小城镇整体环境卫生状况。4月23日一25日开展突击灭鼠活动,共投放鼠药2万余包,效果良好。10月,在全市18个乡镇选取10个村委会及10个供水点,进行农村饮用水与环境卫生现状调查。未发生饮用水污染事件。2006年贵溪市被确定为国家级农村饮用水卫生监测县。

2008年开始实施农村卫生清洁工程,治理农村垃圾对环境的污染,改变农村环境脏、乱、差现象,通过对全市农村垃圾的集中整治,要求达到"六个基本没有":一是农民房前屋后基本没有零星垃圾;二是农户庭院基本没有随地流淌的污水;三是村间、集镇基本没有散放的垃圾;四是江河、库塘水面基本没有漂浮的垃圾;五是村间道路基本没有裸露的人畜粪便;六是公路、铁路沿线,基本没有散落的塑料垃圾。

当年5月,全市共投放鼠药1.7万余包,鼠密度由灭鼠前的10.5%下降到2.6%,达到预期效果。

第二节　创建卫生城乡

创建卫生城市

为贵溪人民建设一个有利于健康的卫生环境,是市(县)人民政府一贯努力奋斗的目标。1993年,县政府首次明确提出"建设卫生县城"的口号;1997年,市政府又提出"创建卫生城市"的口号,把爱国卫生运动、健康宣传教育、城乡卫生设施建设、农村卫生清洁工程等活动纳入创建卫生城市、卫生乡镇、卫生村、卫生庭院的统一格局之中,取得显著成绩。

为促进爱国卫生工作全面发展,市政府于1999年下发《贵溪市深入开展创建卫生城市工作的意见》贵府发〔1999〕17号,市爱卫会于2000年制定《贵溪市卫生乡镇、卫生村检查评分标准》和《贵溪市创建卫生城市职能部门职责》,坚持在全市开展创建卫生城市、卫生庭院、卫生乡镇、卫生村活动。1999年6月11日,全国城市卫生检查团江西省第四团(团长为省环保局局长张莉)对贵溪市创建卫生城市工作进行了检查,检查组随机访问本市居民97人,对城市卫生状况满意率达96.76%,认为创建卫生城市工作成绩显著。

按照《江西省卫生庭院标准》评审确认,市政府大院、江西铜业公司、贵溪宾馆、贵溪冶炼厂、贵溪化肥厂、贵溪发电厂、贵溪桥梁厂、贵溪保险公司、贵溪市建设银行、中国银行贵溪市支行、市卫生局、人武部、检察院、公安局、第二中学、冷水乡政府大院等16座庭院被评为江西省第一届卫生庭院。

2000年5月,经省爱卫会组织专家评审确认,市消防武警中队、贵溪市农业银行、环保局、第一中学、啤酒厂、国税局、气象局等7座庭院为第二届江西省卫生庭院。

2002年9月,经省爱卫会组织专家评审确认,贵溪化肥有限公司磷酸车间、贵化保育院、人行贵溪市支行、江铜冶炼厂供水车间、四冶总医院、江铜贵溪冶炼厂铁路编组站、新世纪水泥有限公司、四冶学校、市工商局、人民医院、地税局小区、第三中学、第四中学等13座庭院为第三届江西省卫生庭院。

创建卫生乡镇、村

在社会主义新农村建设中积极开展创建卫生乡镇、卫生村工作。2007年省爱卫会以赣爱卫发〔2007〕3号文,命名贵溪市雄石街道象山村委会石泉村为“江西省卫生村”称号;鹰潭市爱卫会以鹰爱卫发〔2007〕14号文,命名贵溪市志光镇、鸿塘镇、塘湾镇、樟坪乡为“鹰潭市卫生乡镇”,命名花园街道郑家村、东门街道雄石村、雄石街道象山村、志光镇西江村、鸿塘镇傅家村、鸿塘镇洋塘下港村、周坊镇裴源太山村、白田乡北山浦源村、河潭镇南塘村、河潭镇泗塘村、河潭镇龙石村、滨江乡柏里水泉村、滨江乡西洋村、流口镇板桥村、金屯镇枫岭村、塘湾镇大桥范塘村、塘湾镇大桥方家村、文坊镇虹桥村、樟坪乡樟坪村、罗河镇杨桥村、彭湾乡小岭村、余家乡余家龙嘴村、耳口乡圳上新建村、冷水镇富庶村、泗沥镇桃源南村、雷溪乡南山村等26个村为“鹰潭市卫生村”。

第三节　农村改水改厕

改变农村人口数千年来饮用不卫生水、使用不卫生厕所的习惯是贯彻“预防为主”的卫生工作方针,控制疾病传染,提高人民健康水平的重大战略性措施。新中国成立以来,政府一直致力于农村改水改厕工程,制订规划,投入经费,先行试点,逐步推行。改革开放以来,随着农民收入的增加,保健意识的增强,政府投入的加大,督导工作的加强,农村改水改厕工程显著提速,乡镇村纷纷建设自来水设施,三格式无害化厕所大批推广,提高农村人口的生活质量,强化防病保健的硬件保障。

改水改厕工作,1991—2008年,先是由爱国卫生运动委员会办公室负责,后由贵溪市新农村建设办公室负责。贵溪卫生防疫站(后改疾病预防控制中心)负责水质监测检验,每年对信江河水及贵溪境内水系开展采样检验,对自来水厂及大口井、压水机井水质开展检测检验。

改水

1991年,通过改水工程,全县饮用安全水人口新增5万人。1993年,通过大卫生观念的宣传教育,广大农民自觉改善卫生环境的积极性有所提高,靠自身投入新建简易自来水33座,受益人口7436人;新打压水机井2483台,受益人口15679人;新建水井32口,受益人口4622人。饮用安全水的人口在上年的上加27647人。

1997年,文坊镇在财力困难的情况下,自筹资金60万元,在集镇建成自来水厂。

2001年12月,鹰潭市计委以鹰计字〔2001〕40号文下达贵溪市第一期农村人口饮水项目。共投资123.14万元,其中:中央专项资金41.94万元,地方配套资金81.2万元,由市水利局负责安排解决饮水困难人口4000人,集中解决流口、周坊、塘湾、彭湾、滨江5个乡镇部份群众的饮水安全。

据2007年统计,全市农村改水受益率达到90.36%,农村自来水普及率达到56.17%。

2008年,全市新建自来水厂(站)36座,受益人口20528人。为保障农村安全水工程质量和防病效果,当年,贵溪市还被列为中央补助地方农村饮用水安全工程和农村饮用水水质卫生监测项目市,当年5月市疾控中心对贵溪市西窑河、孟青河、泸溪河、硬石河、塔桥河等5条河流和部份饮水工程项目水质进行检测。

2008年贵溪市部分河流水质检测结果一览

表26-31　　单位:毫升/升

河流名称	一般化学指标							毒理学指标	
	铁	锰	氯化物	硫酸盐	耗氧量	氨氮	PH值	氟化物	砷
西窑河	0.12	0.02	1.0	5.0	2.0	未检出	6.9	0.16	<0.01

续表26－31

河流名称	一般化学指标							毒理学指标	
	铁	锰	氯化物	硫酸盐	耗氧量	氨氮	PH值	氟化物	砷
孟青河	1.1	0.04	1.0	18	3.4	0.12	6.5	0.08	<0.01
泸溪河	0.20	0.06	0.1	20.0	2.4	未检出	6.7	未检出	<0.01
硬石河	0.62	0.01	1.0	22.0	2.7	0.12	6.3	0.08	<0.01
塔桥河	0.72	0.05	1.5	18.0	1.6	0.24	6.5	0.08	<0.01

改厕

1991年,县卫生局组织农村户用厕所改造试点。

1993年,全县有918户农民,改良户用厕所,同时建成示范性无害化厕所50多个。

1996年,市爱卫会制定《贵溪市"九五"期间农村改厕粪管工作规划》。同年市爱卫办在志光镇古城村、双圳乡双圳村开展了建设三格式无害化厕所试点工作,试点后,组织各乡镇分管卫生工作的乡镇长、卫生院院长前往志光镇志光村裤裆山小组参观。掀起农村改造环境,建造无害化厕所的热潮。

1997年9月,市爱卫办再次在在雄石镇傅家村开展农村改厕试点,建设规范的三格式无害化厕所38座,建成后组织各乡镇分管卫生工作的乡镇长在傅家村召开全市农村改厕工作现场会,通过现场指导,当年全市农村完成新建卫生厕所1156座,新建无害化厕所561座。雄石镇、志光镇、双圳乡政府还为改厕户每户补助100～200元。经省爱卫办检查考核,贵溪市被评为江西省第三批农村卫生厕所建设先进县(市、区)。

2005年,全市开展社会主义新农村建设活动,市爱卫办加强农村三格式无害化厕所建设工作的指导,举办农村改水改厕培训班,刻录农村改厕光盘30余张,印制《三格式无害化厕所粪池砖砌法建造过程图解》120份。

2006年,为贯彻全国血吸虫病防治工作会议确定的"以控制传染源为主"的综合防治策略,贵溪市被列入中央补助地方江西省农村改厕(血防)项目市,当年在塘湾镇的张家村、方家村,翌年在塘湾镇的大桥村、金屯镇的枫岭村、流口镇的板桥村共建造1521座三格式无害化厕所。

2008年,全市农村新建无害化厕所5039座。至2008年底,全市319个新农村建设示范点家家户户全部建造无害化厕所。

第四节 健康教育

1991年,农村健康教育列入卫生工作的管理目标。

1991年9月,贵溪县广大农村开展健康教育月活动。其间,县、乡两级有50多位领导干部亲自主持召开动员会,村委会以上的各级干部直接向群众宣讲者达194人。县属医疗卫生单位抽调50多名干部职工,组成宣讲团分赴各乡镇宣讲卫生知识。乡村二级的卫生人员约有800多人担任宣讲员,还有952人次的中小学教师深入自然村向农民传授卫生知识。农村中小学普遍开设卫生常识课。全县农村约有20万人接受一次性卫生教育,普及率达71.2%。

1992年,县初保办编印1万多份农村居民应知应会卫生知识宣传专刊,下发到全县农村居民家庭广泛张贴。建立健康教育机构,在县卫生防疫站内成立健康教育科,配备专(兼)职人员负责指导和协调健康教育工作。在健康教育宣传月活动期间,出动县直医疗卫生单位机关干部、医务人员50多人,会同乡、村健康教育员,在农村通过举办培训班、上健康教育课、卫生知识咨询等多种形式,对农民进行卫生知识宣讲。年终还对100多名优秀健康教育员进行表彰。通过上述工作,使县社会初步形成人人参与卫生保健的意识,为1995年实施初级卫生保健目标奠定良好的思想基础。

1998年9月的健康教育月活动中,市卫生部门印制1000份《中华人民共和国传染病防治法》、

12000 余份以卫生防疫、传染病防治、灾后防病为主要内容的城乡居民应知应会卫生知识宣传单，广为张贴。结合“全国九亿农民健康教育”行动，开展防疫宣传活动，市电视台、广播站每周都要播放一次卫生防疫知识，《贵溪报》基本上做到每期都有卫生防病知识栏目。

2002 年爱卫月期间，充分利用宣传媒体进行广泛宣传动员，市有线电视台每天播放 4 条卫生标语，每周编辑制作一期“爱卫月”专题节目，《贵溪报》开辟“爱卫月”专栏，爱卫办向市民散发宣传单、悬挂过街卫生宣传横幅，大张旗鼓宣传。

为进一步开展“亿万农民健康教育促进行动”，2003 年开始，贵溪市爱卫会与有线电视台、广播站共同创办《健康全天候》节目，其中包括《健康话题》《创卫扫描》《科室采风》《卫生视点》《寻医问药》等栏目，每周播放两期、每期 20 分钟。为搞好健康教育工作，市爱卫办组织编印《江西省贵溪市市民健康知识和行为手册》1 万册。

2006 年 5 月，贵溪市卫生局、贵溪市爱卫会与有线电视台联合开办《健康贵溪》栏目，内容涉及医药、卫生、保健、生活等方面。6 月 10 日，《贵溪卫生信息网》正式开通，开辟健康宣传教育的新平台。2009 年元月市卫生局又创办《健康贵溪》专刊，每双月定期出版。

2007 年 5 月，市爱卫办下发《关于大力开展全民健康教育活动的通知》。各乡（镇）人民政府、街道办事处在各村（居）委会、中、小学校、卫生院；市直各部门在下属单位、城区中小学校分别落实 1 名健康教育员，由市爱卫办颁发健康教育员证书，并编印《贵溪市民健康教育知识读本》。

2008 年 8 月 11 日，为进一步做好健康教育工作，深入开展亿万农民健康促进行动，正式成立贵溪市健康教育所，挂靠在市疾病预防控制中心。

第七章　红十字事业

第一节　红十字组织

贵溪市红十字会成立于 1987 年 3 月。历任会长由市政府分管卫生副市长担任，常务副会长由市卫生局局长担任。市红十字会办公室设在市卫生局，办公室定编 2 人（贵编发〔1997〕20 号文件）。1997 年 1 月 8 日，江西省人大常委会教科文卫委员会主任姜佐周，率省人大、省红十字会检查组，到贵溪实地察看了市红会医疗所、市一中红会和红会桥头救护站的工作情况，对贵溪市红会开展卫生救护培训，向贫困户送温暖、抗洪救灾等活动取得的成绩表示满意。

2006 年，市政府调整和充实市红十字会理事会组成人员（贵府办字〔2006〕125 号文件），市委书记黄建平任名誉会长，时任分管卫生的副市长乐文红任会长；2008 年，分管卫生的副市长吴泉水任会长；2009 年 7 月分管卫生的副市长方洪海为会长，市卫生局局长黄建军为常务副会长、分管副局长徐兴旺为副会长，秘书长张建路，副秘书长刘文霞。

2006 年 11 月 10 日，市红十字会理事会召开四届一次会议，专门研究《贵溪市红十字事业“十一五”发展规划》，提出建立“政府领导联系、社会团体运作、全社会广泛参与、各部门协同促进”的红十字事业发展新机制，贵溪市红十字事业进入一个新的发展时期。2008 年年底，全市有红十字会基层组织 24 个，其中：21 个乡、镇、街道办事处都成立基层红十字会，城区 3 所中小学校成立青少年红十字会；全市团体会员组织发展到 113 个，49 个村民委员会成立村红十字小组，会员队伍发展到 19860 人。2006 年 12 月 21 日，中国红十字总会在南昌召开县级理顺管理体制工作座谈会上，原国务委员、全国人大常务委员会副委员长、中国红十字总会会长彭珮云接见贵溪市常务副会长黄建军并为《红十字在贵溪》画册签名鼓励。2007 年 2 月 11 日，中国红十字总会常务副会长江亦曼、时任江西省人民政府副省长、省红十字会会长胡振鹏等到贵溪市视察农村基层红十字会组织建设。同年 6 月 25 日，中国红十字会总会副会长郭长江、省红十字会常务副会长方娅，专程到贵溪市视察调研农村基层红十字会组织建设。2008 年 12 月，中国红十字会总会开展的全国“十佳百优千星”活动中，贵溪市滨江乡红十字会被中国红十字会总会授予“优秀乡镇红十字会”称号。

第二节 红十字会活动

救灾赈济

1998年6月中旬,贵溪市境内及上游连降暴雨,信江水位超过警戒线4.98米,是贵溪市有历史记录以来最为严重的洪涝灾害。市红十字会立即组织开展抗洪救灾工作,出动医疗救护、防病队员340人次,免费治病8680人次,发放治疗药品4万元,发放消毒药品1800瓶;并积极争取国内外的援助,收到捐赠款物40余万元,发放救灾大米两批,共22吨。8月19日下午,香港红十字会代表唐少芬、莫慧珊亲临贵溪市灾区文坊镇农村视察灾情,慰问灾民。12月2日,中国红十字会总会授予贵溪市红十字会“中国红十字会抗洪抗震救灾先进集体”光荣称号。

2006年6月,贵溪市18个乡镇的广大农村遭受洪水和台风的侵袭,文坊镇灾情尤为严重。10月18日,中国红十字会总会、中国海洋石油总公司为文坊灾区提供66万元援建的红十字博爱新村项目正式启动,重建被灾毁坏的村庄。中国红十字会总会又为贵溪灾区送大米30吨、棉被1600床。12月8日,红十字会国际联合会东亚代表霍普女士贵溪市灾区视察国际联合会援助物资的发放情况。2007年2月11日,中国红十字总会常务副会长江亦曼、江西省人民政府副省长、省红十字会会长胡振鹏、省红十字会常务副会长方娅,到贵溪市出席“红十字博爱送万家暨文坊红十字博爱新村竣工典礼”。

2007年2月11日,中国红十字会常务副会长江亦曼视察贵溪市农村基层红十字会

2008年1月10日至2月初,贵溪市发生特大冰雪灾害,全市18个乡镇受灾,受灾人口18万人,冻伤323人,损毁农作物130余公顷,耕牛死亡310头,损毁房屋4户、倒10间,造成直接经济损失3600余万元。市红十字会紧急组织开展红十字救助活动,出动4支医疗救护队深入灾区开展医疗救护,免费治病1100余人。6月29日,在省红十字会灾后重建项目工作会上,余家卫生院列为冰雪灾害灾后重建项目之一,北京市红十字会援助资金20万元人民币。12月4日,中国红十字会总会调拨给贵溪市的“08彩票公益金”赈灾大米43.85吨,用于赈济年初冰雪灾害的灾区人民。

2008年5月12日,四川省汶川地区发生特大地震灾害。5月13日,经市委、市政府批准,市红十字会即向全市人民发出“为四川地震灾区紧急募捐倡议书”,正式启动紧急募捐行动,得到广大市民和各界社会团体的积极响应,市红十字会共收到募捐款2698179.62元、衣物折款17215元,募捐款物总计为:2715394.62元。7月3日,市红十字会举行为四川灾区募捐活动答谢座谈会,向全市各界无私奉献爱心的单位和个人发出感谢信,向为四川汶川大地震募捐活动中捐献万元以上的22个企业、单位和个人颁发“奉献爱心牌”和“捐赠证书”。

送医疗下乡

市红十字会坚持每年组织由市直医院和驻市医院医疗骨干组队的2～3次下乡义诊活动。1997年1月15日,市红十字会长、副市长游岚亲率由10名市级医院专家组成的医疗队,分赴6个乡镇、15个村,开展为期7天的免费义诊和医疗咨询服务活动,共接待求诊和咨询的群众2000余人次,并在周坊为

1 名宫外孕急诊患者作剖腹手术。送医疗下乡活动让农村许多疑难病症患者就近获得城市名医的医疗服务,深受人民欢迎。

博爱送温暖

贵溪市红十字会自建会以来,始终坚持把传播、弘扬红十字“人道、博爱、奉献”精神,推动和谐社会建设作为各项工作的重中之重。在每年的元旦、春节期间,红十字会坚持开展送温暖活动,组织各基层红十字会和团体会员单位,到市福利院、乡镇敬老院及皮肤病院等老弱病残孤人群中赠送慰问金和衣物,成为坚持开展多年、深受舆论称赞的一项品牌活动。2005 年以来,市红十字会更通过举办“博爱送温暖”座谈会的形式,对部分特困人群和麻风病、艾滋病感染者及病人家属进行慰问,把人道关怀和温暖送到最需要关爱的贫困特殊人群手中。贵溪市红十字会还在每年的“5·8”世界红十字日、“6·14”世界献血者日,“12·1”预防艾滋病宣传日等特定日期组织各基层红十字会及团体会员单位,开展义诊活动,有力地传播“人道、博爱、奉献”的红十字精神。

无偿献血

贵溪市红十字会积极推进无偿献血活动。1997 年全市无偿献血达 1279 人次,于 2007 年开始建立全市无偿献血人员资料库,已为 2462 名无偿献血人员建立资料档案。2008 年,全市献血达 1146 人次,并首次开展无偿造血干细胞采集工作,共采集 100 人份造血干细胞,进入中华造血干细胞资料库。从 2008 年起,贵溪市各级医院临床用血,实现 100% 的无偿献血,满足贵溪市的需要。

扶贫救心

2007—2008 年,贵溪市红十字会通过申请中国红十字会总会的扶贫救心项目,开展针对贵溪市农村先天性心脏病儿的摸底调查,通过申报使 8 位患先天性心脏病的儿童在北京武警总医院成功进行心脏手术,并得到中国红十字会总会的每人 1.5 万元的手术援助,为患先天性心脏疾病的儿童及其贫困家庭送上人道主义爱心关怀。

第二十七卷　文化　体育

第一章　文化管理

第一节　机　构

1991 年至 2002 年 10 月，贵溪市设有市文化局、市广播电视局。

1992 年 10 月 14 日，成立贵溪县文化稽查队，为股级自收自支事业单位。1993 年，更名为贵溪县文化市场稽查大队。此后转为股级全额拨款事业单位。

1993 年人事管理体制改革，贵溪县新华书店从县文化局划出，改由江西省新闻出版局直管。

1994 年，县图书馆由股级单位升格为副科级单位。

1996 年 1 月 31 日，贵溪县人民广播站更名为贵溪县人民广播电台。同年，撤县设市，更名为贵溪市人民广播电台。

贵溪市艺术团成立，为副科级差额拨款事业单位，编制 20 名。2006 年，市艺术团降为股级差额拨款事业单位（贵编发〔2006〕9 号文件）。

文化部授予贵溪市“全国文化先进市”称号

2002 年 11 月，贵溪市机构改革，根据中共贵溪市委、贵溪市人民政府《关于印发〈贵溪市机构改革实施方案〉的通知》（贵发〔2002〕19 号）文件，撤销市文化局、市广播电视局，整合组建成市文化广播电视局（以下简称市文广电局），统一行使原文化、广电等行政管理与执法职能，工作主体由“办文化”向“管文化”转变，从系统管理为主转变到以社会管理为主。

2002 年起，市人民广播电台停播。市人民广播电台人员分流到市有线电视台、网络公司、局机关等单位工作。

2003 年 7 月 30 日，贵溪市政府常务会议同意将贵溪有线电视网络整合到江西省广播电视网络传输有限公司（以下简称省广电网络公司），并相应建立贵溪市广播电视网络传输分公司，同年 11 月 10 日，省广电网络公司同意成立江西省广播电视网络传输有限公司贵溪市分公司（以下简称市广电网络公司）。11 月 18 日，贵溪市广电网络公司正式成立。

2004 年，贵溪市有线电视台和人民广播电台“两台”机构合并，对外统称为贵溪市广播电视台。贵溪市有线电视台、贵溪市人民广播电台两个机构没有撤销，对内继续沿用。

同年，在完成网络资产评估后，贵溪市将市有线电视台实行网台分离，贵溪市文广电局的 8143 户中有线电视用户资产和线路及设备等相关网络资产，由省广电网络公司整合收购。省广电网络公司一次性拨付给贵溪线路及设备等网络资产变现款 164 万元。贵溪市文广电局 8143 户三分之二的有线电视用户资产，作为股本资产，不参与变现，参股省广电网络公司，作为股东参与省广电网络公司的管理和分红。而另外三分之一,作为存量返还款,分5年(2004—2008年)付清,返还给股东单位贵溪市文广电局。省广电网络公司核定贵溪市广电网络公司人员为28人,人员人事由贵溪市文广电局管理,财务及业务由省广电网络公司直接管理。

2008年4月14日,省网络公司对贵溪市网络公司实行人事垂直管理。此后,贵溪市文广电局与省网络公司,就诸多存在的遗留问题多次商议,着手进行人员移交工作。

根据鹰编发〔2008〕26号文件精神,2008年7月29日,贵溪市机构编制委员会下发《关于贵溪市文化广播电视局增挂新闻出版局(版权局)牌子的通知》(贵编发〔2008〕10号),同意贵溪市文广电局增挂新闻出版局(版权局)牌子,增加履行新闻出版行政管理职能,两块牌子,一套班子。

2008年底,贵溪市文广电局,局机关行政编制13名,在岗人员15人。贵溪市1998年被江西省人民政府命名为全省"文化先进市",1999年获全国"文化先进市"。2004年,经文化部全国文化先进县复查,复查合格,继续保留荣誉称号。

2008年市文化广播电视局下属机构一览

表27-1　　单位:人

名称	性质	编制数	在岗人员
市有线电视台	副科级自收自支事业单位	15	42
市人民广播电台	副科级全额拨款事业单位	14	24人,分别转入市有线电视台、市广电网络公司、局机关工作
市文化市场稽查大队	股级全额拨款事业单位	3	5
市文化馆	副科级全额拨款事业单位	11	12
市图书馆	副科级全额拨款事业单位	14	14
市艺术团	股级差额拨款事业单位	20	8
市电影公司	股级自收自支事业单位	13	14
市信江电影院	股级自收自支事业单位	23	23
市影剧院	股级差额拨款事业单位	17	17
市广播电视服务公司	大集体企业	—	9人,转入市广电网络公司工作

业务上属地监管机构35个:市广电网络公司、27个乡镇(场、街道办)文化广播电视站,以及教育、江铜、贵冶、铜技校、贵电、贵化、铁路等7个广播电视台(站)。

第二节　文化市场与管理

文化市场

改革开放前,境内文化市场主要以国有文化企事业单位为主。20世纪80年代,国家允许相关单位兴办文化娱乐服务性产业。1988年,经贵溪县劳动人事局(贵劳人字〔1988〕09号文件)批准,贵溪县广播电视局成立劳动服务公司,从事广播、电视、录像放映等服务性工作。贵溪县广播电视局、县文化馆、县总工会等部门先后办起录像放映厅、歌舞厅、电子游戏室等收费文化娱乐场所,文化产业开始兴起。

1991年年底,全市城乡文化营业场所很少,经批准经营的各类文化营业场所,只有舞厅2家、电子游戏机室7家、卡拉OK厅1家、录像放映厅3家、个体书店5家。

随着改革开放的不断深入,贵溪文化市场逐渐活跃,各类文化产业应运而生,文化产业多样化,文化娱乐设施逐年增多。

20世纪90年代后期开始,民间举办的书法普及培训班、美术普及培训班、音乐舞蹈普及培训班等培训班陆续开办。书法协会主席黄培泉开办的“墨华轩”书法培训班,书法协会副主席陈湘勇开办的“艺舟”书法培训班,每年吸纳学生200余人学习培训。美术协会副主席祝伟民、理事张治国分别设点常年开办美术培训班,每年吸纳学生200余人学习培训。祝街凤、黄新、张建波、肖鹤、刘雅等分别开办舞蹈、声乐、拉丁舞培训班,每年有400余人参加学习培训。音舞协会、曲艺家协会先后与南方照明公司“联姻”组建南方手拉手艺术团,与民政局“联姻”组建“民政艺术团”,走文艺与企业“联姻”的路子,组建联合体。市文联创办实体,实行资金自理,先后创办《象山》文艺杂志,开辟文学艺术长廊,组建新视野创作室和文联演艺中心,通过运作缓解文联资金严重不足的困境。各有关单位发挥市场机制的作用和媒体综合宣传的优势,通过协办、冠名、广告等形式,吸引社会资金举办各种文艺活动。

文化娱乐设施也逐年增多,到2008年年底,全市城乡经批准经营的各类文化营业场所,共有168家,其中,网吧60家,电子游戏机室48家,歌舞厅(含音乐茶座、KTV场所)21家,音像店18家,出版物(个体书店)10家,印刷(打字复印店)9家,营业性演出场所1家,满足社会各层次的文化需求。

文化市场管理

贵溪市文化广播电视局是文化市场主管部门,市公安局、市工商局、市公安消防大队、市环保局、市建设局、市城管局担负着不同的监管职责。

1992年10月14日,成立贵溪县文化稽查队,后更名为贵溪市文化市场稽查大队,专门负责文化市场行业管理和执法工作。

1994年10—12月,全县“扫黄”“打非”共收缴淫秽和非法出版书刊668册,黄色淫秽录像带544盒。

1998年,市文化市场稽查大队先后两次对全市音像市场、电子游戏机市场、书刊市场,进行集中整治,收缴非法盗版VCD光盘2739盒、非法盗版书刊127册、色情书刊20册。同时,对全市电子游戏机市场进行清理整治。及时召开全市舞厅、卡拉OK、休闲室经营业主会议,对存在问题提出整改措施和要求。

2001年,清理整顿文化市场,整治歌舞娱乐场所10家、放映厅4家、卡拉OK厅12家;查处电子游戏场所4家,扣押赌博机16台,电路板22块;音像制品场所中收缴录像带300盒、CD光盘780盒及封建迷信、黄色书籍8000余册。

2002年,国务院颁布《互联网上网服务营业场所管理条例》,贵溪成立市领导小组,统一行动,对文化经营网点。进行了重新审核登记,核发经营许可证。全年检查经营场所600多家,查处文化经营案件58件,处罚款4万元,取缔无照经营场所12户,收缴淫秽书刊700余册、收缴非法音像制品7774盒。销毁赌博机14台。

2004年5月27日上午,举办中小学生告别网吧的宣誓活动。此次告别网吧活动由市政法委、宣传部、教育局、文广局、团市委等单位联合举办。旨在优化青少年成长环境,引导未成年人和中小学生正确认识沉迷网吧的危害性,增强自我保护意识,把兴趣和爱好放在学习和健康娱乐上。在活动中,教师代表宣读《全国青少年网络文明公约》;学生代表宣读告别网吧倡议书,2000多名师生共同宣誓:告别网吧,健康成长!最后,中小学生在题有“珍惜年华,告别网吧”的横幅上签名,活动取得很好效果。同年,为从根本上彻底解决有些网吧业主经常通宵营业问题,由市政法委组织多个职能部门,与电信等通信部门多次协商,达成“零点断线”的协议,定于每天晚上12:00切断网吧信号线,直到第二天早上8:00开通。此措施从2004年11月13日正式开始实施,使超时经营的问题得到有效的控制。同年,市文广电局被省文化厅评为“全省文化市场工作先进集体”。

2005年,开展全市“扫黄”“打非”统一行动,收缴非法音像制品2000多件,电子游戏机赌机30多台,网吧电脑30多台,受理和办理举报案件13件,配合公安机关开展“利剑行动”,严厉打击赌博行为。同年12月16日,鹰潭市文化局、公安局、工商局、电信分公司,授予贵溪市“梦幻界网吧”“黑蜘蛛网吧”2家经营单位“群众放心网吧”称号。

2006年,市文化市场稽查大队建立管理责任制度,实行分片包干制,将队员工作岗位搬到“网吧”,定人定岗,蹲点监管,责任到人,并将管理业绩与奖金挂钩。巡查工作实行实名签到制,队员每天到网吧巡查必须实名签到。建立群众联系举报制度,公开办事流程,公布举报电话,并承诺接到举报投诉,城区20分钟城郊30分钟赶到现场。

2007年1月17日,中共贵溪市委办公室,贵溪市政府办公室发出《关于印发〈贵溪市集中开展网吧整治工作方案〉的通知》,决定从2007年1月至4月,用3个月时间组织开展网吧集中整治工作。整治期间,成立市网吧整治领导小组,组织市委宣传部、市政府办、市文化广播电视局、市公安局、市工商局、市公安消防大队、市电信局、贵溪报社、市电视台等职能部门集中办公,开展联合行动8次,检查网吧150家次,立案查处40起,下发整改通知书130份,罚款近10万元,关停12家违规网吧,查处无照经营网吧7家,消除火灾隐患46处。出台《贵溪市进一步加强网吧市场监管的实施意见》。在城区网吧安装网吧远程视频监控系统,在全省县级文化市场中率先实现网吧远程视频监控。建立健全网吧整治职能部门协调会议及日常巡查制度。同年,市政府成立全市文化市场管理领导小组,领导小组由市委、市政府、各职能部门的领导组成,领导小组办公室设在市文广电局。

2008年,开展"全市娱乐行业集中整治行动""全市网吧专项整治""中、高考期间网吧整治""暑期网吧整治""北京奥运期间整治行动"。对11家(次)违规网吧进行严肃查处,取缔3家"黑网吧",治安拘留4名违法分子。对电子游戏机室证照和设置,进行重新审核,要求所有电子游戏机室经营面积达到90平方米以上,游戏机数量达到40台以上,严格规范电子游戏机的设置。责令二小、二中附近的5家电子游戏机室搬迁,对12家电子游戏机室给予警告教育,共收缴销毁赌博机、电路板近200台(块)。对城区歌舞娱乐场所,特别是大型歌舞厅进行综合检查5次,对场所的持证经营、经营时间、消防通道、监控设施等方面提出整治意见。在"北京奥运会"召开期间,对歌舞娱乐场所及网吧开展安全生产大检查,及时消除安全隐患,对7家歌舞娱乐场所、45家电子游戏机室实行停业整改等处理。市环保局对顶级俱乐部KTV噪声扰民行为予以停业整顿及经济处罚;对英皇KTV等场所下达整改要求,严格要求这些场所加强减音隔噪措施,将噪声排放减少到法定标准。

第三节　广播电视网络管理

广播电视网络管理,由贵溪市文化广播电视局的广播电视事业管理股专门负责管理和执法工作。

1997年8月,国务院制定《广播电视管理条例》,市广播电视局充分利用自身宣传媒体优势,加大行业法规宣传力度。2000年,国务院制定《广播电视设施保护条例》,市广播电视局与公安部门联合,依法查处各种损坏广电设施行为。

2002年,贵溪市文化广播电视局投资20万元,安装有线电视信号加解扰系统(一种有线电视收费管理系统),获得应用成功,极大地提高有线电视管理水平,改变过去收费手段和形式,由用户被动交费变为主动交费,解决收费困难的问题,杜绝用户偷接或不入户问题,通过开辟加解扰的专业化频道,按不同层次观众的要求提供节目和收取不同的费用。对未实行有线电视信号加解扰系统区域的收视费,在用户自缴的基础上,实行集中突击性上门收缴,做到及时报停和自然销户,对无故不缴费户,实行罚款或拆除信号处罚。

2004年,全市农村开展境外卫星电视传播秩序专项整治,召开整治会议,下发整治方案和宣传单,使农村卫星电视传播逐步走向规范管理。同年,贵溪市文化广播电视局组织广电稽查队伍,对偷接有线电视信号等违规行为进行专项稽查。并投资20多万元配置电视"监视墙"等设备。

2006年1月27日,贵溪市文化广播电视局广电稽查队,会同工商等部门,对滨江乡倪家村口私自销售卫星电视地面接收设备场地,进行检查,收缴卫星天线11副、接收机4台。3月4日,贵溪市综治委发文建立"贵溪市境外卫星电视整治工作联系制度"。4月3日至5月30日,对文坊镇等乡镇的卫星电视地面接收设施,开展清查工作。

同年6月30日,市综治委下发《贵溪市无'小耳朵'社区、村庄创建活动方案》。7月4日,市政府办公室下发《坚决封堵有害卫星电视信号落地专项整治工作实施方案》,7月1日至9月30日,贵溪市综治委、文广电、工商、公安、国保、经贸等部门,联合开展坚决封堵有害卫星电视信号落地专项整治,清除

"小耳朵"打击活动。此次专项整治活动,力度大、时间长、成效明显。散发宣传单5100多张,张贴公告100多份,对私自设置卫星广播电视地面接收的重点区域,进行拉网式排查,拆除卫星接收设备8套,收缴天线17副、接收机9台,摧毁塘湾镇一个经营性电视网络。实现城区基本无"小耳朵",创建无"小耳朵"社区、村庄20个,有效遏制农村"小耳朵"蔓延趋势。

从2007年1月15日至3月20日,进行为期两个月的集中整治有线电视信号质量。市网络公司技术人员在专家指导下,对广电网络从前端机房到有线传输干线、支线逐段进行排查,全面校正技术问题。对市区所有片区有线电视用户进行上门回访排查,发现问题及时解决,确保城区有线电视用户稳定。截止3月份,共排除故障300多起,帮助用户调修电视1600台,回复用户咨询电话3000个,用户报修量呈明显下降趋势。5－6月初,进行辖区内系统内、外的卫星地面接收设施的两次调查摸底工作,8—9月,进行了卫星广播电视转星调整工作。

市政府提供转星调整工作专项经费20万元,各责任单位也按照属地管理原则,相应投入转星工作经费28万元多。市政府成立贵溪市卫星广播电视转星调整工作领导小组,召开全市卫星广播电视转星调整工作动员大会,市政府办下发贵溪市卫星广播电视转星调整工作实施方案。全市28个乡(镇)、场、街办全都成立本单位的转星工作领导小组,制定本单位卫星广播电视转星调整工作实施方案和转星工作倒计时安排表。成立市、乡两级31支技术服务组。全市共印发、张贴、进村入户的各类转星传单和转星技术要点等宣传材料60000份,转星公告在市电视台每天循环播放8次,并在贵溪报和贵溪政府网站上登载,市文广电局技术股和各责任单位均公布24小时热线服务电话。同时各乡(镇)、场、街办还组织工作组,进村入户宣讲动员。

针对全市农村零散用户的卫星接收天线的锅面直径大多为120公分这一特点,技术人员总结出天线调校"三个一公分"的操作顺口溜,在全市推广,即"升降杆下压一公分,锅面南转一公分,高频头逆时针旋转一公分"。为克服高温酷暑的恶劣天气,很多自然村因地制宜,推行"白天集中调校接收机,早晨和傍晚集中调校天线"的做法,既减轻工作难度,又加快调转速度。8月10日前,完成城区内所有系统内外的卫星地面接收设施调转工作。8月全面启动农村卫星地面接收设施调转工作,9月20日,全面完成转星调整任务。

此次转星调整工作,共完成辖区内电视台1个、企业电视台(站)3个、农村有线电视集体小前端(含村村通)53个、农村百姓"村锅"用户12395户的卫星地面接收设施的转星调整工作。国家广电总局为市文化广播电视局副局长李峰记二等功。

2008年,为保证国家重大活动、重大节日、政治敏感等阶段的广电安全播出,严防和杜绝"法轮功"及其他干扰和破坏广播电视设施行为的发生,按照"横边纵底,不留死角,万无一失"的工作要求,进一步完善安全播出管理制度和应急预案,对重点区域地段、连接点,实行定人定岗,蹲点控制,责任到人。

2008年全市乡(镇、场、街道办)文化广播电视站一览

表27－2　　单位:人

名　　称	性　　质	编制数
罗河镇文化广播电视站	事业单位	3
彭湾乡文化广播电视站	事业单位	2
雷溪乡文化广播电视站	事业单位	2
金屯镇文化广播电视站	事业单位	2
塘湾镇文化广播电视站	事业单位	3
耳口乡文化广播电视站	事业单位	2
冷水镇文化广播电视站	事业单位	2
文坊镇文化广播电视站	事业单位	2

续表 27－2

名　称	性　质	编制数
樟坪畲族乡文化广播电视站	事业单位	2
余家乡文化广播电视站	事业单位	2
滨江乡文化广播电视站	事业单位	3
泗沥镇文化广播电视站	事业单位	3
河潭镇文化广播电视站	事业单位	3
白田乡文化广播电视站	事业单位	2
周坊镇文化广播电视站	事业单位	3
鸿塘镇文化广播电视站	事业单位	3
志光镇文化广播电视站	事业单位	3
流口镇文化广播电视站	事业单位	2
双圳林场文化广播电视站	—	兼职 1 人
耳口林场文化广播电视站	—	兼职 1 人
冷水林场文化广播电视站	—	兼职 1 人
西窑林场文化广播电视站	—	兼职 1 人
三县岭林场文化广播电视站	—	兼职 1 人
塔桥园艺场文化广播电视站	—	兼职 1 人
河潭垦殖场文化广播电视站	—	兼职 1 人
花园街道办事处文化广播电视站	—	兼职 1 人
东门街道办事处文化广播电视站	—	兼职 1 人

第二章　群众文化

第一节　文化网点

市文化馆

市文化馆，全额拨款事业单位，编制 11 人。4 层办公用房面积 2854 平方米，文物库房面积 140 平方米。

1992 年，市文化馆被省文化厅定为“一级文化馆”。1994 年，被国家文化部授予“标准文化馆”称号。2008 年 5 月 19 日，文化部命名市文化馆为“二级文化馆”。

乡镇文化广播电视站

1991 年至 2002 年 10 月，全市各乡镇（场）均设有乡镇文化站、乡镇广播电视站。2002 年 11 月机构改革，市文化局和市广播电视局合并，乡镇文化站和乡镇广播电视站相应合并，名称改为乡镇文化广播电视站，事业单位，人员 1～3 人。2003 年 8 月，市文化广播电视局作为主管部门将所属文化与广播电视站人员成建制划转、移交到乡（镇街道），乡镇文化广播电视站归口乡镇管理，为乡镇直属事业单位。

至 2008 年，全市共有 27 个文化广播电视站。其中，18 个乡镇文化广播电视站，7 个林场（垦殖场、园艺场）文化广播电视站，2 个街道办文化广播电视站。

2008 年，贵溪市开展“新增中央投资文化站项目建设”。12 月 12 日，贵溪市发展和改革局下发《关于下达我市乡镇综合文化站建设项目2008年四季度新增中央预算内投资计划和实物工作量的通知》下达2008年四季度中央预算内投资资金36万元,专项用于:新建白田乡综合文化站,建设规模500平方米,总投资金35万元;新建流口镇综合文化站,建设规模380平方米,总投资27万元;新建鸿塘镇综合文化站,建设规模400平方米,总投资28万元。同日,市发展和改革局下发《关于下达2008年我市农村文化设施建设项目省基建投资的通知》下达2008年省基建投资资金8万元,专项用于新建白田乡综合文化站。

同年,市文化广播电视局下发《关于成立中央新增投资文化站项目建设领导小组的通知》以加强中央新增投资文化站项目建设工作的领导,协调、督促、指导新增中央投资文化站项目建设。

市艺术团

1997年,经市政府同意,市艺术团成立,副科级差额拨款事业单位,编制20名。2006年,市艺术团降为股级差额拨款事业单位。艺术团演出节目以自己创作编排的歌舞、相声、小品为主。建团以来,参加许多重大赛事、大型晚会、慰问活动、文化进社区、送戏下乡演出,每年送戏下乡达150场左右,活跃贵溪城乡文化。

1999年9月,艺术团参加演出的《马灯舞》,荣获全国第六届少数民族运动会表演项目三等奖;2000年,获"全国少数民族艺术节"演出二等奖,同台演出的《交恋声声》(自编歌舞)获三等奖。1999年,艺术团青年演员苏峥在江西省广播电视歌曲大赛中获通俗唱法一等奖。2002年市艺术团表演的舞蹈《山里山外》,获全省"七一"文艺调演一等奖,舞蹈《天师茶歌》《畲女恋山》分别获全省林业系统文艺调演二、三等奖。2004年3月,艺术团青年演员宋瑜在"新鹰潭新女性"形象大赛中,荣获青年组冠军,同时评为鹰潭"二十佳"礼仪小姐。2005年10月,艺术团青年演员宋瑜、苏配参演的的歌伴舞《情深山水间》《畲家的祸福》,在第三届江西艺术节暨第六届江西音舞节中,分别获得一等奖、二等奖。2006年4月,艺术团青年演员黄新创作的歌曲《放飞小白鸽》,在全省"歌唱创新创业新江西"《金色童年》少儿歌曲征集评选中,荣获创作奖。2007年7月,艺术团青年演员黄新荣获国家文化部主办的第三届全国才艺大赛声乐类民族唱法专业组金奖。在鹰潭市组织的文艺调演、重大赛事、重大演出中,艺术团多名演员被评过优秀演员、最佳演员。

业余文艺团体

20世纪80年代,罗河赣剧团兴起。该剧团常年活跃在农村,深受农村群众欢迎。

该剧团有群众喜闻乐见的传统剧目多本,10多年常演不衰。剧团根据群众欣赏要求,对传统剧目进行改编、嫁接、改造,不断赋予新的时代内涵。如对群众所喜欢的《拆院墙》,进一步完善剧情,增强故事性和吸引力,为群众所喜爱。《拆院墙》在2007年全省第二届农民艺术展演中,荣获三等奖。

2007—2008年,该剧团加大投资,对道具、服装、音响、灯光等设备进行更新改造,使艺术表现手段更加丰富。同时,还不惜花费重金,先后选送多名基础较好的演员苗子到省内外表演团体、艺校学习、进修深造。

贵溪民间文艺团体众多,数量难以准确统计。主要有:贵溪冶炼厂、贵溪农行大型业余铜管乐队、江西铜业公司艺术团、贵溪冶炼厂"威风锣鼓"表演队、第四冶金建设公司民间艺术团、贵溪市市民间铜管乐队、红土地艺术团、夕阳红艺术团、红歌艺术团、百花戏剧艺术团、铜城风采艺术团、开心葫芦丝乐团、滨江铜都金鼓文艺艺术团、志光石鼓赣剧团、贵溪爱乐民乐社、小舞鞋艺术中心、贵溪老年红歌队、塘湾特色文艺队、滨江铜都腰鼓队、新田老年协会腰鼓红歌队、罗河屈碧女子腰鼓队、象山腰鼓队、樟坪畲族龙灯队,等等。他们利用业余时间,在各自社区演出,以自娱自乐为主,活跃了贵溪的文化生活,得到了城市乡村的广大群众的认可与喜爱。

第二节　文化活动

艺术节

1999年9月24—29日，市首届艺术节隆重举行。

9月24日上午，庆祝中华人民共和国成立50周年暨首届艺术节开幕式在市二中体育运动场隆重举行。铜管乐队、彩旗队、花环队、腰鼓队、秧歌队、龙灯、狮子灯等16支代表队进行表演活动，展示各条战线的风采。开幕式后，铜管乐队、彩旗队、花环队、腰鼓队、秧歌队、龙灯、狮子灯等16支代表队，沿着雄石大道游行表演。

24日晚至27日晚，在市影剧院文艺调演并公演。来自全市部分中小学、16个乡镇、11个驻市企业以及老年体协的代表队参加。27日晚，从前三台晚会中精选出部分节目进行公演，贵电子弟学校表演《欢天锣鼓》，市建行代表队表演舞蹈《喜洋洋》，贵电代表队表演舞蹈《根》，贵化代表队表演《中国永远收获希望》等。市领导到场观摩，并为这次文艺调演获奖代表队颁奖。

29日晚，在市影剧院举行庆祝建国50周年暨市直单位歌咏比赛。经过激烈角逐，政府办、教委代表队获一等奖；市委办、公安局、经贸委、粮食局代表队获二等奖；法院、城建局、商业局、水电局、农业局、民政局、工行江铜办代表队获三等奖。

民间文艺大赛

2007年10月12日至11月16日，市首届民间文艺大赛隆重举行。

市文化广电局专门成立筹备领导小组，多方筹集资金10多万元。全市各乡镇、社区、驻市企业踊跃参加，计有28个集体队、34支文艺团队参赛，参赛节目达61个。整个活动分预赛、决赛两个阶段。比赛内容分成歌曲、舞蹈健身杂技、器乐、相声小品戏曲4类。主题晚会上邀请红歌会明星登台演出。大赛评选出“夕阳红”、“百姓红歌”、罗河赣剧和《拉丁风情》《拆院墙》《小兄弟》等获奖团队和节目。整个比赛设一、二、三等奖，优秀奖、鼓励奖。同时设组织奖，创作奖。大赛期间，特邀中共十七大代表施华山作专题报告。

重大演出

1991年4月，贵溪县文化馆在樟坪乡举办畲族民俗风情展。同年，《畲族马灯舞》在江西省音舞节上，获少数民族歌舞类二等奖；在闽浙赣3省畲族艺术节上，获二等奖；并赴福建宁德地区参加闽东畲族艺术节演出，中央电视台为此拍摄播出专题片。

1996年10月，市人民政府及其市文化局、市文化馆等部门，为庆祝撤县设市举办多项大型文艺活动，主要有：15日的文艺晚会，由省歌舞团演出；16日的庆祝游行活动，游行队伍由乐队、彩车队、花环队、彩旗队、高跷队、威风锣鼓队、腰鼓队组成，晚上举行焰火晚会和文艺演出。

1997年春节期间，贵溪市文化馆举办大型秧歌大赛，参赛演职员达到800余人。

1998年春节期间，贵溪市文化馆举办全市龙灯秧歌环城表演，演职员多达1000余人。组织乡镇、厂矿8支龙灯队300余人，到中央、省驻贵溪厂矿进行龙灯大拜年活动。

2002年，举办以“塑造江西人新形象”为主题的社区文艺调演，雄石、东门、花园街道办事处，中央、省驻市企业，市直单位、中小学等60多支代表队参加，参演节目100多个。

2003年4月12日，市委宣传部、市文联联合举办贵溪市首届“太平洋财保杯”少儿歌曲卡拉OK大赛。参赛选手186名。刘莎莎获特等奖，张紫依、周泉南、谢思楠分别获A、C、D组一等奖，俞昊南、王璇、赵兰获B组一等奖。

2004年8月，纪念邓小平诞辰100周年暨市二次文代会文艺晚会举行。12月9日，为纪念红军长征70周年，市委宣传部、市文联在贵电俱乐部联合举办“长征之歌”文艺晚会。

2005年9月23日，市文联音协、市有线电视台、云梦超市联合举办“云梦”杯青年歌手大奖赛。参赛选手70余人。经过紧张角逐朱琳获一等奖。9月30日、10月2日、10月5日，由市文联艺术团举办的国庆文艺晚会，在城南滨水绿地广场演出3场，并在晚会期间为四冶残疾小歌手刘莎莎募捐851元。

12月28日，由市人民政府主办，市文联承办的“走向辉煌—庆祝贵溪市2005年财政收入超10亿元文艺晚会”在电厂俱乐部举行。

2006年1月19日，市委宣传部、市文广电局等部门举办“魅力贵溪—工业园区之歌”文艺晚会，特邀香港影视巨星、金像奖影帝何家驹到场演出。10月26日，为庆祝贵溪建市10周年，市委宣传部、市文广电局等部门举办《魅力贵溪》大型文艺晚会，在电厂俱乐部隆重举行，著名歌唱家蒋大为、白雪到场演出。

2007年6月23日，由市委宣传部、市委组织部、市文联、市教育局、市直属机关工委、市文广电局联合举办的“浙信·风华”杯卡拉OK大赛在信江电影院举行，李琼瑶、张爱华、杨天、杨宁分别获城市组、乡镇组、少儿(中学)组、少儿(小学)组一等奖，共有38人获奖。8月1日，市文广电局局在擂鼓岭露天广场，举办“三个80周年”(建军、秋收起义、井冈山革命根据地)文艺晚会。11月，樟坪畲族乡马灯舞，参加第八届全国少数民族传统体育运动会，荣获表演项目金奖。

2008年1月7日，由市委宣传部、市文联主办的大型历史情景剧《井冈山》在贵溪电厂俱乐部上演。4月，中国畲族民歌节(“三月三”)在景宁畲族自治县举办，5省20多个县市100多个畲族民间歌手参加，樟坪畲乡队获全国10个畲乡歌王奖。12月31日由市委、市政府主办，市委宣传部、市文广电局、市文联举办的“鲜花盛开的土地，贵溪市纪念改革开放30周年暨迎新年大型文艺晚会，在贵溪发电厂俱乐部上演。

文化“三下乡”

从1996年底起，全市开展一年一度的文化“三下乡”活动(即送文化下乡、送科技下乡、送卫生下乡)。2004年，市文广电局被省委宣传部、省文化厅评为“送文化下乡先进集体”。从2005年11月起，开展了农村文化建设“三项活动”(即由政府买单，农民免费看戏、看电影和举办文体活动)。从2005年起，江西省人民政府设立农村文化建设“三项活动”专项资金，截至2008年，省财政下拨给贵溪市农村文化建设“三项活动”资金513.86万元。到2008年止，为全市农村购买舞台演出600多场(次)，为各乡镇(场)、中小学校送去免费电影12000多场(次)，各乡镇(场)组织开展文体活动400多场(次)，组织开展大型文艺活动50多场(次)，惠及群众50多万人，受惠率达99%以上。

每年的送戏下乡，省、市、县三级艺术团体演出群众喜闻乐见的节目，有中老年人喜爱的越剧、赣剧、黄梅剧，有青年人喜欢的相声小品、流行歌曲、音乐情景剧、现代舞蹈等，宣传新农村建设成果、计生政策、禁止赌博等。

每年的送电影下乡，有优秀的故事影片，并配以帮助农民科技致富的科教影片。2008年起，开始送高清晰画面的数字电影下乡。

各乡镇(场)自办文体活动各具特色，开展文艺演出、卡拉OK比赛、农村趣味运动会、书法美术及展览等形式多样的群众性文化活动。周坊镇作为苏区，组织了红歌比赛，红土地艺术团演出进村入寨，充分展现苏区红色文化特色。罗河镇作为贵溪市赣剧之乡，演出赣剧深受群众喜爱，2007年罗河镇被授予全省特色文化乡。樟枰的马灯舞、畲乡山歌更是彰显畲族传统的原生态文化特色。

农家书屋

从2008年起，江西省全面启动全省农家书屋工程建设。同年10月16日，市政府办下发《关于印发贵溪市“农家书屋”工程实施意见的通知》。市文化广播电视局制订农家书屋实施方案，按照“政府组织建设，鼓励社会捐助，农民自主管理，创新机制发展”的思路，在全市各乡镇18个行政村，开始组织实施建立农民自己管理的、能提供农民阅读视听条件的公益性文化服务设施的农家书屋。除统一配送1500余册图书外，还通过社会捐赠等各种渠道增加图书，基本达到每个农家书屋藏书1700册以上。图书种类涵盖农业科技、幼儿教育、卫生保健、政策法规、民风民俗、社交文艺等各个方面。做到书刊读物上架，制度上墙，责任到人，管理到位。“农家书屋”全部纳入乡镇文化站的统一领导与管理，并在文化站的领导下开展多读书、读好书的活动，丰富农民群众的精神文化生活。在“农家书屋”管理员的选用上，采取促进农村残疾人就业，鼓励残疾人参与“农家书屋”管理，经与市残联共同协商，聘用“农家书屋”所在乡镇村的18名残疾人为各“农家书屋”管理员。到2008年年底，所有图书全部到位，房屋落实，人员培训到位,18 个农家书屋建成投入使用。

2008 年全市农家书屋一览

表 27－3

乡镇名称	地点	书屋面积(平方米)	图书数量(册)
周坊镇	周坊村委会	30	1790
白田乡	姚家村杨家村小组	30	1790
志光镇	古城村委会	30	1790
鸿塘镇	傅家村委会	30	1790
泗沥镇	王湾村委会	30	1790
河潭镇	河潭村委会	30	1790
滨江乡	洪塘村新村	30	1790
流口镇	盛源村委会	20	1790
雷溪乡	雷溪村雷溪村小组	30	1790
罗河镇	黄墩村委会	30	1790
彭湾乡	彭湾村委会	30	1790
金屯镇	金屯村苏家村小组	25	1790
塘湾镇	上祝村委会	40	1790
流口镇	细叶村委会	30	1790
樟坪畲族乡	樟坪村小组	40	1790
冷水镇	麻地村委会	30	1790
耳口乡	耳口村委会	30	1790
余家乡	口上村委会	40	1790

第三节　电　影

放映网点

市信江电影院　1981 年动工兴建,总投资 40 万元,占地面积 12.5 亩,建筑面积 1950 平方米,1983 年竣工。此是按影院标准设计兴建的电影院。

随着文化产业多元化的发展,原先单一的的电影经营模式,已落后于时代文化发展的需要。1998 年起,信江电影院先后投资 100 万元,对影院进行升级改造,由过去的单一电影放映厅,改建成集电影放映厅、电子游戏厅、歌舞厅、保龄球馆、酒吧、网吧等于一体,形成多种文化娱乐服务齐头并进的格局。电影放映厅的木质座位,改换成沙发软座,配置了空调等设施。

信江电影院为自收自支事业单位,拥有专业技术人员 5 人,35 毫米放映机 2 台,立体电影放映设备及配套音响,观众座席 1190 个。至 2008 年,先后放映电影近 5 万场,接待过许多著名文艺团体的演出,以及贵溪许多重要会议的召开和晚会的举办。

市影剧院　1996 年,贵溪县影剧院更名为贵溪市影剧院,差额拨款事业单位,座落在市区灰荸弄口,占地面积 2300 平方米,其中,剧场面积 1650 平方米,后院家属区面积 650 平方米。内设三组一室:业务组、机务组、场务组、办公室。拥有高级政工师 1 人,中级政工师 1 人。

1990 年,市政府拨款 10 万元,将影剧院前厅二楼部分改为钢混结构的放映机房。同年,中影公司拨给 2 台 35 毫米放映电影座机及附属设备,价值 8 万元。改建后有座位 898 个,其中,一楼厅座 648 个,二楼座位 250 个。影剧院内有设备齐全的舞台、灯光、化妆室。

该院成立后，先后放映过国内外电影10万多场，接待过全国各类文艺团体演出，其中有中央歌舞剧院、上海民族乐团、南京杂技团、沈阳歌舞团和省内外的京剧、歌剧、赣剧、越剧、黄梅戏等文艺团体。全市重大会议和大型文化活动，大多在该院举行。

2003年，消防检查时，市影剧院被停业整顿。此后，仅靠店面出租创收。

非专业影剧院　市区范围内，贵溪冶炼厂、贵溪电厂、贵溪化肥厂、铜业公司技校等驻市企业，均建有集开会、放映电影、演戏为一体的综合性影剧院，只是名称各异。农村范围，塘湾、志光等乡镇，也建有综合性影剧院。

农村电影放映队

1991—1996年，全市农村电影放映队(含全民、集体、个人)85个，均获江西省文化厅发给的登记证。

1997—2001年，电影市场逐渐萎缩，城市电影观众逐年减少，农村观众也相应减少，多数放映单位逐渐解体，全市农村电影放映队降至34个。

2002—2004年，全市电影市场极度萎缩，农村电影放映队寥寥无几。

2008年，全市电影市场回暖，农村电影放映队升至23个，均为个体电影放映队。

影片发行

贵溪市电影发行放映公司(以下简称市电影公司)，自收自支事业单位，座落在市区雄石大道5号。

1991—1992年，市电影公司具有影片发行承办权，履行8.75毫米、16毫米两种规格影片的发行，由市电影公司统一排片，发至农村各电影放映队放映。市区电影院，由鹰潭市电影公司排片，放映35毫米规格影片。

1993年，随着改革的深入经济的转轨，市电影公司被停止影片发行承办权，没有发行收入，开始由计划排片转为自行购进影片，发至农村各电影放映队放映。

1994年，市电影公司对全市农村电影放映队实行承包经营，在农村流动放映。

1997—2001年，随着电视和录像的迅猛发展，全市电影市场逐年萎缩，市电影公司只在农村一些中小学放映电影。

2002—2004年，全市电影市场大幅度滑坡，市电影公司收入极少。

2005—2008年，随着全国电影发行放映机制改革，院线制的实施，购片享有自主选片权，而不是以前安排放什么就放什么电影，随着农村文化建设“三项活动”(即由政府买单，农民免费看戏、看电影和举办文体活动)的开展，送电影下乡，全市电影市场回暖，给滑坡的电影市场带来可喜的变化。2008年，市电影公司以2万元入股省院线公司。

1991—2008年市电影公司电影放映一览

表27－4　　　　单位:元

年份	场次	放映收入	年份	场次	放映收入
1991	9417	226639	2000	218	6128
1992	8901	197685	2001	200	4380
1993	2356	53224	2002	140	3052
1994	3312	78400	2003	120	2628
1995	5505	123976	2004	90	1962
1996	4906	127474	2005	1140	205200
1997	3601	104212	2006	1779	355800
1998	1671	43265	2007	3173	756580
1999	693	19783	2008	3123	811980

放映活动

1991—1992 年，市区电影院由鹰潭市电影公司排片放映。2 年共放映故事片、纪录片、科教片、译制片 200 多部。此后，随着电影市场的萎缩，市区电影院很少放映电影。

1991 年春节期间，市电影公司举办“电影放映竞赛月”活动，在全市农村各 16 毫米放映单位展开，做到村村有电影，场场有幻灯。对在竞赛月中超过规定限额的单位，给予免收片租、管理费的奖励；对在竞赛月中场次高、普及率高的单位和个人，另行奖励。3 月 25—29 日，全市隆重上映彩色故事片《焦裕禄》。3 月中旬至 4 月中旬，在全市农村开展第一届“农林科教电影汇映”活动，放映场次 572 场，观众人数达 30 多万人次。9 月 15—12 月，在全市农村开展第二届“农林科教电影汇映”活动，放映的农林科教片共有 55 部，同时选排一定数量的故事片配合上映。

1997 年，在全市农村中小学校开展爱国主义教育影片放映活动，面向农村中小学校，放映科教影片和爱国主义教育影片。市电影公司组织放映《鸦片战争》《地下尖兵》《扑不灭的火焰》《洪湖赤卫队》等爱国主义教育影片。

2005—2008 年，市电影公司得到江西省财政下拨的 21 万元、35 万元、75 万元和 81 万元专项补助资金，用于开展文化“三项活动”，送电影下乡。市电影公司按照“企业经营，市场运作，政府购买，群众受惠”的原则，围绕实现一村一月放映一场电影的公益目标，购买科教、政治、军事、爱国主义教育等各类优秀影片，组织全市农村 23 个电影放映队，分别在全市 20 多个乡镇(场)和中、小学校放映。各放映员常年活跃在乡村，肩挑背扛放映设备，为村民放映。2006 年，2 位农村放映员被省文化厅评为“送电影下乡优秀农村放映员”。2007 年，市电影公司被省文化厅评为“送电影下乡先进集体”。4 年中，乡镇行政村公益电影流动放映 6389 场，中、小学校爱国主义教育公益电影流动放映 2400 场，林场垦殖场公益电影流动放映 426 场，总计放映 9215 场，观众达 234 万人次。

2008 年，市电影公司启动全市农村由胶片机电影放映升为数字机电影放映工程。与江西省院线数字电影有限公司合作，引进高清晰的数字电影放映机，从 8 月 1 日起，开展城镇公益性数字电影放映，每周五、六定期在市区时代广场、桥东公园等社区广场放映数字电影，到年底共放映电影 20 多场，丰富城镇社区群众的业余文化生活。同年，省资助资金 32.93 万元，给市电影公司配发 9 台国内最先进高清晰数码电影放映机，市电影公司购买 81 部各类优秀影片，农村电影放映队携带数字放映机在农村巡回放映。

第四节　图　书

图书发行

图书发行主要由市新华书店发行。1998 年，该店在市中心广场兴建一栋综合大楼，营业厅面积 600 平方米，1999 年竣工使用。

1991 年，市新华书店图书销售册书 322.5 万册，营业额 258 万元。2000 年，市新华书店图书销售册书 290.08 万册，营业额 125.3 万元。

1991 年，全市图书人均销售 6.44 册，人均销售金额 5.15 元。2000 年，贵溪市全市图书人均销售金额 20.89 元。

图书馆藏

市图书馆于 1988 年与文化馆正式分开，单独建立机构，隶属于文化局，属于全额拨款事业单位，但仍与文化馆合楼办公，在一楼设有外借室、阅览室、书库、办公室，总面积 730 余平方米，读者座席 30 人，在编人员 9 人。

1992 年 9 月 30 日，新图书馆在雄石东路破土动工，1995 年 8 月竣工，建筑面积 2537 平方米，总造价 198.6 万元。国家文化部常务副部长高占祥为图书馆题写贵溪县图书馆馆标。图书馆内设有外借室、阅览室、少儿借阅室、资料查阅室。

新馆落成后，社会各界人士向图书馆捐资达 7.4 万元，购置图书、书架、桌椅等。书架总长度 1151

米,阅览室座席达 240 个。1991—2008 年每年订阅报纸 20 多种,期刊 60～80 种,读者不断增加,藏书逐年增添。到 2008 年底总藏量 86926 册,其中图书 66735 册。馆藏图书按《中国图书馆分类》分 22 大类,编制分类目录,书目录两套。

1994 年图书馆由股级单位升格为副科级单位。1997 年起,3 万元购书经费列入财政预算,2008 年增加到 5 万元。

1996 年 10 月撤县设市,县图书馆改称为市图书馆。1998 年在全国评估定级考核中被文化部评定为二级图书馆。2006 年被评定三级图书馆。

2005 年,投资 12 万元,完成电子阅览建设工程,提高图书馆阅读档次。

2007 年,投资 3 万多元,建立"快借部",购置书架 12 组、图书 3500 册,装订杂志合订 400 多册。

2008 年,在全市掀起读书热潮,营造良好的读书氛围。市图书馆加强队伍建设,加大资金投入,推陈出新,上半年,投资 1.8 万元进一步完善"快借部"建设,并根据各行业特点和读者需求,按照读者提前订阅所需书籍的种类和科目,向全国各大书店订购,从而大大满足广大读者需求,吸引了大量的读书爱好者。

同年,市文化广播电视局积极向省财政争取图书馆维修项目改造资金,争取到位 100 万元,50 万元用于维修改造,50 万元设备列支款。市图书馆维修改造工程于 2008 年 12 月 1 日起动工,并成立市文化广播电视局图书馆维修改造工程领导小组。

贵溪一中、贵溪冶炼厂、贵溪电厂、贵溪铜业技校等单位的图书馆,均是图书馆建制。

1991—2008 年市图书馆藏书一览

表 27－5

年份	购书经费(元)	当代书(册)	古籍书(册)	杂志(种)	报刊(种)	总计(册)
1991	5000	33370	2600	10	20	36000
1992	1000	33370	2600	10	20	36000
1993	1000	33370	2600	10	20	36000
1994	1000	33370	2600	10	20	36000
1995	4000	42970	2600	10	20	45600
1996	3000	43720	2600	20	60	46400
1997	30000	50255	2600	20	60	52935
1998	30000	56790	2600	20	60	59470
1999	30000	61652	2600	20	60	64332
2000	30000	64514	2600	20	60	67194
2001	30000	67576	2600	20	60	70256
2002	30000	70637	2600	20	60	73317
2003	30000	73432	2600	20	60	76112
2004	30000	75263	2600	20	60	77943
2005	30000	77055	2600	20	60	79735
2006	30000	79023	2600	20	60	81703
2007	30000	82118	2600	20	60	84798
2008	50000	84246	2600	20	60	86926

图书借阅

市图书馆的图书借阅有室内阅览、图书外借两种方式。室内阅览和图书外借,开放时间为每星期二、三、四、六、日全天和星期五下午。外借方式有个人外借、集体外借、馆际互借、预约外借4种。为提高图书借阅率,市图书馆人员每年到各机关、企事业单位、个体、商场上门办借书证。发放借书证,历年高低不一,最高年1998年,发放借书证2900个,接待读者41400人次。2008年,发借书证221个,接待读者10560人次。

1991—2008年市图书馆借阅一览

表27-6

年份	发放借书证(个)	接待读者(人次)	图书外借(册次)
1991	96	6100	4510
1992	102	5800	3200
1993	110	6500	2400
1994	105	6300	2100
1995	1060	10800	7400
1996	1400	10900	7600
1997	1300	25780	19670
1998	2900	41400	30800
1999	2700	32150	20100
2000	2300	29500	20600
2001	1405	26890	23460
2002	1014	15700	6250
2003	1040	15600	6300
2004	300	32000	23400
2005	290	21910	25040
2006	220	28580	21500
2007	230	10950	14600
2008	221	10560	15840

图书利用

1991年以来,图书馆除开展正常图书借阅外,每年"六一"、"七一"、"十一"以及寒暑假等,举办少儿读书征文、英语培训、书法培训和爱国主义读书教育活动。为了开发青少年智力,2007年开展少儿科普教育展览—"稀有珍贵动物"标本和"航天模型"300多种,参观人员3000多人次。2008年为纪念建党86周年、建军80周年、秋收起义和井冈山革命根据地创建80周年,迎接中共十七大召开,购置图书210册,开设"爱我中华、爱岗敬业"为主题教育图书专柜,开展"和谐贵溪、美好家园"读书征文活动。同年,为丰富少儿课外知识,开展少儿课外书法、英语知识趣味培训班,并在"六一"儿童节期间,举办"活体稀有珍贵动物展览",接待儿童3000多人次。

送书下乡。主要送到乡镇文化站图书室。1991—2008年,送书下乡达2万册次。2008年向白田、流口、罗河等乡(镇)新农村建设试点以及农家书屋捐赠图书4200余册。

文化信息资源共享工程

全国文化信息资源共享工程,就是充分利用现代高新技术手段,将中华民族几千年来积淀的各种类型的文化信息资源精华以及贴近大众生活的现代社会文化信息资源,进行数字化加工处理与整合;建成互联网上的中华文化信息中心和网络中心,并通过覆盖全国所有省、自治区、直辖市和大部分地(市)、县(市)以及部分乡镇、街道(社区)的文化信息资源网络传输系统,实现优秀文化信息在全国范围内的共建共享。

2004年1月22日,贵溪市文化广播电视局、贵溪市财政局下发《关于印发〈贵溪市文化信息资源共享工程实施方案〉的通知》,成立贵溪市"共享工程"领导小组,建立贵溪市"共享工程"专项资金,开始实施贵溪市"全国文化信息资源共享"工程。

同年,市图书馆首批购置电脑23台,成立全国文化信息资源共享工程贵溪市县级支中心,建立县级支中心局域网工作站,资源发布和多媒体点播专用服务器,和卫星传输网。并于10月20日与省分中心签订县级支中心试点工作实施协议。

2007年,向上级争取到文化信息资源共享工程专项资金34万元,继续完善全国文化信息资源共享工程,完成互联网建设。同年1－6月,先后派出2批专业人员,参加全省公共图书信息资源共享工程学习班,并投资1万元,完善电子阅览室。

2008年,市图书馆积极主动向上级争取到全省"文化信息资源共享工程试点县",争取到扶持资金68万元,开展全市科普知识整合、资源共享和农业技术开发等工程建设,并同省、市联动,充分发挥基层信息中心职能作用,推动公益性文化事业建设。

第三章　文艺创作

第一节　机　构

1986年3月,县文学艺术界联合会成立,正科级单位,4个事业编制。1990年12月创办《龙虎山》文艺报,内设《龙虎山》文艺报编辑部。2004年《龙虎山》文艺报改为《象山》文艺杂志,内设《象山》文艺杂志编辑部。

1996年贵溪撤县设市,县文学艺术界联合会更名为市文学艺术界联合会(以下简称市文联)。1986年3月,县文学艺术界联合会第一次代表大会召开。1990年1月县文学艺术界联合会第二次代表大会召开。

1998年5月29日,市文学艺术界联合会第一次代表大会召开,出席会议的代表160人。选举产生贵溪市第一届文联委员会及名誉主席、主席、副主席、秘书长、委员25人,同时选举产生市文联下属的文学、诗社、美术、书法、摄影、音乐舞蹈戏剧等6个协会理事会。

2004年8月12日,市文学艺术界联合会第二届代表大会召开,出席会议的代表280人。大会修改文联章程,选举产生贵溪市第二届文联委员会及名誉主席、主席、副主席、秘书长、委员49人。江西省文联主席陈世旭到会祝贺。

第二节　队　伍

1991年前,市文联直属文艺团体组织有3个协会,分别是文学工作者协会、书法美术摄影工作者协会、音乐舞蹈戏剧工作者协会。1998年,市文联直属文艺团体组织发展到6个协会,分别是文学、诗社、美术、书法、摄影、音乐舞蹈戏剧协会。是年,全市各类协会会员发展到357名,其中,省级会员43名,市(地)级会员102名,县(市)级会员326名。

从2003年开始,市文联在作家、书法、曲艺、音舞等10多个协会组织中,成立中共临时党支部,把支部建在协会里。党支部的建立,在协会中发挥着重要作用,增加协会的凝集力和战斗力。这一做法,在全国尚属首次。2003年9月12日《鹰潭日报》头版,2004年3月12日《江西日报》二版头条《贵溪文联把党支部建在协会里》,作专题报道。

中国文联党组也充分肯定这一做法,2004 年 12 月 31 日,中国文联机关报《中国艺术报》、中国文联网站全面报道这一做法,并向全国推广。

2005 年 7 月 12 日,塘湾镇文联成立,下属有书画协会、音乐舞蹈协会、体育协会等 3 个协会,会员达 60 人,其中,省级会员达 7 人。这是全省第一个乡镇文联组织。2006 年 5 月 26 日,罗河镇成立贵溪市书法家协会罗河分会。

全市文艺团体组织迅速发展,百花戏剧团、南方“手拉手”艺术团、天空电声乐队和文联新视野创作室等社会基层文艺团体组织,相继出现,活跃在社会的各个层面。

截至 2008 年,贵溪市文联直属文艺团体组织发展到 12 个协会(学会、团、镇文联),分别是作家协会、书法家协会、美术家协会、摄影家协会、音乐舞蹈戏剧家协会、诗词楹联学会、曲艺家协会、老摄影家协会、散文学会、文联演艺中心协会、文联合唱团、塘湾镇文联。

截至 2008 年,全市共有各类协会会员 1200 多名,其中,国家级会员 8 名,省级会员 107 名,市级会员 230 名,县(市)级会员 1200 多名。

2008 年市文联下属文艺团体一览

表 27－7　　单位:人

单位	成立时间	曾用名称	会员总数	国家级会员	省级会员
作家协会	1986 年 3 月	文学工作者协会	98	—	8
书法家协会	1986 年 3 月	书法美术摄影工作者协会、书法工作者协会	127	3	35
美术家协会	1986 年 3 月	书法美术摄影工作者协会、美术工作者协会	47	2	8
摄影家协会	1986 年 3 月	书法美术摄影工作者协会、摄影工作者协会	118	4	20
音乐舞蹈戏剧家协会	1986 年 3 月	音乐舞蹈戏剧工作者协会	150	—	3
诗词楹联学会	1991 年 3 月	贵溪诗社	85	2	17
曲艺家协会	2003 年 3 月	—	115	—	5
老摄影家协会	2003 年 3 月	—	75	—	7
散文学会	2007 年 11 月	—	35	—	7
文联演艺中心协会	2004 年 4 月	—	85	—	17
文联合唱团	2004 年 5 月	—	120		
塘湾镇文联	2005 年 7 月	—	60	—	7

第三节　创作活动与获奖

文学创作

市作家协会组织重点作者到内蒙古赤峰、湖南吉首土家族自治州采风,到云南西双版纳、广西南宁以及香港参加文学创作笔会。组织作者在本市硬石岭水库、塔桥园艺场、樟坪乡等地采风和举办创作笔会。

小说　1991 年 9 月,叶东生短篇小说《映山湖》出版。

1995 年 6 月,江西铜业公司女作者张琢贞创作的 40 万字长篇笔记小说《尘世的夏娃》,由中国文联出版社出版发行,该书荣获江西省“第三届谷雨文学奖”。

2000 年 5 月,静岚(市林业局退休干部蔡青山)的长篇自传小说《酸甜苦辣》,由中国文联出版社出版发行。

2003 年 12 月,江群的小小说《奇花异草》和《还债》入选“2003 年度最佳小小说”。

2004 年 7 月,教师陈景余的长篇小说《山乡岚烟》,由中国文联出版社出版发行。

2006 年 3 月,熊少达的长篇传奇故事《虚靖天师传》,由中国文联出版社出版发行。

2007 年 6 月,周坊镇农民作家郑长林的长篇小说《八十年代后遗症》,由作家出版社出版发行。

2008 年 7 月,教师陈景余的长篇小说《山乡风水》,由中国文联出版社出版发行。

纪实文学　马平的长篇纪实文学《后明治维新》出版发行。

2007 年 8 月,毛朋(董海胜)创作的长篇纪实文学《打拐英雄传》出版发行。

2008 年 1 月,童金生的长篇传记《汪群传》,由中共党史出版社出版发行。此是贵溪市首部记述革命烈士的专著。

2008 年 5 月,由贵溪散文学会与贵溪市供电公司合编的抗击冰灾纪实文学《高天滚滚》出版。

散文　1998 年 2 月,黄玉生的散文作品集《残景》,由中华工商联合出版社出版发行。5 月,于升书的散文作品《工棚听雨》参加“人民日报文艺部、人民日报《大地》月刊社”组织的“开拓者的足迹”征文活动,被收入征文优秀作品集。

2001 年 6 月,李寅生的散文作品集《自言自语》,由作家出版社出版发行。

2002 年 8 月,童金生的散文作品集《留言》,由中国文联出版社出版发行。

11 月,常年华的散文作品集《天葬》,由中国文联出版社出版发行。

2004 年 3 月,李伏虎的散文等多种体裁作品集《那山那水》,由中国文联出版社出版发行。

11 月,应先林的散文作品集《六心说》,由中国文联出版社出版发行。

3 月,彭建中的散文等多种体裁作品集《彭建中作品集》,由中国文联出版社出版发行。

3 月,于立的散文等多种体裁作品集《文苑猎奇》,由中国文联出版社出版发行。

6 月,常年华的散文作品集《山谷的风》,由作家出版社出版发行。

10 月,叶航的散文等多种体裁作品集《岁月有痕》,由中国文联出版社出版发行。

8 月,张淑玲的散文作品集《碎叶集》,由作家出版社出版。

2008 年 11 月,周样哉的散文等多种体裁作品集《红蓝黄绿》,由大睿出版社出版发行。

杨艳青的散文作品集《青青月色》出版发行。

民间故事　1991 年,陈贵兴在国家艺术科学重点研究项目中国民间文学集成的编纂工作中成绩突出,被全国艺术科学规划领导小组、中国民间文艺家协会、中国民间文学集成全国编辑委员会评为先进工作者。

河潭镇丰田村胡家村小组 70 多岁的农民作家胡禄明,撰写的两部长篇民间故事《空中空谈》《乾隆皇帝在江西》,总字数 40 多万字,2004 年 8 月,由作家出版社正式出版发行。1996 年,迫于生计,胡录明和老伴在河潭镇上租间店面干起捡破烂、收破烂的行当。从当起,胡禄明就开始他白天拾破烂晚上写长篇民间故事的生活。2004 年 3 月,胡禄明抱着试试看的心情,提着一蛇皮袋书稿找到市文联。市文联主席彭建中当即表态,只要书稿质量过关,不用上北京,文联就可帮助胡禄明完成心愿。接下来的进展完全出乎胡禄明的意料。打印、润笔、校样、联系出版社、筹集出版费用,贵溪市文联、河潭镇党委政府成主角。7 月,书的样稿就转到胡禄明手中。8 月,2 本长篇民间故事正式面世。

2003 年,陈贵兴的《孔明死后斗败司马懿》《钟馗拜母》《鬼谷子烧相书》《人心不足蛇吞相》,熊少达的《龙虎山的传说》和《莲花石的传说》入选《中国民间故事集成·江西卷》刊登。

诗词　市诗词楹联学会(前身贵溪诗社)自 1991 年成立以来,连续 18 年坚持一年一度举办“谷雨”“重阳”诗会。主要诗会有:和鹰潭诗社联办“贵溪电厂 1995 年重阳诗会”;在捕鼠器械厂举办“丙子端午金猫诗会”;和四中、二中举办“1996 年菊花诗会”“1997 年重阳诗会”;2003 年 4 月 20 日,市文联、诗社在市一中举行"谷雨诗会";2006 年 4 月 21 日鹰潭市文联、贵溪市文联、贵溪诗社联合主办的"2006 年谷雨诗会"在市福利院举行;2007 年 4 月 20 日,市文联、市诗词楹联学会、罗河二中联合举办的"2007 年谷雨诗会"在罗河二中举行;2008 年 4 月 20 日,"迎奥运·兴贵溪"2008 年谷雨诗会在红谷滩大酒店举行。

贵溪诗社 1991 年至 2005 年,主办的刊物《贵溪诗词》,出刊 11 期。2006 年起改名为《铜都之风》出刊三期,刊载会员诗词联及有关诗词文章计 4845 件。

青年会员宋斌写的歌词《关于南方》,由作曲家沈梦骏作曲,2003 年被山西省人民广播电台安排为"每周一歌",还获过厦门人民广播电视台作品入选奖。

同年,中共景德镇市委、市政府举办庆祝景德镇千年华诞《世界华人咏瓷都诗词联大赛》,贵溪 8 人参赛 8 人获奖。二等奖于立,三等奖刘泉生、陈贵兴、邱荣生、周吉,优秀奖宋斌、毕雨咸、鲍启唐。

同年,由中华诗词学会、江西诗词学会、龙虎山风景区等 6 个单位联合举办《龙虎山·国际诗词联大赛》,市有 4 位会员获奖,陈贵兴获二等奖,农民作者(会员)祝旺发获三等奖,刘泉生、毕雨咸、魏华良、滕万良等 4 人获优秀奖。

截至 2008 年,市诗词楹联学会会员个人出专集计 21 部,共计收集诗词曲联 13899 件。获过各种奖励的会员有 20 多人。1992 年,陈贵兴的诗集《山花似火》出版发行,选民歌 172 首。

1998 年,农民诗人张双茂的诗集《乡土心歌》出版发行,选诗词 152 首。廖志中的诗集《廖志中诗词稿》出版发行,选诗词 317 首。1999 年,农民诗人张双茂的诗集《乡村短笛》出版发行,选诗词 152 首。2000 年,刘泉生的诗集《老骥新声》出版发行,选诗 141 首。2001 年,闵志坚的诗集《碧源春韵》出版发行,选诗词 409 首。陈贵兴的诗集《河丰吟草》(1－4 卷)出版发行,选诗词联 1200 首。汪桐林的诗集《静斋索句》出版发行,选诗词 274 首。黄宏三的诗集《长河鸣奏》出版发行,选诗词联曲 229 首。2002 年,农民诗人张双茂的诗集《乡情新曲》出版发行,选诗词 261 首。周吉的诗集《周吉诗书画集》出版发行,选诗词 300 首。于立的诗 5 首词 2 阙赋 1 首入选《当代中国婚寿庆典诗词联集萃》(中国广播电视出版社出版)刊登。2003 年 8 月,鲍启唐的诗集《时代潮声》出版发行,选诗 370 首。邱荣生的诗集《细雨无声》出版发行,选诗 300 首。2004 年 2 月,于立的新诗 2 首、诗 4 首、词 2 阙、散文 2 篇入选《中国当代作家诗人随笔大观》(作家出版社出版)刊登。2005 年,陈贵兴的诗集《河丰吟草》(5－8 卷)出版发行,选诗词联曲 1500 件。2005 年,陈贵兴的诗《龙虎山吟》获"龙虎山·国际诗词联大赛"二等奖,农民祝旺发的长排诗《龙虎山吟》获三等奖。刘树堂、汤双凤的诗集《心愿》出版发行,选诗 300 件。2006 年,滕万良的诗集《文心楼存稿》三册,由金陵书社出版公司出版发行,选诗词联曲 7100 件;刘泉生的诗集《老骥新声》续集,由中国文联出版社出版发行,选诗 232 首。汤双凤的诗作品入选《当代百家旅游诗词精选》,并被北京世纪滔诗书画研究所组委会、北京龙腾图书编著中心编委会、《当代百家旅游诗词精选》评委会评为一等奖。熊念慈的诗集《念慈诗词稿》,由中国文联出版社出版发行,选诗词 208 首。于立的格言 3 则入选《中华名人格言》(中国文史出版社出版)刊登。2007 年 7 月,张志军的诗集《太阳雨》,由作家出版社出版发行。2008 年,于立的楹联作品入选《2008 年春节楹联大观》刊登,并被《2008 年春节楹联大观》编委会评为一等奖。

书法美术

汪辉油画作品《采石场》参加《全国第二届油画作品展览》,并被台湾一家博物馆以 1 万元收藏。油画《送郎当红军》省展并获奖。

邱林鹤、张炳贤书画作品多次入选《省老年书画展览》和有关展览。邱林鹤书画之家、王陵波剪纸、吴瑞琦根雕、祝伟民花鸟画,鹰潭、贵溪电视台作专题报道。

饶泽民书法作品参加《全国新人新作展览》和《江西省第四届书展》并获优秀奖。陈湘勇书法作品参加《湖北新人新作展》展出并发表,被吸收为湖北书协会员。《江西省第四届书展》全市 10 件作品入选,两件获"优秀奖"。《鹰潭市首届书法家作品展览》展出作品 92 件,全市 42 件入选展出。

1991 年,王陵波的剪纸《年年有余》获"江西省首届民间剪纸艺术精品展览"优秀奖。1994 年,5 幅剪纸作品入选"江西省第二届剪纸艺术大赛",其中,王陵波的剪纸《党是太阳我是花》获一等奖,吴瑞琦的剪纸《龙虎情》获三等奖。17件儿童画作品入选《江西省第四届少儿艺术节作品展览》,有5件作品获奖。1995年,王陵波的剪纸《恭贺新春》在《求是》杂志第三期发表。王陵波的剪纸《畲族马灯庆丰年》获江西省首届民间剪纸大赛二等奖。1997年,王陵波的剪纸《喜迎香港回归》入选"全国18省市国庆剪纸展览"并获三等奖。2003年1月28日,市文联与市书法家协会举办义务书写春联活动。7月8日,市文联组织美术家协会赴冷水耳口采风。2004年6月1日,美协李润泉编绘的漫画集《幽默集装箱》,由百花州文艺出版社出版。2005年2月4日,由市文联、市书协联合举办的义务书写春联活动在家家福酒店举行,这是文联连续第十年为市民书写春联。5月6日,国际美联主席、西安中国画研究院教授张文祥一行到贵溪市创作采风,与市书画家进行为期2天的学术交流。2006年1月7日,市书法家协会与市委统战部到樟坪民族村义务书写春联。市书协组织部分书法家在市中国银行、市国税局举行义务书写春联活动。8月,市书协会员凌云获全国楹联书画大赛银奖;市书协理事黄丽兰的书法作品获江西省"井岗山"杯书画作品展二等奖。2007年2月9日,市文联、市书协组织陈湘勇、潘有强等8名书法家赴新农村建设示范村文坊镇博爱新村义务书写春联活动,受到村民热情欢迎;5月23日,市漫画家李润泉的作品被《幽默大师》杂志选刊两个专栏。7月,市华墨轩书法培训中心学员参加江西省书法比赛,熊颖等6名获一等奖;宿文琦等11名获二等奖;王强等13名获三等奖。11月,市工艺美术师黄俊军创作的铜雕《舍利宝塔》在第八届中国工艺美术大师作品工艺美术精品博览会上获"百花杯"中国工艺美术精品奖银奖。2008年1月26日,市书法家协会赴樟坪畲族乡开展为村民义务书写春联活动;同月,市美术家协会秘书长李卫红等人赴雷溪三阳硐府等地写生、采风;市书法家协会理事黄剑先生的《硬笔书法楷书教程》由银河出版社出版。市书法家协会顾问张善锦、杨必如的作品集《书画篆刻剪纸》由中国文联出版社出版。画家李润泉《廉政格言警句系列漫画》获全国漫画大赛一等奖。

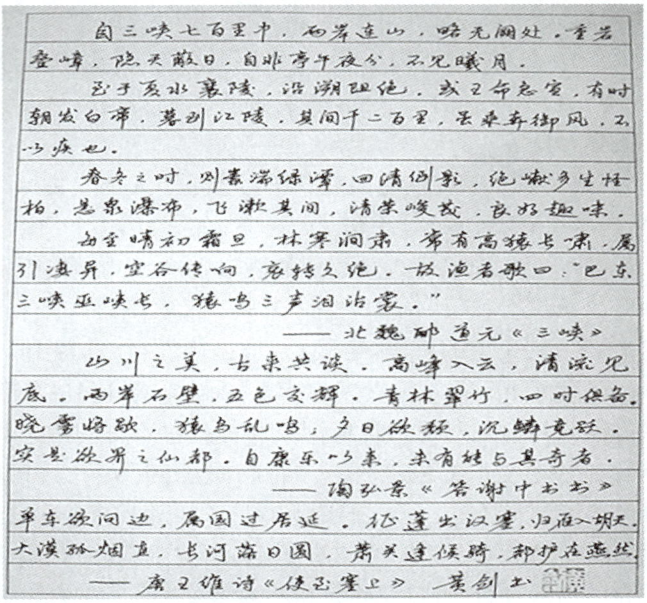

中国硬笔书法家协会会员黄剑作品

文联还编辑出版《书法美术摄影作品集》。书法家黄培泉、潘有强获全省书法临摹大赛三等奖,市8件书法作品入选参展,书法家陈湘勇、应萍分获全省《纪念改革开放30周年书法展》一、二等奖。

多年来,市文联先后举办邱林鹤书画之家书画作品展,吴瑞琦书画作品展,两次举办汪辉油画作品展,徐天茂、李卫红书画展,纪念毛泽东百年诞辰书画作品展,撤县设市书画盆景根雕作品展,和文化馆举办纪念抗日战争胜利五十周年图片、书法作品展,1996年迎新春书画展。利用沿河宣传窗举办"1997迎新春""庆五一""庆回归、迎十五大"书画展。还举办祝伟民国画、李润泉漫画、丁忠兵书画、吴瑞琦书画根雕作品展以及创建先进文化县(市)宣传活动。多次举办少儿美术班、考前美术培训班,为贵溪培养一批美术新秀,一批学子考上省、地以及全国重点美术院校。聂桂珍布贴画《绣》获江西省第二届民间艺术精品展览二等奖,并被授予民间工艺美术师称号。祝伟民国画、李润泉漫画分别举办展览。书法家协会连续12年在大街小巷义务为百姓书写对联。

摄影

朱英福的摄影作品《祈》获省8家联办1995江西《洪都晨曦——母亲、妻、姐妹、女儿》大赛金奖。舒承林、谭兴亚、刘永华、陆传和、雷小舟的摄影作品也多次在省市摄影展览和大赛中获奖。

刘永华摄影组照《岁月·年轮》获全国摄影"十杰"提名奖;《往事》获全国人像摄影大赛二等奖、《畲乡新貌》获省首届新村摄影大赛三等奖。李胜获中国摄影报"佳能竞苑"优秀奖,省第二届青年摄影展一等奖;何萍摄影作品两次在中央电视台《瞬间世界》栏目播出。2001年,闵新蒲的摄影作品《踏春》,在文化部与中国摄影家协会主办的“全国摄影爱好者摄影大赛”中获优秀奖;《争艳》在《摄影与摄像》杂志举办的全国花卉摄影大赛中获优秀奖。2005 年 10 月,由刘永华指导的摄影学生刘祺文、刘祺龙参加江西省第三届艺术节暨第八届少儿艺术节,其作品《看我像不像》《友情传递》《双龙会》包揽一、二、三等奖。11 月,市文联摄影协会主席刘永华摄影艺术展览暨摄影艺术画册首发式在图书馆举行。

1991 年以来,多次成功地举办《朱英福摄影作品展览》《谭兴亚摄影作品展览》《刘永华作品展览》《陆传和摄影作品展》《李胜摄影作品展》。协会还举办 1992 年《贵溪风情风光摄影作品展览》、《贺新年 1995 年摄影协会会员作品年展》。国税局、地税局联合举办《税务与文明摄影大赛展览》,和农办、贵溪报社联合举办《贵农杯》摄影大赛和展览;组织部分会员到桂林采风创作,并举办汇报展览。朱英福到俄罗斯、日本、西欧等地考察创作。

2001 年 10 月,部分会员参加中国摄影家协会在福建莆田举办的第五届中国摄影艺术节。在艺术节期间,鲁潮、张世美,彭文华、李胜、刘永华等举办个人作品展。2002 年,闵新蒲的摄影作品《夕阳伴牧归》,在中华全国总工会、中国文联、中央电视台、中国摄影家协会共同主办的“首届中国职工艺术节”获优秀奖;《风光情》在《摄影与摄像》杂志举办的全国风光中获优秀奖。2005 年,摄影作品《又大了一斤半》,在全国中老年书画摄影大赛中获优秀奖。

2002 年春节,举办会员新作展,展示 20 余名会员 80 余幅新作并刻录成光盘进行对外宣传,协会连续获省摄协组织工作先进奖。6 月,协会组织会员塘湾及文坊镇大型采风创作参加活动,创作的一大批优秀作品,在省内的多个影赛和“人像摄影”“中国摄影报”等多家全国性影展影赛中获奖。

2003 年,部分会员参加抗击“非典”摄影活动,并有部分作品在各媒体发表。2003 年 6 月,李胜参加中国摄影报“长白山”创作采风团。

2004 年 12 月 31 日,市文联、摄影家协会联合举办《陆传和摄影艺术展览》。

2005 年 6 月,摄影家协会在国税局二楼会议室举行会员代表大会和挂牌仪式,同时举办“新贵溪”摄影作品展览。“新贵溪”摄影作品在市政府大楼一楼大厅展出。

2006 年 6 月 6 日,为庆祝市第四次党的代表大会召开,市文联在信江电影院举办摄影作品展,展出作品 200 余件。

2007 年春节,举办会员作品展,在文联艺术窗展出 80 幅优秀作品。2007 年 5—7 月,组织部分会员到金溪民俗摄影创作和广昌荷花摄影创作活动,并同当地的摄影组织进行交流学习。7 月 12 日,市摄影家协会、新农村建设办公室、报社联合举办的“新农村建设摄影作品”比赛评选结束,凌小平的作品《喜看农村新面貌》获一等奖。11 月 28 日,市摄影家协会主席刘永华的“龙舟专题摄影作品展”在大桥底下橱窗展出。

2008 年 1 月 24 日,市摄影家协会组织部分会员赴樟坪、文坊采风。春节期间,刘永华、刘新建参加冰冻雨雪灾情摄影拍摄,为全市向省、中央上报灾情提供第一手资料。2 月 12 日,市摄影家协会会员作品展在桥底文艺长廊举行。3 月 9 日,摄影家协会主席刘永华等一行到塔桥采风。28 日,在市人大、政协会议期间,市文联、市摄影家协会举办“春天的故事”摄影作品展览,分别在信江电影院、电厂俱乐部、广场展出。6 月 12 日,由市文联、市老摄影家协会主办的“盛世和谐新贵溪”摄影作品展在图书馆展出。9 月 2 日,市摄影协会副主席李胜被中国摄影家协会吸收为会员,成为继朱英福、刘永华之后第三位中国摄影家协会会员。9 月 7 日,摄影家协会主席刘永华个人作品展在大桥底下展出。11 月,部分会员赴婺源摄影采风创作,并有作品在《中国摄影报》上发表。12 月,参加主办改革开放 30 年大型摄影作品展,共展出作品 80 幅。

音乐舞蹈戏剧

1993 年,龙伟演唱的《我们是祖国的小太阳》,被中央人民广播电台播放。

1994 年 7 月,秦清安(秦一兵)搜集整理编导的龙虎山道教舞蹈和樟坪畲族马灯舞两个项目,获搜集整理编导国家重点艺术科研项目《中国民族民间舞蹈集成·江西卷》成果奖。1995 年,秦清安(秦一兵)入选《中国当代艺术界名人录》(第四卷)。

1995 年协会编辑《贵溪美》歌曲集,共收集抒发人们热爱家乡建设家乡之情为主旋律的歌曲 26 首。

1996 年配合全市送文化下乡,协会编辑《创作节目选》,共收集反映三农题材的表演唱、快板、歌曲、小品、相声等小型节目 18 个。

1997 年 8 月,由秦清安(秦一兵)指导、祝街凤编舞、陈赣水编曲的少儿舞蹈《畲族娃》,获江西省第五届少儿艺术节创作和演出三等奖,秦清安、祝街凤、陈赣水分别获创作辅导奖。同年,江西电视台迎香港回归大型文艺晚会,龙伟演唱的创作歌曲《百年诺言》,成为晚会主题歌曲。

2001 年,龙伟创作的 15 首歌曲,被中国音乐网收入。2001 年 5 月,协会举办市创作编舞培训班,聘请南昌市舞协名家任教,20 名舞蹈骨干参加培训。10 月协会举办声乐培训班,聘请南昌市音协名家任教,30 名声乐爱好者参加培训。

2003 年 6 月 22 日,市文联组织 20 名小歌手,参加全省少儿歌曲卡拉 OK 大赛,夏壳、郭怡馨、毛玲、刘莎莎分别获 A、B、C、D 组二等奖,谢思楠等 6 人获三等奖。同年 10 月 25 日,陈林武、郑洪泉、张勋代表鹰潭曲协参加赣湘两省比赛,分别获创作奖、表演奖。

2004 年 6 月,文联选派 20 名小歌手参加全省少儿歌曲卡拉 OK 大赛,就有 12 人获奖,成为全省获奖人数最多的县(市),其中歌手刘莎莎被选送参加福建东南台的少儿音乐擂台打擂。10 月 10 日,市文联组织成人、少儿歌舞演唱专场,参加鹰潭市首届艺术节。市文联艺术团选送的歌伴舞《风采》获特等奖,双人舞《杨扇》、女声独唱《欢天喜地》、男声独唱《相聚的日子》获二等奖,舞蹈《傲雪争春》《大红绸子舞起来》获少儿节目组一等奖。2004 年 12 月,贵溪市文联应邀组织演艺团体代表省文联赴广昌县扶贫慰问演出。

2005 年 2 月,陈忠贵辅导的声乐类作品,获中日韩国际少儿艺术展示大赛全国总决赛优秀指导教师奖。4 月,钢琴演奏者刘徐芳获东方青少年钢琴大奖赛优秀表演奖。6 月 30 日,由贵溪市音乐舞蹈家协会理事汪文祥作词、陈忠贵作曲、贺燕演唱的《华山大哥你好吗》在鹰潭市先进性教育歌咏比赛中,获独唱第一名。2005—2007 年,龚红均被评为江西省音乐家协会年度音乐考级优秀教师。

2007 年 7 月,蒲杭艳在第二届“中国青少年艺术节”江西赛区选拔赛中,获美声类大学组金奖;在“全国德艺双馨艺术大赛”中,获江西赛区美声组金奖。9 月,龚红获 2007 东方青少年艺术明星推选活动“首届东方之星艺术盛典”江西赛区青年专业组二胡项目一等奖。10 月,又获江西省首届青少年二胡独奏比赛园丁奖。同月,《少儿舞蹈》编导张建波,获江西省首届青少年二胡独奏比赛园丁奖。11 月 17 日,由樟坪畲族乡选送的畲乡马灯舞赴广州参加全国第八届少数民族运动会开幕式获金奖。龙伟作曲、演唱的《黄河千百年》获全国新人新作歌手大赛铜奖,并灌制 CD 唱片在全国发行。

2008 年 1 月,市文联合唱团 100 多人代表贵溪参加鹰潭市“新起点、新跨越”歌咏大赛,荣获一等奖。3 月 15 日,市文联主席彭建中到南昌市参加省文联表彰大会,市文联荣获全省先进县(市)先进文联。这是市文联连续 6 年获此殊荣。

戏剧家协会理事汪映娥在参加中央二套全国戏迷大赛中演唱的《沙漠王子》获二等奖;青年歌手李琼瑶获香港国际青少年艺术节江西赛区一等奖;少年歌手刘莎莎获全省残疾人歌曲大赛金奖;黄新获文化部主办的民歌大赛江西赛区一等奖。

陈自建创作的歌词广播新歌获 1994 年《全国红塔杯》歌词征稿一等奖。龙伟作曲并演唱的《相聚的日子》《祝福朋友》等歌曲在省台“相聚今宵”中播出。邓红云获省水利系统声乐独唱一等奖。秦清安获《江西民间舞蹈集成》成果奖。

音舞戏协组织创作相声、表演唱、歌曲、小品等文艺节目,配合全市送文化下乡演出活动及节日重大活动。每年在春节、国庆、“七一”等重大节日或部门、行业举行宣传、庆祝活动、送文化下乡等,协会相继承办、协办、组织会员出节目参与各种文艺演出,和驻市厂矿、市属企业、机关单位、社团组织等举行各种形式的联谊联欢演出活动,增进了交流和联络,活跃了职工文化生活。逢文艺会演或单位搞重大庆典活动,应邀组织骨干会员创作辅导节目,协助党、政机关、工会社团、企事业单位、学校、乡(镇)等举办职工卡拉 OK 比赛、青年歌手赛、铜城歌手电视大赛、学生歌曲赛、科级干部卡拉 OK 赛、个体工商户歌手赛、社区街道卡拉 OK 赛、歌咏大会、交谊舞比赛、巾帼礼仪小姐赛选、健美舞比赛、演讲比赛、故事会、文艺晚会、艺术节等群众性文艺竞赛活动,为他们当好文艺参谋,评选优秀演员和节目。

第四章　文　物

第一节　文物普查

配合全省第三次文物普查

2004年2—8月，全市开展全省第三次文物普查。成立由市政府牵头各有关部门为成员单位的贵溪市全省第三次文物普查领导小组，组织普查队伍，举办两期普查队员培训班。普查队员走访全市20多个乡镇（场），179个行政村。

第三次文物普查，进一步摸清全市文物家底，勘定38个重点文物处：古墓葬6处，古建筑13处，古遗址10处，革命文物遗址遗迹9处。征集到各类文物20多件，其中宋清白釉刻花碗一个。发现新石器时代遗址1处，位于塘湾镇西南7.5公里的东港刘家村小组对面山顶上。在勘查中获取石斧、石刀、石锛、纺轮各1件。这些石器磨制精细，经考证属新石器时代晚期器物。

配合全国第三次文物普查

2008年1月16日，贵溪市配合开展全国第三次文物普查领导小组成立。普查队员深入到全市193个行政村、21个居委会和28个分场开展调查工作，行政村和自然村到达率均达到100%。全市普查点470处，其中新发现文物点447处，复查文物保护单位22处，复查消失登记文保单位1处。在新发现文物普查点中，其中有很多具有相当高的保护价值，为组织申报文保单位奠定基础。该项工作以优秀成绩顺利通过了省级检查验收，代表江西省三个点之一接受国家检查组的检查验收，获得国家文物局领导及来自全国的专家一致好评，顺利通过国家检查验收。

第二节　重点文物

重点历史文物

元朝张留孙墓　位于市彭湾乡溪源南山村，20世纪80年代被盗，现裸露的墓室可见石棺一口，长3米，内宽1.2米，高1.3米，板石厚0.4米，草丛中有石羊1尊，石龟1尊，石翁仲2尊，残断的石料上刻有“大元至治十二年，大明崇祯四年八月吉旦”“府玄教大宗师达观堂茔”，字迹清晰。据《龙虎山志》记载：“张开府留孙，字师汉，贵溪人。少从伯祖闻师学道于达观院”。“神德观在上清宫北十里，旧为南山观，宗师张留孙奉敕葬此”。又据元代赵孟頫《敕赐大宗师张公碑》记载，“公（张留孙）曰：‘天师有世嗣，臣不可称天师。’于是以宗师为天师别号”。另据《元史．列传第八十九》记载：“帝后（昭顺睿顺圣皇后）大悦，即命留孙为天师，留孙固辞不敢当。”“进开府仪同三司，加号辅成赞化保运玄教大宗师，刻三为玄教大宗师印以赐，至治元年十二月十二日卒，年七十四”。张留孙墓为研究元至明时期的道教文化和一代宗师的墓葬构筑，提供实物资料。

明万历年间“道学世家”牌坊　位于鸿塘镇黄柏徐家村，明万历年建。4柱3间5楼，石料建造，座北朝南，高6米，宽7米。龙门坊下石坊上刻有凤鸟朝阳等浮雕。中间小额坊上刻有“道学士家”4字，刻记“万历乙卯冬月立”之款。正楼中央双钩石刻“贡元”2个大字。旁边四柱上另刻有楹联两幅，内二柱刻：“道学渊源涌起龙嘻三级浪，文章锦秀宏开凤翅九苞坊”，外柱上刻：“门户对万堂喜见鱼龙变化，楼台傍乔木欣观鸾凤翱翔”。该牌坊有确切纪年，刻字清晰，保存完好，对研究明代牌坊建造和雕刻艺术具有重要价值。

父子同科民居　位于余家乡球源村委会曾家小组。该民居为单进式，座西北朝东南，檐盖瓦当，厢房两间，住房4个，两侧有耳门，耳门上方雕有扇形，字已被凿，屋顶用望板，窗饰木雕为花卉等图案，无彩画，整个建房面积210平方米。大门罩下门额字清晰可见，上书“钦命大主考护理巡抚部院提督军门九江总兼都督府敏文，为中式已未举人曾光彩、子虎彪父子同科”，落款为：“咸丰九年冬月吉旦。”该居体现了赣式民居天井狭小的典型特征,为研究清代民居建筑提供实物资料。

陵家杨氏宗祠　位于鸿塘镇陵家村委会杨家村头。该祠系清代建筑,青砖木质结构,三进两天井采光,座北朝南,由戏台、享堂、走马楼组成,长51.5米,宽21.5米,面积1117平方米,双檐硬山瓦盖,走马楼为单檐,戏台上方设藻井,前檐卷棚,戏台上方、月梁等处有花纹雕刻,6根青石祠柱粗大。祠正门有青砖和后来以红砖维修的门墙,门墙有一大二小3个门。该宗祠为研究当地清代宗祠建筑和文化活动提供实物资料。

梅潭姚氏宗祠　位于耳口乡梅潭村委会姚家自然村。姚氏宗祠始建于清代康熙年间,至嘉庆戊寅(1818)年春完工。祠坐南朝北偏东面宽13平方米,进深29米,377平方米,大门牌坊式,重檐,石额居中镌"姚氏宗祠"4字,左右石刻有"梅韵流芳存石柱,潭深倒映印桥梁。"祠堂两进、天井采光、分戏台和享堂两部分,戏台上方有藻井,享堂除挑檐板上的雕刻遭"文革"破坏外,其余月梁、枋板上的瑞兽、花卉、祥云雕刻保存完好,整个祠堂木料均为杉木,石磉石雕精细,祠堂门前摆放的两对"旗杆鼎"麻石打造,八面形,其中一个侧面有"同治已丑殿试二甲进士姚步瀛"字迹可见。建筑四周为山林,树竹繁茂。祠堂右侧1米有一楠木,枝繁叶茂,四季常青,树高近30米,直径约3.8米,村民估有千年树龄,祠堂右侧沟长年有山涧小溪流过,经祠堂门前沟,绕村倒流而去。该祠堂现保存较为完好,为研究当地清代祠堂建筑提供实物资料。

胡家古水坝(又称蛤蟆坝)　位于泗沥镇珠岭村委会圳上胡家。此坝建于明代。西北走向,全长125米,坝面宽2.5米,坝体用大块红石砌成,坝侧原雕有线刻人物画像等,后因维修,用水泥履盖坝面,线刻人物画也难找到,但至今水坝仍在发挥作用,灌溉农田46.7公顷。

塔桥古水坝　位于志光镇塔桥村委会。该水坝以大块麻石砌成,长117米,宽4米,坝面3米,东西走向。据当地年长村民介绍,因该坝距万善寺不足100米,又因万善寺水井有明代确切纪年,据现考察,从坝的结构,坝面麻石被水冲击的痕迹等,可认定该坝始筑于明代永乐年间,现该坝保存较为完好,仍灌溉农田千余亩。该水坝为研究明代时期的水利设施,提供实物资料。

万善寺水井　位于志光镇塔桥村委会。直径约60厘米,占地约5平方米,井圈高出地面约20公分,且井圈高低不平,井圈为麻理石料,中部刻记"永乐十五年八月置、开山见住吴寺"等字迹清晰可见。由此可证:水井和旁边万善寺庙同为明代永乐年间始建,现在的万善寺庙为后期重新修建,万善寺庙僧人仍饮用此井水,该井刻有确切记年。万善寺水井为研究明代水井构造提供实物资料。

娘娘庙　位于志光镇皇桥村委会道家塘村南约500米外。据道家塘吴家村史记载,该庙建于750年前,原规模很大,前后两栋,内有金姑娘娘,观音等仙人菩萨。因有灵气,香火很旺。因战乱等原因寺庙多次遭损毁,现仅存屋基脚石和地基。当地村民至今仍在原庙址处香火朝拜。

方义桥　位于塘湾镇江坊村委会。方义桥建于清道光年间,长28.1米,宽1.7米,高3.9米,南北向横跨江坊河上,3礅2孔,麻石建造。方义桥碑青石板结构,宽70厘米,高1.2米。该桥为研究清代建桥工艺,提供实物资料。

东海流芳坊　位市志光镇西江村委会义安徐家。牌坊四柱三层砖石结构,通高6.5米,宽7米,坐北朝南向。龙门石坊上刻有龙凤麒麟、兰草花卉。中间额坊上刻有"东海流芳"4个大字,两侧刻有人物图案,均为浮雕,落款"皇清道光辛巳年立"。整个牌坊保存完好。为研究清代牌坊建造和雕刻艺术提供了实物资料。

江金亭　位于市白田乡姚家村委会标溪村小组,面积31.5平方米,中高6.5米,东西向。横直向排列四柱,四列架,木结构,瓦当,大小梁7根,两侧座木各2根。茶亭位于村西约1千米的人行道中,南北走向稍偏西,东面近山,西临田畈,称"亭子畈"。据《贵溪县志》清乾隆十五年(1750)版,卷五"亭"下记载:"夏秋设茶"亭11座,据考,其中江金亭,就是标溪茶亭的原名,因其下有注:"(址在)县北六都,上通怀玉(山)下通安(仁)万(年)。"查标溪旧属六都,而六都从来仅标溪村有茶亭,现茶亭保存较为完好。

铁拐李灯芯糕作坊旧址　位于雄石街道东街居委会。此作坊建于清代,据《贵溪县志》记载:"本县灯芯糕制作已有300余年历史",灯芯糕在贵溪始于明代小作坊式,清代列为贡品,曾被乾隆皇帝誉为"京省驰名,独此一家"。现贵溪灯芯糕制作已多为机械作业,贵溪灯芯糕及制作工艺已成功申报省非物质文化遗产。此作坊对于研究贵溪悠久的糕点制作历史及工艺有一定价值。

何家谷酒作坊旧址　位于塘湾镇金源村委会何家村小组，此作坊始建于清代，现为民国年间改建，原为小作坊，现已发展成村民联办，现作坊长 47 米，宽 25 米，面积 675 平米，座北朝南。据作坊制酒人介绍，塘湾谷酒自明清以来就有名气，现仍畅销。此作坊对研究塘湾谷酒的发展史有一定价值。

樊家岩墓　位于雄石街道象山村委会。樊家岩墓所在地又名五师岩，岩洞南北方向。从山下可见岩石洞中棺木，墓离地面约 20 米，洞口原垒有乱石，现只能见乱石遗迹。洞内棺木一具，翘头拱脊，棺黑色，为生漆加工，棺长 2 米，高 1 米，棺头向里。棺木三分之二埋入土中，仅露棺脊，此墓已被盗过。樊家岩墓对研究清代岩洞墓葬提供实物资料。

信江浮桥遗址　位于雄石街道南街居委会。原贵溪信江浮桥，北临县城大南门。据资料记载，始建于宋绍兴年间（约 1160），由当时县知事李正通倡导主持建成，宋理学家朱熹曾为此桥建成作记。后桥毁，至清乾隆三年（1738）为义渡，清道光二十年（1840）邑侯徐大勋又复建此桥。桥长 300 米，南北走向，由 80 余只木船并列浮于江面，贯以铁链连接固定，船与船之间用数根横木衔接，船面以木板铺，形成桥面，此桥于 20 世纪 80 年代因建成贵溪信江大桥而拆除，现仅剩南北两岸渡口青麻石路面。信江浮桥遗址为研究贵溪早期的桥文化，提供实物资料。

红卫门（又称大南门）　位于雄石街道西街居委会，信江河北，始建于清代，1961 年重建，麻石、钢筋、水泥结构，座北朝南，大门宽 9.8 米，深 7 米，面积 68.6 平方米。大门横梁上写有“红卫门”字样，大门西边门墩上分别写有“中国共产党万岁（左）、中华人民共和国万岁（右）”。

小南门　位于雄石街道南街居委会。座北朝南，离大南门 300 米，面朝信江河，正南方向，红石结构，单拱门，宽 9.2 米，深 4.3 米，面积 39.56 平方米，拱形最高 3.3 米，据考为清末时期建筑，原为贵溪老城南一小门。小南门为南街、东街居民通向河边的小巷通道，对小南门的保护有利于研究清末小城门建筑风格和贵溪清末历史。

黄维旧居　位于流口镇盛源村委会黄家村小组，该民居建于民国时期，坐北朝南，5 拼 1 室 1 进，宽 18 米，深 19 米，建筑面积 162 平方米。黄维为国民党军兵团司令，淮海战役被俘，学习改造后，担任全国政协常委、文史馆员，1989 年病逝。其旧居为砖木结构，用料考究，做工精细，但年久失修，已无人居住。此民居对于研究民国时期农村民居结构及建造工艺有一定价值。

潘家水碓屋　位于金屯镇金屯村委会。木质结构，水碓房面积 16 平米，座北朝南。现有水轮一个，直径 3.5 米，碓杆锤，石盎各 11 个。解放前，水碓为潘汉城、潘相诚等 4 兄弟所有，后归集体。碓房，碓轮已破损，但修复后仍可使用。该水碓对研究清代赣东北地区农村利用水资源及制米工艺提供实物资料。

老县政府门楼　位于雄石街道南街居委会。座北朝南，始建于清后期，解放后为老县政府作为大门使用，并多次修葺。大门宽 17.3 米，厚 30 厘米，占地面积 5.2 平方米。门直对小南门，离小南门 360 米，青砖砌成，外墙粉水泥，大门由六柱五面墙组成，中间一面墙为三层，其中大层为拱形门，中间为门牌，上书有“为人民服务”5 个大字，上为半圆形，两边各两面墙渐次降为二层、一层半，门后面由砖砌成，门楼厢房各一间，占地 16 平方米，大门及门楼总面积 37.2 平方米。老县政府门楼对研究早期官府门楼建筑提供实物的资料。

火烧关驿道　位于樟坪乡双圳村委会（双圳林场）。总长约 5 公里，均为青石块所筑，依次呈台阶状，从山脚一直通往山顶。按现存完好程度大致分为两段，从山脚至 3.5 千米为一段，平均宽为 1.6 米，这一段由于近年毛竹林开发利用，因运输而损毁处达 75% 以上，第二段为 3.5 千米处至山顶关门 1.5 千米部分，平均宽为 70 厘米，这部分因山高地险，人迹罕至，保存较完好。据《贵溪县志》（1996 版）记载：火烧关隘重修为清乾隆年间，据此推测，该条驿道所在，至少在清乾隆年间以前。火烧关驿道为研究清代建筑山路提供实物资料。

花桥古街及古店铺　位于文坊镇花桥村委会。此街建于清代。一面为西北向，另一面为东西向，街长 750 米，座北朝南。街面有民居门面 21 家，据当地村民介绍清到民国时期，街有盐、油、米、木竹、山货、铁器等店铺，现多已改为民居，但店铺迹象明显。该街面以麻石和鹅卵石铺地宽 3 米。此街对于研究花桥的历史有一定价值。

重点革命文物

羊角渡红军渡口 位于滨江乡江北村委会信江河畔,当地百姓在此以木船渡河。据资料记载,民国二十二年(1933)1月24日,方志敏在此送邵式平、周建屏等率领闽浙赣地区红十军南渡信江,以船渡河,赶赴上清与朱德、彭德怀、王稼祥等率领的红一方面军红三军团会师。该渡口为研究赣东北地区革命史提供实物资料。

麻地红七军团驻扎地旧址 位于市冷水镇麻地村委会桐源刘家。该址为四拼房正厅1个,居间4间,走廊2.5米宽,该屋的正门两侧有4块隔板,隔板上有红七军团宣传标语。当地村民介绍,红七军团的官兵曾在此地驻扎过。此址对于研究第二次国内革命战争时期赣东北革命根据地的历史有一定价值。

桐源刘家红七军团宣传栏 位于冷水镇麻地村委会桐源刘家。红军宣传栏标语写在一村民房屋前窗隔板上,房屋座北朝南,建于民国时期,四拼两厢,面积173平方米。宣传栏由3块1.5米见方的窗隔板组成。上书:反对反革命的造谣欺骗,勇敢加入红七军团,红七军团是闽赣工农手(首)创的武装,红七军团要消灭帝国主义的走狗,要打倒地主,豪绅、资产阶级、国民党、军阀,要打到南城、梅州、南昌、九江。地主、富农、资本家、国民党军阀咳(怕)得发抖,他们造谣不要加入红七军团,逃跑到南城、梅州,他们抓三丁抽五丁,强迫你们去当军阀军队的炮灰,为豪绅、地主、资本家送死。据当地群众反映,红七军团机关曾在此驻过。该宣传栏为研究中国革命史提供实物资料。

茅炉村红军标语墙 位于河潭镇茅炉村委会,红军标语写在河潭茅炉村一村民的屋后墙上,房屋为四坪一舍,面积87平方米,损毁严重,红军标语共3条,其中一条较为完整,上书"白军中的共产党要宣传接受党的革命主张暴动起来,白军青年士兵拿起枪当红军去,为无产阶级利益而战",其他2条已残缺不全。

夏家岭炮台遗址 位于志光镇志光村委会夏家村小组后山。民国19年(1930)国民党军在此建筑炮台。据资料记载,炮台高10米,里外三层,每层墙厚约40厘米,台内宽7米,整个炮台用青麻石筑成,民国20年(1931)红军攻打炮台,红十军二团团长龙志光在率军攻打炮台时牺牲。为纪念龙志光烈士,解放后由政府批准设立志光区(乡、镇)。现炮台因建高速公路而毁,仅存一小山包和弹孔、石阶梯痕迹。

邵棠墓遗址 位于周坊镇周坊村委会邵家村小组。邵棠墓原有砖石圈围,因家无后人,墓地被破坏,现仅存一墓穴。邵棠(1905—1929)周坊邵家人,在南昌求学时,结识共产党人方志敏、黄道等人。民国16年(1927)加入中国共产党,民国17年(1928)1月以贵溪代表身份,出席方志敏主持的弋、横、上、贵、铅五县党员会议,邵棠当选为中共五县工作委员会委员,2月奉命返回贵溪周坊开展革命活动,成立贵溪农村第一个党支部"周坊党支部",5月任中共贵溪区委书记,民国18年(1929)6月3日在弋阳西江桥沙洲上,被反动派杀害,时年24岁。

贵溪农村第一个党支部建立地遗址 位于周坊镇岭脚村委会(降驾坪)。民国15年(1926)10月中共贵溪支部在县城老当铺成立,民国16年(1927)"四一二"政变后,贵溪支部遭到破坏而解体。民国十七年(1928)1月弋阳"窑头会议"后,邵式平、邵忠、邵棠等人在该地(降驾坪)召开党员会议,随即成立邵忠为书记的中共贵溪农村第一个党支部。降驾坪原有5～6户人家,四周为山,树林茂密,有农田0.67公顷,水井一口,现已无人家,农田荒,草成坪,水井尚有水可饮。此遗址对于研究贵溪党史有一定价值。

杨家革命烈士纪念碑 位于周坊镇杨家村委会杨家村小组。为纪念当地为革命牺牲的烈士,1967年3月由当地村民自发用水泥砖石而建,纪念碑座东北朝西南。水泥砖石结构,宽2米,高2.3米,面积4.6平方米。碑顶端额上镌有"中国共产党万岁",两边镌"生得伟大死的光荣"字样。

小山嘴村烈士光荣碑 位于周坊镇河上村委会小山嘴村小组,座北朝南向,青砖、水泥结构,1953年立。刻记32名烈士英名及31位烈士后代留名,碑宽2米,高2.3米,面积4.6平方米。此碑是为纪念在第一次国内革命战争时期苏区革命群众在方志敏、邵式平等领导下进行下对敌斗争而英勇牺牲的先烈而立的。

华湾革命烈士纪念塔　位于周坊镇吕家村委会华湾村小组，石料水泥结构，宽1米，高2米，顶部有一圆球，碑的基座为一小山神堂，共记录10名烈士，座东北偏西南，整体为四方形，面积3平方米。

三丫烈士纪念碑　位于市周坊镇三丫村委会。此碑建于20世纪50年代，纪念碑正面镌"三丫大队革命烈士纪念塔"塔底座距地面有三级台阶，座南朝北，碑高11米，宽3米，最顶端铸有一枚五角星，周边有圈围，高1米，圈围占地12平方米，塔后面刻有牺牲的21名干部英名，另两侧刻记104名烈士。此塔是为纪念在第一次国内革命战争时期苏区革命群众在方志敏、邵式平等领导下对敌斗争而英勇牺牲的先烈而立。

甘苏革命烈士纪念碑　位于市白田乡甘苏村委会甘苏自然村北面，该碑始建于1953年，2009年由甘苏村重修，碑体为石料水泥结构，高4.5米，长3.5米，宽10厘米，顶部为椭圆形，左右两侧有小石狮一座。14平方米圈体内有一清时期水井一口，碑面黑色花岗石刻记34名烈士和16名地方工作人员。四周围墙高1米。

横岭革命烈士纪念碑　位于周坊镇横岭村委会公路旁。该碑建立于1980年12月，座南朝北。碑座离地面有三个台阶，正面顶端镌五角星一枚，中间镌"革命烈士永垂不朽"，下方刻记93名烈士英名、碑右侧镌"生的伟大，死的光荣"，左侧镌"发扬革命传统，争取更大光荣，"背面镌"为人民利益而死比泰山还重，"整个碑高5.5米，宽1.5米，石料水泥结构。

方家红军烈士纪念碑　位于周坊镇古港村委会方家村小组。该碑建于2007年，坐北朝南，顶端有五角星一枚。碑正面记录19名烈士，两侧刻有"松青柏翠静日长，花艳桃熟四季春"字样，碑高3.2米，基座宽2米，正方形，水泥砖石结构，面积10.24平方米。此碑是为纪念在第一次国内革命战争时期周坊革命群众在方志敏、邵式平等领导下同敌人斗争而英勇献身的烈士而立，也是爱国主义教育场所之一。

白田革命烈士纪念碑　位于白田乡白田村委会标溪。该碑是为纪念白田村革命烈士所立，座东朝西，碑高9米，底部有台阶10个，碑的正面镌有"革命烈士纪念塔"字样，1953年2月，立碑的背面镌字为"革命烈士永垂不朽"，两侧分别为34名烈士和赵梓明烈士简介。

行马烈士纪念碑　位于白田乡行马村委会。墓碑坐落在白田乡街南约200米处，座北朝南，该碑椭圆形状，底座有红石块，墓竖在一麻石上，高1.2米，宽0.8米，碑面记载烈士英名，已模糊不清。此碑是1952年为纪念在第一次国内革命战争时期周坊人民同国民党反动派进行斗争而英勇牺牲的先烈而立。

兰田革命烈士纪念碑　位于白田乡兰田村委会兰田村小组，碑体四方形，石料结构，白漆涂粉体，长、宽各1米，高3米。面积2平方米，顶端有一五角星，碑面座东朝西，碑文刻记44名烈士。落款为贵溪县"第三区白田乡兰田村，1953年立"。

第三节　文物保护与利用

文物保护

1993年5月以前，全县有国家级、省级、县级文物保护单位23处。

1993年5月，中共鹰潭市委、鹰潭市人民政府联合发出《关于理顺龙虎山风景名胜区管理体制的决定》，将市龙虎山风景名胜区管理局与市旅游局合并成立市风景旅游区管理局，为正县级市直单位，并从贵溪县划出上清镇和龙虎山镇归其管辖，行使其区域党政领导和管理职能。贵溪县文物保护单位大幅减少，只剩下县级文物保护单位13处。

2005年11月6日，耳口曾家清代古建筑群、塘湾清代古建筑群、鸣山庙，被鹰潭市人民政府公布为市级文物保护单位。2006年12月18日，道教第十五洞天遗址，被江西省人民政府公布为省级文物保护单位。2008年止，全市共有文物保护单位14处，其中，省级文物保护单位1处，市级文物保护单位3处，县级文物保护单位10处。

2008年市文物保护单位一览

表27－8

名称	时代	类别	所在地址	保护级别
道教第十五洞天遗址	东周	古遗址	冷水镇	省级
耳口曾家清代古建筑群	清	古建筑	耳口乡曾家	市级
塘湾清代古建筑群	清	古建筑	塘湾镇古街	市级
鸣山庙	东晋	古建筑	周坊镇神前村	市级
潜谷洞	唐	题刻	象山挂榜山	县级
象山书院	宋	古遗址	上清镇应天山、雄石镇三峰山	县级
艾门村宋代窑址	元	古窑址	余家乡艾门村	县级
江汝璧墓	明	古墓葬	金屯镇南畈村	县级
高明墓碑	明	古墓葬	罗河镇童源高家	县级
银炉岭古矿山	明	古遗迹	冷水镇茶山	县级
华家崖墓	清	古墓葬	滨江乡华家	县级
露水坑古城墙	太平天国	古建筑	冷水镇桂港	县级
夏润珍烈士墓	现代	墓葬	贵溪市城内	县级
周坊镇烈士纪念馆及纪念塔	现代	馆塔	周坊镇周坊村	县级

1991年以来，贵溪市被省政府授予“文物保护先进县”称号，市文化部门被江西省文化厅评为“全省文博工作先进集体文物保护先进单位”，被省文物局评为“文物保护四有建设工作先进单位”。

1998年，投资15万元建造仿古亭楼式文物保护楼投入使用，并建立集人防、物防、技防于一体的现代化红外线电视监控设备。市博物馆文物库房面积140平方米，现有较高历史、艺术、科学价值的916件馆藏文物，其中，国家一级文物宋代道教铜镜1件，国家二级文物东周时代木剑、木削等22件，国家三级文物陶罐、红陶鼎等50件，一般文物843件。

2002年《中华人民共和国文物保护法》颁布后，采取聘请当地文物保护员的方式，完善市、乡、村三级文物保护网络建设，在全市重点文物乡镇配备15名文物保护人员。文物保护工作进一步完善“四有”(即有保护范围，有标志说明，有记录档案，有专门机构或专人负责管理)。出台在社会主义新农村建设中加强文物保护的举措。

市政府把文物保护工作纳入各级领导任期责任制，将文物保护经费纳入预算。仅2005—2008年，全市就投入文物保护、普查经费近100万元，完成贵溪市文博大楼建设的立项、可行性研究，塘湾古街区保护性规划，博物馆、博物库房维修工程，博物大楼防盗设施加固工程，耳口曾家古建筑群保护性规划。

2008年，公安、司法、工商、文化等有关部门的相互配合密切协作，侦破文物盗掘、走私案2起，拘捕违法犯罪人员4人，其中行政处罚2人，刑事处罚2人。

2006年12月4日，市文化广播电视局印发《关于委托文物保护管理所依法行使文物行政执法工作职能的通知》委托市文化广播电视局文化稽查大队依法行使。

2007年，市广播电视局举办全市文物保护工作培训班，请省、市资深文物保护专家到场授课，并组织参训人员到赣州、吉安等地考察学习。

2008年2月9日，市文化广播电视局制定《文物保护单位公共安全应急预案》《文物保护消防安全应急预案》。开展向全社会进行文物法律、法规的宣传、教育、普及活动，在城乡悬挂横联，张贴标语，出动宣传车、散发宣传单，在城市中心地段、农村集市中心设文物知识咨询台，举办文物城乡巡回展。4月，在彭湾乡查处一起明末文物“石龟”被盗事件，有力地打击非法盗墓行为。

文物利用

全市认真贯彻文物工作"保护为主,抢救第一,合理利用,加强管理"十六字方针,重视文物的开发利用工作,构建展现平台,实施品牌战略,提升文化品味和文化档次,整合旅游资源,大力发展民族文化旅游、民俗文化旅游、生态休闲旅游、红色文化旅游。

1991—1999 年,市博物馆筹办的《贵溪龙虎山崖墓考古展览》,先后到广东、浙江、陕西、云南等地巡回展出,合计接待观众 30 余万人次,向全国人民介绍贵溪光辉的历史文化。2008 年,市博物馆将《贵溪龙虎山崖墓考古展览》改版提升展出,升格成 3 个固定陈列展览:《贵溪仙水岩墓考古展览》《贵溪革命斗争史展览》《樟坪畲族文化展览》,1 个流动展览:《贵溪仙水岩墓考古展览》。

2003 年 8 月 15 日,塘湾镇被江西省人民政府公布为江西省第一批省级历史文化名镇;耳口乡曾家村被江西省人民政府公布为江西省第一批省级历史文化名村。

樟坪畲族乡成立专门保护畲族物质和非物质文化领导小组,开始对"盘瓠精神"的挖掘。2003 年 10 月,中央电视台、江西省、鹰潭市、贵溪市人民政府先后投资 20 余万元创作挖掘整理录制畲族民歌《畲乡恋歌》,并在中央三台转播。2006 年,原生态畲乡歌舞走进江西省春节联欢晚会。2007 年 11 月,樟坪畲族乡马灯舞在第八届全国少数民族传统体育运动会上获表演项目金奖,畲乡"马灯舞"登上全国少数民族运动会表演舞台。樟坪畲族乡乡政府组织人员对畲族历史文化进行整理考证,编辑撰写 60 多万字的《贵溪樟坪畲族志》,2008 年完成初稿。"十一五"期间,樟坪畲族乡人民政府积极着手开发民族文化旅游和生态休闲旅游,对乡域旅游资源进行科学规划,合理布局,投资 90 万元兴建全省唯一的畲族民族文化图腾广场。2007 年,由中南民族大学民族专家设计的畲族文化博物馆规划亮相。与此同时,畲乡物质和非物质文化遗产整理工作启动,在全乡范围内,逐家逐户对民族、宗教及拥有的物质遗产进行摸底并登记造册,全乡共整理出有价值的民族遗产 300 多件,许多濒临消失的民族特色又重新焕发生机。开发出畲族人民多姿多彩的马灯舞、几么列、竹竿舞、对山歌、烧篝火等,充分展示畲族别样风情。2008 年 4 月,被江西省建设厅评为"江西省最佳人居环境范例"。

1995 年 3 月,周坊革命烈士纪念馆被贵溪、鹰潭两级政府确定为爱国主义教育基地。2002 年 2 月,贵溪市民政局出资在贵神公路 37 千米处的陈表墩山腰重建该馆。新馆占地 2210 平方米,建筑面积 520 平方米,展线长 80 米,现馆内陈列文物 34 件,油画 19 件,图片 95 件,碑面 71 块。每年接待观众达 4 余万人次。

第五章　非物质文化遗产

贵溪市是个千年古县,岁月留痕也留下诸多本土文化,形成非物质文化遗产。这些遗产深植于这方水土,深植于贵溪老百姓,这些东西既是习俗范围,又是文化范围,借上级要求对非物质文化遗产进行普查的机会,贵溪市文化部门也对全市非物质文化遗产进行登记摸底。

第一节　特色小吃

捺菜

贵溪捺菜最早发源于贵溪民间,至今已有 800 余年历史,因为在制作捺菜的过程中有一道工序就是把盐和菜用手去搓,而"搓"字在贵溪方言中就叫"捺",捺菜因而得名。贵溪捺菜又称百岁菜或道菜,据说当年张天师就随身携带云游四海,作为斋菜分给道友品尝。贵溪捺菜含香、辣、酸、甜、辛五味俱全,食之能生津开胃发汗,促进血液循环,使食欲大增。

贵溪农村做捺菜较为普遍,几乎每个农村妇女都会做,但各地特色各异,尤以雷溪乡重文村莽源村小组为代表,制作贵溪捺菜的习俗经久不衰。在雷溪乡历史上百岁老人很多,这些老人都喜欢吃捺菜,大家把百岁老人与捺菜联系在一起,故称捺菜为百岁菜。

制作捺菜的主要工艺流程是:①将成熟的芥菜洗净,除杂物、菜叶,将芥菜梗切至二至三寸长小段。②将切成小段的芥菜梗于阳光下晾晒。③将晾晒至半干不湿的芥菜梗及部分辅料放置大木盆中以手反复用力揉搓后晾晒。④将揉晒好的芥菜梗及辅料与食盐、辣椒、白糖等佐料翻拌和匀,装入瓦罐,用木棒或竹片层层挤实压紧;⑤取菜叶或稻草结封住罐口,倒转罐身,放在阴凉干燥的地方让其发酵数月而成。1991 年以前,贵溪捺菜只在农村家庭中制作,没有形成商品。1991 年 3 月,《江西日报》刊登宣传贵溪捺菜的文章之后,引起企业家们的注意,开始企业化生产,相继办起大忙人加工厂、金沙蔬菜加工厂、雷溪南山食品厂、贵溪捺菜厂等。传承人黄能培经过多年研究,终于 1991 年 10 月创办贵溪捺菜加工厂,引起市场极大兴致,在许多大城市中成为餐桌上的抢手货。黄能培也因此荣获江西省星火计划奖,江西省有杰出贡献奖。

如今的传承人为乐黄金,他组建的贵溪捺菜厂生产的“老农牌”捺菜多次获省、部级奖项,产品极为畅销。

灯芯糕

贵溪灯芯糕,因形似灯芯且可点燃而得名。起源于明末时期,距今已有 300 余年历史,堪称美食绝品。明清时期列入皇宫贡品。清乾隆皇帝游江南时曾品尝贵溪灯芯糕并称赞:“京省驰名,独此一家”。灯芯糕是闽、浙、赣、沪、徽等省市群众喜爱的传统食品,在贵溪诸多灯芯糕品种中尤以贵溪龙兴铺“铁拐李”灯芯糕品质最佳,属天然绿色食品。

灯芯糕由手工制作,选用纯天然优质懦米、云南上等白沙糖和东南亚肉桂、西非丁香、杭州当归、白芷、内蒙甘草等 30 余种名贵药材调剂,经过 20 余道传统手工技艺制作而成,制作过程十分讲究精致,其色泽洁白晶莹,味异香甜口,柔软滑爽,百食不厌。

明末清初年间,抚州面点技师糕点世家薛应龙举家来到贵溪创办灯芯糕作坊,取名龙兴铺。后来名气渐大引来传说中的八仙之一铁拐李来龙兴铺借宿,薛应龙家中没有多余的床铺让其借宿,只好将工作案板洗净让铁拐李住宿一晚。次日铁拐李离去时在案板上留下灯芯糕增香秘方,从此龙兴铺在此案板上做出的灯芯糕更加香气扑鼻,名扬四海。龙兴铺生产的灯芯糕取名为铁拐李牌。清末民初,贵溪范氏斥重金收购龙兴铺作坊生产灯芯糕。新中国成立后,特别是改革开放以后,贵溪投巨资对这一传统产品改造升级,获中国食品博览会优胜食品,江西农业产业化龙头企业、江西名牌产品,江西省和农业部颁发的“中华老字号”。

该作坊生产的“铁拐李”牌灯芯糕多次获奖,列入江西四大名点之一,生产工艺为国家保密工程之一,产品被评为中国绿色食品。该公司女董事长兼总经理王琪,不仅是灯芯糕制作技艺传承人,还被评为贵溪十大杰出青年。

百子糕

在贵溪民间的小点心制作系列中,百子糕(俗称饼崽)也是历史悠久,农村盛行。百子糕的制作一般在腊月下旬这段时间,有时家人生日寿辰前也会制做,祝寿糕点,作为年货。

制作百子糕程序比较复杂,先把米掏净,浸上四～五小时,浸胀后捞起晾干,再放到锅里炒,一直炒到闻到米香为止。然后磨成米粉与红砂糖搅拌均匀,此步十分关键,要做到干湿适度,太干捏不成,太湿粘手。印制百子糕时最热闹,邻居们都会来帮忙,自带小锤子。把米粉装进印板。印板都是用比较硬的木头雕刻。印板上有五六个铜钱般大小的百子糕孔,雕有不同的吉祥图案,如观音送子、福寿双全以及各种花卉图案等,妇女们把装好米粉的印板拿到桌上,用锤子将米粉敲紧,先四周,再中间形成乳峰,再把百子糕拍打在事先准备好的团箕里,再摆列在谷筛上,然后,用碳火烘干,使其坚硬为止,放在密封的罐子内。直至第二年的春天都不会返潮,是上山下地干活最好的干粮。

过去在农村家庭中,做百子糕是件热闹的事,事先要找些妇女、姑娘打好招呼定好日子。帮人印制百子糕是没有报酬的,主人一般在家熬些米粥,弄点小菜作为午餐,不论是帮没有帮忙,只要遇到家中做百子糕,碰到都可以吃,吃完中饭,主人还要抓一把百子糕让你带回去。

如今农村富裕了,买现货的多了,自制年货的少了,百子糕这传统的制作工艺已濒临失传的危险,如今贵溪百子糕制作工艺传承人是贵溪东门街道办事处的蔡美英。

茄子干

贵溪方言中叫茄子为茄仂，故将用茄子制成的小菜称茄仂干。这种小菜历史悠久，是传统手工食品的典型代表，是茶前饭后美味佳品。茄仂干据说有上千年历史，历朝历代的农村妇女一般都会制作，而且每年的秋季以后，农村中制作茄子干是农家必干的家务活之一。当年土地革命时期，邵式平、方志敏在贵溪战斗期间把茄仂干作为军中主要菜肴。

茄仂干制作过程复杂，而且一定要天气热，太阳厉害，故做茄子干一般都在伏天进行。做好以后的味道如何直接与选用的原料优劣及制作工艺有关。首先清洗茄子，烧开水把茄子放锅煮软，取出晾干，每个茄子破开形成皮面，晾晒1～2小时，等两块茄子皮面稍干以后把准备好的内馅原料夹在其中，继续放在太阳下的团箕上晾晒，晚上蒸1小时，次日取出晾晒，不断翻面，使茄子干达到晾晒均衡。再蒸第二次取出再晒，每块茄子干表面上晒得软硬适中即成，晒干后茄子干甜、辣皆备，色、香、味俱全，不但是本地民间美食（用于下饭、佐茶），近几年，还成为商品，走进上海、福建、浙江等大城市居民家中。

包在两片茄子面之间的原料为：上等糯米、辣椒末、大蒜、生姜、糖、酱、枸杞子、山楂粉、盐、米酒等。配料精细与优劣，与味道直接关联。

贵溪茄仂干传统手工制作技艺面临失传，但如今已成企业化生产。在贵溪具有原始传统手工制作技艺的是“永源佳”老字号。

贵溪茄仂干传统手工技艺的传承人是贵溪雄石街道办事处象山村委会的下张村的村民何匡安，他从1965年从事茄仂干的制作至今，全面掌握了民间传统配方及制作技艺，在全省享有一定的传统美食“小专家”之称。

除茄仂干之外，农村中还普遍有南瓜干、丝瓜干、豆角干、芋头干等，制作方法基本类同，如今这些茶点小菜，在贵溪除老中年农妇会做，年轻的妇女会做的不多，技艺有失传危险。

塘湾谷酒

塘湾是江西省历史文化古镇。塘湾谷酒历史悠久，距今已有400余年历史。走进塘湾古镇，走在被历史车轮碾过，留下深深车辙的青石板铺就的街道上，阵阵浓郁的酒香从街头小巷扑鼻而来。

明末时期的塘湾就有家家户户酿酒的习俗。传统谷酒酿制以纯粮为原料，将稻谷清洗、去杂、浸泡、蒸煮、拌曲，放在陶质器皿中发酵后，用锡制蒸锅蒸馏。这样酿制的谷酒，清香柔和，绵甜可口。民国时期，谷酒酿制以塘湾老街刘怀远最为有名。

塘湾谷酒当代传承人为何晓春。1998年，何晓春创办贵溪市塘湾五谷丰酒厂，规模生产塘湾谷酒。2000年，谷酒注册“塘湾”商标。在酿制过程中，注重选取优质稻谷和酒曲。在蒸酒设备上，改传统的锡制蒸锅为不锈钢蒸锅，从而杜绝谷酒中对人体健康有害的金属成份。在蒸馏之后，增加过滤和勾调两个环节。以新工艺酿制的谷酒，味道纯正柔和，色泽晶莹剔透，成为贵溪家喻户晓的农特产品，产品远销浙江、上海等地。2007年，贵溪市塘湾五谷丰酒厂被评为鹰潭市农业产业化市级龙头企业。2008年，该厂注册的“塘湾”商标被认定为鹰潭市知名商标。

第二节　手工技艺

元宝篮

“元宝篮”是一种用小水竹精工编制的竹工艺品。起源于明末，至今有300余年历史。据说当年是从皇宫传入到民间的，因为外形似元宝，故以元宝命名。贵溪民间十分流行，主要用于走亲访友、装水果以及作为工艺品摆设、装饰。

“元宝篮”，一套大小共有4～9个，可以一个套一个叠在一起，装东西时根据物品大小多少选择使用。元宝篮做工极为细致，工艺精湛，实用性、耐用性很强，不蛀虫，耐水洗。

主要工艺流程：选用产于贵溪塘湾等地小溪旁的小水竹，然后破竹、裁篾、直篾、围篾、编织、漂白等。

贵溪元宝篮在20世纪50—70年代曾出口美国、日本、尼泊尔、瑞士、英国、印度等11个国家，为国创汇100万美元。1970年，在江西传统产品元宝篮展览会上《元宝篮》获一等奖。

第一代传承人为明代的江秋生，第二代传承人为江炳聪。

现在该工艺传承人黄美年，贵溪塘湾镇塘湾村人，男，生于民国 28 年（1939）6 月，小学文化，农民，15 岁开始做蔑匠学做元宝篮技艺。

响水箩

“响水箩”是贵溪渔农代代相传挑运鱼苗的一种运输工具，至今已有千年历史。据说响水箩是贵溪先人所创造。箩用篾丝编制而成。宋代人周密在宋淳佑三年（1243）写的笔记《癸辛杂识 · 别集》中有如下描述：“江州等地处水滨，产鱼苗，贩子云集，鱼苗运至建昌，次至福建，盛鱼苗其竹器似桶，以竹丝编之，内糊以漆纸贮鱼种于中，细若针芒，盛水不漏。装苗莫知其数”。用响水箩运鱼苗到浙江、福建等地，箩内水可换氧，鱼苗不因缺氧死亡。

响水箩形状独特，上部像鼓，下部像木桶，外形酷似“磨菇”。箩边用绳绕一小环，作穿扁担用，箩内糊上黄蜡和熟桐油，使之水不漏，箩高 32 厘米，上部直径 35 厘米，下部直径 23 厘米，箩口 24 厘米，配以箩盖，每担可装鱼苗 5 万尾。主要工艺流程：取毛竹、破篾，编制箩底，向上编织，围口，箩内糊蜡和熟桐油三至四遍，最后晒干。

“响水箩”特殊结构，但也强调挑运技术，挑鱼苗时，扁担不宜过硬过软，配合脚步使两只箩能上下抖动使箩内水能搅动起来，扩大水体与空气的接触面，增加水里溶氧量，激起箩内水花，水花穿过箩盖孔，又返回箩内。这种运送鱼苗的方法要经过多次实践才能得心应手，不是那么容易掌握的。随着时代的进步和渔业生产的发展，运送鱼苗不再是人工挑运的方式，如今响水箩已基本不用。

此技艺的传承人黄美年，贵溪塘湾镇塘湾村人，15 岁拜江炳聪为师，学习竹编，当年编织的“响水箩”名声响遍闽、浙、赣等渔业生产基地，为各地渔业发展起过重要作用。

童饰刺绣

民间童饰刺绣传统手工艺术在中国有悠久历史，称“针绣”“扎花”，俗称“绣花”，因多是妇女所作，又叫“女红”。

贵溪传统孩童绣起源于明代，主要绣品有小孩的小肚兜、童帽、童鞋、马夹、围脖等，绣图案大多为花草、人物、动物等，表现喜庆、长寿、吉祥之意。工艺上采用多纹、叠叠、滚边等手法。

目前刺绣在民间非常畅销，主要用于小孩满月、过周岁的贺礼品，小孩可全年穿戴。

童饰刺绣在图案结构上非常严谨，有明确几何布局，工艺流程为：

①调浆糊；②拓图案；③把图案印在各类布片上；④按图刺绣；⑤用手工线在缝纫机上合成。

作为一种传统的民间小孩饰品，过去一般的农村妇女都会做，不过做得好看不好看而已。到民国时，农村“漾会”都会有这样的物品出售，并逐渐形成一些被公认做得较好的村庄和人物。比较有名气的是：第一代传人吴氏，生于光绪六年（1880）鹰潭腰上吴家。第二代传人刘菊凤，生于光绪二十年（1895），志光石家渡刘家。第三代传人张圆花，民国 11 年（1922）5 月出生，鹰潭华旗张家。第四代传人孔香娥，生于 1956 年 7 月，现住滨江乡岭上村委会江家村。

第三节　戏　曲

三脚班

“三脚班”起源于民间灯戏，起初由一旦一丑组成，俗称“对子戏”，随着剧情发展，又增加小生，成为“三脚班”。“三脚班”始于明末清初。有专用曲调，一戏一曲或一戏多曲，道白为“乡土话”。内容为生活、爱情及民间故事，具有强烈生活气息和地方色彩，清乾隆年间，湖北、安徽受灾，大批人员进入贵溪，把湖北、安徽的地方戏曲曲调，也带进贵溪，丰富发展贵溪地方戏，也使三脚班融入诸多湖广调和黄梅戏元素。新中国成立后，1955 年上饶专区在贵溪搞“三脚班”试点，使“三脚班”得到发展。1979 年，贵溪举办“三脚班”艺人学习班。

“三脚班”声腔与流派繁多，本地有小戏、也有大戏，曲调繁多，但以湖广调、四六调、小调为主，也有西皮、二黄、秦腔、拔子等。“三脚班”服饰道具简单，没有衣箱，仅用两只篓子一提。

一般的服饰为：

旦角：头戴凤冠，上身穿圆领蓝褂，下穿绣花元裙，手拿手帕。

小生：戴书生巾，上身扁袖绿拆子或青拆子衣，手拿折扇。

小丑：戴罗帽，穿便素褂，下穿短腰裙

"三脚班"行当不多，一般为生、旦、丑加上乐器伴奏，主要乐器有：鼓、锣、二胡、三弦、笛子等。

"三脚班"剧目繁多，主要创作是见事、见物、生情、激意。代表性剧目现代的有《关进店》《小保管》和传统的《卖花线》《秧麦》《桃妹还情》《看相》等。"三脚班"的演出形式主要以走村串户为主，偶尔逢村庄有大事时，也会在村里搭台演出。

基本唱腔系板腔体音乐，曲调高昂，唱词清晰。

据1979年调查，当时全县共有三脚班95个班，到现在保留承传演出的只有滨江孔氏班较为完整，其传承如下：

第一代传承人，班主孔庆才，清光绪二十六年（1900）8月出生，农民，小学文化，6岁开始学艺。主要演员有：旦角孔县春，生角孔生才，小丑孔见生，三弦孔里祥，鼓孔里牛，锣孔里火，二胡孔庆春。

第二代传承人，班主孔庆春，生于民国十一年（1922）6月，10岁随父学艺。主要人员和乐队：旦：孔庆保，生：孔庆怛，丑：孔庆太，三弦：孔庆泽，鼓：孔庆春，锣：孔庆根。

目前，该剧团班主为孔香娥，生于1955年1月，初中文化，从小跟随伯父孔庆春看戏、学艺，8岁登台演出《梅兰根》，现代孔氏班主。主要演员和乐队：旦：孔香娥，生：江祥庆，丑：项双细，正旦：吴东照、郑水生，锣：潘开牛，鼓：程益华、徐和喜，三弦：江样太。

该剧团多次参加贵溪市民间艺术大赛，在贵溪及毗邻县市乡村演出，深受欢迎。

目莲戏

目莲戏是根据民间故事《目莲救母》改编而成，传入贵溪大约在明永乐八年（1410）左右，已有600余年历史。《目莲戏》是一种宗教戏，一般做庙会、打醮、修谱、祈福、祛灾保平安时演戏。目莲戏有老本和新本之分，剧中有梁武帝出场的是老本，没有梁武帝出场的是改编本。明清时期，贵溪就分专业班和业余班。周坊长塘吴家吴接太是专业性演《目莲戏》的大戏班。滨江山背李家，高右上、下汤家是业余戏班。

目莲戏保留弋阳腔高腔曲牌体，有一整套的传统程式，吸收了赣剧的一些服装和表演做法，既有整本大戏，又有杂耍、抖科、打诨的小戏，不用弦乐，只有打击音乐，台前一人唱，台后众人帮，高亢豪放、朴实，属饶河派。

《目莲戏》以高腔为主，内容主要是忠孝节义、因果报应，人、鬼、神、佛同台，场景是天堂、地狱、人间交错。表演细腻，唱腔婉转，优美动听。褒忠贬奸，扬善惩恶，人物性格生动鲜明，故事情节引人入胜，表演手法千姿百态。

服装方面，原为短袖平靴，后为适应舞台造型，旦角加长水袖，生、净改用高底靴。在脸谱方面，使用红、黑、白3种基本颜色，交替配合，神态百出。

伴奏乐器主要有二胡、月琴、三弦、曲笛、唢呐等管弦乐器和高音战鼓、大小锣、钹等打击乐器。

第一传承人：吴接太，男，生于1432年，属目莲戏大戏专业班，任班主（演员不详）。清代至民国，班主李鸿飞，主要演员有：驼梁旦：李成林，花旦：李荣生，大花：李道文，二花：李金胜，小花：李栏林，老生：李云太，老外：李先戴。

吊戏

吊戏起源西汉，奉陈平为师祖。明、清以来，吊戏遍布贵溪城乡，在贵溪流传约有250余年历史。据统计全市有8个专业班社，明末"贵溪乐班"李汉文，祖孙五代在贵溪办班演出，流传剧目有：《奶娘传》《贵溪十不得》《满堂福》等，在贵溪家喻户晓，人们非常喜欢。其中《贵溪十不得》讲述贵溪山水和历史，结合当地景观，在城乡久演不衰。

声腔主要包括高腔、西皮、二簧，以弋阳腔，高拔子为底子，并吸纳赣剧南词，民间小调风格，主要以高拔子和西皮，二黄为主。

吊戏为木偶戏,大多演还愿戏,敬神戏,演出一般 5 人,3 人台前提线,1 人司鼓,1 人文台,其生、旦、净、丑,末都会,注重人物形象刻画,塑造。木偶通过手的动作和神情予以外化,表演出来的难度很大,文人出台要文质彬彬,武人要热闹,从动作道白,唱腔,表演到器乐配合默契。吊戏提线除在台前表演外,还要以手示指挥一台伴奏,如手往头上摸为(打帽子头),手掌往后平伸为倒板等,动作难度非常大,文武吊戏 10 根线,小丑 14 根线,红、白脸则 13 根,提线吊戏按人物而定,每到一处演出,吹打乐器敬社神,开台戏,接着演采茶戏,次为正本,最后为扫台戏,吊戏让人们享有一种雕塑美感。

贵溪吊戏在明、清时期名班有:

明天顺四年(1460),贵乐名班,班主,李开旺。明崇祯十一年(1638)贵乐班,班主李忠贵。民国二十二年(1933)贵乐班,班主李汉文,板桥人。现代周坊邵楚伯班,班主周正福。

广信戏

清末贵溪出现历史上自承一派的广信戏班,形成在戏剧中"无贵不成班"之说,独具影响。波及闽、浙、徽等省。清光绪三年(1877),贵溪老兴云班祖孙四代演出广信戏名扬广信府,演出达 70 余场。解放后,贵溪严有班著名小旦韩登绿、小花陈茂林赴北京演出《僧尼会》,受到毛主席接见。1983 年上饶地区在贵溪举办地区赣剧汇演,广信戏班在贵溪仍保持承传和发展。

广信班至今乃保留传统戏曲高腔、昆腔、弹腔三大部分。唱腔委婉俏丽,道具做工表演上均有独到之处,南北曲牌体系,联套,台上一人唱,台后众人帮腔,唱词清晰、曲调高昂。

主要服装有:"王旗回扣"拆口,小衣,大花(黑裤,黑扣);武将,刀马衣(红、绿色)小生:拆子衣,皇上:皇帽、紫金冠,包公帽(皇帝皇袍、马褂、皇书剑),文生(绿拆子,红拆子),小旦(红、绿、青拆子),武旦(刀马衣、红、绿)花旦(小衬夹)等共 40 余件衣服。

道具:刀枪、箫、棍、马鞭、箱、桌、幕等,伴奏乐器:鼓、大锻、小锻、唢呐、立胡、京胡、二胡、中胡、三弦、笛子。

《拆院墙》是贵溪广信戏创作的一场有影响的戏剧,反映农村在社会主义新农村建设中,人们思想和建设的变化以及建设美好家园的心情与奋斗,受到农民欢迎。《王小二过年》也是广信戏的创作剧,该剧深受农民欢迎,其内容讲述农民小二平常好吃好赌,输掉钱财,快过年了妻子叫小二拿绣花鞋去集市卖,结果赌性大发,又输掉卖鞋钱,年关临近,妻从乡邻借来豆子,买豆做豆腐过年,该剧劝戒赌博,持家生活场景内容,贴近现实。

贵溪广信戏在各个时期都有戏班:

兴云班。班主周兴隆,周坊人,清光绪三年(1877)的祖孙四代,主要演员:周裁缝、周兴隆、二坚、周和。

江柏通班。班主江昇臣,滨江人。清光绪二十四年(1898)至民国 7 年(1918)。

范老才班。班主范老才,上清人,清光绪三十年(1904)至民国 29 年(1940)。

老兴云班。班主周兴隆,民国 37 年(1948)与禄禧师合并刘元成班,著名演员有:小生高连、秋连,周福明、姘里师、严有元等。

太和春班。班主吴接太,周坊人,民国 7 年(1918)至民国 29 年(1940)。

江新舞台。班主江帆明。罗河人。民国 17 年(1928)至民国 38 年(1949)。

万生其班。班主方其生,罗河人。民国 7 年(1918)至民国 18 年(1929)。

金古旦班。班主刘元成。民国 29 年(1940)至民国 37 年(1948)。

如今贵溪广信班主要是罗河姚家的戏班。班主是彭员兰,女,生于 1952 年,16 岁学艺。现在还经常带团在周边县市演出。主要演员有:正生:姚建华,老生:黄银太,小生:彭员兰,武生:姚爱昌,小花,姚卫忠,大花,江行庆,二花:姚时昌,四花:姚伏德,小旦:姚四兰,武旦:徐美金,老旦:吴仙兰,青衣旦,姚长英,花旦:黄贵梅、姚小花、姚长成、江平姘,小甲:黄建华、姚龙凤、姚贵花、姚福英、陈堂太、陈国军,乐队:乐江太、姚南昌、姚溪昌、姚和礼、姚占德、姚二昌,黄金太。该团 1983 年荣获上饶地区戏剧调演一等奖,1987 年贵溪一等奖,2007 年获贵溪民间艺术大赛一等奖;2008 年获全省民间文艺大赛三等奖。

第四节　民间音乐

民歌

贵溪民歌丰富多彩，山区有山歌，平原有田歌，放牛有牧歌，耍灯有灯歌。据1981年调查，有号子2首，山歌33首，小调69首，灯歌15首，摇儿歌1首，红色歌曲54首，新民歌31首，其中209首编入《贵溪民间歌曲集》《打工嗓门唱新春》《红军来过年》《划起龙船走信江》被收入《江西民歌集》《中国民歌1000首》。

贵溪民歌有反映田农、茶农各种生产活动过程的民歌，有传授各种科学知识和智慧的民歌；有抒发男女青年爱情的情歌有反映人民群众革命斗争历史的民歌等，特别是第一次国内革命战争时期，在贵溪苏区革命根据地出现大量的革命民歌，这些歌记载了贵溪的历史、文化、风俗传统。贵溪民歌的特点概括为：声腔高腔、平腔、散板腔等都演唱极具节奏。

主要民歌有：《划起龙舟走信江》《红军来过年》《十月怀胎》《祈祷歌》等。

《划起龙舟走信江》讲叙劳动人们纪念屈原，贵溪信江优美的景色及人民生活像龙船一样向前进的美好祝愿。

《红军来过年》是民国21年（1932）中央红军在朱德总司令率领下，攻占天师府活捉张天师的斗争，歌颂红军为人们翻身作主，人民心里乐甜甜的情景。

贵溪民歌配乐的乐器有：鼓、锣、小钹、二胡、笛子、三弦等。

2005年，民间艺人江叙华成立贵溪市红歌艺术团，专门演出贵溪民歌，多次参加鹰潭、贵溪的各种文化活动，获得好评。

姚河串堂

“姚河串堂”最早用于赣戏演出时伴奏，后来逐渐衍生出一种民间新乐种，因为其传承人及主要参与者均为姚姓，故又称姚河串堂。

清末民国初，姚河以唱戏、做戏、娱乐为喜好，组成乐团，后演变成今日串堂班。有关该段历史史实记载于《姚氏宗谱》，姚好生传八般武艺，以传承串堂教学，其弟子100余人，“以教为主，演奏为助，以维生计”，在江西姚氏一族世代传承，闻名江西，一枝独秀，直到民国。

姚河串堂发展经过几个重要的历史时期。其清末以姚好来、姚银生、姚好生等为代表。以戏为乐，以串堂为班，演奏技法，对姚河串堂的发展起到推动作用。

民国期间，姚河串堂演奏艺术日趋精湛，主要参加庙会、农兴会、朝拜及农村各种集会等事宜，提倡竞技会友，在江西堪称一绝。

贵溪姚河串堂在清末民国时期得到长足发展，解放后姚氏世家日益繁荣。当时在弋阳、铅山、贵溪、横峰等周边县市享有名气，农村中若逢礼俗、婚礼、寿诞、葬礼、庙会等前往演奏繁多，进入鼎盛时期，形成了一定规模。

20世纪60年代，由于种种原因一度失传，后恢复经营，成立“姚河串堂”班。

“姚河串堂曲调”中的曲目在《花草台》中所用的乐器为：板鼓、铙、大锻、小锣、唢呐等。

庙会和风俗的伴奏所用乐器：鼓、筒子、筒板、锻、唢呐、二胡、三弦等。

姚河串堂的服饰为：传统的长袍、布鞋。

姚河串堂是戏剧伴唱派生出来的典型代表，演奏时间长、唱腔量大，演奏形式多样，应事而变，传奏和唱结合，具有较强的文化空间特征。既有器乐演奏，又有众人帮唱，混合而成。每逢春节、元宵、农闲之余，姚河串堂都要表演。姚河串堂演奏风格：音乐秀丽、清纯，委婉动听，既有粗犷豪放，又有遇事见事，红白喜事，庙会朝拜等本地风格的演奏形式，千姿百态，多彩绚丽，具有中国民间民乐弘扬艺术价值。

传承人：第一代传承人姚好生，生于清同治八年（1869），男，农民，18岁学艺，串堂师，任班主。主要人员有：上手姚好生，鼓姚银生，锣姚水生，唢呐姚好生，钹姚全德（曲目：斌天宫、堆花）。

第二代传承人姚敬德，男，生于民国7年（1918），农民，8岁跟父姚好生学艺，后任班主。主要人员有:小锣姚敬德,二胡姚深德,鼓姚智德,大锣姚硕德,唢呐姚深德,钹姚才明(曲目:僧尼会)。

第三代传承人姚凡昌,男,生于民国33年(1944),农民,自幼学艺,现任姚河串堂班主。主要人员有:鼓、笛子姚凡昌,锣姚寅昌,钹姚阳昌,唢呐姚茂昌,姚南昌,二胡姚南昌(曲目:花草台)。

畲族民歌

贵溪畲族乡是江西主要少数民族聚居地之一,畲族民歌成贵溪民歌的重要组成部分。“畲族民歌”是畲族人民千百年来劳动生活过程中创造出来的,以歌为乐、以歌叙事、以歌抒情、以歌教化,无论山头岭脚,都会有歌声,有唱有和,畲族民歌品种齐全,有反映本民族历史传统的“狗王歌”,有表现劳动生活的“采茶歌”,有拼比智慧的“锁歌”“情歌”“灯歌”“风俗歌”“哭丧歌”等等。

畲族民歌曲目量大、品种齐全,既有山歌,也有打歌、小调、风格广义、曲词大同小异,便于传唱,形式灵活,具有较强的文化空间特征,有一人唱,又有多人合唱、对唱。逢年过节,畲族人都要组织马灯,演唱民歌助兴,男、女、老、少唱上一晌午。畲族民歌音乐风格特点高腔和平腔,演唱节奏自由,声音高亢、豪放,音韵平稳、旋律流畅,歌词通俗简练,爱憎分明,其音乐句词结构为四行、七言体式韵文。四句为一首,也有少数歌词第一句为三字或五字式,讲究押韵和仄声。多唱假声,很少伴随动作和音乐。畲族民歌丰富多彩,具有研究价值,歌词见事见物自由创作,旋律优美。具有较高的文学价值和艺术价值,对弘扬民族音乐文化,具有重要作用。

畲族民歌演唱基本上不用乐器伴奏。演唱时主要服饰是:

男性:无领青布衫,领口与袖口襟镶红黄花边,无腰直筒裤,以素巾为素花土布,布鞋。

女性:上衣为蓝布,红黄花边,以素巾、绉纱包头、脚穿绣花鞋。

1985年以来畲族民歌多次获得省、市奖励。2008年4月获得中国非物质文化遗产保护中心、浙江省文化厅、浙江景宁畲族自治县颁发的“中国畲族民歌节十大歌王”称号。

雷良海,男,生于民国27年(1938)8月,畲族歌王,属第一代传承人;雷冬梅,女,生于1967年6月,从小跟父学唱民歌,属第二代传承人;雷雨,男,生于1986年5月,从小跟祖父唱畲族歌,属第三代传承人;雷雨杰,男,生于1999年5月,从小跟祖父、父亲唱畲歌,属第四代传承人。

第五节 工艺美术

烙画

烙画是塘湾镇芦甸村排上村小组农民蒋仕昌自创而成。蒋仕昌高中毕业后高考落榜,回乡务农。因从小热爱美术,劳作之余不断学习,后来学做油漆,经常与木板打交通,偶尔也修理收音机、电视机一类的家用电器,经常与电烙铁打交道,久而久之看到电烙铁偶尔在木板上烫出痕迹,像是图画,便动起了在木板上用电烙铁作画的念头。从1994年起,不断拜师学艺,不断摸索进步,久而久之,其烙画在民间名声不胫而走,求画的不断增多,后来其作品参加省、市、县各级美术大赛,屡屡获奖,其烙画已成为贵溪文化艺术中的一朵奇葩。

民间剪纸

民间剪纸艺术,寓意广泛含蓄。如吉祥故事,龙凤呈祥,鲤鱼跳龙门、麻姑献寿、麒麟送子、竹报平安等,还有吉祥禽鸟、瑞兽、花木等一切立意均在招喜纳祥范围内,用于节日、盛典喜庆等民俗活动中。

传承人王陵波,民国26年(1937)出生在南京,民国34年(1945)外婆开始教王陵波剪花,王陵波的外婆郭黄氏(1868—1956)是江西省吉水县福寿乡人,自幼喜爱剪纸绣花,出嫁后随夫移居广东佛山,那里剪纸盛行,王陵波在外婆悉心指导下,对剪纸如醉如痴,在学生时代,不但门门功课优秀,经常有剪纸作品发表。

1960年毕业后,分配在上清师范任教,着手搜集民间剪纸,在学生中组织剪纸小组。1968年,调入贵溪县毛泽东思想宣传站,在各类展览中发挥剪纸特色。

其作品有近千幅,发表约600幅,全国性报刊及各省市报刊均有。参加展览的作品曾获江西省一、二、三等奖,全国展银奖。1999年获第四届中国·黑龙江剪纸艺术节颁发的“新中国剪纸50年贡献奖”。

民间根雕

贵溪根雕第一人吴德海，彭湾乡新民村委会人，现年48岁，16岁开始学习根雕技艺，至今已有20多年。35岁那年赴福建学习、培训。作品种类以平雕、圆雕、根雕为主，平雕有箭套、佛家类狮子，令牌等，还有屏风、动物图像、佛像、匾等。根雕如意、茶几（天然杉树根、樟树根制作），作品惟妙惟肖、栩栩如生，一年出大型根雕作品10余件，小件作品数万件，直接销往龙虎山风景旅游区，深受国人、国际友人的青睐。

根雕的主要材料是天然杉树根、橡树根、桃木等，主要工具有铲刀、圆刀、平刀、三角刀、锤子等，工艺流程为：挖树根—清洗树根—打磨—构思—雕刻—油漆。

錾铜雕刻

贵溪铜雕工艺受佛教文化和象山书院文化影响，其制作的工艺作品特点鲜明，宗教文化色彩浓厚，在发展传统文化的同时结合现代艺术风格。既传承古典金属装饰艺术风格，又体现当今社会文化的美学追求，是传统文化底蕴和人文精神完美融合的一种纯手工技艺。

贵溪錾铜雕刻工艺是铜器成形后的进一步加工技术。它是在纯手工直接操作下利用铜材其柔软和延展之肌理特性，根据设计的纹饰要求分别选用平面雕刻、镌刻或镂刻。从而产生丰富多彩的艺术效果。铜雕工艺介于平面绘画与立体雕塑之间，融合银錾刻之精细与锻铜的大气为一体，其创造出来的艺术美感及独特的古典魅力颇受世人青睐。古往今来，精湛的铜雕艺术一直是艺术家们热衷追求和施展才华的技艺之一。

贵溪錾铜雕刻工艺制作流程分为：设计稿样、选料、将图纸固定在铜板上、浅錾、褪火（使铜板变软）、根据正面痕迹从反面锤碟、上胶板在正面细錾刻、褪胶板（熔化）、錾边、锤边打磨、清洗、表面处理（镀金、做旧、擦亮上保护色）、包装（根据作品的不同款式配不同的底座）。

贵溪錾铜雕刻制作工具有形状大小各异的錾子、小铁锤、木榧、铁板（垫子）、砂纸等。

贵溪錾铜雕刻工艺在吸收、发挥传统铜雕技术的基础上，经过长期的挖掘和创新，逐步形成自己特有的“錾雕”技法。其手工生产的铜雕工艺品与现代机械制作工艺品有着无可替代的本质区别，极富审美和传世收藏价值。贵溪民间錾铜雕刻艺人勤奋好学，博采众长，创造出来的作品多次在全国、省、部级历届工艺作品大赛中荣获金、银大奖，受到各级领导和专家的认可及赞誉，在东南亚国家和地区颇有影响，雕刻的《佛牙舍利塔》《降龙罗汉》作品均被新加坡佛牙寺和中国工艺美术馆长期收藏，尤以中国工艺美术师黄俊军作品最具代表性。

第六节　舞　蹈

古典秧歌

古典秧歌最早起源于清代，流传至今已200余年，如今的古典秧歌在四冶生活区十分流行，主要形式是民间一种传统祛邪舞，扮演出场，边跳边摆，利用戏剧中的武生、小生、旦、王、小丑，神话中的铁拐李、孙悟空、法师、罗汉、八仙等人物，民间各种灯彩造型参杂队伍中，进行游行表演时，各种人物做出不同的艺术造型，把古典秧歌推向高潮。

古典秧歌的表演形式是，利用秧歌形态刻画展示戏剧中人物形象、神话中人物传说，人们祈求生活美满幸福。古典秧歌，表演队伍庞大，约200人，以老、中年艺人为主。舞蹈时，壮观，动作流利、粗犷奔放，以不同人物表演民间艺术独特性。

古典秧歌服饰繁多，红、黄、绿衣物，服装、各种颜色的彩扇，头戴民间刺绣帽和各种凤冠，身系红、黄、绿腰带，传统布鞋，使用神话典故中的人物服饰和道具。

其主要伴奏乐器：大鼓（直径一米）、大钗、唢呐，简称一鼓一钗。

传承人李金莲是第十代古典秧歌传承人，长期从事古典秧歌表演与辅导，曾多次在系统与地方民间艺术表演中获奖。

马灯舞

畲族马灯舞是畲族的一种古老的集音乐、舞蹈、服饰表演为一体的民间灯舞。据《贵溪县志》载:马灯舞起源于元代末期,贵溪樟坪畲族人自明正德年间(1506)由福建迁移到贵溪江浒山后,开始盛行跳马灯舞。

畲族人跳马灯舞,起先是为纪念祖先,由祖审坐阵寨头,镇守族土,驱灾御邪,防御外族欺压,由族中年高艺人,组织青年人制马,制灯跳灯舞,为祭祖,以保佑畲族人安居乐业,五谷丰登。后形成是跳马灯舞习俗。每逢喜庆节日,畲族村村寨寨跳马灯舞,由初一跳到元宵节。马灯舞以畲族传统跳、唱、演于一体,从生活和劳动中不断提炼出来。

民国36年(1947),马灯舞第三十二代传人雷春元,就组织过本族老艺人和青壮年到毗邻福建、浙江畲族跳马灯舞。上世纪中叶由于种种原因,马灯舞表演队伍基本解散,人员先后回到深山老林游猎生活,马灯舞基本失传。

“文化大革命”期间,马灯舞被视为“迷信灯舞”,遭到严重破坏,服装道具毁灭殆尽。1978年,省专家组织畲族马灯舞参加江西省民间舞蹈比赛,开始恢复马灯舞。1987年,畲族马灯舞应邀参加福建宁德举办的闽、浙、赣畲族文化艺术节,引起专家、学者的高度关注。

马灯舞动作感情外露,古朴典雅、粗犷奔放,跳式独特,属原生态民间传统舞蹈。

传承人雷相贵系三十三代传人,樟坪畲族乡畲族村人,多次参加全国、省、市重大赛事活动并获奖,2007年马灯舞获第八届全国少数民族运动会金奖。

表演时服饰基本保留传统服装特色:色彩有黑、青、蓝、紫色为主,男、女衣裤(裙)镶上小花边,给人以“素静”之感,据畲族老人介绍:畲族的裤脚短、裤筒大,便于山林间劳作生活。

女,上衣为蓝布,红黄花边,裙分前后两块,黑布、红黄花边。以素巾、织布纱包头,脚穿绣花鞋。男,上身穿对襟立领蓝式黑、紫布,红黄花边,裤筒大而较短,裤口镶有红黄花边。头巾为素花土布,脚穿土布脚,显得素雅庄重。

主要器乐有:鼓、锣、钹、小锣等。

狮子灯

狮子灯是结合武术动作的一种民间舞蹈,有“独狮舞”“双狮舞”。狮子灯活动一般从农历正月初三开始至元宵节。舞蹈没有具体故事情节。表演分两大部分,第一部分是“狮子追珠球”,通过“穿半台”“游前台”“跳四门”“挠痒”“抱蛋”“上盘(桌)”“下盘滚耍”“横台挠痒”“抢球”等生龙活虎追夺绣球的热闹场面。第二部分是武术表演、“短手拳”和“长手拳”两段。短手拳有“铁拦虎”“圆子手”“上、下盘”“中盘”;长手拳有“打四门锁子简”“杀南洋刀””七步东南棍““双劈枪”等。狮子灯全场表演时间在2小时左右,全场人员30余人。

服装:“和滚球狮子演对手戏的穿大红便衣、绸裤”,其他人员一律着绿色便衣、绸裤,其乐器主要是:锣、鼓和唢呐,曲牌有《火爆》《马上奏》等。

传承人:李和生,金屯镇大塘李家村,1956年曾率队参加上饶地区民间灯彩会演获二等奖。

罗汉舞

罗汉舞起源于明末清初,它是民间杂技和武术融为一体的民间舞蹈,由罗汉头、罗汉崽组成。在贵溪民间非常流行,据1986年普查,全市有44支罗汉队伍。以佛教为展示故事情节,舞分两部分,先是请神仪式,祭神,由罗汉头独自表演;后是由罗汉崽表演,以敬罗汉以求多生子(崽)表达人们希望人丁兴旺的心愿。每年正月初一至十五是罗汉舞表演时期,罗汉舞表演人员有30余人,表演多达3个小时。

罗汉头表演有开纱窗、开门扫地、放灯、扫佛堂、装香、拜佛、撞钟等。罗汉崽的动作有抛过肩、罗汉进洞、担扁担、凤穿鞋、双塔、观音坐莲、大竹场等30个花节。表演时,罗汉头头戴罗汉面具,上身穿红式绿色戏板子,腰系白布袋内垫谷壳或芦花制成的“腰臂包”,下穿红彩裤,手持“云帚”和“龙头杖”。

小罗汉,不戴面具,上穿各种花色对襟褂,红彩裤,黑腰带,或穿和尚服,灯笼裤,便鞋等。体态肥硕,大腹便便,隆起臂部,走着老人步,跳着“捧臂”等动作,舞蹈风趣、幽默、稳健、慈祥,动作活泼可爱,虎虎有生气,如“观音坐莲”“搭牌坊”、“倒桥”等,形象生动,舞蹈表演高潮迭起。

音乐伴奏是民间打击乐,但有固定的节奏和鼓点,鼓点节奏稍疏,适合动作表演,采用大鼓、大锻、大钹,给人以古朴端庄的感觉。

罗汉舞自明末清初在贵溪广泛流行以来,深受老百姓喜爱,但后来被以封建迷信遭打压后,大部分动作失传至今。

如今传承人肖春生,小学文化,农民,从事狮子灯、龙灯、罗汉灯表演。

第七节 民间名方

邱氏胃药

清末,贵溪泗沥镇杨山村流源邱家有一户世代单传的小户人家,平时备受欺凌,为了改变世代受欺凌的境况,毅然决然地卖掉家里的几亩薄田,将儿子邱清彪送到峨眉山拜清远方丈为师学武。这位清远方丈不仅武艺高超,而且医术高明,尤其在治疗跌打损伤、胃病方面技艺高超,邱清彪在刻苦学武的同时,常随师父清远方丈上山采集草药,配制药方。学会清远方丈的武艺及医疗技艺,不仅武艺高强,而且医技高超。

几年后,邱清彪学成回家,在邱家开设武馆,招徒授武,同时,悬壶济世,治病救人。由于当时人们生活极端贫困,常常是饱一餐、饿几顿。因此,患胃病的人很多,渐渐地邱清彪把主攻方向放在治愈当地人的胃病上,经过几年的刻苦钻研,不断改变配方,邱氏胃药药方渐成雏形。方圆数十里的人们都知道,流源邱家有个擅长治胃病的好郎中。

后来,经过二代传承人邱子钦和三代传承人邱忠元的不断改进,配方日趋科学,治疗的胃病从最初的胃疼到后来的胃炎、胃溃疡、胃寒、胃胀及消化道炎症等。其名气也逐渐增大,邻县弋阳、横峰也有很多人慕名投医。

邱氏胃药主要通过采集各种中草药,按传统邱氏秘方配伍,烘干碾磨,制成粉剂胶囊。主要医治胃炎、胃溃疡、胃寒、胃胀、腹泻及消化道炎症。

现在邱氏胃药的传承人为泗沥镇杨山村小组的邱少华。

彭氏膏药

明末清初年间,鹰潭是岱宝山下一个热闹繁华的小镇,此镇是通往龙虎山的必经之路,镇上有个叫“彭氏客栈”的小店,过往行人几乎每次经过此地时都会住上几宿,然后前往龙虎山去,因此彭老板生意兴隆。由于客栈老板服务态度和善,乐于助人,赢得四里八乡很好的口碑。有年冬天,来了一位牵着骆驼的西域人,衣裳破烂,十分寒碜,哆哆嗦嗦的站在彭老板的店门口,要求住宿,老板看见这一副乞丐模样的“客人”还真不知道如何是好,出于好心让他进屋,给他端来热水热饭,让他免费住在客栈里。开始彭老板以为他住一晚就会走,没想到第二天那人却说想要住到次年开春再离开,这可把老板急坏了,心想,自己一个做生意的,不能让一个素不相识的人白吃白住。那人看出老板心思,于是说:我可以在你店门口摆个小摊,不需要你出任何本钱,所有收入你拿去,你只要管我和骆驼的一日三餐就可以,到第二年开春我就走。彭老板一听觉得满划算的,于是答应他的请求。

第三天那西域人就在店门口摆一张小桌子,从衣服口袋里拿出一块块的黑膏药,开始吆喝着:“卖膏药啰!卖膏药!无论是摔倒,扭、伤到,一贴就有效,无论是烂皮,烂肉,无名肿毒,烂疮,一贴定会痊愈……”。

一传十,十传百,方圆几十里路的人都知道在贵溪不远的鹰潭有个卖膏药的西域人。

由于看病的人多,西域人带来的原材料几乎全部用完,于是他就叫彭老板帮他采集原材料,彭老板慢慢地也就知道这些膏药的基本组成部分,但是不知道如何配制,每次这个西域人配制的时候就自己关起门来不让任何一个人看见。彭老板出于好奇和好学的本能,他便在西域人配方的时候,往门缝里偷看,也逐渐知道材料的配制方法。彭老板把自己看见材料种类和配制方法,按顺序一一记下,写成一个小册子。西域人一呆就是二年,有一日,西域人整理好自己的行装,牵上骆驼准备上路,彭老板就恳切的希望他能够留下,更好的为当地百姓治病。挽留时西域人说:“你不是已经学会了吗?每次叫你采集的原料,这些秘方的组成部分你不是都已经知道了吗?还有在我配方的时候你不是在门缝背后也看见了吗?以后治病我想有你就可以了。万物自然,我该走的时候就应该走了,这也是我当初的承诺,以后好好治病救人吧”。彭老板当时有点惭愧,就送西域人来到店门口,一转眼,西域人连同他的胳驼都不翼而飞了,百姓都传西域人是天界派下来的药神。从此彭氏把这件事告诉自己的家人,整理西域人的材料,按照他的配制方法制起膏药,办起诊所。世代传承,至今流传20余代,这就是贵溪槽坊彭氏膏药。槽坊彭氏膏药通过民间传承和发展,主要医治民间无名肿痛及无名溃烂和富贵病。

如今的贵溪彭氏膏药传承人为贵溪市滨江镇浮桥村小组彭建君。

第六章　体　育

第一节　机构与场馆产业

机构

贵溪市(县)体育部门,原为在文教局机构中分设的体育组(股),20世纪70年代始在原老城区范家花园内成立县体育运动委员会(简称体委),直至2002年11月19日在贵溪市机构改革中更名为市体育局,且并入市教育局,合署办公,但对外仍保留体育局牌子。

1991年,为贯彻实施《中华人民共和国体育法》《全民健身计划纲要》和《农民体育健身工程》,全县在体育主管部门的引导和组织安排下,掀起群众体育活动热潮,先后成立16个群众性体育团体,即:篮球协会、老年人体育协会、乒乓球协会、足球协会、排球协会、舞蹈协会、棋类协会、自行车协会、健身健美协会、游泳协会、钓鱼协会、登山协会、户外运动联盟、羽毛球协会、太极拳协会、健身协会。这些体育组织的建立,为科学有序推动全民健身运动的开展,起到极大的作用。

体育场馆

1991年以来,贵溪市(县)政府先后拨专款建设了体育场馆,并对全市(县)旧有体育设施进行改建、扩建和维修。

进入21世纪,市政府拨款先是在新市区建设路中段建占地8600平方米的青少年活动中心,内有风雨篮球场、简易篮球场2个、标准网球场2个、乒乓球室1个、舞蹈室1个,有1000个座位的看台;在沿河路桥东公园建占地680平方米的风雨门球场2个。为配合鹰潭市举办2010年江西省第十三届运动会,贵溪市承担跆拳道等项目的比赛,贵溪市委、市政府决定于2007年在月亮湾扩建一座高标准、现代化,拥有1160个座位的教体馆。同时还在市区中、小学分别扩建、新建400米8道标准塑胶田径场3个(市四中、市实验中学、市象山学校),300米8道标准田径场2个(市二中、江铜技校)标准足球场5个(市一中、市二中、市四中、市实验中学、市象山学校),健身房、体操房、跆拳道训练馆和举重馆13个;在城镇社区和新农村普遍建有公共体育活动设施。

截至2008年,市区有田径场12个,篮球场46个,排球场12个,足球场5个,体育馆7个,公共体育设施86处;农村有运动场21个,篮球场50个,足球场4个,室内活动室23个,公共体育设施218处。

体育产业

贵溪市(县)体育产业主要是开办体育彩票工作。体育彩票是由国家体育总局发行,为的是加快全民体育事业的发展,而面向社会筹集资金的一种方式。贵溪的体育彩票工作始于1993年2月。开办之后,始终坚持“以人为本,以体为重,全面发展”的方针,积极推动体育产业做大做强。1998年贵溪发生特大洪水灾害,但贵溪市体育运动委员会(体委)摆脱经济困难局面,成功地发行一次体育彩票,大灾之年销售体育彩票70万余张,获利16万元,为发展本地体育事业筹集一笔经费。体育局成立以后,2002年贵溪市呈现出体育彩票,体育用品销售,体育场馆开放多管齐下,均衡发展的良好态势。

2008年年底,全市电脑体育彩票销售网点增机27台;组织业主参加上级培训4次;切实抓好高频“多乐彩”上市前期的准备工作及上市告发活动的宣传,制定“超级大乐透”派送期间网点销售奖励方案,举办即开型体育彩票小卖场。配合鹰潭市体育彩票管理站对贵溪全市的体育彩票网点进行重新包装。在2008年里,全市发行电脑体育彩票计3390956元,销售即开型体育彩票689400元,完成江西省,鹰潭市两级体育主管部门下达的发行任务。2008年5月,贵溪还办理奥运彩票全省同步上市,首发仪式及有关报批手续,并于6月举办迎奥运即开型体育彩票首发仪式。

第二节　群众体育

贵溪市(县)群众体育活动历来十分活跃,城区与农村广大干部、群众、厂矿职工、学校师生、农民都能因地制宜地开展各项体育健身活动,尤其在《中华人民共和国体育法》《全民健身计划纲要》颁布之后,健身活动已成为人民群众生活和社会和谐的重要内容。

城乡群众体育

1991—2008年,贵溪市城乡群众体育活动设施逐步完善,活动项目日渐增多,体育组织十分活跃,辅导网点已趋健全,群众体育队伍更加扩大。

在城区信江北岸的老桥西公园,后开辟的桥东公园、信江南岸的滨江绿地休闲公园和南北两岸各个社区中均建有健身活动场地、全套的活动器械;随着新农村建设的不断发展,农村中除改水改厕外,都开辟公园、广场、普遍地建有配套的健身活动器械。这些都为广大市民,农民进行健身锻炼提供条件。这些设施大都是市财政拨款建设,也有单位自身建设,社区内设施均为物业公司所建。

城区市民健身晨练

老年人体育

贵溪市(县)老年人体育协会成立于1984年。1991年以来,老年人体育活动蓬勃发展,在市区普遍开展之后已逐渐发展至乡、镇、村、组和城区居民小区(社区)。

1991—2008年,全市各个乡镇场、机关团体均相继成立老年人体育组织。1991年初建老年人体育组织22个,至2008年年底,全市共有69个老年体育协会,不少居委会,村委会还成立分会。全市农村有20%的村委会成立了老年体协组织。全市老年体育人口已达6万多,占全市总人口的12%。

2008年,贵溪市区老年人组织夕阳红秧歌队,嫂子腰鼓队、嫂子艺术团、夕阳红腰鼓队、夕阳红军乐队、太极拳辅导班、点、太极拳(剑)培训班,太极拳协会等20几个团队和活动基地。

贵溪市(县)老年人体育协会坚持贯彻《中华人民共和国体育法》《中华人民共和国老年人权益保障法》《全民健身计划纲要》,根据老年人的心理特点、生理特点和老年体育的规律组织指导老年人开展科学健康有适度的体育活动,积极提高老年人的生活质量和生命质量。贵溪市(县)老年体育科学普会,不但组织专门机构研讨老年人科学养生、延缓衰老,还组织学有所成的人士撰写老年科学论文,从1991年以来,全市在江西省老年科学杂志《康乐寿》上发表健身论文和科学养生文章达二十余篇,2007年发表《以会养会》《老贵在学》等5篇文章,2008年发表《科学养生、延缓衰老》,《山村二老》,《我与康乐寿的情结》等5篇文章,上稿量均居全省各市(县区)前列,居鹰潭市第一位。贵溪市老年体协还对在《康乐寿》杂志上稿的作者加以奖励,这种做法已形成制度。

市老年人体育协会,每年工作均有组织、有安排、有检查、有总结、有奖励、有交流,开展得有声有色,并且做到老年体协、老年科普学会、老年健身活动辅导站点三位合一的网络配套机制。全市城区辅导站点有16处。有老年体育协会基层组织的部门也相应成立老年科普学会分会。

市老年人体育协会每年定期召开全市老年体协主席会议,组织召开经验交流会,现场会,发动大家互相参观学习。1991—2008 年,全市(县)共召开市、乡镇(街办)老年体育工作经验交流会 30 余次,到双圳、塘湾、罗河、流口等地参观,在雷溪乡总场黄家、流口镇盛源黄家、罗河镇新田姚家、雄石街道办事处石泉金家举办现场会。1991 年以来,市老年体协先后表彰民政局、工商局、公安局、国税局、市职中、市二中、农业局、财政局、雄石街道办事处,电信公司等部门老年体协,表彰张捷、方瑞海、黄武旺、张世美、关振华、陈德里、张桂珠、谢碧云、任祖斌等一批老年体育工作先进个人。

1991—2008 年,贵溪老年体育工作也培育一批自己的特色传统项目,主要有太极拳(剑)、门球、健身球、象棋、健身气功、健美操、腰鼓、威风锣鼓、秧歌舞等。2007 年,在组队参加鹰潭市老年人第五届运动会上,贵溪荣获团体总分第一,金牌与奖牌数第一的喜人成绩。2008 年,贵溪组队参加江西省老年人健身运动会女子健身球比赛,首次获全省冠军。全市城乡共建立 70 支老年腰鼓队,15 支太极拳训练队,30 多支老年门球队。2008 年,全市以老年门球为老年体育活动龙头项目,举办各种竞赛 16 次,组织培训班七期,培训人员 470 人次。1991—2008 年,贵溪市(县)老年人体育协会共举办太极拳培训班 75 期,培训人员 3068 人次。

农民体育

贵溪市在贯彻《全民健身计划纲要》《农民体育健身工程》,在建设新农村活动中,均把建好体育文化活动场地,积极组织发动农民群众进行体育锻炼放在重要地位。

1991 年以来,贵溪各乡镇、场、街道办事处,普遍建立农村文化站、农民俱乐部、篮球场,各个新农村建设试点村里均建设一些配套公共体育设施。2006 年以来,由市体育局牵头,重点扶持金屯镇枫岭村、周坊镇长塘村、裴源村、白田乡东枫林湾村、罗河镇童源村、文坊镇吊桥村、滨江乡黄坑村、塘湾镇白果村、鸿塘镇基塘村、冷水镇麻地村、市直属中心学校等处,建成农民体育健身场地,为农民群众和体育爱好者提供体育活动场所。市新农村建设示范点彭湾乡星明石家村特为农民修建一块占地 700 余平方米的健身文化广场。各乡(镇、场)政府还不定期召开农民体育运动全。1991 年以来,市(县)体育局协办,由塘湾、文坊、周坊、冷水、樟坪、余家等乡镇主办农民体育运动会。比赛项目主要有田径、举重、还有民间传统项目挤手棍、散打、刀术、剑术、硬气功、球类、棋类等。有条件的金屯、滨江、志光、鸿塘、河潭、罗河、流口等乡镇还在农历五月初五端午节举行龙舟竞赛,参赛龙舟少则三四只,多达七八只。樟坪民族乡有个民族体育特色的马灯舞,在 2008 年还专程登上北京人民大会堂为党和国家领导人表演。

职工体育

新中国后,贵溪地区机关单位、厂矿企业和学校教工,在总工会的组织下,由文教局协办,经常开展一些职工体育活动,“五一”劳动节、国庆节、元旦都会举行田径运动会、拔河比赛、乒乓球比赛,举办最多的。

改革开放后,贵溪经济不断发展,企事业单位增加,职工体育运动更加活跃,体育门类不断扩大,参加体育人数年年上升。

1991 年以来,全市(县)职工系统体育组织有太极拳、篮球、门球、自行车等几个,发展到 2008 年年底的 16 个,这些职工群众体育组织分布在机关、厂矿、学校和各社区。

在市体育局的主持和安排下,每年在春节、元旦、五一、国庆或教师节期间均举行一些综合性、象征性的体育运动会和单项比赛。

1991—2008 年,全市(县)共举行大型职工运动会 2 次;中小学运动会 6 次;单项体育比赛 200 多次。篮球赛 32 次;门球赛 48 次;每年均举办 1 ~ 2 次象棋、自行车、乒乓球、排球、网球、羽毛球、拔河、太极拳、钓鱼等项目的比赛。

全市大型职工运动会,第一届于 2001 年举办,由市体育局与总工会合办。比赛项目有:拔河、篮球、乒乓球、环城跑、自行车越野赛、田径比赛。参赛单位有 22 个,教练员、裁判员 50 余人,参赛运动员 1125 人。第二届为纪念北京奥运会倒计时 100 天,于 2008 年“五一”国际劳动节举办,由市总工会、市体育局合办。比赛项目有:拔河、男子篮球、乒乓球、羽毛球、踏板齐步走,领导干部篮球定点投篮、跳绳、迎面接力跑等趣味体育,参加单位 53 个,参赛人数 2200 人。

第三节　学校体育

贵溪市(县)各级各类学校在执行教育方针,执行体育教学大纲过程中,经历了“放羊式”或“军事训练式”的阶段,逐步走上正轨教学规程。各中、小学认真贯彻《中、小学体育工作规定》和《全国学校体育竞赛制度》的规定,切实地上好体育课,开展好“二课、两操”活动,并相应成立课外体育活动小组和体育单项运动队。积极组织实施《国家体育锻炼标准》,1998 年,全市中、小学学生达标 56328 人,其中优秀 6501 人,良好 10131 人,及格 36969 人,占应参加达标人数的 77.61%,1998 年贵溪市体委与市教委联合举办了撤县设市后首届中、小学田径运动会。1998 年,贵溪老四中被国家体育总局评为“全国群众体育先进集体”,市一中被省体委评为“全省群众体育先进集体”。2006 年,市一中被评为江西省优秀健身气功活动站点。2007 年,市一中获国家体育总局、国家教育部颁发的“全国学校体育场馆向公众开放”试点学校称号。

1991 年,全市(县)城区中小学有专职体育教师 43 人,兼职体育教师 30 余人;农村中小学专职体育教师仅限于单办初中和乡镇中心学校配备有 1～2 名,村级小学基本上是兼职体育教师。当年,全县体育教师为 128 人。

2008 年年底,全市各级各类中小学有体育专(兼)职教师 358 人,占全市教师总数的 6.3%。其中,市一中有专职体育教师 21 人,市二中有专职体育教师 9 人,市实验中学有专职体育教师 14 人,市三中有专职体育教师 8 人,市四中有专职体育教师 7 人。全市体育教师中有中学高级教师 28 人,小学高级教师和中学一级教师 106 人。在体育教学中师资水平和教学质量有显著提高。

2008 年,贵溪市为全面贯彻《全民健身计划纲要》和《贵溪市全民健身条例》,市政府决定将市一中、市二中、市三中、市四中、市实验中学、市一小等 6 所学校体育馆向社会开放,这是对社会体育资源的充分合理使用进行积极探索和有益尝试,也是市政府满足老城区、低收入居民或退休、下岗职工等没有社会健身消费能力的普通市民健身需要,使社区的秧歌、腰鼓等群众文体社团有固定的活动场所,使青少年有活动场地,同时也促进学校体育工作自身发展。

市少年业余体校

市少年业余体校创办于 1997 年,历年来主要抓体育苗子的培养训练。至 2008 年,共开展跆拳道、田径、武术和摔跤等多门类基本训练。

1998 年在全市招收体育苗子 45 人,还选拔 40 名小学生作田径后备人才。是年,首次组队参加鹰潭市“苗苗杯”田径比赛,初出茅庐,便崭露头角,取得 3 枚金牌。从 1997—2008 年,该校代表贵溪和鹰潭参加省、市各项比赛共获金牌 24 枚,银牌 19 枚。

体育教学

市一中体育教学　贵溪市一中为江西省重点中学,共有 96 个教学班,专任体育教师 21 人,承担全校 6000 多名学生的课内外体育教学与训练工作。全校各班级均按“体育教学大纲”要求开足课时,并按严格标准进行教学;体育教研组坚持每周一次进行体育教学教研活动。学校还根据学生具有的体育专长和兴趣,从高二年级开始把他们选拔到一个班级进行集中教学,由专职辅导教师针对性进行文化教学和项目训练,制订切实可行的体育训练目标和措施,每年为全国著名

一中校运会

体育院校输送一批拔尖人才。从1991年以来共为北京体育大学、华东体育学院、上海体育学院输送了70余名体育人才。

市一中体育传统项目有篮球、排球、乒乓球、拔河、毽球,尤其是女子篮球更是在省内驰名。

1991年,市一中被评为"江西省体育运动项目传统学校",1998年,被评为"江西省体育场馆向公众开放"试点学校,张红华被授予全国优秀体育教师、罗狮卿获江西省体育骨干教师称号,邱宝娟被评为"全国学校体育卫生先进个人",茹伟获"江西省2002—2005年度群众体育先进个人"称号。

市二中体育教学 贵溪市二中坚持全面发展,培养"合格＋特长"人才的办学方向树立"健康第一"的指导思想抓好体育教学。学校9名专职体育教师和一些兼职体育教师承担全校53个班级和2645名学生的课内外教学和训练任务。学校每2年举办一次校运动会,至今已举办15届。

市实验中学体育教学 贵溪市实验中学是江西省重点中学。并被省教育厅授予"江西省航空航天车辆模型运动重点单位",开办车模、航模、空模3个专业。

市实验中学自创办以来共成立跆拳道、足球、田径篮球,乒乓球、羽毛球、武术等体训班。

2002年,学校被确立为鹰潭市体育后备人才培养基地,学校14名专职体育教师承担全校62个班级的体育教学任务,学校有国家一级裁判3人,二级裁判11人。学校每年举办一届学生运动会。

市三中体育教学 贵溪三中自建校以来,积极执行国家的教育方针,培养德智体全面发展的人才。2006年国家教育部、体育总局和共青团中央共同决定开展全国亿万学生阳光体育运动之后,市三中提出"健康工作、健康学习"的理念,通过体育课,运动会、兴趣班等形式,开展丰富多彩的师生体育活动。

市三中坚持每周开足体育课时,并坚持每年举办一届校运动会。学校体育工作,大胆创新,走出新路子,利用现有场地,定期进行单项比赛,并开展跳绳、拔河、拍球、篮球、乒乓球等集体性和趣味性强的体育比赛作为补充。

市四中体育教学 贵溪市第四中学,原为江铜集团贵溪冶炼厂子弟学校,2003年移交贵溪地方管理,是江西省重点建设中学。2002年被江西省体育局和教育厅评为江西省体育传统项目学校。2002年被江西省体育局和教育厅评为江西省体育传统项目学校。2008年又被评为江西省培养体育后备人才示范中学。国家体委主任伍绍祖、江西省教委主任黄定元先后视察市四中。

市四中历来强化体育教学工作,一名副校长分管体育教学,使学校体育做到有计划、重落实、出成效,学校采取措施激励学生积极参加体育锻炼,体育尖子生将作为特长生与"三好学生"享受同等待遇,体育成绩达不到良好者不能参加"三好学生"评选;不参加学校组织的各项体育活动的班级不能参加优秀班级评比。

学校7名体育专职教师,4人为高级教师,1人为省体育骨干教师,1人为贵溪市体育学科带头人。2002年林松涛被评为江西省体育骨干教师,并被评为江西省群众体育先进个人;2005年危春梅评为市体育学科带头人,2006年被评为江西省群众体育先进个人。

至2008年,市四中共为上海体院、北京体院输送97名优秀体育人才;向江西省体育专业队输送了19名优秀运动员;全校学生在历年的健康标准测验中,合格率达93%;学生在江西省、鹰潭市各级体育教学评比和竞赛中获奖117次;体育教师完成省级体育教学课题研究一项,撰写体育教学论文18篇。

市职业中学体育教学 贵溪市职业中学自1991年创办以来,在体育课教学中抓特色教学。学校体育设施条件有限,但体育教师能因陋就简地开展一些活动,组织田径训练队、举重训练队,暑练三伏,寒训四九,培养一批体育尖子,在"三校生"高考中,体育人才脱颖而出,2004—2008年考入本科体育专业考生16人,考入大专体育人才43人。

市象山学校体育教学 贵溪市象山学校是一所国有民营、九年一贯制学校。35个教学班,1451名学生,专职体育教师12人。

象山学校坚持开展"我运动,我健康"的阳光体育活动,每天早晨做学生广播体操,上午第二节课后,小学部学生便会在"兔子舞曲"的节奏下做起"兔子操",下午第四节课后又开设第二课堂,开展文艺、科技、足球、篮球、排球、乒乓球等体育活动。

学校创办至今,已举办3届校运会,比赛项目有田径和各种趣味活动。

市实验小学体育教学　贵溪市实验小学创办于1961年，1991年以来学校逐年扩大，2008年共有44个教学班，专职体育教师5人，与8位兼职体育教师共同承担2600余名学生的课内外体育教学活动。实验小学从不把体育课当副课，十分注重体育课质量，组织体育教师按“体育教学法”要求认真上好每一节体育课，每周召开教研会，探讨教法；每学期送教下乡一次，与边远山区学校建立体育教学互动互学制度。

实验小学体育活动的强项是球类，高年级为小篮球、中年级为乒乓球、羽毛球，低年级为小气球、小排球。1991年以来，学校坚持每年举办一次校运会。比赛项目有广播体操、拔河、球类、田径。

附：

贵溪市首届中、小学田径运动会

举办时间：1998年10月24—28日

参赛队数：41个，其中市属中、小学12个、各乡镇中、小学29个；

参赛人数：775名，其中儿童组172人，少年乙组162人，少年甲组207人，青年组294人；

比赛项目：径赛60米、100米、200米、400米接力、800米、1500米；田赛：跳高、跳远、三级跳远、铅球、手榴弹、标枪、立定跳远；

比赛成绩：儿童组总分第一：罗河镇，成绩126分；少年乙组第一：罗河镇，成绩120分；少年甲组第一：市二中，成绩204分；青年组总分第一：市四中，成绩197分。

第四节　专业训练与竞技体育

专业训练

1991—2008年，贵溪市（县）组队先后参加江西省的多次省全运会和单项比赛，参加鹰潭市的各种体育运动会和单项比赛，在贵溪本地域内，也组织和举办各种类型的体育比赛和全市（县）性的运动会。先后举办过全市运动会，中小学生运动会、职工运动会、农民运动会、老年人运动会，举办门球赛、篮球比赛、乒乓球比赛、钓鱼比赛、女子排球赛和棋类等多种单项比赛。

1991—2008年，贵溪市（县）在广泛开展群众性的全民健身运动基础上，为服务全国、省、鹰潭市各级体育竞赛的需要，开办各种专业性体育训练。

利用市青少年活动中心，少年业余体校及有条件的中小学为基地进行专业体育训练，培养运动员，选拔体育苗子，为上级体育部门输送体育尖子。市少年业余体校校长，国家二级教练员王绿初亲手带出一批体育拔尖人材。占海军1995年被选送入江西省体校举重队，罗贤辉1998年选送入省举重队，胡慧2000年选送入西安体育大学，吴楠2001年选送入省跆拳道队，王欣2003年选送入省摔跤队。邱金、吴晋莹入省跆拳道队，郑叶钱、王俊生输送入省摔跤队。至2008年年底，贵溪市已为省一级体育部门输送跆拳道、田径人才和摔跤能手20余人；选送38名综合素质较好的辅导员参加全省国家一级乒乓球裁判员培训班，还先后选送12人参加省、鹰潭举办的健身教练员培训班。

贵溪市历年来非常重视篮球运动员的培养训练。1991年以来以市公安局，市教育局、市一中、市二中、市粮食局、市商业局、市人武部、市邮电、税务、农业和交通运输等单位为基地，通过经常性的培养，训练和观察，选出了一批体魄健壮，基本功扎实，球艺精湛的篮球运动员，不但出席上级部门和省、市的比赛，还常举行兄弟县、市球队对应性友好交往活动，增强友谊，交流砌磋球艺。在该地区每年也定期在“五一”、国庆、春节期间举办篮球赛。

举重、跆拳道、武术是贵溪地区经常开展的传统体育项目。因此市体育局和教育局特决定以市少年体校，市职中、市二中、鸿塘中学作为训练基地，重点地、科学有序地训练跆拳道、摔跤和举重人才。以市少林武术学校、市精武学校、白鹤湖武术学校为基地，重点训练武术专业人才，武术项目主要有各类拳术、刀术、剑术、棍术及硬气功。市体育局还以市实验中学为培训基地，开展车模、空模、航模的科学知识型的技能培训工作。充分发挥市实验中学师资,场馆和资源的功能,从小学到高中对学生进行系统的教育,培训。2004 年,实验中学也以她卓越的成绩被省教育厅和省体育局评为“江西省航空航天车辆模型运动的特色单位”。市第四中学亦被评为“江西省培养体育后备人才示范性中学”。贵溪老四中(今象山学校)被评为“全国群众体育先进集体”,市一中被评为“江西省优秀健身气功活动站点”,并获国家体育总局教育部颁发的“全国学校体育场馆向公众开放”试点学校称号。

竞技体育

贵溪市(县)历来开展的体育竞赛项目是赛龙舟、民间武术、篮球、排球、乒乓球、田径、拔河。1991 年以来增加足球、羽毛球、举重、射击、游泳、体操、跆拳道、健身操、健身球、摔跤。进入 21 世纪,又增加太极拳(剑),门球,健美操,腰鼓等项目。

1991—2008 年,贵溪广大城乡,先是以中小学校为基地,开展一些体育项目的训练和比赛,继而在部队驻地,公安机关政府单位和厂矿企业也普遍地开展一些项目的训练和比赛。

竞赛成绩

贵溪市在省获得的第一枚金牌是 1994 年 11 月 12 日“江西省第九届全运会”的举重比赛中,冯伟以总成绩 83 公斤夺得男子少年组第一,打破抓举、挺举,总成绩 3 项全省纪录,并为贵溪体育史上填补在省运会上无金牌名次的空白。

1998 年市运动员参加省十运会成绩一览

表 27－9

姓名	项目	成绩	名次
黄玲娟	女子乙组举重 44 公斤级	60 +77.5 =137.5 公斤	1
周建华	男子甲组举重 69 公斤级	125 +147.5 =272.5 公斤	2
罗贤辉	男子乙组举重 69 公斤级	112.5 +140 =252.5 公斤	2
王　勋	男子甲组摔跤自由式 76 公斤级		2
桂　楠	女子乙组举重 75 公斤级	60 +60 =120 公斤	2
李勇超	男子丙组举重 85 公斤级	102.5 +110 =212.5 公斤	2
艾小松	男子甲组举重 94 公斤级	60 +70 =130 公斤	2
占海军	男子甲组举重 94 公斤级	50 +60 =110 公斤	3
左　卫	男子丙组田径 4 x400 米接力		3
江莉子	女子乙组举重 58 公斤级	50 +55 =105 公斤	4
许志华	男子乙组举重 62 公斤级	97.5 +122 =220 公斤	$
邱烈勇	男子丙组田径 4 x 400 米接力		6
邱烈勇	男子丙组田径 3 千米竞走	14′27″4	6
左　卫	男子丙组田径 100 米	11″8	7
曾志华	男子丙组举重 48 公斤级	152. 5 公斤	7
吴鲁明	男子丙组 62 公斤级	155 公斤	7
邱烈勇	男子丙组田径 5 千米竞走	15′13″2	8
曹刘斌	男子小学组航模拼装赛		1

运动员参加江西省十一届运动会成绩

王欣获男子 73 公斤级摔跤冠军,吴楠获女子 54 公斤级跆拳道冠军,张杨荣获 F4B 电动摇控模型亚军。

运动员参加江西省首届全民健身运动会成绩

第八套广播体操比赛冠军；泰迪健身球比赛冠军；金牌总数位居全省第二名。

参加江西省第三届全民健身运动会成绩

贵溪市棋类协会取得四个冠军：社会组团体冠军，全民健身个人冠军邓志强，何智伟、付宇航双双获得等级赛冠军贵溪市实验中学组团参赛成绩突出：在车模总决赛中获团体总分第三名；在航模赛中徐梦波获初中组第一名在电动赛车技巧赛中徐志坚获第一名；获四驱车团体赛第一名；获遥控车团体赛第一名；市二中吴思瑜获学生组60米第三名。

运动员参加其他竞技比赛成绩

2003年6月，王欣在全国古典式摔跤冠军赛中荣获第七名，填补贵溪体育史上在全国竞技比赛中无名次的空白。2007年8月18日至9月12日在全国第三届泛珠三角汽车集结赛中贵溪市赛手傅廿康、杨华驾驶的006号赛车获第二名，此项比赛历时26天，行车里程达8000多千米，取得此项成绩为贵溪鹰潭以至江西全省都是难得的。

2007年，贵溪市组队代表鹰潭市参加江西省健身球比赛中获全省团体冠军，并获秧歌舞比赛团体第二名。

1995年和2008年市运动员参加鹰潭市运动会成绩一览

表27－10

届次	时间	比赛项目	取得成绩
二	1995年7月	田径、游泳、乒乓球、棋类、钓鱼、门球、举重、射击	获奖牌156枚，团体总分第一名
三	2008年8月	游泳、羽毛球、排球、田径、篮球、足球、乒乓球、棋类、桥牌、广播操、拔河、钓鱼、老年门球、太极拳、举重、摔跤、跆拳道、武术	获金牌108枚，团体总分第二名

第二十八卷　方　　言

第一章　语　音

贵溪方言属于赣方言，全市大致有市区、南片、北片三种口音。其主要语音特点和各片区语音差异如下：

1. 古全浊声母今逢塞音塞擦音不论平仄都读送气清音。如“爬”[pha24]“婆”[pho24]、“邓”[thɛn42]、“读”[thuʔ5]

2. 古晓匣母合口字读[f]声母。如“火”[fɔ35]“红”[fəŋ24]“淮”[fai24]“胡”[fu24]。

3. 古影母及疑母洪音韵字读[ŋ]声母。如“袄”[ŋau35]“爱”[ŋɔi42]“颜”[ŋan24]“硬”[ŋɛn42]。

4. 精、庄、知二读[ts\tsh\s]。如“灾”[tsai11]“猜”[tshai11]“散”[san42]“桑”[sɔŋ11]“庄”[tsɔŋ11]“疮”[tshɔŋ11]“霜”[sɔŋ11]“桩”[tsɔŋ11]“撞”[tshɔŋ42]“浊”[tshuʔ5]“茶”[tsha24]，知三、章读[t\th\s]，如“张[tɔŋ11]”“场[thɔŋ24]”“章[tɔŋ11]”“昌[thɔŋ11]”“商[sɔŋ11]”。少数读[k、kh]如“追”[kui11]，市区话流摄三等读[tɕ、tɕh、ɕ]，如“周”[tɕiu11]“臭”[tɕhiu]“手”[ɕiu35]。

5. 泥、来洪细皆不混。如“南”[nan24]≠“兰”[lan24]，“怒”[nu42]≠“路”[lu42]，“年”[ȵiɛn24]≠“连”[tiɛn24]，“娘”[ȵiɔŋ24]≠“良”[tiɔŋ24]。

6. 古来母细音字白读音声母多为[t]。

7. 没有撮口韵。

8. 南片止摄开口三等知、章组字的韵母为[ɛ]，市区话为[Ø]。

9. 梗摄字没有主要元音为[a]的白读音，这一点与多数赣方言不同。

10. 市区话和北片话古宕摄开口三等知章组字与咸山两摄一二等同读 an 韵，即“耽”“单”“张”“章”同音，“贪”“滩”“昌”同音，“谭”“谈”“檀”“场”同音。南片没有这种现象。市区话和北片古宕摄开口三等入声字与山摄合口三等入声字同读 iaʔ 韵母，南片读 iɔʔ 韵母。

11. 入声韵只有一个喉塞音韵尾[ʔ]。

12. 平声依古声母清浊分为阴平、阳平。上声、去声与入声不分阴阳。市区话、北片话依声母清浊分为阴入、阳入，阴入高，阳入低，但多数次浊入声字归阴入。

13. 古上声浊声母字一般归去声，但部分古上声全浊声母字归阴平。如“柱”[thu11]、“坐”[tshɔ11]、“伴”[phɔn11]、“断”[thuɔn11]、“淡”[than11]、“动”[thuŋ11]。

本志记的是南片音，发音人姜新文、陈福有。市区话发音人叶航、徐超红，北片发音人郑峰、周美英。

第一节　贵溪方言的声韵调

（1）声母

p 巴比	ph 别怕	m 麻明	f 飞灰	v 闻雨	t 刀张	th 同昌	n 南脑	l 路落
ts 糟祖	tsh 从粗	s 生苏	tɕ 结节	tɕh 齐旗	ȵ 年认	ɕ 线玄	k 贵均	kh 跪群
ŋ 硬袄	h 河下	Ø 而延						

(2)韵母

ɿ 资思　i 第雨　u 故都
ɔ 多河　uɔ 过果
a 蛇架　ia 茄野　ua 瓜挂
ɔi 盖　uɔi 会
ɜ 耳　uai 句桂
aj 介街　uai 乖快
au 饱宝　iau 条狗
ɛ 偷走　iɛ 爹
iu 丢秋
ɛn 根庚　iɛn 捡年
In 真林　in 巾斤　uin 均群温
an 胆间　uan 关惯
ɔn 搬半　iɔn 圆软　uɔn 官泰欠
ɔŋ 帮党　iɔŋ 良奖　uɔŋ 光广
əŋ 风冯　iuŋ 穷雄　uŋ 宫冬
m̩ 姆~妈
n̩ 你
ŋ̍ 吴五
iʔ 急踢　uiʔ 桔屈
ɛʔ 北百　iɛʔ 接铁　uɛʔ 国
aʔ 八辣　uaʔ 刮
ɔʔ 落确　iɔʔ 药月　uɔʔ 阔郭
iuʔ 玉育　uʔ 木谷

(3)声调

1. 阴平 11 高山天近坐在　2. 阳平 24 人娘流林才平
3. 上声 35 古走草好五暖　4. 去声 42 盖唱菜大树饭
5. 入声 5 急一七八发甲月六药读合

第二节　同音字汇

本表所收常用字以韵母为序列排列,同韵母的以声母为序,声韵母均同者以声调为序。声韵调次序见声韵调表。声调用标志各调类调值的数字外加[ ]表示,置于同调类字的前面。如该调类无字,则表示这一调类调值的数字也从略。各调类调值的数字是:阴平[11],阳平[24],上声[35],去声[42],入声[5]。在字下加单位线"一"的是口语读音。字右下角注文中的"~"号代替被注的本字,如"传~达"即"传传达"。有音无字的用"□"表示。

ɿ

ts　[11]资姿咨兹滋撕
　　[35]子紫梓
　　[42]智置滞
tsh　[11]雌疵
　　[24]慈磁糍瓷祠词嗣池驰持
　　[35]此
　　[42]次刺自字寺治痔
s　[11]思私丝司斯厮师狮
　　[35]死史使驶
　　[42]四肆似祀伺柿士仕事侍

i

p ［11］悲卑碑蓖
［35］比鄙譬
［42］闭蔽痹泌□～仂,柿子秘便～
ph ［11］批披被
［24］皮疲脾琵枇
［35］彼
［42］避屁币弊毙备篦庇
m ［11］咪
［24］眉楣糜弥迷媚
［35］米美尾靡
［42］谜
f ［11］非飞妃挥辉晖徽麾虚嘘
［24］肥
［35］水许匪毁翡谁
［42］费肺废痱吠惠睡税秽穗
v ［24］于
［35］雨委羽伟苇
［42］位味畏胃谓芋
t ［11］低
［24］犁梨篱黎离璃厘
［35］抵底礼李里理鲤旅
［42］帝谛蒂励例丽吏利
th ［11］梯弟
［24］提堤题啼蹄
［35］体
［42］地第替剃递涕
l ［24］狸驴
［35］缕屡履
［42］痢泪荔瑞锐虑滤
tɕ ［11］几～乎机饥肌讥基鸡稽
［35］已几～个挤嘴矩姐
［42］祭际济剂计继寄记纪世～既
季醉冀系～鞋带
tɕh ［11］欺溪妻栖蛆徛站趋企脐
［24］其棋期琪旗麒齐徐奇骑歧祁鳍
［35］启起岂取娶杞
［42］气汽器弃契忌趣砌技聚妓
ȵ ［24］尼泥宜谊疑愚倪仪
［35］女语你蚁拟
［42］义议遇艺毅
ɕ ［11］西牺希稀犀樨虽须需嬉熙□尿兮
［24］隋随
［35］洗喜髓
［42］细戏系关～,联～岁序绪叙絮
遂隧
Ø ［11］衣依医伊
［24］移夷姨遗怡饴贻
［35］倚已以矣椅
［42］意亿忆易容～肄异

u

p ［35］补
［42］布佈怖
ph ［11］铺～设簿
［24］葡蒲脯胸～菩
［35］普谱浦辅圃捕脯果～
［42］铺店～步部埠
m ［35］母
［42］暮墓募慕
f ［11］夫肤麸敷孵乎呼
［24］扶芙胡湖俘葫糊浮符狐壶
［35］府腑俯腐虎甫浒抚斧釜
［42］付附户护沪父富傅副妇负互戽
t ［11］都～城,～是猪诸朱珠株
［35］主堵赌煮肚猪～
［42］注蛀驻著铸妒
th ［11］柱
［24］徒图涂途屠除厨储
［35］土吐～痰杵拄褚处相～,～所
［42］住兔度渡镀杜苎吐呕～
n ［24］奴
［35］努
［42］怒
l ［24］卢炉芦庐鸬
［35］鲁橹虏掳卤
［42］路露赂鹭
ts ［11］租
［35］祖组阻
tsh ［11］初粗
［24］锄
［35］楚础
［42］醋助
s ［11］苏书舒输梳疏蔬酥
［24］殊薯
［35］所鼠暑署数动词
［42］素塑诉树数名词庶恕竖

k [11]孤姑辜
[35]古估牯股鼓
[42]故固雇顾
kh [11]枯箍□打~,打呼噜
[35]苦
[42]库裤
Ø [11]乌污巫诬坞
[24]无吴吾梧
[35]午武鹉舞侮
[42]误悟戊务婺雾

a

p [11]巴芭疤爸
[35]把
[42]霸坝罢
ph [24]爬琶杷
[42]怕耙稗
m [11]妈蟆□~风雨,毛毛雨
[24]麻
[35]马码嫲~~,祖母
[42]骂
f [11]花
[24]华中~铧划~船
[42]化话画华姓
t [11]遮
[35]者打
[42]蔗
th [11]车他它
[35]扯
n [24]那
[35]哪
la [11]拉
ts [11]抓渣楂山~
[42]诈炸榨乍
tsh [11]叉差~别
[24]查调~茶搽
[42]岔
s [11]沙纱奢赊畲佘
[24]蛇
[35]舍~弃,宿~耍傻
[42]晒赦射麝社
k [11]家傢佳嘉加
[35]假真~,请~贾姓
[42]架驾嫁价
kh [11]揢
[35]卡~腥:气味很腥。
ŋ [11]鸦丫砑~平
[24]牙芽伢衙
[35]哑
[42]亚
h [11]虾鱼虾
[24]霞瑕遐暇虾~蟆
[42]下底~,~降夏厦~门
Ø [35]阿我

ia

tɕ [42]借
tɕh [24]茄斜
[35]且
[42]谢姓氏
ȵ [35]惹
ɕ [11]靴
[24]邪
[35]写
[42]卸泻谢多~
Ø [24]耶爷雅
[35]也野冶
[42]夜

ua

k [11]瓜
[35]寡剐
[42]挂卦褂
kh [11]夸
[35]垮
Ø [11]挖洼蛙
[35]瓦
[42]话说

ɔ

p [11]波玻坡菠
[42]簸播
ph [24]婆
[35]颇
[42]破
m [11]摸馍
[24]魔摩磨动词模~子,~范摹
[42]磨石~

f [35]火伙
[42]货祸
t [11]多
[35]朵躲
th [11]拖
[24]驼驮
[35]妥椭
[42]唾舵惰
n [24]挪搓揉
[42]糯
l [11]啰~唆
[24]罗箩锣骡螺腡
ts [11]□刺
[35]左佐
[42]做
tsh [11]搓坐座
[42]措错锉挫
s [11]唆梭
[35]锁琐
k [11]歌哥戈
[42]个
kh [11]苛柯
[35]可
ŋ [24]俄蛾鹅讹
[42]卧饿
h [24]河何荷和~气
[42]贺和~灰

uɔ

k [11]锅
[35]果裹
[42]过
kh [11]科棵颗
[42]课
Ø [24]禾

ɜ

Ø [24]如儿而
[35]耳尔饵
[42]二贰

ai

p [35]摆
[42]拜
ph [24]排牌
[42]派败
m [24]埋
[35]买
[42]卖
f [24]怀~念淮槐
[42]坏
t [35]歹
[42]戴带
th [11]胎
[24]台抬
[42]大太态泰代贷待
n [35]奶
[42]耐奈
l [24]来
[42]赖癞
ts [11]斋灾栽
[35]宰载三年五~
[42]再债载~重
tsh [11]差出~猜在钗
[24]才材财裁
[35]采彩睬
[42]菜蔡
s [11]筛腮鳃
[24]柴豺
[35]洒
[42]赛寨□鸡嬷~蛋:鸡不在家里生蛋,躲在外面或别人家里生蛋。指吃里爬外
k [11]街阶
[35]解
[42]介界芥疥戒届尬
kh [11]揩
[35]凯械慨
[42]概溉
ŋ [11]埃挨~家~户
[24]癌崖
[35]矮蔼霭
[42]艾隘
h [24]孩鞋谐蟹
[35]解姓
[42]懈

uai

k [11]乖

[35]拐
[42]怪
kh [42]块快筷会~计刽蒯
Ø [11]歪
[24]怀~里
[42]外

ɔi

p [11]杯
[42]贝背辈
ph [11]坯
[24]培陪赔裴□~仂,刨花
[42]配沛佩倍焙背~诵
m [24]梅枚媒煤霉
[35]每
[42]妹昧
f [11]灰恢
[24]回茴
[35]悔
[42]贿会开~绘汇晦

uɔi

t [11]堆
[35]兑交换
[42]对队碓兑~现
th [11]推
[24]颓
[35]腿
[42]退袋蜕
n [42]内
l [24]雷
[35]吕累积~垒儡傀~□打死~,打死结
[42]类累连~擂
ts [35]最
[42]坠~子
tsh [11]崔催摧
[42]罪翠粹瘁脆
s [11]衰
[42]帅碎
k [11]该
[35]改
[42]盖丐
kh [11]开
ŋ [11]哀

[24]呆~板
[42]爱碍
h [35]海
[42]害亥
Ø [11]煨
[42]会~不~

ui

k [11]居规归龟圭拘驹追车~马炮
[35]举轨鬼诡癸
[42]贵桂句剧据鳜
kh [11]亏区驱躯吹炊窥
[24]葵垂渠水~瞿逵魁奎
[35]跪傀
[42]巨拒柜距具俱惧愧溃
Ø [11]威萎微
[24]危为作~围违维惟唯余愉盂
[35]禹宇与伪
[42]卫为~什么未裕芋喻誉预魏

au

p [11]包胞
[35]保饱堡宝
[42]报豹爆破裂
ph [11]抛泡鲍
[24]袍刨
[35]跑鳔鱼~
[42]泡炮暴爆~炸菢~小鸡
m [24]毛矛茅锚
[35]卯
[42]帽冒貌
t [11]刀叨招召昭朝~夕
[35]倒打~岛祷
[42]到倒~水照诏
th [11]滔掏超涛
[24]桃逃陶淘萄朝~代潮
[35]讨
[42]道盗套导稻赵
n [35]脑恼
[42]闹
l [11]捞
[24]劳唠牢
[35]老佬绕围~
[42]涝

ts [11]糟遭
[35]早枣找爪～子澡蚤
[42]灶躁燥罩
tsh [11]抄钞操
[24]曹漕槽巢
[35]草吵炒
[42]造糙皂
s [11]烧梢捎稍骚臊
[24]韶
[35]扫～地少多～嫂
[42]扫～帚少～年绍邵□～码，褡裢
k [11]高篙膏交郊胶羔糕
[35]稿搞绞铰狡搅
[42]告教～育～书校～对较窖觉睏～
kh [11]敲
[35]考烤
[42]靠犒
ŋ [11]坳
[24]敖熬
[35]咬袄拗～断
[42]傲奥澳懊拗～口
h [24]豪毫壕号～叫
[35]好～坏
[42]孝酵效校学～浩好爱～号～码耗

iau

p [11]标膘彪
[35]表裱
ph [11]飘
[24]瓢嫖薸浮萍
[35]漂～白
[42]票漂，～亮
m [11]猫
[42]苗描
[35]秒渺
[42]庙妙
t [11]刁雕貂□春～花，杜鹃花
[35]鸟～仂
[42]吊钓掉调～动
th [11]挑
[24]条调～和，～解～换
[42]调音～跳
l [24]疗辽燎撩寥聊
[35]了～解嘹
[42]料廖
tɕ [11]焦蕉椒娇骄浇□～～，叔叔
[35]矫侥～幸缴剿
[42]叫醮
tɕh [11]锹悄缲～边
[24]乔桥侨荞樵瞧
[35]撬～开
[42]轿俏鞘窍噍嚼
ȵ [24]尧饶～命
[35]鸟
[42]绕
ɕ [11]消销硝宵霄萧箫嚣
[24]淆
[35]小晓
[42]笑
k [11]勾沟钩
[35]狗苟
[42]够构购
kh [11]抠
[35]口
[42]扣叩寇
ŋ [11]欧殴
[35]藕偶
[42]沤怄
Ø [11]夭妖么～二三要～求腰邀吆～喝
[24]摇谣窑遥姚饶姓
[35]舀
[42]要重～耀鹞

ε

m [24]谋
[35]某亩牡
[42]茂贸
f [35]否
t [11]兜支肢知之芝脂栀
[35]斗升～抖陡旨指止址趾纸
[42]斗～争至致志痣制
th [11]偷
[24]头投
[35]敨展开
[42]豆逗痘
l [24]楼耧柔揉
[35]篓搂～抱
[42]漏陋

n [35]□乳房，奶汁
s [11]诗尸施是
[24]时匙
[35]始矢屎豉
[42]世势誓逝试示视恃市嗜氏饲巳辰～
ts [11]邹
[35]走
[42]奏皱绉□几几～～：①开玩笑，逗乐。②欺骗。③关系暧昧
tsh [24]愁
[42]凑骤
s [11]搜飕馊
[35]叟
[42]瘦嗽
h [11]厚
[24]侯喉猴
[42]后候

iɛ

t [11]爹
th [35]齿耻
tɕ [35]姐～～，婶母
kh [24]渠他
[42]去
ŋ [ ]鱼渔□～下犹预

iu

t [11]周舟州洲
[35]帚
[42]昼咒
th [11]抽
[24]绸稠筹畴酬
[42]臭宙
l [11]溜
[24]刘流硫琉留榴
[35]柳
tɕ [11]纠揪鸠阄
[35]九酒久韭灸
[42]救究
tɕh [11]丘秋舅
[24]求球仇囚泅
[42]袖售就旧臼咎柩
ȵ [24]牛
[35]纽扭
[42]拗
ɕ [11]收休修羞
[35]手守首朽
[42]秀绣锈莠兽受授寿宿星～
Ø [11]忧优幽悠攸
[24]由油邮尤犹游
[35]有友酉
[42]右又幼宥佑柚釉

an

p [11]班斑颁扳
[35]板版
[42]扮□～子，大舌头
ph [11]攀
[42]办盼襻
m [24]蛮
[42]慢漫幔
f [11]番翻
[24]凡帆烦繁樊藩环桓还～原
[35]反返
[42]饭犯范贩患宦幻泛
t [11]丹担扁～耽
[35]胆
[42]旦担～子诞
th [11]贪滩摊坍淡
[24]谈痰坛檀弹～琴谭
[35]坦毯
[42]但蛋弹子～探炭叹
n [24]南男难～易
[42]难患～
l [24]篮蓝兰栏拦
[35]览揽榄懒
[42]烂滥
ts [11]沾～光
[35]盏斩
[42]赞站蘸
tsh [11]参餐搀
[24]残渐馋谗
[35]惨铲□反驳，顶撞
[42]灿暂栈
s [11]三山杉衫珊删
[35]伞散鞋带～了产
[42]散分～疝

k	[11]间监~视艰奸尴
	[35]减碱简柬拣
	[42]间~断涧鉴谏□□□~~tɕhin42tɕhin42kan42kan42 争执,闹矛盾
kh	[11]嵌龛
	[35]砍坎
	[42]□跨
ŋ	[11]庵
	[24]岩颜
	[35]眼
	[42]晏雁
h	[11]憨
	[24]含衔闲函咸还~有
	[35]喊罕
	[42]限陷苋憾

uan

k	[11]关鳏
	[42]贯惯
Ø	[11]弯湾豌剜
	[24]还~愿顽
	[35]晚挽皖腕玩
	[42]万

ɔn

p	[11]般搬
	[42]半
ph	[11]潘伴
	[24]盘
	[42]判叛拌绊
m	[11]馒
	[24]瞒
	[35]满
f	[11]欢
	[42]唤涣换缓
t	[11]端
	[35]短
th	[11]断
	[24]团
	[42]段锻缎
n	[35]暖
k	[11]干~湿竿肝
	[35]赶杆秆
	[42]干~部
kh	[11]刊看~牛
	[42]看~见
ŋ	[11]安鞍
	[35]揞~住
	[42]岸按案
h	[11]鼾
	[24]寒韩
	[35]□~麦子,锄麦子
	[42]汉汗旱翰瀚

iɔn

tɕ	[11]捐涓鹃娟
	[35]卷~起
	[42]卷书~券眷绢
tɕh	[11]圈
	[24]权颧拳
	[35]犬喘
	[42]劝倦
ȵ	[24]元原源
	[35]软阮
	[42]愿
ɕ	[11]喧轩
	[24]玄旋弦悬
	[42]楦眩炫
Ø	[11]渊冤
	[24]丸员圆园袁辕援缘
	[35]远
	[42]院怨苑

uɔn

l	[24]鸾峦
	[35]卵
	[42]乱
ts	[11]钻动词
	[35]撰
	[42]钻木工工具
tsh	[11]汆~汤
	[42]赚窜篡纂
s	[11]酸闩拴栓
	[42]算蒜
k	[11]官棺冠衣~,~军观参~
	[35]管馆□花~伪,花苞
	[42]灌罐观寺~
kh	[11]宽

[35]款

Ø　[24]完

[35]碗

[42]换

ɛn

p　[11]崩

ph　[11]喷烹

[24]彭膨

[11]□撵出去

m　[35]猛

[42]孟

v　[24]横~直

t　[11]专砖登灯瞻占

[35]转~运展等

[42]战占转~圆圈瞪凳

th　[11]川穿

[24]传~达椽缠潭□盛谷竹具腾滕誊澄臀

[35]蠢□更加

[42]篆传~记钏邓

n　[24]能

l　[24]然燃

[35]冷

ts　[11]曾姓增僧憎争筝

tsh　[11]村撑睁~眼

[24]存曾~经层蚕岑蝉禅橙

[42]赠衬蹭磨~撑打~

s　[11]生甥牲笙森参人~

[24]船

[35]省闪陕

[42]扇煽善膳单姓擅渗

k　[11]甘柑泔更变~，打~粳耕庚跟根羹

[35]感敢哽耿埂

[42]更~加

kh　[11]坑堪

[35]恳垦肯啃

ŋ　[11]恩

[42]硬暗

h　[11]亨

[24]行衡恒痕横蛮~

[35]很狠

[42]杏恨

iɛn

p　[11]边鞭编蝙

[35]扁匾贬

[42]变辫

ph　[11]篇偏

[24]便~宜

[42]片辨辩便方~遍骗卞汴

m　[24]棉绵眠

[35]免娩勉缅渑

[42]面

t　[11]颠癫巅

[35]点典

[42]店

th　[11]天添

[24]田甜填

[35]舔

[42]电殿佃簟奠垫

l　[24]连莲~子树帘联怜廉镰

[35]脸

[42]练炼链恋敛殓

tç　[11]尖煎兼坚肩

[35]检俭剪茧笕

[42]见剑箭荐建键舰

tçh　[11]千歼签迁奄谦笺

[24]全泉前钱钳乾虔潜

[35]浅遣

[42]欠贱践饯件健渐歉

ȵ　[11]拈

[24]年言严鲇粘~贴

[35]染碾辇撵

[42]念验砚

ç　[11]先仙鲜宣萱掀轩

[24]贤嫌

[35]选显险癣

[42]线宪献现县羡

Ø　[11]烟淹阉阎焉蔫

[24]炎延筵铅沿盐

[35]演衍掩

[42]厌宴燕焰艳堰

uɛn

k　[35]梗

In

p [11]彬宾滨槟兵冰
[35]丙炳饼禀秉
[42]并殡鬓柄
ph [11]拼姘
[24]贫凭频平苹萍评坪屏瓶
[35]品
[42]病聘
m [24]民名铭明门萌
[35]敏悯抿鸣闽
[42]命闷
f [11]分芬纷婚劳
[24]坟魂浑
[35]粉
[42]训忿愤粪奋
t [11]丁钉铁～正～月征蒸真珍针斟贞侦敦墩□～屎尿,把屎把尿
[35]顶鼎整准诊疹枕
[42]订钉～住正政证症振震镇顿阵遁盾
th [11]听厅汀称～呼春吞听～其自然
[24]亭停廷庭成城诚呈丞承乘惩陈尘沉屯囤豚臣程
[35]挺艇蠢
[42]定郑称～秤剩
l [11]扔
[24]林淋霖灵临鳞邻伶铃翎零陵凌菱棱磷仁仍壬仑伦沦纶轮
[35]领岭
[42]任赁闰润刃令另

in

tç [11]经精津今金巾京鲸筋斤荆惊晶旌睛禁～不住襟茎兢
[35]紧颈锦谨警井景仅
[42]进劲径晋俊峻骏禁～止敬竞竟镜境浸
tçh [11]轻青清钦侵亲卿妗肫
[24]琴禽擒秦芹勤寻情晴擎
[35]请忖寝
[42]净静靖近尽庆磬□蹲
ȵ [24]人银凝吟□～～襛襛 ȵin24 不整洁
[35]忍
[42]认嫩
ç [11]心辛新薪星声欣升兴腥馨身申伸深孙
[24]绳纯旬荀巡循形刑型辰晨神
[35]醒笋婶沈损榫～头审婶沈损
[42]信甚肾慎顺舜瞬逊迅汛兴高～性姓圣胜盛茂～讯衅肾慎顺舜逊
Ø [11]因姻音阴荫鹰殷英婴樱缨鹦应～当莺
[24]寅盈赢迎淫□举手
[35]引饮隐影颖
[42]印应答～映孕

uin

k [11]君军均钧
[35]滚
[42]棍郡
kh [11]昆坤
[24]群裙
[35]捆菌
[42]困睏
Ø [11]温瘟晕
[24]文纹闻云芸匀吻
[35]稳允
[42]问运韵

ɔŋ

p [11]邦帮
[35]绑榜
[42]谤磅泵棒
ph [24]旁螃庞
[42]胖傍蚌
m [24]忙芒茫虻盲
[35]莽蟒网
[42]望
f [11]方芳荒慌
[24]防坊肪房妨黄簧磺璜皇蝗惶徨凰
[35]访纺彷谎恍幌
[42]放
t [11]张章樟当～家装
[35]长生～涨掌挡党
[42]帐账胀障当典～
th [11]汤昌娼
[24]堂螳棠唐塘糖搪长～短肠场

[35]厂倘躺
[42]烫趟宕荡丈仗杖畅唱倡
n　[24]囊齉
[35]曩
l　[24]郎狼廊螂
[35]朗壤嚷
[42]浪让攘
ts　[11]庄赃脏臧桩
[42]壮葬
tsh　[11]仓苍疮窗
[24]常尝藏隐～
[35]闯
[42]创撞藏西～
s　[11]桑双霜商伤丧～事孀
[24]床裳
[35]爽嗓磉
[42]偿丧～失
k　[11]冈刚纲钢岗江缸扛豇肛
[35]讲港
[42]降下～虹杠
kh　[11]康糠慷
[42]抗炕园藏
ŋ　[11]肮
[24]昂
h　[11]夯
[24]行银～杭航降投～
[42]项巷

iɔŋ

l　[24]良粮量丈～凉梁粱
[35]两俩
[42]亮谅量度～
[11]将浆姜疆
tɕ　[35]蒋奖桨
[42]将大～酱
tɕh　[11]枪腔羌像
[24]强墙
[35]抢
[42]匠呛烟～人
ȵ　[24]娘
[35]仰
[42]让
ɕ　[11]相互～湘箱厢香乡襄镶
[24]详祥翔降～伏
[35]想享响饷□～子人，女人
[42]相象橡向巷
Ø　[11]央秧殃
[24]羊洋烊杨阳扬疡
[35]养痒氧
[42]样恙

uɔŋ

k　[11]光
[35]广
[42]逛
kh　[11]匡眶筐
[24]狂
[42]况旷矿
Ø　[11]汪
[24]王亡黄～鳝，～鳅
[35]枉往网
[42]旺妄忘望

əŋ

ph　[24]蓬篷棚
[42]碰
m　[24]蒙萌
[35]懵
[42]梦
f　[11]丰封风枫疯讽峰锋蜂烽烘轰
[24]冯逢缝～补红虹鸿洪
[35]哄～骗
[42]奉俸缝—条～凤哄起～□嗅闻

uŋ

t　[11]东冬终中忠盅钟舂
[35]和～类肿董懂
[42]和～树中射～众栋冻仲
th　[11]通动冲充重
[24]同筒铜桐童瞳僮虫重～复
[35]统捅桶
[42]痛洞铳
n　[24]农侬脓
l　[24]龙聋笼戎绒茸隆
[35]拢陇垅
[42]弄
ts　[11]宗踪棕综鬃
[35]总冢

[42]粽纵放～,～身
tsh [11]聪匆葱囱
[24]从丛崇
s [11]松～紧嵩
[35]搡推～怂耸
[42]送宋诵颂讼
k [11]工功攻公忪恭弓躬宫供～应
[35]巩
[42]贡汞
kh [11]空～虚
[35]孔恐
[42]控共～产党空～缺
Ø [11]翁
[42]瓮蕹

iuŋ

tç [42]供～养龚
tçh [11]倾
[24]穷琼松～树
[42]共～娘隔爹
ȵ [24]浓
ç [11]兄凶汹胸
[24]雄熊
Ø [11]雍痈
[24]容蓉镕营荣茔萤融庸
[35]永咏泳勇涌拥
[42]用佣

aʔ

p [5]八
ph [5]拔
m [5]妈□张开腿□清七～早,大清早
f [5]法发乏伐筏罚
t [5]答搭
th [5]塔塌榻达踏
n [5]拿纳捺
l [5]辣蜡腊□～湿 laʔ5sɛʔ5 很潮湿瘌～痢
ts [5]闸扎札眨
tsh [5]插察擦杂
s [5]杀煞刹
k [5]甲夹挟
kh [5]恰
ŋ [5]鸭押压轧
h [5]瞎辖狭峡洽匣

uaʔ

k [5]刮
Ø [5]空～土,挖土
[5]猾滑

ɛʔ

p [5]百伯柏北不
ph [5]迫泊魄帕白帛
m [5]没默陌脉麦墨
f [5]忽佛或惑划计～获
t [5]得德折浙哲计执质的只指手～头
th [5]出忒彻撤澈特突
l [5]入热肋勒日
ts [5]则侧责窄摘卒
tsh [5]册策测拆泽择贼宅
s [5]失色涩率统～瑟啬设虱室骰述实涉十拾什～物术舌
k [5]格革隔鸽合十～一升
kh [5]客克刻
ŋ [5]扼轭额
h [5]黑吓赫合盒核～对,审～

iɛ

p [5]□女阴鳖
ph [5]撇别
m [5]灭蔑篾
t [5]跌
th [5]铁帖贴叠迭蝶谍牒碟
l [5]列烈裂猎劣
tç [5]节接结洁
tçh [5]切妾怯劫揭截绝杰
ȵ [5]业聂镊蹑摄孽捏
ç [5]雪歇些薛泄屑楔蝎协胁
Ø [5]页叶□～谷,不饱满的谷子

uɛʔ

k [5]国骨
kh [5]窟
Ø [5]物核果～

ɔʔ

p [5]驳拨剥博钵
ph [5]泼鐾～刀布薄雹

m [5]莫摸幕膜寞末沫
f [5]豁霍藿活生~缚
t [5]斫掇两手~起酌着穿~
th [5]脱托记拓铎夺着困~，~喉
l [5]若诺乐快~洛络酪烙骆落捋
ts [5]捉桌卓作撮一~米琢啄涿
tsh [5]戳绰昨凿浊镯
s [5]缩索刷朔烁芍勺硕
k [5]各阁搁胳角割觉葛
kh [5]确壳渴榷磕瞌
ŋ [5]恶乐音~岳乐姓鄂颚
h [5]喝学鹤

iɔʔ

tç [5]决诀脚爵
tçh [5]缺雀鹊嚼
ȵ [5]月弱虐疟
ç [5]血削穴
Ø [5]约钥跃越阅悦曰

uɔʔ

k [5]郭括聒
kh [5]扩阔廓
Ø [5]握沃活死~

iʔ

p [5]必笔毕壁璧碧逼臂
ph [5]匹疋劈僻癖弼鼻
m [5]密蜜觅
t [5]织滴只一~的目~嫡炙历
th [5]尺赤踢剔直值植殖侄敌狄笛涤秩籴
l [5]历立粒律力栗隶仂
tç [5]积急迹激击即脊级吉给戟履木~及~时
tçh [5]吃乞讫戚七漆缉~鞋口泣疾寂籍集辑编~极及~格
ȵ [5]逆腻匿溺
ç [5]夕式适恤释析吸识饰息熄媳昔惜锡婿悉膝食石习袭席
Ø [5]一乙益溢揖抑亦译易贸~逸液腋掖翼

uiʔ

k [5]橘
kh [5]屈
Ø [5]熨域役疫

uʔ

p [5]卜
ph [5]扑朴瀑曝赴醭仆~倒仆~人
m [5]木目牧睦穆
f [5]福幅蝠复腹覆伏服
t [5]竹笃督筑祝粥嘱烛
th [5]触畜~牲秃逐毒独轴读犊
l [5]绿录禄鹿辱褥六陆
ts [5]足
tsh [5]促猝绌族
s [5]叔宿速肃束粟畜~牧熟孰属赎蜀俗
k [5]谷
kh [5]哭酷
h [5]斛
Ø [5]屋

iuʔ

tç [5]菊鞠
tçh [5]曲柚掘局
ȵ [5]玉肉
ç [5]蓄储~续
Ø [5]育郁浴狱

m̩

Ø [11]晦~妈

n̩

Ø [35]你

ŋ̍

Ø [24]吴蜈梧
[35]五伍午
[42]悟

第二章 词语谣谚俗语

第一节 分类词汇

有音无字或写不出本字的用“□”表示。“··”后面的是轻声。

贵溪方言的连读音变不甚明显，只有上声字在前的偏正式双音节词中，后面的阴平、阳平、上声字多读成高短调。所以这里只记实际音读，一般不记变调符号。

一 天文

日头 ȵiʔ5thɛ24　太阳
月光 ȵiɔʔ5kuɔŋ11　月亮
星光 ɕin11kuɔŋ11　星星
天河 thiɛn11hɔ24　银河
扫帚星 sau42tiu42ɕin11　彗星
发风 faʔ5fəŋ11　刮风
妖风 iau11fəŋ11　旋风
兜风 tɛ11fəŋ11　顶风
响雷 ɕiɔŋ35lɔi24　打雷
打发闪 ta35faʔ5sɛn24　闪电
□风雨 ma35fəŋ11vi35　毛毛雨
落雨 lɔʔ5vi35　下雨
雪子哩 ɕiɔʔ5tsʅ5·li　雪珠儿
落雪 lɔʔ5ɕiɔʔ5　下雪
烊雪 iɔŋ24ɕiɔʔ5　雪化了
扣冰 khiau42pin11　结冰
凌凌珠哩 lIn24lIn24tu11·li　冰条儿
煬了冰了 iɔŋ24liaupIn11·liau　冰化了
雹哩 phɔʔ5li　冰雹
露水 lu42fi35　露
落露 lɔʔ5lu42　下露
打霜 ta35sɔŋ11　下霜
起雾 tɕhi35u42　下雾
天晴 thiɛn11tɕhin24　晴天
天狗吃日头 thiɛn11kiau35tɕhiʔ5ȵiʔ5thɛ24　日食
天狗吃月 thiɛn11kiau35tɕhiʔ5ȵiɔʔ5　月食
天干 thiɛn11kɔn11　天旱
涨大水 tɔŋ42thai42fi35　洪涝
水浸了 fi35tɕin42liau　涝了

二 地理

平畈 phIn24fan35　平地
田 thiɛn24　田地
荒田 fɔŋ11thiɛn24　荒地
山包 san11pau11　丘
泉水眼 tɕhiɛn24fi35ŋan5　泉源
港 kɔŋ35　河
港周上 kɔŋ35tiu11sɔŋ42　沙滩
泥粿哩 ȵi24kuɔ5·li　土块儿
冷水 lɛn35fi5　凉水
温温水 uin11uin11fi35　温水
滚水 kuin35fi5　开水，热水
粉哩煤 fIn35·liImɛ24　煤末子
着火了 thɔʔ5fɔ·liau　失火了
白铁 phɛʔ5thiɛʔ5　马口铁
吸铁 ɕiʔ5thiɛʔ5　磁石
臭屁圆 thiu42phi42iɔn24　樟脑丸
街上 kai11sɔŋ42　城
上街 sɔŋ42kai11　赶集
漾会 iɔŋ42fɔi42　物资交流会
弄里 luŋ42·li　巷子
口子 khiau35·tsʅ　关卡
碑基石 pi11tɕi11ɕiʔ5　石碑
窠巢 kuɔ1tshau24　村庄
岩 ŋan24　山洞

三 时令 时间

旧年 tɕhiu42ȵiɛn24　去年
年头 ȵiɛn24thɛ24　年初
年尾 ȵiɛn24mi35　年底
月头 ȵiɔʔ5thɛ24　月初
正月 tIn11ȵiɔʔ5　农历一月
过年 kuɔ42ȵiɛn24　除夕
过节 kuɔ2tɕiɛʔ5　端阳

中秋饼 tuŋ11tɕhiu11pIn35　月饼
送灶神上天 suŋ42tsau42sIn24sɔŋ42thiɛn11　祭灶神
通书 thuŋ11su11　历书
热天 lɛʔ5thiɛn11　夏天
天光 thiɛn11kuɔŋ11　天亮
夜得哩 ia42tɛʔ5·li　到了晚上了
夜边里 ia42piɛn11·li　傍晚
夜间 ia42kan11　晚上
早间 tsau35kan5　早上
早晏 tsau35ŋan5　早晚
冷天 lɛn35thiɛn5　冬天
往常 mɔŋ42·tIn　过去
时辰 sɛ24ɕin24　时候
今朝 tɕin11tau11　今天
明朝 mIn24tau11　明天
后日 hɛ42ȵiʔ5　后天
万后日 uan42hɛ42ȵiʔ5　大后天
前日 tɕhiɛn24ȵiʔ5　前天
现前日 ɕiɛn42tɕhiɛn24ȵiʔ5　大前天
过日 kuɔ42ȵiʔ5　以后、将来
上昼 sɔŋ42tiu42　上午
下昼 ha42tiu42　下午
清早 tɕhin11tsau35　清晨
清七麻早 tɕhin11tɕhiʔ5maʔ5tsau35　大清早
夜间 ia42kan11　晚上
年成 ȵiɛn24thIn24　年景
年头 ȵiɛn24thɛ24　年月
成日 ɕin24ȵiʔ5　整天
成年 ɕin24ȵiɛn24　整年
忽□下 fɔʔ5ɕiʔ5ha42　冷不防，突然
一会仔哩 iʔ5fɔi42·tsɿ·li　一会儿
有一觉睏 iu35iʔ5kau42khuin42　（离一件好事的到来）还有一段时间

四　农事

禾基 uɔ4tɕi11　晒谷场
捡粪 tɕiɛn35fIn5　拾粪
□田 sɛ35thiɛn24　犁田
栽禾 tsai11uɔ24　插秧
作田 tsɔʔ5thiɛn24　种田
泼粪 phɔʔ5fIn24　施肥
脚子车 tɕiɔʔ5·tsɿthal1　自行车
土车 thu35tha11　独轮车
平车 phIn24tha11　排子车（人拉的）
钢丝车 kɔŋ11sɿ11tha11　平车
车砣仂 tha11thɔ24·li　车轮
养绳 iɔŋ35ɕin5　套绳
笼嘴 luŋ24tɕi5　嚼环
秧麦子 iɔŋ11mɛʔ5·tsɿ　种麦
□麦子 huɔn24mɛʔ5·tsɿ　锄麦
□草 huɔn24tshau35　锄草
洋铲哩 iɔŋ24tshan35·li　铁锹
粪箕 fIn42tɕi11　“目”字形的木底座，底座上是一米多高的粗篾
撮头 tshɔʔ5thɛ24　撮箕
篮哩 lan24·li　筐子
笤帚 thiau24tiu42　扫帚
桁竿 huɔn24kuɔn11　晒衣服的长竹竿
榫头 ɕin35thɛ5　榫儿
榫头眼仂 ɕin35thɛ5ŋan35·li　榫眼
门斗仂 mIn24tɛ35·li　接骨门榫儿
蝴蝶铰 fu24thiɛʔ5khau35　铰链
打活□ta35fɔʔ5lɔi35　打活结
打死□ta35sɿ35lɔi35　打死结
了田 liau35thiɛn24　忙完农事的集体加餐
斫柴 tɔʔ5sai24　用刀、斧等砍柴
斫树 tɔʔ5su42　砍树

五　植物

禾 uɔ4　水稻
谷 kuʔ5　稻谷
稗草 phai42tshau35　稗子
粟米 ɕiuʔ5mi35　小米
包粟 pau11ɕiuʔ5　玉米
□谷 iɛʔ5kuʔ5　不饱满的谷子
风车尾巴上个 fəŋ11tha11mi35·pa sɔŋ42·kɔ　瘪谷
田塍豆哩 thiɛn24ɕin24thɛ42·li　黄豆
乌豆哩 u11thɛ42li　黑豆
乌豇 u11kɔŋ11　小红豆
胡椒豆 fu24tɕiau11thɛ42　豌豆
豆角 thɛ42kɔʔ5　豇豆
兰花豆 lan24fa11thɛ42　蚕豆
番薯 fan11su24　红薯
茄哩 tɕhia24·li　茄子
纺线 fɔŋ35ɕiɛn5　丝瓜

瓠哩 phu24 · li　　瓠子

大蒜子 thai42suɔn42tsɿ35　　蒜瓣

藠哩 tɕhiau11 · li　　藠头

川芎 thɛn11ɕiuŋ11　　叶子像芹

蒜心 suɔn42ɕin11　　蒜苔

茭笋 kau11ɕin35　　茭白

树表 su42piau35　　树梢

树蔸 su42tɛ11　　树本

树桠 su42ŋa35　　树枝

花果哩 fa11kuɔ35 · li　　花苞

花心哩 fa11ɕin11 · li　　花蕊

栽花 tsai11fa11　　种花

枞树 tɕhiuŋ24su42　　松树

枞树子哩 tɕhiuŋ24su42tsɿ35 · li　　松球

松树叶哩 tɕhiuŋ24su42iɛʔ5 · li　　松针

枣哩 tsau35 · li　　枣

桑叶树 sɔŋ11iɛʔ5su42　　桑树

桐子 thuŋ24tsɿ35　　梧桐子

皮皂树 phi24tshau42su42　　皂角树

皮皂子哩 phi24tshau42tsɿ35 · li　　皂角

红豆杉 fəŋ24thɛ42san11　　红豆树

杏树 hɛn42su42　　杏树

李哩 ti35 · li　　李子

梨 ti24　　梨

椑哩 pi11 · li　　柿子

□圆 phau42iɔn24　　桂圆

笋 ɕin35　　竹笋

马鞭 ma35piɛn11　　笋鞭

王□子 uɔŋ24tɛ115tsɿ35　　栀子

□子花 tɛ11tsɿ35fa11　　栀子花

春□花 thIn11tiau11fa11　　杜鹃花

狗尾草 kiau35mi5tshau35　　马尾巴草

薸崽 phiau42tsai35　　浮萍

青□tɕhin11thɛn11　　青苔

□萁 nɔŋ24tɕhi24　　蕨类植物，又名铁狼萁、芒萁骨菜，茎比芹菜粗短

六　动物

头牲 thɛ24sɛn11　　畜牲

马崽哩 ma35tsai5 · li　　小马

牛牯 ȵiu24ku35　　公牛

牛嬷 ȵiu24mɔ24　　母牛

黄牯 uɔŋ24ku35　　公黄牛

水牯 fi35ku5　　公水牛

水牸 fi35tsɿ5　　母水牛

狗牯 kiau35ku5　　公狗

狗嬷 kiau35mɔ24　　母狗

狗崽哩 kiau35tsai5 · li　　小狗

猫咪 miau11 · mi　　猫

猫咪崽哩 mau11 · mitsai5 · li　　小猫

猫咪牯 miau11 · miku35　　公猫

猫咪嬷 miau11 · mimɔ24　　母猫

猪牯 tu11ku35　　公猪

猪嬷 tu11mɔ24　　母猪

奶豚 nai35thIn24　　乳猪

猪崽哩 tu11tsai5 · li　　小猪

叫鸡公 tɕiau42tɕi11kuŋ11　　大公鸡，也指在一个地方说话影响力最大的人

鸡嬷 tɕi11mɔ24　　母鸡

□鸡 ɕiɛn42tɕi11　　阉割了的鸡

夹□哩 kaʔ5sau11 · li　　没有阉割干净的公鸡，仍会打鸣

生蛋 sɛn11than42　　下蛋

菢鸡崽哩 phau42tɕi11tsai5 · li　　孵小鸡

菢鸡嬷 phau42tɕi11mɔ24　　菢窝母鸡

鸡崽哩 tɕi11tsai5 · li　　小鸡

鸭仂 ŋaʔ5 · li　　鸭

鸭公 ŋaʔ5kuŋ11　　公鸭

鸭嬷 ŋaʔ5mɔ24　　母鸭

鸭崽哩 ŋaʔ5tsai5 · li　　小鸭

黄生龙 uɔŋ24sɛn11luŋ24　　黄鼠狼

豪猪 hau24tu11　　刺蝟

乌□鸡 u11tɕiɛn42tɕi11　　乌梢蛇

鸟哩 tiau35 · li　　鸟

脯狗 phu24kiau35　　斑鸠

鸟哩毛 tiau35 · li mau11　　鸟毛

翼膀 iɛʔ5pɔŋ42　　翅膀

尾巴 mi5pa5　　尾巴

爪哩 tsau35 · li　　脚爪

鸦鹊 ŋa11tɕhiɔʔ5　　乌鸦

老鸹 lau35uaʔ5　　乌鸦

老鸹窠 lau35uaʔ5khuɔ11　　乌鸦窝

□子 ȵiɛn42 · tsɿ　　燕子

啄树鸟哩 tuʔ5su42tiau35 · li　　啄木鸟

□谷鸟哩 tɕhɔʔ5kuʔ5tiau35 · li　　猫头鹰

□ŋai24　　老鹰

花八哩 fa11paʔ5 · li　　八哥

水鸭哩 fi35ŋaʔ5 · li　　野鸭子

皮皮老鼠 phi24phi24lau35su5　蝙蝠
蚕哩 tshɛn24·li　蚕
蚕哩子 tshɛn24·li tsɿ35　蚕卵
蚕□哩 tshɛn24tɕiɛn35·li　蚕蛹
□纱 phau24sa11　蜘蛛
土狗 thu35kiau5　蝼蛄
地鳖虫 thi42pɛʔthuŋ24　土鳖
□□hɔ24ni24　蚯蚓
□□iɛn11iu24　蜗牛
混屎虫哩 fIn35sɛ5thuŋ24·li　屎壳郎
鱼公 ŋiɛ24kuŋ11　蜈蚣
□□khɔŋ11tɕin11　蜻蜓
咬人 tɕiɛʔ5ȵin24　（蝎子）蜇人
乌□u11iɛn24　苍蝇
蚊虫 mIn24thuŋ24　蚊子
□人家 ŋɔʔ5ȵin24·ka　（蚊子）叮人
虱嫲 sɛʔ5ʔ5mɔ24　虱子
臭屁虫 thiu42phi42thuŋ24　臭虫
牛蚊虫 ȵiu24mIn24thuŋ24　牛虻
□□tɕiɔʔ5·mɔ　蝗虫
虎郎□fu35lɔŋ24khɔŋ11　螳螂
□□丝 ȵiɛn42ŋa11sɿ11　蝉
□□丝脱壳 ȵi11ŋa11sɿ11thɔʔ5khɔʔ5　蝉蜕
糖蜂哩 thɔŋ24fuŋ11·li　蜜蜂
蜂哩糖 fuŋ11·lithɔŋ24　蜂蜜
黄蜂 uɔŋ24fuŋ11　马蜂
叮人 tIn11ȵin24　（马蜂）蜇人
蜂哩窠 fuŋ11·likhuɔ11　蜂窝
面花虫 miɛn42fa11·thuŋ24　萤火虫
打灯虫哩 ta35tɛn11thuŋ24·li　灯蛾
瓦蝎 ua35tɕhiɛʔ5　瓦片间的爬虫
□鱼 iɛn11ŋiɛ24　鲶鱼
鱼泡 ŋiɛ24phau11　鱼飘儿
虾公 ha11kuŋ11　虾
水鸡 fi35tɕi5　甲鱼
脚鱼 tɕiɔʔ5ŋɛ24　甲鱼
黄鳅 uɔŋ24tɕhiu11　泥鳅
黄鳝 uɔŋ24sɛn42　鳝鱼
鳗龙 man42luŋ24　鳗鱼
蛤蟆 ha24·ma　青蛙
乌皮蛤蟆 u11phi24ha24·ma　田鸡
蛤蟆豚哩 ha24·ma thIn24·li　蝌蚪
马黄蜞 ma35uɔŋ24tɕhi24　马蟥

蚌壳 phɔŋ42kɔʔ5　蚌
豹虎 pau42fu35　金钱豹

七　房屋　器具

屋 uʔ5　房子
厅下 thin11ha42　厅堂
间哩 kan11·li　房间
横屋 vɛn24uʔ5　厢房
反厅 fan35thIn5　倒厅
饭厅背 fan42tin11pɔi42　大厅后的小间，开有大后门
□□u24tshan24　门槛
茅厕 mau24tshɿ24　厕所
屎窖 sɛ35kau5　厕所
磨哩 mɔ2·li　石磨
磨肚脐 mɔ2tau11tɕi42　磨脐儿
猪栏 tu11lan24　猪圈
牛栏 ȵiu24lan24　牛圈
鸡窠 tɕi11khuɔ11　鸡窝
鸡囚 tɕi11tɕhiu24　鸡笼
家什 ka11sɿ11　家庭用具、器物、家具、锣鼓家什：个人有用的东西的总和
锁匙 sɔ35sɛ5　钥匙
正梁 tIn42liɔŋ24　大梁
柱头 tshu11thɛ24　柱子
磉石 sɔŋ35ɕiʔ5　柱础
桷子 kɔʔ5·tsɿ　椽子
桁哩 hɛn24·li　屋梁上的横木（檩子）
马步 ma35phu5　台阶
床拼 sɔŋ24phIn11　床沿
帐哩 tɔŋ42·li　蚊帐
被窝 phi11uɔ11　被子
被窝心子 phi11uɔ11ɕin·tsɿ　被面
被窝壳哩 phi11uɔ11khɔʔ5·li　被套
垫被 thiɛn42phi11　褥子
火笼 fɔ35luŋ5　手炉
火钳 fɔ35tɕhiɛn5　夹柴火的铁钳
火□fɔ35phɛʔ5　一种嵌在篾架上方便提拿以供取暖的火钵
火箸fɔ35tu5　火筷子：夹火盆中木炭或通火的铁筷子，上端由两寸长的铁链子连起来
筢笊 pha35tsau5　搂柴草的竹制器具
掭灯篦哩 thiɛn42tɛn11phɛʔ5·li　拨动灯

芯的竹签。㮌,拨动

面盆 miɛn42pIn24　　脸盆

洗面水 çi35miɛn42fi35　　洗脸水

碱 kan35　　肥皂

香碱 çiɔŋ11kan35　　香皂

面巾 miɛn42tçin11　　毛巾

□脚巾 tçiau35tçiɔʔ5tçin11　　擦脚布

橱哩 thu24 · li　　柜子

袋仔 thɔi42 · tsai　　行李袋

盘仔 phɔn24 · tsai　　桌子

四方盘仔 sɿ42fɔŋ11phɔn24 · tsai　　四方桌

圆盘 iɔn24phɔn24　　圆桌

推屉 thɔi11sɿ42　　抽屉

凳仔 tɛn42 · tsai　　凳子

厨下 thu24 · ha　　厨房

烟筒 iɛn11thuŋ24　　烟囱

铁锅 thiɛʔ5kuɔ11　　饭锅

驮板 thɔ24pan35　　锅盖

刷帚 sɔʔ5tiu5　　用青篾劈成竹丝做成的炊具(刷子)

笊捞 tsau35lau5　　学名"笊篱",用竹篾编成的一种杓形用具,能漏水,可以在汤水里捞东西

扫盘帚哩 sau42phɔn24tiu42 · li　　扫桌面的棕叶帚

森哩 sɛn11 · li　　用稻草、茅草编成的覆盖物

□箕 thuɔn24tçi11　　晒东西的圆形竹器

竹簟 tu35thiɛn42　　晒谷的大竹席子

勺仔 sɔʔ5 · tsai　　瓢

茶盅 tsha24tuŋ11　　茶杯

树盆 su42phIn24　　木盆

醋缸 tshu42kɔŋ11　　醋罈子

调羹 thiau24kɛn11　　汤匙

饭橧 fan42tsɛn42　　饭桶

禾杆 uɔ24kuɔn42　　稻杆

剖哩 phɔi24 · li　　刨花

打底针 ta35ti35tIn11　　纳鞋针

针嘴哩 tIn11tçi35 · li　　针尖儿

铰剪 kau11tçiɛn35　　剪刀

芒□ mɔŋ24thuŋ24　　洗衣服时,捶衣服的木棍

闹帚 nau42tiu42　　将约一米五长的竹竿下半部分劈成五六片,用以赶鸡鸭的东西

章子 tɔŋ11 · tsɿ　　图章

□鞋底 tçhiʔ5hai24ti35　　纳鞋底子

连扣子 tiɛn24khiau35 · tsɿ　　钉扣子

泥桶 ȵi24thuŋ35　　马桶

簰 phai24　　也写作"棑"。用竹子或木材平摆编扎成的水上交通工具;也指水上运送成捆的竹木

八仂 çiɛʔ5 · li　　垃圾

男子人 nan24tsɿȵin24　　男人

想子人 çiɔŋ35tsɿȵin24　　女人

小伢仂 çiau35ŋa5 · li　　小孩

小崽仂 çiau35 tsai11 · li　　男孩儿

小婎仂 çiau3542 ȵiɛ42 · li　　女孩儿

□孙 ȵin24çi11　　孙女

女官人 ȵi35kuɔn11ȵin24　　妇女

老先先 lau35çiɛn11çiɛn11　　老先生

老太人 lau35thɛn11ȵin24　　老者

街上人 kai11sɔŋ42ȵin24　　城里人

洋人 iɔŋ24ȵin24　　外国人

日本佬 lɛʔ5pIn35lau5　　日本人

任饭个 1In42fan42 · kɔ　　厨师

养猪个 iɔŋ35tu11 · kɔ　　饲养员

杀猪个 saʔ5tu11 · kɔ　　屠夫

做手艺个 tsɔ2çiu35ȵi42 · kɔ　　手艺人

做买卖个 tsɔ2mai35mai42 · kɔ　　商人

铺摊子个 phu11than11tsɿ · kɔ　　摊贩

卖广货个 mai42kuɔŋ35fɔ5 · kɔ　　货郎儿

波郎鼓 pɔ11lɔŋ24ku35　　货郎鼓儿

中间人 tuŋ11kan11ȵin24　　拉縴的

当兵个 tɔŋ11pIn11 · kɔ　　军人

医师 i11sɿ11　　医生

先先 çiɛn11çiɛn11　　老师

打散工 ta35san35kuŋ11　　零工

打下手个 ta35ha42çiu35 · kɔ　　小工

生手 sɛn11çiu35　　新手

书□ su11nɛ42　　书呆子

人客 ȵin24khɛʔ5　　客人

卖狗皮膏药个 mai42kiau35phi24kau11iɔʔ5 · kɔ　　卖膏药的

跑码头个 phau35ma35thɛ24 · kɔ　　走江湖的

人贩子 ȵin24fan42 · tsɿ　　拐卖人口的

望风个 mɔŋ42fəŋ11 · kɔ　　把风的

内线 nɔi42çiɛn42　　引线的

面相 miɛn42çiɔŋ42　　相貌

祸莳哩 fɔ2tɛ11 · li　　经常惹祸的人

单身佬 tan11çin11 · lau　　单身男子

打单身□子 ta35tan11çin11çiɔŋ35 · tsɿ　　单身女子

半边锅仔 pɔn42piɛn11kuɔ11 · tsai　　穷人家

黄鳝骨头 vɔŋ24sɛn42kuɛʔ5thɛ24　　懒鬼

打师 ta35sɿ5　　武术师

地仙 thi42çiɛn11　　风水先生

癫子 tiɛn11 · tsɿ　　有神经病的人

跟屁虫 kɛn11phi24thuŋ24　　指没有主见，人云亦云；指时时跟着大人的小孩

左料 kaʔ5fiau42　　指行为怪诞、脾气不好的人

搅屎棍哩 kau42sɛ35kuIn42 · li　　指挑拨离间，无事生非的人

角色老倌 kɔʔ5sɛʔ5lau35 · kuɔn11　　比较厉害的人物

绝嗣 tçhiɛʔ5tshɿ24　　没有后代

看牛崽哩 khɔn42ȵiu24tsai35 · li　　放牛娃，有时含贬义，指粗俗之人

烂把式 lan42pa35çiʔ5　　破玩意

烂凳脚 lan42tɛn42tçiɔʔ5　　走到哪里便长时间坐下来的人

后生 hɛ42sɛn11　　年轻；年轻人

□鸡鬼 mi42 · tçi kui35　　落汤鸡

墨鱼骨头 mɛʔ5ŋiɛ24kuɛʔ5thɛ24　　好色之徒

泥桶板哩 ȵi24thuŋ35pan35 · li　　无用的人

沤土个 ŋiau42thu35 · kɔ　　（骂人的话）死后埋在土里的人

□□子 p'ɛʔ5 · p'ɛʔ5 · zi　　小伙子

取债鬼 tçhi35tsai42kui35　　（骂人的话）花完父母的钱便会死的人

收脚迹 çiu11tçiɔʔ5tçiʔ5　　骂出行的人的话。迷信认为人死后三天要把生前的足迹收回。引申为不欢迎他人的到来

□椒里个蛆 sɛ42tçiau11li35 · kɔ tçhi11　　非常厉害的人物

天收个 thiɛn11çiu11 · kɔ　　（骂人的话）老天会灭他的人

行客 hɛn24kɛʔ5　　刚到的客人。

夜狐狸 ia42vu24li　　指不正当的人

一肚个屎 iʔ5thu11 · kɔ sɛ35　　草包

造祸条哩 tshau42fɔ42thiau24 · li　　挑拨离间的人

猪脚骨 tu11tiɔʔ5kuɛʔ5　　用芥菜茎制作的一种咸菜。比喻虚有其名，知识水平和技艺很差的人

坐盘角个 tshɔ11phɔn24kɔʔ5 · kɔ　　调解事端的人

坐豆腐缸个 tshɔ11thɛ42fu35kɔŋ11 · kɔ　　没有主见立场的人

知宾tɛ35pin11　　帮助办喜事或丧事的人家招待宾客的人

坐客tshɔ11khɛʔ5　　已经坐下的客人，即先到的客人

白菜 phɛʔ5tshai5　　傻里傻气的人

半股卵 pɔn42ku35luɔn35　　半瓶醋

九　亲属

世公 sɛ42kuŋ11　　曾祖父

世婆 sɛ42phɔ24　　曾祖母

爹爹 tiɛ11 tiɛ11　　父亲

姆妈m̩35 · mɛ5　　母亲

爷娘 ia24ȵiɔŋ24　　父母

母母 mu35 · mu5　　伯母

祖祖 tsu35 · tsu5　　祖父

嫲嫲 ma35 · ma5　　祖母

□□tçiau35tçiau5　　叔叔

䶊䶊 tçiɛ35 · tçiɛ　　婶婶

老子 lau35tsɿ5　　丈夫

私伢哩 sɿ1ŋa24 · li　　私生子

老庚哩 lau35kɛn5 · li　　同年

崽 tsai35　　儿子

姩 ȵiɛn35　　女儿

崽哩 tsai35 · li　　男孩

哥郎 kɔ1lɔŋ24　　哥哥

弟郎 thi11lɔŋ24　　弟弟

姐姐 tçi35tçi5　　姐姐

妹崽 mɔi42 · tsai　　妹妹

细崽 çi42tsai35　　小儿子

细姩 çi42ȵiɛn35　　小女儿

郎 lɔŋ24　　女婿

新妇 çin11fu42　　儿媳妇

寄娘 tçi42ȵiɔŋ 24　　干妈，保姆

寄□tçi42ia24　　干爸

寄崽 tɕi42tsai35　干儿子
寄姩 tɕi42ȵiɛn35　干女儿
□□ŋai42·ŋai　外公
□婆 ŋai42phɔ24　外婆
外甥(对外公、外婆而言)uai42sɛn11　外孙子
外甥姩(对外公、外婆而言) uai42sɛn11ȵiɛn35　外孙女
丈人公 thɔŋ42ȵin24kuŋ11　岳父
丈人婆 thɔŋ42ȵin24phɔ24　岳母
孙新妇 ɕin11ɕin11fu42　孙媳妇
孙郎 ɕin11lɔŋ24　孙女婿
圆孙仂 iɔn24ɕin11·li　重孙子
圆孙姩 iɔn24ɕin11ȵiɛn35　重孙女儿
妗妗 ȵiɔŋ11tɕhin11　舅母
□□ka11ka11　姑母
姑婆 ku11phɔ24　姑奶奶
□伯 ha24pɛʔ5　大伯子
□叔 ha24suʔ5　小叔子
□姑 thɔ24ku11　大姑子
□姑 ha24ku11　小姑子
舅哩 tɕhiu42·li　内兄弟
大舅哩 tha42tɕhiu42·li　内兄
细舅哩 ɕi42ɕhiu42·li　内弟
孙仂 ɕin11·li　内侄
孙姩 ɕin11ȵiɛn35　内侄女
姨夫 i24fu11　连襟
前辈 tɕhiɛn24pɔi42　长辈
小辈 ɕiau35pɔi5　晚辈
平肩头 phIn24tɕiɛn11thɛ24　平辈
邻舍 tin24sa35　邻舍
血骨 ɕiɔʔ5kuɛʔ5　骨肉
亲家母 tɕhin11ka11mu35　亲家太太
晚娘 man35ȵiɔŋ5　后妈
晚爷 man35ia5　后爹
晚崽 man35tsai5　妇女改嫁带来的儿子
晚姩 man35ȵiɛn5　妇女改嫁带来的女儿
两公婆 tiɔŋ35kuŋ11phɔ24　夫妻
细人 ɕi42ȵin24　晚辈
细时 ɕi42sɛ24　小的时候
细个 ɕi42·kɔ　年幼的
伢哩人 ŋa24·li ȵin24　小孩

十　身体

后脑壳 hɛ42nau35khɔʔ5　后脑勺
颈 tɕin35　脖子
后颈窝哩 hɛ42tɕin35uɔ11·tsɿ　后脑窝子
囟门 ɕin42mIn24　头顶正中的要害部位
头皮屑哩 thɛ24phi24ɕiɛʔ5·li　头屑
脑门 nau35mIn5　额头
面 miɛn42　脸
耳从兜上 ʒ35tshuŋ24tɛ11sɔŋ42　腮帮子
眼睛圈哩 ŋan35tɕin5tɕhiɔn11·li　眼眶
眼珠哩 ŋan35tu5·li　眼珠儿
鼻公 phi42kuŋ11　鼻子
鼻□phi42nuŋ24　鼻涕
鼻公脑哩 phi42kuŋ11nau35·li　鼻子尖儿
豆渣鼻公 thɛ42tsa11phi42kuŋ11　酒糟鼻子
嘴□tɕi35ɕiɛn5　嘴唇
□tshan24　唾沫
□tsan24　涎子
舌头膏哩 sɛʔ5thɛ24kau11·li　舌苔
□子 pan42·tsɿ　大舌头
□舌头 ŋɔʔ5sɛʔ5thɛ24　咬舌儿
当门齿 tɔŋ1mIn24thiɛ35　门牙
□牙 tshɔ11ŋa24　大牙
狗牙齿 kiau35ŋa24thɛ35　虎牙
牙齿膏 ŋa24thɛ35kau11　牙黄
耳朵洞 ʒ35tau5thuŋ42　耳孔
耳朵 ʒ35tau5　耳轮
耳朵珠仂 ʒ35tau5tu11·li　耳垂
打耳巴子 ta35？35pa5·tsɿ　打耳光
喉骨 hɛ24kuɛʔ5　喉结
螺 lɔ24　指纹
背脊骨 pɔi42tɕiʔ5kuɛʔ5　脊梁骨
脉门 mɛʔ5mIn24　手腕
顺手 ɕin42ɕiu35　右手
反手 fan35ɕiu5　左手
指头 tɛʔ5thɛ24　手指
大名指头 thai42mIn24tɛʔ5thɛ24　大拇指
指名指头 tɛʔ5mIn24tɛʔ5thɛ24　食指
中名指头 tuŋ11mIn24tɛʔ5thɛ24　中指
无名指头 u24mIn24tɛʔ5thɛ24　无名指
小名指头 ɕiau35mIn24tɛʔ5thɛ24　小指
指爪 tɛʔ5tsau35　指甲
指爪缝哩 tɛʔ5tsau35fəŋ42·li　指甲缝儿
排梢骨 pɛʔ5sau11kuɛʔ5　肋骨

气力 tɕhi42tiʔ5　力气
胛膀里 kaʔ5phɔŋ35 · li　腋下
奶□nɛ11tɕi5　乳房
肚 thu11　腹部
脚肚哩 tɕiɔʔ5thu11 · li　腿肚子
膝头帽仂 sɛʔ5thɛ24mau42 · li　膝盖
火筒骨 fɔ5thuŋ24kuɛʔ5　胫面骨
下裆骨 ha42tɔŋ11kuiʔ5　胯骨
下裆 ha42tɔŋ11　胯下
屎窟 sɛ35khuɛʔ5　屁股
卵 luɔn35　男阴
□鸡 mi42 · tɕi　男孩生殖器
□piɛʔ5　女阴
螺丝骨 lɔ24sɿ11kuiʔ5　脚髁
脚指叉 tɕiɔʔ5tɛʔ5tsha11　脚丫子
脚弯 tɕiɔʔ5uan11　脚腰
脚板 tɕiɔʔ5pan35　脚掌
脚指 tɕiɔʔ5tɛ35　脚趾
脚爪 tɕiɔʔ5tsau35　脚指甲
脚睁　tɕiɔʔ5tsɛn11　脚后跟

十一　病痛　医疗

人不愿 ȵin24pɛʔ5ȵiɔn42　生病
受寒 ɕiu42hɔn24　着凉
不舒服 pɛʔ5su11fuʔ5　病了
太病 thai42phIn42　病重了
泻肚子 ɕia42tu35 · tsɿ　拉肚子
作冷 tsɔʔ5lɛn35　发冷
吭 khuɔn35　咳嗽
吃热得哩 tɕhiʔ51ɛʔ5tɛʔ5 · li　上火
肚哩痛 thu11 · li thuŋ42　肚子痛
心口哩痛 ɕin11khiau35 · li thuŋ42　心口痛
发昏 faʔ5fIn11　头晕
打摆子 ta35pai5 · tsɿ　疟疾
发痧 faʔ5sa11　中暑
过喜事 kuɔ2ɕi35sɿ42　天花
发瘟 faʔ5uin11　瘟疫
发畜 faʔ5tuʔ5　癫痫
抽惊 thiu11tɕin11　抽风
生疖仂 sɛn11tɕiɛʔ5 · li　长疗
结壳 tɕiɛʔ5khɔʔ5　结痂
黄肿病 vɔŋ24tuŋ35phin42　黄疸病
水色 fi35sɛʔ5　脸上的气色
花斑 fa11pan11　汗斑
六个指头 luʔ5 · kɔtɛʔ5thɛ24　六指儿
拐子 kuai35 · tsɿ　瘸子
癞子 laiʔ5 · tsɿ　秃头
鸭公声 ŋaʔ5kuŋ11ɕin11　公鸭嗓儿
爆眼睛 pau42ŋan35tɕin5　鼓眼泡儿
□嘴 iɔʔ5tɕi35　豁嘴儿
撮脉 tsɔʔ5mɛʔ5　号脉
撮茶 tsɔʔ5tsha24　捡中药
煎茶 tɕiɛn11tsha24　煎中药
吃茶 tɕhiʔ5tsha24　喝中药
□子 ŋiɛ42 · tsɿ　弱智的人
发癫 faʔ5tiɛn11　发神经

十二　衣服穿戴

衣裳 i11sɔŋ24　衣服
袄哩 ŋau35 · li　棉衣
褂哩 kua42 · li　单衣
短褂哩 tuɔn35kua42 · li　衬衣
□鞋 thaʔ5hai24　拖鞋
头绳 thɛ24ɕin24　毛线
衫袖 san11thiu42　袖子
袋仔 thɔi42tsai11　口袋
裤哩 khu42 · li　裤子
短脚裤哩 tuɔn35tɕiɔʔ5khu42 · li　短裤
汗衫夹仔 huɔn42san11kaʔ5 · tsai　汗衣背心
夹仔 kaʔ5tsai35　棉背心
□□子 tshan35tshan5 · tsɿ　帽箍儿
扣子 khiau42 · tsɿ　纽扣
襻□phan42　老式衣裳上的纽扣布套，即纽襻
笸梳 lɔŋ35sɿ5　梳子
风紧扣 fəŋ11tɕin35khiau42　风纪扣儿
涎夹 tshan35kaʔ5　婴儿胸前的围兜
暖鞋 nɔn35hai5　棉鞋
手捏子 ɕiu35ȵiɛʔ5 · tsɿ　手绢
金钢箍 tɕin11kɔŋ11khu11　项圈
伞 san35　雨伞
斗笠 tɛ35tiʔ5　笠
烟筒 iɛn11thuŋ24　烟斗
烟筒嘴哩 iɛn11thuŋ24tɕi35 · li　烟斗嘴儿
烟屎 iɛn11sɛ35　烟斗油儿
火煤纸 fɔ5mɛ24tɛ35　火纸

被袱 phi11fuʔ5　　被子

十三　饮食

昼饭 tiu42fan42　　午饭

夜饭 ia42fan42　　晚饭

夜间点心 ia42kan11tiɛn35ɕin5　　夜宵

面 miɛn42　　面条

清汤 tɕhin11thɔŋ11　　馄饨

面粉果哩 miɛn42fIn35kuɔ35·li　　面疙瘩

饭糁 fan42sɛn11　　饭粒

粿子 kuɔ35·tsɿ　　糕点

间子kan42·tsɿ　　一种米中杂有极少量的其它米粒

滤浆米粉哩 ti42tɕiɔŋ11mi35fIn42·li　　磨制的糯米粉

米花糒哩 mi35fa11phɔi11·li 糒晒干的糯米饭,供炒米花用

怄气饭 ŋiau42tɕhi42fan42　　对方不高兴供食的饭

□豆腐 saʔ5thɛ42·fu　　炸豆腐

霉豆腐 mɔi24thɛ42·fu　　豆腐乳

气色 tɕhi42sɛʔ5　　气味

雪子糖 ɕiɛ42tsɿ35thɔŋ24　　冰糖

米糖 mi35thɔŋ5　　麦芽糖

实肉 sɛʔ5ȵiuʔ5　　瘦肉

片哩肉 phiɛn42·li ȵiuʔ5　　肉片

米粉蒸肉 mi35fIn5tIn11ȵiuʔ5　　米粉肉

口条 khiau35·thiau　　猪舌头

招财 tau11tshai24　　猪舌头

□□糖 phɔ42phɔ42thɔŋ24　　糖的一种,块状,内有空隙

肉卵子粿仂 ȵiuʔ5luɔn35·tsIkuɔ35·li　　肉丸子

猪脚 tu11tɕiɔʔ5　　猪蹄

顺风 ɕin42fəŋ11　　猪耳朵

□蛋 sa11than42　　咸蛋之一种制法

烧酒 sau11tɕiu35　　白酒

鱼仔干 ŋiɛ24tsai35kɔn11　　干鱼

饪饭 lIn42fan42　　做饭

煮菜 tu35tshai42　　炒菜

打汤 ta35thɔŋ11　　煮汤

吃食货 tɕhiʔ5ɕiʔ5fɔ42　　零食

冻哩 tuŋ42·li　　冬天结成固体的荤菜汤

曲粿 tɕhiuʔ5kuɔ35　　酿米酒用的"酒麯"

十四　红白大事

话媒 ua42mɔi24　　说媒

媒人公 mɔi24ȵin24kuŋ11　　媒人

话人家 ua42ȵin24·ka11　　说别人,批评别人;找婆家

讨老婆 thau35lau35phɔ5　　娶亲

行嫁 hɛn42ka42　　出(衡)嫁

见面 tɕiɛn42miɛn42　　相亲

送花粉 suŋ42fa11fIn35　　给女家送礼

闹洞房 nau42thuŋ42fɔŋ24　　闹新房

新人 ɕin11ȵin24　　新娘

转面 tɛn35miɛn5　　回门

兜崽 tɛ11tsai35　　怀孕

蔸崽个想子 tɛ11tsai35·kɔ ɕiɔŋ35·tsɿ　　孕妇

病崽 phIn42tsai35　　怀孕(反应)

来身上 lai24ɕin11sɔŋ42　　来月经

生崽 sɛn11tsai35　　分娩

打小生 ta35ɕiau5sɛn11　　小产

胞衣 pau11i11　　胎盘

□三朝 lɔŋ11san11tau11　　洗三

吃奶汁 tɕiʔ5nɛ35·tɕi　　吃奶

怕生当 pha42sɛn11tɔŋ11　　怕生人

怕耻 pha42thɛ35　　害臊

过生□kuɔ42sɛn11i42　　过生日

驮人 thɔ24ȵin24　　妇女婚外性行为

望世界 mɔŋ42sɛ42kai42　　临死到处看

白喜事 phɛʔ5ɕi35sɿ5　　丧事

断气 thɔn11tɕhi42　　咽气

作过哩 tsɔʔ5kuɔ42·li　　死了

装死 tsɔŋ11sɿ35　　给死人穿衣服(骂人的话)

买水mai35fi35　　旧俗丧礼的一种形式,孝子贤孙到河里提水给家里将要入殓的死人擦洗尸体

老了人 lau35·liau35ȵin24　　死了人

做七tsɔʔ42tɕhiʔ5　　旧俗,人死后七天,请和尚做法事超度亡魂

做狗仔 tsɔʔ42kiau35·tsɛ　　小孩生病

走了哩 tsɛ35au5·li　　(小孩)死了

照头灯 tau42thɛ24tɛn11　　引魂灯

投水 thɛ35fi35　　跳进水里自尽

魂灵 vɛn24lin24　　灵魂

吊亲 tiau42tɕhin11　　清明扫墓
百岁枋 pɛʔ5ɕi42fɔŋ11　　棺材
关风 kuan11fəŋ11　　入殓
坐夜 tshɔ11ia42　　守灵

十五　日常生活

着衣裳 tɔʔ5i11sɔŋ24　　穿衣服
□头发 liɛʔ5thɛ24faʔ5　　梳头
洗牙 ɕi35ŋa24　　刷牙
洗面 ɕi35miɛn42　　洗脸
下田 ha42thiɛn24　　下地
开工 khɔi11kuŋ11　　上工
转来哩 tɛn35lai5 · li　　回来了
嬉 ɕi42　　玩耍
饿的哩 ŋɔ42 · tɛʔ　　饿了
吃□□tɕhiʔ5lɔʔ5sɔʔ5　　吃零食
现饭 ɕiɛn42fan42　　剩饭
搛菜 tɕhiɛn24tshai42　　夹菜
吃烟 tɕhiʔ5iɛn11　　抽烟
吃酒 tɕhiʔ5tɕiu35　　喝酒
做洗 tsɔ42ɕi35　　洗澡
屙稀 uɔ11ɕi42　　拉尿
屙屎 Øɔ11sɛ35　　拉屎
歇凉 ɕiɛʔ5liɔŋ24　　乘凉
打瞌睏 ta35khɔʔ5khuin42　　打瞌睡
睏 khuin42　　睡
睏着哩 khuin42thɔʔ5 · li　　睡着了
翻□fan11khu11　　打呼噜
睏醉了 khuin42tɕi42tɛʔ5　　睡迷糊了
落觉 lɔʔ5kau42　　睡得很沉
发翘faʔ5tɕhiau42　　没有恨意的的生气，表现形式：哭，不说话或离开
发火 faʔ5fɔ35　　发脾气
发梦癫 faʔ5məŋ42tiɛn11　　做梦
眠梦 miɛn24məŋ42　　做梦
歇昼 ɕiɛʔ5tiu42　　睡午觉
睏侧个 khuin42tsɛʔ5 · kɔ　　侧身睡
仆倒睏 phuʔ5tau35khuin42　　趴着睡
睏倒哩枕头 khuin42tau35 · litIn35thɛ5　　落枕
欠筋 tɕhiɛn42tɕin11　　抽筋
打夜工 ta35ia42kuŋ11　　开夜车
边打边相 piɛn11nta35piɛn11ɕiɔŋ42　　边实践边摸索

话名 ua42miɔ24　　名声
话事 ua42sɿ42　　说话、聊天
话瞎事 ua42haʔ5sɿ42　　胡说
坑得 khɛn42tɛʔ5　　害得、弄得
控 khuŋ35　　使容器口朝下，将里面的东西倒出来

十六　各行各业

手称 ɕiu35thIn5　　钩称
称砣 thIn42thɔ24　　称锤
□子 ma24 · tsɿ　　铜钱有字的一面
□子 mɔŋ42 · tsɿ　　铜钱无字的一面
明洋 min24iɔŋ24　　银元
花边 fa11piɛn11　　银元
缺秤 tɕhiɔʔ5thIn42　　短斤少两
斫肉 ɔʔ5ȵiuʔ5　　买肉
伙计 fɔ35tɕi5　　堂倌儿
剃头 thi42thɛ24　　理发
推剪 thɔi11tɕiɛn35　　推子
剃和尚头 thi42uɔ24sɔŋ42thɛ24　　剃光头
三七分 san11tɕhiʔ5fIn11　　偏分
吃萝卜□tɕhiʔ5lɔ24phuʔ5tuʔ5　　付账时将尾数抹掉，局上最后一把输方不付账
狗肉账 kiau35ȵiuʔ5tɔŋ42　　赊欠的钱不多，但非常难收到的账
过数 kuɔ42su42　　过手以后，再数一遍
画烟fa24iɛn11　　亦作“桐华烟”原指烧桐油而产生的烟，为制墨的原料。后泛指点油灯而产生的烟
落脚货 lɔʔ5tɕiɔʔ5fɔ42　　挑选剩下的东西
蚀本 sɛʔ5pIn35　　亏本
缩水 sɔʔ5fi35　　衣服下水之后尺寸缩短
烂价lan42ka42　　以超低价格来吸引顾客（一种不正当的生意竞争）
实不相瞒 sɛʔ5pɛʔ5ɕiɔŋ11mɔn35　　打开窗门说亮话
实得 sɛʔ5tɛʔ5　　实惠
野食ia35ɕiʔ5　　在野外寻找到的食物，比喻分外的利益
上私学 sɔŋ4sɿ11hɔʔ5　　上私塾
发蒙 faʔ5məŋ24　　启蒙
砚瓦 ȵiɛn42va35　　砚台
磨墨 mɔ24mɛʔ5　　研墨
压尺 ŋaʔ5thiʔ5　　镇纸

讲桌 kɔŋ35tsɔʔ5　　讲台
粉条 fIn35thiau5　　粉笔
黑板刷 hɛʔ5pan35sɔʔ5　　黑板擦
单人旁 tan11ȵin24phɔŋ24　　立人旁
双人旁 sɔŋ11ȵin24phɔŋ24　　双立人旁
宝盖头 pau35kɔi5thɛ24　　宝盖儿
单挂耳 tan11kua42ʒ35　　单耳刀儿
双挂耳 sɔŋ11kua42ʒ35　　双耳刀儿
王字旁 uɔŋ24tshɿ42phɔŋ24　　斜玉旁
四点底 sɿ42tiɛn35ti5　　四点
走字底 tsɛ35tsɿ11ti35　　走之儿
板子 pan35 · tsɿ　　戒尺
打板子 t35pan35 · tsɿ　　打手心儿
捉夜迷 tsɔʔ5ia42mi24　　捉迷藏
打□子 ta35iɛn35 · tsɿ　　踢毽子
造房 tshau42fɔŋ24　　跳房子
曲哩 tɕhiuʔ5 · li　　歌曲
现世 ɕiɛn42sɛ42　　丢脸,出丑
针工 tIn11kuŋ11　　裁缝
叫拳 tɕiau42tɕhiɔn24　　猜拳
一定高 iʔ5thIn42kau11　　一
哥两好 kɔ1liɔŋ35hau5　　二
二喜好 ʒ42ɕi35hau35　　二
三桃园 san11thau24iɔn24　　三
三星到 san11ɕin11tau42　　三
四季发财 sɿ42tɕi42faʔ5tshai24　　四
登科 tɛn11khɔ11　　五
六六顺 luʔ5luʔ5ɕin42　　六
七巧 tɕhiʔ5tɕhiau35　　七
八匹马 paʔ5phiʔ5ma35　　八
快发财 khuai42faʔ5tshai24　　九
满堂 mɔn35thɔŋ24　　十
团迷哩 thɔn24mi24 · li　　猜灯谜
通棋 thuŋ11tɕhi24　　下棋
□数 ha42 · su　　分寸;底细
行□hɛn24thIn42　　传说一种神奇的气功,可以将甲处的东西通过意念让它自行到乙处
车马炮 kui11ma35phau42　　车马炮
拿士叉了 naʔ5sɿ42tsha11 · lau　　拿士士了
用相踩了 iuŋ42ɕiɔŋ42tshai35 · lau　　拿相相了
跳龙灯 thiau42luŋ24tɛn11　　耍龙灯
滚狮子灯 kuin35sɿ11 · tsɿtɛn11　　打狮子
高脚灯 kau11tɕiɔʔ5tɛn11　　高跷
打□头 ta35tɕiɔn11thɛ24　　翻跟头
寄打 tɕi42ta35　　一种气功,被打的人能将他人的打击转移到其它物体上
插蜡烛 tshaʔ5laʔ5tuʔ5　　倒立
变把戏 tsɔ42pa35ɕi42　　变戏法儿
放烟花 fɔŋ42iɛn11fa11　　放烟火
打爆竹 ta35pau42tuʔ5　　放炮仗
□猴子 tIn11hɛ24 · tsɿ　　掷色子
叫哩 tɕiau42 · li　　哨子
告状 kau42tshɔŋ42　　上诉
打官司 ta35kuɔn11sɿ11　诉讼
打对证 ta35tɔi42tIn42　　对质
按手模 ŋɔn42ɕiu35mu24　　画押
解 kai42　　押解
出行 thɛʔ5hɛn24　　正月初一早上,成群的人绕村一圈祭拜土地神
讲古 kɔŋ35ku35　　讲故事
烹茶 pɛn11tsha24　　烧开水
有打 iu35ta35　　有武功

十七　动作

摁头 ŋɛn11thɛn35　　点头
勾起头 kiau11tɕhi335thɛ24　　低头
□开嘴 ŋa11khɔi11tɕi35　　张嘴
□拢嘴 miʔ5luŋ24tɕi35　　闭嘴
翘起嘴 tɕhiau42tɕhi35tɕi35　　噘嘴
反转头来 fan35tɛn42thɛ24lai24　　脸转过去
睁开眼 tshɛn42khɔi11ŋan35　　睁眼
撑老大眼睛 tshɛn42lau35thai42ŋan35tɕin11　　瞪眼
眯拢眼睛 mi11luŋ24ŋan35tɕin11　　合上眼睛
眼睛转来转 ŋan35tɕin11tɛn35lai24tɛn35khɛ42　　眼睛乱转
迎起手 in24tɕhi35ɕiu35　　举手
拍巴掌 phɛʔ5pa11tɔŋ35　　拍手
手挽背头 ɕiu35uan35pɔi42thɛ24　　背着手儿
□稀 tIn11ɕi42　　把尿
□屎 tIn11sɛ35　　把屎
振脚 tIn42tɕiɔʔ5　　跺脚
搁起脚 kɔʔ5tɕhi35tɕiɔʔ5　　跷腿
踢脚 thiʔ5tɕiɔʔ5　　踢腿

□开脚 maʔ5khuɔi11tɕiɔʔ5　张开腿

□腰 tɕɔn11iau42　弯腰

□鼻□sɛn42phiʔ5nuŋ24　擤鼻涕

打哈□ta35haʔ5tchiʔ5　打喷嚏

□着 tɕshin42tau42　蹲

徛 tɕhi11　站

话□ua42ɕin24　告诉

打私□ta35sɿ11kau11　咬耳朵

相骂 ɕiɔŋ11ma42　吵架

交代 kau11thai42　叮嘱

碰到 phuŋ42tau42　遇见

行礼 ɕin42ti35　施礼

走动 tsɛ35thuŋ11　串门儿

打伙 ta35fɔ35　合伙

看得重 khɔn42tɛʔ5thuŋ42　宠爱

让人家 ȵiɔŋ42ȵin24ka11　迁就

□出去 phIn42thɛʔ5khɜ42　撵出去

掉落哩 tiɛʔ5lɔʔ5·li　遗失

冇见了哩 mu24tɕiɛn42·lau·li　遗失了

寻到哩 tɕhin24tau42·li　找到了

□下 in42ha42　剩下

晓得 ɕiau35tɛʔ5　明白了

不认得 pɛʔ5ȵin42tɛʔ5　不认识

划水 fa24fi35　游泳

加劲 ka42tɕin42　努力，客气

估 ku35　揣测

照顾 tau42ku42　留神

吓了下 hɛʔ5·lau ha42　受惊吓

惊惊将将 tɕin11tɕin11tɕiɔŋ11tɕiɔŋ11　手忙脚乱

挂 kua42　挂念

□记得哩 lai24tɕi42tɛʔ5　忘记

讨嫌 thau35ɕiɛn24　讨厌

着猴 thɔʔ5hɛ24　羡慕

多谢 tɔ11ɕia42　感谢

□下 ŋai11·ha　拖延，等一会儿

把当一场样 pa35tɔŋ11iʔ5thɔŋ24iɔŋ42　一般的事过于重视

滗 pi42　挡住熬煮物，把液体虑出来

□pi42　烘干

□到哩 tsuʔ5tau42·li　呛水

窜死tshuan35sɿ35　骂人的话，讨厌某人到某地，咒他到那里去死

打背 ta35pɔi42　走在后面

搁气 kɔʔ5tɕhi42　赌气，互相不说话

打赤膊 ta35thiʔ5pɔʔ5　上身没穿衣服

打赤脚 ta35thiʔ5tɕiɔʔ5　没穿鞋子

打赤脚□伴 ta35thiʔ5tɕiɔʔ5pɛn11phɔn11　急起直追

难纳nan24naʔ5　令人很难接受的脾气和态度

难话 nan24ua42　可能

难话事 nan24ua42sɿ42　不随和，不好说话

打出来哩 ta35thɛʔ5lai24·li　露出

打单身 ta35tan11·ɕin　光棍

打得 ta35tɛʔ5　要、需要；打开

打得□□哩嘎 ta35tɛʔ5fa42fa24·li·ka　敞开

打跌 ta35tiɛʔ5　摔跤

打□眼 ta35uin42ŋɛn35　打瞌睡

打个□□圈 ta35·kɔ mɔŋ42mɔŋ42tɕiɛn35　转个圈

打狗下场 ta35kiau35ha42thɔŋ24　不欢而散

打哄 ta35fəŋ35　说谎，骗人

打花面 ta35fa11miɛn42　把脸弄得花花的

打后 ta35hɛ42　走在后面；以后、后来

打□□ta35kan11kai42　抽空

打乱话 ta35lɔn42ua42　胡说，说谎

打马肩 ta35ma35tɕiɛn11　坐在他人脖子后，双腿搁在左右肩

打□打岔 ta35mIn35ta35tsha42　刻意插话，打断人家话题

打蒙 ta35məŋ24　起雾

打蛮劲 ta35man35tɕin42　勉强

打破嘴 ta35phɔ42tɕi35　叫他人不要做其事

打觑眼 ta35tɕi42ŋɛn35　从门缝偷看

打湿哩 ta35sɛʔ5·li　被雨水沾湿衣服

打湿哩脚 ta35sɛʔ5·litɕiaʔ5　屈驾光临

打眼 ta35ŋɛn35　醒目，显眼

牵头 tɕhiɛn11thɛ24　带头

挂着 kua42tau42　挂念

打总心 ta35tsuŋ35ɕin11　推荐撮合某人某事

搭 taʔ5　理睬

搭车 taʔ5ta11　乘便车

搭秤taʔ5thIn42　□购物称重时,如不够分量便再加一点
搭嘴 taʔ5tɕi35　□插嘴,答茬
搭讪搭嘴 taʔ5sa11taʔ5tɕi35　主动跟人家说话
打下手 ta35ha42ɕiu35　做助手
担大肩 tan11thai42tɕiɛn11　扛大梁
□话 tan11ua42　听话
单宁 tan11ȵin24　一味、专门
得哇 tɛʔ5 ua42　以为
□tiʔ5　摘、拔
点醒 tiɛn35ɕin35　特别提醒
吊颈 tiau42tɕin35　上吊
潽 phu11　汤液沸腾溢出
仆着 puʔ5tau42　趴着
扑沙洲 puʔ5sa11tiu11　(骂人的话)赶路急匆匆的样子
起□tɕhi35tshau24　开始了反击对方的行动
起火 tɕhi35fɔ35　发脾气
起□tɕhi35pan35　开始行动
起价 tɕhi35ka42　加价、涨价
起心 tɕhi42ɕin11　有了意思;起了贪念
起势子 tɕhi35sɛ42·tsɿ　干某事之前产生于内心的冲劲或表现出来的架势
跌 tiɛʔ5　掉
老下火 lau35ha42fɔ35　□□说好了的事,再强调一次,以防对方变卦
戽 tuʔ5　用指头、棍棒等捅一个某物
掇 tɔʔ5　用双手端椅子、凳子
斗气 tɛ42tɕhi42　赌气
对水作缺 tɛ42fi35tsɔʔ5tɕhiɔʔ5　选在事情很难办的时候办事
发白 faʔ5phɛʔ5　发傻
翻板 fan11pan35　变卦
反水 fan35fi35　变卦,背叛
返潮 fan35thau24　梅雨季节地面气潮湿
返工 fan35kuŋ11　不合格要重做
返转 fan35tɛn35　回转
缚 fɔʔ5　捆绑
搞 kau35　开玩笑
搞鬼kau35kui35　①骚扰,捣乱②暗中破坏
隑 khɔi42　倚,靠。如:梯子隑在墙上

搁板kɔʔ5pan35　(不配合,消极抵制)让合作伙伴工作进展不下去
供 tɕiuŋ11　赡养
□kuŋ42　向上或向外钻
鬼打 kui35ta35　胡说
过来过去 kuɔ42lai24kuɔ42khɛ42　来回的走
带过身 tai42kuɔ42ɕin11　事情已经结束;原谅、饶恕
□hiɛ42　勒
晃眼睛 vɔŋ35ŋan35tɕin11　耀眼、刺眼
假充 ka35thuŋ11　摆架子
讲话 kɔŋ35ua42　听说
搅屎 kau42sɛ35　捣蛋
揭 tɕiɛʔ5　拿
拘礼kui11li35　过于客套。拘泥于礼法或礼节
揩油 khai11iu24　沾光,占人便宜
□khan42　跨
看牛 khɔn42ȵiu24　放牛
园 kɔŋ42　藏
来酿哩 lai24ȵiɔŋ42·li　本义:米酒快酿制好了。引申义:挑起祸端
连 tiɛn24　缝(衣服)
发坼 faʔ5tshɛʔ5　裂开
接脚 tɕiɛʔ5tɕiɔʔ5　接替
捋手捋脚 lɔʔ5ɕiu35lɔʔ5tɕiɔʔ5　一种粗野蛮横的姿态,将袖子和裤管向上卷起,准备打架或干活
□lu35　双手抱住衣服或其他东西
落脚 lɔʔ5tɕiɔʔ5　停留下来;住上一宿
卖假嘴 mai42ka35tɕi35　假心假意的挽留或邀请
摸得哩 mɔʔ5tɛʔ5·li　神里神气的样子
□□摸摸 mi11mi11mɔ11mɔ11　长时间做些琐事;抚摸
□嘈 nan24tshau11　枯萎
呢呢喃喃 ȵin24ȵin24nan24 nan24　轻声说话或埋怨
□□ȵiɛn24sɛ42　紧接着
□□ȵiɛn11pɔŋ11　紧接着
年茂 ȵiɛn24mɛ42　少不更事
□得 ȵiɛn24tɛʔ5　以为
捻颈 ȵiɛn24tɕin35　卡脖子

□tɕhiɛn24　拔,如:拔毛
□□tɕhiɔʔ5mɔʔ5　随它去
□tɕhiɔ24　用水将燃烧物熄灭
去归 khiɛ42kui11　回家
去学 khiɛ hɔʔ5　上学
去了哩货 khiɛ42 · lau · li fɔ42　失身了
晒尸 sa42sɛ11　早上到了应该劳作的时候,太阳升高了,人还在床上睡懒觉
撒开 saʔ5khɔi11　算了;断交
□□sa42fuʔ5　不要
□than24　放在火的上方烤
讨好卖乖 thau35hau35mai42kuai11　讨好
调 thiau35　调换
敨 thɛ 35　把包着或卷着的东西打开;~衣服(衣服打了肥皂)洗了头遍,洗第二遍
敨屎 thɛ35sɛ35　把不好的事都说出来
□得thɔ24tɛʔ5　经受得起;不应该。用在反问句里
□不得 thɔ24pɛʔ5tɛʔ5　经受不起;用在陈述句里
望下 mɔŋ42ha42　看
望住 mɔŋ42thu42　看着,守住
□uʔ5　做,搞,弄
熄火 ɕiʔ5fɔ35　行为终止
□ɕiɛʔ5　旋转,旋螺丝
□当 ɕin11tɔŋ11　好像,不当一回事
寻 tɕhin24　找
寻鼓跌 tɕhin24ku35tiɛʔ5　自讨没趣
轧 ŋaʔ5　滚压
仄 tsɛ42　倾斜
造祸 tshau42fɔ42　挑拨离间
□□tau11ka42　小心、注意、看守、防备
眼望四天 ŋan35mɔŋ42sɿ42thiɛn11　东张西望,走路不看脚下
转来 tɛn35lai24　回来
走栏 tsɛ35lan24　家畜发情
作怪 tsuɔʔ5kuai42　捣乱,捣鬼
作死 tsuɔʔ5sɿ35　反常,不端正
作乐 tsuɔʔ5lɔʔ5　高兴,寻开心
作饿肚乐 tsuɔʔ5ŋɔ42thu11lɔ5ʔ　穷苦中寻开心
作□tsuɔʔ5ɕiɔ24　起哄
作式子 tsuɔʔ5ɕiʔ5 · tsɿ　赶时髦
着愁 thɔʔ5li24　忧愁,忧虑
着光 thɔʔ5 kuɔŋ11　亮灯
着急 thɔʔ5tɕiʔ5　伤心
着气 thɔʔ5tɕhi42　生气
□□tsɔ35niɔŋ42　干脆
□□tsɔ35ɲin24　一不做,二不休
□桩 tsa42tsɔŋ11　站在那不愿走
嘴皮滥翻 tɕi35phi24lan42fan11　饶舌
炙火 tiʔ5fɔ35　烤火
饿得嘴□□哩嘎 ŋɔ42tɛʔ5tɕi35ŋaʔ5ŋaʔ5 · li · ka　嗷嗷待哺
攒劲 tsan42tɕin42　努力,使劲

十八　形容词

齐整 tɕhi24tin35　漂亮
熊样 ɕiuŋ24iɔŋ42　难看
龌龊 uɔʔ5thɔʔ5　肮脏
□清 kuɛn42tɕhin11　水非常澄清
浓 ɲiuŋ24　稠
□lɔŋ24　稀,稀疏
好过 hau42kuɔ42　舒服
小气 ɕiau35tɕhi42　吝啬
完个 uɔn24 · kɔ　完整
一身 iʔ5ɕin11　浑身
□□□□ŋau24ŋau24tiɛʔ5tiɛʔ5　桀骜不训;粗暴,不讲理
拗篾对节 ŋau35miɛʔ5tui42tɕiɛʔ5　做事不知变通,总是在很难下手的地方下手
鐾刀仔个布样 phau42tau11 · tsai · kɔpu42iɔŋ42　形容衣服很脏,像理发师鐾剃须刀用的帆布片
蹩脚 phiɛʔ5tɕiɔʔ5　能力差
壁上呵气 piʔ5sɔŋ42hɔ11tɕhi42　说的话没有得到任何回应
□黄 piɛ24vɔŋ24　很黄
不谙世事 pɛʔ5ŋɛn42sɛ42sɿ42　不懂事
不尴不尬 pɛʔ5kan11pɛʔ5kai42　尴尬
不警不觉 pɛʔ5tɕin35pɛʔ5kɔʔ5　不知不觉
不上斤两 pɛʔ5sɔŋ42tɕin35tiɔŋ35　鸡毛蒜皮的事情
不同道儿 pɛʔ5thuŋ24thau42 · tɕi35　特殊(贬义)
不要饭供得个 pɛʔ5iau42fan42tɕiuŋ42tɛʔ5 · kɔ　无需花钱保管

拆烂污 tshaʔ5lan42u11　不端正,乱来
炒现饭 tshau35ɕiɛn42fan42　剩饭回锅炒;比喻讲来讲去都是旧的东西,没新意
吃冤枉 tɕhiʔ5iɛn11uɔŋ35　白吃;贪污
吃得 tɕhiʔ5tɛʔ5　食量大
吃饱哩饭 tɕhiʔ5pau35·li fan42　做没有意义或有害于人的事情
吃醉哩饭 tɕhiʔ5tɕi42·li fan42　做事糊涂
吃哩朱砂 tɕhiʔ5·li tu11sa11　骂人的话,表情冷酷,态度生硬
吃肉样 tɕhiʔ5ȵiuʔ5iɔŋ42　非常舒服过瘾
痴头愣脑 thɛ11thɛ24lɛn42nau35　笨
重三遍四 thuŋ24san11piɛn42sɿ42　反复强调
绸软 thiu24ȵiɔn35　很软
□软 fiʔ5ȵiɔn35　很软
打开眼睛撒尿 ta35khɔi11ŋɛn35tɕin11sa11ɕi11　对他人的错误行为视而不见
打乐平腔 ta35lɔʔ5phIn24tɕhiɔŋ11　说话时拿腔拿调,显示自己了不起
打□的哩 ta35than11·tɛʔ5·li　很多
打铜打锡 ta35thuŋ24ta35ɕiʔ5　闲言碎语,叫他人不要做某事
打乌面来 ta35u11miɛn42lai24　拉下面来跟某人对着干
打现面仗 ta35ɕiɛn42miɛn42tɔŋ42　立竿见影
太耳朵个猪 thai42ʒ35·tɔ·kɔ tu11　听而不闻
太汗细雨 thai42huɔn42ɕi42vi35　汗流浃背,满头大汗
□重 tɛʔ5 thuŋ11　很重
得脸 tɛʔ5tiɛn35　受宠爱而沾沾自喜
□苦 tiʔ5khu35　味道很苦
□□得得 tiʔ5tiʔ5tɛʔ5tɛʔ5　说话,结结办办;坐车颠簸的感觉
倒灶 tau35tsau42　倒楣
夜尽得哩 ia42tɕhin42tɛʔ5·li　完蛋了
遮伞拿柄 ta11san35naʔ511pIn35　顾全大局,抓住关键
跌鼓 tiɛʔ5ku35　丢脸
跌起跌倒 tiɛʔ5tɕhi35tiɛʔ5tau35　指走路不稳,跌跌撞撞的样子
叠实 thiɛʔ5sɛʔ5　没有空隙,很实
动蛮劲 thuŋ11man24tɕin42　动武;不可为而为之
□□□□tuŋ35tuŋ35tɛʔ5tɛʔ5　呆呆傻傻
肚里有料 tu35·li iu35tau42　有内才
笃乌 tuʔ5u11　很乌
笃紫 tuʔ5tsɿ35　很紫
蹲到头上屙屎　tɕhin42tau42thɛ24sɔŋ42vɔ11sɛ35 欺人太甚
墩墩□□tIn35tIn35tsa42tsa42　身材粗壮
摁着头挨 ŋiɛn11thɔʔ5thɛ24ŋai11　默默忍受外部打击
二五八 ʒ42ŋ̍35paʔ5　(酒喝得)差不多醉
发蛋个鸡嫲样 faʔ5than42·kɔ tɕi11mɔ24iɔŋ42　姑娘发胖
发狠 faʔ5hɛn24　使劲,努力
翻牙□fan11ŋa24kau35　说过的话不认账,说话反悔,出尔反尔;也指说话风趣幽默,辩驳能力强
翻牙撬舌 fan11ŋa24tɕhiau42sɛʔ5　狡辩
□尖 fiʔ5tɕɛn11　很尖
□快 fiʔ5khuai42　迅速,刀剑锋利
□臭 fiʔ5tɕhiu42　很臭
□松 phɛʔ5suŋ11　东西很松散
飘轻 phiau24tɕhin11　很轻
魄起 phɛʔ5tɕhi35　受惊吓后的安慰语
伏热 fuʔ5lɛʔ5　很热
伏滚 fuʔ5kuin35　形容温度很高,如水滚
搁耳朵背 kɔʔ5ʒ35tɔ35pɔi42　忘记了,不记在心上
□硬 kɔʔ5ŋɛn42　很硬
割头换颈 kɔʔ5thɛ24vɔn42tɕin35　彼此交情很深
狗肚直肠 kiau35tu35thiʔ5thɔŋ24　直性子
鬼头 kui35thɛ24　刁滑
鬼捉样 kui35tsɔʔ5iɔŋ42　骂人的话,因受惊吓而大叫
滚圆 kuin35iɔn24　很圆
滚□□子 kuin35lɔi24lɔi24·tsɿ　不停地滚、滚得很快
好过 hau35kuɔ42　舒服;便于通过
好看 hau35khɔn42　漂亮
好佬 hau35lau35　厉害;能干
好丑 hau35thiu35　好歹
□□□□　vɛn24vɛn24pɛn42pɛn42　不

讲道理,横行霸道
□□□□u24u24tɕia35tɕiaʔ5 胡闹
花□fa11ku35 顽皮,滑头
话不得 ua42pɛʔ5tɛʔ5 不能说;很好
话得到事 ua42tɛʔ5tau42sɿ42 指有影响力,说话管用的人
话得起事 ua42tɛʔ5tɕhi35sɿ42 各方面做得好,说话管用
话张话李 ua42tɔŋ11ua42ti35 说东道西
极细 tɕhiʔ5ɕi42 非常小
徛门挨壁 tɕhi11mIn24ŋai11piʔ5 次要人物站在不显眼的地方
鸡嫽□蛋 tɕi11mɔ24sai42than42 鸡躲在外面或别人家里生蛋;吃里爬外
唧唧喳喳 tɕiʔ5tɕiʔ5tsa42tsa42 湿而粉碎,给人感觉不爽的东西
□□□□tɕiɛʔ5tɕiɛʔ5lai42lai42 事情不顺利,麻烦不断;或指两人纠纷不断
肩担脚□tɕiɛn11tan11tɕɔʔ5phɔi24 轻视人的话:很普通,很多
坚心 tɕiɛn11ɕin11 办一件事情认真执着
坚 tɕiɛn11 硬,如饭~
焦干 tɕiau11kɔn11 很干燥
□□□□tɕhin42tɕhin42kan42kan42 争执,闹矛盾
□韧 tɕiu11ȵin42 食物韧性很大,嚼不动
韭绿 tɕiu35luʔ5 很绿
看鸭仂样 khɔn42ŋaʔ5 · li iɔŋ42 形容某物数量多
□瘦 khan35sɛ42 很瘦
□□动 khɔŋ11 · khɔŋ thuŋ11 颤抖,站立不稳
□腥 khuaʔ5ɕin11 气味很腥
老阔 lau42khuɔ11 很宽
苦瓜面 khu35kua35miɛn42 愁眉苦脸
□湿 laʔ5sɛʔ5 很潮湿
蜡白 laʔ5phɛʔ5 很白
邋遢 laʔ5 · thaʔ5 肮脏、不洁净
老大 lau35thai42 非常大
老□lau35ŋan42 很晚
老作 lau35tsɔʔ5 老练,少年老成(贬义)
乐死得哩 lɔʔ5sɿ35tɛʔ5 · li 非常高兴
力滑 liʔ5uaʔ5 很滑
厉霸 li42pa42 厉害、霸道
□白麻糍 tiɛʔ5phɛʔ5ma24tshɿ24 非常小气,让人家给他白干
□活 luʔ42fɛʔ5 机灵干练
□光 luŋ24kuɔŋ11 非常光
火烧哩脚样 fɔ35sau11 · li tɕiɔʔ5iɔŋ42 急于离开
□酸 tɕiʔ5sɔn11 很酸
积德样 tɕiʔ5tɛʔ5iɔŋ42 不要这样
家食 ka11ɕiʔ5 分内应得的利益
□淡 tɕiɛ11than11 味道很淡
萝卜薯样 lɔ24puʔ5su24iɔŋ42 呆傻站在那
逻魂灵 lɔ24vɛn24lin24 骂人的话,指漫无目的到处走来走去
□头懵脑 mɔʔ5thɛ24məŋ42nau3 刚睡醒的样子,指懵懵懂懂
□色 ma24sɛʔ5 能力很差
蒙到鼓打 məŋ24tau42ku35ta35 不向对方说明事情的原委便让干起来了;心照不宣
摸 mɔ11 做事手脚慢
□□□□ȵin24ȵin24nɔŋ42nɔŋ42 不整洁
牛肉面 ȵiu24ȵiuʔ5miɛn42 非常严肃、没有一点笑容的脸
糯米糊仂 nɔ42mi35u24 · li 性格非常懦弱的人
爬起跌倒 pha24tɕhi35tiɛʔ5tau35 跌跌撞撞的样子
□松 pɛʔ5suŋ11 很轻松;蓬松
排场 phai24thɔŋ24 阔气;有面子
□价 tɕhiaʔ5ka42 吃得开,有地位
清光白日 tɕhin11kuɔŋ11phɛʔ5ȵiʔ5 光天化日
□tɕhiʔ5 水冰、寒冷
□乌 tɕhiɔʔ5u11 很乌
□乌□白 tɕhiɔʔ5u11tɕhiɔʔ5phɛʔ5 对一件事情的描述不清楚,支离破碎
□火 saʔ5fɔ35 厉害
杀甲 saʔ5kaʔ5 能干
射矢样跳 sa42sɛ35iɔŋ42tiau42 跑得快
□咸 sɛn11han24 非常咸
事多□□sɛ42tɔ11laʔ5saʔ5 话多;好管闲事

屎泼个苋菜样 sɛ35phaʔ5·kɔhan42 tshai42iɔŋ42　茂盛,苗壮成长
收湿得哩 ɕiu11sɛʔ5tɛʔ5·li　结果非常糟糕
手上紧 ɕiu35sɔŋ42tɕin35　经济紧张
闹昏哩个鱼样 nau42fIn11·li·kɔ ŋiɜ24 iɔŋ42　晕头转向
随时马后 ɕi24sɿ24ma35hɛ42　随时
随污滥塌 ɕi24u11lan42thaʔ5　做事不负责任,非常随便
随嘴打哇哇 ɕi24tɕi35ta35ua11ua11　随口应付
熊样 ɕiuŋ24iɔŋ42　小气;难看
死板硬套 sɿ35pan35ŋɛn42thau42　死板
死眼白□sɿ35ŋan35phɛʔ5tɕhiɛn42　有眼无珠
死直哩脚 sɿ35tɕhiʔ5·li tɕiɔʔ5　彻底完蛋
坦平 than35phin24　地面很平整
天聋地哑 thiɛn11luŋ35thi42ŋa35　聋聋哑哑
铁紧 thiɛʔ5tɕin35　很紧
停当 thIn24tɔŋ11　聪明;能干
头上做窠 thɛ24sɔŋ42tsɔ42khuɔ11　欺人太甚
吞下哩肚 thIn11ha42·li thu11　(对学过的知识)理解了、记住了
熨贴 viʔ5thiɛʔ5　衣被折叠得平整齐,事情处理的妥当
熨四八贴 viʔ5sɿ42paʔ5thiɛʔ5　物品摆放的齐整;事情处理的妥当
窝家死绝 uɔ11ka11sɿ35tɕhiɛʔ5　骂人的话
乌蝇踪蛆 u11iɛn24tsuŋ11tɕhi11　好多人跟着或围着一个人
乌蝇投屎窖 u11iɛn24thɛ35sɛ35kau42　状告无门
无数搭八 u24su42taʔ5paʔ5　很多
皙皙哩嘎 ɕiʔ5ɕiʔ5·li·ka　漂亮
稀烂 ɕi11lan42　非常烂
□□狎狎 ɕi11ɕi11ɕiaʔ5ɕiaʔ5　说话做事不正经
□红 ɕiʔ5fəŋ24　颜色很红
瞎狗乱叫 haʔ5kiau35lɔn42tɕiau42　不了解情况乱说话
鲜甜 ɕiɛn11thiɛn24　很甜
□□样 ɕin11tɔŋ11iɔŋ42　无所谓
行时 hɛn24sɛ24　行好时运;时髦
□□(霍霍)fiʔ5fiʔ5fɔʔ5fɔʔ5　忙乱的样子
枵薄 ɕiɔʔ5phɔʔ5　很薄
□白 ɕiɔʔ5phɛʔ5　很白
扬哩扬气 iɔŋ24·li iɔŋ24tɕhi42　傲慢;自大
仰天瞥地 iɔŋ35thiɛn11phiɛʔ5thi35　傲慢;自大
□□哩个 iɔŋ24fa24·li·kɔ　不归哪个所有,可以随意消费的东西
易话事 i42ua42sɿ35　随和,好说话
□胖 taʔ5phɔn42　很胖
做得 tsɔ42tɛʔ5　体力好,干活厉害
着累 thɔʔ5lɔi42　辛苦
□默 thaʔ5mɛʔ5　郁闷
作□认真 tsuɔʔ5ku42ȵin42tIn11　故作认真

十九　代词等

□a11　我
唔n̩11　你
渠 khiɛ11　他
□□a11tɛʔ5　我们
唔□n̩11tɛʔ5　你们
渠□khiɛ11tɛʔ5　他们
□两人 a11liɔŋ35ȵin24　我俩
唔两人 n̩11liɔŋ35ȵin24　你俩
渠两人 khiɛ11liɔŋ35ȵin24　他俩
老天人 lau35thiɛn11ȵin24　老人家
老太人 lau35thai42ȵin24　老人家
个 kɔ11　这
□kɔ11tsai42　现在
尔里 ɛ11·li　那里
个里 kɔ11·li　这里
个样 kɔ11·iɔŋ　这样
个个 kɔ11·kɔ　这个
哪个 na35·kɔ　谁
么里 mɔ11·li　什么
么里去处 mɔ11·li khiɛ42thu42　什么地方
内底 nɔi42ti35　里面
恁以 nɛ11i35　怎么了
恁□nɛn11kuin35　怎么了

前头 tɕhiɛn24thɛ24　　前面
上头 sɔŋ42 · thɛ　　上面
望头 mɔŋ42thɛ24　　希望
背头 pɔi42hɛ42　　背后
眼前 ŋan35tɕiɛn24　　跟前
盘上 phɔn24sɔŋ42　　桌上
屋里 vɛʔ5li35　　家里
港里 kɔŋ35 li5　　河里
□门外头 tɕhiɛn24mIn24uai42thɛ24　　窗户外面
屋背 uʔ5pɔi42　　房后
脑背 nau35pɔi42　　脑后
半中半间 pɔn42tuŋ11pɔn42kan11　　中途
边近 piɛn11tɕhin11　　旁边，附近
边上 piɛn11 · sɔŋ　　旁边，附近
港背 kɔŋ35pɔi42　　河背
门背 mIn24pɔi42　　门后
南边 nan24piɛn11　　南面
望里走 mɔŋ42ti35tsɛ35　　往里走
望外走 mɔŋ42uai42tsɛ35　　往外走
转头 tɛn35thɛ24　　往回走
□脚 ȵiɛʔtɕiɔʔ5　　刚才
刚脚 kɔŋ11tɕiɔʔ5　　刚才
□□ȵiɛn24sɛ11　　立即
恰 khaʔ5　　刚
恶 ŋɔʔ5　　凶狠，很、非常
难话 nan24ua42　　也许
差几丝 tsha11tɕiʔ5sɿ11　　差点儿
还好 han24hau35　　幸亏
得渠哩 tɛʔ5 · kiɛ · li　　多亏他帮忙
常□thɔŋ24tsɔŋ42　　经常
得鬼牵 tɛʔ5kui35tɕhiɛn11　　像中了邪一样稀里糊涂做某事
得鬼打 tɛʔ5kui35ta35　　像中邪一样胡来，胡说
□□fan42tɕ35　　快点、赶紧
跌了盘子话 tiɛʔ5lau35phɔn24 · tsɿ ua42　　退一步说
话来话去 ua42lai24ua42khiɛ42　　归根到底
几多 tɕi35tɔ11　　多少
几个百年 tɕi35 · kɔ pɛʔ5ȵiɛn24　　老早、很久
□□仂 tɕi35ŋaʔ5 · li　　一点点
既了 tɕi42tiau35　　原来
三日两头 san11ȵiʔ5liɔŋ35thɛ24　　隔三岔五
三不两日 san11pɛʔ5liɔŋ35ȵiʔ5　　隔三岔五
□□sɛ42kan11　　最，第一
□□thɔʔ5 lnɔʔ5　　如果
闲常 han24thɔŋ24　　平时
□□哩 ɕin24sɛ42 · li　　经常
正意 tIn42i42　　故意

第二节　民　歌

十月歌

（一）

一月一，　拿　起　羊　毛　做　毛　笔；
iʔ5ȵiɔʔ5iʔ5　naʔ5tɕhi35iɔŋ24mau tsɔ42mau24piʔ5
两　月　两，　两　个 指 头　好　挠　痒；
liɔŋ35ȵiɔʔ5liɔŋ35　liɔŋ35. kɔtɛ35thɛ24hau35nau42iɔŋ24
三　月　三，三　个裁　缝　裁　衣裳；
san11ȵiɔʔ5san11san11kɔtshai24fə ŋ24shai24i11sɔŋ24
四　月　四，四个姩　仂　剪　囍字；
sɿ42ȵiɔʔ5sɿ42sɿ. kɔȵiɛn35. li　tɕiɛn ɕi tsh
五 月　五，五 月　的 蚊　虫　响　雷　公；
ŋ̍35ȵiɔʔ5ŋ35　ŋ̍35ȵiɔʔ5. kɔmɛn24thuŋ24ɕiɔŋ35lɔi24kuŋ11
六 月　六，六　月　个蚊　虫　叮　烂　肉；

luʔ5ȵiɔʔ5luʔ5luʔ5ȵiɔʔ5. k 岫 ɛn24thuŋ24thIn11lan42ȵiuʔ5
七 月 七,七 样 馃 子甜 蜜 蜜;
tɕhiʔ5ȵiɔʔ5tɕhiʔ5tɕhiʔ5iɔŋ42kuɔ35. tsʅhiɛn24miʔ5miʔ5
八 月 八,八十 岁 婆 婆白 头 发;
paʔ5ȵiɔʔ5paʔ5paʔ5sɛʔ5ɕi42. kɔphɔ24. phɔpɛʔ5thɛ24faʔ5
九 月 九,九 十 岁 的公 公 来 吃 酒;
tɕiu35ȵiɔʔtɕiu35tɕiu35sɛʔ5ɕi42kɔkuŋ11kuŋ11lai24tɕhiʔ5 tɕiu35
十 月 十,十个和尚 念 夜佛。
sɛʔ5 ȵiɔʔ5sɛʔ5sɛʔ5kɔuɔ24sɔŋ42ȵiɛn42ia35fɛʔ5

（二）

正 月 晴, 二月 淋,
tIn11ȵiɔʔ5tɕhin24 ɜ42ȵiɔʔ5tIn24
三 月 打 卦 卦 不 灵,
san11ȵiɔʔ5 ta35kua42kua42pɛʔ5lIn24
八 月 十五 接 牵 娘,
paʔ5ȵiɔʔ5sɛʔ5 ŋ̍35 tɕiɛʔ5tɕhiɛn11ȵiɔŋ24
接 得 牵 娘 早 早 来,
tɕiɛʔ5tɛʔ5tɕhiɛn11ȵiɔŋ24tsau35tsau35lai24
不 要 抹 黑 半 夜子 时来,
pɛʔ5iau42mɔʔ5hɛʔ5pɔn42ia42tsʅ35sɛ24lai24
走 大 路 人 又 多,
tsɛ35thai42lu42ȵin24iu42tɔ11
走 小 路 露 水大,
tsɛ35ɕiau35lu42lu42fi35thai42
不 要 湿了 千 年 个 花绣 鞋,
pɛʔ5iau42 ɕiʔ5liau tɕhiɛn11ȵiɛn24 kɔ a11ɕiu42f hai24
虽然花鞋不值钱,
ɕi11iɛn24fa11hai24pɛʔ5thiʔ5tɕhiɛn24
千 针 万 针 也难 连,
tɕhiɛn11tIn11uan42tIn11ia35nan24tiɛn11
来 就 画个 金 铰 剪,
lai24tɕhiu42fa42kɔtɕin11kau35tɕiɛn35
去 就 画个水 莲 花。
lai24tɕhiu42fa42kɔfi35 liɛn24fa11

十二月

（一）

正 月 陪 陪 客,
tIn11ȵiɔʔ5phɔi24phɔi24khɛʔ5

二 月 还 过 得,
ɜ42ȵiɔʔ5hai24kuɔ42tɛʔ5
三 月 挨 挨 饿,

san11ȵiɔʔ5ŋai11ŋai11ŋɔ42
四　月　有　麦　　磨，
sɿ2ȵiɔʔ5iu35mɛʔ5mɔ42
五　月　苦　　中　苦，
ŋ̍ 35ȵiɔʔ5khu35tuŋ11khu35
六　月　撑　　破　　了　　肚，
luʔ5ȵiɔʔ5tshɛn11phɔ42 · liauthu11
七　　月　打　一算，
tɕhiʔ5ȵiɔʔ5ta35iʔ5suɔn42
八　月　　有　戏　看，
paʔ5ȵiɔʔ5　iu35ɕi42kuɔn42
九　　月　扒　　扒　柴，
tɕiu35ȵiɔʔ5pha24pha24sai24
十　月　　打打　牌，
sɛʔ5ȵiɔʔ5ta35ta35phai24
十　一月　　受受　　闭，
sɛʔ5iʔ5ȵiɔʔ5ɕiu53ɕiu53pi53
十　二月　　做　皇　　帝。
sɛʔ5ɜ42ȵiɔʔ5tsɔ42fɔŋ24ti42

（二）

正　月　梨花　白　皑　皑，
tIn11ȵiɔʔti24fa11phɛʔŋai24ŋai
二月　杏　花　送　春　梅。
ɜ42ȵiɔʔɕin42fa11suŋ42thIn11mɔi24
三　月　桃　花　开　　满　树，
san11ȵiɔʔjthau24fa11khai11mɔn3su42
四　月　　栀子　　尽　　染　黄。
sɿ42ȵiɔʔ5tsɿ11tsɿ35tɕhin42ȵiɛn35fɔŋ24
五　月　荷　花　开　　满　塘，
ŋ̍ 35ȵiɔʔ5hɔ24fa11khai11mɔn35thɔŋ24
六　月　刺　花　满　　堑　　坝。
luʔ5ȵiɔ5tshɿ42fa11mɔn35tɕhiɛn42pa42
七　　月　风　里　穿　　牡　丹，
tɕhiʔ5ȵiɔʔ5fə　ŋ11li35thɛn11mu35tan11
八　月　　桂　花　拦　路　香。
paʔ5ȵiɔʔ5kui42fa11lan24lu42ɕiɔŋ11
九　　月　　菊　花　家　家　有，
tɕiu35ȵiɔʔ5tɕhiuʔ5fa11ka11ka11iu35
十　月　　百花　一　起　开，
sɛʔ5ȵiɔʔ5pɛʔ5fa11iʔ5tɕhi35khai11
十一月　没　有花开，
sɛʔiʔȵiɔʔmiʔ　iufakhai
十　二　月　梅　花　斗　雪　开。

sɛʔ5ɜ42ȵiɔʔ5mɔi24fa11tɛ42ɕiɛʔ5khai11

九九歌

一 九 二 九,相 见 不 出 手;
iʔ5tɕiu35ɜ42tɕiu35ɕiɔŋ11tɕiɛn42pɛʔ5thɛʔ5ɕiu35
三 九 二 十 七,门 前 挂 画 笔;
san11tɕiu35ɜ42sɛʔ5tɕhiʔ5mɛn24tɕhiɛn24kua42 fa42piʔ5
四 九 三 十 六,夜 眠 水 上 扑;
sɿ42tɕiu35san11sɛʔ5luʔ5 ia42miɛn24fi35sɔŋ42puʔ5
五 九 四十 五,街 上 龙 灯 舞;
u35tɕiu35sɿ42sɛʔ5u35 kai11sɔŋ42luŋ24tɛn11u35
六 九 五十 四,墙 上 发 嫩 刺;
luʔ5tɕiu35u35sɛʔ5sɿ42tɕhiɔŋ24sɔŋ42faʔ5nɛn42tsɿ42
七 九 六 十 三,行 路 脱 衣 衫;
tɕhiʔ5tɕiu35luʔ5sɛʔ5san11hɛn24lu42thɔʔ5 i11 san11
八 九 七 十 二,黄 狗 寻 阴 睡;
paʔ5tɕiu35tɕhiʔ5sɛʔ5ɜ42 fɔŋ24kiau35tɕhin24in11fi42
九 九 八 十 一, 寒 衣 挂 上 壁。
tɕiu35tɕiu35 paʔ5sɛʔ5iʔ hɔn24i11kua42sɔŋ42piʔ5

亲家母

亲 家 母, 你 坐 上, 我 坐 下,
tɕhin11ka11mu35ȵi35tshɔ11sɔŋ42ŋɔ35tshɔ11ha42
把 你 个 姩 来 话一 下。
pa35ȵi35 · kɔȵiɛn35lai24ua42iʔ5ha42
叫 你 个姩 讨 菜,
tɕiau42ȵi35 · kɔȵiɛn35thau35tshai42
躲 得 园 里 摘 花 戴;
tɔ5tɛʔ5iɔn24li35tsɛʔ5 fa11tai42
叫 你 个姩 洗 菜,
tɕiau42ȵi35 · kɔȵiɛn35ɕi35tshai42
躲 得 塘 里 挞 鱼 仔;
tɔ35tɛʔ5thɔŋ24li35thaʔ5nɜ24 · tsɿ
叫你个姩切菜,
tɕiau42ȵi35 · kɔȵiɛn35tɕiɛʔ5tshai42
切 了 哩半 个 指 头;
tɕiɛʔ5liau35 · lipɔn42kɔ42tɛ35thɛ24
叫 你 个姩 炒 菜,
tɕiau42ȵi35 · kɔȵiɛn35tshau35tshai42
炒 破 了半 边 锅 仔;
tshau35phɔ42 · liaupɔn42piɛn11kuɔ11 · ts
叫 你 个姩 蒸 饭,
tɕiau42ȵi35 · kɔȵiɛn35tIn11fan42
蒸 得 两 个荷 包 蛋;

tIn11tɛʔ5liɔŋ35 · kɔhɔ24pau11tan42
叫 你 个姩 □ (架)火,
tɕiau42ȵi35 · kɔȵiɛn35ka42fɔ35
躲 得 灶 前 捉 虱 嫲;
tɔ35tɛʔ5tsau42tɕhiɛn24tsɔʔ5sɛʔ5mɔ24
叫 你 个姩 扫 地,
tɕiau42ȵi35 · kɔȵiɛn35sau42thi42
躲 得 门 背 做 把 戏;
tɔ35tɛʔ5mɛn24pɔi42tsɔ42pa35ɕi42
叫 你 个姩 泡 茶,
tɕiau42ȵi35 · kɔȵiɛn35phau42tsha24
捧 到 茶 缸 吹 喇 叭。
pə ŋ35tau42tsha24kɔŋ11khui11laʔ5paʔ5

懒鬼歌

正 月 懒 鬼 去 拜 呀 年,
tIn11ȵiɔʔ5lan35kui35khɜ42pai42 · ia ȵiɛn24
一 包 粿 子 就 一 包 呀 烟。
iʔ5pau11kuɔ35 · tsʅtɕhiu42iʔ5pau11 · ia iɛn11
懒 鬼 吃 哩 三 杯 酒,
lan35kui35tɕhiʔ5 · li san11pɔi11tɕiu35
天 边 话 到 地 边 打 一 转;
thiɛn11piɛn11ua42tau42thi42piɛn11ta35iʔ5tuɔn35
二 月 懒 鬼 去 耕 呀 田,
ɜ42ȵiɔʔ5lan35kui35khɜ42kɛn11 · ia thiɛn24
打 起 个 黄 牛 就 抢 上 呀 前。
ta35tɕhi35 · kɔ fɔŋ24ȵiu24tɕhiu42tɕhiɔŋ35sɔŋ42 · ia tɕhiɛn24
黄 牛 走 哩三 步 路,
fɔŋ24ȵiu24 tsɛ35 · lisan11 phu42lu42
磕 着 火 来 吃 筒 烟;
khau42tau42 fɔ35 lai24tɕhiʔ5thuŋ24iɛn11
三 月个 懒 鬼 去 浸 呀种,
san11ȵiɔʔ5kɔlan35kui35khɜ42tɕin42 · iatuŋ35
打 开 个 仓 门 靡有 禾种。
ta35khɔi11 · kɔ tshɔŋ11mɛn24miʔ5iu35uɔ11tuŋ35
听 到 隔 壁 个 仓 门 响,
thIn11tau42kɛʔ5piʔ5 · kɔ tshɔŋ11mɛn24ɕiɔŋ35
懒 鬼 发宁(快快)拿 箩装;
lan35kui35faʔ5ȵin24 naʔ5lɔ24tɔŋ11
四 月 个懒 鬼 去 栽 呀禾,
sʅ42ȵiɔʔ5 · kɔlan24kui35khɜ42tsai11 · ia uɔ24
拿 起 个 黄 秧 田 畔 呀坐。
naʔ5tɕhi35 · kɔfɔŋ24iɔŋ11thiɛn24phɔn42 · iathɔ11
过 路个 君 子来 借 问,

kuɔ42 lu42 · kɔkuin11 · tsɿlai24tɕia42uɛn42

捐 得 腰 酸 背 又 驼;

kuɛn11tɛʔ5 iau11suɔn11 pɔi42iu35thɔ24

五 月 个懒 鬼 来过 呀节,

ŋ35ȵiɔʔ5 · kɔlan35 kui35 lai24kuɔ42 · iatɕiɛʔ5

懒 鬼 个粽 子 呒 裹 呀得。

lan35kui35 · kɔtsuŋ42 · tsɿmau24kuɔ35 · iatɛʔ5

嗅 到 别 人 个粽 仂香,

fə ŋ42tau42phiɛʔȵin24 · kɔtsuŋ42 · liɕiɔŋ11

懒 鬼 快 快 拿 碗 装;

lan35kui35khuai42khuai42 naʔ5uɔn35tɔŋ11

六 月 个懒 鬼 去 割 呀 禾,

luʔ5ȵiɔʔ5 · kɔlan35kui35khɜ42kɔʔ5 · ia uɔ24

懒 鬼 个田 里稗 草 呀多。

lan35kui35 · kɔthiɛn24 · lipha42tshau35 · iatɔ11

别 人 割 禾 挑 满 箩,

phiɛʔ5ȵin24 kɔʔ5uɔ24thiau11mɔn35lɔ24

懒 鬼 割禾 撮 斗 驮;

lan35kui35kɔʔ5uɔ24tshɔʔ5tɛ35thɔ24

七 月 个懒 鬼 来 尝 呀新,

tɕhiʔ5ȵiɔʔ5 · kɔlan35kui35 lai24 sɔŋ24 · ia ɕin11

新 鲜 猪 肉 斫 个半 呀 斤。

ɕin11ɕiɛn11tu11ȵiuʔ5taʔ5 · kɿpɔn42 · iatɕin11

嗅 到 别 人 烧 酒 香,

fə ŋ42tau42phiɛʔ5ȵin24 sau11tɕiu35ɕiɔŋ11

懒 鬼 拿 碗 淘 饮 汤;

lan35kui35naʔ5uɔn35thau24in35thɔŋ11

八 月个 懒 鬼 去 捞 呀 沟,

paʔȵiɔʔ · kɔlan35kui35 khɜ42lau24 · iakiau11

懒 鬼 个 田 沟 柴莵 多。

lan35kui35 · kɔthiɛn24kiau11sai24tɛ11tɔ11

驮 起 锄 头 跌 了 哩柄,

thɔ24tɕhi35tshu24thɛ24tiɛʔ5liau35 · lipIn35

斗 起 锄 头 又 想 困;

tɛ35tɕhi35tshu24thɛ24iu42ɕiɔŋ24khuin42

九 月 个 懒 鬼 去 斫呀 柴,

tɕiu35ȵiɔ · kɔlan35kui35khɜ42tɔʔ5 · iasai24

摸 起个 禾 担 靡 有 草 鞋。

mɔtɕhi · kɔuɔ24tan11miʔ5iu35tshau35hai24

走 到 山 上 凿 到 脚,

tsɛ35tau42san11sɔŋ42tsɔʔ5tau42tɕiaʔ5

赶 快 下山 讨 草 药;

kuɔn35kuai42ha42san11thau35tshau35iaʔ5

十 月 个懒 鬼 十 月 呀 风,

sɛʔ5ȵiɔʔ5 · kɔlan35kui35sɛʔ5ȵiɔʔ5 · iafə ŋ11
包　头扎　脑　怕　呀冬　风。
pau11thɛ24tsaʔ5nau35 pha42 · iatuŋ11fə ŋ11
望　望　灶　前　靡　有　柴，
mɔŋ42mɔŋ42tsau42tɕhiɛn24miʔ5iu35sai24
懒　鬼　冷　得　不　愿　动；
lan35kui35lɛn35tɛʔ5pɛʔ5ȵiɔn42thuŋ11
十　一　月　个懒　鬼　大　雪　飞，
sɛʔ5iɔʔ5ȵiɔʔ5 · kɔlan35kui35thai42ɕiɛʔ5fi11
只　见　懒　鬼　着　件　破　呀衣，
tiʔ5tɕiɛn42lan35kui35tɔʔ5tɕhiɛn42phɔ42 · ia i11
别　人　身　上　着得　暖，
piɛʔ5ȵin24sIn11sɔŋ42tɔʔ5tɛʔ5nɔn35
懒　鬼　身　上　冷　兮　兮；
lan35kui35sIn11sɔŋ42lɛn35ɕi11ɕi11
十　二　月　个懒　鬼　来　过　呀　年，
sɛʔ5ʒ42ȵiɔʔ5 · kɔlan35kui35lai24kuɔ42 · iaȵiɛn24
摸　摸　身　上　就　靡有　呀　钱。
mɔ11mɔ11sIn11sɔŋ42tɕhiu42 miʔ5iu35 · iatɕhiɛn24
别　人　屋　里　吃　鸡　肉，
phiɛʔ5ȵin24uʔ5 · li35tɕhiʔ5tɕi11ȵiuʔ5
懒　鬼　屋　里　吃　碗　粥。
lan35kui35uʔ5 · li35tɕhiʔ5uɔn35tuʔ5

第三节　童　谣

（一）

叽　咕　噜　叽　咕　噜　车　水，
tɕi11 ku35lu35tɕi1 ku35lu35tha11fi35
不　车　水，田　会　干，
pɛʔ5tha11fi35thiɛn24uɔ42kuɔ11
车　起　水　来　脚　会　酸。
tha11tɕhi35fi35lai24tɕiaʔ5uɔ42suɔ11

（二）

摇　咕　唧，担　担　水，
iau24ku35tɕiʔ5 tan11tan11fi35
担　到　个泉　窟　里，
tan11tau42 · kɔtɕhiɔ24kuɛʔ5 li35

捡　到　个　鲫　鱼　儿，
tɕiɛn35tau42 · kɔ tɕiʔ5ŋʒ24tɕi35
把　得　□（某）□（某）　下　饭　吃。

tɕiɛn35tau42iʔ5thiʔ5　pu42

（三）

月　光　光，照　胧　光；
ȵioʔ5kuɔŋ11kuɔŋ11tau42luŋ24kuɔŋ11
胧　光　空，好　栽　葱；
luŋ24kuɔŋ11khuŋ11hau35tsai11tshuŋ11
葱　发　芽，好　栽　茄；
tshuŋ11faʔ5ŋa24hau35tsai11tɕhia24
李　花　白，茄　花　红，
li35fa11phɛʔtɕhia24fa11fəŋ24
公　公　骑　马　我　骑　龙；
kuŋ1kuŋ11tɕhi24ma35ŋɔ35tɕhi24luŋ24
骑　到　皇　帝　门　前　过，
tɕhi24tau42fɔŋ24ti42　mɛn24tɕhiɛn24kuɔ42
吃　了　皇　帝　三　株　禾，
tɕhiʔ5liau35fɔŋ24ti42san11tu11uɔ24
坑　得　皇　帝　卖　老　婆。
kɔŋ11tɛʔ5fɔŋ24ti42mai42lau35phɔ24
卖　到　三　升　米，
mai42tau42san11ɕin11mi35
园　到　床　肚　底，
khɔŋ42tau42sɔŋ24tu35ti35
猫　眯　打　了　哩，
mau11 · mi　ta35liau35 · li
老　鼠　吃　了　哩。
lau35su35tɕhiʔ5liau35 · li

第四节　歇后语

八　十　岁　扎　细　脚——中　年　改　行。
paʔ5sɛʔ5ɕi42tsaʔ5ɕi42tɕiaʔ5——tuŋ111ȵiɛŋ24kɔi35hɔŋ24
半　路　接　担　子——不　晓　得头　绪。
pɔn42lu24tɕiɛʔ5tan11 · tsʅ——pɛʔ5ɕiau35tɛʔ5thɛ24ɕi42
床　口　底　拜　年——　起　不　得　头。
sɔŋ24tuʔ5ti35pai42ȵiɛn24——tɕhi35pɛʔ5tɛʔ5thɛ24
邓　家　埠　个　扁　食——　好　吃　难　等。
thɛn42ka11phu42 · kɔpiɛn35ɕiʔ5——hau35tɕhiʔ5nan24tɛn35
钩鼻眼——钩进不钩出。
kiau11phi42ŋan353——kiau11tɕin42pɛʔ5kiau11tɛhʔ5
后　颈　窝　里　个　头发——　摸　得　到，看　不　到。
hɛ42tɕin35uɔ11li35 · kɔthɛ24faʔ5——mɔ11tɛʔ5tau42khuɔn42pɛʔ5tau42
黄　豆腐　兑　米——　各　人　各　喜。
fɔŋ24thɛ42 · futɔi42mi35——kɔʔ5ȵin24kɔʔ5ɕi35

黄 牛 角,水 牛 角—— 各 顾 各。
fɔŋ24ȵiu24kɔʔ5fi35ȵiu24kɔʔ5——kɔʔ5ku42kɔʔ5

黄 鼠 狼 变 狗—— 不 太 凶。
fɔŋ24su35lɔŋ24piɛn42kiau35——pɛʔ5thai53ɕiuŋ11

和 尚 捡 到 篦 夹—— 靡 有 用。
uɔ24sɔŋ42tɕiɛn35tau42phi42kaʔ5——miʔ5iu35iuŋ42

鸡 啄 麻 糍—— 开 不得 口。
tɕi11tuʔ5ma24tshɿ24——khai11pɛʔ5tɛʔ5khiau35

教 化 哩 走夜 路—— 假 忙。
kau42fa42 · litsɛ35ia42lu42——ka35mɔŋ24

轿 哩背 带来 个——(拖油瓶)不 值 钱。
tɕhiau42 · lipɔi42tai42lai24 · kɔ - pɛʔ5thiʔ5tɕhiɛn24

骆 驼 骨 头—— 驮 重 不 驮 轻。
lɔʔ5thɔ24kuɛʔ5thɛ24——thɔ24thuŋ11pɛʔ5thɔ24tɕhin11

楼 板 上 铺 席 哩——好 不 得 几多。
lɛ24pan35sɔŋ4211phu ɕiʔ5 · li——hau35pɛʔ5tɛʔ5tɕi35tɔ11

蚂 蝗 精—— 两 头 叮。
ma35fɔŋ24tɕin11——liɔŋ35thɛ24tIn11

屁 股 上 吊 死 老 鼠——不 晓 得 臭。
phi42ku35sɔŋ42tiau42sɿ35lau35su35——pɛʔ5ɕiau35tɛʔ5thiu42

鄱 阳 湖 里 狗 拖 耙—— 各 人 各 话(wà)。
pɔ11iɔŋ24fu24li35kiau35thɔ11pha24——kɔʔ5ȵin24kɔʔ5ua42

亲 家 母 比 腿—— 差 不 多。
tɕhin11ka11mu35pi35thɔi35——tsha11pɛʔ5tɔ11

青 皮李 哩——好 看 不 好 吃。
tɕhin11phi24ti24 · li——hau35khuɔn42pɛʔ5hau35tɕhiʔ5

杉 树 炭 子——住 嘴 乌。
sa11su42than42 · tsɿ——thu42tɕi35u11

三 个 鼻 孔 眼—— 好 管 闲 事。
san11kɔ42phi42khuŋ35ŋan35——hau42kuɔn35han24sɛ24

铁 匠 呒 样—— 边 打 边 像。
tiɛʔ5ɕiɔŋ42mu24iɔŋ42——piɛn11ta35piɛn11ɕiɔŋ42

头 戴 舂 口—— 不 晓 得 轻 重。
thɛ24tai42tuŋ42khiau35——pɛʔ5ɕiau35tɛʔ5tɕhin11thuŋ42

瞎 子估 屎—— 不 是 一 担,就 是 两 桶。
haʔ5 · tsɿku35sɛ35——pɛʔ5sɛ42 iʔ5tan11tɕhiu42sɛ42liɔŋ35thuŋ35

雪 内 里埋 人—— 终 久 必 现。
ɕiɛʔ5nɔi42li35mai24ȵin24——tuŋ11tɕiu35piʔ5ɕiɛn42

腰 裙 子 当 裤—— 省 钱 省 布。
iau11khuin24tsai35tɔŋ11khu42——sɛn35tɕhiɛn24sɛn35pu42

园 门 上 个茄 哩——得 碰。
iɔn24mɛn24sɔŋ42 · kɔtɕhia24 · li——tɛʔ5phuŋ42

肿 眼 皮—— 不 识 好 歹。
tuŋ35ŋan35phi24——pɛʔ5ɕiʔ5hau35tai42

着 蓑 衣救 火——惹 火 上 身。

tɔʔ5sɔ11i11tɕiu42fɔ35——ȵia35fɔ42sɔŋ42sIn11

第五节 民 谚

1. 把 亲 家 母 不 当 客。

pai35tɕhin11ka11mu35pɛʔ5tɔŋ11khɛʔ5

2. 把 指头 含 在 别 人 嘴 里。

pai35tɛ35thɛ24hɔn24tshai11phiɛʔ5ȵin24tɕi35li35

3. 把 肉 埋 在 饭 里 面 吃。

pai35ȵiuʔ5mai24tshai11fan42li35miɛn42tɕhiʔ5

4. 百 病 从 寒 起, 寒 从 脚 下 起。

pɛʔ5phin42tshuŋ24huɔn24tɕhi35huɔn24tshuŋ24tɕiaʔ4ha42tɕhi35

5. 搬 石头 打 天。

pɔn11sɛʔ5thɛ24ta35thiɛn11

6. 半 升 米 饲 不 得 崽 大。

pɔn42ɕin11mi35tshʅ24pɛʔ5tɛʔ5tsai35thai42

7. 半 路 接 担 子。

pɔn42lu42tiɛʔ5tan11 · tsʅ

8. 本 钱 是 师 傅。

pɛn35tɕhiɛn24sɛ42sʅ11fu42

9. 扁 担 无 杈 两 头 塌。

piɛn35tan11mu24tsha11liɔŋ35thɛ24thaʔ5

10. 病 久 强 似 郎 中。

phIn42tɕiu35tɕhiɔŋ24sʅ42lɔŋ24tuŋ11

11. 剥 了 皮 会 上 树。

pɔʔ5liau35phi24uɔi42sɔŋ42su42

12. 不 奈 冬 瓜 何,捉 到葫 哩磨。

pɛʔ5nai42tuŋ11kua11hɔ4tsɔʔ5tau42u24 · li mɔ4

13. 不 是 菩 萨不 是 鬼, 吃 哩 东 西 要 还 礼。

pɛʔ5sɛ42phu24saʔ5pɛʔ5sɛ42kui35tɕhiʔ5 · lituŋ11ɕi11iau42uan24li35

14. 不得粿哩裂坼。

pɛʔ5tɛʔ5kuɔ35 · liliɛʔ5tshaʔ5

15. 不 看 禾 面 看 谷 面,

pɛʔ5khuɔn42sɛn11miɛn42khuɔn42fɔʔ5miɛn42

16. 不 打 湿 指 头,蘸 不到 油 芝 麻。

pɛʔ5ta35ɕiʔ5tɛ35thɛ24tsɛn11pɛʔ5tau42iu24ma24

17. 财 不 满 心,食 不 满 喉。

tshai24pɛʔ5mɔn35ɕin11ɕiʔ5pɛʔ5mɔn35hɛ24

18. 草 内 里 寻 蛇 吃。

tshau35nɔi42 · litɕhin24sa24tɕhiʔ5

19. 吃 一餐, 饱 不得 一世。

tɕhiʔ5iʔ5tshan11pau35pɛʔ5tɛʔ5iʔ5sɛ42

20. 吃 包 子 漏 糖。

tɕhiʔ5pau11 · tsɿ lɛ42thɔŋ24

21. 吃 酒 不 怕 红 面，话 事 不 怕 当 面。
tɕhiʔ5tɕiu35pɛʔ5pha42fəŋ24miɛn42ua42sɛ42pɛʔ5pha42tɔŋ24miɛn42

22. 吃 鱼 个 嘴腥，做 贼 个 担 心。
tɕhiʔ5ŋ324 · kɔtɕi35ɕin11tsɔ42tshɛʔ5 · kɔtan11ɕin11

23. 吃 饭 也 会 跌 了 个 把 饭 糁。（百密一疏）
tɕhiʔ5fan42ia35uɔi42tiɛʔ5liau35kɔ42pa35fan42tshan11

24. 吃 人 家 个饭，尽 人 家办。
tɕhiʔ5ȵin24 · ka · kɔfan42tɕhin42ȵin24 · kaphan42

25. 吃 来 吃 去 吃 自（己） 个。
tɕhiʔ5lai24tɕhiʔ5khɜ42tɕhiʔ5tshɿ42kɔ42

26. 吃 肉 不 如 养 肉。
tɕhiʔ5ȵiuʔ5pɛʔ5lɜ24iɔŋ35ȵiuʔ5

27. 出 门 看 天 色，进 门 看 气 色。
thɛʔ5mɛn24khuɔn42thiɛn11sɛʔ5tɕim42mɛn24khuɔn42tɕhi42sɛʔ5

28. 初 一落 雨 初 二 看，
tshu11iʔ5lɔʔ5vi35tshu11ɜ42khuɔn42
初 三 初 四 到 月 半。
tshu11san11tshu11sɿ42tau42ȵiɔʔ5pɔn42

29. 初 一划 船 初 二 歇，
tshu11iʔ5fa24sɛn24tshu11ɕ42ɜiɛʔ5
初 三 初 四 划 到 节。
tshu11san11tshu11sɿ42fa24tau42tɕiɛʔ5

30. 床 上 捡 被 袱。
sɔŋ24sɔŋ42tɕiɛn35phi11fuʔ5

31. 船 不 奈 舵 何，
sɛn242pɛʔ5nai42thɔ42hɔ4
人 不 奈 命 何。
ȵin24pɛʔ5nai42min42hɔ4

32. 寸 木 都 是 料。
tshIn42muʔ5tu11sɛ42liau42

33. 打 油 打 到 哩水，
ta35iu24ta35tau42 · lifi35

34. 打 油 都 吞 不下 去。（说话太难听）
ta35iu23tu11thIn11pɛʔ5ha42khɜ42

35. 打 破 哩锣 仔，
ta35phɔ42 · lilɔ4 · tsɿ
抢 破 哩鼓 仔。
tɕhiɔŋ35phɔ42 · liku35 · tsɿ

36. 打 到 哩野 猪 肉，
ta35tau42 · liia35tu11ȵiuʔ5
各 人 有 一 股。
kɔʔ5ȵin24iu35iʔ5ku35

37. 打 也 来，骂 也 来，

ta35iɛ35lai24 ma42iɛ35lai24

吃 亏 蚀 本 就 不 来。

tɕhiʔ5khuɔi11sɛʔ5pɛn35tɕhiu42pɛʔ5lai24

38. 大 笔 写 大 字,

thai42piʔ5ɕia35thai42tshʅ42

大 人 话 大 事。

tai42ȵin24ua42thai42sɛ42

39. 大 火 煮粥,细 火 炆 肉。

thai42fɔ35tu35tuʔ5ɕi42fɔ35uɛn24ȵiuʔ5

40. 戴 斗 笠 亲 不 拢 嘴。

tai42tɛ35liʔ5tɕhin11pɛʔ5luŋ24tɕi35

41. 担 柴 卖,买 柴 烧。

tan11sai24mai42mai35sai24sau11

42. 担 猪 头 寻 不 到 庙 门。

tan11tu11thɛ24tɕhin24pɛʔ5tau42miau42mɛn24

43. 牛 吃 哩渠 个青 禾 样。

ȵiu24tɕhiʔ5 · likɜ35 · kɔtɕhin11uɔ24iɔn42

44. 吃 肉 样。

tɕhiʔ5ȵiuʔ5iɔŋ42

45. 到 处 不 用 钱,

tau42thu42pɛʔ5iuŋ42tɕhiɛn24

到 处 惹 人 嫌。

tau42thu42ȵia35ȵin24ɕiɛn24

46. 得福 人 不 知。(身在福中不知道福)

tɛʔ5fuʔ5ȵin24pɛʔ5tɛ11

47. 灯 不 拨 不 光,

tɛn11pɛʔ5pɔʔ5pɛʔ5kuɔŋ11

事 不 话 不 明。

sɛ42pɛʔ5ua42pɛʔ5min24

48. 癫 狗 乱 咬 人。

tiɛn11kiau35luɔn42ŋau35ȵin24

49. 跌 了 盘 子 话。(退一步说)

tiɛʔ5liau35phɔn24 · tsʅua42

50. 丢 了 铁 不 打,打砧。

tiu11liau35tiɛʔ5pɛʔ5ta35ta35tɛn11

51. 蹲 在 头 上 屙屎。

tshIn42tsai42thɛ24sɔŋ42ŋɔ11sɛ35

52. 屙 尿 对 到 墙,

ŋɔ11ɕi42tɔi42tau42tɕhiɔŋ24

不 怕 皇 帝 个 娘。

pɛʔ5pha42fɔŋ24ti42 · kɔȵiɔŋ24

53. 饿 狗 守 碓。

ŋɔ42kiau35ɕiu24tɔi42

54. 枫 树 落 叶 要 归 家。

fəŋ11su42lɔʔ5iɛʔ5iau42kui11ka11

55. 夫 妻 同 了心，调 羹 打 米 也 甘 心。

fu11tçhi11tuŋ24·liauçin11thiau24kɛn11ta35mi35iɛ35kuɔn11çin11

56. 港 里划 船，急 死 岸 上 人。

kɔŋ35li35fa24sɛn24 tçiʔ5sɿ35ŋɔn42sɔŋ42ȵin24

57. 割 卵 敬 菩 萨，

kɔʔ5luɔn353tçin53phu24saʔ5

菩 萨 不 在 意。

phu24saʔ5pɛʔ5tshai11i42

58. 割 了 喉 咙 管 透 气。

kɔʔ5liau35hɛ24luŋ24kuan35thɛ35tçhi42

59. 个 个饭 糁 到 嘴 里。

kɔ42·kɔfan42tshan11tau42tçi35li35

60. 个 崽 个 婘 一 枝 花，

kɔ42tsai35kɔ42ȵiɛn35iʔ5tɛ11fa11

多 崽 多 婘 多 冤 家。

tɔ11tsai35tɔ1ȵiɛn35 tɔ11iɔn11ka11

61. 狗 屎 壅(wèng，施肥)猛 草。

kiau35sɛ35iuŋ11 man42tshau35

62. 狗 面 上 生 毛。

kiau35miɛn42sɔŋ42sɛn11mau24

63. 狗 都 纵 得 过。(形容屋矮)

kiau35tu11tsuŋ42tɛʔ5kuɔ42

64. 狗 头 上 有 脉。(料事如神)

kiau35thɛ24sɔŋ42iu35mɛʔ5

65. 鼓 上 个 皮，捏 不 起 来。

ku35sɔŋ42·kɔphi24,ȵiɛʔ5pɛʔ5tçhi35lai24

66. 衣裳角都会碰死人。

i11sɔŋ24kɔʔ5tu11uɔi42phəŋ42sɿ5ȵin24

67. 管 天 管 地，管 不 得 屙 屎 放 屁。

kuɔn35thiɛn11kuɔn35thi42kuɔn35pɛʔ5tɛʔ5ŋɔ11sɛ35fɔŋ42phi42

68. 过 了 冬 至 无 时 节，

kuɔ42·liautuŋ11tsɿ42mu24sɛ24tçiɛʔ5

一 交 雨 来 一 交 雪。

iʔ5kau11vi35lai24 iʔ5kau11çiɔʔ5

69. 过 屋檐(门槛) 就 是 客。

kuɔ42uʔ5iɛn24tçhiu42sɛ42khɛʔ5

70. kuɔ42tçhiɔʔ5hai24sɛ42tshɔ11

好 人 不 服 敬，

hau35ȵin24pɛʔ5fuʔ5tçin42

狗肉不打秤。

kiau35ȵiuʔ5pɛʔ5ta35thIn42

71. 好 客 主 家 多。

hau35khɛʔ5tu35ka11tɔ11

72. 好 手 不 打 贱 骨 头,
hau35çiu35pɛʔ5ta35tçhiɛn42kuɛʔ5thɛ24
好 脚 不 踢烂 柴 蔸。
hau35tçiaʔ5pɛʔ5thiʔ5lan42sai24tɛ11

73. 喉 咙 深 似 海。
hɛ24luŋ24sIn11sʅ42hai35

74. 会 赚 钱 个伞 柄 挑,
uɔi42than42tçhiɛn24·kɔsan35pIn35thiau11
不 会 赚 钱 个累 断 哩腰。
pɛʔuɔi42than42tçhiɛn24·kɔlɔi42thuɔn11·liiau11

75. 火 到 猪 头 烂。
fɔ35tau42tu11thɛ24lan42

76. 鸡 嘴 向 下,天 光 吃 到 夜。
tçi11tçi35çiɔŋ42ha42thiɛn11kuɔŋ11tçhiʔ5tau42ia42

77. 急 水 滩 上 鱼 散 子,
tçiʔ5fi35than11sɔŋ42ŋɜ24san42tsʅ35
枫 树 表 上 鸟 做 窠。
fəŋ11su42piau35sɔŋ42ȵiau35tsɔ42khuɔ11

78. 家 养 店,看 得见;
ka11iɔŋ35tiɛn42khuɔn42tɛʔ5tçin42
店 养 家,水 推 沙。
tiɛn42iɔŋ35ka11fi35thɔi11sa11

79. 见 人 家 生 崽,渠 就 脐 痛。
tçiɛn42ȵin24ka11sɛn11tsai35kɜ35tçhiu42tçhi24thuŋ42

80. 教 化 子 留 不 得半 升 米 过 夜。
kau42fa42·tsʅliu24pɛʔ5tɛʔ5pɔn53çin11mi35kuɔ42ia42

81. 交 得好 不 如 散 得 好。
kau11tɛʔ5hau35pɛʔ5lu24san42tɛʔ5hau35

82. 脚 踏 西 瓜 皮,
tçiaʔ5thaʔ5çi11kua11phi24
滑 到 哪 里 算 哪 里。
uaʔ5tau42na35·lisuɔn42na35·li

83. 借 米 应 得 急,
tçia42mi35in42tɛʔ5tçiʔ5
等 米 下 不 得 锅。
tɛn35mi35ha42pɛʔ5tɛʔ5kuɔ11

84. 锯 倒 树 来 捉 老 鸹。
kɜ42tau42su42lai24tsɔʔ5lau35kuaʔ5

85. 靠 山 山 会 倒,
kau42san11san11uɔi42tau35
靠 水水 会 流。
kau42fi35fi35uɔi42liu24

86. 筷 子搛 肉 把唔(你)吃 不 记 得,

khuai42 · tsɿtɕhiɛn24ȵiuʔ5pai35ŋ̍24 tɕhiʔ5pɛʔ5tɕi42tɛʔ5
筷 子打唔(你)就 记得。
khuai42 · tsɿ ta35ŋ̍24 tɕhiu42tɕi42tɛʔ5
87. 癞 子 花,自 己 夸。
lai42tsɿ35fa11tshɿ42tɕi35khua11
88. 栏 里 牵 牛 栏 里 转。
lan24li35tɕhiɛn11ȵiu24lan24li35tɛn35
89. 烂 泥 田 里 打 桩 哩,越 打越 深。
lan42ȵi24thiɛn24li35ta35tsɔŋ11 · li iɔʔ5ta35iɔʔ5sIn11
90. 老 虎 不 吃 人, 形 象 也 难 看。
lau35fu35pɛʔ5tɕhiʔ5ȵin24 ɕin24ɕiɔŋ42ia35nan24khuɔn42
91. 雷 打 秋,对 半 收。
lɔi24ta35tɕhiu11tɔi42pɔn42ɕiu11
92. 雷 打 冬,十 个 牛 栏 九 个 空。
lɔi24ta35tuŋ11sɛʔ5kɔ42ȵiu24lan24tɕiu35kɔ42khɔŋ11
93. 雷 打 中(中午),两 头(上午、下午)空。
lɔi24ta35tuŋ11 liɔŋ35thɛ24 khuŋ11
94. 冷 是 风, 穷 是 空。
lɛŋ35sɛ42fəŋ11 tɕhiuŋ24sɛ42khuŋ11
95. 聋 子 偏 音,越 偏 越 好 听。
luŋ24tsɿ35phiɛn11in11 iɔʔ5phiɛn11iɔʔ5hau35thin11
96. 路 在 嘴 上。
lu42tshai11tɕi35sɔŋ42
97. 萝 卜 青 菜, 各 人 各 爱。
lɔ4phuʔ5tɕhin11tshai42 kɔʔ5ȵin24sɔ35ŋɔi42
98. 买 得 起 狗 肉, 买 不 起 相(佐) 料。
mai35tɛʔ5tɕhi35kiau35ȵiuʔ5 mai35pɛʔ5tɕhi35tsɔ42liau42
99. 媒 娘 公 不 打 哄,两 头 拉 不 拢。
mɔi24ȵiɔŋ24kuŋ11pɛʔ5ta35fuŋ35liɔŋ35thɛ24la11pɛʔ5luŋ35
100. 门 背 作揖,各 凭 良 心。
mɛn24pɔi42tsɔʔ5iʔ5kɔʔ5phIn24liɔŋ24ɕiŋ11
101. 面 上 雪 雪 白,
miɛn42sɔŋ42ɕiɔʔ5ɕiɔʔ5phɛʔ5
不 晓 得 哪 个 会 做 贼。
pɛʔ5ɕiau35tɛʔ5na35kɔ42uɔi42tsɔ42tshɛʔ5
102. 面 上 无 肉,骨 里 无 情。
miɛn42sɔŋ42mu24ȵiuʔ5 kuɛʔ5li35mu24tɕhin24
103. 男 人 无 性,寸 铁 无 钢;
nan24ȵin24mu24ɕin42tshIn42thiɛʔ5mu24kɔŋ11
女 人 无 性,烂 如 秕 糠。
ȵi35ȵin24mu24ɕin42lan42lu24phi24khɔŋ11
104. 男 子人 怕 做 贼,
nan24 · tsɿȵin24pha42tsɔ42tshɛʔ5
想 子人(妇女)怕 驮 人。

ɕiɔŋ35 · tsʅȵin24 pha42thɔ4ȵin24

105. 男 人 嘴 阔 吃 四 方,

nan24ȵin24tɕi35khuaʔ5tɕhiʔ5sʅ42fɔŋ11

女人 嘴 阔 吃 田 庄。

ȵiȵin24tɕi35khuaʔ5tɕhiʔ5thiɛn24tsɔŋ11

106. 只 有 千 年 宗 族,

tiʔ5iu35tɕhiɛn11ȵiɛn24tsuŋ11tshuʔ5

没 有 千 年 亲 戚。

miʔ5iu35tɕhiɛn11ȵiɛn24tɕiɛn11tɕhiʔ5

107. 年 轻 夫 妻 甜如蜜,

ȵiɛn24tɕhin11fu11tɕhi11thiɛn24lu24miʔ

老 来 夫 妻 挂 上 壁。

lau35lai24fu11tɕhi11kua42sɔŋ42piʔ5

108. 牛 耕 田,马 吃 谷,

ȵiu24kɛn11thiɛn24ma35tɕhiʔ5kuʔ5

爷 当 官,崽 享 福。

ia24tɔŋ11kuɔn11tsai35ɕiɔŋ35fuʔ5

109. 宁 可 低 头 求 土,

ȵin24khɔ35ti11thɛ24tɕhiu24thu35

不 可 仰 面 求 人。

pɛʔ5khɔ35ȵiɔŋ35miɛn42tɕhiu24ȵin24

110. 朋 友 要 瓦 屋 上 下,

phəŋ24iu35iau42ua35uʔ5sɔŋ42ha42

朋 友 要 妻 万 不 依。

phəŋ24iu35iau42tɕhi11uan42pɛʔ5i11

111. 朋 友 不 怕 多,冤 家 怕 一 个。

phəŋ24iu35pɛʔpha42tɔ1iɔn11ka11pha42iʔ5kɔ42

112. 骑 马 放 屁,两 不 分 明。

tɕhi24ma35fɔŋ42phi42liɔŋ35pɛʔ5fɛn11mIn24

113. 千 样 个竹 哩 千 样 倒。

tɕhiɛn11kiɔŋ42 · kɔtuʔ5 · litɕhiɛn11iɔŋ42tau35

114. 千 根 纱,万 根 纱,

tɕhiɛn11kɛn11sa11uan42kɛn11sa11

不 如 烂 棉 花。

pɛʔ5lu24lan42miɛn24fa11

115. 强按牛头不吃水。

tɕhiɔŋ24ŋan42ȵiu24thɛ24pɛʔ5tɕiʔ5fi35

116. 亲 崽 不 如晚(后)丈夫。

tɕhin11tsai355pɛʔ5lu24fu11

117. 亲 得一针,

tɕhin11tɛʔiʔtIn

晚 不 得一 线。

man35pɛʔ5tɛʔ5iʔ5ɕiɛn42

118. 勤 有 功,嬉 无 益。

tɕhin24iu353kuŋ11ɕi11mu24iʔ5

119. 请 客 容易,喊 客 难。
tɕhin35khɛʔ5iuŋ24i42han35khɛʔ5nan24

120. 拳 要 打,字 要 写。
tɕhiɔn24iau42ta35tshɿ42iau42ɕia35

121. 日间 话不得人,
ȵiʔ5kan11ua42pɛʔ5tɛʔ5ȵin24
夜 间 话 不 得 鬼。
ia42kan11ua42pɛʔ5tɛʔ5kui35

122. 人 情 留一 线, 日 后 好 相 见。
ȵin24tɕhin24liu24iʔ5ɕiɛn42ȵiʔ5hɛ42hau35ɕiɔŋ11tɕiɛn42

123. 人 是 三 节 草, 不 晓 得 哪 节 好。
ȵin24sɛ42san11tɕiɛʔ5tshau35pɛʔ5ɕiau35tɛʔ5na35tɕiɛʔ5hau35

124. 肉 烂 在 汤 里,米 烂 在 糠 里。
san11kɔ42ma24tshɿ24iɔŋ42kau11

125. 三 早 当 一 工。
san11tsau35tɔŋ11 iʔ5kuŋ11

126. 三 年 饥 荒,饿 不死 厨 官。
san11ȵiɛn24tɕi11fɔŋ11ŋɔ42pɛʔ5sɿ35thu24kuɔn11

127. 上 是 被, 下 是 被,中 间 冷 兮 兮;
sɔŋ42sɛ42phi11 ha42sɛ42phi11tuŋ11kan11lɛn35ɕi11ɕi11
上 是秆, 下 是 秆, 中 间 伏伏 暖。
sɔŋ42sɛ42kuɔn35ha42sɛ42kuɔn35tuŋ11kan11fuʔ5fuʔ5nuɔn35

128. 上 床 个 夫 妻,下 床 个 客。
sɔŋ42sɔŋ24kɔ42fu11tɕhi11ha42sɔŋ24kɔ42khɛʔ5

129. 上 头 田 里水 嗬 嗬,
sɔŋ42thɛ24thiɛn24li35fi35hɔ4hɔ4
下 头 田 里 鲫 鱼 多。
ha42thɛ24thiɛn24li35tɕiʔ5ŋɜ24tɔ11

130. 上 头 碗 里看 到 下 头 碗 里 个 肉 多。
sɔŋ42thɛ24uɔn35 · likhɔn42tau42ha42thɛ24uɔn35 · li · kɔȵiuʔ5tɔ11

131. 死 得 当 官 个爷(父亲),
sɿ35tɛʔ5tɔŋ11kuɔn11 · kɔia24
死 不 得 讨 饭 个 娘。
sɿ35pɛʔ5tɛʔ5thau35fan42 · kɔȵiɔŋ24

132. 时 来 运 也来,讨 老 婆 带 崽 来。
sɛ24lai24uin42ia35lai24thau35lau35phɔ4tai42tsai35lai24

133. 事 就 怕 话, 字 就 怕 挂。
sɛ42tɕhiu42pha42ua42 tshɿ42tɕhiu42pha42kua42

134. 事 话 三 到 不 好 听,
sɛ42ua42san11tau42pɛʔ5hau35thIn11
饭 蒸 三 到 不 好 吃。
fan42tIn11san11tau42pɛʔ5hau35tɕhiʔ5

135. 熟 不 熟,看 三 六(正月初六、十六、廿六)。

sʔ5pɛʔ5suʔ5 khuɔn42san11luʔ5

136. 树 大 要 开 桠,崽 大 要 分 家。

su42thai42iau42khɔi11ŋa11tsai35thai42iau42fɛn11ka11

137. 堂 前 一 面 镜,

thɔŋ24tɕhiɛn24iʔ5miɛn42tɕin42

照 得屋里 干 干 净。

tau42tɛʔ5uʔ5li35kuɔn11kuɔn11tɕhin42

138. 讨(娶)坏 了 一 头 亲,

thau35 fai42 · liau iʔ5thɛ24tɕhin11

坑 害 了三 代 人。

khɛn11hɔi42 · liausan11thɔi42ȵin24

139. 闲 时 东 西,急时 用。

han24sɛ24tuŋ11ɕi11tɕiʔ5sɛ24iuŋ42

140. 虾 公 不 见 火 不 红。

ha11kuŋ11pɛʔ5tɕiɛn42fɔ35pɛʔ5fəŋ24

141. 瞎 子 见 钱 眼 光,

haʔ5 · tsʅtɕiɛn42tɕhiɛn24ŋan35kuɔŋ11

驼 子 见 钱 背 直,

thɔ24 · tsʅtɕiɛn42tɕhiɛn24pɔi42thiʔ5

拐 子见 钱 会 起 飞。

kuai35 · tsʅtɕiɛn42tɕhiɛn24uɔi42tɕhi35fi11

142. 苋 菜 地 里出 老 虎。

han42tshɔi42thi42li35thɛʔ5lau35fu35

143. 眼 睛 呒 见, 嘴巴 乱 欠。

ŋan35tɕin11mu24tɕiɛn42tɕi35pa11luɔn42tɕhiɛn42

144. 眼 睛 上 跌 屑 哩(沙粒)要 别 人 吹。

ŋan35tɕin11sɔŋ42tiɛʔ5ɕiɛʔ5 · li iau42phiɛʔ5ȵin24khui11

145. 羊 肉 呒 得 吃,

iɔŋ24ȵiuʔ5mu24tɛʔ4tɕhiʔ5

惹 得一 身 臊。

iʔ5thiau24luɔn35tshau11pɛʔ5tɕhi35phi11fuʔ5

146. 一 拜 还 一 拜,今 生 不 欠 来 生 债。

iʔ5pai42uan24iʔ5pai42tɕin11sɛn11pɛʔ5tɕhiɛn42lai24sɛn11tsai42

147. 一 床 不 睏 两 样 个人。(贬义,夫妻都是一路货色。)

iʔ5sɔŋ24pɛʔ5khuɛn42liɔŋ35iɔŋ42 · kɔȵin24

148. 一 篮 茄 哩不 抵 一 个 冬 瓜。

iʔ5lan24tɕhia24 · lipɛʔ5ti35 iʔ5kɔ42tuŋ11kua11

149. 一 代 亲, 二 代 表, 三 代 了。

iʔ5thɔi42tɕhin11ɜ42thɔi42piau35san11thɔi42liau35

150. 一下 斧头 一 下 凿。

iʔ5ha42fu35 · thɛ24 iʔ5ha42tshɔʔ5

151. 一个 萝卜 一 个 坑,

iʔ5kɔ42lɔ4phuʔ5 iʔ5kɔ42kɛn11

152. 一个 柱 头 一个 磉 哩(石礅)。

iʔ5kɔ42thu11thɛ24iʔ5kɔ42sɔŋ35 · li
153. 一 打一 摸，头 上 做 窠。
iʔ5 ta35iʔ5mɔ1thɛ24sɔŋ42tsɔ42khuɔ11
154. 用 木 勺 都打 不 开 嘴。
iuŋ42muʔ5sɔʔ5tu11ta35pɛʔ5khɔi11tɕi35
155. 油 多 盐 多，日 子 还多。
iu24tɔ1iɛn24tɔ11 ȵiʔ5tsɿ35hai24tɔ11
156. 油 多 不 坏 菜，礼多 人 不 怪。
iu24tɔ11pɛʔ5fai42tshai42ti35tɔ11ȵin24pɛʔ5kuai42
157. 有 货 不 愁 贫，无 货 愁 死 人。
iu35fɔ42pɛʔ5tshɛ24phIn24mu24fɔ42tshɛ24sɿ35ȵin24
158. 着 蓑衣 救 火，惹 火 上 身。
tɔʔ5sɔ11i11tɕiu42fɔ35 ȵia35fɔ35sɔŋ42sIn11
159. 做 事 不 依东，着 累 无 功。
tsɔ42sɛ42pɛʔ5i11tuŋ11thɔʔ5lɔi42 u24kuŋ11
160. 作 田 怕 锄 草，读 书 怕 过 考。
tsɔʔ5thiɛn24pha42tshu24tshau35thuʔ5su11pha42kuɔ42khau35
161. 赚 钱 在 年 边，攒 劲 在 夜 边。
than42tɕhiɛn24tshai42ȵiɛn24piɛn11 tsan42tɕin42tshai ia42piɛn11

第六节 谜 语

生 在 田 里 三 个 角，
sɛn11tshai11thiɛn224li35san11kɔ42kɔʔ5
死 在 房 间 四个 角。
sɿ42tshai11fɔŋ24kan11sɿ42kɔ42kɔʔ5
听 过 几 多 甜 言 蜜 语，
thin11kuɔ42tɕi35tɔ11thiɛn24ȵiɛn24miʔ5ȵi35
见 过 几 多 赤 膊露 裸。
tɕiɛn42kuɔ42tɕi35tɔ11thiʔ5pɔʔ5lu42lɔ24
——席草 ɕiʔ5tshau35

红 咕哩树，红 咕哩丫，
fəŋ24 · ku · lisu42fəŋ24 · ku · liŋa11
红 咕 哩树上开白花。
fəŋ24 · ku · lisu42sɔŋ42khɔi11phɛʔ5fa11

白 花 结 乌 子，
phɛʔ5fa11tɕiɛʔ5u11tsɿ5
乌 子 落 人 家。
u11tsɿ5lɔʔ5ȵin24ka11
——荞麦 tɕiau24mɛʔ5

一 点 一 横 长，一 撇 撇 过 墙，

iʔ5tiɛn35iʔ5fɛn24thɔŋ24iʔ5phiɛʔ5phiɛʔ5kuɔ42tɕhiɔŋ24
两 株树 栽 到 石 头 上。
liɔŋ35tu11su42tsai11tau42ɕiʔ5thɛ24sɔn42
——“磨”字

一个 脚 肚 ,两 个 脚 板。
iʔ5kɔ42tɕiaʔ5thu111liɔŋ35kɔ42tɕiaʔ5pan35
不 话 醒你,团 到 夜 晚。(团:猜)
pɛʔ5ua42ɕin35ȵi35thuɔn24tau42ia42uan35
——豆芽

一 根 线, 满 塘 牵,
iʔ5kɛn11ɕiɛn422mɔn35thɔŋ24tɕhiɛn11
开 白 花, 结 钢 叉。
khɔi11phɛʔ5fa11tɕiɛʔ5kɔŋ11tsha11
——菱角

一 根 腰 带 五 尺 长,
iʔ5kɛn11iau11tai42 ŋ̍35thiʔ5thɔŋ24
包 包 扎 扎送 寄 娘(干妈)。
pau11pau11tsaʔ5tsaʔ5suŋ42tɕi42ȵiɔŋ24
送 得 寄 娘 真 欢 喜,
suŋ42tɛʔ5tɕi42ȵiɔŋ24tIn11fɔn11ɕi35
先 剥 皮 来 后 进 嘴。
ɕiɛn11pɔʔ5phi24lai24hɛ42tɕin42tɕi35
——粽子

一 根 棍, 叩 地 蹾,
iʔ5kɛn11kuin42khiau42thi42tIn11
又 无 叶,又 无 桠,
iu42mu24iɛʔ5iu42mu24ŋa11
棍 哩 下 头 结 西 瓜。
kuin42 · li ha42thɛ24tɕiɛʔ5ɕi11kua11
——田里的荸荠

一 张 刀,水 上 漂,
iʔ5tɔŋ11tau11fi35sɔŋ42phiau11
有 眼 睛,靡 有 眉 毛。
iu35ŋan35tɕin11miʔ5iu35mi24mau24
——鱼
一 个 崽 仂,着 红 裤 仔,
iʔ5kɔ42tsai35 · li tɔʔ5fəŋ24khu42 · tsɿ
噼 噼 啪 啪 上 树 仔。
piʔ5phi5ʔpha42phaʔ42sɔŋ42su42 · tsɿ

——放鞭炮

一只 龙 船 仄 下 仄，
i?5ti?5luŋ24sɛn24tsɛ?5ha42tsɛ?5
装 得 五个 好 贵 客。
tɔŋ11tɛ?5ŋ35kɔ42hau35kui42khɛ?5
——鞋子

一个 客 店 窄又窄，
i?5kɔ5khɛ?5tiɛn42tsɛ?5iu42tsɛ?5
刚 刚 住 得五个 客。
kɔŋ11kɔŋ11thu42tɛ?5 ŋ̍35kɔ42khɛ?5
——鞋子

着 蓑 衣，戴 斗 笠，
tɔ?5sɔ11i11 tai42tɛ35li?5
躲 得 田 里 萢 崽 伪。
tɔ35tɛ?5thiɛn24li35phau42tsai35 · li
——田里的芋头

弯 弯 曲 曲，曲 曲 弯 弯，
uan11uan11tɕhiu?5tɕhiu?5tɕhiu?5tɕhiu?5uan11uan11
小 姐 躲 得 绣 房 间，
ɕiau35tɕi35tɔ35tɛ?5ɕiu42fɔŋ24kan11
看 到 生 当 客，
khuɔn42tau42sɛn11tɔŋ42khɛ?5
紧 紧 把 门 关。
tɕin35tɕin35pa35mɛn24kuan11
——螺蛳

老 大 人 老 惊 僵，
lau35thai42ȵin24lau35tɕin11tɕiɔŋ11
背 上 背 皮 箱，
pɔi42sɔŋ42pɔi42phi24ɕiɔŋ11
铰 剪 带 两 把，
kau11tɕiɛn35tai42liɔŋ35pa35
筷 子带 四 双。
kuai42 · tsɿtai42sɿ42sɔŋ11
——螃蟹

爷 在 广 东 过，
ia24tshai111kuɔŋ35tuŋ11kuɔ42
捡 到 个 好 广 货，
tɕiɛn35tau42kɔ42hau35kuɔŋ35fɔ42

厅　下 装 不 了,
thin11ha42tɔŋ11pɛʔ5liau35
壁 缝 里 射 得 过。
piʔ5fəŋ42li35sa42tɛʔ5kuɔ42
——灯

伏 伏 烧,伏 伏 烧,
fuʔ5fuʔ5sau11fuʔ5fuʔ5sau11
姐　姐 搂 到　姐夫　个 腰。
tɕi35tɕi35lɛ24tau42tɕiɛ24fu11 · kɔiau11
——饭甑

远看一匹马,
iɔn35khuɔn42ɕiɔŋ42phiʔ5ma35
近　　看　　无 尾　　巴。
tɕhin42khuɔn42mu24mi35 · pa
肚 里 四 把 扇,
thu11li35sɿ42pa35sɛn42
嘴 里 吐 黄 沙。
tɕi35li35thu42fɔŋ24sa11
——风车

皮　在 里,骨　在　外,
phi24tshai11li35kuɛʔ5tshai11uai42
肚　脐　眼 仂 碗 样 大。
thu11tɕhi42ŋan35 · li　uɔn35iɔŋ42thai42
——斗笠

狭 狭 弄 里, 狭 狭 街,
haʔ5haʔ5lun42li35　haʔ5haʔ5kai11
程　程　节 节 挂　招 牌。
thIn24thIn24tɕiɛʔ5tɕiɛʔ5kua42tau11phai24
落 雨 靡 水 吃,
lɔʔ5vi35mu24fi35tɕhiʔ5
天　　晴 水 满　　街。
thiɛn11tɕhin24fi35mɔn35kai11
——水车

铜　船　木 舵,
thuŋ24sɛn11muʔ5thɔ42
里 面　装 了　金 银 宝　货。
li35miɛn42tɔŋ11liau35tɕin11ȵin24pau35fɔ42
和 风 细 雨,
fɔ4fəŋ11ɕi42vi35

缓 缓 荡 过。
fɔn35fɔn35thɔŋ42kuɔ42
——药店称药戥子

五 公 抱 二 嫂，
ŋ̇35kuŋ11phau42ʒ42sau35
抱 得 轻 巧 巧，
phau42phau42tɕhin11tɕhiau35tɕhiau35
两 足 一 张 开，
liɔŋ35tɕiaʔ5iʔ5tɔŋ11khuɔi11
味 道 当 真 好。
ui42thau42tɔŋ11tIn11hau35
——筷子

雷 轰 轰，雨 滴滴，
lɔi24fəŋ42fəŋ42vi35tiʔ5tiʔ5
随 墙 走，呒 脚 迹。
ɕi24tɕhiɔŋ24tsɛ35mu24tɕiaʔ5tɕiʔ5
——石磨

唔 不 到 阿 屋里 来，
ȵi35pɛʔ5tau42a11uʔ5li35lai24
阿 北 到 你屋 里 去；
a11phu42tau42ȵi35uʔ5li35khʒ42
唔 到 阿 屋里 来，
ȵi35tau42a11uʔ5li35lai24
阿 关 起 唔 来。
a11kuan11tɕhi35ȵi35lai24
——扣扣子

乌 猪 崽 不 吃 糠，
u11tu11tsai35pɛʔ5tɕhiʔ5khɔŋ11
捉 到 屎 窟 戳一 枪
tsɔʔ5tau42sɛ35khuiʔ5tshɔʔ5iʔ5tɕhiɔŋ11
——开锁

齐 竹林，齐 竹 林，
tɕhi24tuʔ5lIn24tɕhi24tuʔ5lIn24
齐 竹 林 上 起 乌 云；
tɕhi24tuʔ5lIn24sɔŋ42tɕhi35u11uin24
港 里 个水 呵 呵 响，
kɔŋ34li35 · kɔfi35hɔ24hɔ24ɕiɔŋ35
洛 阳 桥 上 晒 死 人。
lɔʔ5iɔŋ24tɕhiau24sɔŋ42sai42sɿ5ȵin24

——蒸饭

上　园　下　四　方——谷箩
sɔŋ42iɔn24ha42sɿ42fɔŋ11
下　圆　上　四　方——筷子
ha42iɔn24sɔŋ42sɿ42fɔŋ11
外　圆　里四　方——铜钱。
uai42iɔn24li35sɿ42fɔŋ11
里　圆　外　四　方——土灶。
li35iɔn24uai42sɿ42fɔŋ11

渠　认　得阿　哩,
kɜ11ȵin24tɛʔ5a11 · li
阿　也　认　得　渠　哩,
a11ia35ȵin24tɛʔ5kɜ11 · li
阿　来　同　渠　话　事,
a11lai24thuŋ24kɜ42ua42sɛ42
渠　却　不　答　理。
kɜ42tɕhiɔʔ5pɛʔ5taʔ5li35
——照镜

一　根　竹　仔,做个　屋　仔,
iʔ5kɛn11tuʔ5tsɿ　tsɔ42kɔ42uʔ5 · tsɿ
下　了　哩　闩　哩,倒　了　哩　屋　仔。
ha42liau35 · li　suɔn · li　tau42liau35li　uʔ5 · tsɿ
——伞

兄　弟　七　八　个,
ɕiuŋ11thi42tɕhiʔ5paʔ5kɔ42
围　着　柱　头　坐,
ui24tau42thu11thɛ24tshɔ11
临　到　要　分　家,
lIn24tau42iau42fɛn11ka11
衣　裳　都　撕　破。
i11　sɔŋ24tu11sɿ11phɔ42
——大蒜

奇　怪　真　奇　怪,
tɕhi24kuai42tIn11tɕhi24kuai42
皮　在　里　头　骨　在　外。
phi24tshai11li35thɛ24kuɛʔ5tshai11uai42
——栗子

紫色树,紫色花,

tsɿ5sɛʔ5su42tsɿ35sɛʔ5fa11
紫 色袋 仔装 芝 麻。
tsɿ35sɛʔ5thɔi42 · tsɿtɔŋ11tsɿ11ma24
——茄子

南 阳 诸 葛 亮，
nan24iɔŋ24tu11kɔʔ5liɔŋ42
独 坐 中 军 帐。
tuʔ5tshɔ1tuŋ11kuiŋ11tɔŋ42
摆 起 八 卦 阵，
pai35tɕhi35paʔ5kua42thIn42
要 捉飞 来 将。
iau42tsɔʔ5fi11lai24tɕiɔŋ42
——刨纱 phau42sa11（蜘蛛）

壁 上 一 条 蛇，
piʔ5sɔŋ42iʔ5thiau24sa24
九 十 九 个 牙。
tɕiu35sɛʔ5tɕiu35kɔ42ŋa24
——锯

千 条 线，万 条 线，
tɕiɛn11thiau24ɕiɛn42uan42thiau24ɕiɛn42
跌 到 地 下，看 不 见。
tiɛʔ5tau42thi42ha42khuɔn42pɛʔ5tɕiɛn42
——下雨

第三章 语 法

第一节 词法特点

贵溪方言的词法特点主要表现在以下几个方面。

一、词尾“哩”和“仔”的用法

贵溪话的词尾“哩”和“仔”用得很广泛，主要是用作名词的标志。有的就相当于普通话的“子”，如：孙哩、猴哩、茄哩、桃哩、竹哩、帽哩、裤哩、褂哩、落雹哩等。更多的是用在普通话不该用“子”的地方，如：崽哩、姩哩、伢哩、舅哩、箍哩、屑哩、糊哩、气哩、蜂哩、蚂蚁哩、车陀哩、夜边哩、燕子鸟哩、暇蟆屯哩等。有时也用作形容词词尾，以帮助增加性状的程度，如晰晰哩（漂漂亮亮）、爽爽哩（干干爽爽）等。动词后面的“哩”大体上相当于普通话的助词“了”，如“来记哩”“跌倒哩”“跌落哩”“掷落哩”。有的动词带上“哩”尾后就成了名词，如“叫哩”（哨子）“垫哩”（尿布）。

贵溪方言也有用“子”作词尾的，但不多。有的子尾和普通话完全相同，如：包子、饺子、筷子、拐子、桌子等；有的子尾在普通话中却不用，如碾子、手捏子、伢伢子、姩姩子、驼背子等。

除“哩”外，贵溪话中还有一个“仔”，也经常用作名词词尾。有些普通话带“子”尾的词，贵溪既不用“子”，也不用“哩”，而用“仔”。如：勺仔、袋仔、绳仔、槌仔、篮仔、盘仔、凳仔等。“仔”用在动词后面有时也能够构成名词,如“夹仔”(背心)。

二、词的重叠

贵溪方言名词重叠和普通话一样,一般只见于亲属的称谓,如爹爹、祖祖、妈妈、哥哥、伯伯、姊姊等。也以重叠的形式表示逐指,如人人、日日、碗碗、家家户户等,重叠后都含有“每”的意思。除上述两种情况外,名词一般不重叠。

单音节动词一般不重叠,很少有看看、想想、笑笑、走走、坐坐等说法。要表达这样一些意思时,一般只在动词后加“一下”,说成“看一下”“想一下”“笑一下”“走一下”“坐一下”。

单音节形容词除了有轻轻、缓缓之类的重叠形式外,还可以于重叠后带词尾“仂”,如晰晰仂、爽爽仂。双音节形容词和普通话一样是字的重叠而不是词的重叠,如:清清秀秀、老老实实、漂漂亮亮、明明白白等。同样也有重叠词的两个音节中间嵌“里”的形式,如糊里糊涂、古里古怪、白里白气、邋里邋遢。除此以外,还可以重叠形容词的前缀音节,如:嘎嘎老、笃笃乌、得得重、结结细、督督暗等。所有重叠形式,都表示性状程度的加深。如老——嘎老——嘎嘎老,乌——笃乌——笃笃乌、重——得重——得得重、细——结细——结结细、暗——督暗——督督暗等,每一组不同的几个形式中,后者的性状程度都比前者为深。数词也可以重叠,邻近的两个数字各自重叠后可以表示时间的持续,如七七八八、三三四四、五五六六等。

三、单音形容词的前缀

贵溪方言单音形容词的前缀很有特色。主要表现在以下几个方面:

1. 贵溪方言单音形容词的前缀非常丰富,许多单音形容词都可以加一个前缀。

2. 大部分单音形容词的前缀都是一个单纯的音节,没有实在的意义。有的表面上有相关的意义,但其实还只是一个音节而已。所以单音形容词的前缀一般都写不出本字,这里写的通常是方言中的同音字。例如:

棍清 kuɛn42tɕhin11 水非常澄清。

□黄 pɔi11fɔŋ24 很黄。

绸软 thiu24ȵiɔn35 很软。

□重 tɛʔ5 thuŋ11 很重。

□厚 tɛʔ5hɛ42 很厚。

的苦 tiʔ5khu35 味道很苦。

笃暗 tuʔ5ŋan42 黑暗。

笃紫 tuʔ5tsɿ35 很紫。

滚圆 kuɛn35iɔn24 东西的形状很圆。

极小 tɕhiʔ5ɕiau35 非常小。

□腥 khua35ɕin11 气味很腥。

顑瘦 khan35sɛ42 很瘦。

九绿 tɕiu35luʔ5 很绿。

纠韧 tɕiu11ȵin42 食物没煮烂,韧性很大,嚼都嚼不动。

焦干 tɕiau11kɔn11 很干燥。

□湿 laʔ5sɛʔ5 很潮湿。

蜡白 laʔ5phɛʔ5 很白。

呸松 phɔi42suŋ11 东西很松散。

飘轻 phiau11tɕin11 很轻。

力滑 liʔ5uaʔ5 很滑溜。

厉霸 li42pa42 厉害、霸道。

六活 luʔ42uɔʔ5 机灵干练。

隆光 luŋ24kuɔŋ11 非常光。

叽酸 tɕiʔ5suɔn11 很酸。

嗟淡 tɕiɛ11than11 味道很淡。

拍松 pɛʔ5suŋ11 很轻松;非常蓬松。

生咸 sɛn11han24 非常咸。

铁紧 thiɛʔ5tɕin35 很紧。

稀烂 ɕi11lan42 非常烂;很破碎。

绚红 ɕiɔŋ11fəŋ24 颜色很红。

鲜甜 ɕiɛn11thiɛn24 味道很甜。

枵薄 ɕiɔʔ5phɔʔ5 很薄。

雪白 ɕiɛʔ5phɛʔ5 很白。

□胖 taʔ5phɔn42 很胖。

3. 有些单音节形容词的前缀读音相同,例如:

飞尖 fi11tɕɛn11 东西的形状很尖。

飞嫩 fi11nɛn42 鲜嫩。

分快 fɛn11khuai42 形容这个人动作很快。

分臭 fɛn11tɕhiu42 很臭。

伏热 fuʔ5lɛʔ5 很热。

伏滚 fuʔ5kuɛn35 形容温度很高。

4. 个别单音节形容词在不同的情况下有不同的前缀:

黢乌 tɕhiu11u11 很黑。

笃乌 tuʔ5u11 很黑。

5·少数单音节形容词的前缀可以重迭。

墩墩厚 taʔ5taʔ5hɛ42 很厚。

枵枵薄 ciɔʔ5 ciɔʔ5phɔʔ5 很薄。

第二节 句法特点

1. 贵溪话多以补语的形式表述普通话表示加量状语所表述的内容。如:表示频率的"吃几凑"(再吃一点)"嬉下凑"(再玩一会儿)。"买两斤凑"(再买两斤);表示时间的,"你吃起"(你先吃)、"你话起"(你先说)"你走起"(你先走);表示数量的,"吃多几"(多吃些)"买多几"(多买些)。表示程度的副词"很",普通话虽然也可以用在形容词后面作补语,但中间必须有结构助词"得"作中介。说成"好得很""饱得很""多得很","很"不能直接用在形容词后面。但贵溪话"很"可以直接用在形容词后面作补语,说成"多很得哩"(很多了)、"饱很得哩"(很饱了)"好很得哩"(很好了)。不过,当"很"置于补语位置时,其程度不是一般的"很",而是达到了极端的程度了。

2. 贵溪话的双宾语句子"摆本书摆我"(给我一本书)"把张电影票摆你"(给你一张电影票),宾语的位置和普通话不同。普通话的双宾语句间接宾语(指人的)在前,直接宾语(指物的)在后。而贵溪话正好相反,指物的宾语在前,指人的宾语在后。附带说明一下,从上两例可以知道,贵溪的称数法有的也和普通话不同,量词前面的数词如果是"一"的,贵溪话一般都可省去不说,如"吃碗饭""买瓶酒"等。

3. 贵溪方言表示被动用"得""让"或"等"。如:"阿得渠打得哩"(我被他打了)"手表得小偷偷落哩"(手表被小偷偷了)。"得""让"和"等"后必须引进施动者,不能直接用在动词前,说成"让打""等偷"。不象普通话那样可以说成"被打""被偷"。

4. 比较句贵溪的句式是"甲 + 形容词 + 似 + 乙",如:"飞机快似火车(飞机比火车快),"解放后生活好似解放前几倍"(解放后生活比解放前好几倍),与普通话的"甲 + 比 + 乙 + 形容词的句式不同。

5. 在疑问句中,贵溪话常以"几"来问数量,如:"几岁"(多大)"几样重"(多重)"几个人"(多少人)

“几多路”(多远)等。句末用“不”来表示反问,如“是不 ɕ”(是不是)“好不 ɕ”(好不好)“看戏不 ɕ”(看戏不看)“吃了饭不 ɕ”(吃饭没有)“能来不 ɕ”(能不能来)。

6. 贵溪方言的来去句式是:“主语＋走(到)＋宾语＋来(去)”。如:“渠走上饶来”(他从上饶来),“阿到鹰潭去”(我到鹰潭去)。表示方位处所的介词用“走”,不用“从”。“到”不仅可以用作表示方位所向的介词,还可以用于动词后表示动作的持续,相当于普通话的时态助词“着”,如:“坐到吃比倚到吃好几”(坐着吃比站着吃好些)。

第二十九卷　科技
信息　传媒

第一章　科技工作

第一节　机构与队伍

管理机构

1991年,贵溪县科学技术委员会行使全县科技事业综合管理、总体规划、协调发展的职能。撤县设市后,改称为市科学技术委员会。2002年,市科学技术委员会更名为贵溪市科学技术局,为市政府组成部门之一,正科级单位,设有编制数7个,下设科学技术情报站,设有编制6个,与科技局局机关合署办公。

1991年,职称评定工作改由县劳动人事局管理。2002年,引进国外智力工作管理职能划入市人事劳动和社会保障局;原市计划委员会拟定全市民用科学技术发展中长期规划、编制重大科技攻关和重点实验室项目计划的职能划入市科技局。2000年,"中国贵溪"政府网站由市科技局组建并承担运行管理,成为贵溪面向世界的信息窗口,2006年被省计算机协会评为优秀政府网站,2007年7月划入市发展和改革局。

科技组织

到2008年年底,贵溪市各级科技组织有:计算机协会成立于1996年,有会员200人,西瓜协会成立于1996年,有会员40人,果业协会成立于1996年,有会员50人,水产协会成立于2002年,有会员126人,笋竹协会成立于2003年6月,有会员300人,老年科技工作者协会,成立于2003年12月,有会员83人,养牛协会成立于2004年,有会员258人,食用菌协会成立于2004年,有会员300人,禽业协会成立于2004年,有会员103人,特种养殖协会成立于2005年10月,茶叶协会成立于2005年11月。

队伍

1991—2008年,贵溪县(市)科技队伍主要由两部分组成,一部分是专业技术人员,主要是新中国成立后经过正规培养的大中专毕业生(由人事劳动局统计),另一部分是在该行业具有突出贡献的优秀学科带头人和民间专业技术人才。

2003年以来全市中青年学科带头人一览

表29-1

姓　名	单　位	职　称
高洪建	贵溪海利农药有限公司	教授级高工
潘小平	贵雅照明有限公司	高级工程师
赵汝贵	贵溪市农业局	教授级高工
吴世军	贵溪市三元冶炼化工有限责任公司	高级工程师

续表 29－1

姓　名	单　位	职　称
胡伟能	贵溪市人民院	主任医师
洪华星	江西麒麟化工有限公司	高级工程师
杜正平	贵溪市科技情报站	副研究员
杨珍珠	贵溪市农业局	高级农艺师
姚　文	贵溪市中医院	副主任医师
孙德生	贵溪市环保局	高级工程师
朱晓华	信达投资有限公司	高级工程师
黄绍卫	贵溪市人民医院	副主任医师
黄志美	贵溪市中医院	主任医师

第二节　科技活动

1994 年,《贵溪县科教兴县规划纲要》确立科教兴县发展战略,成立科教兴县科技工作领导小组。1999 年 10 月成立科教兴市和实现可持续发展领导小组,2000 年 8 月 31 日领导小组召开第一次会议,将科技进步目标考核纳入党政领导干部业绩考核范畴。设立贵溪县(市)科学技术协会,配备人员和编制,作为负责全市科普工作的群团部门。同时建立科普联系会议制度,讨论研究全市性科普活动事项。

科普活动

从 1993 年起,每年的 3 月定为"科技进步活动月",当年贵溪县委、县政府分管领导发表电视讲话,对活动月进行动员,开展大型科普活动。

2000 年,在贵溪有线电视台开设"贵溪科技 30 分"专题电视节目,在《贵溪报》设立"贵溪科技"专栏,多种形式进行科普宣传,提高公众科技意识。

2001 年,根据科技部统一部署,原来的"科技活动月"改为"科技活动周",时间定为每年 5 月的第三周。每年,科技局牵头组织开展全市性"科技活动周"活动。

2007 年,贵溪市塘湾镇大桥村被认定为省级新农村建设科技示范(试点)村。

科技培训

1999 年 7 月 29～30 日,召开全市科技副乡镇长工作会议和举办全市科技创先目标分解单位联络员培训班。2002 年 5 月,市科技局组织召开市部分"专利发明人座谈会",参加座谈会 30 多人,当年科技活动周期间成功举办"贵溪市专利产品、新产品展示"活动。2003 年 11 月 16 日,市科技局会同市委组织部、市科协举办全市乡(镇)、街道办事处科技副职、科协主席培训班。2004 年 6 月在全市科技工作会议上,以市政府的名义为首批 18 名科普讲师团成员颁发聘书,聘期为 5 年。2008 年,为应对贵溪市遭遇的特大冰冻灾害,专门成立科学抗冻救灾技术工作小组,组织农业科技人员分赴各乡镇、村组和受灾农业企业进行实地指导,同时结合农业产业状况编印《科学抗灾防冻生产自救技术手册》4000 余份,其间,共举办抗冻救灾恢复生产技术培训班 30 余期,使全市农业生产得到迅速恢复。

贵溪自 1987 年农函大招生以来,全市共为农函大招生 8738 名,学员来自乡村党员、干部、专业户、示范户和农民。在培训中,采用"基地教学"模式,使每个农函大学员基本上掌握 1～2 项农村实用技术,今大多数学员已成为全市科技致富的主力军和领头雁。

重大科技项目

1991 年 5 月 5 日,河潭乡王前庙分场负责实施杂交水稻制种高产模式,被国家科委列入国家级星火计划项目,这是贵溪首个国家级星火计划项目。

同年7月15日，贵溪申报硫化碱扩建，糠油精炼改造，氯酸钾、水磨籽米粉、胱氨酸、磨机改造6个项目列入鹰潭市1991年度技术改造首批新开发项目计划，总投资1250万元。建成投产后，新增产值3250万元，利税810万元。

1999年，海利贵溪农药公司投入825万元新开发的年产500吨西维因技改项目达产达标，满负荷生产，产品出口欧美等国家。

2000年4月28日，贵溪市争取1000万元拨款的国家高新技术产业示范工程——大功率稀土节能灯项目破土动工。

2003年，贵溪市三元冶炼化工有限责任公司承担的《等轴晶型高纯氧化铋》项目，被国家科技部列入科技型中小企业技术创新基金项目，并经国家知识产权局批准申请专利，专利号02113394.8。2005年，该项目通过国家科技部验收，专家组一致认为：该产品生产工艺国内领先，产品质量达到国际先进水平，提高我国铋资源加工及稀散金属的科技含量和经济价值，发展前景良好，并获江西省科技进步二等奖。该项目获国家科技部科技型中小企业技术创新基金，填补鹰潭市空白。

2005年，《天师养生降脂茶》项目争取到国家科技部农业科技成果转化基金，实现该项目在鹰潭市零的突破，公司致力于以药食两用资源为原料生产开发天师牌保健茶，拥有国内领先的降脂茶生产技术。公司生产的天师牌有机降脂茶茶通过ISO 9001质量体系认证、美国FDA认证并获得国食健字批文（国食健字G20040698），是国家食品药品监督管理局第一批批准的降血脂保健食品。2002年被列为江西省重点新产品，被选定为“首届华厦老人文化节”指定用茶，产品畅销国内外，进入美国、欧盟和东南亚等国市场。产品填补国内空白，降脂功能显著，技术水平达到国内领先，于2008年4月通过科技部的验收。

1991—2008年全市重大科技项目一览

表29-2

年份	项目名称	承担单位	计划类别	级别
1991	杂交水稻制种高产模式	贵溪县农业局	星火计划	国家级
	毛板红优良品种及早生丰产技术	贵溪县农业局、上清镇	成果推广	国家级
	风味捺菜技术开发	贵溪县风味捺菜厂	星火计划	省级
1992	竹面地板产品开发	贵溪县西窑林场	星火计划	省级
1994	工业黄糊精开发	贵溪县新型保温材料厂	星火计划	省级
1995	风味捺菜技术开发	贵溪县风味捺菜厂	星火计划	国家级
	工业废渣制砖技术	贵溪县滨江砖厂	工业攻关计划	省级
1996	C-Ⅲ型预应力混凝土轨枕技术	贵溪市桥梁厂	火炬计划	省级
	笋竹两用丰产林开发	贵溪市冷水林场	星火计划	省级
	互联网信息资源开发利用及终端建立	贵溪市市科技情报站	星火计划	省级
1997	南方蜜梨优质丰产栽培技术开发	贵溪市农业开发公司	星火计划	国家级
	血康口服液	贵溪市制药厂	火炬计划	省级
	出口蔬菜系列精制食品技术开发	贵溪市金沙蔬菜加工厂	星火计划	省级
	高产优质桃良种基地开发	贵溪市鸿塘果业办	星火计划	省级
1998	血康口服液	贵溪制药厂	新产品	国家级
	提高节能灯初始光通研究	贵雅电光源有限公司	工业攻关	省级
	甲基异氰酸酯生产新工艺	海利贵溪工农药有限公司	工业攻关	省级

续表 29－2

年份	项目名称	承担单位	计划类别	级别
1998	菊芋系列产品技术开发	贵溪市梅溪酱菜加工厂	星火计划	省级
	百亩杜仲栽培技术	贵溪市鸿塘镇	星火计划	省级
	余家蔬菜示范基地	贵溪市余家乡	星火计划	省级
1999	高科技示范园	贵雅电光源有限公司	工业攻关	省级
	甲奈威产品开发	海利化工有限公司	火炬计划	省级
	高速轨枕研制	贵溪桥梁厂	火炬计划	省级
	硒系列产品开发	贵溪国泓公司	星火计划	省级
2000	竹业产业化经营	江西竹辉竹业公司	星火计划	国家级
	年产500吨甲萘威原药	海利贵溪化工农药有限公司	重点工程	省级
	局品质大功率稀土节能灯	贵雅电光源有限公司	重点工程	省级
	贵溪食用菌产业化生产加工出口基地建设	贵溪市金沙蔬菜加工厂	星火计划	省级
	间羟基苯甲酸	江西永雄饲料公司	星火计划	省级
	蜂窝型导电玻璃钢电除雾器有限公司	江西华帮导电玻璃钢电除雾有限公司	星火计划	省级
	大忙人系列食品开发	江西大忙人实业有限公司	星火计划	省级
	竹业产业化开发	贵溪竹辉竹业公司	星火计划	省级
2001	大忙人系列食品开发	江西大忙人实业有限公司	星火计划	国家级
	100吨/年 CBT	海利贵溪化工农药有限公司	火炬计划	省级
	绿色大米基地开发及功能保健大米、精制米加工	贵溪市中胜粮油有限责任公司	星火计划	省级
	高效节能安全悬浮式燃气灶研制	贵溪市机械厂	工业攻关	省级
	特种水产种苗繁育	鑫雄特种水产苗种场	星火计划	省级
	高效大功率电子节能灯	江西贵雅电光源有限公司	火炬计划	省级
	特种水产繁殖、繁育技术推广	贵溪市鑫雄特种水产苗种场	成果推广	省级
2002	等轴晶型高纯氧化铋	贵溪市三元化工有限公司	技术创新基金	省级
	年产2000吨无氧银铜线系列产品	贵溪市安固特种铜材公司	星火计划	省级
	特色绿色保健系列食品开发	贵溪市龙虎山食品有限公司	星火计划	省级
	中草药栽培技术推广	贵溪塘湾中草药基地	成果推广	省级
	白鸡心葡萄品种选育技术	贵溪市生态农业基地	成果推广	省级
	“羊一沼一茶”高产高效栽培技术推广	贵溪市生态农业开发基地	星火计划	省级
	百合优质高产栽培及其产业化	贵溪市塘湾中药材生产技术推广场	星火计划	省级
	高效浓缩鱼特灵技术开发	贵溪市鱼特灵厂	星火计划	省级
2003	等轴晶型高纯氧化铋	贵溪市三元冶炼化工有限公司	创新基金	国家
	南方早熟梨生态果园示范基地	贵溪市生态农业开发基地	星火计划	省级
	精制绿色大米	贵溪市中胜粮油有限公司	星火计划	省级
2004	等轴晶型高纯氧化铋	贵溪市三元冶炼化工有限公司	新产品计划	国家级
	异型铜材系列产品开发	贵溪华泰铜业有限公司	星火计划	国家级

续表 29－2

年份	项目名称	承担单位	计划类别	级别
2004	天师(降脂)茶中试	贵溪市龙虎山食品有限公司	星火计划	省级
	欧洲丁桂繁育技术推广	贵溪市水产站	成果推广	省级
2005	天师(降脂)茶中试	贵溪市龙虎山食品有限公司	成果转化	国家级
	高纯度甲萘威	海利贵溪化工农药有限公司	火炬计划	省级
2006	高锑锡、铋、锑连续真空蒸馏分离	贵溪千盛化工有限公司	创新基金	国家级
	JUST 高效节能灯	贵雅公司	国际合作	省级
	小京生花生示范与推广	贵溪市云波食品厂	成果推广	省级
	铜精深加工技术培训	鹰潭奥科学校	星火计划	省级
	美罗地罗	江西麒麟公司化工公司	创新基金	省级
2007	绿色大米标准化技术运用	贵溪市农业技术推广服务中心	—	国家级
	江西省精细化工中间体工程技术研究中心	江西麒麟公司化工公司	工程技术中心	省级
	高纯碲(5N)产品技术开发	贵溪市三元化工有限公司	星火计划	省级
	黄顶蘑人工高产栽培技术开发	贵溪市食用菌生产专业社	星火计划	省级
2008	泰诺福韦生产新工艺	江西麒麟化工有限公司	创新基金	国家级
	优质铝青铜 QAL10－4－4 的中试	贵溪骏达特种铜材有限公司	创新基金	国家级
	泰诺福韦生产新工艺	江西麒麟化工有限公司	创新基金	国家级
	高精度电子白铜带	贵溪奥泰铜业有限公司	创新基金	省级
	大规格环保铜异型材连续挤压新工艺	贵溪华泰铜业有限公司	科技支撑	省级
	氟达拉滨的合成技术研究	江西麒麟化工有限公司	科技支撑	省级
	油茶新品种引进高效栽培示范	贵溪市绿源林特产有限公司	星火计划	省级

科技管理与服务

科技管理　1991—2008 年，贵溪县(市)科技部门每 5 年拟订全县(市)科技发展规划，报请县(市)委、市(县)政府批转执行，按照 5 年科技规划每年制定年度科技计划和工作目标。县(市)级科技计划每年下达一次。江西省、鹰潭市科技研发项目每年第一季度组织申报，获批后可获得省、市科技部门项目经费支持。

科技服务　1991 年以来，贵溪始终将发展高新技术产业作为全市产业结构调整的关键环节，围绕一些优势领域形成独具特色的高新技术产业，海利贵溪农药公司、江西贵雅电光源公司、江西麒麟化二公司、贵溪三元冶炼化工公司等企业先后被列为省级区外高新技术企业。2008 年，江西贵雅照明有限公司省级工程技术中心和江西麒麟省级精细化工工程技术研究中心等通过论证。

1991 年 9 月 15 日至 12 月底，为加速贵溪经济建设，抓好科技兴农、科技兴林，打好农业开发仗，在全县农林开展第二届“农林科教电影放映”活动。放映农林科教片 55 部。

自 1991 年开始，特别是 1999 年后，贵溪每年组织当地企业参加在深圳举办的中国国际高新技术交流会，取得较好经济和社会效益。

1997 年 6 月 23 日，聘请日本花甲协会水产养殖专家佐野彰吾到贵溪水产试验场，对“甲鱼养殖”项目进行为期 12 天的技术指导。帮助该场解决越冬死亡率高、幼鳖繁殖难等技术难题，并传授鳖饲料配方，据测算每吨饲料可减少成本 5000 元以上，每年可节省资金 20 万元。

1998 年 8 月 20 日，聘请日本专家本多四郎来贵溪龙兴铺灯芯糕厂进行为期 10 天的技术指导，帮助该厂解决灯芯糕保鲜问题,保鲜期从7天延长到30多天,产品由以前的滞销转为畅销。11月在上海迎春展销会上,该厂的灯芯糕产品荣获上海食品博览会质量优胜产品,12月在赣州举办的江西省食品展销会上,又荣获江西省市场食品优胜产品,并获金奖。

1999年3月11日,聘请德国啤酒专家基施鲍姆到贵溪啤酒厂进行为期22天的技术指导,帮助该厂完善啤酒酿造工艺,稳定提高啤酒质量,延长啤酒保鲜期,经测试啤酒的特有风味可延长到6个星期,口感不发生明显变化。

1999年4月,从湖南常德农校引进优良果树品种一日本幸水梨,在贵溪市河潭镇进行示范栽种30亩1000株。2011年8月,聘请日本果树专家重田利夫到贵溪市,对幸水梨及南方早熟梨栽培管理进行技术指导,解决梨花人工授粉、疏花疏果等技术难题。

2000年4月10日,由市政府办公室主持召开"贵溪市技术创新座谈会",会议议题是"技术创新与经济发展"。鹰潭市科委主任罗喜仔,贵溪市政府市长助理孙刚,市科委、农业局、林业局、农办、海利贵溪农药公司、永雄化工公司、新世纪水泥厂等单位、企业的主要领导共20余人参加座谈会。

2001年,开展工业"20－310"扰优扰强活动,投入8000万元资金,重点对三元公司精铋电铅扩产、电光源厂节能灯管生产线等10个项目进行技术改造,其中5个技改项目实现投产,加速推进贵溪工业化进程。

2002年8月,贵溪市组团到福建南平实地考察科技特派员工作,之后制定出台《关于选派党建、科技、流通特派员下村服务的实施意见》,选派贵溪市第一批科技特派员47名。

2003年12月5日,召开贵溪市首次科技奖励大会,表彰贵溪市2000—2003年度该级科技进步奖13项及科技进步工作先进集体6个、先进个人10名和优秀学科带头人8名,贵溪市三元冶炼化工公司的《等轴晶型高纯氧化铋》项目,获得该级首个科技进步特别贡献奖的5万元奖励。

2006年,贵溪市政府邀请由中南大学科技处牵头的2个博导、4个博士组成的专家学者团到贵溪考察并举办由市级4套班子在家领导,各乡(镇)、街道工委书记,乡(镇)长、办事处主任、市有关部门、相关企业负责人及技术人员共计170余人参加的铜加工现状及发展趋势讲座,并到铜加工企业进行实地考察和座谈。10月30日,召开全市科技大会,在总结"十五"科技工作的基础上,对贵溪市"十一五"科技工作进行全面部署,表彰2003—2006年度本级科技进步奖13项以及科技进步工作先进集体6个、先进个人16名和优秀学科带头人8名。

2008年4月8日,贵溪举办全市首场院士报告会。邀请中国工程院邱定潘院士一行到贵溪市举办"科学与中国贵溪市铜产业发展趋势报告会"。市级4套班子在家的领导,市委各部门、市直各单位、各乡(镇)、街道办主要领导、驻市企业主要负责人以及技术骨干近200人参加报告会。报告会介绍国际、国内铜产业发展的趋势及面临的困难,邱定潘的铜产业发展理念对市铜产业发展有着有益的启示。多家企业并与院士取得联系方式,为贵溪的铜产业发展解疑释惑。

2008年,贵溪市制定《江西农事通贵溪市农村科技信息服务体系建设工作方案》并在塘湾、金屯、雷溪、文坊、周坊、鸿塘、流口、泗沥、志光、罗河等10个乡镇组建农村科技信息服务试点站和水稻、蔬菜2个专业信息服务试点站,并举办首批试点专业信息服务站业务培训班1期。信息服务站已开通视频通信系统。并在金屯镇将农村科技信息服务延伸到村级开展试点工作。

科技成果选介

1997年,江西贵雅电光源公司与上海复旦大学开展技术合作,共同开发的"透明保护膜涂覆技术",使节能灯寿命由2000小时提高到5000小时。2000年,该公司聘请18位全国知名电光源专家组建电光。

1998年5月,海利贵溪农药公司申请的国家专利产品"仲丁威",是继有机氯、有机磷之后的第三代农药,专用于防治水稻等农作物的叶蝉和飞虱,具有高效广谱、低毒低残留、难以产生抗性及使用安全等特性。

1995—2007年贵溪市(县)获江西省科技进步奖项目一览

表29-3

获奖时间	获奖项目	奖项名称	承担单位	主要完成人
1995年8月	3000亩板栗良种——毛板红早生丰产技术	江西省科技进步三等奖	贵溪县农牧局	赵汝贵、汪观全、步金荣、邓国荣
1995年8月	风味捺菜	江西省科技进步三等奖	雷溪风味捺菜厂	左喜明、郑富元、黄能培、杜正平
1997年8月	梨早结丰产栽培模式研究	江西省科技进步三等奖	贵溪市外资办	任江南、张更明、张建平、徐玉峰
1998年10月	仲丁威(巴沙)合成新工艺	江西省科技进步三等奖	海利贵溪化工农药有限公司	冯建东、高洪建、涂小妖等
1999年12月	节能灯管提高初始光通量研究	江西省科技进步二等奖	江西贵雅电光源有限公司	潘小平、张社喜、杜正平等
1999年12月	浓缩鱼特灵技术开发	江西省科技进步三等奖	贵溪市鱼特灵厂	张济生、吴早保、黄海泰等
1999年12月	甲基异氰酸酯生产装置新工艺	江西省科技进步三等奖	海利贵溪化工农药有限公司	高洪建、冯建东、江小金等
2000年9月	紧凑型荧光灯降低光衰应用研究	江西省科技进步三等奖	江西贵雅电光源有限公司	潘小平、张社喜、薛武等
2000年9月	氨基甲酸酯类农药新工艺开发	江西省科技进步三等奖	海利贵溪化工农药有限公司	高洪建、冯建东、彭彰彬等
2001年11月	甲基托布津新工艺研究	江西省科技进步三等奖	海利贵溪化工农药有限公司	雷粮林、彭彰彬、高洪建等
2002年12月	等轴晶型高纯氧化秘合成研究	江西省科技进步二等奖	贵溪市三元冶炼化工有限责任公司	吴世军、杨安福、杜正平等
2004年8月	高纯度对苯基苯酚合成工艺研究	江西省科技进步三等奖	江西麒麟化工有限公司	洪华星、傅建斌、江协金等
2006年8月	高锑锡、铋、锑渣料连续真空蒸馏分离技术	江西省科技进步三等奖	贵溪千盛化工有限责任公司	张小波、汪原成、洪新忠等
2007年9月	欧洲丁鱼岁引种繁育及养殖技术	江西省科技进步二等奖	贵溪市丁鱼岁水产良种繁育示范服务中心等	徐保明、吴早保、张波等

2000年引进欧洲丁鱼岁的鱼种和亲鱼,在深入开展欧洲丁鱼岁良种繁育的基础上,研究开发了欧洲丁鱼岁无公害养殖技术,解决欧洲丁鱼岁产业化发展的主要技术问题。2004年和2005年分别被列入江西省科技成果重点推广计划和江西省星火推广品种。2006年5月通过省级科技成果鉴定,达到国内同类研究和技术的先进水平,2007年分别获鹰潭市科技进步二等奖和江西省科技进步二等奖。

2000年,贵溪市中胜粮油责任有限公司投资80多万元,从日本引进当时国际最先进的大米加工辅助设备—色选机,加工的大米达到"三无"标准,成为出口创汇免检产品。

2000年9月,贵溪市被科技部批准为"全国科技进步先进市"。在之后每两年一次的科技创先工作中,又连续四次蝉联该称号。

2001年贵溪市三元冶炼化工有限责任公司承担的采用纯显法工艺,通过制定合理的工艺流程和确定最佳的工艺参数,成功制取等轴晶型氧化铋产品,2002年通过省级科技成果鉴定,其研究达到国内领先水平,产品质量达到国际先进水平,标志着我国在电子专用氧化铋的合成研究上跨进了世界先进行列。该研究2002年先后荣获鹰潭市科技进步一等奖和江西省科技进步二等奖。

2003年3月,贵溪工业园区被评为省级民营科技园区。

2005年,贵溪市年专利申请量为270件,在江西全省县(市、区)中排名第一,之后每年保持该纪录。2007年在全省各县(市、区)中率先出台《贵溪市专利专项资金管理办法》,对申请国内发明专利或授权的发明专利、实用新型专利、外观设计专利分别给予200元、1000元、240元、120元资助。

2006年,贵溪被列为"江西省可持续发展实验区"。该项目的顺利实施有利于促进全市社会协调发展,在提高经济发展的同时,促进人与自然和谐,解决发展与人口、资源、环境的关系,坚持经济、社会与生态环境的持续协调发展。

2008年,贵溪市绿源林特产公司建立的53.4公顷高产油茶新品种(长林系列)引进基地,被认定为江西省面积最大的高产油茶采穗圃。

科技企业选介

贵雅照明有限公司　贵雅照明有限公司始创于1985年,原是一个员工不足50人,注册资金25万元的手工作坊式企业。2001年,企业进行大胆改组,调整企业管理人员和产品结构,建立现代企业制度,完善法人治理结构,使企业焕发出生机,当年实现销售收入5000万元,利税800万元。此后,随着企业的壮大,公司成立5个生产制造部,按照专业化、系统化、规范化的要求,在科学定岗、定编、定员的基础上,采取目标管理、绩效考核、分类奖励措施,调动广大员工积极性,公司出现高效率、低成本、你追我赶的工作热潮。几年来,公司始终保持着高速增长,产品销往全国及日本、印度、美国等10个国家和地区,公司已实现总资产1.2亿元、净资产7600万元,成为名副其实的江西省区外高新高技术企业,全国最大的节能灯生产企业之一。不仅是江西省高新高技术企业,而且已被认定为国家火炬计划重点高新技术企业。2008年,公司进一步提高生产效率、扩大产能,使高品质稀土三基色节能灯管和高品质电子节能灯的年产量分别达到1.2亿支和3800万支;实现销售收入4.8亿元,其中直接创汇650万美元。公司本着追求创新的精神,在电光源技术的应用领域坚持不懈的努力,不断进行技术创新,紧跟国际先进,并长期与日本东芝照明、荷兰飞利浦、复旦大学、武汉大学、长春物理研究所及南昌大学进行产、学、研合作。2008年,企业已拥有较强的研发创新能力,在照明应用等光电领域中取得稳定和长足的发展。企业现有专利技术13项,"高品质紧凑型荧光灯研究与开发"获国家科技进步二等奖,与上海复旦大学合作的"紧凑型荧光灯光衰机理的研究"获教育部科技进步一等奖,"大功率紧凑型荧光灯"获第九届中国专利新技术产品博览会金奖和特别奖,"节能灯提高初始光通量研究"获江西省科技进步三等奖。

贵溪华泰铜业有限公司　前身是浙江银发铜业公司,公司创办于1988年,2002年因发展需要,从浙江温州搬迁到贵溪。

公司注册资金1000万元,固定资产2000余万元,有员工200余人,技术人员30人,工厂占地面积约30000平方米,建筑面积12000平方米。专业生产铜排、铜棒、铜带、铜板、异型铜材产品的民营企业。产品广泛适用于各种高低压电器。

贵溪华泰铜业有限公司同国内知名的中南大学建立紧密的合作关系,提高企业技术创新能力,开发的"紫铜异型材新产品开发"项目被列入2004年度国家级星火计划。公司经过多年的拼搏,取得很大的发展,公司2005年度进入市级十强企业,并获2005年度工业发展市企业进步奖,2006年被评为江西省民营科技企业,2007年被评为江西省诚信企业,并获2007年度鹰潭纳税大户等荣誉。

贵溪市三元冶炼化工有限责任公司　创建于2000年11月,是一家中小型现代化民营企业,公司地处贵溪市柏里大道西侧,占地面积53000平方米,注册资金3500万元,总资产7000万元。目前员工320人。公司主要产品有:铋锭、硫化碱、冰铜、氧化铋、电铅、精碲。年产值1.5亿,创利税1000万元;2002年11月通过ISO 9001质量认证体系。

三元公司被授予"省一级诚信企业"和"江西省重合同守信用AAA企业"并获得"江西省优秀民营科技企业"及国家、省"高新技术企业"的称号。2004年公司董事长吴世军被授予江西省"五一"劳动奖章。

江西新型铸造材料有限公司　公司建于1988年,由原贵溪新型保温材料厂改造而成,主要产品KW－1－4型系列液态金属除渣、保温覆盖剂及冒口发热保温剂、精炼细化铜熔剂:铜、铝合金精炼细化、脱氧除渣、增碳剂、脱硫剂产品等铸造辅助材料。产品已通过GB/T19001—2008质量体系认证,是江西省唯一专业生产铸造材料的公司。

公司自成立以来,开发数十个铸造辅助材料,KW－1型系列液态金属除渣,使用性能达到国内先进水平,已获国家发明专利8项,被评为"世界优秀专利"第十届中国专利新技术新产品博览会"金奖",产品先后获"江西优秀星火产品"奖、科技进步二等奖、1994年国际铸造博览会"优秀新产品"、首届中国科技精英博览会"科技创新奖"和国家级新产品。

第二章　邮　政

第一节　机　构

市级机构

1991 年,贵溪县邮电局全局职工 209 人。1995 年,全局职工 239 人。

1996 年,贵溪撤县建市,贵溪县邮电局改名贵溪市邮电局。

1998 年 9 月,根据《江西省邮电分营方案》要求,《贵溪市邮电分营实施方案》,经鹰潭市邮电局 1998 年 9 月 11 日批复,开始实施。9 月 15 日,贵溪市邮政局、贵溪市电信局正式挂牌成立。分营后的贵溪市邮政局有干部职工 82 人、退休人员 50 人。

2007 年 2 月 8 日,省邮公司下达市县局内设机构和管理岗设置方案,业务收入 1600 万元及以上的县(市)局,列为 A 类县(市)局,贵溪市邮政局为 A 类局。

2007 年 4 月 6 日,省邮政公司决定速递、物流两个专业实体化经营运行体制改革,对省、市、县三级速递、物流部门实行专业化垂直管理,在明确两专业人、财、物划分原则,重新设置内设机构、岗位和职责的基础上开始专业实体化运行。随后,贵溪市邮政局遵照该精神划分人、财、物,组建鹰潭市邮政速递局贵溪营业部和贵溪市邮政物流局,速递、物流两专业自此实施垂直管理、实体经营、自负盈亏。

2008 年年末,贵溪市邮政局从业人员 186 人,其中合同制工 51 人、招聘和派遣制工 96 人、代办员 39 人,另有退休退养人员 62 人。

基层邮政网点

1991 年,自办邮电所有龙虎山(原名张家)、上清、圳上、耳口、冷水、双圳、文坊、大塘、塘湾、罗塘、新田、西汪、余家、志光、塔桥、周坊、白田、泗沥、河潭、柏里、大岩、滨江、铜技校 23 个和彭湾邮电代办所。

1996 年 5 月,自办的商城邮电所开业。至此,全局有自办邮电所 23 处、委代办所 3 处,均能提供全功能服务,其中农村 20 处、邮政储蓄网点 14 处。

1997 年 4 月 1 日,龙虎山、上清两个邮电所划归鹰潭市邮电局直接管辖。

至 1998 年 9 月,有大岩、滨江、柏里、铜技校、商城、河潭、泗沥、周坊、塔桥、志光、西汪、余家、耳口、冷水、双圳、文坊、金屯、塘湾、新田 19 处自办分支机构和鸿塘、彭湾、白田、火车站 4 处委代办分支机构,全市除流口、雷溪、西窑、樟坪、金沙、古港 6 个乡镇外,均设有邮政服务机构。

1999 年 11 月,保业邮政储蓄专柜开业。为开拓农村邮政市场、方便农民用邮,贵溪邮政大力发展村级代办点。该年末,全市农村村级邮政业务委办代办点 138 个。

2001 年 5 月,撤销火车站邮政代办所。

2003 年 8 月,复兴路邮政储蓄专柜开业。11 月,经省邮政机构编制委员会批准,增设沿河路邮政支局、信江路邮政所,升改复兴路邮储专柜为复兴路邮政所;同时,批准年收入 6 万元以下的余家、耳口、冷水、文坊、金屯、柏里、河潭、泗沥、周坊 9 所撤销自办改制。

2004 年 10 月,建设路邮政所、铜都邮政支局先后开业,大岩邮政支局同时撤销。11 月,省邮政编制委批准撤销铜技校邮政所,确认余家、耳口、冷水、双圳、文坊、金屯、彭湾、柏里、河潭、泗沥、白田、周坊、鸿塘 13 处邮政代办所。

2005 年 12 月,省局批准设立雄石邮政所。邮政大力开展服务三农活动,至年底,已建设农资代办点 160 个、其中精品网点 60 个。

2007 年 4 月 6 日,鹰潭市邮政速递局贵溪营业部和贵溪市邮政物流局成立,实施垂直管理、实体经营、自负盈亏。

2008 年年末,邮政支局有沿河路、铜都 2 个,自办邮政所有商城、复兴路、信江路、建设路、保业、雄石、滨江、西汪、志光、塔桥、塘湾 11 个,委代办邮政所有泗沥、白田、周坊、鸿塘、余家、耳口、冷水、双圳、文坊、金屯、彭湾、新田、河潭13个,农村村级邮政业务委代办点145个;自办支局所中有代理金融业务网点11个,均为全国联网异地存取网点。

第二节　设施设备

设施

1991年12月3日,贵溪县邮电生产综合楼竣工,在县邮电局老办公楼拆除后原址兴建,投资75万元,五层砖混结构,面积2137.44平方米。

2008年7月1日,预期投资520万元、建筑面积3304平方米的六层贵溪邮政生产综合楼奠基。

至2008年,除铜都、商城、保业、西汪4个自办分支机构和周坊、鸿塘、耳口、双圳、彭湾、河潭6个委代办所仍租借房屋办理邮政业务外,其他各支局所房屋均为邮政自有。当年末,贵溪邮政自身拥有房屋总面积11271平方米,其中生产用房6434平方米、非生产用房4837平方米,生产用房中营业用房占3405平方米、投递用房1461平方米、内部处理用房1568平方米。

2008年年末,贵溪邮政有车12辆,其中邮运2辆、速递4辆、物流1辆、其他生产用车4辆、非生产用车1辆。

设备

20世纪90年代,随着邮政业务的发展和科学技术的应用,邮政设备逐步改善,机械化、电子化水平不断提高。1992年2月,县邮电局装备1台福建邮政机械厂生产的BKZQ－Ⅱ型台式平信捆扎器。3月,添置长沙衡器二厂生产的BCS－G型方圆牌6000千克、30千克电子信函秤各1台,集包裹和信函处理为一体,能自动显示应收资费。

2006年9月,全省邮政县级单位邮储服务器上收工程圆满结束。

2007年1月,邮政综合网设备管理软件上线试运行,使邮政综合计算机网络设备管理再上新台阶。经扩容改造后的电子化支局系统切换上线,于该年9月5日正式使用并对外营业。

2008年2月,邮电局制定《ATM管理办法》对配钞、停电、吞卡等作详细规定,规范ATM自动柜员机的管理。不久,在雄石所安装1台穿墙式ATM机。年末,贵溪邮政共有微型计算机46台,其中内部生产用18台、营业窗口用14台、综合管理用14台,还拥有网络交换机4台、网络路由器6台、ATM机1台、邮资机1部。

信箱信筒报刊零售亭:1995年年末,城区共设信箱信筒28个。

1999年9月购置报刊零售亭3个,经城建部门批准分别放置在火车站、信江路雄石路中心广场铜城大厦前、雄石路站前路口。

2000年,增设报刊零售亭2个,新装信报箱2300户、总数增至8766户,使用率达80.86%。

2007年12月,市邮电局遵照省建设厅、省邮政管理局联合发文要求,加强城市住宅楼房信报箱建设与管理工作,进一步完善社会基础设施、强化城市服务功能、保障公民通信权利,较好地解决城市住宅楼房"通邮"问题。

2008年年末,贵溪邮政有信报箱群8处,信报箱格口7925个,城市住宅楼房73.42%安装信报箱。报刊零售亭7个,信箱信筒73个。

第三节　邮　路

火车邮路

1991年,贵溪县邮电局每日接发火车邮件5次,对外直接向南昌、上海、汉口、杭州、金华、衢州等19个大中城市封发邮件,全年邮件进、出口交换量分别为30074袋和25215袋,全局收寄函件2376963件、包裹30491件。除县局外,位于浙赣、鹰厦、皖赣铁路沿线的西汪(接发童家站)、河潭(接发河潭站)、余家、龙虎山(接发肖家站)、上清、圳上、耳口(接发圳上站)、冷水(接发富庶岭站)、塔桥(接发硬石岭站)

等9个所也利用火车接发邮件。

1996年12月28日,鹰潭至贵溪的二级干线汽车邮路开通;当晚,贵溪局最后一次接发火车邮件。自此,贵溪局火车邮路全面停开。

汽车邮路

1991年年初,贵溪县内汽车邮路有:贵溪—志光、贵溪—塔桥、贵溪—泗沥—周坊、贵溪—白田、贵溪—塘湾、贵溪—大塘—文坊—双圳、贵溪—彭湾7条,单程总长268千米,均为委办汽车邮路,担负10个所邮件报刊的交换。

1995年,自办汽车邮路改为3条:贵溪—周坊,途中有泗沥、白田、周坊、塔桥、鸿塘、志光6个交换点,单程总长115千米。贵溪—上清,沿途交换点为余家、龙虎山、上清、彭湾、新田,单程总长113千米。贵溪—文坊,途经塘湾、大塘,单程总长114千米。6月,河潭所停接火车邮件,一度改由县局派员带邮件乘火车前往河潭交接,不久新开辟贵溪—河潭自办汽车邮路,才解决河潭所的邮件报刊传递。

1996年,鹰潭至贵溪二级干线汽车邮路开通,单程总长42千米,逐日班,成为贵溪进出邮件的主渠道,该汽车邮路途中与西汪所办理邮件交换。

2000年9月,邮运网络优化,经转时间压缩,邮件报刊提速,城区内主要单位可看到当天省报。鹰潭至贵溪干线汽车邮路改为每日两班。

2001年6月,国家邮政局统一部署强化邮区中心局邮件经转功能、淡化县市局分拣封发功能,规定县市局进出邮件一律由邮区中心局经转。自此,贵溪局取消了向鹰潭邮区外直接封发各类普通邮件。

2003年4月,贵溪—文坊自办汽车邮路取消,改为贵溪—金屯—文坊,贵溪—塘湾两条委办汽车邮路。

2008年9月,鹰潭市局结合网络运行实际,推行集装箱运邮改革,实现邮运网、速递网、物流网“三合一”运行模式,全面规划,稳步推进,逐步完善,以支撑“当日见报”“次晨达”“次日递”和“一体化物流”业务发展。

2008年度,贵溪邮政共收寄函件1439918件、包裹8823件、特快27533件。年末,自办汽车邮路3条、委办汽车邮路两条,单程总长280千米。

自行车邮路

1991年,县内自行车邮路13条。农村自行车邮路:贵溪—罗塘—西溪坝、贵溪—新田,圳上—耳口—横港,冷水—富庶岭火车站,上清—上清火车站,余家—余家火车站,龙虎山—肖家火车站,圳上—圳上火车站,河潭—河潭火车站,西汪—童家站火车站,周坊—周坊汽车站,志光—志光汽车站,以及城区的铜技校—县局,单程总长152.8千米。

自行车邮路作为火车邮路、汽车邮路的补充,在整个邮政通信网络中起着不可或缺的作用。邮电分营以后,汽车邮路相对稳定,致使自行车邮路亦无很大变化,特别是自办汽车邮路贯通后,汽车直接抵所交换邮件,便利农村所接发邮件人员。至2008年年末,除彭湾、余家、耳口、冷水4所距客运汽车站稍有些路程但均不足1千米外,自行车邮路仅剩双圳至文坊、西汪至嘴上2条,单程总长13千米。

市内转趟

1991年时,县局接发火车邮件、委办汽车邮件均利用三轮摩托车搞市内转趟运送,而且柏里、滨江、大岩3所以及江西铜业公司、贵溪冶炼厂、贵溪化肥厂3单位的邮件报刊也由市内转趟三轮摩托车完成。

1994年7月,开辟自办汽车邮路后,柏里所一度列入北乡片汽车邮路,不久仍交还市内转趟邮运,因修路等缘故,柏里所又有数次在北乡片邮路和市内转趟之间调整,但最终未脱离市内转趟范畴。

1995年年末,城区有市内转趟邮路4条,每天各1次,日均行程40千米。

1998年邮电分营后,市内转趟工具由摩托车换成汽车,每日市内转趟除运送上述3所、3单位邮件报刊外,还增加接送铜技校所邮件报刊的任务,直至2004年11月,铜技校所撤销,2006年4月柏里所撤销,市内转趟邮路才稳定至今。

投递路线

城市投递　20世纪90年代初,除柏里、滨江、大岩、铜技校4个城区所各有路线投递周边单位、住户外,县局投递班担负城内14平方千米、6000多户、7万多人口的邮件投递任务,设有城市段道5条,单程长度56.5千米,逐日投递。

1991年,城市投递段道共投递给据邮件40474件、平常函件378870件、报刊1236335份,报刊流转额达40.5万元,占全局流转额的33.3%。

1992年,投递段道拆分增至9条,日均投递点937个。

1995年,城区内设信箱信筒28个,开取邮件邮路21千米,每天1次,日均行程35千米。

2005年5月,省邮政局决定进一步加强邮政投递网建设,提升服务水平,增强投递能力。该年,城市投递段道进一步细划,扩充到14条。

2008年3月,省邮政公司部署邮政投递网建设达标工作,要求各市县局确保投递网络建设年内全面达标,年末,城市投递段道保持在14条,单程总长408千米,逐日班。

农村投递 1991年年初,贵溪农村投递路线29条,农村各所本埠投递路线11条,单程总长1164公里。

1995年12月,罗塘所撤销,贵溪—罗塘—西溪坝自行车邮路改为投递路线,该年末,全县农村投递人员25名,投递路线扩展到35条、投递点达807个,单程长度1679.2千米,均为自行车班。至此,所有乡镇驻地均为逐日班,全县223个行政村邮件投递周六班的89个,周三班的125个,周二班的9个。

1999年,局投递班仍保留4条农村投递路线:贵溪—雷溪—西溪坝、贵溪—流口—盛源、贵溪—黄坑—岭上、贵溪—潜岭,担负城区附近4个乡镇、27个村委会投递任务。

2008年,贵溪共有农村投递人员24人,除当地外的农村投递路线30条,单程总长1480.6千米,均为自行车班,全市191个行政村全部通邮。

2008年度,贵溪全市共投递国内平常函件1022643件、给据函件69725件、邮送广告406730件,国际平常函件228件、给据函件115件;投递国内包裹23822件、国际包裹6件;投递国内特快专递60222件、国际特快专递135件;投递机要邮件1629件,报纸6243580份、杂志206049份,各类通知单6965件。贵溪邮政投递网络通过严格要求和强化管理,服务形象、服务质量不断提升。据2008年末统计,邮政服务用户(信筒、信箱设置)满意度达到88分,挂号信函、特快专递全程传递准时率达95%以上,快递包裹、畅销报刊局内传递准时率达95%以上,一体化物流业务准时送达率95%以上,中邮快货业务及时配送率达到80%。

第四节 邮政业务

函件

1991年12月,首次发行贺年(有奖)明信片。次年起,作为函件一项常规业务,每年延续发行。

1992年7月,国内函件航空费,每10克或其零数由0.05元调整为0.10元。同年12月11日,根据省物价局、省邮电管理局通知,恢复收取邮政附加费:给据邮件每件0.15元(党政机要、特快、快件不收),作为邮政建设专用基金,由省局集中使用,至1995年该附加费停止收取。

转变经营理念,由被动的"等客上门"转为主动的"寻觅业务",采取上门收寄、协同封装等便民措施,大力发展广告信函,1992年贵溪局广告信函出口量激增;次年又上升32%,达到17.7万件。

1993年6月,开办寄往台湾省的水陆路、航空挂号函件业务。

1995年7月,开办邮政礼仪信函业务,包括敬师卡、生日卡、婚庆卡、致哀卡、邀请卡5种。11月,根据邮电部规定,将国内邮件回执业务扩大到单位交寄的挂号信函,新开办邮政回音卡业务,恢复国内邮简业务,最高保价限额由1万元提高到5万元、保价费率不变,同时废止信函资费优惠下浮的规定。该年,添置BKZQ－Ⅲ型台式平信捆扎器1台,投资28万元为窗口配置整套计算机系统基本实现营业电子化。全年出口国内函件3417806件(其中计费3207754件)、国际函件22007件,进口函件323.7万件,人均发函6.5件、收函6.1件,实现函件业务收入550239元。

1998年2月,贵溪局邮政广告部成立,利用邮政网络优势,集编辑、发行、投递为一体经营邮送广告业务。3 月 29 日由市长邓绍聪题写刊名的首期《邮送广告》正式出版,发送 1300 份。

新 GB/T 1416—2003 标准信封于 2005 年 6 月 1 日起正式启用。

2006 年,遵照省邮政局部署,贵溪局组织开展“函件业务发展年”系列活动卓有成效,函件业务量收名列全省前茅,在全省县级局业务发展排名中前移 4 位、进入前 10 名。

邮政生日贺卡,自 2007 年 5 月起正式发行销售。是月,贵溪邮政启动组织机构库名址数据专项维护工作。该年,全局函件业务收入 185.67 万元、列全省县局第 8 位,其中无名址函件收入 56.3 万元,账单收入 21.32 万元,商业信函收入 30.17 万元,邮资封收入 12.43 万元,邮资广告明信片收入 1.49 万元,企业金卡收入 50.46 万元。中邮广告大项目营销名列全省县局第三位。

2008 年,贵溪局共收寄函件 1439918 件,投递函件 1506406 件,人均发函 2.65 件、收函 2.77 件;函件业务收入 251.05 万元,其中无名址函件收入 26.99 万元,账单收入 9 万元,商业信函收入 61.27 万元,户外媒体广告收入 7.36 万元,邮资封片和企业金卡收入 129.08 万元,窗口贴票收入 8.56 万元。

包裹

1991 年,贵溪局开办的国内包裹业务分为民用包裹、纸制品包裹和商品包裹(包括大件商品包裹)。民用包裹准寄非经营性的个人零星物品,超民用包裹规格标准或内装经营性物品的作为商品包裹交寄,资费在民用包裹基础上加收 50%。无论民包、商包均一律按保价邮件收寄,不再区分甲类保价包裹和乙类保价包裹,保价费按保价额的 1% 核收。而原须按甲类保价包裹收寄的手表怀表、金银饰品等 4 类物品及价值 300 元以上的,仍按原甲类保价包裹的手续作特殊处理,称“贵重包裹”。当年 6 月,遵照邮电部通知,商包资费试行临时下浮。当年,共收寄包裹 30491 件,其中商包 18409 件,收入 205076 元。

1995 年 11 月,保价包裹最高价值限额由 1 万元提高到 5 万元,贵重包裹最低价值限额由 300 元提高到 1000 元。贵溪全年出口包件 14335 件、收入 14.68 万元,占邮政收入的 4.12%。

作为包裹类延伸业务,1996 年试办直递包裹即点对点运输,逐步建立代客填单、封装等一条龙服务。之后,该业务发展为货运,演变成物流业务。

2000 年 10 月,全国县以上城市在城区实行包裹免费投递到户,贵溪局亦切实执行,妥投率保持 90% 以上,受到用户好评。12 月,新版《国内邮件处理规则》颁布实施,包裹不再区分民包、商包、纸包,重新归纳为包裹、直递包裹两类,直递包裹指装入带有邮政标志的封装容器,实行直收、直运、直投处理方式的批量包裹。同时取消“贵重包裹”,明确包裹可作保价邮件交寄,保价额以 10 万元为上限(直递包裹保价额无上限),保价费按保价额的 1%(直递包裹为 0.5%)收取,每件最低收取 1 元。

2001 年 8 月,开办快递包裹业务,有效压缩了包裹寄递时限。全年包裹收入 66.21 万元,较上年增长 124.75%。

2006 年 11 月,以合作形式开办“江西省一台湾省的海峡快包业务”,即“海峡快包”。该业务是普通国际包裹业务产品,可通达台湾全省,全程收投时限在 4~6 日,贵溪用户可通过上网和 11185 服务热线进行业务查询。

2008 年 1 月,推出“家乡包裹”业务,该业务是邮政立足地方经济,结合自身资源优势,通过与名、优、土、特、新产品厂家合作,由厂家提供产品,邮政设计独具特色的专用包装箱,对土特产品进行组合并置专柜展示销售,客户购买这种土特产品套装予以免费收寄、客户自带土特产品予以优惠寄递的一种新型服务,满足人际交往间的特殊需求。“家乡包裹”比照快递包裹处理,实行投递到户服务。当年,全局共收寄国内包裹 8791 件,其中快递包裹 7114 件,收寄国际包裹 32 件,包裹收入 32.01 万元;投递国内包裹 23822 件,国际包裹 6 件。

邮政快件

出口邮政快件在有效邮运班次 2 小时前收寄的赶班发运,进口邮政快件在有效投递班次 2 小时前到局的赶班投递,由于寄递时限快捷而深受用户欢迎。1991 年,邮政快件执行的资费为:起重 100 克以内每 20 克或其零数 0.80 元,续重 101 克至 5000 克每 100 克或其零数加收 1.00 元。次年 7 月,两档资费分别上调为 1.00 元和 1.20 元。

1995 年,贵溪局出口邮政快件 138159 件。此后,由于通信手段增多,邮政快件业务不断萎缩,业务量逐年下降。1998 年 7 月,开办刚满 10 年的国内邮政快件业务停办。

2000 年 1 月,江西省邮政局决定在全省范围内开办省内邮政快件业务,一度也颇有起色,但终因特快专递业务的迅速发展,省内快件业务新设不足 1 年即行取消。

特快专递(EMS)

特快专递服务方式以上门揽收为主,窗口收寄为辅,信函、文件资料、物品均可作特快专递邮件交寄。物品类邮件限重 20 公斤,整体不可分的物品可放宽到 25 公斤。除纺织品及细小物品外,一律装入纸质包装箱、盒内交寄。信函类邮件使用专用标准信封封装。其资费为:起重 200 克以内 12 元、续重每 200 克或其零数加收 3 元;若保价,则按保价额收取保价费。特快专递邮件的分拣封发严格按处理频次和传递时限执行,以最大限度缩短局内处理时间为原则。

1993 年 8 月 10 日,贵溪局开办国内邮政特快专递业务。当月 23 日,自筹部分资金加省局补贴购置俄罗斯生产"伊日一莫斯科人"牌后厢式小汽车 1 辆到局,专用于特快专递。当年 8—12 月,贵溪局特快专递共进口 1138 件,出口 835 件,业务收入 10020 元。

贵溪局特快专递业务在 1994 年内进一步走上正轨,定编专职 2 人,配备 BP 机、传真机和收寄专用电话,加之广泛宣传、上门营销,从软件、硬件两方面来奠定业务发展、市场拓展。此年共收寄国内特快专递 3284 件、国际特快专递 83 件,业务收入 41408 元。

1995 年 3 月,贵溪局成立速递公司,专门经营特快专递业务,人员增为经理、业务揽收员、营业员、投递员、汽车驾驶员 5 人,原配的特快专递小汽车亦换为昌河面包车,并添置两轮摩托车 1 辆。本年度,贵溪分别出口国内、国际特快专递 8796 件、120 件,业务收入 121046 元。

1996 年,开通特快专递跟踪查询系统。次年,开通"185"特服号,开办特快送新娘、鲜花、蛋糕、礼品和入学通知书、税单等业务,全年特快业务收入达到 26.7 万元。

1999 年 8 月,全省邮政速递开办省内特快汇款业务。同年 10 月,自筹资金 50%、省局补贴 50% 购置"桑塔纳 2000"轿车 1 辆用于特快礼仪。

2000 年 7 月,经省物价局批准的江西省邮政礼仪及同城特快收费标准试行 1 年后正式颁布执行。该年,由于注重情感营销,大力发展生日礼仪和开拓庆典市场,速递业务收入激增至 40.77 万元。

2001 年 3 月,开办特快专递公民护照证件业务。4 月,为方便农村用户领取汇款,特快送汇业务在贵溪农村全面铺开。7 月,中国邮政全面加快特快专递邮件的传递速度,速递业务收入跃上一大步,全年共 63.73 元。

2004 年 2 月,全省邮政在县以上城市(含县城)开办国内航空货运代理业务。同时,正式开办特快专递寄递居民身份证业务,省公安厅户政处与省邮政速递局联合下文规定邮资标准和寄递时限,要求遵循自愿原则,不得强迫使用该业务。6 月,省邮政局与南昌铁路局签订《代销售客票合作协议》,在全省范围开办"邮政 11185—EMS 火车票预订寄递服务",用户只要拨打"11185"服务电话或到全省各邮政网点预订火车客票,邮政即可通过特快专递方式,将火车票送达订票人或由订票人定点取票。7 月,速递专业实行专业化经营和模拟公司化运作,按照"任务全区化、考核公司化、政策统一化、营销一体化"思路逐步建立起省市县一体化速递专业经营体系。11 月,推出"江西省内 EMS 限时递——次晨达业务",承诺"限时未达、原银奉还"。

2005 年 1 月,开办"法院法律文书专递"业务。4 月,推出"赣港快件"业务,将速递限时递服务延伸到港澳地区。同时,增加"次晨达"邮件邮资总付业务。6 月,完成速递计算机系统统版 3.0 改造,完善硬件设施。

2006 年 2 月,电子化支局速递大客户揽收系统上线。8 月,向社会推出 EMS"优＋"服务,提升形象。9 月,省局与中国人民银行南昌中心支行签署银行票据速递业务合作协议,标志邮政与金融机构在银行票据速递业务上的全面合作正式启动。

2007 年 2 月起,特快专递邮件全面大提速:一是 11 个设区市和部分县(市)城区之间当日互寄的 100% 实现"次晨达",即邮件于次日上午 12 时前妥投到收件人。二是省内 90% 寄达县城的邮件实现"次日递",即邮件于次日下午 18 时前要妥投到收件人。三是当日出口省际的 EMS 邮件"次日递"率提高20%。四是全省当日收寄的国际EMS邮件实现70%以上次日出境;省内EMS按“限时未达、原银奉还”标准进行各环节时限考核。4月,速递专业体制改革,省邮政公司对省、市、县三级速递部门实行专业化垂直管理,自此速递专业开始实体经营、自负盈亏。当年,省速递局分别推出省内经济快件、“e邮宝”两项新业务。贵溪局全年完成特快业务收入165.08万元,列全省县局第6位。

2008年,与交警合作开发“驾驶人服务中心”代办交通违章处罚、代办驾驶证和车辆年检、代办机动车保险等业务。9月,为加强代收货款业务的管理,贵溪局下达专文对代收货款的邮件投递、货款上缴等作出细致规范。全年共收寄国内异地信函型特快21016件、物品型特快4424件。国内同城信函型特快857件,物品型特快1119件。国际信函型特快62件,物品型特快55件。代收货款5183笔,3162245元,完成特快业务收入170.39万元,当初开办时的170倍。投递国内特快60222件、国际特快135件。

第五节 报刊发行与集邮

报刊发行

1991年,全县订报刊3000余种,报纸发行累计数6137844份,杂志发行累计数483595份,报刊流转额1231173元,报刊发行业务收入289968元。

1993年,制定乡邮员联产计酬考评办法,把生产奖、目标奖、出班津贴捆在一起,设邮路里程、报刊流转额、投递质量、出勤率等指标,按季度进行考核,拉开收入档次,打破“大锅饭”,调动乡邮员收订报刊、投递报刊的积极性;同年使用微机处理业务,9月与省报刊发行局实现联网,简化处理手续,缩短要素时间、提高生产效率。

1994年,县局出台《报刊收订投递奖罚措施》,积极依靠各级党委和宣传部门支持,深入开展宣传和催订、劝订工作,年末报刊流转额达到174.1万元,较1993年增长27.62%。

1995年,对报刊分发工作实行承包责任制、计件工资制,并制定严格的报刊分发管理办法,调动积极性,显著提高报刊分发准确率,赢得订户信赖。全年订报纸531种、杂志1936种。报纸期发数13979份,累计6367161份。杂志期发数23704份,累计数337206份。全县每百人订有报刊7.39份,223个村委会全部订有报刊。年末,共完成报刊流转额201.83万元,报刊发行业务收入52万元。

针对机关、企业事业单位不断压缩报刊订阅费用的情况,1997年,贵溪局及时调整报刊业务结构,坚持发投合一,开展上门揽收,抓好窗口续订、破订和零售工作,报刊发行业务收入达76万元。

1998年5月,新辟音像租赁业务,先后在贵冶生活区、火车站、老饭店等5处开设VCD光碟和录像带租赁业务代办点,丰富市民业余生活。

1999年,对投递员实行段道绩效考核,将揽收流转额计划、包销报刊任务落实到人。筹建第二投递队伍,为电厂、化肥厂生活区用户提供专门服务。响应省局“今天订报、明天看报”“订到哪里、送到哪里”的号召,搞好窗口破订工作,并开展自费订阅报刊送信报箱活动,进一步拓展市场。原有的一个报刊零售门市部已不能满足社会需求,9月新购报刊零售亭3个,分别设置在闹区,以带款要数、承包经营方式相继对外营业。2000年,又添置报刊零售亭2个,极大地方便用户购买报刊。

2001年7月,省局与新华书店合作,在全省范围内开展图书销售、图书配送业务,贵溪局旋即在各报刊零售网点上架售书。

2002年4月,江西邮政获全省音像制品经营许可证,采取全省直营连锁经营的方式,由报刊发行局图书音像部为江西邮政音像连锁的总部,各市县局在总部的统一管理下,按照相关要求自动成为连锁店。次年6月,又取得出版物发行许可证。至此,江西邮政图书、音像经营两证齐全,资质齐备。

2005年,又增设报刊零售亭2个。2006年,规范报刊零售业务和网点管理,同时注重市场营销,在图书和挂台历销售方面狠下功夫,使该年度报刊零售业务收入突破30万元。

在积极配合各级党委和宣传部门抓好党报党刊发行工作的同时,贵溪局致力于畅销报刊,特别是教辅类报刊的征订,落实任务,开拓市场,完善考核激励机制,综合治理报刊短缺问题,狠抓续订破订工作和自费订阅,2007年报刊破续订流转额完成40.6万元,全年实现报刊订阅收入111.77万元、零售收入

24.73万元。自2007年起,报刊零售业务实行省市县垂直管理。

2008年度,贵溪报纸期发数24826份、累计数5581737份。杂志期发数9684份、累计数151404份。报刊流转额达到451.38万元,完成发行业务订阅收入120.04万元、零售收入17.92万元。加上集订分送因素,全市共投递报纸6243580份,杂志206049份。

集邮

邮资票品业务除营业窗口售票外,集中体现在集邮方面,而集邮是以收集、欣赏和讲究以邮票、邮品为主要内容的一项高尚、文明的群众性文化活动。1991年,贵溪县集邮门市部设专职营业员2人,经营的邮票有新套票、盖销票,邮品有首日封、纪念封、邮折、邮资封、邮资片、美术明信片、极限明信片、纪念章、生肖铜币、生肖瓷盘等。集邮用品有邮票图谱、邮票目录、集邮册、放大镜等。全年集邮业务收入17.15万元,是1985年收入的18.75倍。集邮协会活动也十分红火,当年1月成立的贵溪冶炼厂集邮协会有会员100余名(其中40多人为全国集邮协会会员),每人均订阅《中国集邮报》,并创办会刊《贵冶邮讯》。

1992年,积极举办集邮活动,完善邮协组织,大力拓展集邮业务,开发集邮市场。6月,召开县集邮协会第二次代表大会时,会员数由几十人发展到231人,集邮爱好者由200余人发展到2000余人。当年集邮业务收入为27.11万元。1993年,集邮业务收入更上一层楼,达到43万元。

1994年3月,贵溪县集邮公司成立,有专门的经营管理机构后,集邮业务发展势头迅猛,年业务收入增至78万元。

1995年1月,县邮协二届三次理事会议披露:全县拥有邮协会员近4000人,基层组织8个,集邮爱好者近万人。是年,集邮公司调整经营策略和运作模式。会同县邮协开展“集邮文化月”活动,举办集邮展览,普及集邮知识。12月,贵溪县第三次集邮展览吸引包括时任江西省军区副司令员仲清少将在内的数千名参观者。增设集邮网点,方便集邮爱好者。同时,加强与省、市集邮公司和兄弟县、市集邮公司联系,在老票上挖潜力,在邮品上做文章,繁荣销售品种,使业务取得长足进步。当年,集邮业务收入103万元,实现利润55万元。

1997年,抓住香港回归契机,及时组织票品投放市场,满足各层次用户需求。贵溪撤县设市后市集邮协会首次代表大会召开,并产生出第一届理事会和常务理事会,又一次举办集邮展览会,第一次组织邮品拍卖会,参与竞拍邮品100余项,成交金额4万余元。全年集邮业务收入291.6万元。

1999年,进一步转变经营理念,培育市场,引导消费,在保证预订户供票的同时,代销、寄售等多种方式并用搞好销售。抓住万国邮联大会、建国50周年、澳门回归、世纪交替等时机,加强横向联系,调剂票品互补余缺,丰富经营内容,全年完成集邮收入297.13万元。

2000年5月,《集邮市场管理办法》发布并实施,当月,遵照国家邮政局要求,在南昌集中销毁部分通信邮资票品和1992—1999年部分纪特邮票。同年,贵溪局在邮品销售上狠下功夫,大力营销龙虎山邮册、年票册,集邮业务收入完成346.99万元。

2002年4—6月,国家邮政局在北京集中销毁旧版普通邮票;为实现集邮业务稳步、健康发展,贵溪局认真执行国家局、省局关于邮资票品方面的一系列政策,规范经营行为,调整邮政业务收入结构,不断下降集邮业务收入在邮政业务总收入中的比重,为邮政业务良性发展和稳步创收打下坚实基础。

2003年,继续规范邮资票品管理工作,由市对县集邮票品进行集中管理,强化对邮资票品的监督检查,贵溪局撤销集邮库房。次年4月,国家邮政局紧急通知封存1992—2001年纪特邮票、年册,6月全部押缴北京,集中销毁。11月,在全国范围内又一次开展邮资票品管理综合治理工作,严禁集邮票品卖大户、低面值销售,新邮预订采用计算机系统进行,杜绝预订大户。

连续几年的整顿市场,规范经营,狠抓集邮业务收入的水分,逐步调低集邮业务收入在邮政总收入中的比重。2006年,贵溪局利用撤县建市10周年题材,在个性化邮票、形象年册方面,拓展市场,发展业务,全年集邮业务收入71.1万元。

依托集邮协会,广泛开展集邮知识竞赛、演讲、展览等活动,稳定集邮爱好者队伍,培育集邮市场,注重上门营销,积极开发特色邮品,2007年完成集邮业务收入96.37万元,名列全省县局第8位。

2008年，抓住“北京奥运会”契机，积极销售“大全册”等相关系列邮品，致力大项目营销，开发罗河工业园区招商引资邮册、贵溪城管局成立纪念册、贵溪形象年册和魅力贵溪个性化邮票、流口新农村个性化邮票等等，繁荣贵溪集邮市场，全年销售通信邮票85663枚、集邮邮票43497枚、集邮品916册，完成集邮业务收入102.89万元。

第六节 电子商务和代理业务

2002年5月，安装代收固定话费系统中心服务器，启动代收移动、联通话费业务，开创代理业务先河。翌年，贵溪局与移动公司合作共建沿河路营业厅，全面开办手机放号、销售电话卡、代收话费等业务。

2004年，加强科技创新，注重硬件设施建设，开发城市综合服务平台，实现电子化邮政营业网点办理代收代付中间业务功能，拓宽业务受理渠道。

2006年，进一步做大代理电信业务，以代收费、代放号、代售卡为重点，不断扩大业务范围，塑造“缴费一站通”品牌，实现放号4000多户、代收费300余万元。当年，邮政短信业务正式开通，第一期开办4类19项，以储蓄包月短信为重点，发展信息增值业务，开拓票务市场、培育电子商务业务。全年，完成电子商务和代理业务收入16.62万元。次年，在进一步开拓市场、规范管理之下，该业务收入达到27.93元。

2008年，本着“加快发展速度、快速提升品牌，做大规模，实现江西邮政电子商务跨跃式发展”理念，相继开办代销即开型体育彩票，实时销售航空客票和初期销售“江西邮政健康之路服务卡”、“E邮网邮游棋牌游戏充值卡”系列产品。所有电子化邮政支局所全面开办包括代收通信费、税费的代收费业务，并逐步向代收水、电费等领域拓展。全年，代理电信、移动、联通放号4700余户，完成邮储短信近8万条，实现电子商务和代理业务收入40.94万元。

第七节 邮政物流

1996年，贵溪局试办点对点直递业务；次年，购置东风大货车1辆并配备司机2人，专门开展该业务。

邮政、电信分营后，邮政业以减亏为目的，深化改革、强化管理，充分利用遍布城乡、点多面广、全程全网的网络优势和服务社会、连接百姓的特点，积极寻觅市场、开拓业务。物流是邮政着力发展的一项新型业务，随着时间的推移，它不断发展、自成体系，逐步形成包括货运代理、同城（区域）配送、一体化物流、农资分销和邮购等一系列子项业务。货运代理是邮政通过联合各航空公司、铁路、海运港口和国际航空、海运货代公司等社会运输企业、知名物流企业实现提供货运代理和地面配送服务，并可延伸到代客报关等业务。同城（区域）配送是依托邮政投递网络及省内区域网络资源，在同城或区域内开展的商品配送，既包括百姓的日用商品，也包括批发商到零售店的商品配送。一体化物流是邮政以企业供应链管理和客户物流系统的整体策划、设计为重点，向客户提供全方位物流服务，包括仓储管理、运输、装卸、搬运、流通加工、信息加工和反馈、代收货款、专业咨询等。

1999年，新开发邮政邮购业务，相继在塘湾、塔桥自有店面和冶炼厂生活区租赁店面开办邮购商场，销售商品大多为生活、文具用品，并采取印发商品目录、上门推销送货等方式扩大邮政邮购业务范围。

2000年，贵溪局商函特快中心拆分成商函邮购中心和特快礼仪中心，物流邮购业务明确主管部门。同年，开发同城配送业务，启动配送“爽爽牌”纯净水。

遵照国家邮政局印发的《关于邮政发展物流的指导意见》和国家局转发的《江西省邮政邮购业务发展指导意见》，贵溪局充分认识到发展物流是邮政增强活力、实现良性循环的重要举措。2001年内，一方面致力发展节假日商品促销、团购营销繁荣邮购超市；另一方面开拓英雄牌鲜奶配送、种子分销等新型业务和海尔电器配送服务。

2003 年,成立物流邮购中心,专事物流邮购业务的管理;3 月,召开农资推介会,全体管理人员、农村邮政所长和农资代办点负责人参加,正邦公司等农资生产企业派员前来介绍产品。2004 年 5 月,省邮政局、省邮政物流局领导深入贵溪塘湾实地调研农资分销市场,并带来江西省邮政艺术团献上一台宣传邮政服务三农的文艺演出,推动农资分销业务迅速发展壮大。

2005 年,根据省物流邮购局与省种子公司达成的合作协议,种子邮购业务"从大而全向少而精,从数量型向质量效益型方向转变",同时,落实《江西省邮政农资分销配送服务连锁管理办法》,对农资分销配送服务的组织管理作出规范。至年末,贵溪邮政服务三农设农资代办点 160 个,其中精品网点 60 个。2006 年,继续在服务三农方面狠下功夫,全年完成农资分销收入近 70 万元,化肥冬储达 40 余吨。

2007 年 4 月,物流专业开始实体化经营运行体制改革,由省公司对省、市、县三级物流部门进行专业化垂直管理。年内,深入市场、积极开发,罗河工业园区 7 家企业加入使用邮政一体化物流行列,令该业务有了长足发展,实现收入 36.9 万元。扩大宣传、增加揽收网点,促进中邮快货业务创收 15 万多元。召开农资批销会,踊跃营销,现场完成销售额 16.7 万元,全年累计完成农资分销收入 58.3 万元,销售化肥 429 吨。

2008 年,全年完成物流业务收入 139.3 万元,其中一体化物流 57.09 万元、中邮快货 29.01 万元、分销与邮购 53.18 万元。一体化物流业务准时送达率 95% 以上,中邮快货业务及时配送率为 80%。

第三章 通 信

第一节 电 信

1996 年 10 月 16 日,贵溪撤县建市,贵溪县邮电局改名贵溪市邮电局。

1998 年,贵溪市电信局正式挂牌成立。

电报

电报业务 1991 年 7 月 1 日,安装真迹传真业务设备,开始办理公众真迹传真业务。公众真迹传真业务,是邮电局将发报人员交发的相片、图表、合同、文件、报纸和一般图文等,利用传真设备按照原样传送到国内外收报地点,投送给收报人的一种电报业务。同年,增办请柬电报业务。

1994 年 4 月 1 日,开通气象警报通信网。

1995 年年末,贵溪局办理的公众电报业务种类有:天气、水情、政务、新闻、普通、汇款、公电;特别业务有:特级、加急、邮送。全县开办电报业务的除县局外,还有 21 个邮电所。

1995 年以后,随着程控电话的开通,电报业务急剧萎缩。2000 年,撤销报房。窗口受理的电报业务报鹰潭处理。

2008 年年底,每月受理电报业务仅几十份。

电路 1991 年初,贵溪—鹰潭开通 BZS02A 型 22 路时分载报设备,开放数字载报电路,同时停开贵溪—上饶载报电路,并撤销 ZB - 319 频分载报设备。

1995 年末,贵溪有线电报业务电路共有 22 路:贵溪—鹰潭—南昌电传自动转接电报电路 1 路,为载波电报电路报房至县气象局同城实线(电缆)话传电路 1 路,县局至农村分支机构话传电路 19 路。

2008 年年末,没有电路。

设备 1991 年,主要设备有:通达上饶的 ZB - 319A 型 16 路音频载报机,其中实占 5 路;通达鹰潭的 BZS0A 型号 22 路时分复用载报设备 1 台;电传打字机 4 台;15 瓦收发信机 2 台。

1995 年,公众电报收发设备有:广州产 BHC83 型汉字电传机 2 台;中英文打字机 4 台;上报电报电路传输设备有:BZS02A 型 22 路时分载报设备 1 套。

2008 年年末,无电报设备。

电话

1989年10月28日24时，贵溪县局DMS－100型1500门程控电话正式割接开通。1996年，电话用户13284户。

2008年年年末，贵溪局交换机容量9.56万户。用户数8.64万户，其中，农村用户2.31万户，市话用户6.33万户。

长途电话业务：1991年，数字程控电话开通后，设有“113”人工台办理国内人工长话业务（“173”立即接续台设立于鹰潭市局）；同时，开办国内、国际长途自动直拨业务。

1995年末，开办的长途电话业务有：人工电话：业务种类分为代号、紧急调度、政务、普通和公务业务4类；自动电话：国内、国际长途自动电话；“200业务”；磁卡电话。

电路　1991年10月微波电路开通后，贵溪局长途直拨全部放开。1995年年末，贵溪局公用网中原有的人工话路全部停开，原在载波设备上开放的无线寻呼网电路2路，出租专用电路2路，载报电路1路，会议电话电路1路，均该在本地网光缆传输设备上开放。至此，光电端机全面代替载波设备。

2008年电路到达数155条。

设备　1991年年初，有JZ－3CC型3路晶体管载话终端机1端，实占1路；JZ－12B型12路晶体管载话终端机1端，；ZJ12－VIII型12路晶体管载话终端机1端，实占7路。

1994年3月7日，DMS－10扩容2340门时，电源设备增加北电公司生产的整流器和逆变器各1台。1995年实施万门程控换型扩容工程时，对全部电力设备进行更新扩容，新装康明斯200千瓦柴油发电机组2台、DPJ17－380/400交流配电屏2台，SAIT－400PC整流器3台架，YGM－800安时免维护蓄电池（－24伏）2组，YGM－3000安时免维护蓄电池（－48伏）2组，DP013II（－24伏）/200直流配电屏1台，DZ603（－24伏）/120整流器2台，DND10（－48伏）200/5千伏安逆变器2台。

1995年年末，长途台保留共电交换机2台，总容量230门；载波室共有ZJ－12VIII、JZ－3CC晶体管载话终端机各1端，容量15路。

市内电话业务　1991年之前程控电话开通后，开办复用设备业务和一系列程控市话服务新项目。1992年，市话用户达1413户。1994年，县局增办租用管道业务。

公用电话业务　1992年，县城开办公用电话代办点11个。1994年，为进一步解决居民打电话难的问题，在县城各街道增设公用电话34部，磁卡电话5部。1995年，县城共有公用电话96部。2008年，全市共有公用电话3940部。

1995年，开办的市话业务有：普通电话，电话副机及附件，电话查号，移机改名过户，代办工程，200电话卡，用户交换机、集团电话及互通机，中继线，专线，临时电话及专线，公用电话，无绳电话，复用设备，租杆挂线，租用管道，代维设备，程控各项新服务项目（共11项）。特种电话业务有：盗警（110），市内障碍申告（112），人工长途挂号（113），市内号码查询（114），报时（117），火警（119），交通事故报警（122），音乐（123），无线人工寻呼（126），无线自动寻呼（127），无线汉字寻呼（128），人工信息服务（160），声讯信息服务（168），电话费自动查询（3771580）。

1995年末，市话用户达5288户，其中住宅电话3988户。

2008年，全市电话市话用户81645户。

线路

1991年初，市话水泥杆路总长11.53杆千米；电缆总长20.05皮长千米，其中地下电缆3.5皮长公里，光缆21.81皮长千米（贵溪—鹰潭）；实际使用的长市中继线258对，其中接续用224对；用户交换机中继线122对；用户线对数2420对，其中实占756对。PCM端机240路。

1993年，配合市话扩容，埋设管道5.979管程千米、61.9管孔千米；电缆长度增为38.011皮长公里，杆路13.08杆千米，出局线6000对。

1994年2月底，全面完成第一期市话扩容管线工程，共铺设电缆管道7.547管程千米，75.551管孔千米，新敷设电缆16.843皮长千米，其中管道电缆11.489皮长千米、架空电缆5.354皮长千米，安装400对交接箱3个、300对交接箱1个、200对交接箱2个、50对分线箱36个，电缆接头共计64个，其中

800 对 23 个。年末，出局用户线 6040 对，其中实占 2806 对。

1995 年，实施局用万门程控交换机换型的管线工程，共敷设 2 孔塑料管道 1.02 管程千米，出局管道电缆 1000 对 7 条、1200 对 1 条、800 对 1 条，计 9000 线对，敷设电缆 19.8 皮长千米，架设架空电缆 7.5 皮长千米，立杆 17 跟，做拉线 33 条，并安装交接箱 18 个、分线箱 61 个。年末，市话杆路总长 13.58 杆千米，均为水泥杆路；电缆总长 68.308 皮长千米，其中架空电缆 34.472 皮长千米，管道电缆 33.836 皮长千米，直埋光缆 21.81 皮长千米（贵溪—鹰潭）；管道总长 8.567 管程千米，其中水泥管道 7.547 管程千米，塑料管道 1.02 管程千米，合计 63.941 管孔千米。出局用户线 15000 对，其中实占 5067 对。长市中继电路 600 路（数字电路），本地电话中继电路 600 路（数字电路），用户交换机中继电路 272 路，其中 DID 入网中继电路 146 路，数字电路 120 路。

设备　1991 年年初，市话程控交换机总容量为 1500 门，实占容量为 731 门，用户交换机容量 2738 门（其中自动 2238 门）；话机总数 2711 部，其中接入邮电局交换机的话机 596 部（其中自动 588 部），接入用户交换机的话机 2115 部（其中自动 1911 部）。城市电话普及为每百人 3 部。

1993 年，县局购置计算机册报系统，提高了电话计费的准确性，1994 年 4 月，开通电话费自动查询系统，用户不需到县局册报室查询，在家里就可查到当月应缴的电话费，不仅方便用户，而且节省社会劳力。

1994 年 10 月，安装查号微机 1 台，开办“114”台电话号码查询业务。1995 年 6 月，更换设备，与鹰潭、余江“114 台”联网。

程控电话开通时，鹰潭市局局号为 22，贵溪县局局号为 77。

1991 年 6 月，江西铜业公司 2000 门程控交换机安装工程竣工，经省局批准，视同邮电局进入公用网，与市县局实行等位拨号，市局配给 2 个市话千号群。

1994 年 10 月，贵溪发电厂对原纵横制通信网络进行改造，新装 1 套美国哈里斯 HARRIS20 – 20LH 程控数字交换机，纳入市话网，实行等位拨号，配给 1 个市话千位号群。

1994 年 9 月底起，根据省局电信处（1994）电字第 194 号文通知，在为用户新装电话时，一律配置双音频电话机，对已在网上使用的脉冲话机逐步淘汰，更换双音频话机，以适应多种新业务的使用。

1994 年 3 月 7 日，由 1500 门再扩容 2340 门的 DMS – 10 型程控交换机割接开通，同时停用 JSN – 1000 型 600 门交换机，总容量净增 1740 门，达到 3840 门，实占 1839 门；数字中继由原来 8 个 2M 系统（240 路）扩充至 40 个 2M 系统（1200 路），实占 480 路。年末，局用交换机实占容量达 2787 门，话机 2591 部；用户交换机总容量 4836 门（程控 3886 门），话机 3465 部。

1995 年，自筹资金，投资 2200 多万元，实施局用万门程控交换机换型工程。自 9 月初开始，依靠自身技术力量，奋战 36 昼夜，安装加拿大北方电讯公司产 DMS – 100/200 型 9600 门长市合一数字时分程控交换机，于 10 月 7 日零时割接开通。

1995 年末，市话局用程控交换机容量 9600 门，其中实占容量 5047 门；用户交换机接入市话网的有 18 处，总容量为 5744 门，其中自动 4616 门（程控 4216 门），接入用户交换机的话机 4542 部。城市电话普及率达 11.36 每百人部。局用数字终端复用设备容量 1920 路，实占 600 路。

农村电话业务　1995 年，面对基层组织和农户对电话需求迫切而资金不足的实际情况，在农村全面实行分期付款，批量装机，重新调整线路建设费标准，有效促进农村界外装机。年末，11 个农话端局交换机总容量 4496 门，实占 1331 门，接入话机 910 部，26 个乡镇政府全部通电话，215 个村委会中，有 22 个通电话，占 10.23%；农村个体户装机 585 部，公用电话 43 部，长途直拨有权用户 981 户。接入农话网的用户交换机 4 户（713 矿、265 队、冷水银矿、塔桥园艺场），总容量 402 门，分机 220 部。另外，河潭镇、西窑乡各有内部使用的磁石交换机 1 台，总容量 80 门，话机 15 部。农村电话普及率为每百人 06 部。全年通话 1373976 次（其中计费 12688489 次），收入 215.5 万元。地方国营业务总量 1949166 元（其中计费 1850618 元）。

线路设备　1991 年 3 月上旬开始，农村各电话交换机陆续进入县局程控网，全面实现市话、农话合台接续；县局的农话台同时撤销。至 10 月，实现农话半自动拨号的乡镇有 22 个。

1993年12月25日,塘湾农话端局414门程控电话割接开通,实现贵溪农村电话自动化"零"的突破。1994年5月。冷水端局建成投产。

1994年,贵溪县农村自动电话本地网建设工程全面铺开。当年3月25日晚,县长刘尧学主持召开由有关单位负责人出席的加快全县乡镇程控电话建设筹资会议,决定由县政府组织筹资100万元,其中乡镇自筹40万元,县直属有关部门筹集60万元,其余资金由县邮电局自行解决,必要时可申请贷款,以实现年底全县乡镇(场)全部开通程控电话。

同年,县局成立农村电话建设领导小组,集中全县机线人员组成3个线路施工队、1个设备安装队,冒酷暑、顶严寒,放弃工休假日,连续奋战,克服农村条件艰苦等种种困难,先后成立志光、文坊、余家、泗沥、周坊、新田6个端局的建设(上清、龙虎山端局由市局公话科帮建);安装开通塘湾一文坊12路载波机1套,县城一志光30路数字特高频1套,光端机6端,光中继机3端;架设4芯光缆16千米、2芯光缆40千米;架设电缆100皮长千米,新立水泥杆路46杆千米。

1994年12月27日,耗资750万元,总容量4496门的农话本地网工程全面完成,实现乡镇电话程控化。

至1995年年末,本地电话共有中继电路330路,用户交换机中继电路22路,电缆长度333.87皮长千米,其中光缆147.92千米。

第二节　通信与互联网

数据通信

随着计算机的普及和计算机技术的迅速发展,人们越来越需要共享计算机资源。为尽快占领这块市场,不断增强综合通信能力。1996年3月,第一期分组交换工程完成设备安装,分组交换端口25个,当年发展用户9个。

1998年11月,DDN贵溪节点安装工程也完成设备安装,端口达到13个,当年发展用户20个。

1999年5月,完成分组交换、DDN城域网工程并投产。同年6月,完成公用帧中继网工程设备安装,并完成CHINANET一期扩容工程设备安装。

2008年,数据通信用户14432户,其中。DDN用户124户,分组交换用户35户。

移动通信

机构　1999年6月15日,贵溪移动业务从原电信局分离,正式组建贵溪市移动通信公司。标志着贵溪的移动通信事业走上专业化经营的历史新阶段之路。

2001年1月16日,贵溪市移动通信公司更名为江西移动通信公司贵溪市营业部。

2002年7月22日,伴随省公司在境外整体上市,江西移动通信有限责任公司贵溪市分公司揭牌。

2005年3月在塘湾镇设立塘湾片区区域服务中心,在志光镇设立志光片区区域服务中心。到2008年,共设立6个片区区域服务中心:分别为塘湾片区区域服务中心、志光片区区域服务中心、罗河片区区域服务中心、周坊片区区域服务中心、城南片区区域服务中心和城北片区区域服务中心。

2008年5月,铁通公司并入移动公司,目前保持相对独立运营。

经营与服务　1994年开通运营模拟移动电话,当年发展用户67户。至1995年年末,共发展模拟移动电话用户218户。此后,业务发展迅速,特别是成立公司以来,以创一流企业为宗旨,狠抓经营与服务工作,取得长足发展。

在大力发展语音业务的同时,贵溪市分公司积极向数据业务、多媒体业务和第三代移动通信、宽带光缆传输、IP网业务方向发展,满足贵溪在信息化进程中,社会对数据通信量增长的需求。公司营销网络健全,移动特约代办点遍布全市,用户可在当地办理各种移动综合业务。服务方面:主要有营业网点服务(自办营业厅服务、合作营业厅服务、金融网点服务)、10086热线服务、客户经理服务和片区制服务;移动通信业务方面:截止到2008年底,主要分为话音业务、数据宽带业务、卡类业务、国际漫游业务和集团客户业务。

网络建设　1993 年,在贵溪电信楼新建第一个模拟(TACS)基站;1996 年,新建第一座 GSM 基站;截至 2009 年 6 月,贵溪市公司通过 13 期的基站建设,先后共建移动通信基站 160 座,直放站 10 座。网络在全市达到无缝隙覆盖、无盲区。

2004 年,全市第一个移动信息化示范乡(镇)在贵溪市文坊镇举行揭牌仪式。全市先后共建 7 个信息化建设示范乡镇。2006 年 4 月 10 日,全省第一个“三农信息化集散中心”在贵溪市志光镇挂牌成立。贵溪移动先后在志光、罗河等 5 个乡镇建立 5 个“三农信息化集散中心”;2006 年 11 月,塔桥园艺场被中国移动通信集团授予“中国移动农村信息化示范村”的称号。

联合通信

中国联通贵溪市分公司是中国联通的分支机构,是国际一流电信公司。贵溪分公司为局级建制,隶属于中国联通鹰潭分公司。

贵溪分公司坚持以客户为中心,不断优化服务渠道的培训管理、营业环境设施管理、客户挽留等工作流程,持续提高客户服务水平。开展“五心服务年”系列活动;公司整体服务能力和服务水平得到显著提升。通过营业员“多说一句话”,营业厅内张贴资费导购宣传,为客户提供最优惠的资费选择。把每周二设定为“店面经理接待日”,由店堂经理亲自解答客户有关业务、服务上的疑问,倾听客户对营业厅服务的建议。

互联网

1999 年 5 月,完成分组交换、DDN 城域网工程并投产。同年 6 月,完成公用帧中继网工程设备安装,并完成 CHINANET—期扩容工程设备安装。

2000 年 5 月,推出因特网 ISDN 新业务。同年 9 月,完成 DDN 乡镇延伸工程,丰富农村数据通信资源。同年,多媒体通信网的网络优化,实现 163 网 169 网的合群,原 169 网上使用的设备用于 IP 电话业务网。163 中继电路由原来的 256K 提速到 2M,大大提高上网速率。至 2000 年年底,全市数据通信用户 480 户。

2008 年贵溪电信分公司主动接应省公司转型战略,积极响应鹰潭市“城乡信息化建设”的号召,将企业转型融入综合信息化建设大潮中,贵溪市相继推出并签约电子政务、教育 IOA、平安乡镇、数字医院等信息业务。

第三节　政府网站

“中国贵溪”政府门户网站于 2000 年 11 月 1 日正式开通。

“中国贵溪”政府门户网站是市政府电子政务建设的重要组成部分,政府面向社会的窗口,公众与政府互动的渠道,对于促进政务公开、推进依法行政、接受公众监督、改进行政管理、全面履行政府职能具有重要意义,是市人民政府和政府各部门,以及各企事业单位在国际互联网上发布政务信息和提供在线服务的综合平台。

“中国贵溪”政府门户网站在历届政府网站的评估中一直名列前茅,先后获得 2008 年全省政府网站评比二等奖、鹰潭市政府网站评比一等奖。网站的英文域名为 www. guixi. gov. cn,网站的中文名称为“中国贵溪”。

为了更好地发挥政府网上服务的功能,2008 年 7 月 1 日,在继承和提升原有框架结构和优势资源的基础上,对网站进行全面改版。新版网站设计制作各类模板近 100 个,页面 1 万多张、栏目 200 余个。

“中国贵溪”政府门户网站架设在市政府大楼二楼信息中心核心机房内,由市政府办公室牵头并负责内容规划、组织和综合协调,市信息中心负责运行维护、网站更新和技术建设及保障,各部门共同进行内容保障。互联网出口带宽 100 米。

第四章　媒介宣传

第一节　对外宣传

大众宣传

2006 年 2 月 8 日晚，江西省两会新闻中心举行当年两会的首场新闻发布会，贵溪市政府应邀在会上作题为《坚持五动并举，奋力冲刺百强》的专题发言。2005 年，贵溪全市 GDP 完成 80.5 亿元，实现三年翻一番，财政收入完成 10.03 亿元，实现两年翻一番。与会的新闻记者对贵溪市产生浓厚的兴趣，江西电视台等省级各大媒体记者纷纷围绕如何实现"争创全国百强县"的目标，时任贵溪市市长黄建平一一作答。

2007 年 1 月 27 日晚，省"两会"新闻中心在南昌京西宾馆举行第三场新闻发布会。时任市委书记黄建平应邀出席新闻发布会，就贯彻落实省第十二次党的代表大会精神、进一步加快经济社会发展进行发言，并回答媒体记者的提问。

对外宣传制品

《贵溪风情》电视专题片（江西电视台主办，宣传部配合并写作电视专题片解说词，江西电视台拍摄制作）。

《贵溪》宣传画报（绿色），1996 年，宣传部主办，江西彩虹影印有限公司出版。

《贵溪》招商引资画报（招商局主办）。

《可爱的贵溪》宣传书籍，1993 年，宣传部主编，江西人民出版社印制。

《贵溪辉煌五十年》宣传书籍，宣传部主编，贵溪市教育印刷厂印制。

《中国贵溪》宣传画册。

《红旗颂》中国共产党成立 80 周年纪念书籍，2001 年市委主编，贵溪教育印刷厂印制。

《文明市民手册》宣传书籍，2001 年宣传部主编。

《打拐英雄施华山》宣传书籍，2006 年宣传部主编。

《贵溪市领导干部论文集》改革开放 30 周年纪念书籍，2008 年市委宣传部主编，中国文史出版社出版，北京新丰印刷有限公司印刷。

企业宣传

为充分展示工业园区建设与发展的成绩，不断提高园区知名度，工业园区利用广告牌、宣传栏、横幅等形式大力宣传入园项目及企业，2005 年，园区设立新闻宣传报道小组，成员由重点企业办公室人员组成，全方位多角度对企业发展进行宣传。同时，邀请全国各级知名媒体来园区参观指导，并给予宣传报道。2007 年，中央一台新闻联播对工业园区发展成绩进行宣传报道。每年省市县等多家媒体都会对园区发展进行介绍。

贵溪新世纪水泥有限公司隶属于科华控股集团，公司自 1999 年 8 月建厂以来，十分重视企业形象的塑造和企业文化的灌输。每年投入大量资金，利用灯箱广告、墙体广告、广播电视、有线网络、报刊杂志、宣传画册和社会公益事业等多种形式，大力开展塑造企业形象和知名度的宣传。2004 年 10 月集团创办企业内部刊物《科华报》每月 2 期，至今已出刊第 130 期。集团下属企业健全各自的通讯员队伍宣传网络，各成员企业积极投稿。《科华报》每期分企业要闻、资讯视界、和谐家园、科华大苑 4 个专版的相关内容及时收集出刊，并及时邮寄到省、地、市和相关部门领导；分发到各供销商和各员工手中；张贴在宣传橱窗内。每年集团根据各公司投稿人员的投稿数量和质量评比出优秀通讯员、积极分子等荣誉称号并予以一定物质奖励。

对外新闻报道与获奖

1996 年设立贵溪市委新闻科，单位级别为副科级。2003 年撤销市委新闻科，设市委宣传部新闻科，负责对外新闻报道。

1996 年 7 月 22 日,叶航的消息《小英雄舍己救人精神永存大懦夫见死不救良心安在》在《赣江大众报》(江西日报晚刊)头版头条刊登,引起省长舒圣佑的关注,责令严查信江渡口事件。

刘长根的《贵溪以劳养武出效益》获 1997 年省军区以劳养武征文三等奖。《贵溪电信盘活一批滞留号码》,获 1999 年度江西好新闻二等奖。《应征进藏情更切》获 1995 年度全省优秀广播电视节目二等奖。

郭映龙的《野猪伤人母牛救主》获新华社 1993 年度社会新闻一等奖。《鸟上村百余农民成为异地糕点老板》获 1993 年度第一届江西新闻奖三等奖。《女英雄胡银凤》获 1993 年江西省"巾帼风采"征文比赛二等奖。

彭石长的《巴掌打不出好兵》,在 1995 年～1998 年军区军兵种报纸好新闻评选中获三等奖;《贵溪市文苑又添奇葩拾破烂七旬农民出两本专著》,获第十一届江西报刊新闻奖(2008 年度)。

第二节 广播电视

市人民广播电台

贵溪市人民广播电台的前身是贵溪县人民广播站。1996 年 1 月 31 日,贵溪县人民广播站更名为贵溪县人民广播电台。同年,撤县设市改现名。

2002 年起,市人民广播电台停播,人员分流到市有线电视台、网络公司、局机关等单位工作。

1997 年,广电部下发关于县市广播电视播出机构合并的意见,规定合并后的广播电视播出机构统称某某县市广播电视台,统一机构建制,统一人事管理,统一宣传规划,统一事业建设,统一经营创收,由县市广播电视局实行统一领导和管理,实行"局台合一"的体制,"一套班子、两块牌子"。

2004 年,按照省广播电视厅的规定,贵溪市有线电视台和市人民广播电台"两台"机构合并,对外统称为贵溪市广播电视台。贵溪市有线电视台、贵溪市人民广播电台两个机构没有撤销,对内继续沿用。

市人民广播电台,除转播中央、省、市有关节目外,并设固定节目《贵溪新闻》,每天分早、中、晚各以 15 分钟播出,平均日播稿件 6 件,全年达 2000 余件。此外,配合各个时期的中心工作,开设不定期的《现场录音报道》《对农村报道》《经济信息》《法制园地》《计划生育》《征兵工作》《听众来信》《市场物价》《每周文艺》等专题节目。广播新闻《一项改革增值百万》,获江西省广播电视学会颁发的"1991 年度江西省优秀广播节目二等奖"。

广播网络传输

贵溪市广播网络传输有两种传输形式:有线广播、调频广播(调频广播是一种以无线发射的方式来传输广播的设备,具有无需立杆架线,覆盖范围广,无限扩容,安装维护方便,投资省,音质优美清晰的特点)。

1991 年,县广播站拥有 1100 瓦功率扩音设备,县调频发射台(1986 年建成)拥有 ET－1 型 50 瓦、TF7050 型 50 瓦两台调频发射机,调频广播覆盖县城周边 15 个乡镇。县城大多采用小调频喇叭直接收听,装有小调频喇叭 80 多只,有线广播喇叭 50 多只。全县共建有 25 个乡镇广播站,拥有 25 台广播扩音机,功率 12250 瓦。有广播专线 48.1(杆)千米,共杆共线广播线路 158.2(杆)千米,共杆不共线广播线路 61.8(杆)千米,广播喇叭 964 只。

1993 年,贵溪县调频发射台调频发射功率由 50 瓦扩大到 300 瓦,调频发射频率为 97.2MHZ,天线南北定向,高度海拔 140 米。

1995 年,全市广播事业发展迅速,县区和滨江乡、雄石镇直接收听县广播站调频广播,另有县城周边 15 个乡镇相继开播小调频广播,共装有调频广播喇叭 1480 只。还有 5 个乡镇开播有线广播,广播线路 250(杆)千米,共装有高音和动圈式喇叭 I860 只。此后,广播网络传输没有大的发展,直至 2002 年停播。

市有线电视台

1992 年 9 月 30 日,贵溪县有线电视台建成正式开播。

1993 年 6 月 2 日，广播电影电视部批准江西省广播电视厅（赣广发视字〔1993〕015 号）文件，同意设立贵溪县有线电视台，呼号为“贵溪有线电视台”。

1993 年 10 月 15 日，县委第二十次常委会研究决定，同意设立贵溪县有线电视台。

1994 年 1 月 21 日，贵溪县人民政府（贵府字〔1994〕20 号文件）同意设立贵溪县有线电视台，副科级单位，事业性质，核定事业编制 15 名，企业管理，单独核算，自负盈亏。6 月 23 日，中共贵溪县委宣传部（贵宣字〔1994〕15 号文件）同意贵溪县有线电视台试办《贵溪新闻》节目。

1996 年，贵溪撤县设市，贵溪县有线电视台更名为贵溪市有线电视台。

2006 年 5 月 30 日，经市委第九十九次常委会研究决定，同意市有线电视台增设一个副科级领导职数，职位为总编辑。

市教育电视台

1991 年 3 月 30 日，贵溪县教育电视台建成开播，台址设在贵溪一中象山脚下，隶属贵溪县教育局。1996 年撤县设市，更名为贵溪市教育电视台。该台创办之初发射功率 50 瓦，信号覆盖面积 1200 平方千米。到 2008 年，发射功率增加到 1000 瓦，信号覆盖面积扩大到 2200 平方千米。

市教育电视台创办之初只有 3 人，其中，台长 1 人，记者 2 人。2008 年发展到有编制 8 人，其中，台长 1 人，记者 4 人，播音主持 2 人，编辑制作 1 人。

市教育电视台节目播出频道为 10 频道，设有《教学天地》《幼儿教育》《教改之窗》《科技信息》《贵溪教育周刊》等 8 个电视栏目，每天 8:00—24:00 播出。

1997 年，市教育电视台被评为江西省县级教育台先进单位。该台记者采访拍摄的新闻稿，曾在中央台全国新闻联播、江西台全省新闻联播中播出。市教育电视台采访和编辑制作的电视专题片《山路弯弯》《山乡育人歌》等 5 部专题节目，先后被评为全省优秀节目。

编采设备

市有线电视台创办之初，有松下 M9000 摄像机 2 台，线性编辑系统 1 套。

2003 年，投资 30 多万元，购置摄像机和播放设备。

2005 年，投资 20 多万元，购置自动编辑播出和摄像等设备。

2006 年，投资 39.8 万元，新购摄像机 4 台、硬盘播出系统 1 套、非线性编辑系统 1 套、节目采集机 1 台、工作电脑 6 台。修复摄像机 3 台。

2007 年，市有线电视台购买“重庆长安”面包车 1 辆，作为“新闻采访专用车”。投资 30 多万元，对电视台播出机房和演播室进行全面改造，建立虚拟电视演播系统。

电视宣传

自办节目市有线电视台每日播出时间为 7:30—24:00。

市有线电视台积极推进电视宣传改革，努力强化和突出电视媒体特征，树立精品意识，着力打造品牌栏目，节目质量不断提高，长期开办比较固定的栏目有《贵溪新闻》《健康贵溪》《教育在线》《芗溪记忆》《平安贵溪》。

另外，电视台还配合形势和中心工作，适时开设播出许多不固定专题栏目，其中群众喜爱又有影响的栏目有《贵溪人在外地》《曝光台》《记者看贵溪》《客商在贵溪》《推进世界铜都建设》《知荣辱、树新风、促和谐》《十大杰出青年》《打拐英雄施华山》《来自新农村的报道》。

2008 年 4 月 10 日，根据市委安排，配合市纪委纠风办，市文广电局成立“政风行风热线”直播节目上线工作领导小组，电视台开通鹰潭市“政风行风热线”直播节目贵溪直播室，有效地增设窗口，拓宽电视宣传领域，取得较好的效果。

对外发稿与获奖

发稿　1994—2008 年，上级电视台采用市有线电视台制作的电视新闻和电视专题片共 2492 条，其中，央视采用 16 条，省电视台采用 407 条，鹰潭电视台采用 2069 条。

获奖　市有线电视台坚持实施精品战略，优秀栏目、优秀作品不断涌现。送评的新闻节目，先后获省级、市级新闻奖多项。其中，《山区法官—邓金发》获 2001 年度全省“中共建党 80 周年电视专题片”

评比三等奖和2002年度全省广播电视类电视社教片评比二等奖;《不懈的人生》获2003年度全省广播电视类电视专题片评比三等奖。

电视网络传输

1991年,全县共建地面卫星收转站4个,分属冷水乡、茶山分场、耳口乡、县人民银行。各站发射功率除县人民银行为5瓦外,其余均为10瓦。全县还建有9座电视差转台(含教育电视台)。当年,全县地面卫星收转站、电视差转台和三县岭省办电视转播台(1971年省广播电视厅建)覆盖总人口40.3万人,覆盖率达80%。据2007年"转星"工作调查,全市农村百姓"村锅"(一种小型卫星地面接收设施)用户12395户。

城区电视网络传输　1992年5月,贵溪筹建有线电视,8月15日试播,9月30日正式开播。采用－12同轴电缆传输,干线300MHZ系统,传输12套节目,城区有线电视用户1000余户。

1996年,贵溪有线电视网开设MMDS系统(即多路微波分配系统,这是通过无线微波传送有线电视信号的一种新型传送系统,该系统重量轻,体积小,占地面积少,易于安装调试,极适于中小城市或农村有线电视覆盖不到的区域),干线由300MHZ系统(即带宽300MHZ)改造提升成550MHZ系统,传输节目能力达30套以上,城区有线电视用户发展到1700余户。

2001年9月27日,贵溪市的广播电视事业开始迈向一个崭新发展阶段,改造城区有线电视网络,实施城区光纤光缆联网工程。该工程由浙江杭州三信网络技术有限公司建设。2002年,城区有线电视传输网络改造成HFC网络系统(是介于全光纤网络和早期CATV同轴电缆网络之间的一个系统,它具有频带宽、用户多、传输速率高、灵活性和扩展性强及经济实用的特点,为实现宽带综合信息双向传输提供可能),城区设置57个光节点,分配网系统改造提升成750MHZ系统(即带宽750MHZ),传输30套节目(含加密电视节目4套,香港地区电视节目5套)。这期间,还完成城区至流口镇4个光节点光缆架设和安装调试工作。2003—2004年,城区光纤光缆联网向纵深发展,完成城区汪张片的光缆改造任务,对建设路、站前路、雄石路有线电视线路实施下地埋设工程,并架通城区至罗河工业园区、安康家园等地的光纤光缆线路,驻市单位四冶有线电视网,整合到城区网络。

2005年,贵溪市的广播电视事业又开始迈向一个崭新发展阶段,投资300余万元,再次对城区有线电视网络进行升级改造,分配网系统改造升级为双向860MHq可寻址网络,共改造12952户,其中,四冶网3060户,整合十五冶网1334户。达到传输51套节目的能力,当年传输35套节目。开通广电宽带互联网、数字电视节目,发展数字电视用户270户。开通全省电视电话会议系统。当年,城区有线电视用户13000户。

2006—2008年,进行大量的有线电视网络升级改造和布网建设。2006年投资20余万元,完成贵溪经济大楼区、王家小区、擂鼓岭小区、菜市场路口至前端机房等地的重新布网和开通工作,城区有线电视用户达到13917户,数字电视用户367户。2007年,进行2个住宅小区的网改工程,5个新建商品房区的布网工程,以及其他区域的城区光网工程和管道工程,有线电视用户激增,市城区有线电视用户达到3.1万户。2008年,完成贵溪市广播电视台向鹰潭市台和省台节目资源和新闻素材的光缆直传工程,城网可寻址双向光缆改造50%以上,市城区有线电视用户达到17543户。

农村电视网络传输　1996年,贵溪有线电视网开设MMDS系统(即多路微波分配系统),有线电视向郊区农村延伸。

1997—1998年,贵溪市启动广播电视村村通工程,贵溪市广电局投资90万元,与鹰潭市广电局、余江县广电局共同开办农村MMDS系统(即多路微波分配系统)有线电视传输网,贵溪市广电局占股35%。先后开通部分乡(镇)集镇所在地及周边主要村落农村有线电视小前端局域网,增加农村有线电视用户2000余户。

1999—2003年,针对偏远山区乡(镇)实施以卫星地面接收小前端为平台的村村通工程,先后建设村村通点380个,累计覆盖农户5000余户,缓解部分无线覆盖盲点地区村落的群众收听收看难问题。2001年,完成城区至流口镇4个光节点光缆架设和安装调试工作,架通城区至罗河工业园区的光纤光缆线路。

其间，农村有线电视迅速发展。2004 年 6 月，各乡镇自建小前端 62 个，小前端用户 8700 户，MMDS 系统（即多路微波分配系统）1500 户，总计农村有线电视用户 10200 户。

2004 年 7 月，贵溪市开始实施“贵溪市农村有线电视光缆联网工程建设方案”，当年完成 15 个乡镇的农村有线电视光缆联网工程建设。

2004—2007 年，开展“村村通”。主要依托行政推动结合市场化运作、企业化经营的模式，实行市管乡、乡管村、村管户的分级责任制，开展有线电视进村入户工程，小网联网并大网，市广电网络贵溪分公司牵头，累计投资近 200 万元。同时，采取乡镇二级承包代理制，吸纳社会资金投入近 400 万元，开展有线电视进村入户。截至 2007 年，全市实现广播电视农网主干线架设 200 千米，贵溪市 18 个乡镇全部零通网光缆主干线，建设村级分配网 400 千米、小前端实现光缆主干线改建 70 千米，分配网改建 90 千米，光缆直接延伸到“村村通”点 62 个，通过小前端连点 25 个，新农村建设以及挂扶村接点 20 个。有线网络电视信号开通到全市所有乡镇，行政村以上开通率达到 70% 以上，村组以上开通率达到近 50%，近 3 万户农民看到有 30 多套节目、内容丰富的有线电视。

2008 年，完成乡镇 110 千米光网主干线和乡至村的光网支线建设，完成文坊、樟坪、鸿塘、河潭 4 个乡镇的有线电视区域网与市网络公司的并网。至此，贵溪市的 27 个乡镇（场、街办）有线电视全部开通，行政村以上光缆主干线开通率达到 90% 以上，村组以上开通率达到近 60%。

截至 2008 年，全市农村有线电视用户 19017 户，全市城区有线电视用户 17543 户，全市城区和农村有线电视用户 36560 户。

2008 年全市农村电视网络传输用户一览

表 29－4

单位名称	信号源	转播节目（套）	用户（户）
罗河镇文化广播电视站	卫星、鹰潭农网、前端	35	2711
彭湾乡文化广播电视站	贵溪市网	35	309
雷溪乡文化广播电视站	贵溪市网	35	719
金屯镇文化广播电视站	贵溪市网	35	1213
塘湾镇文化广播电视站	贵溪市网	35	2819
耳口乡文化广播电视站	鹰潭农网、小前端	12	1100
冷水镇文化广播电视站	鹰潭农网、小前端	12	819
文坊镇文化广播电视站	贵溪市网	35	700
樟坪畲族乡文化广播电视站	贵溪市网	35	600
余家乡文化广播电视站	贵溪市网鹰潭网接入信号	35	1750
滨江乡文化广播电视站	贵溪市网	35	1790
泗沥镇文化广播电视站	贵溪市网	35	620
河潭镇文化广播电视站	贵溪市网	35	721
白田乡文化广播电视站	贵溪市网	35	183
周坊镇文化广播电视站	贵溪市网	35	689
鸿塘镇文化广播电视站	贵溪网、鹰潭农网、小前端	35 A 29	719
志光镇文化广播电视站	贵溪网、鹰潭农网、小前端	35 A 29	912
流口镇文化广播电视站	贵溪市网	35	643
合计		19017	

第三节　报　刊

《贵溪报》

1989年1月1日,《贵溪通讯》复刊为《贵溪报》,周一报,逢周四出版,四开四版。

1990年4月,全省报刊整顿,《贵溪报》恢复为《贵溪通讯》。

1993年5月6日,《贵溪报》再次复刊,国内统一刊号为:CN15－002。时任中共鹰潭市委书记刘祖三为《贵溪报》题写报名,江西省新闻工作者协会、江西新闻协会发来贺信。

1994年3月10日起,《贵溪报》告别铅字活版印刷,采用激光照排胶版印刷。1994年5月8日,《贵溪报》出刊纪念复刊一周年。同时,由周一报增刊为周二报,逢周三、六出版,报纸的信息容量翻一番,报纸的印刷质量和排版水平上了新台阶。

2001年6月25日,经国家新闻出版总署批准,《贵溪报》获得国内统一刊号(CN36－0056)。10月10日,《贵溪报》改"小报"为"大报",并第一次试印彩版,实现"小报"到"大报"的历史飞跃,报纸的信息容量又翻一番,报纸从内容到形式更加贴近实际、贴近生活、贴近群众。10月16日,《贵溪报》正式创刊,启用国内统一刊号。同日,举行创刊暨授牌仪式,江西省新闻协会、新闻工作者协会主席周金广、秘书长林光明等到会祝贺。

2003年1月1日,《贵溪报》由周二报改为周三报。

2004年1月19日,《贵溪报》在全国新闻出版事业调整中被取消全国统一刊号,从而转为江西省内部连续性刊物(刊号改为:赣L008)。2004年起,《贵溪报》由周三报改为周二报,由原来的订阅改为赠阅。

2003年以前,贵溪报社一直在老市委办公大楼一楼办公。2003年,贵溪报社采取干部筹资的方式,在火车站附近购置三层办公楼。2004年以来,贵溪报社添置10余台数码摄像机、10余台电脑等,实现无纸化办公。

2008年上半年,贵溪报社购置4套报纸排版系统(报纸排版专用的飞腾软件)和1台发排机,变过去"自己只负责报纸编稿和校稿,由印刷厂排版"的出报模式为"报社自己独立完成编、排、校"模式,提高报纸质量,为出彩报打下基础。

其他报刊

《海燕》　奥科学校创办。2001年1月1日《海燕》创刊,一月一期8开4版,校内发行,办报宗旨:全面推行素质教育,培养"合格＋特长"的跨世纪人才,营造校园文化氛围,陶冶学生情操。为学生提供一片展示自己文学才能的芳草地。《海燕》主要开设栏目有习作天地、文学擂台、校园聚焦、佳作欣赏、同学之间等。2002年10月,《海燕》报三版设置为英语专版。目前,每期发行量达3200份,并向市内各初级中学寄赠部分校报,进行交流。

《贵溪三小报》　贵溪三小创办。2008年3月创刊,每期发行1400份,校内免费发行,《贵溪三小报》共设4个版面,第一版新闻袋袋裤,主要刊发国际国内重大新闻,校园内外新闻;第二版成长滑板车,主要对学生进行思想、行为习惯、心理等进行引导。课堂内外知识的天地;第三版万花筒,是学生展示作品的平台,师生活动剪影等;第四版作文呼啦圈,培养学生习作兴趣。

《香樟树》　贵溪一小创办。2008年11月创刊,半学期发行一期,校内免费发行。《香樟树》办报宗旨:校内新闻的窗口,知识的摇篮,宣传的阵地,家校沟通的桥梁;师生展示才能的平台。

《贵溪四中报》　贵溪四中(原冶炼厂中学)创办。2008年12月创刊,报纸校内免费赠送。

《三星报》　贵溪职业中学创办。2002年创刊,每月一期,每期发行1500份。2008年9月更名《贵溪职中校报》),每期发行600份。设四个版面:校内新闻版、学生中文习作版、学生英文习作版、综合版。

《象山》　贵溪市文联主办。

第四节　广　告

1991 年,全县广告经营单位共 7 户,其中:国营 4 户,集体 1 户,个体 2 户。广告从业人员 42 人,全年广告营业额 1.6 万元。广告行业机构逐步优化,新媒体、新格式得到广泛运用。已逐步形成市场竞争格局。

1999 年,全市结合年检,对广告经营单位重新进行资格审查,制止和查处虚假违法广告。全年登记户外广告 38 户,印刷品广告 11 户,新审批核准广告经营单位 1 户。

2007 年,随着《中华人民共和国医疗广告管理办法》《药品广告审查发布标准》《药品广告审查办法》出台实施,加强对医疗广告的监管,进一步加大对虚假违法医疗广告的检查和监测,加强对广告发布环节的监管,强化审查把关责任,指导媒体在广告发布活动中加强自律,全年共立案 11 起,罚没款 13.18 万元,户外广告登记 301 户,同比增长 188%。

2008 年,组织全市广告经营单位 20 余人参加鹰潭市局广告审查员培训班,学习《中华人民广告法》《医疗广告管理办法》《药品广告审查发布标准》《药品广告审查办法》以及《户外广告管理办法》,增强法律意识,提高审查员的初审水平。结合“增强公众安全感,争创全省平安市”的目标,规范贵溪市医疗服务和药品市场秩序,严厉打击违法医疗和药品广告行为,制定《贵溪市医疗和药品市场专项整治工作方案》,建立和完善专项整治与日常监管相结合的长效机制,切实维护人民群众健康权益。全年登记户外广告 405 户,严厉打击发布虚假广告行为,立案 10 起,罚款 9.5 万元。

第三十卷　档案　史志　谱牒

第一章　档　案

第一节　机构与队伍

市（县）档案局

贵溪县档案馆成立于1958年11月，档案局成立于1981年4月。档案局成立之初，为贵溪县政府直属行政局，局馆合署办公，定编7人。1996年5月，在县乡机构改革中，档案局（馆）改为县政府直属事业单位。同年5月28日，贵溪撤县设市，贵溪县档案局（馆）相应更名为贵溪市档案局（馆）。2003年，贵溪市政府《关于印发〈贵溪市档案局职能配置、内设机构和人员编制规定〉的通知》，进一步明确档案局为市政府直属事业单位（正科级），内设秘书保管调阅股和业务监督指导股，参照执行公务员制度。全局定编10人，并按编制职数配齐领导班子和人员。2004年10月，成立贵溪市档案局"已公开现行文件利用中心"为档案局内设股级机构，专门负责开展集中向社会各界和人民群众提供利用党政机关已公开现行文件的工作。

机关档案机构

《中华人民共和国档案法》颁布实施以来，贵溪市档案局依法治档，全市档案工作得到了较大发展。到1991年，全县有102个单位建档，其中机关档案室75个，乡镇（林场）档案室27个。拥有专用档案库房48个。1998年，村级建档在市农村全面推行，到2000年，全市有191个村委会建档。到2008年底，全市各乡镇（场）、街道办事处和市直一级单位已全部建档，大部分二级单位和主要厂矿企业的档案机构也已建立，全市建档单位总数达到146个。

档案队伍建设

各单位把档案工作列入议事日程，指定一名领导分管，配备专（兼）职档案员。贵溪市档案局每年采取理论教学与实际清档结合，分期分批办班培训，年均培训人员80人次。通过培训，90%以上的人员能胜任本单位的档案工作，档案归档整理规范、保管科学、利用便捷。

第二节　档案改革

文书立卷改革

2001年1月，中华人民共和国档案行业标准《归档文件整理规则》颁布施行，这是我国对文书立卷方法进行的一项重大改革。文书立卷改革将以"卷"为保管单位的整理归档，改为以"件"为保管单位，从根本上改变传统的立卷方法，简化档案整理程序，深化档案检索服务，促进档案管理现代化的进程。由于贵溪市机关档案工作发展不平衡，《归档文件整理规则》的实施分五年逐步推行。2002年，国税、地税、银行等部门，以及综治委、政法委、总工会等单位率先开始了以"件"为单位的文书立卷改革试点，到2005年，新的文件归档整理方法在全市146个立档单位全面实施。

档案信息化建设

文书立卷改革以其简化、兼容、衔接、适用、灵活的特点，给立卷工作带来方便，但是，传统的手工检索难以适应以“件”为保管单位的档案查阅需求。2006年，江西省全面启动各级国家档案馆馆藏档案数据库建设。市档案局购置计算机，配置档案管理软件，聘请社会人员，着手开展馆藏档案目录数据著录，先后完成民国档案案卷级目录，新中国成立后知青档案、劳动人事、民政等利用率高的民生档案案卷及文件级目录著录。房产管理局、检察院、法院开展数字档案室建设，完成目录数据库和全文数据库建设。档案管理由传统的手工操作转向计算机辅助管理，切实提高档案的查准率查全率以及查阅速度。

第三节　监督指导

行政执法

1996年，市政府授予市档案局行政执法主体资格，在全市范围内依法行使档案执法监督检查权，并依法对违反档案法规的行为进行查处。档案局依法开展业务工作，督促指导全市146个市直单位和乡镇建档，审批制订各单位的文件材料归档范围和保管期限表，要求各单位将本单位各种门类和载体档案收集归档，集中档案室统一保管。加强档案安全管理，开展档案执法检查，促进机关档案工作更好地为领导决策和各项工作提供便捷服务。

档案室规范化管理

1991年，市政府成立机关档案室升级达标评审领导小组，组织开展“江西省档案馆（室）档案管理升级达标活动”。当年，5个机关档案室晋升省级先进，其中林业局、保险公司、土地局、泗沥镇4个机关档案室晋升为省三级先进，鹰潭市工行江铜办事处档案室晋升为省二级先进。1992年，贵溪县档案馆晋升为省三级综合档案馆；1996年开始，开展江西省档案工作目标管理活动，市档案馆通过省档案局评审，晋升为省一级综合档案馆。到2005年底，全市共有45个机关档案室档案工作目标管理达到省级先进。其中省一级（含特级）先进单位12个，省二级先进单位3个，省三级先进单位29个，企业省级先进1个；2006年8月，实施“江西省档案工作规范化管理”，所有已达标单位，按照本办法，重新申请规范化等级认定。市检察院档案室通过认定，晋升为省机关档案室规范化管理省特级档案室，法院、地税局、房产局档案室晋升为省一级档案室，供销社、贵溪工业园管委会、泗沥镇、滨江镇档案室晋升为省三级档案室。为巩固达标成果，档案局定期对档案管理省级先进档案室进行复查认定，促进机关档案室加强自身建设，保持等级管理水平。

重点建设工程档案

2001年，市档案局派员参加国家粮食储备库建设工程竣工验收，迈出档案部门依法履行职权参加工程验收的第一步。之后，档案局参加中心水厂竣工验收，以及雄石西路改造建设、梨温高速公路建设、浙赣铁路改造、铜都大桥、政府经济大楼等重点工程档案的跟踪指导，确保重大建设项目档案的完整、准确、系统和安全。2006年7月24日，省档案局局长李安全来贵溪参加江西铜业集团公司贵冶二期工程档案验收工作。城建局、城市规划局、供电公司等单位，重点建设工程档案基本实现规范化管理。

民生档案

2008年6月，市政府办召开全市民生档案工作会议，制定下发《贵溪市人民政府办公室关于加强民生档案工作的意见》，把事关人民群众现实利益问题和关系人民群众生产生活的档案纳入到民生档案管理范畴。市有23家市直机关及所属单位保存着与群众密切相关的25种（类）民生档案，包括社保档案、计生档案、就业人员档案、失业人员档案、婚姻登记档案、社会救助档案、收养档案、复转军人安置档案、城乡低保档案、城市拆迁档案、个体工商户登记档案、公积金贷款档案、廉租住房保障档案、公证档案、诉讼档案、房地产档案、环境监测档案、病案档案、出生档案、企业职工档案、土地（山林）档案、农村养老保险档案、农村新型合作医疗保险档案、残疾人档案、户籍档案、知青档案等。这些档案均已纳入单位档案管理体系，实行集中保管，规范管理。房产档案、社保档案实现信息化管理。

第四节　档案管理与应用

馆藏档案类型

市档案馆保存有文书档案、科技档案、会计档案、专业档案、照片档案、实物档案6种门类56069卷(册)、18487件档案,排架长度579米。其中:文书档案46546卷、18487件,这部分档案主要包括民国档案5970卷,新中国成立后中共贵溪市(县)委、市人大、政府、市(县)政协、纪委及其所属部、委、办、街、乡镇、局(公司)和群团组织形成的档案40576卷。科技档案1460卷,主要有:宁赣铁路、贵溪电厂、信江大桥、浙赣铁路、徐家工业站、贵溪火车站、鹰厦铁路、贵溪冶炼厂、雄石西路、梨温高速公路、中心水厂、政府大楼等建设工程档案。专业档案6538卷,主要有:退伍军人档案、信访案件档案、死亡干部档案、知青档案、人口普查档案、清房档案、阶级成分档案、山林土地权证档案。实物档案631件,主要有:撤销机构公章、原贵溪县各机构撤县设市移交的公章,档案局荣誉档案。会计档案361卷,照片档案533张。

馆藏地情资料

档案馆馆藏资料共4208册,内容丰富,其中不少资料与档案互相印证。馆藏资料分为政治、汇编、工具书、文艺、史志、统计、科技、档案业务、报刊9大类。馆藏较为珍贵的档案资料有:清同治年间(1871)的《贵溪县志》19册、《龙虎山志》6册;《张天师家谱》(光绪十六年)2卷;《闽浙赣斗争史》1册;畲族简史21册、《畲族狗王图》1卷;《贵溪县全图(乡镇人口分布图)》1张;《贵溪县志》(1996年版)1部;《贵溪县组织史》(1986、1988)、《中共贵溪市党史大事记》(1990－2004);《贵溪县地名志》、《贵溪县商业志》、《贵溪县交通志》、《贵溪县粮食志》、《贵溪县文物志》、《贵溪县公安志》、《贵溪县政协志》、《贵溪县教育志》;《贵溪统计年鉴》(2001－2002)、1950－2000年《贵溪县国民经济统计资料》;《上清镇规划说明》1卷。

档案收集

档案馆制定《贵溪市档案馆收集档案范围及档案移交接收工作规定》,对全市机关档案室档案移交工作作出了明确规定。要求档案室定期将保存期满5年的保管期限为永久和长期的各种门类档案,及时鉴定,编制目录,向档案馆移交。2008年,市委办、市政府办、市人劳局、市委组织部、市委政法委、市纪委、市教育局、市总工会等12家档案例行进馆单位每年形成的文件材料,都已按时归档,移交档案馆保存,其他立档单位1984年以前的档案基本接收进馆。

新馆建设

2003年,因城市规划,档案馆被拆迁,馆库暂借市地税局办公大楼内使用面积不足300平方米的场所办公。由于场地狭小,许多档案打包存放。2006年,市政府决定筹措资金,兴建新档案馆,并予以立项,2007年12月开工,2009年12月全面竣工。新档案馆独立建馆,自成一体,占地面积1516平方米,总建筑面积为4960平方米,其中库房面积为2308平方米。大楼分为上下6层,严格按照《档案馆建筑设计规范》和《档案馆建筑标准》的要求设计,兼顾资源整合的需要,体现大库房、大容量特点。档案馆库区配置密集架548立方米,安装火灾自动报警系统、防盗摄像监控系统,配备空调机、去湿机、消毒机等设备,完善防潮、防高温、防尘、防虫、防霉、防雷、防震、防盗、防光、防污染等防护设施,为档案的科学管理和利用创造良好条件。

安全保管

温湿度控制　适宜档案保存的库房温度是14℃－22℃,相对湿度是45%－60%。为控制好库房温湿度,档案馆采用温湿度自动检测仪设备对库内温湿度适时监控,采用去湿机、空调等设备适时吸潮降温,加强档案防护,最大限度延长档案寿命。

档案害虫防治　根据虫霉活动情况,档案馆库房内长年施放防虫、防霉药物,抑制虫霉生长繁殖。采用微波档案保护处理机,对入库档案进行消毒。采用药物薰蒸的办法,对档案库房封闭杀虫。

库房监管　档案库房实行双人日常巡查,定期全面检查,库房钥匙专人管理,确保档案安全。每天上下班前由2人一起巡查库房,针对库房门窗、电源、温湿度等进行详细检查。梅雨季节,除湿通风,夏

季空调降温。下班前关闭门窗，切断电源。定期检查库房档案是否出现发霉、虫害等损坏情况，库房各项设备工作状态，发现问题及时处理。

档案开发利用

档案开放　档案馆馆藏档案，自形成之日起满30年，除未解密或需要控制使用的部分外，均分期分批向社会开放。凡中国公民，持有合法证明（介绍信、身份证、工作证等），经档案馆同意，均可利用开放的档案。档案馆定期对满30年的档案进行鉴定，确定档案开放的内容和开放范围。1996年，市政府以贵府字〔1996〕116号文批准档案馆开放民国档案5790卷，此后，又陆续对到期档案进行鉴定，向社会分期分批开放，1991—2008年，共开放档案10083卷。

档案利用　档案馆每周星期一至星期五为对外接待日。馆内安排专人查阅，规范档案和资料的查、借阅手续，同时对所有的档案资料都建立完备的检索系统，编有档案馆指南、全宗名册、全宗介绍、案卷目录、全引目录、文号索引、归档文件目录，部分档案还建立目录数据库，实行计算机检索。建立"现行文件服务中心"，为利用者提供已公开现行文件查询服务。

1991年以来，档案馆年均接待查阅利用者928人次，年均提供档案资料3511卷（件），复制出具证明428份，为党政机关，社会各界提供大量的宝贵的第一手资料，充分发挥档案的原始凭证作用，产生一定的社会效益和经济效益。

1991—2008年市档案馆档案利用情况一览

表30－1

项目	1991年	1992年	1993年	1994年	1995年	1996年	1997年	1998年	1999年	2000年	2001年	2002年	2003年	2004年	2005年	2006年	2007年	2008年
查档人数	965	703	871	907	1011	985	910	835	817	783	841	786	954	1013	1286	1107	1218	1436
查档卷数	2547	1950	1179	1267	1250	1312	943	1136	1343	1702	1348	1129	1421	1589	1723	1642	1796	1634

第五节　档案室选介

市检察院档案室

市检察院档案室现为省机关档案室规范化管理省特级单位。档案室保存有诉讼档案9555卷、文书档案546卷、归档文件1271件、会计档案844册、基建档案61卷、照片档案245张、实物档案91块，档案门类齐全，内容丰富，管理规范。档案室设置有纸质档案库房和音像档案库房两间合计195平方米，另有调阅室1间。档案库房配置密集架、防磁柜、空调、除湿机，悬挂遮光窗帘，调阅室配置2台计算机、1台打印机、2台复印机、1台扫描仪，安装专用服务器，为档案的安全保管和查阅利用创造必要条件。档案室完善以岗位责任制、档案收集、安全保密、数据统计、开发利用为主要内容的制度体系，使档案管理工作的每一个环节都有章可循。室藏所有档案均录入3Hmix档案管理系统，并建立文书档案、照片档案、基建档案全文数据库，实现计算机快速智能检索。档案为干警调研、一线办案提供数据支持，为领导决策提供有效服务。

市法院档案室

市法院档案室是省机关档案室规范化管理省一级单位。档案室保存有1949年以来各类刑事、民事、行政、执行等档案35973卷，52076册，其中诉讼档案33931卷，文书档案1204卷，会计档案838卷，科技档案14卷。该档案室建设规范，做到办公、阅览、库房三分开。库房硬件设施齐全，安装空调、防盗门窗、防晒窗帘，配置去湿机，为档案的安全保管创造良好环境。档案室建立和完善档案保管制度，查借阅制度、档案销毁制度，以制度规范档案管理。档案工作在为领导决策和一线侦察审判及司法提供服务中发挥重要作用。2008年，接待各地政法部门和当事人查阅档案数量达到720人次，提供档案1350卷。

市房产档案馆

市房产档案馆成立于2011年11月(前身是房产局档案室),为房管局下属事业单位,配有工作人员4名。1998年被评为省二级档案管理先进单位,2014年被评为省档案规范管理一级单位。档案馆建筑面积1200平方米,其中办公室面积90平方米,阅览室面积30平方米;库房面积1080平方米;库房内安装有12组密集架,180组档案柜,设置有空调、消防设备、窗帘,施放杀虫剂,档案“八防”安全到位。档案馆馆藏房产档案80000卷,文书档案1150卷,会计档案400卷。房产档案主要有公房、成本价公房、优惠价成本公房、私房、自建房、商业用房、经济适用房、股份制企业用房等。2012年9月,房管局投入60多万元开展房产档案数字化工作,建立房产档案信息管理系统,对房产信息实行动态化管理。通过信息管理系统,社会各界(包括单位及个人)可以迅速准确地查找到所需的房产信息、产权人(单位)、房屋结构、面积、坐落、抵押、查封、产权处理等。该馆平均每年接待档案利用者1400人次左右,提供档案及房产档案信息利用达4300卷次左右,为落实房产政策、确定房产权属、解决房产纠纷、进行房管理和城市建设提供可靠准确的依据,取得良好的经济和社会效益。

第二章 史 志

第一节 机 构

贵溪市史志办由原贵溪市党史办和贵溪市地方志办合并成立。1991 一 2002年,党史办、地方志办分属贵溪市委、市政府工作机构。2002年11月,根据《中共贵溪市委、贵溪市人民政府关于印发〈贵溪市机构改革实施方案〉的通知》(贵发〔2002〕8号)精神,将党史、地方志两个部门合为一个单位,组建市史志办公室,为市委直属事业单位(正科级)。市史志办于2004年12月迁往贵溪市政府大楼办公。

市史志办公室定编8人,设主任1人,副主任2人,下设3个职能股(室):办公室、党史股、市志股。工作人员参照公务员制度管理。2008年,市史志办公室有大专以上学历工作人员6人,2人为中专毕业。

史志办公室履行的主要职责是制定史志长期和近期规划,征集、整理、研究本地区的史志资料;负责本地区地方志、专业志、部门志、年鉴、党史、革命史等史志年鉴书籍的编写工作,并组织、指导有关部门做好该项工作,为地区经济建设服务。

第二节 党史工作

《贵溪企事业组织史》编纂

2001年,贵溪市史志办历时一年整,编纂《江西省贵溪市企事业单位组织史资料》。此书坚持“尊重历史,求实存真”的原则和“广征、核准、精编、严审”方针,立足2001年6月底贵溪市现有企事业单位,如实反映新中国成立后的50年间,各企事业单位的机构沿革和发展变化情况,突出贵溪工业从新中国成立前几乎空白,生产力极其低下,经济极度落后的情况下,经过新中国成立初恢复经济,直到进入改革时期企事业单位加强党的组织建设后呈现出的发展变化。全书共分18编,收录领导人名录。

《中共贵溪党史大事记》编纂

2000年,《中共贵溪党史大事记》(1990—2004)一书出版。“大事记”共分序、说明、概况,将1990—2004年15年间的史实,按编年体分年编排,详述大事、附录及名录、后记等部分。“大事记”主要记述1990—2004年15年间,市(县)委重要决策和实施情况;记述省、市领导活动;记述中共贵溪市(县)委的重要决议、决定、报告、指示、通知、意见。“大事记”附录1990 一 2004年中共贵溪市(县)委党的代表大会的工作报告及市(县)4套班子领导人更迭名录。

革命遗址普查

市史志办公室于2008年11月开始，普查市辖内的革命遗址，重要党史事件和重要机构旧址及人物活动纪念地，革命烈士墓，纪念设施。

第三节　志鉴编纂

贵溪市史志办公室每年组织专人向省地方志办和鹰潭市史志办提供年鉴资料，为《江西年鉴》和《鹰潭年鉴》供稿，撰写贵溪概况和重要工作及其成就条目，提供先进集体，先进人物和副县以上领导资料。此外，还组织专人收集资料，按月编写《贵溪大事记》。

《贵溪县志》编纂

《贵溪县志》是20世纪90年代编纂出版的首部社会主义新方志。该志所载内容上溯其源，重点记述新中国成立以来至1990年贵溪自然、经济、政治、文化和社会等方面的历史。以记、志、述、传、表、录、图为表述形式，全志由概述、大事记等33个分卷构成，卷下设章、节、目及子目。该志编纂始于1984年，历时10余载，1996年8月出版，志书开本787毫米×1092毫米1/16，共计82印张，由中国科学技术出版社出版。张玉林、艾佛胜、李宗凯、刘尧铣先后任贵溪县志编纂委员会主任，主编李寅生。

《贵溪年鉴》(1999年版)编纂

《贵溪年鉴》是继新编《贵溪县志》之后编纂的大型地情书。全书除1995—1997年大事记外，29个部类记述贵溪1998年经济、政治、文化等方面的历史。该鉴由贵溪市教育印刷厂承印，开本787毫米×1092毫米1/16，共计58万字，邓绍聪任编委会主任，主编李寅生。

第三章　谱　牒

第一节　纂修源流

历代修谱概略

雄石街道石泉村祖传的《金氏宗谱》(以汉武帝大臣金日磾为第一世祖)，是贵溪现存历史最悠久的家谱。该谱由金腾创修于东汉建武二年(26)，至2012年已历1986年之久。后历经东汉、晋、南朝宋、唐、五代后梁、宋、元、明、清各代，皆续修不辍，至民国26年(1937)，共续修17次。其次是罗河新田、耳口梅潭姚氏祖传的《姚氏宗谱》。唐初，其祖先、任弘文馆学士的姚思廉(557—637)，著名史学家，曾奉诏与魏征同撰《梁书》《陈书》)，给唐太宗呈上一份(姚氏)《重修谱系表》，受到太宗重视，敕命宰相杜如晦、房玄龄等据以修辑成姚氏宗谱并予颁发。迄今已有1300多年。唐天宝进士、御史黄孟莽后裔的家乘《黄氏宗谱》，由黄震始修于北宋元丰五年(1082)。塘湾理源祖传的《龚氏宗谱》，于南宋乾道年间(1165—1173)初次修辑。周坊《邵氏宗谱》首修于南宋淳祐八年(1248)。

明、清时期，贵溪续谱风气长久盛行。“子孙三世不修谱是大不孝”，成为俗语；“家谱隔三十年一修”，成为惯例。不过，修谱与世道盛衰关系极大，战乱天灾饥荒年代不可能修谱，遇上太平和丰时期则有相隔不到20年就续修一次的。“盛世修谱”，确是规律。

民国时期，贵溪经受两次社会大动荡。民国18年(1929)至民国22年(1933)，贵北、贵南建立两个县级工农革命政权(县苏维埃政府)，“围剿”与“反围剿”战争频繁而惨烈。后一次是民国26年(1937)至民国34年(1945)的抗日战争，其中民国26年(1937)8月至民国32年(1943)7月的6年中，日军飞机轰炸贵溪72次，民国31年(1942)6月16日至8月18日更被日军侵占63天，人民生命财产蒙受空前大劫难。这两段共13年的乱世中，家谱纂修自然无从谈起。但是，在其他时间段，续修家谱之风仍绵延不绝。从现存旧谱的调查中可见，民国元年(1912)至18年(1929)上半年，许多家族都续修宗谱。民国23年(1934)以后，苏区战火熄灭不久，一些族群又相继修谱，甚至当民国26年(1937)七七事变抗战爆发后至民国31年(1942)6月日军侵占贵溪前的5年中，仍有金、萧、魏、童、郑、姜、毕、王、徐、祝、彭等族,赶在战火尚未烧到家门口之前续修家谱。抗战胜利至新中国成立前夕的三四年中,贵溪又掀起一个修谱高潮,其中邵、彭等族在民国33年(1944)就开局修谱,上清薛氏则在民国38年(1949)春还续修新谱。总之,民国期间,贵溪所有村族都修谱1~3次。

值得一提的是:北乡周坊邵家村,是民国18年(1929)6月贵(溪)余(江)万(年)暴动的中心、闽浙赣苏区西部的重镇,红军与国民党军曾在此反复激战;民国31年(1942)夏又被日本侵略军烧杀抢掠,却仍然保留下家谱。民国33年(1944)版《邵氏宗谱》序载:本族"两受兵灾,全村庐舍尽成丘墟,所有族谱全付一炬。始被留心人邵毕兴挟出光绪壬辰年及民国甲寅年重修谱头各一本;继被留心人邵长生保留完整,方稍有根据。""经族众决定,拨付旱田二亩五分归邵长生管业耕种,以作酬报。"

新中国修谱风的复兴

新中国成立后,从土地改革开始,就把"反封建宗族"、"打倒族权"列为农村工作的重要政治任务。以后,整风整社、社会主义教育运动("四清"),都强调"要警惕宗族房股势力复活",至于"攀华宗,续家谱"更被认定是"封建宗族活动死灰复燃的突出表现",一经发现,当事人就要挨批判斗争,并受到惩罚。在1963年部分公社开展的"四清"运动中,明确规定"收缴销毁封建家谱"是工作队必须执行的任务之一,共焚毁谱书160多部。

"文化大革命"爆发后,1966年冬至1967年春城乡"大破四旧"(旧思想、旧文化、旧风俗、旧习惯)。其间,学校红卫兵会同各公社、大队"造反派",逐村"造反",其中重要一项是勒令宗谱保管人交出全部谱书,如隐瞒不交,就高呼"造反有理"口号实行抄家,只要搜出线装书就认定是"封建黑货","砸烂"、烧毁,并揪斗收藏者。

经过如此全面、深入、猛烈的清缴,贵溪历代所修宗谱被毁灭殆尽。但是,仍有少量谱书被藏匿下来。因为,农村中有一些深知家谱是"传家之宝"的老人和明白事理的中青年,在关键时刻不惧风险挺身"护谱"。大塘下萧村(今金屯镇属村)的"破四旧"极为凌厉,不仅祠堂门口的一对精雕的木狮子藏匿起来后被搜出劈毁,各家的花板床被砸掉,连绘花的碗碟也被视为"封资修"而打碎,但一部9册的宗谱却完整地保存下来。原来是雇农出身的萧碧传征得老母的同意,把谱书藏进"寿材"(预制的棺木)中,而其母又是在全村有威望的老党员,红卫兵、"造反派"不疑也不敢抄她的家。浮桥头左家(今滨江镇属村)民国10年(1921)创修的一部宗谱(全一册)共印4部,分由四房保管,"破四旧"时"造反派"先缴到3部焚烧,发现还漏掉1部,经查原是由生产队长左兴旺家保管,就逼左兴旺及其母高清香交出,母子2人坚称家中从来无谱,"造反派"抄其家无所获,竟将左兴旺挂上"封建宗族头子"黑牌押到大会上跪斗,但左兴旺仍未透露谱书所在。原来是高清香把那册谱书卷起密封,巧妙地藏到屋簷下的瓦隙中,得以完好无损地保存下来。河潭毛埠塘与横山、洋溢塘三族于民国36年(1947)合修的《毛氏宗谱》,由毛埠塘有一定文化的农民毛饶兴保管,"文化大革命"中"造反派"责令交谱,毛饶兴拒交即遭揪斗殴打,无奈只得交出全套宗谱。次日傍晚,毛饶兴最后从水库工地返家,忽见建筑材料场地上铺了许多谱书纸,是准备作水泥预制块隔离物的,他四顾无人,即速将那些谱纸收拢用衣服包起,一路小跑回家,连夜在油灯下奋笔抄谱,一个通宵竟抄下60多页,拂晓之前悄悄将谱纸送回预制场。过后又经整理用蓝布包装订成一册手抄谱秘藏。2012年,河潭、滨江毛氏筹备续谱,理事会正为旧谱被毁、六代以前祖宗世系截断而深感遗憾之际,毛饶兴(已故)之子毛敬臣、毛礼臣闻讯前来,献出其父冒着大险抄录匿藏的那本手抄谱,经检阅,此抄本虽略有次序混淆之处,但稍加梳理,自开基祖贯七公起到二十一代裔孙,枝叶清晰,众先人生卒年月葬地朝向都明白清楚,可以续成连绵相承的完整世系图!族众对毛饶兴老人感激不尽,决定赠送一部新谱给其亲属,以示谢意。

此外,由于红卫兵、"造反派"以前从未见过家谱,更看不懂其中的文言文、繁体字,有聪明的管谱者就隐匿下谱头(卷首)而交出其他各册谱书以作应付,往往不被察觉,这也是较多谱头得能幸存的原因。还有的宗谱,僻居深山的小村作为参修族按例也领有一部保管,"破四旧"鞭长莫及,得以安然。

20世纪80—90年代,外界逐渐兴起"修谱风"。1985年,临川汤氏发起续修宗谱,贵溪滨江浮桥、罗河桐源汤族应邀参加,此是新中国成立后贵溪首次有村族参与续谱活动并领到第一部新时代的谱书《汤氏宗谱》。1994年秋,又有福建光泽新丰倡修《龚氏宗谱》,贵溪塘湾理源龚族参与。但是,两次续谱活动，谱局分别设于临川、光泽，贵溪同族只是应邀被动参加，而且到谱局开会和领回新谱都是秘密的。90 年代后期，虽有少数村族修谱，但仍未成“风”。

随着全国舆论风向的转变，贵溪农村许多共祖村族纷纷互相串连公开续谱，来自东乡、鄱阳、上饶等地的几支谱匠队伍也大力打入各村承揽制谱业务，尤其是 2003 年 8 月在北京市注册的北京史志谱数码科技有限公司进驻贵溪以后，全市“续谱风”更不断升温，形成“修谱热”。2001—2010 年，是新中国成立以来贵溪城乡大规模地开展第一轮民间修谱活动的时期。据 2012 年春对罗河、塘湾、雷溪、金屯、流口、周坊、滨江、上清、泗沥 9 个乡镇和雄石街道的调查，90% 左右的村族，包括原来的“城中村”（已拆迁）和僻远的深山小村，都已续修或重修宗谱；少数尚未修谱的村族，仍在酝酿筹备之中。但“修谱潮”已经过去。

地方各级领导对民间修谱活动，一直持“不反对，不支持，不参与”的态度。2003 年，尚有党员干部因参与该村修谱活动而在大会上受到点名批评。但是，许多退休的干部、教师和农村基层老干部，被族众推选为谱局（编纂理事会）理事长、顾问或主编，以积极的态度成为本姓本族修谱事业的主持者或组织者。这些人员受过多年教育，有一定时代观念、理论政策水平、文化知识和农村社会生活经验，通过读报看书获得谱牒常识，能把作为封建势力的族权和作为传统文化载体的谱牒区别开来，把宗谱中的精华和糟粕区别开来，并且在续修宗谱的实践中探索创新，从而引领已中断半个世纪的谱牒文化得以良性延续和发展。

续修新谱的盛况与特色

此轮续修所形成的数百部新谱书，多数都在承袭传统谱牒的基本体例的同时，在内容和形式上有所创新，体现 21 世纪肇始的时代特色。在内容上，首先，新订的“凡例”对“编纂宗旨”都有意思大致相同的如下规定：继往开来，与时俱进，以当代中国先进文化观念为指导，以人为本，如实记述上届修谱以来的家族繁衍分迁史、村落风雨沧桑史和族人开拓创业史，充分发挥宗谱的凝聚、教化、感奋功能。其次，篇目设计除卷首外，一般分聚落（参修各村概况）、世系、人才、家训、文献、轶事等篇。许多家谱有与村志相结合的趋向，较为系统地记述参修各村的历史和现状（包括村落变迁、重大事件、经济发展、生活变化、人才涌现等），从微观视角为城乡大变化、社会大进步留存大量史料，如农村包产到户、杂交水稻推广、江西铜基地建设、城市扩建、城郊征地、工业园区崛起、外迁族人去向、农民工大潮涌动、农民入城开店购房、农村空巢老人、市区小北门聚居上百个姓氏、“林氏一条街”的形成等等。第三，贯彻男女平等、计划生育的基本国策和婚姻、继承法律，夫与妻、子与女一律并列全名入谱。离婚、改嫁女子于其夫名下留名；入赘外姓人依其自愿，可与其妻并列入谱；过继关系也妥为注明。第四，注重家族道德建设。续修宗谱期间，都制定由理事会起草经族众议决的新家训族规，载入新谱中，其内容既继承传统美德而又体现当代伦理规范；许多新谱都把《中国公民基本道德规范》《社会主义荣辱观：八荣八耻》及《贵溪市文明市民守则》录入，勉励合族作为行为准则遵循，以端正族风、缔造幸福生活。此外，新谱还普遍增加人才录、荣誉录、寿星录等新内容。

在形式方面，较早续修的新谱仍沿袭线装木活字版本，世系图亦照旧是世经人纬、五世一提的版式，繁体字直行排版。2003 年以后出的新谱，基本上都仿效北京史志谱数码科技有限公司设计的版式，采用当代编印新技术，电脑激光照排、简体横排、铅印精装、彩印图片，显得非常厚重美观；特别是世系图编制，根据当代人事要素和通行书籍版式作重大改进，每页排列三世，以横线表示代际父子相承关系，以纵线表示同代兄弟姐妹并列关系，每页左右以页码标明前后转接关系以便于查阅，各人行实也增添学历、职务、职称、迁移等项，这种新式世系图可让人一目瞭然，看出“千枝万叶同一株，枝枝叶叶皆相连”的家族绵延全貌及细部，科学而便览，受到大众欢迎。

各姓氏广大族众，对这次续修宗谱表现出罕见的热忱。一般情形是，数人倡修，族众闻风响应。多数宗谱，历史上就是一位共祖之下的多支裔孙多个村族合修的。此次续谱，参修一谱的自然村，有的多至三四十个，最多的达 55 个，且分布于数省多县市，新登谱的丁口数最多的达数万，其联络议决、上门登记、制作世系、编辑校对、筹集经费等涉及面很广、工作量很大、精确度很高，但却能在数月、最多一年内顺利告成，这固然由于在理事会中有一批不计报酬、不辞辛劳、有组织能力的人士主持，更由于各村各户族人包括外出人员的积极配合和大力支持。按照“子孙修谱子孙出钱”的惯例,修谱费用需由新登谱人口分摊(这届修谱大致是每人10～15元,少数20元),贵溪城乡这回共约有四五十万人口上谱,却未闻出现有人拒交谱费的(特殊困难户按例免交)。不少村族,谱局成立之后的数日内,族众主动前来交纳入谱费的就达百分之七八十。一些资深村干部说:“从来收费没有过像收谱费这么好收的!”谱成之后,都要在主修村庄举行隆重的开谱典礼,村头路口扎彩门,参修各村代表分乘披红挂彩的小汽车敲锣打鼓一路燃放鞭炮前来典礼上接谱,会场外公路上小汽车排成长龙;典礼结束后,一般还要演三天四夜戏庆祝新谱修成。在长期缺乏文化娱乐活动的农村,开谱庆典成为一方热闹的盛大节日。

“修谱热”产生大量新谱,在编校质量上显得有些良莠不齐。其中确有上乘之作,体例规整,内容丰富,形式精美。但也出过一些次品,有的纂修者不懂文言文和繁体字,对老谱文献的断句、标点错讹甚多,又疏于校对,错漏字满纸,无法卒读;有的不谙宗谱体例,随意删削老谱,砍掉有价值的史料,或者为增加谱书的厚重度,把与本族无关的历史名人传甚至养生健身生活常识一类的文字也掺进谱中;有的缺乏基本历史知识,涉及官职、称谓、年代、典故等文字出现不少颠倒杂乱的错误。

对于世纪之交续修家谱热潮的出现,贵溪有地方史志学者做过一些研究,并于2003年撰成《关于当前“修谱热”现象的思考》一文,认为:眼下这个“修谱热”是由多种因素促成的:宗谱自身具有的植根于民族心理的不竭生命力、独特的学术研究价值和社会文明建设价值,亿万族众(包括各行各业各层次族人、海外华人)在修谱中断近半个世纪以后有连续记载家族世系、寻根谒祖的急迫愿望,各族有一批对谱牒文化有一定正面认识的主持者,这是内因;社会各界对宗谱的历史地位和文化定位形成共识,经济发展,生活水平提高,环境宽松,有良好的物质条件和舆论氛围,这是外因。

第二节 地方名谱

留侯天师世家宗谱

8卷,首1卷,终1卷。清光绪十六年(1890)木活字本;线装8册。张仁晸(六十一代天师)主修。此为世居龙虎山中的中国道教教主张天师的家谱。谱奉汉开国功臣、留侯张良为世系第一世祖;至东汉永元二年(80),第十世张道陵自淮至云锦山(后称龙虎山)炼丹,后入蜀创教,称祖天师;其曾孙张盛奉父张鲁命,自汉中返龙虎山定居,开坛授箓,为第四代天师,嗣后世世承袭。

全谱内容:卷首,张仁晸序;卷一,原序,凡例,天师百世谱派,族规论说,得姓受氏说,郡望说,分迁总说,祠庙府第建置考,龙虎山图,祖像,纶言恩命录,墓地考辨,艺文;卷二,本源世系,天师世系;卷三至八,文、行、忠、信、禄、位各房世系;卷终,跋,各房养子世系附,会垣家庙,祠规等。谱中有吕蒙正、文天祥、宋濂、苏伯衡等所撰序,载历代天师传略,收历朝封赠诰敕和其他文献及诗文,是研究中国龙虎山正一天师道历史的重要资料。

原谱1962年原藏于贵溪县文化馆,现藏上饶市图书馆,上清镇天师府有复印本,贵溪图书馆有复制本(3册)。

西源陆氏家乘

又名《西江名贤谱》(书衣)《芗溪西源大儒宗谱》(扉页)。陆赐福等纂修。民国5年(1916)木活字本。全谱15卷,首1卷,线装16册。现存卷首、卷二、十一至十四,其余十卷毁于“文化大革命”。据目录载:卷首,新序、凡例、家规、家法;卷一,原序(唐至清),图、像、赞;卷二,纶音、考表(宋淳祐至清道光);卷三,宗仰;卷四,辨证;卷五,祀记;卷六,杂记;卷七,家训;卷八,艺文;卷九,词苑;卷十,行志;卷十一,世系前表(一至五十世);卷十二,世系正表(一至十世);卷十三、十四,分房世系;卷十五,古塘冒宗原案,山场,新旧跋。

此谱为中国儒家“心学”开创大师陆九渊家乘。谱载:五代时,陆德迁因避乱由中原徙抚州金溪县青田,其玄孙陆贺生6子,幼子即大儒九渊。至南宋,九渊之孙陆溥,为弋阳令,辞官步行返家,经贵溪仙岩,爱其山水遂迁居于此;其孙文广,太常博士、会稽令,避元兵,由仙岩隐居西源山。

毕竟是“西江名贤”大儒家牒,谱中人文资料非常丰富,如:黄帝二十五宗分派图;天下陆氏四十九枝分迁图（以汉颍川太守、尚书令陆闳为第一世）；唐山阴陆贽（名相）以下又分二十九枝（称侍郎枝），九渊属宣教枝；陆九渊论读书、论教育；鹅湖书院、象山书院考记；等等，对研究陆九渊的生平、思想，当为珍贵资料。此谱龙虎山镇西源村小陆家陆务登有藏。

姚氏宗谱

主持者不详。民国16年（1927）木活字本，仅存卷首、卷一。此谱为贵溪、弋阳、广丰36族姚氏联修。卷首：原序，像图，太始祖帝舜纪，表敕，凡例，谱论，家训家规，祠宇记，传赞，墓志铭，阴阳宅址图，书契；卷一：源流吊图，陕西扶风传代总系图，礼存公（唐初自麻城徙弋阳，为上饶各县始迁祖）位下迁弋邑东冲世系图，仲涵公（陕西扶风一世祖）位下分居吊线图，礼存公位下分居吊线图。谱书载有唐太宗时弘文馆学士姚思廉上太宗《重修谱系表》，和皇帝敕令"杜如晦、房玄龄等即将姚氏宗谱修辑，颁行天下八十郡姓氏同其根源者收执"等珍贵史料。耳口乡梅潭村姚胜照藏谱。

金氏宗谱

金式纂修。民国26年（1937）木活字本，3卷，线装3册。本谱为西汉大臣金日磾（前134—前86，本匈奴休屠王太子，武帝时随昆邪王归汉，以功封秺侯，赐金姓）后裔之家谱。系由贵溪石泉、白沙与余江龙溪、山溪、鹤溪、坂溪、箢坊七族会修。卷一：序、凡例、诰敕、始祖像、太史公殿策、历朝人物（自大臣至生员）、迁徙地理、轶事、传赞等；卷二、三：各支世系。诰敕中有：元狩二年（前121）汉武帝授金日磾为侍中诰，元鼎丙寅（前115）汉廷授金日磾为车骑将军同霍光辅少主诏。谱载：自腾公于东汉建武二年（26）创修金氏族谱以来，历次续修年代：东汉建安，晋咸和，宋元嘉，唐上元、会昌，梁贞明，宋太平兴国、天禧、宝庆，元至正，明永乐、嘉靖，清乾隆、嘉庆、道光，直至清光绪三十一年（1905）。此谱当为历史最悠久之中国宗谱之一。

小田毕氏族谱

毕南皆等纂修。民国30年（1941）木活字线装本（十修），7卷、首1卷，分装15册。仅存卷首一册。此谱原为明正德年间由小田进士毕济川居家为母方氏守孝期间创修之谱，本名《新安毕氏族谱》。谱载北宋时毕宗万举博学鸿词、官国子助教，自歙州七石塘迁信州小田（今为贵溪市白田乡小田村）。毕济川曾以翰林编修官参修《明孝宗实录》，以国史纂修手笔主修毕氏族谱，其独特之处是借鉴方志体例于谱牒，别具一格。其谱七卷即含九志：卷一，本原志，地方志（记参修本谱之十村概况）；卷二，世系志；卷三，仕宦志，恩命志；卷四，隐逸、文士、贞节、寿考志；卷五，山川、土产、田粮、第宅志；卷六，诗文志；卷七，杂志。此谱被潘承弼、顾廷龙编《明代版本图录初编》著录，评价很高。民国30年（1941）毕南皆等联合南乡鱼塘、北乡小田等10村毕氏，据清宣统元年（1909）九修本续修，承袭前谱体例。龙虎山镇仙岩村毕家站毕文标藏。

吴氏宗谱

吴陆林主稿。民国34年（1945）木活字本，8卷，首1卷，线装9册。本谱为贵溪县内团山、墩尚、余家坝、杀神塘等13村吴氏合修，皆为南丰金斗窠吴宣后裔，但分别从建昌新城、会干五彩岭、弋阳流口等处分迁至贵溪各地。全谱内容：卷首，新旧序，凡例，家训家规，分迁各支谱序，祠序祠规，阴阳宅基址图，传赞，墓志铭，山界，跋；卷一至卷八，各支世系图。谱中载有王安石、司马光、苏轼、苏辙、文天祥、谢枋得等所撰序、传，保存关于季札、吴宣的大量资料，并有吴汉、吴隐之、吴武陵、吴兢等本族先祖的传略。罗河镇大田村杀神塘吴守来藏谱。

汤氏宗谱

扉页题《汤氏家乘》。汤有才主编。1985年（十一修）木活字本，线装22册。本谱是改革开放后、也是新中国成立后江西省最早续修的家谱之一，且规模大，涵盖4县19村，成书卷帙多。联修各村：（临川）汤坊、才埠、洋湾、青洲湾、上顿渡；（贵溪）童源、浮桥；（进贤）李渡等8村；（南昌）柏岗、源港。本谱系民国37年（1948）十修谱的续修，袭载原谱卷首的全部文献，增添新序、联修各村始迁祖表、人口统计表、各村房地形示意图、众产存录等。

明代大戏剧家、文学家汤显祖（1550—1616）出于本族。谱载明右都御史易应昌撰《若士（显祖号）公实录》，系最早的汤显祖传。此外还有王安石于宋神宗熙宁八年（1075）撰的《抚临汤氏宗谱序》及其他名人之作。罗河镇童源村汤火生藏谱。

理源龚氏族谱

主修龚兼懿,主编龚文锬、龚文元。1994 年 12 月敦睦堂十五修木活字本,线装 20 册。福建光泽与江西贵溪、弋阳 2 省 3 县市 19 村联修,其中贵溪理源与光泽新丰人数最多。此谱价值:①保持族谱全貌。“文化大革命”大破“四旧”时,下西溪村四十一世裔孙龚文贵冒险藏匿下一部民国 35 年(1946)十四修谱全套,而 1994 年十五修时又规定“修谱方案一律遵照老谱式例,内容个字不漏,只增加这次红丁,承前启后”。因此,这是一部从头到尾与历次老谱完全衔接的续修谱,不但保留从一修(宋乾道年间 1165—1173)到十四修的所有旧序和全部文献,而且各支世系也都能从远到近连贯不断。这样完整的家谱今属罕见。②史料丰富。该谱序言及若干人物(包括男女)传略等文,对历史上许多大事或地方事务在叙事中往往有所涉及,如明末清初社会动乱、“三藩”叛乱、康熙收复台湾、太平军与民团搏杀、清末民初世风变化、抗日战争,以及理源书院变迁、塘湾小学最初创办、金屯石桥首次建造乃至戒鸦片等,虽然只是点到,但可以弥补史志之阙失,让人对中国农村社会底层历史演变的了解多有点真切感。谱中还以较大篇幅记载理源在宋元之际出了一位“一代真儒”(江潮语)、“邑贤翘楚”(高明语),名叫龚艮所,著有《朱陆会同》29 卷、《举要》1 卷,共 30 余万字,元翰林直学士、知制诰同修国史、著名思想家袁桷(1266—1327)为之作序,知县钱邦杰特赠“真儒道脉”匾,当时学者称其为“朱陆功臣”。朱(熹)陆(九渊)异同是中国学术史上一大问题,元代贵溪人龚艮所倾心研究并撰成《朱陆会同》巨著,在当时曾大受学者重视。(朱陆辩论的鹅湖书院在贵溪邻县铅山,陆又在贵溪创建象山书院,朱陆两家学说的异同问题当时在贵溪士林中成热点。)虽然此书早已不存,但在家谱中存有相关资料仍不失其意义。③谱中载有宋名相李纲为龚颖《正己箴》所作的《跋》文(卷一艺文),江苏巡抚林则徐撰〈〈太史晴澜(龚文炳)先生传》(卷二)。此谱塘湾镇街道龚智明藏。

第三十一卷　人物
先进集体

人物传

俞君适

俞君适(1893—1985),名谟,以字行。生前系江西大学副教授,江西省政协第三、四届委员,为卓有建树的教育家,是方志敏、钱学森敬重的老师。

俞君适于清光绪十九年(1893)农历二月二十八日出生在贵溪城厢一名书吏之家,父亲曾任县衙承发科缮写员,长兄为秀才。清光绪二十七年(1901)清政府废科举兴学校,县级设小学,但君适启蒙读物仍是杂字书和“四书五经”,不过增添了《历史纲要》《地球韵言》。清光绪三十四年(1908),知县刘光贲(戊戌政变六君子之一刘光第胞弟)主持县立高小招生考试,君适被取第一;清宣统元年(1909)赴南昌报考江西省模范中学(省立一中前身),又以第一录取。在校4年间,受名师教诲,又读诸多介绍新思想的书籍,常与学友切磋,并经历辛亥革命期间省城局势的动盪,思想、学识猛进。1913年春毕业,本可升入名牌大学,却因家境困窘,只得返回贵溪,在县立高小任教师。

俞君适初涉教育界,除教算术、自然两科外,并积极协助校长,赞襄校务。时任高小校长王介贞曾留学日本,对君适信任无间、言听计从;王因事赴上海半年余,校务全托君适处理。由是,该校从本县和南昌聘入多位学有专长的教师;大力购置物理化学仪器、动物标本和体育器械;改造校舍、创办农场,引种日本甘蓝、芝麻等作物。这在当时民国初创、风气未开、旧氛浓重、地方学校多数仍沿袭私塾积习的社会背景下,是一种革故鼎新式的教育改革和创新试验。仅两三年时间,贵溪高小如日初升、名声骤起;在南昌举行的全省小学生成绩展览会上,社会各界对该校展品评价特高;省督学历次来校视察后在上呈报告中皆列为“最优”。该校毕业生到南昌、上饶、鄱阳投考中学(时贵溪尚无中学),大受各校欢迎。省教育厅通令广信府7县各小学到贵溪参观取法,俞君适在江西教育界初露头角。

1917年春,由于弋阳县高小校长方克为连续七次到贵溪邀请,俞君适前往该校任教。《方志敏年谱》(中央文献出版社,2009年版)第15页“1916年,十七岁”条下记载:“弋阳高小的校址设在县城的叠山书院”;“辛亥革命后书院改为学校,前四年为初级小学,一九一六年秋季开始招收第一届高小班,学生有方志敏、邵式平等二十几人。高小班的班主任是青年教师俞谟”即俞君适。方志敏在《可爱的中国》中写道:“我很小的时候,在乡村私塾中读书,无知无识,不知道什么是帝国主义,也不知道帝国主义如何侵略中国,自然不知道爱国为何事。以后进了高等小学读书,知识渐开,渐渐懂得爱护中国的道理。”而悉心启发方、邵这班少年爱国情怀的主要老师正是俞君适。他除教算术、英文、自然、音乐、体操外,每日晚饭后到夜自修前这段时间,方志敏等同学都喜欢聚到班主任宿舍来,俞君适就给大家讲国内外大事、讲列强特别是东邻日本如何蓄谋步步进逼侵吞中国,讲袁世凯卖国称帝,讲军阀混战,民不聊生、民族危亡灾难深重,讲青年人应负的救国之责等;又把当时中国思想界视为重要启蒙读物的译作赫胥黎《天演论》、孟德斯鸠《法意》以及严复《辟韩》等反专制、倡民主、救亡图存的书籍,介绍给方、邵等同学阅读;尤其是,俞君适为高小班定下规矩:每周星期天上午举行时事讲演会。每次由几名同学事先作好准备登台演说,讲题都是就国内外发生的重大事件发表议论,申述观点。由此引导学生关心政治、关注祖国的前途命运,锻炼分析思考能力和口头表达能力。俞君适晚年曾回忆道:方、邵等同学每次必登台发言,对帝国主义侵华罪行表示强烈愤慨;方志敏才华超越,演讲不用讲稿,言辞滔滔不绝,会后补写讲辞斐然成章,张贴供同学观览。俞君适在这个闭塞偏僻的县城小学中为这个班20多名青春少年营造一个接受新知、热情爱国、追求光明、努力求学的成长氛围。

1919年五四运动爆发后,俞君适接到正在北京高师上学并直接参加火烧赵家楼,痛打章宗祥的好友张石樵的快信,最先获知详情。他当即召集本班同学通报张石樵来信的内容,并在全校师生大会上发表演讲。"宣布开会之后,一个青年老师上讲堂,将日本帝国主义提出的灭亡中国的二十一条,一条一条地边念边讲。他的声音由低而高,渐渐地吼叫起来,脸色涨红,渐而发青,颈子胀大得像要爆炸的样子,满头的汗珠子,满嘴唇的白沫,拳头在讲桌上捶得碰碰响。听讲的我们,在这个教师如此激昂慷慨的鼓动之下,哪一个不是鼓起嘴巴,睁大眼睛——每对透亮的小眼睛,都是红红的像要冒出火来;有几个学生竟流泪哭起来了。"(方志敏:《可爱的中国》)这位青年教师就是俞君适。由此,5月18日,经方志敏、邵式平等发起,高小师生在弋阳县城举行响应五四运动的游行示威,宣传爱国御侮,抵制日货。

俞君适信奉的教育理念是:教书与育人并重,动脑与动手并重,尊师与爱生契合,学校与大自然相通。因此他在弋阳高小又获得校长支持,继续推行教育改革。他鉴于那时小学生年龄都较大,就把自然分解为物理、化学、生物三科来教,并自编教材,强调学生要学习动手做标本做实验;在江西全省率先在高小中开设英文课;把亲近自然列为学生活动内容,清明前后师生一道在校园内遍植树木,春秋假日带同学作郊外远足,采集动植物的标本。学校的新气象再次引起社会瞩目,县长、教育科长、县府文书都把子女送到弋阳高小就读。该校的毕业生综合素质都高,所以方志敏能考取对英文及数理化基础知识要求很高的南昌甲种工业学校,邵式平能考取南昌第一中学,其他同学升学皆顺利。更突出的是,这个仅20余人的班中,大多数人后来都成为创建赣东北苏区和红十军的主要骨干:闽浙赣省苏维埃主席、红十军政委方志敏,红十军前委书记兼军政委、赣东北省军委主席、闽赣省苏维埃主席、新中国成立后江西省委书记、省长邵式平,闽浙赣省军委主席邹琦,赣东北省政府秘书长黄镇中,彭杨军校政委舒翼等。一个高小班中竟产生这么多彪炳革命史册的杰出人物,这在中国教育史上实属罕见。

1919年夏,弋阳高小首届高级班毕业,俞君适为实现升学深造的夙愿也辞职离去;临别,全班学生列队送师上信江帆船,依依不舍。他随即赴京考取北京高等师范(1923年改名北京师范大学)博物部,得以接受一批中国一流名师的教导。在学期间,活跃进取,在学界有名,被选为班长并任江西同学会总务、编辑、文牍。为抵制日货,发起成立高师国货商店并连任两届总经理,被选为高师博物学会会长,曾主编多期《博物》杂志,还与同学合编中学生物课教学用的博物挂图。1920年起,被江西旅京商业学校聘为生物学兼职教师。1923年夏毕业,被北京师大留任博物部助教;同时考取博物总研究科带职研究生,1925年夏毕业。在北师大学业长达6年。

1923—1925年,俞君适曾兼任北京师大附中生物课教师。其时,未来的新中国导弹之父、两弹一星元勋钱学森,恰于1923年考入师大附中。该校校长林砺儒(新中国成立后任教育部副部长)是位非凡的教育家,招致一大批优秀教师,在北洋军阀腐朽统治的夹缝中把师大附中办成一枝独秀的名校。俞君适在附中仍然采取亲近自然、采集标本、动手动脑、活泼生动的教学方法,这非常契合自幼热爱大自然的少年钱学森的志趣,他一直记得俞老师曾送给他"一条蛇"的标本。俞君适成为钱学森所敬重的附中七位教师之一。1982年北师大80周年校庆,俞君适前往参加,年逾古稀的钱学森与夫人专门到寓所看望。翌年3月,钱学森又给俞老师发出一信,全文如下:

"君适吾师:

农历腊月二十六日来示奉悉。现遵命附上照片两张,一张摄于1926年,一张1980年。前一张我时年十五岁,当在初中三年或高中一年,距随师捕昆虫作标本时不远。今已五十七年矣,回想当时所受诸师教育,其水平大大高于现在的中学。故认真总结那一段的经验,对提高我国教育,是很有意义的。听说母校教师们正在做这件事,唯尚未见其结果。

谨此问安,并祝

健康长寿!

钱学森
1983.3.14

1925年秋，江西教育厅长朱念祖进京到北师大选聘教师，坚邀俞君适回赣服务，任省立一中初中部主任兼全校生物课老师。他取得校长和年级主任的支持，针对在五四运动以后流行的“废除考试”的偏激思想影响下学生不读书的懒散习气，坚决改变放任办学的错误作风，加强对学生的管教，激励学生的求学兴趣，一年后学习风气大变，一中成为名副其实全省最好的学校；各县学生争相到一中就学，亦受到省教育厅长的赞赏。

1926年年底，北伐军占领江西。翌年初，国共合作的国民党江西省党部执行委员兼农民部长方志敏，向省政府推荐，任命俞君适为省立上饶中学校长，聘请由中共派遣的黄道、邵式平、胡德兰、张石樵等任各部主任，集合先进学生数十名组织“革命理论研究会”，学习《向导》《中国青年》等革命书刊，在上饶传播革命火种。不少学生从此走上革命道路，同年3月下旬，由于形势变化，俞君适及黄、邵、胡、张等同时赴南昌。

1927年5月19日至20日举行的国民党江西省第三次代表大会上，方志敏、黄道当选为党部执行委员，邵式平为监察委员，俞君适也当选为候补监察委员，并任省教育厅编辑兼全省师范筹备主任。在那段革命与反革命力量激烈搏击，形势异常复杂紧张的4个月中，俞君适参与秘密为武装起义作准备的争取教育界支持、起草有关文告、条令等工作。“八一”起义队伍离昌南下后，国民党省政府主席朱培德和上饶“赣东省政府”李烈钧，都对共产党员和国民党左派人士下通缉令，俞君适也名列其中。他和黄道、张石樵3人隐匿在贵溪南部闽赣交界的朗港大山中的废弃土纸厂棚内，从秋初到冬末。

1928年2月，俞君适经鄱阳湖、九江到达上海，就任立达学园教师。立达学园系由著名教育家匡互生、夏丏尊、丰子恺办的高等学校，倡导人格教养和生产劳动教育，具独立精神，不搞国民党的党化教育，不受政府一般教育法令的束缚。俞君适在该校任训导、教务主任和行政委员会主任，并先后在暨南大学师范班、劳动大学、复旦中学、浦东中学、上海中学兼课，假日仍常带学生旅行，采集标本，到过苏州天平山、杭州西湖、普陀山等处。

1932年，日本发动侵华“一·二八”淞沪战争，立达学园校舍、鸡场全部毁于战火。俞君适前往苏州暨南大学中学部任教。翌年任暨南大学海外文化事业部副主任。

抗日战争期间，在桂永清属下先后任武昌战时干训团秘书，湖南常德《自强日报》社社长、重庆自强印刷厂经理。

1946年年底，回贵溪，俞家祖传房屋已于1942年被日军焚毁。翌年秋，接替张石樵任贵溪县中校长。时当战后，百废待举，俞大力筹建校舍，劈山为基建成“仰止楼”上下两层及左侧平房新教室共12个，炸岩洞建成天然大礼堂兼作饭厅，砌围栏开荒塘引入象山清泉命名“鉴塘”，添置仪器开办图书阅览室；尤其是，向京沪杭及信江各县物色延揽良师，整肃校风，提高教学质量。全校气象焕然一新。

1950年10月，江西省农业厅厅长邓洪派俞君适任莲塘农业科技研究所作物组技士。翌年省农学院院长杨惟义聘为植物生理学、动物胚胎学教师。俞到南昌任教后，邵式平、胡德兰夫妇和方志敏夫人常抽暇去看望，畅谈当年师生情谊，并征求对当前党的方针政策和政府工作的意见。1959年冬，副省长方志纯创办瑞金大学，调俞任园艺系主任。1962年调江西大学生物系。在1966年爆发的“文化大革命”中，俞被戴上“反动学术权威”帽子，遭到批斗折磨。1972年恢复工作，1974年退休。

俞君适晚年安居南昌，坚持阅读，了解时事，常练书法，种花种草，公园品茶，神定气闲。搬家多次，方志敏《可爱的中国》始终珍藏于书橱，只是常叹息：“从离开弋阳高小和志敏分别，直到1934年，他在各处都给我写了许多信，我把这些信珍藏在贵溪老宅的屋梁上，却被日本飞机炸毁了！可惜呀，可惜！”

1985年10月10日，俞君适与世长辞，享年92岁。江西大学成立治丧委员会，许多学生从远近各地赶来吊唁。

车 驹

车驹(1898—1951),字驭卿,号萤斋,别名骏中,贵溪市文坊镇人。其祖车贻泰,在文坊开黄裱纸铺,父车梯青,晚清秀才。车驹幼年时,父亲经商失败,当了乡里的小学教员,家境清苦。7岁时车驹随母读书习字。9～12岁从伯父读四书五经,又拜金溪闻人吴子炜学拳术与中医。13～15岁得姑父姑母资助进入县立小学,16岁时同张石樵等人一道到省城南昌求学,就读于省立南昌二中。1917年,他同时考取北京、武昌两个师范大学。因去北京路费多,他选择进武昌高等师范大学英语系并研修历史。师范大学不收学费,还供伙食和衣服。即使如此,仍无钱买书,他便动手抄书,同学中数他的手抄书最多。1921年毕业时,回母校江西省立南昌第二中学任教。任教后,其学识才干深受前辈教育家熊育锡、柳藩国的赏识,1924年江西省立南昌二中开始办高中部,车驹担任高中部主任。1927年春,任校长,自此,他全面主持二中校政达22年之久。1947年,他受聘兼任国立中正大学教授。1949年5月,南昌解放,省立南昌一中、二中、女中、女职合并为省立南昌一联中,车驹离开教坛,在南昌以行医维持生计。1951年7月,因患肺结核病故,终年53岁。

车驹治校是以中国近代启蒙思想家严复所题"勤朴肃毅"校训和熊育锡所题"名称永居第二位,成绩须达最高峰"校联作为指导思想的。他在担任校长的整个过程中,传承和发扬江西现代教育的开拓者熊育锡教育救国的思想,培育数以万计的学生,为发展江西的教育事业作出巨大贡献。受前辈的影响,他在二中一贯坚持昌明科学,力主培植理工人才,教学内容上特重数理化与外文,高中年级学生所用的数理化均系外文原版,有的还是美国大学一、二年级的课本,学生们在课余常用英文会话、写文章已习以为常。他还十分重视实验课,培养学生的动手能力,图书馆的藏书也以自然科学书籍为最多。

"九一八"事变,日军占领我国东北三省,全国人民群情激昂。1936年1月,二中师生们义愤填膺上街游行,车驹校长亲自参加,并向同学们说:"现在日本人这样欺侮我们,今后要雪耻,要靠你们这辈人!"他还说:"凭我一个人拿一支枪去打仗,力量是有限的,要培养更多的有远大抱负的、有作为的人才出来,才能富强我们的国家"。

抗战八年期间,南昌沦陷,车驹带领师生把学校迁到清江县永泰,而后又迁至永新县石灰桥、夏阳,泰和县爵誉村,在那里度过艰辛的5年。1945年春,日军从赣州沿赣江而下,泰和形势危如累卵,他又带领师生把学校迁至吉水县水南、永丰南坪。日本投降后,又返迁至清江永泰,等南昌校址修复方迁回南昌。数度迁校,经费短缺,困难重重,他率领师生艰苦奋斗、自力更生,解决许多难以想象的难题。他总是以超越常人的智慧和胆略克服非常时期的困难,从而使学校的教学工作从未耽误,在如此艰苦的条件下,南昌二中的升学率在全省中学里仍常常名列第一。

抗战期间,南昌系马桩校址遭日军烧毁,只剩下一幢残破不堪的两层楼教室,车校长一面安排陆续回校的同学,一面因陋就简,修建校舍,置办仪器设备。经历一年奋斗,学校才恢复正常的教学秩序,教学质量依旧名列全省中学前茅。

车驹深知教师是学校的中坚,所以一直坚持聘请著名学者,名牌大学的高才生当老师,与当时省内其他中学比,二中的师资始终是一流的。即使在"师荒"严重的艰苦环境下,他凭着自己的诚信、大度、威望和无微不至的关心,仍然聘到许多饱学之士。如著名物理学家吴有训,著名植物学家胡先骕,文学家、中央大学教授王易,国学家、心远大学教授彭醇士,曾任北师大数学系主任傅种孙,国学家汪国镇,以及许福田、顾祖荫、范惠农、蒋敬三、蔡道南等著名教师。

车驹非常重视学生的德、智、体全面发展,重视以德育为基础树立优良校风。20世纪五六十年代的学生、现年逾古稀的众多老人记忆犹新的一件事,就是校长在每周周会上宣讲"勤朴肃毅"校训。他总是口若悬河,从勤奋学习、生活俭朴到态度严谨、顽强刚毅;从为人处世到爱国爱民,"先天下之忧而忧,后天下之乐而乐";从个人学业、养生到同胞抗战、恢复河山等等,他的演讲总是深入浅出,鼓动人心。

他常教导学生“己立立人,己达达人;有才者能助人,有德者能安人,有量者能容人”,让人终生难忘。

至今全国各地(包括台湾和海外)已经七八十岁高龄的校友仍然不忘尊师重道,不忘当年二中师长的培育之恩。他们多次聚会,还向社会捐款开展各种纪念活动,就是当年德育教育成效的明证。

二中重视体育,学生的篮排球尤其是排球常名列省城中学之冠,跳高、跳远及赛跑等田径项目亦在省运动会上屡屡夺得名次。学生课外文艺活动亦有声有色;抗日战争和解放战争时期,二中学生组织的文艺社、歌咏团十分活跃,公演的话剧在社会上颇负盛名。

当年欲进入在车驹主持下的南昌二中读书,竞争十分激烈,一般是10~20人中取1名;而且入学后,不进则退,淘汰亦是无情的。国语、英文、数学三门主课一门不及格,补考一次还不及格,就要留级。因无春季班,留级则是降级,两次留级则取消学籍。因此,二中的升学率居全省之冠,高中毕业生多数都能考取名牌大学。许多学子后来还成为国内外著名的院士、教授和专家,有的还获得诺贝尔奖的提名;现今中科院院士徐采栋、阳含熙、游效曾和吴式枢等都曾是二中的学生。

车驹把毕生的精力和才华献给南昌二中,使当年的南昌二中与天津南开中学、江苏扬州中学并列为全国三所优等中学。以致于20世纪90年代,时任全国人大常委会副委员长的著名科学家钱伟长来江西视察时都说:“解放前有个南昌二中办得好,成绩列为全国三个优等中学之一,家长都愿意将子女送到该校就读,可见只要教学质量好就不愁没有学生”。数十年后,他的学生至老迈之年写诗赞誉他:‘寿诞于兹百十年,载桃育李忆从前。董帏曾下三千子,马帐长超七二贤。大有文章惊海宇,更宗庐扁著鸿篇。儒林泰斗人共仰,今后伊谁敢并肩。”

车驹后来被誉为“王牌校长”,他除兢兢业业把一生献给教育事业的精神外,还与他的好学不倦、博学多才密切相关。大学毕业时他已精通英语,且对法文、德文甚至梵文都有一定的造诣;他有坚实的国学基础,著有小说《花草》,歌词《校歌》《流亡曲》《春痕》以及许多诗词等。

他还精通医道,不仅能治许多疑难杂症,对于医治伤寒、白喉、血崩、麻疹、筋骨等病症尤有独到之处,而且能够热心治病,一意救人,且不收分文。他的医术和医德为艰苦抗战时期的学校师生和附近农村群众作出巨大的贡献,使人们留下长久的回忆:“车校长的医道,当时驰名省内”,“凡校医治不好的疑难病症都请车校长治疗”,“许多人生病时不找挂牌的医师而请车校长诊治”。他还写下一册《伤寒病之认识与治疗》医学著作。

他一贯主张每个人都至少要有一种“生活技能”,才能不尚空谈。所以除医道外,他还钻研过多行技艺。他擅长书法,给几家商号写过匾额;通音律,《校歌》的词曲均他一人所作;擅篆刻,曾为人师;研究过无线电,还有所创新;自制磨砻机,其简便令人叹服;喜摄影,可摄一人现三影;创造经济印刷法还获得嘉奖,还自己带头引领家人织袜。抗战时期研制植物油灯,节省用油;自制“难民烟”、自磨豆腐、自制硫磺药膏治疥疮等,均让师生们记忆犹新。由于他的博学涉及古今中外,当时就被师生们尊称为“车老博”。在1998年纪念他的百岁诞辰大会上,他的学生赞颂说:“车驹者,国之奇才也”。“以己之一生献给了莘莘学子,鞠躬尽瘁,死而后已”。

作为一校之长,车驹十分重视身教重于言教,凡要求学生做到的,自己一定先做到。他身为名校校长,而为人谦和,平易近人,爱生如子,平时生活极为简朴。他一贯坚持:在家宜勤宜俭,出外宜和宜平,不羡奢,不偷惰。抗战胜利返回南昌后,他一直住在广润门下湾街岳母的旧平房里,至死也没有一所自己的房屋;手持文明棍,身穿旧哔叽中山装,戴旧礼帽和老花眼镜就是学生们脑海里共同留下的校长形象,去世后留下的较为值钱的遗物是一块方形的旧手表和两副老花镜。

为了体现尊师重道的精神和表达对先师的缅怀,二中前期校友会通过捐款自筹资金,在南昌二中的支持下于2001年在南昌二中校园里建立“勤朴肃毅纪念亭”,亭中树碑,碑上刻有车驹校长所著“勤朴肃毅校训诠释”;又于2002年在南昌二中校园里安放熊育锡、柳藩国和车驹三位先校长的半身铜像。

翟兴明

翟兴明(1901—1994),名国昌,字治隆,号兴明,河北省南和县人。幼受蒙学5年,15岁起由叔父翟为国督导,在药铺中专攻医书5年,熟读《内经》《难经》《伤寒论》《金匮要略》《本草经》《药性赋》《汤头歌诀》等中医经典,同时通读金、元、明、清诸名医的医学论著;在针灸方面,不仅细读《甲乙经》《针灸大成》等历代专著,而且对经络、输穴与功能主治等能背诵如流,对针灸手法也下苦功钻研。由此打下深厚的中医学基础。20岁开始坐堂行医,经5年悉心实践,开创一种针、灸、药相结合的辨证治疗新法,对不少疑难痼疾有出奇制胜之效,名扬周边数县。

1950年春,来鹰潭益寿堂药铺当坐堂医生;翌年参加全国医务人员甄别考试,属新中国成立后贵溪最早获得中医师证书的执业中医。1953年10月,由政府调入贵溪县卫生院(后称人民医院)任内科、针灸科中医师。1981年评为副主任中医师,1988年晋升为主任中医师。

翟兴明长期从事中医临床,形成"胆大心细,果断及时,针灸开路,药物后盾"的医疗风格,熟谙内、妇、儿科,特别擅长针灸疗法。在内科方面倡"病多夹瘀论",善治心脑血管病和肝胆病,针对病因病机而分别选用和加减,疗效稳准。遣方用药,常能巧运匠心将数方灵活加减而汇成复方,故对病机复杂、症候多变的疾病常能应手取效。对针灸有极深造诣,并多有独创。其学术思想,以整体观和经络理论为指导,辨证施治、针、药结合,克服单一疗法之弊,从而对疑难杂病变不治为可治,对急症可转危为安。70多年间,他用一根小小银针,替数以万计的患者治愈各种沉疴顽疾。有的病人来时头痛欲裂,经他扎针,头痛立刻消失;有的瘫痪病人经他针灸,奇迹般地重新站立行走。他经过精心研究,用针灸加捏脊的方法,攻克小儿麻痹症(痿症)的医学难题;经他治愈的此病患者就达1000余例,都能重新站立、正常行动。他采取"以督脉为主,穴位以百会、人中为枢纽"的施针方法,对面瘫的治愈率达到98%以上。此外,以针、药结合疗法治眼睑下垂症,以活血祛瘀、益气通络(用药)结合针刺加刺络,治中风偏瘫,疗效都极为显著。

翟兴明治愈的疑难典型病例甚多,仅举一例:1976年4月3日,有一来自河北的妇女抱着3岁男孩李某,慕名远道求诊于翟兴明医师。据诉:患儿出生时,腰骶部即长有一肿瘤如鸭蛋大,3岁还不会走路。经河北医大二附院内科和神经科专家会诊,诊断为"脊柱裂伴脊膜膨出症",意见:此病外治不能开刀,内治无药可服。即判为不治之症而拒之门外。翟兴明对患儿望问闻切,仔细检查严谨思考后,作出诊断:患儿系属先天胎元不足,髓海亏损;治宜培肾补元、生精填髓、益气健脾。随即自创一方,名为生髓补血汤,由15味中药组成。15天为1疗程,间休3日再行下一疗程。仅服两个疗程即开始见效,囊肿明显缩小;至第六疗程结束,囊肿已平复,可健步行走,经X线摄片检查已痊愈。此儿长大后考入北京某大学,身体强健,智力聪慧。(见《翟兴明医师亲书医案》)

翟兴明晚年在业务繁忙中,抓紧时间总结临床经验。1982—1988年在全国或省级学术期刊和学术交流会上发表的论著有60余篇。其中《百会穴在急症中的运用》《试探"外科正宗"在针灸方面的运用》《针刺治疗周围性面神经麻痹145例临床小结》《"内经"刺络十法》《针药结合治愈重症眼肌无力的经验》等篇,以其自身实践的医案资料,传播中医针灸术治病救人的一系列良法,并上升为规律性认识,指出:针灸在选穴上应注重特定穴的辨证论治,如俞募配穴法、原络配穴法以及五输穴等辨证施针用灸法;在针术上应善于"调阴阳,讲补泻",刺法上宜用"多针浅刺法"和"刺络放血术";创立"治痿取奇经重督脉"的临床理论,有重要的学术价值。

翟兴明医术精湛,医德高尚。他久处临床第一线,对患者一贯态度和蔼,热情接待,即使是节假日或深夜,一有患者急于求诊,他不顾年迈、劳累,都即刻亲切接诊。有些行动困难的病人,远道而来却因病床紧张不能住院,只得投宿旅店,翟兴明就会定时上门为其扎针,直到病情好转。有的病人为感谢救苦救命之恩,给他送匾送旗送物,他从来都是婉言谢绝。翟兴明"大医精诚"的美名传扬四方。1985年,他以85岁高龄,应聘每逢星期一、五到鹰潭设座临诊,按时坐公共汽车前往,风雨无阻,从未间断。一日,因天热人多,他挤不上车,竟突然晕倒在地,幸得群众抬送入医院,苏醒过来后,他却说"我知道,不碍事",硬是起身坚持赶赴鹰潭。鹰潭、贵溪两地人民一时纷纷传扬此事,都称赞:老翟医师不肯失信,就是心中总牵挂着病人!

翟兴明为振兴贵溪中医事业不遗余力。1953年以来,他长期受聘兼任县西医学中医班、县卫生学校、江西中医学院函授大学辅导站的教师,曾编写数十万字讲义和针灸歌诀,大力弘扬、传授中华传统医学理论和临床医术，培养数百名中西医结合人才。1983年，他以省政协委员身份积极建议创建贵溪中医院，得到卫生部门采纳、支持，他不辞辛劳，亲自筹集建院资金，1984年新型中医院终于建成。翟兴明先后任县中医院副院长、名誉院长。1988年退休后，依然在家为群众看病而不收报酬，每天接诊10人左右。

翟兴明是中国农工民主党党员，历任贵溪县政协第一届委员，第二、四、五、六届常委，江西省政协第五届委员；鹰潭市卫协常委、副主席，鹰潭市科协顾问，鹰潭市中医学会常务理事、名誉理事长，江西省针灸学会顾问。1983年，江西省卫生厅授予其全省卫生先进工作者称号；1985年，江西省人民政府授予他全省中医药先进工作者称号；1986年，卫生部授予他全国卫生文明先进工作者称号，省政协颁给他省政协委员为四化服务表彰证书。

翟兴明注重自我保健，1987年被评为江西省健康老人。其养生要诀，一是饮食起居有规律；二是爱好武术；三是雅好书法，中年曾著《书法艺术真诠》一书（惜毁于"文化大革命"）。1983年，被中国书法家协会河北分会接纳为会员。1994年离世。

林凤标

林凤标（1909—1977），浙江省缙云县人。原贵溪县人民医院草药医生。

林凤标在偏僻的缙云山区一贯务农，直到39岁，在家乡邂逅一个安徽来的"凤阳婆"牙医，在接触中，他发现"凤阳婆"不仅懂得草药医术，还会武功。于是林凤标向她讲述自己在当地使用草药也给乡邻治过一些小病，并主动向她讨教。"凤阳婆"见他为人忠厚老实，就收他为徒，并让林凤标为她挑着行医担子，随其漂泊四方。1949年后，林凤标回家务农，常常为上门求医的人接骨治病。

因家庭生活困难，1957年，林凤标携全家人来到江西贵溪县冷水乡谋生。先后与同乡在地处深山的龙坑、杨坂等地烧木炭，平常仍然用他采集的草药为人治病。1964年，贵溪县冷水综合垦殖场成立，他被安排到茶山分场银路岭药材场种植中药材。

当时山区缺医少药，林凤标又擅长治疗痈毒、蛇咬伤、跌打损伤等病症，当地群众都找他治病，他不仅医术高明，医德也高尚，受到人们的称赞。有一次，有一位痈毒患者排脓不畅，炎症高烧不止，他便用嘴把毒液吸吮出来，再用自己从深山采下的草药治疗，使患者很快治愈。从此，在冷水一带，林凤标治病有了名气。

"文化大革命"期间，全国掀起中西医结合和发掘草药治病的热潮，林凤标被安排到总场职工医院担任草药医生。1968年，他被调到县人民医院住院部，专门从事草药医治工作。此时他已是花甲之年，60大寿在县医院度过，他感到十分的高兴。

林凤标调到县人民医院后，更加努力发挥自己的专长，工作认真负责，技术精益求精。他不顾年老体弱，经常背着药篓，爬山越岭采集草药，回院后又自己动手切剁碾铡，精细加工配制成膏丹丸散，而且毫无保留地把自己的技术传授给医务人员。林凤标用他的实践知识和高超医术，治愈不少疑难杂症。他用浸醋纱布烧灼法治疗顽固性湿疹，用"沙猪崽"（一种生长在河边沙丘中的小昆虫）治疗寒性脓疡等病症都有奇特的效果。

特别值得一提的是，他应用的许多草药中，有一种俗名叫"肿节风"的草药是林凤标的"权威"品种。"肿节风"（因其茎干上生长有规律的肿节而成名），学名叫"接骨金粟兰"，又名"草珊瑚"，其对退热、消炎、祛毒有独特的效果。1969年5月，县医院收治泗沥乡一位患巨大卵巢囊肿的病人姜香凤，手术中从病人身上摘除重20.5公斤的肿瘤物。可是病人在术后持续高烧不退，经西医用青霉素、卡那霉素等多种抗菌药治疗仍不见效。这时，被邀请参加会诊的林凤标大胆提出试用"肿节风"，结果病人在服用肿节风制剂后，当天晚上体温就有所下降，连服数日，体温恢复正常，不久痊愈出院。

肿节风的这一奇异疗效引起医务人员的关注。当时从省城下放到贵溪的江西医学院教师戴培鑫、叶泉声、邱伏良等人，认为对肿节风的临床应用，很有科学研究的价值，便提出将肿节风带回医学院进行药理化验研究，得到院领导、教授和科技工作者的大力支持，肿节风的疗效得到了科学的认定。

1970年,江西省革命委员会卫生行政主管部门指定贵溪县研究开发肿节风制药项目,当即贵溪县革命委员会决定由卫生组(相当于现在的卫生局机构)负责,成立由领导、医生、科技人员组成的"三结合"肿节风科学研究小组,在县制药厂进行药理药化实验。经过严格的反复试验,发现肿节风对黄色葡萄球菌、痢疾杆菌等9种细菌有良好的抑菌作用,是我国独特的草药广谱抗菌素。接着,科研小组又采取临床结合试用肿节风,进一步发现肿节风有显著的抗癌作用。不久,经报国家有关部门批准,贵溪制药厂便开始大批量生产肿节风片剂、针剂(1990年片剂、针剂实际日产量分别为34万片、2万支),从此,肿节风成药进入医药市场。与此同时,肿节风的开发应用得到国家有关部门的重视,被列为全国医药科研重点项目,取得丰硕的科研成果。1978年,肿节风科研小组成员、县制药厂技术员胡敏致为该项目代表,出席在北京举行的全国科学大会并接受颁奖("合作完成的成果奖")。从此,肿节风成为我国消炎、抗癌药品中的一颗新星。肿节风丸、草珊瑚含片,乃至草珊瑚牙膏风靡全国。林凤标这位肿节风的发掘者也载入史册。(参见1996年版《贵溪县志》1006页《肿节风的发现与研制》)

1977年,林凤标因患高血压中风症,不幸逝世,终年68岁。

刘 辉

刘辉(1912—2002),出生在江西瑞金一个贫困农民家,只读过3年书。于1933年4月10日参加江西中央红军模范师,1932年由曾万和介绍加入中国共产党。1933年4月至1935年9月在江西中央红军模范师、补充师任战士;1935年10月至9月在中央红军教导师、三军团任班长;1936年10月至1936年12月在陕西红军三军团任排长;1937年1月至1940年12月在山西总司令部独立团、陕西总司令部特务连、陕西中央军委警卫营任班长、排长;1941年1月至12月在陕西抗曰军政大学三分校任学员;1942年1月至12月在陕西中央军委警卫营任中队长;1943年1月至6月在陕西抗日军政大学、总校任学员区队长;1945年7月至1945年12月在辽北省军区一四六团任营长;1946年1月至1947年8月在嫩江省军区第二团任团参谋长;1947年9月至12月在东北民主联军独立第三师六十三团任营长;1947年12月至1948年6月在第四野战军二十一师任协理员;1948年6月至1949年10月在吉林铁路公安大队任政治处副主任;1949年11月至1950年9月从部队转业在哈尔滨市鸡鸭公司任副经理;1950年9月至1952年8月在北京中国工业器材公司任科长;1952年8月至1954年3月在北京中国交通电工器材公司任科长;1954年3月至7月在国家商业部办公厅事务处任副处长;1954年8月至1957年8月在北京市工农干部补习学校读书;1957年9月至1958年4月在中国交通电工器材公司办公室任副主任;1958年5月至8月在哈尔滨市道里区服务局任党委书记;1958年5月至1962年6月在哈尔滨市道里区人民公社任副社长;1962年7月至1970年5月在哈尔滨市果品公司任党委书记。1970年6月经哈尔滨市革命委员会政治委员会批准退休回到江西省异地安置在贵溪县,由当地民政部门管理。1981年4月改退休为离休,1994年10月经中共江西省委组织部批准,刘辉享受副地(市)级政治、生活待遇。

刘辉参加过红军二万五千里长征,1935年11月参加直罗镇战斗;参加过抗日战争。1949年在陕北延安搞大生产运动获生产劳动英雄二等奖,解放战争时期在东北参加四平战斗。从入伍开始,大小战斗参加200余次,负伤两次,被评为三等伤残。

新中国成立后,刘辉积极参与政治、社会和经济活动,为党和政府建言献策;他不辞辛劳,通过多种形式,对广大干部职工和青少年进行党的优良传统和爱国主义教育,为社会主义物质文明和精神文明建设作出新的贡献。刘辉离休志不休、奉献余热不停步,受到贵溪人民的称赞和崇敬。

2002年9月8日,刘辉因病在南昌去世。

叶 丁

叶丁(1913—1955),原名叶约翰,出生于贵溪县城北街一个绅士家庭。叶丁从小聪明,于贵溪县官立丙等小学校(今贵溪二小)毕业后,被望子成龙的父亲叶重光送到省城南昌心远中学(今南昌二中)寄读。

1935年毕业于上海复旦大学。毕业后在江西省立工业专科学校任讲师,后升为教授。不久,经中国民主同盟江西领导人廖伯坦介绍参加中国民主同盟组织。

1949年新中国成立后,叶丁被调到江西省文联工作,任文联创作部部长。

1953年6月,中南行政区(辖河南、湖北、湖南、江西、广东、广西6省及武汉、广州2市,行政委员会驻武汉市)作家协会成立。1954年年初,叶丁作为中年专业作家荣调中南作家协会任创作委员会副主任。同时调中南作协的专业作家还有李蕤、姚雪垠、田涛等。

叶丁从省里调到大区,主要在于他有创作实力,既能写小说散文,又能写评论。从1954年秋天到1955年秋天一年时间里,叶丁接连在《长江文艺》杂志上发表了3篇小说和两篇评论,他的名字平均两个多月在文学期刊上出现一次,这在当时是不多见的。

他的小说《秧》是作为反映农村生活的重点作品推出的,发表在《长江文艺》头条并配有多幅插图,紧接着又出版《秧》的单行本,产生轰动。当时正处于农业合作化的初期,叶丁怀着真诚、喜悦的心情写出他的感受和认识。另一篇小说《春耕的时候》和特写《雨夜》充分表现出一个知识分子对获得土地的农民新的精神面貌的赞美。

当时的《长江文艺》非常重视发现和扶持文学新人,对年轻的业余作者的作品要请有经验的作家撰写评论并推荐文章,这样的评论文章并不好写,既要热情肯定,又不能廉价吹捧,还要指出不足和努力方向。当时的一些老作家常常谦虚地婉言推脱,不愿接受这项任务。叶丁也谦虚地表示自己水平不高,经验不足,但最后还是接受任务并很快就写出那篇《〈六个瓷瓶〉读后》。他热情扶持的这个初学写作的青年工人李建纲后来竟成颇有建树的专业作家,而且担任过湖北省作家协会的常务副主席兼秘书长。

1955年年底,在全国开展"肃反"运动中,中南作家协会中共组织接到从江西南昌寄来的一封检举信,检举叶丁在加入中国民主同盟之前曾参加过国民党,南昌解放前夕又曾出席过学校当局召开的"应变会议"(抵制共产党接管"工专"学校),还有就是他岳父的兄弟李中襄是国民党全国国民大会代表、江西省民政厅厅长;另一位是江西工业专科学校校长,是叶丁所在的那个学校里国民党组织的负责人。因此叶丁被列为肃反对象,怀疑他是暗藏的历史反革命分子。

在一次作家协会宣布对编辑、作家姜弘进行处理并对他进行批判的大会上,一个肃反对象、青年剧作家史玉樵被公安机关逮捕了,当场宣布他是暗藏的历史反革命分子。叶丁受到强烈的刺激,内心非常恐惧。不久,有关领导拿着南昌寄到武汉的检举信找叶丁谈话,要他交待隐瞒的反动历史问题。叶丁顿时背上沉重的政治包袱,深感在劫难逃。就在这天晚上,叶丁服用大剂量的安眠药自尽。在他的床头留下一封遗书和一块手表。时年42岁。

廖子英

廖子英(1915—2001),出生在贵溪县滨江村一个贫困农民家,小学文化。1932年2月参加中央红军一方面军,1935年1月经刘飞龙介绍加入中国共产党。1932年2月至1934年12月在一方面军任勤务员;1935年1月至1939年3月在一方面军任保卫员、战士;1939年4月至12月在延安抗大任学员;1940年1月至1941年12月在山东独立团任排长;1942年1月至1948年12月在山东独立团任副连长、连长;1949年1月至1950年12月在陈留军分区独一团任副营长;1951年1月至1952年7月在河南商丘军分区暂十一团任营长;1952年8月至1953年10月从部队转业到广东省开平县公安局任副局长;

1953 年 10 月至 1954 年 9 月在华南分局党校任学员;1954 年 10 月至 1958 年 8 月在广东省第一干校任学员;1958 年 9 月至 1960 年 5 月在广东省第四监狱任监狱长;1960 年 5 月至 1968 年 11 月在广东省地方国营西江锰矿任中队长、股长;1968 年 11 月至 1970 年 7 月在广东省佛山专区“五七”干校劳动;1970 年 8 月,经广东省佛山专区革命委员会政工组织办公室批准退休后返回贵溪,由民政部门管理。1981 年 4 月改为离休,享受副地级政治和生活待遇。

廖子英在红军队伍中,先后参加过反国民党反动派对中央苏区和革命老根据地井冈山的五次“围剿”。1934 年 10 月,随中央红军开始二万五千里长征,经过 2 年出生入死的艰苦战斗,于 1936 年 10 月胜利到达延安。抗日战争期间,廖子英参加抗击日军的平型关、田博山等战役。在解放战争中,1946 年 11 月,他在汤头战役中缴获国民党军 3 支枪、活捉俘虏一名受嘉奖,曾先后荣立二等功、三等功。他在红军和中国人民解放军部队中,先后任战士、排长、副连长、连长、副营长、营长等职,排除万难,不怕牺牲,冲锋在前,奋斗不息,在漫长的战争年代先后 9 次负伤,被评为二等甲级伤残荣誉军人。转业地方工作和离休后,廖子英保持和发扬革命优良传统,继续为新中国的社会主义革命和社会主义建设做出自己的贡献。2001 年 8 月 25 日,廖子英因病在贵溪去世,享年 86 岁。

程美兴

程美兴(1915—2004),1915 年 1 月出生在贵溪县周坊乡河上村一个贫农家庭。1929 年,方志敏领导贵溪人民创建革命根据地,制定暴动计划,组织周坊农民武装起义,开展轰轰烈烈的土地革命。此时,年仅 14 岁的程美兴参加当地苏维埃政府组织的儿童团活动。1930 年任儿童团团长和地下(秘密)交通员。1931 年 6 月参加方志敏、邵式平创建的中国工农红军第十军,先后在新兵团当通讯员、红十军卫生部当看护(护理伤病员)。1932 年加入共青团,1933 年 5 月转为中共党员。1933 年初,奉中共中央军委之命,红十军调赴中央苏区,改编为红十一军。程美兴随军转战江西黎川、资溪、广丰和福建将乐、光泽、沙县、顺昌、连城、龙溪等地。1933 年 8 月,参加“东方战役”和南平、洋口、顺昌战斗。1934 年在第五次反“围剿”战役中,参加红七军团在水湾、黎川、广昌等地的堵击战和保卫战。同年 6 月,红七军团调入瑞金休整,改编为红军第十军团,于 7 月 7 日从瑞金出发,转战闽浙皖边区,冲破国民党军队重重包围和阻击,行程数千里,战斗 100 余次,辗转至赣东北苏区德兴县重溪镇,与阔别多年方志敏创建的红十军胜利会师,合编为北上抗日先遣队。行军途中遭到敌人前堵后追,经过殊死搏斗,红军北上抗日先遣队遭受重大挫折。方志敏率领的军团机关与直属队经过五天五夜又饥又冷的急行军,于 1935 年 1 月到达敌人封锁线前沿港头,发现敌对我已经形成包围圈,情况十分危急。为保存革命力量,方志敏果断命令红十军团参谋长粟裕和政治部主任刘英率军团机关、直属队和轻伤员近千人突围。程美兴跟随粟、刘冲过敌人的封锁线,率部安全到达赣东北苏区广财山,等候与方志敏会合,但已失去联系,后获悉方志敏所率部队在怀玉山地区粮尽弹绝,全军覆没,大部分人员牺牲或被俘。

突围出来的红军组成红军挺进师,粟裕任师长,刘英任政委。从此,程美兴跟随粟裕转战南北,先后担任粟刘首长的警卫员、警卫队长兼政委、保卫队长兼政委、团长兼政委等职,成为粟刘部下一名干将。

1935 年 10 月 18 日,红军挺进师到达与福建省毗邻的浙江泰顺县洋溪乡,随后在周边的苍南、平阳、瑞安等县开辟革命根据地。程美兴参加和指挥斋郎、白科湾、国圪、李家山、王村口等数十次战斗。他英勇杀敌,多次负伤,在 3 年艰苦卓绝的游击战争中,为建立浙西、浙南革命根据地作出巨大的贡献。

抗日战争时期的 1938 年 1 月 6 日,国民革命军新编第四军军部在南昌成立,江西各游击区的红军分别编入 1 ~ 4 支队和 9 个团之中。粟裕率部开赴抗日前线。刘英、程美兴继续在浙西开展革命斗争。程美兴为恢复壮大党的组织、巩固革命根据地,立下不可磨灭的功勋。他先后担任永瑞县委副书记、浙南特委委员兼军事部长，特别是1940年12月至1947年，他在瑞安县担任县委书记达7年之久。他带领瑞安的党员干部团结广大人民群众，在五云山、沙门山、梅尖山等地一次次阻击国民党的军事进攻和阴谋破坏，经受国民党顽固派掀起的三次反共高潮的考验，在中共浙江省委机关遭到破坏、省委书记刘英被捕牺牲的危难时刻，他坚贞不屈、出生入死开展游击战，使浙西南成为稳固的革命基地。抗日战争期间，温州地区沦陷，他创建武工队，深入抗日前沿，密切监视和牵制日军，打击汉奸叛徒，组织群众安全转移。

解放战争期间，程美兴调离瑞安，参加浙南特委整风学习。特委举办军政干部培训班时，他负责传授游击战术。此后，他担任浙南游击纵队参谋长。1949年春，他参加争取国民党军第200师起义谈判，带领纵队迎接解放大军和平解放温州。

1949年10月新中国成立后，程美兴任中国人民解放军温州军分区副司令员，不久调华东军政大学高干团担任队长，先后任南京军事学院合同战术教授会副主任、参谋系副主任。1975年回浙江省军区任副参谋长。

程美兴少年参加革命，经历土地革命、抗日战争和解放战争三大革命历史时期，身经百战，六处负伤，被评为二等甲级伤残军人，先后获中华人民共和国二级八一勋章、二级解放勋章、二级红星勋章。1979年副军级离休后，老骥伏枥，壮心不已，发挥余热，贡献不断。他担任浙江省新四军研究会顾问，积极撰写革命回忆录，撰写的《铁流铸丰碑》获军区二等奖。多年来连续被评为省军区优秀共产党员、模范党员、老有所为先进个人。他积极参加社会活动，经常到机关、部队、学校宣讲革命历史和革命优良传统，关心下一代健康成长，被杭州大学历史系聘为校外政治辅导员。1992年、1995年被评为浙江省关心下一代工作先进个人，1995年被评为全国关心下一代工作先进个人，获全国关心下一代荣誉奖章。

程美兴因病医治无效，于2004年12月7日在浙江医院与世长辞，享年90岁。12月12日上午，浙江省军区在杭州殡仪馆为程美兴举行庄重的遗体告别仪式，400余人到场哀悼。中共中央纪律检查委员会副书记刘锡荣、中共中央军事委员会总后勤部副部长李元、中共浙江省委、南京军区、浙江省军区等领导及家乡贵溪县和他生前战斗工作过的市（县）党政机关送了花圈。灵堂前方挂着挽联，左联“少年投身革命，随刘粟转战闽浙边，坚持浙南十四年，出生入死，威震敌胆，确是英雄”，右联“晚年不顾病残，尽心力撰写革命史，重访故地搞调研，实事求是，尊重科学，堪称楷模”。根据程美兴生前意愿“永远与浙南人民在一起”，遗体火化后，将骨灰送回温州，安葬在雪山公墓。

刘金才

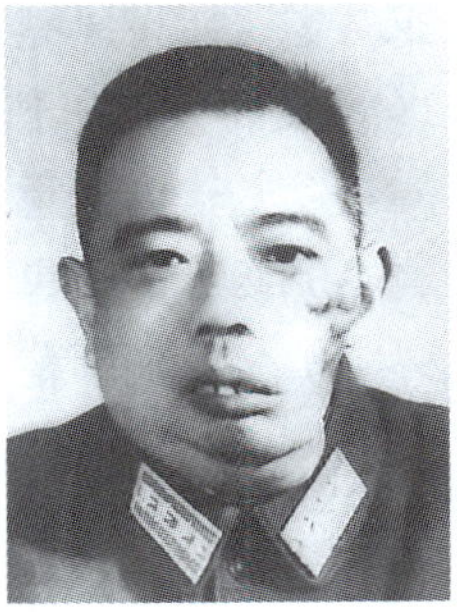

刘金才（1916—1981），贵溪塘湾镇白果村人。1933年7月参加中国工农红军，1933年12月加入中国共产主义青年团，1934年12月加入中国共产党。刘金才戎马一生，参加第二次国内革命（土地革命）战争、抗日战争、解放战争和抗美援朝战争。他出生入死，英勇作战，先后身负12处枪（炮）伤，1处刀伤。获中华人民共和国三级八一勋章，二级独立自由勋章、解放勋章和朝鲜民主主义人民共和国二级独立自由勋章、国旗勋章。

1933年11月，刘金才在闽北红军第五十八团团部任通讯员、战士、红军游击队队员。他参加红军第四次第五次反围剿，经历大小战斗30多次，左脸部被炮弹弹片炸伤导致终生面残。1934年秋，红军主力开始长征，刘金才因重伤留在闽北苏区坚持三年艰苦卓绝的游击战。1935年1月在闽北红军独立师任特务员。1936年2月在三团任排长、福建省项夏区游击队队长，先后3次负伤后重返前线，坚韧不拔，与敌人展开殊死斗争，保卫苏区，开辟新的游击根据地。

1937年7月7日，芦沟桥事变爆发，日本全面发动侵华战争。同年10月，中共闽赣省委、省军区同国民党当局代表在光泽县举行停止内战、国共合作抗日谈判。1938年2月，闽赣边区红军游击队正式整编为“国民革命军第四军第三支队第五团”，开往皖南，奔赴抗日前线。期间，刘金才在新四军三支队五团三营任排长、党支部书记、连副指导员、连长等职。1940年12月,在一次抗日战斗中身负重伤,不久后又重返前线英勇杀敌。

1941年1月,国民党顽固派发动第二次反共高潮,制造“皖南事变”,新四军遭到重创。中共中央对这种破坏团结抗日的罪恶行径作出针锋相对的斗争,重新整编新四军。1941年7月,刘金才在新四军五十三团任副营长,1942年4月任皖南大队副大队长、大队长,1944年5月任临江团二营营长,1945年8月任临江团副团长。在坚持敌后抗日中,刘金才先后参加攻打繁昌、戴家汇、盛家桥、华家涝、横山桥、肖家渡、鹳嘴、奎潭等30余次战斗,袭击日伪军据点,粉碎日伪军的“扫荡”、“清剿”,创建和巩固皖南抗日根据地。

抗日战争胜利后,1945年10月,遵照中共中央的部署,苏皖地区新四军组建为中国人民解放军华中、华东野战军。刘金才先后任华东野战军第6纵队第17师49团副团长、51团代团长、团长。1949年2月,根据中央军委命令,为适应渡过长江、解放全中国的需要,原第6纵队71师49、50、51团番号改为第24军71师211、212、213团,刘金才任211团团长、71师参谋长、渡江战役先锋团团长。他奋不顾身、横刀跃马,参加孟良崮战役、莱芜战役、济南战役、淮海战役、渡江战役等。刘金才作为中国人民解放军指战员的一员,为中国战争史谱写浓墨重彩的一笔。

1950年11月,24军71师奉命改编为空军,进驻东北公主岭,正式组建为中国人民解放军空军第15师。1951年6月,刘金才任空军15师参谋长。同年10月,空军15师奉命抗美援朝,番号改为中国人民志愿军空军第15师,刘金才任师参谋长、空军第3师副师长、中国人民志愿军空军指挥所主任。1952年12月至1953年7月,该部队在朝鲜作战10余次。在对空作战中,43团1大队飞行员韩德平击落美军战机,涌现吴胜凯、孙忠国、蒋道平等英雄模范人物。

回国后,刘金才任中国人民解放军步兵117师副师长兼参谋长。1956年至1959年6月任吉林省军区公主岭分区(四平军分区)司令员。1960年5月10日,国务院总理周恩来颁发中华人民共和国国务院任命书,任命刘金才为中国人民解放军长春军分区司令员,1962年6月29日兼任长春市人民武装委员会副主任。1966年5月至1976年5月任吉林省军区副司令员兼长春市人武部部长(1966年6月至1969年3月)。“文化大革命”中,遵照中共中央统一部署,部队派指战员去地方“支左”,1968年3月至1975年2月,刘金才任吉林省长春市革命委员会副主任(1971年3月任中共长春市委书记)。1978年5月返回部队后任吉林省军区顾问。1955年9月被授予上校军衔,1962年晋升为大校军衔。被评为二级甲等伤残军人。

刘金才在吉林省军区任上,于1981年1月31日在沈阳逝世,终年65岁。他在弥留之际,仍然保持红军老战士的本质,多次嘱托医务人员和他的家属子女转告党组织:后事处理要从简,不给组织添麻烦。他逝世后,党组织遵照其爱人宋春及其子女的嘱托,丧葬不开追悼会,不送花圈,少通知亲友。其高风亮节,难能可贵。为此,中共吉林省军区委员会于1981年2月9日以(1981)吉党字第008号文特发《关于刘金才同志逝世的通报》称:刘金才同志是党的好干部、好党员,是革命的一生、战斗的一生,全心全意为人民服务的一生。号召全体官兵学习刘金才同志忠实于共产主义事业的坚强信念,学习他与党中央保持一致的立场,学习他艰苦奋斗、廉洁奉公、团结同志、联系群众的好作风,学习他移风易俗的改革精神,继承和发扬我党我军的革命优良传统。

汤坤发

汤坤发(1916—1995),贵溪市志光镇古城村委会汤家村人,初中文化。土地革命战争时期参加革命。1930年3月至1932年5月,任贵溪县苏区反帝青年部部长;1932年5月至1934年6月,任贵溪县高石区共青团区委书记;1934年6月至1935年4月,任共青团贵溪县委宣传部部长。

第五次反“围剿”失败,苏区全部沦陷,苏维埃机关和共产党人转入“地下”活动。县苏维埃政府主席赵梓明为保存革命火种,在裴源金鸡碗,安排县、区机关干部胡林顺、宋元生、汤坤发等人随金刚连

(精干连)潜入深山打游击,在贵溪、余江、万年3县交界的山头上活动。1935年3月底,赵梓明带领金刚连袭击国民党敌军据点墩上徐家,汤坤发参加了这次战斗。失败后发现金刚连连长程银桥叛变投敌,赵率队从春(岙)头山秘密撤回裴源横头岭。4月2日早上,赵梓明率队伍刚走上岭头尖,被叛徒带领的敌兵分三路包围。经过激烈战斗,终因寡不敌众,突围未果,赵梓明、宋元生、胡林顺、汤坤发等人,不幸被俘入狱。

国民党贵溪地方当局将赵梓明、胡林顺(县苏维埃政府裁判部长)、宋元生(财政部长)判处死刑,于1935年5月20日,将3人押往贵溪县城西门外杀害。汤坤发被判处有期徒刑10年。

1937年下半年开始第二次国共合作,全国抗日民族统一战线形成。当年10月,由共产党领导的国民革命军陆军新编第四军(简称新四军)成立。1938年2月新四军在贵溪县城设立办事处,要求国民党地方当局迅速释放所有政治犯,营救一大批被囚于贵溪监狱的革命志士和苏区干部,他们被分期分批释放出狱。1939年9月汤坤发出狱后,便在家学医行医谋生。

1949年5月,贵溪解放。汤坤发参加中共贵溪县委举办的干部短期训练班后,由县委重新安排工作。1949年5月至1950年4月,任贵溪县委民运工作大队副大队长兼二中队队长、大桥乡乡长。1950年4月至1952年10月,任文坊区公所区长;1952年10月至1954年3月,任贵溪县人民政府(人民委员会)副县长;1953年9月加入中国共产党;1954年3月至1968年8月,任贵溪县人民政府县长、中共贵溪县委副书记。"文化大革命"中,汤坤发被"红卫兵""造反派"以"叛徒""走资本主义道路的当权派"揪斗,挂牌游街示众,押解公共场所接受革命群众批斗。"靠边站"多年。

1972年下半年开始,"文化大革命"中被打成"叛徒""反革命"和"假荣军"等人员被逐步恢复名誉。1973年5月至1977年1月,汤坤发任上饶地区民政局副局长。1976年10月,中共中央粉碎王(洪文)、张(春桥)、江(青)、姚(文元)"四人帮"后,1977年1月至1980年5月,汤坤发任贵溪县革命委员会副主任。在此期间的1979年,中共贵溪县委贵发〔1979〕48号《关于为汤坤发同志平反的通知》指出:"1969年4月10日,贵溪县革命委员会在贵发〔1969〕21号文件中用所谓'叛徒汤坤发'的不实之词,上报上饶地区革命委员会。经上级党委审查,汤坤发同志在第一次国内革命战争、抗日战争和解放战争中,政治上是坚定的,经受了艰苦环境的考验,是个好同志。"1980年4月开始,中共贵溪县委、县人大、县政协、县人民政府相继恢复,1980年5月至1983年11月,汤坤发任贵溪县政协主席;1985年5月6日,中共贵溪县委以贵字〔1985〕43号文件批准汤坤发离职休养。1985年4月27日,经中共江西省委组织部省组干组字〔1985〕102号文件批准汤坤发离休后享受副地级政治、生活待遇。

汤坤发是贵溪籍人担任县主要领导职务时间最长的。他所经历的社会变迁时间跨度大,变革形式复杂,在每一个历史转折中,仍然保持革命光荣传统,密切联系群众,廉洁奉公,为贵溪人民办了不少实事、好事。20世纪50年代,贵溪县城到乡镇没有一条通车的公路。1959年4月,省长邵式平来贵溪周坊革命老区考察调研,上饶专署专员黄元庆和贵溪县长汤坤发陪同前往。几辆吉普车绕道河潭到白田,好不容易到达周坊人民公社。汤坤发趁邵省长晚上在周坊休息之机,对他说:"县里已有计划修建县城到周坊的公路,请求省里解决资金。"并递上请求解决修路资金21万元的报告。邵式平当即在报告上批示:"我同意,请有关部门抓紧解决。"不久,省有关部门如数拨给资金,从县城到周坊的公路动工修建,并在短时间内37千米的砂石公路建成通车。离休后,汤坤发担任贵溪县革命老根据地建设委员会顾问,离而不休,积极为党政领导出谋献策,为贵溪改革开放、经济发展奔走,生命不息,奉献不止。

1995年1月5日,汤坤发因病医治无效,在贵溪逝世,享年79岁。

龚著京

龚著京(1917—1969),出生在贵溪市罗河镇翁源村委会龚家村小组一个贫困农民家庭,没有读过书。父亲龚老奸靠打长工、跑福建(脚夫)挑担为生,于1924年病故。母亲詹冬秀以讨饭度日,因木讷

不敏,龚著京自幼由奶娘领育。1942年6月日本侵略贵溪,其母遭日军毒打致死。

龚著京7岁为一张姓地主放牛。后奶娘出嫁到鹰潭镇,龚著京随之到鹰潭一家小旅馆做童工。几年后奶娘病逝,龚著京孤苦无依,流浪街头,或做零工,或推车子(脚夫)谋生。新中国成立前夕回翁源老家种田。

1949年新中国成立后,龚著京翻身做主人,积极参加减租减息、镇压反革命、土地改革、互助组、农业合作化、"大跃进"等运动。1950年任龚家村民兵小队长,1953年任翁源乡乡长,1955年乡镇撤并后回家务农,1957年在翁源高级社养猪场任场长,1959年在高峰(新田)人民公社食堂当炊事员,同年加入中国共产党,1963年被精减回家种田。他说:"革命不论什么工作,当社员同样是干革命。"

翁源缺水是全县出了名的。1952年,翻身的农民在国家的扶持下,在老虎岭下修建第一座水库。一次天降暴雨,龚著京一个人穿着蓑衣、带着铜锣睡在坝头上。事后他说:"我守在坝头上,洪水要是浸过坝,必定要浸到我。我就是睡得再死也会惊醒,可以鸣锣救坝。"龚著京积极参加水利建设,先后参加白庙水库、枫林湾水库和大队南塘窝等水库建设。

龚著京非常热爱新中国。1951年他卖了两车劈柴,所得的资金全部捐献给国家"抗美援朝,打美国鬼子"。1960—1962年三年自然灾害,人民生活非常困苦。龚著京家吃粥和野菜过日子,他对家人说:"毛主席当年二万五千里长征,过雪山草地吃草根、树皮,我们这点困难算得什么!"因龚著京一心扑在集体劳动上,他爱人钱根花责怪他对五个孩子从来没有关心过,家里的水没挑过,菜园里没去过,曾多次与他闹过离婚。龚著京经常用共产主义思想和革命精神开导她。

龚著京一心要做一个彻底的革命者,向往人人都为共产主义奋斗,他深刻地牢记这句话:"共产主义是天堂,人民公社架桥梁"。他理解彻底革命就是革掉一切私有,他尤其赞同"割资本主义尾巴",反对社员个人在集体的田埂上种田塍豆。他说:"在田埂上种豆子会遮住日头,影响公家的粮食产量,已经种下的应当拔掉。"

龚著京热爱人民公社、关心集体事业。他从来不为私人开半分田的荒,不为自己搞一次副业。"双抢"(抢收抢种)时,集体的耕牛劳动强度大,龚著京晚上不睡觉,牵牛放牧。有一次队上的母牛产仔,他从家里拿来鸡蛋、用糯米打成糍粑喂牛。常年累月,龚著京总是打着赤脚、戴上斗笠、腰系围裙、扛一把锄头在集体的田间巡逻。见到哪条水沟不畅,他就疏通;哪丘田埂漏水,他就堵缺;哪条小路坏了、小桥断了,他就去修。

龚著京的所作所为,引起社员的关注和议论,个别社员讥讽说:"龚著京,你当了乡长当场长,当了场长当社员,你的官是越做越大了?"也有人编顺口溜说:"龚家有个大傻瓜,光顾国家不要小家。累死累活一场空,还是乖乖回到家。"龚著京不以为然,说道:"为革命,我甘心情愿当这个大傻瓜!"。

1966年开始,全国开展轰轰烈烈的"文化大革命"运动,龚著京是积极的参加者。他带头"忆苦思甜",带头"破私立公",带头"斗私批修",带头维护集体利益。1966年冬季,儿子光荣入伍他都没有回家送行。1967年6月防洪抢险时,他日夜巡逻在水库上。有一天,老虎岭水库发生险情,洪水把坝头的护坡石冲塌一段,如不及时抢修,就有溃坝的危险,水库下面几十户人家的生命财产就会遭受严重的损失。龚著京带领社员去抢修。自己不会游泳,却第一个跳下水堵水修坝,在大家的共同努力下,避免一场大灾。他的典型事迹纷纷见诸报端和电台。1966年到1968年连续被评为公社、县、地区和江西省活学活用毛主席著作积极分子,并到处巡回宣讲。龚著京不识字。1968年参加江西省巡回报告团来到红色故都瑞金,参观毛主席当年亲自挖掘的"红井",喝"红井"幸福水之后,在同伴的帮助下,龚著京一口气学写"毛主席万寿无疆"7个字。回到家后,他处处体现忠于党、忠于毛主席无产阶级革命路线。家乡的乡亲们在他的影响下,家家制作忠字牌,户户有忠字栏,人人有忠于党和毛主席的誓言,个个在胸前佩戴毛主席像章。

"文化大革命"期间,各级要成立红色政权,毛主席说:"还是叫革命委员会好"。于是,由军队代表、群众代表、革命领导干部"三结合"的革命委员会相继成立。龚著京以贫下中农代表身份,于1968年2月、3月分别当选为新田人民公社、贵溪县革命委员会副主任和上饶地区革命委员会委员(1969年1月,当选为江西省农代会常委)。从此,他无论是在家下田参加集体劳动还是外出开会,手上总是拿着一本红宝书《毛主席语录》,胸前佩戴一枚毛主席像章,十足的农民打扮。

1968 年,龚著京参加江西省学习毛主席著作积极分子代表大会,首长派小车来江西饭店接他去会场,他说:“坐上小汽车就和群众隔远了,还是走路好,越走越接近群众。”在南昌开一个多月会(包括下基层做宣讲报告),他就当一个多月的服务员,每天将江西饭店的痰盂一个个洗得干干净净,帮助服务员打扫卫生;代表们吃饭他端菜,代表们离席他抹桌洗碗。江西饭店的工作人员劝道:“龚大伯不必操劳,好好休息休息。”他说:“我这一双手离开了锄头柄就会发痒,总觉得闲不住。”每次在公社、县里开会,他从来没有闲过手脚,扫地、扫厕所,样样粗活总是抢着干。当时大家称赞他像大庆油田的“铁人”王进喜,是一个不知累的“龚铁人”。

1969 年年初,中国共产党第九次全国代表大会即将在北京召开。江西省革命委员会党组决定由贵溪县推选一名对党有感情、在群众中有威信的贫下中农参加“九大”,贵溪县随即推选龚著京为出席中国共产党第九次全国代表大会的代表。

龚著京第一次进入雄伟的人民大会堂,心情非常激动,走到铺满红地毯的过道,他不忍心穿着鞋子踏上去,便脱掉鞋子光着脚走进会场。在宾馆用餐时,他看到桌上剩下许多好菜,被服务员倒进垃圾桶,他认为太可惜,心里很难受,口中喃喃自语:“修了,修了,党变修了!”他的举动被大会工作人员发觉后,中央有关负责人便找江西代表团的领导,觉得这样的人继续参加大会有点不妥,不让他再参加会议。至此,龚著京精神上受到强烈的刺激。

“九大”结束后,龚著京随江西代表团返回南昌。5 月 1 日,省革委会派人送龚著京回贵溪。贵溪县革命委员会组织有关人员敲锣打鼓到火车站迎接。龚著京一下火车,见到中国人民解放军 127 部队副政委、贵溪县革委会副主任王洪升时,激动而又内疚地说:“王政委,我对不起你! 对不起你!”因事先接到上级通知,不许询问,不许打听,并布置不许与他人接触。5 月 5 日,由贵溪市革命委员会干部组组长孙凤岐(中国人民解放军 127 部队支左军官)护送,乘县革委北京吉普车,经新田人民公社送回原籍(翁源大队龚家村)。大队干部组织锣鼓队欢迎龚著京出席党的九大归来。

返家后,精神恍惚的龚著京还察看集体的稻田和水库,怔怔地自言自语“去开会,去开会”“去劳动,去劳动”。9 日黄昏,家人报告龚著京没有回家吃晚饭,大队干部即带领社员四处寻找,没有找到。10 日早晨天刚亮才发现龚著京在村后山上一棵松树上上吊自尽,时年 52 岁。

烈士简介

抗洪抢险六烈士

黄美来(1937—1992),男,汉族,中共党员,双圳林场双圳水电站会计;陈小平(1962—1992),男,汉族,双圳林场副场长兼双圳水电站站长;朱远华(1962—1992),男,汉族,中共党员,双圳乡政府合同干部;陈建东(1970—1992),男,汉族,双圳水电站临时工。江海堂(1951—1992),男,汉族,中共党员,高公乡农机站站长(乡政府合同干部);周秋林(1968—1992),男,汉族,高公乡人民政府司法员。

1992 年 7 月 4 日,因连日暴雨,双圳濠溪洪水猛涨,双圳水电站机房进水,眼看发电机组等设备就要被洪水淹没。为保护国有资产,陈小平、黄美来、朱远华、陈建东等人不顾个人安危,在洪水中抢拆发电机组,抢救相关设备。顷刻山洪暴发,水位上升,发电机组等设备被淹,他们被迫撤出机房,发现洪水已经严重威胁着电站职工宿舍。他们迅速来到宿舍,组织职工家属撤离,并抢出装有水电站财务账本和档案的木箱。就在这时,洪水将宿舍通往安全地带的道路拉断,宿舍成一个孤岛,眼看 12 名(其中女职工 4 名)职工和家属被洪水围困。陈小平、黄美来、朱远华、陈建东尽力协助他们逃生,还剩下 4 名妇女被困时,宿舍房屋开始倒塌。陈小平等 4 人拦截一漂浮物,让 4 位妇女到安全地带,他们却被洪水卷走,为抢救国家财产和保护职工生命献出自己宝贵的生命。

1992 年 7 月 4 日上午,双圳濠溪下游的大塘河洪水猛涨。江海堂受高公乡领导指派,驾驶双排座汽车送一位急诊病人到县人民医院抢救,回乡途中,洪水已漫过公路,当汽车行驶到高公乡派出所门口时,汽车因进水熄火。他紧紧踩住刹车,让搭乘人员下车撤离后,汽车被洪水冲退十多米,停在乡医院门前。江海堂不顾自身疲劳,立即弃车,与在场的干部一道,投入抢救医院妇女、儿童的战斗中,将他们撤离到医院隔壁相对地势较高的乡派出所院内。下午 1 时 40 分左右,在洪水的冲击下,派出所西边墙体开裂逐渐倒塌,情况十分危急。江海堂拉起身边一位妇女淌进洪水中向岸边游去,妇女得救,江海堂筋疲力尽不幸被洪水卷走,献出自己的生命。司法员周秋林也同乡干部在医院、派出所抗洪抢险,他淌水进入派出所抢救档案材料。1 时 40 分左右,派出所房屋从西到东开始倒塌,周秋林看见身边哭喊惊恐的 8 岁女孩李莎,急忙抱起她在洪流中搏击,用尽全身力气将女孩拖上一颗大树,周秋林却被洪水冲走,献出自己宝贵的生命。

江西省人民政府根据《革命烈士褒扬条例》和民政部有关规定,于 1994 年 3 月 20 日,批准黄美来、陈小平、朱远华、陈建东、江海堂、周秋林 6 人为革命烈士。

灭火四烈士

刘水太,男,汉族(1951. 7—2004. 2. 14);刘树太,男,汉族(1960. 7—2004. 2. 14);刘文正,男,汉族(1950. 7—2004. 2. 14);刘文华,男,汉族(1967. 1—2004. 2. 14),4 人均为贵溪市塘湾镇芦甸村人。

2004 年 2 月 14 日下午 2 时许,芦甸村集体山场清水坑一带突发火情,该村党支部书记刘文华得知这一紧急情况后,当即向塘湾镇政府报告,一边通知村委会主任组织村民上山灭火,一边拿起砍柴刀与刘水太、刘树太、刘文正等几位村民冲向灭火第一线。当日下午 5 时许,由于刘文华、刘水太、刘树太、刘文正等 70 多位镇村干部、村民的共同努力,在狐狸岩已砍出一条防火隔离带,眼看火势渐渐减缓。这时,山下近百名干部群众一齐赶上,正准备凭借隔离带一鼓作气将余火彻底扑灭。突然,山风倒刮,猛烈的山风带着火星飞过隔离带,点燃另一块山地,火焰排山倒海般席卷而来,不到 1 分钟的时间,狐狸岩一带便成一片火海。在这紧急关头,冲在最前沿的刘文华、村小组长刘水太、刘文正、村民刘树太都催督其他人员赶快撤离,自己亦准备撤离。然而,由于事发突然,火势太凶猛,刘文华、刘水太、刘文正、刘树太 4 人却被无情的大火团团围住,献出宝贵的生命。

江西省人民政府根据《革命烈士褒扬条例》和民政部有关规定,于 2004 年 5 月 10 日,批准刘文华、刘文正、刘水太、刘树太为革命烈士。

包　艳

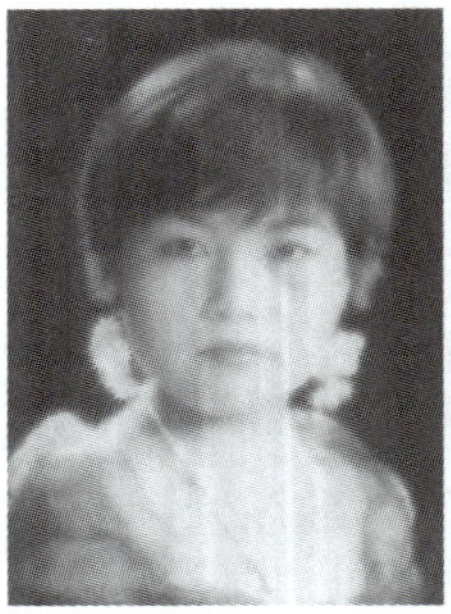

包艳(1978—1997),女,汉族,高中文化。贵溪市职业中学毕业生,共青团员。1978 年 9 月出生于贵溪市雄石镇的一个普通工人家庭,1994 年 9 月至 1997 年 7 月就读于贵溪市职业中学文秘专业,任副班长。在校期间,她总是高标准要求自己,思想上要求进步,生活上团结同学,学习上努力刻苦。曾多次被评为“三好学生”、“优秀学生干部”和“优秀共青团员”。1997 年 9 月 28 日下午 4 时许,包艳与初中时的同学孔红艳在东门粮站门口相遇,当时孔红艳带着一个 4 岁的外甥夏宇,一同边走边聊。到市石油公司对面“沁园春”酒家门口,她们即停步正要道别时,孔红艳的外甥夏宇突然朝马路对面跑去,此时,一辆满载建筑材料的拖拉机急速驶来,夏宇当时被吓呆了。在这千钧一发的时刻,包艳不顾个人安危,在众人的惊呼声中,毫不犹豫地冲上前去,一把将惊立在马路中间的夏宇小孩推向路边,夏宇得救了,而包艳自己却被拖拉机撞倒在地,车轮从她身上轧过去。贵溪市人民医院极力抢救,由于伤势过重,抢救无效,包艳于当晚 9 时为舍已救人而献出年仅 20 岁的生命。

江西省人民政府根据《革命烈士褒扬条例》和民政部有关规定，于2001年11月5日，批准包艳为革命烈士。

陈兴发

陈兴发（1913—1980）周坊裴源人。1930年参加中国工农红军。1935年在福建上平街战斗中头部负重伤。1936年痊愈后随陈毅部队在闽赣边打游击，后入编新四军，参加抗日战争。1949年参加中国人民解放军。1950年在贵溪县人武部任职，同时被评为一等残废军人。1953年由贵溪县人武部转业到地方，在宁冈县供销社任职。1966年退休，1973年被安排回鹰潭安度晚年。1980年1月因伤口复发病逝，同年被授予革命烈士。

人物表

贵溪籍寓外名人名录

表31－1

姓名	乡（镇）	供职单位	职级（学位）
汪永清	罗河	中华人民共和国国务院	副秘书长
张继禹	上清	中国道教协会	常务副会长
黄　勇	流口	解放军总参装备部科技局	副局长（正师）
何建设	鸿塘	北京空军后勤部物资供应站	站长（副师）
黄亚平	志光	解放军总参二部科装局	参谋（副师）
叶建国	泗沥	北京市公安局反恐办	主任（副师）
徐江金	鸿塘	北京空军总装备部工程师	副师
傅志刚	上清	解放军空军装备部	副师
彭荣祥	志光	解放军空军后勤部直属库	工程师（副师）
吴学文	罗河	北京市残疾人联合会	副理事长
李新海	鸿塘	中国常驻联合国粮农机构代表处	副代表参赞（副师）
汪永彪	罗河	税务总局国资采购中心	副主任
郑保国	河潭	教育部人事司劳动工资处	处长
趙云惠	—	中国科协人事部	部长
江进贤	罗河	原电子工业部档案处	处长
王能宽	—	中央文化管理干部学院	院长
刘新江	志光	中储粮北京分公司	总经理
杨流平	—	中国地震局地球所	书记
彭永辉	志光	北京空军后勤站	站长
阮克明	雄石	中电集团监察三处	处长

续表31－1

姓名	乡(镇)	供职单位	职级(学位)
谢　晓	罗河	江西省公安厅	副巡视员
项样喜	塘湾	海军邯郸基地医疗所	所长(上校)
任江南	雄石	民盟江西省委	副主委
俞会根	雄石	江西省委、省政府信访局	副局长(正厅)
徐贵闽	雄石	江西省委、省政府信访局	副局长
何剑峰	雄石	江西省机构编制委员会办公室	副主任
周　勇	雄石	江西省国家安全厅纪委	书记
姚东辉	罗河	江西武警总队医院	主任(师级)
王贵生	雄石	江西省委组织部举报中心	主任
汪　凯	滨江	中国银行江西省分行保卫部	总经理
汪立夏	雄石	江西省教育厅社政处	处长
江　雷	滨江	江西省对台办秘书处	处长
张永红	上清	江西省军区第三干休所	政委
唐根才	雄石	江西省机要局	调研员
徐茂辉	鸿塘	南昌市国土局	局长
胡良和	周坊	永诚保险江西分公司	总经理
张　勇	雄石	中国银行江西分行监察部	总经理
吴堂保	鸿塘	中国工商银行江西分行办公室	主任
李苏庭	雄石	中国人寿保险江西分公司综合部	总经理
程飞强	周坊	中储粮江西分公司收储部	总经理
钭方芳	雄石	江西省卫生厅医药采购中心	主任
邱新有	泗沥	江西师大传播学院	院长
徐　明	滨江	武警南昌警卫处	副处长(正团级)
贾鲁蓉	雄石	江西省总工会国际联络部	部长
洪恩强	雄石	南昌工程学院人事处	处长
谭彩丹	周坊	中国食品安全报驻江西记者站	站长(正处)
梁　刚	塘湾	中石油江西分公司零售中心	总经理
简贵涛	雄石	江西省高级人民法院刑一庭	庭长
黄仁龙	河潭	中国人寿保险江西分公司教育培训部	总经理
詹煌生	周坊	中国建设银行江西总审计室	处长
喻衍灯	雄石	原江西省税务局办公室	主任
蒋光亮	白田	江西省民政厅监察室	主任
何兴发	泗沥	江西省粮食局老干处	处长
吴发祥	罗河	工商银行江西省分行营业部	副总经理(正处)
王达标	雄石	江西省统计局机关党委	副书记(正处)
吴纯祖	雄石	原江西广播电视报	总编辑

续表31－1

姓名	乡(镇)	供职单位	职级(学位)
程冬林	周坊	江西省公安厅原警卫处	处长
徐重财	志光	江西省高等公路局计划工程处	处长
邹建林	志光	江西新闻出版职业技术学院	院长
刘爱娇	罗河	江西省统计局	副调研员
汤银莲	志光	国家进出口银行风险管理部	总经理
傅方贵	—	江西省检察院职务犯罪指挥中心办公室	主任
唐旭东	—	江西省检察院控申处	处长
裴小林	周坊	鹰潭市人民政府	副秘书长
裴忠彪	周坊	江西省纪律检查委员会案审室	副主任(正处)
夏明水	河潭	南昌飞机制造公司	正县级
葛有炳	河潭	原上饶地区人民法院刑事审判庭	庭长
刘先才	志光	原上饶地区武夷山垦殖场党委	书记
江荣高	雄石	原南京军区司令部征集动员处	处长
彭德亮	志光	景德镇市房管局	局长
刘文才	志光	原铅山县人民政府	县长
张志仁	双圳林场	天津市和平区环保局	局长
郑荣庆	雄石	上海市人民政府口岸办	处长
雷元化	余家	浙江省余杭市委宣传部	部长
谢亮书	上清	中国华融资产管理股份有限公司	总经理
周金才	周坊	弋阳县政协	主席
叶大庆	白田	上饶市人大科教文卫办	主任
毕杨明	白田	河南省信阳市国土局	正厅级离休
胡复生	雄石	中国人民解放军空军空降兵研究所	副师级离休
刘　诚	雄石	余江县委	书记
王　俊	文坊	余江县委常委、宣传部	部长
彭中华	志光	鹰潭市人大常委会	副主任
敖高源	塘湾	鹰潭市人大常委会	秘书长
徐晓年	雄石	鹰潭市人民政府	秘书长
徐忠平	—	鹰潭市委	副秘书长
杨　芳	雷溪	鹰潭市委接待办	主任
吴建辉	上清	鹰潭市人民政府办公室	主任
江金街	泗沥	鹰潭市卫生局	局长
叶銮清	鸿塘	鹰潭市国土局	局长
陈鑫英	—	鹰潭市国资局	主任
蔡卫东	—	鹰潭市财政局	局长
毛文芳	滨江	鹰潭市人防办	主任

续表 31 – 1

姓名	乡(镇)	供职单位	职级(学位)
夏涌波	志光	鹰潭市司法局	局长
夏维纪	文坊	鹰潭市民宗局	局长
吴晓莲	流口	鹰潭市人口和计划生育委员会	主任
叶苏城	白田	中共鹰潭市直属机关工委	副书记(正处)
汤金汉	罗河	鹰谭市农牧渔业局	局长
倪饶生	雄石	鹰潭市粮食局	局长
龚著宝	—	鹰潭市水利局	局长
费长辉	罗河	鹰潭市房管局	局长
杜德春	上清	中共鹰潭市委、政法委	副书记、书记
蔡　江	上清	鹰潭市委组织部	副部长
黄顺茂	—	鹰潭市委宣传部	副部长
雷纪文	樟坪	鹰潭市民宗局	局长
杨明荣	—	鹰潭市国资办党组	书记
孔繁员	—	建设银行鹰潭市支行	调研员
程美华	—	鹰潭市科协党组	书记
杨林辉	—	鹰潭市总工会	调研员
费尚恒	罗河	鹰潭市信江新区管委会	主任
廖卫星	志光	鹰潭市法院一庭	庭长
刘君祥	金屯	原鹰潭市经贸局	局长
姜永波	志光	原鹰潭市肉联厂	厂长
彭灵有	志光	鹰潭市工业园	党委书记
潘有万	文坊	余江县人武部	部长
汪永华	罗河	鹰潭市委 610 办公室	主任
孙　钢	雄石	鹰潭市卫生局	副局长
彭建国	上清	鹰潭市法院执行局	局长
俞乾坤	—	鹰潭市畜牧局	局长
李有生	—	鹰潭市纪委	调研员
邬书鸣	—	鹰潭市劳动局	调研员
汤金森	—	鹰潭市新闻出版局	调研员
乐文红	雷溪	鹰潭市人民政府、市外经贸局	副秘书长、局长
彭明太	滨江	原鹰潭市交警支队	支队长
邓源喜	流口	厦门警备区	副参谋长
黄先才	雷溪	庐山旅游区	区委书记
杨金辉	雷溪	江西省粮食厅	处长
杨美珍	雷溪	江西省教育厅管教处	处长
邓国和	雷溪	上饶市体育局	局长

续表 31－1

姓名	乡（镇）	供职单位	职级（学位）
谭跃贵	雷溪	福建省公安厅政治处	处长
彭鸿林	雄石	深圳市物价局	局长
吴丰收	周坊	福建省长泰县人武部	政委
林万寿	文坊	厦门市 32273 部队	处长
吴勇征	雄石	西藏自治区政府办公厅	处长
张锄强	雄石	解放军武昌军事经济学院	副政委（师级）
练振中	—	中国科学院力学所	博士后
郑新和	—	中国科学院物理所	博士后
杨贵珍	—	清华大学汽车系	博士后
谭煌英	—	北京中医大学中日友好医院	主任医师
何庆成	滨江	中国地质环境监察院	教授、主任
邹恩滕	金屯	北京有色金属工业科研院	高级工程师
刘敏华	—	中国运载火箭研究院研究发展中心	副主任
周文水	滨江	人民日报、人民代表报、人物周刊	记者、主编
侯样祥	罗河	文化出版社	副社长、副总编
汪建兵	白田	邮电出版社	社长助理
胡　平	—	北京银汉文化传播有限公司	总裁
谭红旭	雷溪	北京兴华会计事务所	副主任、会计师
仲武玉	雄石	广东卫视时常频道	总监
王绿中	雄石	深圳市《改革与战略》杂志社	副主编
谢文贤	耳口	广东佛山医院	博士
郑云红	—	上海药物研究所	副研究员
肖建如	—	上海长征医院	教授、主任医师
阮克萍	雄石	上海强生制药有限公司	质量和合规部总监
冯小星	余家	长春第一汽车制造厂	高级工程师
余爱华	余家	南京林业大学博士系	主任
周建华	滨江	浙江大学	研究员
汪文珑	—	浙江绍兴文理学院	教授
韦大毛	志光	厦门大学	教授
苏　红	文坊	江西永修县	副县长、公安局长
夏绍华	塘湾	厦门市机关事务局	局长
汪夔亮	罗河	上饶师院（离休）	教授
刘季春	罗河	南昌大学第一附属医院	副院长、博士
曾小云	白田	山东中医药大学	教授
罗琍珍	鸿塘	江西电视台精品部	总编
谢　楠	罗河	国家开发银行财会局	高级会计师

续表31－1

姓名	乡(镇)	供职单位	职级(学位)
徐旭明	鸿塘	南昌大学	教授
汪　辉	罗河	南昌大学美术系	教授
何　灵	雄石	江西人民广播电台	高级记者
谢　芊	罗河	江西省公安厅通讯处	高级工程师
张信安	冷水	江西省粮油食品进出口公司	高级工艺美术师
丁国强	雄石	江西师大附中	高级教师
汪文黟	—	湖南交通大学	教授
谢　勇	罗河	英国帝国理工大学(在京工作)	博士后
汪向勇	—	美国加州(硅谷)	博士
汪山春	—	美国阿肯色州孔子学院	教授
姚建胜	罗河	加拿大多伦多	博士后
汪占非	彭湾	西安美术学院油画系	系主任、教授
刘建飞	雷溪	华东理工大学	博士后
胡　铎	雷溪	南京大学	博士
金　钟	雄石	美国麻省理工大学	博士后
吴　涛	雄石	德国汉诺威大学	博士
黄瑞敏	雄石	南方理工大学环境学院	教授
杨　韬	雄石	上海(贵溪)商会、上海新空间规划建筑设计有限公司	董事长、党支部书记、常务副会长
黄　娟	流口	中国中医药大学	教授
罗芝馨	雄石	广东教育学院	教授
张承林	—	广东农业大学	教授
杨　婧	雄石	中国人民大学	博士
黄不凡	志光	中央民族大学	教授
林子和	流口	贵州人民出版社	主编、副编审
傅希能	塘湾	江西师范大学	系主任、副教授
张亚浪	雷溪	四川109地质队	高级测量工程师
车宇琳	文坊	江西省交通设计院	院长、工程设计大师
齐凤梧	雄石	中国电影总公司	处长
黄丽凤	志光	解放军301医院	总护士长
陈瑞坝	白田	北京红和鸿商贸有限公司	总经理
裴小林	周坊	北京正邦京典	董事长
郑三春	雄石	北京启元教育科技发展有限公司	董事长
刘卫东	罗河	北京奥耐德户外用品有限公司	董事长
陈样发	鸿塘	北京天邦佳琦商贸有限公司	总经理
程新林	周坊	北京约翰斯泰商贸有限公司	总经理
徐小松	周坊	北京隆利百佳商贸责任公司	总经理

续表31－1

姓名	乡（镇）	供职单位	职级（学位）
韦和基	志光	北京韦老俵桃酥王连锁店	董事长
徐劲松	周坊	北京紫来商贸有限公司	总经理
张茂盛	周坊	北京红和鸿商贸有限公司	董事长
孔繁育	上清	北京鸿运商贸有限公司	总经理
李　希	上清	广东润都集团	董事长
徐樟贵	雄石	广东天润集团	董事长
潘　飞	文坊	广东祥丰工贸公司	董事长
黄武明	塘湾	广东光华天裕投资有限公司	董事长
王栢翔	雄石	东莞融德教育科技有限公司	董事长
蔡　京	雄石	广州瑞合化工科技有限公司	董事长
廖场兴	志光	东莞市美和石油化工有限公司	董事长
江　桦	—	深圳市藏草堂商贸有限公司	董事长
潘跃红	—	深圳市恩鹏科技有限公司	总经理
邵享捃	周坊	深圳市三维通讯设备有限公司	总经理
吴晓明	塘湾	深圳市德康兴五金制品有限公司鹰潭（深圳）同乡联谊会	总经理常务副会长
陈万良	志光	深圳市龙岗坪地晟易工艺品有限公司	总经理
杨金荣	泗沥	深圳市优势沟通广告有限公司	总经理
彭煌金	文坊	深圳市漂亮宝贝发型连锁	总经理
周建峰	文坊	深圳市优美世界发型连锁有限公司	董事长
何金发	塘湾	广东惠州市鑫太阳实业有限公司	董事长
闵林辉	罗河	安徽省合肥市吉利食品有限公司	总经理
曹小林	—	浙江天新足连锁超市集团	董事长
吴晓光	—	江西电联实业发展有限责任公司	董事长
江小芬	—	江西英雄乳业有限责任公司	董事长
徐　成	—	江西同成实业有限公司	总经理
汪国华	—	江西经纬科技发展有限公司	董事长
徐朝华	—	南昌顺安管道工程有限公司	董事长
王安全	—	江西忆祥机械有限公司	总经理
刘文标	—	南昌宝妮尔康家居有限公司	总经理
闵金祥	罗河	湖南长沙市闵氏佳食品有限公司	总经理
吴贵祥	—	江西祥生石材公司	总经理
汪贵斌	—	江西鼎盛混凝土有限公司	总经理
王坤方	—	坤方贸易公司	总经理
冯志平	河潭	南昌市钢材贸易公司	总经理
施智勇	—	江西泰丰机电设备有限公司	总经理
张卫国	雄石	深圳万德莱通讯设备公司	总裁

续表 31－1

姓名	乡(镇)	供职单位	职级(学位)
徐湘敏	雄石	广东徐福记食品有限公司	总经理
黄建民	雄石	深圳宝安公安分局黄田派出所鹰潭(深圳)同乡联谊会	副所长
黄文红	雄石	深圳市道源隆文化传播有限公司鹰潭(深圳)同乡联谊会	总经理副会长
徐江华	鸿塘	广东华商律师事务所、鹰潭(深圳)同乡联谊会	律师秘书长
汪田祥	罗河	广西师范大学	博士、副教授
邹正平	雷溪	北京航空航天大学	教授、博导
陈样忠	文坊	南昌市610办、南昌地区贵溪同乡会	主任科员副会长
翁　勳	罗河	贵州都匀、中国文艺名人中国 当代一级著作家世界华人诗词艺术家	作家、艺术家
张国梁	冷水	上海众安国际旅游有限公司、上海(鹰潭)商会	总经理、常委副会长
裴新民	周坊	西藏电业总公司	副总经理

先进人物名录

表 31－2

姓名	荣誉称号	授奖时间与部门	所在单位
夏金生	全国农村合作经营管理工作先进个人	1991 年 2 月农业部	县农业局
汪天益	全国民政信访先进工作者	1991 年 6 月民政部	县民政局
王山东	第四次全国人口普查先进个人	1991 年省政府	白田乡
邹考明	第四次全国人口普查先进个人	1991 年省政府	白田乡
杨　明	第四次全国人口普查先进个人	1992 年 7 月省政府	滨江乡
熊普田	全国优秀人民警察	1993 年 2 月公安部	新田派出所
车家贵	“四化”尖兵	1993 年 3 月冶金部	中国第四冶金建设公司
杨绍勤	全国“五一”劳动奖章	1993 年 4 月中华全国总工会	中国第四冶金建设公司
杨绍勤	江西省劳动模范	1993 年 4 月省政府	中国第四冶金建设公司
曾凡新	有突出贡献一线工人	1993 年 2 月省政府	中国第四冶金建设公司
孟兆学	江西省劳动模范	1993 年省政府	中国第四冶金建设公司
余芳南	全国柴节煤工作先进工作者	1993 农业部	县农业局
彭成茂	农林牧渔业技术推广先进个人	1993 年 5 月农业部	县农业局
刘志超	全国柴节煤工作先进个人	1993 年 10 月农业部	县农业局
黄昌堂	农林牧渔业技术推广先进个人	1993 年 9 月农业部	县农业局
张绪椿	优秀政治工作者	1993 年地质矿产部	106 地质队
刘正彩	江西省劳动模范	1993 年省政府	滨江乡黄坑村
江有旺	江西省劳动模范	1994 年省政府	县经贸局
李娅嫣	全国优秀教师	1995 年国家教委	冷水中心小学

续表 31－2

姓名	荣誉称号	授奖时间与部门	所在单位
邓旰华	江西省劳动模范	1995 年省政府	滨江乡
姚水良	全国法制宣传教育先进工作者	1995 年 12 月中共中央宣传部、司法部	县司法局
许卫东	江西省劳动模范	1995 年省政府	贵溪化肥有限责任公司
张树云	江西省“五一”劳动奖章	1995 年省政府	中国第四冶金建设公司
孙　凯	江西省“五一”劳动奖章	1995 年省政府	中国第四冶金建设公司
杨文鹃	全国计生工作先进个人	1995 年全国计生协会	塔桥园艺场
殷君姝	全国卫生先进工作者	1996 年卫生部	冷水卫生院
雷长生	全省以工代赈先进个人	1996 年省政府	樟坪畲族乡
雷良清	全省民族团结进步先进个人	1996 年省政府	樟坪畲族乡
雷纪文	全国各族团结进步模范个人	1996 年共青团中央、国家民委、全国青联	樟坪畲族乡
姚水良	全国司法行政英模	1996 年 9 月人事部、司法部	市司法局
吴永长	全国公安系统纪检、监察工作先进个人	1996 年公安部	市公安局
鲁祥顺	共和国重点工程建设青年功臣	1996 年共青团中央、国家计委、冶金部	有色十五冶二公司
程志强	扶贫先进个人	1996 年解放军南京军区	市人武部
曾志强	全国优秀青年卫士	1997 年共青团中央、最高人民法院等	市国税局
孙　静	全国一级“星星火炬”奖章	1997 年 2 月共青团中央、全国少工委	中国第四冶金建设公司
郑荣庆	全国群体工作先进个人	1997 年国家体委	雄石镇
王跃明	全国“五一”劳动奖章	1997 年中华全国总工会	市工业园
张伏太	全省抗洪抢险功臣	1998 年 10 月省委、省政府	市国土局
杜立潮	全国“五一”劳动奖章	1998 年省政府	冷水林场
袁建国	全国抗洪抢险先进个人	1998 年 9 月民政部	市民政局
潘有万	优秀机关干部	1998 年省军区政治部	市人武部
张志庆	装备管理先进个人	1998 年省军区	市人武部
吴明开	抗洪抢险先进个人	1998 年 8 月省委、省政府	市供销社
李水梅	全国抗洪抢险先进个人	1998 年全国妇联	雄石镇
施华山	全国优秀人民警察	1998 年公安部	流口派出所
施华山	第二届中国“十大杰出青年卫士”	1999 年 4 月中央综治办、公安部等	流口派出所
施华山	全国公安系统二级英模	1999 年 4 月公安部	流口派出所
施华山	江西省先进工作者	1999 年 9 月省政府	流口派出所
楼祖来	全国民政信访先进个人	1999 年 8 月民政部	市民政局
洪凤珠	江西省拥军模范	1999 年省政府、省军区	中国第四冶金建设公司
高洪建	江西省劳动模范	1999 年省政府	海利贵溪化工农药有限责任公司
雷纪文	全国少数民族计划、生育工作先进个人	1999 年国家计生委、国家民委	樟坪畲族乡
邵先龙	全国农业技术推广先进工作者	1999 年农业部	市农业局
王华荣	全国归侨侨眷先进个人	1999 年 7 月全国归侨会议	市工商联

续表 31－2

姓名	荣誉称号	授奖时间与部门	所在单位
施华山	全国先进工作者	2000 年 4 月国务院	流口派出所
施华山	全国劳动模范	2000 年中华全国总工会	流口派出所
陈花保	江西省劳动模范	2000 年 12 月省政府	彭湾乡星明村
张社喜	江西省劳动模范	2000 年省政府	江西(贵溪)南方照明公司
曾志强	江西省劳动模范	2000 年省政府	市国税局
张志庆	装备管理先进个人	2000 年省军区	市人武部
雷纪文	全省民族团结进步先进个人	2000 年省政府	樟坪畲族乡
陈海明	冬季征兵工作先进个人	2001 年省政府、省军区	市人武部
饶品斌	江西省劳动模范	2000 年省政府	贵溪化肥有限责任公司
汪志勇	江西省青年岗位能手	2000 年省政府	四冶总医院
曾志强	江西省劳动模范	2000 年省总工会	市国税局
吴险峰	优秀机关参谋	2001 年省军区	市人武部
何　诚	全国第五次人口普查先进个人	2002 年 1 月江西省委、省政府	
匡小玲	全国土地登记调查先进个人	2003 年国土资源部	市国土局
张　捷	老年体育先进工作者	2003 年中共江西省委	雄石街道
张　捷	全国老干部先进个人	2004 年中共中央组织部	雄石街道
张　捷	江西省劳动模范	2004 年省政府	雄石街道
吴世军	江西省劳动模范	2004 年省政府	贵溪三元冶炼化工厂
施华山	我最喜爱的十大人民警察	2004 年全国评选	市公安局
徐林生	全国劳动模范	2005 年中华全国总工会	九牛滩水轮泵站
徐保明	全国科普工作先进个人	2005 年中国科协	市农业局
王胜波	冬季征兵先进个人	2005 年省政府、省军区	市人武部
杨丽峰	江西省劳动模范	2005 年省政府	雷溪乡
凌有信	江西省劳动模范	2005 年省政府	贵溪市云波食品厂
孙港样	江西省劳动模范	2005 年省政府	河潭镇花屋村
乐绿英	江西省劳动模范	2005 年省政府	市环卫所
杨安福	江西省劳动模范	2005 年省政府	贵溪三元冶炼化工厂
潘小平	江西省劳动模范	2005 年省政府	江西(贵溪)南方照明公司
张　捷	全国关心下一代工作先进个人	2005 年 6 月中国关工委、中央文明办	雄石街道
苏信勇	全国农业技术推广先进个人	2005 年 12 月农业部	流口镇
朱联德	全国农业科技指导员先进个人	2005 年农业部	市农业局
祝立人	江西省先进工作者	2005 年省政府	106 地质队
施华山	全国公安系统一级英模	2005 年公安部、人事部	流口派出所

续表 31－2

姓名	荣誉称号	授奖时间与部门	所在单位
李开福	江西省劳动模范	2005 年省政府	滨江乡黄坑村
张　捷	全省十大爱心人物	2005 年省委、省政府	雄石街道
郑占煌	全省民族团结进步先进个人	2005 年省政府	樟坪畲族乡
王继红	全国税务系统精神文明建设先进个人	2005 年国家税务总局	市地税局
王继红	省劳动模范	2005 年 11 月省委、省政府	市地税局
江加斌	劳动模范	2006 劳动人事部、商业部、粮食局	市粮食局
施华山	全国优秀共产党员	2006 年中共中央组织部	流口派出所
施华山	全省优秀共产党员	2006 年 6 月省委	流口派出所
洪凤珠	江西省双拥模范	2006 年省委、省政府、省军区	第四冶金建设公司
安　娜	全国保密工作先进个人	2006 年 6 月中共中央办公厅机要局	市委机要局
徐保明	全国科普惠农兴村带头人	2006 年财政部、中国科协	市农业局
杨珍珠	全国测土配方施肥工作先进工作者	2006 年农业部	市农业局
王继红	全国税务系统精神文明建设先进工作者	2007 年国家税务总局	市地税局
刘分考	全国供销合作社系统劳动模范	2007 年 12 月人事部、 中华全国供销合作总社	塘湾供销社
何雄彬	江西省“五一”劳动奖章	2007 年省政府	贵溪海利化工
傅享林	全国特级优秀人民警察	2007 年 4 月公安部、人事部	市公安局
徐金辉	优秀预备役军官	2008 省军区、省委组织部	市粮食局
汪田有	全国农村优秀人才	2008 年中组部、中宣部、农业部	雷溪乡

先进集体

表 31－3

获奖部门	荣誉称号	获奖年度	颁奖部门
中国工商银行贵溪支行	连续被评为“文明单位”	1991	省委、省政府
河潭乡	七五农业发展先进乡镇	1991	省政府
白田乡	七五农业发展先进乡镇	1991	省政府
塘湾镇	七五农业发展先进乡镇	1991	省政府
贵溪活性炭厂	全国乡镇企业科技进步企业	1991	农业部
贵溪市	社会治安综合治理先进单位	1991	江西省
县人武部	扶贫先进单位	1991	省军区
县人武部	城市民兵工作“三落实”先进单位	1991	省军区
贵溪化肥厂武装部	民兵工作“三落实”先进单位	1991	省军区
贵溪电厂武装部	城市民兵工作“三落实”先进单位	1991	省军区

表31－3

获奖部门	荣誉称号	获奖年度	颁奖部门
贵溪县	江西省创“三优”建文明城竞赛活动先进单位	1991	省委、省政府
县文明办	江西省精神文明城市先进单位	1991	省委、省政府
贵溪县	双拥模范城	1992	省委、省政府、省军区
贵溪县	全国百个依法治理先进	1992	县(市)全国会议
县人武部	军事干部考核优胜奖	1992	省军区
县人武部	民兵通信分队达标先进单位	1993	省军区
县人武部	民兵组织整顿工作先进单位	1993	省军区
县人武部	军事训练先进单位	1993	省军区
县人武部	地方与军事专业对口试点先进单位	1993	省军区
县人武部	征兵工作先进单位	1993	省政府、省军区
贵溪化肥厂武装部	拥军优属先进单位	1994	省政府
县人武部	先进人民武装部	1994	省委、省政府、省军区
县人武部	征兵工作先进县	1994	省政府、省军区
贵溪县	双拥模范城	1995	省委、省政府、省军区
贵溪县	全省林业先进县	1995	省政府
县人武部	国防潜力调查先进单位	1995	省政府、省军区
市地税局	全国税务系统文明单位	1996	国家税务总局
市人武部	先进人民武装部	1996	省委、省政府、省军区
贵溪市	双拥模范城荣誉称号	1996	省委、省政府
贵溪火力发电厂	拥军优属先进单位	1996	省政府、省军区
贵溪冶炼厂	拥军优属先进单位	1996	省政府、省军区
贵溪化肥厂武装部	民兵工作“三落实”先进单位	1996	省军区
工行贵溪支行	文明单位	1996	省委、省政府
贵溪市	社会养老保险先进县	1997	民政部
贵溪市	爱心献功臣行动先进县(市)	1997	民政部
市人武部	先进人民武装部	1997	省委、省政府、省军区
市人武部	军事训练汇报表演优胜奖	1997	省军区
基干民兵连	民兵工作“三落实”先进单位	1997	南京军区
市国税局耳口分局	全国税务系统先进集体	1997	人事部、国家税务总局
市人武部	军事训练先进单位	1997	省军区
中国工商银行贵溪支行	先进女工委	1998	中国工商银行总行
贵溪市	双拥模范城	1998	省委、省政府、省军区
市供销社武装部	抗洪抢险先进单位	1998	省军区
志光镇武装部	新闻报道先进单位	1998	省军区
市人武部	先进人民武装部	1998	省委、省政府、省军区
市人武部	新闻报道先进单位	1998	省军区

表31－3

获奖部门	荣誉称号	获奖年度	颁奖部门
市人武部	“五冶”工作先进单位	1999	省军区
中国工商银行贵溪支行	先进基层工会组织	2000	工行江西省分行
市人武部	先进人民武装部	2000	省委、省政府、省军区
市人武部	科技练兵先进单位	2000	省军区
市人武部	“九五”期间计生	2000	省军区
贵溪市	双拥模范城	2001	省委、省政府、省军区
贵溪市	全国环境保护先进集体	2001	国家环保总局、人事部
贵溪市	全国科技先进县	2001	科技部
市人武部	学习成才标兵先进单位	2001	省军区
贵溪市国税局城区分局	全国税务系统先进集体	2001	人事部、国家税务总局
市国税局	江西省文明单位	2001	省委、省政府
市地税局	全民健身周先进单位	2002	国家体育总局
贵溪市	1999—2000年度全国科技进步县	2002	科技部
贵溪市	全国环监察先进单位	2002	国家环保总局
市国土局	全国采矿许可证换证工作先进单位	2002	国土资源部
市地税局	全国全民健身活动先进单位	2003	国家体育局
贵溪市	江西“两基”巩固提高先进县	2003	省政府
市人武部	民兵工作“三落实”先进单位	2003	省委、省政府、省军区
市人武部	对台宣传先进单位	2003	省军区
市人武部	后勤建设规范化管理达标单位	2003	省军区
贵溪市	全省双拥模范县	2003	省委、省政府、省军区
市人武部	民兵组织整顿先进单位	2003	省军区
农行贵溪支行耳口分理处	金融系统全国青年文明号	2003	团中央
市地税局	江西省第九届(2002—2003)年度文明单位	2004	省委、省政府
贵溪市	双拥模范城	2004	省委、省政府、省军区
贵溪市	2001—2002年度全国科技进步县	2004	科技部
贵溪市	2003年度农村税费改革先进县	2004	省委、省政府
贵溪市	全省再就业工作先进集体	2004	省政府
贵溪市	“123”先进县级党政班子	2004	省委
市人武部	先进人民武装部	2004	省委、省政府、省军区
市人武部	民兵组织整顿先进单位	2004	省军区
市人武部	城市民兵组织整顿先进单位	2004	省军区
市人武部	对台宣传先进单位	2004	省军区
市人武部	军事训练先进单位	2004	省军区
贵溪市	全国科技先进县	2004	科技部
市人武部	先进人民武装部	2005	省委、省政府、省军区

表31－3

获奖部门	荣誉称号	获奖年度	颁奖部门
市人武部	扶贫工作先进单位	2005	省军区
市人武部	军事训练先进单位	2005	省军区
市人武部	扶贫工作先进单位	2005	省军区
市粮食局	全省粮食工作先进单位	2006	省政府
贵溪工业园	先进工业园、省级铜产业特色工业园	2006	省政府
贵溪市	江西省创建文明村镇工作先进村镇	2006	省委、省政府
滨江乡柏里村	江西省文明村镇	2006	省委、省政府
罗河镇、泗沥镇、流口镇盛源村	江西省创建文明村镇工作先进村镇	2006	省委、省政府
市国土局	全国地籍管理工作先进单位	2006	国土资源部
中国银行贵溪支行	安全保卫工作先进单位	2006—2008	中国银行总行
中国银行贵溪支行	中国银行精神文明建设工作先进单位	2007	中国银行总行
贵溪工业园	全国模范劳动关系和谐工业园	2007	中华全国总工会
贵溪市	双拥模范城	2007	省委、省政府、省军区
贵溪市	全国“双拥”模范城	2007	国务院
市国土局	“国土资源管理年”活动先进单位	2007	省政府
市国土局	全国地质灾害防治“万村培训”先进集体	2007	中组部等六部委
市地税局	江西省第十一届(2006—2007)年度文明单位	2008	省委、省政府
市粮食局	2007年度全省粮食工作先进单位	2008	省政府
中国银行贵溪支行	中国银行职工道德建设先进单位	2008	中国银行总行
农发行贵溪支行	文明服务窗口示范单位	2008	中国银行业协会、
市国税局	江西省文明单位	2008	省委、省政府
罗河镇、流口镇盛源村	江西省第二届文明村镇	2008	省委、省政府
冷水镇	江西省创建文明村镇工作先进村镇	2008	省委、省政府
塘湾镇大桥村	第二批全国文明村镇	2008	中央精神文明建设指导委员会

附　录

附一:1996 年版《贵溪县志》勘误

在编纂《贵溪市志(1991—2008)》过程中,发现 1996 年版《贵溪县志》存在一些文字错误,现列表纠正,但不一定全面完整。

1996 年版《贵溪县志》勘误

页	行	原文	更正
9	7	永平二年(59 年)	永元二年(90 年)
20	2	埋岗	七里岗
31	7	追任	追认
34	倒 17	派赵海南	派赴海南
36	16	加工厂车四库	加工厂第四库
303 ~ 304	表 7 – 4	其本建设	基本建设
311	续表倒 12	柴家坝	佘家坝
130	5	傈傈族	傈僳族
154	5	鲶桥挂岺村	鲶桥桂岭村
154	6	金瑀仂	金姩仂
658	9	叶禹	叶颙
658	12	“同上”	绍熙
658	13	李政通　绍熙初年	李正通　绍熙年间
658	15	俸薄俭常事以足	俸薄俭常足
658	倒 3	肖昱	萧昱
658	倒 4	许嵩	许暠
658	倒 12	兰森	蓝森
659	3	庐路	卢格
659	倒 8	郭迁序　嘉靖十年	郭廷序　嘉靖二十年
660	4	海宁	海陵
660	5	邑攸　汪球	邑侯　汪俅

页	行	原文	更正
660	9	以三天绳之	以三尺绳之
660	倒12	肖麟	萧麐
661	3	汪南	汪爚南
661	倒6	前有王旐	前有王
662	14	字百儒	字伯儒
662	15	李永弼	李承弼
662	倒6	赵嘉燧	赵嘉檖
664	10	沈熔经	沈镕经
1089	倒17	保太　陈禹	保大　陈乔
1098	倒13	(见印五)	(见印三)
1098	倒10	(详见图)	删去
1118	3	县治东南	县治东北
1137	倒10	连环巨恒	连环巨絙
1137	倒10	有损其林	有捐其林
1137	倒8	西岸凿石	两岸砻石
1137	倒7	双舰的航	双舰以航
1137	倒6	盖其现模	盖其规模
1142	倒14	少师适和	少师廷和
1143	15	林居十三年	林居三十年
1153	7	发币经划	发帑经划
1162	倒4	江四达	江以达
1182	倒2	字公瑾	字公谨
1183	2	(1518)	(1517)
1185	12	文助庐陵	文则庐陵
1190	倒10	瞻旬矢信	瞻徇失信
1191	12	冯汝	冯汝骙
1195	倒6	城内解元坊	东门外
1196	2	刘董宇	刘薰宇
1197	8	父邵冬,初	父邵冬初
1200	倒8	1920年	1930年
1202	倒11	(1901－1959),字东山	(1901－1956),字乐山

页	行	原文	更正
1204	15	程衍	程珩
1206	6	副连长杨辉	副连长杨延辉
1211	11	摧生符	催生符
1213	7	考入省立贵溪中学	删去
1268	13	山收薮蓄	山牧薮蓄

附二:重要文件选录

1. 贵溪县人民政府文件

贵府发〔1994〕4号

关于贵溪县撤县建市的请示

市人民政府:

我县位于赣东北部(东经117°1′2″,北纬28°7′7″),土地面积2480平方千米,人口52.48万,人口密度211.6人/平方千米。辖10个建制镇,16个乡。县总人口中从事非农产业人口14.31万人,占总人口的27.26%(其中具有非农业户口的10.84万人)。1993年,全县工农业总产值24.35亿元(按1990年不变价计算,下同),其中乡镇以上工业产值20.32亿元,占全县工农业总产值的83.5%;国内生产总值8.19亿元,其中第三产业产值1.66亿元,占国内生产总值的20.3%;地方本级预算内财政收入8636.26万元,人均164.57元,上解支出3946.8万元。

贵溪工业实力雄厚,有全国最大的铜生产企业——江西铜业公司,全国生产规模最大、现代化程度最高的贵溪冶炼厂,华中电网主力电厂之一的贵溪发电厂,全国四大磷铵厂之一的贵溪化肥厂;全国白银储量最大的贵溪银矿,大型建筑企业首钢四建公司等一批国家大型企业。大企业的兴建和发展,推动了地方工业的崛起,除中央、省属七家大、中型企业外,县属工业企业4551家,其中,全民所有制企业118家(预算内企业8家),集体所有制企业297家(乡镇企业159家),三资企业10家,其他类型企业4136家,形成了冶金、化工、机械、食品、电子、建材、采矿、轻工、农副产品加工等九大支柱产业,拥有一批名、特、优产品,如精铋、电铅等获得了国家一级产品和部优、省优产品。

贵溪交通发达,电讯先进。浙赣、皖赣、鹰厦三条铁路干线横穿东西,纵贯南北,境内铁路总长156.3千米;320、206国道贯穿县境,县乡村公路遍布相通,通车里程1672千米。随着国家重点投资3.81亿元用于信江疏浚整治,届时千吨级船舶从贵溪可直抵九江、南京、上海等长江沿岸港口。4500部程控电话全部开通使用,可直拨世界各地。

贵溪是全省重点产林县,拥有236万亩林地面积,荣获全国造林绿化先进县称号;境内水系发达,有大小蓄水工程万余座。已探明的矿产资源20多种,白银储量全国第一,花岗岩储量丰富,吸引外商竞相开发。贵溪是全国百个重点商品粮基地县之一,被评为全国粮食生产先进县,是全省利用世界银行贷款开发红壤8个县之一。县境内旅游资源丰富,有与山东曲阜孔府齐名的"嗣汉天师府",有集古迹、神话、山水于一身的仙水岩,龙虎山风景名胜区每年吸引旅游观光的国内外游客达12万人次,被国务院定为国家级重点风景名胜区。丰富的地表、地下和旅游资源,四通八达的交通通讯、迅速崛起的工业,方兴未艾的农业开发,迫切期望贵溪建制改变,以树立良好的形象和声誉,促进对外交往,经贸洽谈,招商引资,进入国际市场。

县人民政府驻地雄石镇已建成功能齐全的新兴城区。现辖12个居委会,3个村委会,总人口10.5万人,其中从事非农产业的人口10.08万人,非农业户口7.46万人;全镇1993年国内生产总值5.5亿元,其中第三产业产值1.53亿元,占国内生产总值27.76%;工农业总产值19.73亿元,其中工业产值19.53亿元。贵溪城市总体规划于1982年经省人民政府批准实施,规划总面积34平方千米,现已建成12平方千米,铺就以宽45米的冶金大道、建设大道为主干道路网络,道路铺装率达90%;有完备的供水和排水设施,自来水普及率达85%;城区第三产业发展迅猛,拥有总面积29853平方米的8个集贸市场,2612个商业网点;文化、教育、卫生、体育等公共事业蓬勃发展,国家级体育运动场、中小学校舍、火车新站、液化煤气站、邮电大楼、门诊住院大楼、电视台、影剧院、俱乐部、图书馆、文化馆、星级宾馆、公园等基础设施相继建成投入使用。

综上所述，我县建市条件已经具备，符合国务院有关撤县设市的规定，为此迫切要求撤销贵溪县建制，改设贵溪市，仍隶属鹰潭市管辖，为县级市。

以上请示，如无不妥，请转报省人民政府审批。

贵溪县人民政府
一九九四年一月八日

2.　中华人民共和国民政部文件

民行批〔1996〕34 号

关于江西省撤销贵溪县设立贵溪市的批复

江西省人民政府：

你省 1994 年 2 月 21 日《关于撤销贵溪县设立贵溪市的请示》收悉。经国务院批准，同意撤销贵溪县，设立贵溪市（县级），以原贵溪县的行政区域为贵溪市的行政区域。

中华人民共和国民政部
一九九六年五月二十八日

3.　江西省人民政府文件

赣府字〔1996〕85 号

关于撤销贵溪县设立贵溪市的通知

鹰潭市人民政府：

经国务院批准，同意撤销贵溪县，设立贵溪市（县级），以原贵溪县的行政区域为贵溪市的行政区域（民行批〔1996〕34 号）。为了确保贵溪撤县设市工作的顺利进行，望抓紧制定撤县设市方案，并认真组织实施。在撤县设市过程中，要坚持勤俭节约的原则，严禁铺张浪费。撤县设市工作结束后，要专题报告省人民政府。

江西省人民政府
一九九六年七月一日

4. 鹰潭市人民政府文件

鹰府字〔1996〕41 号

关于贵溪撤县设市的通知

贵溪县人民政府：

经国务院批准，同意撤销贵溪县，设立贵溪市(县级)，以原贵溪县的行政区域为贵溪市的行政区域(民行批〔1996〕34 号)。望尽快制定工作方案，认真做好各项准备工作，确保撤县设市工作的顺利实施。为专题呈报省人民政府，撤县设市工作结束后，须及时书面报告市人民政府。

鹰潭市人民政府
一九九六年七月九日

5. 中共贵溪市委文件

贵发〔1996〕2 号

中共贵溪市委　贵溪市人民政府
关于实施市、乡(镇)党政机构改革方案的通知

各乡(镇)党委、政府，市委各部门，市直各单位：

根据鹰潭市人民政府鹰府字〔1996〕第 41 号“关于撤销贵溪县设立贵溪市的通知”的文件精神，将《贵溪县党政机构改革方案》重新修改重报，已经中共鹰潭市委、鹰潭市人民政府(鹰字〔1996〕84 号文件)批准。根据鹰潭市委、市政府对我市党政机构改革方案的批复精神，现就实施贵溪市、乡(镇)党政机构改革的有关事项通知如下：原《中共贵溪县委、贵溪县人民政府关于实施县、乡(镇)党政机构改革方案的通知》(贵发〔1996〕30 号)文件予以收回。

一、市党政机构的改革与设置

(一)市委机构的改革与设置

市委机构改革的主要任务是理顺关系，划清职责，调整结构，精简内设机构和人员，进一步改善干部队伍结构，提高干部素质和工作效率，改善和加强党的领导。

对市委的机构作出如下改革和调整：

纪律检查委员会机关与监察局合署办公，一个机构，两块牌子。

信访办公室、政策研究室归口市委办公室(原机构规格不变)。

老干局归口县委组织部(原机构规格不变)。

直属机关党委更名为直属机关工作委员会，与组织部合署办公，一个机构两块牌子。

组织员办公室并入组织部，为该部内设机构，对外保留组织员办公室的名称；机要科更名为机要局、保密局、并入市委办公室，为市委办公室内设机构，对外保留机要局、保密局的名称(原机构规格不变)。党史工作办公室更名为党史资料征集办公室并改为市委直属事业单位。

农村工作委员会，列市委议事协调机构系列，其日常工作由市政府农村工作办公室承担。

机构编制委员会，列市委议事协调机构系列，下设办公室为日常办事机构，既是市委的机构，又是政府的机构。

经过以上改革和调整,市委共设置工作部门6个(未含归口机构):1. 市委办公室;2. 组织部;3. 宣传部;4. 统一战线工作部;5. 政法委员会(挂社会治安综合治理委员会的牌子);6. 台湾工作办公室。

(二)市政府机构的改革与调整

市政府机构改革的主要任务是转变职能,减少具体审批事务,理顺部门之间职能关系,合理划分与乡(镇)的职能关系,做好"规划,协调、监督和服务"工作。

集中精力搞好经济和社会发展的宏观管理,加强对生产、交通、流通领域以及社会发展中重要问题的综合协调,加强农业和农村工作的领导和协调,强化综合经济部门宏观管理职能,合理确定综合部门与专业经济部门及其他部门之间的职能关系。

专业经济部门条件成熟的应转为经济实体,条件尚不成熟的,可保留少量精干的行政机构作为过渡,但要切实转变职能,大力精简内设机构和人员,并积极创造条件,力争尽早转为经济实体。加强社会管理和服务部门、监督部门以及为农业服务的部门,撤销职能交叉重叠的部门。适合成建制转为事业单位的部门,转为事业单位。

对市政府机构作如下改革和调整:

撤销经济委员会,组建经济贸易委员会。

农业经济委员会更名为农村工作办公室,农牧渔业局更名为农业局;城乡建设局更名为建设局;劳动人事局更名为人事劳动局;教育局更名为教育委员会;矿产资源管理局更名为地质矿产局;支重办更名为支援重点企业发展管理局。

经济体制改革委员会与市政府办公室合署办公,一个机构两块牌子;广播电视局与文化局合署办公,一个机构,两块牌子;体育运动委员会与教育委员会合署办公,一个机构两块牌子;机构编制委员会办公室与人事劳动局合署办公,一个机构两块牌子。

撤销市政府办的内设副科级机构:(工交科、财务科、科教文卫科、农业科、调研科、事务科、综合科),外事办及民族宗教事务、侨务并入市政府办公室,为该办内设机构,对外保留外事办,民族宗教事务办的名称;法制科更名为法制局并入市政府办公室,为该办内设机构(原级制不变)。爱国卫生运动委员会办公室并入卫生局;老区建设办公室、地名办公室并入民政局,为该局内设机构,对外保留老区建设办公室,地名办公室的名称;精神文明建设委员会办公室并入宣传部,为该部内设机构,对外保留精神文明建设委员会办公室名称。国有资产管理局并入财政局,为该局内设机构,对外保留国有资产管理局的名称;山林纠纷调解办公室并入林业局。

物资局转为企业总公司;供销合作社转为合作经济组织。

档案局(档案馆)、蔬菜办、外贸局、二轻局、房地产管理局更名为房产管理局(市住房制度改革领导小组办公室)、市志办转为市政府直属事业单位;

通过以上改革与调整,市政府共设置工作部门32个:1. 市政府办公室(含民族宗教事务、侨务、外事)、经济体制改革委员会合署办公,一个机构,两块牌子;2. 计划委员会;3. 经济贸易委员会;4. 教育委员会、体育运动委员会合署办公,一个机构,两块牌子;5. 科学技术委员会;'6. 计划生育委员会;7. 公安局;8. 民政局;9. 财政局(对外保留国有资产管理局的名称);10. 地方税务局;11. 审计局;12. 统计局;13. 监察局(与纪律检查委员会机关合署办公);14. 乡镇企业局;15. 农业局;16. 林业局;17. 水利电力局;18. 工商行政管理局;19. 物价局;20. 交通局;21. 建设局;22. 环境保护局;23. 土地管理局;24. 文化局、广播电视局合署办公,一个机构两块牌子;25. 卫生局;26. 人事劳动局、编委办公室合署办公,一个机构两块牌子;27. 商业局;28. 粮食局;29. 农村工作办公室;30. 司法局;31. 地质矿产局;32. 支援重点企业发展管理局。以上机构均为正科级。

改革后,市直党政机构共设置工作部门38个,比改革前60个,减少22个,精简37%。

(三)关于市人大、市政协,市人民法院、市人民检察院的机构改革

市人大、市政协的机构改革,按赣发〔1995〕16号文件执行。

市人民法院、市人民检察院机构的改革,待省统一部署后组织实施。

(四)人民团体的机构改革

工会、共青团、妇联、文联、残联、科协及工商联等机构,按照各自的章程设置,各人民团体要进行定职能、定内设机构、定人员编制的“三定”工作,精简超编人员。

(五)市政府派出机构的设置

市政府驻外省、市的办事处系市政府的派出机构,不列为市政府工作部门,共设4个:市人民政府驻上海工作处、驻厦门联络处、驻深圳办事处、驻海口办事处。以上机构均为副科级事业单位。

(六)市直事业单位的设置

经过改革,市直事业单位共设17个:即档案局(与档案馆一个机构两块牌子),预算外资金管理局、党史资料征集办公室、市委党校、贵溪报社、房产管理局、外贸局、市志办、农业利用外资办公室、蔬菜办公室、引进外资经济技术合作办公室、计量局更名为技术监督局、二轻工业局、上清林场,以上单位均为正科级。

机关事务科,旅游局、液化石油气公司为副科级事业单位。

(七)市直经济组织的设置

经过改革,市直经济组织共设2个:市物资总公司、市供销社,仍为正科级。

二、乡(镇)党政机构改革与设置

(一)乡(镇)的分类

根据中央确定的乡(镇)分类标准,全市24个乡(镇)分类为:

一类乡(镇)3个

雄石镇、罗河镇、塘湾镇。

二类乡(镇)19个

滨江乡、河潭乡、泗沥镇、白田乡、古港乡、周坊镇、鸿塘镇、志光镇、金沙乡、流口镇、雷溪乡、金屯镇、文坊镇、西窑乡、双圳乡、冷水镇、耳口乡、余家乡、彭湾乡。

三类乡2个

硬石岭乡、樟坪乡。

(二)乡(镇)党政机构改革,要利于加强党对农业和农村工作的领导,加强农村政权建设,加强和完善社会服务体系,促进农村经济和社会事业的发展。要按照“小机构、大服务”的方向,促进政权职能转变,要理顺市与乡(镇)的关系,将应由乡(镇)管理的机构和人员交给乡(镇)管理。

在乡(镇)党政机构设置:一类乡(镇)可设置党政、财经、社会事务、乡村建设和科、教、文、卫等五个综合性办公室;二类乡(镇)可设置党政、财经办公室和民政、乡村建设、文教卫生、计划生育等助理员;三类乡(镇)可设置党政办公室和民政、财经、生产、科教文卫、计划生育、乡村建设等助理员。

三、市、乡(镇)党政机关人员编制和领导职数

根据市委、市政府鹰字〔1996〕84号文件,这次机构改革,确定我市市直行政编制712名(不含政法系统和人武部编制);乡(镇)行政编制735名。行政编制使用范围是:市委、市政府各部门,市人大、市政协机关、市总工会、共青团、妇联和工商联。由机关改为经济实体和事业单位的部门,所需编制按其单位性质重新确定。其他社团组织按中央有关规定,使用事业编制。服务机构和机关工勤人员改为事业编制。各部门、各单位的编制数,在审批“三定”方案时予以审定。

市直各部门、各单位在定职能的基础上,精简调整内设机构。总的要求,尽量综合一些,一般不设专业性股室。市直各工作部门的领导职数为正职1人、副职1～3人。任务繁重,人数较多,编制在十二人以上可以设股,一般股不少于3人。股级领导职数一般配1人,人员编制6人以上增加1名。

乡(镇)党政领导职数为:党委书记1人、副书记2人、政府乡(镇)长1人,副乡(镇)长3人,乡(镇)党政主要领导可以互相兼职。

机关工勤人员的编制一般占机关总编制数的12%左右,最多不超过14%。

四、事业单位改革

搞好事业单位的改革,有利于进一步增加事业单位的活力,有利于经济建设与社会事业协调发展,有利于减轻国家财政负担,事业单位改革的方向是实行政事分开,走社会化的路子。

1. 改革事业单位的管理体制。党政机关减少对事业单位的直接管理和具体审批事务,促进事业单位在职能、人事制度、工资制度、管理体制等方面,与党政机关区别开来。打破部门所有的条块分割,推动事业单位更好地与经济建设相结合。

2. 建立事业单位法人登记制度。确定事业单位的法人地位,把竞争、激励、风险机制引入事业单位。减轻国家财政负担,加快各项事业发展步伐。事业单位法人登记工作待中央和省统一部署后进行

3. 调整机构设置和人员结构。撤并一些长期任务不足,不出成果和业务相近的事业单位。鼓励发展符合市场经济需要,不要国家财政资助的新兴事业单位。要按照精简的原则,对事业单位的人员结构进行调整,解决目前普遍的各类专业人员比例失调、行政后勤人员多以及人浮于事的问题。

4. 减少财政拨款的事业单位和人员。具体措施是:积极促进一些有条件的全额拨款的事业单位改为差额补贴以至经费自理;积极促进一些有条件的差额补贴的事业单位改为自收自支或企业化管理。通过改革,使事业单位"吃皇粮"的人数得到减少。今后将分别采取相应的办法,实行对事业单位的分类管理。对国家全额拨款的,其数量和规模要严格控制;对由国家实行定额(定项)补助的,在管理上要适当放活;对经费自收自支或实行企业化管理的,可以不同程度地享受企业的各项自主权。

五、实施市、乡(镇)机构改革的几点要求(略)

中共贵溪市委
贵溪市人民政府
一九九六年五月二十日

6.　中共贵溪市委文件

贵发〔1998〕13 号

中共贵溪市委　贵溪市人民政府
关于农村延长土地承包期工作的实施意见

各乡(镇)党委、人民政府,市委有关部门,市直有关单位:

稳定和完善农村土地承包关系,是党的农村政策的核心内容,关系到调动农民生产积极性;关系到农业持续发展,关系到整个农村稳定。为切实贯彻好党中央的土地承包政策,中共江西省委办公厅、江西省人民政府办公厅下发了《关于贯彻中办发〔1997〕16 号文件的通知》(赣办发〔1997〕10 号文),该通知针对目前农村土地承包经营的实际情况,进一步明确了中央的有关政策,作出了有关具体的规定。这是指导当前和今后一个时期农村土地承包工作的重要文件。为把我市稳定和完善农村土地承包工作落实好,特制定如下实施意见:

一、提高思想认识,理解政策精神

稳定农村土地承包关系,是党的农村政策的核心内容。江泽民总书记曾强调:中央制定的延长土地承包期、稳定土地承包关系的政策,一定要不折不扣执行。稳定和完善农村土地承包关系,土地承包期再延长 30 年不变,是非搞不可,一定要落实的问题。各级党委和政府要深刻认识稳定土地承包关系的重大意义,把思想认识和具体工作统一到党中央确定的政策要求上来。

做好农村土地承包工作,稳定土地承包关系、事关农村工作全局,政策性强,涉及面广,工作量大,任务繁重,没有任何弹性。各乡镇党委、政府,各国营林(垦殖)场对落实稳定农村土地承包关系的政策,一定要切实加强领导,要把延长土地承包关系作为今年下半年农村工作的一项重要任务,要提上重要议事日程,进行专题部署,确定专人负责,要充分吃透党中央、国务院以及上级党委、政府的政策精神,从而拿出既符合政策规定又便于操作、切实可行的实施方案,做到工作要求、工作措施、工作步骤、工作责任、

工作目标“五明确“,确保今年内完成土地延包工作。

二、严格执行政策,加强工作指导

各乡镇党委、政府,各国营林(垦殖)场要组织广大基层干部认真学习《通知》精神,深刻领会掌握政策,确保政策的不折不扣执行,为此要明确以下几点:

(一)土地承包期再延长30年,是在第一轮土地承包的基础上进行的。开展延长土地承包期工作,要使绝大多数农户原有的承包土地继续保持稳定,不能将原来的承包地打乱重分,更不能随意打破原生产队土地所有权的界限,在全村范围内平均承包。承包土地经营权要按照权属关系由农村集体经济组织向农户发包,对于一些缺乏行使发包权组织能力的村民小组,可由村民委员会受村民小组委托,代替村民小组行使发包职能。

(二)承包土地实行“大稳定、小调整”的前提是稳定。

“小调整”要注意掌握以下凡条原则:一是“小调整”只限于人地矛盾突出的个别农户,不能对所有农户进行普遍调整;二是不得利用“小调整”提高承包费,增加农民负担;三是要有利于生产,便于耕作和管理;四是“小调整”的方案要经村民大会或村民代表大会三分之二以上成员同意,并报乡(镇)人民政府和市人民政府主管部门审批;五是绝不能用行政命令的办法硬性规定在全村范围内几年重新调整一次承包地。

(三)严禁荒芜耕地。

在延长土地承包期内,发包方有权收回招工、招干等“农转非”户、死亡绝户、外迁户的承包土地及抛荒两年以上的承包耕地,上述耕地收回后,由发包方调整给人地矛盾突出的农户耕种。对确无力耕种而又自愿转让“责任田”的,按《江西省农业承包合同管理条例》有关规定进行转包转让,但必须明确农户对集体土地的承包权利不变。

(四)认真整顿“两田制”。

中办发〔1997〕16文件规定,中央不提倡实行“两田制”,没有实行“两田制”的地方不要再搞,已经实行的必须按中央的土地承包政策认真进行整顿。

一是对原来为了平衡农户负担而实行的“动帐不动地”形式的“两田制”,无论是“口粮田”,还是“责任田”,承包权都必须到户,并明确30年不变,不能把“责任田”的承包期定得很短,随意进行调整。

二是对随意提高土地承包费,收回部分承包地高价发包或脱离实际用行政命令的办法搞规模经营而强行从农户手中收回“责任田”等做法,要坚决予以纠正。农民要求退回的,应退还给农民承包经营。这项工作的具体实施,要经乡镇人民政府充分讨论,报市人民政府审批,由市农业行政主管部门和乡镇人民政府共同组织实施。

三是少数地方农民自愿将部分“责任田”的使用权有偿转让或交给集体实行适度规模经营,这属于土地使用权正常流转的范围,应当允许。但必须明确农户对土地的承包权利不变,使用权的流转要建立在农民自愿、有偿的基础上,不得搞强迫命令和平调。

(五)严格控制和管理“机动田”。

目前尚未留“机动田”的地方,原则上不留“机动田”。今后解决人地关系的矛盾,可按“大稳定”、“小调整”的原则在农户之间进行个别调整。已留有“机动田”的地方,必须将“机动田”严格控制在占耕地总面积的5%限额之内,并严格用于解决人地矛盾,超过的部分应按公平合理的原则发包到户。

(六)严格加强对土地承包费的管理。

除工副业、果园、鱼塘、“四荒”等实行专业承包和招标承包的项目外,其他土地,无论是“口粮田”、“责任田”、“经济田”,还是“机动田”,其承包费都必须纳入农民上交的村提留乡统筹费的范围,按中央关于减轻农民负担的有关规定严格管理。

在具体工作中,要严格把握政策界限,注意工作方法,坚持以下原则:一是要坚决执行中央“两办”、省“两办”《通知》规定的政策。二是根据“先易后难”的原则,对个别难点问题或人地矛盾突出,涉及调整面较大的个别地方,应组织精干力量,加强调查研究,从有利于农业生产、农村稳定高度实施调整,绝不能因少数地方而影响整体工作的推进。

三、加大工作力度，做好周密部署

根据鹰办字〔1998〕76号文件精神，农村土地承包期延长工作必须在今年冬种前完成，时间相当紧迫，要用倒计时的办法，周密部署，统一步骤，确保土地延长承包工作做好。

第一，各乡镇、各国营林（垦）场要在8月10日以前成立稳定和完善农村土地承包关系领导机构，制定实施方案，确定专人负责，组织好人员参加培训，层层级级开展宣传发动工作，加大对广大农民进行稳定和完善农村土地承包关系政策的宣传力度，做到家喻户晓。

第二，8月底完成土地承包登记工作，将农民承包的土地按照农业部制定的表式登记造册、张榜公布，实行承包土地公开，接受群众监督。

第三，9月20日以前基本确定新一轮土地承包关系，人地矛盾不突出、不需要进行“小调整”，或‘小调整”涉及面小、群众意见不大的地方，将土地承包关系确定下来，便于农民进行农业生产。根据先易后难的原则，逐步将全市的土地延包工作在年底完成。

第四，新一轮土地承包关系确定以后，乡镇人民政府农业承包合同主管部门要及时将省农业厅统一印制，经市人民政府盖章后“土地承包经营权证书”颁发给农户，发证时间不要求统一，可先完成先发。对土地承包的档案资料要妥善保管，要求村有台帐，乡建档案，市农业主管部门汇总上报市领导小组办公室。

第五，这项工作结束后，各乡镇、各国营林（垦殖）场要组织一次总结检查，并将总结材料上报市稳定和完善土地承包期延长期工作领导小组办公室。

中共贵溪市委
贵溪市人民政府
一九九八年八月五日

7.　中共贵溪市委文件

贵发〔2000〕1号

中共贵溪市委　贵溪市人民政府 关于印发贵溪市国有、集体企业产权制度改革 若干试行办法的通知

各乡（镇）党委、人民政府，市委各部门，市直各单位：

现将《贵溪市国有、集体企业产权制度改革若干试行办法》印发给你们，望认真贯彻，遵照执行。

中国共产党贵溪市委员会
贵溪市人民政府
二○○○年一月十三日

贵溪市国有、集体企业产权制度改革若干试行办法

第一章　总　则

第一条　为切实推进贵溪市国有、集体企业产权改革进程,调整优化结构,逐步建立和完善现代企业制度,根据十五届四中全会精神及有关法律法规,依照中共贵溪市委《关于加快我市国有企业改革和发展步伐的意见》,结合本市实际,特制定本试行办法。

第二条　企业产权制度改革的思路和目标:按照省委、省政府提出的“县域经济以民营经济为主体”的发展思路,对国有、集体企业实行民营化为主的股份制改造,企业通过产权转换和职工身份置换,逐步成为适应社会主义市场经济体制,符合现代企业制度要求,产权清晰,权责明确,政企分开,管理科学,自主经营,自负盈亏,自我发展,自我约束的法人实体和市场竞争主体,企业职工通过身份置换,由“企业人”转变成“社会人”。

第三条　企业改革应当遵循的基本原则:有利于形成灵活的运行机制,促进经济质量提高;有利于企业整体素质的提高,促进经济的发展;有利于促进社会保障制度的形成和完善,确保社会稳定;有利于政府职能转变,实现政企分开。

改革要有计划、有步骤进行,统筹规划,因企制宜,分类指导,防止改革流于形式,不搞一刀切;坚持改革、改组、改造和加强管理相结合。

第四条　本办法适用于全市所有国有、城镇集体企业,乡(镇)、村(街道)办集体企业,以及由上述企业共同投资举办的联合经济组织。

第五条　本办法由市企业转机建制指导委员会(以下简称“指委会”)办公室负责协调监督,企业主管部门具体落实,房产、土管、建设、国资、财政、地税等职能部门应认真贯彻执行,金融系统应积极支持配合。

第二章　改制形式及要求

第六条　国有、集体企业应当认真总结以往改革经验,加快产权制度改革步伐,逐步实行民营化为主的公司制。

第七条　企业改革要本着国有、集体资产逐步退出的原则,从企业实际情况出发,分别采取股份制、股份合作制、拍卖、出让、租赁、依法破产等不同形式,积极推进企业改革。

第八条　实行股份制或合作制改造的企业其产权要本着公开、公平、公正的原则出让,鼓励经营者和企业骨干持大股份或买断产权,不搞人人均股,强行配股、扩股等。

第九条　实行拍卖的企业其产权要实行公开拍卖原则。

第十条　凡严重资不抵债、生存无望的企业应当依法实施破产,进入破产程序。

第十一条　对改制、资产重组、新办企业原则上不再设立国有独资企业。

第十二条　企业申请改制,除按法律规定应提交的有关文件外,还需提供一些文件报市“指委会”办公室:

(一)企业改制申请报告和改制方案;

(二)企业资产评估报告;

(三)其他有关资料。

第三章　资产评估及产权界定

第十三条　改制企业应在主管部门和评估机构的指导监督下,自行开展清产核资。然后,由评估机构按照客观公正的原则,依据有关法规进行评估。

第十四条　企业资产评估由改制企业写出书面申请,由市“指委会”指定国资部门委托具有法定评估资格的资产评估机构进行评估;评估结果由财政、国资等有关部门予以确认;集体企业资产评估结果由主管部门或乡镇人民政府会同国资部门予以确认;改制企业土地资产评估结果应报市土管局确认。

第十五条　对企业清产核资和资产评估中具体问题的处理:

(一)对报废资产、积压产品,由国资、财政、税务、物价、审计、评估机构、主管部门和企业负责人及有关技术人员鉴定,以确定削价幅度和报废处理办法;

(二)对企业呆帐、死帐、资产盘亏及亏损,可根据上级有关政策精神,用评估增值部分冲减,不足部门,按有关程序和多种渠道全部或部分予以核销。

第十六条　改制企业经资产评估后的所有者权益,应遵照“谁投资、谁拥有产权”的原则进行产权界定。

第十七条　企业中的国有资产全部界定为国有资产。

企业集体资产产权界定依照以下原则:

(一)凡国家投资及投资收益形成的资产归国家所有;

(二)集体企业联合经济组织投资及投资收益形成的资产,其产权归该联合经济组织所有;

(三)企业历年公共积累形成的资产,其产权归企业劳动者集体所有;

(四)职工个人投资及投资收益形成的资产,能明确其投资主体的,其产权归职工个人所有,难以明确其投资主体的,其产权归企业劳动者集体所有;

(五)投资主体不清的资产以及接受无偿援助和捐赠形成的资产,其产权归企业劳动者集体所有;

(六)企业按照法律、法规和国家政策规定享受的优惠,包括税前还贷和各种减免税形成的资产,其产权归企业劳动者集体所有。

第十八条　对企业历年来结余的工资基金、奖励基金、福利基金按照职工在该企业的工龄、岗位、贡献等情况量化到个人,为企业职工资产,分配给职工个人,也可折成个人股份投入改制后的企业。

第四章　产权处置

第十九条　改制企业要按照国有、集体资产全额或部分出让,资产、债权债务同时过户的原则,将企业出让给改制企业职工或社会投资者。

第二十条　改制企业出让产权时,原则上应由受让方或收购方一次性买断;一次性付清有困难的可在3年内分期付清,但第一次付款不得低于出让价的30%,欠交部分按银行同期贷款利率计收利息;内部职工购买企业产权的(指企业全部资产),一次性付清价款的,给予20%的优惠。

第二十一条　改制企业净资产(指所有者权益)为零或负数,可按“一元钱”的最低价出让或竞价出让,但购买方必须有一定的现金注入,并提供资产抵押或财产担保。

第二十二条　对出让国有企业产权的收入,由国有资产管理部门设立国有资产产权转让收入专户,纳入财政管理;集体企业产权转让的收入,由主管部门设立专户管理,接受财政监督。

第五章　管理体制与收益分配

第二十三条　改制企业应依据有关法律法规,结合自身实际,制定企业章程,明确股东会、董事会、监事会及经营班子的职责、权限及运行程序,健全法人治理机构。

第二十四条　加强改制企业民主管理,依法保障改制企业员工的各项合法权益,对未入股员工可以通过企业工会组织按照《工会法》有关规定,参与民主管理。

第二十五条　国有控股、参股企业代表国有资产的董事,由主管部门或国有资产经营公司考核报市政府批准委派。

第二十六条　实行股份制或股份合作制改造的企业,股东须按照企业章程规定按期足额到位股本金,股金不予计息,不得抽回,但可转让。

第二十七条　改制企业可自主确定工资水平和内部分配方式,逐步建立和完善工资分配制度,规范分配行为。

第六章　职工安置

第二十八条　对改制企业的职工全部实行一次性安置,由企业发放生活补助费后,改制企业职工身份全部实行置换,解除原有劳动合同关系,由“企业人”转换成“社会人”。生活补助费原则上按职工工龄每满一年,发给一个月的基本工资(不含各种补贴及资金,基本工资超过500元的按500元计),但最高不超过30个月基本工资,其中不到4000元的按4000元发给;

解除身份后的职工可以将生活补助费入股成为改制后企业的股东,也可不入股;

改制企业职工市外调转的,不发给生活补助费。

第二十九条　改制时,符合计划生育政策,并在孕期、产期、哺乳期的女职工如自谋职业的,可按有关规定发给补助金;

对因工致残或患职业病职工,可按规定发给一次性伤残补助金。

第三十条　距退休年龄不足5年(自企业宣布改制之日起算)或符合国家有关政策规定的职工,经本人申请,企业同意,劳动行政部门批准,可以办理离岗退养手续。离岗退养的职工由企业按职工离岗退养期限,将以后所应交缴的社会养老保险费及每人每月200元的生活保障费,一次性拨付给社会保险机构,由社会保险机构按每人每月200元发放生活保障费。

第三十一条　企业的遗属,可从企业资产变现收入中予以一次性解决,具体数额视年龄及企业资产情况确定,原则上控制在4000元至6000元之间。

第三十二条　建立“市退休职工托管中心”,挂靠市社保局,主要负责拍卖、关闭、破产企业退休职工日常管理及医药费报销等,资金来源从企业资产变现收入中按人均1万元左右的标准提留;

改制后企业的离休人员日常管理及医药费报销等由市老干局负责,资金来源从企业资产变现后收入中按人均2万元左右的标准提留。

第三十三条　如企业资产不足以支付或无法变现的,上述安置标准可相应降低,或视企业具体情况确定。

第三十四条　改制后企业职工可按个人意愿自行到市人才或技工交流中心办理有关身份、工资待遇存入档案手续,并可按档案身份办理退休或市外调转;

改制后企业职工没有再就业的,其计划生育、综合治理等工作按属地原则由当地街道居委会负责。

第三十五条　改制后的国有独资或控股企业对国家统一分配的城镇退伍军人、志愿兵、转业干部及随迁家属和大中专、技校毕业生应按规定接收并签订劳动合同,确保2年内不下岗。

第三十六条　改制后企业安置下岗职工达60%以上,并从事第三产业的,自开业之日起3年免征企业所得税。

第七章　职工社会保险

第三十七条　已参加养老保险社会统筹的企业,改制后离退休人员的离退休金由社会保险机构负责发放。

第三十八条　职工自谋职业或再次就业的，应按规定参加社会保险，并全额缴纳养老等社会保险费；如没有再就业的，在失业期间可以由个人继续参加养老等社会保险并按规定全额缴纳保险金；对不愿继续参加养老等社会保险又不再就业的，其个人帐户由社会保险机构予以保留。

职工继续参加养老保险的，其缴费年限可连续计算。

第三十九条　经劳动部门批准离岗退养的职工，到达法定退休年龄时，可按规定办理正常退休手续。

第四十条　企业原欠缴的各项社会保险基金（属破产清偿的债务），在受让方或收购方接收财产时，由企业一次性补缴，并划转至社会保险机构。

第八章　土地资产处置

第四十一条　原使用行政划拨土地的企业，在改制中企业可根据自身承受能力和发展需要，选择以下土地使用权处置方式：

（一）将土地使用权有偿出让、抵押、作价入股的企业，应按规定补交土地出让价款，其中工业用地按土地出让交易总额的35%补交出让金，商业服务用地按45%补交出让金；对补交出让金确有困难的，经市政府批准，可分期支付；

（二）改制企业可剥离土地资产，以租赁方式取得土地使用权，并与市土管部门签订土地租赁合同。土地租金标准需报市政府审批，租金收入的50%作为补交出让金上缴；

（三）改制企业可依法予以保留行政划拨的土地使用权。

第四十二条　企业改制时（含破产企业），原无偿划拨的闲置土地可由市政府依法收回，并委托土管部门公开出让，出让金由市政府统一管理。

第四十三条　以上土地出让收入由市政府实行统筹，并优先用于改制企业职工安置或补足改制经费，其中破产企业的土地出让收入主要用于安置职工。

第九章　优惠政策

第四十四条　改制企业涉及的各项改制费用用以5000元/家包干，统一交到市预算外资金管理局，由其按比例发放到各收费单位，收费标准按以下原则：

（一）政策性收费每项不得超过100元（含工本费）；

（二）服务性收费按最低标准的25%收取（含工本费）

第四十五条　市外投资者收购或受让拍卖、出让破产企业资产或在改制企业中控股的，其城区落户、子女就学享受本市居民同等待遇。

第四十六条　原企业主管部门按规定收取管理费的，企业改制后必须终止，其管理费缺口由市财政予以酌情解决。

第十章　附　则

第四十七条　企业改制方案由主管部门会同企业制定，以主管部门名义报市“指委会”办公室审核，由市“指委会”批准；

第四十八条　本办法中的改制企业职工包括企业干部。

第四十九条　本办法由市“指委会”办公室负责解释。

第五十条　本办法自发文之日起执行，此前有关政策文件与本办法不一致的，以本办法为准。

二〇〇〇年一月一十三日印发

8. 中共贵溪市委文件

贵发〔2002〕19号

中共贵溪市委　贵溪市人民政府
关于印发《贵溪市机构改革实施方案》的通知

各乡(镇)党委、人民政府,各街道工委、办事处,市委各部门,市直各单位:

现将《贵溪市机构改革实施方案》印发给你们,请认真学习,并切实做好组织实施工作,确保机构改革任务圆满完成。

中共贵溪市委
贵溪市人民政府
二〇〇二年十一月十九日

贵溪市机构改革实施方案

根据中共江西省委、江西省人民政府《关于实施市、县、乡党政机构改革的通知》(赣发[2001]23号)和中共鹰潭市委、鹰潭市人民政府《关于贵溪市党政机构改革方案的通知》精神,结合贵溪市实际,特制定贵溪市党政机构改革实施方案。

一、成立机构

为保证机构改革中各项工作准确、及时、有效地实施,成立机构改革领导小组及相应的实施机构。

1、成立贵溪市机构改革领导小组

组　长:黄建平

副组长:李忠仁、陈强、李赛白

成　员:桂细荣、李长华、俞奇、谢军、李云、揭晓泗、袁锋、刘建民、姚建中、孙敏、李桂花、彭建中

领导小组下设办公室,由袁锋同志任办公室主任,办公室人员从市纪委、组织部、人事局、编办、财政局抽调,办公地点设在市编制办公室。

根据工作需要市财政安排必要的经费。

2、领导小组下设7个工作小组

(1)人员定岗分流组

组　长:李忠仁

副组长:刘建民、姚才来

牵头单位:组织部、人事局

参与单位:市纪委、编办、财政局

办公地点:人事局

主要工作:根据《实施方案》及有关文件的要求,全面负责全市机构改革中人员定岗分流工作,对机构改革中人员定岗分流工作有关事项进行指导、协调。

(2)财产清理核查处理组

组　长:李赛白

副组长:孙敏、李爱中、童伏良

牵头单位:市纪委

参与单位:审计局、财政局(国资局)、土地局、建设局、档案局

办公地点:市纪委

主要工作:根据《方案》和《实施方案》的要求,提出撤并单位资产清理核查意见,并组织力量进行资产清查。提出资产、债务的处置意见,报市委、市政府批准。

(3)科级干部安置组

组　长:俞奇

副组长:李桂花

牵头单位:组织部

参与单位:市纪委、编办、人事局

办公地点:市委组织部

主要工作:提出科级干部安置和竞争上岗意见,并组织实施。

(4)市直党政机关改革指导组

组　长:李忠仁

副组长:揭晓泗、毕跃

牵头单位:市委办、市政府办

参与单位:市纪委、组织部、宣传部、人大办、政协办、人武部政工科、编办、财政局

办公地点:市政府办

主要工作:

1. 对市直党政群机关(不包括政法系统)及机关后勤服务单位的机构改革工作进行协调和指导。

2. 对市直党政群机关"三定"方案进行初审。

3. 协调指导落实上述单位上岗人员和分流人员。

(5)政法系统改革指导组

组　长:李赛白

副组长:桂细荣

牵头单位:政法委

参与单位:法院、检察院、公安局、司法局、610 办

办公地点:政法委

主要工作:

1. 对政法系统机关及其后勤服务单位机构改革工作进行协调和指导。

2. 对上述单位"三定"方案进行初审。

3. 协调指导落实上述单位上岗人员和分流人员。

(6)乡镇改革指导组

组　长:李赛白

副组长:李桂花、刘建民

牵头单位:组织部

参与单位:市纪委、市委办、市政府办、人事局、编办、财政局

办公地点:市委组织部

主要工作:

1. 对乡镇、街道办事处机关和乡镇事业单位机构改革工作进行协调和指导。

2. 对上述单位"三定"方案进行初审。

3. 协调指导落实上述单位上岗人员和分流人员。

(7)宣传指导组

组　长:李长华

副组长:彭建中、江长有

参与单位:宣传部、文广局、报社等

办公地点:宣传部

主要工作:在机构改革期间,加大机构改革的宣传报道力度,为改革机构顺利实施创造良好的外部环境。

二、改革的目标和原则

改革的目标:加强党的领导,转变政府职能,理顺各方面的关系,调整组织机构,精干公务员队伍,降低行政成本,减轻财政负担,提高工作效率。建立廉洁高效、运转协调、行为规范的行政管理体制,完善国家公务员制度,建立高素质的专业化公务员和机关工作队伍。

改革的原则:坚持党的领导主要是政治、思想和组织领导的原则;坚持政企事分开原则;坚持精简、统一、效能的原则;坚持实事求是、因地制宜的原则;坚持既积极又稳妥的原则。

三、改革的基本要求

(一)转变职能。政府部门不再直接管理企业,不再兴办经济实体,不再保留工业专业经济管理部门;辅助性、技术性和服务性事务交给事业单位和社会中介组织,按照社会主义市场经济的要求,推进行政审批制度改革,减少行政审批事项,建立结构合理、管理科学、程序严密、制约有效的行政审批管理制度。

(二)理顺关系。明确划分市乡政府的事权,下放属于乡级政府的管理权限,完善乡镇政府功能;合理界定各部门职能,解决部门之间的职责不清、职能交叉的问题,并对调整、转移、下放的职能以"三定"的形式规定下来。

(三)严格执行文件规定。严禁超限额设置机构和内设机构升格;防止变相扩编、超编进人和超职数配备干部。

四、党政机构的调整与设置

保留市纪律检查委员会机关(市监察局与其合署办公)。

(一)市委机构的调整与设置

1、工作机构

保留市委办公室、组织部、宣传部、统一战线工作部、政法委员会(610办公室、市社会治安综合治理委员会办公室与其合署办公)。

2、议事协调机构的办事机构

市机构编制委员会办公室为市机构编制委员会的常设办事机构,既是市委的工作机构,又是市政府的工作机构。

市委农村工作委员会办公室为市委农村工作委员会的常设办事机构,挂市政府农村工作办公室的牌子。

3、其他机构

市信访办公室更名为市委信访局,增挂市政府信访局牌子,归口市委办公室管理,既是市委的工作机构,又是市政府的工作机构。

老干部局与市委组织部合署办公。

直属机关工作委员会与市委组织部合署办公。

政策研究室、机要局、保密局并入市委办公室,对外保留市国家保密局牌子。

台湾工作办公室并入市委办公室,对外保留市委台湾工作办公室和市政府台湾事务办公室牌子。

精神文明建设指导委员会办公室并入市委宣传部,对外保留市精神文明建设指导委员会办公室牌子。

经过上述调整,市委共设置工作机构5个,议事协调机构的办事机构2个,归口管理机构1个(具体机构设置见附表一)。

(二)市政府机构的调整与设置

1、工作部门

保留市政府办公室、监察局、公安局、司法局、民政局、财政局、审计局、统计局、林业局、环境保护局、交通局。

经济贸易委员会更名为经济贸易局。原人事劳动局承担的安全生产综合管理、职业和矿山安全监察职能并入该局，增挂安全生产监督管理局牌子；原经济体制改革委员会承担的国有企业改革职能划入该局；原商业局、外贸局、二轻局、乡镇企业局、物资总公司的行政管理职能划入该局，对外保留市对外贸易经济合作局牌子。

保留建设局。原房产管理局、城管办的行政管理职能划入该局。

保留农业局。原经济体制改革委员会承担的农业体制改革职能划入该局；蔬菜办、外资办并入农业局，为内设机构。

保留卫生局。原人事劳动局承担的职业卫生监察职能划入该局。

计划委员会、教育委员会、科学技术委员会、计划生育委员会、水利电力局，分别更名为发展计划局、教育局、科学技术局、计划生育局、水利局。

在人事劳动局的基础上组建人事劳动和社会保障局。

土地管理局与地质矿产局合并，组建国土资源局。

文化局与广播电视局合并，组建文化广播电视局。

2、其他机构

保留粮食局，由市发展计划局管理。

组建城乡规划局，由市政府办公室管理。

经济体制改革委员会、民族宗教事务局并入政府办公室，对外保留经济体制改革委员会办公室、民族宗教事务局牌子。

山林纠纷办并入法制局，法制局并入市政府办公室，对外保留法制局牌子。

物价局、支重局并入发展计划局，对外保留物价局牌子。

国有资产管理局、预算外资金管理局、政府采购中心并入财政局，为内设机构，对外保留国有资产管理局牌子。设立农业税征收管理局，为副科级单位，归口财政局管理。

体育运动委员会更名为体育局，，并入教育局，对外保留体育局牌子。

派出机构：雄石街道办事处、花园街道办事处、东门街道办事处、贵溪工业园管委会。雄石、花园、东门三个办事处仍使用乡镇机关行政编制，贵溪市工业园管委会使用事业编制。

不再保留商业局、乡镇企业局。

经过上述调整，市政府共设置工作机构22个，部门管理机构2个，派出机构4个（具体机构设置见附表二）。

（三）市人大机关、市政协机关的机构改革按赣发［2001］17号文件要求进行，主要是加强机关建设，完善工作职能，理顺职责关系，调整机构设置，精简人员编制，优化干部结构，形成高效机制，提供组织保障。

（四）市人民法院、市人民检察院的机构改革按赣发［2011］11号文件要求进行，主要是完善职能配置，调整机构设置，精简人员编制，优化人员结构，提高队伍素质。

（五）工会、共青团、妇联、文联、科协、残联等群众团体机关机构改革按赣发［2011］12号文件要求进行，主要是完善领导体制，合理划分职责，改进运行机制，精干内设机构，精简人员编制，优化人员结构，提高队伍素质。工、青、妇机关继续使用行政编制，其它群众团体机关使用事业编制。

（六）民主党派和工商联机关的机构改革，待中央出台具体意见后再部署。

（七）市委、市政府直属事业单位的调整与设置

保留市档案局、市委党校、贵溪报社、招商局、市委、市政府接待处、市城市建设资金管理办公室、老建办、人防办。

以上机构仍为正科级。

市政府机关管理科更名为市政府机关事务管理局，为正科级单位。

组建市联合办证服务中心，为正科级单位。

市旅游局升格为正科级单位。

党史办与市志办合并,组建史志办,为正科级单位。

不再保留:二轻局、外贸局、蔬菜办、预算外资金管理局、房产局、外资办、城管办。

上述事业单位也要按照鹰潭市委、市政府《关于贵溪市党政机构改革方案的通知》(鹰字[2002]87号)精神,精简人员编制和内设机构。

(八)市直经济组织的调整和设置

保留市供销合作社

不再保留市手工业联社

不再保留市物资总公司

五、搞好机构改革的“三定”工作

定职能、定内设机构、定编制。“三定”工作是实施机构改革方案的重要内容。本《实施方案》中所设市委工作部门、市人大机关、市政府工作部门、市政协机关、法检两院、群众团体机关、议事协调机构的办事机构、归口管理机构、部门管理机构、市委、市政府直属事业单位、市直经济组织等都要进行“三定”。

“三定”内容包括:本部门职能调整情况(包括划入、划出、增加和转变的职能);部门的主要职责:内设股室的数量、名称和主要职责;人员编制数及科、股级领导职数。“三定”工作的具体要求:

(一)定职能。按照政企、政事、政社分开和建立社会主义市场经济体制的要求,明确界定各部门的职责任务,合理调整部门分工,把政府职能切实转变到经济调节、市场监管、社会管理和公共服务上来,从而使该加强的职能得到加强,该弱化的职能得到弱化,该转移的职能得到转移。

在界定各部门职能时,凡涉及到职能转移、交叉、重复的,按以下四条原则进行调整:一是凡与鹰潭市直对应设置的部门,其基本职能也原则上进行对应调整,以利于工作衔接,减少矛盾;二是鹰潭市直有关部门没有明确的,按现行法律、法规中有关规定办理;三是对个别职能确需分管和共管的,应明确主次关系和各自的职责权限;四是按以上原则难以界定的,由市编办协调并提出意见,报市编委裁定。

(二)定内设机构。职能交叉的内设机构要理顺,职能相同或相近的要合并,职能较少,工作量不大的应综合设置或归并到职能相近的机构。内设股室平均精简10%以上,业务股室应占60%以上,内设机构的名称和级别要规范化。

(三)定编制。这次机构改革,鹰潭市委、市政府核定贵溪市市直、乡镇机关行政编制1107名,比原有的1381名,减少274名,精简19.8%。政法专项编制394名(其中:公安局227名,司法局40名,法院68名,检察院59名),按机关专项编制精简10%,比原有的418减少24名,精简5.74%。

为确保人员编制精简20%任务的完成,根据贵溪市实际情况,在核定各部门编制时,按以下原则进行:(1)党政机关、人大机关、政协机关、工青妇机关、工商联机关原使用的事业编制全部收回;(2)政法系统按机关编制精简10%;(3)对部分单位编制精简后,其编制配备与其职能配置确实不相符的,编制进行适当调整,以利于其工作的正常运转;(4)撤并部门的原有人员,按照人随事走的原则,随职能一并划入相关部门,统一参加并入部门的定岗分流。撤销单位的编制予以收回,被并入的机构编制精简,按照并入后职能的调整重新核定编制;(5)党政群机关后勤服务人员编制不得突破15%,政法系统机关后勤服务人员编制不得突破10%。

严格按规定配备领导职数。部门领导职数一般配正副职1～3名。股室领导职数按《国家公务员制度实施方案》的规定,编制3名的配1名,编制4名以上的可配2名。

“三定”’规定上报审批程序:(1)由各部门、各单位按照市直党政机构改革方案的要求,结合本部门、本单位实际,提出“三定’’工作初步方案报送机构改革办公室;(2)由市机构改革办公室对各部门、各单位提出的“三定”初步方案进行审核,对审核符合要求的,以正式文件(一式15份)送市编委会研究;(3)经市编委会研究确定后,再报市委、市政府审批。

市政府各部门的纪委、监察机构按有关规定设置,由市纪委、监察局提出按程序审批。纪委监察编制包含在各单位编制总额内,实行单列。

机关党组织及工会、共青团、妇委会、武装部等组织，按有关章程建立，根据需要可配备专（兼）职干部，所需编制在部门已核定编制中解决。

六、认真做好人员定岗定员和人员分流工作

为积极稳妥地做好人员定岗定员和人员分流工作，市委、市政府即将下发《机构改革人员定岗定员实施办法》和《机构改革人员分流实施办法》，各部门要根据上述文件精神，按照“工作需要，群众参与，竞争上岗，综合考评，组织决定”的原则，做好人员定岗工作；按照“带职分流，定向培训，充实基层，优化结构”的原则，做好人员分流工作。各部门在接到“三定”方案批复后的二十天内完成人员定岗工作任务，确定留岗人员。实行一次定编定岗、核定领导职数、人员逐步分流的办法。分流工作3年内完成，有条件的单位要尽量提早完成。分流到企业、事业单位的人员纳入社会保障体系。具体的人员定岗定员和人员分流按《贵溪市机构改革人员分流实施办法》、《贵溪市机构改革定员定岗实施办法》予以实施。

七、乡镇党政机构的调整与设置

乡镇机关机构的调整与设置，按《中共江西省委、江西省人民政府关于实施市县乡党政机构改革的通知》（赣发[2001]23号）及《贵溪市乡镇机关和乡镇事业单位改革指导意见》、《贵溪市机构改革人员分流实施办法》、《贵溪市机构改革人员定岗定员实施办法》的要求做好各自“三定”方案及相关工作。

八、乡镇事业单位机构改革

根据中共鹰潭市委、鹰潭市人民政府《关于贵溪市乡镇事业单位改革方案的通知》（鹰字[2002]90号）的要求，贵溪市乡镇财政所、农业五站等各类站所由11个精减为财政所、农村经济综合服务站（由农业五站、林业工作站、水保站、乡企办并入）、土地村镇建设规划所（由土地管理所、村镇规划所并入）、计划生育服务所（由计划生育站并入，计生办行政职能归入乡镇政府）、文化广播电视站（由文化站、广播电视站并入）、劳动安全管理站六个站所。编制数由1081名精减为655名（其中农村经济综合服务站269名、计划生育服务所79名，土地村镇建设规划所61名，文化广播电视站43名，劳动安全管理站43名，财政所115名，详见附表）。财政所增挂农业税征收管理所牌子，全额拨款正股级事业单位，人员编制归口市财政、农税局管理。计划生育服务所、劳动安全管理站为全额拨款，股级事业单位，归口乡镇管理，为乡镇直属事业单位，业务受上级业务主管部门指导。

农村经济综合服务站、土地村镇建设规划所、文化广播电视站为股级差额拨款事业单位，归口乡镇管理，为乡镇直属事业单位，业务上受上级业务主管部门指导。

雄石、花园、东门三个街道办事处各设立一个事业服务中心，分别配事业编制15名，为差额拨款正股级事业单位，归口街道办事处管理，为街道办事处直属事业单位。

乡镇及街道办事处事业单位定岗分流按《贵溪市乡镇机关和乡镇事业单位改革指导意见》的要求，结合实际提出本乡（镇、街道）事业单位人员定岗和分流意见，报市机构改革办公室批准后组织实施。

九、科级干部的安置

由组织部门提出科级干部安置意见。

十、资产清理和处置

由财产清理检查处理组依方案撤并单位情况提出资产清查和处置实施意见，并组织财政局、审计局、建设（房产）局、国土资源局、档案局等单位对撤并单位各种资产进行全面清理，提出处理意见报市委、市政府批准。

十一、搞好机构改革的宣传

由宣传指导组依机构改革的需要加大机构改革的宣传报道，为机构改革顺利实施创造良好的外部环境。

十二、加强领导，严明纪律，保证机构改革的顺利进行

1、加强对机构改革的领导。在市委、市政府领导下，由市机构改革领导小组办公室负责日常工作。各指导协调组做好相应的指导协调工作。各部门领导班子领导本部门的机构改革工作，一把手负总责。各部门要抽调人员组成精干的工作班子，负责本单位机构改革的具体工作。要做好宣传工作和深入细致的思想政治工作，提高全体机关工作人员对机构改革工作的认识，增强承受能力。

2、加强机构编制管理。加强机构编制管理是顺利推进机构改革和巩固改革成果的关键。各部门要切实转变职能,采取有力措施,认真落实“三定”规定,严格按照上级批准的机构、编制执行。要严格执行省委、省政府《关于严格控制机构编制的通知》(赣发〔2002〕1号)文件精神,加强对机构编制的日常管理工作。要严肃机构编制纪律,不准随意改变上级批准的机构编制方案,需要调整变动的,要履行报批程序和手续。

3、严肃改革纪律。各部门、各单位的工作人员要恪尽职守,严格工作纪律和劳动纪律,维护正常的工作秩序。要加强管理,严明改革纪律,做到令行禁止。不准超编进人、超职数配备和突击提拔干部;不准借人员定岗分流之机,搞任人唯亲、打击报复;不准借机构调整之机,违章调度资金、转移资产、私分钱财、公费旅游,防止国有资产流失。违者,要严肃处理。纪委、监察、组织、人事、编制、财政、审计等部门对此要加强监管。同时,要进一步强化公文、资料和印章管理,切实做好保密安全工作。总之,要确保机构改革有领导、有计划、有秩序地进行,做到秩序不乱,队伍不散,国有资产不流失,工作正常运转。

十三、机构改革的时间安排与步骤

1、2002年11月19日之前

(1)成立机构改革领导小组,落实机构改革工作机构;

(2)讨论并上报《贵溪市机构改革方案》:

(3)落实机构改革工作的必需经费;

(4)做好机构改革宣传工作。

2、2002年11月20日一2002年11月30日

(1)资产清理核查处理组依《方案》和《实施方案》的要求提出撤并单位资产清理核查实施意见并组织力量进行资产清查。从2002年11月20日起,凡撤并的行政、事业单位冻结经费支出,急需支出的事项需报请资产清理核查组批准。

(2)11月19日讨论通过《贵溪市机构改革实施方案》。

(3)11月20日召开全市机构改革动员大会,部署机构改革工作。

(4)确定并宣布新的各部门领导班子。

(5)讨论通过《贵溪市乡镇机关、乡镇事业单位改革指导意见》、《贵溪市机构改革人员分流实施办法》、《贵溪市机构改革人员定员定岗实施办法》。

(6)各单位依据方案及定编要求,提出本部门“三定”方案,并公布本单位岗位职位。

(7)由人员定岗分流组牵头分组(市直党政机关组、政法系统组、乡镇街道组)逐个核定分流人员和进岗对象。

(8)由财政局对乡镇、街道办机关及乡镇事业单位经费预算进行重新核定。

3、2002年12月1日—12月31日

(1)部分单位的副科级职务实行竞争上岗。

(2)定岗对象向有关单位提出岗位申请。

(3)单位提出拟聘人员意见。

(4)各协调小组综合平衡后报机构改革领导小组批准。

(5)对离退休人员、未进岗人员、退养人员人事关系进行归并。

(6)迎接上级机构改革部门的核查。

(7)对全市机构改革进行总结。

附表一:

中共贵溪市委、贵溪市人民政府机构设置表

中共贵溪市纪律检查委员会机关:

市委:贵溪市委办公室、,贵溪市委组织部.贵溪市委宣传部、贵溪市委统一战线工作部、贵溪市委政法委员会

市政府:贵溪市人民政府办公室、贵溪市发展计划局、贵溪市经济贸易局、贵溪市教育局、贵溪市科

学技术局、贵溪市公安局、贵溪市司法局、贵溪市监察局、贵溪市民政局、贵溪市财政局、贵溪市人事劳动和社会保障局、贵溪市国土资源局、贵溪市建设局、贵溪市环境保护局、贵溪市交通局、贵溪市水利局、贵溪市农业局、贵溪市林业局、贵溪市文化广播电视局、贵溪市卫生局、贵溪市计划生育局、贵溪市审计局、贵溪市统计局

议事协调机构和部门管理机构：贵溪市机构编制委员会办公室、贵溪市农村工作委员会办公室、贵溪市委信访局、贵溪市粮食局、贵溪市规划局

派出机构：贵溪市雄石街道办事处、贵溪市花园街道办事处、贵溪市东门街道办事处、贵溪市工业园管委会

直属事业单位：贵溪市档案局、贵溪市委党校、贵溪报社、贵溪市招商局、贵溪市委市政府接待处、贵溪市建设资金管理办公室、贵溪市老建办、贵溪市人防办、贵溪市机关事务管理局、贵溪市联合办证服务中心、贵溪市旅游局、贵溪市史志办

直属经济组织：贵溪市供销合作社。

附表二：

贵溪市乡镇、街道事业单位编制情况表

项目 乡镇、街道	农综站	计生站	土规站	文广站	劳动安全管理站	财政所	合计
全市合计	269	79	61	43	43	115	655
罗河	18	5	4	3	3	5	40
塘湾	18	5	4	3	3	5	40
泗沥	18	5	4	3	3	5	40
周坊	18	5	4	3	3	5	40
志光	18	5	4	3	3	5	40
滨江	18	5	4	3	3	5	40
鸿塘	18	5	4	3	3	5	40
河潭	13	4	3	2	2	4	30
流口	13	4	3	2	2	4	30
金屯	13	4	3	2	2	4	30
文坊	13	4	3	2	2	4	30
余家	13	4	3	2	2	4	30
雷溪	13	4	3	2	2	4	30
白田	13	4	3	2	2	4	30
彭湾	13	4	3	2	2	4	30
耳口	13	4	3	2	2	4	30
冷水	13	4	3	2	2	4	30
樟坪	13	4	3	2	2	4	30
雄石							15
花园							15
东门							15

9. 贵溪市人民政府文件

贵府发〔2004〕18 号

贵溪市人民政府
关于印发贵溪市新型农村合作医疗实施办法的通知

各乡(镇)人民政府、街道办事处、林(垦殖、园艺)场,市直各单位:

《贵溪市新型农村合作医疗实施办法》已经 2004 年 9 月 23 日市人民政府第 27 次常务会议讨论通过,现予印发,请认真贯彻执行。

贵溪市人民政府
二〇〇四年十月十二日

贵溪市新型农村合作医疗实施办法

第一章 总 则

第一条 根据《中共中央、国务院关于进一步加强农村卫生工作的决定》(中发〔2002〕13 号)和国务院办公厅转发卫生部等部门《关于建立新型农村合作医疗制度的意见的通知》(国办发〔2003〕3 号)及省政府办公厅转发卫生厅等部门《关于〈江西省新型农村合作医疗管理办法(暂行)〉的通知》(赣府厅发〔2003〕20 号)精神,结合我市实际,制定本实施办法。

第二条 为提高我市农村人口素质,保障农民身体健康,解决农民因病致贫、因病返贫问题,促进农村经济和社会发展,建立适合我市经济发展状况的新型农村合作医疗制度。

第三条 新型农村合作医疗制度(以下简称合作医疗)是在政府组织、引导、支持下,农民自愿参加,个人、集体和政府多方筹资,以大病统筹为主的互助合作,共同抵御疾病风险的一种农民健康保障制度。

第四条 合作医疗制度坚持以收定支、收支平衡、保障适度的原则,既保证这项制度持续有效运行,又使农民能够享有基本的医疗服务。

第五条 各乡(镇)人民政府、街道办事处必须健全合作医疗的组织机构,加强资金管理,规范医疗服务,强化民主监督,让农民真正受益。

第二章 参加对象

第六条 凡本市区域内农村户籍的居民均以合作医疗的参加对象,包括在外打工人员。

第七条 参加合作医疗的农村居民,必须以户为单位。

第三章 管理机构及职责

第八条 贵溪市新型农村合作医疗管理委员会(以下简称管理委员会)由市政府分管领导及卫生、财政、农业、民政、审计、老建、药监、人事劳动和社会保障、教育、计生、发展计划等部门的领导和农民代表组成,主要职责是:

一、负责出台合作医疗规范性政策；

二、制定合作医疗的年度实施计划；

三、落实配套经费；

四、审议合作医疗年度经费预、决算；

五、对合作医疗的实施过程进行监督、指导；

六、组织协调合作医疗实施中的有关事宜。

管理委员会下设办公室，其主要职责是：

一、负责本市合作医疗政策的具体实施，负责处理管理委员会的日常工作；

二、负责医疗机构定点资格的审定；

三、对参加合作医疗的人员进行资格审查，对定点医疗机构进行检查和指导；

四、协助财政部门筹集和使用本市合作医疗经费，并向管理委员会提交预、决算报告；

五、对合作医疗工作进行调研，向管理委员会提出建设性意见；

六、完成管理委员会领导交办的其他工作。

第九条　各乡（镇、街办）新型农村合作医疗管理委员会由乡（镇）人民政府、街道办事处领导和驻乡（镇、街办）的有关单位人员组成，办公室为各乡（镇、街办）常设机构，各乡（镇、街办）新型农村合作医疗管理委员会及其办公室的工作职责是：

一、负责本乡（镇、街办）合作医疗政策的具体实施，负责处理日常工作以及合作医疗基础资料的收集、整理、上报工作；

二、对本乡（镇、街办）参加合作医疗的人员进行资格审查，对承担合作医疗任务的定点医疗机构进行检查、指导工作；

三、协助财政所筹集本乡（镇、街办）及个人缴纳合作医疗经费；

四、对合作医疗工作进行调研，向本乡（镇、街办）管理委员会及市合作医疗办公室提出建设性意见。

第十条　各村委会负责本行政村合作医疗的具体实施工作，负责参加合作医疗对象个人缴纳经费的筹集，并指定一名村干部为新型农村合作医疗工作联络员，承担本村合作医疗的联络和监督工作。

第十一条　市、乡（镇、街办）两级办公室人员工资和工作经费纳入本级财政预算，工作经费按当地农业人口计算每人每年不少于 1 元列入市、乡（镇、街办）两级财政预算，每年启动时一次性分别拨入两级合作医疗办公室，不得从合作医疗基金中提取。

第四章　资金筹集

第十二条　合作医疗制度实行个人缴费、集体扶持、各级政府适当支持的筹资机制。

一、个人缴费

按照《江西省新型农村合作医疗管理办法（暂行）》规定，个人缴费以户为单位，农民每人每年缴纳合作医疗经费 12 元，其中 2 元由村级集体经济扶持。

农村中“五保户”、“特困户”、“烈属”参加合作医疗自缴部分由市民政局从医疗救助基金中代缴。

二、本市补助经费

本市补助经费，按照参加合作医疗总人数，每人每年补助 3 元，纳入财政预算，及时划拨到市财政农村合作医疗基金专户。

三、中央、省、鹰潭市三级财政对参加合作医疗的农民按每人每年 10 元、4 元、3 元的标准分别给予补助。

第十三条　政府鼓励社会团体、企业和个人捐款赞助合作医疗，政府对捐助单位和个人将给予奖励。

第五章　资金管理和使用

第十四条　合作医疗基金坚持以收定支,收支平衡,保障适度的原则,专款专用。

第十五条　合作医疗基金专用账户必须设在国有商业银行,以确保资金的安全和完整。市合作医疗基金专用账户主要管理中央、各级政府的补助资金和农民自缴的合作医疗资金。

第十六条　各级合作医疗经办机构要建立健全预、决算制度,财务会计制度、统计报表制度和内部审计制度。

第十七条　合作医疗经办机和市内定点医疗机构启用新型合作医疗信息管理系统,规范费用收缴、支付与管理工作。

第十八条　合作医疗基金按两大类进行管理:一是家庭医疗基金,二是大病统筹基金。

一、家庭医疗基金

(一)个人缴费的合作医疗经费以户为单位按每人每年10元划入家庭医疗基金账户,建立家庭医疗台账,家庭医疗基金账户用完后,经批准确定为门诊大病的人员仍需继续治疗的,由家庭成员继续自缴,年内医疗费用累计达到大病统筹给付范围的,可申请报销。当年未用完的家庭医疗基金,结转下年归家庭成员使用,但不能抵下年个人应缴的合作医疗经费。

(二)参加合作医疗的家庭离开本市异地安置的,按规定办理家庭医疗证、家庭医疗账户注销手续,家庭医疗基金结余部分可一次性退还。

(三)参加合作医疗的农民个人因出嫁、升学等其他原因离开本市,需到辖区内的合作医疗管理办公室办理注销手续。个人缴纳的医疗基金未用完部分既可退还,也可留给家庭成员使用,但其本人不能享受合作医疗待遇,未离开本市的可不办理注销手续,继续享受我市的合作医疗待遇。

二、大病统筹基金

(一)中央、省、鹰潭市、贵溪市补助资金和社会捐助资金以及农民个人缴纳的按每人每年2元纳入大病统筹基金,由市合作医疗管理办公室、市财政局统一管理使用。

(二)大病统筹基金用于支付以个人为单位的住院医疗费用和门诊大病所发生的医疗费用。

(三)列为统筹基金支付范围的门诊大病是:恶性肿瘤、系统性红斑狼疮、再生障碍性贫血、慢性肾功能衰竭透析、器官移植后抗排斥治疗、原发性高血压病II期以上、冠心病、类风湿性关节炎、脑血管意外后遗症、慢性迁延性和活动性肝炎、肝硬化、糖尿病、结核病、矽肺。

第十九条　报销范围

一、在定点医疗机构就诊,符合合作医疗有关规定的门诊大病及住院治疗的药品费、手术费、治疗费、必需的检查费、普通床位费(每床每日不超过20元)。门诊体外震波碎石治疗视同住院治疗。

二、按规定办理了转诊、转院手续后在上级定点医疗机构及外地国有医疗机构的住院医疗费用。

三、因急诊在就近国有医疗机构就诊的住院医疗费用。

四、在外打工患病,在就地国有医疗机构住院治疗的医疗费用。

第二十条　合作医疗报销范围内的下列特殊就诊项目,个人必须先负担30%,再按比例分段报销。

一、诊疗设备及医用材料类:

(一)应用C——射线计算机体层摄影装置(CT)、立体定向放射装置、心脏及血管造影X线机(含数字减影设备)、核磁共振成像装置(MRI)、医疗直线加速器等大型医疗设备进行的检查、治疗项目。

(二)体外震波碎石与高压氧治疗。

(三)心脏起搏器、人工关节、人工晶体、血管支架等体内置换的人工器官、置放材料。

(四)省物价部门规定的可单独一次性收费在500元以上的医用材料。

二、治疗项目类:

(一)肾脏、心脏瓣膜、角膜、皮肤、血管、骨、骨髓移植。

(二)心脏激光打孔、抗肿瘤细胞免疫疗法和快中子治疗项目。

第二十一条　下列情况不属于合作医疗报销范围：

一、未列入合作医疗用药目录范围的药品费用；

二、车祸、自杀、酗酒、性病、工伤事故、打架斗殴致伤及治安刑事案件、医疗事故所致的医疗费用；

三、在国外及香港、澳门、台湾地区所发生的医疗费用；

四、未经批准在非定点医疗机构就诊发生的医疗费用；

五、因不接受预防接种所致疾病的医疗费用；

六、因生理缺陷而实施医疗矫治手术的医疗费用及美容、健身等费用；

七、计划外和非住院分娩的医疗费用；

八、合作医疗规定的其他不予报销医疗费用。

第二十二条　报销标准

门诊大病及住院费用年内累计达到起付标准的，实行分段计算、累加支付的办法报销，费用越大，报销比例越高，但实行最高支付限额。

一、起付标准：在乡镇定点医疗机构就诊的门诊大病及住院费用，年内累计达到200元，200元以上部分开始报销；在市（县）及市（县）以上医疗机构就诊的门诊大病及住院费用，年内累计达到500元，500元以上部分开始报销。

二、各段报销比例：年内每人门诊大病、住院医疗费用累计总额（剔除不能报销款项）在501以上至5000元报销25%；5001元以上至10000元报销40%；10001元以上至30000元报销50%；30001元以上报销60%。

三、住院正常分娩者凭准生证、定点医疗机构住院发票每人次补助150元。

四、最高支付限额为（封顶）：年内实际报销住院医疗费用20000元，门诊大病医疗费月10000元。

第二十三条　农村中“五保户”、“特困户、“烈属”因门诊大病或住院发生大额医疗费用后（除报销部分的费用外）的自费部分，可向民政部门申请医疗救助，由市民政部门按规定给予救助。

第二十四条　参加合作医疗人员经批准转入本市定点医院住院治疗的，其医疗费用先由个人垫付，出院后凭有效发票及相关证明资料在所就诊的医院直接办理报销手续。

第二十五条　参加合作医疗的人员因门诊大病或住院在两家以上定点医疗机构发生的医疗费用可连续计算；在定点医疗机构留观后即转入住院（包括留观后确需住院治疗，但因本医疗机构无床位或无诊疗技术而转入其他定点医疗机构的），其留观期间的医疗费用可视作住院医疗费。

第二十六条　参加合作医疗人员在医疗年度内住院，出院时前后时间跨过一个医疗年度的，其住院医疗费用按新的一个医疗年度进行结算。

第二十七条　参加合作医疗人员患病，原则上必须办理转诊转院手续且不得到非定点医疗机构就医，确属危重病人或疑难病症患者，因病情需要转到本市以外医疗机构就诊的，应由定点医疗机构的经治医生出具转院证明，经市乡（镇）两级合作医疗管理办公室批准。患者办理了转诊转院手续后到鹰潭市区定点医疗机构诊治的，先剔除不能予以报销部分和个人先行负担部分，再由个人自付余额费用的10%；到省级定点医疗机构或省内其他地区国有医疗机构诊治的，先剔除不能予以报销部分和个人先行负担部分，再由个人自付余额费用的20%；到省外国有医疗机构诊治的，先剔除不能予以报销部分和个人先行负担部分，再由个人自付余额费用的30%，然后再按规定比例报销。

第二十八条　参加合作医疗的人员未办理转诊转院手续的，其在医疗费用报销时必须先剔除不能报销和个人先行负担部分，再由个人负担余额费用的40%，然后再按规定比例报销。

第二十九条　符合门诊大病规定病种条件的合作医疗参加人员，凭市级及以上定点医疗机构诊断结论及检查化验报告等相关资料，到市合作医疗管理办公室办理核准手续。经批准同意按门诊大病治疗的人员，由市合作医疗管理办公室在其《家庭合作医疗证》备注栏上签字并加盖规定疾种门诊管理专用章。门诊大病人员就诊时，定点医疗机构应为其建立专门的门诊病历，详细记录检查、治疗、用药等情况。在规定范围内的门诊费用，自批准之日起先由个人垫支，达到报销起付标准后可申请报销。

第三十条　报销程序、手续及时间

一、家庭医疗基金账户报销

参加合作医疗的农民患病后,须持《合作医疗证》到定点医疗机构就诊,就诊后,定点医疗机构医务人员要开具复式处方(写明医药费金额),就诊人员必须在复式处方上签字或按手印,并在《合作医疗证》上认真记录医药费的支出情况,费用未超过《家庭医疗账户》总额的,只收取挂号费,超过《家庭医疗账户》总额的,收取总额以外的医疗费用。定点医疗机构支出《家庭医疗账户》经费凭有参加合作医疗就诊人员签名的复式处方进行登记造册,每月与乡(镇、街办)合作医疗管理办公室结算一次,乡(镇)合医办逐笔核减《家庭医疗账户》资金,做到日清月结。

二、统筹基金账户报销

(一) 在本市定点医疗机构住院治疗或看门诊大病的参加合作医疗农民,其住院费用累计达到大病统筹起付标准以上的,在就诊的定点医疗机构报销,报销时须带《合作医疗证》、身份证(户口)、定点医疗机构或转诊医疗机构的有效发票、费用清单、病例或出院小结等相关证明。定点医疗机构审核并为农民垫付规定费用,然后由定点医疗机构定期向市或乡(镇)合作医疗办公室审核报销。

(二) 在本市以外医疗机构看门诊大病或住院医疗费用年内一次性实际报销金额达到3000元以上(含3000元)的,由乡(镇、街办)合作医疗办公室受理,受理后送市合作医疗管理办公室审核,审核后经主任签字方可报销,自受理之日起,20天内给予报销。

(三) 在本市以外看门诊大病或住院医疗费年内一次性报销金额在3000元以下的,在乡(镇、街办)合作医疗管理办公室审核报销,自受理之日起,7天内给予报销。

(四) 市合医办按月审核汇总各定点医疗机构和各乡(镇)应报销支付的医疗费用并送交市财政部门审核;市财政部门审核后开具有关支付凭证,加盖市合医办财务专用章后提交代理银行办理资金结算业务;代理银行根据财政部门的凭证直接将资金转入定点医疗机构或乡(镇、街办)合医办银行账户。

第六章　参加合作医疗的权利和义务

第三十一条　参加合作医疗的农民享有定点医疗机构为其免费常规体检的权利。

第三十二条　参加合作医疗的农民,按规定必须履行缴费义务。

第三十三条　参加合作医疗的农民要遵守合作医疗各项规章制度。

第七章　医疗服务管理

第三十四条　定点医疗机构确定的原则是:方便参加合作医疗人员就医,兼顾专科与综合、中医与西医相结合以及医疗服务成本和医疗服务质量。

第三十五条　定点医疗机构应具备以下条件:

一、经卫生行政部门批准并取得《医疗机构执业许可证》。

二、符合区域医疗机构设置规划。

三、遵守国家有关医疗服务管理的法律、法规和标准,有健全和完善的医疗服务管理制度。

四、严格执行物价部门规定的医疗服务和药品价格政策,经物价部门监督检查合格。

五、愿意承担合作医疗定点医疗服务工作。

第三十六条　被确定的定点医疗机构,要为农民提供质优价廉、方便快捷、热情周到的服务,严格执行合作医疗有关政策、规定,严格执行基本用药目录、各项医疗技术操作规程,严格执行收费标准,严禁开大处方、卖贵药、做不必要的检查。坚持因病施治、科学用药、合理检查、有效治疗的原则,不得无故拒绝、推诿和滞留就医人员。

第三十七条　乡镇以上定点医疗机构要为门诊大病及住院病人提供门诊病历,诊疗项目、服务设施费用、药品名录的价格清单、出院小结、疾病证明书、有效发票,对一些自费药品和检查项目应向病人说明,使病人心中有数。

第三十八条　乡(镇、街办)合作医疗管理办公室要以户为单位建立家庭医疗账户，统一制发《合作医疗证》和《家庭医疗账户》，用于记录家庭医疗账户的收支情况。《合作医疗证》由农民本人保管，《家庭医疗账户》由乡(镇、街办)合作医疗办公室保管，农民凭证就医，互相监督资金使用情况。

第三十九条　定点就诊制度

一、门诊就诊，原则上选择就近的定点医疗机构就诊。

二、需转诊转院住院的，依次从乡(镇)卫生院到县(市)级定点医疗机构再到市外国有医疗机构并报市乡两级合作医疗办公室批准同意，急诊转院的应在7日内补办有关手续。

三、坚持就近、自愿、便捷的原则进行逐级转诊转院。

四、门诊大病需长期治疗的原则上定点在市内定点医疗机构就诊。

第四十条　乡(镇)合医办要对参加合作医疗的家庭成员进行登记、造册。乡(镇)卫生院以户为单位为参加合作医疗的农民建立家庭健康档案，每年对他们进行一次免费常规体检(测血压、听心肺、触肝脾等)，对需做其他检查的(如透视、心电图、B超等)，由体检医师出具证明，到指定的乡镇定点机构检查，定点医疗机构检查费减免10%。

第四十一条　本市乡(镇)及乡(镇)以上定点医疗机构要为参加合作医疗的住院就诊人员减免10%的医疗检查费。

第四十二条　卫生行政部门要加强农村医疗机构的管理和建设，增强服务功能。要逐步完善乡、村卫生组织一体化管理，对市乡定点医疗机构的药品，要采取集中招标寻价采购。严格控制药品价格的不合理增长，切实保护广大农民的利益。

第八章　监督机制

第四十三条　贵溪市新型合作医疗监督委员会由市人大、市政协领导以及市人大科教文卫办公室、市政协文史委、市监察局、市审计局、市财政局等部门领导以及农民代表组成。监督对象包括市人民政府及其相关部门、市级合作医疗管理委员会、市(乡)合作医疗经办机构、市内各定点医疗机构。监督内容为涉及合作医疗的所有工作，包括基金的筹集与使用情况。

合作医疗管理机构建立群众来信来访制度，对反映的问题要及时处理。

第四十四条　合作医疗管理机构要接受同级人民政府和上级合作医疗领导机构的监督检查。

第四十五条　市合作医疗管理机构，要定期用《简报》的形式公布合作医疗统筹资金的收支、使用情况；乡(镇、街办)、村两级合作医疗管理机构要将本乡(镇、街办)、村大病统筹报销及《家庭医疗账户》的使用情况张榜公布，让参加合作医疗的农民直接进行监督，保证农民参与、知情的权利，确保合作医疗制度公开、公平、公正。

第四十六条　实行合作医疗基金审计制度，由审计部门定期对合作医疗专用基金收支和管理情况进行审计。

第九章　罚　则

第四十七条　定点医疗机构及其工作人员有下列行为之一的，视情节轻重给予批评教育、通报、经济处罚、限期整改等处理。整改无效的取消定点资格，构成犯罪的依法追究刑事责任。

一、不核实患者是否属于合作医疗参加人员，造成冒名顶替就医的；

二、采用挂名住院、编造病历，住院病历与住院医疗费不符，出具假单据、假证明的；

三、串换诊疗项目和药品，将不符合规定的诊疗项目和药品列入报销范围的；

四、违反诊疗项目收费标准和药品价格规定的；

五、检查、治疗、用药与病情不相符的；

六、利用工作之便搭车开药的；

七、不配合合作医疗管理部门工作的；

八、其他违反合作医疗政策规定的。

第四十八条　参加合作医疗的人员有下列行为之一的，除追回不合理费用外，视情节轻重，给予批评、通报、经济处罚，取消其家庭当年的补偿资格。

一、伪造、涂改合作医疗有关票证，虚报冒领的；

二、将《家庭合作医疗证》转借他人造成冒名顶替就医的；

三、其他违反合作医疗政策、规定的。

第四十九条　各级合作医疗管理机构工作人员有下列行为之一的，除收回非法所得外，视情节轻重，分别给予批评、教育、通报及行政处分、经济处罚。构成犯罪的依法追究刑事责任。

一、在工作中徇私舞弊、损公肥私的；

二、利用职权和工作之便索贿受贿、谋取私利的；

三、违反规定，将合作医疗基金挪作他用的；

四、因渎职造成合作医疗基金损失的；

五、未按规定时间给予报销的。

第十章　附　则

第五十条　对突发性疾病流行和自然灾害等因素造成的大范围急、危、重病人抢救的医疗费用，不列入统筹基金支出，由市政府综合协调解决。

第五十一条　本实施办法由贵溪市人民政府负责解释。

第五十二条　本实施办法从发布之日起施行。

二〇〇四年十月十二日

10.　贵溪市人民政府文件

贵府发〔2005〕14号

关于印发贵溪市林业产权制度改革实施方案的通知

各乡(镇)人民政府、街道办事处、林(垦殖、园艺)场，市直有关单位：

《贵溪市林业产权制度改革实施方案》已经鹰潭市人民政府(鹰府发［2005］19号)批复同意，现予印发，望结合实际，认真贯彻实施。

贵溪市人民政府

二〇〇五年七月一日

贵溪市林业产权制度改革实施方案

随着改革开放的不断深入和社会主义市场经济体制的不断完善，林业发展深层次问题日益显现，山林权属不明晰、责权利不明确、利益分配不合理、林农负担过重、经营机制不灵活、林权流转不规范、不顺畅等突出问题严重影响了林业建设向更高更深层次的发展。为了进一步激活林农经营林业的积极性，促进林业生产力的发展，增加林业活力和林农收入，维护农村稳定，实现“资源增量、林农增收、生态社会增效”的改革目标，根据《中华人民共和国农村土地承包法》、《中华人民共和国森林法》和《中共中央国务院关于加快林业发展的决定》，按照《中共江西省委、江西省人民政府关于深化林业产权制度改革的意见》(赣发[2004]19号)和《中共鹰潭市委、鹰潭市人民政府关于深化林业产权制度改革的意见》(鹰发[2005]5号),结合我市实际,特制定本实施方案。

一、改革的指导思想、目标要求和原则

(一)指导思想:以邓小平理论和"三个代表"重要思想为指导,树立和落实科学发展观,坚持"多予、少取、放活"的改革方针,进一步明晰林地使用权和林木所有权,放活经营权,落实处置权,保障收益权,调动广大林农和社会各方面参与林业建设的积极性,保护好森林资源和生态环境,促进全市经济社会全面、协调、可持续发展,加快农村全面奔小康步伐。

(二)目标要求:从2005年6月起,力争2005年底确权发证率达50%以上,确保在2006年6月底以前完成林权制度改革任务,实现"山有其主,主有其权,权有其责,责有其利"。确保林农的合法权益得到有效落实;确保林农负担明显减轻;确保林区乡村组织和林业部门的正常运转;确保森林资源总量增长和生态环境改善;确保林区社会稳定。

(三)基本原则

1、坚持权益平等。集体山权属集体经济组织内部成员共同所有,应通过均股、均山、均利等形式,使每个村民平等享有集体山林的权益。

2、坚持尊重历史,保持林业政策的连续性。本次改革是对林业"三定"的进一步规范和完善,不得借改革之名打乱重来,重新分配。对改革中出现的问题,应当按照有关法律、法规或通过协商方式予以解决,确保林区社会稳定。

3、坚持公开、公平、公正,充分尊重群众意愿。在改革中要做到内容、程序、方法、结果公开,公平竞争,公正操作,充分尊重大多数群众的意愿,确保广大群众的知情权、参与权、决策权和监督权。

4、坚持因地制宜,形式多样。各地可根据本地实际情况,因地制宜,自主选择改革的形式和方法,不搞一刀切。

二、改革的主要内容

(一)明晰产权。林业产权的范围包括:森林、林木的所有权、使用权和林地的使用权,不包括林地的所有权。明晰集体林的产权主要采取以下九种形式:

1、自留山稳定不变。继续实行"生不补、死不收"、长期无偿使用、允许继承的政策。被集体以行政手段收归统一经营的自留山,大部分群众强烈要求归还的,应当归还农户经营;自留山、责任山已"两山并一山"的,若多数群众有要求,允许按原状予以区分;林业"三定"时未划定自留山的,大多数群众要求划定自留山且集体山场条件允许的,可按当时政策补划自留山。

2、已分包到户的责任山稳定不变。承包限期30－70年,山上林木归责任山主所有,承包期内允许继承;面积、四至不清楚的,在进一步明晰的基础上,完善承包合同;被集体以行政手段收归统一经营的,群众要求以责任山形式承包经营的,应当恢复原状。但应对山上林木评估作价,要根据政策完善承包合同。

3、落实"谁造谁有"。自留山和责任山抛荒后,由集体收回统一组织造林或其他农户造林的,要落实"谁造谁有"政策,在稳定自留山和责任山使用权不变的前提下,所造林木可由集体与农户协商确定分成比例,造林者分成比例应不低于70%。林木采伐后,林地的使用权归还农户。

4、家庭承包经营。对集体统一经营的山林,可按人口折算人均山林面积,以户为单位划片承包经营,或自由组合联户承包经营。

5、"分股不分山,分利不分林"。对集体统一经营且群众比较满意的山林,经村民会议或村民代表会议讨论通过,可以继续实行集体统一经营。但要将现有林地、林木折股分配给集体内部成员均等持有,明确经营主体,财务单独核算,收益70%以上按股分配。

6、有偿转让经营。可将现有山林评估作价,通过公开招标租赁、拍卖等方式转让给集体经济组织内部成员,或内部自由组合,联户承包,或其它社会经营主体承包。转让费按年计收,70%以上由集体内部成员平均分配,剩余部分用于林业发展和公益事业。

7、稳妥处理已经流转的集体山林。对已经流转的集体山林,凡程序合法、合同规范的,要予以维护;

对群众意见较大的,要本着尊重历史、依法办事的原则,妥善处理。集体山林流转收益70%以上应平均分配给本集体经济组织内部成员。

国有(含国乡联营,下同)山林,要稳定权属。属于集体拨交或转让给国有林场的森林、林木、林地,要按《森林法》的规定,维持现状,继续由国有单位经营,不得以任何借口侵占或改变国有林业经营区的范围。制止以任何理由抢占国有林业经营区的行为,保障国有经营单位的合法权益。国有(含国乡联营)山林可按照有关法律、法规、规章的规定,经职工代表大会讨论通过,由内部职工竞标承包,或吸引社会法人、自然人以资金、技术、管理等方式入股实行股份制经营,或者向社会公开转让。国集联营的山林,经国集双方代表协商同意,也可以向社会竞标承包或向社会公开转让。

8、通过合法手续,在非林地(含滩涂、退耕地等)上造林,权利人申请林权登记的,可以发给林权证。

9、无主山林应由集体依法收回处置。

无论采取何种形式,都要召开村民会议或村民代表会议,经村民会议三分之二以上的成员或村民代表会议三分之二以上代表同意,并依法完善或补签林地承包(流转)合同,换发林权证书。

(二)减轻税费。实行"两取消、两调整、一规范"

取消木竹农业特产税;取消市、乡、村出台的所有木竹收费项目。

调整育林基金平均计费价格。将定向培育的工业原料林、10厘米以下间伐材计费价格调整为每立方米180元;商品材10－14厘米计费价格300元;16～20厘米计费价格360元;22厘米以上计费价格400元。其中20厘米以上(含20厘米)的阔叶树计费价格450元。育林基金收取标准为平均计费价格的20%。标准竹(含尺竹以上)每根征收育林基金1元,小于标准竹的竹材每一寸征0.1元育林基金。调整集体林育林基金分成比例,根据省委〔2004〕19号文件规定,省、市、县(市、区)、乡四级分成比例为8%、15%、70%、7%。

规范增值税、所得税征收范围。从事木竹生产的单位和个人自产自销的原木、原竹取得的收入,依法免征增值税,暂免征收所得税。

(三)放话经营。木竹采伐指标分配实行公示制,林木采伐许可证由林木所有者直接向市林业局及其派出机构申请,领证时预交育林基金。

毛竹和10厘米以下间伐材不纳入生产计划管理,由林业主管部门按照省批准下达的采伐限额控制,符合条件的即申即批。对成熟的人工用材林、定向培育的工业原料林,在限额内优先解决,符合条件的即申即批。个私造林500亩以上、企业造林5000亩以上的,可申请实行林木采伐指标单列,其采伐限额不足的,待向省林业主管部门申请追加后实施。

加强对国家公益林、库区水源涵养林、风景旅游区的采伐管理。公益林中的阔叶树、自然保护区和风景旅游区的林木严禁采伐。对公益林中的毛竹林要科学经营,经林业部门批准允许,进行抚育和更新性质的采伐。

打破木竹垄断经营和地区封锁,允许林权所有者自主销售木竹。乡、村各级和有关部门不得制订任何限制林权所有者自主经营的政策措施,已制订的必须坚决取消。积极培育木材市场,实行产销见面,由市政府确定最低保护价,物价部门定期发布市场指导价。

在搞活经营的同时,林业主管部门和森林公安机关要加强对森林资源的监管,严肃查处在林业产权制度改革中出现的乱砍滥伐,破坏森林资源的行为。

(四)规范流转。充分尊重承包经营者的主体地位。山林是否流转以及流转的方式由经营者自主决定,任何组织和个人不得强迫或阻碍流转。凡自愿流转的,要依法签订流转合同,办理林权变更手续。已流转但手续不完备的,应当充实完善。

鼓励集体经营的山林向经营大户的流转,所得收益实行货币化分配,但集体经营山林的流转,必须经村民大会或村民代表会议三分之二以上成员同意,通过公开拍卖、竞标的方式进行,收益的70%以上分给集体经济组织每个成员。国有森林资源的流转,必须经市林业主管部门审核后,报市国有资产管理部门批准,依法采用拍卖、招标方式进行,并在依法设立的产权交易机构中公开进行。

山林流转必须遵循下列原则:有利于保护、培育和合理利用森林资源;有利于保持水土,保护和改善生态环境；自愿、平等、有偿、合法；不得改变林地的性质；不得损害国家、集体和社会公共利益。

三、改革的范围

1、改革的范围主要是市人民政府区划界定的商品林。权属有争议的山林，暂不纳入本次改革范围。县级以上人民政府区划界定的公益林，不列入本次改革范围，但应换发林权证。

2、强化权属有争议的山林和公益林的监管。对权属有争议的山林，各地应积极做好调处工作，在争议未解决之前，任何一方都不得进入争议地从事除森林防火之外的其它林事活动。公益林要纳入公共事务管理，建立森林生态效益补偿制度。

四、改革的实施步骤

第一阶段：宣传发动、制定方案。要求在2005年8月20日之前完成。

（一）成立机构。林业产权制度改革政策性强、涉及面广、工作量大。为了使该项改革顺利实施，市委、市政府成立贵溪市林业产权制度改革领导小组。领导小组组长由鹰潭市委常委、贵溪市市委书记陈爱民同志担任，副组长由市政府市长黄建平、市委副书记李长华、市政府副市长揭晓泗等同志担任，市林业局、市委办、市政府办、市监察局、市农办、市财政局、市国税局、市地税局、市信访局、市委宣传部、市政府法制局、市法院、市司法局、市发改局、市文广局、市国土局、市民政局、市档案局、农发行贵溪市支行、农村信用联社、贵溪报社、市减负办、市森林公安分局等单位负责人为成员。领导小组下设林改工作指导组和办公室。市政府对每个乡（镇、街办）派出林改工作指导组，专门负责指导、协调、督促、检查挂点乡（镇、街办）的林改工作。办公室主任由市林业局局长方洪海同志担任，办公室设在市林业局，办公室下设综合组、外业勘查组、纠纷调处组、宣传发动组、税费清理组等五个工作小组。各乡（镇）、街道要成立以党工委书记为组长的领导小组，抽调精干人员组成专门办事机构，明确工作职责，健全工作制度。各乡（镇）、街道领导小组组成人员名单于6月25日前报市领导小组办公室备案。

（二）宣传发动。6月10日召开全市林业产权制度改革动员大会，全面部署林改工作，充分利用各种媒体广泛宣传林改的重要意义和相关政策，实行“八个一”即：一封林改公开信，一本林改政策问答，一个林改工作宣传专栏，一系列林改讲座培训班，一辆林改宣传车，一份林改工作简报，一个林改工作指导组，乡（镇、街道）、村、组各办一个林改宣传栏，及时宣传林改政策，总结工作经验。各乡（镇）、街道要在6月30日前组织召开村、组干部会、党员会、村民大会，全面发动，让广大村民充分认识到集体林权制度改革的重要性，自觉参与和支持改革。同时，逐级组织业务骨干进行培训，市培训到乡、乡培训到村、组，使参与改革的各级工作人员和基层干部都成为林业产权制度改革的“明白人”。

（三）制定方案：各乡（镇）、街办要以市委、市政府林业产权制改革实施方案为依据，结合各自实际情况，制定具体工作方案。乡（镇）、街道林改制度改革方案在6月30日前报市政府批准，各村、组改革方案经村民大会或村民代表会议表决通过后，经乡（镇）人民政府、街道办事处审核，市林改办审查，8月1日之前报市政府批准。

（四）明确职责。在省、鹰潭市林业主管部门的指导和市委市政府的直接领导下，乡（镇）党委、人民政府和街道工委、办事处具体负责，村委会、村小组组织实施，广大林农积极参与，各部门密切配合。

1、市林业产权制度改革领导小组及其成员：领导全市林业产权制度改革的全面工作，负责制定市林改实施方案，并按照鹰潭市人民政府批准的林改方案组织实施；负责指导和督查各乡（镇）、街道的林改工作；市林改办负责林改政策的解答，业务骨干的培训，乡村组林改方案的审查，林改工作的汇报和林改工作进展通报等日常工作，林改办下设的五个工作小组分别负责做好技术服务、林权证核发、林政资源管理、山林纠纷调处、宣传报道、税费清理等工作；市林改领导小组成员单位按照各自职责承担相应工作，市下派20个林改工作指导组，负责挂点乡（镇）、街道林改工作的组织协调、宣传发动、督促检查等工作。

2、乡（镇）党委、人民政府，街道工委、办事处：全面负责本乡（镇、街道）的林改工作，党政一把手为林改工作第一责任人。负责制定本乡（镇）、街道林改方案，按照市政府批准的林改方案组织实施；负责本乡（镇）、街道、村、组林改方案票决的监督指导和林改方案的审核把关；负责本乡（镇、街道）范围内的山林确权勘界和林权证发放工作；负责本乡镇范围内的森林资源管理，山林纠纷调处和社会稳定工作。

第二阶段:组织实施、确权发证。要求在2005年8月21日－2006年6月完成。

各乡(镇)、街办将林业"三定"林权基本情况及林权变更情况,以行政村和村小组为单位公布第一榜,公示期限7天。根据实地勘查、权属落实情况,由行政村将林权登记申请情况,公布第二榜,公示期限30天。然后由集体经济组织与林农补签林地承包合同书,并将权属落实情况造册连同与林农签订的合同书一并报乡(镇)人民政府、街道办事处审核,乡(镇)人民政府、街道办事处汇总后报市政府登记,核发林权证书。

林权证发放按以下程序操作:

1、调查摸底。村组干部搜集林业"三定"以来的有关表册、林权证、合同书等资料,对提交了山林权属证明(原件)的权利人,村林改工作组应出具《林权证明材料收据》,并核实身份证明原件,登记身份证号码,同时,分别填写《林权现状登记表》和《插花山登记表》,了解农户对集体山林的林改意见。

2、申请。按第一榜公示内容,符合下列条件的,由林权申请者提出核发林权证申请。

(1)已落实到户经营的自留山、责任山和已流转的山林;

(2)对山林权属清楚,但山林权证遗失的,经市政府依法确认山林权属后,再按有关规定提出申请;

(3)根据"谁造谁有"政策,农民在集体林地上已造林的;

(4)其它集体林经按林改政策规定的形式和程序明晰产权后,由新明晰的林权所有人提出申请。

3、审核。对提出的林权登记申请,村小组、村委会、乡(镇)人民政府(街道办事处)应逐级审核并签署意见后报市林改办审核。市林改办对提交的申请材料有下列情形之一的,不受理或暂不受理。①申请登记的林权不属本行政区域范围的;②申请登记的林权存在争议或虽未发生争议但权属不明的;③林权申请者没有合法身份证明的;④应提交的文件资料不齐全或提交的文件资料与实际不符的;⑤按照法律、法规规定不能登记的。

4、勘查。根据林权申请人的申请,组织乡(镇、街办)、村、组干部和技术人员、申请人、相关林权权利人(包括原林地使用权人及相邻宗地林权权利人)到产地勘查,核实申请内容,对勘查无异议的,现场以1:10000地形图为勾绘底图,按核实的宗地界进行勾图。没有明显地物标,在地形图上难以区分的,可建议联户发证并进行实地勾图,写明四至界线。参加现场勘查的人员应在《林权登记申请表》和勾绘的地形图上签名。

5、公示。山林权属分布基本情况,由乡(镇)人民政府、街道办事处在林地所有权集体经济组织内进行为期7天的公示;经实地勘查符合申请要求的林权登记申请情况,乡(镇)人民政府、街道办事处应当在林地所有权集体经济组织范围内(跨村、乡、县插花山,还应当在林地坐落的集体经济组织范围内),对林权申请者申请登记的内容进行为期30天的公示。公示的主要内容包括:①申请人的姓名、住址;②申请登记的林地面积、坐落位置、四至界线;③原林权所有人或承包人;④提出异议的期限、方式和受理机关。

公示期间有异议的,应当向乡(镇)人民政府、街道办事处,市林改办书面报告,乡(镇)人民政府、街道办事处和市林改办应当对异议内容及时调查核实。

6、颁证。对公示无异议的,乡(镇)人民政府、街道办事处将林权申请者的申请登记材料初审后,送市林改办审核并报市政府批准。

市政府批准后,颁发《中华人民共和国林权证》。经办人、负责人应当在《林权证》"填证机关"栏签字盖章,对林权证附图要标明比例尺、图幅号、纵、横坐标,并加盖填证机关章;领证人应在《林权证发放登记表》上签名盖章。

7、建档。市林改办应当建立林权档案。林权档案包括综合档案和宗地档案。综合档案包括:①省、市、县(市)有关集体林权制度改革文件、方案等;②林权登记台帐、林权登记申请表、林权证发放登记表及有关统计报表。

宗地档案包括:①林权申请材料及经批准生效附图的林权登记申请表;②涉及有异议的材料和登记机关的调查材料和审查意见;③其它有关图表、数据资料等文件。

第三阶段:检查验收、总结完善。要求在2006年7～8月完成。

明确各乡(镇、街道)党政一把手是第一责任人,分管领导是主要责任人,包片挂点领导是直接责任人。实行领导和单位挂点制度,加强对改革实施情况的跟踪调查,及时解决改革过程中出现的新情况、新问题,改革工作结束后,市林业产权制度改革领导小组要组织自查验收,自查验收合格后,报鹰潭市人民政府审核验收。

五、改革的工作要求

1、统一思想,强化领导

各乡(镇、街道)和有关部门要从全局和战略高度,充分认识深化林业产权制度改革的重要性、艰巨性和复杂性,把它作为解决"三农"问题的一件大事来抓,按照"市直接领导、乡(镇)组织、村具体操作、部门搞好服务"的工作机制,切实加强领导。落实三级书记抓林改,党政一把手负总责,分管领导具体抓。要层层落实领导责任制。乡(镇、街道)要成立林业产权制度改革办公室,抽调精干人员集中办公。林业部门要积极当好参谋,搞好服务。财政、税务部门要落实林业行政事业经费,做好转移支付,规范税费征收等工作。其它部门也要积极支持,主动配合,形成合力。建立林改干部和驻乡(镇、街道)林改工作指导组成员的考核制度。

2、严肃纪律,规范操作

林业产权制度改革涉及广大林农的切身利益,必须做到公开、公平、公正,决不允许暗箱操作,丧害群众利益。各级干部特别是领导同志,要严肃纪律,以身作则,坚决按政策办事,严禁违背政策另搞一套,严禁以权谋私,利用职权为亲属在改革中捞取好处。

3、精心组织,确保质量

林改工作政策性强,任务重、时间长、涉及面广,各地要精心组织,周密部署,要以对人民对历史高度负责的态度,严格按规定的方法、步骤、程序操作,正确处理好工作进度和质量的关系,决不可为赶进度而降低质量,留下后患。各林改工作指导组和市林改办要加大指导和检查督促力度,认真把好每一个环节的质量关,高标准完成林改工作。林改技术人员要签订勘界勾图责任状。为便于林改工作顺利进行,市财政安排专项经费用于林改工作,各乡(镇、街道)也必须安排足够的人力和财力,确保林改工作的需要。

4、加大对林业建设的支持力度

金融部门要加大对林业信贷的投放力度,允许森林资源资产抵押贷款,对林农发展生产给予必要的小额贷款支持。要建立和规范木竹交易市场、林权流转市场、森林资源资产评估等中介服务,推动林业行业协会和林农合作组织的发展。鼓励公司带基地,基地连农户的经营形式,促进林业生态发展。市财政安排一定的资金,对未享受项目资金补助的造林,给予一定的扶持。

5、高度重视社会稳定工作

各地要把防止乱砍滥伐、纠纷械斗,维护森林资源管理秩序贯穿于改革的全过程,决不可掉以轻心,麻痹大意。市、乡两级林改领导小组要制定应急方案。要高度重视林农反映突出的问题,及时派得力干部进行调查处理,决不可置之不理和久拖不决。各级领导要深入第一线,主动发现问题,及时采取措施,把矛盾化解在基层,解决在萌芽状态,决不能互相推诿扯皮,酿成事端。在改革中发生乱砍滥伐、纠纷械斗重大案件的,要追究领导责任。

附三:《贵溪赋》

贵溪赋

应先林

千年道都,新兴铜城;吴越交邦,历史名邑。居信江之中游,处武夷之西麓;东接弋阳、铅山;西牵余江、金溪;北邻万年、余干;南襟光泽、资溪。唐永泰初置县,今千禧际改市。沃壤千顷,风光百里。美若明珠耀中天,势如朝阳蓬勃起。

名胜古迹,海内蜚誉。揽龙虎山景,叹悬棺之谜;漫山神踪仙迹,一江故事传奇。谒天师府第,参道教玄机;《水浒》开篇演绎,书就千秋典籍。探鬼谷洞穴,别有妙趣;领畲寨风情,舒心惬意;濯白鹤湖水,清新爽气;攀云台眺远,心旷神怡;登仙桥,临徐岩,虽劳顿鲜有怠意,欲长驻犹忘归期。皮子岭、殷商先民留遗址;阳际峰、雄冠群山腾紫气。山川地理,苍苍岌岌,气象万千,娇娆迤逦。

资源富足,物产珍稀。举目北顾,花香四季,斑斓辉映,硕果殷实。放眼平川,瓜蔬遍地,五谷丰稔,牧副盈余。翘首南瞻,山深林密,银矿储量,亚洲第一。香捺菜馋煞天南地北客,灯芯糕诱引神仙铁拐李。

英才辈出,风雨砥砺。张道陵结庐炼丹为驱疫;吴武陵举能荐贤不偏倚;陆象山独创心学树一帜;方从义丹青国宝才情溢;夏公谨刚直正义匡社稷;徐贞明勤政恤民兴水利;郑日奎经纶骇俗砭时弊;彭程万辛亥首义建功绩;夏润珍毕生奉献为主义。堪颂革命工农,创建红色苏区,志士疆场浴血,英名永垂青史。南国福地,达人名士接踵至;吟咏唱和,墨宝珠玑缀芗溪。安石诗,朱熹文,孟頫帖,霞客记;华章溢彩,流芳百世。[注]

民风敦厚,情亲邻里。笃仰科学,尊崇教育。习文尚艺,蔚成风气。交通如网,商贸物流便利;厂矿如林,铜业名扬环宇。勇立赣鄱潮头,开创连年佳绩。乡村景似画,城镇韵如诗。一江两岸弦歌亮,环境秀美更宜居。一方水土,养育励精图治创业人;五洲宾朋,高奏同舟共济和谐曲。

信水喜汇三江友,雄石恭迎八面师。贵溪儿女,赍志长励,再创辉煌,自强不息。千年古邑振雄姿,扶摇直上冲天际!

[注释]

张道陵:正一派道教鼻祖。吴武陵:贵溪人,唐代文学家,曾任忠州、韶州刺史;与柳宗元交情笃深,极力推举杜牧及《阿房宫赋》;为信州(今上饶)入传《新唐书》第一人。陆九渊:金溪人,南宋著名教育家,思想家,"心学"创始人,公元1188年在贵溪应天山创建"象山精舍",四十三年后,其再传弟子袁甫将精舍迁建于贵溪城南三峰山下,更名为官办"象山书院",为南宋四大书院之一。方从义:贵溪人,元代著名书画家,国画《武夷放棹图》为当代国画大师张大千收为镇室之宝;上清天师府重9999斤铜钟上隶书铭文出自其手。夏言:字公谨,贵溪人,明朝宰辅,为官刚直,遭严嵩陷害。徐贞明:贵溪人,明朝著名水利专家,官至尚宝少卿,著有《水利图》《西北水利书》《潞水客谈》等著作。郑日奎:贵溪人,清初著名文学家,文论家;官至礼部主客司郎中;著有《醒世格言》传世。彭程万:贵溪人,早年追随孙中山,同盟会元老,曾任江西省军政府都督。夏润珍:贵溪人,在武夷山坚持游击战长达17年之久,解放后,贵溪第一任县委书记。芗溪:贵溪别称。

《贵溪市志》各承编单位主笔、资料员名单

彭成刚	黄洪福	楼祖来	潘群信	汪纪森	邵先龙	胡祥辉	齐永胜	徐德海
赖才根	周成生	吴成太	姚宗喜	张永军	周冯萍	徐金华	彭华龙	项亚波
王新才	林新长	江国涛	汪雄浪	陈军西	邹考明	郑　旭	舒新来	姚穆桂
闵科水	张建国	周沐照	刘　斌	平保江	王艳梅	朱丽萍	徐　波	毛能辉
夏志宏	孙雪春	刘松柏	李　敏	孟宣军	邹昌德	陈　玮	石中天	俞芥孙
洪　亮	叶绍畴	陈荣军	吴晓强	方来发	严飞生	占新样	吴献忠	翁光明
黄庭样	龚卫民	江卫辉	胡树明	方海兵	杨　艇	徐志华	舒振华	吴高水
毛岚平	张　华	申象林	杨大刚	徐　兵	赵　林	李千发	陈　新	黄　昇
徐向荣	蒋素妍	江军保	乔军华	毕星明	彭和生	熊普庆	乐建平	凌学龙
邓玉玲	董新高	张糖莲	张武建	乐伟茵	洪　燕	陈　庆	郑伟华	张样珠
徐享先	卢爱萍	邵　敏	徐　毅	郑益军	卢小林	左欣华	陈全太	郑知民
杨芬芳	谌　璐	傅鹏飞	方耀佳	徐桂英	娄华昌	徐海华	段富茂	江　虹
刘强红	张莉芳	龚坚贞	万义锋	程四发	朱志平	江雪娟	黄贵琴	王荣华
张爱娥	汪　影	张池保	童国栋	项鸿刚	江伟星	杨菊香	秦蔚豫	毕堂兰
戴莉华	毛伟卿	罗先茂	彭先发	孙　震	萧贵林	车益寿	吴永长	方群录
饶永明	黄　俊	蔡秋炎	吴厚荣	宋连堂	谢联忠	彭石长	陈达周	童　丹
李发委	饶建华	张莉芳	徐样发	徐志明	郑志强	刘伦鑫	叶　航	陈福有
张小华	徐　斌	洪新忠	赵秋萍	刘长明	叶荣清	应先林		

编后记

冬去春来,物换星移。在我们历经十个春秋的伏案笔耕之后,新中国成立后编修的《贵溪县志》之续志,也是首部以"贵溪市"冠名的地方志书编修工作终于收官。此时此刻,作为编者,既有如释重负后的轻松和愉悦,又有诚惶诚恐般的忐忑与恭谨。

这是一部集思广益,凝聚了众多编修人员智慧和心血的志书。十名市志编辑,百余市志主笔、资料员直接参与了编纂。他们日复一日,年复一年,只争朝夕,用笔锋磨砺风雨。除此,南昌大学教授、省方言专家刘伦鑫应约系统撰写了方言中的语音、分类词汇和语法,彭成刚、吴厚荣、叶航等地方文化名人分别撰写了专记、习俗、谱牒和方言中的部分词语和谣谚俗语。

这也是一部承载了各方支持与厚爱的志书。省志办原主任刘斌、副主任吴小瑜,鹰潭市史志办主任况建军等省及鹰潭市地方志办领导多次亲临贵溪督导,或出席市志编纂工作动员会,或出任市志顾问。省地方志办主任梅宏,副主任周慧、杨志华及鹰潭市史志办副主任朱仕平等领导对贵溪续志工作十分关注,多次询问修志进展,在百忙之中审阅志稿,提出修改意见,亲临贵溪出席志稿评审会。中国地方志指导小组常务理事、安徽大学教授林衍经,省出版系列地方志编审、《江西省志》总纂室原主任刘柏修厚爱贵溪,欣然同意受聘为市志顾问。两位专家从市志编目设计到分纂,从总纂到统审,每一个环节都给予悉心指导。市委市政府高度重视修志工作。市主要领导亲任市志特别顾问和编委会主任,分管领导任编委会副主任。此外,曾在贵溪任职的黄建平、艾农、徐略英等市委市政府领导,对修志工作十分重视和支持。市委原书记黄建平对修志工作作出批示,为《修志动态》题写刊名。市政府原市长艾农指示有关部门为修志工作机构配备工作用车,从经费上提供保障。市财政局、公安局、卫生局、总工会、经贸委、档案局、白田乡等许多承编单位都非常支持配合市志编修工作,在单位内部印发通知,及时制定本单位编纂方案,遴选人员搜集资料、撰写初稿。在《贵溪市志(1991－2008)》即将付梓出版之际,我们谨向所有重视、关心和支持修志工作的各级领导、各位专家和各界人士致以崇高的敬意和诚挚的感谢!

"书到用时方恨少,事非经过不知难。"这句诗用在修志再恰当不过。修志之艰辛和复杂性,唯有经历后方能体会。一字字的垒积,一遍遍的修改,依靠的是馆藏的资料,考验的是参编人员的责任心和耐心。此轮修志,历时十载,可谓"十年磨一剑"。市志编修2008年底启动,2009年确定编目并开始分纂,2011年基本完成分纂,2013年全面完成分纂,2014年完成总纂,2015年初审并完成修改,2016年复审并完成修改,2017年终审并完成修改,2018年完成总校提请验收并定稿。在编修过程中,我们制定了编辑人员工作制度,每周召开一次编辑人员会议,通报工作进展情况,交流编辑心得,商讨解决问题的办法;编印了《市志编纂手册》,对编辑、主笔分层次进行了培训,请专家授课,讲评分纂稿;编发了《修志动态》,对未及时供稿的承编单位发送了督促函,对进度落后的承编单位,组织编辑人员上门督导;我们还聘请了省方志专家刘柏修对志稿进行全面的统审,帮助把好质量关。

作为中华民族特有的文化瑰宝之一的地方志,被誉为"百科全书","一方信史"。在市志编修过程中,我们严谨治学,以对历史高度负责的态度,秉笔直书,客观、全面、系统记述历史,不虚美、不隐恶,力求将本行政区域各方面情况全面保存记录下来,为当代提供丰富的资政资料,为后世保存准确的史料,不让后人去想象,避免产生历史谬误。

此轮修志,我们以创精品佳志为目标,始终坚持质量第一的修志理念,严格遵照《地方志工作条例》《江西省实施 <地方志工作条例>办法》和中国地方志指导小组印发的《地方志书质量规定》以及省地方志办制定的《地方志书评审验收规定》要求,做到依法修志,按程序评审验收志稿,注重把好政治关、体例关,力求志书资料详实、体例完备、观点正确、文风端正、图文并茂,突出时代和地域特色。志书全面记述了改革开放,记写了园区建设、保险证券、邮政物流、通讯互联网等新生事物,突出了铜工业、非物质文化遗产、习俗、方言、谱牒等地方特色,在继承志体的同时,探索创新使用了专记、附等体裁。为严把质量关,除方志出版社进行"三校"外,我们依法依规对志稿进行了三次评审,先后召开了志稿初审、复审和终审(验收)评审会。初审会由市史志工作机构主持,市委办、人大办、政府办、政协办、纪委办、人武部政工科、政法委、保密局、统计局、档案局、民政局等单位负责人参加,邀请了省地方志办、鹰潭市史志办有关领导以及林衍经、刘柏修、刘伦鑫等方志和方言专家参加,重点审查志稿是否全面客观记述了本行政区域内自然、政治、经济、文化、社会等方面的内容,是否符合保密等法律规定。复审会由鹰潭市史志办主持,此次会议也邀请了省地方志办领导参加,会议出具了书面审查意见。终审(验收)会由市政府副市长陶然主持,编委会成员参加,会上,参会者以举手表决方式通过了对志稿的验收。志稿评审期间,市保密局、人武部、政法委、统计局等单位以及林衍经、刘柏修、杨志华等专家、领导出具了书面审查意见。终审会后,市史志工作聘请方志专业人员对志稿进行总校核,三次总校核并修改后定稿,最后提请市人民政府批准印刷出版。印刷出版工作在市政府副市长朱龙杰领导下进行。

尽管志稿经过前前后后数十次修改、补充和校核,但由于志稿篇幅较长、内容涉及面广,记载历史时间跨度也较长,部分资料缺失,加之编修人员水平有限、经验不足,故志书中定有不少错误和遗漏之处,对此,敬请方志专家、修志同仁和广大读者不吝赐教,以期在今后续志时借鉴和纠补。

编者

2018年8月